教育部人文社会科学百所重点研究基地
内蒙古大学蒙古学研究中心学术著作系列
TOMUS 23

国家社科基金成果文库

SELECTED WORKS OF THE CHINA
NATIONAL FUND FOR SOCIAL SCIENCES

内蒙古通史 第五卷

清朝时期的内蒙古（一）

总 主 编　郝维民　齐木德道尔吉
本卷主编　齐木德道尔吉

人民出版社

策划编辑:陈寒节
编辑统筹:侯俊智
责任编辑:侯俊智
装帧设计:肖　辉
责任校对:周　昕　史　伟

图书在版编目(CIP)数据

内蒙古通史.第五卷/齐木德道尔吉 主编.
　-北京:人民出版社,2011.12
ISBN 978－7－01－009410－6

Ⅰ.①内…　Ⅱ.①齐…　Ⅲ.①内蒙古-地方史-清代　Ⅳ.①K292.6

中国版本图书馆 CIP 数据核字(2010)第 214362 号

内蒙古通史(第五卷)

NEIMENGGU TONGSHI DIWUJUAN

清朝时期的内蒙古

主编　齐木德道尔吉

人民出版社 出版发行
(100706　北京市东城区隆福寺街99号)

北京中科印刷有限公司印刷　新华书店经销

2011 年 12 月第 1 版　2012 年 10 月北京第 2 次印刷
开本:710 毫米×1000 毫米 1/16　插页:8
印张:129　字数:2043 千字

ISBN 978－7－01－009410－6　定价:370.00 元(共四册)

邮购地址 100706　北京市东城区隆福寺街99号
人民东方图书销售中心　电话 (010)65250042　65289539

《国家社科基金成果文库》
出版说明

国家社科基金研究项目优秀成果代表国家社科研究的最高水平。为集中展示这些优秀成果，全国哲学社会科学规划领导小组决定编辑出版《国家社科基金成果文库》。《文库》将按照"高质量的成果、高水平的编辑、高标准的印刷"和"统一标识、统一版式、统一封面设计"的总体要求陆续出版。

全国哲学社会科学规划领导小组办公室
2005 年 6 月

康熙二十五年"管辖阿巴哈纳尔左旗札萨克之印"

阿巴哈纳尔左旗印
底部满蒙印文

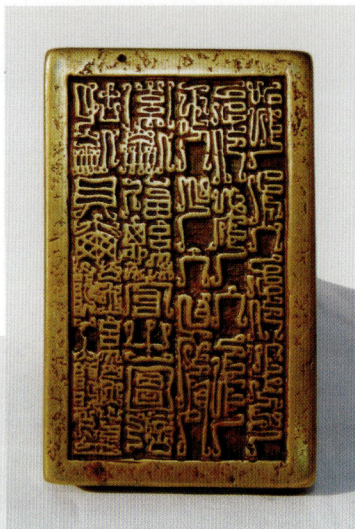

索伦副总管印
底部满汉印文

乾隆三十二年"呼伦贝尔镶红镶蓝索伦副总管印"

"黄教裕兴办宝贝禅师喇果呼图克图之印"

鄂尔多斯右翼中旗札萨克令牌

乌兰察布盟盟长乘马牌

康熙十七年葬固伦雍穆长公主庙宇型银骨灰盒

锡林郭勒盟蒙古王公红宝石顶暖帽

蒙古王公石青缎龙袍

蒙古王公朝褂

科尔沁蒙古族妇女服饰

大威德金刚像

绣花褡裢

鄂尔多斯妇女头饰

达斡尔族桦树皮盒

光绪绥远城将军贻谷教案垦务书札

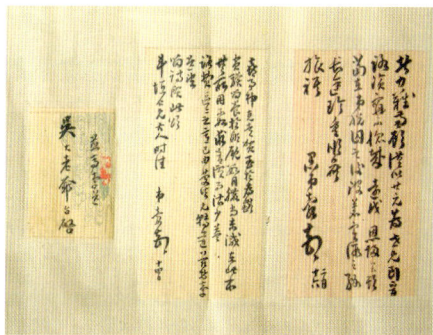

书札局部一

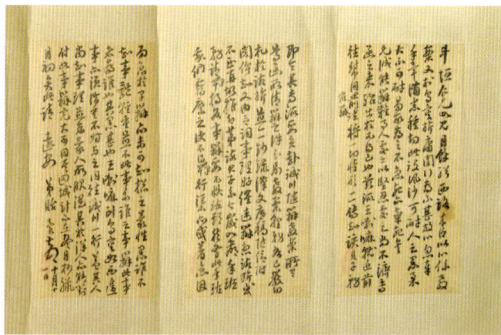

书札局部二

草原生活图

喀拉沁王"世守漠南"寿山石印

"世守漠南"印文

昭乌达盟盟长印文

乾隆十三年颁发"昭乌达盟盟长印"

达斡尔族猎刀

嘉庆十六年蒙文版《理藩院则例》——内蒙古档案馆

雍正漠南绥远城金刚座舍利宝塔寺蒙文天文图拓片

萨满服（孔群摄）

清真寺礼拜堂（将军衙署博物馆提供）

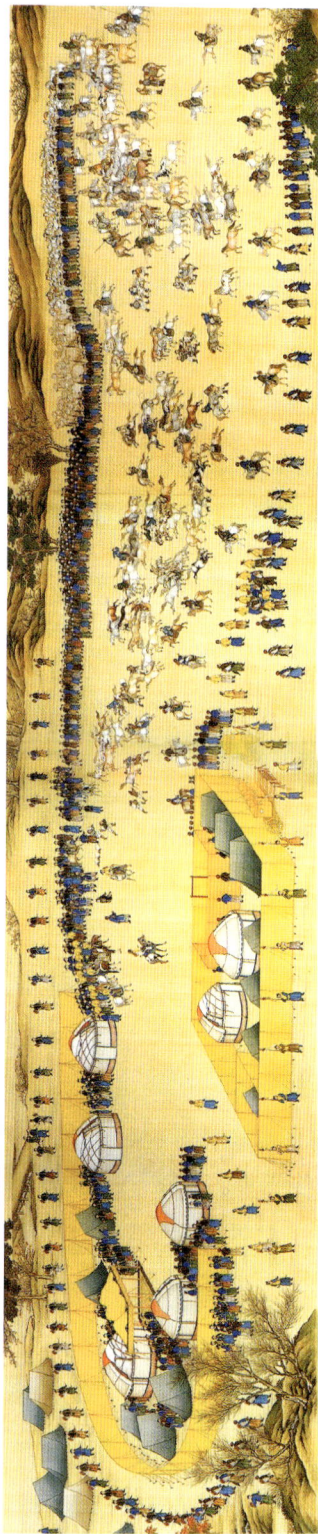

万树园蒙古那达慕图

天主教堂（将军衙署博物馆提供）

归化城北门楼（将军衙署博物馆提供）

木兰秋狝图

乾隆皇帝观布库图

贻谷

光绪四年锡勒图库伦旗游牧图

题　记

一、本卷主旨

本卷是写 1636 年清朝建立至 1911 年覆灭期间内蒙古的历史。努尔哈赤 1616 年建立爱新国到 1636 年皇太极宣布大清王朝建立期间的 20 年历史，为与明代卷相呼应，也有一定的重叠。

清初，内蒙古地区被称为东蒙古或漠南蒙古，南抵长城，北达戈壁瀚海，东与女真满洲以柳条边为界，西与宁夏甘肃为邻。清朝首先将漠南蒙古纳入其统治，接着收归漠北喀尔喀蒙古，最后征服西蒙古，完成了对蒙古的征服。清朝将蒙古地区视为藩部，推行盟旗制度，将漠南众多蒙古部划为六盟四十九旗，还另设内属蒙古总管旗和察哈尔八旗。根据与清朝的亲疏程度，又将蒙古地区分为内札萨克蒙古和外札萨克蒙古。漠南蒙古中的六盟四十九旗称内札萨克蒙古，连同内属蒙古，便形成蒙古族聚居的"内蒙古"之地域概念，进而衍变为约定俗成的内蒙古之称谓。

在清代，内蒙古历史波澜壮阔，更是曲折跌宕。在这里休养生息的蒙古民族以及其他民族，在清初统一全国的战争中发挥了重要作用。在全国统一之后，又成为朔漠屏藩，为清王朝的稳定与发展作出了不可替代的贡献。

清朝自征服漠南蒙古各部开始，对各藩部采取了"因俗而治"，"分而治之"的政策。在内蒙古地区全面推行分封札萨克及"盟旗制度"。将原先的兀鲁思、土绵、鄂托克、爱玛克、和硕等彼此间具有领属关系的大游牧领地分割成彼此隔离的许多小块领地——旗。

清朝的各种治蒙政策和制度，及其对多民族统一国家的有效统治，结束了几百年来蒙古贵族领主之间的纷争割据和蒙古与内地、北方游牧民族与农耕民族之间长期的冲突、战乱，使蒙古民族的传统游牧业得以保障和发展。政治、社会长期稳定、安宁，有了成百年的休养生息，确实为清朝统治全国起到了"屏藩朔漠"的历史作用。

在清代，朝廷对蒙古的政策，使蒙古社会结构、生产方式和生产关系发生了根本的变化，使内蒙古草原文化发生巨大变迁。

在语言方面，随着漠南、漠北和卫拉特蒙古诸部逐一归附清朝，清廷大力推行盟旗制度，使每个札萨克旗形成一个独立的社会实体，互不统属，各自发展，彻底打破了明末形成的蒙古语方言格局，最终形成清代蒙古语方言的新布局。在蒙古文字方面，使畏兀体蒙古文得到进一步完善、定型，成为清朝的主要文字之一。同时，蒙古族文学创造和历史编纂学空前发达，极大地丰富了蒙古文化遗产。寺院教育与清末的新式教育，为蒙古民族的发展和草原文化的弘扬，发挥了重要的作用。

在文化方面，内蒙古纯粹游牧文化的主体地位逐渐被内地汉族的农业文化所替代。特别是清末，清廷推行新政，取消蒙禁，强行放垦蒙地，大量的内地汉族移民涌入内蒙古，在内蒙古形成了农业区、半农半牧区，牧业区萎缩，民族和人口的构成及分布发生了巨大变化，蒙古族聚居区域越来越小，蒙汉杂居区域逐渐扩大，蒙古族牧民被迫弃牧务农者甚多，游牧文化的空间日益缩小。与此同时，在邻近内地的农业区出现了以汉民为主的许多城镇，旅蒙商遍布草原腹地，蒙汉各民族间的交流乃至融合加速，逐渐形成了内蒙古区域文化的新布局，即东部科尔沁、喀喇沁文化区，首先在满族文化、然后在汉文化的影响下，形成了独特的科尔沁、喀喇沁文化形态；中部游牧文化区，由于接受满汉文化影响较小，基本保持着蒙古游牧文化形态；西部蒙汉混合文化区，少有满文化影响，然而接受汉文化影响较大，形成蒙汉文化混合形态。这种文化趋势，经过民国时期，一直传承到当代。

研究清代内蒙古的历史，能够了解认识在中国最终形成统一多民族国家的过程中，内蒙古所处的历史地位和所起的不可替代的作用。从清代内蒙古历史中汲取经验、教训和启迪，以史为鉴，可以更好地建设来之不易的中国统一多民族国家。

清代内蒙古的研究积淀深厚，成果丰富。尤其内蒙古大学建校以来，经过几代学者的努力，在清代蒙古史研究领域获得了系统的、高水平的研究成果。所有这些都成为编撰本卷的基础。经过该卷编撰者们的努力，无论从篇幅上还是从内容上，都突破了以往的成果，体现了原创性的优势。尽管如此，尚未进行研究的内容还很多，尚未得到解决的难题更是不少。需要我们的下一代学者再接再厉，不断进取，获得更多的成绩。

二、本卷编著者介绍

齐木德道尔吉（**Chimeddorji**）　札哈岱氏（Jakhadai），蒙古族，1954年生。内蒙古大学教授、哲学博士、博士生导师。

主要研究领域：女真语言文字、蒙古史、蒙古族及北方民族文化研究。学术成果：著有《1696—1697年间康熙皇帝与皇太子胤礽之间的谕奏往来》，（德文）、《皇清开国方略人名、地名、部族名索引》（德文）、《清朝太祖太宗世祖朝蒙古史史料抄——乾隆本康熙本比较》、《辽夏金元史徵·金朝卷》；主编《内蒙古通史纲要》、《蒙古史研究》和《清内秘书院蒙古文档案汇编》；合著《女真译语研究》、《梅力根葛根黄金史译注及转写》、《黑城出土蒙古文书研究》、《清代蒙古志》等。发表学术论文70余篇。主持和完成国家社科基金重点项目、国家清史纂修工程子项目《清史·典志·蒙古族篇》等多项。获内蒙古自治区哲学社会科学优秀成果一等奖、二等奖各一项。

本书总主编之一，本卷主编。撰写：

第一编　史料及研究概况　第一章　史料概况　第一节　历史档案　第二章　研究概况　第一节　清前中期历史研究概况

第二编　概述　第三章　内蒙古与清朝统一全国的战争（与乌云毕力格共同撰写）　第四章　内蒙古的民族分布新格局　第一节　内札萨克六盟四十九旗　第二节　席埒图库伦札萨克喇嘛旗和套西额鲁特二旗　第三节　内属归化城土默特二旗与察哈尔八旗以及牧厂　第四节　呼伦贝尔诸旗；第六章　清中期内蒙古的社会与经济的发展　第四节　台站卡伦鄂博与驿站交通　第五节　清代内蒙古的人口；　第十二章　清代内蒙古的宗教、文化

与习俗（与乌云毕力格共同撰写）

第三编 专题 第十三章 清初蒙古部落变迁与满蒙关系 第三节 四子部落及其迁徙历程 第四节 乌喇忒部及其迁徙历程 第五节 腾机思事件

白拉都格其（Baildughchi） 又名汪炳明，蒙古族，1950 年生。内蒙古大学蒙古学学院内蒙古近现代史研究所教授、历史学硕士，博士生导师。

主要从事清代、近代蒙古史与内蒙古地区史研究，主持完成国家社科基金项目《近代内蒙古各业开发与社会变化》、教育部人文社科研究基地重点项目《近代内蒙古的社会变革若干问题研究》和青年项目《近代内蒙古民族运动研究》等。参编《沙俄侵略我国蒙古地区简史》、《蒙古族简史》、《内蒙古近代简史》、《蒙古民族通史》第五卷、《蒙古族通史》第二版、《内蒙古民族团结史》、《内蒙古通史纲要》等专著以及《内蒙古自治区志·政府志》；发表学术论文 30 多篇。获内蒙古自治区社会科学优秀成果等省部级奖 4 项。

本卷副主编；撰写：

第一编 史料及研究概况 第一章 史料概况有关清末文献的相关部分。

第二编 概述 第九章 晚清内乱外患对内蒙古的冲击和影响 第十一章 清末内蒙古经济文化的演变

第三编 专题 第十七章 财政经济贸易与工矿各业 第三节 晚清农畜产加工业 第五节 金属矿产开采 第七节 内蒙古中东部的煤矿开采 第八节 盐碱与林木开采 第九节 水陆交通与邮电通讯。

第四编 人物 撰写阜海等 5 篇人物传略。

金峰（Altan Orgil） 蒙古族，1937 年生。内蒙古师范大学教授，蒙古史专业硕士研究生导师。主要研究清代蒙古史及蒙古文献、满蒙文历史档案、蒙古宗教史、卫拉特史等。著有《清代外蒙古北路驿站》、《喇嘛教与蒙古封建政治》、《内蒙古历史地名初探》等，主编《蒙古学百科全书·宗教卷》，主持整理蒙古文《甘珠尔经》。

本卷撰写：

第三编 专题 第十七章 财政经济贸易与工矿各业 第九节 水陆交通与邮电通讯一节中有关台站的内容。

乌云毕力格（**Borjigidai Oyunbilig**）介绍详见本通史明代卷题记。

本卷撰写：

第二编 综述 第五章 清统治蒙古的基本政策与内蒙古社会； 第六章 清中期内蒙古的社会与经济的发展 第一节 内蒙古经济的复苏与发展 第二节 经济的多元化趋势 第三节 农村的形成与城镇的出现。

苏德毕力格（**Sodubilig**） 蒙古族，1962 年生。内蒙古大学蒙古学学院内蒙古近现代史研究所教授，历史学博士，博士生导师。

主要研究内蒙古近现代史、清代边疆民族史、近代中国民族关系史。著有《晚清政府对新疆、蒙古和西藏政策研究》，合著《民国内蒙古史》等。发表学术论文数十篇。主持完成国家社科基金项目《晚清治理边疆思想研究》、教育部人文社会科学重点研究基地项目《晚清治边政策与边疆、内地政治一体化》；国家社科基金项目《蒙古学百科全书·近现代史卷》副主编。获省部级奖 1 项。

撰写：

第二编 概述 第十章 清朝对蒙政策的转变与放垦设治。

第三编 专题 第十四章 清代治蒙思想； 第十八章 清代内蒙古的宗教 第六节 清代绥远地区的基督教传播及相关问题一节中关于天主教的传播。

乌云格日勒（**Oyungerel**） 女，蒙古族，1969 年生。内蒙古大学蒙古学学院内蒙古近现代史研究所研究员，历史学博士。

主要研究领域为内蒙古近现代史。著有《18 至 20 世纪初内蒙古城镇研究》；合著《瘟疫与社会拯救》等；发表学术论文近二十篇。主持完成国家社科基金青年项目《近代内蒙古城镇的发展与社会变迁》，参加国家社科基金项目《蒙古学百科全书·近现代史卷》和《当代中国蒙古族历史》，主持教育部人文社科学重点研究基地重大项目《当代内蒙古蒙古族社会经济文化变迁研究》，参编国家清史纂修工程项目《议政王大臣表》等。

本卷撰写：

第二编 概述 第七章 清代内蒙古的城镇； 第八章 内蒙古的城镇商贸、手工业、矿业与财政 第一节 内蒙古城镇贸易 第二节 内蒙古的手工业。

第三编 专题 第十六章 内蒙古法律、军政制度与清末新政 第四节 城镇的政治功能与"新政"后发生的变化。

乌仁其其格（Urancicig） 女，蒙古族，1963 年生。内蒙古财经学院教授，历史学博士。

主要从事民族地区经济社会发展史的教学与科研工作。著有《18—20世纪初归化城土默特财政研究》，合著《马克思主义民族理论与中国民族政策实践》，主持或参加《内蒙古牧民收入与消费问题研究》、《少数民族地区发展差距及对策研究》、《地契与村落：18—20 世纪土默特右旗西老将营》等项目的研究，发表学术论文 30 余篇。

本卷撰写：

第二编 概述 第八章 内蒙古的城镇商贸、手工业、矿业与财政 第三节 内蒙古的矿业 第四节 清代内蒙古的财政 第五节 清代内蒙古的金融与货币。

第三编 专题 第十六章 汉族移民与地域社会变迁 第八节 清代呼和浩特地区社会救济；第十七章 财政经济贸易与工矿各业 第一节 清代的归化城土默特财政 第六节 清代大青山各沟煤矿业。

胡日查（Hurcha） 蒙古族，1962 年生。内蒙古师范大学蒙古学学院教授，历史学博士。

主要研究清代蒙古历史与宗教。主持国家社科基金项目《藏传佛教在蒙古地区发展研究》，参编国家清史纂修工程项目《清史·典志·民族志·蒙古族篇》。著有《科尔沁蒙古史略》，发表学术论文 40 多篇。

本卷撰写：

第二编　概述　第四章　内蒙古的民族分布新格局中的部分内容　第六章　清中期内蒙古的社会与经济发展中的部分内容。

第三编　专题　第十七章　财政经济贸易与工矿各业　第二节　清代内蒙古的畜牧业　第九节　水陆交通与邮电通讯中有关驿站卡伦和鄂博的内容；　第十八章·清代内蒙古的宗教　第三节　清代内蒙古寺院经济。

第四编　人物　撰写章嘉呼图克图等12篇人物传略。

郭美兰　女，锡伯族，1962年生。中国第一历史档案馆研究馆员。

主要从事清代满汉文档案的整理、编辑、翻译及研究工作。参加编译出版《满文老档》、《元以来西藏地方与中央政府关系档案史料汇编》等档案史料的满文部分；主编《明清宫藏地震档案荟萃》、《清宫珍藏历世达赖喇嘛档案荟萃》、《清宫珍藏历世班禅额尔德尼档案荟萃》等专题档案史料。发表学术论文40余篇。

本卷撰写：

第三编　专题　第十八章　清代内蒙古的宗教　第一节　康熙帝与多伦诺尔汇宗寺　第二节　二世哲布尊丹巴与多伦诺尔善因寺。

刘蒙林　满族，1958年生。内蒙古社会科学院图书馆副馆长、研究员，清代满族史研究专家。参编《内蒙古大辞典》、《内蒙古民族团结史》等著作；发表学术论文多篇。

本卷撰写：

第二编　概述　第四章　内蒙古的民族分布新格局　第五节　内蒙古的满族。

第三编　专题　第十九章　清代内蒙古的教育　第一节　清代内蒙古的满族及其风俗文化　第二节　清代绥远城八旗蒙古。

郝志成　蒙古族，1956年生。内蒙古师范大学旅游学院教授，历史学博士。著有《清代内蒙古西部后套地区的开垦与社会变迁》，发表学术论文20余篇。

本卷撰写：

第三编 专题 第十六章 汉族移民与地域社会变迁 第六节 清代蒙旗奏放后套牧地及其社会适应。

牛敬忠 1965 年生。内蒙古大学历史与旅游学院教授，历史学硕士。著有《近代绥远地区的社会变迁》，发表与内蒙古近代历史相关学术论文十多篇。

本卷撰写：

第三编 专题 第十六章 汉族移民与地域社会变迁 第四节 清代绥远地区的社会；第十八章 清代内蒙古的宗教 第六节 清代绥远地区基督教传播及相关问题中有关新教传播问题。

哈斯巴根（**Qasbaghana**） 蒙古族，1972 年生。北京社会科学院副研究员，历史学博士。

主要研究蒙古社会史、蒙古宗教史。参编国家清史纂修工程项目《清史·典志·民族志·蒙古族篇》。著有《鄂尔多斯农牧交错区域研究（1697—1945）——以准格尔旗为中心》，发表学术论文多篇。

本卷撰写：

第二编 第六章 清中期内蒙古的社会与经济的发展 第五节 清代内蒙古的人口。

第三编 专题 第十六章 汉族移民与地域社会变迁 第五节 汉族移民与鄂尔多斯社会变迁；第二十章 清代内蒙古民族及其文化 第七节 清代鄂温克人。

乌力吉陶格套（**Öljeitoghtoqu**） 蒙古族，1972 年生。内蒙古大学蒙古学学院内蒙古近现代史研究所副研究员，历史学博士。

主要研究内蒙古近代史。著有《清至民国时期蒙古法制研究——以中央政府对蒙古的立法及其演变为线索》，发表学术论文数十篇。

本卷撰写：

第二编 综述中协助白拉都格其撰写第九章晚清内乱外患对内蒙古的冲击和影响和第十一章清末内蒙古经济文化的演变。

第三编　专题　第十五章　内蒙古法律、军政制度与清末新政　第一节清代蒙古的法律制度及其演变。

于宝东　蒙古族，1963 年生。内蒙古博物院研究员，考古学硕士、历史学博士。

主要从事中国古代民族史研究及古代玉器的研究、鉴定工作。著有《辽金元玉器研究》、《内蒙古珍宝玉石器》、《清绥远将军衙署》，发表相关学术论文十多篇。

本卷撰写：

第三编　专题　第十五章　内蒙古法律、军政制度与清末新政　第二节清代呼和浩特地区军事。

第四编　人物　撰写费扬古等 10 篇人物传略。

毅　松　达斡尔族，1960 年生。内蒙古社会科学院民族研究所研究员。

主要研究达斡尔族历史文化。主持完成国家与自治区各类课题多项。合著《内蒙古少数民族风情》、《呼伦贝尔盟民族志》、《中国原始宗教百科全书》、《达斡尔族鄂温克族鄂伦春族文化研究》等；主编《中国少数民族村寨调查·达斡尔族哈力村调查》、《达斡尔族研究》、《达斡尔族百科辞典》；著有《绿草繁茂的时节——达斡尔族家庭实录》，发表论文 60 多篇。

本卷撰写：

第三编　专题　第十九章　清代内蒙古民族及其文化　第五节　清代达斡尔族及其文化。

白　兰　女，鄂伦春族，1958 年生。内蒙古社会科学院民族研究所研究员。著有《鄂伦春族》、《鄂伦春族文化研究》、《北中国那远去的鹿群》等，发表学术论文 30 余篇。

本卷撰写：

第三编　专题　第十八章　清代内蒙古民族及其文化　第十节　清代鄂伦春族及其文化。

白　贞　回族，土默特左旗地方志办公室和中共党史办公室原主任，副编审。主编土默特史志、回族史等多部。**白文珊**　女，回族，在呼和浩特市回民区政法委员会工作。

本卷合作撰写：

第二编　概述　第四章　内蒙古的民族分布新格局　第六节　内蒙古的回族。

第三编　专题　第十八章　清代内蒙古的宗教　第四节　清代内蒙古的清真寺　第五节清真寺经堂教育及其组织管理形式　第十九章　清代内蒙古民族及其文化　第三节　清代内蒙古地区的回族及其风俗习惯。

李玉伟　1970 年生。内蒙古大学历史与旅游文化学院教授，历史学博士。著有《内蒙古实现民族区域自治的理论与实践》，合著《中国历代少数民族英才传》、《百年风云内蒙古》、《蒙古族简史》，发表学术论文多篇。主持、参加国家社科基金项目《民族区域自治在内蒙古的实践历程及相关经济社会发展研究》、《清代以来内蒙古地区生态灾荒与经济社会发展研究》等。

本卷撰写：

第三编　专题　第十五章　内蒙古法律、军政制度与清末新政　第五节清末新政在绥远地区。

白玉双（曾用名索优真，**Soyojin**）　女，蒙古族，1975 年生。内蒙古师范大学历史文化学院副院长、副教授，历史学博士。

主要研究内蒙古近现代社会史。主持、参编国家社科基金项目《18 至20 世纪喀喇沁地区社会与生态环境变迁研究》和《蒙古学百科全书·近现代史卷》，发表学术论文数篇。

本卷撰写：

第三编　专题　第十六章　汉族移民与地域社会变迁　第二节　喀喇沁地区移民开垦与社会变迁。

巴根那（**Baghana**）　蒙古族，1973 年生。内蒙古大学蒙古学学院历史学硕士。参加国家社科基金重点项目《清初蒙古史史料及满蒙关系研究》和国家清史纂修工程项目《清内秘书院蒙古文档案汇编汉译》等，参编《清太祖太宗世祖朝实录蒙古史史料抄》。

本卷撰写：

第三编 专题 第十三章 清初蒙古部落变迁及满蒙关系 第一节 科尔沁部与爱新国联盟。

包国庆 蒙古族，1973 年生。内蒙古大学鄂尔多斯学院助理研究员，历史学硕士。出版译著《日本蒙古学研究史》。

本卷撰写：

第三编 专题 第十三章 清初蒙古部落变迁及满蒙关系 第二节 敖汉、奈曼部归附爱新国始末。

山丹（Sandan） 女，蒙古族，1974 年生。内蒙古化工职业学院讲师，历史学硕士。

本卷撰写：

第三编 专题 第十六章 汉族移民与地域社会变迁 第三节 科尔沁右翼后旗历史诸问题。

珠飒（Jusaghal） 女，蒙古族，1968 年生。内蒙古工业大学人文与社会科学学院教授，历史学博士。

主要从事移民与内蒙古近现代社会史研究。发表学术论文多篇。主持完成内蒙古自治区社科规划项目《清代内蒙古东部地区民族结构与人口构成变迁》和国家社科基金青年项目《清代以来东部内蒙古农耕村落化研究》，出版专著《18—20 世纪初东部内蒙古农耕村落化研究》。

本卷撰写：

第三编 专题 第十六章 汉族移民与地域社会变迁 第一节 东部蒙旗的农业与村落化。

宝 泉 蒙古族，1977 年生。在鄂尔多斯市文化、新闻出版局工作，法学硕士。

本卷撰写：

第三编 专题 第十六章 汉族移民与地域社会变迁 第七节 喀尔喀右翼旗社会变迁。

邢 野 1950年生。内蒙古自治区文史研究馆馆员，内蒙古通志馆馆长。主编《内蒙古通志》、《内蒙古十通》、《旅蒙商通览》等。

本卷撰写：

第三编 专题 第十七章 财政经济贸易与工矿各业 第四节 旅蒙商及其商贸活动。

常 海（**Mönkedalai**） 蒙古名蒙赫达赉，蒙古族，孛儿只斤氏，1960年生，呼伦贝尔学院教授。著有《巴尔虎蒙古史》、《呼伦贝尔盟共青团志》、《呼伦贝尔野钓》等，发表论文数十篇。

本卷撰写：

第三编 专题 第二十章 清代内蒙古民族及其文化 第四节 巴尔虎与呼伦贝尔。

第四编 人物 撰写多隆阿等11篇人物传略。

何金山 蒙古族，1959年生。内蒙古大学法学院教授，历史学博士。合著《蒙古族无神论史》、《中国蒙古学研究概论》、《蒙古族宗教思想史》、《蒙古族经济思想史》、《制度变迁与游牧文明》等，发表学术论文多篇。主持国家社会科学基金西部项目《清代蒙古地方法规研究》。

本卷撰写：

第四编 人物 囊都布苏隆等29篇人物传略。

苏 勇 鄂温克族。内蒙古呼伦贝尔市档案史志局研究馆员。主编《呼伦贝尔盟牧区民主改革》、《鄂温克自治旗志》、《呼伦贝尔盟情》、《呼伦贝尔盟志》等；编撰呼伦贝尔卫生志、保险志、农牧金融志、金融志、民族志、人物志等多部专业志及专题研究。

撰写：

第四编　人物　博木博果尔等 23 篇人物传略。

本卷编写者主要由内蒙古大学研究人员组成，并邀请相关专家、学者和研究工作者参加，总计 30 人，其中具有高级专业职称者 22 人，博士 14 位。

郝维民

2009 年 12 月

目　　录

一　　册

第三编 专 题

二 册

三　　册

四　　册

第四编 人 物

A General History of Inner Mongolia

Volume V
The Inner Mongolia
During the Qing Dynasty

CONTENTS

PART I

Division II Historical Overview

Division III Subject Studies

PART II

PART Ⅲ

PART Ⅳ

Division IV   Historical Figures

Choisag Badiyanch Khutuɣtu (Boɣda Tsagaan Lama) ····················· (1930)

Erdene Diyanchi Khutuɣtu ·································· (1931)

Erdene Mergen Dünker–Bandida Khutuɣtu ······················· (1931)

Shireet–Khüreen Jasag Da Lama ·························· (1931)

Erdene Chagaan Diyanchi Khutuɣtu ························ (1932)

Mergen Gegen Lubsan–Dambi–Jalsan ························· (1932)

Agwan–Dandar ·· (1934)

Lubsan–Chültem ······································· (1935)

Namduɣ–Süren ······································· (1937)

Wanchinbal ·· (1938)

Senge–Rinchin ·· (1939)

Hasbo ··· (1945)

Gülerensa ··· (1947)

Yinzannashi ··· (1947)

Hubaili ··· (1948)

Heshigbat ·· (1949)

Ishdanjinwangjil ····································· (1950)

Milesenge ·· (1951)

Bailinga ·· (1952)

Wang Tongchun ····································· (1955)

Peljei ·· (1961)

Namsarai ·· (1962)

Günsennorab (Gün Wang) ························· (1963)

Hai Shan ·· (1974)

Buyannemeh ······································· (1975)

Günchigseren (Bintu Wang) ····················· (1978)

Amarlinɣui (A Wang) ··························· (1981)

Utai ·· (1984)

Togtah ·· (1988)

Fuhai ·· (1990)

Gomb、Sambu ······································ (1995)

Hualian ··· (1996)

(English Translation by Baohua, Nasan Bayar and Tergel, Revision by Irene
   Bain)

第一编

史料及研究概况

第 一 章

史 料 概 况

　　清朝时期（1636—1911 年）是内蒙古地区最为重要的历史阶段。随着漠南蒙古归附清王朝和清廷在此实行新的盟旗制度，使内蒙古的地域范围和以内札萨克旗为主的行政体系得以最终确立。此后近三百年的历史进程中，形成了有关内蒙古地区的极为丰富的历史资料。

　　清朝时期内蒙古地区史料，不仅有大量的满蒙汉文历史档案，还有官修史籍和私人撰述。除此之外方志、游记、传记以及报刊等文献资料也占有相当的比重。

第一节　历史档案

一、全国性档案

　　清代形成了大量的有关内蒙古地区历史的满、蒙文和汉文档案资料。由于清朝实行回缴朱批奏折制度和公文翻译制度，从而使得各种文字档案较完整地保存下来。满、汉、蒙等各民族文字档案彼此补充，相互印证，但各有侧重。清初由满洲统治者与蒙古贵族之间往来文书形成的蒙古文档册称为《蒙古文老档》；后来清廷设内阁蒙古堂，专理满文公文的蒙译和满文、蒙古文公文的保存。这里形成和保存的满文、蒙古文和少量的藏文文书被称为《内阁蒙古堂档》；在清廷理藩院形成的包括蒙古文档案在内的各种文字档案被称为《理藩院档案》。除此之外，内蒙古各札萨克旗衙门、都统衙门档案等，亦数量众多，内容极其丰富。

《蒙古文老档》的内容大致可分为清政府与蒙古贵族之间形成的蒙古文文书和清政府向满、蒙、汉王公、贵族和大臣颁布文书的蒙古文翻译稿件两种。前者反映了清初漠南蒙古与漠西、漠北蒙古的关系，蒙古与藏族、维吾尔族的关系和清政府与上述地区各民族之间的关系。其中有关内蒙古历史的档案文书有，1612—1615 年爱新国宗室与科尔沁台吉之间的联姻；1624 年爱新国与科尔沁诸台吉为征伐察哈尔林丹汗而进行的盟誓；1625 年林丹汗围攻科尔沁台吉奥巴驻地时，努尔哈赤遣兵驰援科尔沁，击退林丹汗之事；1632 年皇太极西征林丹汗；1635 年多尔衮率军至鄂尔多斯，俘获林丹汗遗孀苏泰太后及皇子额哲；1636 年漠南蒙古二十四个封建主觐见皇太极，拥戴其为蒙古皇帝；1646 年腾吉思事件等。2003 年起，内蒙古大学蒙古学研究中心、中国第一历史档案馆、内蒙古自治区档案馆合作整理这部分档案，名为《清内秘书院蒙古文档案汇编》，共 7 辑，所收档案共计 3 000 多件，按年代顺序排列。依据每份档案的格式、内容逐一作了标题，体现了诏、诰、敕、谕、旨、册文以及奏书、奏折等文书种类。为保留档案的原貌，没有作任何注解，全部影印，由内蒙古人民出版社出版发行。

中国第一历史档案馆藏内阁蒙古堂（房）档案，主要指《内阁蒙古堂档案》、《内阁各房、各馆档案》、《内阁俄罗斯档案》等三种档案。内蒙古大学蒙古学学院蒙古史研究所与中国第一历史档案馆于 2006 年整理和影印出版了《清内阁蒙古堂档案》，是清代有关蒙古、西藏等边疆地区的大型历史档案汇集，所收档册均属首次全面公布。为蒙古史、西藏史、蒙藏关系史和清史研究提供系统可靠、丰富翔实的第一手资料。《清内阁蒙古堂档案》共 22 卷，由内蒙古人民出版社出版。其起止时间为康熙十年至乾隆八年（1671—1743 年），共计 113 册。从康熙十年至康熙二十六年（1671—1687 年）的 14 册为蒙古文档册；从康熙二十八年到六十年（1689—1721 年）的 24 册为满蒙文兼有的档册；其余的还有以满文或者以蒙文和藏文书写的诏档、军机档、军务档、行围档、行围敕书档、西藏事务档、致达赖喇嘛敕书档、策旺阿拉布坦事务档、和图里档等，其中有丰富的有关内蒙古历史的记录。

中国第一历史档案馆编《上谕档》，前后对乾隆、嘉庆、道光、咸丰、同治、光绪、宣统等朝上谕档进行整理，由广西师范大学出版社出版。其中，光绪、宣统一套，分 36 册，1996 年出版；咸丰、同治一套，分 24 册，1998 年出版；嘉庆、道光一套，共 4 套分 55 册，2000 年出版。上谕档是清代军机处汇钞皇帝谕旨的综合性档册。包括明发谕旨、寄信谕旨，也包括朱谕、御制诗、奏折、奏片、照会、咨文、札文、移会、函件及各种清单、乡试殿试试题等，大都是皇帝交由军机处办理各类事件中所形成的文件。内容涉及各朝的内政、外交、经济、文化、军事、战争、边疆、民族、宗教等各个方面，各朝重大历史事件、清朝中央政府的最高决策，在谕旨中均有翔实的记载。

二、地方性档案

内蒙古档案馆是收藏内蒙古地区档案史料最多的档案馆。该馆藏有 341 个全宗，384 723 卷，其中清朝时期内蒙古地区档案共计 190 个全宗，涉及内蒙古地区政治、经济、文化、民族、宗教等诸多方面的内容，是研究清朝时期内蒙古地区历史不可或缺的第一手史料。内蒙古档案馆馆藏历史档案中，蒙古文档案数量在国内是最多的，而且也最有价值，共有 17 个全宗、69 254 卷、239 885 件，时间跨度为 305 年（1644—1949 年），其中相当一部分档案形成于清朝时期。这些档案是研究清朝时期内蒙古地区历史的重要史料来源，有着其他史料不可替代的特殊作用。其中数量最多的是：

喀喇沁左、中、右三旗札萨克衙门档案。全宗号分别为 503、504、505，共有 6 万余件，绝大多数为蒙古文档案，档案主要反映蒙旗开垦、移民进入、土地纠纷、旗佐变化、官制变迁等诸多方面内容。

鄂尔多斯左翼中、前旗、右翼后旗札萨克衙门档案。全宗号分别为513、511、512 等。

呼伦贝尔副都统衙门档案。全宗号 501，共 3 161 卷，所属年代为1644—1938 年，其中清朝时期档案 1281 卷，95% 为满文档案。清朝时期的档案涉及呼伦贝尔地区的旗制、官员任免、道、府、厅、县建制、兵丁调遣、建立学校、选送学生、民刑案件、禁烟、收纳税课、市场贸易、盐务、寺庙、宗教祭祀、水陆交通以及布里亚特、达翰尔、鄂伦春、鄂温克人的迁居、调查等内容。

内蒙古地区垦务档案。有关内蒙古各旗垦务档案在内蒙古档案馆收藏较多，有清末督办蒙旗垦务大臣行辕档案及民国时期绥远垦务总局、督办蒙旗垦务公所、内蒙古东部区垦务档案汇集、察哈尔垦务总局、赤峰经界局、热河垦务总局、巴林爱新荒务局等10个全宗。

各盟市旗档案馆（局）藏清代档案数量也不少。其中主要有：

呼和浩特市档案馆藏明清档案。共1 487轴，全宗号315，起止年代为明成化二十二年（1487年）至清光绪三十年（1904年）。

土默特左旗档案馆藏归化城副都统衙门档案。系三百年来历存文卷之精华部分，即自明朝隆庆、万历年间土默特两翼开创时代，经清朝顺、康、雍、乾各代至清末及民国初年的重要文献。遗憾的是由于历经战火和"文革"时期等社会动荡年代，很多文件已经遗失。有案可查的大概有三次：清末绥远城将军贻谷为编写《土默特旗志》，从归化城副都统衙门调走明末清初的档案，此后一直没有归还；1948年，土默特旗总管荣祥致联合国的《文物损失索还书》记载，1941年十月间，日军在张家口设立的伪蒙疆学院教授日人江实与蒙古文化馆及驻旗顾问横野勾结，将土默特两翼自清初至民国的珍贵文献档案择其要者，装满76箱，运回日本31箱，并将其中的一部分编纂成《巴彦塔拉盟史料集成——土默特特别旗之部第一辑》。"文革"期间档案再次蒙受损失。该馆目前已整理和目录化的清代档案有16 054卷（件），其中汉文档案4 634卷（件）、蒙古文档案1 046卷（件）、满文档案10 374卷（件）。该部分原件档案的起止时间为雍正三年（1725年）至宣统三年（1911年）。主要包括归化城副都统衙门与中央各部院、绥远城将军、邻近各札萨克旗之间的来往行文以及归化城副都统衙门所属各机构、各牛录之间的来往文书，旗民的呈文契约、财政收支清册甚至有一些私人账簿、书信等。

阿拉善左旗档案馆馆藏阿拉善和硕特旗札萨克衙门档案。全宗共有6 774卷（1865—1949年），其中清朝时期档案有1 548卷。这些档案绝大部分为蒙古文，包括阿拉善旗政治、军事、财政、牧业、文化、教育、外事及宗教方面的内容。此外，阿拉善和硕特旗札萨克衙门档案在内蒙古档案馆也有28卷（1719—1931年），大部分为蒙古文，内容涉及该旗官员承袭、征调兵丁军马、民刑案件、畜牧业调查、人丁户口统计、盐税征收及禁止开垦开矿等方面。

赤峰市档案馆翁牛特右旗札萨克衙门档案。共 748 卷，起止时间为康熙三十六年（1697 年）至宣统三年（1911 年）。

通辽市档案馆清代民国档案汇集。共 940 卷，起止时间为宣统元年（1909 年）至 1946 年。

突泉县档案馆。共 269 卷，起止时间为光绪三十三年（1907 年）至宣统三年（1911 年）。

东胜市档案馆鄂尔多斯右翼后旗档案。共 1 325 卷，起止时间为道光二十六年（1846 年）至宣统三年（1911 年）。

其他省级档案馆有：

辽宁省档案馆奉天省长公署档案。共 33 559 卷，大都是光绪三十二年（1906 年）至 1931 年形成的，少数为清同治年间的。

吉林省档案馆吉林将军衙门档案。共 41 534 卷，起止时间为乾隆十九年（1754 年）至宣统三年（1911 年）；吉林蒙务处档案。共 119 卷，起止时间为光绪三十四年（1908 年）至宣统三年（1911 年）。

三、档案汇编

《呼和浩特史蒙古文献资料汇编》 这套资料汇编收录的史料绝大多数是清代以来归化城土默特地区，尤其是归化城各寺庙的原始档案，其内容以寺庙经济、蒙旗土地纠纷、各厅之间的交涉等为主。

《蒙荒案卷》 是科尔沁右翼三旗开垦档案汇编，主要有蒙荒行局与盛京将军间的呈报、札饬、批示，及地方府县与各旗间的移文、行局与属员、领户间的文告、呈请等，收录从光绪二十八年（1902 年）至三十二年（1906 年）的原始档案，由办理札萨克图蒙荒案卷、办理札萨克镇国公蒙荒案卷、办理图什业图蒙荒案卷、附督办赴洮南新城齐齐哈尔沿途日记等四部分组成。该档案资料，集中体现了清末官垦时期科尔沁右翼三旗的开垦具体情况。

《巴林垦务》 由林西县志办公室编林西史料之一，1984 年印行。由巴林垦务记、巴林垦务事录、巴林垦务文存等三个部分组成，其中巴林垦务文存全部为原始档案摘录，真实地反映了清末民初巴林左右二旗开垦过程。

《清末内蒙古垦务档案汇编》　内蒙古自治区档案馆藏清末绥远、察哈尔地区的垦务档案汇编。该档案汇编反映清末清政府对绥远、察哈尔地区蒙旗土地的放垦、设治以及内蒙古中西部地区社会生活的变化等。时间始于光绪二十八年（1902年），讫于宣统三年（1911年），共分为25类，其中绥远分18类，分别为垦务大臣综合类、垦务大臣行辕机构、综合开垦类、西盟垦务总局机构、人事、开垦综合类、乌兰察布盟开垦、清末土默特地亩、绥远城八旗牧场开垦、杀虎口驿站地开垦、赔教款及赔教地、经费开支类、西路垦务公司、抗垦类、垦务弹劾案、河套水利、添厅设治、开设学堂及拨留学田、军事类、其他事项；察哈尔分7类，分别为综合类、察哈尔左翼四旗及张家口、独石口、多伦诺尔三厅的开垦、察哈尔右翼四旗开垦、王公马厂的开垦、牧群地的开垦、东路垦务公司、抗垦类等。

《蒙古联合自治政府巴彦塔拉盟史料集成·土默特特别旗之部》　（第一辑）1942年出版，日本学者江实在蒙疆时期所编，收录清前期直至20世纪初期归化城土默特地区各类档案，其中包括少数蒙古文档案。

第二节　官修史籍

《清实录》　太祖至德宗十一朝实录，以及附印的《宣统政纪》，合计4433卷，它是爱新国、清朝历代皇帝统治时期的大事记。用编年体详尽地记载了近三百年的用人行政和朝章国故。爱新国、清朝十二个皇帝，有十一个编纂了实录，最后一个皇帝溥仪在位三年就被辛亥革命推翻了，仍由原修《德宗景皇帝实录》人员编纂了一部《宣统政纪》。此书虽不用实录名称，体例则与实录无异。

清朝沿袭自唐代以来的旧制，上一代皇帝死后，由新继位皇帝特命大臣开馆修纂实录。清代实录馆是一个临时机构，开馆后，从宫内调取上谕、朱批奏折，从内阁调取《起居注》及其他原始文件，由纂修官理清年月，按纂修凡例加以选编。因此，《清实录》是经过整理编纂而成的现存的清史原始史料。为研究清代政治、经济、军事、外交、文化必须凭借的重要文献。

《清实录》中蒙古史内容非常多。无论是系统性还是信息量上，清代任何其他史料无法与之相比。从蒙旗王公札萨克任免、承袭、年班朝觐到蒙旗自然灾害以及赈济、军队征调，重大事件的案发、处理等，均有记载。

德宗前的十朝实录各有满、汉、蒙文本。汉文本实录习惯上按装潢和开本大小，被称为大红绫本、小红绫本、小黄绫本。《德宗实录》只有汉文本，分大、小红绫本。《宣统政纪》只有汉文本，有一部大黄绫本。现行版本有1936年日本缩印大清历朝实录本；1964年台北华文书局影印；1987年中华书局据北大定稿本影印。

《起居注》 清代正式设馆撰修起居注，始于康熙朝。起居注官逐日记录皇帝言行，按月装订成册，封面题《起居注册》，第二年初把头一年的整理好，写出序跋，送内阁储存。清代各皇帝的起居注分藏于中国第一历史档案馆（3863册）、台北故宫博物院（3 699册），共存7 562册。上述两馆院整理康熙、雍正、咸丰、同治、光绪等朝起居注，已经陆续出版。

《十一朝东华录》 乾隆三十年（1765年），清政府重开国史馆于东华门内，时蒋良骐任纂修，根据《实录》等官修的书，摘录成书32卷，称《东华录》。此后，王先谦、潘颐福等复先后辑录成《十一朝东华录》，起清初讫同治朝。东华录的编辑体例，基本上仿照实录，逐年逐月以至逐日记载，是一种编年体的资料长编。

《光绪朝东华录》 朱寿朋编，记载光绪三十四年间的事迹，出版于宣统元年（1909年），时德宗实录尚未纂修，所以它根据的材料主要是邸钞、京报、部分采录当时的报纸记载。但因与蒋、王、潘各录体例相同，古称《东华续录》，统称《光绪朝东华录》。该书所辑录的材料，虽然纯属官方文献，但因其搜集的数量较多，涉及的范围较广，除了记载清朝末叶一些腐败的内政和失败的外交以外，在客观上仍保存着一些经济文化生活及种族矛盾等史实，资料价值比较高。尤其本书同前期《东华录》不同，即《十一朝东华录》皆因《实录》先成，有所依傍，故多录谕旨，而于臣工奏报，多系节录。本书因以无依傍，故辑录奏报最多，且系长篇全文，这样既丰富了光绪一朝的历史内容，又为后来编纂的《德宗实录》所不及。《光绪朝东华录》版本有宣统元年（1909年）上海集成图书公司铅字本；1958年中华书局张静庐等点校本，1984年重印本。

《清史稿》 完全按照中国历代封建王朝的修史传统和编修体例编写的

一部纪传体正史。民国初设立清史馆，聘请前清大官僚赵尔巽为总裁，网罗了一批前清遗老和比较著名的文人，如柯邵忞（任总纂官，1927年赵尔巽死后代理清史馆馆长）、缪荃孙、吴廷燮、张尔田等人具体执笔。按照历代封建正史的体例，也分为纪、志、表、传四部分，共536卷。因军阀混战、国民党北伐，未等修订完成，便于1927年开始分批付印，1928年全书出齐。因为不能算作最后定稿，所以题名《清史稿》。

本书取材于清朝官修史书或官书的底稿，如实录、会典、则例、方略、国史列传等；一部分是编者们所收集的其他资料，如宫廷档案、私家著述、文集、笔记等。本书虽编成于辛亥革命以后，而编者却还是站在清王朝的立场来写的。在推翻清朝以后的共和民国时期，仍称颂清朝统治者，诋毁革命党人。书中有的部分是经过了分析、考证的力作，有的部分则几乎是官书的裁剪拼凑、删减改写。全书体例也未能前后一致，繁简失当，并有不少史实错误。

1928年由袁金铠主持，金梁经办，刊印《清史稿》，共1100部。其中400部由金梁运往东北发行，这批书被称为关外一次本；后来清史馆的人们发现，金梁对原稿私自作了改动，他们不同意金梁的增删，于是把北京的存书又作了一些抽换，这批书通称关内本；对关外一次本作一些内容改动，又刊印一次，被称之为关外二次本；1942年，上海联合书店影印本；日本关外一次本翻印本；1960年，据关外一次本香港文学研究社印本；1977年中华书局70年代分册点校本；1981年台北新文丰出版公司据关外二次本印本；1993年中国台湾《清史稿校注》；中华书局1997年出版影印点校本。

《清史稿》有关蒙古的内容，散见于纪、志、表、传的各个部分。但是除了有关八旗蒙古之外，内容相对集中。比如在志的部分"职官志"中有专门介绍理藩院的（主要抄自会典）；"地理志"中有盟旗分布和内蒙古地区的厅县设置；"兵志"中有藩部兵制、驻防八旗、蒙古边防。"礼志"中有公主下嫁、外藩赐恤；"食货志"中有征榷（内蒙古沿边各口税关）、矿政（咸丰以来开采蒙地各矿）、田制（清代，特别是晚清以来蒙地开垦）。"公主表"和"后妃传"中可以看到清代满蒙联姻的情况。"藩部世表"，抄自《王公表传》，咸丰以后为另有所本。"藩部传"，所有盟旗略传，其中乾隆以前部分主要辑自《王公表传》每部前的"总传"。晚清部分则另有所本。

《清代蒙藏回典汇》 吴燕绍纂，77 卷，《国家清史编纂委员文献丛刊》之一，中华书局 2005 年出版。该书为吴氏遗稿，依据圣训、上谕、起居注、档案、方略、东华录、奏牍以及蒙藏回三部史地类图书，以编年录事，年下编月，月下编日，凡清代征服驾驭蒙、藏、回之事实均有记载。

《王公表传》 全称《钦定外藩蒙古回部王公功绩表传》，是清乾隆年间奉旨修纂的官书。乾隆四十四年（1779 年）奉敕开撰，五十四年（1789 年）成书。取材于历朝实录、内阁大库、国史馆藏满汉文档案，理藩院藏档案、蒙古各盟旗文牍、世谱、档册等。内容共 120 卷，前 16 卷为表，纪事至乾隆五十三年（1788 年），后 104 卷为传。印发情况：汉文底本，译为满、蒙文，共 360 卷，180 册。同时由理藩院印发中央各大衙门、有关将军、都统，所有盟旗。

版本有《四库全书》本，武英殿本（纪事续至乾隆六十年），耆献本（不全）等。该书取材档案，史料价值高；著者祁韵士治学严谨，体例眉目清晰，叙述详尽清楚。

嘉庆十七年（1812 年）续修，十九年成书，有武英殿本、耆献本；道光二十九年（1849 年）续修，咸丰元年（1851 年）成书，有武英殿本、耆献本；咸丰九年（1859 年）续修，记事至五年，有咸丰殿本；光绪十年（1884 年）续修，迄于光绪初年。

《大清会典》 是清朝官修全面系统的、部头最大的记载典章制度的政书。其编纂方法"以官统事，以事隶官"，即把有关的规章制度，分别系于各所属的衙门之下。具体纲目分为宗人府、内阁、军机处、吏户礼兵刑工六部、理藩院、都察院、通政使司等所有中央机构、宫廷直属部门。在每个官衙项目中，叙其机构、职官设置及其职掌以及它们的变化。然后将该官衙实施的各种政令及其事例附载于后，称为"则例"或"事例"。

随着历史的发展、演变，各种制度和政令也会有不断的变化、修订。所以，《会典》也要不断修订，删去过时的、作废的，修改不完全适用的，增加新出现的内容。《大清会典》共修纂成书五次：康熙二十九年（1690 年）编成，共计 162 卷，由伊桑阿、王熙任总裁官，记载年限起自崇德元年（1636 年），截至康熙二十五年（1686 年）。但康熙二十六年孝庄文皇后之丧，破例附载于礼部；雍正十年（1732 年）编成，体例与康熙本相同，250卷，由尹泰、张廷玉等人任总裁官；乾隆二十八年（1763 年）编成，乾隆二十九（1764 年）告成，280 卷，雍正本和康熙本相比，基本上保留原貌，所以称续修。乾隆本与雍正本相比，有很大不同。乾隆本改变了雍正本体例，将会典与则例分为两部书，并附有图。《会典》100 卷、《则例》180卷，由允祹、傅恒、张廷玉等任总裁官。嘉庆二十三年（1818 年）编成，《会典》80 卷，《事例》920 卷，共 1132 卷。另外又编图说 132 卷，称《会典图》。光绪二十五年（1899 年）编成，《会典》100 卷、《事例》1220 卷、《会典图》270 卷，共 1590 卷。由昆冈、徐桐等任总裁官。在嘉庆本基础上续补了嘉庆十八年（1813 年）至光绪十三年（1887 年）增订的典礼及修改的各衙门则例。但因成书之日距截止之年已逾十年，所以，光绪二十二年（1896 年）以前有关典礼也一律纂入。

《大清会典》卷 49 至 53 中理藩院的部分，主要记述理藩院的所属机构、职官设置、品秩以及各机构（如旗籍司、清吏司等）及官员的具体职掌、分管事项。

有关蒙古制度的具体内容，主要记载在事例里。嘉庆会典中的理藩院事例，在第 726 至 753 卷，共 28 卷。其中包括：疆理、封爵、喇嘛封号、设官、户丁、赋税、兵制、边务、朝觐、贡献、廪给、燕赉、仪制、刑法等，共 14 个门类。在每个门类之下，都详尽记载了有关制度、政令及其沿革、变动、修订。比如“设官”，就包括了盟旗制度下各旗的各级职官的设置、职官，介绍了内、外蒙古、厄鲁特在官制方面的不同等等。“户丁”，记载了户籍、丁口的编审，有关婚姻、继嗣的制度等等。“兵制”，说明了兵民合一制度下有关箭丁的检阅（比丁）、戍防制度和军律等等。

《大清会典》是官修法典、典章制度汇编。它的史料价值当然是不言而喻的。尤其是它的“以官统事，以事隶官”，会典和事例互为纲、目，互为经纬的编纂体例，便于查阅和利用。

《大清会典》版本有：乾隆朝《大清会典》，四库全书本；光绪二十五年（1899 年）京师官书局大字石印；光绪三十四年（1908 年）商务印书馆缩印；宣统元年（1909 年）重印；国学基本丛书本；1976 年台北新文丰出版公司影印；1991 年中华书局影缩本。

《**理藩院则例**》　在《大清会典》之外，清朝中央各部均有则例。各部则例的编修体例，基本上与会典中的事例部分相同，不同的是门类分得更详细更具体，而且是各部院自己编纂的。《理藩院则例》就是其中的一部。编成之后皇帝钦定，然后译成蒙、满文，以三种文字分发中央各部院和蒙古各盟旗、新疆、西藏各地将军、都统、大臣。它是清朝治理蒙古和西、北地区其他民族的行政法规。规定了蒙古王公及西、北地区其他民族上层人士（阶级）种种特权，制定了清朝各地区的许多禁令，记载了多种处理藏传佛教事务的条例；此外，还有俄罗斯事例若干条，因而是研究清代西、北史地、宗教及中俄关系史的重要资料。

清代理藩院则例续修过多次，康熙朝只有事例209条，多系远年成例及军政会盟诸款；乾隆时未正式开馆编修，只略作修订，记事始于清初，止于乾隆二十年（1755年）。嘉庆十六年（1811年），正式设馆，增加到713条，编为63卷，另有原奏、总目等4卷，共67卷。道光十三年（1833年）设馆，二十三年正式成书刊行，又增加百余条，分类、体例、卷数未变；光绪十七年（1891年）再次编修，再增加上百条。增加"捐输"类一卷，为64卷。

版本情况：《钦定理藩院则例》63卷目录2卷通例2卷，道光年间刻本；《钦定理藩院则例》64卷通例2卷，光绪年间刻本；1942年蒙藏委员会铅印本；1987年中国藏学出版社影印吴丰培标点本；《理藩部则例》64卷，光绪三十四年（1908年）内务府排印本、1942年蒙藏委员会铅印本；乾隆朝内务府抄本《理藩院则例》，2006年中国藏学出版社；《理藩院则例》，1998年内蒙古文化出版社；《钦定理藩部则例》，1992年全国图书文献缩印中心；1998年天津古籍出版社铅印本。

清三通　清三通分别为《清朝通典》、《清朝通志》、《清朝文献通考》。成书于乾隆末年（1786、1787年），其叙事均起自清太祖的建国，止于乾隆五十年，唯在个别的地方延至乾隆五十一年。其内容涉及经济、政治、文化、风俗习惯、民族、对外关系等，而又特别着重于经济和政治制度。在《清朝文献通考》300卷中，田赋、钱币等食货部分为46卷，占总卷数的15%，职官、选举、学校、帝系、封建、兵、刑、舆地和郊社、群祀、宗庙、群庙、王礼、乐等部分是国家制度及其派生物，共205卷，占总数的

68%。《清朝通典》九门全部内容是食货及中央与地方行政制度。总之，清朝三通着重介绍了清朝建国直至乾隆末年的经济、政治制度和政策，以及它们的演变，其史料价值很高。清朝三通的内容，多有重复。其中，《清朝文献通考》修纂开始得早，另外两部书有的部分就根据它的文字进行加工，但是这三种书也有很多不同。通考内容详细，特别是在食货部分，为另二书有关部分的近三倍分量。职官、学校部分也多。因此，清三通中《通考》史料最为丰盈，价值最高。

《大清一统志》 清朝官修的地理、地方总志，记述全国各政区的疆域及全面情况。

先后修过三次：康熙《一统志》342 卷，康熙二十五年（1686 年）始修，乾隆八年（1743 年）成书，次年刊行；乾隆《一统志》500 卷，始修于乾隆二十九年（1764 年），成书于四十九年（1784 年），收入《四库全书》；嘉庆《一统志》560 卷，始修于嘉庆十六年（1811 年），成书于道光二十二年（1842 年），叙事至嘉庆二十五年（1820 年），称为《嘉庆重修一统志》。

编修内容：首为"京师"，下分为直隶、山东、山西……新疆、乌里雅苏台、蒙古等，共 22 个部和青海、西藏等地区。在每个"统部"内，先有总的舆图、沿革表，然后是总叙，再以府、直隶厅、州、县分类。在每卷中，列有"疆域、分野、建置沿革、形势、风俗、城池、学校、户口、田赋、税课、职官、山川、古迹、关隘、津梁、堤堰、陵墓、祠庙、寺观、名宦、人物、流寓、列女、仙释、土产"等 25 个目。

全书内容极为丰富，所收地名、人名、制度名等，就有 14 万之多。从初修时所设 21 目增至 25 目。并保存很多重要历史资料，如在有的门目之下还分若干细目，"关隘"之下又分：巡司、关、镇、市、所、口、站等；在"山川"之下有：山、岭、冈、峰、峪、屿、坡……江、河、湖、海、沟、渠等。这样就记载了诸多其他志书中难以收入的小地名，有的甚至比水利专著记载还要全面、详细。另外还有，记载人口统计数字，收录金石碑文资料，都很珍贵。

版本有清乾隆刻本、四库全书本、光绪二十八年（1902 年）上海宝善斋石印本、台湾影印文渊阁《四库全书》本；四部丛刊本、民国二十三年

（1934 年）影印本、20 世纪 80 年代上海影印精装本。

《嘉庆一统志》有关蒙古的内容有卷 532 乌里雅苏台统部；卷 533 库伦、科布多；卷 534 蒙古统部（外藩蒙古统部）总叙至卷 543 内蒙古六盟 24 部；卷 544 喀尔喀四部；卷 545 阿拉善厄鲁特；卷 546 青海厄鲁特；卷 547 西藏；卷 548 归化城土默特、牧厂；卷 549 察哈尔等。

第三节　私人著述

《藩部要略》　祁韵士编纂，18 卷。内容分内蒙古要略 2 卷、外蒙古喀尔喀部要略 6 卷、厄鲁特要略 6 卷、回部要略 2 卷、西藏要略 2 卷。每部要略以年月为序，叙述来源自清初至统一于清朝的重大史事。附藩部世表 4 卷，内容和体例均与《王公表传》同。在侧重了解各部主要事迹方面，集中叙其本末，比《王公表传》分述要系统、全面，脉络清楚。

版本有道光二十六年（1846 年）筠泸山房刻印，题名《皇朝藩部要略》；光绪十年（1884 年）浙江书局重印本；1965 年台湾文海出版社《中国边疆丛书》第一辑，据光绪十年浙江书局本；包文汉整理《清朝藩部要略稿本》（1997 年，黑龙江教育出版社）是张穆定稿本，共 18 卷，附录一。

《蒙古游牧记》　是清代学者张穆有关蒙古盟旗历史、地理的专著。

张穆生前完成文稿前 14 卷，死后由何秋涛补撰后 2 卷，并略作校正、补充，于咸丰九年（1859 年）刊印。

该书取材于《一统志》、《会典》、《理藩院则例》、各种方略、《国史列传》、《王公表传》、《藩部要略》。还参考利用了清代地方志、边疆地理著述、历代的史地要籍和史地考证。

内容共分 16 卷，前 6 卷为内蒙古之盟；7 至 10 卷为喀尔喀四部；后 6 卷为阿拉善、青海、科布多、新疆等地额鲁特各部、盟旗。各部之前有总叙并加自注，考证精详；然后按史志体例，分别记述道光以前蒙古各部落游牧所在地的舆地形势、道里四至、疆域沿革、地名演变，尤其注重元代以来各部历史发展。

《蒙古游牧记》与《一统志》不同，只包括盟旗制度下的外藩蒙古；以盟为单位；其最突出特点是，精于地理考证。旁征博引，考订、叙述所有盟旗的四至里数、山川要隘、历代沿革。还分别介绍了各旗及其札萨克王公的来历、源流、最初封授以及各旗的佐领数目。在撰写方面突出的一点是，作者将其擅长的金石资料运用到历史地理考证之中，弥补不能广泛地实地查勘和未能利用更多的原始资料的不足。

《蒙古游牧记》版本很多，同治六年（1867 年）寿阳祁氏初刻本；光绪十七年（1891 年）铅印《小方壶斋舆地丛钞再初编》本（仅一卷）；光绪二十年（1894 年）上海复古书局重校石印本；光绪二十六年（1900 年）上海扫叶山房石印本；光绪二十九年（1903 年）石印《皇朝藩属舆地丛书》本；民国二十七年（1938 年）商务印书馆《国学基本丛书》铅印本；1959 年中国台湾蒙藏委员会铅印本；1965 年中国台湾《中国边疆丛书》据初刻本影印；1991 年山西人民出版社点校本等；2002 年全国图书馆文献缩微复制中心《中国边疆史志集成·内蒙古史志》。

第四节　其他史料

《近代中国史料丛刊》　　由台湾成文出版社影印出版，分正编、续编、三编，其中正编、续编各 1 000 辑、三编 850 辑。相关书目有《东三省蒙务公牍汇编》、《啸亭杂录》、《宣统中日交涉史料》、《退耕堂政书》、《外蒙交涉始末记》、陈篆《止室笔记》、《程将军（雪楼）守江奏稿》、《辛亥革命始末记》、《道光咸丰同治筹办夷务始末记》、《中俄交涉记》、《中俄界记》、《同治中兴京外奏议约编》、《南园丛稿》、《中俄会议参考文件》、《皇清道咸同光奏议》、《光绪政要》、《度支部军饷司奏案汇编》、《科布多政务总册》、《碑传集》、《碑传集补》、《续碑传集》、《皇朝经世文编》、《皇朝经世新编》、《皇朝经世续编》、《皇朝经世新编续集》、《皇朝经世三编》、《皇朝经世四编》、《民国经世文编》、《锡良奏稿》、《垦务奏议》、《绥远奏议》、《蒙垦续供》、《中国边疆图籍录》、《宣统己酉大政记》（8 册）、《西北丛编》、《俄蒙回忆录》、《义和团档案史料》、《近代中国铁路史资料》、《圣武记》、《蒙古简史新编》、《吉林剿抚蒙乱详细报告书》、《皇朝政典类纂》、《中国铁路志》、《内蒙古纪要》、《东省铁路沿革史》、《俄蒙协约审勘录》、

《察哈尔全区垦政辑览》、《绥乘》、《满蒙新藏述略》、《蒙古鉴》、《蒙藏佛教史》等。

《中国边疆丛书》 李毓澍主编,台湾文海出版社影印出版,包括《东三省政略》、(乾隆)《盛京通志》、(光绪)《吉林通志》、《黑龙江志稿》、《蒙古游牧记》、《筹蒙刍议》、《外蒙近世史》、《西陲总统事略》等相关书籍。《中国方志丛书》(成文出版社)专设塞北地方一部,内包括宁夏、绥远、热河、察哈尔等省和蒙古,相关书目多达18种。

《清代传记丛刊》(周骏富编辑,1985年明文书局印行,共202册),网罗有清一代学人、文人、畸人、名人、书家等传记。

《辽海丛书》 初名《东北丛书》,由金毓黻主编,1933—1936年刊行,刊行时改称《辽海丛书》,共380卷。全书包括正集与附集两个部分,正集为十集,每集一函十册,共收书83种。1985年辽海书社影印出版全书。与蒙古有关的有《塔子沟纪略》(清哈达清格撰)、《东三省舆地图说》(民国曹廷杰撰)、《东北边防辑要》(民国曹廷杰撰)、《布特哈志略》(民国孟定恭撰)、《巴林纪程》(清文祥撰)等。

《满蒙丛书》 日本大正年间(1912—1925年)刊行的有关东北、蒙古方面著作的丛书。其中包括《口北三厅志》、《库伦蒙俄卡伦对照表》、《塞外小钞》、《蒙务公牍汇编》、《筹蒙刍议》等蒙古方面的著作。

《中国边疆史志集成·内蒙古史志》 2002年由全国图书馆文献缩微复制中心影印出版,共70册,选入近60种蒙古关系文献。包括山水地理著作、地方志、游记、调查统计表和奏稿公牍、官修史书等。其中清代文献主要有《蒙古游牧记》、《皇朝藩部要略》、《朔方备乘》、《钦定续纂外藩蒙古回部王公表》、《古丰识略》、《热河志》、《承德府志》、《口北三厅志》、《贻谷奏稿》、《贻谷准格尔垦务奏稿》、《散木居奏稿》、《理藩部第一次统计表》、《巴林纪程》等。

《清代方略全书》 2006年由北京图书馆出版社影印出版,共200册,包括清代24种官修方略,统一按军事活动年代的顺序编排。其中有《平定察哈尔方略》、《亲征平定朔漠方略》、《平定准噶尔方略》等蒙古有关方略。

第五节　报纸杂志

报纸，主要指的是新闻时事类报纸，其他种类的报纸，虽然也报道一些新闻，但面比较窄，只涉及有关的一个方面。中国近代意义的报纸杂志，最早是在 19 世纪上半叶鸦片战争前后出现的，主要是由教会、外商在广州、香港等地出版发行的。报纸杂志登载时事、新闻方面的报道、文章、官方文件等可以反映当时的政治、经济、外交等方面的形势和社会状况，事后也就可以成为了解这一时期历史的重要资料。

最早出现、带有全国性意义，也是近代史上最长久、最有影响的新闻性日报是《申报》。1872 年 4 月 30 日英国商人美查（Ernest Major）创办于上海。新闻时报性报刊较多出现是在 19 世纪末 20 世纪初清末新政时期。其中，比较大型的、与蒙古有关的主要有《东方杂志》、《盛京时报》、《地学杂志》。

《东方杂志》　在中国近代报刊史上，历史最长久的大型综合性杂志期刊。1904 年 3 月 11 日由商务印书馆创办于上海，1948 年 12 月停刊，共出 44 卷。最初是月刊（按农历，因而有闰月则出 13 期，比如 1906 年、1909 年均出 13 期），民国时期改为半月刊。主要分为社说、（清末）谕旨、内务、外交、教育、宗教、实业、调查、军事、小说、译件、大事记、杂俎等栏目。民国时期的栏目多有改动。它的取材，除了自己编写采录的文章、报道，还从邸钞、官报上选载谕旨、奏折、官方文件，从其他报纸和杂志（包括外国、外人报刊）上选登和译载文论、新闻报道等。所以，从史料学的角度说，它的一些材料的史料价值是参差不齐的。有从别的地方难以查到的官方文件，也有辗转传抄不一定靠得住的新闻报道。所以，当作史料引用时还需具体分析，慎重对待。

《东方杂志》和其他全国性史料一样，有关蒙古的材料比较零散，总数也不多，但是，也有不少十分宝贵的资料。

《地学杂志》　中国地学会机关刊物。中国地学会，是中国第一个地学学术团体。由江苏人张相文发起，于 1909 年 9 月 28 日在天津成立，1912 年迁往北京。该学会从爱国主义出发，提倡推动中国地理学之研究。早期成员有陶懋立、姚明辉、白眉初等。学会成立不久，在天津创刊。分图迹、论丛、杂俎、说郛、本会纪事、图书介绍等栏目，大量刊载经济地理如水利、交通、物产方面的论文，旁及政治、人口、文化、都市、军事、自然地理等。1912 年该刊随学会迁北京，同年改为月刊，1924 年改为季刊，1937 年停刊，共出 181 期。

《盛京时报》　1906 年 10 月 18 日在奉天创办，由日本人中岛真雄主办，是日本在东北地区的重要言论刊物。以宣传日中亲善、遏制沙俄影响为主旨，得到日本驻奉天总领事和东亚同文会的支持。20 世纪 40 年代停刊。有影印本行世。

第六节　奏议、公牍汇编类史料

清末军政大员个人的奏议、条陈、汇编、文集以及有关蒙旗事务的官牍、文件汇编所反映的历史时期，主要集中在清末新政期间（1902—1911 年）。清末新政，是清朝对蒙古的传统政策和制度发生骤变的时期。由于这种重大变化在全国的政治生活中也有较大影响，受到时人关注，加上清末以来文书刊印手段的发展，这些奏议、汇编、文集等，也就既有比较新的内容，又能够比较广泛地得到刊印流传。

这些奏议、公牍的撰写者、编辑者，都是当时当地清朝对蒙政策的主要执行者、清末各种新政的具体实施者，他们所编纂、撰写的奏议条陈官方文件也就自然是极重要的基本史料，而且是集中反映一个具体时期、具体地区历史的史料价值很高，并且查阅、利用十分方便的资料。

贻谷及其垦务奏议　贻谷垦务奏议、供状汇编有以下几种：《绥远奏议》，收绥远城将军期间奏议（附片）约 110 件。其主要为军政、垦务（主要是八旗牧厂等官地、旗地）、旗务（含归化城土默特）、其他（谢赏）、教案、教育（学堂）等内容。《垦务奏议》，集中有关乌、伊两盟垦务奏片，从赴任至革职前。《蒙垦奏议》，基本为蒙旗开垦内容。《蒙垦续供》（贻谷自辑），有关垦案的查办大臣覆奏（"起诉书"）、法部的历次照录及贻谷的逐次供诉申辩件等。《蒙垦陈诉供状》，收贻谷被审过程中的历次申辩件，含最初的"亲供"及附件，约十几件。另外还有《蒙垦陈诉事略》、《蒙旗全垦收发款目清册》等。

徐世昌及其《退耕堂政书》、《东三省政略》　　《退耕堂政书》是徐世昌在清末时期有关政务的奏议、函电汇编，也可以说是一种从政方面的文集，其中绝大多数是在东三省总督任内的奏议公牍。共分55卷，其中前32卷为"奏议"：1906年奉旨考察东三省开始至总督任期间；卷33—34为"说帖"、"条议"：主要是关于东三省的政务内容；卷35—41为"函牍"：包括致程德全、周树模、宋小濂、朱启钤等人及致外务部、军机处、农工商部等部门的大量公务信函，基本上都是有关东三省事务的。卷42"电文"；卷43—55为东北一些重大涉外案件的有关文件。该书多处奏议、函牍中，包含内蒙古东部（东三省辖境）的材料。其中包括哲里木盟各旗、呼伦贝尔八旗的垦务、在盟旗境内新设府厅州县、派员调查及筹拟全面经营"蒙务"；镇压陶克陶、白音大赉、绰克大赉等人抗垦斗争，蒙旗因债务申请借款等各方面的材料。可以说，这个时期在哲里木盟各旗、呼伦贝尔发生的各种社会变化、军政大事，都能从这本书里找到一些相当宝贵的重要资料。

《东三省政略》是一个较大部头的政书，记述和收录了徐世昌在总督任内，东北的政治、经济、外交、蒙务等各个方面的基本史实和奏议、公牍。它虽然是有关整个东三省的，但由于其中有关蒙古的史料既集中又全面，所以实际上也是一部关于清末内蒙古东部（哲里木盟、呼伦贝尔）的最基本的史书，也是最基本的史料汇集。这部书共分"边务、蒙务、交涉、军事、官制、民政、财政、旗务（八旗）、学务、司法、实业、咨议厅议案"等12卷。每卷卷首都有"述要"；每卷分若干篇，篇下又分为各个小专题，每个小专题均有概述性"纪"。在许多"篇"和小专题"纪"之下，还附有不少有关的奏折、咨呈、条陈等官方文件，以及一些罗列世系或统计数字的图表。

《东三省政略》除了专述蒙旗的蒙务卷上下两篇外，其他各卷也有许多关于蒙古的材料。如"学务卷"有博王旗自办的新学堂，奉天省办的蒙文学堂；"军事卷"有镇压陶克陶抗垦的奏折；"财政卷"各省垦务篇中也有不少蒙旗垦务方面的奏折、统计。

此外，该书还作为附件完整地收录了两部比较重要的资料性史书。一是宋小濂的《呼伦贝尔边务报告书》。宋小濂原为程德全幕僚，历任呼伦贝尔副都统、呼伦道道台，民国初年黑龙江都督。《呼伦贝尔边务报告书》附在《东三省政略·边务卷·呼伦贝尔篇附件》，长达51页，作者是当时积极响应筹边改制、热心变革图强的很有头脑、能力的官员。这篇报告相当详尽具体地记述了当时呼伦贝尔地区制度、经济、文化、民族、物产、山川地理、沙俄侵略等方面的情况。它是有关晚清呼伦贝尔地区历史面貌相当全面、系统，而且是十分可靠的重要史料。

《东三省政略·民政卷》奉天省吴廷燮所著《奉天郡邑志》（5卷，140余页）。《奉天郡邑志》罗列记述了奉天省署所有府厅州县的设置沿革，其中也包括整个清代在移民垦种的基础上分设于哲盟各旗的地方治所，如昌图、洮南、康平、辽源等。

程德全及其相关书籍　《程将军（雪楼）守江奏稿》是程德全署黑龙江将军任内的奏议汇编，共17卷。该书中有关黑龙江所属哲里木盟北部三旗（扎赉特、杜尔伯特、郭尔罗斯后旗）、呼伦贝尔及今属呼伦贝尔市的西布特哈总管辖地的材料比较集中。如这个时期的放垦蒙地、垦务中发生的蒙旗抗垦、官员舞弊事件及其他设置厅县、王公贵族奖惩、蒙地"马贼"等。

奏稿还包括部分程德全任黑龙江将军以前，即1905年十一月以前的部分材料，如1904年"协办郭尔罗斯后旗王公滥放荒地奏折"等，但缺改省后署巡抚时期（1907年三月至1908年二月）的资料。

《赐福楼启事》，光绪三十年四月至三十四年三月，程德全历任都统、将军、巡抚时的政事函电。收录于吉林文史出版社出版的《长白丛书》第二集。

锡良和《锡良遗稿》　《锡良遗稿》8卷，中国科学院历史研究所（今中国社会科学院近代史研究所）编，中华书局1959年出版。奏稿8卷分别为山西布政使后历任各地督抚的材料。其中2卷为晋抚（光绪二十六年闰八月至二十七年二月间）70余件；4卷为热河都统（光绪二十八年十一月至二十九年五月间）50余件；7卷为东三省总督（宣统元年四月至三年四月间）370余件，占全书四分之一。8卷为热河都统（宣统三年十一至十二月间）9件。

其遗稿中包括不少有关内蒙古东部的史料，除了继续推行垦务以外，有设立奉天等地蒙文学堂，组织编译蒙文教科书、筹拟全面改变热河蒙旗制度、添设地方州县、开办蒙旗矿物及有关矿务章程制订等直接内容。

朱启钤《东三省蒙务公牍汇编》 朱启钤所著《东三省蒙务公牍汇编》，宣统元年（1909 年）排印出版，共 5 卷，由奏议、条陈、咨札及有关合同、章程等官方文件汇集而成。收录作者在任期间有关蒙旗事务的公牍。其中，第一卷为有关东三省筹划、经营蒙古、治蒙政策、蒙古新政方面的奏议、条陈和有关东三省蒙务局自身的公文；第二卷专收有关蒙旗垦务方面的奏议、公牍；第三卷专收蒙旗债务方面的文件；第四卷为非本局经办的有关蒙旗事务的文件、材料；第五卷为有关蒙古全局（非东三省）和奏议、条陈。

除上述外，还有部分相关资料，如周树模的《周中丞（少朴）抚江奏稿》、《蒙务编辑成案》、徐曦《东三省纪略》等。

姚锡光及其《筹蒙刍议》 姚锡光所著《筹蒙刍议》在有关边疆、蒙古的政界、文化界流传很广，影响很大。它相当集中地反映了清末满汉（主要是汉族）统治者对蒙古的看法，集中反映了他们改变清朝治蒙政策、推行全面开垦、移民实边、实行民族同化政策的政治出发点和具体政策、方法。

书中包括 1905 年至 1906 年两次巡查内蒙古东部（第二次是作为肃亲王随员），前后给清朝练兵处的条陈、说帖、信函 13 件。其中也记述了许多当时各蒙旗政治、经济、社会生活等方面的具体情况，提供了不少宝贵的材料。

第七节 地方志

地方志是中国传统的一种最为普遍的资料信息载体，是以地方行政单位为地域空间范围，综合记录各地方自然地理和社会方面有关历史与现状的书籍。地方志能够提供某一地方的多种信息。

《口北三厅志》 16 卷，金志章纂、黄可润增校，清乾隆二十三年（1758 年）据宣化道署存金志章稿本增校刊印，是清代内蒙古最早的地方志之一。该志因其体例允当、类目严整、取材宏富、考证精审被赞誉为边地名志。记载以口北张家口、独石口、多伦诺尔三厅为重，对多伦诺尔厅及厅治的相关记述,堪称清代前期宝贵的资料依据。同时,记载详于清代前期察哈尔左翼诸旗和公私牧厂的情况,对察哈尔八旗其他各旗和锡林郭勒、昭乌达二盟部分蒙旗的情况也多有反映。因当时各旗缺乏文献资料,其资料价值不可低估。

《钦定热河志》 120卷,和珅、梁国治纂修,刻于乾隆四十六年(1781年)。实际上其修纂早在乾隆二十一年(1756年)即已开始,是一部清朝敕修书,由翰林院饱学之士参与编纂,其编书质量"一般方志无法与之比较"。有了《热河志》,清代"卓索图、昭乌达盟各旗及所设州县的概况才得以首次见于方志中",侧面反映了清代前期喀喇沁、土默特诸旗的游牧社会向定居农耕社会的变迁概况。

《绥远通志稿》 100卷,20世纪30年代由绥远通志馆修纂。该志几经周折,最终也没有能够付梓出版,以稿本形式保存下来。稿本有通志馆稿本(1937年)和傅增湘修改残留稿本(1941年)两种。20世纪70年代,前8卷铅印出版。该志是内蒙古地区流传下来的卷帙最浩繁的地方志。其内容丰富翔实、记载较全面系统、资料价值高,堪称"一方全史,资料宝库"。该志形成于民国年间提倡以改进的体例和方法纂修地方志的时代,因此不仅有反映时代特色的新类目的增设,也对一些传统类目的内容加以改善。《归绥识略》(张曾纂,36卷)、《归绥道志》(贻谷修、高赓恩纂,40卷)等是清末形成的史料价值较高的相关地方志。

在民国年间的全国性编纂地方志活动当中,除了上述代表之作《绥远通志稿》以外,还形成一部分具有较高参考价值的地方志,其中有《呼伦贝尔志略》(程廷恒修、张家璠纂,不分卷,1923年铅印)、《朝阳县志》(周铁铮、沈鸣诗等纂修,36卷,1930年铅印)和《归绥县志》(郑植昌、郑裕孚纂修,不分卷,1934年铅印)等等。这些地方志,集中出现在1920—1930年的近10年当中,包括内蒙古东西地方,不仅数量多,而且范围广、内容多。尽管在体例、内容上与以往的地方志并没有本质上的区别,但是有内容的增减、新卷目的设定和方法手段的改进等,均反映了时代特征和变迁,是较为集中的、具有一定分量的资料依据。

邻近各省、府、县地方志的相关内容为内蒙古清、近代历史研究提供了相当分量的资料。省志如《畿辅通志》(清康熙、雍正、同治诸朝以及民国

《直隶省通志稿》）、《山西通志》（雍正、光绪朝）、《陕西通志》（康熙、雍正朝以及民国《陕西通志稿》）和《奉天通志》（民国以及清光绪年间的《奉天通志稿》）、《吉林通志》（光绪）、《黑龙江志稿》（民国）等。府、县志如《朔平府志》、《大同府志》、《宣化府志》和《神木县志》、《左云县志》、《铁岭县志》、《开原县志》等。因地域连接或因兼辖内蒙古农垦地区的关系，这些省、府、县的地方志在一些类目当中保留了直接或间接反映内蒙古情况的内容。

第八节　旅行日记

　　旅行日记，是具有相当价值的资料。每一个旅行者以当时的个体眼光观察和记录所经过地方的所见所闻，由于旅行者的旅行目的以及个人身份、经历和喜好的不同，对同一地区或者同一条旅行线的记载，内容可能大不相同，恰恰这一点使后人获得多方信息。

　　清末民国形成的部分旅行日记，如文祥《巴林纪程》（辽海丛书第八集）、刘文凤《东陲纪行》（陆庵丛书）、程廷镛《经棚日记》（1915年热河印刷所铅印本）、冯诚求《内蒙古东部调查日记》（又名《东蒙游记》，1913年吉长日报铅印本）和陈祖善（又名陈子元）《东蒙古纪程》（1914年石印本）等。其中，《内蒙古东部调查日记》、《东蒙古纪程》二书形成于同一个调查旅行过程中，但因作者身份和任务的不同，却展现了截然不同的内容。

　　由于蒙古地区特殊的社会经济生活，加上清朝蒙禁政策下的长期隔膜，内地人士对蒙古的制度文化、山川地理、民俗风情等都有一种好奇感，也就出现了一些内地官绅、文人游历蒙古地区以后撰写的游记、见闻、杂录、调查一类史料。如《东方杂志》连载的郭尔罗前旗调查、视察郭尔罗斯后旗报告、鄂尔多斯游记等。

　　清末有一种侧重收录有关边疆民族地区地理民俗等方面游记、见闻类的丛书，就是《小方壶斋舆地丛钞》，其中包括不少有关蒙古的材料。《小方壶斋舆地丛钞》系王锡祺辑，有正编，补编、再补编各12帙，由上海着易堂分别于1891年、1894年、1897年出版。专收清人关于中国和外国历史地理、游记、风土记、边疆史地的著作，兼有外国人关于中国及世界各国史地的述作，共收 1 400 余种（其中摘录，多数是原文），共数百万字。有关蒙古的著述大约有几十种，但由于此书成书时间较早（光绪中），多数内容都是近代以前的。

外文旅行日记特别引人注目的是古伯察《鞑靼西藏旅行记》、波兹德涅耶夫《蒙古及蒙古人》。以《蒙古及蒙古人》为例，这是一部资料性日记，第一卷为作者于 1892 年 6—12 月间在外蒙古的游历的日记。第二卷为作者在 1893 年 3—10 月间在内蒙古游历考察的日记。第一卷在民国年间有汉译本，从日译本转译。第二卷，刘汉明等汉译，1983 年由内蒙古人民出版社出版。波兹德涅耶夫是沙俄彼得堡大学蒙古学学者，同时为沙俄皇家地理学会的成员。19 世纪末他奉沙皇之命，来到清朝的蒙古地区调查蒙古的行政制度和现状，并同时研究俄中贸易关系。1893 年初他从北京经张家口进入内蒙古境内，第二卷正是记述了作者在内蒙古境内 7 个月间的旅行考察活动。作者对沿途各地寺院、庙宇、地方建置和官吏以及商业情况详加记述，对所停留的城镇也进行了客观的介绍。并且发挥作者本人的专业特长，引用了一部分蒙古文和满文资料，同时，对沿途所见到的碑文石刻均有记录。该书无疑是一部集资料和研究于一身的著作，对研究 19 世纪末的内蒙古社会提供了有价值的依据。

像《蒙古及蒙古人》这一类的俄文资料，还有不少。因为沙俄政府派遣各种各样的考察、探险人员，都留下资料，部分公开发表出版。如普尔热瓦尔斯基著《蒙古与青海》、廓索维茨著《从成吉思汗到苏维埃共和国》等。

日记和游记类著述的史料价值是因人因地因文因事而异的，可靠程度很不平衡。有些详尽具体地记述亲历见闻，史料价值无可置疑。但也有不少著述，或出自走马观花、道听途说，或出自猎奇心理，不求甚解，往往是以偏概全，毫无史料价值可言。

第 二 章

研 究 概 况

第一节　清前中期历史研究概况

清代内蒙古研究是清史研究以及清代区域史研究的重要组成部分，至今取得了丰硕的成果。

清道光年间，祁韵士编《皇朝藩部要略》，利用清廷内阁大库和理藩院档案，对清朝藩部，尤其对内蒙古诸部的历史以编年体形式作了研究和表述。咸丰年间何秋涛书《朔方备乘》，对中国边疆地区历史地理和中俄关系作了详细的研究。其后，张穆致力于清代边疆地区的研究，著《蒙古游牧记》，开创了清代内蒙古历史地理研究先河。清末光绪年间直到民国时期，出现了不少方志，如《蒙古志》、《土默特旗志》、《归绥道志》、《河套图志》等，为地区史研究奠定了基础。

新中国成立后，余元盦编《内蒙古历史概要》，开创了内蒙古历史研究的先例。陶克涛撰写《内蒙古发展概述》（上），以新的体例试图展现内蒙古地区史的风貌。

从 20 世纪 60 年代开始，内蒙古大学的胡钟达、金启孮、周清澍、黄时鉴、亦邻真等学者开辟清代内蒙古历史研究领域，在呼和浩特建城、清代内蒙古农业、清代蒙古文历史文献、清代蒙古文化、清代内蒙古西部地区土地关系等方面发表了一系列研究文章。之后，金峰、包文汉等学者在清代满蒙文档案的研究与开发、清代蒙古地区台站研究、清初满蒙关系等方面作了开拓性研究。

到 20 世纪 80 年代，中国社会科学院民族研究所以及内蒙古自治区的有关研究部门合作编写了《蒙古族简史》，其中的清代蒙古史部分代表了当时的研究水平，其内容不少是涉及内蒙古历史的。进入 90 年代，内蒙古大学以及中国人民大学的学者合著《蒙古民族通史》第 4 卷及第 5 卷，全面地叙述了有清一代蒙古以及内蒙古地区历史，是一部集大成之作。郝维民等著《内蒙古近代简史》，对鸦片战争以后内蒙古地区历史与社会变迁作了研究。周清澍先生主编《内蒙古历史地理》，其清代部分的内容代表着清代内蒙古地理和行政沿革的最新成果。

包文汉教授致力于《王公表传》的整理与研究，在发表系列论文的基础上整理出版了《蒙古王公表传》，同时对祁韵士的《藩部要略》及其稿本作了整理和研究。

随着清代历史档案的进一步开发研究，大量新的研究成果问世。达力扎布的《明清蒙古史论稿》，集中发表了关于清初察哈尔部西迁、清初内札萨克旗的建立、清初外藩蒙古、清初察哈尔设旗、清代八旗察哈尔问题等方面的考证文章。张永江的《清代藩部研究——以政治变迁为中心》，对清代藩部的形成和政治变迁作了科学的探讨。杜家骥撰写的《清朝满蒙联姻研究》一书，利用大量的谱牒材料，对清朝满蒙联姻的历史作了全面准确的研究。呼日查系统研究了科尔沁部落的历史文化，著有《科尔沁蒙古史略》。他还对清代寺院经济作了初步研究，发表了系列论文。

赵云田的《中国边疆民族管理机构沿革史》，对理藩院等机构作了深入的研究。还发表《清代蒙古政教制度研究》，对清朝蒙古政教制度作了较为系统的研究。马汝珩、马大正主编《清代边疆开发研究》，对清代蒙古地区的经济发展有较好的研究。他们的《清代的边疆政策》一书，集中探讨了清朝对蒙古的政策。人民大学博士宝音朝克图著有《清代北部边疆卡伦研究》。

汉族移民与蒙古社会变迁问题的研究成果很多。

王玉海《发展与变革——清代内蒙古东部由牧向农的转型》（内蒙古大学出版社 2000 年版）是从区域史的角度研究移民史的第一部专著，利用档案、调查报告等各种资料，对哲里木、卓索图、昭乌达三盟农垦和土地、阶级关系进行了较好的实证研究和理论探讨。

牛敬忠《近代绥远地区的社会变迁》（内蒙古大学出版社 2001 年版）是努力运用区域社会史方法研究地区移民史的第一部专著。从政治沿革、农垦、人口、社会阶层结构、物质生活、精神生活、社会问题等方面对近代绥远地区的社会变迁进行了基础性的研究。

王卫东《1648—1937 年绥远地区移民与社会变迁研究》（复旦大学博士学位论文，2001 年）从绥远各个地区（包括归化城土默特及绥东地区、鄂尔多斯地区等）移民人口、定居、经济（土地关系等）、社会结构、风俗习惯的变迁方面更加深入地探讨了这个区域的移民与社会变迁。其中用 2 万字左右（原文 37—49 页）探讨了鄂尔多斯地区的移民情况，但由于没有利用当地蒙古文档案和日文调查报告等资料，出现不足甚至错误之处也是明显的。

闫天灵《塞外移民与近代内蒙古社会变迁研究》，系 2002 年南京大学博士学位论文，2004 年由民族出版社以《汉族移民与近代内蒙古社会变迁研究》为名出版，主要贡献在于汉文史料的挖掘和社会史研究方法的运用方面。他结合正史、实录、奏议、方志等传统史料和近代的调查报告（但未能充分利用日文调查报告）、游记、笔记、报刊资料，从汉族移民和当地蒙古族关系互动的角度研究了内蒙古地区的近代社会变迁，使相关的研究上了一个新台阶。

2007 年曹永年主编《内蒙古通史》由内蒙古大学出版社出版发行。其第三卷为"清代内蒙古"，由赵之恒任该卷主编。第一章《清朝对内蒙古地区统治的确立》；第二章《清朝在内蒙古统治的制度和政策》；第三章《清前中期内蒙古的社会经济》；第四章《鸦片战争以后资本主义列强对内蒙古的侵略》；第五章《鸦片战争以后内蒙古社会和经济的变化》；第六章《内蒙古各族人民的反侵略反封建斗争》；第七章《清末蒙古新政与"筹蒙改制"》；第八章《辛亥革命时期的内蒙古政局》；第九章《清代内蒙古的宗教、文化与风俗》。该卷非常简明地对清代内蒙古历史作了全面的归纳，在一些方面作出了突破性的探索。

清代蒙古史资料的整理研究有了重大突破。中国人民大学清史研究所编辑出版了大量的清代历史研究资料，而且汉译了《哲布尊丹巴传》和《内齐托音二世传》。藏学研究中心的陈庆英等汉译《五世达赖喇嘛传》，为研究清初蒙藏关系提供了珍贵的资料。继台湾故宫博物院影印出版《旧满洲档》10册、《宫中档康熙朝奏折》9册以及其他一系列档案资料后，中国第一历史档案馆等单位汉译发表了《满文老档》、《内国史院档》，并由李保文影印出版了《17世纪蒙古文档案》，为清代蒙古史研究提供了较为丰富可靠的史料。内蒙古大学与中国第一历史档案馆影印出版《清初内秘书院蒙古文档案汇编》和《清初内阁堂档汇编》。

20世纪90年代以来，内蒙古各盟市、旗县陆续新编地方志，形成规模恢弘的方志资料，为内蒙古地方历史的研究提供了一定的参考资料。除此之外，各盟市和旗县还编辑和出版了数量可观的相关部落风俗习惯、语言特点、宗教信仰、寺庙建筑等方面的著述。

进入21世纪，内蒙古的学者广泛开展清代蒙古历史的研究，在清初满蒙关系、清初喀尔喀与清朝的关系、清代蒙古地区社会变迁、清代蒙古地区畜牧经济、清代内蒙古地区灾荒、清朝与卫拉特蒙古关系、清代内蒙古地区历史、清代蒙古历史文献资料整理研究等方面取得了一大批成果，推动了清代蒙古史以及内蒙古历史研究的发展。其主要成果有：乌兰《〈蒙古源流〉研究》（2000年），哈斯巴根《18—20世纪前期鄂尔多斯农牧交错区域研究——以伊克昭盟准格尔旗为中心》（2005年），乌云毕力格：《喀喇沁万户历史研究》（2005年），苏德毕力格：《晚清政府对新疆、蒙古和西藏政策研究》（2006年），乌云格日勒《十八至二十世纪初内蒙古城镇研究》（2006年），郝志成《清代蒙旗奏放后套地及其社会适应》（2006年）等。

清代喀喇沁地区研究也引起了人们的注意。内蒙古师范大学胡日查教授及其弟子们开创了利用清代蒙旗札萨克衙门档案来研究东蒙古社会历史的先河。全荣《清代喀喇沁中旗的蒙古文档案及其反映的社会历史问题研究》（内蒙古师范大学硕士学位论文，2004年）、斯琴《清代喀喇沁左旗札萨克衙门的蒙古文档案及其反映的社会历史问题研究》（内蒙古师范大学硕士学位论文，2005年）和周满亮《清乾隆时期喀喇沁右旗蒙古文档案及其反映的社会历史问题研究》（内蒙古师范大学硕士学位论文，2005年）等三篇文章，分别利用喀喇沁三旗札萨克衙门部分蒙古文档案来分析研究的。胡日查《清代喀喇沁三旗土地与社会环境的变化》（《中国蒙古学》2005年第3期）

一文，利用清代喀喇沁三旗部分蒙古文档案，阐述了喀喇沁三旗境内由于移民的增多而引起的土地利用状态的变化与喀喇沁蒙古人的北迁等问题。

国外学者研究清代蒙古及内蒙古历史也有突出的表现。19世纪中叶开始，俄罗斯开展对蒙古地区的研究，以配合其扩张政策。19世纪末，俄国学者波兹德涅耶夫撰有《蒙古及蒙古人》，对内蒙古的历史文化作了详尽的考察。日本学者在清代蒙古史研究领域取得的成果最为丰富。田山茂撰《清代蒙古社会制度》一书，试图对清代蒙古的社会制度进行科学的阐述。冈田英弘参加了日译《满文老档》的工作，并对满文档案文献的整理研究作出了贡献。他发表大量的论文，对察哈尔部的起源作了杰出的研究。若松宽的《清代蒙古的历史与宗教》一书，集中了有关卫拉特史、清代蒙古族宗教文化方面的研究成果。

田山茂把他有关汉族移民研究的成果附于其名著《清代蒙古社会制度》中发表。他的研究在事实的澄清方面远远超出了前人的研究，尤其是他注意到了清以前和清初汉族向蒙古地方移民的情况，分析了汉族移民蒙地的原因，较详细地勾勒出汉族移民蒙地的沿革面貌，很有启发。田山茂也注意到蒙古各个区域的移民情况，在蒙古区域移民史研究方面迈出了第一步。

矢野仁一在其《近代蒙古史研究》中，从汉族移民的开垦起源和发展、清朝禁令等方面大体梳理了移民开垦经过，为以后的研究奠定了基础。

近年海外也出现了运用社会史方法研究近代内蒙古农耕村落社会形成过程的著作，如布仁赛音的《近现代蒙古人农耕村落社会的形成》在日本出版，他把1939年《兴安南省科尔沁左翼中旗实态调查报告书》和文献、田野调查等多种资料相结合，对以郎布嘎查为中心地区的村落化进行了较优秀的研究。

第二节 晚清内蒙古历史研究概况

晚清内蒙古史的学术研究工作，始于20世纪50年代。1956—1962年，内蒙古少数民族社会历史调查组和内蒙古语文历史研究所、内蒙古历史学会，内蒙古大学蒙古史研究室（所）相继成立，形成从事内蒙古史研究的专业队伍，研究工作逐步开展。内蒙古少数民族社会历史调查组在广泛调查搜集资料的基础上，从 1958 年开始着手编写蒙古等族的简史、简志。内蒙古历史研究所、内蒙古大学也开展了内蒙古近代史、人民革命斗争史等领域的研究工作，编写出内部书稿、资料专辑，发表了不少专题论文。70 年代中期，内蒙古史学界部分开展了对清近代蒙古史、中俄关系史等方面的研究工作。

中共十一届三中全会以后，内蒙古自治区和各盟市、旗县建立起党史资料征集研究委员会或办公室，内蒙古大学内蒙古近现代史研究所、内蒙古师范大学蒙古史研究室等也相继成立。各级地方志、专业志编纂机构、各级政协的文史资料研究机构，也从不同角度从事清近代内蒙古史的资料搜集和研究工作。晚清内蒙古史研究在深度和广度方面，学术成果的数量和质量，都有很大丰富和发展。

综合研究 清朝末年，民国时期和"日伪"时期，内蒙古部分地区曾纂修过各种类型的志书，多属于有关资料的编纂辑录。其中，30 年代有郭象伋、阎肃、荣祥等主修的《绥远通志稿》长达 100 余卷 300 万言，不仅资料性强，而且本身也是经过编撰、考订、研究的史学成果。

第一部系统地撰述内蒙古晚清史的史学著作，是陶克涛《内蒙古发展概述（上）》（内蒙古人民出版社 1957 年版），其近代部分迄于 1911 年，从外来侵略、清末新政与蒙垦、人民反抗斗争三个方面进行了资料引证和史实论述。同一时期出版的余元盦著《内蒙古历史概要》（上海人民出版社 1958 年版），也以专章论述了 1840—1919 年的内蒙古历史。其相应篇幅虽然少于陶克涛著，但资料、史实也十分丰富、具体，可谓各有所长。1965 年成稿的《呼和浩特简史》（戴学稷，中华书局 1980 年版）是一本知识性读物，系统地介绍了呼和浩特及其周围地区从远古至 1919 年的历史概况。蒙图素德（黄时鉴、特布信、郝维民）的长篇论文《中国旧民主主义革命时期内蒙古人民的革命斗争》（《内蒙古大学学报》1964 年第 2 期）在叙述内蒙古人民反侵略、反压迫斗争史绩的同时，对晚清内蒙古的社会性质和矛盾，外来政治、经济、宗教侵略，各族统治者的压迫、剥削和掠夺等重大问题，均作了揭示和分析。1977 年、1985 年和 1986 年，内蒙古人民出版社分别出版了两部《蒙古族简史》和留金锁编著的《蒙古史概要》（蒙文），都述及了晚清史。1985 年版《蒙古族简史》对晚清内蒙古史的论述篇幅较大，更全面、系统地展示了学界研究的新进展、新成果。

外来侵略史研究　帝国主义对内蒙古的侵略史一直是史学界的主要研究课题之一。这方面的专题论文，主要有黄时鉴的《日本帝国主义的"满蒙政策"和内蒙古反动封建上层的"自治""独立"运动》（《内蒙古大学学报》1963 年第 1 期）和戴学稷的《西方殖民者在河套鄂尔多斯等地的罪恶活动》（《历史研究》1964 年第 5、6 期合刊）。两文以基本史料为据，分别论述了内蒙古近代以来，日本利用民族问题策划进行的种种侵略阴谋和活动，西方列强利用天主教、基督教进行的土地掠夺和殖民侵略。由特布信、郝维民等主持编写的《沙俄侵略我国蒙古地区简史》（内蒙古人民出版社 1979 年版），对俄国帝国主义在晚清内蒙古划分势力范围，策动"独立"、"自治"，实行政治、经济、军事侵略作了全面系统的论证介绍。本书被列为当时全国性中俄关系史研究的基本成果之一。这方面的论文还有刘毅政的《近代外国教会在内蒙古的侵略扩张》（《内蒙古师院学报》1982 年第 3 期）、赵坤生的《近代外国天主教会在内蒙古侵占土地的情况及其影响》（《内蒙古社会科学》1985 年第 3 期）等。

民族关系、民族政策与民族运动研究　20 世纪 60 年代有关民族运动的专题论文，除前述黄时鉴的文章外，还有史筠的《辛亥革命时期内蒙古的民族运动》（《内蒙古近代史论丛》（一），内蒙古人民出版社 1982 年版）。该文揭示了辛亥革命时期内蒙古发生民族运动的历史背景和基本经过，指出运动中存在着民族觉醒、寻求解放和民族分裂、图谋叛国两种性质不同的类型。20 世纪 80 年代以来，又有卢明辉的《论近代蒙古社会状况及清末"民族运动"的几个问题》（《中国蒙古史学会论文选集（1980 年）》，内蒙古人民出版社 1981 年版）等论文发表。

社会经济研究　内蒙古大学自 1950 年代末开始对呼和浩特史的研究。在社会经济方面的成果，主要有阮芳纪等的《从清初到五四运动前夕呼和浩特地区农业的发展和土地问题中的阶级关系和民族关系》和何志的《从清初到抗日战争前夕的呼和浩特商业》（《内蒙古大学学报》1963 年第 2 期）。两文以较为丰富的史料，分别对以呼和浩特为中心的内蒙古西部地区的农业经济和城镇商业作了具体深入的研究探讨。史筠在《辛亥革命时期内蒙古的民族运动》的前半部分，列举一系列史实分析评价了晚清内蒙古社会经济的变化，资本主义经济因素的出现和部分封建王公的"改革图强"活动。朱风的《近代阿拉善社会初析》[《中国蒙古史学会论文选集（1981年）》，内蒙古人民出版社1986年版]主要依据原始档案分析探讨了阿拉善旗的农牧经济、社会结构、生产关系等方面的状况。此外，还有汪炳明的《"蒙古实业公司"始末》（《内蒙古社会科学》1984年第3期），邢亦尘的《近代蒙古族畜牧业生产的商品化趋势》（《蒙古族经济发展史研究》第一集，内蒙古蒙古族经济史研究组编印，1987年），张植华的《清代河套地区农业及农田水利概况初探》和《近代内蒙古牧区生产关系及其生产力的束缚》（《内蒙古大学学报》1987年第4期、1989年第4期）分别研究探讨了清末民初的蒙古实业公司，近代河套农田水利和牧业生产关系的发展状况。

专题学术论文之外，刘景平、郑广智主编的《内蒙古自治区经济发展概论》（内蒙古人民出版社1979年版）在第一编较为全面地介绍了晚清内蒙古的经济状况。沈斌华的《内蒙古经济发展史札记》（内蒙古人民出版社1982年版），也用较大篇幅以系列专题札记形式综述了晚清内蒙古社会经济各个方面的状况和事例。这一时期随着各地地方史志编纂工作的开展，也有一批带有研究性的文章发表，如梁冰的《伊克昭盟历代开垦和近代社会形态之变化》（《鄂尔多斯史志研究文稿》第四册，伊克昭盟地方志编委会编印，1984年）等。

关于清末内蒙古垦务问题的讨论始于20世纪50年代末。陶克涛在《内蒙古发展概述》（上）中，对清政府推行垦务的大体过程，其民族压迫和经济掠夺的性质、作用，作了专门的论述。对此，何志的《我对清末"移民实边"政策的一些看法》（《内蒙古日报》1962年1月23日）提出清政府实施这一政策还有抵御外来侵略的动机和发展农业经济的积极效果。留金锁在《略谈清末"移民实边"政策的历史作用》（《内蒙古日报》1962年11月3日）中则对该文的观点提出商榷，主要从历史作用和后果方面再次强调了它的消极面。随后，黄时鉴又发表了《论清末清政府对内蒙古的"移民实边"政策》（《内蒙古大学学报》1964年第2期），引述具体史实，论证了清政府这一政策的反动性和消极后果。20世纪80年代以来，又有一些区内学者参与讨论，主要文章有邢亦尘的《略论清末蒙古地区的新政》（《内蒙古社会科学》1986年第3期）、卢明辉的《清末移民实边对蒙古社会的影响》（《内蒙古社会科学》1986 年第 5 期）等，这些论著在史实引证、分析评断等方面分别对前人成果作了程度不同的补充。汪炳明的《是"放垦蒙地"还是"移民实边"》（《蒙古史研究》第 3 辑，内蒙古大学出版社 1989 年版），从这一政策本身的含义、动机和目的、历史效果等三个方面，引证论述了应将它正名为"放垦蒙地"，而不是所谓"移民实边"。

人民反抗斗争研究　系统地介绍了近代前期内蒙古各族人民反抗斗争的专论文章，有黄方静、义都合西格的《中国旧民主主义革命时期蒙古族人民反帝反封建的革命斗争》（蒙文，《内蒙古历史语文》1959 年第 10 期）以及前述蒙图素德的长篇论文。对某一地区、某一时期的专题研究有敖腾比力格（郝维民）的《伊克昭盟"独贵龙"运动》（《内蒙古大学学报》1963 年第 1 期）和戴学稷的《"光绪二十六年正，绥远到处起神兵"——洋教士的罪恶和义和团的反帝运动》（《内蒙古大学学报》1959 年创刊号，后经修订并改题发表于《历史研究》1960 年第 6 期）。两文均以相当丰富的史料进行了具体论述。

20 世纪 80 年代以来，又有许多专题论文陆续发表，如刘毅政的《太平天国时期内蒙古各族人民的反封建起义》（《内蒙古师院学报》1981 年第 1 期），赵相璧的《太平天国后期土默特旗"老人会"起义》（同上刊），陈育宁的《近代鄂尔多斯地区各族人民反对外国教会侵略的斗争》（《内蒙古社会科学》1982 年第 4 期），卢明辉的《清代内蒙古地区的"独贵龙"运动》（《西北史地》1983 年第 1 期）等。

历史人物评价研究　僧格林沁是中国近代史上的重要人物。1960 年哈德撰有《关于僧格林沁的评价》（《内蒙古师院学报》1960 年第 3 期）。1979 年陈国干发表《论僧格林沁》（《中国蒙古史学会成立大会纪念集刊》），在概述僧格林沁一生事迹的同时，指出他是一个镇压人民起义有罪，抵御外来侵略有功的复杂历史人物。1984 年邢亦尘在《〈大清历朝实录〉僧格林沁资料概述——兼及若干评价问题》（《内蒙古社会科学》1984 年第 3 期）一文中认为，他是一个基本上应予否定的人物。

此外，张植华的《清代至民国时期内蒙古地区蒙古族人口概况》（《内蒙古大学学报》1982 年第 3、4 期合刊）和沈斌华的《近代内蒙古人口及人口问题》（《内蒙古大学学报》1986 年第 2 期）从不同角度分别探讨了晚清以来内蒙古的人口问题。

1990 年以后，晚清内蒙古史学科领域又有了稳步的发展。在数量和质量上都较前更为丰富，有明显的进展和提高。基本特点有，论著成果中出现多部篇幅较大、较前更为翔实的断代史（含通史中的晚清部分）专著，或就某一专题领域、某一具体地区的专门著述和论集；涉及的时期和专题领域大为延伸、扩展；作者队伍也明显扩大，新人迭出，既有专门研究机构中的后起者，也有相关学科教学科研人员和地方史志、历史资料编研工作者。

断代史性学术成果主要有；郝维民主编《内蒙古近代简史》（内蒙古大学出版社 1990 年版）、卢明辉《清代蒙古史》（天津古籍出版社 1990 年版）、内蒙古社科院历史所《蒙古族通史（下）》（民族出版社 1991 年版）。

《内蒙古近代简史》叙述了 1840—1949 年期间以蒙古族为主体的内蒙古地区史。综合归纳创作集体的研究成果，在资料的利用、史实的揭示和分析评价方面，均较前有所突破和进展。如清末部分，对清政府的放垦蒙地不再沿用史无明证的"移民实边"的提法，较多地缕述了社会经济方面的近代新事物，分析评价也较前更为客观、平实。

《清代蒙古史》除文化专章外，包括《附录》北洋政府时期在内共分 9 章，1840 年以后即晚清部分的内容有 5 章即一半以上篇幅。其特点主要是在作者和学界部分既有成果基础上的进一步扩展，较为详细、具体，也有一些新的资料、史事和分析评价。《蒙古民族通史（下）》8 章约计 30 万字的篇幅叙述了 1840—1919 年的蒙古族历史，其中很大部分是内蒙古的历史。在外国侵略，人民的反侵略、反压迫、反清革命斗争和王公上层的"独立"运动等许多方面的史实缕述，均较同类成果更为详尽具体。还以较大篇幅专章评述介绍了"经济形态"和"思想文化"。特别是有关社会经济，提出了许多新的史实和看法、结论。

在一般政治史，包括一些重大历史事件的研究方面，又有一批新论著发表。有关统治体制、制度方面的专论，有赵云田的《近代我国边疆民族中央管理机构的演变》（《中国边疆史地研究》1991 年第 1 期），薛智平的《东三省蒙务局始末》（《内蒙古档案史料》1993 年第 1 期）等。其他涉及政治史各个方面的论文，还有苏德的《阿尔宾巴雅尔等伊盟王公对官垦的抵制》（蒙古文）（《蒙古史研究》第四辑）等。

　　社会经济史方面的论著成果颇为丰硕。近代内蒙古蒙地开垦仍然是学术界热门论题。内蒙古档案局、档案馆合编《内蒙古垦务研究》（内蒙古人民出版社 1990 年版），收录了各方面作者的论文 20 余篇。除分别叙述清代（主要是清末）以来各盟旗、地区垦务概况之外，还专题探讨了垦务带来的土地关系、阶级关系、民族关系和生态环境的变化及所引起的各种社会矛盾。梁冰的专著《伊克昭盟的土地开垦》（1991 年版）和祁美琴的长文《伊克昭盟的蒙地放垦》（《内蒙古近代史论丛》第四辑，内蒙古大学出版社 1991 年版）均以主要篇幅叙述了伊盟近代以来的土地开垦。梁冰的著作篇幅较大，史实引述也更为详尽、具体。两著还各辟专章分别探讨了开垦对社会形态和社会经济的影响。还有汪炳明《清末新政与北部边疆开发》（《清代边疆开发研究》，中国社会科学出版社 1991 年版），对晚清内蒙古社会经济史的各个领域，都程度不同地提供了新的史实和相应的评价、看法。

　　对清末垦务的分析评价方面的专论，主要有马永山《论清王朝在内蒙古实行的农业政策的演变》（《中国边疆史地研究导报》1990 年第 1 期）和日本学者铁山博《清末"移民实边"政策初探》（《历史教学》1991 年第 12 期）等。《清代的边疆政策》一书（马汝珩、马大正主编，中国社会科学出版社 1994 年版），也以专章（第二篇第四章）阐述了自己的评价和看法。

　　历史人物研究方面，又有一批新的著述成果。刘文艳、赖炳文《尹湛纳希传》（辽宁大学出版社 1988 年版）是在有关学者和地方史志机构多年搜集整理和编纂的系统资料基础上写成的较通俗著作。札拉嘎《尹湛纳希年谱》（内蒙古大学出版社 1991 年版）是有关晚清蒙古史人物的第一部年谱类专著，还附有史实考证性专题文章十余篇。同作者的新著《尹湛纳希评传》（内蒙古教育出版社 1994 年版）则在翔实介绍传主的出身家庭、成长环境、文学创作经历的同时，分列专章具体评价了他的主要作品。张瑞萍主编《近代中国蒙古族人物传》（内蒙古大学出版社 1992 年版），收录了主要依据较系统论著资料编撰的清末民初蒙古族人物传略近 30 篇。不仅包括内蒙古人物，还有八旗蒙古出身的全国性人物 10 余位。书末还附辑了 100 余人的人名录式简介。此外，张瑞萍等还分别发表了有关僧格林沁等人物的专题论文（《内蒙古大学学报》1991 年第 3 期），《内蒙古民族师院学报》（1993 年第 2 期）还发表了一组从不同的角度评价僧格林沁的文章。

近代蒙古史其他方面的研究成果也颇具特色。周清澍主编的《内蒙古历史地理》（内蒙古大学出版社 1994 年版），以很大篇幅详尽系统地胪列了清末内蒙古旗县级以上地方行政建置的沿革变化。它既是内蒙古历史地理学方面的第一部系统专著，也是全国省自治区历史地理研究的崭新成果。

近年来，还有一批外国学者的主要研究成果在国内汉译出版。中见立夫《海山与乌泰——博格多汗政权下的漠南蒙古人》（《内蒙古近代史译丛》第三辑，内蒙古大学出版社 1991 年版），综合利用中外各种史料记载，以这些人物在清末民初内外蒙古"独立"运动中的活动为中心，考证评述了他们的生平事略。佐藤公彦《1891 年的热河金丹道起义》（《内蒙古近代史译丛》第三辑，内蒙古大学出版社 1991 年版）叙述了金丹道组织的源流、教义和这一历史事件的大体经过。利光有纪《蒙古的家畜寄养惯例》（《内蒙古近代史译丛》第二辑，内蒙古人民出版社 1988 年版），主要从经济学角度较为详细具体地剖析论述了晚清以来蒙古族社会畜牧业经济中的"苏鲁克"制。约·藩·赫肯《蒙古两旗的争端与天主教传教士所起的作用》（《内蒙古近代史译丛》第三辑），在叙述伊克昭盟乌审、鄂托克两旗晚清至整个民国时期地界争端始末的同时，揭示了近代蒙旗的社会状况和外国教会势力对蒙旗事物的参与和干涉。此外，阿勒坦策策格《19 世纪后半期至 20 世纪初期的内蒙古》（《内蒙古近代史译丛》第二辑）等文章，也从各自不同的角度评述了近代内蒙古的生活状况和一些历史事件。

1995 年以后的十几年间，晚清内蒙古史研究又有了新的突破性进展。主要表现为：研究的领域明显拓宽和深入，从原有的以政治史为主，更多地向社会和经济生活的各个层面展开；史料挖掘和利用方面，开始成批出现以蒙古文原始档案为基本依据的论著成果。与此相应，一批受到博士和博士后专业训练的青年新锐学者陆续涌现，专题系列论文和个人专著，是他们学术成果的主要形式。所有这些，都成为本卷书稿参考吸收前人成果的丰富来源。

在综合性断代通史方面，白拉都格其等合著《蒙古民族通史》第五卷（上、下册，内蒙古大学出版社 2002 年版）中的晚清部分，较同类前人成果更为全面、系统、客观、平实，在史料利用、史实揭示和分析评价等方面均有新的突破或进展，可称为国内学界最新的代表性成果。2007 年，曹永年主编的四卷本《内蒙古通史》由内蒙古大学出版社出版。其第三卷（清代）由赵之恒主编，其晚清部分同样相当全面系统、翔实具体，在资料、史实和观点方面也均有一定新意，并且与同类以蒙古族为主体内容的著述相比更注重挖掘和阐述地区史各方面的内容。

在晚清政治史，主要是清末清政府对蒙施政方面的研究；苏德毕力格的论著成果最为丰富和突出。其系列专题论文有：《清朝对蒙政策的转变——筹划设省》（《蒙古史研究》第六辑，内蒙古大学出版社2000年版）、《试论晚清边疆、内地一体化政策》（《中国边疆史地研究》2001年第3期）、《论清朝对蒙政策转变的内因》（《内蒙古大学学报》蒙古文版，2001年第3期）等。在他的专著《晚清政府对新疆、蒙古和西藏政策研究》中，清朝在内蒙古的政策转变和具体施政构成了最基本内容之一。在政治史和制度史方面，乌云格日勒也发表了《清末内蒙古的地方建置与筹划建省实边》（《中国边疆史地研究》1998年第1期）、《略论清代内蒙古的厅》（《清史研究》2000年第3期）等专题论文。乌力吉陶格套的专著《清至民国时期蒙古法制研究》辟专章具体论述了清末改制对蒙古法制的冲击和影响，为本学科开拓了新的课题领域。

在中外关系史（外来侵略史）方面，近年成果较多地集中在清末内蒙古的天主教会活动方面。相关论文主要有：牛敬忠《近代绥远地区的民教冲突——也说义和团运动爆发的原因》（《内蒙古大学学报》2001年第4期），米辰峰《从二十四顷地教案日期的分歧看教会史料的局限》（《清史研究》2001年第4期），薄艳华《韩默理与二十四顷地教堂》（《内蒙古师范大学学报》2002年第2期），薄艳华《1900年绥远地区教案经过》（《内蒙古大学学报》2003年第6期），莎如拉、苏德《1900年内蒙古西部的蒙旗教案》（《历史档案》2002年第4期），郭红、王卫东《移民、土地与绥远地区天主教的传播》（《上海大学学报》2005年第3期），张彧《1900年内蒙古西部地区的反洋教运动》（《西北民族研究》2005年第2期），《晚清内蒙古中西部地区的民教冲突》（《广西社会科学》2005年第8期），刘青瑜《天主教传教士对内蒙古考古学的影响》（《中国天主教》2007年第1期），这些论文或从不同视角进一步分析了天主教会活动的各种社会影响，或以新近刊布的历史档案等基本史料为依据更为具体深入地考证揭示了相关史实，在前人研究成果的基础上提供了更为全面、翔实，具体深入的一系列新成果。

社会、经济各个方面的历史性变迁，是近年来研究成果最为突出的学术领域。这方面较早发表的学术专著，有王玉海《发展与变革——清代内蒙古东部由牧向农的转型》（内蒙古大学出版社 2000 年版）和牛敬忠《近代绥远地区的社会变迁》（内蒙古大学出版社 2001 年版）。专题论文，则有王建革的系列论文《定居与近代蒙古族农业的变迁》（《中国历史地理论丛》2002 年第 2 期），《近代内蒙古农业制度体系的形成及其适应》（《中国历史地理论丛》2001 年第 4 期）、《清末河套地区的水利制度与社会适应》（《近代史研究》2002 年第 5 期）等；以及王卫东《鄂尔多斯地区近代移民研究》（《中国边疆史地研究》2000 年第 4 期），陶继波《人口与历史——内蒙古河套地区移民的历史考案》（《北方经济》2001 年第 2 期）等等。闫天灵的厚重专著《汉族移民与近代内蒙古社会变迁研究》（民族出版社 2004 年版）则以其史料的扎实、丰富，史实的详细、具体，总体内容的全面系统，在本学科领域具有较大的学术影响。而新近完成发表的一批博士论文，如哈斯巴根《鄂尔多斯农牧交错区域研究（1697—1945 年）——以准格尔旗为中心》（内蒙古大学出版社 2007 年版）、珠飒《清代内蒙古东三盟移民研究》（博士学位论文，2005 年）、郝志成《清代蒙旗奏放后套地区及其社会适应》（博士学位论文，2006 年）、白玉双《18 至 20 世纪初东部内蒙古社会变迁研究——以喀喇沁地区旗制与移民社会为中心》（博士学位论文，2007 年），都主要是以新近系统挖掘利用相关蒙旗蒙古文历史档案为基本史料撰著的。从史料的利用、史实的揭示和新方法、新视角的运用等各个方面，都堪称具有明显学术创新和突破的厚重成果。此外，乌云格日勒的专著《18 至 20 世纪初内蒙古城镇研究》（内蒙古人民出版社 2006 年版），及此前陆续发表的相关系列论文，为晚清内蒙古史研究，开拓了城镇形成和发展史方面的新的课题领域。

第二编

概　　述

第 三 章

内蒙古与清朝统一全国的战争

第一节　清朝在内蒙古统治的确立

17 世纪初，内蒙古高原东北，大兴安岭以北、以西，呼伦贝尔草原直到克鲁伦河下游一带分布着阿噜①蒙古各部。嫩江流域是长期独立于蒙古六万户之外的科尔沁部。相邻而牧的则是分布于西辽河和辽河流域的内喀尔喀五部。控制西部山西、大同边外以及归化城和土默川地区的是俺答汗后裔土默特部。处于察哈尔和土默特中间的是喀喇沁万户，包括喀喇沁、东土默特和原来辽东地区的兀良哈三卫所属部落，即原"山阳万户"。占据黄河河套地区的是鄂尔多斯部。实力最强的是蒙古大汗所在的察哈尔部，分布于老哈河以东，广宁以北的辽河河套地区以及锡林郭勒草原地区。明万历三十二年（1604 年），年少的林丹汗继蒙古大汗位，称呼图克图汗。在位期间，他致力于强化汗权，试图用武力与强权统一蒙古。长期的割据助长了蒙古各部的离心倾向，各部封建主纷纷称汗，蒙古汗权衰微，林丹汗实际上成为只能驾驭察哈尔一部的蒙古末代大汗。②

在这时期，长期接受蒙古统治，从而深受蒙古语言文化和风俗习惯影响的建州女真，在成为明朝建州卫期间，经过酋长努尔哈赤的苦心经营，实力

---

① 蒙古语 aru 之音译，具有"山阴"之义。
② 达力扎布：《明代漠南蒙古历史研究》，内蒙古文化出版社 1997 年版，第 1—148 页。

迅速壮大。天命元年（1616年）建立爱新国；天命四年（1619年），取得击败明军的萨尔浒大捷；天命六年（1621年）攻陷辽阳、沈阳，成为抗衡明朝，威胁蒙古的新兴政治力量。明朝面对爱新国的挑战，实施"以夷制夷"的策略，拉拢林丹汗，恢复其市赏，以图制约爱新国。爱新国则千方百计与林丹汗争夺科尔沁和内喀尔喀五部，甚至向察哈尔属部渗透，利用各部与察哈尔林丹汗之间的矛盾，积极与之联姻、结盟，以孤立林丹汗。在这种形势下，林丹汗却一味地用武力征讨游离不定的各部，妄图重新建立汗权。林丹汗的武力征服策略，加速了蒙古诸部离心和投奔爱新国的进程。

一、蒙古诸部的被征服

16世纪末，建州女真部逐渐强大起来，明万历十五年（1587年）在苏子河畔佛阿拉地方，① 筑城建宫。努尔哈赤在女真部中，声望日高，势力日增，短短的几年之内统一了建州女真各部。接着开始吞并东海三部以及海西四部女真。努尔哈赤统一女真诸部的行动，引起了游牧于嫩江流域的蒙古嫩科尔沁部首领翁果岱、莽古思、明安等人的强烈不满。

1. 科尔沁部的降服 当努尔哈赤征伐海西女真诸部时，蒙古诸部与建州女真的武装冲突于明万历二十一年（1593年）便开始了。当时在女真诸部中，海西女真叶赫部的实力也比较雄厚，难以容忍努尔哈赤统一女真诸部的活动，为了一举荡平建州女真努尔哈赤部，以叶赫部首领布寨为首的扈伦四部与蒙古科尔沁等诸部结成九部联军，② 于该年九月主动向以努尔哈赤为首的建州女真部发起攻击。当时，联军三万人，分三路进军，企图以众击寡、以强压弱，彻底消灭努尔哈赤。但临时联合起来的九部联军，内部指挥不统一，行动不果断，战斗力不能充分发挥。而努尔哈赤英勇果断，亲督大军，迎敌于浑河岸古埒山。努尔哈赤抓住九部联军的弱点，集中优势兵力突击联军的薄弱环节。结果，古埒山一战，努尔哈赤打败九部联军，建立了对满洲诸部的霸权。此役，联军方面的科尔沁部翁果岱、明安、莽古斯等诸首

---

① 满语 fe ala hoton，今辽宁省新宾满族自治县二道河子旧老城。

② 《清太祖武皇帝弩儿哈奇实录》卷1。九部：夜黑（叶赫）、哈达、兀喇（乌喇）、辉发、实伯（锡伯）、刮儿恰（卦尔察）、朱舍里卫、内阴卫（讷殷卫）、廓儿沁部（科尔沁部）。

领，率一万兵来会战，战败逃归。这样，在努尔哈赤时期的满蒙关系史上，蒙古与爱新国第一次武力较量，便以蒙古的惨败而告终。为了建立女真人与蒙古人的亲善关系，努尔哈赤首先向科尔沁提出聘女为妃，结为姻戚的动议。明万历四十年（1612年），科尔沁部明安将女儿嫁给努尔哈赤为妻，开创了延绵几百年的"满蒙联姻"的先河。明万历四十二年（1614年），努尔哈赤第四子皇太极娶科尔沁部莽古思之女为妻。随后，明万历四十三年（1615年），蒙古科尔沁部孔果尔送女与努尔哈赤为妻。通婚之频繁由此可知。婚礼仪式也很隆重，每有婚娶，娶亲的满洲贵族一方必"以礼亲迎，大宴成婚"，其仪式规则与满洲同族间所行完全相同。与此同时，努尔哈赤以女真贵族之女妻蒙古各部酋长，如以皇弟达尔汉巴图鲁贝勒舒尔哈齐女嫁内喀尔喀巴岳特部台吉恩格德尔为妻。

相反，林丹汗在这个时期却采取了武装统一蒙古诸部的政策，最终迫使科尔沁等部投靠女真爱新国。本来，林丹汗实力强大，在科尔沁、内喀尔喀五部等东方诸部中有较高的声望。《旧满洲档》中有两则有趣的记载：科尔沁土谢图汗奥巴有一匹叫"杭盖"的良马，努尔哈赤曾想以精制的十副甲交换而不得，奥巴却将这匹良马献给了林丹汗；[1] 科尔沁部奥巴之从子吴克善有一只猎鹰，林丹汗派人索取，吴克善爱不释手，奥巴劝说"应尊重共主"，吴克善便献给了林丹汗。[2] 由此可见，当时，科尔沁部认可林丹汗的共主地位，服从其命令，向他称臣纳贡，而对努尔哈赤的要求则采取置之不理的态度。

天命四年（1619年），喀尔喀部及科尔沁联军与女真作战失利。林丹汗派康喀尔拜虎投书努尔哈赤，以广宁（今辽宁省北镇）收取贡赋之权已归己有为由，警告努尔哈赤不要进攻广宁，[3] 以此抗议努尔哈赤不断进攻、分化和拉拢喀尔喀五部的行径，但努尔哈赤对此不予理睬。林丹汗不再追究，意在尽量避免和爱新国发生正面冲突。然而林丹汗的胆怯行为大大降低了他在蒙古诸部中的声望。结果，天命四年（1619年）内喀尔喀五部与爱新国

① 《旧满洲档》，台湾故宫博物院影印1969年版，第4965页。
② 《旧满洲档》，台湾故宫博物院影印1969年版，第4965页。
③ 《满文老档》太祖十三，天命四年十月二十二日条，中华书局1990年版。

在多冈会盟，建立了政治性、军事性的攻守联盟。于是，林丹汗再次向内喀尔喀诸部诉诸武力，结果扎鲁特部的色本等人逃往科尔沁部避难。接着，林丹汗又向科尔沁问罪。

天命七年（1622年），努尔哈赤亲率大军攻打明朝广宁。明朝希冀蒙古助兵，可是，林丹汗却未派一兵一卒，爱新国轻而易举地占领了广宁。尽管林丹汗曾致书努尔哈赤，警告他不得染指广宁，但在关键时刻，却不敢前往迎战，这自然会极大地损害大汗的名声和号召力。爱新国则乘机大大加强对科尔沁和喀尔喀部的威胁和利诱，甚至渗透到大汗直属八大营，使之产生了裂痕。察哈尔所属敖汉、奈曼二部暗中与爱新国的交往，[1] 即是最显明的例子。

爱新国和东部蒙古诸部的交往，对林丹汗构成了直接的威胁，因此，加强对左翼的控制成为他的首要任务。天命八年（1623年）正月，林丹汗走上了用兵科尔沁部的道路。[2]

风闻察哈尔林丹汗将联合内喀尔喀，东征科尔沁部，科尔沁奥巴立即向爱新国遣使求购弓箭。[3] 努尔哈赤借此机会派使者去科尔沁部，提出了建立反察哈尔联盟的建议。[4] 同年五月，奥巴致书努尔哈赤，表示愿意联盟，"唯恐察哈尔、喀尔喀先构兵"。[5] 努尔哈赤便于天命九年（1624年）二月派遣榜式希福、库尔缠二人到科尔沁部，与科尔沁奥巴洪台吉、阿都齐达尔汉台吉、戴青蒙果台吉等会盟。

天命九年（1624年）二月，科尔沁同爱新国联盟，其真实目的仅在于威吓林丹汗，阻止其东侵。当这场危机过去后，奥巴暂时不再需要女真人的支持，他和爱新国的关系遂冷淡起来。努尔哈赤却表现出大度和耐心。天命十年（1625年）在奥巴借故推掉与努尔哈赤的会盟后不久，八月初突然传来了这年九月林丹汗将东征科尔沁的消息。奥巴惊慌失措，不得不再次向爱新国求援。到了十月份，炒花又送来情报，说察哈尔于十一月十一日会师，

---

① 《满文老档》太祖四十二，天命七年六月二十六日条，中华书局1990年版。
② 《旧满洲档》，台湾故宫博物院影印1969年版，第1297—1298页。
③ 《满文老档》太祖四十三，天命八年元月二十一日条，中华书局1990年版。
④ 《旧满洲档》，台湾故宫博物院影印1969年版，第1297—1298页。
⑤ 《旧满洲档》，台湾故宫博物院影印1969年版，第1584—1585页。

十五日起程东征。科尔沁内部人心惶惶，达尔汉台吉等头目仓皇逃跑，奥巴、图美和布达齐三兄弟准备背水一战。同时，要求爱新国出兵救援。十一月初五，奥巴的使节到达沈阳，努尔哈赤先从每八旗抽调二十名军士派往科尔沁。随后，十一月十日努尔哈赤亲率大军往援。到达开原以北的镇北堡后，努尔哈赤班师，遣莽古尔泰、皇太极等贝勒数人率精兵五千继续开赴，夜达农安塔。此时，林丹汗不克科尔沁，又听到爱新国援军已到，随即撤回。科尔沁转危为安。

努尔哈赤利用这次机会，巩固了同奥巴的联盟。天命十一年（1626 年）六月六日，奥巴在爱新国都城的南河岸上，和努尔哈赤一道，宰白马乌牛，向天地发誓，宣读双方永世反察哈尔反喀尔喀的誓言，并为了让上天作证，将誓书当众焚毁。次日，努尔哈赤授奥巴以土谢图汗名号，并妻之以女，建立了姻亲关系，使科尔沁部成为爱新国最忠实的盟友。

天命十一年（1626 年）六月，奥巴自爱新国返回科尔沁。八月，努尔哈赤死，皇太极即位，称天聪汗。天聪初年，奥巴与爱新国关系又经过了一段曲折。天命十年（1625 年）底，林丹汗东征科尔沁无功而归，暂时放弃了对东部蒙古的经营。天聪元年（1627 年）夏，林丹汗率部西迁，不再成为科尔沁等左翼蒙古诸部的威胁。于是，奥巴立即疏远爱新国，甚至与皇太极争夺对内喀尔喀的支配权，拒绝和皇太极一道远征察哈尔。但是，爱新国对明战争屡传捷报，又基本控制了敖汉、奈曼、内喀尔喀、喀喇沁和东土默特诸部，爱新国的实力日益加强。皇太极再不能容忍奥巴与之分庭抗礼。由于察哈尔的西迁，爱新国再没有任何后顾之忧。这样，于天聪二年（1628年）十二月皇太极遣使奥巴，罗列其十条"罪状"，严词斥责。次年正月，奥巴赴爱新国认罪。从此，联盟的性质发生了根本性的变化，奥巴洪台吉和爱新国的汗不再是平等的伙伴，而前者成为后者的附庸，直到被大清王朝正式合并。

2. 内喀尔喀五部的结局　努尔哈赤建国后，占领了辽东地区，并建都沈阳。这样爱新国的西北边界从广宁一直到开原均与蒙古内喀尔喀五部接壤。内喀尔喀五部，即巴林、扎鲁特、弘吉喇特、巴岳特和乌济叶特分布于辽河流域。所以漠南蒙古诸部中，与爱新国政权首先建立各种关系的还是内喀尔喀五部。内喀尔喀五部西、北连蒙古诸部，南临爱新国的北部边界，其地理位置在蒙古和爱新国的关系中，占有非常特殊的位置。爱新国政权只有通过内喀尔喀五部，才能与蒙古诸部取得联系。早在努尔哈赤建国前，内喀尔喀巴约特部恩格德尔与建州女真建立贸易关系，并给努尔哈赤上汗号为"昆都伦撤辰汗"，天命二年（1617 年）恩格德尔成为爱新国的第一个蒙古额驸。扎鲁特部右翼首领钟嫩于万历四十二年（1614 年）嫁女于努尔哈赤次子代善，结为姻亲。同年，左翼内齐汗嫁其妹于努尔哈赤子莽古尔泰。另一台吉额尔济格也嫁其女于努尔哈赤子德格类。弘吉喇特部的首领宰赛（Jaisai）于 1597 年娶努尔哈赤次子代善之女。总之，内喀尔喀诸部与建州女真建立了姻亲关系。萨尔浒大战的同年七月，爱新国军攻克铁岭。居住铁岭以北地区的内喀尔喀五部的部分贵族，在其强酋宰赛的统率之下，欲从爱新国手中争夺对铁岭的控制权而在辽河进行了一次战争。此次战争中，不仅内喀尔喀贵族军队被打败，而且弘吉喇特部贵族宰赛、扎鲁特部贵族巴克、色本等六贝勒及十大臣、百余士兵一同被擒。[①] 努尔哈赤为首的女真贵族集团，紧紧抓住这一有利形势，争取与内喀尔喀五部蒙古贵族建立军事联盟，以求联手攻打明朝。宰赛是内喀尔喀五部贵族中最有势力和影响的首领之一。他手握重兵，曾多次帮助察哈尔汗及内喀尔喀首领攻打或抢掠蒙古科尔沁部和女真爱新国边境。[②] "蒙古喀尔喀五部，兵众畜旺国富，原归宰赛统辖。用是逞强，藐视各国，欺压攘夺，刑戮已甚。各国嫌宰赛鬼魅，宰赛亦不视己为凡人，喻己为飞翔于天涯之鸷鸟，兽中之猛虎。"[③] 抓住宰赛之后，爱新国汗努尔哈赤喜出望外，认为这是天意，他说："宰赛其人，我已收养，宰赛之兵悉为我所杀。彼所属之国人、畜群，恐为他贝勒所掠取，拟释所擒之一百四十人还，以守护其国无夫之妇，失父之童及其牲畜。"[④] 努尔哈赤抓住宰赛之后，不杀其身，作为人质，还放还其士兵，保护其家园。这种策略有效地控制了宰赛其人、其属部人畜，迫使内喀尔喀五部不得不向爱新国作出让步。仅过两个月，内喀尔喀五部首领遣使求情，愿悉听汗命。[⑤]

---

① 《满文老档》太祖十一，中华书局 1990 年版，第 104 页。
② 《满文老档》太祖七十一，中华书局 1990 年版，第 698 页。
③ 《满文老档》太祖七十一，中华书局 1990 年版，第 105 页。
④ 《满文老档》太祖七十一，中华书局 1990 年版，第 105—106 页。
⑤ 《满文老档》太祖十三，中华书局 1990 年版，第 118 页。

为了尽快与蒙古内喀尔喀五部贵族缔结军事联盟，爱新国在罗列宰赛的四大罪过后，同意盟誓伐明。十二月二十三日，内喀尔喀五部的代表在噶克察漠多——冈干塞特尔黑孤树地，缮写誓文，刑白马乌牛，对天地盟誓焚书。由于扎鲁特部的钟嫩台吉居住辽远未能亲至，后来做了补誓。

这次盟誓不仅是满蒙关系史上的首次大型盟誓，而且参与人员众多和规模巨大、仪式俱全在满蒙盟誓历史上都是罕见的。然而，内喀尔喀并没有履行誓言，继续从明朝领取赏金，还断绝了与爱新国的使臣往来。后来，扎鲁特部的钟嫩等堵截掠夺爱新国使臣；当爱新国攻下沈阳、辽阳，内喀尔喀部还前往掠夺财物。

天命七年（1622年），爱新国攻占明广宁，喀尔喀巴林、巴约特、乌济业特三部属民纷纷投降。接着察哈尔兀鲁特部十台吉率众归附。天命五年（1620年），察哈尔林丹汗欲征伐科尔沁部，征调内喀尔喀兵，结果只有弘吉喇特部的宰赛、巴克达尔汉及扎鲁特部的色本等响应，未能得到其他部众的支持。天命八年（1623年），爱新国对不听指使的内喀尔喀巴约特部、巴林部采取突然袭击，迫使一部分人畜归附。不久又对扎鲁特部大举进伐，掳掠其民众与牲畜。察哈尔林丹汗乘机对内喀尔喀诸部加以兼并，致使内喀尔喀五部彻底崩溃。扎鲁特、巴林两部大部逃往科尔沁，而弘吉喇特、巴约特、乌济业特被兼并。巴约特部中恩格德尔为首的一部分早先已经归附爱新国，其余被察哈尔兼并；乌济业特部落溃散，分投爱新国和明朝，其余被察哈尔兼并。后又一部分投归爱新国。这些部众，基本被编入满洲八旗。弘吉喇特部巴克达尔汉于天命八年（1623年）随察哈尔土巴济农归降爱新国。宰赛余众有部分被纳入爱新国，其余溃散无迹。巴林部大部分逃往科尔沁，其中色特尔一部归附爱新国，被编为札萨克旗，色特尔子色布腾掌右翼，满珠习礼掌左翼。苏巴亥另一子卜言顾的子孙部落被察哈尔所并，爱新国灭察哈尔后，被编入满洲八旗。扎鲁特大部避难于科尔沁，少部分并于察哈尔。以后逐渐归降，最后被编为左右二札萨克旗。①

3. 喀喇沁部的归属　天聪元年（1627年），林丹汗被迫西迁，导致喀喇沁部离散，西土默特部首领博什克图汗退入河套，部众藏匿山野。年底，

①　达力扎布：《明代漠南蒙古历史研究》，内蒙古文化出版社1997年版，第281—287页。

喀喇沁和一些右翼蒙古鄂托克联合发动了对察哈尔的一次反击，一度占领库库和屯（今呼和浩特），很快又被击败。天聪二年（1628年），喀喇沁与爱新国订立共同敌对察哈尔的盟约。东土默特部地处喀喇沁部之南，与爱新国距离遥远，直到天聪三年（1629年）才表示归附爱新国。从此以后，喀喇沁万户实际上失去了独立自主的地位，成为爱新国的附庸。东土默特鄂木布投靠天聪汗的时间为天聪三年（1629年）十二月。鄂木布投靠天聪汗后，并没有直奔爱新国，而是率部东迁，到了明朝蓟镇边外游牧。天聪五年（1631年）正月，他第一次到盛京拜见天聪汗，祝贺正旦。这次去的东土默特人，还有善巴、席兰图、赓格尔等大塔布囊。① 此后，东土默特诸塔布囊不断被天聪汗征调，参加对察哈尔和对明战争。鄂木布等东土默特台吉，则在大凌河战役以后，在史籍记载中基本销声匿迹，没有多少战功。

天聪九年（1635年）天聪汗把喀喇沁、土默特正式并入爱新国时，鄂木布台吉被允许保留管理部众的权力，东土默特部完整地保存了下来。

从天聪八年（1634年）起，为了更有效地统辖归降的蒙古各部，爱新国统治者开始在东南蒙古各部划定地界，清查人口。天聪九年（1635年）三月二十四日，爱新国对喀喇沁、土默特人进行清查，查出早期内附的"在内喀喇沁"和仍在蒙古诺颜、塔布囊统治下尚未并入爱新国的"在外喀喇沁"蒙古壮丁共15 932名。这些所谓的"内外喀喇沁"不仅仅是狭义的喀喇沁人，而且还包括东土默特人和其他被称作"喀喇沁"的人，比如阿速特人。天聪汗在这部分人中设立了三个特殊固山和八个一般固山。在三个特殊固山中，第二和第三固山是由东土默特诺颜与塔布囊及其领民组建的。鄂木布等东土默特台吉拥有相当多的人口，约占东土默特部人口的一半。鄂木布等东土默特台吉没有被编入八旗组织，而且被编为独立的固山，这与他们拥有较强的实力有直接关系。必须指出，天聪九年（1635年）建立的这两个固山（gūsa），还不是后来在蒙古普遍建立起来的和硕（qošiɣu），即旗。但是，在八旗以外另建三个特别的固山足以表明，爱新国朝廷当时已经开始酝酿针对蒙古各部采取另外一套政治、行政制度的方案。不过，这个方案还没有完全具体化。当时天聪汗可能还只是设想，让那些仍然拥有大量属

---

① 《旧满洲档》，台湾故宫博物院影印1969年版，第3377—3378页。

民的蒙古贵族继续统治他们的兀鲁思，通过其他有效的制度控制他们。在新建的三个特别固山设立"固山额真"（和硕之主），并由天聪汗亲自确定其人选，已经说明了这一意图。

天聪十年夏四月乙酉（1636 年 5 月 15 日），天聪汗受"宽温仁圣皇帝"尊号，改国号为"大清"，改元为"崇德"，大清王朝正式建立。之后，崇德皇帝进行了一系列政治、行政制度改革，以适应新的形势。此时，满洲对蒙古的政治、行政制度也初步成熟，在拥有大量的蒙古领民并据有广大牧地的蒙古各大贵族的部众，设置了与蒙古八旗制度截然不同的外藩蒙古旗制，后来逐渐趋于完备并制度化，成立起外藩蒙古札萨克旗。天聪九年（1635 年），在喀喇沁万户废墟上设立的三个特别固山，逐渐演变成了外藩蒙古旗。

崇德二年（1637 年）以后，土默特确实被编成了两个札萨克旗。善巴一旗被称为土默特左旗，俗称"蒙古镇旗"；鄂木布楚琥尔旗为土默特右旗。由于善巴是土默特黄金家族的阿勒巴图，一直自称土默特人。他们与外界联系时，基本上用万户的名称，即喀喇沁，但在万户内，自称土默特人，就像喀喇沁的塔布囊自称喀喇沁人一样。"蒙古镇旗"，由 Mongyoljin 一词延伸而来，明代文献的写法为"满官嗔"。蒙古中央六万户之一的土默特万户的全称是"满官嗔—土默特"。东土默特人是从该万户中分离出来的，所以，他们自称土默特的同时，还自称"满官嗔"。东土默特的塔布囊们也随之或自称土默特，或自称满官嗔，因此，满官嗔一名就保留在了东土默特塔布囊中。

天聪九年（1635 年），爱新国在喀喇沁万户的废墟上建起的三个特殊固山中，后两个由东土默特人构成，所以成为东土默特左右二旗。其第一个固山是由喀喇沁塔布囊及其领民组成，是清代喀喇沁三旗的前身。显然，这些被称作喀喇沁人的头目们，大部分是塔布囊，出身于兀良哈。其中，固噜思奇布是苏布地之子，万丹卫征是苏布地之弟。色棱是和通之孙，清太宗的姐夫，后来被任命为札萨克。索诺木塔布囊的家世尚不明，但肯定是和通的后裔。他们四个人共有 4 171 壮丁，构成了固噜思奇布这一固山的主力。这个固山后来演变成为清代喀喇沁三旗。因此，喀喇沁三旗的札萨克不是台吉而是塔布囊。这些兀良哈人在相当长的历史时期一直自称为喀喇沁，他们理应成为喀喇沁人。

1635 年时，喀喇沁万户的残余势力总合只有 15 000 余壮丁。其中，东土默特壮丁与喀喇沁塔布囊壮丁 9 000 余，已经占了一半以上。剩下的 7 000 余壮丁，也不全是喀喇沁黄金家族的领民，它还包括零星投降给满洲人的喀喇沁塔布囊、东土默特台吉与塔布囊，以及部分阿速特人。

总之，入清以后，曾经是喀喇沁黄金家族的阿勒巴图、已经自称为喀喇沁人的原朵颜兀良哈的一部分，先后被编成了三个札萨克旗。其中，喀喇沁左翼旗建立于崇德元年（1636 年），喀喇沁中旗建立于康熙四十四年（1705 年），喀喇沁右翼旗可能建立于顺治五年（1648 年）。

爱新国将喀喇沁黄金家族及其领民编为八固山，与八旗满洲旧属蒙古合并，建立了八旗蒙古。他们成为清代八旗蒙古的主要组成部分。内外喀喇沁壮丁总数 15 932 名中除去三固山的 9 122 名，编入八旗的喀喇沁壮丁共 7 810 名。“旧蒙古”，当指八旗满洲内左右两翼蒙古营。总之，原隶八旗满洲的来自蒙古各部的所谓“旧蒙古”、天聪年间零星归附满洲的被称作“在内喀喇沁”的喀喇沁人（包括喀喇沁、兀良哈和阿速特的台吉和塔布囊），以及直到天聪九年（1635 年）独立于满洲爱新国的喀喇沁部人（所谓的“在外喀喇沁”），这三股势力构成了清代八旗蒙古。

在八旗蒙古的 212 名佐领中，喀喇沁佐领共有 67 个，占总佐领数的 31.6%。当然，这是康熙年间的佐领数，有不少佐领是后来随着人口的繁衍而增设的。

原喀喇沁万户的领袖——喀喇沁汗、洪台吉以及这个家族的其他十分显赫的人物，直到此时没有被编入八旗，还一直统领所部人马。至此，喀喇沁、土默特黄金家族的原最高首领们被授予了八旗官员世职，而且是不按照其原来的地位，而是按照他们的军功授职。他们应该是包括在天聪九年（1635 年）统计的内外喀喇沁人总数里的，换言之，他们就是分 11 个固山时被编入了八旗蒙古的。只是因为这些人的地位特殊，当时没有对他们授官封爵，而等到崇德元年（1636 年）给外藩蒙古台吉们授爵时，才对他们作了论功授官。

喀喇沁黄金家族后裔、著名的史学家罗密在雍正十三年（1735 年）撰写的《蒙古博尔济吉特氏族谱》为这些黄金家族成员的归属提供了十分可靠的资料。据此书，拉斯辖布汗编入蒙古正黄旗，弼喇什编入蒙古镶红旗。① 据《八旗通志》，布尔噶图被编入了蒙古正蓝旗。

总之，被编为八旗蒙古的内外喀喇沁人，主要是喀喇沁汗、洪台吉为首的喀喇沁、土默特、阿速特黄金家族台吉和部分塔布囊。因为在天聪九年（1635 年）被编入八旗的"在外喀喇沁人"头目中没有被称作塔布囊的人，也因为原喀喇沁万户的黄金家族成员大批被编入了八旗，喀喇沁万户的残余主要以台吉势力为主体，形成了清代八旗蒙古中的各喀喇沁佐领。编入八旗的塔布囊们是依附于黄金家族的诸小塔布囊。②

4. 察哈尔部的分裂　察哈尔是元裔蒙古大汗所领部落。在 17 世纪初，明、蒙、爱新国三足鼎立的情况下，爱新国对蒙古的征服是其入主中原的先决条件，而征服察哈尔部则是其征服整个蒙古地区的关键。由于林丹汗的高压政策和爱新国的不断拉拢和渗透，自天命六年（1621 年）始，察哈尔本部也出现裂痕。察哈尔所属兀鲁特部达尔汉巴图鲁台吉以及明安等十名台吉对林丹汗的统治不满，率领所属投奔女真，拉开了察哈尔分裂的序幕。兀鲁特（Uruɣud）来源于古代蒙古部落兀鲁兀，是元代五投下之一。森川哲雄推论兀鲁特是达延汗第十子格埒博罗特领有的鄂托克。③ 这一推论统一了诸蒙文史书中颇不一致的说法。④ 很多史料把兀鲁特的明安和科尔沁部的明安台吉加以混淆，就连《清史稿·明安传》⑤ 也将二人混为一人。实际上自广宁归附的明安是察哈尔属部兀鲁特的台吉，《辽夷略》中称此部首领为五路，就是以它的部落名称称呼的。《辽夷略》中的五路就是郎台吉（Lung beile），而归附爱新国的明安便是五路的后裔。⑥ 兀鲁特部与爱新国发生联系，最初是在天命六年（1621 年），是年七月"蒙古乌鲁特国达尔汉巴图鲁

---

① 罗密：《蒙古博尔济吉特氏族谱》，那古单夫、阿尔达扎布校注，内蒙古人民出版社 1989 年版。

② 乌云毕力格：《喀喇沁万户研究》，内蒙古人民出版社 2005 年版，第 158—168 页。

③ ［日］森川哲雄：《试论察哈尔八鄂托克及其分封》，《东洋学报》58—1、2。

④ 例如《蒙古源流》说格埒博罗特："统率察哈尔之敖汉、奈曼部"。《金轮千辐》、《黄金史纲》说他："统领兀鲁特"。

⑤ 《清史稿》卷 229，《明安传》。

⑥ 明安不是郎台吉的儿子，而是孙子。参见宝音德力根：《十五世纪前后蒙古政局部落诸问题研究》，内蒙古大学 1997 年博士学位论文，第 66 页。

贝勒属下十五户来归"。① 《满洲实录》天命七年（1622 年）二月十六日条载兀鲁特部明安等十七贝勒，与喀尔喀等部台吉，共率所属军民三千余户并牲畜归附。这是兀鲁特和喀尔喀两个部落来归人数的总数。我们从《满文老档》中可以了解到更详细的情况："二月十六日，兀鲁特部明安、索诺木、揣尔扎勒、噶尔玛、昂昆、多尔济、顾鲁、绰尔吉、奇布塔尔、青巴图等十贝勒率妇孺及一千男丁，逃来广宁城。"② 这才是兀鲁特部来归的确切数字。天命七年（1622 年）正月，爱新国攻克广宁，驻地在明广宁近边的兀鲁特部直接受到爱新国的威胁，于二月十六日"明安、锁诺木绰乙喇札尔……共十人，率子女、男千人逃至广宁"，③ 成为敖汉、奈曼归附前察哈尔本部中第一个归附爱新国的部落。努尔哈赤授明安三等总兵官，别立兀鲁特蒙古一旗。继兀鲁特之后，敖汉、奈曼两部于天聪元年（1627 年）投奔爱新国。④ 敖汉、奈曼是察哈尔的两个宗支，是岭南察哈尔中的两个重要部落。敖汉、奈曼部早在林丹汗西迁之前就与爱新国有使节往来，以图自保。可是当喀尔喀被兼并之后，局势发生突变，敖汉、奈曼部就开始动荡不安了。内喀尔喀诸部在林丹汗和爱新国的交替打击下支离破碎时，敖汉、奈曼被夹在两大政治势力之间。如何面对内外压力，而保证自己不受打击，敖汉、奈曼两部开始充当察哈尔林丹汗与爱新国之间的调停者。他们害怕林丹汗的兼并蔓延到自己的领土，而对新兴劲敌爱新国又无可奈何，所以想通过与爱新国的使节往来和谈判来缓和林丹汗和爱新国之间的紧张气氛，以保证自己的部落不受侵害。所以遣绰尔济喇嘛以调停者的身份"欲为察哈尔汗与我国（爱新国）讲和"。⑤ 天聪元年（1627 年）二月二日，皇太极给奈曼部长衮楚克巴图鲁回书曰："果而修好，可遣一晓事人来"，并且以"善者不欺"来暗示敖汉、奈曼投靠爱新国，以"恶者不惧"⑥ 向二部施加压力。敖汉、奈曼部依然没有甘心，又遣使者，再次进行调解斡旋。天聪元年

① 《满文老档》太祖二十四，中华书局 1990 年版，第 219 页。
② 《满文老档》太祖三十六，中华书局 1990 年版，第 331—332 页。
③ 《满文老档》太祖五十七，中华书局 1990 年版，第 534 页。
④ 包国庆：《敖汉、奈曼归爱新国始末》，《蒙古史研究》第 7 辑，内蒙古大学出版社 2003 年版，第 320—347 页。
⑤ 《皇清开国方略》卷 11，四库全书影印本。
⑥ 《清太宗实录》卷 2，天聪元年二月乙亥条。

(1627 年）二月二十九日，皇太极给敖汉、奈曼诸王回书，书中皇太极措辞强硬，明知林丹汗不会和爱新国和谈，却执意要与林丹汗直接对话，并且始终以"科尔沁已将讲和之事托于我等"① 为前提，对于敖汉、奈曼所提出的和平共处的愿望，不予理会，致使此次斡旋失败。四月，"衮楚克巴图鲁同敖汉部长索诺木都棱、塞臣卓礼克图及察哈尔国济农台吉遣使通款"，以保证暂时的安宁。林丹汗方面对于敖汉、奈曼部的苦口婆心不予理解，反而对二部与爱新国的直接接触敏感起来。林丹汗不愿意看到自己的宗支部落被别人指手画脚，从而对自己构成新的威胁，所以故伎重演，加紧对二部的兼并。也许林丹汗想通过军事打击来阻止敖汉、奈曼脱离本营，防止他们步科尔沁和内喀尔喀后尘成为爱新国的盟友，同时也想让爱新国知道自己还有一定的势力与之抗衡。然而，事与愿违，兼并对敖汉、奈曼产生了消极的影响。正当敖汉、奈曼部彷徨犹豫之际，爱新国方面采取了军事行动。五月六日，皇太极向明出兵，九日抵达广宁。② 皇太极率军攻打了明锦州、宁远二城，拆毁了明朝在大、小凌河新建城池。此次出征，一方面破坏了明朝加固外围据点的计划，另一方面切断了察哈尔等部与明朝间的互市关系，也给邻近岭南察哈尔各部施加了压力。③ 敖汉、奈曼部本来想以第三者的身份调解林丹汗与爱新国的紧张关系，防止战争的再发，但是由于使节往来被林丹汗误解而遭打击，爱新国方面又措辞强硬，不予理会，而且采取军事行动施加压力。于是在内外作用之下，经过一段犹豫后，敖汉、奈曼终于在皇太极征明班师途中，即于天聪元年（1627 年）六月十二日"率国人来叛"。④ 当留守都城的诸王告知这一消息时，皇太极遣人打探"来叛真否"，后所遣使者归，言："来叛属真，已至辽阳河。"⑤ 他们的来归，显然出乎皇太极的预料。等到二十五日敖汉部都棱、塞臣卓礼克图和奈曼部洪巴图鲁三王使者到达后，皇太极才确信无疑，遂于七月四日出都尔鼻城，渡辽河，至十里外迎来归蒙古诸王，并设宴接纳，赏赉诸王。皇太极紧紧把握敖汉、奈曼来归的

---

① 《满文老档》太宗一，中华书局 1990 年版，第 65 页。
② 《满文老档》太宗一，中华书局 1990 年版，第 68 页。
③ 达力扎布：《明代漠南蒙古历史研究》，内蒙古文化出版社 1997 年版，第 293 页。
④ 《满文老档》太宗二，中华书局 1990 年版，第 84 页。
⑤ 《满文老档》太宗二，中华书局 1990 年版，第 84 页。

绝好机会，并且巧妙地利用与察哈尔的矛盾，于七月六日立即与敖汉、奈曼诸王订了反察哈尔联盟。敖汉、奈曼部与爱新国建立联盟关系后，察哈尔阵营人心涣散，部分属部纷纷逃离本部，有些被爱新国吞并。天聪元年（1627 年）八月十八日，察哈尔部阿喇克绰特国巴喇巴图鲁、诺敏达赍，绰伊尔扎木苏三王携男 15 人、女 14 人、小儿 10 人、马 45 匹逃亡来归。① 天聪二年（1628 年）二月，爱新国以遣往喀喇沁部使者被截杀为借口，向驻牧在敖牧伦的多罗特部进攻，"多尔济哈坦巴图鲁负伤败走，妻子皆获，杀其台吉古鲁，俘获万一千二百人。"② 但东投爱新国是部分贵族的选择，此时的察哈尔阵营内绝大部分还是不愿意背叛自己的大汗，明人记载说："熹宗天启七年九月，都令、色令俾乃蛮等降建州，其余部分不肯往，多西投虎墩兔。"③ 岭北（大兴安岭北）察哈尔的另外三个宗支部落即浩齐特、乌珠穆沁、苏尼特部落，也"徙牧瀚海北，依喀尔喀"。④

至此，林丹汗的兼并战，把左翼各部一一推向了爱新国，就连自己的宗支部落也不是投靠爱新国就是四处溃散，因此林丹汗为了暂时避开爱新国的锋芒，转而西迁，伺机与爱新国重新较量。

天聪元年（1627 年）下半年，林丹汗留阿喇克绰特部于大凌河一带的旧牧地，率领主力鄂托克向西迁徙。在林丹汗西迁期间，察哈尔部下的鄂托克，如苏尼特、乌珠穆沁、浩齐特等脱离察哈尔，越过瀚海，投靠外喀尔喀部左翼车臣汗硕垒。

天聪二年（1628 年），爱新国利用察哈尔西迁后出现的有利局势，征灭了在大凌河流域驻牧的多罗特和阿喇克绰特部，紧接着与喀喇沁万户建立了同盟关系。至此，爱新国成功地孤立了林丹汗，将大兴安岭以南直到明长城的广大区域内的蒙古诸部置于自己的控制之下。

5. 阿噜蒙古的逐步归附　天聪三年（1629 年），爱新国为了拉拢阿噜蒙古诸部，以探亲的名义派遣早先投诚爱新国的察哈尔诺颜昂坤杜棱前往阿

---

① 《满文老档》太宗一，中华书局 1990 年版，第 99 页。
② 《满文老档》太宗二，中华书局 1990 年版，第 122 页。
③ 《蒙古族通史》第 4 卷，内蒙古大学出版社 1993 年版，第 17—18 页。
④ 《钦定外藩蒙古回部王公表传》卷 34、35、36，《四库全书》。

噜阿巴噶部，阿巴噶部首领杜思噶尔济农遣使偕来通好，献马十匹。阿噜部自此开始与爱新国交往。①

四子部僧格四兄弟是阿噜科尔沁部长达赖楚琥尔的从侄，还与乌喇特部三兄弟和茂明安部长车根都是堂兄弟关系，他们是成吉思汗胞弟哈撒儿后裔。翁牛特、喀喇车里克、伊苏特是成吉思汗三弟哈赤温后裔所统之部。阿巴噶与阿巴哈纳尔二部则是成吉思汗季弟别里古台后裔属部，初服属于察哈尔，后因不满林丹汗的统治，移牧克鲁伦河，依附外喀尔喀车臣汗硕垒。

天聪四年（1630年）三月，阿噜阿巴噶、阿巴哈纳尔、翁牛特、阿噜科尔沁等四部落济农、台吉遣使通好于爱新国。二十日，皇太极亲自接见，以当时的惯例，以议和好，盟之天地，并举行大宴。爱新国利用已经举行盟誓的极好条件，几天后便派出了精通蒙古语和蒙古事务的巴克什希福率每旗兵十五人，偕阿噜部来使出使阿噜部。② 从此以后，双方使臣频繁来往，积极为阿噜蒙古诸部南迁，归附爱新国作准备。

天聪四年（1630年）十一月，阿噜四子部诸贝勒率众来归。同时，附属于翁牛特部的伊苏特和喀喇车里克部也完成了归附爱新国的进程。③

天聪五年（1631年）四月初七日，翁牛特部孙杜棱弟东代青、喀喇车里克部嘎尔玛黄台吉、诺木齐戴青等蒙古诸贝勒拜见皇太极。④ 拜见毕，集科尔沁部土谢图额驸、翁牛特部孙杜棱、阿噜科尔沁部达赖楚呼尔、四子部僧格和硕齐及众蒙古台吉举行盛大筵宴，并按当时通行的方式，盟诸天地，订立誓书。之后为这些部落指划牧地，订立律例，正式将其纳入爱新国统治之下。

阿噜蒙古乌喇特部归附爱新国时表现出了犹豫不决的态度。他们从兴安岭北迁往岭南的过程中，曾经受到科尔沁右翼扎赉特等部的挑拨而退回原驻

---

① 《清太宗实录》卷3，天聪元年十一月庚午条："察哈尔国管旗大贝勒昂坤杜棱携妻子人民来降，以礼迎之。"卷5，天聪三年九月丙戌条："昂坤杜棱以事往阿禄部落，阿禄杜思噶尔济农遣使偕来通好，献马十。阿禄通好自此始。"

② 《满文老档》天聪四年三月二十四日条，中华书局1990年版。

③ 齐木德道尔吉：《四子部落迁徙考》，《蒙古史研究》第7辑，内蒙古大学出版社2003年版，第292—306页。

④ 《旧满洲档》，台湾故宫博物院影印1969年版，第3415—3416页。

牧地。皇太极依靠阿噜科尔沁和四子部首领做工作，以争取乌喇特部前来归附。之后几乎过了两年，乌喇特部才前来归附。

天聪七年（1633 年）五月，乌喇特部台吉图门达尔汉、海萨巴图鲁、古木布、伊尔格、僧格、琐尼泰等率部来归，进献马匹。秋七月，随同阿噜翁牛特部落孙杜棱之子台吉古木思辖布、赛桑吴巴什、阿什图、巴达尔和硕齐等，乌喇特部台吉阿巴噶尔代来朝，贡驼、马。八月，随同阿噜翁牛特部穆章台吉、阿玉石、巴尔巴图鲁、格根戴青、达颜吴巴什，乌喇特部额布根台吉、额勒孔果尔、噶尔马台吉等来朝，贡驼、马。① 台吉图门达尔汉是鄂木布的称号，是布尔海长子赖噶之孙，掌三乌喇特之一部；海萨巴图鲁，是赖噶幼子巴尔赛第五子哈尼泰冰图台吉之孙，也是乌喇特一部之代表；额布根台吉，即巴尔赛次子哈尼斯青台吉之孙色棱之称号，统领乌喇特另一部。至此，乌喇特三部全部归附爱新国。

直到 17 世纪初，哈撒儿后裔诸部落中，唯有茂明安部统治者拥有"汗"号。作为哈撒儿后裔之宗长，在科尔沁万户中掌有最高统治权，世代掌管着哈撒儿斡尔朵。天聪七年（1633 年），与乌喇特部南下，二月，茂明安部车根汗、固木巴图鲁以及达尔玛代衮等率众千余户归附爱新国，献驼、马。固木巴图鲁和达尔玛代衮为锡喇汗之子，车根汗之叔父。天聪八年（1634 年）九月，又有台吉扬固海都凌、乌巴海、达尔汉巴图鲁、瑚凌都喇勒、巴特玛代青、额尔欣岱青、阿布泰及小台吉等二十余人率众继至。十月，划分牧地，茂明安车根部安置到阿噜科尔沁部之下。②

至此，除了阿巴噶、阿巴哈纳尔二部外，所有阿噜蒙古部落归降于爱新国。

二、清朝在内蒙古统治的确立

明朝末年，察哈尔部林丹汗以蒙古各部宗主的身份，操纵漠南蒙古政局，与明朝和爱新国形成鼎足之势。天聪元年（1627 年），林丹汗迫于爱新国的强盛，率察哈尔核心部落西迁。途中击溃喀喇沁、东土默特诸部，征服

---

① 《清太宗实录》卷 14、15 相关条目。
② 齐木德道尔吉：《乌喇特部迁徙考》，《中央民族大学学报》2006 年第 3 期。

右翼西土默特和鄂尔多斯部。而爱新国皇太极为统一漠南蒙古，利用蒙古内部矛盾，数次组织归附蒙古各部军队一起出征察哈尔，迫使林丹汗率部西避青海，天聪八年（1634 年），病死于中途大草滩。林丹汗死后察哈尔部溃散，大部分官员率领属众归附爱新国，爱新国授予职爵，以其部属编设佐领，隶于八旗，形成了八旗察哈尔。仍有不少宰桑大臣拥林丹汗子额哲（号额尔克孔果尔）驻牧黄河河套，不肯来归。天聪九年（1635 年），皇太极派遣多尔衮等四贝勒率精兵一万往收额哲，额哲与其母苏泰太后在鄂尔多斯托里图地方被迫率属下一千余户投降。至此，延续四百多年的蒙古黄金家族统治宣告结束。皇太极再次发动大规模的对察哈尔残部及明朝的军事行动。在基本肃清察哈尔对爱新国的威胁后，于十月间，皇太极派国舅阿什达尔汉、塔布囊达雅齐往外藩蒙古，大会于硕翁科尔地方，完成了八旗蒙古、外藩蒙古的编旗和划分牧地以及编审户口事宜。当时涉及的蒙古部有新归附的阿噜蒙古翁牛特、四子部、乌喇特、阿噜科尔沁等部落以及巴林、扎鲁特、敖汉、奈曼等先期归附的内喀尔喀和察哈尔诸部。蒙古诸部真正划入爱新国的旗分，也就是从这个时候开始的。精通蒙古事务的叶赫部蒙古贵族阿什达尔汉所负责的就是日益增多的新附外藩蒙古部众事务，多次奉命往返其间，指划牧地，颁布爱新国法令，审断案件。为了加强和规范对外藩蒙古部落的管理，爱新国于 1634 年设立了蒙古衙门，最初由阿什达尔汉负责，塔布囊达雅齐、尼堪等人参与，后来由尼堪充任蒙古衙门首任承政。[1]

天聪九年（1635 年）二月，爱新国编审喀喇沁壮丁为十一旗。除喀喇沁部古鲁思辖布、东土默特部耿格尔和单巴，以及俄木布楚琥尔三札萨克旗外，将其余八旗喀喇沁壮丁与满洲八旗旧属蒙古八旗合并，建立了新的蒙古八旗。[2]

天聪十年、崇德元年（1636 年）四月，漠南蒙古贵族以林丹汗之子额哲额尔克孔果尔为首，察哈尔、科尔沁、扎赉特、杜尔伯特、郭尔罗斯、敖汉、奈曼、巴林、东土默特、扎鲁特、四子、阿噜科尔沁、翁牛特、喀喇车里克、喀喇沁、乌喇特等十六部的四十九名贵族为天聪汗皇太极上"博格

---

① 《清太宗实录》卷 21，天聪八年十一月壬戌条。

② 乌云毕力格：《喀喇沁万户研究》，内蒙古人民出版社 2005 年版，第 148—170 页。

达彻辰汗"（意为"圣睿汗"，相应汉文尊号为"宽温仁圣皇帝"）尊号，承认他为蒙古最高统治者。天聪汗皇太极在这次盛会上建国号"大清"，改元"崇德"，改族名女真为"满洲"。清朝的建立，标志着对漠南蒙古的征服，蒙古历史从此进入了一个新的阶段。

在这次大会上，清廷分叙外藩蒙古贵族军功，封授爵号，授予札萨克之权，让继续管领各自部落。封科尔沁部巴达礼为和硕土谢图亲王，吴克善为和硕卓礼克图亲王，察哈尔林丹汗子固伦额驸额哲为和硕亲王，布塔齐为多罗札萨克图郡王，满朱习礼为多罗巴图鲁郡王。奈曼部落衮出斯巴图鲁为多罗达尔汉郡王，翁牛特部孙杜棱为多罗杜棱郡王，敖汉部固伦额驸班第为多罗郡王，科尔沁部孔果尔为冰图王，翁牛特部东为多罗达尔汉戴青，四子部俄木布为多罗达尔汉卓礼克图，喀喇沁部古鲁思辖布为多罗杜棱，东土默特部单把为达尔汉，耿格尔为多罗贝勒。清廷首次为蒙古贵族设立亲王、郡王、多罗达尔汉、多罗杜棱、达尔汉、多罗贝勒等爵号的同时，这些受封蒙古贵族原有的汗、济农、台吉等蒙古称号一并被取消。①

十月，清廷再次派遣阿什达尔汉及蒙古衙门官员分赴外藩蒙古，与蒙古诸部台吉会盟，清点壮丁数字，统一编制牛录，任命牛录额真，建立旗分，在漠南蒙古地区全面推行满洲的牛录固山制。当时编成的 23 旗分别是科尔沁部 10 旗：土谢图亲王旗、札萨克图郡王旗、喇玛思希旗、卓礼克图亲王旗、扎赉特达尔汗和硕齐旗、杜尔伯特塞冷旗、穆寨旗、栋果尔旗、郭尔罗斯奔巴旗、郭尔罗斯古木旗；翁牛特部 2 旗：杜棱郡王旗、达尔汉戴青旗；巴林部 2 旗：阿玉什旗、满珠习礼旗；阿噜科尔沁穆章 1 旗；四子部达尔汉卓礼克图 1 旗；扎鲁特部 2 旗：桑噶尔旗、内齐旗；乌喇特部 3 旗：图巴旗、色棱旗、俄本旗；敖汉部班第、琐诺木 1 旗；奈曼部达尔汉郡王 1 旗。这次确定旗分和编制牛录，没有改变原有部落隶属关系。五十户为一牛录，每旗下牛录数不等，茂明安部当时还附属于扎鲁特右翼桑噶尔旗下。旗长称"执政贝勒"或"札萨克贝勒"。牛录的编定，牛录额真和札萨克的任命，标志着札萨克旗的建立。至此，加上额哲所领察哈尔 1 旗、喀喇沁 1 旗、土默特 2 旗，爱新国在漠南地区共建立 27 个札萨克旗和内属蒙古八旗，形成

---

① 《清太宗实录》卷 28，天聪十年四月乙酉、丁亥、丁酉条。

入关前蒙古诸部经过组合后的基本态势。地域上基本围绕清朝政治中心地带，即大兴安岭以南，宣大边外直到山海关外地区。[①] 归化城土默特、鄂尔多斯部以及苏尼特、乌珠穆沁、蒿齐特等察哈尔鄂托克，阿巴噶、阿巴哈纳尔等阿噜蒙古部落尚未纳入满洲牛录固山制中。所有上述情况表明，清朝已经完成了对漠南蒙古的统治。

第二节　漠南蒙古札萨克旗与蒙古八旗的建立

一、漠南蒙古札萨克旗的形成

以崇德元年（1636年）四月的盛京会盟为标志，漠南蒙古察哈尔、科尔沁、扎赉特、杜尔伯特、郭尔罗斯、敖汉、奈曼、巴林、东土默特、扎鲁特、四子、阿噜科尔沁、翁牛特、喀喇车里克、喀喇沁、乌喇特等十六部正式成为大清国的一部分。不久，清廷将这些蒙古部落编入23个旗分中，加上以前编定的额哲名下察哈尔旗以及喀喇沁1旗和土默特2旗，基本完成了对漠南蒙古的征服。[②] 然而，由于种种原因，还有几个漠南蒙古部落不在此列，它们是蒙古右翼万户归化城土默特、鄂尔多斯部；左翼察哈尔属部克什克腾、苏尼特、乌珠穆沁、浩齐特等鄂托克和阿噜蒙古的茂明安、阿巴噶、阿巴哈纳尔等部。

天聪六年（1632年），皇太极亲征察哈尔，追至库库和屯（今呼和浩特），焚烧板升城，又派额尔德尼囊素喇嘛规劝收罗流散山野的西土默特部众，最终使西土默特封建主归降爱新国。天聪八年（1634年），爱新国再次征察哈尔，林丹汗率部西迁，察哈尔部众离散。鄂尔多斯部脱离察哈尔控制，进入爱新国势力范围。天聪九年（1635年），多尔衮率领精骑深入鄂尔多斯腹地，迫降林丹汗子额哲。随征的贝勒岳托患脚疾留在归化城，发现西土默特部首领鄂木布乳母之夫毛罕私自允许外喀尔喀部与明朝贸易，从而怀

①　达力扎布：《明代漠南蒙古历史研究》，内蒙古文化出版社1997年版，第337—353页。

②　达力扎布：《清初内札萨克旗的建立问题》，《明清蒙古史论稿》，民族出版社2003年版，第260—272页。

疑鄂木布私通外喀尔喀而谋叛。岳托杀了毛罕，并将鄂木布带往盛京，不久又将其送回归化城。崇德三年（1638年），清廷正式将西土默特部编为左右二旗，选择非俺达汗裔的古禄格、杭古二人为固山额真，俾统领二旗，剥夺了俺答汗子孙对该部的统辖权。①

鄂尔多斯部居住黄河河套，与明朝接壤，战略地位十分重要。在清初年间，因与明朝的战争以及入关后征伐李自成残部等军事行动的需要，清廷命鄂尔多斯部济农收集部落，在原地游牧，以配合清军行动。② 鄂尔多斯济农每年遣使朝贡，以表忠诚。直到顺治六年（1649年），清廷才开始编鄂尔多斯部为6个札萨克旗：鄂尔多斯左翼前旗、鄂尔多斯左翼中旗和鄂尔多斯左翼后旗；鄂尔多斯右翼前旗、鄂尔多斯右翼中旗及鄂尔多斯右翼后旗。③

察哈尔属部成吉思汗后裔所统克什克腾部于天聪八年（1634年）在首领索诺木的带领下归附爱新国。顺治九年（1652年），清廷编该部为一旗，以索诺木领之，授札萨克一等台吉。

察哈尔属部苏尼特部由达延汗后裔所统，林丹汗时依附外喀尔喀车臣汗部。于崇德四年（1639年）归附清朝，崇德六年（1641年）编为一旗，腾机思为札萨克墨尔根多罗郡王，是为苏尼特左旗。崇德七年（1642年），又编一旗，为苏尼特右旗，叟塞为札萨克多罗郡王。④

乌珠穆沁部也是察哈尔属部，其首领为达延汗后裔。崇德二年（1637年），多尔济率部由外喀尔喀归附清朝。⑤ 崇德六年（1641年），编一旗，为右翼旗，多尔济为札萨克和硕车臣亲王，俗称西乌珠穆沁旗。⑥ 顺治三年（1646年）又编一旗，为左翼旗，俗称东乌珠穆沁旗，多尔济之侄色棱为札

　　① 齐木德道尔吉：《17世纪蒙古文档案中的有关呼和浩特地区史实》，《内蒙古大学学报》（蒙古文版）2006年第3期。

　　② 《清太宗实录》卷65，崇德八年七月丁巳条。

　　③ 包文汉、奇·朝克图整理：《蒙古回部王公表传》第1辑，内蒙古大学出版社1998年版，第318—320页。

　　④ 齐木德道尔吉：《腾机思事件》，《明清档案与蒙古史探究》第2辑，内蒙古人民出版社2002年版，第106—145页。

　　⑤ 《清太宗实录》卷32，崇德二年十一月丁丑条。

　　⑥ 《清太宗实录》卷57，崇德六年八月丁未条；《钦定外藩蒙古回部王公表传》卷34，"乌珠穆沁部总传"。

萨克额尔德尼多罗贝勒。①

浩齐特部也是察哈尔属部，由达延汗后裔统领。于崇德二年（1637年）与乌珠穆沁部一同从外喀尔喀车臣汗处来归清朝。② 顺治三年（1646年），编为一旗，后称浩齐特左旗，博罗特为札萨克多罗额尔德尼郡王。③ 顺治八年（1651年），噶尔玛色旺率所部从漠北喀尔喀来归，于顺治十年（1653年）编为一旗，是为浩齐特右旗，噶尔玛色旺为札萨克多罗郡王。④

茂明安为哈撒儿后裔所统之部，游牧在呼伦贝尔迤北直到尼布楚河流域。天聪七年（1633年），其首领车根率所属千余户归附爱新国。⑤ 由于该部台吉乌巴海等于天聪九年（1635年）叛逃外喀尔喀，未能单独编旗，始终附属于扎鲁特右翼旗下。直到康熙三年（1664年）才编为一旗，授车根长子僧格札萨克一等台吉。⑥

阿巴噶部是成吉思汗弟别里古台后裔所统之部，依附外喀尔喀，徙牧克鲁伦河，称为阿噜蒙古。崇德四年（1639年），额齐格诺颜多尔济率所属从漠北迁回漠南，归附清朝。⑦ 崇德六年（1641年），编为一旗，是为阿巴噶右旗。额齐格诺颜多尔济为札萨克卓礼克图郡王。⑧ 顺治八年（1651年），额齐格诺颜多尔济侄孙都思噶尔率所属从漠北迁回，编为一旗，为阿巴噶左旗。都思噶尔为札萨克多罗郡王。⑨

阿巴哈纳尔首领也是别里古台后裔。林丹汗时，游牧克鲁伦河，属阿噜蒙古。康熙四年（1665年），栋伊思喇布率所属徙往漠南，归依清朝，被编为一旗，是阿巴哈纳尔左旗。栋伊思喇布为札萨克固山贝子。康熙五年（1666年），栋伊思喇布之兄色棱墨尔根率所属由漠北来归，清廷编其为另

① 《清世祖实录》卷25，顺治三年三月癸酉条。

② 《清太宗实录》卷35，崇德二年五月乙未条。

③ 《清世祖实录》卷25，顺治三年三月癸酉条；卷50，崇德七年八月己丑条。

④ 《清世祖实录》卷72，顺治十年二月庚子条。

⑤ 《清太宗实录》卷20，天聪七年九月戊辰条；十月辛丑条。

⑥ 齐木德道尔吉：《四子部落迁徙考》，《蒙古史研究》第7辑，内蒙古大学出版社2003年版，第292—306页；《乌喇特部迁徙考》，《中央民族大学学报》2006年第3期。

⑦ 《清太宗实录》卷49，崇德四年十月庚寅条；崇德四年十二月壬寅条。

⑧ 《清太宗实录》卷57，崇德六年八月丁未条。

⑨ 《清世祖实录》卷60，顺治八年九月丙戌条。

一旗，是为阿巴哈纳尔右旗，色棱墨尔根为札萨克多罗贝勒。①

这样，直到清军入关前的 1644 年，已有漠南蒙古 24 部归附清朝，札萨克旗数达 33 个。顺治、康熙年间，随着鄂尔多斯及喀尔喀部落的归附，到康熙九年（1670 年）又增至 49 旗，始有"南四十九旗"之称呼，有清一代漠南蒙古地区设旗的历史过程至此基本结束。

在推行编旗制度的同时，爱新国政权为了进一步加强对蒙古各部的统一管理，早在天聪八年（1634 年）就已经设立了专门处理蒙古事务的中央机构——蒙古衙门。蒙古衙门的地位与吏、户、礼、兵、工、刑六部平行，列于其后。最初由精通蒙古事务的阿什达尔汉负责，崇德元年（1636 年），以尼堪为蒙古衙门首任承政，其后由达雅齐塔布囊继任。主要官员分承政、参政两级，下设有启心郎等若干办事人员，多以满蒙籍官员充任。为了适应日益繁纷的蒙古事务的需要，清廷于崇德三年（1638 年）六月，将蒙古衙门更名为理藩院，同年铸造了理藩院印信。次年又增设分管各旗的章京若干员，其内部组织也更加完备。这一调整为入关后理藩院的进一步完善和发展奠定了基础。②

二、蒙古八旗的建立

从 17 世纪 20 年代开始，爱新国与蒙古诸部长期争战，期间有大量的蒙古部众陆续投归爱新国。早期，爱新国统治者对这些来归者一般分两种情况区别对待：对出身高贵的蒙古贵族所率属民或人数较多者，听任原主管领，以稳人心，如察哈尔所属兀鲁特部。对人数较少或由爱新国军队在战场收编者则随时分给各大贝勒，编入各自率领的满洲旗分，有的还集中编设了蒙古牛录，后来称"旧蒙古"。这部分蒙古军队的统领者称总兵官，由蒙古人充任。林丹汗西征时，喀喇沁万户被林丹汗击溃，属众逃入爱新国后也被分编到满洲八旗中。这些人后来被称为"在内旧喀喇沁壮丁"。

从天聪八年（1634 年）起，爱新国开始了对归附的漠南各部编旗的准

---

① 《钦定外藩蒙古回部王公表传》卷 38，"阿巴哈纳尔部总传"。
② 达力扎布：《清代内札萨克六盟和蒙古衙门设立时间蠡测》，《明清蒙古史论稿》，民族出版社 2003 年版，第 281—288 页。

备——划定地界和分配民户，由阿什达尔汉、达雅齐主持。涉及的蒙古部有翁牛特、巴林、敖汉、奈曼、四子、扎鲁特、阿噜科尔沁等。在该年十月划定地界时，第一次出现了蒙古两黄旗、两红旗、两白旗、两蓝旗等蒙古八旗名称，同时与归附各部划得了牧地。① 天聪九年（1635 年）二月，通过编审清查，查出内外喀喇沁蒙古壮丁15 953名。爱新国遂以这些壮丁为基础，合以原蒙古二旗兵丁（即"旧蒙古"），重新编为十一个固山。其中，第一固山由原喀喇沁塔布囊及其属众组成，苏不地之子古噜思希布任固山额真（旗主）；第二固山由原东土默特塔布囊及其属众组建，赓格尔和善巴二塔布囊为固山额真；第三固山由东土默特部构成，俺达汗曾孙鄂木布楚琥尔为固山额真。以上三固山不列入爱新国八旗系统，后逐渐演变为外藩蒙古旗。其中古噜思希布一旗虽然是塔布囊统辖的兀良哈部众，但仍然袭用其原宗主喀喇沁之名，后来成为外藩蒙古喀喇沁右翼旗。赓格尔、善巴一旗后来成为外藩蒙古东土默特左旗，鄂木布楚琥尔旗为东土默特右旗。②

其余的八个蒙古固山则完全纳入爱新国八旗组织序列，与八旗满洲并列，称八旗蒙古，俗称蒙古八旗。政治地位低于满洲而高于汉军。八旗蒙古的组织形式、内部机构与八旗满洲相同，只是甲喇、牛录的额定数量较少。规定每旗下设二甲喇，每甲喇下牛录数目不等，其官，"八旗总管大臣下设梅勒章京、甲喇章京各二员"。各牛录还设有牛录章京。八旗蒙古以原喀喇沁人为主体，成为爱新国和清朝直辖的主力军队之一。③ 清军入关后，这支军队随同满洲、汉军一起驻防在京师和全国各地。

第三节　内蒙古各部族对清朝统治的反抗

一、科尔沁与阿噜部对爱新国统治的反抗

内蒙古各部族接受清朝统治的过程并不是一帆风顺的，其中也充满了反

---

① 《清太宗实录》卷21，天聪八年十一月壬戌条。
② 乌云毕力格：《喀喇沁万户研究》，内蒙古人民出版社 2005 年版，第 154 页。
③ 乌云毕力格：《喀喇沁万户研究》，内蒙古人民出版社 2005 年版，第 158—168 页。

抗清朝统治的斗争。较早归附爱新国的科尔沁部首领奥巴，与爱新国始终保持一定的距离。天命十一年（1626 年）八月，努尔哈赤死，奥巴只遣一个小班第，牵一匹老马，敷衍爱新国的国丧。此后，皇太极送奥巴所娶舒尔哈赤之女到科尔沁，奥巴仅以八匹有鼻疽之马做回礼，并且对此公主态度冷淡，未给予应有的尊重。1627 年，林丹汗率部西迁，察哈尔对科尔沁等左翼蒙古诸部的威胁随之解除。于是，奥巴更加疏远爱新国，甚至与皇太极争夺对内喀尔喀逃民的支配权。奥巴还拒绝与皇太极一道远征察哈尔。天聪二年（1628 年）九月，皇太极亲征察哈尔。奥巴声言自为一路往征察哈尔，不与爱新国会师。因为奥巴一路的缺失，这次已进军到兴安岭对察哈尔的远征以半途而废告终。为了彻底制伏奥巴，进而巩固对科尔沁诸部的控制，皇太极于天聪二年（1628 年）底遣使至科尔沁，历数奥巴对爱新国的"背信弃义"，罗列十条"罪状"，将其就范。①

天聪五年（1631 年），阿噜蒙古的乌喇特部正在归附爱新国的途中，经扎赉特部等挑拨，又返回大兴安岭北。说明阿噜蒙古诸部对归附爱新国有不同的看法和意见，更能说明已经归附爱新国的扎赉特部中也存在反抗爱新国的活动。

天聪七年（1633 年），茂明安部首领车根率所属千余户归附爱新国。九年（1635 年），该部吴巴海达尔汉巴图鲁、吴巴赛都喇尔、洪珪噶尔珠、俄布甘卜库首倡逃往阿噜部落。阿赖达尔汉率外藩蒙古诸贝勒兵六百人，往追之。阿赖等至阿噜喀尔喀地方，俱获之。"计户口二百三十、人丁四百二十有一，马千七百九十有一、驼百有二十。"②

天聪八年（1634 年），科尔沁部噶尔珠塞特尔、海赖、布颜代、白谷垒、塞布垒等各率本部落人民，托言往征北方索伦部落，取贡赋自给，遂叛去。科尔沁部土谢图济农巴达礼、札萨克图杜棱布塔齐、额驸孔果尔、卓礼克图台吉吴克善率兵往追噶尔珠塞特尔等，俱获之。杀噶尔珠塞特尔、海

---

①　巴根那：《天命十年八月至天聪三年二月科尔沁部与爱新国联盟》，《明清档案与蒙古史研究》第 1 辑，内蒙古人民出版社 2000 年版，第 157—195 页。

②　《清太宗实录》卷 13，天聪七年二月癸亥条；卷 28，天聪九年三月乙丑条。

赖、布颜代、白谷垒、塞布垒等，尽收其部下户口。①

二、鄂木布事件与腾机思事件

天聪九年（1635年），爱新国贝勒岳托驻守归化城。俺答汗后裔博硕克图之子鄂木布不服爱新国统治，秘密与外喀尔喀与明朝贸易，被岳托发现，有外喀尔喀百人、明使者四人，与博硕克图子鄂木布所遣人一同被捕。时博硕克图子鄂木布乳母之夫毛罕私称博硕克图之子鄂木布为西土根汗，自称为吴尔隆额齐克达尔汉贝勒，称其妻为太布精（太福晋），称阿南为杜棱台吉，其扎木苏等皆命以名。又杀害来归爱新国之察哈尔石喇祁他特、吴班札尔固齐、祁他特台吉。又与明沙河堡参将通谋，称明国为一路，喀尔喀为一路，土默特为一路。因遣人往喀尔喀，为土默特人密告而事觉，岳托斩毛罕及其党羽。鄂木布从此被爱新国打入冷宫，剥夺了他对西土默特部的统辖权。爱新国将土默特壮丁3 370名，分为十队，每队以官二员主之，授以条约。又以阿噜阿巴噶部在归化城以北活动，与喀尔喀人同谋藏匿卫拉特所贡马、驼，遣土默特人往剿之。② 此为鄂木布事件。

清军顺治元年（1644年）入关后，遭到了内地农民军和南明小朝廷的顽强抵抗，一时无暇顾及漠北草原。三年（1646年），外喀尔喀汗王们乘机策动了腾机思事件，后来又南下劫掠漠南部落的人畜，采取了与清朝对抗的政策。

在林丹汗时期，漠南蒙古苏尼特、乌珠穆沁等部曾越过瀚海投奔喀尔喀车臣汗。后虽归附清朝，但与喀尔喀的关系一直未断。车臣汗硕垒利用这一关系，于顺治三年（1646年）诱惑苏尼特部的腾机思率部北附喀尔喀。腾机思为达延汗六世孙，苏尼特东路首领。崇德二年和三年（1637和1638年），腾机思与弟腾机特几次派使节到盛京，四年（1639年），率子弟及部众自喀尔喀南来降附清朝。次年，清廷赏腾机思以郡主，授和硕额驸，六年（1641年），又封札萨克多罗郡王，诏世袭罔替。弟腾机特封多罗贝勒。崇德八年（1643年），清太宗死，其子福临即位，摄政的多尔衮与腾机思有

---

① 《清太宗实录》卷18，天聪八年五月戊申条；卷19，天聪八年六月乙亥条。
② 《清太宗实录》卷24，天聪九年八月戊寅条。

隙，在他摄政后腾机思兄弟不再受到清廷的礼遇，相反受到摄政王的压制。顺治三年（1646 年）春，腾机思偕腾机特及其他台吉各率所部叛奔喀尔喀。蒙古四子部首领首先发现其叛逃喀尔喀，率所部兵马追击，阵斩苏尼特 5 台吉，擒获男子 152 名，马驼牛羊万余头只。清廷没收 5 台吉家产及妻室，其余人畜全部分给四子部。清朝对腾机思事件非常重视，决定派兵镇压，以稳定外藩蒙古，进而震慑外喀尔喀诸部。

顺治三年（1646 年）夏五月，清廷任命豫亲王多铎为扬威大将军，率内外大兵往征苏尼特腾机思。清军除京城部分八旗主力外，主要动员了科尔沁、察哈尔、巴林、阿噜科尔沁、乌喇特、土默特等外藩蒙古诸部兵力。蒙古各部兵首先聚集克鲁伦河，向导则由阿巴噶、乌珠穆沁部人充当。诸部兵马与京城清军会合后向西挺进，搜寻苏尼特部众。于七月上旬抵达克鲁伦河上游之乌兰厄尔几地方，在央噶尔察克山遭遇苏尼特哨兵，发现腾机思的营地在衮噶鲁台地方。清军立即派遣先锋军占据衮噶鲁台险隘，豫亲王多铎亲率大军日夜兼程奔袭。发现腾机思早已逃遁，便派轻骑尾随追踪，经一夜行军，追及苏尼特部分叛军，经过激战，俘获随营行进的腾机思之妻清朝公主。清军在布尔哈图汗山斩杀腾机特子及腾机思孙等 100 多人，俘获其家口、牲畜。接着，清军行围于布尔哈图汗山阳，大肆杀戮苏尼特及喀尔喀部人众如同猎兽，最后在图拉河北岸会合。此役共斩杀 1 109 人，获 825 人，1 450 峰骆驼，19 309 匹马，15 960 头牛，135 300 只羊。七月十三日，清军追击苏尼特残部到达扎济布喇克地方时，喀尔喀土谢图汗兵二万前来支援苏尼特腾机思。清军大败土谢图汗军，追杀三十多里。第二天，当清军正在打扫战场时，喀尔喀车臣汗硕垒之四个儿子率领所属阿巴哈纳尔、巴尔虎、哈达斤、乌良罕四部人马三万人同清军决战。经过鏖战，清军再次大胜，追杀二十多里。清军获悉硕垒及腾机思已经远遁色楞格河，马匹疲倦无法追及，便于七月十六日班师。至此，苏尼特部腾机思叛清事件才告平息。①

---

① 齐木德道尔吉：《腾机思事件》，《明清档案与蒙古史探究》第 2 辑，内蒙古人民出版社 2002 年版，第 106—145 页。

三、大扎穆苏事件与布尔尼事变

顺治二年（1645年）初，清英亲王阿济格奉命征讨李自成，绕道土默特和鄂尔多斯，拖延时间，贻误战机，被多尔衮斥责。阿济格在鄂尔多斯横行霸道，其使者竟然用弓箭射杀鄂尔多斯诺颜大扎穆苏属下。大扎穆苏不堪欺凌，愤然杀死清廷使臣，率领部下逃入贺兰山。大扎穆苏盘踞贺兰山，欲与宁夏通市，清廷不允，仍令设计捕歼。多尔衮还借顺治帝之名，劝大扎穆苏悔过复还故土。在清廷的封锁和压制下，大扎穆苏无法存活，被迫于顺治七年（1650年）底返回鄂尔多斯。清廷免其死，同来之人仍令其管束。①紧接着，顺治八年（1651年）初，鄂尔多斯部诺颜多尔济不满清廷统治，率所属逃亡。顺治皇帝谕劝他来归故土，并保证如同大扎穆苏一样得到善待。同时命固山额真噶达浑率官兵往征鄂尔多斯部多尔济。多尔济叛逃，未能持久，四月时分，便回归原牧。②

康熙十四年（1675年），察哈尔部亲王布尔尼发动事变，公开反清。这是清朝统治前期漠南蒙古抗清斗争中影响最大的一次。

天聪八年（1634年），察哈尔林丹汗死，次年其子额哲额尔克孔果尔无奈降清。天聪汗为了怀柔前对手，封他为和硕亲王，尚固伦公主，将其部众安置在义州（今辽宁义县以北）边外，形成一个察哈尔札萨克旗。该旗一般被列于外藩蒙古之外，史料中不见该部出兵、进贡的记载，且经常被称作"察哈尔国"。后来又有外喀尔喀太吉滚布什希等率四部590人来归，清廷命隶该旗下，直到康熙十四年（1675年）已有12佐领，近15 000口。额哲归附清廷，虽失汗位，却成外藩蒙古诸札萨克之一，在待遇上仍然位居蒙古各旗王公之上。如清初崇德年间，外藩蒙古分为左右翼会盟，科尔沁部土谢图亲王居左翼科尔沁等十旗蒙古之首，额哲为右翼其他蒙古部落之首。此外，在爱新国天聪年间分别来降的察哈尔部众，则被另编八旗，其制同八旗组织，由八旗蒙古都统统辖，不归额哲管辖。崇德六年（1641年），额哲死，顺治二年（1645年）皇太极之女再嫁额哲弟阿布鼐。顺治五年（1648

---

① 《清世祖实录》卷20，顺治二年八月丁未条；卷44，顺治七年五月丙戌条。
② 《清世祖实录》卷53，顺治八年二月丙戌条。

年)，令阿布鼐袭亲王爵位。顺治十六年（1659 年），阿布鼐部人有持刀行刺者，阿布鼐"不遵例知会札萨克别旗王贝勒等，擅自处斩"，被判罚马千匹。阿布鼐作为蒙古大汗后裔，对自己沦为清朝臣民的境遇耿耿于怀，此时清廷又把他视同一般札萨克加以责罚，使其深感耻辱，进而怀怨。从此，阿布鼐对清朝皇帝不尽履行外藩蒙古王公所应尽的义务，对朝廷抱有轻视态度。他八年不曾一次进宫朝请，不亲养公主所生子，而寄养于已分家之长子家中。清廷每年派人询问公主所生之子，并颁给恩赐，阿布鼐却不亲身一问皇上。康熙八年（1669 年），清廷降罪阿布鼐，将他拘禁在盛京。

同年九月，清朝命阿布鼐长子布尔尼袭和硕亲王爵位，俾领其众。但是，布尔尼的态度与其父阿布鼐并无二致。而且由于阿布鼐的下狱，布尔尼对清廷更加仇视。康熙十二年（1673 年）十二月，南方爆发了"三藩之乱"。叛乱的火焰遍及南方几省，严重威胁到清朝的统治。次年十二月，陕西提督王辅臣也响应三藩之乱，树起了反清大旗。为了镇压叛乱，清廷在蒙古地区也调动了不少人马，康熙十三年（1674 年），部分察哈尔左翼官兵奉命赴杭州，右翼察哈尔兵守江宁。王辅臣作乱，察哈尔兵又入驻宣府、大同。三藩之乱一兴，清朝大军南征，北边空虚。由于战乱，察哈尔部民也不得安宁，人心骚动。布尔尼认为脱离清朝的时机已到，便于康熙十四年（1675 年）举兵反清。

布尔尼与其弟罗卜藏以及心腹喇嘛和台吉密谋，令部下缮治甲兵，约定三月二十五日起事。不料这一计划被从嫁公主长史辛柱所发觉，暗遣其弟入京告密。康熙帝根据太皇太后即孝庄文皇后之命，遣人召巴林王鄂齐尔兄弟，翁牛特王杜棱兄弟及布尔尼、罗卜藏兄弟俱入京师，准备防患于未然。但布尔尼不仅没有进京，而且还扣留了朝廷的使者。接着，布尔尼向周围各蒙古札萨克旗发出通告，号召他们一同举兵反清。但是，漠南蒙古王公归属清朝已经四十年，同满洲皇室建立了"亲如一家"的关系，他们的地位、利益已同清朝一致。布尔尼虽然自封"大元之后"，但在蒙古贵族中已失去号召力。所以，蒙古贵族很少有人响应。土默特贝子滚济斯札布首先向北京告发布尔尼叛情，接着邻近蒙古王公贝勒等都先后遣人来报。响应布尔尼行动的只有昭乌达盟奈曼旗札萨克郡王札木山和卓索图盟喀尔喀右翼旗（该旗首任札萨克为本塔尔，外喀尔喀土谢图汗部属。顺治十年（1653 年）因与土谢图汗不和，来投奔清朝，被安置在内蒙古）公垂扎布。札木山约喀喇沁札萨克札什一起行动，诳以科尔沁、扎鲁特、乌珠穆沁、浩齐特等已全部响应，然而遭到札什的拒绝。

清朝立刻派兵镇压，命多罗信郡王鄂札为抚远大将军，以大学士图海为副将军，率师讨伐布尔尼。当时清朝大军尽数南征，京师没有可调用的兵马。因此，图海奏请选八旗家奴中的健勇者，得数万人为师。清廷得知布尔尼将进攻盛京，夺回阿布鼐，便命盛京将军与宁古塔将军严守盛京。与此同时，派理藩院郎中马喇、员外郎塞冷到漠南东部诸旗征调兵马，科尔沁、阿鲁科尔沁、翁牛特、巴林、敖汉、喀喇沁、土默特、扎鲁特诸旗王公纷纷请求出兵。康熙十四年（1675年）四月癸巳，鄂札率兵出征。图海以财帛诱其士卒，每到州县村堡，即令众家奴抢掠一番，将到察哈尔境内时，又鼓动兵士大肆抢掠，谓察哈尔旧国，数百年之基业，珠宝不可胜计，如能得之，可富贵终身。清军人人踊跃从事，火速出口，于四月二十日到喀喇沁境内，在达禄地方同察哈尔军发生了战斗。布尔尼势单力薄，没有其他王公的援助，就连察哈尔部的大量兵马也被调往内地，他只有骑兵三千余人。达禄一役，布尔尼亲领大队，摆列火器相拒，不支。布尔尼又组织两次防御战，均败。布尔尼兄弟无法再战，仅率三十余骑逃走。达禄战役时，清廷调宣府左翼四旗察哈尔镇大同，然而，四旗兵丁哗变，毁边墙自遁。到五月初，科尔沁和硕额驸沙津率五旗兵丁到达扎鲁特旗境，因为罗卜藏为沙津妹夫，所以企图通过他招降其兄布尔尼，未果。不久，沙津追及二人，一一射死。哗变兵丁不久也即归顺。布尔尼事件不足两个月就以失败告终。

清廷镇压布尔尼之后，采取种种措施，进一步削弱察哈尔的势力。首先，对布尔尼之父阿布鼐处以绞刑，又将"其子于军前正法，女入官"，以绝察哈尔汗之后。其次，对伙同布尔尼发动事变的察哈尔首脑人物，除已战死者外，都逮捕处刑；对追随布尔尼哗变的察哈尔左翼四旗兵丁，却令驻防河南府，以赎其罪。再次，调查户口，重编旗佐，改换游牧。据副将军图海的奏折，察哈尔十二佐领中来军前投降的男丁共1166名，和他们的妻室老小共5887人，奉调出征人妻子家口共2838人。逃入外藩蒙古各旗的男丁共514名，人口共3638名，布尔尼所属喇嘛班第116人，家人男女凡383名，合计13746名。清朝编他们为八旗，分左右二翼，不设札萨克，以总官统领，重新安插在宣府、大同边外，成为新的察哈尔游牧八旗。此八旗与其他四十九个札萨克旗不同，"官不得世袭，事不得自专"，与各札萨克"君国子民者"异。同时，清廷收回察哈尔在义州的牧场，设置牧厂，隶内务府太仆寺。对响应布尔尼的非察哈尔王公，如奈曼王札木山，革去王爵，仍留家口牲畜，令其自给；喀尔喀右翼旗公垂扎布，革爵，将其所属人口分给了其他八台吉。①

清朝先怀柔兵强马壮的科尔沁，后将喀喇沁编入八旗，再后借故削弱俺答汗裔土默特势力，继之又绝察哈尔汗之后。至此，可以说把漠南蒙古已稳稳地控制在手里。通过对布尔尼事件的平定，清廷不仅消灭了察哈尔汗室，而且进一步铲除异己，使内蒙古王公全部顺从了清朝。清廷在漠南蒙古的统治从根本上确立，内蒙古的政治形势也最后稳定下来。

第四节　内蒙古各部族在清朝统一全国战争中的贡献

一、征服朝鲜与收复瓦尔喀部

清初的满蒙联盟关系，大大增强了爱新国的军事力量。能征善战的蒙古骑兵，与满洲八旗兵联合作战，击破明朝与林丹汗的联盟，进而统一了漠南蒙古。漠南蒙古被征服后，内蒙古各部落的军事力量便被清廷动员起来，加入到征伐朝鲜和明朝的战争中，为清朝入主中原，统一全国作出了重大贡献。

清朝正式立国，漠南蒙古成为清朝的一部分，使皇太极有可能集中力量征伐朝鲜，将朝鲜纳入自己的势力范围，进而孤立明朝。朝鲜作为明朝的藩属，一直与明朝关系密切。在清朝与明朝的激烈冲突中，朝鲜往往站在明朝一边，为明朝提供军事和经济援助。早在天聪元年（1627年），皇太极派大贝勒阿敏等统军入侵朝鲜，迫使朝鲜签订"江都之盟"和"平壤之盟"，让朝鲜称臣纳贡。但是朝鲜李氏王朝还是与明朝保持原来的关系，甚至公开支援明朝驻扎皮岛的军队，而对爱新国的各种要求则尽可能地敷衍和抵制，经

---

① 勒德洪撰，江宁点校：《平定察哈尔方略》，《清代方略丛书》本。

常与爱新国发生尖锐的矛盾冲突。崇德元年（1636年），皇太极宣布即皇帝位，改元"崇德"，国号"大清"，朝鲜国王李倧拒不派使臣"劝进"和庆贺，又不派质子，更不接待清朝使臣。皇太极便于崇德元年（1636年）十二月，亲率大军第二次入侵朝鲜。朝鲜国王李倧逃避南汉山城，后妃王子等避江华岛。翌年正月，朝鲜京城汉城及江华岛先后陷落，李倧被迫投降。清与朝鲜订立"君臣之盟"，将朝鲜由明朝的属国变成大清王朝的属国。朝鲜史籍称此次事变为"丙子胡乱"。在这次军事行动中，蒙古八旗以及内蒙古各部落中除地方遥远、不宜发动的西土默特、鄂尔多斯等部落外，其他诸部均派兵参加。[①]

崇德二年（1637年）正月，在征伐朝鲜接近尾声的时候，清廷从朝鲜王京又派外藩各部落蒙古兵出会宁往征瓦尔喀。此役有科尔沁左右翼十旗、奈曼、敖汉、扎鲁特、阿噜科尔沁、乌喇特等十六旗三千六百多人参加，在朝鲜境内一路过关斩将，于5月完成收复瓦尔喀部的行动，胜利还师。[②] 至此，清朝完成了对漠南蒙古、朝鲜以及通古斯部族的征服，保证了清朝后方和侧翼的安全，赢得了对明战争的主动权。此时的明朝，农民起义摧毁了国防力量，明廷对辽东的防卫萎缩于宁锦一线，完全处于被动局面。

二、助清军扫清关外明军

清朝建立后，灭明成为其战略重点，皇太极公开声称"今为敌者，惟明国耳！"[③] 如果此前的对明战争大都带有掳掠性质的话，此后的历次战争，都以消灭明朝军队有生力量，彻底铲除辽东军事体系，进而入主中原为最终目标。明山海关外的宁远和锦州有重兵把守，不易攻破，清军便采取绕道进入北京周围地区的办法，大量消灭明军主力。崇德元年（1636年）五月，清军由阿济格率领，由雕鹗堡入关，攻延庆，克昌平，迫使北京戒严。清军绕过北京，过保定，破安州、定兴、宝坻等十二城，五十六战皆捷，消灭大

① 《清太宗实录》卷32，崇德元年正月辛未条、壬申条、丙申条、己亥条；卷33，崇德二年正月丙辰、庚午条。
② 《清太宗实录》卷33，崇德元年正月癸亥条；卷35，崇德二年五月丁酉条。
③ 《清太宗实录》卷20，天聪八年十月庚戌条。

批明军，掳掠大量人畜而归。此役除蒙古八旗兵丁外，还遣蒙古衙门官员往喀喇沁、土默特、科尔沁、敖汉、奈曼、扎鲁特、乌喇特、四子部、巴林、翁牛特等部落调兵。谕之曰，"今欲兴师往征明国，凡外藩蒙古诸贝勒，每旗各发兵一百，即于所约之地，与大军会。"① 崇德三年（1638年）八月，皇太极命多尔衮与岳托分领左右翼大军南下侵掠，皇太极自领兵攻山海关外诸城。清军由墙子岭、青山关入关，战密云，明京师戒严。清兵分三路南下，转战山西，又攻入山东，攻入济南府。次年二月回师。此次南下，前后五月，转战数千里，攻破一府三州五十七县，俘虏人畜无算。此役除有蒙古八旗兵丁以外，右翼岳托部中有土默特一旗、喀喇沁五旗、巴林二旗、敖汉、奈曼二旗、乌喇特一旗、阿噜科尔沁一旗兵丁参战，而且战功显赫。左翼多尔衮军中有察哈尔八旗兵丁参战。②

为了彻底摧毁明军山海关外防线，皇太极于崇德三年（1638年）冬开始发动对锦州的围攻战。③ 明廷调集大军来防。经过两年多的鏖战，于崇德七年（1642年）三月，清军获得松山锦州大捷，洪承畴、祖大寿等重要将领降清，明军关外主力丧失殆尽，山海关外防线彻底瓦解。在松锦大战中，外藩蒙古科尔沁十旗以及其他十三旗都派兵参战，付出了重大牺牲，作出了重要贡献。

崇德七年（1642年）十月，清军最后一次大规模侵入明境。阿巴泰率满蒙汉军八旗兵，以及察哈尔八旗，外藩科尔沁、敖汉、奈曼、乌喇特、阿噜科尔沁、翁牛特、巴林、喀喇沁等部十五旗兵，由黄崖口越长城，至蓟州，破河间、景州，进至山东兖州，杀明王朱以派。分军掠莱州、登州、莒州、沂州，南至海州。次年路经明京畿，获得大量战利品返回。

三、灭明朝统一全国

崇德八年（1643年）八月九日，皇太极病死，年仅六岁的福临即皇帝

---

① 《清太宗实录》卷29，崇德元年五月癸丑条；卷30，崇德元年七月己未条。
② 《清太宗实录》卷43，崇德三年八月丁巳条、崇德三年九月癸亥条；卷44，崇德三年十月丁酉、戊戌条。
③ 《清太宗实录》卷44，崇德三年十月己酉条。

位。济尔哈朗和多尔衮辅国政。清廷随即发动了灭明战争。宁远总兵吴三桂据守山海关一线，使清军不得前进。顺治元年（1644 年），李自成农民军抵近北京，吴三桂放弃宁远，入卫京师。清军伺机准备联合李自成进攻明朝，多尔衮发满蒙八旗以及外藩蒙古三分之二的兵力，开始大举征明。吴三桂途中得知李自成进据北京，崇祯皇帝自杀，遂退回山海关。李自成亲率大军东征吴三桂，吴三桂紧急向清军求援。四月十五日，多尔衮接信，改变进军路线，日夜兼程向山海关进发。四月二十一日夜间，清军到达山海关外，吴三桂剃发降清。二十二日，多尔衮率领满蒙军队大败李自成二十万大军，李自成被迫逃跑。清军顺利夺取北京，九月，顺治帝自盛京到北京，遂定都北京，建立起清朝对中原的统治。

蒙古八旗以及外藩蒙古诸部兵相继参加了由英亲王阿济格和豫亲王多铎指挥的追击和围剿李自成残部的战争，直到顺治二年（1645 年）五月包围李自成于湖北通山县九宫山，迫其自杀。顺治三年（1646 年）正月，清廷封和硕肃亲王豪格为靖远大将军，率八旗满洲、蒙古、察哈尔军出征剿灭张献忠。

在灭南明政权的战争中，也无处不见蒙古八旗、察哈尔八旗以及外藩蒙古兵的踪迹。多铎征南明时，有许多科尔沁精选兵丁补充到军中，在以后的攻克扬州，占领南京，消灭福王集团的战争中发挥了作用。又如顺治十年（1653 年），察哈尔八旗兵随洪承畴经略西南；十一年（1654 年），蒙古八旗、察哈尔八旗兵出征郑成功；十五年（1658 年），察哈尔八旗赴贵州换防等。当清朝完成全国的占领后，又有蒙古八旗以及察哈尔八旗兵与满洲和汉军八旗兵一道驻防各地，为清朝统治的确立立下汗马功劳。

随着清朝在全国统治的确立，内蒙古各部族承担起屏藩朔漠的重任。顺治三年（1646 年），苏尼特腾机思叛归外喀尔喀，蒙古诸部派兵参加追剿，获胜而归。康熙十三年（1674 年），平定"三藩之乱"，清廷抽调蒙古八旗以及察哈尔八旗兵参加战斗或驻守河南、扬州、江宁、浙江、福建等要地。陕西王辅臣叛，再从察哈尔八旗左翼抽调四旗兵驻守宣府。察哈尔部布尔尼叛清造反，清廷主要依靠外藩蒙古兵迅速平息了叛乱。

崇德年间，清朝已经完成对黑龙江流域诸部族的征服。17 世纪中叶，沙俄势力侵入黑龙江流域。顺治八年（1651 年），以桂古达尔为首的达斡尔族人民奋起反抗沙俄军队，有 600 多名战士英勇牺牲。当地的鄂温克、鄂伦春族人民也参加了抗俄斗争，围攻尼布楚，还参加了收复雅克萨的战斗。

以上事实充分说明，内蒙古各部族在清朝统一全国的战争和抵抗俄罗斯入侵的战斗中作出了重大贡献。

第　四　章

内蒙古的民族分布新格局

第一节　内札萨克六盟四十九旗

清朝统一漠南蒙古期间，在归附的蒙古各部落中编佐设旗，划定旗界。入关后，大规模设置旗分，至康熙末年，共设 6 盟 49 旗，从而形成内蒙古新的民族分布格局。

一、哲里木盟

哲里木盟位于内札萨克蒙古东部，大约在东经 120°到 126°，北纬 42°30′到 47°，东南与盛京、吉林交界，北与呼伦贝尔相接，西部和昭乌达盟及锡林郭勒盟接壤，西南之一小部分与卓索图盟东北端的锡埒图库伦喇嘛旗毗连。由科尔沁右翼前、中、后旗、科尔沁左翼前、中、后旗、郭尔罗斯前、后旗、杜尔伯特旗、扎赉特旗等十个札萨克旗组成，因会盟于科尔沁右翼中旗的哲里木，称为哲里木盟。

1. 哲里木盟诸部源流　哲里木盟科尔沁、扎赉特、杜尔伯特、郭尔罗斯各旗札萨克及王公贵族均为成吉思汗长弟哈撒儿的后裔。科尔沁部是以哈撒儿封地及其后裔为统治核心而形成的蒙古强部。科尔沁一词，明译好儿趁、火耳趁、火儿慎、尔填，清又译郭尔沁，来源于蒙元时期的火儿赤（箭筒士），是汗廷卫士的一种职务名称。因哈撒儿及其子移相哥善射著称，又曾统领蒙古汗廷卫士中的箭筒士，哈撒儿后裔所属部落便得名为"科尔沁"。1206 年，成吉思汗建立大蒙古国后，哈撒儿家族分得 4 000 户属民，驻牧于额尔古纳河流域、海拉尔河和呼伦湖一带。① 有元一代，哈撒儿后裔被封为齐王，成为元代东道诸王之一，地位显赫。

元亡后，科尔沁部驻牧于额尔古纳河流域及鄂嫩河中下游一带，并在哈撒尔后王带领下逐渐强大。哈撒儿后裔锡古锡台巴图尔王（明译小矢的王）、勃罗乃齐王、乌讷博罗特王、鄂尔多古海王（明译阿儿脱歹王）先后扶持蒙古大汗，对巩固蒙古黄金家族的统治起了重要作用。达延汗时期，科尔沁部立于蒙古大汗直辖的六万户之外，成为万户，由左翼新明安塔奔、茂明安、乌喇特、塔塔噶勒沁、布达沁、阿勒塔沁、郭尔罗斯等七鄂托克科尔沁兀鲁思和右翼克烈亦特（元译克烈）、主亦特、伊克明安、葛衮合什克、推伯根（元译土别燕）、撒哈亦特等六鄂托克克列亦特兀鲁思组成。②

16 世纪 30 年代始，科尔沁部牧地逐渐南移，并以哈撒儿十三世孙鄂尔多固海王和图美扎雅哈齐诸子家族统治为核心分成诸多部落。其中，阿噜科尔沁、乌喇特、茂明安等部驻牧于呼伦贝尔及鄂嫩河下游尼布楚一带以外，一部分由哈撒儿第十四世孙奎猛克塔斯哈喇（明译魁猛可）带领，迁至嫩江流域，因同族有阿噜科尔沁，号所部为嫩（嫩江）科尔沁（或称"乌吉叶特科尔沁"、"博罗科尔沁"、"嫩阿巴噶"）。明嘉靖三十四年（1555 年），奎猛克塔斯哈喇与蒙古打来孙汗及内喀尔喀部首领虎喇哈赤一同侵扰明辽西一带。16 世纪 70—80 年代，嫩科尔沁部归属于蒙古察哈尔部图门札萨克图汗，驻牧于明开原西北边外，经新安关或庆云堡与明朝贸易，或向明朝讨索赏金。明万历丁亥、戊子间，奎猛克塔斯哈喇嫡孙瓮阿岱（明译恍忽大，全称为"翁阿岱呼拉齐洪巴图尔"）、图梅（明译土门儿）向南扩张受内喀尔喀五部阻挠后，嫩科尔沁部退居混同江（松花江）江口一带，吞并郭尔罗斯、杜尔伯特、扎赉特、土默特、卦尔察、锡伯等蒙古和女真诸部，成为盘踞于东北腹地的人口众多的蒙古部落，其牧地也从此逐渐固定下来，并内分左、右翼游牧。

奎猛克塔斯哈喇有子二，长博第达喇，号卓尔郭勒诺颜，次诺们达喇，

① ［波斯］拉施特：《史集》第 1 卷第 1 分册，余大钧等译，商务印书馆 1986 年版，第 67 页。
② 答哩麻固什：《金轮千辐》，内蒙古人民出版社 1987 年版，第 345 页。

号噶勒济皋诺颜。博第达喇大哈屯吉格伦生三子，长齐齐格，号巴图尔，为右翼土谢图汗奥巴、札萨克图郡王布达齐二旗祖。次纳穆赛，号都喇勒诺颜，为左翼达尔汉亲王满珠习礼、冰图郡王洪果尔、贝勒栋果尔三旗祖。季乌巴什，号鄂特欢诺颜，为左翼郭尔罗斯前、后旗祖。博第达喇小哈屯生三子，长乌延岱科托果尔，次托多巴图尔哈喇，季拜新，为科尔沁右翼前旗小诺颜祖。博第达喇西室哈屯吉鲁根生额勒济格卓里格图，为噶喇珠色特尔等七子父。博第达喇东室哈屯哈喇尼敦生二子，长爱纳噶，号车臣楚库尔，为右翼杜尔伯特旗祖，次阿敏，号巴噶诺颜，为右翼扎赉特旗祖。诺们达喇子一，曰者格尔德（明译者儿得），其子图梅卫徵，号岱达尔汉，为右翼札萨克镇国公喇嘛什希一旗祖。

明万历二十一年（1593 年），科尔沁部首领瓮阿岱、莽古斯、明安等纠合叶赫、哈达、乌拉、辉发、锡伯、卦尔察、珠舍哩、讷殷等九部三万兵，分三路攻打努尔哈赤，在古埒山之役中，九部联军败北，其第二年始科尔沁部纳穆赛次子明安等与努尔哈赤遣使通好，联姻不断。天命九年（1624 年），科尔沁部首领奥巴（瓮阿岱子）与爱新国主努尔哈赤盟誓和好，共同抗衡察哈尔林丹汗。翌年，林丹汗攻打奥巴所驻格勒珠尔根城，久攻不克，努尔哈赤派兵援助，遂得解围。天命十一年（1626 年），努尔哈赤封奥巴为土谢图汗，妻以贝勒舒尔哈赤女孙，授和硕额驸。天聪年间，皇太极针对奥巴等人的彷徨情绪，通过多次与科尔沁等部贵族立法，不断从科尔沁部征兵，联合攻打察哈尔林丹汗或明朝辽东地区。天聪五年（1631 年），皇太极令科尔沁诸部牧地西移。新划定的科尔沁部牧地东北邻达斡尔人居住地，东面以松花江为界，西接兴安岭山阴的阿噜蒙古。天聪八年（1634 年），噶拉珠色特尔等科尔沁部贵族反抗爱新国兵役的起义被镇压后，科尔沁部基本上归附了爱新国。

天聪十年（1636 年）四月，漠南蒙古十六部四十九名贵族同满汉臣僚一道大会盛京，共推皇太极为"博格达彻辰汗"，建国号为大清。科尔沁部右翼土谢图济农巴达哩、札萨克图都棱布达齐、喇嘛什希、扎赉特部达尔汉和硕齐蒙衮、昂安伊勒都齐、杜尔伯特部达尔汉台吉色棱、科尔沁部左翼卓里克图台吉乌克善、秉图台吉洪果尔、达尔汉巴图鲁满珠习哩、伊勒都齐栋克尔、穆斋、郭尔罗斯部哈坦巴图鲁固穆、伊勒登布木巴等均来参加。此时，嫩科尔沁部共有 447 鄂托克，22 350 户。有清一代，"科尔沁以列朝外戚，荷国恩独厚，列内札萨克二十四部之首"。自崇德元年（1636 年）至顺治年间，清陆续把原科尔沁左右翼诸部编为十个札萨克旗，并对其原有牧地重新作了调整。

扎赉特部系蒙古古老的部落扎剌亦儿（又译押剌伊而、札剌儿、札剌）部之后民，辽代该部曾是人数众多的部落，有十个分支，游牧在斡难河、怯绿连河一代。他们的部落组成为七十"古列延"（圈子，属民），每个古列延由一千个车子组成，共有七万辆车。蒙古海都汗始，该部沦为乞颜孛儿只斤氏族的"孛斡勒"。被成吉思汗封为国王，掌大蒙古国左翼各千户的木华黎即出此部。蒙元时期，扎剌亦儿与兀鲁兀、忙兀、弘吉剌、亦乞列思等部组成五投下探马赤军，充当先锋，颇立战功。有元一代，扎剌亦儿与兀鲁兀一同驻牧上都路。元亡后，扎剌亦儿部成为蒙古左翼三万户之一喀尔喀万户的重要组成部分，游牧于喀尔喀河流域。科尔沁所属扎赉特部即源于扎剌亦儿。

杜尔伯特部系蒙古古老的部落朵儿边部之后民，其祖先为成吉思汗第十一世祖都蛙锁豁儿之四子。[1] 杜尔伯特即朵儿边（数词"四"之意）之复数。12 世纪末 13 世纪初，朵儿边部游牧于呼伦贝尔一带。元朝初年，迁居嫩江流域，并入斡赤斤后裔辽王管辖。16 世纪中叶，哈撒儿第十四世孙奎猛克塔斯哈喇所属科尔沁部迁至嫩江流域后，杜尔伯特人才成为嫩科尔沁部的属部。[2]

郭尔罗斯部系蒙古古老的部落豁罗剌思（又译火鲁剌思、郭尔罗特）部之后民，与弘吉剌、亦乞列思、斡勒忽讷惕等部同出一族，为迭儿列斤蒙古诸部的组成部分。游牧于呼伦贝尔一带，与蒙古乞颜部持有世代姻亲关系。成吉思汗第十一世祖朵奔篾儿干之妻阿阑豁阿、曾祖父哈布勒汗之妻篾台、长弟哈撒儿之妻阿勒坦等均出豁罗剌思氏。成吉思汗建国时，将 3 000 户豁罗剌思人分给其母月伦太后，[3] 有元一代，这部分人归斡赤斤后裔辽王

---

① 《元朝秘史》卷 1，《四部丛刊》三编本。

② 波·少布、何日莫奇：《黑龙江蒙古部落史》，哈尔滨出版社 2001 年版，第 12 页。

③ ［波斯］拉施特：《史集》第 1 卷第 2 分册，余大均等译，商务印书馆 1983 年版，第 257 页。

管辖。元亡后，豁罗剌思部分别成为兀良哈万户和科尔沁万户的主要鄂托克之一。

2. 科尔沁右翼中旗 哲里木盟右翼五旗之一，也是清廷实行"备指额驸"制的蒙古十三旗之一。崇德元年（1636 年），以科尔沁部首领土谢图汗奥巴之子土谢图济农巴达哩属众 2 900 户，936 名壮丁，58 牛录编为一旗，[①]巴达哩受封札萨克和硕土谢图亲王，职爵世袭，俗称土谢图王旗。奥巴及其长子巴达哩系奎猛克塔斯哈喇嫡系，在嫩科尔沁贵族中，世代拥有洪台吉（"皇太子"音译）称号，统领嫩科尔沁、扎赉特、杜尔伯特、郭尔罗斯等部，地位显赫。故又俗称该旗为哲里木盟第一旗，掌右翼五旗事。天聪六年（1632 年），奥巴死，翌年，皇太极封巴达哩为济农，去汗号，袭土谢图号。天聪八年（1634 年），巴达哩在皇太极指使下，率科尔沁部镇压同族之噶拉珠色特尔等人的抗兵役起义。崇德元年（1636 年），改授和硕土谢图亲王，为该旗第一任札萨克。先后参加攻克明大同、松山之战，追击苏尼特部腾机思。第三任札萨克阿喇善于康熙二十七年（1688 年），以不称职被削爵，其叔父贝勒沙津（巴达哩次子）袭职，为第四任札萨克。先后参加迎击噶尔丹的乌兰布通之战和多伦诺尔会盟。康熙四十一年（1702 年），削爵，由阿喇善再袭职，为第五任札萨克。旗贵族中除札萨克辅国公职爵世袭之外，另有多罗贝勒职爵世袭。

科尔沁右翼中旗位于哲里木盟西部，西北一带是由兴安岭支脉构成的重叠山地，东南部属平原地带。阿噜坤都伦河和额伯尔坤都伦河在科尔沁左翼中旗汇合后，流入本旗西北，汇哈古勒河，折向东南流。阿尔达尔河经旗北东北流，入贵勒尔河。哲里木河在旗西北部，曾为哲里木盟十个札萨克旗会盟之所。旗地东接科尔沁右翼前旗，南、西两面接科尔沁左翼中旗，北接索伦。札萨克驻巴音和硕之南的塔克禅，在喜峰口东北 1 200 里。旗佐领数 22。光绪三十年（1904 年），随着开垦蒙荒的延伸，内地民人大量涌入，清廷把该旗东南一部分划出，设靖安县，县境东西约 80 里，南北约 120 里，县治白城子。宣统元年（1909 年），又把该旗北部的一部分地划出，设醴泉

---

① 《旧满洲档》，台湾故宫博物院影印 1969 年版，第 5252 页。

县，① 县治醴泉镇。清朝末年，本旗境内的蒙古人口为 25 035，其中自卓索图盟喀喇沁、土默特、敖汉等旗和科尔沁左翼三旗迁来居住的蒙古人几乎占全旗蒙古族总人口的一半以上，从事农业生产。

3. 科尔沁右翼前旗　哲里木盟右翼五旗之一，也是清廷实行"备指额驸"制的蒙古十三旗之一。崇德元年（1636 年），以科尔沁部首领土谢图汗奥巴之弟布达齐札萨克图杜棱属众 2 050 户，743 名壮丁，41 牛录编为一旗。② 博第达喇小哈屯所生乌延岱科托果尔、托多巴图尔哈喇、拜新等兄弟三人子孙及其属众融入其中，号称"巴嘎诺颜"（小台吉），为科尔沁右翼前旗小诺颜祖。而布达齐十一子及其后裔分别占有该旗十一努托克。③ 天命十一年（1626 年），布达齐赐号札萨克图杜棱，崇德元年（1636 年），受封札萨克多罗札萨克图郡王，职爵世袭，俗称札萨克图旗。因布达齐系嫩科尔沁部首领土谢图汗奥巴唯一之弟，地位显赫。故又俗称该旗为哲里木盟第二旗。布达齐曾参加击退林丹汗的格勒珠尔呼城之战、镇压同族之噶拉珠色特尔等人的抗兵役起义、征明大同、义州之役、征伐瓦尔喀等战役，顺治元年（1644 年）卒。次年长子拜斯噶勒袭职，为该旗第二任札萨克。先后参加征明大凌河、山东、锦州之役，收复察哈尔部众，追剿苏尼特部腾机思王。

科尔沁右翼前旗位于哲里木盟中部，索岳尔济山之南，西北部属兴安岭主脉和支脉的山岭地带，中部洮儿河横流其间，形成广袤的平原。贵勒尔河经旗北流向东南，汇洮儿河，再折向东北，经右翼后旗南，流入扎赉特旗界。榆河经旗西北，东南流入贵勒尔河。索岳尔济山耸立旗北，清前期作为军事要地，深为清廷重视。旗地东界科尔沁右翼后旗，南至郭尔罗斯前旗，西接科尔沁右翼中旗，北至科尔沁右翼后旗。札萨克驻西喇布尔哈苏（一说翁衮山），在喜峰口东北 1 350 里。旗佐领数 16。光绪三十年（1904 年），随着开垦蒙荒的延伸，内地民人之大量涌入，清把该旗东南部划出，设开通县，县境东西约 60 里，南北约 150 里，县治初在喀拉乌苏，后移至七井子。④ 清朝末年，迁居该旗境内的喀喇沁、土默特、敖汉等外旗蒙古族人口

---

① 《宣统政纪》卷 11，宣统元年三月丙子条。
② 《旧满洲档》，台湾故宫博物院影印 1969 年版，第 5252 页。
③ 内蒙古社会科学院图书馆：《奎猛克塔斯哈喇家谱》。
④ 《清史稿》卷 55，《地理志》。

逐年增多，在全旗总人口中占有很大比例。

4. 科尔沁右翼后旗　哲里木盟右翼五旗之一。崇德元年（1636 年），以科尔沁部图梅卫徵之子喇嘛什希属众 1 800 户，633 名壮丁，36 牛录编为一旗。① 喇嘛什希曾祖诺们达喇噶勒济皋诺颜系奎猛克塔斯哈喇次子，其子者格尔德及其孙图梅卫徵虽系单传，却在 16 世纪末 17 世纪初的嫩科尔沁部贵族中独树一帜，者格尔德曾与察哈尔部图门札萨克图汗抗衡，图梅卫徵与瓮阿岱一同成为嫩科尔沁部两大首领，曾为明开原西北边患。天命十年（1625 年），林丹汗围攻格勒珠尔呼城时，图梅卫徵又与奥巴和布达齐一同坚守城池，因战功显赫而被努尔哈赤赐号岱达尔汉，其后又率部参加征明遵化、大凌河之役，并随征察哈尔。天聪六年（1632 年），因年老而归牧，旋卒。崇德元年（1636 年），长子喇嘛什希被封为札萨克镇国公，拥有八个鄂托克，为该旗第一任札萨克。次子布达什哩却袭其父之"卫徵"称号，领有该旗近三十个鄂托克，世代任协理旗务台吉。② 顺治四年（1647 年），喇嘛什希卒。翌年，长子色棱袭职，为第二任札萨克。有清一代，因镇国公职爵世袭，俗称该旗为镇国公旗或苏鄂公旗。又因该旗札萨克以及闲散贵族非奎猛克塔斯哈喇嫡系，故又俗称该旗为哲里木盟十旗之末旗。

科尔沁右翼后旗位于哲里木盟北部偏西，西北部是兴安岭余脉构成的起伏山地，从中部到东南部是平原地带，洮儿河由旗西北向东南屈曲横流。旗地东界扎赉特旗，南接郭尔罗斯前旗，西接科尔沁右翼前旗，北抵索伦界。札萨克驻额木图锡哩，在喜峰口东北 1 450 里。旗佐领数 15，分四个努托克，由四个扎兰统领。光绪三十一年（1905 年），内地民人大量涌入，清廷把该旗南部划出，设安广县，县境东西约 160 里，南北约 200 里，县治解家窝铺。③ 宣统二年（1910 年），清又把该旗南部放垦，设镇东县，县境东西约 90 里，南北约 80 里，县治在南叉干挠。④ 在清朝末年的放垦、招垦之过程中，迁居该旗境内的喀喇沁、土默特、敖汉、奈曼、翁牛特、科尔沁左翼

①《旧满洲档》，台湾故宫博物院影印 1969 年版，第 5252 页。
②《旧满洲档》，台湾故宫博物院影印 1969 年版，第 5252 页。
③《清德宗实录》卷 548，光绪三十一年八月甲子条。
④《宣统政纪》卷 40，宣统二年八月甲戌条。

三旗等外旗蒙古族人口逐年增多，在全旗蒙古族总人口中几乎占一半以上，从事农业生产。①

5. 科尔沁左翼中旗　哲里木盟左翼五旗之一，也是清廷实行"备指额驸"制的蒙古十三旗之一，掌左翼五旗事。崇德元年（1636 年），以科尔沁部另一首领莽古斯（号扎尔古齐）之孙乌克善、满珠习礼和曾孙属众 1 950 户，587 名壮丁，39 牛录编为一旗，② 乌克善受封札萨克卓哩克图亲王，职爵世袭，为该旗第一任札萨克。其弟满珠习礼受封札萨克多罗巴图鲁郡王。后乌克善以"岁贡减常额"或"奉召不即至"③ 而勉强留职。康熙四年（1665 年），卒，其第六子都勒巴袭亲王。天聪二年（1628 年）出征察哈尔时，科尔沁部贵族中唯有满珠习礼率所部兵至，且力战建功，赐号达尔汉巴图鲁。其后，又参加征明大同、宣府、义州等役，奉命追击腾机思，败喀尔喀土谢图汗、车臣汗援兵。顺治十六年（1659 年），晋封和硕达尔汉巴图鲁亲王，视土谢图亲王、卓哩克图亲王之例。康熙四年（1665 年），卒，长子和塔袭职，停袭巴图鲁号，为该旗第二任札萨克。康熙八年（1669 年），卒，长子班第袭职，为第三任札萨克。授固伦额附，随征噶尔丹。康熙四十九年（1710 年），卒，长子罗布藏衮布袭职，系第四任札萨克。尚和硕公主，授和硕额附，授盟长，命御前行走，乾隆十七年（1752 年）卒，三子色布腾巴勒珠尔袭职，为第五任札萨克。尚和敬公主，授固伦额附。乾隆十九年（1754 年），随征达瓦齐建功，赐双俸，又因尚未察觉阿睦尔撒纳动机，致使参赞大臣鄂容安等遇害而削爵。罗布藏衮布次子色旺诺尔布袭职，系第六任札萨克。尚县主，授多罗额附、盟长。乾隆三十八年（1773 年），卒，长子旺扎勒多尔济袭职，为第七任札萨克。其后，丹森旺布、宝音温都尔呼、索德纳木朋苏克、衮布旺济勒、纳木济勒色仍等相继袭达尔汉亲王职。道光元年（1821 年），宝音温都尔呼因犯罪而削札萨克，由乌克善第八世孙卓哩克图亲王噶喇桑栋罗布任札萨克。因达尔汉亲王满珠习礼子孙历任札萨克，故俗称该旗为达尔汉旗。有清一代，科尔沁左翼中旗贵族与清朝关

①　内蒙古档案馆科尔沁右翼后旗机蒴克衙门档案，502—1—1336。
②　《旧满洲档》，台湾故宫博物院影印 1969 年版，第 5252 页。
③　《钦定蒙古回部王公表传》卷 18，《四库全书》本。

系密切，地位显赫。清初有三位皇后出自该旗，即清太宗时的孝端文皇后、孝庄文皇后和清世祖时的孝惠章皇后。乌克善和满珠习礼之祖父莽古斯，即清太宗岳父。此外还有六位皇室公主下嫁该旗。旗贵族中除上述两个亲王职爵世袭之外，另有多罗郡王一、多罗贝勒一、固山贝子一、辅国公二，世袭罔替。莽古斯之父纳穆赛系博第达喇次子，莽古斯又系纳穆赛之长子，故又俗称该旗为哲里木盟十旗之第三旗。

科尔沁左翼中旗位于哲里木盟西部，跨东、西辽河。阿噜坤都伦河和额伯尔坤都伦河自扎鲁特左旗流入境，在旗西北合流后，东北流入科尔沁右翼中旗。卓索河自柳条边内流入旗东南，西北流，入科尔沁左翼后旗。旗地东接郭尔罗斯前旗，南接科尔沁左翼后旗，西接昭乌达盟的奈曼旗和扎鲁特左旗，北接科尔沁右翼中旗，地域辽阔。札萨克驻伊克唐噶里克坡，在喜峰口东北 1 065 里。旗佐领数 46。乾隆末年始，由于汉人逐年增多，清在该旗境内陆续设置州、县。光绪三年（1877 年），清把该旗东南部垦地划出，设奉化县,① 县境东西约 170 里，南北约 110 里。同年，又把该旗东北部东南向西北斜伸的狭长垦地划出，设怀德县,② 县境长约 100 里，宽约 70 里，县治在八家子。光绪二十八年（1902 年），清在科尔沁左翼中旗偏东之闲散郡王温都尔领地内的辽源（后改称郑家屯）设辽源州。③ 州治郑家屯原为法库门至齐齐哈尔驿路上的一小站，由于地理位置优越，渐从牛马市场发展为一大贸易市镇。清乾隆、嘉庆以来，由于卓索图盟境内的汉族农民人口逐年增多，又因招垦等原因，至清末年间，迁居科尔沁左翼中旗境内的喀喇沁、土默特人在全旗蒙古族总人口中占有一定比例。

6. 科尔沁左翼前旗　哲里木盟左翼五旗之一，也是清廷实行"备指额驸"制的蒙古十三旗之一。崇德元年（1636 年），以科尔沁部另一首领额埒洪果尔及其长子穆寨属众 600 户，240 名壮丁，12 牛录编为一旗,④ 洪果尔受封札萨克多罗冰图郡王，职爵世袭，为该旗第一任札萨克。故俗称该旗为

---

①　《清德宗实录》卷 60，光绪三年十月戊申条。

②　《清史稿》卷 55，《地理志》。

③　《宫中档光绪朝奏折》，台湾故宫博物院印行 1974 年版。

④　《旧满洲档》，台湾故宫博物院影印 1969 年版，第 5252 页。

冰图王旗。又洪果尔系纳穆赛之第三子，故该旗列哲里木盟十旗之第五。洪
果尔跟随土谢图汗奥巴多年，继而率所部参加征明遵化、锦州、大同之役，
随土谢图亲王巴达礼镇压同族之噶拉珠色特尔等人的抗爱新国兵役起义。崇
德三年（1638 年），年事已高的洪果尔额布根又与皇室公主结姻，授多罗额
驸。顺治三年（1646 年），次子额森袭职，为该旗第二任札萨克。康熙五年
（1666 年），长子阿济延（清译额济音）袭职，为第三任札萨克。随军助剿
吴三桂，与土谢图亲王沙津一同防御噶尔丹。

科尔沁左翼前旗位于哲里木盟最南端，东与科尔沁左翼后旗交接，西与
养息木牧场接壤，南到柳条边墙，北与科尔沁左翼中旗相接。札萨克驻伊克
岳里泊（一说鄂勒济布里特），在喜峰口东北 870 里。旗佐领数 3。有清一
代，该旗在哲里木盟各札萨克旗中，属开垦最早的旗分。顺治年间，就有皇
室公主随嫁民人开始耕种。光绪六年（1880 年），清把该旗东南部垦地和科
尔沁左翼后旗西南部划出，设康平县，县境东西约 90 里，南北约 280 里，
县治在康家屯。① 光绪二十九年（1903 年），增设的彰武县境，原为该旗
地，后献为三陵牧养地（即养息木牧场），清中叶以后渐被开垦。县面积大
约有 22 000 平方里，其中大部分属养息木牧场，一小部分属该旗，隶新民
府。② 光绪三十二年（1906 年），清把该旗南部的一部分垦地划出，并入法
库厅。③ 清乾隆、嘉庆以来，由于卓索图盟境内耕种的汉族农民人口逐年增
多，失去土地而逃亡的喀喇沁、土默特人陆续迁居到该旗境内。至清末年
间，迁居科尔沁左翼前旗境内的喀喇沁、土默特人已在全旗蒙古族总人口中
占有一定比例。

7. 科尔沁左翼后旗　哲里木盟左翼五旗之一，也是清廷实行"备指额
驸"制的蒙古十三旗之一，顺治六年（1649 年）设。崇德元年（1636 年），
查科尔沁部户口、壮丁，以 50 户编为一牛录时，科尔沁部另一首领明安长
子栋果尔（号伊勒都齐）属众共有 2 930 户，706 名壮丁，58 牛录，明安第

---

①《清德宗实录》卷 114，光绪六年六月壬寅条。

②《宫中档光绪朝奏折》，台湾故宫博物院印行 1974 年版。

③《奉天通志》卷 57，《沿革志》，《东北文史丛书》本。

三子多尔济（号伊勒登）之子噶尔图属众共有 450 户，152 名壮丁，9 牛录。① 明安系纳穆赛次子，1593 年与科尔沁部首领翁阿岱、奥巴父子一同参加格坿山之役，败于努尔哈赤。翌年，在科尔沁部贵族中第一个与努尔哈赤遣使通好。1613 年，将其女送与之。天命二年（1617 年），献驼十、牛马各百，亲见努尔哈赤。未几，卒。有子十三，即栋果尔、达古尔哈丹巴图尔、多尔济、桑噶尔寨青巴图尔、苏努木代青、翁呼布和、绰诺呼额尔克、桑寨诺木齐、巴德玛楚库尔、哈那莫尔根、巴古拉诺木齐、色尔古楞、额布根。② 天聪年间，因明安诸子多次与爱新国作对，崇德元年（1636 年），清太宗封科尔沁诸首领时，栋果尔仅封为镇国公。崇德八年（1643 年），卒。顺治五年（1648 年），追封多罗贝勒。顺治七年（1650 年），长子彰吉伦晋郡王爵，领札萨克，职爵世袭，为该旗第一任札萨克。康熙三年（1664 年），卒，长子布达礼袭职，为第二任札萨克。第四任札萨克岱布，随军出征噶尔丹。第六任札萨克罗布藏喇什，随军剿噶尔丹策凌，在额尔德尼召战役中建功。乾隆三年（1738 年），卒，长子齐默特多尔济袭职，为第七任札萨克。尚和硕端柔公主，授和硕额附、盟长。第十任札萨克僧格林沁（索特纳木多布斋养子）因镇压太平天国有功，于咸丰五年（1855 年），晋封为博德勒噶台亲王，职爵世袭，③ 故俗称该旗为博王旗。又明安系纳穆赛之次子，故该旗列哲里木盟十旗之第四旗。僧格林沁之后，博音讷么呼、那尔苏、阿穆尔灵贵相继袭亲王爵，历任该旗札萨克。旗贵族中除札萨克亲王职爵世袭之外，另有多罗贝勒一、辅国公一，职爵世袭。

　　科尔沁左翼后旗位于哲里木盟正南端，法库边门北。东西二辽河在旗内汇合，东南有卓索河流过。旗地西接科尔沁左翼前旗，南到柳条边墙，北界和东界与科尔沁左翼中旗犬牙交错。札萨克驻双和尔山（一说济尔哈朗图），在喜峰口东北 1 500 里。旗佐领数 32。该旗是哲里木盟各札萨克旗中，属开垦较早的旗分。嘉庆七年（1802 年），该旗招民垦种，不到四年，垦民即达四万余。嘉庆十一年（1806 年），清在该旗昌图额勒克地方设昌图

---

① 《旧满洲档》，台湾故宫博物院影印 1969 年版，第 5252 页。
② 答哩麻固什：《金轮千辐》，乔吉校注，内蒙古人民出版社 1987 年版，第 285 页。
③ 《清文宗实录》卷 175，咸丰五年正月乙酉条。

厅，管理该处满汉商民，隶奉天府。① 嘉庆十七年（1812 年），清划出该旗昌图额勒克地方东西长 120 里，南北宽 52 里为其开垦区域。② 光绪六年（1880 年），清又把该旗西南部垦地和科尔沁左翼前旗东南部划出，设康平县，县境东西约 90 里，南北约 280 里，县治在该旗之康家屯。清乾隆、嘉庆以来，由于卓索图盟境内耕种的汉族农民人口逐年增多，失去土地而逃亡的喀喇沁、土默特人陆续迁居到该旗境内。至清末年间，迁居科尔沁左翼后旗境内的喀喇沁、土默特人已在全旗蒙古族总人口中占有一定比例。

8. 扎赉特旗 哲里木盟右翼五旗之一，顺治五年（1648 年）设。该旗札萨克祖阿敏（号巴噶诺颜），系博第达喇九子之季子，博第达喇东室哈屯哈喇尼敦所生。故该旗列哲里木盟十旗之第九旗。16 世纪末，博第达喇分封诸子时，阿敏巴噶诺颜以幼子身份分得扎赉特部众为主的属民（包括部分土默特人），游牧于嫩科尔沁部右翼。阿敏巴噶诺颜有子十四，第八子蒙衮于天命九年（1624 年）随奥巴遣使爱新国，受达尔汉和硕齐号。其后随土谢图亲王巴达礼镇压同族之噶拉珠色特尔等人的抗爱新国兵役起义，继而又参加征明大同、义州之役。而阿敏巴噶诺颜长孙色本莫尔根与其叔父班第伊勒都齐和另一叔父多尔济伊勒登之子鄂古一同参加噶拉珠色特尔等人的抗爱新国兵役起义。崇德元年（1636 年），查扎赉特部户口、壮丁，以 50 户编为一牛录时，蒙衮达尔汉和硕齐属众共有 2 750 户，645 名壮丁，55 牛录。③ 其中 11 牛录直属蒙衮之外，阿敏巴噶诺颜其他子孙各拥有部分鄂托克。崇德八年（1643 年），蒙衮从征黑龙江，未几，卒。顺治五年（1648 年），追封固山贝子，长子色棱袭职，领札萨克，职爵世袭，为该旗第一任札萨克。从征明锦州、塔山，追击腾机思。第六任札萨克罗卜藏锡喇布第五子巴图孟克（旗协理台吉）之长子喇嘛衮布扎布（号朝克台巴图尔）晋封为郡王。其后，阿喇坛鄂齐尔、旺仁帕勒吉、喇什喇布敦相继袭郡王，历任该旗札萨克。有清一代，本旗蒙古人中，有博尔只斤、米鲁特、朱扎特、喀

---

① 《奉天通志》卷 57，《沿革志》，《东北文史丛书》本。

② 《大清会典事例》卷 979，《理藩院·耕牧》。

③ 《旧满洲档》，台湾故宫博物院影印 1969 年版，第 5252 页。

拉绰特、蒙古勒绰特、乌兰哈达、塔拉朱特等姓氏。①

扎赉特旗位于哲里木盟正北部，齐齐哈尔城西南。北部兴安岭支脉蜿蜒连亘，绰尔河从旗北流入，汇合从西北流来的特默河（又称骆驼河），折而东流，横贯旗中部。哈达汉河（又称哈代汉、罕达罕）流经旗东北。旗地东接杜尔伯特旗，西邻科尔沁右翼后旗，南与郭尔罗斯前旗西北部交界，北和索伦相界，东北沿雅尔河与今黑龙江省龙江县为界。札萨克驻图卜新察罕锡里，在喜峰口东北 1 600 里。有佐领 16。随着开垦蒙荒的延伸，内地民人之大量涌入，光绪三十年（1904 年），清把该旗东南部划出，设大赉厅，管理该旗垦地及满汉商民事务，隶黑龙江省。② 所辖地区东西 40—100 里不等，南北约 500 余里，厅治在该旗东南端的莫勒红冈子。③ 光绪三十一年（1905 年），清廷把该旗北部垦地划出，设景星镇分防经历，治在定兴营子。后定兴营子改称景星镇，遂为景星分防经历，④ 隶黑龙江省。光绪三十二年（1906 年），清把该旗东部的垦地泰来溪划出，设泰来设治局，管理该处垦地及商民事务。隶大赉直隶厅。清朝末年，由于卓索图盟境内耕种的汉族农民人口逐年增多或因为战乱，失去土地而逃亡的喀喇沁、土默特人趁招垦之遇陆续迁居到该旗境内，从事农业生产，并在全旗蒙古族总人口中占有一定比例。

9. 杜尔伯特旗　哲里木盟右翼五旗之一，顺治五年（1648 年）设。该旗札萨克祖爱纳噶（号车臣楚库尔），系博第达喇九子之第八子，博第达喇东室哈屯哈喇尼敦所生。故该旗为哲里木盟十旗之第八旗。16 世纪末，博第达喇分封诸子时，爱纳噶分得杜尔伯特部众为主的属民，游牧于嫩科尔沁部右翼。有子四，长子阿都齐（号达尔汉诺颜）于天命九年（1624 年）随奥巴遣使爱新国，从征明遵化、锦州。天聪三年（1629 年），卒。长子色棱随土谢图亲王巴达礼镇压同族之噶拉珠色特尔等人的抗爱新国兵役起义，继而又参加征明大同、义州之役。崇德元年（1636 年），封为辅国公。同年，

---

① 黑龙江省档案馆：《黑龙江通志采辑资料》（上），台湾故宫博物院影印 1985 年版，第 249—250 页。

② 《清史稿》卷 55，《地理志》。

③ 《清史稿》卷 57，《地理志》。

④ 《清德宗实录》卷 554，光绪三十二年正月丙子条。

查杜尔伯特部户口、壮丁，以 50 户编为一牛录时，色棱属众共有 3 200 户，947 名壮丁，64 牛录。① 其中 9 牛录直属色棱之外，阿都齐其他子孙各拥有部分鄂托克。崇德八年（1643 年），因出征黑龙江时，向导有功，赐号达尔汉。顺治五年（1648 年），晋封札萨克固山贝子，职爵世袭，为该旗第一任札萨克。第三任札萨克沙津，从征噶尔丹于克鲁伦。

杜尔伯特旗位于哲里木盟东北部，嫩江东岸。地势平坦，属嫩江平原的一部分。呼雨里河（胡裕尔河）自东北而南流经本旗西北注入嫩江。旗地南接郭尔罗斯后旗，从西至东与齐齐哈尔城等交界。札萨克驻托克托尔坡（一说图布森锡贵图），在喜峰口东北 1 640 里。有佐领 25。随着开垦蒙荒的延伸，内地民人大量涌入，光绪三十二年（1906 年），清把该旗东北部的垦地安达划出，设安达直隶厅，管理该处垦地及商民事务，隶黑龙江将军。②

10. 郭尔罗斯前旗　哲里木盟左翼五旗之一，因旗札萨克系乌巴什次子家族，为哲里木盟十旗之第七旗。顺治五年（1648 年）设。该旗札萨克祖乌巴什系博第达喇九子之第三子。16 世纪末，博第达喇分封诸子时，乌巴什分得郭尔罗斯部众为主的属民，游牧于嫩科尔沁部左翼。有子二，长内齐博音图诺颜，次莽果莫尔根诺颜。莽果莫尔根诺颜长子布木巴（号伊勒登）于天命九年（1624 年）随奥巴遣使爱新国，从征明遵化、义州、锦州，进征瓦尔喀。崇德元年（1636 年），查郭尔罗斯部户口、壮丁，以 50 户编为一牛录时，布木巴属众共有 1 700 户，518 名壮丁，34 牛录。③ 其中 12 牛录直属布木巴之外，其弟占巴喇、色尔古楞分别占有 8 牛录和 13 牛录。顺治五年（1648 年）封为札萨克镇国公，职爵世袭，为该旗第一任札萨克。顺治十一年（1654 年），卒，长子扎尔布袭职，为第二任札萨克。旗贵族中除札萨克辅国公职爵世袭之外，另有一等台吉职爵世袭。

郭尔罗斯前旗位于哲里木盟东端，松花江西岸，属松嫩平原的一部分。旗地东部从嫩江和松花江合流处沿西岸到柳条边墙终点法特哈门，北与扎赉

①《旧满洲档》，台湾故宫博物院影印 1969 年版，第 5252 页。

②《宫中档光绪朝奏折》，台湾故宫博物院印行 1974 年版。

③《旧满洲档》，台湾故宫博物院影印 1969 年版，第 5252 页。

特旗及科尔沁右翼后旗相连，西南接科尔沁左翼中旗，西北连科尔沁右翼前旗东南部，地域极广。札萨克驻古尔班插罕（一说固尔班笃洛噶），在喜峰口东北 1 480 里。有佐领 23。由于旗地大部分属平原地带，土地肥沃，适于耕种，自乾隆末年以来，内地民人大量涌入其境。至嘉庆五年（1800 年）该旗境内已有民户 2 330 户，熟地 265 468 亩。① 同年，清廷在该旗垦地长春堡设长春直隶厅，管理该旗已开垦的地区和商民事务。道光五年（1825年），移治宽城子（今长春市）。光绪十五年（1889 年），升为府。② 道咸以降，该旗境内的垦地增加到六七十万垧。③ 光绪八年（1882 年），清廷把该旗南部的垦地划出，置长春厅农安分防照磨，管理该旗南部垦区及商民事务，1889 年升为县。④ 县境南北约 90 里，东西约 200 余里。光绪三十四年（1908 年），又把该县西北部划出，另设长岭县，管理该旗西南部垦地⑤。县境东西约 100 余里，南北约 200 余里。县治长岭子。宣统二年（1910年），清廷把该旗东南部，即长春府东北境的怀德、沐惠二乡划出，置德惠县。⑥

11. 郭尔罗斯后旗　哲里木盟左翼五旗之一，因旗札萨克系乌巴什长子家族，为哲里木盟十旗之第六旗。崇德元年（1636 年）设。该旗札萨克祖同郭尔罗斯前旗。乌巴什长子内齐博音图诺颜，有子四，次子固穆（号哈丹巴图尔）于天聪七年（1633 年）见皇太极，从征明朔州、义州，进征瓦尔喀。崇德元年（1636 年），封为札萨克辅国公，职爵世袭，为该旗第一任札萨克。同年，查郭尔罗斯部户口、壮丁，以 50 户编为一牛录时，固穆属众共有 2 050 户，505 名壮丁，41 牛录。⑦ 其中 5 牛录直属固穆之外，其他牛录由其兄弟分别占有。崇德八年（1643 年），卒，弟桑噶尔斋于顺治五年（1648 年）袭职，为第二任札萨克。旗贵族中除札萨克镇国公职爵世袭之

① 《大清会典事例》卷 978，《理藩院·户丁》。
② 《吉林通志》卷 12，《沿革志》，台湾影印《中国边疆丛书》本。
③ 《钦定理藩院则例》卷 10，《地亩》。
④ 《吉林通志》卷 12，《沿革志》，台湾影印《中国边疆丛书》本。
⑤ 《清史稿》卷 56，《地理志》。
⑥ 《清史稿》卷 56，《地理志》。
⑦ 《旧满洲档》，台湾故宫博物院影印 1969 年版，第 5252 页。

外，另有一等台吉职爵世袭。

郭尔罗斯后旗位于哲里木盟北部，嫩江东岸，松花江北岸，属松嫩平原的一部分。旗地东接黑龙江省，北交杜尔伯特旗，西南接科尔沁右翼前旗，西和西北交扎赉特旗。札萨克驻嘉朱温都尔（汉名榛子岭），在喜峰口东北1 570 里。有佐领 34。光绪二十八年（1902 年），清政府放垦蒙旗，郭尔罗斯后旗大部分地区相继开垦。光绪三十二年（1906 年），清廷把该旗东部划出，设肇州厅，管理该旗东部垦地及商民事务。隶黑龙江将军。同年，清廷又把该旗东北部划出，设肇东分防经历，管理该处垦务及商民事务。治在昌五城，隶于肇州厅。①

二、卓索图盟

卓索图盟位于内札萨克蒙古东南部，在东经 117°到 123°，北纬 40°到 43°之间。东与养息木牧场及锡埒图库伦喇嘛旗接壤，西和埒河驻防地交错相接，北连昭乌达盟南部各旗。天聪九年（1635 年）至康熙年间，陆续把归附的蒙古喀喇沁部和东土默特部编为 5 个札萨克旗，即喀喇沁左、中、右旗、土默特左、右旗。5 旗会盟于土默特右旗境内的卓索图地方，因称卓索图盟。

1. 喀喇沁、东土默特部源流 喀喇沁一名来源于元代"捅黑马乳"之职业名称——哈剌赤，即为皇室制作黑马奶酒者。当时哈剌赤牧户分别隶属于太仆寺下属成吉思汗大斡耳朵各牧场，主要集中在上都、大都和阿剌忽马乞（今内蒙古西乌珠穆沁旗一带）。后从事这一职业的以钦察人为核心形成的钦察军或钦察卫也被称做哈剌赤。有明一代，阿速、喀喇沁（明译哈剌陈、哈剌慎）、锡喇努特（明译舍奴郎）、当喇噶尔（明译当剌儿罕）、失巴古沁（明译失保嗔）、巴尔虎（明译叭儿廒）、鸿呼坦（明译荒花旦）、奴木沁（明译奴母嗔）、塔本爱马克（明译塔不乃麻）等部成为蒙古右翼三万户之一永谢布万户的主要部众。其中，喀喇沁部为最强，由七个鄂托克构成。明后期由达延汗孙巴雅斯哈勒（明译老把都、把都儿）管领，嘉靖初年驻牧于明宣府之北。嘉靖中期，老把都与土默特部俺答汗及察哈尔部打来

---

① 《宫中档光绪朝奏折》，台湾故宫博物院印行 1974 年版。

孙汗等一起向明朝求贡，并瓜分了明蓟镇边外的朵颜卫。老把都所属喀喇沁部获得了朵颜卫都督长昂为首的主要部分。

朵颜卫系明代兀良哈三卫之一，来源于元代朵因温都儿兀良哈千户所。其首领姓兀良哈氏，为蒙古开国功臣折里麦（清译济拉玛）的后裔。成吉思汗时期迁至额克朵因温都儿、绰儿河一带，世代守护月伦太后（成吉思汗之母）斡耳朵。明初的朵颜卫主要由折里麦后裔所属兀良哈人构成，故自称"五两案"。① 15世纪三四十年代起，兀良哈三卫逐渐南下，与明紧邻。朵颜卫占据东起广宁前屯（山海关东北），西至宣府的长城以北地区。明弘治、正德间，阿儿乞蛮、花当（清译和通）父子威名震动三卫。花当以后，次子把儿孙、嫡孙革兰台（清译格埒勒泰）骁勇，终于排斥他酋，一族控制全朵颜地区。自把儿孙始，朵颜诸酋与蒙古大汗联姻，遂得"塔布囊"（驸马之意）称号。然而，天启初年，老把都后裔的哈剌慎大营进一步加强对朵颜卫的统治，朵颜三十六家已经是哈剌慎的别部，遂二者合一形成为强大的喀喇沁万户。后格埒勒泰斋桑和图噜巴图尔兄弟分掌所部。天聪二年（1628年），察哈尔林丹汗为躲避爱新国攻击，由原驻地西拉木伦河迤北一带西迁，攻击喀喇沁部，喀喇沁部台吉抗击察哈尔失败后，南逃兴安岭之南的塔布囊之地避难。天聪年间，格埒勒泰斋桑长子恩克曾孙苏布地及弟万丹伟徵，次子莽古岱之孙善巴及图噜巴图尔曾孙色棱等一同，以喀喇沁部名义归依爱新国。天聪九年（1635年），爱新国对喀喇沁、土默特人进行清查时，已内附和尚未并入的内外喀喇沁蒙古壮丁共15 932名。② 其中包括东土默特人和其他被称作"喀喇沁"的人（如阿苏特人）。兀良哈部折里麦第七世孙和通长子格埒博罗特有子二，长格埒勒泰斋桑为清代喀喇沁右、中二旗札萨克祖，次图噜巴图尔为喀喇沁左旗札萨克祖。

东土默特部系15世纪蒙古右翼三万户之一的满官嗔—土默特万户之一部分。起初，该万户首领为朵罗干、火筛父子。1479年，蒙古满都鲁汗与朵罗干率兵击败了把持朝政的权臣乿加思兰。1483年，达延汗与朵罗干举兵击败了永谢布万户之主亦思马因。朵罗干死后，其子火筛成为该部首领，

---

① 茅元仪：《武备志》卷227，《北虏考》，清道光排印本。
② 《旧满洲档》，台湾故宫博物院影印1969年版，第4143—4144页。

并与右翼三万户诸酋一同，击败过达延汗。1510 年，达延汗率领左翼三万户和科尔沁万户，在达兰特哩衮战役中击败火筛等右翼三万户诸酋以后，将其子孙分封到各部。达延汗第四子阿尔苏博罗特被分封到满官嗔—土默特万户。达延汗死后，其第三子巴尔斯博罗特窃取大汗位（1516—1519 年），并对业已定型的右翼诸部最高统治权重新作了有利于其家族的调整。结果，巴尔斯博罗特之次子阿勒坦，即后来的俺答汗夺取了满官嗔—土默特部的最高统治权，阿尔苏博罗特则沦落为该部的一支多罗土蛮鄂托克之主。俺答汗时期的满官嗔—土默特部，以库库和屯为中心，西北与卫拉特蒙古紧邻，东边到大同边外，不仅控制了右翼三万户，而且还征服了青海地区和卫拉特蒙古，势力已达到顶峰。其中，东土默特部的成立，是从俺答汗的长子僧格（明译辛爱）洪台吉开始的。起初，僧格洪台吉的封地在土默特部东部。明嘉靖二十九年（1550 年）"庚戌之变"后，继续向东扩张，并通过征服或姻亲关系，吞并了朵颜卫兀良哈的一些部落。从而，土默特部黄金家族和其属部朵颜卫兀良哈贵族之间逐步形成了"诺颜—塔布囊"统治体系，[①] 为后来东土默特部的形成打下了基础。僧格不久回库库和屯，与其父俺答汗之姜三娘子结婚后，其东边的鄂托克由他的儿子干兔（清译噶尔图）及其诸弟继承。僧格有子十四，干兔及其同母弟朝兔台吉、土喇兔台吉、土力把兔台吉排行第九至十二，系僧格和兀良哈贵族伯彦打赖之妹苏布亥所生。按传统，干兔等受封并占有了他们舅舅所领的鄂托克。这样，干兔兄弟及其子孙的兀鲁思形成为东土默特本部，明代汉籍又称其为"兀爱营"，而他们与属部的兀良哈诸酋一起被称作"土默特的执政塔布囊"，[②] 成为喀喇沁万户的一部分。

归附东土默特诺颜的朵颜卫兀良哈诸酋有革兰台子猛古歹、抹可赤、斡抹秃以及花当子革伯来及其子孙和花当子板卜及其子孙，兀良哈贵族伯彦打赖即板卜之子。干兔兄弟的封地在宣府东塞，朵颜卫兀良哈诸酋的牧地在会州（插罕浩特）、讨军兔（清译托津图）、母鹿、青城（哈喇浩特）以及古

---

① 乌云毕力格：《论东土默特蒙古》，《蒙古史研究》第 8 辑，内蒙古大学出版社 2005 年版，第 207 页。

② 李保文整理：《17 世纪前半期蒙古文文书档案》，内蒙古少儿出版社 1997 年版，第 43 页。

北口境外的以逊、以马兔河流域、石塘岭境外的满套儿。干兔有子三，圪他海（号车臣）、温布（又敖目，清译鄂木布，号楚琥尔）、毛乞炭（号莫尔根代青），兄弟三人拥有一万八千八百骑，[1] 势力雄厚。干兔弟朝兔有子三，召儿必太台吉（清译卓尔毕泰台吉）、瓦红台吉（清译阿浑台吉）、索那台吉（清译索诺木台吉）。爱新国天聪年间，东土默特诸诺颜中，鄂木布势力独秀，统领该部。天聪三年（1629 年）中旬，林丹汗大举进攻东土默特，鄂木布仓促退向白马关边外，一边抵抗察哈尔的进攻，一边和爱新国进行积极联系。同年 11 月因不敌察哈尔而正式表示归附天聪汗，并率部东迁到明蓟镇边外游牧。天聪九年（1635 年），爱新国对喀喇沁、土默特人进行清查时，鄂木布统辖壮丁共计 1 826 名，兀良哈酋赓格尔、善巴统辖壮丁共计 2 010 名，三人同时受封固山额真（和硕之主），然固山额真非旗札萨克，又赓格尔、善巴同管一个固山。[2] 崇德元年（1636 年）四月，漠南蒙古十六部四十九名贵族同满汉臣僚一道大会盛京，推皇太极为"博格达彻辰汗"，国号为大清时，东土默特部首领鄂木布、索诺木、赓格尔、善巴等均来参加。崇德二年（1637 年），赓格尔以罪削职，善巴领其众，自是东土默特分左右翼，由善巴及鄂木布掌之。[3]

2. 喀喇沁右旗　卓索图盟五旗之一，也是清廷实行"备指额驸"制的蒙古十三旗之一，顺治七年（1650 年）设。该旗第一任札萨克固噜斯奇布之父苏布地系恩克（格埒勒泰斋桑长子）曾孙，是兀良哈氏折里麦家族长子嫡系。随征察哈尔林丹汗，并参加征明遵化之役。天聪五年（1631 年），卒。天聪九年（1635 年），封其子固噜斯奇布为固山额真，掌喀喇沁右翼。随征明大同、前屯、锦州、山东、怀柔等役。顺治七年（1650 年），晋封札萨克多罗杜棱贝勒，职爵世袭。顺治十五年（1658 年），长子图巴色棱袭职，为第二任札萨克。弟班达尔沙为第三任札萨克。康熙七年（1668 年），晋郡王爵，仍予职爵世袭，故俗称该旗为喀喇沁王旗。兄扎什为第四任札萨克。曾随征察哈尔布尔尼，率部参加乌兰布通之战。喇特纳锡第袭职，为第

---

① 金志章：《口北三厅志》，台湾影印《中国方志丛书》本。

② 《旧满洲档》，台湾故宫博物院影印 1969 年版，第 4143—4144 页。

③ 《钦定蒙古回部王公表传》卷 25，《土默特部总传》。

八任札萨克。乾隆十六年（1751 年），授盟长。乾隆四十八年（1783 年），赐锡第亲王品级。旗贵族中除札萨克多罗郡王职爵世袭之外，另有闲散固山贝子一、辅国公一职爵世袭。

　　喀喇沁右旗位于卓索图盟西北部，跨老哈河。康熙四十年（1701 年）以前，旗境东接敖汉旗西南部，西邻正蓝旗察哈尔界，北起翁牛特右旗，南到热河东北。是年，旗札萨克扎什等王公把南部大片土地献给清朝皇帝，作为皇室热河避暑山庄及木兰围场之用。康熙四十四年（1705 年），清朝又把该旗南部及东南部划出，另置喀喇沁中旗。该旗地势西南高东北低，旗西有阴山支脉七老图岭南北纵横，卯金插汉拖罗海山最为险峻，为獐河与西白（西伯格）河的发源地。獐河自旗西北流，入翁牛特右旗；西白河东北流，经本旗亦入翁牛特右旗。西白河两岸山川秀美，土质肥沃。札萨克驻西白河北（一说西白河西），在喜峰口东北 350 里。清乾隆初期有佐领 43（一说44），后其中之十三个佐领变为不满 150 名壮丁的残缺佐领，① 额存谷44 821 石 4 斗。有清一代，该旗在卓索图盟各旗中开垦较晚。乾隆十三年（1748 年），入居旗境内的山东、顺天府、山西等地的汉族农民 17 865 口，乾隆十七年（1752 年）猛增到 30 541 口，种地面积达 5 888 顷 5 亩。② 乾隆四十三年（1778 年），在喀喇沁中旗境内的八沟地方设平泉州，管理喀喇沁三旗商民事务。清朝末年，随着入居旗境内的汉族人口的增多和耕地面积的扩大，部分旗地又相继划入平泉县、建平县。

　　3. 喀喇沁左旗　卓索图盟五旗之一，也是清廷实行"备指额驸"制的蒙古十三旗之一，顺治五年（1648 年）设。该旗第一任札萨克色棱系图噜巴图尔（格埒博罗特次子）曾孙，其父图琳固英有子七，色棱为其仲。天聪九年（1635 年），封为固山额真，掌喀喇沁左翼。随征明大同、锦州、山东等役。顺治五年（1648 年），晋封札萨克镇国公，职爵世袭，故俗称该旗为喀喇沁札萨克公旗。顺治十六年（1659 年），长子奇塔特袭职，为第二任札萨克。从征明大凌河、大同、昌平、蓟州、临清，追击腾机思。康熙五年（1666 年），长子乌特巴拉袭职，为第三任札萨克。从征察哈尔部布尔尼。

---

① 内蒙古档案馆喀喇沁右旗札萨克衙门档案，505—1—12。
② 内蒙古档案馆喀喇沁右旗札萨克衙门档案，505—1—47。

康熙三十年（1691 年），卒，弟善巴喇什袭职，为第四任札萨克。康熙五十五年（1716 年），晋封固山贝子。翌年，卒，次子僧衮扎布袭职，为第五任札萨克。康熙五十八年（1719 年），尚郡主，授多罗额驸。雍正元年（1723 年），晋和硕额驸。雍正九年（1731 年），从征噶尔丹策凌，晋多罗贝勒。乾隆七年（1742 年），卒，长子瑚图灵阿袭职，为第六任札萨克。尚郡主，授多罗额驸。乾隆十四年（1749 年），以罪削爵，降授镇国公。乾隆四十四年（1779 年），卒，长子济克济特扎布袭职，为第七任札萨克。翌年，以罪削爵，其叔父扎拉丰阿（僧衮扎布次子）袭职，为第八任札萨克。尚郡主，授多罗额附。曾从征阿睦尔撒纳、达瓦齐有功，晋封多罗郡王。后又削爵，降授公品级。乾隆四十五年（1780 年），袭札萨克镇国公。乾隆四十八年（1783 年），卒，长子丹巴多尔济袭札萨克固山贝子职，为第九任札萨克。尚县君、乡君，授固山额驸。旗贵族中除札萨克多罗贝子职爵世袭之外，另有闲散一等塔布囊职爵世袭。

喀喇沁左旗位于卓索图盟南部。西部及西南部群山连亘，属阴山山地，东北部稍低，河流多流向东北。敖木伦河源于旗西，经旗北东北流，入土默特右旗。旗地东接土默特右旗，南接柳条边墙，西、北两面和喀喇沁中旗相接。札萨克驻巴颜朱尔克（一说巴彦察罕山），在喜峰口东北 350 里。有佐领 53（一说 40），后其中之三个佐领变为不满 150 名壮丁的残缺佐领。[①] 有清一代，该旗在卓索图盟各旗中开垦较早。乾隆二十五年（1760 年），入居旗境内的汉族农民 59 182 口，种地面积达 13 503 顷。[②] 乾隆四十三年（1778 年），清廷把本旗北部的塔子沟地方划出，设建昌县，管理该旗垦地。县境东西约 260 里，南北约 685 里，县治在塔子沟。光绪二十九年（1903 年），改隶朝阳府。

4. 喀喇沁中旗　卓索图盟五旗之一，也是清廷实行"备指额驸"制的蒙古十三旗之一，康熙四十四年（1705 年）设。该旗第一任札萨克格埒尔曾祖万丹伟徵系苏布地之弟，天聪年间，随兄一同归依爱新国。崇德元年（1636 年），授一等塔布囊，附牧于喀喇沁右旗。顺治十三年（1656 年），

---

① 内蒙古档案馆喀喇沁右旗札萨克衙门档案，503—2—3061。
② 内蒙古档案馆喀喇沁右旗札萨克衙门档案，505—1—43。

卒，子额琳臣，尚郡主，授和硕额驸。康熙四十四年（1705 年），由于部属繁衍日众，遂析喀喇沁右旗的南及东南部另置一旗，为喀喇沁中旗。额琳臣长子格埒尔授札萨克一等塔布囊，尚乡主，授额驸。康熙四十四年（1705 年），卒，弟门都之子喀宁阿袭职，为第二任札萨克。尚郡主，授和硕额驸。乾隆五年（1740 年），卒，长子齐齐克袭职，为第三任札萨克。乾隆三十九年（1774 年），长子玛哈巴拉袭札萨克一等塔布囊，职爵世袭，为第四任札萨克。尚乡主，授额驸。乾隆五十三年（1788 年），晋封为札萨克辅国公。道光九年（1829 年），加贝子衔。故该旗又有玛公旗或喀喇沁贝子旗之称。其后德勒格尔、阿育尔扎那、汉噜扎布等相继袭职，历任该旗札萨克。旗贵族中除札萨克贝子职爵世袭之外，另有一闲散辅国公职爵世袭。

喀喇沁中旗位于喀喇沁右旗和喀喇沁左旗中间，西部和北部嵌入喀喇沁右旗，东部和东南部与喀喇沁左旗相衔接，正南方与热河相连。札萨克驻珠布格朗图巴彦喀剌山，在喜峰口东北 350 里。乾隆年间有佐领 51，后减为 48，① 额存谷 49 657 石 3 斗。有清一代，该旗在卓索图盟各旗中开垦较早。乾隆二十五年（1760 年），入居旗境内的汉族农民和商人共 42 924 口，种地面积达 7 741 顷 6 亩。② 乾隆五年（1740 年），清廷在该旗的八沟地方设八沟直隶厅，管理喀喇沁三旗商民事务。乾隆四十三年（1778 年），改为平泉州。州境东西约 540 里，南北约 490 里，州治八沟曾是内蒙古东部重要市场之一。

5. 土默特左旗　卓索图盟五旗之一，也是清廷实行"备指额驸"制的蒙古十三旗之一，崇德二年（1637 年）设。该旗第一任札萨克善巴，姓兀良哈氏，系折里麦第十三世孙。其祖莽古岱为格埒勒泰斋桑第四子。天聪年间，善巴随东土默特部首领鄂木布归依爱新国。天聪九年（1635 年），授固山额真，与同祖之赓格尔一同掌土默特左翼。崇德元年（1636 年），授达尔汉镇国公，职爵世袭。翌年，赓格尔以罪削固山额真，由善巴统领土默特左翼。顺治十四年（1657 年），卒。长子卓哩克图袭职，为第二任札萨克。康熙元年（1662 年），晋封多罗贝勒，职爵世袭。康熙十三年（1674 年），长

①　内蒙古档案馆喀喇沁右旗札萨克衙门档案，504—1—6972、1915。
②　内蒙古档案馆喀喇沁右旗札萨克衙门档案，505—1—43。

子兆图袭职，为第三任札萨克。翌年，长子额尔德木图袭职，为第四任札萨克。尚县主，授多罗额驸。康熙四十二年（1703年），卒，长子玛尼袭职，为第五任札萨克。康熙五十二年（1713年），卒，长子阿喇布坦袭职，为第六任札萨克。尚郡主，授和硕额驸。雍正十一年（1733年）授盟长。因土默特万户的全称是"满官嗔—土默特"，又东土默特是从该万户中分离出来的，故善巴为首的从属东土默特的兀良哈塔布囊们号该旗为蒙古镇旗。

有清一代，同在本旗境内游牧的还有唐古忒喀尔喀首领巴勒布冰图属众。巴勒布冰图系外喀尔喀札萨克图汗部台吉，姓博尔济吉特。康熙元年（1662年），因札萨克图汗旺舒克为其族罗卜藏台吉额琳沁所戕，部众溃散。巴勒布冰图自杭爱山率部来归。清朝把他们安置在土默特左旗境内，与札萨克多罗贝勒卓哩克图同牧。康熙四年（1665年），封巴勒布冰图为多罗贝勒，职爵世袭。

土默特左旗位于卓索图盟东北部，地势较平坦，是卓索图盟五旗中唯一的平原地带。岳洋河（又作鹞鹰河）自旗东北流入边，库昆河自喀尔喀左旗流入境，沿旗北东流。旗地东隔岳洋河与养息木牧场相望，北越库昆河与喀尔喀左旗相邻，西起土默特右旗，南抵柳条边墙。附牧于该旗的唐古忒喀尔喀地位于旗北一角，东接锡埒图库伦喇嘛旗，西与北交喀尔喀左旗界。土默特左旗札萨克驻海他哈山（一说乌兰陀罗海山），在喜峰口东北590里。有佐领80（一说82）。

6. 土默特右旗 卓索图盟五旗之一，崇德二年（1637年）设。该旗第一任札萨克鄂木布楚琥尔，姓博尔济吉特，系成吉思汗第十九世孙，与归化城土默特同祖。天聪年间，率东土默特部诸台吉归依爱新国。天聪九年（1635年），授固山额真，掌土默特右翼。崇德四年（1639年），卒，子固穆袭职，为第二任札萨克。从征明锦州，追击腾机思。顺治五年（1648年），封镇国公。康熙二年（1663年），晋固山贝子，职爵世袭。康熙十三年（1674年），卒。四子衮济斯扎布袭职，为第三任札萨克。从征察哈尔部布尔尼，该年，以罪削爵，其兄拉斯扎布袭职，为第四任札萨克。

土默特右旗位于九关台门和新台边门外，牧地跨敖木伦河。南部群山叠嶂，西北部阴山支脉纵横，敖木伦河自喀喇沁左旗流入旗西境，东流一段后，再折向东南，入锦州府义县界。卓索河在旗府北90里处，流入土尔根河，卓索图盟五旗会盟处即在此河岸。旗地东和土默特左旗接壤，南绕柳条边墙，北接奈曼旗，西北与敖汉旗相连，西和喀喇沁右旗东南部交界。札萨克驻巴烟花（一说黑城子），在喜峰口东北 590 里。有佐领 97（一说 90）。有清一代，该旗在卓索图盟各旗中开垦较早。乾隆三十九年（1774 年），清廷把该旗东偏南的三座塔地方划出，设三座塔直隶厅。乾隆四十三年（1778 年），改为朝阳县。县境东西约 260 里，南北约 530 里，县治三座塔当锦州、赤峰之间。光绪二十九年（1903 年），清又把该旗部分垦地和昭乌达盟喀尔喀左旗及奈曼旗部分垦地划出，设阜新县。县治最初在奈曼旗的鄂尔图板，宣统二年（1910 年）移至土默特左旗中部的新秋。

三、昭乌达盟

昭乌达盟位于东经 116°30′ 到 122°，北纬 41°15′ 到 45°50′ 之间。东接科尔沁界，西连正蓝旗察哈尔和围场，北与锡林郭勒盟相邻，南与卓索图盟毗连。爱新国天聪到清康熙年间，陆续把归降的蒙古扎鲁特、阿噜科尔沁、巴林、克什克腾、翁牛特、敖汉、奈曼、喀尔喀左翼等八部编成 11 个札萨克旗。因会盟于翁牛特左旗境内的昭乌达地方，遂称为昭乌达盟。

1. 昭乌达盟诸部源流　扎鲁特部系北元后期喀尔喀万户左翼—内喀尔喀五鄂托克（扎鲁特、巴林、翁吉喇特、乌吉叶特、巴岳特）之一，其首领为达延汗第五子阿尔楚博罗特（明译我折黄台吉）及其子孙。16 世纪中叶阿尔楚博罗特子和尔朔齐哈萨尔（明译虎喇哈赤）响应察哈尔打来孙汗，率所部自喀尔喀河流域南下，驻牧三岔河（辽河河套）。[①] 虎喇哈赤分封五子时，长子乌巴什卫征（明译委正）分得扎鲁特部，分布于内喀尔喀五部的东北，即明开原、铁岭西北边外的岳落一带，[②] 东北与科尔沁部交界，东南与海西女真近邻，西南与翁吉喇特部相接。17 世纪初，扎鲁特部内分左、右翼，由扎鲁特、扎哈齐特、阿尔巴特、哈喇努特、察噶特、米哈齐喇古特等鄂托克组成。[③] 乌巴什卫征有子二，长巴颜达尔伊勒登，次都喇勒诺颜。

---

①　瞿九思：《万历武功录》卷 12，《苏巴亥列传》，中华书局 1962 年影印版。

②　张鼐：《辽夷略》，《玄览堂丛书》影印明刻本。

③　答哩麻固什：《金轮千辐》，乔吉校注，内蒙古人民出版社 1987 年版，第 218—222 页。

巴颜达尔伊勒登有子五，长忠图及其子内齐相继称汗。次子赓根、三子忠嫩、四子果弼尔图、五子昂安。都喇勒诺颜有子二，长色本，次玛尼。1614年（明万历四十二年），该部右翼首领忠嫩嫁女于努尔哈赤次子代善，左翼首领内齐汗嫁其妹于努尔哈赤子莽古尔泰贝勒，[①]结为姻亲，通好贸易。天命四年（1619年）七月，爱新国相继攻占明开原、铁岭之后，翁吉喇特部首领宰赛为了夺回与明朝进行贸易的市口，召集扎鲁特等部袭击占据铁岭的爱新国兵，遭受惨败。同年十二月，扎鲁特等内喀尔喀五部诸台吉与爱新国诸贝勒盟誓和好，遵守誓约，共同对付明朝。[②]然而，扎鲁特等部并没有履行誓言，仍从明朝领取赏金，还断绝了与爱新国的使臣来往。天命八年（1623年）正月、天命十一年（1626年）十月，爱新国曾两次出征扎鲁特，杀该部昂阿父子和鄂尔寨图台吉，擒获巴克台吉及其二子以及喇嘛什布等十四贝勒。同年年末，当内喀尔喀五部丧败之余，察哈尔林丹汗则出兵攻掠，使内喀尔喀五部彻底崩溃，扎鲁特、巴林部的大部分逃往嫩科尔沁，而弘吉喇特、乌济叶特、巴岳特三部被林丹汗兼并。天聪年间，逃往嫩科尔沁和并入察哈尔的扎鲁特部诸台吉先后归附爱新国。崇德元年（1636年）四月，漠南蒙古十六部四十九名贵族同满汉臣僚一道大会盛京，共推皇太极为"博格达彻辰汗"，建国号为大清时，扎鲁特部首领达尔汉巴图鲁色本、内齐、昆都伦戴青、哈拜卫征、果弼尔图都棱、青巴图尔、济尔噶朗等均来参加。

巴林部系蒙古古老的部落之一，成吉思汗第九世祖孛端察儿之子巴阿哩歹及其所属部众为巴林部先民，属于尼伦蒙古。北元时期，该部同扎鲁特，成为喀尔喀万户左翼——内喀尔喀五鄂托克之一，其首领为达延汗第五子阿尔楚博罗特及其子孙。16世纪中叶阿尔楚博罗特子和尔朔齐哈萨尔（明译虎喇哈赤）响应察哈尔打来孙汗，率所部自喀尔喀河流域南下，驻牧三岔河。虎喇哈赤分封五子时，次子苏巴海（明译速把亥）拥有巴林部，分布于内喀尔喀五部的西南边，即明广宁镇远、镇宁、镇武、西平、海州、东

---

① 《清太祖实录》卷4，甲寅年四月壬寅条。
② 《满文老档》太祖十三，中华书局1990年版，第118—119页。

昌、东胜边四百里而牧，① 牧地横跨西拉木伦河南北。17 世纪初，巴林部内分左、右翼游牧。苏巴海有子三，长卜言兔，次卜言把都儿（清译巴噶巴图尔），三卜言谷。② 卜言把都儿有子七，长额伯革大（清译额布格岱）黄台吉，次阿把兔儿，三榜什台吉，四色特儿（清译色特尔），五卜兔儿，六昂阿（清译和托果尔昂哈），七昂奴。③ 天命四年（1619 年）十二月，该部首领额布格岱（苏巴海之孙）等台吉与爱新国诸贝勒盟誓和好。天命十一年（1626 年）年底，当内喀尔喀五部被爱新国丧败之余，察哈尔林丹汗则出兵攻掠，使内喀尔喀五部崩溃，巴林部的大部分人逃往嫩科尔沁。天聪年间，逃往嫩科尔沁的巴林部诸台吉先后归附爱新国。而被察哈尔所并的苏巴海另一子卜言顾的巴林部人，爱新国灭察哈尔之后又被编入满洲八旗。崇德元年（1636 年）四月，漠南蒙古十六部四十九名贵族同满汉臣僚一道大会盛京，共推皇太极为“博格达彻辰汗”，建国号为大清时，巴林部首领满珠习礼（和托果尔昂哈之子）、阿尤希（色特尔长子）等均来参加。同年核查该部户口时，满珠习礼有 17 鄂托克，阿尤希有 12 鄂托克。④

“克什克腾”（明译克失旦、黑石炭）一名来源于蒙元时期大汗直属护卫军“怯薛”（复数作怯薛丹）。北元时期克什克腾作为部名出现，并成为蒙古大汗直辖的察哈尔万户重要组成部分。达延汗分封诸子时，六子斡齐尔博罗特（明译阿赤赖台吉）领有察哈尔万户之克什克腾鄂托克。16 世纪中叶，当察哈尔打来孙汗率部南迁至西拉木伦河流域时，克什克腾部作为察哈尔万户之山阴诸鄂托克之一“逐舍喇母林、哈喇母林及舍伯兔水草为雄”，⑤即分布于西拉木伦河上游迤北一带地区。天聪八年（1634 年），林丹汗败亡，克什克腾部首领索诺木（又作苏墨尔戴青）、格根戴青子班珠尔、达赖杜棱等率部归附爱新国。⑥

敖汉、奈曼系北元时期蒙古大汗直辖的察哈尔万户重要组成部分。蒙古

① 张鼐：《辽夷略》，《玄览堂丛书》影印明刻本。
② 王鸣鹤：《登坛必究》卷 23，《胡名》刻本。
③ 张鼐：《辽夷略》，《玄览堂丛书》影印明刻本。
④ 中国第一历史档案馆蒙文老档，全宗号 1 蒙 60，第 66—70 页。
⑤ 瞿九思：《万历武功录》卷 14，《黑石炭列传》，中华书局 1962 年影印版。
⑥ 《清太宗实录》卷 20，天聪八年闰八月庚寅条。

博迪汗时期，其弟也密力领有察哈尔万户之敖汉、奈曼部。16世纪中叶，当察哈尔打来孙汗率部南迁至西拉木伦河流域时，敖汉、奈曼部作为两大宗支部落也一起南迁，并成为察哈尔万户之山阳诸鄂托克的主要组成部分。南迁后的两部驻牧地在明义州正北四五百里，① 即西拉木伦河南、大凌河附近。也密力之子贝玛土谢图（明译卑麻）有子五，长子秃章都喇儿拥有敖汉，次子额森伟征占有奈曼。② 天聪元年（1627年），敖汉、奈曼部诸台吉离其宗主林丹汗，与爱新国盟誓通好。③ 从此，敖汉、奈曼部逐渐归附爱新国。崇德元年（1636年）四月，漠南蒙古十六部四十九名贵族同满汉臣僚一道大会盛京时，敖汉部首领班第、索诺木都棱和奈曼部首领衮楚克巴图尔等均来参加。同年核查二部户口时，敖汉26鄂托克，奈曼24鄂托克。④

阿噜科尔沁部系成吉思汗长弟哈撒儿后裔所属北元时期科尔沁万户重要组成部分。16世纪中叶，哈撒儿十四世孙奎猛克塔斯哈喇率所部迁至嫩江流域时，其弟巴衮诺颜所属科尔沁万户的另一部分仍留牧于呼伦贝尔，与邻近驻牧的乌喇特、茂明安、翁牛特等部一同成为"阿噜蒙古"诸部之一。因同族有"嫩科尔沁"，史书称其为"阿噜科尔沁"（阿噜，蒙古语，指方位之北，此有"山阴"之意，因阿噜科尔沁牧地位于兴安岭山阴一带）加以区别。16世纪末17世纪初，阿噜科尔沁部牧地已从呼伦贝尔南移，到17世纪20年代，驻牧于西拉木伦河下游以北地区。巴衮诺颜有子三，长昆都伦戴青，次哈布依巴图尔，季诺颜泰鄂托根。天聪四年（1630年），昆都伦戴青第五子阿噜科尔沁部首领达赉楚瑚尔、穆章父子和阿噜蒙古诸部首领一起，与爱新国盟誓通好。⑤ 从此，阿噜科尔沁部逐渐归附爱新国。崇德元年（1636年）四月，漠南蒙古十六部四十九名贵族同满汉臣僚一道大会盛京，共推皇太极为"博格达彻辰汗"，建国号为大清时，阿噜科尔沁部首领达赉楚瑚尔、穆章等也来参加。

翁牛特部系成吉思汗三弟合赤温后裔所属北元时期"察罕土绵"万户

① 张鼐：《辽夷略》，《玄览堂丛书》影印明刻本。
② 答哩麻固什：《金轮千辐》，乔吉标注，内蒙古人民出版社1987年版，第207—209页。
③ 《清太宗实录》卷3，天聪元年秋七月己巳条。
④ 中国第一历史档案馆蒙文老档，全宗号1蒙60，第66—70页。
⑤ 《满文老档》太宗二十五，中华书局1990年版，第1004页。

重要组成部分。蒙元时期，合赤温子按赤台后王分地位于兀鲁灰河和合兰真沙陀之境，南至忽卢忽儿河与弘吉剌特部分地为邻，东至合剌温山。翁牛特，明译"罔流、冈留"，意为有王的属民。北元时期，成吉思汗诸弟后裔所属部落统称为翁牛特。16 世纪中叶的察罕土绵由翁牛特、哈喇车里克、伊苏特等三鄂托克构成，驻牧于兴安岭山阴，属"阿噜蒙古"诸部之一。合赤温第十九世孙蒙克察罕诺颜有子二，长巴颜岱洪果尔诺颜占有翁牛特，次巴岱车臣诺颜领有哈喇车里克。巴颜岱洪果尔诺颜子图兰，号杜棱汗。有子七，长逊杜棱，次阿巴噶图珲台吉，次栋额尔德尼，次班第伟征，次达拉海诺木齐，次萨扬墨尔根，次本巴楚瑚尔。巴岱车臣诺颜三传至努绥，有子二，长噶尔玛，次诺密泰岱青。天聪四年（1630 年），逊杜棱济农为首的翁牛特诸台吉和阿噜蒙古诸部首领一起，与爱新国盟誓通好。天聪六年（1632 年），逊杜棱济农和栋岱青率所部归依爱新国。崇德元年（1636 年）四月，漠南蒙古十六部四十九名贵族同满汉臣僚一道大会盛京，共推皇太极为"博格达彻辰汗"，建国号为大清时，翁牛特部首领逊杜棱济农、栋额尔德尼岱青、塔喇海寨桑台吉、班第卫征台吉和同族之哈喇车里克部噶尔玛台吉、阿喇纳诺木齐等均来参加。有清一代，哈喇车里克部融入翁牛特右旗以外，翁牛特二旗中还有布里亚特、道鲁克、明噶特等姓氏的部众。①

喀尔喀左翼系外喀尔喀札萨克图汗部台吉衮布伊勒登部众。康熙三年（1664 年），札萨克图汗旺舒克为同族台吉额邻沁所戕，部众溃散。同年，衮布伊勒登率所部，越瀚海归附清朝。清廷赐喜峰口外察罕和硕图为其牧地，置喀尔喀左翼旗（先是外喀尔喀中内附者有土谢图汗部台吉贲塔尔所属喀尔喀右翼，驻牧张家口外，隶乌兰察布盟。为了与该旗加以区别，称作喀尔喀左翼旗），隶昭乌达盟。

2. 扎鲁特左、右旗　顺治五年（1648 年），清廷把扎鲁特部编为左右二旗，追封内齐为多罗贝勒，色本为多罗达尔汉贝勒，由内齐子尚嘉布掌左旗，色本子桑噶尔掌右旗，并分别授札萨克多罗贝勒、多罗达尔汉贝勒，职爵世袭。扎鲁特左旗第一任札萨克尚嘉布系内齐长子，从征明朔州等地，顺治十年（1653 年）卒。长子奇塔特袭职，为该旗第二任札萨克。其后，扎

---

①　拉喜朋素克：《水晶珠》，呼和温都尔校注本，内蒙古人民出版社 1985 年版，第 930—933 页。

木布、毕噜瓦、锡勒塔喇、衮布扎布、德沁、布木色楞、三音济尔噶勒、达木林旺济勒、林沁诺依鲁布等先后袭职，历任该旗札萨克。扎鲁特左旗位于昭乌达盟最北端，牧地在阿噜昆都伦河和哈古勒河之源。旗西北一带是兴安岭支脉构成的高原山地，东南部逐次降低，境内的西拉木伦河流域为平原地带。哈古勒河源于旗府西北 270 里处，向东流入科尔沁界。额布尔昆都伦河源于旗府北 200 里处，东流，汇阿噜昆都伦河。西拉木伦河从旗南部流过。旗地北接锡林郭勒盟乌珠穆沁左旗，南邻科尔沁左翼中旗，东部由北向东南斜伸，与科尔沁右翼中旗和科尔沁左翼中旗接壤，西同扎鲁特右旗毗连。札萨克驻齐齐灵花拖罗海山北（一说奇勒巴尔哈尔罕山南），在喜峰口东北1 100 里。有佐领 16。光绪三十一年（1905 年），清放垦该旗南部的西拉木伦河流域地区。光绪三十四年（1908 年）置开鲁县，管理扎鲁特左、右二旗南部垦地和阿噜科尔沁旗垦地的一部分。[①] 县治开鲁成为当时内蒙古东部的蒙汉贸易市镇之一。

扎鲁特右旗第一任札萨克桑噶尔系色本次子，从征喀尔喀以及明锦州、松山。康熙五年（1666 年），卒。长子班达哩袭职，为该旗第二任札萨克。其后，毕里克图、诺们拉拜、阿第沙、古噜扎布、衮楚克扎布、噶勒桑、干珠尔扎布、色特尔、诺尔布林沁、桑巴、多布柴等相继袭职，历任该旗札萨克。有清一代，本旗另有闲散镇国公一。旗地位于扎鲁特左旗之西，西拉木伦河横贯旗东南。阿里雅河源于旗北，西南流，入阿噜科尔沁旗。布颜河从旗西北流向东南，纵横旗中部，旗地东接扎鲁特左旗，南与奈曼旗交界，西和阿噜科尔沁旗为邻，北隔兴安岭和乌珠穆沁左旗相望。札萨克驻布颜河之东、图尔山之南，在喜峰口东北 1 200 里。有佐领 16。光绪三十一年（1905年），清放垦该旗东南部的西拉木伦河流域地区。光绪三十四年（1908 年）置开鲁县，管理扎鲁特左、右二旗南部垦地和阿噜科尔沁旗垦地的一部分。

3. 巴林左、右二旗　顺治五年（1648 年），清廷把巴林部编为左右二旗，追封色布腾为札萨克辅国公，掌右旗，满珠习礼为札萨克固山贝子，掌左旗，职爵世袭。巴林右旗系清廷实行"备指额驸"制的蒙古十三旗之一。该旗第一任札萨克色布腾是额布格岱洪巴图尔之孙。天聪二年（1628 年），

---

① 《宫中档光绪朝奏折》，台湾故宫博物院印行 1974 年版。

其父色特尔率巴林部诸台吉自科尔沁归附爱新国。从征明遵化、昌黎、大同，并从征察哈尔。色布腾先后从征明锦州、松山和山东，并参加追击苏尼特腾机思。顺治五年（1648年）二月，尚固伦淑惠公主，授固伦额驸。顺治七年（1650年），晋封多罗郡王，职爵世袭。故俗称该旗为巴林王旗或大巴林。康熙六年（1667年），卒。次子鄂齐尔袭职，为该旗第二任札萨克。其后，纳木达克、乌尔衮、桑哩达、琳沁、巴图、索特纳木多尔济、那木济勒旺楚克、阿勒玛斯巴咱尔、额奇木巴雅尔、扎噶尔等先后袭职，历任该旗札萨克。其中，琳沁曾授亲王品级。有清一代，该旗另有闲散辅国公一。札萨克驻托灰山，在古北口东北780里。有佐领26。

巴林左旗第一任札萨克固山贝子满珠习礼系郡王色布腾从弟，托果尔昂哈之子。先后从征明独石口、保安、应州、连山等役，随征朝鲜、外喀尔喀，康熙十一年（1672年）卒。长子乌尔占袭职，为该旗第二任札萨克。其后，鄂齐尔桑、巴特玛、诺们额尔赫图、达色、萨木丕勒多尔济、多尔济帕拉木、噶尔玛什第、多尔济萨木鲁布、毕齐那逊、堆英固尔扎布、色丹那木扎勒旺保等相继袭职，历任该旗札萨克。因旗札萨克职爵为贝子，故俗称该旗为巴林贝子旗或小巴林。有清一代，本旗另有闲散固山贝子一。札萨克驻阿察图拖罗海，有佐领15，额存谷2 815石7斗。

巴林二旗位于兴安岭东麓，西拉木伦河北岸。北部近兴安岭地带属高山丘陵区，东南部偏低，到西拉木伦河流域，形成平原。喀喇木伦河源于二旗北部，西南流，至噶齐克图站，又折向东南流，汇戈尔戈台河，注入西拉木伦河。乌尔图绰农河源于二旗东北，东南流，汇布雅霜河，又东流，入阿噜科尔沁旗界。二旗旗地东接阿噜科尔沁旗，西接克什克腾旗，南和翁牛特左旗交界，北隔兴安岭主脉与乌珠穆沁右旗接壤。光绪三十一年（1905年），清廷放垦巴林左右二旗喀喇木伦河西北的8 600顷土地。[①] 光绪三十四年（1908年），设林西县，管理巴林左、右二旗西部垦地和克什克腾旗东部垦地的一部分。[②] 县境东西约200余里，南北约60余里。县治林西，西临经棚，南近乌丹、赤峰，遂成为清末东蒙古贸易市镇之一。

---

① 《程德全奏时机危迫亟宜开通各蒙折》，光绪三十一年十一月。
② 《宫中档光绪朝奏折》，台湾故宫博物院印行1974年版。

4. 克什克腾旗 顺治九年（1652 年）设。该旗第一任札萨克索诺木系达延汗第六子斡齐尔博罗特曾孙，祖父沙喇勒达，号墨尔根诺颜。沙喇勒达之子达尔玛有子三，长索诺木，次巴本，次图垒。天聪八年（1634 年），率所部诸台吉归依爱新国。顺治九年（1652 年），诏所部编为一旗，以索诺木领之，授札萨克一等台吉，职爵世袭。顺治十三年（1656 年），卒，长子玛纳瑚袭职，为第二任札萨克。其后，阿玉什、齐巴克扎布、囊济特扎布、根敦达尔扎、旺楚克喇布坦、弼玛拉吉尔第、棍布栋鲁布、那木济勒、伯克济雅等相继袭职，历任该旗札萨克。札萨克驻吉拉巴斯峰（一说空格尔河），在古北口东北 570 里，有佐领 10。

克什克腾旗位于兴安岭西侧，东部山丘连绵，沟壑纵横；西拉木伦河以北为兴安岭南端山地，以南为阴山支脉的七老图丘陵区，旗西南有乌兰布通峰，西北有达尔诺尔。西拉木伦河发源于本旗西南。旗地东邻巴林右旗和翁牛特左旗，南接翁牛特右旗和热河围场，西至正蓝旗察哈尔，北接锡林郭勒盟浩齐特左旗和乌珠穆沁右旗。雍正、乾隆年代始，因汉族农民不断涌入，境内大量牧场被开垦。道光五年（1825 年），清廷在该旗东南垦地白岔地方置巡检司，隶多伦诺尔直隶厅。光绪十年（1884 年）移至经棚。[①] 光绪三十四年（1908 年），清廷把克什克腾旗东部垦地的一部分划出，并入林西县。

5. 敖汉旗 崇德元年（1636 年）设，系清廷实行"备指额驸"制的蒙古十三旗之一。该旗第一任札萨克班第为敖汉部祖秃章都喇儿曾孙，秃章都喇儿子岱青杜棱有子二，长索诺木杜棱，次塞臣卓哩克图。班第即塞臣卓哩克图之子。天聪元年（1627 年），索诺木杜棱与塞臣卓哩克图归依爱新国。爱新国划开原地，令索诺木杜棱驻牧，塞臣卓哩克图管理该部原游牧地。不久，因索诺木杜棱私猎盛京围场，仍令其撤回原游牧地，收回开原地。天聪三年（1629 年），班第娶固伦公主，授为固伦额驸。崇德元年（1636 年），清把班第所属部众编为一旗，班第授封为札萨克多罗郡王，职爵世袭，俗称该旗为札萨克王旗。顺治五年（1648 年），追封索诺木杜棱为闲散多罗郡王，子孙世袭，附牧于敖汉旗。班第从征明济南、松山、锦州，随征朝鲜、

①《经棚县志》卷 2，《建制》，1982 年呼和浩特古丰书斋誊印本。

喀尔喀札萨克图汗和苏尼特部腾机思王。顺治四年（1647年），卒。长子墨尔根巴图鲁温布袭职，为第二任札萨克。康熙十年（1671年），卒。长子扎木素袭职，为第三任札萨克，尚郡君，授多罗额驸，从征布尔尼和噶尔丹。康熙四十七年（1708年）卒。其后，垂木丕勒、垂济喇什、巴特玛喇什、巴勒丹、德亲、德济特、达尔玛吉尔第、达旺多克丹、色丹诺尔多克、达木林达尔达克、勒恩扎勒诺尔赞、棍布扎布等相继袭职，历任该旗札萨克。有清一代，该旗另有闲散多罗郡王一，多罗贝勒一，固山贝子一。札萨克驻古尔班图勒噶山（汉名鼎足山），一说在温克图什勒格，有佐领55。至宣统三年（1911年），清廷又在该旗境内增设一旗，由闲散多罗郡王索诺木杜棱后裔色凌端鲁布为札萨克多罗郡王。原敖汉旗称为敖汉左旗，新增旗为敖汉右旗。① 二旗以老哈河为界。

敖汉旗地跨老哈河，南部系黄土丘陵沟壑区，中部为黄土丘陵区，北部属平原区。老哈河从南向北流经旗西部，沿岸形成河谷平原地带。旗地东接奈曼旗，南接土默特右旗，西与喀喇沁右旗及翁牛特右旗交界，北和翁牛特左旗接壤。清雍正、乾隆年代始，因汉族农民不断涌入，境内大量牧场被开垦，农区村落星罗棋布。光绪十七年（1891年），因汉族移民煽动的"金丹道"教匪始发于该旗等原因，失去土地的敖汉旗蒙民屡屡迁居哲里木盟各旗。光绪二十九年（1903年），清把该旗东南部分垦地划出，并入建平县，县治设在本旗南部的新邱。②

6. 奈曼旗　崇德元年（1636年）设，系清廷实行"备指额驸"制的蒙古十三旗之一。该旗第一任札萨克衮楚克巴图鲁台吉为奈曼部祖额森伟征之子，天聪元年（1627年）皆从子鄂齐尔率所部归依爱新国，仍归旧地游牧。天聪二年（1628年），随征察哈尔有功，赐号达尔汉。崇德元年（1636年），所属24鄂托克编为一旗，授封札萨克多罗达尔汉郡王，职爵世袭。从征瓦尔喀、喀尔喀札萨克图汗，征明济南、松山、锦州，随征苏尼特部腾机思王。顺治十年（1653年），卒。次子阿孛袭职，为第二任札萨克。顺治十六年（1659年），以罪削爵。次年，衮楚克第三子扎木三袭职，为第三任札

---

① 《宣统政纪》卷53，宣统三年四月丁酉条。
② 《清德宗实录》卷514，光绪二十九年四月甲午条。

萨克。康熙十四年（1675 年）以迎合察哈尔布尔尼之罪，削爵，剥夺所属人户。衮楚克长孙鄂齐尔（和硕额驸巴达礼长子）袭职，为第四任札萨克。其后，班第、吹忠、阿咱拉、拉旺喇布丹、巴勒楚克、阿宛都瓦第扎布、德木楚克扎布、萨噶拉、玛什巴图尔、苏珠克巴图尔等相继袭职，历任该旗札萨克。札萨克驻彰武台（一说库赖），在喜峰口东北 700 里，有佐领 50。

奈曼旗位于西拉木伦河与老哈河合流处南岸。南部为低山丘陵，北部属冲积平原。老哈河在札萨克驻地北 100 里处自敖汉旗流入境，东北流，入喀尔喀左翼旗。旗地东接喀尔喀左翼旗，南接土默特右旗，西至敖汉旗，北到翁牛特左旗界。清雍正、乾隆年代始，因汉族农民不断涌入，境内大量牧场被开垦，农区村落星罗棋布。乾隆四十三年（1778 年），清廷设赤峰县，兼辖翁牛特、巴林、奈曼等旗满汉商民。光绪十一年（1885 年），清廷又把奈曼旗南部的部分土地出放，招民开垦。光绪三十四年（1908 年），清划出该旗东南部和阜新县北境以及喀尔喀左翼旗、锡埒图库伦喇嘛旗的部分垦地，增设绥东县。①

7. 阿鲁科尔沁旗　崇德元年（1636 年）设。该旗第一任札萨克穆彰为阿鲁科尔沁部首领达赉楚瑚尔之子。天聪四年（1630 年），与其父率部归依爱新国。天聪八年（1634 年），编所部为二旗，达赉、穆彰父子各领一旗，同在一处游牧。崇德元年（1636 年），清查阿鲁科尔沁部户口、壮丁，编为牛录时，穆彰所属有 1 000 户，编为 20 牛录，达赉所属有 800 户，编为 16 牛录，其他诸小台吉所属有 1 200 户，编为 24 牛录，共计 3 000 户，60 牛录。② 同年，因达赉年暮嗜酒，削其所领旗，与穆彰所领旗合为一旗，由穆彰领之。穆彰从征察哈尔、瓦尔喀、朝鲜，参加征明大同、山东、松山等役。崇德七年（1642 年），尚郡主，授和硕额驸。顺治元年（1644 年），被封为札萨克固山贝子。顺治四年（1647 年），卒。翌年追封多罗贝勒，职爵世袭，以其长子珠勒扎干袭职，为第二任札萨克。顺治八年（1651 年），晋封多罗郡王。康熙十七年（1678 年），卒。长子色棱袭郡王，尚郡主，授和硕额驸。康熙二十七年（1688 年），以耽酒削爵，其弟楚依袭多罗贝勒，为

---

① 《宫中档光绪朝奏折》，台湾故宫博物院印行 1974 年版。

② 《满文老档》太宗三十四，中华书局 1990 年版，第 1661—1675 页。

第三任札萨克。康熙三十年（1691年），与噶尔丹战而立功，晋封多罗郡王。康熙三十四年（1695年），外喀尔喀车臣汗部的罕笃反清，同部之车布登阿南达不从，率所部从浑图塔什海迁往阿鲁科尔沁境内，游牧于乌兰库布尔地方。康熙四十三年（1704年），楚依卒，长子穆宁袭多罗贝勒，为第四任札萨克。其后，旺扎勒、达克丹、阿尔达什第、多尔济帕拉木、丹锦巴勒桑、扎木扬旺舒克、拉什仲鼐、巴咱尔吉里第、旺沁帕尔赍等相继袭多罗贝勒职，历任该旗札萨克。札萨克驻珲图尔山之东的托果木台，在古北口东北1 100里。有佐领50。

阿鲁科尔沁旗位于西拉木伦河之北。西北部属兴安岭支脉构成的山地丘陵，东南偏低。奇哈尔（又作哈喜尔、哈黑尔）河从旗西北的山地发源，东南流，在东南端与同一流向的敖木伦河合流，注入达布苏图河。阿里雅河从扎鲁特右旗流入旗东北，注入哈奇尔河。旗地东接扎鲁特右旗，南接翁牛特左旗，西接巴林左、右二旗，北接乌珠穆沁右旗。光绪三十一年（1905年），清廷放垦该旗境内的西拉木伦河沿岸地区。光绪三十四年（1908年），清廷把旗东南部这部分垦地并入开鲁县。[1]

8. 翁牛特左、右二旗　天聪六年（1632年），翁牛特部祖巴颜岱洪果尔曾孙逊杜棱同栋额尔德尼率所部归依爱新国。崇德元年（1636年），编为左、右二旗。逊杜棱为札萨克多罗都棱郡王，掌右旗，栋额尔德尼为札萨克多罗达尔汉岱青，领左旗。

翁牛特右旗是清廷实行"备指额驸"制的蒙古十三旗之一。该旗第一任札萨克逊杜棱在"阿鲁蒙古"诸部首领中地位显赫，号称"济农"。从征察哈尔、大同等地。崇德元年（1636年），其所属700户25鄂托克和噶尔玛所属喀喇车力克9牛录编为一旗，[2]授札萨克多罗杜棱郡王，职爵世袭。顺治二年（1645年），卒。孙博多和（其父衮布扎布先卒）袭职，为第二任札萨克。尚郡主，授多罗额驸。顺治十七年（1660年），卒。有子二，长毕里衮达赉袭郡王职，为第三任札萨克，次子鄂齐尔授固山贝子。康熙三十一年（1692年），毕里衮达赉卒，次子苍津（原名班第）袭职，为第四任

---

① 《宫中档光绪朝奏折》，台湾故宫博物院印行1974年版。
② 中国第一历史档案馆蒙文老档，全宗号1蒙60。

札萨克。尚和硕温恪公主，授和硕额驸。雍正五年（1727 年），以罪削爵。其叔父鄂齐尔袭职，为第五任札萨克。其后，罗卜藏、齐旺、布达扎布、旺舒克、包道尔济、喇特那济尔迪、布尔那巴达拉、赞巴勒诺尔布等相继袭职，历任该旗札萨克。有清一代，该旗另有闲散固山贝子一，辅国公一。札萨克驻英什尔哈齐特呼郎（一说库里雅图），在古北口东北 680 里。有佐领 20。

翁牛特右旗位于热河围场东北，老哈河南岸。西部有七老图山脉，地形较高，东部渐次降低。西白河在旗札萨克驻地南 80 里自喀喇沁流入境，东北流，汇獐河。獐河在旗西南自喀喇沁西北流入，东北流，汇英金河。英金河在旗西北流入，东南流，汇獐河诸水，东入老哈河。卓索河在旗北，东流，入獐河。旗地东接敖汉旗，南接喀喇沁右旗，西与热河围场交界，北与克什克腾及翁牛特左旗相邻。清雍正、乾隆年代始，因汉族农民不断涌入，境内大量牧场被开垦。乾隆二十七年（1762 年），被汉人隐占的土地就达 1 000 余顷。① 乾隆三十九年（1774 年）清在该旗境内的乌兰哈达地方设乌兰哈达直隶厅，管理昭乌达盟部分蒙旗垦地和蒙汉商民事务。乾隆四十三年（1778 年）改为赤峰县。从此，该旗旗地大大缩小。

翁牛特左旗第一任札萨克栋额尔德尼岱青为逊杜棱之弟。天聪六年（1632 年），率所部归依爱新国。从征察哈尔、明大同。崇德元年（1636 年），其所属 1 830 户 34 鄂托克编为一旗，② 授札萨克，赐号多罗达尔汉岱青，职爵世袭。顺治五年（1648 年），卒。长子肯特尔袭职，为第二任札萨克。顺治十一年（1654 年），卒。其弟叟塞袭职，为第三任札萨克。顺治十八年（1661 年），晋封多罗达尔汉岱青贝勒。其后，额麟臣、额勒德布鄂齐尔、朋素克、诺尔布扎木素、济克济扎布、达玛琳扎布、猛克济雅、宝拜、德木楚克苏隆、花连等相继袭多罗达尔汉岱青贝勒职，历任该旗札萨克。札萨克驻扎喇峰西朝克温都尔，在古北口东北 520 里。有佐领 38。

翁牛特左旗位于西拉木伦河与老哈河之间。西部是七老图山脉与大兴安岭支脉汇接处形成的台地，中部为起伏平缓、山川交错的丘陵区，东部在老

---

① 海忠：《承德府志》卷 2，《诏谕》清嘉庆年间刻本。
② 中国第一历史档案馆蒙文老档，全宗号 1 蒙 60。

哈河与西拉木伦河汇合处有两河冲击而形成的平原。老哈河在旗札萨克驻地东南 100 里处自敖汉旗流入，东北流，汇西拉木伦河。西拉木伦河在旗札萨克驻地北 40 里处，自克什克腾旗流入境，沿旗北部东北流入阿噜科尔沁界。昭乌达盟的会盟地点——昭乌达就在该旗境内的西拉木伦河和老哈河汇处。旗地北与巴林二旗交界，南与翁牛特右旗及敖汉旗接壤，西和克什克腾旗相连，东与阿噜科尔沁旗和奈曼旗相接。乾隆三十九年（1774 年），清廷在乌兰哈达地方设乌兰哈达直隶厅以后，把该旗境内的宝勒浩特（乌丹）等地划出，并入乌兰哈达直隶厅管辖。

9. 喀尔喀左翼旗　康熙三年（1664 年）设。该旗第一任札萨克衮布伊勒登系外喀尔喀札萨克图汗祖巴延达喇弟图扪达喇岱青之子硕垒乌把什珲台吉第三子。康熙三年（1664 年）被封为札萨克多罗贝勒，职爵世袭。康熙二十一年（1682 年），卒。长子罗卜藏袭职，为第二任札萨克。其后，准对、噶勒桑、阿裕尔、那穆赉扎布、班咱什哩、沙克都尔扎布、巴彦巴图尔、堆固尔苏隆、布林满都呼、鲁勒木色棱等相继袭多罗贝勒职，历任该旗札萨克。札萨克驻察罕和硕图，在喜峰口东北 840 里。有佐领 1。①

喀尔喀左翼旗位于昭乌达盟东南部。养息牧河发源于该旗札萨克驻地南 30 里，东北流，经喀海拖罗海山，向东南折流，汇库昆河。库昆河在旗札萨克驻地南 60 里，东流入土默特左旗。旗地域东起科尔沁左翼前旗界，西抵奈曼旗界，南起土默特左旗，北抵扎鲁特界。光绪三十四年（1908 年），清把该旗境内的部分垦地并入新增设的绥东县。②

四、锡林郭勒盟

锡林郭勒盟位于兴安岭西北部，大约在东经 111° 到 120°，北纬 42° 到 47°30′ 之间。东起索伦及哲里木盟西北界，西至乌兰察布盟界，北与外札萨克喀尔喀蒙古车臣汗部接壤，南同察哈尔八旗及昭乌达盟西北的巴林、克什克腾等旗毗连。清崇德至康熙年间，把归依的蒙古乌珠穆沁、浩齐特、苏尼特、阿巴噶、阿巴哈纳尔部陆续编成 10 个札萨克旗，会盟于阿巴噶左旗境

①　张穆：《蒙古游牧记》卷 3，同治祁氏刊本。
②　《宫中档光绪朝奏折》，台湾故宫博物院印行 1974 年版。

内的锡林郭勒地方，称作锡林郭勒盟。

1. 锡林郭勒盟诸部源流 清代锡林郭勒盟五部由北元时期蒙古大汗直辖的察哈尔万户主要组成部分乌珠穆沁、浩齐特、苏尼特鄂托克和成吉思汗之弟别里古台家族统治为核心的伊克土绵万户主要组成部分阿巴噶和阿巴哈纳尔鄂托克构成。

乌珠穆沁部系北元时期察哈尔万户诸鄂托克之一。蒙古博迪（明译卜赤）阿拉克汗有子三，长打来孙库登汗，次库克齐图墨尔根，次翁衮都喇尔（明译汪兀都喇、王文打来）。其中，翁衮都喇尔领有乌珠穆沁、额尔合古特、老斯沁等鄂托克。① 16 世纪中后期，翁衮都喇尔曾与图门汗一道，屡掠明蓟、辽边境。当时的乌珠穆沁鄂托克游牧地当在西拉木伦河以北，即清代乌珠穆沁左、右二旗的位置更靠北一些，与浩齐特、苏尼特等鄂托克一起成为阿噜（山阴）察哈尔的主要组成部分。翁衮都喇尔有子六，长朝克图（伊若呼）巴图尔，次白赛冰图，次巴雅斯哈勒额尔德尼，次纳延泰伊勒登，次章吉达尔汉，次多尔济车臣济农。爱新国天聪年间，多尔济车臣济农和朝克图巴图尔之子色棱额尔德尼等惧林丹汗征讨，率所部避往外喀尔喀车臣汗部。崇德二年（1637 年），多尔济车臣济农和色棱额尔德尼率该部自克鲁伦河南下，归依清朝。

浩齐特（明译好陈察罕儿）部系北元时期察哈尔万户诸鄂托克之一。蒙古博迪阿拉克汗长子打来孙库登汗领有浩济特鄂托克。16 世纪中后期，打来孙库登汗第二子忠图（明译庄兔或大委正）都喇勒占有该部，② 曾辅佐图门汗。当时该部驻牧于西拉木伦河以北，即清代浩济特左、右二旗一带，与乌珠穆沁、苏尼特等鄂托克一起成为阿噜察哈尔的主要组成部分。忠图都喇勒之子德格类额尔德尼珲台吉有子五，长奇塔特扎干都棱土谢图，次巴斯俸土谢图，次策棱伊勒登土谢图，次奇塔特昆都棱额尔德尼车臣楚瑚尔，次茂海墨尔根。爱新国天聪年间，惧林丹汗征讨，率所部避往外喀尔喀车臣汗部。天聪八年（1634 年），该部部分台吉携户口驼马，自外喀尔喀车臣汗部归依爱新国。天聪九年（1635 年），策棱伊勒登土谢图来贡。崇德元年

① 答哩麻固什：《金轮千辐》，乔吉点校，内蒙古人民出版社 1989 年版，第 204 页。
② 答哩麻固什：《金轮千辐》，乔吉点校，内蒙古人民出版社 1989 年版，第 206 页。

（1636 年），巴斯俸土谢图来贡。崇德二年（1637 年），奇塔特昆都棱额尔德尼车臣楚瑚尔之子博罗特率所属部众，自外喀尔喀车臣汗部归依清朝。顺治八年（1651 年），奇塔特扎干都棱土谢图之子噶尔玛色旺携众自外喀尔喀车臣汗部归依清朝。

苏尼特（元译雪尼惕）部系蒙古古老的部落之一，成吉思汗第六世祖海都有子三，长伯升豁儿多黑申，次察喇孩领忽，次抄真斡儿帖该。抄真斡儿帖该第四子雪尼惕所属部众成为后来的苏尼特部先民。北元时期该部成为察哈尔万户诸鄂托克之一。蒙古博迪阿拉克汗次子库克齐图墨尔根领有苏尼特鄂托克。[①] 16 世纪中后期驻牧于西拉木伦河以北，与浩齐特、乌珠穆沁等鄂托克一起成为阿噜（山阴）察哈尔的主要组成部分。库克齐图墨尔根有子四，长布延珲台吉，次贝玛墨尔根伊勒都齐，次布延泰车臣贝哩桌哩克图，次布尔海楚瑚尔。其中，布延珲台吉及其子绰尔衮游牧于苏尼特部右翼，布尔海楚瑚尔及其子塔巴海达尔汉和硕齐游牧于苏尼特部左翼。爱新国天聪年间，绰尔衮和塔巴海达尔汉和硕齐等惧林丹汗征讨，率所部避往外喀尔喀车臣汗部。天聪九年（1635 年），绰尔衮之子叟塞遣使于爱新国。崇德二年（1637 年），塔巴海达尔汉和硕齐之子腾机思、腾机特等各遣使于清朝。崇德四年（1639 年），腾机思、叟塞各率所部自外喀尔喀车臣汗部归依清朝。

阿巴噶、阿巴哈纳尔部系成吉思汗之弟别里古台家族统治为核心的北元时期伊克土绵万户主要组成部分。阿巴噶意为叔父，阿巴哈纳尔为叔父之复数，意为叔父们。成吉思汗诸弟及其后裔对蒙古大汗为首的黄金家族有着叔父辈分，故北元时期他们的所属部落被统称为阿巴噶。又因成吉思汗诸弟后裔在不同时期的蒙古统治体系中拥有宗王地位，他们的所属部落又被统称为翁牛特，即"有王的属民"。1206 年，成吉思汗建立大蒙古国后，别里古台家族分得 1 500 户属民，驻牧于克鲁伦河流域。有元一代，别里古台后裔被封为广宁王，成为元代东道诸王之一，地位显赫。15 世纪中叶，别里古台后裔统治为核心的翁牛特部已发展成为伊克土绵万户。别里古台第十四世孙广宁王毛里海一度控制北元蒙古汗廷，称霸东蒙古。毛里海子斡赤赉札萨克

---

①　答哩麻固什：《金轮千辐》，乔吉点校，内蒙古人民出版社 1989 年版，第 204 页。

图曾辅佐达延汗。

　　斡赤赉札萨克图之孙巴雅斯瑚布尔古特有子二，长诺密特默克图，次塔尔尼库同。16 世纪中后期，诺密特默克图于漠北称小汗，与从子素僧克伟征（塔尔尼库同长子）一同占有伊克土绵万户，并与俺答汗之女赛音珠拉（阿玉什阿巴海）结婚，成为当时漠北地区颇具势力的贵族。外喀尔喀部首领格埒森哲之孙阿巴岱汗、乌特给伊勒都齐、套尔察垓都古尔格克齐等均系其女婿。随着格埒森哲子孙势力在漠北地区的渗透，别里古台家族的地位逐渐降低。1582 年，诺密特默克图汗之妻赛音珠拉率所属阿巴噶部迁移至游牧于外喀尔喀右翼的女婿乌特给伊勒都齐之处。其中，素僧克伟征之子图默泰（额尔德尼图门）等尚未久留此地，于 1588 年返回故里。图默泰和布达什哩父子相继承袭原别里古台嫡系拥有的札萨克图称号，代替诺密特默克图汗嫡系，占有伊克土绵万户的多数部众，被称作阿巴噶部。而西迁的阿巴噶部众趁 17 世纪 60 年代发生的外喀尔喀右翼内乱，才重返克鲁伦河流域，因附牧于阿巴噶部，被称作阿巴哈纳尔。

　　17 世纪上半叶，阿巴噶、阿巴哈纳尔部成为阿噜蒙古诸部重要组成部分。天聪二年（1628 年），阿巴噶部诸台吉曾与喀喇沁—土默特联军一起夹击林丹汗。[①] 天聪三年（1629 年），布达什哩札萨克图之子阿巴噶部都思噶尔巴图尔济农遣使贡马于爱新国。从此，双方遣使往来不断。崇德元年（1636 年）册封的皇太极五大福晋中，西宫麟趾宫大福晋贵妃系阿噜伊克土绵部扬古卓哩克图（塔尔尼库同次子）子多尔济额齐格诺颜之女，东宫衍庆宫侧福晋淑妃为阿噜伊克土绵部塔布囊布达赛之女。[②] 天聪六年（1632 年）至康熙五年（1666 年）之间，阿巴噶、阿巴哈纳尔部诸台吉先后率所部自克鲁伦河南下至锡林郭勒草原，归附清朝。

　　2. 乌珠穆沁右、左二旗　乌珠穆沁右旗设于崇德六年（1641 年），俗称西乌珠穆沁。该旗第一任札萨克多尔济车臣济农系乌珠穆沁部祖翁衮都喇尔第六子，天聪九年（1635 年）表贡方物，崇德元年（1636 年），开始贡使不绝。崇德二年（1637 年），率所部自克鲁伦河归依清朝。崇德三年

---

① 李保文整理：《17 世纪前半期蒙古文文书》，内蒙古少年儿童出版社 1997 年版，第 27 页。

② 《满文老档》太宗二十，中华书局 1990 年版，第 1529—1535 页。

（1638 年），率所部从征喀尔喀。崇德六年（1641 年），编所部为一旗，多尔济车臣济农授札萨克和硕车臣亲王，职爵世袭。顺治三年（1646 年），卒。其孙察罕巴拜（垂僧格子）袭职，为第二任札萨克。顺治十四年（1657 年），卒。其后，素达尼、色登敦多布、阿喇布坦纳木扎勒、朋素克喇布坦、玛哈索哈、巴勒珠尔喇布斋、多尔济济克默特那木济勒、朋素克那木济勒、阿勒坦呼雅克图、索特那木喇普坦等相继袭和硕车臣亲王职，历任该旗札萨克。札萨克驻巴克苏尔哈台山（一说巴彦鄂博图），在古北口东北 923 里。有佐领 21。① 有清一代，该旗另有闲散世袭辅国公二。乌珠穆沁右旗位于大兴安岭西北部，旗东南部为大兴安岭支脉构成的山地，北部和西部系坦荡的波状平原。旗地东接乌珠穆沁左旗，西接浩齐特左旗，南与巴林及克什克腾交界，北与外喀尔喀车臣汗部接壤。

乌珠穆沁左旗设于顺治三年（1646 年），俗称东乌珠穆沁。该旗第一任札萨克多罗额尔德尼贝勒色棱系乌珠穆沁部祖翁衮都喇尔长子朝克图巴图尔之子。崇德二年（1637 年），携长子敦多布，次子额尔克奇塔特等归依清朝。顺治三年（1646 年），编所部为一旗，色棱授札萨克多罗额尔德尼贝勒，职爵世袭。康熙十年（1671 年），卒。额尔克奇塔特子茂里海袭职，为第二任札萨克。其后，鄂齐尔图、博木布、车布登、达什衮布、旺楚克、图克济扎布、达克丹、察克都尔色楞、育勒济勒诺尔布、济尔哈朗、棍布苏伦等相继袭札萨克多罗额尔德尼贝勒职，历任该旗札萨克。札萨克驻乌尔虎河畔的魁苏拖罗海，在古北口东北 1 160 里。有佐领 9。乌珠穆沁左旗位于锡林郭勒盟东北部。境内兴安岭支脉连绵起伏。下布图山以西为山地丘陵。乌尔会河发源于旗东之索岳尔济山，南流入境，再折而向西。索岳尔济河在旗东北，西南流，亦入乌尔会河。旗地东接索伦，南接扎鲁特和阿噜科尔沁界，西和乌珠穆沁右旗接壤，北与外喀尔喀车臣汗部毗邻。

3. 浩齐特左、右二旗 浩齐特左旗设于顺治三年（1646 年），俗称东浩齐特。该旗第一任札萨克博罗特系浩齐特部台吉奇塔特昆都棱额尔德尼车臣楚瑚尔之子，崇德二年（1637 年），率所部自外喀尔喀车臣汗部迁移漠南，归依爱新国。从征外喀尔喀札萨克图汗。顺治三年（1646 年），编所部

---

① 张穆：《蒙古游牧记》卷 4，同治祁氏刊本。

为一旗，博罗特授札萨克多罗额尔德尼贝勒。顺治七年（1650 年），晋封多罗郡王，职爵世袭。康熙十一年（1672 年），卒。长子阿赖充袭职，为第二任札萨克。其后，达尔玛吉里第、阿嘎尼斯达、车凌喇布坦、车布登巴勒珠尔、齐苏咙多尔济、端多布多尔济、额林沁诺尔布、吹精扎布、喇特那巴咱尔、都昂多克僧格、色隆托济勒等相继袭札萨克多罗郡王职，历任该旗札萨克。札萨克驻特古力克呼图克湖钦（一说噶亥），在独石口东北 690 里。有佐领 5。旗地横跨大、小吉里河，东与北接乌珠穆沁右旗，南邻克什克腾旗，西接浩齐特右旗。

浩齐特右旗设于顺治十年（1653 年），俗称西浩齐特。该旗第一任札萨克噶尔玛色旺系浩齐特部台吉奇塔特扎干都棱土谢图之子。顺治八年（1651 年），噶尔玛色旺与其弟班第墨尔根楚瑚尔率所部 1 300 余人，从外喀尔喀徙往漠南，归依清朝。顺治十年（1653 年），编所部为一旗，噶尔玛色旺授札萨克多罗郡王，职爵世袭。其后，阿喇布坦、车布登、巴扎尔、雅木丕勒、巴特玛车凌、丹津、达什喇布坦、敏珠尔多尔济、贡楚克栋罗布、永隆珠尔默特、济克登噶委章、贡噶旺济勒、桑达克多尔济等相继袭札萨克多罗郡王职，历任该旗札萨克。札萨克驻乌默黑塞里尔（一说巴彦恩克鄂勒虎陀落），在独石口东北 685 里。有佐领 5。[①] 旗地位于锡林河下游，东接浩齐特左旗，南接阿巴噶左旗，北与外喀尔喀车臣汗部交界，西与阿巴哈纳尔左旗毗邻。

4. 苏尼特左、右二旗　苏尼特左旗设于崇德六年（1641 年），俗称东苏尼特。该旗第一任札萨克腾机思系苏尼特部祖库克齐图曾孙塔尔巴海达尔汉之子。崇德四年（1639 年），率所部自外喀尔喀南迁，归依清朝。崇德六年（1641 年），编所部为一旗，腾机思被封为札萨克墨尔根多罗郡王，尚郡主，授和硕额驸，职爵世袭。顺治三年（1646 年），腾机思因与摄政王多尔衮有隙，率众北走，欲重归外喀尔喀车臣汗，兵败削爵。顺治五年（1648 年），由其弟多罗贝勒腾机特袭札萨克多罗郡王，为第二任札萨克。康熙二年（1663 年），卒。其明年，由腾机思第四子萨穆扎袭职，为第三任札萨克。尚郡主，授和硕额驸。康熙三十七年（1698 年），卒。其后，垂济恭苏

---

①　张穆：《蒙古游牧记》卷 4，同治祁氏刊本。

咙、旺辰、车凌衮布、阿尔达什第、额埒克津、巴勒珠尔雅喇木丕勒、齐旺扎布、扎迪布木、绰克苏伦、棍布车林、玛克苏尔扎布等相继袭札萨克多罗郡王职，历任该旗札萨克。有清一代，该旗另有闲散多罗贝勒一，职爵世袭。札萨克驻和林图察伯台冈（一说察罕诺尔巴彦诺尔），在张家口北570里。有佐领20。[①] 旗地位于锡林郭勒盟西部，旗中部和北部地势开阔，为坦荡的高原平原。地形南和北较高，中部偏低。位于旗东南部的库克察罕诺尔由努克黑忒河等三条河流汇集而成。努克黑忒河从正蓝旗察哈尔北流入境，经旗东南注入库克察罕诺尔。旗地东接阿巴噶右旗，南接镶白旗察哈尔，西与苏尼特右旗接壤，北同外喀尔喀土谢图汗部毗连。

苏尼特右旗设于崇德七年（1642年），俗称西苏尼特。该旗第一任札萨克叟塞系绰尔衮之子。崇德四年（1639年），率所部从外喀尔喀移居漠南，归依清朝。崇德七年（1642年），编所部为一旗，叟塞为札萨克多罗杜棱郡王，职爵世袭。顺治三年（1646年），卒。次子沙希台袭职，为第二任札萨克。康熙十六年（1677年），卒。其后，恭格、老彰、阿玉什、达尔扎布、旺青齐苏咙、丹津车凌、朗衮车凌、车凌多尔济、车凌衮布、喇特那锡第、布尔尼锡哩、布达莽噶拉、那木济勒旺楚克、德穆楚克栋鲁普等相继袭札萨克多罗杜棱郡王职，历任该旗札萨克。有清一代，该旗另有闲散辅国公一，职爵世袭。札萨克驻萨敏锡勒山（一说阿勒塔图），在张家口北550里。有佐领20。[②] 旗地位于锡林郭勒盟西部，地势南高北低，北部为坦荡的高原平原，并有丘陵相间分布，南部多山。东接苏尼特左旗，南接正黄旗及镶黄旗察哈尔，西与四子部旗接壤，北和外喀尔喀土谢图汗部交界。

5. 阿巴噶左、右翼旗　阿巴噶左旗设于顺治八年（1651年）。该旗第一任札萨克都思噶尔巴图尔济农系阿巴噶部布达什哩札萨克图之长子。顺治八年（1651年），率所部从外喀尔喀车臣汗部移居锡林郭勒草原，归依清朝。同年，编所部为一旗，都思噶尔巴图尔济农被封为札萨克多罗郡王，职爵世袭。顺治十年（1653年），卒。长子沙克沙僧格袭职，为第二任札萨克。康熙二十四年（1685年），卒。其后，乌尔彰噶喇布、巴特玛衮楚克、

---

① 张穆：《蒙古游牧记》卷4，同治祁氏刊本。
② 张穆：《蒙古游牧记》卷4，同治祁氏刊本。

索诺木喇布坦、鼐布坦常忠、衮布扎布、嘛尼巴达拉、阿尔塔什迪、瓦津达喇、扬桑、勒钦图布斋等相继袭札萨克多罗郡王职，历任该旗札萨克。有清一代，该旗另有闲散固山达尔汉贝子一，达尔汉辅国公一，职爵世袭。札萨克驻巴彦额伦（一说锡林河之西塔布桑山），在独石口东北550里。有佐领11。[①] 旗地环绕锡林河，东接浩齐特右旗，西邻阿巴哈纳尔右旗，南起正蓝旗察哈尔及克什克腾旗，北抵阿巴哈纳尔右旗及达里冈爱牧场。

阿巴噶右旗设于崇德六年（1641年），俗称小阿巴噶。该旗第一任札萨克多尔济额齐格诺颜系阿巴噶部扬古岱卓哩克图之子。崇德六年（1641年），率所部从外喀尔喀车臣汗部移居锡林郭勒草原，归依清朝。同年编所部为一旗，多尔济额齐格诺颜被封为札萨克多罗卓哩克图郡王，职爵世袭。顺治二年（1645年），卒。长子塞尔珍袭职，为第二任札萨克。康熙八年（1669年），卒。其后，德木伯勒、楚英、色棱、达玛嶙扎布、弼英、扎木巴勒扎布、车凌旺布、喇特纳什第、那木萨赍多尔济、萨尔济勒多尔济、刚噶尔伦布、布彦乌勒哲依等相继袭札萨克多罗卓哩克图郡王职，历任该旗札萨克。札萨克驻科布尔泉（一说孟古勒陀罗海），在张家口东北590里。有佐领11。[②] 旗地位于苏尼特东部。库尔察罕诺尔在旗西南。郭和苏台河从阿巴哈纳尔右旗南部流入，经旗东南，注入库尔察罕诺尔。旗地东接阿巴哈纳尔右旗，南接正蓝旗察哈尔，西与苏尼特左旗相邻，北与达里冈爱牧场接壤。

6. 阿巴哈纳尔左、右翼旗 阿巴哈纳尔左旗设于康熙四年（1665年），俗称东阿巴哈纳尔。该旗第一任札萨克栋伊思喇布系诺密特默克图汗曾孙。康熙四年（1665年），率所属2 000余人自外喀尔喀车臣汗部移居锡林郭勒草原，归依清朝。同年编所部为一旗，栋伊思喇布被封为札萨克固山贝子，职爵世袭。康熙二十年（1681年），卒。其后，衮楚克扎布、额嶙臣达什、班珠尔、达克丹朋素克、衮布旺扎勒、伊达木扎布、桑斋色勒特多布、多特诺尔布、车林多尔济等相继袭札萨克固山贝子职，历任该旗札萨克。札萨克

---

① 张穆：《蒙古游牧记》卷4，同治祁氏刊本。

② 张穆：《蒙古游牧记》卷4，同治祁氏刊本。

驻乌尔呼拖罗海山（一说阿尔噶灵图山），在独石口东北 582 里。有佐领 9。[①] 清朝初期附牧于阿巴噶左旗，到清末旗地渐处于阿巴噶左旗之东，浩齐特右旗之西，南邻克什克腾旗，北交外喀尔喀。

阿巴哈纳尔右旗设于康熙五年（1666 年），俗称西阿巴哈纳尔。该旗第一任札萨克色棱墨尔根为栋伊思喇布之兄。康熙四年（1665 年），率所属 1300 余人自外喀尔喀车臣汗部南迁至阿巴噶右旗境内，归依清朝。康熙五年（1666 年），编所部为一旗，色棱墨尔根被封为札萨克多罗贝勒，职爵世袭。康熙十九年（1680 年），卒。其后，纳木喀尔、布昭、齐当旺舒克、索诺木喇布坦、纳木扎、达什敏珠尔、车登扎布、玛哈巴拉、巴勒楚克、朋楚克桑布、达木定扎布、旺沁敦多布等相继袭札萨克多罗贝勒职，历任该旗札萨克。札萨克驻昌图山（一说孟克乌达山），在张家口东北 640 里。有佐领 7。[②] 旗地东及东南与阿巴哈纳尔左旗相接，南和正蓝旗察哈尔交界，西和西北同阿巴噶右旗接壤，北和东北同达里冈爱牧场毗连。奎腾河在旗东南汇郭和苏台河，西北流入阿巴噶右旗界。至清末，因阿巴哈纳尔左旗渐处于阿巴噶左旗之东，其东界遂与阿巴噶左旗交界。

五、伊克昭盟

位于内札萨克蒙古西南部。大约在东经 106°15′到 111°10′，北纬 37°到 41°之间。东界归化城土默特，西界阿拉善，南界陕西长城，北界乌喇特。东、西、北三面据黄河，自山西偏头关至陕西、宁夏界，延长两千余里。由鄂尔多斯左翼中旗、鄂尔多斯右翼中旗、鄂尔多斯左翼前旗、鄂尔多斯左翼后旗、鄂尔多斯右翼前旗、鄂尔多斯右翼后旗、鄂尔多斯右翼前末旗等七旗组成。因清初会盟于伊克昭地方，称为伊克昭盟。此外，伊克昭盟有守护成吉思汗陵寝伊金霍洛的"达尔扈特"，约有五百户，不隶属任何旗。

1. 鄂尔多斯部源流　鄂尔多斯（明译阿尔秃厮、斡耳笃思等）一名来源于蒙元时期的斡耳朵（译为宫帐），鄂尔多斯即斡耳朵的复数。北元时期，鄂尔多斯部由蒙古大汗嫡系后裔"济农"统辖。济农（明译为吉囊）

---

① 张穆：《蒙古游牧记》卷 4，同治祁氏刊本。
② 张穆：《蒙古游牧记》卷 4，同治祁氏刊本。

一名，出自元代成吉思汗四大斡耳朵的领主"晋王"一词。① 15 世纪中期，管理成吉思汗灵帐八白室的人众入居河套后，逐渐形成了鄂尔多斯万户。系蒙古六万户之一，内分左、右翼十二鄂托克。② 因由该部主持祭祀成吉思汗八白帐，其政治地位显赫。

鄂尔多斯初期的统治者为达延汗曾祖父阿噶巴尔斤济农（明译阿八丁王）和父亭罗忽济农。15 世纪后期，鄂尔多斯附属于应绍不部。达延汗镇压右翼叛乱后，将自己的第三子巴尔苏博罗特分封济农到鄂尔多斯部，巴尔苏博罗特也就成了右翼三万户的盟主。③

1522 年，巴尔苏博罗特济农卒，子衮弼哩克图墨尔根继之。有子九，分牧而处，清代鄂尔多斯七札萨克皆其裔。长诺颜达喇袭济农号，为札萨克郡王额璘臣一旗祖；次巴雅斯呼郎诺颜，为札萨克贝勒善丹一旗祖；次伟达尔玛诺颜，为札萨克贝子沙克扎、镇国公小扎木素二旗祖；次诺扪塔喇尼华台吉，为札萨克贝子额琳沁一旗祖；次玻扬呼哩都噶尔岱青，为札萨克台吉定咱喇什一旗祖；次巴雅喇伟征诺颜，为札萨克贝子色棱一旗祖；次巴特玛萨木巴斡；次纳穆达喇达尔汉诺颜；次翁拉罕伊勒登台吉。衮弼哩克图墨尔根之后，诺颜达喇、博硕克图、薛吟额儿迭尼、额璘臣等相继袭吉囊位。

天聪九年（1635 年），爱新国大军收林丹汗子额哲于黄河西托里图地方，未至，额璘臣私与额哲盟，分其众以行。爱新国军追及之，索所获，额璘臣惧，献察哈尔户千余。自是所部内附，颁授条约。④

顺治六年（1649 年），清朝始封鄂尔多斯诸台吉，爵六，后增至八。即，札萨克多罗郡王一，附辅国公一，札萨克多罗贝勒一，札萨克固山贝子四，一由镇国公晋袭，札萨克一等台吉一。康熙五十二年（1713 年），诏定其部牧界。

---

① ［日］冈田英弘：《达延汗六万户起源》，《榎博士還曆記念東洋史論叢》，山川出版社 1975 年版。

② 有关鄂托克，见符拉基米尔佐夫：《蒙古社会制度史》，刘荣焌译，中国社会科学出版社 1980 年版。

③ 宝音德力根：《十五世纪前后蒙古政局、部落诸问题研究》，内蒙古大学博士学位论文，1997 年，第 67 页。

④ 包文汉、奇·朝克图整理：《蒙古回部王公表传》（第 1 辑）卷 43，内蒙古大学出版社 1998 年版，第 318 页。

2. 鄂尔多斯左翼中旗 俗称郡王旗，顺治六年（1649年）设。位于鄂尔多斯正中近东部，札萨克多罗郡王游牧。衮弼哩克图墨尔根曾孙博硕棵图，林丹汗恶之，夺济农号。天聪九年（1635年），察哈尔亡，爱新国赐复济农号。顺治六年（1649年），被封为多罗郡王，世袭罔替。顺治十三年（1656年）额璘臣卒，无嗣，其从子巴图世袭札萨克多罗郡王。顺治十四年（1657年），以不孝母罪削爵，命其兄固噜袭。康熙十三年（1674年）冬，宁夏总兵陈福征兵剿叛镇王辅臣，固噜屯宁夏边听调。康熙十四年（1675年），叛兵孙崇雅部陷神木，固噜以延绥总兵许占魁告急，率子伊斯多尔济驰赴援。寻偕同部贝子色棱、固噜什希布等，助清军击叛军，神木遂复。康熙十八年（1679年），清廷诏嘉其功，晋和硕亲王。康熙三十一年（1692年）卒，子栋啰布袭郡王。三次袭栋啰布，固噜次子。三十一年亦袭札萨克多罗郡王。康熙三十六年（1697年），从清军征噶尔丹，督兵护粮运。康熙五十四年（1715年），诏征所部兵两千，防御策妄阿喇布坦，以栋啰布及贝勒干珠尔领之。康熙五十七年（1718年），卒。长子萨克巴袭郡王，为第五任札萨克。康熙五十九年（1720年），卒。子扎木扬幼，命其弟喇什班珠尔袭。五次袭喇什班珠尔，栋啰布第四子。雍正六年（1728年），卒。兄子扎木扬袭，为第七任札萨克。雍正九年（1731年），清军剿噶勒丹策凌，调其部及四子部兵，驻防乌喇特西界，命扎木扬偕四子部郡王阿喇布坦多尔济领之。雍正十一年（1733年），以赴调兵不堪用，清廷削其郡王爵，降授贝勒，仍赴军效力。雍正十三年（1735年），撤换。乾隆元年（1736年），命复原爵。乾隆二十三年（1758年），卒。诏其长子车凌多尔济袭郡王，为第八任札萨克。寻授盟长，赐三眼孔雀翎，命乾清门行走。乾隆四十五年（1780年），卒。长子达尔玛咱第袭，为第九任札萨克。乾隆五十年（1785年），卒。无嗣，以其弟什当巴拜袭，为第十任札萨克。其后，巴宝多尔济、图们济尔噶勒、额尔齐木毕里克、特克斯阿勒坦等相继袭爵历任该旗札萨克。旗地当伊克昭盟左翼三旗之西。乌兰木伦河发源于本旗，东南流，入陕西境内。旗地东接鄂尔多斯左翼前旗，南至神木营，西与鄂尔多斯右翼前旗相连，北和鄂尔多斯右翼后旗交界。札萨克驻鄂锡喜峰。有佐领17。[①]

---

① 张穆：《蒙古游牧记》卷6，同治祁氏刊本。

3. 鄂尔多斯右翼中旗　俗称鄂托克旗。位于鄂尔多斯正西近南部，札萨克多罗贝勒游牧。设于顺治七年（1650年）。此年，额璘臣族子善丹被封札萨克多罗贝勒，为该旗第一任札萨克，世袭罔替。子索诺木，孙松喇布，俱以经理驿站功，晋封多罗郡王，后仍袭贝勒。康熙二年（1663年），卒。长子索诺木袭，为第二任札萨克。康熙十三年（1674年）冬，诏督兵3 500入边，协剿叛镇王辅臣。康熙十四年（1675年），诏由所居地设驿，驰奏军务，会宁夏总兵陈福檄入边，索诺木遣子松喇布，及台吉拉特纳、乌噜雅克等，会陈福军于兴武营，围化马池，城内叛军出降，花马池平。进围定边，抚定下马关。康熙十六年（1677年），诏嘉其功，晋多罗郡王。康熙二十一年（1682年），卒。长子松喇布袭，为第三札萨克。康熙二十七年（1688年），噶尔丹侵喀尔喀，诏松喇布督兵2 000防汛。康熙三十一年（1692年），复以兵3 000，侦防噶尔丹。康熙三十四年（1695年），请运粮效力。康熙三十七年（1698年），叙功，晋多罗郡王。康熙四十八年（1709年）春，卒。长子干珠尔袭贝勒，为第四任札萨克。康熙五十四年（1715年），偕郡王栋啰布督所布兵2 000，防御策妄阿喇布坦。康熙五十七年（1718年），卒于阿尔台军。长子诺依啰布扎木素袭，为第五任札萨克。雍正十一年（1733年），所部赴调兵不堪用，诸札萨克多降爵，独诺依啰布扎木素奉恩免。乾隆十二年（1747年），卒。长子栋啰布扎木素袭，为第六任札萨克。乾隆三十一年（1766年），赐郡王品级。乾隆三十八年（1773年），卒。长子栋啰布色棱袭贝勒，为第七任札萨克。嘉庆三年（1798年），卒。其后，索诺木喇布斋根敦、棍藏拉布坦札木苏、额尔德呢绰克图、察克都尔札布喇什札木苏、噶勒藏啰勒玛旺札勒札木苏等相继袭爵。① 旗地当伊克昭盟西南偏南。东接右翼前旗，南连陕西定边、靖边二县，西与宁夏及阿拉善厄鲁特接壤，北和右翼后旗相连。札萨克驻锡喇布里多诺尔，直宁夏东北350余里。有佐领84。

4. 鄂尔多斯左翼前旗　俗称准格尔旗。位于鄂尔多斯东南部，札萨克固山贝子游牧。额璘臣从子色棱，顺治六年（1649年），封札萨克固山贝子，世袭罔替。康熙十五年（1676年）卒。康熙十六年（1677年），追叙

---

① 张穆：《蒙古游牧记》卷6，同治祁氏刊本。

复神木城功，子衮布喇什，晋多罗贝勒。衮布喇什卒，子根都什辖布仍袭贝子。康熙三十六年（1697 年），从征噶尔丹，督兵护粮运。康熙四十八年（1709 年），卒。长子罗卜藏袭。雍正十一年（1733 年），以赴调兵不堪用，削贝子爵，降辅国公。寻别选所部兵协剿，复献驼马助军。诏复固山贝子。乾隆五年（1740 年），卒。长子纳木扎勒多尔济袭。乾隆四十二年（1777 年），卒。长子色旺喇什袭。嘉庆十七年（1812 年），卒。其后，额尔德呢、察克都尔色楞、札那济尔迪、珊济密都部等相继袭爵。左倚黄河，东界湖滩河朔，南界清水河，西界左翼中旗，北界左翼后旗。札萨克驻扎拉谷。有佐领 42。

5. 鄂尔多斯左翼后旗　俗称达喇特旗。位于鄂尔多斯东北部，札萨克固山贝子游牧。该旗第一任札萨克额璘臣从弟沙克札，顺治七年（1650 年）封札萨克固山贝子，世袭罔替。顺治十四年（1657 年），卒。长子固噜斯希布袭。康熙十九年（1680 年），叙功，晋多罗贝勒。康熙二十七年（1688 年），噶尔丹侵喀尔喀，诏协贝勒松喇布，以兵两千防汛。康熙三十六年（1697 年），从征噶尔丹，督兵护粮运。康熙四十三年（1704 年），卒。五子喇什扎木素袭。康熙五十一年（1712 年），卒。长子纳木扎勒色棱袭。雍正十年（1732 年），遣兵随大军剿噶尔丹策凌。乾隆二十六年（1761 年），卒。次子拉旺巴勒丹色棱袭。乾隆三十年（1765 年），卒。无嗣，弟丹巴达尔济袭。乾隆五十四年（1789 年），卒。长子永咙多尔济袭。道光八年（1828 年），卒。后，达什达尔济、散济密都布、索那木彭苏克、索呢因索特图、图们巴雅尔等相继袭爵。牧地当山西五原厅南、萨拉齐厅西。东界萨拉齐，南界左翼前旗，西界左翼中旗，北界乌喇特。札萨克驻巴尔哈逊湖。有佐领 40。

6. 鄂尔多斯右翼前旗　俗称乌审旗。位于鄂尔多斯西南部，札萨克固山贝子游牧。该旗第一任札萨克额璘臣从子额琳沁，顺治六年（1649 年），封札萨克固山贝子，世袭罔替。顺治十八年（1661 年），卒。无嗣，从子达尔扎袭。康熙十四年（1675 年）春，遣台吉乌巴什等驰入边，至巴雅穆瑚寨隘口，迎击贼众。达尔扎自督兵，与榆林副将孙维统克复陇州、进靖二堡。寻围定边，击叛军朱龙于沙家涧，擒之。又偕台吉固噜抚定砖井、安边城。康熙十六年（1677 年），诏嘉其功，晋多罗贝勒。康熙三十三年（1694

年），卒。其长子旺舒克仍袭多罗贝勒。康熙三十六年（1697 年），从征噶尔丹，督兵护粮运。康熙三十七年（1698 年），卒。无嗣，弟达什喇布坦袭。雍正十年（1732 年），以赴调兵不堪用，削贝勒爵，降贝子。雍正十二年（1734 年），卒。长子喇什色棱袭。乾隆三十八年（1773 年），卒。长子沙克都尔扎布袭。乾隆四十三年（1778 年），卒。长子布延泰袭。[①] 其后，扎木巴勒多尔济、桑斋旺沁、巴达尔呼、察克都尔色楞等相继袭爵。该旗东界右翼前末旗，南界怀远，西界右翼中旗，北界右翼后旗。札萨克驻巴哈诺尔。有佐领 42。

7. 鄂尔多斯右翼后旗　俗称杭锦旗。位于鄂尔多斯西北部，札萨克固山贝子游牧。该旗第一任札萨克额璘臣从子小札木素。顺治六年（1649 年），大札木素叛清，小札木素不附叛军，诏封札萨克镇国公，世袭罔替。康熙九年（1670 年），卒。长子索诺木袭。康熙十一年（1672 年），卒。长子都棱袭。康熙三十七年（1698 年），叙从征噶尔丹督护粮运功，晋固山贝子。康熙四十六年（1707 年），卒。长子都棱袭。康熙五十一年（1712 年），卒。弟伦布袭。康熙五十六年（1717 年），卒。弟色棱纳木扎勒袭，寻卒。六次袭齐旺班珠尔，色棱纳木扎勒长子。雍正十一年（1733 年），以赴调兵不堪用，削贝子爵，降辅国公。寻别选所部兵协剿、献驼马助军，恩复固山贝子。乾隆三十七年（1772 年），卒。孙喇什达尔济袭封札萨克固山贝子。乾隆四十九年（1784 年），诏世袭罔替。[②] 其后相继袭爵者有：拉西扎木素、拉什丕尔、端多布色楞、静米特多布札勒、巴图莽鼐、阿尔宾巴雅尔等。牧地，当甘肃宁夏东北。右倚黄河，东界左翼后旗，南界左翼中旗，西界右翼中旗。北界乌喇特。札萨克驻鄂尔吉虎诺尔。有佐领 36。

8. 鄂尔多斯右翼前末旗　俗称札萨克旗。位于鄂尔多斯南部，一等台吉游牧。该旗第一任札萨克额璘臣从曾孙定咱喇什，曾祖乌巴什，号都噶尔岱青。顺治六年（1649 年），以不从大札木素叛，清廷授二等台吉，康熙十四年（1675 年），从大军剿平花马池定边城诸叛军，晋一等台吉，寻卒。子索诺木多尔济、孙桑忠多尔济，皆袭三等台吉。定咱喇什，即桑忠多尔济长

---

① 《钦定外藩蒙古回部王公表传》卷 44，《四库全书》本。
② 《钦定外藩蒙古回部王公表传》卷 43，《四库全书》本。

子。雍正九年（1731年），叙屡次从清军斩馘功，晋一等台吉。乾隆元年（1736年），议族属繁，增旗一，授札萨克。乾隆九年（1744年），卒。长子衮布喇什袭。乾隆二十七年（1762年），卒。长子旺扎勒车布登多尔济袭。康熙四十九年（1784年），诏世袭罔替。① 其后，噶拉桑济克嘧特多尔济、色楞多济特、恩克巴雅尔、扎那巴兰札、克什克达赖、沙克都尔扎布等相继袭爵。札萨克驻所，距绥远城720里。牧地东至纳林希里梁，西至乌审旗境，南至陕西省榆林县境，北接郡王旗旗境。有佐领13。②

六、乌兰察布盟

乌兰察布盟位于内札萨克蒙古西部，大约在东经107°至113°，北纬41°到43°之间，东南与归化城土默特和察哈尔镶红旗牧场交界，东与锡林郭勒盟之苏尼特右旗相接，北与瀚海接壤，南与伊克昭盟毗连，西与阿拉善额鲁特为邻。由四子部、喀尔喀右翼、茂明安、乌喇特东公、乌喇特中公、乌喇特西公等六个札萨克旗组成，因会盟于四子部旗的乌兰察布地方，称为乌兰察布盟。

1. 乌兰察布盟诸部源流 乌兰察布盟四子部、茂明安、乌喇特东公、乌喇特中公、乌喇特西公各旗札萨克及王公贵族均为成吉思汗长弟哈布图哈撒儿后裔。哈撒儿十五世孙诺颜泰有子四：长子僧格，号墨尔根和硕齐；次子索诺木，号达尔汉台吉；三子鄂木布，号布库台吉；四子伊尔扎木，号墨尔根台吉，分牧呼伦贝尔，号称四子部；哈撒儿十五世孙布尔海，游牧呼伦贝尔，号所部为乌喇特。后分乌喇特为三部，分别由布尔海长子赖噶孙鄂木布，五子巴尔赛次子哈尼斯青台吉之孙色棱和巴尔赛五子哈尼泰冰图台吉之子图巴分领其众。哈撒儿十三世孙鄂尔图萧布延图，子锡喇奇塔特，号土谢图汗，有子三：长多尔济，次固穆巴图鲁，次桑阿尔斋洪果尔，游牧呼伦贝尔以及鄂嫩河下游尼布楚一带。多尔济号布颜图汗，子车根，为茂明安部长。与同属哈撒儿后裔的阿噜科尔沁部和成吉思汗三弟哈赤温后裔所统翁牛特、喀喇车里克、伊苏特诸部，成吉思汗季弟别里古台后裔属部阿巴噶与阿

---

① 《钦定外藩蒙古回部王公表传》卷43，《四库全书》本。
② 张穆：《蒙古游牧记》卷6，同治祁氏刊本。

巴哈纳尔一同游牧于大兴安岭山阴、克鲁伦河下游一带，统称为阿噜蒙古。

天聪四年（1630年）三月，阿噜蒙古翁牛特、阿噜科尔沁、四子部诸诺颜率众归附爱新国。附属于翁牛特部的伊苏特部同时归附。天聪五年（1631年），附属于翁牛特部的喀喇车里克部来归。天聪七年（1633年），阿噜蒙古的乌喇特和茂明安部也随之归附。太宗派阿什达尔汉等为阿噜部落指划牧地，将他们安置在西拉木伦河迤北，大兴安岭南麓广阔地带。崇德元年（1636年），分别设旗佐，其首领授札萨克，封郡王、镇国公、辅国公有差。

顺治初年，随着平定苏尼特腾机思叛归喀尔喀事件，四子部、乌喇特三旗出兵随征。嗣后，顺治三年至五年间（1646—1648年），先后从大兴安岭南麓之西拉木伦河迁徙到阴山后之西喇木伦河流域和穆那山一带，以防备喀尔喀和额鲁特。

天聪九年（1635年），茂明安部台吉乌巴海等率部叛逃喀尔喀，太宗遣兵往剿，追至喀木尼哈，尽俘之。康熙三年（1664年），始授车根子僧格札萨克一等台吉，俾统其众。随之，将其与众尽迁艾布盖河流域。

喀尔喀右翼部首领贲塔尔为外喀尔喀土谢图汗部达赖诺颜喇瑚里子，为喀尔喀中路台吉。顺治十年（1653年）二月，以与土谢图汗衮布有隙，携弟率千余户来归，诏封贲塔尔为札萨克和硕达尔汉亲王，俾统其众，赐牧塔鲁浑河，与内札萨克诸部列，是为喀尔喀右翼旗。

乌兰察布盟六旗部众，皆由他处迁来，并非当地土著。

2. 四子部旗　乌兰察布盟六旗之一，阿噜蒙古之一部。天聪四年（1630年）三月，偕阿噜阿巴噶、阿巴哈纳尔、翁牛特、阿噜科尔沁等四部落济农、台吉遣使通好。二十日，太宗率诸贝勒偕阿噜四部落贝勒使者升殿，以议和好，奠酒盟诸天地毕，宰八羊举宴。令爱新国力士与阿噜部力士赛力。十一月，阿噜四子部诸贝勒率众来归。诸贝勒俱留爱新国边境，四子兄弟中的幼弟伊尔札木台吉率领苏黑墨尔根、毕礼克、翁惠、布桑等台吉先至。天聪皇帝命诸贝勒出城五里迎接，宴毕入城。二十一日，阿噜四子部台吉伊尔札木拜见皇太极，行率众遥拜、二叩头，复近前独行一叩头、抱太宗膝等礼，次见两大贝勒。太宗令伊尔札木台吉坐大贝勒代善右，其余四台吉坐于下，大设筵宴。诸台吉进献驼马、貂裘。天聪五年（1631年）三月，四子部四兄弟僧格和硕齐、索诺木、鄂木布和伊尔扎木来朝，献驼马、貂皮。四月，集科尔沁部土谢图额驸、翁牛特部孙杜棱、阿噜科尔沁部达赖楚呼尔、四子部僧格和硕齐及众蒙古台吉举行盛大筵宴，盟诸天地，订立誓书，并为其所指驻牧地西界为噶海萨尔门绰克阿勒坦、冬霍尔、谔奇尔津、乌济叶尔；东界至洮尔河湾头。秋七月，僧格从征明大凌河，败锦州援兵，献俘百余。赐酒劳饮，给阵获甲仗。天聪六年（1632 年），僧格从征察哈尔。天聪七年（1633 年），索诺木、鄂木布、伊尔扎木复献驼马，赍甲胄、雕鞍、鞓带及币。天聪八年（1634 年），鄂木布、伊尔扎木复献驼马，命诸贝勒依次宴之。1634 年，林丹汗病死，察哈尔部众溃散。十月，国舅阿什达尔汉、塔布囊达雅齐赴外藩蒙古，大会于硕翁科尔地方，划分八旗蒙古和外藩蒙古牧地。镶黄旗与四子部以杜木大都藤格里克、倭朵尔台为界。其分定地方户口之数，四子部 2 000 户。天聪九年（1635 年）夏，伊尔扎木随大军收察哈尔林丹汗子额哲，尽降其众。崇德元年（1636 年），宣谕朝鲜，其部伊尔逊德赍书从，遇皮岛明兵受阻，击斩二人，还，得优赉。四月，外藩蒙古十六部四十九贝勒拥戴太宗登汗位，受尊号，建国号为大清，改元为崇德元年，改族名为满洲。鄂木布、伊尔扎木列四十九贝勒中。分叙外藩蒙古诸贝勒功，鄂木布被封为多罗达尔汉卓里克图，授札萨克，俾统四子部。十月，外藩诸部编设牛录。四子部达尔汉卓里克图 370 户，编为 7 牛录；鄂尔古都儿 670 户，编为 13 牛录；索诺木 380 户，编为 6 牛录；伊尔扎木 776 户，编为 15 牛录；苏克 60 户，编为 1 牛录。共 2 256 户，42 牛录。十二月，征朝鲜，遣兵不及额。崇德三年（1638 年）正月，外喀尔喀札萨克图汗逼近归化城，太宗率军亲征。二月，大军到达西拉木伦河喀尔占地方，鄂木布和伊尔扎木兄弟与蒙古诸部兵来会。是年，伊尔扎木从征明山东。崇德四年（1639 年），从征明松山，师旋，以前遣兵不及额，又弗朝正，议夺所属人户，诏从宽罚牲畜。崇德五年（1640 年）元旦朝贺，伊尔扎木赴阙。崇德六年（1641 年）冬十月万寿节，伊尔扎木来贺，鄂木布派使者纳木达尔参加。崇德七年（1642 年）九月，以征明锦州、松山大捷，鄂木布才来朝行庆贺礼。崇德八年（1643 年），征明克捷，鄂木布等来朝，上表庆贺。顺治三年（1646 年），四子部派兵从入山海关，追击李自成。顺治三年（1648 年）春，苏尼特部左翼首领腾机思在喀尔喀车臣汗硕垒等的策动下，叛清逃归外喀尔喀。鄂木布达尔汗卓里克图率众追击，斩杀苏尼特部乌班岱等五名台吉以及其他五名同伙，俘获人口、牲畜。

崇德三年（1638年）始，四子部从西拉木伦河逐渐西迁，以防外喀尔喀札萨克图汗部对归化城的骚扰。苏尼特部腾机思叛逃外喀尔喀，鄂木布是最早发现其行为者。待平定腾机思事件之后，四子部最终落脚于阴山背后之西拉木伦河，以屏藩归化城。

顺治六年（1649年）四月，追叙所属昂安导鄂木布等来归功，予世职。八月初十日，叙其带兵从皇叔父王多尔衮征明、从摄政王入山海关、追击李自成兵、平定苏尼特腾机思叛乱等功，封鄂木布达尔汉卓里克图为达尔汉卓里克图多罗郡王，诏世袭罔替。是年冬，睿亲王多尔衮征喀尔喀，鄂木布以兵会什巴尔台。顺治十年（1653年），卒，长子巴拜袭，是为第二任札萨克。康熙二年（1663年），卒，长子沙克都尔袭，是为第三任札萨克。康熙十年（1671年），所部受灾，诏以宣府及归化城储粟赈之。康熙十三年（1674年），调兵协剿陕西叛臣王辅臣，谕嘉其闻命即赴。康熙十四年（1675年），由宁夏进剿，寻分防太原、大同。驻牧宣府时，左翼四旗察哈尔，为布尔尼所煽惑，毁边私遁，沙克都尔驰奏，谕奖之，赐御服貂裘。复以沙克都尔遣属额布根、毕里克等，擒喀尔喀右翼镇国公扎穆素叛卒五，诏给所获。康熙十五年（1676年），调赴河南，听江西大军檄剿逆藩吴三桂。康熙十六年（1677年），卒，长子达木巴瑲素袭爵，是为第四任札萨克。康熙十七年（1678年），以额鲁特额尔德尼和硕齐等掠乌喇特牧，谕严防汛。康熙二十一年（1682年），被灾，诏发大同、宣府储粟赈济所属贫户，复以察哈尔牧产赡之。康熙二十九年（1690年），选兵赴图拉河侦噶尔丹。会噶尔丹由喀尔喀河追袭昆都伦博硕克图衮布，诏移兵驻归化城，寻撤退。康熙三十一年（1692年），卒，长子三济扎布袭爵，是为第五任札萨克。康熙三十四年（1695年），谕备兵听西路军调遣。康熙三十五年（1696年），从西路大军，击败噶尔丹于昭莫多。复简兵百与茂明安兵百防喀尔喀亲王善巴汛。康熙三十六年（1697年），朔漠平，赐从征及坐塘监牧诸军卒银两。康熙四十九年（1710年），卒，长子阿喇布坦多尔济袭爵，是为第六任札萨克。雍正九年（1731年），诏授副将军，率兵驻扎固尔班赛堪，防噶尔丹策凌。雍正十年（1732年），移驻伯尔格。雍正十二年（1734年），移驻扎布堪。雍正十二年（1734年），大军撤还，诏阿喇布坦多尔济留驻乌里雅苏台。乾隆元年（1736年），自军还。乾隆十一年（1746年），赈是部灾。乾隆十八年（1753年），议剿达瓦齐，诏购驼马送军。乾隆二十四年（1759年），大军平回部，以督购驼马功，将给币。乾隆三十六年（1771年），以病罢。长子车凌旺扎勒袭爵。寻卒，无嗣，弟拉什雅木丕勒袭爵。乾隆四十九年（1784年），卒，长子朋楚克桑鲁布袭爵，初授一等台吉，寻袭札萨克多罗达尔汉卓里克图郡王。

同治中，以回民起义军东犯，命副都统杜噶尔军择驻其地，以当漠南北之冲。征驼马备防戍襄台差，皆较他部为亟。随之，光绪年间，擅自撤回军台差役，私垦十之七八，大量牧场成为农田。光绪二十六年（1900年），拳民焚烧教堂，杀死教士教民，酿成大祸。事定，议给教堂赔款银十一万两。光绪二十九年（1903年），置山西武川厅同知，以是部及茂明安、喀尔喀右翼寄居民人村落隶之。自回民起义平定，山西大同镇练军驻防其地，设防卡。其后，绥远城将军督办垦务，贻谷屡奏请饬认垦。光绪三十一年（1905年），是部呈因债作抵之忽济尔图地一段，请由官具放垦。光绪三十二年（1906年），呈所部之察罕依鲁格勒图地段认垦。

所部一旗，驻乌兰鄂尔吉坡。其爵为札萨克多罗达尔汉卓里克图郡王。有佐领20。绥远城将军节制乌兰察布、伊克昭二盟，故重大事件皆由将军专奏。

3. 乌拉特三公旗　乌兰察布盟所属三札萨克旗，属阿噜蒙古，游牧呼伦贝尔。乌拉特，是蒙古语"工匠"之复数读音。在乌拉特婚礼仪式中，男方通报自己祖籍起源时吟诵如下诗句："故地呼伦贝尔，远祖布尔海，起源三公札萨克；祖籍呼伦贝尔，祖辈哈布图哈撒儿，现居穆那汗山阳"；还能进一步说出游牧呼伦贝尔时的具体地望："老家在鄂嫩土拉呼伦贝尔，忽布图乃满查干"；同时道出何时何故迁到穆那汗山阳："顺治六年（1649年），弟兄三人，登上征途，顺着山脉，沿着黄河，征灭敌人，获得封号，掌印统兵，是为乌兰察布盟的乌拉特三公旗。"

乌拉特部三兄弟与当时的四子部僧格四兄弟以及茂明安部长车根都是堂兄弟关系，是阿噜科尔沁部长达赖楚琥尔的从侄，他们都是成吉思汗胞弟哈撒儿后裔。

天聪五年（1631年），乌拉特部离开呼伦贝尔牧地，前移临近兴安岭，被科尔沁部额尔只格诸子①及扎赉特以恶言语使之折还。

天聪七年（1633年）五月初四日，乌拉特部台吉图门达尔汉、海萨巴图鲁、古木布、伊尔格、僧格、琐尼泰等率部来归，进献马匹。秋七月初二，随同阿噜翁牛特部落孙杜棱之子台吉古木思辖布、寨桑吴巴什、阿什图、巴达尔和硕齐等，乌拉特部落台吉阿巴噶尔代来朝，贡驼、马。八月初三日，随同阿噜翁牛特部落穆章台吉、阿玉石、巴尔巴图鲁、格根戴青、达颜吴巴什，乌拉特部落额布根台吉、额勒孔果尔、噶尔马台吉等来朝，贡驼、马。② 台吉图门达尔汉是鄂木布的称号，是布尔海长子赖噶之孙，掌三乌喇特之一部；海萨巴图鲁，是赖噶幼子巴尼赛第五子哈尼泰冰图台吉之子图巴之子，也是乌拉特一部之代表；额布根台吉，即巴尔赛次子哈尼斯青台吉之孙色棱之称号，统领乌拉特另一部。至此，乌拉特三部全部归附爱新国。

天聪八年（1634年），林丹汗病死，察哈尔部众溃散，蒙古黄金家族统治结束。皇太极再次发动大规模的对察哈尔残部及明朝的军事行动。乌拉特三部之图巴、绰克托、图虎、阿布尔古、孟古尔代、桑噶尔寨、苏墨尔、和尼海、班第思辖布、土门达尔汉、克什克、阿巴噶尔代、俄木布、塞冷、阿拜图、戴青、多尔济、莫罗寨，从大军征明，由喀喇鄂博入得胜堡，掠大同，克堡三、台一。师旋，以奈曼、翁牛特违令罪，各罚驼马，诏分给所部。

在彻底肃清察哈尔部对爱新国的威胁后，于十月间，皇太极派国舅阿什达尔汉、塔布囊达雅齐往外藩蒙古，大会于硕翁科尔地方，完成了八旗蒙古和外藩蒙古的编旗和划分牧地事宜。四子部牧地划分在西拉木伦河以北居住

---

① 应为科尔沁部贵族额勒济格卓里克图。成吉思汗弟哈巴图哈撒尔儿十五世孙博第达喇西室哈屯吉鲁根生额勒济格卓里克图，为噶喇珠色特尔等七子父。天聪八年（1634年），科尔沁部噶尔珠塞特尔、海赖、布颜代、白谷垒、塞布垒等各率本部落人民，托言往征北方索伦部落，取贡赋自给，遂叛去。科尔沁部土谢图济农巴达礼、札萨克图杜棱布塔齐、额驸孔果尔、卓礼克图台吉吴克善率兵往追噶尔珠塞特尔等，俱获之。杀噶尔珠塞特尔、海赖、布颜代、白谷垒、塞布垒等，尽收其部下户口。

② 《清太宗实录》卷14，天聪七年五月乙未、天聪七年六月甲戌条；卷15，天聪七年秋七月壬辰、天聪七年八月壬戌条。

在正中地带，西界巴林，西南界奈曼，南界敖汉、东界阿噜科尔沁，东南界扎鲁特。其地域大致在今科尔沁左翼中旗以北，扎鲁特旗南部及科尔沁右翼中旗西部地区。但是其中不见已经归附的乌拉特以及茂明安部落的牧地划分情况。根据"四子部、土门达尔汉二千户，塔赖达尔汉、车根、塞冷三千户，杜棱济农二千户，东戴青二千户"① 的记载，乌拉特的土门达尔汉显然被包括在四子部之中，茂明安的车根和乌拉特的塞冷被包括在阿噜科尔沁部之中。巴林、翁牛特、奈曼、敖汉、扎鲁特牧地至此基本划定，以后没有大的变动。蒙古诸部真正划入爱新国的旗分，也就是从这个时候开始的。十二月，外藩蒙古执政诸贝勒以元旦来朝，乌拉特部图巴在场。

崇德元年（1636 年）四月，皇太极在外藩蒙古十六部四十九贝勒的拥戴下登汗位，受尊号，建国号为大清，改元为崇德元年，改族名为满洲。四十九个贝勒中就有乌拉特部的鄂木布土门达尔汉、图巴、塞冷三兄弟。从此，东蒙古诸部正式成为清朝的一部分，皇太极成为满洲和蒙古的大汗。

十月，清廷全面开始在蒙古各旗中编设牛录。乌拉特部图巴一系 750 户，编为 14 牛录；塞冷一系 390 户，编为 8 牛录；额布根一系 750 家，编为 15 牛录。② 总计乌拉特部的户数为 1 890，牛录数为 37。按每户 5 口计算，其人口数为 9 450 即大约为一万人。

年底，皇太极发动了征伐朝鲜、瓦尔喀的战争，阿噜诸部包括四子部、乌拉特部及阿噜科尔沁部派兵参加。嗣征明锦州、松山、蓟州，乌拉特部皆以兵从。顺治三年（1646 年），从征腾机思，败外喀尔喀联军于扎济布鲁克。顺治三年（1646 年）叙功，时鄂木布、塞冷已卒，以图巴掌中旗，封镇国公；鄂木布子谔班掌前旗，封镇国公；塞冷子巴克巴海掌后旗，封辅国公，各授札萨克。

经过长期的征战和动荡，归化城迤西迤北地带到清初时成为真空地带。外喀尔喀诸部以及卫拉特蒙古尚未纳入清朝版图，以往他们常常通过此地，与中原以及归化城土默特进行贸易。为了加强对外喀尔喀诸部和卫拉特蒙古

① 《清太宗实录》卷21，天聪八年十一月壬戌条。《旧满洲档》和《满文老档》缺天聪七年到崇德元年的记载，《内国史院档》此段记载亦残缺。

② 《满文老档》太宗三十四，中华书局1990年版，第 1661—1675 页。

的防守和保卫战略要地归化城，清廷从崇德初年到康熙初年，陆续将归附的阿噜蒙古部众中的四子部、乌拉特部和茂明安部从西拉木伦河地区西迁至阴山以北地带。顺治六年（1649年）十一月，摄政王多尔衮征喀尔喀二楚虎尔到达席巴尔台（今卓资山境内十八台）时，四子部、乌拉特、土默特部落王、公、固山额真等各率兵来会，① 说明四子、乌拉特部落此时已经从西拉木伦河流域迁徙到了阴山山脉。这条记载也证实了蒙古文献以及乌拉特民间传说的正确性："清廷于顺治六年己丑岁八月十五日，将乌拉特三公之民从故乡呼伦贝尔迁移到现址，令其永久居住。"② 不过，乌拉特部的迁徙不是一次完成的，而是经过了天聪七年（1633年）从呼伦贝尔到兴安岭山阳的西拉木伦河北岸；顺治三年至六年（1646—1649年）间再从西拉木伦河北岸迁到穆那山一带的复杂过程。

乌拉特部三公所领各旗以其所驻牧地分别称为：西公旗，即前旗，首任札萨克为镇国公谔班，驻防穆那和硕，今乌拉特前旗西山嘴迤东一带；中公旗，即中旗，首任札萨克为镇国公图巴，驻防哈达门口，今包头市哈达门口迤东一带；东公旗，即后旗，首任札萨克为辅国公巴克巴海，驻防昆都伦河口迤东，今包头市一带。巴克巴海于顺治五年（1648年）卒，其弟楚充客袭札萨克辅国公，统领该旗。

康熙二十六年（1687年），康熙帝在卢沟桥阅兵，来朝之人奉命从观。二十七年，噶尔丹入侵喀尔喀，奉旨严防汛界。二十九年，噶尔丹袭喀尔喀昆都伦博硕克图衮布，逾乌勒扎河，奉命选兵驻归化城。三十年，套西厄鲁特巴图尔额尔克济农和啰理叛逃，奉诏备兵五百侦剿。三十一年，和啰理降，撤所部兵归。三十五年，从西路大军败噶尔丹兵于昭莫多。三十六年，噶尔丹平，康熙帝由宁夏凯旋。四等台吉南春迎觐贺捷，晋授一等台吉。并优赉从征及坐塘监牧，凿井诸弁兵。三十八年（1699年），以其属有贫为盗者，谕诸札萨克教养之。五十四年（1715年），所部歉收，以湖滩和朔储备粮粟赈济之。雍正九年（1731年），大军剿噶尔丹策凌，谕选兵防游牧。乾

① 《清世祖实录》卷46，顺治六年十一月庚申条。
② 色·宝音巴达拉胡：《乌喇特三公旗简史》（蒙古文），乌喇特后旗党史地方志编委会1987年版，第19页。

隆十九年（1754年），议剿额鲁特达瓦齐，诏购驼马送军。所部三旗，拥有爵三：札萨克镇国公二，札萨克辅国公一。

乌拉特三公旗，最早开垦牧地。乾隆三十年（1765年），即将沿河牧地私租民人耕种。乾隆五十七年（1792年），以积欠商人二万两，允佃种五年之限。道光十二年（1832年），札萨克镇国公巴图鄂齐尔充乌兰察布盟长，以茂明安等旗争地不报归化城副都统，辄向理藩院越诉，夺盟长。咸丰三年（1853年），绥远城将军盛壎奏："乌拉特三公旗生齿日繁，渐形穷苦。赊欠民人债务，及备办军台差使，借贷银钱，无力偿还，陆续私租地亩数十处，每处宽长百十里或数十里。酌拟变通，分别应禁应开。"下所司议行。

同治七年（1868年），回民起义东渐，扰后套，山西大同镇总兵马陛往昆都仑、沟台梁一带防剿。同治九年（1870年），绥远城将军定安奏："乌加河北后套夙称产粮之区，而粮所由产，皆出于内地民人私种蒙古游牧之地。现金顺、张曜、老湘、卓胜各营军粮无不购买于此。拟请将三公旗游牧垦出地亩，无论应开应禁，均渐准耕种，责令按亩收租，留备各项差使之用。所产粮石供各路军糈。"时回民陷磴口，扰及三公旗后套一带。二月，谕定安遣宋庆一军赴佘太一带剿除北路回民。寻鄂尔多斯贝子乌尔图那迅督队击退。六月，谕定安等劝乌拉特居民赶兴耕作，以裕足食之源。十二月，谕金顺防范乌拉特三旗地方游弋之回民。同治十年（1871年）三月，起义之回民复自赛音诺颜之阿米尔毕特公旗扰乌拉特中公旗洪库勒塔拉地方。六月，又扰中公旗之什巴克台。杜嘎尔奏："吉额、洪额等军大败之于布特地方，金运昌遣提督王凤鸣剿前窜洪库勒塔拉之匪于奔巴庙、察洪噶尔庙，皆殄灭之。其后，肃州回匪平，乌拉特始息警。自征回军兴，西路文报及军需驼马，皆由是部设台分段接替，至阿拉善而止。西陲肃清，始复旧制。"

光绪二十三年（1897年），山西巡抚胡聘之请开乌拉特三湖湾地方屯垦。既得谕旨，理藩院以蒙盟呈有碍游牧，革其议。光绪二十九年（1903年），护山西巡抚赵尔巽、吴廷斌先后奏置五原厅同知，以是暨鄂尔多斯之达拉特、杭锦两旗寄居民人村落隶之。时兵部侍郎贻谷督垦，派员劝报地。光绪三十三年（1907年），奏乌拉特前旗以达拉特旗东之什拉胡鲁素、红门兔等地段，后旗以黄河西岸之红洞湾地段，中旗以黄河西岸熟地莫多、噶鲁泰两段报垦，并修坝工，扩渠道，防冲突，畅引灌。仍以民多官少，防范难周，蒙人时有争渠阻垦情事入告。乌拉特前旗有佐领 12，乌拉特中旗有佐领 15，乌拉特后旗有佐领 6。

乌拉特三旗与四子部前后迁徙到河套北界。三旗同在一处游牧，没有明显界限。牧地东接茂明安旗，南与伊克昭盟交界，西同阿拉善额鲁特旗相连，北和外喀尔喀蒙古相邻。大体相当于今乌拉特中、前、后三旗和五原、固阳、临河及杭锦后旗一部分。

4. 茂明安旗　乌兰察布盟六旗之一，阿噜蒙古之一部。成吉思汗弟哈撒儿十三世孙鄂尔图萧布延图，子锡喇奇塔特，号土谢图汗。有子三，长多尔济，次固穆巴图鲁，次桑阿尔斋洪果尔，游牧呼伦贝尔、鄂嫩河直到尼布楚地方。多尔济号布延图汗，子车根，是为茂明安部长。直到 17 世纪初，哈撒儿后裔诸部落中，唯有茂明安部统治者拥有"汗"号。作为哈撒儿后裔之宗长，在科尔沁万户中掌有最高统治权，世代掌管着哈撒儿斡尔朵。天聪七年（1633 年），与乌喇特部南下，二月，茂明安部车根汗、固木巴图鲁以及达尔玛代衮等率众千余户归附爱新国，献驼马。固木巴图鲁和达尔玛代衮为锡喇汗之子，车根汗之叔父。天聪八年（1634 年）九月，又有台吉扬固海都凌、乌巴海、达尔汉巴图鲁、瑚凌都喇勒、巴特玛代青、额尔欣岱青、阿布泰及小台吉等二十余人率众继至。十月，划分牧地，茂明安车根部安置到阿噜科尔沁部之下。1635 年，吴巴海、达尔汉巴图鲁、吴巴赛都喇尔、洪珪噶尔珠、俄布甘卜库倡首逃往阿噜部落。阿赖达尔汉率外藩蒙古诸贝勒兵六百人，往追至阿噜喀尔喀鄂嫩河地方，斩叛属千余，获户口 230、人丁 421、马 1 791、驼 120。崇德三年（1638 年），巴特玛、瑚凌等从征喀尔喀札萨克图汗。以后征明山东，追击苏尼特腾机思，与喀尔喀援军战，皆以兵从。

康熙三年（1664 年），授车根汗长子僧格札萨克一等台吉，俾统其众，并从西拉木伦河迁到艾布盖河流域驻牧，成为乌兰察布盟的一个札萨克旗。康熙十三年（1674 年），调兵剿陕西叛镇王辅臣。康熙十四年（1675 年），驻防大同。康熙十五年（1676 年），调赴河南，听江西大军檄剿逆藩吴三桂。康熙十九年（1680 年），以额鲁特罗布藏丹台吉等掠其部牧产，遣官谕额鲁特察归所掠。康熙二十七年（1688 年），噶尔丹入侵喀尔喀，谕严防汛界。康熙二十八年（1689 年），防备噶尔丹，选兵驻防归化城。康熙三十五年（1696年），从西路大军击噶尔丹。康熙三十六年（1697年），噶尔丹平，赐从征军士银两。康熙五十四年（1715年），所部歉收，以湖滩和朔储粟赈之。雍正九年（1731年），从剿噶尔丹策凌，分兵赴固尔班赛汉驻防。雍正十年（1732年），移驻伯格尔。雍正十三年（1735年），撤还。

茂明安旗，驻牧彻特赛里，东与喀尔喀右翼旗接，北与喀尔喀土谢图汗部为邻，西与乌喇特东公旗接壤，南与归化城土默特部为界。爵二：札萨克一等台吉一，附多罗贝勒一。有佐领4。

5. 喀尔喀右翼旗 顺治十年（1653年）二月，喀尔喀中路台吉衮塔尔因与本部土谢图汗衮布有隙，偕弟巴什希、扎木素、额琳沁及衮布，率所属千余户自漠北归依清朝，被编为一旗。三月，诏衮塔尔为札萨克和硕达尔汉亲王，统其众，赐牧塔鲁浑河，是为喀尔喀右翼旗。到康熙三年（1664年），又有喀尔喀西路台吉衮布伊勒登率部归依清朝，被安置在喜峰口外，是为喀尔喀左翼旗。至衮塔尔孙詹达固密时降袭多罗达尔罕贝勒。直到民国年间，因世袭达尔罕贝勒号，又称达尔罕贝勒旗。喀尔喀右翼旗自归附清朝以来，一直驻牧于大青山西北，旗地东接四子部旗，南接归化城土默特旗，西与茂明安旗交界，北和喀尔喀土谢图汗部接壤，大体相当于今乌兰察布盟达尔罕茂明安联合旗东部和武川县一部分。爵四：札萨克多罗达尔汉贝勒一，由亲王降袭；附固山卓哩克图贝子一，由郡王降袭；固山贝子一；镇国公一。有佐领4。

第二节 席埒图库伦札萨克喇嘛旗和套西额鲁特二旗

一、席埒图库伦札萨克喇嘛旗

清朝在蒙古地区设立的七个喇嘛旗之一，也是在内札萨克蒙古地区设立的唯一喇嘛旗，俗称"锡勒图库伦"或"满珠习礼库伦"。16世纪中叶，出生于青海阿木多地方之萨木鲁家族的阿兴希日巴（又称阿升满珠习礼，号"额齐格喇嘛"）喇嘛曾建议土默特部俺答汗迎奉藏传佛教。[1] 16世纪

---

[1] 《阿勒坦汗传》，珠荣嘎译注，内蒙古人民出版社1987年版，第79—85页。

末，阿兴希日巴喇嘛从蒙古右翼进入东部的喀喇沁等部传经布法。天聪年间，与爱新国皇太极建立联系，被迎至盛京，受到优礼。后移驻法库山，号法库山满珠习礼呼图克图或喀喇沁部落满珠习礼呼图克图。[①] 天聪八年（1634 年），奏请皇太极，获准移驻库伦，并划定领地。皇太极又令蒙古各部派遣喇嘛、班第居住库伦，规定每年从国库拨银一千两作为香火之用。[②] 满珠习礼库伦之名即来源于此。

崇德元年（1636 年）八月，阿兴希日巴喇嘛圆寂，皇太极封其弟囊苏喇嘛为锡勒图达尔汗绰尔济，掌管库伦宗教事务，并设四个札萨克喇嘛，四个德木齐辅佐，又从内札萨克蒙古各部征若干户移居库伦做属民，并由喀喇沁四旗（包括卓索图盟喀喇沁左、右、中旗和土默特左旗）每年送米粮千斛，作为供养，[③] 锡勒图库伦之号即由此来。顺治三年（1646 年），囊苏喇嘛圆寂，清廷遣盛京实胜寺喇嘛西布扎衮如克来库伦，被授予盛京锡勒图库伦札萨克大喇嘛印，赐锡勒图绰尔济封号，统领政教。至此，锡勒图库伦札萨克喇嘛旗的政教合一制度基本形成。雍正七年（1729 年），清廷又确认了锡勒图库伦札萨克大喇嘛的世袭制。[④] 顺治十四年（1657 年），西布扎衮如克圆寂。其后兰占巴晋巴扎木苏、鲁扎兰占巴、额布根喇嘛、墨尔根绰尔济札木彦丹森、额尔德尼绰尔济、斯钦绰尔济云丹桑布、兰占巴阿旺却木丕勒、登森兰占巴、呼图克图阿旺札木场、嘎布楚林沁桑如布、兰占巴札木彦丹森扎木苏、兰占巴达木却润如布、嘎布楚罗布桑藏杰巴等相继任札萨克大喇嘛职。而这些喇嘛多出身于青海藏区的萨木鲁家族。旗地位于养息木牧厂西北，养息牧河上游。东北与科尔沁左翼前旗及后旗交界，南与土默特左旗毗连，西北和喀尔喀左翼旗及奈曼旗接壤。

锡勒图库伦札萨克喇嘛旗的政教合一体制中，掌印札萨克大喇嘛为一旗之长，总理全旗政教事务，由清廷任免。雍正七年（1729 年），清廷规定："锡勒图库伦掌印札萨克大喇嘛缺出，应将墨尔根绰尔济之孙补放，或于徒

① 《旧满洲档》，台湾故宫博物院 1969 年影印版，第 2939 页。
② 《吉祥佛陀教法源流之传记》，库伦旗人民委员会办公室油印 1960 年版。
③ 《吉祥佛陀教法源流之传记》，库伦旗人民委员会办公室油印 1960 年版。
④ 《吉祥佛陀教法源流之传记》，库伦旗人民委员会办公室油印 1960 年版。

众内择其才堪胜任者保送到院补放。"① 历任札萨克大喇嘛列入清朝制定的藏传佛教上层参加的洞礼年班之列。札萨克喇嘛辅佐掌印札萨克大喇嘛，管理旗政教事务，共有四缺，内分旗务札萨克三员，仓务札萨克一员。其中，印务札萨克喇嘛的权力最大，可行使行政和刑法权力，或替行札萨克大喇嘛的职权。札萨克喇嘛的任免由掌印札萨克大喇嘛上报理藩院备案，并由理藩院颁发给札符。德木齐相当于札萨克旗的梅伦章京，共有四缺，协助掌印札萨克大喇嘛、札萨克喇嘛办理旗内政教事务。德木齐之下格斯贵有四缺，相当于札萨克旗的参领，但无任何行政权力，他们主要管理寺庙及喇嘛。札萨克、德木齐、格斯贵的空缺，一般由具有名望或办事能力强的喇嘛充任。此外，还有大笔帖式一、笔帖式八、拨什库（领催）四缺，他们从事翻译或文案，或担任征收租税等事务。其他若干尼日巴、格依格、果尼尔等均系勤务人员。"则"（又称"索干对"）会是札萨克大喇嘛主持的审议全旗重要的政教事务的例会。札萨克大喇嘛的印务处（旗衙门）和寓所设在象教寺。

有清一代，锡勒图库伦札萨克喇嘛旗境内有千余喇嘛和多座寺庙。顺治、康熙、乾隆年间建成的兴源寺、象教寺、福缘寺和吉祥天女神庙等规模较大的寺庙是由历代掌印札萨克大喇嘛建造，并集中在旗印务处附近，其余24座小寺庙是由旗民集资建造。② 该旗喇嘛受大戒后可回家居住，继承家业，娶妻生子。旗民分为旗属哈力亚图、仓属哈力亚图和庙属哈力亚图，他们不服兵役，但世代向旗札萨克大喇嘛等上层僧侣和寺庙纳贡服役。哈力亚图中的富裕户（又称达尔罕户）分别属于上层喇嘛，并向他们交纳数额不等的达尔罕阿拉巴（赋役）；种地的农户按耕作的土地为单位交纳安吉存阿拉巴（犁杖捐）；非农户交纳孟根阿拉巴（银两捐）；出卖劳动力的旗民交纳沙布达干阿拉巴（户籍捐）。

锡勒图库伦札萨克喇嘛旗的政教事务费用主要由清廷拨发的固定经费、喀喇沁诸旗的供给和旗民交纳的赋役以及各种宗教活动收入等构成。清廷拨发的固定经费中，除了每年从国库中拨发一千两银（后减为八百两，由盛京户部支付）以外，盛京户部每年又支给锡勒图库伦札萨克喇嘛粳米一石、

① 《清会典事例》卷974，《理藩院》。
② 齐克奇：《锡勒图库伦喇嘛旗》，《库伦旗文史资料》第4辑，2002年。

面一石、雉百、鱼百、梨千枚、杜梨八斗、葡萄八斗、蜂蜜一瓶、盐二箩。① 喀喇沁四旗供给该喇嘛旗的主要是每年送米一千斛，后额定的粮谷可以折银支付。②

有清一代，锡勒图库伦札萨克喇嘛旗的地方行政隶属关系多有变更。清初隶属邻近的卓索图盟。乾隆三十九年（1774 年），锡勒图库伦蒙古与汉人交涉事件由三座塔厅处理。乾隆四十三年（1778 年），承德府附带管理该旗。嘉庆十六年（1811 年）划入热河道都统管辖。光绪二十九年（1903 年），由新设立的阜新县兼管该旗。光绪三十四年（1908 年），随着境内汉族移民的增多，设绥东县，治小库伦，从此锡勒图库伦札萨克喇嘛旗境内出现了"旗县并存"局面。

二、套西额鲁特蒙古旗

内蒙古套西地区还有阿拉善额鲁特旗和额济纳旧土尔扈特二旗。

1. 阿拉善额鲁特旗　康熙十四年（1675 年），卫拉特鄂齐尔图车臣汗与准噶尔部噶尔丹发生冲突，翌年，噶尔丹击溃鄂齐尔图车臣汗，鄂齐尔图车臣汗在博尔塔拉去世。随之，鄂齐尔图车臣汗属下和硕特部众，一部分随其妻逃往伏尔加河，并入土尔扈特部，一部分留在准噶尔，还有一部分在固始汗孙和啰理的率领下，东移到西套地区。康熙二十四年（1685 年），康熙皇帝下旨，"鄂齐尔图汗之孙罗布藏衮布与巴图尔额尔克济农（和啰理），当使聚合一处，于所宜居之地，为之经理，令其居处，赐之封号，给以金印册，用昭示朕继绝举废之至意焉。"③ 康熙二十五年（1686 年），和啰理率部下赴京朝觐康熙帝。不久，清廷派理藩院官员去套西实地勘定牧地，规定"自宁夏之玉泉营至贺兰山阴，自甘州之镇番口至额济纳河，俱以离边六十里为界"④。此后，随着噶尔丹与清朝之间的战争，致使和啰理率众西走。康熙三十年（1691 年），清廷遣使至和啰理处加以招抚。康熙三十一年（1692 年），和啰理等先后受抚，清廷"仍赐牧阿拉善"。康熙三十三年

①《清会典事例》卷 521。

② 内蒙古档案馆喀喇沁中旗札萨克衙门蒙文档案，504—1—3279。

③《清圣祖实录》卷 121，康熙二十四年五月癸未条。

④ 俞正燮：《癸巳存稿》卷 6。

（1694年）清廷再次诏和啰理进京。康熙三十六年（1697年），噶尔丹败亡，清廷拟在和啰理部编佐领，设札萨克，康熙帝明确指示："巴图尔额尔克济农授以贝勒，另为一札萨克，给与印信，将其属下人丁，分编佐领，住贺兰山。"① 至此，清廷在阿拉善正式设旗，是为阿拉善额鲁特旗。尔后，清廷又授和啰理子阿宝为和硕额驸，并"赐第京师，命御前行走"②。

2. 额济纳旧土尔扈特旗 额济纳旧土尔扈特部在阿拉善额鲁特旗之西。康熙三十七年（1698年），驻牧伏尔加河的土尔扈特部书库尔岱青之曾孙阿拉布珠尔，受其堂叔父阿玉奇汗之托，陪同自己的母亲和妹妹，率500兵及部分属众，远涉万里来到拉萨熬茶礼佛。在西藏住了5年，却由于阿玉奇和准噶尔策妄阿拉布坦关系紧张，不得回归，滞留嘉峪关外。康熙四十三年（1704年），清廷允许他们在嘉峪关外党河等地游牧，并封阿拉布珠尔为固山贝子。康熙五十五年（1716年），阿拉布珠尔率兵协助清廷防备策妄阿拉布坦。同年去世，其子丹衷袭贝子爵位。雍正七年（1729年），丹衷到京，因战功晋封多罗贝勒。③ 后几经迁徙到额济纳河流域。乾隆五年（1740年），丹衷去世，其子罗布藏达尔扎袭爵。乾隆十八年（1753年），清廷授罗布藏达尔扎札萨克印，成为额济纳额鲁特旗首任札萨克。由此，额济纳旧土尔扈特旗正式成立。

第三节　内属归化城土默特二旗与察哈尔八旗以及牧厂

一、内属归化城土默特二旗

归化城土默特，由16世纪初达延汗所建立的六万户之一"土默特万户"演变而来，是右翼三万户之一，其首领为达延汗三子巴尔斯博罗特次子俺答（阿拉坦）汗。俺答汗玄孙博硕克图汗时，为察哈尔林丹汗所征服。天聪六年（1632年），皇太极率兵西征察哈尔，驻兵归化城。博硕克图汗子

---

① 《清圣祖实录》卷185，康熙三十六年十月丁巳条。
② 祁韵士：《皇朝藩部要略》卷10，《厄鲁特要略二》。
③ 祁韵士：《皇朝藩部要略》卷16，《厄鲁特要略三》。

俄木布和所属头目杭高、古禄格、托博克等集众归降爱新国，仍驻牧原处。

天聪九年（1635年），归化城土默特首领俄木布叛清被俘，清令古禄格、杭高、托博克分守归化城土默特。崇德元年（1636年），编所属壮丁3 300余人为左、右两翼，左翼25佐领，右翼22佐领，以都统二人领之。古禄格为左翼都统，杭高为右翼都统（杭高死后，其子因罪削职，由托博克继任），均世袭，被称为归化城土默特左右二都统旗。①

康熙二十二年（1683年），增设副都统二人，② 择旗内贤能官员，由理藩院会同兵部引见补授。

乾隆二年（1737年），山西右卫将军移驻兴建中的绥远城，改称建威将军，下设副都统二人，均以京员补放。

乾隆十三年（1748年），停袭土默特左翼都统，以在京旗员补授，裁副都统二人，所余二人改由兵部补授，分驻左右两翼。③ 乾隆二十年（1755年），右翼都统停袭，改由京员补授。④

乾隆二十一年（1756年），原隶归化城土默特左翼都统旗之一等台吉、博硕克图汗后裔喇嘛扎布，因追剿叛清的青衮杂布有功，被封为札萨克辅国公，⑤ 划大青山后的土默特四佐领归其管辖，称为归化城土默特札萨克旗，隶于乌兰察布盟。⑥ 乾隆二十五年（1760年），因喇嘛扎布"违例妄行"，被革去札萨克职，归化城土默特札萨克也随之裁撤，喇嘛扎布由札萨克辅国公变为闲散辅国公，仍隶归化城副都统管辖。⑦

乾隆二十六年（1761年），改建威将军为绥远城将军，统管绥远城驻防事务，节制并监督归化城土默特都统旗及乌兰察布和伊克昭二盟。同时，裁归化城土默特都统一人，以所余一人总理两翼事务。乾隆二十八年（1763年），复裁归化城都统，所有土默特蒙古事务，均由绥远城将军管辖，所余

---

① 高赓恩：《土默特旗志》卷2，《源流》，光绪末年刻本。
② 《大清会典事例》卷976，《理藩院·设官》。
③ 《大清会典事例》卷545，《兵部·官制》。
④ 《大清会典事例》卷976，《理藩院·设官》。
⑤ 《钦定外藩蒙古回部王公表传》卷112，《四库全书》本。
⑥ 《晋政辑要》卷8，《户制》，光绪年间刻本。
⑦ 高赓恩：《土默特旗志》卷2，《源流》，光绪末年刻本。

副都统二人，一驻归化城，一驻绥远城。① 乾隆三十一年（1766年），又裁绥远城副都统，② 所属事务由归化城副都统兼辖，并直隶于绥远城将军。

归化城土默特二都统旗东起镶蓝旗察哈尔，南到长城与山西省大同接壤，西连乌喇特和鄂尔多斯左翼前、后二旗，北至乌兰察布盟茂明安旗和四子部落旗界。大体相当于今呼和浩特市、包头市（不包括达茂旗、固阳县）。

在归化城土默特都统旗境内，有归化、绥远二城。归化城系明之库库和屯（今呼和浩特市旧城）。崇德三年（1638年），喀尔喀札萨克图汗拥兵南进，逼近归化城，被清兵击退。皇太极遂令扩建归化城，加固城垣，屯兵其上。③ 康熙和乾隆年间又加修缮。道光中，整齐筑土垣为郭。该城战略地位重要，被称为"京畿之锁钥，晋垣之襟带，乌、伊诸盟之屏蔽"。归化城土默特都统、副都统驻于此城之中。④

绥远城，即今呼和浩特市新城，在归化城东北五里，雍正十三年（1735年）奉旨兴建，乾隆四年（1739年）竣工，赐名"绥远城"，城垣高广，周围9里余。⑤ 城内适中之处有鼓楼一座（今已不存）。楼西北为绥远城将军驻所，即今呼和浩特新城西街将军衙署。此城建成后，逐渐取代了归化城的位置，成为清廷统治漠南蒙古和用兵西北的重要军镇。

因归化城土默特地近黄河，土质肥沃，适于农耕。早在明代，这一地区的农业就已有相当规模。入清以后，发展更为迅速，据乾隆八年（1743年）统计，归化城土默特共有土地75 048顷，已垦土地60 780顷，牧场地仅剩14 268顷，约占总数的五分之一。⑥ 乾隆六十年（1795年）和嘉庆二年（1797年），又丈放山后八旗牧厂土地5 955顷。⑦

这样大量丈放土地的结果，使土默特地区很快就变成了农业区。随着土默特农业区的形成，清廷在这一地区陆续增设了管理蒙汉地方事务的各厅，

---

① 《大清会典事例》卷545，《兵部·官制》。

② 《大清会典事例》卷976，《理藩院·设官》。

③ 高赓恩：《土默特旗志》卷2，《源流》，光绪末年刻本。

④ 高赓恩：《土默特旗志》卷4，《城垣》光绪末年刻本。

⑤ 《绥远城驻防志》佟靖仁校注，内蒙古大学出版社1991年版。

⑥ 《清高宗实录》卷198，乾隆八年八月辛亥条。

⑦ 高赓恩：《土默特旗志》卷5，《赋税》，光绪末年刻本。

并于乾隆六年（1741 年）在各厅之上设立隶属于山西省的归绥道。

归化城厅，雍正元年（1723 年）清廷在归化城设置理事同知，隶山西大同府，① 雍正七年（1729 年）改属朔平府。乾隆六年（1741 年）升为直隶厅，② 置抚民理事同知，分理蒙汉事务，隶于山西归绥道。

绥远城厅，乾隆四年（1739 年）清在绥远城置绥远城厅，设理事同知一人，专管归化、绥远一带的粮饷，隶山西归绥道。③

萨拉齐厅，雍正十二年（1734 年），清廷在归化城西的萨拉齐（今包头市土默特右旗萨拉齐镇）置协理笔帖式，办理该地蒙汉交涉事务。④ 乾隆四年（1739 年）置协理通判。乾隆六年（1741 年），隶归绥道。乾隆二十五年（1760 年）增设通判，兼理与乌喇特三旗、鄂尔多斯左翼中旗、左翼后旗等蒙古和民人交涉事务。同治四年（1865 年）改置同知，光绪十年（1884 年）改为抚民同知。⑤ 该厅西境的包头镇（今包头市），同治十年（1871 年）时为村镇，光绪二十八年（1902 年），清廷命贻谷为钦差垦务大臣，在包头设立办理伊、乌两盟垦务事宜的垦务分局，光绪三十一年（1905 年），改为西盟垦务总局，包头渐为商民辐辏之所，成为内蒙古西部一大市镇。

清水河厅，乾隆元年（1736 年），清廷在归化城南的清水河地方（今乌清水河县）置协理通判，办理该处蒙汉事务。乾隆七年（1742 年）隶山西归绥道。乾隆二十五年（1760 年）改理事厅，光绪十年（1884 年）改抚民通判。兼辖该厅与鄂尔多斯左翼前旗等蒙、民交涉事务。⑥

和林格尔厅，康熙年间，清廷在归化城以南设二十家子台站，蒙古语二十家为"和林格尔"，故该地后来被称为和林格尔（今和林格尔县）。雍正十二年（1734 年），在该地置协理笔帖式。乾隆元年（1736 年），置协理通判。乾隆二十五年（1760 年），升为理事厅，光绪十年（1884 年），改置抚

①　《清史稿》及《山西通志》记属朔平府。
②　王轩等：《山西通志》卷 28，《府厅州县考》，中华书局 1990 年版。
③　《乾隆府厅州县图志》卷 13，《山西布政司》；《皇朝文献通考》卷 273（舆地考）。
④　《乾隆府厅州县图志》卷 13，《山西布政司》；《皇朝文献通考》卷 273（舆地考）。
⑤　高赓恩：《归绥道志》卷 5，《十二厅治考》，内蒙古大学图书馆藏手抄本。
⑥　高赓恩：《归绥道志》卷 5，《十二厅治考》，内蒙古大学图书馆藏手抄本。

民通判，隶归绥道。管理该处蒙、民交涉事务。①

托克托城厅，雍正十二年（1734年），清廷在归化城西南的托克托城（今托克托县城关镇旧城）设协理笔帖式，办理该处蒙汉交涉事务。乾隆元年（1736年），置协理通判。乾隆二十五年（1760年），升为理事厅，隶山西归绥道。光绪十年（1884年），改置抚民理事通判。兼辖与鄂尔多斯左翼前旗等蒙汉交涉事务。②

二、内属察哈尔八旗

察哈尔部，明代汉籍中音写为"察罕儿"、"擦汗儿"、"叉罕儿"、"插汉"等，清代音写为"察哈尔"。该部最初为成吉思汗赐给四子拖雷夫人唆鲁禾帖尼别吉之属民，其后作为拖雷家族"领户"之一世代继承下来，并逐渐形成蒙古大汗直属万户。到16世纪初，达延汗统一东部蒙古以后建立六个万户，其中"察哈尔万户"即为蒙古大汗直属万户，为蒙古诸部之宗主部。对于"察哈尔"一词历来有多种解释，即波斯语"家人或臣仆"、突厥语"宫廷亲卫军或侍从"、波斯语"四"以及蒙古语"邻近"、"白色"、"孩儿"等意。

察哈尔部从14世纪后半期以来一直在克鲁伦河中下游地区，南至西拉木伦河，北至鄂嫩河流域一带游牧。从16世纪初开始由于其地位崇高、势力强盛，在蒙古历史上发挥了举足轻重的作用。约于16世纪中叶察哈尔部由克鲁伦河中下游地区南迁西拉木伦河流域，属于察哈尔部的敖汉、奈曼、阿拉克绰特、多罗特等部分布于南至老哈河中下及大凌河上游一带。

17世纪初，林丹汗即蒙古大汗位后曾采取一系列措施，以强化汗权。但蒙古各部贵族各自为政的局面没有得到根本改善。长期的割据助长了蒙古各部贵族的离心倾向，并纷纷称汗。在这种情况下，林丹汗为了统一蒙古各部，采取了武力征讨手段。但结果不但没有使蒙古各部归附于他，反而使得漠南科尔沁、内喀尔喀等部先后与爱新国结盟，甚至属于察哈尔部的敖汉、奈曼等部也归附爱新国。天聪元年（1627年）开始林丹汗率察哈尔部进入

---

① 《清史稿》卷60，《地理志》。
② 《清史稿》卷60，《地理志》。

漠南蒙古右翼游牧地区，征服喀喇沁、土默特、应绍不、阿速特、鄂尔多斯等部，控制了东起辽河、西到河套的广大地区。

天聪六年（1632年），爱新国发动对察哈尔部的征讨。女真军队与蒙古喀喇沁、土默特、扎鲁特、敖汉、奈曼、科尔沁以及阿噜蒙古诸部军队组成联军，从西拉木伦河流域向西北进军。林丹汗得报后，仓促撤退，西渡黄河。爱新国联军攻克库库和屯城，收取察哈尔部余众。不久，察哈尔属部克什克腾部投归爱新国。1634年，林丹汗得知爱新国联军再次前来决战，便率部向青海转移，途中病死于大草滩（今甘肃天祝藏族自治县境内）。同年七月，爱新国天聪汗亲率大军至大同、宣府边外，察哈尔部余众纷纷前来投附爱新国。然而，忠于林丹汗的部分蒙古贵族携其幼子额哲（号额尔克孔果尔）东返河套驻牧，不肯向爱新国投降。天聪九年（1635年）二月，爱新国派遣精兵一万，寻找林丹汗之子额哲。四月末，爱新国军队渡过黄河，突然抵达额哲等驻牧地——拖里（今鄂尔多斯市乌审旗境内）。额哲及其母苏泰太后被迫率部投降爱新国。

爱新国天聪汗封额哲为和硕亲王，尚固伦公主，位冠漠南蒙古四十九旗王公之上，编其直属部落为察哈尔旗（清初文献中称"察哈尔国"），安置在义州（今辽宁省锦县、义县一带）边外，归额哲亲王直接管辖。其游牧地大体位于今内蒙古通辽市库伦旗全境、科尔沁左翼后旗西北一角、开鲁县辽河以南的部分和奈曼旗东北一部分。另外，爱新国天聪年间将陆续投降的察哈尔部众编为察哈尔八旗，由八旗蒙古都统统辖。

崇德六年（1641年），额哲病故，其弟阿布奈袭亲王爵。阿布奈对清朝皇帝不履行外藩蒙古王公所应尽的义务，八年未曾进宫朝觐。康熙八年（1669年）清廷降罪阿布奈，将其拘禁在盛京，由其子布尔尼袭和硕亲王爵，仍领其众。①

康熙十四年（1675年），布尔尼乘南方发生"三藩之乱"之机，举兵反清。清廷立即派兵镇压，在不足两个月的时间之内完全平息了布尔尼的叛乱。布尔尼与其弟罗布藏战死。阿布奈被处以绞刑，其幼子及布尔尼、罗布藏之子亦被杀。察哈尔旗部众除逃入邻近各旗之人以外，悉数携至北京，令

---

① 勒德洪：《平定察哈尔方略》，《清代方略丛书》本。《清史稿》把布尔尼记为额哲子，误。

壮丁在八旗满洲佐领下披甲，令老弱妇幼为出征有功军士之奴婢。这样，察哈尔汗后裔被杀绝，察哈尔札萨克旗亦灭亡。

另外，八旗察哈尔从崇德元年（1636 年）开始便与八旗满洲、八旗蒙古一起屡屡出征。康熙十三年（1674 年）发生"三藩之乱"后，征调八旗察哈尔兵出镇南方杭州、江宁等地。陕西王辅臣叛乱后，又从左翼四旗察哈尔调兵丁驻守宣府。康熙十四年（1675 年）布尔尼举兵反清时，左翼四旗察哈尔兵丁在调往大同途中走散，欲响应布尔尼。后经康熙帝遣人招抚归队。清廷平定布尔尼之乱后，将八旗察哈尔迁到宣府、大同边外，为加强管束，每旗设立总管、副总管各一人，照京师八旗之例，随人数设佐领、骁骑校等官，由在京蒙古都统兼辖，隶于理藩院典属司。察哈尔八旗为内属蒙古，官不得世袭，事不得自专，又被称作"察哈尔游牧八旗"。

乾隆二十六年（1761 年），清廷设察哈尔都统一人，驻张家口，由驻京八旗蒙古中精通满、蒙古语言者和满洲八旗懂蒙古语者充任，统辖察哈尔八旗，兼管张家口驻防满蒙军务。①

察哈尔八旗在大同、宣化边外编定后，清廷又陆续把归降的喀尔喀、厄鲁特等部零散部众编成数佐，分隶左、右两翼。到乾隆二十五年（1760 年）编成察哈尔 64 佐，苏尼特 1 佐，乌喇特 3 佐，伊苏特 1 佐、茂明安 4 佐，土尔扈特 1 佐，察哈尔、茂明安、科尔沁、巴尔虎合编 1 佐，察哈尔、茂明安合编 1 佐，巴尔虎 14 佐，喀尔喀 2 佐半，科尔沁 5 佐半，厄鲁特 15 佐、6 个半分佐。每佐和半分佐各设佐领一人，共设佐领 120 人。②

清廷把归降的喀尔喀、厄鲁特等部零散部众编入察哈尔八旗的同时，还把察哈尔兵丁调往新疆等地驻防。乾隆朝平定准噶尔部之后，于乾隆二十七年（1762 年）第一次从察哈尔八旗选调年轻力壮兵丁 1 000 名到新疆，其中 200 户留驻乌鲁木齐，其余到伊犁地区的赛里木湖周围游牧。后又从中抽调 105 户到伊犁至沙图阿满的七处驿站驻守。乾隆二十八年（1763 年）第二次又抽调 1 000 名察哈尔八旗兵丁（其中察哈尔闲散兵丁 683 名、新厄鲁特兵丁 34 名、其他自愿前往的兵丁 283 名）到赛里木湖周围游牧，后调到

---

① 《大清会典事例》卷 545，《兵部·官制》。
② 《大清会典事例》卷 977，《理藩院·设官》。

博尔塔拉，担负 21 个卡伦和 5 座军台驻防任务。①

察哈尔八旗驻地皆由清廷确定，左翼各旗驻宣化边外，右翼各旗驻大同边外。

正蓝旗　驻扎哈苏台泊（今扎格斯台淖日，在锡林郭勒盟正蓝旗扎格斯太苏木）。旗地东至克什克腾，西接镶白旗察哈尔，南起御马厂（今正蓝旗南部和多伦县西部），北抵阿巴嘎左翼旗。大体相当于今锡林郭勒盟正蓝旗北部。

镶白旗　驻布雅阿海苏默（约在今正镶白旗北阿拉坦嘎达斯苏木）。旗地东接太仆寺牧厂及正蓝旗界，西至正白旗察哈尔，南交太仆寺牧厂（今正蓝旗西南部），北连苏尼特左旗及正蓝旗察哈尔。大体相当于今锡林郭勒盟正镶白旗东北部。

正白旗　驻布尔噶台（约今正镶白旗布日都苏木）。旗地东及北接镶白旗察哈尔，南及西邻镶黄旗察哈尔。大体相当于今锡林郭勒盟正镶白旗西南部，太仆寺旗北部和河北省康保县的一部分。

镶黄旗　最初驻啯赖庙（今河北省张北县东南）一带，乾隆年间，因将坝下土地开放，移驻苏门峰（又名苏门哈达）。旗地东起正白旗察哈尔界，西到正黄旗察哈尔界（约今察哈尔右翼后旗东部），南接正黄、镶黄二旗牧厂，北交苏尼特右旗。大体相当于今锡林郭勒盟镶黄旗全部，乌兰察布市化德县、商都县和河北省康保、尚义二县的一部分。

正黄旗　原驻木孙忒克山（约在今河北省张北县西南）。同治年间，移驻今察哈尔右翼后旗东南大六号乡。② 旗地东北至镶黄旗察哈尔，西接正红旗察哈尔（今察哈尔右翼后旗西部），南连太仆寺右翼牧厂，北邻苏尼特右旗。大体相当于今乌兰察布市兴和县、察哈尔右翼前旗的大部分以及察哈尔右翼后旗的东部和商都县的一部分。

正红旗　驻古板拖罗海山（约在今察哈尔右翼前旗西北大土城乡一带）。旗地东接正黄旗察哈尔，西南邻镶红察哈尔，南至太仆寺右翼牧厂，

①　中国第一历史档案馆等编：《清代西迁新疆察哈尔蒙古满文档案译编》，全国图书馆文献缩微复制中心 1994 年版，第 4—6 页。

②　《张北县志》卷 1，《地理志》（上），台湾影印《中国方志丛书》本。

北抵四子部界。大体相当于今乌兰察布市集宁市、察哈尔右翼前、后二旗西部、卓资县东北部和丰镇市西部的一部分。

镶红旗 驻布林泉（约在今卓资县东南小水沟一带）。旗地东接正红旗察哈尔，西邻镶蓝旗察哈尔，北起四子部界，南抵山西省大同府边外。大体相当于今察哈尔右翼中旗东南部、卓资县东部、凉城县大部和丰镇市西部的一小部分。

镶蓝旗 驻阿巴喀嘛山（又作阿巴哈哈嘛山，约今凉城县西北太平寨东）。旗地东接镶红旗察哈尔，西连归化城土默特，南至山西大同府边界，北抵四子部界。大体相当于今乌兰察布市察哈尔右翼中旗西部及北部、卓资县大部和凉城县西部，武川县大蓝旗乡也属其管辖。

察哈尔地区早在康熙、雍正年间即以私垦的形式进行开垦。到乾隆中叶，随着平准战争的结束和全国局面的稳定，军马、军驼的需要量大为减少，牧厂逐渐荒废下来，农垦日益发展。乾隆三十六年（1771 年），"始定招垦之制，其后穷荒益开，科赋亦与民地无别"。① 据统计，察哈尔右翼升科地亩已达 28 000 顷。光绪八年（1882 年），察哈尔右翼设丰宁荒务局，专理蒙地开垦和押荒事宜。到清末赇谷办垦时，右翼丰（镇）、宁（远）两厅已有熟地 11 000 顷左右，未垦荒地所余无几。② 左翼开垦早于右翼，开垦状况更有过之而无不及。

随着察哈尔的开垦和汉户的增多，清政府自雍正年间始，陆续增设了一些民事机构，处理汉民与旗人之间的婚嫁、田土、斗殴、争讼等事件。

雍正二年（1724 年），在张家口（今河北省张家口市）设张家口直隶厅，辖察哈尔八旗左翼镶黄一旗、右翼正黄半旗蒙汉交涉、逃匪命案等事，及口内蔚州、怀安、万全、宣化、保安、西宁、蔚县等七州县旗、民事务。

雍正十年（1732 年），析张家口直隶厅东北境，在多伦诺尔地方（今内蒙古多伦县）置多伦诺尔直隶厅，辖察哈尔左翼正蓝、镶白、正白、镶黄四旗等旗、民交涉事务，并"查缉逃匪，审理汉铺户争讼，窃劫人命"等案。

---

① 王轩：《山西通志》卷 65，《田赋略》，中华书局 1990 年版。
② 德溥：《丰镇县志书》卷 5，《田赋》，1916 年铅印本。

雍正十二年（1734年），复析张家口东境，在长城要隘独石口设独石口直隶厅，分辖察哈尔左翼四旗"逃匪、命案"事务，及口内延庆、怀来、龙门、赤城四州县旗、民互讼案件。

以上三厅，均隶口北道，合称口北三厅。①

乾隆元年（1736年），再于察哈尔左翼四旗置四旗直隶厅。乾隆四十三年（1778年），改为丰宁县，隶于承德府。

除以上厅县外，在察哈尔右翼还设有丰镇、宁远、兴和、陶林四厅。

丰镇厅（今丰镇市）设于乾隆十五年（1750年），由雍正十二年（1734年）所设之丰川卫与镇宁所改设，管理察哈尔右翼各旗蒙、民交涉事务，隶于山西大同府。② 光绪十年（1884年），升为直隶厅，改隶归绥道。③

宁远厅（今凉城县），设置时间与丰镇厅同，由雍正十二年（1734年）所设之宁朔卫与怀远所改设，分理察哈尔右翼四旗蒙、民交涉事务，隶山西朔平府。④ 光绪十年（1884年），升为直隶厅，改隶归绥道。⑤

兴和厅（今兴和县）和陶林厅（今察哈尔右翼中、后二旗各一部分）均设于光绪二十九年（1903年），分别析丰镇厅和宁远厅而设，均隶于归绥道。

三、牧厂

为了满足军队、皇室、王公大臣马匹、肉食、乳制品等的需要，清廷在口外沿边地区设立了许多牧厂。自清太宗征服察哈尔后，即认为宣、大塞外，水草丰沃，宜于畜牧，"遂置公私牧厂于此"。⑥ 顺治以后，又在此基础上陆续设立了隶属于内务府和太仆寺等机构的牛羊群和驼马厂。同时，还以赏赐、借住等名义给一部分王公圈定了数处牧厂。

1. 隶于上驷院的牧厂 上驷院是清代内务府所属三院之一，设于顺治

---

① 金志章：《口北三厅志》卷4，《职官志》，台湾影印《中国方志丛书》。
② 《清世宗实录》卷142，雍正十二年四月己卯条。
③ 王轩：《山西通志》卷30，《府厅州县考》，中华书局1990年版。
④ 《清世宗实录》卷142，雍正十二年四月己卯条。
⑤ 王轩：《山西通志》卷28，《府厅州县考》，中华书局1990年版。
⑥ 金志章：《口北三厅志》卷6，《考牧》，台湾影印《中国方志丛书》本。

十年（1653 年），初名御马监，顺治十八年（1661 年）改为阿敦衙门，康熙十六年（1677 年）改为上驷院，专管宫廷所用驼马。其所属牧厂专门牧放驼马，不养牛羊。上驷院所属牧厂有大凌河牧厂、上都达布逊淖尔牧厂、达里冈爱牧厂。

上都达布逊淖尔牧厂分布在两处，一在上都河（今闪电河），一在达布逊淖尔，合称上都达布逊驼厂，因曾隶御马监，又称御马厂，俗称大马群。

上都牧厂位于独石口东北的博罗城（今正蓝旗南黑城子），东接围场，西、北至镶白旗察哈尔，南接边墙。大体相当于今锡林郭勒盟多伦县全部、正蓝旗南部、正镶白旗东南部、太仆寺旗东北部和河北省沽源县的大部。

达布逊牧厂大约在察哈尔镶黄、正白二旗南，正黄、镶黄二旗牧厂北，约今商都、化德、张北和康保等县交界地带。因厂内有一盐池，蒙古名作达布逊淖尔（今商都盐淖），故有此名。该牧厂驼马除在本厂放牧外，在苏尼特右旗还有一块放牧地，是雍正年间上都达布逊牧厂衙门奏请划定的。其四至大约东起戈勒拜尔，西到萨姆布鲁河，北起桑图，南至诺云隆。约在今苏尼特右旗布图木苏木和桑宝拉格苏木境内。①

上都达布逊淖尔牧厂自顺治年间设立后，即由外八旗察哈尔蒙古人充当牧丁。初设蒙古总管 1 人，管理牧事。康熙四十年（1701 年），因驼马蕃息，始于内八旗大臣中拣选总管 1 人，原设蒙古总管改为副总管，协同总管管理牧事及所辖牧丁②，另有蒙古笔帖式 10 人，效力笔帖式 5 人，协领 6 人，副协领 12 人，每牧群设牧长、副牧长各 1 人，牧丁 7 人，防御 2 人，骁骑校 2 人，护军校 12 人，护军 345 人。

达里冈爱牧厂位于内蒙古锡林郭勒盟与外蒙古车臣汗部、土谢图汗部之间，南起察罕齐老山，北至济尔亥图，东起哈鲁勒陀罗海，西至额固特，南邻锡林郭勒盟阿巴哈纳尔右翼旗、阿巴噶右翼旗和苏尼特左翼旗，北部和西部分别与车臣汗部左翼后旗、中末右旗接界，东部与车臣汗部右翼后旗接壤，西部与土谢图汗部左翼中旗接界。康熙三十年（1691 年）"多伦诺尔会

---

① ［俄］波兹德涅耶夫：《蒙古及蒙古人》第 1 卷，刘汉明等译，内蒙古人民出版社 1989 年版，第 626—693 页。
② 金志章：《口北三厅志》卷 6，《考牧》，台湾影印《中国方志丛书》本。

盟"之后，车臣汗、土谢图汗将达里冈爱献给清廷，成为清代最大的皇家牧厂。

达里冈爱牧厂分为达里冈爱驼马厂和达里冈爱牛羊群牧厂，分别隶属于上驷院和庆丰司。达里冈爱驼马厂事务，由上驷院所属上都达布逊淖尔牧厂总管、副总管兼辖，另有协领 1 人，每牧群设牧长、副牧长各 1 人，牧丁 7 人，防御 1 人，骁骑校 1 人，护军校 3 人，护军 100 人。

2. 隶于庆丰司的牛羊群牧厂　庆丰司是内务府七司之一，初名"三旗牛羊群牧处"，康熙十六年（1677 年），并归掌仪司。康熙二十三年（1684 年），另设庆丰司，主管宫廷坛庙祭及牛羊群畜牧事务。其所属牛羊牧厂有察哈尔牛羊群牧厂、达里冈爱牛羊群牧厂和养息木牧厂。

察哈尔牛羊群由察哈尔镶黄、正黄、正白三旗牧放，故又称作察哈尔镶黄、正黄、正白三旗官牛羊群牧厂。

察哈尔牛羊群下分牛、羊群五处：一、镶黄旗牛群，乾隆间位于镶黄旗南，北起吗呢图（今张北县吗呢坝），南至什巴尔台（今张北县什八儿台河），东起音图（约今沽源县西南），西到插汉巴尔汉逊（今张北县白城子）。[1] 约今河北省张北县东和沽源县西南部。清中叶以后，由于玛呢坝以南已被垦为农田，牛群逐渐转移至张北县北部。光绪三十二年（1906 年），镶黄旗牛群再次北移到正白旗明安地方。[2] 二、镶黄旗羊群乾隆年间位于镶黄旗察哈尔北，翁闻山（今镶黄旗翁贡乌拉苏木境内）迤南。[3] 清末民初，该群北移到今镶黄旗北部的翁贡淖尔一带，称翁贡羊群。[4] 三、正黄旗羊群原驻殷子川（今兴和县银子河），乾隆间，北移到阿尔泰军台第三、第四台南，约今河北省张北、内蒙兴和与商都县交界地带。光绪三十二年（1906 年），再次北移到今商都县西北达布逊牧厂地。[5] 民国时，该群迁到正白旗察哈尔南，今羊群滩一带。四、正黄牛群原驻康湖地方，在正黄羊群驻地殷

---

①　金志章：《口北三厅志》卷 6，《考牧》。据《大清一统志》，元代沙城，土名插汉巴尔哈逊，即今白城子。

②　《张北县志》，《察哈尔清代蒙旗沿革略图》，台湾影印《中国方志丛书》本。

③　金志章：《口北三厅志》卷 6，《考牧》，台湾影印《中国方志丛书》本。

④　金巴扎布：《察哈尔蒙古族史话》，丰镇印刷厂 1989 年版。

⑤　《张北县志》卷 1，《地理志》上，台湾影印《中国方志丛书》本。

子川西南，约今兴和县西南与丰镇市交界地带。① 后因牧场被垦，渐次北移。先移至阿尔泰军台第三、四台西南、西路文书台第四台北，今张北县海流图河及安固里淖尔一带。② 再移至镶黄羊群西大马群地，在今商都县西北与察右后旗交接地带。清末民初，再动移到今正镶白旗。五、正白旗牛、羊群，乾隆年间在乌兰巴噶苏以北，益吉尔图一带，约今河北省沽源县境内。后北移到上都牧厂以北，约今正蓝旗哈登胡舒苏木、桑根达来苏木、宝绍代苏木及乌和日沁鄂博林场一带。③

以上三旗牛羊群，初设总管 1 人，副总管 2 人。雍正十一年（1733年），增置防汛三旗牧厂副总管 1 人，防守尉章京 4 人。④

达里冈爱牛羊群牧厂由庆丰司所属张家口群牧处兼辖，另有协领 1 人，每牧群设牧长、副牧长各 1 人，牧丁 7 人，防御 1 人，骁骑校 1 人，护军校 3 人，护军 100 人。

养息木牧厂位于盛京锦州府广宁县北 210 里，彰武台边门外，养息木河畔杜尔笔山下。该地原属于哲里木盟科尔沁左翼前旗和卓索图盟土默特左翼旗之牧地。康熙三十一年（1692 年），上述二旗王爷将该地献给清廷，作为三陵牧养地。因养息木河由北向南贯穿全境，故名养息木牧厂。该牧厂专养黑、红牛，另有羊群，其事务由盛京将军兼辖。光绪二十八年（1902 年），在该地设立彰武县，隶新民府。⑤

3. 隶于太仆寺的左、右翼牧厂　太仆寺是专掌马政的机构，左翼牧厂由察哈尔游牧八旗的镶黄、正蓝、正白、镶白四旗放牧，因而又称骒群四旗，后又从四旗中抽出一部分男丁组成骟群组。太仆寺右翼牧厂也由察哈尔游牧八旗的正黄、正红、镶红、镶蓝四旗放牧，也分为骒群和骟群。

太派寺左翼牧厂在张家口东北 140 里的喀嘛尼敦井（约在今太仆寺旗南），东西距 130 里，南北距 50 里。大体相当于今河北省康保县东部、张北县北部、沽源县西部和太仆寺旗南部。清末放垦后，到民国初年，只剩今太

① 金志章：《口北三厅志》卷 6，《考牧》，台湾影印《中国方志丛书》本。
② 《张北县志》前引图，台湾影印《中国方志丛书》本。
③ 金志章：《口北三厅志》卷 6，《考牧》，台湾影印《中国方志丛书》本。
④ 金志章：《口北三厅志》卷 6，《考牧》，台湾影印《中国方志丛书》本。
⑤ 张德辉：《彰武县志》卷 1，《疆域志》，1933 年版。

仆寺旗贡宝拉噶苏木。

太仆寺右翼牧厂初在张家口西北 310 里的齐齐尔汉河（今丰镇市饮马河）。东西距 150 里，南北距 65 里。大体相当于今凉城县东南部、丰镇市大部和兴和县南部。乾隆间，牧厂由齐齐尔汉河向东移至文书台西路第三台西马莲渠地方（今张北县马蓝渠）。嘉庆以后，牧厂再次移动，骒马群移到原上都马厂所在的多伦大北沟、大联地、特莫图山和上都河一带。骟马厂则移至打拉齐庙（今张北县达拉齐庙），光绪三十二年（1906 年），亦移至上都河，与骒马群并为一处。①

乾隆四十二年（1777 年）设统辖两翼牧厂副都统衔总管一人，由内八旗大臣中选任。每翼各设总管一人，由清廷在察哈尔佐领内选任。②

4. 隶于兵部的八旗牧厂　八旗牧厂系季节性牧厂。顺治初年规定，八旗左、右翼各拣用副都统一人，于立夏后四日，率领官兵陆续赶赴口外八旗牧厂，择水草丰茂之处放牧，叫出青。至深秋八月，由兵部察验备案，再赶进口内，叫回青。③ 其在察哈尔地区的牧厂，清中叶以前方位如下：

镶黄旗牧厂在张家口北一百里控果罗鄂博冈（今张北县东北 20 里处）。④ 东西距 140 里，南北距 150 里。约今河北省张北、沽源二县地。

正黄旗牧厂位于张家口西北 100 里诺木浑博罗山（在今河北省尚义境内）。东西距 130 里，南北距 250 里。⑤ 厂地约当今河北省尚义县毗邻张北、商都部分地区。

其他六旗牧厂在镶黄旗牧厂东，依次是正蓝旗牧厂，在张家口北；镶蓝旗牧厂在张家口东北，正蓝旗牧厂及镶黄旗牧厂东；镶白旗牧厂，在独石口外红城子西北；正白旗牧厂在独石口外红城子北；正红旗牧厂在独石口东北，老彰沟西，椴木梁东；镶红旗牧厂不具。⑥

---

① 《张北县志》卷 1，《地理志》上，台湾影印《中国方志丛书》本。
② 鄂尔泰等：《八旗通志》卷 41，《兵制·马政》，乾隆四年（1739 年）刊本。
③ 鄂尔泰等：《八旗通志》卷 41，《兵制·马政》，乾隆四年（1739 年）刊本。
④ 据《大清一统志》，旧兴和城在厂西南 20 里，又沙城在厂西北 20 里。旧兴和城即今张北县城、沙城即今张北县城北的白城子，则控果罗博冈在张北县东北 20 里，白城西南 20 里处。
⑤ 金志章：《口北三厅志》卷 6，《考牧》，台湾影印《中国方志丛书》本。
⑥ 金志章：《口北三厅志》卷 6，《考牧》，台湾影印《中国方志丛书》本。

八旗牧厂由于是季节性牧厂，又主要用于牧放军驼、军马。乾隆以后战事减少，军马、军驼需量大减，厂地不断缩小。道光后，由于八旗留存马匹无多，无须牧场放牧，遂致荒废，所余厂地并入上都达布逊牧厂和牛羊群。

5. 礼部牧厂 礼部为六部之一，其所属牧厂主要用于朝廷祀祭、馈赠、膳食等用，由礼部委官管理。其所属牧厂方位是张家口西北220里的查喜尔图插汉池（今察汗淖）。东西距46里，南北距65里。约当今商都县和河北省尚义县环察汗淖地带。清中叶以后渐废。

6. 王公大臣官员等牧厂 这类牧厂多散处在察哈尔八旗和各大牧厂间，并且随着这些王公大臣爵位的升降而时有变动，或撤或增。到清末时，察哈尔八旗境内，共有王公牧厂25处。其中左翼15处，即镶黄旗境内的和亲王牧厂、松公牧厂、宝公（阿公）牧厂；镶白旗境内的毓公、堃公、肃亲王、恒贝勒、蔡公牧厂；正白旗境内的礼亲王、德公牧厂；正蓝旗境内的怡亲王、豫亲王、德公、睿亲王、顺贝勒牧厂；[①] 右翼10处，即正黄旗的启侯、德公、嵩公、克公牧厂，正红旗境内的湘公牧厂，镶红旗境内的庄亲王、克勤郡王牧厂，镶蓝旗境内的郑亲王、禄公、继公牧厂等。这些牧厂在清中叶以后，即陆续开垦，到清末民初已经全部放垦。[②]

以上牧厂在清中叶以后尚存的有上都达布逊牧厂、太仆寺左、右翼牧厂和牛羊群牧厂，在清末文献中称为四牧群，进而与察哈尔八旗合称察哈尔八旗四牧群，或察哈尔十二旗群。

第四节　呼伦贝尔诸旗

一、布特哈八旗

大小兴安岭之间嫩江流域还有以索伦、达呼尔、鄂伦春等部族组成的布特哈八旗。顺治年间，沙俄入侵黑龙江流域，迫使世居那里的达斡尔、鄂温克和鄂伦春等族迁至黑龙江以南的嫩江流域，清廷称他们为"布特哈打牲

---

① 内蒙古档案馆《钦差垦务大臣》全宗档案。
② 内蒙古档案馆《钦差垦务大臣》全宗档案。

部落"。康熙初年，设布特哈总管衙门，对其加以管理。康熙二十二年（1683 年），清廷设黑龙江将军，将布特哈地区的鄂温克民众编为 5 个"阿巴"（鄂温克语"围猎"或"猎场"之意），将达斡尔民众编为 3 个"扎兰"（满语"参领之意"），直接加以管辖。布特哈总管衙门所辖的鄂伦春族人，分为"墨凌阿"（骑马的）和"雅发罕"（步行的）两部分。"墨凌阿"鄂伦春被编入八旗充当马甲，每年春秋集中操演，遇有战事从军打仗，并与索伦、达斡尔杂居，一体挑差，各安耕凿。"雅发罕"鄂伦春则只按年进贡貂皮，向不当差，亦不食饷。雍正九年（1731 年），清廷在原有的基础上，在布特哈地区组建布特哈八旗，俗称"打牲八旗"。同治十年（1871 年），清廷将鄂伦春人按居住地河流分为 5 路 8 佐；光绪八年（1882 年），建兴安城总管衙门，设副都统衔总管，统辖鄂伦春 5 路事务。光绪二十年（1894 年），裁撤兴安城，将鄂伦春 5 路 8 佐改为 4 路 8 旗 16 佐，分别由黑龙江、墨尔根、布特哈、呼伦贝尔四城管辖。光绪三十二年（1906 年），布特哈以嫩江为界分为东西两路，分组八旗。①

二、索伦八旗

巴尔虎系蒙古古老的部落之一，隋唐时期的拔野古（巴尔虎之音译）人有众六千户。② 13 世纪居住于贝加尔湖以东之巴尔古真河一带，属蒙古林木中百姓之一。北元时期，巴尔虎人的部分部众从属永谢布等万户之外，大部分仍居住于从呼伦贝尔到鄂嫩河、石勒喀河的广阔地区。16 世纪末 17 世纪初，巴尔虎人从属于外喀尔喀车臣汗部。康熙二十七年（1688 年），准噶尔汗国噶尔丹进兵外喀尔喀，时巴尔虎人的一部分移入黑龙江及其以南地区，共计三千余户，万余口。其中一部分被组成 18 个牛录，驻防吉林、盛京管辖的各城。另一部分在齐齐哈尔和墨尔根之间的博尔多驻防。雍正十年（1732 年），黑龙江将军朱尔海将驻防于布特哈地方的索伦甲丁 1 636 名，达斡尔甲丁 730 名，巴尔虎甲丁 275 名，鄂伦春甲丁 359 名，共计 3 000 壮

---

① 中国第一历史档案馆、鄂伦春民族研究会编：《清代鄂伦春族满汉文档案汇编》，民族出版社 2001 年版。

② 《新唐书·回鹘传》，中华书局标点本，第 6139—6140 页。

丁及其家属移牧到呼伦贝尔驻防，并按八旗建制把他们编为索伦左右两翼八旗，下设佐领 50（后留 24）。[①] 巴尔虎甲丁 275 名及其家属构成了索伦八旗中的左翼正蓝、镶白二旗。为与后来迁居呼伦贝尔的巴尔虎人相区别，称该二旗巴尔虎人为陈巴尔虎。索伦左右翼与新巴尔虎左右翼及额鲁特旗构成清代呼伦贝尔五翼总管旗，[②] 隶呼伦贝尔副都统管辖，归黑龙江将军节制。

有清一代，索伦左翼四旗驻牧于沿俄罗斯边界一带，右翼四旗起初驻牧于沿外喀尔喀边界的哈拉哈河一带，新巴尔虎移入后，右翼四旗则移驻到呼伦贝尔城以南。其中，左翼正蓝、镶白二旗的陈巴尔虎人驻牧于呼伦贝尔城北部。其牧地东自库都尔河起，西至锡林布日都诺尔，北自古日巴勒吉布拉格卡伦起，南达辉河。[③] 二旗各有 6 佐领。同治三年（1864 年）以前，二旗人口共计 830 户。[④] 清朝末年，二旗人口共计男 2 163 人，女 2 315 人。[⑤]

三、新巴尔虎八旗

16 世纪末 17 世纪初，新巴尔虎人同陈巴尔虎从属于外喀尔喀车臣汗部。1734—1735 年（雍正十二—十三年），因与贝子延楚布多尔济等札萨克不和，车臣汗部八个旗的约 3 700 户巴尔虎人在清朝的劝动下迁移到呼伦贝尔。此时，呼伦贝尔已有陈巴尔虎人驻牧，故史称其为新巴尔虎。清廷分给他们西接索伦八旗的牧地，并按索伦八旗建制，以其 15 岁以上壮丁共 3 984 名中选出 2 400 名，编为新巴尔虎左右两翼八旗，以 60 名壮丁编为一佐领，每旗下设 5 佐领，共设佐领 40。左右两翼各设总管 1 员，旗设副总管 1 员，佐领 5 员，每佐设佐领 1 员、骁骑校 1 员、催领 6 员。规定官员赏半俸，兵

---

① 《呼伦贝尔副都统衙门册报志稿》，边长顺、徐占江译，呼伦贝尔盟历史研究会编印 1986 年版，第 31 页。

② 内蒙古档案馆呼伦贝尔副都统衙门档案，501—1—7。

③ 《呼伦贝尔副都统衙门册报志稿》，边长顺、徐占江译，呼伦贝尔盟历史研究会编印 1986 年版，第 12 页。

④ 《黑龙江通省舆图总册》，《清代黑龙江孤本方志四种》，黑龙江人民出版社 1989 年版，第 84 页。

⑤ 《呼伦贝尔副都统衙门册报志稿》，边长顺、徐占江译，呼伦贝尔盟历史研究会编印 1986 年版，第 27 页。

丁赏一两俸银。① 新巴尔虎左右翼与索伦左右翼及额鲁特旗构成清代呼伦贝尔五翼总管旗，隶呼伦贝尔副都统管辖，归黑龙江将军节制。

有清一代，新巴尔虎左翼四旗驻牧于哈勒哈河、乌尔逊河、呼伦湖东侧和海拉尔河下游，新巴尔虎右翼四旗驻牧于贝尔湖北部、乌尔逊河和呼伦湖西侧，克鲁伦河下游。同治三年（1864 年）以前，新巴尔虎左翼四旗人口共计 1 206 户，右翼四旗人口共计 1 019 户。② 清朝末年，新巴尔虎左右翼八旗人口共计男 4 653 人，女 7 044 人。③ 新巴尔虎人中有伊克准、达浪古特、永谢布、乌里雅特、浑通、贵车里克、呼岱、噶勒珠特、哈勒宾、沙来特、萨尔图勒等蒙古姓氏。

四、额鲁特旗

呼伦贝尔额鲁特部原系准噶尔汗国噶尔丹属下丹津阿喇布丹所部。康熙四十一年（1702 年），丹津阿喇布丹携其子车凌旺布及弟色布登旺布等归附清朝，丹津阿喇布丹被封为多罗郡王，其弟色布登旺布受封和硕额驸，并赐牧洪郭尔阿济尔罕之地。雍正元年（1723 年），色布登旺布晋封多罗贝勒。雍正四年（1726 年），丹津阿喇布丹长子多罗郡王车凌旺布、多罗贝勒色布登旺布、贝子茂海等分别授札萨克，所部编为四佐领。④ 雍正九年（1731年），准噶尔汗国噶尔丹策凌率兵东进科布多以东地区，与清军交战。时茂海等归顺噶尔丹策凌，多罗贝勒色布登旺布所属四宰桑，420 户仍留居推河牧地，并奏请清廷赐给牧地。雍正十年（1732 年），多罗贝勒色布登旺布所属额鲁特二佐领徙牧于喀尔喀河以东，编所部为一旗，下设佐领 2，以多罗贝勒色布登旺布为该旗总管，归索伦八旗总管达巴汗、布勒本车管辖。⑤

乾隆二十二年（1757 年），经乌里雅苏台将军成衮扎布、阿兰泰等奏请，杜尔伯特台吉布图呼、布林、得木齐拜拉噶克咱，噶勒珠特部德什策克

---

① 达·古柏礼：《诸蒙古始祖记》，胡·都嘎尔扎布等整理，民族出版社 1989 年版，第 159 页。
② 《黑龙江通省舆图总册》，清代黑龙江孤本方志四种，第 84 页。
③ 达·古柏礼：《诸蒙古始祖记》，胡·都嘎尔扎布等整理，民族出版社 1989 年版，第 106 页。
④ 《清世宗实录》卷 5，雍正元年三月乙巳条。
⑤ 《呼伦贝尔副都统衙门册报志稿》，边长顺、徐占江译，呼伦贝尔盟历史研究会编印 1986 年版，第 31 页。

伯和明阿特部得木齐布珠里等三部新额鲁特移牧到呼伦贝尔，并将其并入旧额鲁特二佐领。① 此次迁来的额鲁特人共计 147 户。②

有清一代，额鲁特旗又称额鲁特镶黄旗，系呼伦贝尔五翼总管旗之一。有总管一，佐领二，骁骑校二，催领六，什长二，兵丁 100。③ 牧地位于呼伦贝尔城东南，南自毕留图胡硕起，北至锡尼很河，东从呼和朝鲁山起西至伊敏河之哈日呼吉日诺尔。清朝末年，额鲁特旗人口共计 185 户，其中，男 227 人，女 230 人。

第五节　内蒙古的满族

有清一代，随着八旗驻军和清皇室公主下嫁蒙古王公，带来大量的满族侍从和包衣，逐渐形成了内蒙古地区的满族人口。其中，陪嫁带来的满汉人口，在蒙古札萨克旗内很快被蒙古化，其民族特点基本丧失。唯独八旗驻防人口以及归化、绥远城满族，一直保存其民族特点，直到清朝灭亡。

一、归化城满族

清初，在内蒙古满族最为集中的地方是归化城。爱新国天聪六年（1632 年），皇太极追击察哈尔林丹汗，驾临归化城。由于林丹汗率部西遁，爱新国大军未在此长期驻扎，经过明朝山西境撤回盛京。1634 年，林丹汗病逝，察哈尔部众离散，爱新国再次兴兵，深入归化城一带，将土默特部纳入统治之下。最初，对归化城土默特部的统治，靠设立土默特左右二固山，由土默特人担任的固山大和牛录章京来实现，并没有满族军队驻守。直到顺治十年（1653 年），清廷以多罗安郡王岳洛为宣威大将军，统兵戍防归化城。

康熙中期，漠西准噶尔噶尔丹举兵东向，康熙二十七年（1688 年）清廷派遣彭春、诺敏率军驻扎归化城提防噶尔丹南向。两年后，又命康亲王杰

---

① 《额鲁特部简史》，呼伦贝尔档案馆藏手抄本。
② 《清高宗实录》卷 575，乾隆二十二年四月甲戌条。
③ 达·古柏礼：《诸蒙古始祖记》，第 166 页。

书、恪慎郡王岳希率师驻归化城，并命茂明安、乌喇特、达尔汗贝勒等旗选兵驻防归化城。由于噶尔丹恃强不服，康熙皇帝决定亲自征讨，首先任命裕亲王福全为抚远大将军，驻守归化城。康熙三十二年（1693年），归化城继续增兵，康熙任命费扬古为抚远大将军率领满洲兵8 000人驻守归化城。康熙三十四年（1695年），费扬古率西路各处官兵进击噶尔丹。噶尔丹败殁后，归化城将军成为常设人员一直到绥远城建成之后。这期间，除了满族驻军以外，呼和浩特地区尚无真正意义上的满族人口。

康熙三十六年（1697年），康熙皇帝四公主恪靖公主下嫁外喀尔喀土谢图汗子敦多布多尔济，带来满族和汉族侍从近千人。当时，外喀尔喀诸部为躲避噶尔丹入侵，逃入内蒙古境内，清廷将其妥善安置。因战事尚未终了，恪靖公主只能在归化城地区生活，最后又在归化城修建了"公主府"，随行侍从围绕"公主府"住下，逐渐形成"府兴营"、"小府村"等满族村庄。这是历史上满族首次较大规模地迁入归化城地区。[1]

康熙末至雍正年间，归化城仍为清廷屯军要地。如康熙五十四年（1715年），为征讨策旺阿拉布坦，调外藩蒙古兵集结归化城。雍正九年（1731年），为进剿噶尔丹策凌，康亲王崇安率兵驻归化城，喀尔喀右翼等旗亦选兵进驻城中，受康亲王崇安节制。

可以看出，清初呼和浩特地区的军队驻防，主要是战争的需要，同时也是为巩固刚立国不久的满洲政权的需要，随着战事的逐渐平息，驻军的规模和性质也发生了变化。

二、绥远城满族

到了雍正末年，清朝与准噶尔部的战争几经较量，双方都投入大量的兵力和财力，各有胜负。由于耗时日久，均无力再战，只得议和，双方偃旗息鼓，撤军退回本部，漠北一时出现了和平局面。但清廷对西北的局势仍放心不下，认为准噶尔必将窥伺中原。就当时的形势而言，修建一座新城，不仅仅是安排从战场上撤回的官兵，而且以此为基地，以便日后进击准噶尔。

清廷最初的八旗驻防起始于山西的右卫，即今右玉县，位于山西北部，

---

[1]　佟靖仁：《呼和浩特满族简史》，内蒙古大学出版社1992年版，第47页。

距大同 100 公里。从此处出长城的关隘至呼和浩特为 120 公里。康熙三十二年（1693 年），"原因噶尔丹之事，预为之备也"①，将蒙古 3 650 人驻扎右卫，三十三年（1694 年），又派八旗满、蒙、汉军护军 2 299 人，领催、马甲 2 604 人，铁匠 112 人，以将军 1 员统领，在此驻防。但是，右卫"本城孤悬西北，向来寇骑突犯，辄当其冲"，②又因右卫在长城以内，因此将驻防中心北移更符合战略考虑。所以在归化城附近修建一座新的八旗驻防城，成为当时的必需。

归化城修建于明万历三年（1575 年），最初只是一个很小的城堡，迫于战备和驻防的需要，于康熙三十年（1691 年）和乾隆元年（1736 年）重修，但由于城小人员结构复杂，归化城已不适合大规模地长期驻军。因此，清廷决计在归化城附近修建一座新城用于八旗驻防。在这种形势下，清廷决定，"归化旧城，修整完固，于城东门外，紧接旧城，筑一新城；新旧两城，搭盖营房，连为犄角，声势相援，便于呼应"。

康熙五十三年（1714 年），清廷在筹划修建绥远城的同时，陆续拨派八旗官兵进驻归化城，俟新城修建完工之后便可移驻。

乾隆二年（1737 年）八月，根据将军王昌的奏请，又从蒙古八旗中调来 5 个佐领的 500 名旗兵，在先有旗兵 3 000 名的基础上，移驻新城兵房的旗兵共有 3 500 名。此后到清末，驻防绥远城的八旗兵丁人数，虽根据当时的情况有所增减，但大体上保持在 2 000 至 3 000 名之间。

最初绥远城的八旗驻防，是由满、蒙、汉八旗联合驻防的。从清军入关到乾隆初年，汉军旗人与满蒙旗人一样，享受朝廷给予的特殊优待。随着八旗人口的急剧增加，而在编八旗佐领的数量不需大幅增加，许多满洲旗丁无额可补，只好靠朝廷的救济维持生活。到了乾隆年间，为解决满洲旗人的生计，清廷强令大部分汉军出旗，空出之八旗兵额，让满洲旗丁补占。这样，到了乾隆十二年（1747 年），驻扎绥远城的 2 000 名汉军旗人出旗编入绿营，朝廷将京旗满洲八旗兵 1 200 人调驻绥远城，从此，绥远城的驻防只剩下满、蒙八旗兵了，而且满洲八旗兵占绝大多数。

---

① 《清圣祖实录》卷 186，康熙三十六年十二月乙丑条。
② 顾祖禹：《读史方舆纪要》卷 44，中华书局 2005 年版。

自乾隆二十六年（1761年）始，原定五年一换防的制度取消，驻防八旗官兵及家属一律迁入城内的建筑格调一致的"老官房"。八旗官兵居住的区域不许随意迁移，而是按旗随城内驻防的区域而居住，满洲八旗与蒙古八旗也是分开的。当时蒙古八旗只有四个佐领，分属为镶黄旗、正黄旗、镶白旗和镶红旗，他们驻防于绥远城的四个角，即镶黄旗驻扎在东北角，镶白旗驻防于东南角，镶红旗驻守于西南角，而正黄旗驻守于西北角，称作"四翼蒙古"。

满洲八旗每旗二甲，分居城中，称作"满洲八旗"。满洲旗兵与蒙古旗兵分属十二旗。人数在3 000人左右，各自驻防于划定的区域内。

绥远城八旗满洲兵与八旗蒙古兵的居室相同，城内有主要街道28条和小巷26条，在每条东西向的巷内，有专为旗兵及其家眷修建的"老官房"两排，前后排院门相对，每排宅院相连。每一处宅院占地均为0.33亩，住房两间，为一名甲兵的居所。这种专为旗兵营建的"老官房"，均为砖瓦结构，规划统一整齐，内部的结构也是以满族人的生活习惯设置。

据《绥远旗志》云：光绪末年，全城有满蒙将士3 300人，每佐领为165人。全城男妇子女共为11 727人。

第六节　内蒙古的回族

清代，是内蒙古地区回族发展的重要时期。无论从人口数量的增加，地区分布的广泛，清真寺兴建的数量和规模，商业经济的繁荣，文化教育程度的提高，较之以前，都有了长足的进步。

一、归化城地区的回族

清朝初年，归化城地区已有少量回回人定居。随着清王朝统一中国，战事减少，社会安定，参军从戎的回回人也逐渐解甲为民。如山西右卫（右玉）的回回人麻家，卸军务农；大同镇的回回人费家，也弃戎从商；而太原镇下马街的回回"田提督家"，则成为有清一代晋绥地区的门阀世家。上述地方的回回人，自顺治年间开始，逐渐流入呼和浩特落籍。到康熙初年，呼和浩特的农业生产和商业贸易更趋繁荣，大约在这一时期，一部分回回人作为"外番贸易者"来到呼和浩特落籍定居，并从回回人履行宗教生活的需要出发，辟建了较为简易的清真寺。

康熙年间，随着准噶尔部噶尔丹的强盛，新疆、青海地区进入其势力范围。于是自新疆，经河西走廊、河套平原到呼和浩特、张家口一线的商路和贸易，基本上掌握在回回商人手中。其时，清政府规定以呼和浩特和张家口两城为厄鲁特蒙古与中原的贸易地点。于是，不仅噶尔丹控制下的新疆地区的回回人来上述二地贸易，就是沿途陕、甘、宁、青等地回民也纷纷前来从事贸易，并在二城"留寓"居住。

清王朝为了进一步做好再次西征噶尔丹的军事部署和辎重准备，于康熙"三十二年，归化城增戍兵，以费扬古为安北将军住焉"。① 为战争的需要，回族商贩，清军"绿营"中的回族官兵也同时集中在呼和浩特旧城周围。清王朝为了麻痹土默特蒙古的反清意识，安抚北疆地区的少数民族，一方面大力提倡喇嘛教，专门拨款新建或修缮寺庙；另一方面则允许聚居于呼和浩特的回回和"绿营"回族官兵在旧城北门外兴建清真寺（即今呼和浩特清真大寺前身），并于次年（康熙三十三年，1694 年）勒石立碑。

康熙三十六年（1697 年），清军平定噶尔丹凯旋，呼和浩特的各族商民在扎达海河上筑起"庆凯桥"以示欢迎。此后，晋绥交界的商埠从"西口"（杀虎口）迁到了呼和浩特，从而使呼和浩特的商业贸易更加繁荣兴盛起来。由于康熙朝中期以后边关无战事，大同及左（云）右（玉）两卫以及呼和浩特城内当兵吃粮的回回兵士多转业为小商贩和小手工业者。特别是大同以西边镇的回民，多数来呼和浩特做买卖并定居。

另据故老相传，在康熙三十六年（1697 年），康熙皇帝第六女和硕恪靖公主下嫁喀尔喀蒙古郡王敦多布多尔济时，先由北京至清水河，后由清水河来呼和浩特，随从中有部分回回人亦来到呼和浩特定居。

康熙朝后期，呼和浩特已形成较大的牲畜交易市场：庆凯桥东侧为牛市场，所以其后将庆凯桥称作"牛桥"。自此后，在内蒙古西部地区的牲畜交易市场都统称"桥"，从事牲畜交易的牙纪（掮客）称做"桥牙子"。旧城北门外（现呼和浩特通道街南口）西北角为羊市场。因其当时作为一片乱

---

① 《清史稿》卷281，《费扬古》。

石高地，俗称"羊岗子"。旧城内西街（俗称大西街）为骆驼交易市场，俗称驼桥街。以上三处牲畜交易市场除"驼桥"在旧城里，"牛桥"和"羊桥"都在回民聚居区的清真大寺附近。

到康熙末年、雍正初年，在呼和浩特旧城东门外俗称马莲滩的地方又形成了一个新的回民聚居区。马莲滩这一新的回民聚居点，距归化城北门外的清真大寺仅数百米。定居在马莲滩的回回要完成一天的宗教功课可去清真大寺，婚丧嫁娶及其他世俗事务也在清真大寺办理。这一情形一直延续了六七十年，直到嘉庆年间才始建清真东寺。与此同时，在旧城内西北角的九龙湾一带也有了从西安、山东等地来的姓马、姓陈和稍后迁来的姓付等回回定居，这里便逐渐形成了又一个回民聚居点。因九龙湾距北门外的清真大寺也仅数百米，因而这一带的回回也为清真大寺一坊的教民，每日的宗教功课及日常世俗事务均在清真大寺完成，直到同治年间，始由付姓回回初建"付家寺"，光绪年间扩建成今天的清真南寺。

雍正年间，呼和浩特作为中国北方地区重要的牲畜皮毛集散地有了进一步的发展。这一时期有"陕西省长安、大荔等处回民，因贩羊、马，有几户迁来本市（呼和浩特）落户，如拜、刘、马三姓"。[1]

乾隆年间是归化城地区的回回人大批迁入定居的高潮时期。这一时期，迁入归化城地区的回回人大致来源于两个方面：一是平定回疆之役后，"（乾隆）二十四年（1759年）八月奏捷至京。明年二月，清军凯旋，回将额敏、和卓、霍集斯、鄂对等皆受封，赐赉有差。其出力回军之一部，则驻归化城外候命，总数不足千人。初居于城东南三十八里之草原，恣其住牧，日久遂成村落，并建寺以崇其教，即今所谓八拜村回回营也。迨乾隆五十四年，以回民既不便返西域（新疆），且解兵籍后，有妻孥而无恒产，又不可令其久占土默特蒙古户口游牧地，于是由驻防将军、都统等奉命，饬其散居，俾得自由谋生，自此迁入归化城为民"。[2] 从另一途径进入呼和浩特落籍定居的回回则主要来自京津地区，河北的沧州、保定、石家庄等地区，山西的大同、右卫（玉），河南的孟县桑坡集，山东的德州、济南等地区。多

---

① 荣祥：《呼和浩特市沿革纪要·历代各民族的迁徙居住概况》回民部分，油印稿。
② 绥远通志馆：《绥远通志稿》卷80，《伊斯兰教》，20世纪30年代稿本。

数是因经商，也有逃荒或因在原籍吃官司而投诸塞外的。这些新迁来的回回一部分开始定居于扎达海河西岸。大约在康熙中后期，扎达海河西岸开始有零散人户定居。康熙六公主初迁呼和浩特时即在该地兴建了府第（即后来的巡检衙门）。到乾隆六年（1741年）设置归绥道时，道台衙门也建在扎达海河西岸。于是，此后相继来呼的回回在扎达海河西岸的太平召、周家巷、后沙滩和北沙梁一带形成了一个新的回回聚居区，并于乾隆中后期兴建了清真西寺。

自绥远新城于乾隆四年（1739年）建成后，在新城内也开始有了回回人居住并从事商业活动，直接服务于新城驻防的八旗官兵和将军衙署。随着新城回族人口的增加，官府在绥远城南门口内路西城墙下，专门辟了一条"羊圈巷"，供回民居住和宰杀牛羊。有的回回也在后来发展起来的新城西街"马桥"从事牲畜交易牙纪。新城至今还有一条"苏虎街"，相传就是由于回回苏老虎在这里居住多年而得名。于是，绥远新城也慢慢形成了现在的以新城清真寺为中心，周围居住着众多回回的又一个回民聚居点。到乾隆年间，呼和浩特定居的回回"大分散、小集中"，分片居住的格局基本形成。旧城一带的回回定居点呈一环带状：即从旧城北门外的通道街南端及清真大寺为起点，包括周围的"牛桥"（庆凯桥）南北两向、十间房、义和巷、宽巷子、水渠巷、礼拜寺巷，东至前、后新城道，营坊道，向南折过回回麻家菜园，经马莲滩，东顺城街，西行入旧城里九龙湾、东河沿，过扎达海河，入县府街、周家巷、呼一中后街，北折后沙滩、北沙梁、新华街、回民果园等。这一回民聚居棋盘式的向心格局，经过二百余年的发展，成为今天呼和浩特回民区的基本范围。

乾隆年间，托克托县和土默特左旗也开始有回回定居。托克托一带，自康熙年间至民国初年，一直为内蒙古西部地区重要的水旱码头，交通便利，物资繁富，商业发达，商贾云集，为蒙盐（吉兰泰盐）和甘草的主要集散地。托县于乾隆元年（1736年）与和林格尔、清水河同置为协理通判厅。二十五年（1760年）升理事厅，民国元年（1912年）改县。乾隆初年，有河北沧州孟村回回金家、河北正定府高头镇白家（现属无极县）、山东济南府回回马家先后来托县定居。孟村金家因经商而来，曾在河口镇禹王庙附近开设"河路店"，留寓前来经商的过往商客。后开设"复祥号"杂货铺经营杂货。稍后，原籍宗族慕名而来，纷纷在河口镇落籍定居，各立字号，有"复兴裕"、"复盛成"、"复兴旺"等。于是，金家遂成为托县河口镇的回回大户。正定高头的白家从事牲畜贩运来托县落籍，而济南马家则因逃荒流落托县。随着托县旧城和河口镇回回人数的不断增加，于乾隆中后期在托县旧城北街二道巷半梁兴建了清真寺，在梁头开辟了托县回民老坟地。

察素齐镇于乾隆初年始有汉人定居，逐渐形成村落，直到民国十七年（1928 年）始建镇，隶归绥县辖。土默特左旗境内的善岱镇曾于乾隆四年（1739 年）置协理通判厅，为全旗当时重要的商业集镇和漕运码头。到乾隆二十五年（1760 年）撤厅，辖地并入萨拉齐厅。乾隆初年，有河北正定府高头镇白家（与托县高头白家同宗）、京郊薛家营的薛家、北京牛街回回金家等，先后来善岱落籍，主要从事牲畜贩卖、屠宰和饮食行业。乾隆二十五年善岱裁厅后，旗境内政治、经济中心西移，流动人口锐减，加之回汉民族矛盾尖锐，部分回回迁往萨拉齐和包头（东河区）等地，部分回回迁往位于呼包之间日益发展的察素齐。善岱镇有回回居住前后历时近百年，大约到同治、光绪年间才最后迁完。居住在善岱的回回曾在乾隆年间建有清真寺，并有"马跑一段"的坟地。察素齐有回回定居始于乾隆中期，最初为善岱镇迁来的白家、薛家、金家和马家。白家主要从事贩马，每年秋高马肥之季即向河北等地长途贩运；薛家主要从事牙纪和小商贩。约乾隆后期，察素齐回回购买了汉人拆迁了关帝庙的地皮兴建了简陋的清真寺，从而逐步形成了以清真寺为中心的察素齐回民聚居区，并在聚居区的东南方向购置了回民坟地（老坟地）。

西北回民大起义期间，既有大量回回难民逃入归化城地区落籍，也有马化龙领导的回民义军少量人员散落在归化城地区。西北回民大起义失败后，由清政府收抚或视为"回逆"的义军零散人员也有部分遣发到归化城地区。"在清时，马化龙被清镇压后，回部上级官员大部分降清留用，部下每士卒发银五十两迁往包头、归化城以至隆盛庄。"[1] 所以说，在清朝的同治、光绪年间，是整个清代继乾隆以来回族迁入归化城地区的第二个高峰期。到清朝末年，归化城地区大约有回族三四千人。

---

① 梁继祖：《隆盛庄盛衰史》，《内蒙古文史资料》第 33 辑。

二、包头地区的回族

包头地区有回回人定居，大约始于乾隆初年。清政府于乾隆四年（1739年）增设萨拉齐、善岱二协理通判厅。到乾隆二十五年（1760年），裁汰善岱协理通判厅，并入萨拉齐厅。此时包头尚为一自然村，未设治，隶萨拉齐厅管辖。其时，已有少量回回人在包头召梁等处居住。随着清政府在土默川平原大量放垦，并实行移民实边政策，允许山西等处汉人来口外垦殖耕种，于是，土默川上人口骤增。在涌向塞外的滚滚人流中，既有河北、山东、河南、山西等地的"东路回回"，也有甘肃、陕西、宁夏等地的"西路回回"开始来包头地区经商定居。这些来到包头落籍的各地回回，主要以贩卖牲畜，长途营运为业。大约在乾隆八年（1743年），在北梁头（现清真寺巷）兴建了包头第一座清真寺，即后来屡经扩建的包头清真大寺。此后，来包的回回围寺而居，形成包头城内第一个回族聚居点。到乾隆末年，包头城内已有回民110余户，约400多人。

乾隆中期，包头已发展成为重要的商业集市，过往客商甚多，王修之孙王大兴在召拐子街开设了"三和马店"，专营长途贩运马匹，经营规模较大，信誉亦高。经嘉庆至道光，为王家发展的全盛时期，到光绪年间的一百多年中兴盛不衰。

随着包头商业经济的迅猛发展，人口亦迅速增加，到嘉庆十四年（1809年），包头已成为绥西重要的商品集散地，加之其水陆交通便利，东西南北商贾云集，于是，清政府将包头改村为镇，始设治。此时，内地回回商人来包者也日渐增多，乾隆朝兴建的清真寺已不敷使用，于是在道光十三年（1833年），由王修之孙王大兴、白三木之孙白可德主持，由全包头回回共同集资扩建清真寺。此次扩建清真寺规模较大，计有礼拜大殿33间，淋浴室20间，阿訇住房10间，乡老房10间，讲经堂10间，成为当时内蒙古地区规模最大、聘请阿訇人数最多的清真寺之一。

清朝同治年间，西北各省（主要是陕、甘、宁三省）的回民起义军遭到清政府的残酷镇压，义军及回回百姓四处逃散，以免遭荼毒，流亡来包头的西路回回先后达百余户，数百人。他们同来自宁夏的回民船工、船商等，于光绪二年（1876年），在包头南海子集资建起一座清真寺，并在那里定居。清朝末年，定居包头的回回增加至 780 余户，约 3 500 人。

萨拉齐镇于清朝乾隆初年即有回回人定居。这些回回大都来自河北、山西（主要是大同和右玉）和陕西等地。到乾隆二十五年（1760 年），清政府汰裁善岱协理通判厅后，原居善岱的回回除一部分迁居土左旗的察素齐镇外，大部分移居萨拉齐。他们均以牲畜贩运、屠宰、饮食、牙纪为业。到善岱居住的回回迁入萨拉齐城内后，回回人口逐渐增多，又于乾隆四十七年（1782 年）租得蒙古人伍同纳素地基一块，扩建了清真寺。到乾隆末年，萨拉齐镇内已有回回百余户，约 400 余人。到清朝末年，萨拉齐有回回 250 余户，约 1 000 余人。

三、内蒙古其他地区的回族

在今乌兰察布市地区，隶属丰镇的隆盛庄是回回人定居最早、人数最多的城镇。隆盛庄于乾隆二年（1737 年）就有为数不少的回回人居住于庄外之北五福屯、东营子、西圪子及二道沟一带。当时在庄内居住的回回较少。他们共同集资于乾隆十六年（1751 年）在庄内建了一座简陋的清真寺，仅有礼拜殿 3 间。

乾隆三十三年（1768 年），清政府募民垦荒，在隆盛庄一带大量放垦，大批口里的汉人前来垦荒谋生，于是人口骤增，从而带动其他行业的迅速发展。山西、河北、陕西一带来隆盛庄经商的人逐渐定居下来，与此同时，山西、河北、山东各地的回回也来到隆盛庄经商务农，于是隆盛庄回族人口也大大增加。

据福堂、蒙毅撰写的《隆盛庄的回民》一文所载，乾隆六十一年（1796 年），隆盛庄一带大旱，瘟疫流行，庄内居民死人极多，汉人不敢收殓安葬尸体，瘟疫蔓延愈盛。回回人不信鬼神，相信"前定"，认为人的生死祸福皆由真主决定，于是由马阿訇带头，众回民帮助，借用庄外北五福屯村民刘二的三套马车进庄，把庄内死人全部拉出庄外，埋葬在一个大水坑内，又把庄内清扫干净。不几日，瘟疫竟然消除。丰镇厅同知因回民埋尸清街有功，特奏请朝廷嘉奖，发龙票一张，准许原先居住于庄外的回民进庄居住。从此，散居于庄外的近百户回回逐渐迁入庄内居住，形成小北街回民聚居区。

自康熙朝开通的"营路"（丝茶驼路）到乾隆朝时有了更大的发展。当时每年从外蒙古赶运回的草地羊多达数十万只，主要运往京、津地区销售。故从归化城到京、津地区赶运羊只形成"京羊路"，而隆盛庄正是转运"京羊"的中枢，是汇集之地。特别由锡林郭勒草原赶运回的"京羊"，不经归化城（呼和浩特）而直达隆盛庄。于是，隆盛庄商贾云集，财货交会，牛羊满圈，字号林立，回回人户随之大增。原有的清真寺虽经扩建，已不敷使用，遂于道光十一年（1831年）扩建礼拜大殿13间。

咸、同年间，马化龙领导的西北回民大起义被清廷镇压后，在西北回民义军与清廷军队作战中，有大批回回人挈妇携子，抛离家园，化装成汉民，手握铜烟袋，逃亡到绥东一带。其中，集宁、隆盛庄、兴和等地成为他们的第二故乡，由此形成了乌兰察布地区新的回民聚居点。诸如隶于今察右前旗的礼拜寺村（又称"十六苏木"）、来家地、七苏木，隶于察右中旗的大马圐圙，隶于兴和的二十号地和永太梁五号，都是新的回回村庄。这时期，隆盛庄回回人中出了一个著名人物陈广魁。陈家以经商发家，后广置良田，到陈广魁时大约有田千余顷。咸同年间，兵燹四起，战火虽未烧到绥东，但由西北诸省逃亡来蒙的回回人日渐增多，凡到隆盛庄的西北回回，均被陈家秘密收容，并分别安置到十六苏木、来家地、七苏木、大马圐圙、二十号地、永太梁等处，建房栖身，配田耕耘，并建造了形制相同的清真寺，选聘了阿訇，使这些无家可归的流亡回回安居乐业。这也是乌兰察布地区回族人口增加的一个重要原因。相传陈广魁时，数十犋牛耕田，每犋牛只耕一塍，清早起耕，一趟下来已到晌午，卸牛吃饭，晌后再耕一塍，可见土地之广。隆盛庄在极盛时期，回回达500余户，2 000余人。

丰镇于清乾隆中置厅，当时即有山西大同、右卫（玉）及河北等地迁来的回回人落籍定居，并于城关西巨墙路一四合院内辟建清真寺。其后，经道、咸、同、光绪朝，回回人不断增多，清真寺屡经扩建，亦具规模。到清朝末年，丰镇约有回回百余户，500余人。

昭乌达盟地处西辽河的中上游，为西拉木伦河及老哈河的交汇处。清王朝统一中国后，人口急剧增长，加之自然灾害频繁，河北、山东一带的农民大批流入昭乌达盟赤峰地区从事农垦。乾隆年间，已有不少回民遍布赤峰南部各地，沿清代八道沟驿站的建平、平泉、凌源、天义、建昌、赤峰、乌丹、林西、土城子、经棚等地商贸集镇定居下来，或开荒种地，或营工经商。

约于雍正末年乾隆初年，有山东济南府白家胡同回回白大疙瘩一家，因遭连年蝗灾，借清政府"借地养民"之机，举家迁往赤峰，落脚臭水坑。父子三人脱大水坯起房盖屋，落地生根，子孙繁衍，形成今天赤峰的白家胡同。白家父子专营"杠子火烧"干货。该食品一两月不腐不烂，便于携带，很受北上草原的牲畜贩子们的欢迎。后被各地蒙古王府看重，凡到赤峰者，均买几毛口袋"杠子火烧"馈赠亲友，有的则加上青红丝玫瑰，成了贡品。因白家"杠子火烧"铺位于赤峰哈达街，故又称"哈达火烧"。与此同时，又有山东济南府压虎寨张家胡同回回张兴隆，为清朝武官，多年南征北战，立下赫赫战功。一次张兴隆侍驾乾隆皇帝到木兰围场狩猎，因追赶一只白梅花鹿，追到赤峰境内，但见林海葱郁，绿草如茵，山赤水碧，人间仙境，遂向乾隆帝乞求，愿告老还乡来此处安家。乾隆帝恩准张兴隆的请求，并赐"一马之地"（跑马占地）。张兴隆于乾隆六年（1741年），率北京回回营兵士并回回工匠马银龙祖孙三代五十余口来到赤峰松山州，兴建礼拜寺，即赤峰清真南大寺之前身。清真南大寺为张家寺，到张兴隆五代孙张广儒时，于嘉庆八年（1803年），经由李家店回回秀才李让泉和赤峰知名塾师李蔚亭具约，将清真南大寺转交五道街口张家茶馆张林阿訇和众乡老管理。

清朝同治道光年间，赤峰地区又有河北、山东及东北辽宁、吉林、黑龙江等地的回回迁入，回族人口迅速增加。到清朝末年，赤峰市内定居的回族人口已有两千余户，万余人。

哲里木盟地区，清道光元年（1821年），始有来自河北、山东、辽宁等地的回回人在通辽、库伦等地定居，主要以农耕和小商贩为生，并筹资兴建了清真寺。

据《大清历朝实录》记载：乾隆二十五年（1760年），清廷曾"派遣回民百名，前往呼伦贝尔教导灌田"。这是呼伦贝尔最早有回族人驻足的记载。又乾隆五十七年（1792年），清廷因"内地回民李子重等18人，私随叶尔羌回人玛弟敏学习经卷，实属不法，……着发往黑龙江给索伦达呼尔（达斡尔）为奴"。乾隆五十九年（1794年）七月，清刑部议复陕甘总督勒保奏称："纠众诵经回犯马恒、马源等10名，请发往黑龙江，给索伦等为奴。"

由此可见，曾在呼伦贝尔驻足的回回人，一部分为清廷派遣而去，另一部分则是因所谓获罪，"实属不法"而流放为奴去了呼伦贝尔地区。而这些回回人"实属不法"之罪，只是因为"学习经卷"和"纠众诵经"。

到清朝末年，进入呼伦贝尔的回回人一部分是开采额尔古纳河流域的金矿，由黑龙江漠河金矿一带进入呼伦贝尔；一部分是修筑东清铁路时，从山东、河北前来谋生的回族工人和商贩。光绪二十六年（1900年），海拉尔、满洲里、扎兰屯有回族定居。如海拉尔城内有杨姓回回开一食品杂货铺。光绪二十七年（1901年），河北省籍回回辛有功、辛万明父子在海拉尔开设马具铺，制作经销马车挽具绳线，后发展成颇有名气的"万玉成"皮铺。稍后，有山东禹城前来海拉尔定居的回回麻瑞亭、麻清明，在北大街北门繁华地段合伙开办了"天瑞祥"点心铺。后麻清明分出，在现北斜街南路口开办了"泉盛永"点心铺。

随着东清铁路通车，海拉尔地区的人口渐增，回族穆斯林有投奔清真寺食宿和谋生的习俗，所以来自山东、河北以及东北三省的回族人口开始沿铁路线主要城镇定居下来。

宣统元年（1909年），扎兰屯有韩、杨、张三户回回，分别从山东、黑龙江等地到此地谋生，从事浴池、饭馆和屠宰生意。稍后，去俄国淘金的李俊生及丁姓两户回回返回后定居在额右旗室韦（吉拉林）。

伊克昭盟地区回回人活动的记载，大约始于清咸丰同治年间。马化龙的西北回民义军，企图通过伊克昭盟，打通进入华北地区的通道，沿途受阻，义军曾在该盟后套地区作过短暂的停留。到清朝末年，有宁夏、甘肃跑河路经商的西路回回，和呼和浩特、包头等地贩卖牛羊、皮毛的回回客商，在临河、陕坝等地落户。当时，临河叫做"强家油坊"，尚未建起城垣，仅有一些小茅房。回回人集中居住的地方被叫做"公产"，并于清宣统元年（1909年）建起一座简陋的清真寺。

清代咸丰、同治年间，马化龙回民义军曾渡过黄河，进入伊克昭盟河套地区，经鄂托克旗、伊金霍洛旗、准格尔旗，直逼黄河西岸，前锋直指托克托县城，造成黄河沿岸及托县城一夕数惊。其中有部分回民义军兵士，特别是西北回民大起义失败后，一批回民义军兵士逃亡到伊克昭盟，落地生根，娶蒙古族妇女为妻，逐渐融入伊克昭盟的蒙古族中，但他们始终保持了穆斯林的宗教信仰和生活习惯，成为内蒙古地区仅次于阿拉善地区蒙古回回的第二支蒙古回回。

阿拉善地区有回回人的足迹，大约始于清咸丰同治年间。有资料记载，马化龙的部分义军曾进入阿拉善地区。到清朝末年，开始有宁夏地区的回回进入阿拉善地区经商，留居巴彦浩特，并在巴彦浩特城内宁夏回回人马金虎开的万盛客店中建起土木结构的清真寺，人称"老寺"或"下寺"。另外在巴彦浩特城外南梁，由从宁夏、甘肃来"定远营"谋生的回回于民国年间又建起一座清真寺，俗称南梁清真寺，又称上寺。

在叙述阿拉善盟地区的回回时，需要特别记述一下全国居住最集中的信仰伊斯兰教的蒙古回回。

清康熙年间，成吉思汗弟哈巴图哈萨尔之20代孙、西蒙古和硕特部首领和罗哩率所部驻牧于阿拉善地区。康熙三十六年（1697年），授札萨克印，建立阿拉善和硕特旗。雍正三年（1725年），阿拉善和硕特旗第二代札萨克、和罗哩第三子阿宝受清廷指令，平息青海叛乱，回军时带回百余名"缠头回回"，安排在克卜尔滩集中居住，以游牧为生。这些信仰伊斯兰教的"缠头回回"，基本上可以确定是居住于当时青海西宁一带的东乡族、撒拉族和回族。到乾隆年间，阿拉善第三代王爷、阿宝次子罗布森道尔吉在平息新疆准噶尔叛乱时，又带回一部分投降的哈萨克、维吾尔和回族兵士，同时融合了部分来阿拉善地区经商的乌孜别克和维吾尔人，形成了阿拉善草原上独有的蒙古回回。据有关资料载，这些蒙古回回中的谢（色仁）、安（安迪扎）、胡（巴日古德）、乌（维古德）等姓分别为维吾尔族和哈萨克族，而马、杨、王几姓则为回族。这些蒙古回回主要定居于阿拉善左旗东北部敖伦布拉格苏木、巴音木仁苏木豪勒宝嘎查、乌苏太镇查干宝力格嘎查、巴音吉兰太苏木、罕乌拉苏木查干温都尔嘎查和敖伦布鲁和镇。还有巴彦淖尔盟的磴口县哈腾套海苏木，巴音毛都嘎查等地。这些蒙古回回约于清咸丰二年（1852年），在沙巴格图辟建沐浴室，以简陋场所履行宗教功课。蒙古回回急切需要建立一座能满足全体教民的"莫其德"（麦斯兹呆，即清真寺），经多次呈请，终于光绪十七年（1891年）经安珠大人（即阿木尔吉尔嘎拉）同意，在霍布日巴格（今敖伦布拉格苏木）古尔本苏海建造了"豪勒宝清真寺"，亦称清真南寺。到民国九年（1920年），在教长毕力贡等人的主持下，经旗政府同意，在哈鲁乃巴格别格太（今敖伦布拉格苏木和平嘎查）建起一座清真寺，称"别格太清真寺"，亦称清真北寺。

锡林郭勒盟地区有回回人定居，当数多伦、正蓝旗和太仆寺旗（宝昌）为最早。自乾隆朝始，由于上述地区位于坝上高原的特殊地理位置，特别是"京羊路"的开通，又有河北、绥远、张家口等地的回回的冒险涉远，开始进入锡林郭勒草原，并在多伦等地定居。多伦县的清真寺建于清代中后期，是锡林郭勒地区有回回人聚居最早、最多的县城。

第 五 章

清统治蒙古的基本政策与内蒙古社会

第一节 清统治蒙古的基本政策

在满洲贵族建立清朝、统一全国的过程中，蒙古封建主及其军队立下了很大功劳。作为以少数民族入主中原的清王朝，需要有一个可靠的统治盟友和稳固的后方。同时，由于尚未被征服的强悍的蒙古部落曾长期与清朝对峙，清朝为最终征服统一蒙古耗费了百余年的武力。所以，清朝统治蒙古，在以羁縻抚绥、因俗而治为主的同时，也采取了严格控驭、分割统治等政策措施，使其无法形成统一的意志和力量。按照统治管辖体制的不同，清代蒙古分为外藩札萨克旗、内属总管旗和蒙古八旗三大部分。除了蒙古八旗与满洲八旗制完全相同之外，清朝统治蒙古的基本政策和体制主要体现在外藩和内属蒙古上，其中又以外藩蒙古为主。

一、因俗而治、分而治之

清朝是继蒙元之后，又一个由非汉民族缔造的中央王朝。清朝自征服漠南蒙古各部开始，对各外藩部落采取了两个基本方针，一是"因俗而治"，另一是"分而治之"。建立中央政权，完成西北边疆的统一以后，清朝对这两个基本方针也长期奉行不移，使之成为处理边疆民族事务的根本准则。

"因俗而治"就是在清中央政府的主权管辖之下，基本保留藩部的传统政治制度，保证各民族上层对本民族内部事务拥有一定的自治权。实行札萨克分封制的外藩蒙古，对内部事务有相当的自治权。各旗札萨克兼有封建领主和朝廷官吏的双重职能，一方面是其领地上的最高领主，清朝的各驻扎大员一般不干预其内部事务；另一方面，札萨克又部分地扮演着中央政府任命的地方官的角色，享有政府发给的俸禄，所以必须严格接受朝廷法令、法规的约束，并通过朝觐、进贡等形式，表示臣服之意。

清朝还通过立法的形式，保证了蒙、藏、回各部地方政治制度的特殊性和民族上层的权利与义务。制定《蒙古律例》时乾隆帝就指出："国家控驭藩服，仁至义尽，爰按蒙古风俗，酌定律例"，"不可以内地之法治蒙古"。①嘉庆十六年（1811年），清廷在乾隆时期《蒙古律例》的基础上，吸收西藏、青海和回疆等地的立法成果，制定了民族地区的基本法规《理藩院则例》，其中职守、设官、奖惩、军政、会盟、边禁等条例对边疆民族地方所履行的义务作出了明确的规定。而品秩、袭职、擢授、俸禄、朝觐等条款则对民族上层的种种特权予以法律上的确认。一系列成文法确立了标志着清朝国家权力的皇权在边疆地区的最高权威。与此同时，使边疆民族地区的特殊地位，得到法律上的承认，从而将原先政治上处于不确定状态的边疆地区纳入了封建国家法制的轨道，既保证了国家领土和主权的完整，又照顾了少数民族的特殊性，这无疑是一种进步。在当时的社会历史条件下，这或许是促使蒙古各部上层从内心里服从国家最高权力皇权，从而使多民族国家达到长治久安的一个较为现实的途径。

从清前期满蒙关系发展的总趋势看，"因俗而治"政策是成功的。蒙古各部上层对清朝皇帝普遍表示效忠，保证了清朝在蒙古地区统治秩序的稳定和有效。

"分而治之"，即"众建之而分其力"，②是清朝针对边疆民族，特别是蒙古、回疆各部制定的另一基本方针。是为防止边疆民族上层的权力过分集中，对清朝统治构成威胁，而实施的另一基本方针。清政府在边疆地区确立新的统治秩序时尽力推行"分而治之"的方针。

"分而治之"作为一种制度，首先是由漠南蒙古逐渐推行到其他蒙古地

---

① 《大清会典》卷80，《理藩院·理刑清吏司》。
② 昭梿：《啸亭杂录》卷3，《西域用兵始末》，中华书局1997年版。

区的。自天聪年间起，清朝在归附的漠南蒙古中编佐设旗，崇德初大规模设置旗分，至康熙初已增到49旗。外蒙古各部首领虽保留了"汗"的称号，实际上只能支配其自任札萨克之一旗。曾经企图反抗清朝的察哈尔、卫拉特等部，则或者取消其札萨克权力，或编为军队，分驻各地，无法再形成统一的一部。这样，旗地最终变成了蒙古人的生活圈，蒙古各旗民就分别被固定在这种狭小的天地内，不能再像以往那样进行氏族或部族的活动。

二、封王联姻、严格控制

封王联姻、严格控制是清朝治蒙政策的最基本特点之一。对于先后臣服、降附的蒙古大小封建主，除编入八旗、内属体制者外，清朝皇帝均封为与满洲皇族相同的王公或蒙古原有台吉爵位，有的还保留原有汗号；将原来的鄂托克、爱马克统编为旗，明确划定旗界，分授札萨克，世袭统治。蒙古王公分为六等，即亲王、郡王、贝勒、贝子、镇国公、辅国公，其中任札萨克的称为执政王公，不任札萨克的称为闲散王公。王公爵称之前，还加有各种尊号，如和硕亲王、多罗都棱郡王、多罗贝勒、固山贝子等；一些显赫王公还有特有名号，如土谢图亲王、札萨克图郡王、达尔罕贝勒等。这些爵位名号均为"世袭罔替"。台吉分为一至四等，除了世袭札萨克的头等台吉，均为降等世袭，降至四等后仍为世袭。未袭封王公爵位的王公其他子弟，亦降等袭为台吉。个别蒙古盟旗还有与台吉身份地位完全相等的塔布囊。

从爱新国时期开始的满蒙贵族联姻，入清以后也延续下来。如清太宗皇太极的孝庄皇后，即科尔沁贵族女子，曾辅佐、扶持其子顺治帝、其孙康熙帝秉政、成长。清皇族公主、格格，依等级分为固伦公主、和硕公主、郡主、县主等，娶其为福晋（夫人，蒙古语称为哈屯）的蒙古王公台吉也相应称为和硕额驸、固伦额驸、郡主或多罗额驸、县主或固山额驸。[①]

所有蒙古王公、额驸和出任官职的台吉、塔布囊，均常年享有优厚的俸银、俸缎。如地位最高的科尔沁三亲王和汗，每年俸银2500两，俸缎40匹；其他亲王年俸2000两、缎25匹；固伦额驸年俸300两、缎10匹；札

---

① 杜家骥：《清朝满蒙联姻研究》，人民出版社2003年版，第311页。

萨克台吉或塔布囊年俸 100 两、缎 4 匹。①

　　蒙古王公贵族对清朝皇帝所尽臣子义务，主要是年班和贡输。年班制度，即所有王公札萨克分班轮流，在每年农历元旦前后进京朝觐皇帝，参加各种典礼筵宴，一般内蒙古王公分为三班，若无故不赴年班，将受责罚惩处。② 贡输即每年给皇帝进贡定额物品，主要是羊、马、驼、乳制品、珍奇猎物等，但其数量只是象征性的。如科尔沁王公贵族每人每年二三只汤羊。得到清帝宠信的部分蒙古王公还常年驻京当差，出任御前大臣、领侍卫内大臣、八旗都统等显赫官职，但并不直接参与朝政和管理全国性军政事务。

　　蒙古王公台吉虽然身份地位高下悬殊，但只要是一旗札萨克，均直隶皇帝，互不统属。清朝还在中央设立理藩院，在各地设立驻防将军、都统、大臣，对蒙古施行严格有效的统治管辖。

　　清天聪八年（1634 年），即在中央设立了与各部平级的蒙古衙门，专管蒙古事务，崇德三年（1638 年）改称理藩院。③ 随着统治区域的扩大，其职权也扩至统管回、藏等各边疆民族事务以及清朝的对俄交涉事务，但实际上仍以蒙古事务为主。其主掌职官，除了与其他六部相同的尚书、侍郎，还设有额外侍郎，专从外藩蒙古的贝勒、贝子中选任。理藩院下设旗籍、王公、柔远、典属、理刑、徕远等六司，分别统管外藩、内属蒙古的旗制、会盟、年班、驿传，爵职承袭的审核奏报，承转王公札萨克给皇帝的奏议，重大民刑争讼等等。此外，理藩院还在蒙古与内地接壤、蒙汉交错的乌兰哈达（赤峰）、三座塔（今辽宁朝阳）、陕西神木等地派驻司员，专理蒙汉交涉、纠纷事务。④

三、扶持藏传佛教

　　对于蒙古民族普遍笃信的藏传佛教，清朝也极力予以优待、扶植，成为其羁縻笼络政策的重要组成部分。清代"蒙古各地，寺庙林立，僧众遍

---

①　（光绪）《大清会典事例》卷 987，《理藩院》。

②　昭梿：《啸亭杂录》卷 1，《续录》，中华书局 1997 年版。

③　达力扎布：《明代漠南蒙古历史研究》，内蒙古文化出版社 1998 年版，第 353—361 页。

④　《钦定理藩院则例》，《通例》（上）。

布"。① 内蒙古地区到清朝末年，共有大小寺庙 1 600 多座。② 内蒙古多伦诺尔的章嘉呼图克图等蒙古地区宗教首领、地位显赫的活佛，均得到清朝的正式册封，授予种种尊贵名号，并且也像世俗王公一样年班进京朝见皇帝，得到各种赏赐。活佛以下各级较高喇嘛职衔，也由清政府制定和授任。对一些拥有较大寺庙、众多属民（庙丁、沙毕纳尔）和牧畜、土地（牧场）等财产的上层活佛喇嘛，清朝还授予札萨克达喇嘛等官衔，设立专门衙署，自成封建领属系统。内蒙古最大的活佛领属集团，还拥有与札萨克旗一样的管辖治理权，称为喇嘛旗。为了扶持蒙古藏传佛教，清朝还拨出大量银两，广建寺庙，给所有较大寺庙"御赐"寺名，并且规定凡属出家喇嘛均免除一切赋役负担。与此同时，为防止宗教势力过于膨胀，借宗教影响形成民族凝聚力，清朝在蒙古实行严格的政教分离政策，制定各种律令加以控制，禁止活佛喇嘛参与盟旗事务。③

四、颁布律令施行有效统治

清朝统治蒙古的另一个基本政策和制度是颁布各种律令，以强化对蒙古的统治。漠南各部在归附清朝的过程中，被迫接受满族统治者制定的各种律令。康熙六年（1667 年），基于以往所制定的诸多法令、法规，汇编一部《蒙古律书》颁示漠南各部封建主。在此基础上，于乾隆六年（1741 年）形成针对蒙古的完备的刑法条规《蒙古律例》和行政法规《理藩院则例》。同时也颁布诸多条令，严格禁止或限制蒙古与内地、蒙汉民族之间的经济、社会、文化交往，被称为边禁、蒙禁或封禁政策。清代的边，基本上就是明代长城和清初所设辽西柳条边墙。清朝在长城各口和辽西边门，均设有关卡严加把守，禁止内地汉人出边进入蒙地。由于内地农村社会危机和人口压力，汉族流民出边垦种谋生很难禁绝。清朝对此也时禁时弛，予以默许或承认，但乾隆以后即一再重申、严令禁止。对于已进入蒙地长期耕种定居的汉民，则按照分布区域设立制同内地的府厅州县，管辖治理，隶邻接各省辖

---

① 益西巴勒丹：《宝贝念珠》（汉译本），民族出版社 1989 年版，第 67 页。
② 内蒙古政协文史资料委员会：《内蒙古喇嘛教纪例》，1997 年版，第 20 页。
③ 乌云毕力格等：《蒙古民族通史》卷 4，内蒙古大学出版社 2002 年版，第 372—377 页。

属，从而在蒙旗属地形成互不统属的两套辖治体系。内地商人进入蒙地经商贸易，需经理藩院批准发给部票（特殊执照），并且不准在蒙地定居。与此相应，蒙古人也不得随意进入内地。王公贵族年班进京，对随从人员有严格限额；前往五台山和青海、西藏拜佛，需经特许批准。此外，还有不准蒙汉通婚，不准延聘内地书吏和行用汉文，甚至不得用汉语给蒙古人起名字等等。同时，按照清代制度，外藩、内属蒙古均不参加科举考试，不能出任蒙古盟旗以外的地方军政官职。[①]

清朝的各种治蒙政策和制度，及其对多民族统一国家的有效统治，结束了几百年来蒙古贵族领主纷争割据，结束了蒙古与内地、北方游牧民族与农业民族之间有史以来的冲突、战乱，使蒙古民族的传统游牧业得到保障和发展，政治、社会长期稳定、安宁，有了成百年的休养生息，确实为清朝统治者起到了"屏藩朔漠"的历史作用。但另一方面，蒙古落后的封建领主性统治制度也因此得以延续以至强化，由于互不统属的分割统治和民族隔离性蒙禁政策，销蚀了蒙古民族的凝聚力，人为阻滞了社会经济结构和生产力，以及社会文化各个方面的丰富、发展和质的提高。特别是优待、扶植藏传佛教的政策，使蒙古民族精神愚钝，不事种族繁衍和社会生产的喇嘛越来越多，人口和劳动力递减。所有这些，成为晚清以降蒙古民族在政治、经济、社会、文化和民族精神等方面全面衰颓的重要历史原因。

第二节　外藩蒙古的盟旗制度

一、会盟制度

清朝逐步征服、统一蒙古各部之后，蒙古原有的鄂托克、爱马克等众多封建贵族领属集团，绝大部分被整编为由札萨克世袭统治的旗，蒙古语称为和硕（Qošiɣu）。其中，漠南即内蒙古地区的称为内札萨克蒙古，漠北、漠西等其他地区的称为外札萨克蒙古，统称为外藩蒙古、藩部。每个旗的所辖地域，也按照山川地理走向固定下来，被称为某某札萨克或旗的"游牧"。

---

① ［日］田山茂：《清代蒙古社会制度》，潘世宪译，商务印书馆1987年版，第100页。

若干札萨克旗组成一个盟，形成会盟制度，并且以固定的会盟地点命名。这种札萨克旗制，也称为盟旗制度。外藩蒙古的札萨克旗，在地域和人口上占据了蒙古民族的绝大部分，所以盟旗制度成为清代蒙古的最基本的政治统治和社会制度。札萨克旗与内属、八旗蒙古及内地省县制度的最大区别是，拥有封建领主性"君国子民"之权，对本旗的山林、土地、矿产资源有传统所有权，并且不承担国家赋税，不由朝廷委派各级职官。

外藩蒙古盟旗的大体分布为：内蒙古六盟49旗，其中哲里木盟10个旗（科尔沁6旗，分左右翼各前、中、后3个旗；扎赉特、杜尔伯特旗、郭尔罗斯前、后2旗），会盟地点哲里木（在今科右中旗境内）。卓索图盟5个旗（喀喇沁左、中、右3旗，土默特左、右2旗），会盟地点卓索图（今辽宁省北票县境内）。昭乌达盟11个旗（巴林、扎鲁特、翁牛特各左、右2旗，敖汉、奈曼、阿鲁科尔沁、克什克腾、喀尔喀左翼旗），会盟地点昭乌达（今内蒙古翁牛特旗境内）。锡林郭勒盟10个旗（乌珠穆沁、浩齐特、苏尼特、阿巴嘎、阿巴哈纳尔各左、右2旗），会盟地点锡林郭勒（约今内蒙古锡林浩特境内）。乌兰察布盟6个旗（四子部、茂明安、喀尔喀右翼及乌喇特前、中、后3旗），会盟地点乌兰察布（约今内蒙古呼和浩特北红山口）。伊克昭盟7个旗（鄂尔多斯左、右翼各前、中、后旗及右翼前末旗，又分别习称准格尔、郡王、达拉特、乌审、鄂托克、杭锦、札萨克旗），会盟地点在伊克昭（今内蒙古达拉特旗境内）。会盟分两班，哲里木、昭乌达和卓索图三处会盟为一班；锡林郭勒、乌兰察布和伊克昭三处会盟为另一班。会盟原为每年一次，六月准备，七月正式会盟。乾隆五年（1740年）以后，改为二三年会盟一次，"清理刑名，编审丁籍"。[①] 其辖属系统为：哲里木盟10旗分由东北盛京、吉林、黑龙江三将军监摄统辖，卓索图、昭乌达二盟由热河都统监摄统辖，锡林郭勒盟由察哈尔都统统辖，乌兰察布、伊克昭二盟由绥远城将军监摄统辖。

套西蒙古即内蒙古河套以西，有阿拉善额鲁特旗和额济纳土尔扈特旗，不设盟，由陕甘总督兼辖。

---

① 《钦定理藩院则例》卷30，《会盟》。

二、札萨克的性质

旗是清代蒙古最基本的社会组织单位。外藩札萨克世袭统治的旗，具有军政合一的性质，构成封建领主性领户集团——领地，同时，它也是清朝大一统体制下特殊的一级地方行政建置。旗是经过编组佐领，安置属民，分给牧地，划定旗界，任命札萨克而形成的。

札萨克旗除战时承担兵役和羊、马军需，部分旗承担平时站役，不承担其他常年国家赋税、差役。为清朝提供后备武装力量，是盟旗对国家承担的最基本义务。每个旗均须定期编审丁册，将18—60岁的男丁登记造册，呈报理藩院，并且须经常整饬装备、武器，以备随时奉调出征。

札萨克是一旗之主，由清廷任命，以王公台吉世袭担任。亡故出缺，或获罪罢免，经理藩院报请皇帝批准由其嫡子或亲族子弟承嗣袭任。旗内各级职官，均由本旗贵族或平民担任，不由朝廷委派。札萨克对旗内贵族、官员、平民、奴隶，有程度不同的支配权力、人身隶属关系，被旗民俗称为王爷。在清朝原则性律令规定之下，札萨克全权管辖治理旗民，处理旗内行政、司法、财政，征派赋役、职官任免等各种事务，对旗内山林、土地有传统支配权。

札萨克旗的职官设置，有协理台吉（塔布囊）、管旗章京、副章京、梅伦（梅林）等。协理台吉（塔布囊）每旗2—4人，蒙古语称为图萨拉克齐（tusalaɣci），秉承札萨克意旨处理旗政，只有贵族台吉或塔布囊才能担任，并且需呈报理藩院经皇帝批准。札萨克因故出缺、常年驻京或未及18岁不能亲政，例由协理台吉执掌印信，代行札萨克职权。管旗章京1人，蒙古语称扎黑鲁克齐（jakiruci），在札萨克、协理台吉之下主持日常旗务。管旗副章京、梅伦等官员，协助分掌各种旗务，其中有专管军事、统领旗府武装的统兵梅伦。旗的基层组织是佐，亦称佐领，蒙古语称之为苏木（somu 意为箭），一般由150个丁户组成，也是军政合一的。每个佐设佐领（苏木章京）一员统领管辖所属丁户。佐领较多的旗，由6个佐领组成一个参领，参领官称为扎兰章京，札萨克为全旗的最高军事长官。札萨克以下各级官员，均无任期限制，除协理之外，其他均由札萨克任免，并且可从平民中选任。

清朝推行"众建以分其势"的分而治之的政策，把蒙古民族分成许许多多互不统属的旗。在这种旗佐制度下，蒙古民族被分成许多独立的单位，直接受到清廷的严格控制，从而使其无法形成统一的政治整体。

三、盟的性质

盟，蒙古语称为楚古拉干（ciɣulɣan）。它来源于蒙古传统的各部首领会盟议决大事的习惯制度，清朝将其转变为固定的体制。每个盟设盟长、副盟长各一人，内蒙古多数盟还设有帮办盟务，也称协办盟长，均由王公札萨克（包括闲散王公）兼任。每个盟还设有专管军务的备兵札萨克，由盟长、副盟长王公札萨克兼任（不包括闲散王公）。清初规定，全盟各旗札萨克和贵族官员率所属兵丁，每年会盟一次，由皇帝派大臣主持，后来改为每三年一次，由盟长自行主持。盟不是一级军政建置，没有专设衙署和职官。其职能，主要是督察军备，承转奏报或处理全盟重大事务。清后期，随着社会政治生活的日益繁杂，全盟性事务不断增多，盟长的职能权限也逐渐扩大，盟也开始向一级地方行政建置转变。盟的建立，标志着漠南地区盟旗制度的最终确立。这种制度与清朝几乎相始终。

四、喇嘛旗

与札萨克旗在性质、制度上基本相同的还有由显赫活佛"世袭"统治的喇嘛旗。喇嘛旗为政教合一体制，由作为旗主的活佛担任掌印札萨克达喇嘛，其下还设有各旗不尽相同的札萨克副达喇嘛、札萨克喇嘛、达喇嘛、商卓特巴喇嘛及德木齐、格斯贵等职官，分掌旗政或宗教事务。与世俗札萨克一样，活佛旗主有掌管本旗行政、司法、财务、征收赋役的自主权力。与世俗旗不同的是，喇嘛旗的属民不承担兵役、站役等国家义务。清代内蒙古的喇嘛旗只有1个，即锡埒图库伦札萨克喇嘛旗。[①]

---

① 内蒙古政协文史资料委员会：《内蒙古喇嘛教纪例》，1997年版，第389—399页。

第三节　内属蒙古以及八旗蒙古

一、内属蒙古

清代内属蒙古的来源主要有两部分，一是由清初的札萨克旗改制转变而来，一是部分零散归附清朝的蒙古各部属众，虽编为旗和佐领，但未封授、设立札萨克。内属蒙古与外藩蒙古的最大区别在于没有封建领主性世袭统治者（札萨克），对旗境土地没有传统所有权，而且"官不得世袭，事不得自专"，由各地将军、都统、大臣直接管辖。内属蒙古基本上以旗为单位军政合一，旗内的基层组织也是佐领，一般是由清朝任命的总管主掌旗政，所以也称为总管旗，以与札萨克旗相区别。

清代的内属蒙古在内蒙古有察哈尔八旗和归化城土默特两翼，今呼伦贝尔地区的呼伦贝尔八旗和布特哈八旗。其中，呼伦贝尔、布特哈八旗，指的是八旗体制，而不是实有8个旗级单位。由于分布地域、编成先后和原有体制的不同，内属蒙古各部的统辖体制和职官设置也不尽相同。

清廷把天聪年间分散来降的察哈尔部众编入八旗，形成了八旗察哈尔，每旗建置为一个参领，由八旗蒙古都统兼辖。对其中一部分集中归顺的部分，则编成藩部旗，封授了世袭王公札萨克。布尔尼亲王起兵反清被镇压以后，其"君国子民"之权被削夺，重新整编为按八旗军旗色分别命名的8个旗，即左翼的镶黄、正蓝、正白、镶白旗和右翼的正黄、正红、镶蓝、镶红旗，也称为察哈尔游牧八旗，归设在张家口的察哈尔都统统领管辖。每个旗设总管一员主掌旗政，蒙古语称为安本（amban，源于满语），总管之下设参领、副参领佐理旗政，若干章盖（佐领官）分管各苏木（佐）。旗的各级官员均从本旗原有贵族或平民中选任，不是朝廷委派的流官，并且亦无任期限制。

归化城土默特两翼，清初编为类似外藩的2个旗，由本部原有贵族分别担任都统，世袭统领管辖。乾隆时期，两翼都统均被削职、停袭、裁撤，改由朝廷委派的八旗流官归化城副都统直接管辖，只保留土默特两翼各参领、佐领，并由参领们组成议事厅，处理日常旗政。归化城副都统由绥远城将军统辖节制。

呼伦贝尔八旗由巴尔虎、额鲁特和索伦（鄂温克）等部的若干佐领组成。每个佐均有八旗旗色名称，并组成新巴尔虎左右、索伦左右、额鲁特等5个翼。每翼设总管一员统领管辖，总管之下设有副总管及各佐佐领等官，均有本部人担任。五翼总管之上，设有黑龙江将军辖下的副都统衔呼伦贝尔总管，清末光绪时改称呼伦贝尔副都统、由八旗流官担任。

内属蒙古与外藩札萨克旗相同的是，除兵役、站役之外一般不承担国家赋税。不同的是，其戍守边防（中俄边境地区）和兵役、站役负担更重。此外，一些内属蒙古各旗的在册壮丁，即预备役兵丁，还有一定的常年俸禄、兵饷。遇有战事，清廷往往首先征发内属蒙古骑兵，然后才从外藩各盟旗抽调。

二、八旗蒙古

八旗蒙古又作蒙古八旗，是清代完全按照八旗体制编成的蒙古人组织，也是清朝常备八旗军的重要组成部分。爱新国时期，最早降附的蒙古各部，除仍保留原有鄂托克、爱马克体制（后来编成札萨克旗）的之外，均被编入满洲军政、兵民合一的八旗组织之中。其来源成分，主要是内喀尔喀五部和喀喇沁等部贵族领主及其属民。由于蒙古降众愈来愈多，皇太极于天聪九年（1635年）另将他们单编成蒙古八旗，但满洲八旗中仍然保留了部分蒙古人。满洲八旗、蒙古八旗和汉军八旗，共同构成了清朝特有的八旗军。

清军入关以后，蒙古八旗除常驻京畿的京营八旗，还以佐领为单位分驻全国各地。与满洲八旗一样，八旗蒙古人也演变为世代当兵、常年领取俸饷、不事生产，并且享有种种特权的特殊社会阶层。

清制，科举考试、职官选任均分为满（旗）人、汉人两套体系、两种制度。一些重要军政职官设置，也分为满缺和汉缺。满缺，即只能由满洲贵族、八旗人出任的职位。在这种"双轨制"中，八旗蒙古人与满洲八旗享有完全相同的待遇和权利。

由于长期生活在内地城镇，接触、接受满汉社会文化，并享有种种仕途优遇，八旗蒙古人中出现了许多著名的军政官员、文人以至科学家。如蒙古正蓝旗人松筠，乾隆至道光年间历任户部、兵部、吏部尚书，陕甘、湖广和两广总督，内阁大学士，伊犁将军及驻藏办事大臣，不仅是清朝中央和地方的重臣，而且在治理边疆民族地区方面起过很大作用。松筠还是一位著名的汉语诗人和史学家，著有《西陲（伊犁）总统事略》、《绥服纪略》、《新疆识略》、《西藏巡边记》等多种记述边疆民族地区政治、社会、史地方面的书籍。内务府蒙古正黄旗人法式善，科举进士出身，是清中叶著名文学家和书法家，曾参加编修《四库全书》，用汉文著有笔记体《清秘述闻》及多种诗文集。蒙古正白旗人明安图，曾任钦天监监正，是位著名天文历法学家、数学家和舆地学家，主持编著了《历象考成》、《仪象考成》和《割圜密律捷法》等科学著作。在晚清急剧变化的历史风云中，鸦片战争时期在广州主持对英交涉的钦差大臣兼两广总督琦善，是满洲正黄旗中的蒙古贵族博尔济吉特氏人；在镇江保卫战中以身殉国的钦差大臣兼两江总督裕谦，是蒙古镶黄旗人；在第二次鸦片战争的大沽口保卫战中英勇战死的直隶提督乐善，是蒙古正白旗人；清末新政和辛亥革命前夕先后出任归化城副都统和库伦办事大臣的三多，是杭州驻防蒙古八旗人。

经过有清200多年的历史变迁，早已脱离蒙古本土政治、经济和社会文化生活的蒙古八旗人，在仪制、习俗和语言文化上先是逐步同化于满族，然后又与满族一样渐趋同化于汉族。他们的种种社会历史活动，在整个蒙古民族发展变迁中的作用和影响，也随之愈来愈小。

第四节　将军都统与驻防八旗

由于清代蒙古各盟旗都是相对独立的军政组织，札萨克王公拥有一定的军权，因此，清廷在蒙古地区的战略要地设立将军、都统、大臣等地方最高军事长官，以监督、控驭各地盟旗，严密防范王公的独立倾向，统一征调蒙古兵以镇戍地方，加强边防。凡是将军都统设立之所，都有满蒙汉军八旗兵驻防。内蒙古地区的将军、都统主要有绥远城将军、察哈尔都统、热河都统和呼伦贝尔副都统等四处。

一、绥远城将军

绥远城始建于乾隆初年，地处归化城东北五里。这里是通往漠北及漠西地区的必经之地。乾隆二年（1737年）移右卫将军驻绥远城，称绥远城将军。驻有副都统2人，八旗满蒙汉协领、佐领、防御、骁骑校47人，马甲兵丁 3 900 余人。绥远城将军负责统辖驻防官兵及土默特二都统旗兵马，兼摄乌兰察布、伊克昭二盟军事。

二、察哈尔都统

始设于乾隆二十六年（1761 年），驻张家口，亦称张家口都统，总理察哈尔游牧八旗。另设副都统 2 人，于左右翼游牧边界驻扎。察哈尔都统负责统辖张家口驻防官兵、游牧察哈尔八旗、察哈尔地区四大群牧兵马。兼摄锡林郭勒盟军务并管理阿尔泰军台。

三、热河都统

康熙末年，由于兴建避暑山庄以及开发皇家围场，热河地区成为清廷直辖地区。作为京畿门户，雍正二年（1724 年），开始派官兵驻防。初设总管 1 人，副总管 2 人，辖佐领 16 员，骁骑校 16 员，马甲 800 名，分驻热河、喀喇和屯、桦榆沟三地。乾隆末年，总管改副都统，驻承德。驻防甲兵增至 2 000 名。嘉庆十五年（1810 年），升副都统为都统，直至清末。热河都统辖昭乌达、卓索图二盟内的府州县，兼理上述地区蒙汉交涉事件，军事上兼摄昭卓二盟十六旗军务。

四、呼伦贝尔副都统

呼伦贝尔地处北陲，毗连沙俄，地位重要。雍正十年（1732 年），初设呼伦贝尔统领。乾隆八年（1743 年）改为副都统衔总管。光绪八年（1882 年），始改设呼伦贝尔副都统，受黑龙江将军节制，驻海拉尔。呼伦贝尔副都统统辖游牧在该地区的额鲁特、陈巴尔虎、新巴尔虎、索伦等旗五总管 91 佐领兵马。

第五节　府厅州县的设立与旗县并存局面的形成

一、清廷的封禁政策及其演变

实行封禁，阻止内地汉民随意进入东北和蒙古，是清政府的一项基本政策。但这一政策经过了一个逐渐形成和发展过程。清初，清朝在口外近边地区设立各类官庄，招民垦种，开了向内蒙古地区移民的先河。① 接下来，为解决内蒙古的粮食问题，又鼓励发展农业，康熙帝就曾派内阁学士黄茂等"前往教养蒙古"，并说"朕适北巡，见敖汉、奈曼等处田地甚佳，百谷可种。如种谷多获，则兴安等处不能耕种之人，就近贸易贩籴，均有裨益，不需入边买内地粮米，而米价不至腾贵也"。② 康熙末年，卓索图盟的蒙地开垦也有了很大规模。山东人往来口外垦地者，"多至十万"③，这些人都进入了近边的卓索图盟和昭乌达盟南部各旗。乾隆十二年（1747 年），八沟以北及塔子沟通判所辖地方，已有汉民垦户"二三十万之多"。根据乾隆十三年（1748 年）清廷对卓索图盟的调查，该盟租给汉民耕种的地亩，土默特右旗为 1 643 顷 30 亩，喀喇沁左旗为 400 顷 80 亩，喀喇沁中旗为 431 顷 80 亩。这一年仅喀喇沁中旗一旗已有汉佃 103 屯，42 924 户。④

一直到乾隆初年，清朝政府从临时性需要考虑，在内蒙古地区的移民开垦政策是较积极的。至雍正朝，推行"借地养民"政策，谕令内地乏食民人可往蒙地垦荒谋生，"乐于就移"者，"免其田赋"，蒙旗王公"欢迎入殖"者，"特许其吃租"。⑤ 乾隆十三年（1748 年）以后虽然推行了较为严格的封禁政策，但仍然是禁中有垦，一遇荒年，就下令酌开边门，令民出口谋生。

随着形势的发展，移民及其从事的农耕等经济活动影响到蒙古社会结构。清政府对此采取了保守的保护政策即严厉的封禁政策。乾隆十三年（1748 年），清朝下达了典地回赎令，禁止蒙古人向汉人典卖土地。理藩院在接到乾隆的旨令以后，立即议准：除原有民人外，如果再发现有容留汉人垦种地亩，或典给土地的事情，札萨克"照隐匿逃人例，罚俸一年"，管旗章京、副章京"罚三九"，佐领、骁骑校皆革职，"罚三九"，领催、什长等

---

① ［日］田山茂：《清代蒙古社会制度》，潘世宪译，商务印书馆 1987 年版，第 337 页。

② 《清圣祖实录》卷 191，康熙三十七年十二月丁巳条。

③ 《清圣祖实录》卷 250，康熙五十一年五月壬寅条。

④ 王玉海：《发展与变革：清代内蒙古东部由牧向农的转型》，内蒙古大学出版社 1999 年版，第 15 页。

⑤ 《凌源县志》卷 3，《纪略》，辽宁图书馆藏油印本。

鞭一百，"其容留居住开垦地亩典地之人，亦鞭一百，罚三九"，"其开垦地亩及典地之民人，交该地方官从重治罪，递回原籍"，"该管同知、通判交该部察议"。① 从此开始了清朝对内蒙古的严格禁垦时期。此后又于乾隆三十七年（1772 年）、嘉庆十一年（1806 年）、道光十九年（1839 年）数次重申禁垦令，并进行了补充和完善，对私招私垦的札萨克王、贝勒、贝子、公、闲散王及失察之盟长按照招民的多寡处以罚俸、罚牲畜、革职等处分。

尽管清朝统治者制定了严格的封禁政策，但并没有认真贯彻执行。这其中主要有以下几方面的原因：一是由于人口锐增和自然灾害频繁发生，内地贫苦农民、灾民为了求得生存，便不顾一切违禁出关出塞。而清政府为了稳定社会秩序，防止民变发生，也只好采取明禁暗弛的态度。二是蒙古地区的移动畜牧业与定居农业两种经济具有相互调剂的依存关系，特别是蒙古人单一的游牧生活，无法完全脱离于农业经济的补给。因此，蒙旗方面也常常违犯禁令，主动招民放垦。三是清朝统治者出于自身的利益，在其直辖地区实行招垦，使得封禁政策在这些地区失去效力。内蒙古的察哈尔八旗、归化城土默特等内属蒙古地区，以及各种官私牧场、军粮地等都属于清朝的直辖地区。这些地方不受禁垦令的限制。由于以上原因，封禁政策在现实生活中并没有发挥绝对阻止汉民进入蒙地的作用。自乾隆中叶以后，违禁出关和违禁开垦的汉民不但未消除，反而出现了汉民不断出关涌入蒙地的趋势。清廷虽年年派人驱逐，但只有驱逐之名，未有驱逐之实，垦民人数和垦植范围逐年扩大。

二、农业半农业区域的形成

政府的禁令最终并没有实现清统治者的初衷。在从乾隆末年至清末的一百多年当中，主要以山东、直隶和山西、陕西等内地的民人不断走出他们的原籍，通过"闯关东"、"走西口"，来到内蒙古安家落户。他们的大多数依然从事着与中国华北地区相同的农耕经济。

科尔沁诸旗以距奉天近，皆招佃内地民人开垦。乾隆四十九年（1784年），盛京将军永玮等奏："宾图王界内所留民人近铁岭者，达尔汉王旗所留民人近开原者，即交铁岭县、开原县治之。"嘉庆十一年（1806 年）十

---

① （光绪）《大清会典事例》卷 979，《理藩院》。

月，盛京将军富俊等以左翼后旗昌图额勒克地方招垦开荒，经历四载，民人四万有奇，请增置理事通判治之。达尔汉王旗界内所留民人，亦交通判就近并治，时诸旗札萨克、王、公等多招民人垦荒，积欠抗租，则又请驱逐。廷议非之，严定招垦之禁，已佃者不得逐，未垦者不得招。嘉庆二十五年（1820年），左翼中旗札萨克达尔汉亲王布彦温都尔瑚竟以垦事延不就鞫，夺札萨克。然私放私垦者仍日有所增，流民游匪于焉麇集。同治中，以昌图匪乱，通判秩轻，升为理事同知。光绪二年（1876年），署盛京将军崇厚奏设官抚治，以清盗源。遂升昌图同知为府，以原垦达尔汉王旗之梨树城、八面城地置奉华、怀德二县隶之。光绪七年（1881年），又设康平县于康家屯。光绪二十八年（1902年），盛京将军增祺奏设辽源州于郑家屯。皆治左翼三旗垦民。是年，右翼前旗札萨克郡王乌泰以放荒事屡被劾，命礼部尚书裕德会增祺勘治。四月，复奏言："乌泰已放荒界南北厂三百余里，东西宽一百余里，外来客民有一千二百六十余户。乌泰不谙放荒章程，以致嗜利之徒，任意垦占，转相私售，实已暗增数千余户，新开荒地又增长三百余里，宽一百余里。梅楞齐莫特、色楞等复袒护荒户，阻台吉壮丁在新放荒地游牧。协理台吉巴图济尔噶勒遂以敛财聚众，不恤旗艰，控之理藩院。经传集乌泰等亲自宣导，均各悔悟，愿湔洗前愆，驱除谗慝，和同办理旗务。请将乌泰、巴图济尔噶勒暂革，仍准留任，勒限三年，限满经理得宜，由该旗呈请开复，否则永远革任；齐莫特、色楞等均分别屏黜，不准干预旗务。并为定领荒招垦章程，荒价则一半报效国家，一半归之蒙旗。升课则每垧以中钱二百四十为筹饷设官等经费，以四百二十作蒙古生计，自王府至台吉、壮丁、喇嘛，各有得数。仍酌留余荒，请求牧养。"均报可。十月，增祺又奏勘明是旗洮尔河南北已垦未垦之地，约有一千余万亩，派员设局丈放。光绪三十年（1904年），以其地置洮南府，并置靖安、开通二县隶之。三十一年（1905年），盛京将军赵尔巽以右翼后旗垦地置安广县，而法库门旧为左翼中旗招垦地，亦置同知治之。三十四年（1908年），东三省总督徐世昌以右翼中旗和硕土谢图亲王垦地置醴泉等县。于是科尔沁六旗垦地几遍，郡县亦最多，诸札萨克王公等得租丰溢，而化沙砾为膏沃，地方亦日臻富庶。[①]

---

① 《清史稿》卷 518，《藩部一》。

内蒙古西部的察哈尔地区，于康熙二十七年（1688 年），经过此地的钱良择和张鹏翮二人行记都记载了当地农垦状况。到乾隆中叶，农垦日益发展。乾隆三十六年（1771 年）"始定招垦之制，其后穷荒益开，科赋亦与民地无别"。① 据统计，乾隆末年，察哈尔右翼升科地亩已达 28 000 顷。光绪八年（1882 年），察哈尔右翼设丰宁荒务局，专理蒙地开垦和押荒事宜。到清末，右翼丰镇、宁远两厅已有熟地 11 000 顷左右，未垦荒地所余无几。②

归化城土默特地近黄河，土质肥沃，适于农耕。早在明代，这一地区的农业就已有相当规模。入清以后，发展更为迅速，据乾隆八年（1743 年）统计，归化城土默特共有土地 75 048 顷，已垦土地 60 780 顷，牧场地仅剩 14 268 顷，约占总数的五分之一。③

鄂尔多斯部垦事也很早。乾隆以后，是部招垦民人近陕西者，分隶陕西神木、定边两理事同知，及神木、府谷、怀远、靖边、定边等县。近山西者，分隶萨拉齐、托克托城、清水河三厅，偏关、河曲等县。而因地滋争之案亦时有。道光八年（1828 年），达拉特旗之才吉、波罗塔拉地方，以抵还债项，奏准租给商种五年。道光十四年（1834 年），绥远城将军彦德奏："达拉特旗台吉人等招民私垦驿站草地，致越界侵种，其旗游牧地方贝子亲往驱逐。民人恃众，砍伤二等台吉萨音吉雅等。"诏山西巡抚鄂顺安派员捕治之。其后相沿奉部文而承种者有之，由台吉私放者有之，由各庙喇嘛公放者有之。开垦颇多，产粮亦盛。

乌喇特部也是较早移民开垦的地方之一。乾隆三十年（1765 年），即将沿河牧地私租民人耕种。乾隆五十七年（1792 年），以积欠商人二万两，允佃种五年之限。道光十二年（1832 年），札萨克镇国公巴图鄂齐尔充乌兰察布盟盟长，以茂明安等旗争地不报归化城副都统，辄向理藩院越诉，夺盟长。光绪二十三年（1897 年），山西巡抚胡聘之请开乌喇特三湖湾地方屯垦。既得谕旨，理藩院以蒙盟呈有碍游牧，格其议。光绪二十九年（1903 年），山西巡抚赵尔巽、吴廷斌先后奏置五原厅同知，以鄂尔多斯之达拉

---

① 王轩：《山西通志》卷 65，《田赋略》，中华书局 1990 年版。
② 德溥：《丰镇县志书》卷 5，《田赋》，1916 年铅印本。
③ 《清高宗实录》卷 198，乾隆八年八月辛亥条。

特、杭锦两旗寄居民人村落隶之。时兵部侍郎贻谷督垦，派员劝报地。光绪三十三年（1907 年），奏乌喇特前旗以达拉特旗东之什拉胡鲁素、红门兔等地段，后旗以黄河西岸之红洞湾地段，中旗以黄河西岸熟地莫多、噶鲁泰两段报垦，并修坝工，扩渠道，防冲突，畅引灌。仍以民多官少，防范难周，蒙人时有争渠租垦情事入告。①

光绪二年（1876 年），边外马贼肆扰，鄂尔多斯部达拉特、杭锦等旗地户商人蹂躏特重，渠废田芜，迄不可复。光绪十年（1884 年），伊克昭盟贝子扎那济尔迪呈："准格尔旗以频年荒歉，请开垦空闲牧场一段，东西八十里，南北十五里，收租散赈，接济穷蒙。"下理藩院议行。以招种民人分隶山西河曲、陕西府谷。时归化城土默特与达拉特旗以黄河改道争界，署山西巡抚奎斌、大理寺少卿郭勒敏布以绥远城将军断分之案偏袒土默特，奏劾。命察哈尔都统绍祺往勘，援乾隆五十一年黄河旧漕为断之谕，以南之地四成归达拉特，以北之地六成归土默特。寻经勘定，北自乌喇特界，南至准格尔界，达拉特应分地周六百四十八里。光绪十二年（1886 年），伊犁领队大臣长庚奏缠金等处宜开屯田。山西巡抚刚毅覆奏："缠金即才吉地，在河北外套伊克昭盟之达拉特、杭锦两旗牧界。河自改行南道，蒙古始招商租种分佃，修成渠道。西则缠金，计共五渠，东则后套，计共三渠，迂回约二百里，中间支渠曲折蜿蜒，不可枚数。后遭马贼之扰，不特缠金、牛坝商号不过数家，即后套左右亦只二百余家。达拉特旗昔岁收租银十万，近所收租钱不及三千串。阅伍至萨拉齐之包头，面与伊克昭盟长贝子扎那吉尔迪筹商，谓当明示各旗，断不使该旗牧界日久归于民人。"

光绪二十八年（1902 年）以后，由于国内外形势的变化，清朝改变其一贯的做法，在内蒙古大力推行放垦蒙地政策，大张旗鼓地鼓励移民开垦，使清代内蒙古的移民开垦出现了一个前所未有的高峰，② 从此私垦就变成了官垦。

光绪二十八年（1902 年），朝廷命兵部侍郎贻谷办晋边垦务，咨调乌、

---

① 《清史稿》卷 520，《藩部三》。

② 王玉海：《发展与变革：清代内蒙古东部由牧向农的转型》，内蒙古大学出版社 1999 年版，第11—30 页。

伊两盟长诣归化城商议，迄未至，而呈理藩院请免开办。廷旨下院严饬盟长迅与贻谷等会商，不得推诿。于是贻谷等先以赎还达拉特旗教案熟地二千顷给银十七万两者，为垦务入手之策。光绪二十九年（1903 年），达拉特旗、杭锦两旗始派员就议报垦，郡王、鄂托克、乌审、准格尔、札萨克五旗亦相继报地，而杭锦旗贝子阿尔宾巴雅尔时充盟长，仍请缓办，坚拒出具交地印文。光绪三十年（1904 年），贻谷以抗不遵办，掣动全局劾之，以副盟长乌审旗贝子察克都尔色楞代署。三月，套匪滋事，山西练军平之。九月，察克都尔色楞等以乌审、札萨克两旗公中之地，北起阿拜素、南至巴盖补拉克一段，归官报垦，祝皇太后七旬万寿。予察克都尔色楞郡王衔，沙克都尔扎布镇国公衔。光绪三十一年（1905 年）二月，阿尔宾巴雅尔复呈悔过情形，报出杭锦旗中巴噶地一段。贻谷奏乌、伊两盟地皆封建，与察哈尔之比于郡县者不同，定押荒岁租皆一半归官，一半归蒙，别提修渠费。旨下所司知之。七月，贻谷奏："杭锦、达拉特两旗地户将原有各渠报效归公，因改长胜渠名长济，缠金渠名永济，挑浚深通，老郭等渠以次及之，计可溉田万顷。后套地必附渠，渠日加多，即地日广。就现在应收之款，悉归工作，回环挹注，务竟其功。请各旗押荒地租各款应归公者，均暂缓提拨，备渠工大修之费。"九月，准格尔旗协理台吉丹丕尔不悦于垦，纠众抗阻，攻劫局所，贻谷遣兵捕治之。光绪三十二年（1906 年），贻谷奏定郡王等五旗旱地押荒岁租。陕西巡抚恩寿会奏以郡王、札萨克两旗垦地置东胜厅，隶山西归绥道。光绪三十三年（1907 年），贻谷蒙谴，复阿尔宾巴雅尔盟长。信勤、瑞良等相继为垦务大臣。①

经过两个多世纪的时间，随着移民的北上和他们带来的农耕生产方式的影响之下，农牧分界线也不断北进。作为其结果在内蒙古地区与内地交界的长城沿边地区形成了农牧交错地带。到清末时，这分界线已经远远超过了自然条件允许的界线。最早向北延伸的农牧交错带分布于喀喇沁、归化城、固阳和托克托一带，这些地区在 1750—1876 年期间完成农业渗透。察哈尔右翼南部地区、伊克昭盟南部的农业开发完成于 1877 年到 1900 年。伊克昭盟虽然早就有农业存在，但直到 1900 年至 1911 年期间，农业扩展才完毕。以

---

① 《清史稿》卷 520，《藩部三》。

哲里木盟为例，在18世纪末到20世纪初的"请旨招垦"时期，导致农耕北界从清代初期的"柳条边墙"北上至今长春、四平、昌图以及敖汉、翁牛特旗南部，哲里木盟东南部、卓索图盟大部以及昭乌达盟南部变成农牧并举、以农为主的农牧交错地带。到清末时期，农垦推到洮儿河下游及西辽河两岸地区，此时的农耕北界北起黑龙江大庆县，经白城西、通辽北、开鲁县到林西县。今吉林省西部、辽宁省北部以及西辽河沿岸地带发展成为以农为主的农牧交错地带。内蒙古西部的农牧分界线已越过阴山山脉，深入到了原蒙古游牧地带的中心地区。另外，伊克昭盟东部地区的开发也是在这时期完成的。在这些地区完成了从游牧业到集约农业变化的过程中，一直处于农牧交错状态，与农业扩展的同时，社会经济的整合也在进行当中。

三、府厅州县的设立

农业的长足发展和汉族人口聚居区的日益扩大，为内地州县制度移入蒙地创造了条件。内地汉族移居蒙地后，清廷对蒙汉人民采取分治的办法，在汉族聚居的地方一般都设置厅、州、县，加以管理。

在内蒙古东部，卓索图盟各旗农业发展较早，最迟在嘉庆年间这里基本成为农业区了。为了适应这一情况，清政府自雍正元年（1723年）开始，陆续在该地设立府、厅、州、县，以管理移入的汉民和办理蒙汉交涉事务。在内蒙古地区厅府州县建置中，最先设立的是"厅"。"厅"，本是府的派出机构，最初并不是一级独立的行政建置。厅的长官同知或通判也并非正印官，手中只有关防而无印。由于清代的蒙古地方实施与内地州县制完全不同的盟旗制，清廷不便直接设置府州县，便将厅移植过来作为过渡，并在同知、通判前加理事或抚民衔，以示可以掌管厅内的一切地方行政。厅从而成了蒙古地区特殊的行政建制。雍正元年（1723年），置热河直隶厅，属直隶省，1733年，改为承德直隶州。乾隆七年（1742年），复改为热河直隶厅，1778年，升为府。雍正七年（1729年），于卓索图盟喀喇沁中旗的八沟地方置八沟直隶厅，属承德府。1778年，改为平泉州。乾隆五年（1740年），于卓索图盟喀喇沁左旗北部塔子沟地方，置塔子沟直隶厅，属承德府。1778年改为建昌县。乾隆三十九年（1774年），在土默特右旗东部偏南的三座塔地方置三座塔直隶厅，直属承德府。1778年，改为朝阳县。

乾隆三十九年（1774年），析八沟厅北境，在昭乌达盟翁牛特旗的乌兰哈达地方置乌兰哈达直隶厅，属承德府。1778年，改为赤峰县。

嘉庆五年（1800年），于内蒙古哲里木盟郭尔罗斯前旗垦地长春堡置长春直隶厅，属吉林将军管辖。道光五年（1825年）移治宽城子。嘉庆十一年（1806年），于科尔沁左翼旗后旗昌图额勒克地方置昌图厅，属盛京之奉天府。

在内蒙古西部，雍正二年（1724年），于张家口置张家口直隶厅，分理察哈尔八旗左翼镶黄一旗、右翼正黄半旗满汉交涉、逃匪命盗等事。雍正十年（1732年），析张家口直隶厅东北境，于多伦诺尔地方置多伦诺尔直隶厅，办理察哈尔左翼正兰、镶白、正白、镶黄四旗等旗、民交涉事务。雍正十三年（1735年），复析张家口东境，在长城要隘独石口地方置独石口直隶厅，分理察哈尔左翼四旗"逃匪、命盗"事务。以上三厅，合称口北三厅，均属直隶省。

乾隆元年（1736年），于察哈尔左翼四旗置四旗直隶厅。1778年，改为丰宁县，属承德府。乾隆十六年（1751年），于察哈尔右翼置丰镇厅，由雍正十二年（1734年）所设的丰川卫与镇宁所改设，管理察哈尔右翼旗、民交涉事务，属山西大同府。乾隆十六年（1751年），于察哈尔右翼置宁远厅，由1734年所设宁朔卫与怀远所改设，分理察哈尔右翼四旗旗、民事务，属山西朔平府。

雍正元年（1723年），于归化城置理事同知，属山西大同府，雍正六年（1729年）改属朔平府。乾隆六年（1741年）升为直隶厅，置抚民理事同知，分理蒙汉事务。乾隆四年（1739年），于绥远城置绥远城厅，设理事同知一人。同年，于归化城西萨拉齐置协理通判。乾隆二十一年（1756年），置厅，兼理乌喇特三旗、鄂尔多斯左翼中旗、左翼后旗等蒙汉交涉事务。乾隆六年（1741年），于归化城南的清水河地方置协理通判，乾隆二十一年（1760年），改理事厅。雍正十三年（1735年），于归化城南和林格尔地方置协理笔帖式，办理该处蒙汉事务。乾隆六年（1741年），置协理通判，乾隆二十一年（1756年），升为理事厅。乾隆十三年（1748年），于归化城西南的托克托城置协理笔帖式，办理该处蒙汉事务。乾隆六年（1741年），置协理通判，乾隆二十一年（1756年），升为理事厅。上述各厅均属山西归绥道。如此形成了旗县并存的局面，深刻改变了内蒙古的社会面貌。

第六节　社会组织与阶级结构

一、清代蒙古社会统治阶层

清代蒙古的封建社会，由多种阶级、阶层构成。世袭王公、台吉、塔布囊是贵族阶层，箭丁、随丁、庙丁等构成平民阶层。王公札萨克、上层官员、喇嘛是统治阶级，下层台吉和普通平民是被统治阶级。同时，无论外藩、内属蒙古，僧俗上层、中高级官员，与其辖属均有程度不同的人身依附关系和人身支配权力。

王公札萨克是蒙旗最高统治者。其中，身份地位最为显赫的，是科尔沁三亲王：科尔沁右翼中旗札萨克土谢图亲王，科尔沁左翼中旗札萨克达尔罕亲王、闲散卓里克图亲王。因战功卓著而得到清廷格外恩宠的，则有清后期科尔沁左翼后旗札萨克亲王（由郡王晋封）僧格林沁。

王公札萨克除了全权执掌旗政，还有直接隶属、供其世代役使的随丁。贵族台吉、塔布囊和中层以上官员，也有自己的随丁户。同时，一些旗的闲散王公和贵族台吉，还保留着与原有属民之间的某种领属关系。如闲散王公最多的科尔沁左翼中旗，卓里克图亲王、温都尔郡王等，除属民之外还有划定的领属地域。

内属蒙古的总管旗，许多总管、佐领等官，往往是由少数显贵家族变相世袭，而且有的佐领本身就是世管佐领，即由佐领官世袭管领。

清朝对蒙古的民刑罪罚、赋税额度等均有原则性律令规定。但由于王公札萨克的封建领主性特权，往往滥施刑罚、随意征敛。札萨克有自己的王府，履行旗政有专设衙署，但王府与旗署的职能权限、财产财务，往往没有严格区分。一些王公札萨克往往以年班进京、诵经拜佛、婚丧嫁娶等各种名目增加旗民的赋役负担，甚至将个人债务变相摊派给旗民缴纳偿还。

随着家族、人口的分衍和经济生活变化，一般台吉、塔布囊阶层也逐渐分化，出现了许多没有随丁、失去贵族特权的下等台吉、塔布囊，实际社会和经济地位已与平民无异。

二、清代蒙古社会被统治阶层

箭丁，蒙古语称为阿勒巴图（albatu，意为赋役义务承担者），是蒙旗最广大平民、个体牧民或农民。平时承担本旗赋役，战时承担国家兵役，是其基本封建义务。清朝规定的蒙旗常年赋税额，依拥有畜种和物质生产特点的不同，大体以 20 只羊每年上缴 1 只为基准。王公札萨克进贡、会盟、移营、婚嫁，可另行征赋，也有一定限额。至于旗、佐的各种差徭，则无明确限定。实际上箭丁的赋役负担往往随札萨克和各级旗官的意旨而定，或借各种名目滥肆征敛。清朝规定，箭丁如果借故不缴纳赋税，可任由王公札萨克自主惩处；王公札萨克逾额征赋一倍，却只受罚俸一个月的处分。在人身依附关系色彩十分浓厚的蒙旗社会，一般箭丁、平民即使受到超额赋役盘剥，也往往想不到或不敢去更高的衙门控告自己的王爷。

箭丁可以充当旗、佐下层官吏。得到王公札萨克特殊宠信者，也可出任佐领、参领、梅伦以至管旗章京等中高级官员。随着政治经济地位的变化，阿勒巴图阶层也发生贫富分化，出现牧主、地主和缺少或没有牲畜土地的贫苦农牧民。

随丁，蒙古语称为哈木济勒嘎（qamjilγ-a），是按照清朝制度指拨给王公贵族或旗官，供其役使的箭丁。贵族爵位、职官级别不同，领属的随丁数量也不同，如亲王 60 人，郡王 50 人，贝勒和固伦额驸 40 人，一等台吉 15 人，四等台吉 4 人；管旗章京 4 人，参领、佐领 1 人等等。隶属王公贵族的是随人箭丁，主人固定，世代继承；隶属官员的是随缺箭丁，主人随官员更替而转移。随丁为主人从事牧业生产和承担各种杂役，身份、地位近似家奴。随丁不承担本旗其他赋役，不服正式兵役，但可随侍主人出征。一般都有自己的牲畜、财产或划拨的谋生土地。受到王公札萨克宠信的随丁，也可担任王府总管等职官，有的还可破例充任旗府官吏，跻身官僚阶层。

庄丁和陵丁。庄丁，是专为拥有农田的王公札萨克、公主额驸耕种土地的人户。陵丁，是专门守护显赫王公或公主额驸的陵墓，负担岁时祭祀的人户。其中包括许多随公主下嫁而来的满族和汉族人，他们同主人有严格的人身隶属关系，身份、地位类似随丁。

驿丁，又称站丁，蒙古语称为乌拉齐（ulaγaci），是被征调专门承担蒙古地区驿站义务的箭丁。有的是拨给贫困箭丁牛马等畜，使其充当驿丁。驿丁常年驻牧、生活在驿路台站，负责供给往来王公、官员、信使的役马、食用牛羊和住宿，有的世代充役，有的数年一换。

庙丁，蒙古语称为沙毕纳尔（šabinar，本意为佛教徒众，但此处非指出家喇嘛）或哈里亚特（qariyatu，意为寺庙属民）。是隶属于寺庙、活佛的人户，专门为寺庙承担牧业生产和各种赋役征派。其来源，有的是蒙古平民（为崇佛或躲避兵役等各种繁重差役）主动投附，有的是王公贵族将自己的属民划拨、"贡奉"给寺庙、活佛。但入清以后，无论投附、贡奉为庙丁，已逐渐受到清廷的明令禁止和限制。庙丁一般也有自己的牲畜、财产，是个体经营牧民或农民，也可分化为贫富阶级。

三、喇嘛阶层

在清代蒙古民族的社会和人口构成中占有重要位置的，还有大量藏传佛教出家僧侣——喇嘛。寺庙、喇嘛及其所属庙丁，自成一个社会组织体系。由于笃信神佛和社会、政治（如清朝的宗教政策）等各种原因，蒙古族家庭一般兄弟二人即有一人出家，致使清代蒙古族人口中喇嘛竟占成年男子的五分之一甚至四分之一以上。喇嘛中虽也有上层、下层，贫穷、富裕，压迫与被压迫之分，但均以佛事为业，受世俗社会的贡奉、布施供养。地位低微的下层徒众，也主要是承担繁重的寺内杂役，不事社会性物质生产。

清代蒙古族社会与内地不同的另一特点是，从国家民政、人口管理角度，也自成体制。王公入世谱，平民入丁册，喇嘛入度牒，而均不属一般的"编户齐民"。所以，进入蒙地的非蒙旗籍人，被称为民人（irgen）。而随公主下嫁或世代为王公贵族充当工匠、仆役的汉族或其他各族人，只要纳入旗籍，成为蒙旗庄丁、陵丁，其社会体制身份也成了蒙古人。

第　六　章

清中期内蒙古的社会与经济的发展

第一节　内蒙古经济的复苏与发展

一、畜牧业经济

随着清朝在内蒙古地区统治的确立，内蒙古的社会进入了以盟旗为单位发展的新时期。清初社会的不稳定，代之以清中期的相对稳定。稳定的社会环境，为清代内蒙古地区传统畜牧业的发展创造了条件。进入 18 世纪中叶以后，内蒙古畜牧业经济呈现持续发展的势头，大约在乾隆后期的近百年间，牧业经济的发展达到高峰时期。

清朝在统一蒙古各部的过程中，实行编旗划界，逐步固定蒙古封建主的领地范围，并规定严禁越出旗界游牧，违者予以严惩。[①] 这在客观上遏制了蒙古各封建主为争夺牧场、领地而发生纷争，有利于社会秩序的稳定，也有利于畜牧业生产的恢复。蒙古牧民分别固定在一定范围的牧地上实施游牧，避免了以往随着部落的迁徙而长距离游牧的困难，使畜牧业生产得以很快恢复与发展。同时，清政府还采取轻徭、薄赋、赈济等措施，促进了畜牧业的恢复和发展。康熙三十年（1691 年），清廷谕令蒙古各旗："嗣后俱择好水

---

① （光绪）《大清会典事例》卷 979，《理藩院》。

草之处游牧，轻役减赋，务求永远营生之道。"① 按照清朝的规定，蒙古封建主向清廷贡献少量的马匹、汤羊、乳酒、石青等物，同时要承担驿递、守卡等劳役，负担较轻。

清政府主张蒙民"不失本道"，"不以内地之法治之"，维护蒙古传统的游牧方式，保护牲畜、保护牧场。为此，清廷还颁布了内地农民"不得往口外开垦牧地"的禁令，以及限制内地汉族农民私入蒙地垦种的各种规定。② 康熙七年（1668 年），清廷废除《辽东招民开垦授官例》，实行出关的汉民要到有关衙署领取印票，记档验放的制度。但这一制度，并未能限制住汉民私越长城，涌入关外。到康熙朝中后期，迁入蒙古、东北的汉民已达数十万之多。因此，从乾隆初年起，清政府对蒙古实行封禁，并命理藩院制定惩治违例者的办法，并隔几年派员稽查。后来又颁布："口内居住旗、民人等，不准出边在蒙古地方开垦地亩，侵者照例治罪"。上述禁令对避免内地汉民盲目流入蒙地、滥垦牧场起到了积极的作用。它对漠南地区畜牧业经济的发展产生了积极影响。

赈济受灾地区，实行养赡制，也是清朝扶持蒙古畜牧业的重要措施。蒙古地区遇到灾害，政府都要调拨大量的米粮、银两、皮裘、布帛、茶叶、毡房，甚至牲畜等给以救济，使蒙民渡过饥荒，使畜牧业经济得到恢复和发展。在荒年岁月，由清政府提出养赡，"先查明贫乏之户，由本旗札萨克及富户、喇嘛等抚养，不足则各旗公助牛羊。每贫台吉给牛三头，羊十只，每贫人给牛二头，养十只，令其孳育"。设若连年饥馑，本盟内无力养赡，可申报理藩院遣官查看，发布赈济。③

康熙中叶以后，漠南蒙古经济基本复苏，各盟旗拥有的牲畜数量稳步上升。康熙二十七年（1688 年）喀尔喀三部被噶尔丹所迫，投奔清朝，康熙帝以牲畜 10 万赈济。至康熙四十四年（1705 年），口外牧厂孳生马 10 万、牛 6 万、羊 20 万。蒙古人可以赶着成群的马驼牛羊，进入口内贸易。康熙三十五年（1696 年）秋冬之际，康熙皇帝征伐噶尔丹到达归化城，沿途看

---

① （雍正）《清会典》卷 222。
② （光绪）《大清会典事例》卷 166，《户部》。
③ （光绪）《大清会典事例》卷 991，《理藩院》。

到察哈尔牲畜孳生，一片富足景色。渡河到达鄂尔多斯打猎，看到鄂尔多斯诸部的牲畜以及生计，慨叹可与察哈尔媲美。清朝因军需在各盟旗采买驼、马，也已不太困难。雍正十年（1732年），清政府在漠南采买马10万匹、羊40万只、山羊10万只。乾隆十九年（1754年），清政府在漠南六盟又采买马6万匹，羊20万只，驼5 000峰。这些数字在一定程度上反映了漠南地区畜牧业经济的恢复和发展。

清廷官办牧厂的经营，也是当时漠南牧业发展的一个写照。清廷在张家口外察哈尔地区设置太仆寺所属左右翼牧厂，各养骒马80群，骟马16群。按清朝规定，每群马不能超过400匹来计算，两翼牧厂马群数目能达4万匹左右。内务府所属牧厂有专门牧放上驷院的马群，还牧有骆驼、牛、羊等牲畜，数量甚巨。除此之外，察哈尔八旗牧厂中仅上三旗牧厂就有牛群95，羊群180，牛以每群120头为计，共有3万余；羊以每群400只计算，达20多万。

乾隆二十年（1755年）至乾隆二十四年（1759年），清军历时五载，终于平定准噶尔和回部，统一天山南北。清朝对西北的战争宣告结束，清王朝大一统事业随之实现。此后的百余年间，蒙古地区再没有发生大规模战争，社会秩序普遍较为安定，人民得以休养生息。这就为整个蒙古地区畜牧业经济的恢复和发展提供了有利的社会环境。但是，蒙古地区畜牧业的发展也很不平衡，大量的牲畜仍集中在皇室牧厂、上层喇嘛和王公贵族手里。清朝皇室在蒙古各地的牧场、各旗札萨克王公和寺庙呼图克图等拥有的畜群，动辄以千万计。而各盟旗广大牧民则一无所有或只有少量牲畜。雍正十一年（1733年），科尔沁右翼后旗地方，没有牲畜的箭丁人数达2 614名、随丁207名，有一两头牲畜的箭丁71名、箭丁10名。

咸同以后，蒙古地区的畜牧业普遍出现日益衰颓之势。大多数蒙古人的畜牧业已没有从前的规模了。牲畜的数量普遍减少，大规模的远距离的移牧成了极为少见的现象。这种局面的出现主要有以下几方面的原因。

首先，导致畜牧业经济衰退的最直接、最主要的原因是草场的日趋缩小，这在内蒙古地区表现得尤为突出。清中叶以后，由于内地移民的不断涌入和蒙古王公上层的私招私放，内蒙古地区的草场急剧缩小，影响了蒙古族畜牧业经济的发展。特别是到了清末，清政府废除对蒙古"封禁"，开始推行"放垦蒙地"政策。于是清代前期农牧互为依存，渐进、均衡发展的局面被打破。在内蒙古，从东到西开始出现农民争土地，牧民争草场的农牧矛盾。双方竞争的结果，往往是农进牧退，牧民让草场于农民。在有些地方，牧民因失去牧场，不得不远徙他乡或荒漠、荒山等贫瘠的地方。其结果，自然是畜牧业经济的萎缩和衰颓。

其次，经营方式的落后、生产技术的低下，是严重制约畜牧业经济发展的内在因素。晚清以来，虽然出现了牲畜和畜产品的商品化等近代经济因素，但没有直接影响到传统畜牧业内部，推动经营方式的生产技术的变革。随着蒙古地区被卷入国内外商品贸易市场，作为畜牧业基本生产资料的牲畜的绝对数，却在大幅度下降。至 20 世纪初，哲里木盟 10 个旗的牲畜头数在 10 年内下降了 50%。

第三，资本帝国主义的掠夺，封建王公上层和汉族商业高利贷者的剥削、榨取，使蒙古地区畜牧业经济遭到严重破坏。由于受到近代社会生活的影响，许多王公贵族追求奢华，利用特权无限制地征敛旗民的牲畜、银两。外国商业资本和汉族商业高利贷无休止地掠夺和榨取，迫使牧民用自己的牲畜和畜产品做抵押，换取日用品；或向这些商人借高利贷，若到期无法还债，只得用牲畜抵还。这样就使牲畜头数急剧减少，严重地影响到牧业扩大再生产，使整个生产趋势处于停滞、下降的状态。

第四，藏传佛教的盛行，也是直接影响畜牧业经济发展的重要因素之一。由于清政府的提倡和宗教迷信思想的禁锢，使得蒙古人口中有众多的男性出家为僧。在牧区，喇嘛的人数普遍占男性的 40% 左右，使牧业劳动力严重缺乏。

二、农业经济

蒙古人对农业并不陌生，远在 13 世纪之前，一些部族就已在局部地区从事农业生产。元、明时期，蒙古地区的农业也有了一定的发展，如明末的土默特地区，已具有半农半牧的经济雏形。但是，当时从事农业的人数很少，农业经济规模亦很小，远远不足以和牧业相提并论。到了清代，情况发生了重大变化，内蒙古地区的农业经济得到了长足的发展，从东到西形成了成片的农业区，农业已成为独立的经济部门。在农业区内，东部以松花江、辽河及大小凌河上游为中心，西部以土默川平原及后套为中心，形成了几个出产较多的粮食基地，主要生产高粱、谷子、糜子、小麦、豆类、玉米、荞麦、胡麻、芝麻等。据不完全统计，清末科尔沁部6个旗的垦地，每年收获粮食4 775 850石。农业区域的形成，使得整个内蒙古地区的粮食及其他农产品不仅自给有余，而且还能远销到内地。

随着农业的发展和农业区的不断扩大，蒙古族社会各个方面发生了变化。

第一，相当一部分人，改变传统的生活方式，转而从事农业生产。蒙古人自古以来一直是以牧业为主，虽然自12世纪后各部有小型的原始种植业，但五六百年来始终把农业作为对牧业的补充，没有形成大片的农业定居区和本民族的农民。入清以来，特别是清中叶以后，蒙古地区，主要是内蒙古的农业有了较快的发展，卓索图盟的土默特左、右旗，喀喇沁左、中、右旗都成了纯农区。哲里木盟的科右中、前、后旗，科左中、后旗，扎赉特旗，都成了半农半牧区，而郭尔罗前旗成为纯农区，昭乌达盟的巴林左、右旗，翁牛特旗、克什克腾旗、阿鲁科尔沁旗、奈曼旗、扎鲁特旗都成了半农半牧区，敖汉旗成了纯农区。在内蒙古西部，归化城土默特旗早已农业化，伊克昭盟的准格尔旗、达拉特旗在放垦后也成了纯农区，杭锦旗成为半农半牧区。此外，察哈尔右翼四旗，乌兰察布盟的乌喇特前旗也都成了半农半牧区。这些地方的蒙古人学会了汉人的筑房定居的习俗，而且掌握了选地、翻地、养地、选种子、引水灌溉、按节气规律播种、薅锄、收割、脱粒及库存等农耕技术和方法。

在内蒙古，全面放垦以来，由于牧场的日益缩小，转向农牧兼营或转向纯农业的蒙古人愈来愈多，已占到蒙古族总人口的一半以上。蒙古民族已有了本民族庞大的农民队伍，农业已经成为蒙古族的主导经济。

第二，农业的发展在蒙古社会引起的显著的变化是土地私有制的形成和蒙汉地主、农民阶级的出现。土地的公有制是蒙古传统游牧社会的基本特征。清初虽然以旗为单位，为蒙古王公贵族划分了牧地，但旗地归全体旗民共同使用。随着土地的开垦和农业经济的发展，以游牧经济为基础的土地所有关系不断遭到破坏，土地私有制逐步形成。首先是蒙古王公贵族在土地开垦过程中，通过招民放垦，把旗内"公地"变成了私有的农田，形成了僧俗贵族的私有地。随后，由于牧场的不断减少，清廷和蒙旗王公不得不给蒙古牧民划分出一部分土地，以维持生计，于是又形成了蒙民分领的私有土地。土地私有制的形成，为土地的租佃、典押和买卖打开了方便之门。土地的买卖引起了社会阶层的新变化，出现了一些新的群体，如地东、揽头、地户、耪青和雇工等等。他们的不断分化组合，构成了蒙古地区的地主阶级和农民阶级。地主阶级对农民的剥削主要是采取地租方式，起初是实物地租，以后又出现了货币地租。随着雇佣、租佃关系及新的剥削形式的出现，蒙古地区严格的封建隶属关系开始瓦解。

第三，农业的发展，改变了蒙古地区单一的畜牧业经济形态。到晚清后，漠南蒙古已成为既有牧业，又有农业、商业和手工业的多种经济并存的地区。手工业和商业的发展，以及城镇的出现，对促进地区经济繁荣和活跃，具有重要的作用。

但是，农业的迅速发展、农垦区的不断扩大，也对蒙古族传统畜牧业经济造成了严重冲击。本来游动畜牧业与定居农业两种经济具有相互调剂的依存关系。但是，如果农业区无限扩大，大量侵占草场的话，二者的关系就不是相互调剂而是相互排斥了。清中叶以后，由于内地移民的不断涌入和蒙古王公上层的私招私放，内蒙古的农垦区迅速扩大，使得蒙旗草场日渐缩小，于是清代前期农牧互为依存，渐进、均衡发展的局面被打破了。随之，人们对有限的生存空间的竞争更加激烈了。在内蒙古，从东到西普遍出现农民争土地，牧民争草场的农牧矛盾。双方竞争的结果，往往是农进牧退，牧民让草场于农民。农业发展较早且快的地方往往是蒙旗水草丰美、地势平缓的沿河流域，而这些地区本来是蒙古族经营畜牧业的优良牧场。例如，经过晚清数十年的垦辟，察哈尔南部草原已不复存在，当地大部分蒙古族牧民因不愿意或不善于从事农耕，不断北迁，加剧了北部各旗草场的压力；哲里木盟大草原，只剩下兴安岭山麓的一小部分；昭乌达盟西拉木伦河流域、伊克昭盟中部、南部、后套平原和大青山以北等地农耕区的扩大，使大片草场变为农田，导致蒙古族传统畜牧业经济的衰退和萎缩。

第二节　经济的多元化趋势

一、商业贸易和手工业

清前期，蒙古人主要以畜牧为生，生产的单一性决定了他们对其他民族和其他地区各类物资需要的迫切性。蒙古和其他民族的贸易，主要以同内地汉人的商品交换为主。清朝统一蒙古各部后，蒙古地区与内地的经济联系加强，既有同清朝政府的官方贸易，也有民间的商品交换。

官方贸易分两种形式进行，一种是"通贡"，即蒙古各封建主以值年班、朝觐或其他事务来京时，向清朝政府"朝贡"，贡品有牲畜、乳制品、各种手工制品及其他土特产等。清政府通过"赏赐"，回报以各种丝织品、棉织品、农产品、佛经、佛器、银钱等。但"通贡"所得到的"赏赐"数量有限，因而贡使一般都要随带人数众多的商队，携带大量的畜产品和土特产品，从事另一种"官市"贸易。

"官市"贸易又分京师互市和边口互市。清初规定，蒙古台吉每年进贡一次，四时均可。雍正七年（1729年），四时进贡改为每年十月内来京一次。乾隆十二年（1747年）又规定，每年冬季进贡的台吉，编排班次，轮流进贡，人数上也有一定的限制，多者二三百人，少者六七十人。清政府在北京御河西岸的南部，设有"里馆"，在德胜门外，设有"外馆"，专供来京朝觐的蒙古台吉居住，附近的商铺则专与其贸易。边口互市，也是蒙古各部与内地商人进行贸易的主要场所。内外蒙古进行贸易的主要边口有张家口、古北口、杀虎口、定边、花马池等地。蒙古人的物资以马、牛、羊、驼和皮张为大宗，此外还有皮毛、药材等，以换取生活所需品。

到清中叶以后，随着农业和手工业的发展，蒙古地区的商业，已不仅仅限于"通贡"、"互市"的狭窄范围，而有大批汉族商人深入蒙古地区进行贸易，少部分蒙古人也转营商业，使蒙汉人民之间的商品贸易关系发生了很大变化。原来的在京师互市、边口互市、军前贸易、民间贸易等形式，基本上由城镇贸易所代替。归化城、张家口、多伦诺尔是当时较大的贸易市场。此外，还有海拉尔、小库伦、赤峰、经棚、八沟、丰镇、河口镇等规模大小不一的经贸市场。18世纪初，归化城已形成了以旅蒙商为中心的"十二行"，专设有牛桥、驼桥、马桥、羊桥等牲畜贸易处，每年贸易总额合白银达百余万两。[①] 多伦诺尔是17世纪末兴建汇宗寺后，在召庙集市的基础上繁荣起来的城镇，到18世纪50年代，已有16条市街，成为"外藩四通之区，马驼丛集之所"。

蒙古传统的庙会集市，也有很大的发展。锡埒图库伦喇嘛旗的庙市，已发展成为周邻地区的重要商业城镇。呼伦贝尔南部的甘珠尔庙集市，已具有上万人的规模，景象十分繁盛。参加交易的除了呼伦贝尔地区各旗，还有邻近喀尔喀蒙古牧民，内地的河北、山西商贩和俄国商号；交易的商品，"畜则驼马牛羊以数十万计，货则金玉锦绣、布帛菽粟、轮舆鞍辔"，蒙旗日用器物无所不备。此外，巴林右旗的东大庙和西大庙，阿巴哈纳尔旗的贝子庙、达尔汉旗的百灵庙、乌审旗的乌审召等也有了相当规模的集市贸易。

谈到蒙古地区的商业，不能不提旅蒙商。旅蒙商，指从内地进入蒙古地区经商的汉人。旅蒙商最初是以小商形式出现的。有山西、直隶等地来的小商贩"以车载杂货，周游蒙境"，或用骆驼驮些杂货，甚至是肩挑货物，前往蒙地与蒙古人交易。后来，随着资本的扩大，旅蒙商在张家口、归化城、多伦诺尔等地定居下来，开设铺面，由行商转为坐商。至19世纪初叶，在蒙古经商的旅蒙商商号林立，资本积累迅速增长，形成了一批财力雄厚的商业集团。例如，归化城出现了有名的三大旅蒙商号——大盛魁、元盛德、天义德。到光绪年间，大盛魁的资本积累已达二千万两银以上，号称塞外"第一商号"。大盛魁既是经营蒙古商业贸易的商号，又是清朝政府在外蒙古的收税代理人，成为官商兼备的高利贷巨商。以山西、直隶和京、津商人组成的旅蒙商，已完全控制了蒙古地区的商业，利滚利的高利贷剥削从蒙古游牧民手中夺走了大批财富。[②]

二、家庭手工业

清代，蒙古游牧民除放牧牲畜外，还必须从事简单的家庭手工业。这

---

① 张曾：《古丰识略》卷20，抄本。
② 《旅蒙商大盛魁》，《内蒙古文史资料》第12辑，1984年版。

种家庭手工业是牧业经济的副业，主要是为游牧生产和生活服务。生产的原料是现成的毛皮、奶类等畜产品，经加工后制成皮袄、马靴、毛毡、毛绳、乳酪等日常生活必需品。这些产品主要是供自家消耗，不能作为商品流通，因此根本谈不上手工作坊或手工业中心，生产具有很大的局限性。清中叶以后，随着汉族手工业者的到来，蒙古人原有的家庭手工业得到了进一步发展。汉族手工业者进入蒙古地区后，就地取材、就地生产，促进了蒙古地区手工业的发展。汉族工匠还传播内地工艺技术，培养和造就了一大批蒙古族工匠。归化城、多伦诺尔、小库伦、包头等地，都有蒙古手工艺匠，他们从事熟皮、制毡、磨面，以及制作蒙古包、首饰、鞍具、法器等手工劳动。随着生产规模的扩大和生产技术的提高，其产品逐渐走向了市场。

蒙古人擀制的毛毡，以察哈尔毛毡最为著名，不仅质地厚实耐用，而且用料有精心选配各种颜色的牛、羊、驼毛的自然色彩，擀制出各种形状的条毡、门帘、毡包等，均富有浓郁的民族风格，成为交易市场上深受欢迎的商品。除了蒙古牧民，蒙古王公贵族以及清廷帝后们装饰宫闱、府邸，都喜用这些毛毡制品。

铜器制造业中以多伦诺尔蒙汉工匠制造的铜佛、器皿最为著名。首饰、法器等亦做工精致细微，深受蒙民和寺庙僧侣的欢迎。

手工业生产的发展和产品的广泛流通，为广大游牧民的日常生活和生产带来很大的方便。特别是那些形制、质地都具有民族特色的产品，是蒙古牧民家庭中必不可少的用品。因此，随着社会供求关系的发展，手工业产品就成为蒙古社会中广泛流通的商品。这种商品交换的存在和发展，促进了蒙古地区商品经济的发展。蒙古地区手工业虽有一定的发展，但从整体上讲，仍落后于内地，生产规模小、技术水平低，又零星分散。

三、寺院经济

到了 17 世纪中叶，藏传佛教从蒙古右翼三万户势力范围蔓延到蒙古游牧民居住的所有地区，已成为蒙古全民族信奉的宗教。蒙古地区寺院林立，喇嘛成群。尤其是在清朝政府的利用、扶植和鼓励下，蒙古地区的藏传佛教畸形发展到前所未有的规模。经过康熙、雍正、乾隆、嘉庆四朝，内蒙古地区大小寺庙多达 1 000 座以上，喇嘛人数 20 余万。其中，拥有呼图克图或活佛称号的内外蒙古大喇嘛就有 292 人。各大寺院的喇嘛和沙毕纳尔上千，甚至有的上几万，并拥有广阔的牧场或耕地，寺院所属牲畜更是数不胜数，规模较小的寺庙也有喇嘛二三十人，并有自己的固定资产。这样，寺院经济在蒙古地区社会经济形态中占有举足轻重的地位，大喇嘛及寺院所属沙毕纳尔成为蒙古社会阶层的重要组成部分。寺院经济作为有清一代藏传佛教在蒙古地区畸形发展的重要表现和蒙古社会经济的重要组成部分，有自己独特的经济结构、经营方式和收入来源。从其自然经济形态看，它由生产资料（寺院土地、寺院所属牲畜）、劳动者（沙毕纳尔）以及佛事收入（社会各阶层供奉的银钱、财物等）等构成。

呼图克图或寺院名下拥有的牧场一般在寺庙建立初期由当地旗札萨克或官员从所辖游牧区域中划给呼图克图或寺院的。这种土地划归当初，一般由札萨克等官员出面，"出具甘结，照档注册，立明边界，造具详细图说"。①清代内札萨克蒙古西部地区蒙古寺院土地多以牧场为主，并分布于寺院四周或离寺庙较远的游牧区。五当召是清代内札萨克蒙古地区有名的学问寺，乾隆十四年（1749 年）开始筹建五当召，邻近游牧的乌兰察布盟诸旗将大量的土地划给该召，致使有清一代五当召牧场南自吉丹达巴，北至茂明安旗，西自乌喇特后旗，东至茂明安、乌喇特后旗和土默特旗交界处，牧场面积东西约 75 公里，南北约 40 公里。

寺院牧场的生产经营方式主要是通过放苏鲁克从事畜牧业生产。牧场境内从事畜牧业生产的劳动者为呼图克图、活佛或寺院所属沙毕纳尔（又译黑徒或庙丁）。一般情况下，蒙古社会各阶层向呼图克图、活佛或寺院各吉萨（仓）施舍的牲畜首先成为寺院畜牧业生产的基本生产资料，寺院管事喇嘛德木齐、尼尔巴等把这些施舍得来的牛、马、羊、骆驼等牲畜分给呼图克图、活佛或寺院所属沙毕纳尔放牧。据档案记载，光绪十九年（1883年），地处在大青山以北的呼和浩特席力图呼图克图牧场居住的黑徒达尔玛一人牧放 22 头牛，一群羊。② 而这些沙毕纳尔放牧牲畜的自然繁殖及畜产

---

① 妙舟：《蒙藏佛教史》，江苏广陵古籍刻印社 1993 年版，第 143 页。

② 《呼和浩特史蒙古文献资料汇编》第 3 辑，内蒙古文化出版社 1988 年版，第 203 页。

品的大部分归所属呼图克图、活佛或寺院各吉萨，沙毕纳尔仅仅取用牲畜的
乳汁和绒毛而维持生活。

清代蒙古寺院土地的第二种就是耕地。有清一代，汉族农民移入较多，
开垦较早的归化城地区、内札萨克蒙古东部地区和其他适合农业区的寺院土
地多以耕地为主，并零散分布于寺院四周或离寺庙较远地区。当时，寺院耕
地称为庙地、香火地或膳召地、养赡地。当地札萨克或官员划给蒙民户口地
的同时，也给境内寺庙和喇嘛划出了香火地。这种划分必须经过当地旗札萨
克或官员的特许。位于卓索图盟土默特左旗境内的瑞应寺康熙初年开始兴
建，土默特左旗札萨克贝勒先后把寺周围和其他邻近村落的约 40 800 亩土
地划给该寺住持察罕迪延齐呼图克图。[①] 寺院耕地的生产经营方式是主要通
过佃租给民人或旗民耕种而获取地租——银粮。寺院喇嘛除了把耕地出租给
民人收取地租以外，有时把庙地分给所属沙毕纳尔耕种。

清代蒙古寺院土地的第三种便是城内分布的寺庙所属地铺，以租赁为主
要经营方式。位于归化城、多伦诺尔、阿拉善和硕特旗定远营和小库伦等城
镇的多数寺庙在寺庙周围或城内其他街道占有不同面积的地铺，尤其是当时
这些城镇的商贸繁华地段均分布在寺庙附近，因而各寺地铺租金收入相当
可观。

随着寺院经济的发展，形成了呼图克图为代表的宗教上层和沙毕纳尔为
代表的下层民众。沙毕纳尔的生活状况如同清代蒙古阿拉巴图阶级，他们拥
有土地、牲畜、房产。尤其是沙毕纳尔沦为寺院和呼图克图属民之初，由于
不服世俗兵役、劳役，又加上寺院和呼图克图对他们的管理和奴役尚松散等
原因，其生活环境和水平比阿拉巴图阶级更优越一些。所以，寺院在某种程
度上成为生活贫困之阿拉巴图阶层的理想的归宿处。随着寺院和呼图克图剥
削之加深，这种情况便不复存在，大部分沙毕纳尔的生活水平每况愈下，与
阿拉巴图阶级相差无几。但是，沙毕纳尔也是一个不断分化的阶级。如同阿
拉巴图阶层中的"额尔和坦"、"达尔和坦"，沙毕纳尔中的少数成为富裕
户，拥有较多的牲畜和财产。

清代蒙古寺院经济收入有多种来源，按其性质可分为三大类，一是以寺

---

① 　陶克通嘎：《瑞应寺》，内蒙古文化出版社 1984 年版，第 217 页。

院所属沙毕纳尔的经济生产收入、寺院财产的增值收入为主的经济收入；二是各级政府拨给寺院、呼图克图及喇嘛上层的经费和清廷给予的俸银、赏赐；三是各种佛事收入。归化城席力图呼图克图所属一千多名沙毕纳尔世代居住在大青山后属庙西拉木伦召周围的牧场之内，义务放牧呼图克图的畜群，呼图克图本人和席力图召喇嘛所需每年的肉食或香灯所需黄油等均来自这些沙毕纳尔的畜牧业生产收入。居住在归化城附近的各寺院所属沙毕纳尔从事农业耕作，其收获的一石粮食中三桶交给本寺。① 卓索图盟土默特左旗境内的瑞应寺沙毕纳尔每年耕种所获粮食多达 1 380 余石。②

寺院财产的增值收入是清代蒙古寺院各种收入中比重最大的一项，也是寺院经济发展的基础。寺院财产的增值收入一般包括牲畜的自然繁殖和利用牲畜从事运输业、盐运业等副业赚取的收入、出租土地或房地产收取的钱粮和地租、庙仓储蓄银钱的高利贷盘剥或投入商业所带来的经济效益等。寺院牲畜的自然繁殖收入一般通过放苏鲁克获取。其中，沙毕纳尔放牧的畜群自然繁殖及其附带的畜产品全部归寺院以外，寺院或管事喇嘛把社会各阶层从远方供奉的牲畜以放苏鲁克的方式委托给当地的阿拉巴图牧户，收取其自然繁殖收入或提取的其他实物。通过出租土地或房地产所收取的钱粮和地租是寺院财产增值收入的重要来源。寺院房地产一般分布在城镇之内，其收入可分为地铺租金和房屋租金。据嘉庆十四年（1809 年）至嘉庆十五年（1810年）归化城席力图召收支账本记载，该寺从市内 18 处店铺收取租金 615 410文。③ 大召前广场属清代归化城商贸最繁华的集市，乾隆四十二年（1777年）腊月，大召格斯贵诺尔布斯棱以修复寺庙为由，从召前摊子上征收7 000 文。④

庙仓利用银库里的现银、现钱向社会放高利贷所获取的利息可谓是寺院经济收入中又一大宗财产增值收入。有清一代，寺院和呼图克图、活佛作为蒙古民族向往的理想胜地和精神之托，蒙古社会各阶层对藏传佛教的崇拜比

---

① 《呼和浩特史蒙古文献资料汇编》第 2 辑，内蒙古文化出版社 1988 年版，第 98 页。
② 陶克通嘎等：《瑞应寺》，内蒙古文化出版社 1984 年版，第 217 页。
③ 席力图召喇嘛巴扎尔所藏嘉庆十四年至十五年席力图召收支账本。
④ 《呼和浩特史蒙古文献资料汇编》第 4 辑，内蒙古文化出版社 1988 年版，第 355 页。

藏族有过之而无不及。这样，社会各种财富源源不断地流入寺院和呼图克图、活佛手中，使庙仓成为无形的银库或票号，而呼图克图、活佛成为比蒙古王公贵族还富有的特殊的剥削阶层。据至今遗留的清代蒙古文档案记载，利用庙仓银库里的现银、现钱向社会发放高利贷活动对内外蒙古寺院来说已是普遍现象，这与西藏地区寺院的发放高利贷现象如出一辙。清代发放高利贷活动的蒙古地区寺院更多地集中在商贸繁荣的各个城镇，其中，归化城各大寺院和哲布尊丹巴呼图克图所属大库伦是内外蒙古寺院发放高利贷活动的典型。

有清一代，清廷为了控制喇嘛势力的过度扩大，首先确定了内外蒙古各敕建寺庙的喇嘛定额，造册后送理藩院，册内者可以享受俸银。这些俸银、钱粮非国库直拨，而是一般通过各级政府列入当地财政预算实施。所以，这种待遇可以视为政府拨给寺院的经费。

自藏传佛教成为蒙古全民族信奉的宗教以来，几乎以整个民族的财力来供奉寺院和呼图克图、活佛，其供奉数额之大，令人惊讶。所以，清代蒙古寺院各种收入中，数量最庞大的属蒙古各阶层的供奉。这种供奉在性质上非经济生产收入，而是属于佛事收入。总体上看，蒙古各阶层的供奉包括银钱、牲畜、土地以及供役使的沙毕纳尔。

第三节　农村的形成与城镇的出现

一、农村的形成

清前期，内地农民在塞外开垦种植，聚族而处，盖房建村，由南而北，逐渐扩大，形成了一部分农业和半农业区。内蒙古地区的农村也就开始形成。

最早形成农业半农业区的是喀喇沁地区。雍正、乾隆朝，喀喇沁地区的农业发展很快，到乾隆十三年（1748 年），喀喇沁中旗已有汉佃丁 42 924 口，103 屯。由于大片牧场开垦为农田，牧民只得改营农业，开始了蒙古族牧民向自耕农的转化。乾隆三十八年（1773 年）前后，塔子沟地区形成了178 个移民村屯。其中喀喇沁左旗境内有 49 个，土默特右旗境内有 70 个，土默特左旗境内有 21 个，敖汉旗境内有 24 个，奈曼旗境内有 14 个。① 到乾隆四十三年（1778 年），喀喇沁地区的农业规模进一步扩大，人口增多，清政府将八沟厅改为平泉县，塔子沟厅改为建昌县。乾隆四十七年（1782 年），平泉州北境的喀喇沁右旗境内有汉人移民村屯 30 个，喀喇沁中旗境内有 41 个，赤峰县境内有 127 个，建昌县境内有 82 个，朝阳县境内有 107 个，共形成了 387 个村屯。② 经嘉庆到道光年间，喀喇沁地区完成了向农业区的转化，完全成为农业区，大片的农村随之而出现。

喀喇沁地区以北的昭乌达盟自乾隆以来开始了相当规模的开垦，其中敖汉旗尤甚。嘉庆五年（1800 年），在该旗垦殖的农民陆续聚居，人烟稠密，实有数千口之多。继之克什克腾旗、巴林旗等也有一定规模的开垦。至乾隆末年，东部蒙古的开垦已经延伸到辽河流域，有的达到松花江流域。哲里木盟东部几旗陆续开放，尤其科尔沁左翼三旗和郭尔罗斯前旗的开垦最为突出。嘉庆五年（1800 年）添设长春厅以来，郭尔罗斯前旗沿伊通河、驿马河、雾开河两岸连成一片，自然形成了为数不少的村屯。长春堡地方民人开垦地亩，已有熟地 265 648 亩，民户 2 330 户；嘉庆十三年（1808 年），该旗流民达 5 953 户。③ 嘉庆七年（1802 年），准许 4 万流民在科左后旗昌图地段垦种，四年之后，流寓之民已有数万，农户 3 900 余户，清政府设置昌图厅，办理流民事务。嘉庆八年（1803 年），清廷准许科左中旗留纳 74 个流民村为合法。科左前旗南境也在嘉庆年间开放，后均划入法库厅和康平县。

18 世纪中叶，清朝在平定准噶尔以后，大规模的军事征调停止，军马、军驼的需求量急剧减少，察哈尔众多牧场开始逐年荒废，为移民开垦提供了契机。至乾隆三十六年（1771 年），丰镇、宁远二厅的民户共认垦太仆寺右翼牧场废弃地 21 555.7 亩。同一时期，杀虎口外的王公马场因牲畜稀少，陆续报垦。④ 乾隆二十年（1755 年），察哈尔左翼垦地已达 4 700 余顷，民

---

① 哈达清格：《塔子沟纪略》卷 2，《疆域》，《辽海丛书》本。
② 梁国治：《热河志》卷 53、54，《建置沿革》，台湾影印《中国边疆丛书》本。
③ 李桂林：《吉林通志》卷 16，《舆地志》，中华书局 1990 年版。
④ 《清朝文献通考》卷 12，《田赋十二》。

户 7 150 余户。① 乾隆二十三年（1758 年），张家口、独石口两厅所辖村窑数为 513 个，旗户、民户、铺户共计 8 133 户，其中民户 7 135 户，是旗户的 11 倍。张家口外牧地也形成了大片的农业区和半农半牧区。

归化城土默特农业化更趋明显，乾隆二年至光绪十三年（1737—1887年），仅有数可查的垦田就有 57 600 多顷。该地区，"在清初时代，内地汉人出口务农或经商者，始而春来秋归，继则稍稍落户。当时统称之为寄民，户口漫无稽考。后以开地渐广，寄民稍多，雍正年间，始有编甲之法。合十户为一牌，设一牌长。合十牌为一甲，设一甲长。彼时村户零散，多为联合数小村庄，始可编为一甲。"②

归化城土默特地区各厅所隶村庄一览表〔光绪九年（1883 年）〕

厅　名	所隶村庄数（个）
归化城厅	312
萨拉齐厅	202
丰镇厅	312
清水河厅	209
托克托厅	211
宁远厅	99
和林格尔厅	228

资料来源：光绪《山西通志》卷30。

晋西北、陕北沿边八县边外移垦区的聚落发展速度很快。到道光十九年（1839 年），府谷、神木、怀远三县在长城边外的村庄数已达到 1 507 个，而同时这三县边内的村庄数为 1 926 个，前者占到三县村庄总数的 43.89%。③ 同治年间，河曲县所辖边外村庄有 130 个，边内村庄为 428 个，前者已接近全县村庄数的 1/4。④ 光绪年间，靖边县的边外居民已超过口内

① 金志章：《口北三厅志》卷5，《地粮》、《村窑》，台湾影印《中国方志丛书》本。
② 绥远通志馆：《绥远通志稿》卷26，《保甲团防》，20 世纪 30 年代稿本。
③ 李熙龄：《榆林府志》卷22，《食货志·户口》。
④ 金福增：《河曲县志》卷3，《疆域类》、《赋役类》。

居民，全县户数59%以上、人口数58%以上分布在边外地方。①

乾隆年间，黄河改道，内蒙古西部河套地区南河支流变为主流河道，北河变为支流而形成乌拉河和乌加河。其沿岸之田多成肥田沃壤，利于农耕，山、陕民人，争趋佃种，挖渠开田，河套地区逐渐出现初具规模的村落。道光（1821—1850年）时，"由于在后套地方开通渠道，实行灌溉农业，对于缺雨地带的农业发展贡献很大，更促使春来秋去的季节性农民定居下来。"②准格尔旗"河套地中国农民的定居化是清末咸丰、同治年间渐渐达成的。……当时进出此地的农民首先盖窑子，接着盖半穴居式的土屋于河套地。于是，随着农民的定居化进程，从窑子演变成了聚集的村落，而'窑子'就转化为地名了。河套地到处形成以开拓者的名字为冠名的村落。叫党三的开拓者最初建半穴式窑子定居的地方被称为党三窑子。王家窑子所在地方被称为王家窑子。"③ 对于干旱地区的村落化来说，灌溉起着非常重要的作用。

移民的定居、村落化过程也带动了整个农牧交错地带蒙古人的村落化。

二、城镇的出现

内蒙古地区的城镇兴建是与当时的政治、经济、文化发展相适应的。清朝统一全国后，在内蒙古设立将军、大臣，以控制和监督内蒙古各盟旗。在内蒙古设立绥远城驻防将军、呼伦贝尔副都统衔总管、察哈尔都统、热河都统等。这些将军、都统衙署所在地，逐渐发展成为政治、经济、文化的中心。此外，依蒙古人的习俗，内蒙古地区广建寺院，而这些寺庙多建在交通便利、风景秀丽、蒙民集中的地区。寺院规模宏大，僧人众多，前往朝拜的蒙古人络绎不绝，手工业者和商人便在其周围造屋建铺，逐渐形成以寺院为中心的集镇。17世纪末18世纪初，大量内地移民流入内蒙古地区，从事农业、手工业和商业贸易，为内蒙古地区城镇的形成，创造了人口基础。内蒙古地区较著名的城镇有归化城、多伦诺尔、丰镇等。

---

① 闫天灵：《汉族移民与近代内蒙古社会变迁研究》，民族出版社2004年版，第155页。

② ［日］田山茂：《清代蒙古社会制度》，潘世宪译，商务印书馆1987年版，第283页。

③ ［日］安斋库治：《蒙疆土地分割所有制的一类型——伊克昭盟准格尔旗河套地土地关系的特点》，南满洲铁道株式会社调查部1942年版，第8—9页。

归化城　蒙古名 Kökeqota（青城），汉译库库和屯，明朝皇帝赐名归化城。清初，归化城是重要的集市贸易场所和物资储运站，同时又是西北诸部、喀尔喀蒙古来往贡使必经之地。到康熙中叶时，"外番贸易者络绎于此，而中外之货亦毕集"，"货物齐全，商贾丛集，马驼甚多，其价亦贱。"①乾隆二年（1737 年），随着绥远城将军的设立，新城建成，城内建有衙署官房 3 083 间，土房 165 间，兵士土房 1.2 万间，商业铺房 1 530 间，名绥远城。新城建立后，迁入大批的满、汉、回、蒙、鄂温克、鄂伦春、达斡尔人，城内召庙林立，也出现了清真寺。乾隆朝以后，归化城商业大发展，位居塞外诸城榜首。声名赫赫的大商号如大盛魁、元盛德、天义德、义和敦等入住这里，年贸易额能达 500 万—1 000 万两白银。②

多伦诺尔　蒙古名 Doluγannaγur（七泊），汉译多伦诺尔。康熙中叶"多伦会盟"之后，随着清廷敕建汇宗寺，逐渐形成宗教和商业中心。多伦诺尔是漠北、漠南东四盟蒙古通往京师的交通要道，得天独厚的条件为城镇的发展提供了机会。康熙四十九年（1710 年），建成东西宽 2 里，南北长 4 里的买卖营。至康熙五十二年（1713 年）已是"居民鳞比，屋庐望接，俨然一大都会也"③。雍正十年（1732 年），设多伦诺尔厅，成为直隶口北三厅之一。乾隆六年（1741 年），又建新营，南北长 1 里，东西宽半里，有街道 5 条。嘉道间，买卖最盛，有商铺 3 000 多家，咸丰元年（1851 年），在多伦诺尔从事蒙古贸易的商铺达 4 000 余户。④ 除此之外，汇宗寺和善因寺的修建对多伦诺尔城镇的建设和商业的发展起了促进作用。每年三月、七月的庙会，吸引大量的蒙古各部王公及牧民前来参加佛事活动，同时也与这里的商铺进行商品贸易。⑤

其他城镇　塔子沟是卓索图盟的粮食、牲畜、皮毛集散地。"街市修整，颇称华富"。平泉州"上通锦州，下通喜峰口，街长十六里，瓦屋鳞次，商贾辐辏，人烟稠密，口外最繁华处也"。乌兰哈达"廛市宽广，人民

---

① 《清圣祖实录》卷 177，康熙三十五年十月乙未、丙申条。

② 张曾：《古丰识略》卷 40，《税课》，抄本。

③ 《汇宗寺碑文》。

④ 妙舟：《蒙藏佛教史》第 5 篇，上海佛学书局 1936 年版。

⑤ 姚明辉：《蒙古志》卷 3，台北文海出版社 1966 年版。

繁富"。丰镇也是西部地区商业贸易城镇，以货物运输业、食盐业、皮毛业为主。包头城在乾隆朝以后开始发达，分东西街，尤以西街为繁华，乾嘉年间设立了10余家商号、店铺。①

第四节　台站、卡伦、鄂博与驿站交通

台站、卡伦、鄂博制度作为清代蒙古地区的一项重要政治、军事制度，在清代蒙古历史上占有重要地位。蒙古地区地处北部边陲，连接长城各关口，清廷通过各口台站传递政令、军令，押解或押运军饷、火药、钱粮、器械、犯人及农具等，主要负责蒙古地区的军事通信和物资转运。而卡伦、鄂博则设于蒙古边境地区或各盟、部、旗之间，派兵丁巡防、驻守，负责执行国境的巡逻和警戒任务，或以此作为各盟、部、旗游牧地的分界，防范盗贼，维持治安。有清一代，由于内蒙古地区地处清朝北部、东北部和西北部边疆与内地之间的中间地带，台站、交通四通八达，卡伦、鄂博秩序井然，对清朝统治蒙古地区，乃至巩固大清北部边疆的防御起了重要作用。

一、台站

台站是军台与驿站的合称。清廷在内蒙古地区设立驿站道路，以加强同内蒙古各盟旗的联系，巩固在内蒙古的统治。

清代蒙古地区的台站按设置机关可分为官设台站和苏木台站两种。官设台站是指清政府直接安设，官兵饷需及驿递车马均由国家负责的台站。苏木台站则是各盟旗以佐为单位自行安设的台站。按其规模大小，又有正站（正台）和腰站（腰台）之别。正站为大站，腰站为小站。在某种意义上说腰站可视为正站的派出机构或分站。② 起初，清朝在长城各口及其附近陆续安设了汉站，这些汉站称做内地驿站。其后，为了便于应付各种差使，内札萨克不少旗在各自的旗境内安设苏木台站。如喀喇沁左旗境内有喜峰口驿站克依斯呼之外，旗内自行设置的白宫台站。从此，蒙古原有的乌拉制度被驿

---

① 乌云格日勒：《十八至二十世纪初内蒙古城镇研究》，内蒙古人民出版社 2006 年版，第 59—60 页。
② 金峰：《清代蒙古地区台站通名的产生与命名》，《内蒙古地名》1981 年第 1、2 期。

站制度代替。康熙三十年（1691 年）至三十二年（1693 年）之间，清政府
根据对准噶尔战争的需要，在喜峰口、古北口、独石口、张家口、杀虎口外
设置了五路驿站，① 总称内蒙古五路驿站。五路驿站与长城五口以内的汉站
相连，直达京师。有清一代，把上述五路驿站又称做口外五路驿站或边外五
路驿站。

　　喜峰口驿站，自喜峰口至扎赉特旗哈岱罕，共设 18 站，总长 1 700 余
里，通达内札萨克蒙古卓索图盟喀喇沁右中左三旗、土默特右左二旗、昭乌
达盟喀尔喀左翼旗、敖汉旗、奈曼旗、扎鲁特左右二旗、哲里木盟科尔沁左
翼后中前三旗、科尔沁右翼中前后三旗、郭尔罗斯前后二旗、杜尔伯特旗、
扎赉特旗等三盟二十旗。这些站自南向北的顺序是喜峰口、宽城、浩沁塔宾
噶尔、克依斯呼、托郭图、伯尔克、黄郭图、沙尔诺尔、库库车勒、三音哈
克、希讷郭勒、奎苏布拉克、博罗额尔济、诺木齐、哈沙图、阿勒坦克勒苏
特依、仲堆、哈岱罕。② 其中，喜峰口、宽城为汉站之外，其余均为蒙古
站。该路驿站共设官马 920 匹，兵丁 968 名，当差壮丁 50 名，兽医 2 名，
马夫 46 名。喜峰口路驿站是清廷规定的卓索图盟和昭乌达盟王公入京朝靓、
年班的必经路线。也是连接京师到内蒙古东部各盟旗的主要通道。该路从北
京开始，经遵化到喜峰口，然后从喜峰口经卓索图盟的各旗，昭乌达盟各旗
直到哲里木盟各旗。从京师到喜峰口 6 站，约 400 余里；从喜峰口到扎赉特
旗 18 站，约 1 700 余里，总长 2 100 余里，共经 24 站。特别在后来与齐齐
哈尔接通后，成为京师到东北最为迅捷的驿路，清代许多紧急军国奏折都经
此路传递，被称为递折路。

　　古北口驿站，自古北口至乌珠穆沁左翼旗阿噜噶木尔，共设蒙汉 19 站，
总长 1 160 里，通达内札萨克蒙古昭乌达盟翁牛特左右二旗、扎鲁特左右二
旗、巴林左右二旗、阿噜科尔沁旗、锡林郭勒盟乌珠穆沁左右二旗等二盟九
旗。古北口路驿站是北京通往乌珠穆沁左旗的驿路。此路从京师出发，经顺
义、密云到古北口，然后是鞍匠屯、王家营、红旗营、什巴尔台、坡赖村、
美耳沟、希尔哈、阿美沟、卓苏、陈图博、赍散琥图克、色拉木伦、噶察

---

① 《清圣祖实录》卷 153，康熙三十年冬十月丙申条；卷 155，康熙三十一年夏五月甲申条。
② 《钦定理藩院则例》卷 31，《邮政》。

克、海拉察克、阿噜噶木尔。① 其中，前六站为汉站，其余为蒙古站。该路
驿站共设官马495匹，兵丁974名，当差壮丁80名，兽医6名，马夫28名，
轿夫48名。此路驿站最初为征伐准噶尔而设立，后来成为内蒙古最主要的
商路之一。

独石口驿站，是从京师到浩齐特部的驿站，锡林郭勒盟部分札萨克旗王
公进京的主要通道。该路从京师起始，经过昌平、居庸关、赤城到独石口，
然后从独石口经察哈尔左翼和昭乌达盟的克什克腾旗，进入锡林郭勒盟的阿
巴噶左、右旗，阿巴哈纳尔左、右旗，到达浩齐特左右旗。计15站，1180
余里。康熙三十五年（1696年）康熙皇帝率中路大军由此路北上克鲁伦河，
与西路大军夹击准噶尔汗国噶尔丹，于昭莫多地方大胜噶尔丹。这些站自南
向北的顺序是独石口、奎腾布拉克、额楞、额默根、卓索图、锡林郭勒、胡
鲁图。② 其中，独石口站以外，其余均为蒙古站。该路驿站共设官马329
匹，兵丁300名，兽医1名，马夫43名。

张家口（东口）驿站，从京师开始，经过怀来、宣化到张家口，过长
城后一路向西到归化城，又一路向西北到乌兰察布盟四子部。此路从京师到
张家口约430余里，从张家口到归化城经6站，约600余里，此路可连接察
哈尔右翼诸旗及归化城土默特左、右二旗。从京师去阿拉善额鲁特和额济纳
土尔扈特的官方人员也走这条道路。抵达四子部的路，也作为乌兰察布盟部
分札萨克王公入京朝贡、年班的道路使用。所经盟旗主要是锡林郭勒盟苏尼
特左、右二旗和乌兰察布盟四子部、喀尔喀右翼旗、茂明安旗。后来这条路
不仅成为张家口外唯一驿路，从内蒙古一直延伸到外蒙古地区，成为阿尔泰
军台的组成部分。在内蒙古境内共有24站，960余里。这些站自南向北顺
序是张家口、察罕托罗海、布尔哈苏台、哈留台、鄂罗依琥图克、奎苏图、
扎哈苏台、明垓、察察尔图、庆岱、乌兰哈达、本巴图、锡喇哈达、布鲁
图、鄂伦琥图克、察罕琥图克、锡喇穆楞、敖拉琥图克、吉斯黄郭尔。下接
外札萨克喀尔喀蒙古土谢图汗部境内5站。其中，张家口驿站为汉站之外，
其余均为蒙古站。该路驿站共设官马497匹，兵丁330名，兽医1名，军

---

① 《钦定理藩院则例》卷31，《邮政》。
② 《钦定理藩院则例》卷32，《邮政》。

夫、马夫各 24 名。张家口驿站另一道则西至归化城，路经驿站有察罕托罗海、叟吉、昭化、塔拉布拉克、穆海图、和林格尔。①

杀虎口（西口）驿站，从京师路经此站，分别到乌兰察布盟的乌喇特前、中、后三旗和伊克昭盟各旗。杀虎口亦称做西口。经该口路过归化城土默特二旗至乌喇特三旗的路为东路；又经归化城到伊克昭盟各旗的路为西路，两路在归化城分开。从京师到归化城 1 140 余里，从归化城到乌喇特三旗约 360 余里；从归化城到伊克昭盟约 1 120 余里。这些站自南向北顺序是杀虎口、八十家、二十家、萨勒沁、归化城、杜尔格、栋素海、吉克苏台、巴彦布拉克、阿噜乌尔图、巴尔素海、察罕扎达垓。② 其中，杀虎口站以外，其余均为蒙古站。该路驿站共设官马 280 匹，兵丁 528 名，兽医 1 名，马夫 20 名。北路自杀虎口经归化城土默特左右二旗，到达乌兰察布盟乌喇特前中后三旗俱驻地哈达马尔（铁柱谷），③ 总长达 480 里。有清一代，该路作为伊克昭盟和乌喇特诸旗贡道，一直发挥着重要作用。清中叶以后更成为山、陕流民走西口的通道。

除以上的五路驿站外，还有通往东北的八虎路，齐齐哈尔西北路台站和齐齐哈尔南路台站。清初，开辟山海关驿路，哲里木 10 个札萨克旗王公由此路进京朝觐、年班。后来的八虎路从法库门出发，经哲里木盟左翼各旗、郭尔罗斯前旗、扎赉特旗到郭尔罗斯后旗的茂兴，纵贯哲里木盟，全长约 800 余里，途经 36 站。因为地势平坦，后成为内蒙古东部重要商道。齐齐哈尔西北路台站随着中俄关系的发展延伸到 1 250 余里，计有 21 站，齐齐哈尔界内 3 站，布特哈界内 7 站，呼伦贝尔界内 11 站。此路从齐齐哈尔直抵中俄边界的库克多博卡伦（今额尔古纳右旗黑山头），是东北通往沙俄的重要交通路线。此外，呼伦贝尔通往京师的驿路还有两条，都是向西南经锡林郭勒盟直抵京师。第一条路是从呼伦贝尔城（今海拉尔市）出发，西南渡喀尔喀河，经外蒙古车臣汗部左翼，内蒙古锡林郭勒盟乌珠穆沁左右两旗，昭乌达盟克什克腾旗，进入多伦诺尔，然后由古北口进京。全长约

①　《嘉庆重修一统志》卷 534，四部丛刊本。
②　《钦定理藩院则例》卷 32，《邮政》。
③　《嘉庆重修一统志》卷 542，四部丛刊本。

3 000 余里。另一条是从呼伦贝尔城出发，西南渡乌尔汛河，经外蒙古车臣汗左翼中后旗境，过锡林郭勒盟乌珠穆沁右翼旗、浩齐特左旗、阿巴噶右旗、正蓝旗察哈尔，然后从张家口至京师，全长约 3 300 余里。

交通运输主要靠马、骆驼和各种畜力车。民间最主要的交通工具仍然是马，在山区以及沙漠地带也有乘骑驴骡的现象。牧民移营徙牧，则用勒勒车或用骆驼驮载。官方驿运，则有驿马和驾辕车。驾辕车又有马车、牛车、驼车之分，漫漫路途，缓缓前行，是当时草原驿路上的写照。

清代内蒙古地区驿站线路长，人员多，途经地区社会、地理环境复杂。因此在管理上不同于内地驿站。除了地方上实行派出官员与地方札萨克等行政长官双重管理体制外，在中央也同样实行以理藩院旗籍清使司为主、兵部车驾清使司为辅的双重领守体制。另外，地方都统、将军也有兼管之责。如热河都统兼管喜峰口、古北口驿站，察哈尔都统兼管张家口、独石口驿站，绥远城将军兼管杀虎口驿站，呼伦贝尔副都统兼管齐齐哈尔至呼伦贝尔的西北路台站。每路专设管驿蒙古员外郎 1 名，笔帖式 2 名负责。每站再设领催一人具体负责。古北口一路则特设管站同知一人，与该路员外郎协同管理。

清代内蒙古地区驿站担负着"宣传命令，通达文移"[1]的重要使命。战争时期作为兵站，传报公务、押送军饷、火药、钱粮、农具、器械、押解遣犯、护送降人，任务更加繁重。为了保证台站的畅通无阻，台站在管理和使用上形成了诸多制度和措施。如乘驿人员须持专用票、牌驰驿；官员非因公务则不能驰驿；驰驿人员不得勒索驿站；驿站须按规定提供差马、饮食，不得违误；驿用牲畜得按一定比例报损，超过比例须由驿站人员陪补。从人员配备上，一般来说每个正站需要 50 名兵丁（又称五十家）或乌拉齐（站丁）服役，腰站需要 20 名（二十家）兵丁服役。服役时间有的几个月，有的几十年，甚至两代。站丁所要承担的主要任务有传递文报，转运物资，接送过往人员；为过往人员提供转运所需的车、马、牛、驼等交通工具；无偿为过往人员提供食宿。清政府规定："蒙古部落，照本院（理藩院）所发印文，供应差马饩羊，不许规避。如不供应差马者，罚牲畜三九；不供应饩羊

---

[1] 《清朝通典》卷 26，商务印书馆 1935 年版。

者罚牛一头"。① 若遇紧急情况，更是强征勒索。站丁多是穷困的蒙古人，甘愿携带家口服站役以求栖身之所。他们要自己耕牧，获取生活资料，加之承担过往人员食宿，生活实在艰难。清政府不得不"每丁各给乳牛五头、羊三十只，以此养赡"。② 但是，每逢灾年这点牲畜很容易损失殆尽，站丁只好自行买补。另外，站丁经常遭受到过往差官的无理勒索和凌虐。如"雍正元年谕，理藩院人员来往蒙古地方，有不肖之徒，肆行无礼，勒索凌虐者"。③ 清廷虽然多次下令禁止这种行为，但屡禁不止。到了清朝末年，"台站往来各差，近来每籍官差贩带货物，在台任意需索驼马，稍不如意，辄加鞭打"。④ 站役不仅苦累广大旗民，而且逼迫他们付出了巨额的生产和生活资料，给蒙古地区的社会生产带来极大的消极影响。道光十年（1830年），察罕浩特驿站的喀喇沁右、中旗站丁因干旱或水灾，地无收获多年，无法维持生活。⑤ 贫苦站丁在无法承受繁重差役的情况下，以四处溃散或逃避来反抗站役。光绪年间，"察哈尔所属站台因往来差使络绎，驼马倒毙甚多，以致溃散四台。各台兵丁困苦难堪，势将纷纷逃避"。⑥

二、卡伦

卡伦，蒙古语 Qarayul 之音译，意为哨所或岗哨，满语中卡伦（Karun）为其借词，意为"更番候望之所"，或称斥堠、哨，其实际功能主要在于边防哨所，即执行各种巡查、传递或征收等任务，并驻兵把守的据点。按其性质，清代卡伦可分为内地卡伦、边境卡伦。各地卡伦均设有卡伦章京或侍卫统领兵丁巡防、驻守。就边境卡伦而言，相邻两个卡伦之间又设鄂博一处，使相邻两个卡伦官兵不时从各自的卡伦至鄂博之间进行巡查。到鄂博后双方会哨，并汇报各自的情况，以便上报边情。地方军政官员也在不同的时间内，按规定的路线带兵巡查边境，视察卡伦官兵的驻守情况。鄂博又译鄂

---

① 《钦定理藩院则例》，《录勋清吏司下·供应》。
② 《钦定理藩院则例》，《录勋清吏司下·驿丁》。
③ 《钦定理藩院则例》，《录勋清吏司下·供应》。
④ 《清穆宗实录》，同治十一年六月甲子条。
⑤ 内蒙古档案馆喀喇沁左旗札萨克衙门档案，503—2—3962。
⑥ 《清德宗实录》卷19，光绪元年十月甲午条。

博，为蒙古语，意为"堆"。鄂博在蒙古地区有祭祀鄂博、路标鄂博、界标鄂博之别，与卡伦相对应的就是界标鄂博。但其功能与卡伦有所不同，它的目的和作用仅在于分明各种区域或疆域之间的界线或边界，① 并无其他功能。

清代内蒙古地区卡伦始设于康熙初年。盛京、吉林地区与内蒙古东部各部之间的卡伦是沿着盛京边墙——柳条边设置的，卡伦走向是"东为崖口，西为济尔哈朗图，北为色堪达巴汉色钦等处，又西为库尔图罗海等处，又南为木垒喀喇沁等处，又南而西为珠尔噶岱等处，又南为海拉苏台等处，又南而东为巴伦格得依等处"，"老柳边在外，卡伦在内"。② 昭乌达盟翁牛特、敖汉、奈曼、喀尔喀左翼等部牧地均在此范围内。索伦、达呼尔等部驻地与哲里木盟杜尔伯特、郭尔罗斯等部游牧地之间的卡伦原设于哈达雅地方，与墨尔根村庄相近。康熙二十九年（1690 年）移至席令吉齐山顶安设。扎赍特 3 卡伦原靠近索伦游牧之处，后作调整。其中，将东卡伦移至柴河北山顶，中卡伦移至伊罕克勒河山顶，西卡伦移至库如勒齐山顶。科尔沁 3 卡伦原在内地，因"与各处辽远"，遂将东卡伦移至哈布齐河山顶，中卡伦移至纳哈拜扎尔汉山顶，西卡伦移至哈麻尔口北山顶。③

热河木兰围场属大清皇家猎苑，是清廷很早划定的禁区。围场周围先后设卡伦 40 处，"规取高地为之，或于岗、或于阪、或于山川之隙随宜设置"。这些卡伦均以驻防八旗兵丁驻守，防止蒙汉人民出入围场，"盗伐木植，偷打牲畜"。④

内蒙古地区总管旗牧地周围也设卡伦守护。如归化城土默特地区卡伦设于乾隆十九年（1754 年），共设 11 座。它是土默特与邻近诸蒙古旗之间的边界，有防范盗贼抢劫之功能。这些卡伦以翁滚达巴为中心，分东北—东南、东北—西南两条线分布。东北—东南线排序为翁滚达巴、哈喇沁、鄂奇特、乌里雅苏台、和林格尔；东北—西南线排序为翁滚达巴、珂乳库、特门

① 宝音朝克图：《清代北部边疆卡伦研究》，中国人民大学出版社 2005 年版，第 236—237 页。
② 《钦定理藩院则例》，《录勋清吏司下》。
③ 《盛京通志》卷 52，商务印书馆 2005 年版。
④ 曹永年：《蒙古民族通史》第 3 卷，内蒙古大学出版社 1993 年版，第 235 页。

库珠、嘎鲁第、苏勒哲、乌达、察罕鄂博。这些卡伦的大部分地处大青山峡谷中，每卡领催一名，兵丁五名，这些兵丁均自土默特二旗中抽调，每次值勤一个月，每年十一月由绥远城将军派出满族官员前往视察各卡伦的情况。[1]

雍正十二年（1734年），清朝在呼伦贝尔巴尔虎与外札萨克喀尔喀车臣汗牧地分界处初设16座卡伦，这些卡伦是哈布齐海图、阿拉勒图、扎拉、布尔格尔、呼尔海图、哈西雅图、音沁、阿噜布拉克、默敦哈西雅图、扎木音呼都克、布隆德日素、乌兰杭噶、额布都克布拉克、锡林呼都克、诺木汗布日图、乌默黑布拉克等。道光二十七年（1847年），又增设3卡伦。即西拉沁、合热木图布拉克、西巴尔图布拉克。这些卡伦系内卡伦，其中，前16座卡伦每卡伦派兵丁10名，两卡伦间派官员1名，后三座卡伦每卡伦派官员1名，兵丁10名。[2]

呼伦贝尔与布特哈之间的库鲁克、哲尔库来、根郭勒、鄂勒呼奴、博鲁、莫日勒格等六座卡伦建于咸丰十年（1860年），这些卡伦虽系内卡伦，但其职责仍然是防止俄罗斯人越境，驻守兵丁由布特哈城派遣。[3]

此外，清朝在额尔古纳河沿岸设置了大批边境卡伦，并据其地理位置分为外卡伦和内卡伦，其职责均为执行国境的警戒和巡逻任务。其中，额尔古纳河东岸的外12卡伦初设于雍正五年（1727年）。其自东而西顺序为珠尔特依、西巴尔布喇克、巴延珠尔克、乌雨勒噶齐、巴雅斯呼朗图温都尔、巴图尔和硕、库克多布、额尔德尼托鲁盖、蒙克西里、阿巴垓图、苏克特依、察罕敖拉。光绪十年（1884年），清朝为了禁止俄罗斯人越界采金，在额尔古纳河下游沿岸又增设了莫里勒格、牛尔郭勒、温郭勒、伊木郭勒、额勒合哈达等五处外卡伦。每卡伦设官员1名，兵丁30名，每三个月轮换一次，并派总兵1名，佐领2名每月协助查核。[4] 这些兵丁来源于呼伦贝尔副都统（总管）所辖驻牧八旗，其职责主要是每日巡查，遇有越境俄罗斯偷盗牲畜

---

① ［俄］波兹德涅耶夫：《蒙古及蒙古人》第2卷，刘汉明等译，内蒙古人民出版社1983年版，第152—153页。

② 《呼伦贝尔概要》，金峰等整理《卫拉特史迹》，内蒙古人民出版社1992年版，第151—154页。

③ 《呼伦贝尔概要》，金峰等整理《卫拉特史迹》，内蒙古人民出版社1992年版，第151—154页。

④ 《呼伦贝尔概要》，金峰等整理《卫拉特史迹》，内蒙古人民出版社1992年版，第151—154页。

者归总管呈报办理。① 但由于外卡伦防守多有疏漏，时有发生俄罗斯人越界现象。雍正十一年（1733 年），根据黑龙江将军卓尔海等人的建议，在距外卡伦一百至二百里的地方重设库勒都尔河、特尔么勒津河、特尼格、崇古林山沟、依拉盖图哈齐、西拉乌苏、萨勒奇图、温都尔鄂勒苏、翁衮、敖兰冈噶、布朗图、莫盖图、套鲁盖图、乌尔图布拉克等 15 座内卡。② 咸丰七年（1857 年），因内外卡伦之间的距离过远而"仍不足资联络"，"恐稽查难周"，③ 于是将以上内卡伦全部设在距离外卡伦 30 至 40 里处，以便协助外卡伦守边。其中，原十五座内卡中 3 座（包古图、依尔盖图、新布拉克）变为台站以外，其余均以新设置的地点而另起名。重新设置的 12 座内卡是西巴尔阿玛、迈罕图、察勒齐阿玛、色格勒齐布拉克、郭尔毕布拉克、阿噜呼都克、锡林呼都克、奔巴诺尔、郭勒特格、阿尔山布拉克、乌噶拉吉布拉克、达西玛克布拉克。④

三、鄂博

有清一代，内蒙古边境地区遍设驻扎兵丁的镇守国境之卡伦，此外，遍布着标志国界的鄂博。如呼伦贝尔境内的塔尔巴干塔呼山鄂博是在乾隆二十五年（1760 年）划分中俄边界时堆起的。⑤ 标有内蒙古各旗游牧界限的鄂博遍布在各旗交界处，"蒙古二十五部落、察哈尔牧场、八旗各如其境，以鄂博为防"。⑥ 道光二十七年（1847 年），清朝为了界定喀尔喀与巴尔虎游牧界限，先后堆起了十二座鄂博。⑦ 土默特与鄂尔多斯之间因黄河频繁改道而多次发生边界纠纷。为了界定边界，双方自康熙年间起多次派遣官员堆起鄂博。⑧ 道光五年（1825 年），因四子部落旗与察哈尔镶蓝旗之间游牧界限

① 《盛京通志》卷 52，商务印书馆 2005 年版。
② 《呼伦贝尔概要》，金峰等整理《卫拉特史迹》，内蒙古人民出版社 1992 年版，第 151—154 页。
③ 《黑龙江志稿》卷 32，台湾影印《中国边疆丛书》本。
④ 《呼伦贝尔概要》，金峰等整理《卫拉特史迹》，内蒙古人民出版社 1992 年版，第 151—154 页。
⑤ 《呼伦贝尔概要》，金峰等整理《卫拉特史迹》，内蒙古人民出版社 1992 年版，第 151—154 页。
⑥ 《清史稿》卷 137，《兵八》。
⑦ 《呼伦贝尔概要》，金峰等整理《卫拉特史迹》，内蒙古人民出版社 1992 年版，第 151—154 页。
⑧ 《呼和浩特史蒙古文献资料汇编》第 1 辑，内蒙古文化出版社 1989 年版。

纠纷不断，双方派遣官员，在两旗交界处挖沟或堆起鄂博。[1] 光绪十一年（1885 年），绥远城将军令相关旗札萨克衙门，重新修复了土默特与四子部落旗、土默特与达尔罕贝勒旗、土默特与茂明安旗、土默特与乌喇特中旗边界鄂博。其中，土默特与茂明安旗之间的新旧边界鄂博共有 70 座。[2] 另外，清代蒙古寺庙和呼图克图、活佛因拥有大片牧场，寺庙牧场与邻近各旗之间亦立鄂博界定边界。如乾隆三十五年（1770 年），在五当召牧场与茂明安、四子部落旗、乌喇特等旗交界处立鄂博 69 座，界定边界。[3]

第五节　清代内蒙古的人口

由于资料的限制和研究的欠缺，清代内蒙古人口始终没有可靠的统计或研究结果。所有的研究，基本根据清朝比丁制度和各旗佐领数来加以推算。清朝每三年进行一次比丁，可以显示当时户口情况。清代制度，每佐领一般由 150 户组成，也有少数不足此数的佐领，每户出一丁，这样可以推算出大体上可靠的人口数。但是，从清初到清末，时间跨度很大，各个时期的统计数字又很难搜集齐全，总是留下许多空白和遗憾。

清初，漠南蒙古诸部归附爱新国和清朝的过程中，编旗设佐，留下一些数据。

天聪九年（1635 年）二月甲申编审喀喇沁壮丁：[4]

部旗名	人　数
古鲁斯辖布（喀喇沁右翼旗）	5 286 人
俄木布楚琥尔（喀喇沁左翼旗）	1 826 人
耿格尔丹巴　（土默特旗）	2 011 人
合计	9 123 人

---

[1] 《呼和浩特史蒙古文献资料汇编》第 1 辑，内蒙古文化出版社 1989 年版。
[2] 《呼和浩特史蒙古文献资料汇编》第 1 辑，内蒙古文化出版社 1989 年版。
[3] 《呼和浩特史蒙古文献资料汇编》第 1 辑，内蒙古文化出版社 1989 年版。
[4] 《清太宗实录》卷 22，天聪九年二月乙亥条。

除此之外，这次编入蒙古八旗的喀喇沁壮丁共 7 810 人。根据《八旗通志》（初集）作了"蒙古八旗喀喇沁佐领表"，但是很不全面，下面在该表基础上再作一些补充。这样，在八旗蒙古的 212 佐领中，喀喇沁佐领共有 67 个，占总佐领数的 31.6%。当然，这是康熙年间的佐领数，有不少佐领是后来随着人口的繁衍而增设的。

崇德元年（1636 年）九月，希福、阿什达尔汉等奉命清查翁牛特等十五部户数如下：①

部 名	旗 名	户 数
翁牛特	杜棱郡王（右翼）旗	1 300
	达尔汉岱青（左翼）旗	1 830
巴林	阿玉石（右翼）旗	620
	满珠习礼	880
四子部	达尔汉卓里克图	2 194
穆章		3 000
札鲁特	桑噶尔（右翼）旗	1 980
	内其（左翼）旗	1 430
乌喇特	乌喇特旗	1 955
敖汉	敖汉旗	1 300
奈曼	达尔汉郡王旗	1 210
色根		530
色波合依		290
茂明安		480
土拜色楞		410
元敦		82
萨里依		100
贡格		50
合计		19 531

① 《满文老档》，崇德元年十一月六日，中华书局 1990 年版。

崇德元年（1636 年）十月调查土谢图等十一旗户口数：①

部（旗）名	户 数
土谢图亲王旗	2 900
札萨克图郡王旗	2 050
扎赉特旗	2 750
喇嘛旗	1 800
杜尔伯特旗	3 200
卓里克图亲王旗	1 950
木赛旗	600
噶勒图旗	450
栋果尔旗	2 930
郭尔罗斯（奔巴）旗	1 700
郭尔罗斯（古木）旗	2 050
合计	22 380

入关前，蒙古八旗拥有兵丁 15 840 名。以上户丁合计为 67 847 户，按每户一丁，每户以 5 口计算，则为 34 万人口。除了以上的数据，归化城土默特、鄂尔多斯以及察哈尔人口也是个未知数。这些人口之外，还有喇嘛、黑徒、鳏寡孤独、残疾老弱等尚未加以计算。以上人口也可达到 20 万左右。这样，清初内蒙古蒙古族人口有 50 万是较为可靠的数据。

到乾嘉时期，内札萨克 49 旗，共有佐领 1 274 个。② 内属蒙古察哈尔八旗，拥有佐领 120 个，归化城土默特二旗有佐领 49 个，以上三项合计，共有佐领数达 1 443 个。按每佐领 150 户计算，应有户数超过 21 万。也按每户 5 口计算，清中期内蒙古蒙古族人口达到 100 万，甚至还要多一些，因为还不包括西套蒙古 2 旗以及呼伦贝尔地区人口。这个时期，蒙古八旗佐领数为 212 个，③ 其人口也达到了 15 万之多。

---

① 《满文老档》，崇德元年十一月六日，中华书局 1990 年版。
② （嘉庆）《大清会典》卷 78、80。
③ 乌云毕力格：《喀喇沁万户历史研究》，内蒙古人民出版社 2006 年版，第 163 页。

清末，理藩部通过组织蒙古地区人口调查，获得了较为翔实的数据资料。据《清朝续文献通考》中的记载：①

漠南地区		
昭乌达盟	13 旗	20 万
卓索图盟	7 旗	22 万
哲里木盟	10 旗	50 万
锡林郭勒盟	10 旗	5 万
伊克昭盟、乌兰察布盟、西土默特、阿拉善	17 旗	20 余万
黑龙江伊克明安旗		1 万
呼伦贝尔地区	17 旗	3 万
奉天彰武县	新陈苏鲁克旗	2 万
吉林扶余县纳尔罕蒙古		1 万
察哈尔	十四旗	3 万

以上人口达到 120 万。由于缺少额济纳等旗资料，所得应是约数。②

另外，王士达《民政部户口调查及各家统计》1911 年内蒙古各盟人口数为：③

（单位：户，口）

部（旗）名	户 数	人口数
哲里木盟	105 126	484 996
卓索图盟	45 942	209 955
昭乌达盟	25 534	115 741
锡林郭勒盟	14 803	67 650
乌兰察布盟	5 812	31 131
伊克昭盟	35 914	164 127

---

① 《清朝续文献通考》卷 25，"户口一"。
② 乌云毕力格等：《蒙古民族通史》卷 4，内蒙古大学出版社 2002 年版，第 364 页。
③ 王士达：《民政部户口调查及各家统计》附表，转引自《蒙古民族通史》卷 4，内蒙古大学出版社 2002 年版，第 364 页。

（续表）

部（旗）名	户　数	人口数
归化城土默特	5 419	29 335
阿拉善旗	1 048	4 789
额济纳旗	131	599
合计	242 729	1 108 832

根据《蒙古民族通史》的统计，以上数字再加上察哈尔 12 980 户，约 6 万人口，以及呼伦贝尔等地人口，五路驿站、各牧厂人口，清末内蒙古蒙古族人口当在 125—130 万之间。

清代中期，特别是乾隆以后为中国人口大发展的时期。从乾隆年间到清末汉人人口增加了三倍多。相比之下，蒙古族的人口增长显得相当缓慢或有些地方出现了人口的负增长。究其原因，首先是喇嘛人口比例过大。"家有三丁，则度其一为喇嘛，五丁则致其二。"[1] 这是清朝扶植、利用藏传佛教政策的直接恶果。清末"内蒙古的喇嘛官和喇嘛共有十二万八千余人，加上不食国家俸粮者，共十五万之众"。[2] 按照清朝法律及教规，喇嘛严禁婚娶，这样占人口相当部分的男子不承担生育后代的任务，遂使人口增长不能呈正常的几何基数来增加。战乱、疾病也是影响人口增长的重要因素。清中叶的清朝与蒙古准格尔部的战争、晚清的"陕甘回民起义"、清末卓索图盟地方的"金丹道暴动"等较大规模的战乱直接波及蒙古地区，也导致了蒙古人口的减少。另有性病等各种疾病也使人口增长缓慢。此外，自然灾害、生活日益贫困化都对蒙古族人口的发展产生了不可忽视的影响。

---

[1]　徐世昌：《东三省政略》，《蒙务上·蒙旗篇》。
[2]　花楞等：《内蒙古纪要》，1916 年铅印本，第 21 页。

第 七 章

清代内蒙古的城镇

第一节 清代内蒙古城镇兴起的社会背景

一、清前期内蒙古农业的发展和定居村落的形成

清入关初期，满洲贵族在察哈尔八旗等地设庄田，又在华北大量圈占耕地，部分农民被赶出家园；康熙至乾隆时期，由于内地人口骤增，耕地缺少，加上经常发生饥荒，无地缺粮的农民遂大批到口外觅食。而内蒙古有着大片未垦种的牧场，被背井离乡的汉族移民视为重建家园的理想天地。另外，游牧畜牧业与定居农业两种经济具有互相配合、互相调剂的依存关系，不仅农业经济需要畜牧业产品的调剂，畜牧业经济也离不开农产品的补充和调剂。因此，大批大批的汉族移民涌入内蒙古各地，并且迅速找到耕种的田地。

流入内蒙古的汉族移民，首先进入沿长城以北的归化城土默特、察哈尔南部和卓索图盟、昭乌达盟南部地区，由长城沿边，逐渐向北推进，在辽河流域则形成越过柳条边墙向西推进的趋势。

汉族移民进入内蒙古，首先带来的变化是农业人口日渐增多、土地不断被开垦和农业的日益发展。早在康熙三十六年（1697 年），在边外各处"或行商，或力田"的山东人已达到"数十万"。[1] 这些汉族移民，在内蒙古东

---

[1] 《清圣祖实录》卷230，康熙四十六年七月戊寅条。

部，大多进入了长城以北近边的卓索图盟和昭乌达盟南部各蒙旗。雍正、乾隆年间，又由于直隶、山东等省连年发生严重的灾荒，清朝政府为缓和社会矛盾，在卓索图盟和昭乌达盟南部各蒙旗推行"借地养民"政策，允许受灾地区汉人进入上述各盟旗，开垦耕种。这又使大批灾区汉族移民流入了该地区。到乾隆十三年（1748 年），在卓索图盟各蒙旗，汉人所典蒙古地亩，"土默特贝子旗下有地千六百四十三顷三十亩，喀喇沁贝子旗下有地四百顷八十亩，喀喇沁札萨克塔布囊旗下有地四百三十一顷八十亩"。[①] 乾隆四十七年（1782 年），已改设州县的卓索图盟大部分地方和昭乌达盟南部部分地方的汉族定居人口已达 74725 户，337199 人口。[②]

农业人口开始进入内蒙古地区时，春至秋归，流动性强。后来则逐渐定居，渐成村落，并且这种局势逐渐扩大，形成了部分农业和半农半牧区；随着时间的推移，部分蒙古牧民也由游牧改为务农和定居。卓索图盟喀喇沁农业发展较快，到乾隆初年，喀喇沁中旗就已有汉人佃丁 42924 口，分住在103 屯，典种地亩为 7741 顷 6 亩。[③] 乾隆末期，热河道管辖之下的卓索图盟和昭乌达盟南部到处都是"筑场纳稼，烟火相望"的农业定居点的景象。[④]据乾隆四十年（1775 年）左右的统计，热河道管辖之下的州县境内已经形成了众多的村落。如平泉州北境的喀喇沁右翼旗地村落有 30 个，喀喇沁中旗地村落有 41 个，赤峰县境内村落有 127 个，建昌县境内村落有 82 个，朝阳县境内村落有 107 个。[⑤]

哲里木盟早在清初已有农耕，但是，农耕的大面积推广要晚于卓索图、昭乌达二盟。乾隆末期，科尔沁左翼前、中旗和郭尔罗斯前旗等地已有不少农业移民。汉族移民开垦耕种，农业始有发展。同时，清廷开始注意这些地方的汉族农业移民的管理问题。乾隆四十九年（1784 年），清廷下令科尔沁

①　《钦定理藩院则例》。

②　和珅、梁国治：《钦定热河志》卷 91，《食货》，台湾影印《中国边疆丛书》本。

③　《锦热蒙地调查报告》下卷（喀喇沁中旗）"乾隆十三年钦差大臣调查在本旗境内所住汉民之户口男女及佃种地数目清册"，地籍整理局编，1937 年。

④　和珅、梁国治：《钦定热河志》卷 92，《物产一》，台湾影印《中国边疆丛书》本。

⑤　和珅、梁国治：《钦定热河志》卷 55—57，《疆域沿革》一——三，台湾影印《中国边疆丛书》本。

左翼前旗的种地民人交铁岭县管理，科尔沁左翼中旗的种地民人交开原县管理。① 此后，汉族移民不断向北进入，也在哲里木盟南部各旗，嘉庆年间经招民私垦或奏准放垦，农业人口增多，农垦区不断推进。嘉庆五年（1800年），郭尔罗斯前旗长春堡地方已有民人2330户，农业熟地265648亩。② 嘉庆十一年（1806年），科尔沁左翼后旗常突（昌图）额尔克地方，"种地民人聚集四万有余"。③

清朝统治者在刚入关的顺治元年（1644年）在察哈尔八旗游牧地设立了若干所官庄。④ 第二年，正式确定将古北口、罗文峪、冷口、独石口、张家口外的土地拨与正黄、镶黄等七旗，这就是宗室、官员、兵丁的庄田。⑤ 除了官庄以外，主要是河北和山西的汉族移民分往左、右两翼八旗，大量私垦。康熙二十七年（1688年），经过察哈尔和归化城土默特地的朝廷官员钱良择在他所撰《出塞纪略》当中记述察哈尔右翼旗和归化城土默特旗地的土地开垦情况。⑥ 雍正二年（1724年），察哈尔都统曾经对察哈尔右翼四旗的私垦地曾进行过一次丈量，共丈量农地29 709顷25亩；同时还发现"自张家口至镶蓝旗察哈尔西界各处，山谷僻偶，所居者万余"。⑦

归化城土默特蒙古人，清初即按军事组织被编成左、右两翼二旗，初设12佐，后人口繁衍，编成60佐，每佐不仅派兵为清廷服兵役，而且归化城土默特境内的驿站也要当地"拨地与户当差"。⑧ 土默特蒙旗官兵，"向无俸饷"，清政府乃将旗地重新分配，将其称为"户口地"，要各佐官兵自耕代饷。归化城土默特蒙古人既要"且耕且牧"维持生活，而且每年还要用数月时间出外"充当各路苦差"，所以大部分人只好招募汉人耕种，"全指所分租项当差"和维持家庭生活。⑨ 此外，康熙年间开始大面积的归化城土默

① （光绪）《大清会典事例》卷978，《理藩院·户丁》。

② （光绪）《大清会典事例》卷978，《理藩院·户丁》。

③ 王树楠等：《奉天通志》卷87，《建置一·城堡》，《东北文史丛书》本。

④ 《清朝文献通考》卷5，《田赋考五》，1644年设立了分隶内务府和镶黄、正黄、正白等三旗的官庄132所。

⑤ 《清朝文献通考》卷5，《田赋考五》。

⑥ 钱良铎：《出塞纪略》，《小方壶斋舆地丛钞》，第二帙。

⑦ 《清世宗实录》卷22，雍正二年七月甲寅条。

⑧ 高赓恩：《归绥道志》卷5，《十二厅志考·台站附》，内蒙古大学图书馆藏手抄本。

⑨ 贻谷：《绥远奏议》，《近代中国史料丛刊续编》本。

特旗地被占用。其中或者设立成粮庄，或者献纳公主，或者划分为牧厂、或者开垦为农地。康熙三十四年（1695年），经内务府奏准，在归化城土默特旗地添设粮庄13所，各给地18顷。[①] 此后，有"效纳公主地亩"之举，约数千顷。[②] 雍正年间，又从土默特南部划地"奏给右卫八旗马厂"，设立在和林噶尔和清水河两厅境内，划地数千顷。雍正末开始因为准备修建绥远城，屯兵应付准噶尔的战争，仅雍正十三年（1735年）一次就计划开放八处土地共4万顷，向山西等地广泛招民开垦。[③] 乾隆初年，绥远城建成，绥远八旗牧厂被设立在大青山逶北地方，该牧厂占据了大量的土默特旗地。同时，粮庄和公主府地的开垦面积也逐年有所扩大。如康熙三十四年（1695年）开设13所粮庄时虽定额共234顷，但到乾隆二年（1737年）时，却实际开垦了2 600余顷。[④] 在归化城土默特，农业人口的移入，与土地开垦、农耕推广几乎同步进行。康熙五十八年（1719年），兵部尚书范昭逵因查台站事务，出杀虎口进入归化城土默特旗地，在归化城以南，"间有山、陕人杂处"，又下营归化城以西，在当地种地的陕西人，为他们"献瓜、茄、葱、蒜等物"。[⑤] 正是农耕的推广为村落的形成奠定了基础，"各方农民租种蒙古地亩，初则数椽茅屋，略避风雨，比户聚居，渐成村落"。[⑥]

伊克昭盟地处黄河大湾区内，土地肥沃，适牧适农。康熙后期农业开始有所发展。康熙三十六年（1697年），鄂尔多斯右翼中旗（鄂托克旗）贝勒松喇布向康熙奏准，将陕西边外车林他拉、苏海河噜等处开垦，"与内地民人合伙种地"。[⑦] 时隔不到半个世纪的乾隆元年（1736年），延绥镇总兵发现："榆林、神木等处边口，越种蒙古余闲套地约三四千顷，岁得粮十万石"，这样"边民获粮，蒙古得租，彼此两便"，被认为"事属可行"，得到认可。[⑧] 在《调查河套报告书》中，对汉族移民进入伊克昭盟各旗的经纬，

---

① 刚毅、安颐等：《晋政辑要》卷10，《户制·杂赋》，光绪十三年版本。

② 贻谷、高赓恩：《土默特旗志》卷5，《赋税·附输田》，光绪末年刻本。

③ 贻谷、高赓恩：《土默特旗志》卷5，《赋税·附输田》，光绪末年刻本。

④ 《大清会典事例》卷1196，《内务府·屯庄》。

⑤ 范昭逵：《从西纪略》，《小方壶斋舆地丛钞》，第二帙。

⑥ 张曾：《古丰识略》卷23，《地部·村庄》，抄本。

⑦ 《清圣祖实录》卷181，康熙三十六年三月乙亥条。

⑧ 《清高宗实录》卷10，乾隆元年三月丁巳条。

有一段概括性的记载："自清康熙末年，山、陕北部贫民由土默特渡河而西，私向蒙人租地垦种，而甘省边氓亦复逐渐辟殖，于是伊盟七旗境内，凡近黄河、长城处，所在有汉人足迹"。① 从山、陕进伊克昭盟业耕种的汉族移民，被叫做伙盘。伙盘即"民人出口种地，春出冬归，暂时伙聚盘踞之名"，而这样的伙盘，逐步从暂时流动的形态，变为定居固定的据点，从而又变得"犹内地之村庄"。②

二、频繁而日益普及的商业活动

清早期汉族商人开始在蒙古地区进行具有一定规模的交易活动，与清朝和准噶尔部之间的战争有关。17世纪后半叶，准噶尔部势力开始强盛，70年代其首领噶尔丹统一卫拉特诸部，建立准噶尔汗国，并逐渐向东扩大。准噶尔的势力严重威胁清朝统治者。康熙二十七年（1688年），噶尔丹带兵进军喀尔喀，大败左翼的土谢图汗部。正在这一年，路经内蒙古、喀尔喀，赴俄罗斯进行谈判的清朝使团，目睹了喀尔喀败战之后的惨局。同时，也看到与军队交易的商人，"始见宣府民人车载烧酒、米面贸易，军中乏粮者得买食"。③

康熙二十九年（1690年），噶尔丹从喀尔喀南下进内蒙古境内。清军由古北口、喜峰口出兵阻击，交战于乌兰布通。康熙三十五年（1696年），康熙第一次亲征噶尔丹，编东、中、西三路军，康熙指挥中路军，从北京出发由独石口出长城，经锡林郭勒盟苏尼特、阿巴嘎等旗进喀尔喀境内。东路军由黑龙江将军萨布素率领，从盛京出发，经内蒙古东部进军克鲁伦河。西路军由抚远大将军费扬古统率，越阴山山脉，经内蒙古西部入喀尔喀，奔向陶拉河。继第一次亲征，第二次、第三次亲征也于康熙三十五（1696年）、三十六年（1697年）相继进行。

康熙亲征准噶尔，与噶尔丹的战争成为当时清政府最为重大的国事，用兵策略和后勤供给成为战争成败关键。对方的部队是由游牧战士组成的骑

---

① 督办运河工程总局编辑处：《调查河套报告书》，1923年北京京华印书局铅印本，《调查记录·前套区域》。

② 张鹏一：《河套图志》卷4，《屯垦》，民国年间铅印本。

③ 张鹏翮：《奉使俄罗斯日记》，《小方壶斋舆地丛钞》，第二帙。

兵，不仅每个战士能够自带干粮，而且行军迅速，难以捕捉。而清军必然兴师动众，军费浩大，且要求事前精心部署。不仅要保证行军速度，也要保证后勤供给及时到位。为了保证军队供给，清政府组织部分山西商人，跟随清军，贩运军粮、军马，从而有效解决了军队费用浩大的采购和运输问题。这一类商人，由于其商业活动在获得官方允许之后，在特定领域进行，所以可称做官商、或者随军商人。亲征期间，康熙在写给皇太子的信中，提到从军商人之事，甚至，商人也时常能获得朝廷的补给。同时，这些商人也被允许沿途与蒙古人做布帛、烟茶生意，换得牲畜、皮张等畜产品。

第二节 地方设治与内蒙古城镇

一、清前中期的地方设治与城镇

雍正年间，在汉族移民首先进入的长城以北与山西、直隶相连的归化城土默特、卓索图盟和昭乌达盟南部开始出现了新的地方行政建置——厅。新地方行政建置的官吏们在农耕区域选择地理位置适中之地设立厅衙门，以便有效行使政治职权。以这些厅治为中心，日久发展成为城镇。

这些城镇在内蒙古西部主要有：萨拉齐、托克托、和林格尔、清水河、宁远、丰镇等；在内蒙古东部主要有八沟、塔子沟、三座塔、赤峰、长春、昌图等。此外有海拉尔一处，尽管清前期呼伦贝尔没有厅县设置，却因雍正年间开始在呼伦贝尔新编索伦、巴尔虎等八旗，作为八旗首领的办公所在地，海拉尔成为呼伦贝尔最重要的政治中心。

萨拉齐厅城（萨拉齐） 雍正十二年（1734 年），在归化城土默特西部设萨拉齐协理通判厅，乾隆二十五年（1760 年）改为理事通判厅。萨拉齐，满语 Saraci 之音译，义为理事。该地在雍正年间始有设治时，有一小村名叫察罕（厂汉）库伦，设厅之后改名为萨拉齐，但居住者仍习称库伦。察罕库伦，蒙古语 čaγanküriy-e，即白色的院落。似乎一直到 19 世纪中叶，当地的蒙古人仍沿用该地名。①

---

① ［法］古伯察：《鞑靼西藏旅行记》，耿昇译，中国藏学出版社 1991 年版，第 166—171 页

萨拉齐厅城，北倚大青山，西南面黄河。同治七年（1868 年），"创筑城垣"，其城"高一丈七尺，女墙五尺五寸，周围九里十八步，四面各筑砖门，深三丈五尺，上有门楼，高二丈"，次年，又加工培修，西门额以石匾，匾文为"保障西陲"。① 此后，又于西北添建一门。这样，直至 19 世纪六七十年代，萨拉齐作为一座城市，拥有城墙、城门，始具城市外观和规模。修城目的，正如西门匾文所题那样，与防御有关，很显然针对当时的西北回民起义。相比新建的城墙和城门，城内的街道和建筑经长年经营，以自然形成居多。城内形成大街 4 条、小街 14 条、小巷 52 条。关于街道有记载称："干净和不太嘈杂，其建筑整齐和外表相当雅致"、"街衢宏阔"。② 上述记载出现于自 19 世纪中叶至 20 世纪初的中外参观游历者笔下，自此不仅可以推测当时萨拉齐街道的整齐宏阔外观，而且也可以窥见其内部结构的整洁。中街居四大干街中心，这里"廛舍栉比"，是商业最为繁盛之处。而其商业以粮、布、茶、烟、炭五种为大宗。③

托克托厅城（托克托） 雍正十二年（1734 年），在归化城土默特旗西南部设托克托协理通判厅，乾隆二十五年（1760 年）改为理事通判厅。地名托克托，据记载因俺答汗义子恰台吉脱脱驻牧该地而得此名。④ 脱脱，蒙古语 Toɣtaqu，又音译为托克托。托克托厅，地势北高南下，黄河由其西境向东南流，黑河在厅境内由东北向西南流入黄河。黑河尤其逼近厅城，在厅城之北沿黑河之岸，自昔筑有长坝，以预防洪流。城向无城池，⑤ 城内街衢以大街、后街为主干。大街旧名定丰街，南北方向。大街之东与其并行有后街，是城中商业集中之地。

和林格尔厅城（和林格尔） 雍正十二年（1734 年），在归化城土默特旗东南部设和林格尔协理通判厅，乾隆二十五年（1760 年），改为理事通判厅。康熙中期用兵准噶尔，此处设置驿站，名为二十家子，由蒙古名和林

① 绥远通志馆：《绥远通志稿》卷 17，《城市》，20 世纪 30 年代稿本。
② ［法］古伯察：《鞑靼西藏旅行记》，耿昇译，中国藏学出版社 1991 年版，第 166—171 页。
③ 绥远通志馆：《绥远通志稿》卷 17，《城市》，20 世纪 30 年代稿本。
④ 高赓恩：《归绥道志》卷 5，《十二厅治考》，内蒙古大学图书藏手抄本。
⑤ 绥远通志馆：《绥远通志稿》卷 17，《城市》，20 世纪 30 年代稿本。

格尔（Qoringer）译成。① 设厅，便以驿站命名。城向无城垣，直至20世纪二十年代末，始有建城之举。城内仅有大街1条，自东南起至西北门止，长2里90步。该街向无专名，通称大街。商民在大街"列廛而居"，很少大商号选择该地，也没有正式的交易市场。

清水河厅城　乾隆元年（1736年），在归化城土默特西南设清水河协理通判厅，乾隆二十五年（1760年），改为理事通判厅。清水河厅在归绥道各厅之中，为最小的厅之一，厅城位于金盖山之南，北、东、西三面均靠山，南则临清水河。城无城池，市面也甚为狭小。仅有东西大街1条，名为永安街，长2里多，"其形如箕"。② 永安大街为全厅商人汇聚之处。

设置在归化城土默特和察哈尔右翼旗地、被通称口外七厅的诸厅之中，和林格尔和清水河二厅规模实属狭小，二厅的厅城无论在城市规模，还是在街道布局上，几乎无法与萨拉齐等厅治相比较。

宁远厅城（哈尔图）　雍正十三年（1735年），在助马口外的察哈尔正红旗后营子设立怀宁所千总一员，在杀虎口外的镶蓝旗哈尔图设立宁朔卫守备一员。同时，设立大朔理事通判，管理宁朔卫和怀宁所之事。乾隆十五年（1750年），裁卫、所，并为宁远厅，朔平府通判移驻哈尔图，乾隆二十一年（1756年），理事通判定为旗缺。③ 光绪十年（1884年）理事通判改为抚民通判，直隶归绥道。厅城，即为宁朔卫原驻防之地，蒙古名哈尔图，旧无城，④ 有主街道4条，分别称为东、西、南、北街。4条街的交叉点为最繁盛之处，不仅"商肆集中"，又厅衙门设立于此。⑤

丰镇厅城（衙门口）　雍正十三年（1735年）在察哈尔正黄、正红旗游牧地，新平路边外的高庙子设立丰川卫，得胜路边外的衙门口设立镇宁所，隶大同府。乾隆十五年（1750年），丰川卫和镇宁所改设丰镇厅，移驻大同府分防阳高通判管理厅事。乾隆二十一年（1756年）理事通判定为旗缺。乾隆三十三年（1768年），通判仍驻阳高，另增设理事同知管理丰镇厅。光绪十年

①　王轩等：《山西通志》卷30，《府州厅县考八》，1990年中华书局点校本。
②　《清水河厅志》卷4，《市镇村庄》。
③　（光绪）《大清会典事例》卷27，《吏部·官制》。
④　王轩等：《山西通志》卷30，《府州厅县考八》，1990年中华书局点校本。
⑤　绥远通志馆：《绥远通志稿》卷17，《城市》，20世纪30年代稿本。

（1884 年），改理事同知为抚民同知，直隶归绥道。丰镇旧名衙门口，是一处位于得胜口边外的小村庄。① 乾隆十八年（1753 年），始筑土垣。"周五百七十五丈，东、西、南各开门，以司启闭"。② 乾隆三十八年（1773 年），展筑城墙至"周八百四十五丈，高一丈，厚五尺"的程度。城四周在原来基础上又扩建三分之一。城门增辟至五道，分别为东南、东北、西南、西北和南门，而特名南门为永宁。在城门上加筑瓮城。③ 道光二十年（1840 年），又展修城，"周一千六百七十三丈有奇，加高一丈五尺。北面因山砌石，高九尺，余仍土垣"。④ 经过近百年的修建过程，丰镇厅城不断扩大，其防御功能得以加强。至清末民初，所占面积，在道光年间的基础上"又增三分之一"，"城之各门连接，四围民居就冲衢要道筑门，以事启闭，藉资防守"。⑤ 城内街巷稠密，建筑坚固，"有不少石头砌的房屋、庙宇和戏台，它们都是一部分用烧砖，一部分用加工粗糙的石块砌成"。⑥ 城内街市，其初由民商自行建筑，没经过合理规划。城内有大街 16 条、小街 25 条、小巷 46 条。城隍庙街，为商贩麋集之区。宣统三年（1911 年）9 月，"以该街为全城适中地，创设市场。场之四周，均有青石栏杆缭绕，高尺许，门端建牌坊，额文曰：'丰镇'"。⑦

平泉州城（八沟）　雍正七年（1729 年），在包括喀喇沁中旗南部的农耕地方，设八沟厅，乾隆四十三年（1778 年），八沟厅改为州。因八沟街内有泉叫平泉，故改州的同时，州名称平泉。平泉州与清朝皇帝行宫所在地热河连为一体，在当地居于很重要的位置。在八沟建州衙门，⑧ 州城与邻近各蒙旗和新改设的各县有着不可分割的联系，成为这一地区的政治、商贸和交通中心城镇。

丰宁县城（土城子）　清初，热河西北是察哈尔左翼四旗，雍正十三

① 《丰镇县志书》卷 2，《城池》。

② 王轩等：《山西通志》卷 30，《府州厅县考八》，1990 年中华书局点校本。

③ 王轩等：《山西通志》卷 30，《府州厅县考八》，1990 年中华书局点校本。

④ 王轩等：《山西通志》卷 30，《府州厅县考八》，1990 年中华书局点校本。

⑤ 绥远通志馆：《绥远通志稿》卷 17，《城市》，20 世纪 30 年代稿本。

⑥ ［俄］波兹德涅耶夫：《蒙古及蒙古人》第 2 卷，刘汉明等译，内蒙古人民出版社 1983 年版，第 47 页。

⑦ 绥远通志馆：《绥远通志稿》卷 17，《城市》，20 世纪 30 年代稿本。

⑧ 李鸿章、黄彭年等：《畿辅通志》卷 130，《经政·公署》，1982 年河北人民出版社点校本。

年（1735 年），在原镶白旗总管所驻土城子，设四旗厅，乾隆四十三年（1778 年）改为丰宁县。县城东南距承德百余里，管理滦平县以北清朝皇帝避暑山庄以西的地方事务。

建昌县城（塔子沟）　在八沟东北喀喇沁左翼旗境内有古塔，因而，这一地方称塔子沟。此地"本无城郭、村堡"。乾隆五年（1740 年），在喀喇沁左翼旗、敖汉旗境内设通判厅，以"地势平坦，山环四面，水绕左右，民居之可耕可溉"的塔子沟为新厅治所。乾隆七年（1742 年）建衙署，设街道，厅署驻扎处所"方围十里，街衢六道，其东西长二里，阔五丈，南北长三里，阔五丈。"乾隆四十三年（1778 年），塔子沟厅改为县，以厅署为县署。因塔子沟城内有建昌街，改县的同时城也改称建昌。①

朝阳府城（三座塔）　在八沟厅以东的土默特右翼旗境内，于乾隆十八年（1753 年）设巡检，次年巡检衙署建在三座塔地方。② 三座塔，蒙古名郭尔板苏巴尔嘎（Гurban suburγ-a）。乾隆三十九年（1774 年）此地设厅，便名三座塔厅。乾隆四十三年（1778 年），厅改为朝阳县。光绪二十九年（1903 年），县升为朝阳府。府城自然成为该府和所属各县的地方政治中心。朝阳西南连平泉和建昌，东南达锦州，是柳条边外通向蒙古的要地。城在原来县城基础上建立，四周原无城墙。同治元年（1862 年）始议筑土墙。但此次仅将周围"人家不相连续之处均筑土垣以堵之作"。③ 土墙，开正门 4 座、便门 7 座，其中"东西二门相距里余，南北二门相距三里许"，街道呈南北长、东西窄。④ 改府前的光绪二十六年（1900 年）知县重修城门，"仍以土筑之"。⑤ 光绪二十九年（1903 年），以知县衙门为知府衙门。⑥

赤峰州城（乌兰哈达）　乾隆三十九年（1774 年），在八沟厅以北设置乌兰哈达厅，乾隆四十三年（1778 年），厅改为赤峰县，光绪三十四年

---

①　哈达清格：《塔子沟纪略》卷 3，《市镇》，《辽海丛书》本

②　哈达清格：《塔子沟纪略》卷 1，《建置》，《辽海丛书》本。

③　周铁铮、沈鸣诗：《朝阳县志》卷 4，《疆域》，1930 年铅印本。

④　据《朝阳县志》所附"朝阳县治图"和书中提及的南北二门直线距离和东西二门的直线距离，朝阳城呈南北长、东西宽的走势。

⑤　童翼：《热河东部旅行笔记》，民国年间铅印本；周铁铮、沈鸣诗：《朝阳县志》卷 1，《疆域》，1930 年铅印本。

⑥　周铁铮、沈鸣诗：《朝阳县志》卷 5，《公署》，1930 年铅印本。

（1908年），县升为赤峰直隶州。城名乌兰哈达，蒙古语（Ulaɣanqada）意赤色山峰，其汉名由此而来。赤峰在昭乌达盟翁牛特右旗境内，从清中期以来，南连农耕区域，北接游牧草原，是名副其实的农牧交界地方的政治中心城镇。城南边鄂博山向东西连绵，其北边则英金河从西南流东北，城位于山河之间。由于这一自然地理布局，赤峰呈东西长、南北窄。城有城门而无城垣，由于西北近河流，设护堤，以防洪水。大街有6条直通东西，从北往南分别为头道街、二道街、三道街、四道街、五道街和六道街，"惟三道街最长，约五里有奇，余皆三里左右"。① 南北走向的街道，被称为东、南、西、北横街。二、三道街和西横街商家林立，是著名的商业区。②

　　长春府城（宽城子）　嘉庆五年（1800年），在哲里木盟郭尔罗斯前旗垦地长春堡设长春厅，初治长春堡，又名新立屯。道光五年（1825年），厅治东北的宽城子由于位置适中，商贾辐辏，厅治从长春堡移至宽城子。同治四年（1865年），宽城子由商民捐钱"筑板为墙，高一丈余，周二十里，门六，东曰崇德，南曰全安，西曰聚宝，北曰永兴，西南曰永安，西北曰乾佑"。③ 板墙外挖城濠，深一丈。④ 在此之前，设于宽城子的长春厅已经是领村屯65个、居民5 150户的政治中心。⑤ 19世纪中叶之后，东北航运业兴起，尤其流经长春的伊通河被开发，改善了长春的交通运输条件，使其成为重要的粮食集散地。光绪十五年（1889年），长春厅升为府。分别于光绪三十四年（1908年）、宣统元年（1909年），又兼吉林西路道和西南路道治城，成为仅次于吉林省府的重要城镇。

　　昌图府城（昌图）　全名昌图额勒克，蒙古语（Čangtuerge⑥），又名榆树城子、榆城子、古榆城子等。嘉庆十一年（1806年），在科尔沁左翼后旗垦地设理事厅，在"相度适中高地，旧有残缺土城，村屯环卫"的昌图额

---

①　童翼：《热河东部旅行笔记》，民国年间铅印本。

②　［日］关东都督府民政部庶务课：《满蒙调查复命书》，1916年，第四《赤峰县治概情》。

③　李桂林：《吉林通志》卷24，《舆地志·城池》，台湾影印《中国边疆丛书》本。

④　李桂林：《吉林通志》卷24，《舆地志·城池》，台湾影印《中国边疆丛书》本。

⑤　《吉林舆地说略》，同治四年（1865年），《长白丛书》本。

⑥　（道光）《钦定理藩院则例》卷10，《地亩》，道光年间刻本，蒙古、汉文本。

勒克地方创建衙署。① "旧有残缺土城"，即指古榆城。据《昌图县志》记载："古榆城……周围墙一百丈有零"。② 昌图厅城即建在古城遗址上。由于昌图"东邻乌拉（吉林），西接热河，延袤六百余里，土地辟，田野治，农民富庶，商贾辐辏"，所以，成为"奉省北边外之巨堡"。③ 光绪三年（1877年），昌图厅升为府，下属新设奉化、康平、怀德等县，昌图城也就成为该府和下属各县的政治中心。

呼伦厅城（海拉尔）　雍正十年（1732年），在呼伦贝尔开始实施八旗制度时，黑龙江将军卓尔海上奏："呼伦贝尔附近之济拉嘛泰河口处地方辽阔，水草甚佳"，建议选择此处种地筑城。④ 济拉嘛泰（又作扎拉木台）河从呼伦贝尔南部发源北流入海拉尔河。经过进一步的考察，将军卓尔海所选城址并未获得批准，最后城址定在伊敏河与海拉尔河的汇合处。雍正十二年（1734年），建城竣工，取名呼伦城。由于呼伦城位于海拉尔河南岸，又名海拉尔城。在呼伦贝尔建城，清政府的目的是建立一个政治统治中心，以便对呼伦贝尔这一边疆要地进行监控。派八旗官统领驻新建的海拉尔城，乾隆八年（1743年），统领停派，改派副都统衔总管。总管仍设衙门于海拉尔，由于总管满语作安本（amban），所以海拉尔又俗称安本浩特。清前、中期海拉尔在呼伦贝尔的政治中心地位被确立。光绪三十四年（1908年），又在海拉尔设呼伦道和呼伦直隶厅。20世纪初，东清铁路修铺通车，海拉尔作为该铁路重要的车站之一，又从政治中心发展成为交通中心和商贸中心。铁路线还为海拉尔城带来了外观上的巨大变化，即海拉尔以铁路线为界，形成新旧两城和铁道村。新、旧两城居于铁路南，聚集官衙、商家和居民，是海拉尔最繁荣的地方，铁道村则在铁路北，主要是铁路职工的住宅区。⑤

二、清末"新政"实行以前因设治形成的城镇

清前期由地方设治而发展起来的城镇，由于辖境辽阔，人口分散，为了

①　王树楠等：《奉天通志》卷87，《建置·城堡》，《东北文史丛书》本。
②　续文金：《昌图县志》卷2，《建置》，成书于1916—1917年。
③　王树楠等：《奉天通志》卷90，《建置·廨署》，《东北文史丛书》本。
④　《清世宗实录》卷117，雍正十年四月戊申条。
⑤　[俄] 东省铁路经济调查局：《呼伦贝尔》，1939年汉译本。

便于治理，常将属官经历，或掌刷案卷的照磨，派往境内某地分防，称为分防经历或分防照磨，从而形成了一部分较厅县低一级的地方政治中心小镇，光绪以后，又多升格为县城。此类城镇形成在内蒙古东部主要有奉化、怀德、康平、农安、辽源等。

奉化县城（梨树城）　　在昭苏太河之南，西南距昌图府城百余里，原属科尔沁左翼中旗。嘉庆年间昌图设厅之后，其东北的梨树城便成为管辖之下较活跃的交易场所，所以又有俗称叫买卖街。道光元年（1821年），在梨树城设昌图厅分防照磨，光绪三年（1877年），梨树城被选为新设奉化县的县城。县城围以土墙，周围"二千七百六十丈"，有砖造东（启文）、南（拱化）、西（振武）、北（致和）等四门。街道为井字形，东西、南北街各2条。东西大街偏于北面，在南北大街中，"偏于西面者为最盛区域"。①

怀德县城（八家镇）　　又名八家子，原为科尔沁左翼中旗地。昌图厅于嘉庆年间农垦大有发展，经过道光、咸丰二朝数十年，昌图厅管辖之下的农耕区不断向北推进。在同治三年（1864年），在梨树城东北的八家镇设昌图厅经历一人，分管这一带新形成的农耕地区。② 光绪三年（1877年），八家镇又成为新设怀德县的县城。县城围以土墙，呈长方形，有东（抚近）、西（迎恩）、南（归昌）、正北（保泰）、东北（绥远）、西北（靖安）等6门。八家镇被自东向西的一条大道划为前后两大街，前街是商区殷盛之地。③

康平县城（康家屯）　　位于法库门至科尔沁左翼诸旗大道上，南距法库门60余里，原为科尔沁左翼后旗地。光绪三年（1877年），设怀德县后，昌图府分防经历移至康家屯，光绪六年（1880年）康家屯成为新设康平县的县城。县城没有城墙，四周筑土围，"土围周约八里，取长方形，东西稍长"，有2条大街，分商市街和农户街，商市街"广二丈六尺，长二百五十丈，农户街宽二丈四尺，长三百七十丈"，④ 农户街为房屋相连的居民区。

---

① 王树楠等：《奉天通志》卷87，《建置·城堡》，《东北文史丛书》本。
② （光绪）《大清会典事例》卷27，《吏部·官制》。
③ ［日］柏原孝久、滨田纯一：《蒙古地志》下卷，东京富山房1919年版，第899—900页。
④ 王树楠等：《奉天通志》卷87，《建置·城堡》，《东北文史丛书》本。

农安县城（农安）　　位于松花江支流伊通河右岸，为郭尔罗斯前旗地。光绪八年（1882 年），长春厅设分防照磨于农安。当时长春厅有抚安、恒裕、怀惠、沐德和农安等五大乡镇。在所有的村落和集镇中，农安属于比较大的村镇之一。[1] 当地有古塔一座，建于辽圣宗时，相传称龙安塔，音讹为农安，其名由此而来。光绪十五年（1889 年），农安改为县，农安成为新设农安县的县城。至此，农安成为继长春之后在郭尔罗斯前旗农垦地区的又一处政治中心城镇。农安旧有土城，周围有 7 里。光绪十六年（1890 年），在旧城基上加筑土墙垛口，设东（聚蓄）、南（阜财）、西（宝穑）、北（卫藩）四门和门楼。[2] 农安城"大街中分十字，共成四街，西街商业最盛，南、北二街次之，东街地势卑甚，除多数住户，只小本营业数家"。街内有各种集市，各集市初选地点均在城内繁华地带。"马市在县署前胡同，柴草市在城隍庙前，菜鱼市在十字街南，工夫市在十字街附近"。后来由于城内各行各业不断增多，规模日益扩大，各集市无法在原来地点上进行下去。所以，部分集市往城外迁移，如马市移南街清净胡同附近，柴草市和菜鱼市移西门外，而工夫市移北门外。光绪二十八年（1902 年）夏天，修理街道，各街巷平高垫低，旁掘水沟，直通城壕，其水沟横穿街中心，上覆木桥，西南两街各修木桥，众水汇流处各修砖质水口。[3]

辽源州城（郑家屯）　　原名辽源，在科尔沁左翼中旗境内，位于辽河西岸巴虎道上。巴虎（法库）道是从郭尔罗斯后旗境内的茂兴站起，经扎赉特旗、郭尔罗斯前旗，南至科尔沁左翼中、后旗等地，是由法库门出发的一条官设驿道，往来于东北的商贾也多取此道。咸丰十年（1860 年）营口开港，辽河航运业兴起。光绪元年（1875 年）郑家屯开埠。[4] 光绪六年（1880 年），在此设康平县分防主簿，[5] 日后"生聚日繁，商贾荟萃"，光绪二十八年（1902 年），改设辽源州。宣统元年（1909 年），奉天洮昌道设于此地。因陆、水交通之便和清末设治，郑家屯迅速发展成为重要的政治、商

① 《长春厅志》，南京大学手抄本。
② 李桂林：《吉林通志》卷 24，《舆地志·城池》，台湾影印《中国边疆丛书》本。
③ 郑士纯、朱衣点：《农安县志》卷 3，《建置》，1927 年铅印本。
④ 曲晓范：《近代东北城市的历史变迁》，东北师范大学出版社 2001 年版，第 30 页。
⑤ 《清史稿》卷 116，《职官志三》。

贸中心城镇。城无城墙，街道由东北向西南，东西长约 8 里，南北宽约 4 里，商业区分前、后街。①

经过清末设治，在卓索图、昭乌达二盟出现的新城镇有新秋、新邱、林西和开鲁等。新兴城镇在早期城镇基础上显示向东北和北部推进的趋势。

阜新县城（新秋）　在土默特左旗境内，光绪三十四年（1908 年），初设阜新县之时，选鄂尔土板为县城。而当时的新秋则是"仅有民户十余家"的小村落。在村落附近"遂辟草莱，正方向划街市，起造房屋，建置衙署"，于宣统三年（1911 年），县衙门从鄂尔土板迁来。民国元年（1912年），筑土墙以防守，民国三年（1914 年），续修四门。② 新秋四周是连绵平坦的耕地，地理条件良好。县署迁来之后，市街迅速得以发展，不久形成"东西二里、南北二里，计四方里"的城镇。整个城镇呈正方形，城内分南、北、东、西等数条大街，地势平坦，规划整齐。城内建筑多为瓦房。③

建平县城（新邱）　在敖汉旗境内，位于老哈河支流哈尔纪河右岸。据建平县城内关帝庙碑文记载，乾隆三十四年（1769 年），此地已有从山东莱州移来的汉人。乾隆巡视此地，也祭祀过关公。由于关帝庙和乾隆的巡视，此地从而闻名于世。④ 光绪二十九年（1903 年），在敖汉旗南部、喀喇沁左翼旗部分垦地设建平县，以新邱为县城。县城四面绕以丘陵，东流伯尔河。围以"东西约一华里，南北约二华里"的土筑城墙，开南、北两门，城内的南北大街通向南、北门，是城内最繁华的街道。⑤ 城内"家屋除数户瓦房外，其余都是粗矮土房"。⑥ 新邱周围多为丘陵地，不适合耕种，交通也不便，城镇的发展深受这些条件的制约。设县十数年之后的民国初年，到过此地的旅行者留下了"建平虽系一县，实无异于一镇市"的记载。⑦ 也在同一时期，对建平县进行过实地调查的日本人星武雄也说，建平设县已十几

① ［日］柏原孝久、滨田纯一：《蒙古地志》下卷，东京富山房 1919 年版，第 906 页。
② 张遇春、贾如谊：《阜新县志》卷 1，《地理·沿革》，1935 年铅印本。
③ 张遇春、贾如谊：《阜新县志》卷 2，《地理·城镇》，1935 年铅印本。
④ ［日］星武雄：《东蒙游记》，东亚图书株式会社，1920 年，第 45 页。
⑤ ［日］柏原孝久、滨田纯一：《蒙古地志》下卷，东京富山房 1919 年版，第 1094—1095 页。
⑥ ［日］柏原孝久、滨田纯一：《蒙古地志》下卷，东京富山房 1919 年版，第 1094—1095 页。
⑦ 童翼：《热河东部旅行笔记》，民国年间铅印本。

年，但仍像农村小市场。显然，新邱没有像阜新县城新秋那样迅速发展起来，一直停滞在村落规模上。这在当时的东部开垦地区是少见现象，这一现象表明了地理条件的好坏对城镇发展的推动或者制约作用。

林西县城（林西）　　在巴林右旗境内，位于察罕木伦河上游噶尔苏台河平原上。光绪三十三年（1907年），开始丈放巴林右旗地，在色布敦庙设巴林垦务行局。①光绪三十四年（1908年）设县，宣统元年（1909年），由首任县长为县城择地，名林西，其意为巴林之西。并请准立案划定城基。宣统三年（1911年），始在县城四面建筑土墙，"高五尺，厚三尺"。②

开鲁县城（开鲁）　　在扎鲁特右翼旗境内，位于老哈河左岸平原上。这里有古塔一座，"高有六丈，有十三层"。此处原名塔林苏布日嘎 Talayinsuburya，意为塔甸地方。光绪三十四年（1908）设开鲁县，县城定在此处，古塔位于城内东南角。③开鲁县的县名，据说由扎鲁特左、右翼二旗和阿鲁科尔沁旗等三旗名称中的"鲁"字而来。④设置之初，开鲁县城规模不大，城墙用土垛成，四方各一里余，城高约五六尺。四面开东（镇远）、西（镇边）、南（承化）、北（宣威）等4门。土墙外侧挖有城壕，用以保护城池。城内居民也为数不多，房屋简陋，都是以"土坯矮房，柴门条杖"。

哲里木盟大面积的开垦，集中在清后期，尤其清末新政之后。开垦呈现从东向西，从南向北推进的趋势。经过清末"新政"和民国初年的官垦，在哲里木盟因地方设治形成的城镇有彰武（横道子）、双流镇、白城子、七井子、解家窝棚、莫勒红冈子、肇州、安达、法库、长岭子、醴泉镇、南叉干挠、大房身和通辽、双山镇、开化镇等。

彰武县城（横道子）　　彰武俗称横道子，设治之前，"仅三五户耳，乃牧放牛羊之区，一片荒野，四无人烟"，⑤其地属于清初设于科尔沁部分旗地和土默特旗地的养息牧厂。境内有东西大道，车辆往来，载运粮货，由此

①　林西县志办公室编：《巴林垦务》，林西史料之一，1984年。
②　苏绍泉：《林西县志》卷1，《地理志》，内蒙古图书馆手抄本，1930年。
③　[日]山田久太郎：《满蒙都邑全志》，日刊支那事情社，1926年，第491页。
④　张万有：《开鲁县文史资料》（第1辑），开鲁县委文史资料工作委员会，1986年。
⑤　王恕等：《彰武县志》卷1，《疆域·城镇》，1933年铅印本。

经过，从而名横道子。光绪二十八年（1902 年），在包括科尔沁左翼前旗西境和土默特左翼旗东境一部分垦地的养息牧场设彰武县，以横道子为县城。由于东南距柳条边墙彰武台边门仅有 40 里，县城便改称彰武。彰武南距新民屯 100 余里，西北距绥东 180 余里。西有新开河，东有大地河。县城始以板筑城，"南北长二百四十号，东西宽均四百八号，辟正门四，城中留十字大街道，宽三丈六尺"。

洮南府城（双流镇）　在科尔沁右翼前旗境内，位于洮儿河、交流河合流处，原名沙碛莫多（沙碛茅土），蒙古语（Šaɣaɣiɣaimodu）意喜鹊树。清末官垦之前是一处只有二三户人家的居住点。光绪二十八年（1902 年）开始被丈放，沙碛茅土因其地"依洮儿河西岸，即中段地方，乃适中之地，水陆兼通，依山带河，甚得形势"的地理条件，被踩定为城基。由于地名沙碛茅土"音繁语诘，蒙汉传者，人各异词"，"查此地在洮儿河与交流河汇流处"，更名为双流镇，并"勘定四至，设立井字大街，划留官道，官道之外，一律出放街基"。① 同年，在双流镇设蒙荒局，光绪三十年（1904年）5 月，在双流镇设洮南府，从而，双流镇也叫洮南。设治之初，正值日俄交战之际，"沈南避乱之家，纷至沓来"，盛京将军增祺发帑数万金，修筑城垣，"以工代赈，难民赖之"，城内大小街巷凡 36 个。洮南的所处地理位置非常重要。民国年间纂修的《奉天通志》记载：洮南"右护重沙，左环众水，北连王府，直达外蒙。南自辽源以通省会，西顺站道为东北各境入京之冲途。东顺洮河为西北各镇赴东省之要路，在荒界为适中之地，在东盟为四达之区"。这些文字正是对当时洮南自然、人文地理的恰当概括。光绪三十一年（1905 年），府城建四周城壕。民国初年，在城壕四隅各修炮台 1 座，城壕每面各修炮台 3 座。每面城壕留 2 城门，俱用砖修，有大东门（启文）、大西门（裕民）、大北门（诚和）、大南门（嘉乐）和东、西、北三面各开小门。② 显然，在民国初年的动荡年代，防御自然成为城镇建设中最重要的一环，为此官方不惜重金，修城挖壕和筑炮台。

靖安县城（白城子）　在科尔沁右翼前旗境内，位于该旗东北洮儿河

---

① 《蒙荒案卷》，《长白丛书》第 4 集。
② 王树楠等：《奉天通志》卷 87，《建置·城堡》，《东北文史丛书》本。

之北，地处"由黑龙江赴双流镇并由图什业图赴新城各处必由之道"上。在光绪二十九年（1903年）勘定此处为城基，取名白城子，垦务当局又决定"俟荒务报竣各户垦辟后，酌量设官"，看好此处日后一定成为"繁盛之区"。蒙荒局所勘定的白城子城基，"属井字大街，惟相度形胜东西宜长"。①光绪三十年（1904年），科尔沁右翼前旗东北垦地设靖安县，便以白城子为县城。县城没有城垣，四周筑有高三尺余的土围，其"长和宽均二里正四方，东西各一门，南北各二门"，县城街道由3条东西街和2条南北街形成。②

开通县城（七井子）　在科尔沁右翼前旗境内，位于洮南南部。光绪三十年（1904年），在科尔沁右翼前旗东南垦地设开通县，先选定哈拉乌苏为县城，同年移至"较为扼要"的七井子。县城七井子由垦务当局划定四面各2里的城基。但是由于县城附近地理条件欠佳，又相距洮南等新兴的交通要冲城镇不远，从而前来经商和农耕者不多，只有在县衙门以南形成了规模不大的小市街。③

安广县城（解家窝棚）　在科尔沁右翼后旗境内，位于洮儿河之南。光绪三十一年（1905年），在科尔沁右翼后旗南部垦地设安广县，选择解家窝棚为县城。县城市街虽预定为周围四方形的较为宽敞之区，但此后没有能够吸引很多的居住者，所以一直到民国初年仍然没有起色，市街萧条冷落。

大赉厅城（莫勒红冈子）　在扎赉特旗境内，位于嫩江右岸。光绪三十二年（1906年），在扎赉特旗东南垦地设大赉厅，厅城选定在莫勒红冈子。其初的厅城"榛芒初辟，民户星稀，未有城郭"，宣统二年（1910年），挖凿四面城壕，其"宽八尺，深八尺"，用挖掘之土，叠为城墙，高、宽各五尺。四面土墙，却未建城门。

肇州厅城（肇州）　在郭尔罗斯后旗境内，位于嫩江东、松花江北。光绪三十二年（1906年），在郭尔罗斯后旗垦地设厅，肇州古城遗址被划定为厅城，厅和城名仍为肇州。肇州"四面为沼泽围绕"，尤其松花江水涨之

---

①　《蒙荒案卷》，《长白丛书》第4集。
②　王树楠等：《奉天通志》卷87，《建置·城堡》，《东北文史丛书》本。
③　［日］柏原孝久、滨田纯一：《蒙古地志》，东京富山房1919年版，第919页。

际"每遭水厄"。① 由于肇州西和南近河流，易遭受水灾，并且周围的沼泽地不适农耕，前来谋生者并不很多。从而，始终没能成为具有一定规模的城镇。

安达厅城（安达） 东清铁路在杜尔伯特旗境内设一站，名安达。光绪三十二年（1906 年），在杜尔伯特旗境内垦地上设厅，厅仍名安达，厅城也勘定在安达车站以西不远之处。其初，厅城与火车站之间没有铺设连接的铁路支线，直至宣统二年（1910 年）才始由官商合资，修建连接两处的线路。从此，安达得益于铁路便利的交通条件，成为这一新开垦地区的粮食集散中心之一。②

法库厅城（法库） 旧名三台子，又名巴虎，发库等。法库，满洲语（Fakū），山名，沿用于柳条边门。法库门边墙以东属奉天开原县，以西则属科尔沁左翼后旗。法库西至彰武台边门 120 里，东至威远堡边门 20 余里。三台山环绕其周围，该山北连长白山，南接太行山。康熙初年设门尉二员，后改设防御一员。直至清末，法库不是因为设治，而是作为柳条边重要的边门之一而为人所知。法库地处通往科尔沁左翼三旗的大道上，清前中期开始人烟辐辏，行旅络绎不绝，在辽源未开辟以前，一直是奉天西北的蒙古贸易市场。光绪三十二年（1906 年）设法库厅，法库被定为厅城，得到了进一步的发展。厅城开东、西、南、北 4 座门，北门则仍为边门，东、西、南 3 座门皆因民房筑土垒，以木栅为门。四周建有砖城，城内有南北走向的大街 2 条，是城内最重要的街道。③

长岭县城（长岭子） 在郭尔罗斯前旗境内，位于农安县西部。光绪初年，农安县农耕地方形成了众多区域，其中农家、农齐、农国等 3 区位于县西部。光绪三十四年（1908 年），析农安县上述 3 区设长岭县，以长岭子为县城。宣统二年（1910 年），县城始筑土围，"方约二里"，城外挖有外壕，城内形成东、西、南、北大街。④

醴泉县城（醴泉） 在科尔沁右翼中旗境内，位于霍勒河之北、交流

---

① ［俄］东省铁路局商业部：《黑龙江》，汤尔和译，商务印书馆，第 121 页。
② ［俄］东省铁路局商业部：《黑龙江》，汤尔和译，商务印书馆，第 351 页。
③ 王树楠等：《奉天通志》卷 87，《建置·城堡》，《东北文史丛书》本。
④ ［日］柏原孝久、滨田纯一：《蒙古地志》下卷，东京富山房 1919 年版，第 984 页。

河之南。光绪三十三年（1907年），管理科尔沁右翼中旗垦务的洮南府蒙荒行局派人员驻卜同博洛格，试办垦务。卜同博洛格，蒙古语 Bütünbulaγ，完泉之意。不久，便在卜同博洛格划置镇基，改名为醴泉镇。宣统元年（1909年），在科尔沁右翼中旗北部垦地设醴泉县，县境南部的醴泉镇被选定为县城。当初，被划定的市街，"南北街基长840丈，东西街基广600丈"。城内逐渐形成南北走向的大街7条、小街6条、东西走向的大街1条、小街4条。由于县城内居民不多，"已放街基未建筑房间而弃置者尚占二分之一有奇"，而且，仍有南北基地14行、东西基地6行空闲无人承领。[①]

镇东县城（南叉干挠） 在科尔沁右翼后旗境内，位于洮儿河之北。叉干挠，蒙古语（Čaγannaγur）意为白色的湖。宣统元年（1909年），在科尔沁右翼后旗垦地设镇东县，以南叉干挠为县城。

德惠县城（大房身） 在郭尔罗斯前旗境内，位于长春东北饮马河和雾海河合流之处。宣统二年（1910年），在郭尔罗斯前旗垦地设德惠县，以大房身为县城。由于西南和西分别距长春、农安较近，四周居民多赴上述二城进行交易，直到民国初年县城仍然人烟稀少，未能形成独立的商贸城镇。[②]

光绪二十八年（1902年），贻谷被任命为督办蒙旗垦务大臣，在内蒙古西部的乌兰察布、伊克昭两盟、察哈尔八旗游牧地丈放蒙地，大行垦务。随着开垦的推进，设置了若干新厅，也出现了新兴城镇。

五原厅城（白圪梁）[③] 光绪二十九年（1903年），析萨拉齐厅管辖西境及伊克昭盟达拉特、杭锦旗和乌兰察布盟乌拉特等旗的部分地方，设五原厅。在还未正式设五原厅之前就有建厅城之议："光绪二十八年原议设治于大佘太"。[④] 大佘太是萨拉齐厅西境较大的村镇之一，就清末内蒙古新厅城的选择条件而言，大佘太完全可以建成厅城。但是，此议未果，第二年又议厅城设于隆兴长，仍无果而终，厅衙门"侨治包头镇"。

---

① 王树楠等：《奉天通志》卷87，《建置·城堡》，《东北文史丛书》本。

② ［日］柏原孝久、滨田纯一：《蒙古地志》下卷，东京富山房1919年版，第988—989页。

③ 据《绥远通志稿》卷27，《法团》记载，民国初年五原县商会成立于乌兰脑包镇，后因商业衰落，与隆兴长商社合并，成为县商会。

④ 张鼎彝：《绥乘》卷4，《疆域考下》，1921年上海泰东图书局铅印。

武川厅城（可可以力更）　光绪二十九年（1903 年），析归化城厅北境及乌兰察布盟四子部、茂明安、喀尔喀右翼等旗部分垦地，设立武川厅。和五原厅一样，新设武川厅没有当即修建厅城，光绪二十八年（1902 年），早在武川厅还未正式设置之前，已经出现厅城"设治于大滩，二十九年改议设于翁衮城"的议论。但是这些议论都未果而消失。厅同知衙门"侨治于归化城"。①

陶林厅城（科布尔）　原为察哈尔右翼镶红旗地，乾隆年间归宁远厅管辖。光绪二十九年（1903 年），"划分宁远厅属地灰腾梁以北各村"，② 设陶林厅，厅城设在科布尔。在科布尔原设有宁远厅巡检。城内有东、西、南、北等 4 大街，东西 2 街为商业区，南北 2 街为居民区。

兴和厅城（二道河）　原为察哈尔右翼正黄等旗地，乾隆年间归丰镇厅管辖。该地有两条小河分别从西南、西北东流会合，从而得名。光绪二十九年（1903 年），析丰镇厅东境，设兴和厅，厅境为"自丰镇东界卢家营、常胜窑至察哈尔正黄旗九佐领地止，迤东各村，皆划隶兴和"。③ 厅城二道河，原为丰镇厅境内的大乡镇之一，设有丰镇厅巡检。

东胜厅城（羊场壕）　光绪三十三年（1907 年），在伊克昭盟鄂尔多斯左翼中旗（郡王旗）和鄂尔多斯右翼前末旗（札萨克旗）垦地设置东胜厅。原拟以左翼中、右翼前末两旗平衍之区板素壕为厅城。后因"垦界划疆"，又移驻羊场壕。④ 羊场壕，未修建城池，其地北距包头不远，地方官吏常侨居包头。直至 20 世纪 30 年代才得以筑城建署。

在清末民初年短短的十余年里，由于官方开垦的推行，内蒙古出现了上述众多城镇，这表明内蒙古发生了前所未有的巨大变化，游牧社会进一步被农业社会所代替，出现无数的定居点和村落以及政治、商业中心城镇，各行各业日臻成熟，社会生活和社会活动复杂而丰富起来。

---

① 张鼎彝：《绥乘》卷 4，《疆域考下》，1921 年上海泰东图书局铅印。

② 绥远省民众教育馆：《绥远省分县调查概要》，《陶林县》，1934 年。

③ 绥远省民众教育馆：《绥远省分县调查概要》，《兴和县》，1934 年。

④ 绥远通志馆：《绥远通志稿》卷 17，《城市》，20 世纪 30 年代稿本。

第三节　清代内蒙古城镇的特殊类型

一、寺庙与城镇

康熙三十年（1691 年）的多伦诺尔会盟之后，康熙皇帝在多伦诺尔敕建汇宗寺，并请章嘉呼图克图到寺住持。章嘉呼图克图是青海郭隆寺（即佑宁寺）活佛。康熙年间，二世章嘉呼图克图阿旺罗布桑却拉丹（1642—1715 年），参加库伦伯勒齐尔会盟，调解喀尔喀蒙古札萨克图汗与土谢图汗的不和，受到康熙皇帝的赏赐，后任驻京札萨克达喇嘛，掌管京师地区的佛教事务。康熙让这样一位有影响和声望的呼图克图到多伦诺尔住持喇嘛事务，奉他为内蒙古佛教首领，从而使多伦诺尔成为内蒙古的宗教中心之一。雍正即位后继续康熙这一策略，于雍正九年（1731 年），在汇宗寺西南又敕建善因寺，使三世章嘉呼图克图居此庙住持喇嘛事务。三世章嘉呼图克图若必多吉（1716—1786 年），也曾协助清朝政府处理蒙藏事务，贡献颇多，是一位学问甚高的呼图克图。

建善因寺后，汇宗寺被称旧庙，善因寺被称新庙，使后人感叹道："新旧两庙，巍然对峙，真边境之伟观。"[1] 蒙古人称汇宗寺为库克苏默（Kökesüm-e，青庙），称善因寺为锡拉苏默（Sir-asüm-e，黄庙）。这是因为汇宗寺正殿上覆青蓝色的琉璃瓦，而善因寺正殿上覆黄色的琉璃瓦而来。[2]

汇宗寺建成后，在寺庙南部沿着额尔腾河左岸开始有商人居住，不久形成了与寺庙相望的兴化镇，又名旧买卖营。早在 18 世纪初，买卖营规模达"南北长四里，东西广二里"，而在街区内形成 13 条街道。[3] 到康熙五十二年（1713 年），康熙巡幸此地时已呈现"居民鳞比，屋庐望接"的局面。[4]

---

[1]　［日］剑虹生：《多伦诺尔记》，《东方杂志》第 5 年第 10 期。

[2]　［日］瀧川政次郎：《多伦诺尔的喇嘛庙》，《满铁调查月报》十七之五，1937 年 5 月。

[3]　金志章：《口北三厅志》卷5，《经费志》，台湾影印《中国方志丛书》本。

[4]　金志章：《口北三厅志》"圣祖仁皇帝御制汇宗寺碑文"，台湾影印《中国方志丛书》本。

雍正九年（1731 年）建善因寺，次年喀尔喀哲布尊丹巴呼图克图迁住多伦诺尔地方，内外蒙古的朝拜者和各地经商者更多。乾隆六年（1741 年），在旧买卖营东北 1 里以外的地方，建新盛营，又名新营，将哲布尊丹巴呼图克图迁回喀尔喀后将"所遗库伦贸易商民"移驻于此。新营"南北长一里，东西广半里"，街道 5 条。① 此后，旧买卖营和新营连成一体，到乾隆二十三年（1758 年），多伦诺尔已经形成"东西宽四华里、南北长七华里，分十八甲，有大小八条街道的市镇"。② 从上述记载可以看出，多伦诺尔城区是由三个部分组成，即额尔腾河右岸的寺庙和左岸的旧新两个买卖营。买卖营的规模南北长、东西窄，并且这一趋势不断扩展，至 19 世纪末时，已到"南北长度是东西宽度的三倍"的程度。③

随着多伦诺尔宗教活动的兴盛，蒙古各地王公贵族和牧民来朝拜者日益增多，"每年蒙古年班入京，必至章嘉佛前修谒"。④ 以朝拜者为买卖对象的汉族商人蜂拥而至，多伦诺尔"以喇嘛庙之名，播于远近，商贾踵集，土地益盛，成巨然一大都市"。⑤

二、王公府第与城镇

清代蒙古札萨克王公是蒙古封建统治阶级的最高层，他们享有清廷给予的种种封建特权，具有很高的社会地位。札萨克所驻之处常建有王府，这类王府是蒙旗政权中心。在内蒙古城镇形成过程中，有些王府（包括闲散王公府第）起了奠定基础的作用。

喀喇沁郡王府 喀喇沁右翼旗郡王府是清代喀喇沁右翼旗的政治中心。王府南有拉齐山，北有大头山，锡伯河在西边往北流，东北距赤峰 160 余里，南距承德 190 余里。王府有房屋 400 余间，主体建筑由大堂、二堂、信

---

① 金志章：《口北三厅志》卷 5，《经费志》，台湾影印《中国方志丛书》本。
② 《内蒙古自治区·商业志》（送审稿）第 3 章，《市场》。
③ ［俄］波兹德涅耶夫：《蒙古及蒙古人》第 2 卷，刘汉明等译，内蒙古人民出版社 1983 年版，第 330 页。
④ 卓宏谋：《蒙古鉴》（第 3 版），1923 年。
⑤ ［日］剑虹生：《多伦诺尔记》，《东方杂志》第 5 年第 10 期。

门、大厅和承庆楼组成。整个建筑宏伟壮观，布局精巧。[①] 在王府以西1里之外建有福会寺，是喀喇沁右翼旗旗庙，俗称西大庙，旧有喇嘛五百余名。[②] 除福会寺外，王府附近还有生乐寺、龙兴寺、善通寺等寺庙。直至清末，王府附近只有蒙古人家十余户，均从事农业，[③] 王府以东有常年开设的商铺3家。清末喀喇沁右翼旗郡王贡桑诺尔布即在王府及其附近创办了三所在内蒙古近代史上很有影响的学校。由于王府所在地是一旗政治中心，又集中了许多寺庙和喇嘛，并且还开商铺、设学校，清末民初成为较有名气的小镇。

公爷府镇 康熙年间，喀喇沁右翼旗郡王噶勒藏建寺庙灵悦寺于锡伯河边，乾隆十八年（1753年），清廷封噶勒藏次子敏珠尔喇布坦为辅国公，该辅国公府就设在灵悦寺附近，称公爷府，或称大公府。公爷府虽然是一处闲散王公府第，但是建府之后在它的周围商人聚集，逐渐发展成为商业小镇。对小镇的形成，灵悦寺奠定了最初的基础。除此之外，周围地理位置也起到关键作用。公爷府地处承德和赤峰之间的大道上，西南距承德240余里，北距赤峰100余里。东有锡伯河从西南往东北流，西北负山区，南有宜农宜牧的平原。早在乾隆年间就开始有商人在这里做生意。到清末时，沿着锡伯河形成了初具规模的一条市街，人们也将公爷府改称公爷府镇。公爷府镇市街以佛教寺庙为中心，分为南北街。北街多商店，是这里的商业区，而南街以住宅为主。公爷府镇的集市贸易，每旬以三、六、九为集市的固定日期。在集市上，农产品和各种货物交易比平日大增，除了赤峰以外，也有平泉、锦州的商人来往于此地。在赤峰以南地区的商业交易中，公爷府镇发挥了连接城镇与农村的中介作用。后来，公爷府镇发展成为喀喇沁旗的政治、经济中心。[④]

大沁他拉 奈曼旗札萨克王府从清初至同治年间经过了五次迁徙、四次兴建。同治二年（1863年），第四座王府兴建于大沁他位，并再未迁徙，直至民国时期。王府修建之后，大沁他拉始有发展，成为奈曼旗的政治、经济

---

① 阎桂芳：《王爷府府第》，《赤峰市文史资料选辑》第4辑《喀喇沁专辑》，1986年。
② 冯诚求：《内蒙古东部调查日记》第3编，《自热河至喀喇沁王府》，1913年铅印本。
③ ［日］东亚同文会：《支那省别全志》，《直隶省》，1920年版。
④ ［日］柏原孝久、滨田纯一：《蒙古地志》下卷，东京富山房1919年版，第1143—1146页。

中心。

土默特左翼旗札萨克王府　位于土默特左翼旗西部，在大凌河上游，蒙古名昭伦塔拉。东、西、南三面被河流环绕，北负重山。清初，第一任札萨克善巴选此地为镇国公王府所在地，随之成为一旗政治中心。[①] 因康熙年间，追叙善巴的功绩晋封为多罗贝勒，因此该王府也被称贝勒府。贝勒府的规模很大，有正房、厢房数十间，大门、二门各一座，外围以砖石墙，南北半里多，东西四五十丈。北接近山麓处还修了花圃。后又修建佛教寺庙两座，一为广化寺，又称前庙，另一为德惠寺，又称后庙。道光年间，王府附近开始有汉人租土耕种，也有汉商进出，在王府迤西逐渐形成市街。于是，贝勒府一带发展成为土默特左翼旗境内蒙汉交易发展较早的地方。市街内东西方向的一条街最繁盛，市街长约 1 里多，两旁市场对峙，商贾辐辏。[②]

定远营　在内蒙古西部地区，以王公府第发展成城镇的有定远营。定远营，雍正八年（1730 年）由岳钟琪奏建。[③] 雍正年间，和硕特部落从青海移牧于定远营一带，乾隆年间，札萨克罗布藏多尔济因战功得娶郡主，晋和硕亲王。乾隆皇帝将定远营赏赐给他，允许建府第常驻此地。定远营东依贺兰山，城为土城，[④] 札萨克王入驻之后又被称为王爷府。王府是城内最宏伟的建筑群，王府建筑皆仿宫殿式样，府后有花园。城内有佛寺延福寺，壮丽辉煌。城外为商业区，城外南街及西关为最繁华地区。定远营不仅为阿拉善厄鲁特旗的政治中心，也是该地商业中心，当时被称为"小北京"。[⑤]

在清朝皇室和蒙古王公的联姻制度之下，有不少皇室公主下嫁到蒙古地区，公主所居住的地方有的形成村落，后又经不断扩大发展，成为蒙古地区城镇的基础。如巴林右翼旗的大板就是其中突出的一例。

三、归化、绥远二城

库库和屯——归化城　16 世纪 20 年代开始，俺答汗率领土默特部驻牧

①《锦州省土默特左旗事情》，土默特左旗公署，1938 年，第 8—9 页。
② 张遇春、贾如谊：《阜新县志》卷 2，《地理·城镇》，1935 年铅印本。
③ 陈国钧："西盟阿拉善社会调查"，《阿拉善盟史志资料选编》第 2 辑，1987 年。
④ 孙翰文：《宁夏地理志》，《阿拉善盟史志资料选编》第 1 辑，1987 年。
⑤ 王建章：《阿拉善旗小志》，《阿拉善盟史志资料选编》第 2 辑，1987 年。

在阴山山脉东端大青山南北的土默特平川。这一带由于自然条件相对优越，时局也比较稳定，不仅蒙古人的游牧经济得以长足发展，而且农业经济也粗具规模。出现了许多村庄和小市镇，当时被称为"板升"。板升，蒙古语（Bayišing）意为房屋，引申为居民点、市镇。

约于1581年左右，俺答汗大兴土木，在大青山南麓修建城池。① 建城后，名库库和屯（Köke qotan）意为青色的城。16世纪末，蒙古人使用与游牧生活密切相关的和屯（浩特）一词来命名了这座自建的城堡，同一时期，明朝又为它取名归化城。

俺答汗死后，其遗孀三娘子居住归化城，这里仍然是土默特蒙古政治、军事、经济、宗教中心。16世纪末到17世纪中叶归化城的主要建筑和内部结构的大致情况是有内、外城墙，城墙四面开三重门楼，有四角马面和角楼。这些建筑均为防御设施，是入住者的安全保障。城内体现统治权威的建筑是许多宫殿及楼阁，建筑奇美宏观，富丽堂皇。除了这些防御和权力的标志性建筑之外，归化城的佛教寺庙作为城内外居民的共同崇拜中心，形成了宏伟的建筑群。城内占地范围最广泛的则是"日常营生空间——街市和民居"。②

进入17世纪，蒙古各部、明朝和爱新国之间的角逐错综复杂，归化城卷入战乱之中。林丹汗强盛时期曾一度占领土默特，入住归化城。天聪六年（1632年），爱新国攻进，战祸之中，城中的宫殿、民房多半被烧毁，只剩下大召寺等几处庙宇没有遭到破坏。爱新国统治者在激烈的战事之余，开始注意归化城修建事宜。天聪九年（1635年），明朝兵部行稿、宣镇监视王坤题中写道："（奴酋差讫力讫）……再传与顺义王的小王子，作速将归化城修理齐整，亦备奴酋往来住扎。"③，崇德五年（1640年）前后古禄格等重修和扩建了大召寺院。崇德六年（1641年），皇太极命令古禄格扩建库库和

① 薄音湖：《呼和浩特（归化）建城年代重考》，《内蒙古大学学报》1985年第2期。

② 黄丽生：《由军事征掠到城市贸易——内蒙古归绥地区的社会经济变迁（14世纪中至20世纪初）》，台湾师范大学历史研究所印行1995年版，第290页。

③ 《明清史料》丁编第五本，台湾"中央"研究院历史语言研究所，1954—1976年，文中"小王子"应为"博什克图汗俄木布"。

屯。① 这两次修城提议，似乎没能付诸实施,。②

17 世纪 50 年代到过归化城的俄国使节巴依珂夫等一行，在归化城停留了八天，对当时的归化城描写得非常详细："城是用土筑的，塔是用砖砌的，砖是火烧成的。塔的过道很宽，有两个门。……城内外有许多庙，庙是砖建筑。庙顶构造像俄国的样子，盖着带有彩釉的瓦。……城中的街道很宽大。小卖店是石头造的。……都是中国制造的各种颜色的缎子、棉布，还有许多各种颜色的绢。"③ 从上述记载可以看到，战争结束之后，归化城似乎很快脱离了战争的破坏，恢复了平日的秩序。

康熙年间清朝与准噶尔之间的战事，使归化城的战略地位显得格外重要。因此，重修归化城的工程，十分必要且迫在眉睫。为此康熙三十年（1691 年）朝廷动员左、右二旗和寺庙势力对归化城的城墙、城门进行了一次彻底的修筑。在归化城外东、南、西三面增筑外墙，各开城门，合原来北门共开 4 门，东、西、南、北 4 门分别称承恩、柔远、归化、建威。各门上俱建门楼，又以原南门为鼓楼，颜曰威固。后于乾隆元年（1736 年）曾有重修，至道光或同治中更于新、旧墙外又增筑土垣。④

至此，归化城的规模基本定型，城墙为东西宽一里，南北长半里，四面各有一个城门，城门外有瓮城，城中央有鼓楼。在从鼓楼到北门的内城里，是以土默特副都统衙门为首的官府所在地，鼓楼以南的东、西、南 3 门内的外城里，则主要集中蒙、汉官吏的住宅和一些商店。普通居民的住宅和市肆则分布在城的四周，尤以南门外一带为最集中。⑤

对归化城街道布局和外貌产生影响的还有一种因素，那就是大面积的城市地基归属各寺庙所有。寺庙的管理层在各自所属的地盘上，盖建房屋向商家出租，或者出租地基收租。出租房屋的数量，直接关系到寺庙的财政收入。所以，寺庙方面尽可能多盖简陋的房屋，以图增加收入。19 世纪末，俄国学者波兹德涅耶夫在这里看到的景象是"整个归化城都是一条条狭窄

---

① 齐木德道尔吉等主编：《清内秘书院蒙古文档案》第 1 辑，内蒙古人民出版社 2003 年版。

② 乔吉：《内蒙古寺庙》，内蒙古人民出版社 1994 年版，第 43 页。

③ ［日］森川哲雄：《十七世纪前半叶的归化城》，《蒙古学资料与情报》1985 年第 3—4 期。

④ 绥远通志馆：《绥远通志稿》卷 17，《城市》，20 世纪 30 年代稿本。

⑤ 戴学稷：《呼和浩特简史》，中华书局 1981 年版。

的街道，两边几乎全是简陋的小房"。① 虽然不能将造成街道狭窄、房屋简陋外貌的全部责任推到寺庙一方，但是寺庙占有大面积的城市地基使用权，无疑是对街道外貌格局的形成，产生重要的影响，尤其像归化城这样的商业城市，一方面商业活跃了市面，另一方面商业又刺激和推动了大面积的城市土地被租借。在长期的租借过程中，也就形成了上述街道格局和外貌。

绥远城 康熙三十年（1691年），内札萨克和喀尔喀蒙古的多伦诺尔会盟之后，在内蒙古西部城镇史上，产生了两件重大事情，均与清朝和准噶尔部之间的战争有关：一件事情是上文所提对归化城的修葺。这是自16世纪俺答汗建城以来，最大规模的重建工程。而另一件事情是绥远城的兴建。

清朝出于统治喀尔喀和征击准噶尔的军事需要，康熙三十一年（1692年）开始在边外地区广建蒙古驿站。内蒙古境内率先设立喜峰口、杀虎口驿站。杀虎口驿站，由杀虎口出发，连接归化城土默特、伊克昭盟，置驿十二处。"在土默特境内者曰杀虎口站即八十家子站、新店站系腰站、和林噶尔站即二十家子站、萨禄庆站、归化城站、杜尔格站即五十家子站，共六站"，"在黄河以西伊克昭盟境内者，在准噶尔旗曰东素海台，在达拉特旗曰吉克苏提台，在郡王旗曰巴彦布拉克台，在杭锦旗曰阿噜乌阁台，在乌审旗曰巴尔素海台，在鄂托克旗曰察罕扎达亥台，共六站"。② 在杀虎口官方驿站基础上，从归化城经萨拉齐又形成连接乌兰察布盟乌拉特三旗的东路驿站。③

这样，归化城重建工程竣工，同一时期，连接京城内外的驿站系统也粗具规模，归化城的输转功能得到很好的发挥。此后，在兵部奏请下，城中增设了戍兵，并专设将军一员，归化城成为清廷征击噶尔丹的前哨站，安北将军费扬古驻扎归化城，指挥前线部队。

雍正十二年（1734年），清军于喀尔喀额尔德尼召大败准噶尔后，双方正式谈和，停止长达四五年的军事对立。然而，归化城的军事功能并未因此而减弱，清廷处于战后的新局面，反而有意于停战时期趁机扩大归化城的防

---

① ［俄］波兹德涅耶夫：《蒙古及蒙古人》第2卷，刘汉明等译，内蒙古人民出版社1983年版，第92页。

② 高赓恩：《归绥道志》卷5，内蒙古大学图书馆藏手抄本。

③ 郑裕孚：《归绥县志》，《经政志·交通》，1934年铅印本。

御工事，因此筑城屯兵之议又起。总理事务王大臣等奏言："归化城路当通衢，地广土肥，驻兵可保护札萨克蒙古等，调用亦便。……请再酌增兵四千为一万人，令其留戍，设将军一员总理，副都统二员协理。"① 在归化城一带增兵设将军的考虑，是清朝根据与准噶尔多年的战争经验，针对有可能再次发生的战争作出快速反应和反击以及军队的供给而产生的。另外，雍正十二年（1734 年）停战之后，大批由战争前线班师的军队，需要临时安插和驻屯。清廷派员至归化城，经过勘察讨论，决定在归化城的东北不远之处建立一座新城。

雍正十三年（1735 年）十二月，为新城的修建皇帝特此命令大臣"赴归化城，视形胜地，筑城驻防兵屯"。② 朝廷和地方官吏们拟订了筑城计划，计划除了提出有关城市的规模、布局和所需款项、人工、物料等问题外，还考虑到建城后驻军的食粮供应问题，以及如何进行屯田等有关事项。雍正十三年（1735 年）勘察定案，乾隆即位后正式动工，约于乾隆四年（1739年）③ 竣工。朝廷为新城起名为绥远城。城"周围九里十三步，高二丈九尺五寸"，开 4 门，分别为东门（迎旭）、南门（城薰）、西门（阜安）、北门（镇宁）。④ 城为驻防旗兵而筑，一切建置，悉按规制。每门上有箭楼，下有瓮城，四隅有角楼。城中建钟鼓楼一座，上有弥罗阁。城自建筑之后，经两次重修：同治九年（1870 年），绥远城将军定安重建北门城楼，补修陴睨楼橹，并浚濠种树。光绪三十年（1904 年），将军贻谷修缮城垣，疏浚城外濠渠。⑤

这座城，无论城外还是城内，均按计划和设计修建。因此城墙、街衢，整齐划一。城内有大街 4 条、小街 24 条、小巷 46 道和市场一处。⑥ 鼓楼居全城之中心，由中心四射，形成了东、西、南、北 4 大干街。大街和向四面

① 《清高宗实录》卷 9，雍正十三年十二月丙戌条。
② 绥远通志馆：《绥远通志稿》卷 17，《城市》，20 世纪 30 年代稿本。
③ 关于绥远城建成年代，有乾隆二年（1737 年）、乾隆四年（1739 年）的不同说法。
④ 佟靖仁点校：《绥远城驻防志》，内蒙古大学出版社 1991 年版。
⑤ 绥远通志馆：《绥远通志稿》卷 17，《城市》，20 世纪 30 年代稿本。
⑥ 绥远通志馆：《绥远通志稿》卷 17，《城市》，20 世纪 30 年代稿本。

八方伸张的许多小巷，构成了整齐的棋盘似的图形。①

从绥远城建筑结构来看，是一座典型的计划性城市，虽说以驻兵为主要目的，但始建之初即已考虑到城市各方面基本需求。就城墙周长来看，比归化内城（周长二里）城内面积大约大上五至七倍。城内的房屋，修建之初，共一万两千间，由于驻防八旗军常有削减，需房数量随之减少，从乾隆十六年（1751 年）起大量拆除或变价出租军队房屋，② 从而对更多的非驻防八旗军的住户提供了入住城内的物质条件。

总之，归化、绥远二城东西相邻，相距只有数里之远。归化城最早由土默特蒙古人兴建，后历经战火毁坏和几度修建，成为内蒙古西部政治、宗教、商贸、交通中心。绥远城因驻防而建，居民以驻防八旗军队为主，军事目的十分突出。归化、绥远二城在清代至近代的数百年历史中，发挥了各自的重要作用。至清末光绪年间，二城"市衢毗连，二城之间几无隙地"，"不异一城"。③ 清朝灭亡，"旗饷无着，旗丁生计日蹙"，从而绥远城"街市日渐萧条"。④ 绥远城西门通向归化城的大路，因在归化城以东，被称做东大马路。一方面这条马路连接了两座城，是一条车马络绎不绝的交通要道，另一方面，马路的名称又证实了二城当中归化城位居的中心地位。民国十八年（1929 年），绥远省主席特定省城建设计划。这一决策不仅加快了归化、绥远二城合为一体的步伐，并且城市中心从此逐渐由西东移。

四、交通要冲与城镇

就城市的兴起、发展而言，交通运输是极其重要的前提条件之一。只有良好的交通条件和运输功能，才能实现人口和物资的有序流动，才能够为空间的高度集聚提供便利。在内蒙古清代至近代的城镇史上，部分地方因交通的便捷而获得发展的机遇，日后成为重要的地方城镇。其中，可以提举经棚、包头和满洲里等。

经棚　在昭乌达盟西北部的克什克腾旗境内，地处碧柳、乌松图鲁二河

---

① 戴学稷：《呼和浩特简史》，中华书局 1981 年版。
② 佟靖仁点校：《绥远驻防志》，内蒙古大学出版社 1991 年版。
③ 王轩等：《山西通志》卷 30，《府州厅县考》，1990 年中华书局点校本。
④ 绥远通志馆：《绥远通志稿》卷 17，《城市》，20 世纪 30 年代稿本。

汇合之处。克什克腾是昭乌达盟唯一地处兴安岭西侧的蒙旗，旗境东部山岳连绵，西部则是较为平稳的丘陵地区。旗境内的经棚位于赤峰西北和多伦诺尔东北，距二地均有数百里。该地正处长城以北的南北交通要道上，从长城中、东部诸口均可以到达此地。从张家口经多伦诺尔达经棚，再从经棚到东部各蒙旗，甚至到呼伦贝尔以及外蒙古。从古北口或喜峰口经热河到经棚，再从这里到锡林郭勒盟东部各旗及外蒙古。

这种地势和自然条件决定了经棚在蒙古和内地之间频繁的商旅往来、物资交流成为可能之时，必将占据重要地位。早在清朝前期就有蒙汉贸易在经棚一带进行，各种物资从这里转运到其他蒙古各地，毗邻各蒙旗的牲畜和畜产品也集中在这里再输往内地。乾隆年间，经棚"集商为市"，周围集市始有雏形。① 同时，繁荣的商贸活动引起统治者的注意，相应的统治措施也实施到经棚一带。道光五年（1825 年）在克什克腾旗境内设立了多伦诺尔厅巡检。当时巡检并没有设置在经棚，却设在其西南数里外的白岔。这一事情表明，直至道光年间经棚的发展并不很突出，以至于还没有引起统治者充分注意。

经棚是从 18 世纪中叶开始发展起来的。这里当时被蒙古人称做碧柳浩特（Biraγuqota）。碧柳，由山水名而来。同治年间（1862—1874 年），经棚城镇初具规模，城镇人口发展到八千多人。② 光绪二年（1876 年），乌松图鲁河泛滥，城内两条街被冲毁。受此影响经棚一度衰落，居民外迁，市面萧条。③ 光绪十年（1884 年），白岔巡检"移治经棚"④ 后，经棚开始逐渐恢复了以往的繁荣景象，被洪水冲毁的街道得以再建。再建后的经棚，从原来位置向东北迁移，建在碧柳河和乌松图鲁河汇合处的三角洲地带。在第二次修城之时，作为防御措施，在城周围还垒一道城墙，"城墙高两俄丈，厚一砖坯"。⑤ 经棚有东西走向的大街 3 条，分别被称为前街、当铺街和后街。

---

① 康清源：《热河经棚县志》卷 2，《建置》，1982 年呼和浩特古丰书斋誊印本。

② ［俄］波兹德涅耶夫：《蒙古及蒙古人》第 2 卷，刘汉明等译，内蒙古人民出版社 1983 年版，第 408 页。

③ ［日］关东都督府：《东部蒙古志》中卷第 8 编，《殖产兴业·都市》，1914 年，第 412 页。

④ 康清源：《热河经棚县志》卷 2，《建置》，1982 年呼和浩特古丰书斋誊印本。

⑤ 康清源：《热河经棚县志》卷 2，《建置》，1982 年呼和浩特古丰书斋誊印本。

前街多集中手工业作坊，有皮铺、毛铺、铁匠铺和木匠铺等。后街则是一些大商号的货栈，这里还有官方机构的办公衙门。除上述主要的街道外，还有一些小巷、小街通向四方，连接城镇各角落。随着蒙旗开垦的扩大，内地与内、外蒙古广大游牧区域以及俄罗斯之间商贸的发展，经棚在交通上的优越性得以充分发挥。同时，重要的地理位置，也引起统治者的关注，光绪年间巡检衙门的移驻，足以表明了这一点。

18世纪中叶以来经棚人口增加，商贸活跃。经棚的货物来源，范围很广。粮食来自东南农耕区域，运来的粮食一部分消费在本地，大部分再运销他处。"从经棚运出的粮食每年不下三万车"。[1] 白酒、烟草、麻油等产品多来自东北各地，大部分通过经棚再运往多伦诺尔或外蒙古各蒙旗。茶叶来自张家口，大部分供当地消费。纺织品来自直隶北部各地。由于经棚地处蒙古高原腹地，四周连接广大游牧区域，所以牲畜和畜产品买卖范围很广泛，不仅有来自东部各盟旗的，还有中部锡林郭勒盟各旗的畜产品也经销于此地。牲畜和畜产品，除了供应当地消费之外，大部分转运内地各省或者东北地区。仅仅从上述概述中，也可以看出，经棚在蒙古地区商业贸易上，其重要性不在贸易额上，而在所起的中转作用上。

包头　萨拉齐厅管辖之下的镇，原属归化城土默特旗地。地名包头，有蒙古、汉语的不同说法。蒙古语 Buyutu 之说，意为有鹿之地。汉语之说有两种不同解释。一认为同于泊头，另一认为来源于西脑包。泊头，自然起因于黄河，西脑包则是邻近小村名，意在脑包村的一旁。无论是蒙古语的解释还是汉语的意义，均表明包头的自然条件及地理位置的优越性。

康熙、乾隆之际，清廷用兵西北，内地商人随军进入蒙古地区，供给军队之需，同时，另辟新商机，在蒙古地区与蒙古游牧民进行商贸活动。军事告竭，军队班师，而从蒙古地区的商业活动中获取利益的商人仍然继续着他们的买卖，规模不断扩大，并且商人开始从行商转向坐商。此外，乾隆初始，新建的绥远城入驻为数众多的八旗驻军，为了就近解决驻军粮饷，大量开垦土默特旗地，更多的内地农民涌进此地。

包头，正是在这种背景之下发展起来的。乾隆十八年（1753年），包头

---

① 康清源：《热河经棚县志》卷2，《建置》，1982年呼和浩特古丰书斋誊印本。

居民达四百户以上，约一半以上经营买卖。①

为了管理新增人口，即内地经商务农的移民，雍正年始设萨拉齐厅，此后又设昆度仑、善岱等七个协理通判，乾隆二十年（1755年）裁撤昆度仑、善岱二协理通判。在善岱派驻萨拉齐厅巡检。乾隆年间，蒙古地方开始征收各种课税，在西包头也派遣征税笔帖式②驻扎。嘉庆十四年（1809年），移善岱巡检驻包头。从此，包头"居民屡集，商贾亦多"，③ 商贸日益繁盛。

包头北依阴山东端，南临黄河上、中流衔接之处，东连土默特平川、西接河套平原。地势北高南下。嘉、道年间包头逐渐发展成为萨拉齐厅西部最大的乡镇。镇居乡村适中之地，商业据点初在包头西五里之外的脑包村，所以"先有脑包村，后有包头"之说广为流传。据记载"自乾隆间生意俱在恼包"。脑包或恼包，蒙古语Obuγ-a，又常作鄂博，指比周围高出之地。由此可以断定，脑包村和包头村从乾隆年间开始发展起来，到嘉庆年间巡检移驻包头，协助萨拉齐厅管理周围地区，此后包头的政治地位被提高，逐渐从村落发展成为萨拉齐厅，乃至归化、绥远二城以西的重镇。道光末年，黄河码头逐渐从托克托厅的河口西移至南海子，南海子离包头仅有数里之距，包头航运交通从此大为改善。通过黄河航运可以向西达宁夏境内，向东连归绥道诸厅及山西省的其他各县。

第二次鸦片战争结束，咸丰十年（1860年）清政府与英法等列强签订《北京条约》，开天津为商埠。西北皮毛等畜产品开始通过天津港运往国外市场。包头作为西北地区交通要道、货物集散中心，从此直接受到外国商业资本的影响。一方外国商业资本进入包头，光绪初年，已有外行支行落脚包头。④ 另一方，包头水陆交通运输行业日益活跃，更加发挥其西北集散中心的作用。

在咸丰、同治年间的西北回民起义之时，清廷调遣重兵入驻包头，包头

---

① 萨拉齐包头村新建桥碑志（乾隆癸酉孟冬吉日），转引自［日］今堀诚二：《中国封建社会之结构》，日本学术振兴会，1978年版，第101页。

② （光绪）《大清会典事例》卷236，《户部·关税》。

③ 西脑包龙王庙所在资料，转引自［日］今堀诚二：《中国封建社会之结构》，日本学术振兴会，1978年版，第111—112页。

④ 绥远通志馆：《绥远通志稿》卷109，《商业二·各县商业概况》，20世纪30年代稿本。

的防御要求顿时引起了官方注意。从此，包头又经历了数次以防守为目的、由驻防军队修建的过程。同治十年（1871 年），包头巡检和驻扎此地的大同镇总兵率军民创建包头内城。工程耗时两年，同治十二年（1873 年）竣工。修筑的城"高一丈五尺……周围十四里，为椭圆形。城外有池，深三尺，四隅各有台墩，高与城齐。"这次修建包头内城，高墙外又挖深池，军事防御受到重视。由于包头依山而居，迫于山洪，防洪设施显得同样重要，在城北部"东西各筑一沟，名东西瓦窑沟。于北城之东、西筑水栅，各高一丈五尺，以泄山洪"。瓦窑沟，虽然迫于地势而筑，但也可看做城镇早期公共设施的雏形。同时，在"西城筑退水口四，于城之东北建小水口一，因东河之水入城，用以洒街。"① 筑水口，也是针对干燥气候而建的一种公共设施。

光绪初年，新疆遭英军侵扰，左宗棠率军用兵西北，包头不仅是西北重守要地，而且也成为前方转运站之一。光绪三至四年（1877—1878 年），左宗棠为了就近供给军队粮食，在包头设立西北采运局，采购陕、甘、宁各省和河套地区的粮食，转输西北。② 此时，包头的粮行业空前的活跃，并且其他相关行业，如水陆运输业等，均得到不同程度的发展机会。此后，驻守包头的大同镇总兵鉴于包头"城卑池浅，不足捍卫，乃饬部重加修理"，"既竣其城，既深其池"，并筑台于吕祖庙之前，"以供凭眺"。③ 从上述数次修建看，包头城与军事防守紧密联系在一起。地方城镇的军事地位，往往在社会秩序混乱、局势不安定的时候，易于引起统治者的重视。统治者被迫出重金，修城浚池，地方城镇建设立刻得以改善。早期的包头是作为商业据点起步的，但是，军事防守使城镇得到空前的、大规模的修葺，城镇物质设施，如城墙、城门以及部分公共设施逐一完备。如果说 19 世纪末的内城修建，使包头城粗具规模，那么 20 世纪初的外城建设，使包头城得以扩展，为包头城日后的发展奠定了基础。

包头城内的街区经长年自由建起，"漫无规度，大街小巷，参差不齐"。

---

① 　绥远通志馆：《绥远通志稿》卷 17，《城市》，20 世纪 30 年代稿本。
② 　朱寿朋：《光绪朝东华录》，光绪三四年相关条，中华书局 1984 年版。
③ 　绥远通志馆：《绥远通志稿》卷 17，《城市》，20 世纪 30 年代稿本。

有大小街各 10 条、小巷 70 条。① 大小街多以方位、寺庙命名，如前大街、三官庙街等。

满洲里 位于大兴安岭西端、呼伦湖之北、海拉尔河和额尔古纳河汇流之西。额尔古纳河流域在中俄《尼布楚条约》签订之后成了中国和俄罗斯之间的国界河。清末中国北部面临空前的边疆危机时，界河以东的呼伦贝尔首当其冲地遭受了沙俄的侵略。

满洲里这一地名出现于边疆危机日益严峻的 19 世纪末。光绪二十二年（1896 年），中国与沙俄签订中俄密约，允许沙俄西伯利亚铁路的东部经中国东北领土通向太平洋港口海参崴。这条铁路被命名为东清铁路（又名中东铁路），从光绪二十四年（1898 年）正式动工，用时 5 年，于光绪二十九年（1903 年）全线通车。该铁路从西北进入中国东北边境，首站就设在地处呼伦贝尔西北的满洲里。满洲里，本无此名，俄国人承修铁路，此处为入中国领土首站，故名为满洲里。

沙俄侵略者在满洲里设站并不是偶然的，而是看好满洲里有利的地理位置。满洲里地处新巴虎八旗的游牧区境内，周围游牧区域出产丰富的畜产品；南边是有名的呼伦湖，东部则是新发现的札赉诺尔煤矿。在这里建立车站，对沙俄进一步实施其侵略步骤，扩大其侵略权益，掠夺各种资源，是十分理想的位置。所以，满洲里不仅仅是一处火车站，而且是中俄两国边境上重要的交界处。

铁路工程开始，修铁路的技术人员和铁路工人，在满洲里居住下来，他们虽然是临时的住户，却成为满洲里最早的居民之一。并且，以他们为交易对象的中俄商人开始来往此地。铁路修成时满洲里已成为粗具规模的城镇。铁路线把满洲里分成南北两个部分，北部是这座边城的主要部分，商家林立，人口密集。南部则是铁路人员的住宅区，统一修建的住房对这座新城镇增添不同寻常的气氛。满洲里街道和建筑，甚受俄罗斯建筑风格的影响，俄罗斯式的房屋、公园、旅店、教堂随处可见。和内蒙古其他城镇相比，满洲里不仅风格独特，而且街道整齐，道路平坦，是一座规划性城镇。②

---

① 绥远通志馆：《绥远通志稿》卷 17，《城市》，20 世纪 30 年代稿本。

② ［俄］东省铁路经济调查局：《巴尔虎的经济概观》，1930 年日译本，第 138 页。

满洲里通过中俄边境贸易和蒙旗交易发挥出其特殊而重要的交通运输和货物集散功能。在中俄边境贸易中，不管是俄罗斯货物进入中国境内，还是中国货物输出俄国或其他地方，沙俄由于获得关税豁免权，所以处于有利的位置。对中国来说，这是一种不平等的边境贸易。在蒙旗交易中，满洲里由于交通便捷，起着集散和中转站作用，日俄战争期间，满洲里成为重要的军事基地，所以，引来了众多为军事活动和驻军服务的中外商人。战争结束后，军事贸易顿时衰落，恢复往日的边境贸易。① 光绪三十三年（1907年），清朝政府在满洲里正式设立海关，企图保护中国关税利益。但是，实际上一直到俄国十月革命发生，俄仍然享受着种种侵略特权，它在边境贸易中的有利地位，并没有因为中国政府设立海关而受到更多的限制。②

光绪三十四年（1908年），清朝政府在满洲里设置胪滨府，府衙门设在距满洲里火车站6里之外，"围以城墙，墙系石造"，③ 知府衙门城墙外"亦有建筑，但无多"。胪滨府是在这座边城设置的第一个地方行政建置，并且按清朝规定，府是统辖州厅县的高一级的地方行政建置。显然，清政府试图通过在满洲里设置相对高一级的地方政府，提高满洲里的政治地位，以此来抵制沙俄侵略势力。但是，从此后的历史演变看，呼伦贝尔的政治中心并没有因胪滨府的设置而从海拉尔西移至满洲里。尽管这样，这件事情至少表明了当时满洲里的重要地位。

20世纪初，随着交通运输的日益活跃，通过满洲里海关出口俄国的各类皮张数量不断增多，价格也成倍上涨。其中，旱獭皮的出口量从光绪三十三年（1907年）的70万张达宣统二年（1910年）的250万张。④ 旱獭皮贸易的利益刺激人们到满洲里这座边城加入捕猎旱獭的队伍。宣统二年（1910年），满洲里聚集了来自山东、直隶等地的旱獭猎人，人口从平时的

① ［俄］东省铁路经济调查局：《呼伦贝尔》，1939年汉译本，第201页。

② 徐世昌：《东三省政略》，《边务·呼伦贝尔》。

③ ［俄］东省铁路经济调查局：《呼伦贝尔》，1939年汉译本，第75页。

④ 费克光：《中国历史上的鼠疫》，刘翠溶、伊懋可主编：《积渐所至：中国环境史论文集》，台湾"中央"研究院经济研究所1995年版，第717页。

7000 余人增至 15000 人。① 这年 10 月，发生于俄国境内的鼠疫，通过铁路运输传播至满洲里，并从满洲里沿铁路线迅速蔓延东北各地及关内。② 鼠疫的病原体是传播鼠疫病菌的旱獭，而最主要传播途径是铁路。这次鼠疫使满洲里遭受自开通铁路以来最具破坏性的考验，鼠疫期间，社会活动陷于停顿，满洲里边境贸易大受影响。

五、矿业与城镇

19 世纪末 20 世纪初期，在修铺东清铁路的同一时期，呼伦贝尔丰富的矿产不断被发现和开采，出现了许多矿区，这大多与沙俄修建东清铁路后，企图掠夺我国资源有关。伴随开矿，在一些矿区附近逐渐形成了小规模的城镇。其中，较早出现的矿城主要有札赉诺尔和吉拉林。

札赉诺尔　在满洲里以东，为新巴尔虎左翼旗游牧地。札赉诺尔煤矿发现于光绪二十七年（1901 年），是"马尔舍伊矿务局调查所得"。③ 发现札赉诺尔煤矿时，正值俄国东省铁路公司与东三省订立关于东清铁路沿线的矿务开采合同十二条。外务部拒绝签约，但俄方仍恃强私采，将包括札赉诺尔等多处煤田"攘为己有"。④ 所以，札赉诺尔煤矿从勘查至开采、经营均被操纵在俄国人手中。

札赉诺尔矿区，由札赉诺尔湖西北岸一直延伸至额尔古纳河，矿场出产，主要供应东清铁路西线用煤之需，还供应煤矿自身和这一地区居民的生活用煤。札赉诺尔是矿区的中心，也是东清铁路西线的重要车站。正是由于附近的煤矿和铁路交通使札赉诺尔作为矿城得以发展，而且矿城的价值也通过产煤、运煤而显示出来。

吉拉林　在额尔古纳河岸，又名室韦。20 世纪初，乘中国内忧外患之际，沙俄在中俄边境设厂私挖金矿。在黑龙江沿岸的边境地带，"金苗荟萃

---

① ［日］饭岛涉：《鼠疫和近代中国：卫生的"制度化"和社会变迁》，研文出版社 2000 年版，第 138 页。

② 这次鼠疫，在中国境内发生于 1910 年 10 月，1911 年 3 月被平息，6 万余人死于非命。

③ 朱枕新、邹尚友：《呼伦贝尔概要》，1930 年东北文化社铅印本，第 68 页。

④ 徐世昌：《东三省政略》卷 3，《交涉·矿务交涉篇》。

之区，俄人固已视为囊中物矣"。① 在吉拉林开采者，"其初为上阿穆公司"。② 光绪三十二年（1906年），黑龙江署将军程德全"始将金厂收回，招商承办"。③ 光绪三十四年（1908年），清廷在吉拉林设置了设治局，"派员赴吉拉林设治兼办垦矿事宜"，吉拉林金矿改为官办。设治局的办公地点设在金矿以东。当时，金矿又地名小西沟，距设治局仅有8里之远。开采仍以"旧有淘孔采取"。④ 采矿需要劳动者，开采伊始，自然引来了众多采矿工人。工人聚集，也自然产生供给和消费问题，商业交易显得十分必要。然而，吉拉林地方偏远，商旅裹足不前，这为金矿经营者提供了商机。金矿主多在其账房内附设商号，勒令工人购备一切日用品。采矿工人将各自淘出金沙，"卖与矿区账房，每一零泥克，合洋三元，计算方法，多不给现金，以高价之货物易之"。⑤ 当时的吉拉林除了金矿相关人口之外，尚无大量其他人口，采矿工人与矿产主之间的这种不平等的交易，不仅阻止了吉拉林正常商业活动的形成，也影响到吉拉林城镇的形成。1920年，吉拉林设治局改为室韦县，仍以吉拉林为县城。1929年，室韦县城遭到俄人烧毁，1930年县城移至阿坞之苏沁屯。

由于经营不善，尤其在沙俄掠夺性开采之下，吉拉林金矿遭到了破坏，不久便报废。但作为矿区中心已有所发展的吉拉林，在清末和民国初成为地方政治中心。

---

① 徐世昌：《东三省政略》卷3，《交涉·矿务交涉篇》。
② 朱枕新、邹尚友：《呼伦贝尔概要》，1930年东北文化社铅印本，第67—68页。
③ 《黑龙江志稿》卷23，《财赋·矿产》，台湾影印《中国边疆丛书》本。
④ 朱枕新、邹尚友：《呼伦贝尔概要》，1930年东北文化社铅印本，第68页。
⑤ 朱枕新、邹尚友：《呼伦贝尔概要》，1930年东北文化社铅印本，第68页。

第　八　章

内蒙古的城镇商贸、手工业、矿业与财政

第一节　内蒙古城镇贸易

一、商贸中心和大小市场

内蒙古各城镇由于受地方开垦的迟早、交通条件的好坏等影响，商业发展程度各有不同，有的商业局限于地方小范围内；有的则拥有了广泛的商业领域，与国内一些大市场连成一体，构成不同的市场层次。

地方小市场　随着内蒙古农耕区和半农半牧区的不断向北扩展，在新的农耕区（包括半农半牧区）不断出现新的交易中心。这些交易中心的产品集散，所及范围小，市场容量也不大。清末民初新设置的大部分厅和县城及附属小镇就属于这类地方小市场。具体说，在内蒙古东部的卓、昭、哲三盟中，有朝阳府所辖新设的阜新、建平二县城、赤峰州所辖林西、开鲁二县城及乌丹、大板等附属小镇；哲里木盟昌图府所辖康平、奉化、怀德三县县城及伏龙泉、八面城等附属小镇，长春府所辖农安、长岭、德惠三县城及洮南府所辖靖安、开通、安广、醴泉、镇东等五县城和乾安镇等附属小镇；黑龙江道所辖大赉、安达、肇州三厅城和昌五城、景星镇等附属小镇。内蒙古西部则归绥道属五原、武川、兴和陶林等厅城以及早期设置的其他厅所属小镇，如隆盛庄、毕克齐、南海子等。

这些小市场上商人的商品销售，主要以农牧民小生产者为对象。也就是

农牧民拿出自己的土特产品与商人进行直接交换。这种交换对农牧民来说，由于商人的直接收购，促进了农、畜产品的商品化。而对商人来说，通过直接与农、牧民交换，"可得二重之利益，即一方抬其杂货而卖，一方得转卖马牛羊之利。"①

这类地方小市场内蒙古东部之乌丹可略见大概。乌丹位于赤峰北的翁牛特左旗境内，南为农耕区，北连游牧区，是翁牛特左、右二旗继赤峰之后，开垦较早的地方之一。乌丹的商品主要来自赤峰，其中从东来自锦州的，南来自天津、北京的货物，基本上是经赤峰进入乌丹市场，从乌丹再销售到周围的消费地区。在乌丹所聚集的农、畜产品大部分向赤峰方面输出，经过赤峰市场转输锦州、天津、北京等地。② 内蒙古西部则可以通过武川，也略见大概。武川，蒙古名可可以力更，位于归化城北百余里，大青山横跨其南，周围为农耕区，东北连乌兰察布、锡林郭勒二盟各旗。武川周围的农耕区和北部游牧区的农牧民，如果要进归化城进行交易，必须翻山越岭，花费一定的时间和精力。正因为武川地处连接大青山南北的适中之地，较早成为交易场所，使交易双方各得其所。武川大多数消费商品经归化城而来，经过武川再转输各个消费地区。而大部分农畜产品在武川集中后，运往归化城，一部分则从归化城再运往他处。

区域性市场　区域性市场指的是市场范围超过政治管辖范围的中心集散市场。那些清代前期城镇以及晚期形成的大城镇，可归于这一类。具体说，有归化城、包头、多伦诺尔、赤峰、朝阳、小库伦、经棚、昌图、郑家屯、长春、洮南、海拉尔、满洲里等。这些城镇，都是各级地方政府所在地，是重要的政治中心。或兼军事重镇和宗教中心。除了城镇本身集中大量的消费人口外，它的销售市场也涵盖四周的小城镇和广大农村、游牧区。区域性市场在商品流通和集散贸易中，具有范围广、容量大、功能多等特点。从农村和游牧区流入城镇的产品，一部分由农、牧民自行交易，另一部分则经各类商贩收购。区域性市场的功能比地方小市场大得多，可以直接与境外大市场取得联系，并能在商品输入和土特产品输出中起到举足轻重的作用。如赤峰

---

① ［日］剑虹生：《多伦诺尔记》，《东方杂志》第 5 年第 10 期。
② ［日］《东部内蒙古调查报告》第 2 卷，1914 年，第 174—175 页。

的商业范围北经开鲁达乌珠穆沁旗，西经林西达经棚，东连锦州、营口，南越长城口通京津地区，其中来自西、北方面的产品多为畜产品，来自东、南方面的多为烟草、布匹、茶等多种商品。市场上聚集的产品除了本城镇自身消费外，从这里再输往四方，杂货日用品输入农村、游牧区，农、牧土特产品则输往上述各大市场。① 如清末东清铁路开通之后，海拉尔迅速发展成为区域性商贸市场。商业范围包括呼伦贝尔全境、哲里木、锡林郭勒等盟部分蒙旗和喀尔喀东部部分蒙旗，并通过铁路交通与境外大市场（如哈尔滨等），甚至与国外市场产生商贸关系。再如归化城，它的商业范围包括归化城土默特左、右二旗全境、乌兰察布盟诸旗和伊克昭盟诸旗、察哈尔右翼各旗等，而由归化城出发的远距离商贸西可达迪化，北到库伦、乌里雅苏台。

　　无论是地方小市场，还是区域性市场，市场地位并不是一概不变。某种新条件的出现，会促使市场地位发生变化。有些城镇早期是属于地方小市场，但随着商贸的发展，逐渐具备大宗商品集散条件，日后便发展成为规模较大的区域性市场。比如内蒙古东部的郑家屯，光绪初年仅仅是康平县境内的一处小市场，辐射范围局限于周围的农村和游牧区域。经过设置辽源州、开通三江口航运以及修铺四郑铁路之后，郑家屯迅速发展成为东达长春、西连各蒙旗、北通洮南、南至奉天的大市场。内蒙古西部如包头，道光年间是萨拉齐厅管辖之下的乡镇，市场交易范围仅仅限于其周围的农村和游牧区。道光年间黄河码头西移，新开码头南海子距包头仅有数里之远，包头水路交通条件顿时得到改善。另外，天津开港之后，外国商业资本渐渐侵入内陆，促使农牧土特产品大量出口，供应西方工业社会的原料。地处水、陆要冲的包头便成为南和西南连陕西和甘肃、宁夏各省、西通新疆、北接内外蒙古诸旗的集散中心。与之相反，有的城镇曾发挥过区域性市场作用，但是后来却失去往日的地位。如小库伦，从乾隆年间开始发展成为有名的马市，连接着卓索图、昭乌达和哲里木等盟各旗，吸引边内外的交易各方，各种物资通过小库伦输出或输入。到清末民初，小库伦附近出现了若干新的交易市场，如南有阜新，北有通辽，东有彰武、康平等。20 世纪初上述各市场大部分修通铁路，交通条件大有改善，促进了商业的发展。相反，小库伦虽然曾是

① ［日］《东部内蒙古调查报告》第 2 卷，1914 年，第 156—160 页。

有名的交易场所，但是交通条件并没有及时改善，受周围新市场的冲击，商业范围大大缩小，逐渐衰败为地方性小市场。

二、商人和商铺

清初开始内地商人进入蒙古地区。但在对早期进入蒙古地区的商人来说，还不能长期留住在某一地方，而是只能来往于内地与蒙古地区之间，进行流动的商贸活动，他们组成商队，被称"行商"或"拨子"。后来，蒙古地区的外来移民越来越多，开始出现定居点，随之有商人择地定居下来。清朝统治者也在蒙古地区的各开垦地方设置厅、县，管理境内商人和农民，不仅允许商人进行相对自由的商业活动，而且对商人的开铺经商提供比较安定的社会环境。如塔子沟，乾隆初年设置厅治，"四方商贾始云集"。[1] 在某些地方由官方出面引进商人。如海拉尔，由清朝政府发放所谓"龙票"后，汉商才陆续进来。[2]

商人是内蒙古绝大多数城镇最早的居民之一，他们对城镇的商业发展起了不可忽视的作用。内蒙古各城镇市场上坐堂开店的坐商，同其他种类的移民一样，仍然以直隶、山东、山西等地人占多数。山西商人在金融业上掌握特殊实力，专门经营票号、钱庄、当铺等，居于商业资本主的位置。相对而言，内蒙古东部地区各城镇商人，西部直隶、山西商人为多，南部则直隶、山东商人为多，而东部是从奉天、吉林等省转移而来的直隶、山东商人占多数。[3] 内蒙古西部地区各城镇的商人，以山西商人为多数，次为直隶商人。

根据资本的多寡和实力的厚薄，各城镇商铺可以分为两种，一种是内地大商铺设在蒙古地区的分店，另一种是专设于蒙古地区的商铺。只有拥有相当实力的内地商铺，总店设在内地，分店设在内蒙古各城镇，而且，拥有从内地运进货物的固定渠道。多数商铺则是以合伙或者独立出资形式，设铺于城镇。其中，除了少数资本雄厚的商铺之外，那些资本有限、实力微弱的商

---

① 哈达清格：《塔子沟纪略》卷3，《市镇》，《辽海丛书》本。
② 何德全："原海拉尔八大家"（蒙古文），《呼伦贝尔文史资料》第2辑，呼伦贝尔盟政协文史研究会编，1985年版。
③ ［日］关东都督府：《东部蒙古志》中卷，1914年，第131—138页。

铺往往从大商铺的货栈批发货物，再销售于蒙古各地。在各商铺中往往是后者占多数，而两者的共同之处是均派行商进入游牧区，进行流动交易。比如，19 世纪末多伦诺尔有几百家商铺，其中只有 40 家能直接从内地进货，而所有其他商铺实际上都只不过是转销从当地货栈中批发来的货物。在内蒙古东部城镇的大商铺被称"货栈"，多伦诺尔的货栈"可供驮运商队住宿，它们都有行业之分。如专门经营茶叶的、经营粮食（其中也包括酒和食油）的、经营布匹和杂货的货栈等等。"①

商铺据其经营内容，又分粮店（也称粮栈）、盐店、茶庄、布店、杂货店等，而蒙古地区商铺则以多种经营为主。在内蒙古东部城镇中，粮店就经营多项业务。因为粮店资金雄厚，不仅收购农产品，同时可以兼营其他行业。比如清末民初的建昌有大粮店 4 家，小粮店 20 余家，"大粮店每家平常存储约两千石"，朝阳的粮店最大者有 4 户，其中"信成一店，每年约进粮三千石左右"。② 赤峰有"粮铺三十余家，大小不齐"。③

在城镇各种商铺当中，杂货店在数量上占优势。民国初年，经棚入会的30 多家大商铺中就有 12 家是经营杂货或杂货兼营其他行业。同一时期，在赤峰有名可查的 67 家大商铺中，有 27 家杂货店。乌丹大小杂货店有 17 家，在各行当中为数最多。林西各行各业中，较有实力的是烧锅和杂货店，其中杂货店有 7 家，烧锅有 4 家。开鲁也有杂货店 30 家。④

商人在长期的经商过程中，根据蒙古地区的民族、地方特点，开设和组成一种特殊的、具有地方特色的商铺和行业。如归化城，有通词、西庄二业。前者专门由经营蒙古贸易的各商铺组成的行业组织，又称积金社或集锦社，民国年间被改称通词业、通译业或者外蒙公会，"本业系自行养驼，经营蒙古贸易，且介绍客商与蒙古人贸易之一种营业"。⑤ 后者又称新疆社，

---

① ［俄］波兹德涅耶夫：《蒙古及蒙古人》第 2 卷，刘汉明等译，内蒙古人民出版社 1983 年版，第 340 页。

② 童翼：《热河东部旅行笔记》，民国年间铅印本。

③ 赵允元：《赤峰州调查记》，《地学杂志》第一年（宣统二年四月）第 4 号。

④ ［日］《东部内蒙古调查报告》第 2 卷，1914 年，第 111—114、160—162、176—177、181、186页。

⑤ 郑裕孚：《归绥县志》，《产业志》，1934 年铅印本。

由经营新疆、甘肃等西路贸易的各商铺组成。再如赤峰有"专寓乌珠穆沁之盐车"的商铺两家，专门留住由蒙古人载运的盐车，"每蒙贩一名，领十余车，或六七车"，到赤峰后，"则由通事招待至铺"。[①] 通事，即盐车与商铺之间的翻译和联络人。经棚有盐店 7 家，经营者都是直隶商人，在赤峰、围场、多伦诺尔之间销售蒙盐。[②]

各城镇较有实力的商人，往往根据自己销售商品的特点，同时经营皮铺、磨房、烧锅等加工业。收购粮食的粮栈，则又兼营粮食加工的烧锅、粉坊等；经营粉坊、油坊的则可利用生产中的副产品豆渣、油饼经营养殖业等。如郑家屯的丰聚栈，除了商业之外，还经营油坊、磨坊和粉坊，店员 150 余名，有大小 30 余栋家屋，5 栋仓库，院内筑有土囤子（仓库）和养猪场等。[③] 赤峰的货栈建有非常大的院落，如公元店、聚源店等大店的院落连接三道街、四道街两条街。院内除了有留客住宿的客店外，还经营多种服务性质的行业，比如饭馆、理发店、裁缝铺、杂货店等，规模大、行业多，几乎像一处独立的综合市场。[④] 19 世纪末波兹德涅耶夫在归化城也看到和东部城镇商铺多种经营相似的情况。归化城的"鞋类、皮制品以及木器、铁器、铜器和银器，还有药材和器皿"等生活、生产用品"通常都是由专门的店铺出售，而且这些店铺几乎总是和制造这些物品的作坊相连"。[⑤]

西方列强商业势力的进入，改变了原来由汉商完全垄断蒙古地区商贸和市场的局面，开始出现了外国商人和外商代理店。这不仅改变了蒙古地区的市场格局，而且，也改变了商人的经营性质，部分商人一变而为外商代理人，即买办商人。买办和代理店是外国商业势力在各地各城镇中最前沿、最直接的商业活动工具，外商通过他们收购蒙古地区的土特产品，即皮毛、药材等，同时将外国商品输入各城镇市场。比如多伦诺尔清末即设有四五所较

① 冯诚求：《内蒙古东部调查日记》第 4 编，《自喀喇沁府至赤峰》，1913 年铅印本。
② 康清源：《热河经棚县志》卷 15，《税捐·货殖表》，1982 年呼和浩特古丰书斋誊印本。
③ ［日］柏原孝久、滨田纯一：《蒙古地志》中卷，东京富山房 1919 年版，第 1182 页。
④ ［日］星武雄：《东蒙游记》，东亚图书株式会社，1920 年。
⑤ ［俄］波兹德涅耶夫：《蒙古及蒙古人》第 2 卷，刘汉明等译，内蒙古人民出版社 1983 年版，第 104 页。

大洋行。"最古者为英商之新泰兴"，大约开设在 19 世纪六七十年代。① 洋行大多数从事收购畜产品，即羊毛、皮张等。在多伦诺尔市场上销售的外国商品，是由活动在该市场上的商人从内地运来。② 在同一时期的赤峰市场上，"出口货以牛、羊毛及皮为大宗，岁出百万斤，天津洋商来此收运"。③ 乌丹市场上有鲁麟、礼和、仁记、福山、瑞记等洋行的代理人进行为洋行服务的商业活动。④ 林西有俄罗斯人所开"瓦利洋行，专事商业"。⑤ 民国初年的归化城，著名的洋行计有 8 家，分别为"隆昌、益昌、德裕隆、平和、仁记、仁义永、天聚公、永丰"。⑥ 包头，经营石油的商铺，均销售洋货，其中以美孚、亚细亚等品牌为主，烟草则大部分销售英美烟草公司产品。⑦

三、商品集散概况

城镇商业的发展，主要表现在外地商品和本地土特产品的集散和销售上。商品的集散，是各城镇商业活动中最重要的内容，商品集散品种、数量与城镇商业兴旺密不可分。

内蒙古各城镇中区域性市场具备了大量集散商品的功能，各城镇所集散的商品，有输出品和输入品之别。其中输出品大体可分两大类，一类是农产品，另一类是畜产品。

输出品　从清前期开始内蒙古农耕区域日益扩展，农业经济不断发展，销往市场的农产品不断增多。农产品，以粮食为主，也包括农副产品。农产品的出售以农家为单位，每户农家将剩余农产品向市场出售。农产品与城镇市场之间的联络，一部分通过农民直接销售。也就是说，距城镇较近的农家，直接推向城镇市场，距城镇较远的则向粮栈、大车店等中介商卖出。另一部分通过集市贸易售给商人，然后通过商人，再转入城镇市场。

内蒙古各城镇商品集散中，农产品集散是最重要的内容之一。通过上述

---

① ［日］剑虹生：《多伦诺尔记》，《东方杂志》第 5 年第 10 期。

② ［日］剑虹生：《多伦诺尔记》，《东方杂志》第 5 年第 10 期。

③ 冯诚求：《内蒙古东部调查日记》第 4 编，《自喀喇沁府至赤峰》，1913 年铅印本。

④ ［日］东亚同文会：《支那省别全志》，《直隶省》，第 194 页。

⑤ 苏绍泉：《林西县志》卷 2，《人事志》，内蒙古图书馆 1930 年手抄本。

⑥ 甘肃人民出版社编：《蒙新甘宁考察记》，《西北行记丛萃》，第 18 页。

⑦ 《包宁铁道沿线经济事情概况》，《满铁调查月报》，1930 年。

途径，在城镇市场上聚集了大量的农产品，一部分供应城镇自身食用，一部分用在粮食加工业上，而另一部分则通过各城镇再向外输出。以大豆为例，东三省以输出大豆而著称，奉天尤为突出。光绪初年，"牛庄（营口）的输出品，几乎全部为大豆"，而"其为盛京本省所产者，只占输出量的五分之一，……所有其余部分都是来自边外"。① 这一记载表明，自然条件相似，处处相连于东北地区的"边外"，即内蒙古东部地区，大豆产量非常大，当时几乎占营口大豆输出的4/5。内蒙古西部城镇的粮店实力和农产品集散也很突出。如包头，早在19世纪70年代因就近供给清军新疆部队的军粮，在包头设立采运局，大量采购和转运粮食，为这里粮店和粮食业的发展奠定了基础。包头邻近地方小市场的粮食业也同样因此而始有发展。如五原厅隆兴长，20世纪20年代，有8家粮食店，它们是这里最有实力的经营者。②

作为内蒙古大宗输出品之一的畜产品，根据种类大体可分牲畜和皮毛两大类。牲畜中输出额最大的是羊和牛。牲畜和畜产品被收购到各大城镇市场，大体通过三种渠道。一是通过以各大城镇为根据地、在蒙古地区进行商贸活动的行商贩运；二是经过附属小镇商人的收购再往大城镇输出；三是牧民自己运至城镇市场。

除了农畜产品外，还有药材等内蒙古土特产品也是输出的重要产品。

输入品　在内蒙古以各城镇居民及农耕区、游牧区的人口为销售对象的外地商品，大体可分几类：以棉织品为主的衣着用品；茶、酒、烟草和糖等饮食品；石油、火柴、蜡烛等日用品。各种商品根据所产地方的不同可分内地（包括东北地区）商品和外国商品。内地商品，主要有茶、烟、棉丝织品等传统商品以及其他生产、生活用品和宗教用品。

从清初开始大一统的国内交易中，内地商品在蒙古各地拥有稳定而不断扩大的销售市场。蒙古各地的城镇市场兴起之后，更加推动了这一趋势的长足发展。下面以茶叶这一饮食品为例。茶叶在蒙古地区是一种不可缺少的、且又无法代替的饮用品，从湖南、湖北等南方产区输入各城镇市场。茶叶分叶茶、砖茶两种，叶茶又分红茶、绿茶、花茶等，在农耕区大受欢迎；而砖

---

① 彭泽益：《中国近代手工业史资料》第2卷，中华书局1984年版，第120页。
② 《包宁铁道沿线经济事情概况》，《满铁调查月报》，1930年。

茶基本为游牧区所用，长期居住蒙古地方的个别汉族居民也习用砖茶。归化城和多伦诺尔是非常重要的输入茶叶的城镇。输入归化城的茶叶除了供应当地居民的需求之外，输往新疆、喀尔喀蒙古和俄罗斯等更广泛的地区。输入多伦诺尔的砖茶"销往喀尔喀，……特别是车臣汗部；……一部分茶叶由克鲁伦河岸边一直运往俄国边界，到达敖（鄂）嫩河和额尔古纳河两岸"。①

　　西方商业势力进入蒙古地区，倾销各国工业产品是其重要内容之一。外国工业产品，成本低、质量好，价格便宜，在中国市场上具有强大的竞争力。向内蒙古各城镇市场输入商品的主要国家有俄罗斯、日本、英国、德国和法国等。俄罗斯、日本的产品通过陆、海运可以直接输入内蒙古东部市场，英、德、法等国产品则通过内地方可进入蒙古地区。沙俄是向内蒙古输出和销售产品最早的国家之一。早在 19 世纪中叶，"俄罗斯的商品通过恰克图之路南下到达那里（多伦诺尔）"。② 但是，因为遥远的陆路运输，在多伦诺尔市场上的俄国商品数量不多，而且价格也昂贵。③ 日俄战争后，沙俄在中国东北北部仍有很大的势力。在民国二三年（1913—1914 年），向海拉尔市场输入的俄国商品中，制造品、装饰品及金银制品共 50 万卢布（下同）、酒 8 万、杂货 10 万、皮革靴鞋及其他 15 万，总额达 83 万卢布。④ 后起的日本，在日俄战争中打败沙俄之后，向包括内蒙古东部的东北地区开始输入大量的工业产品，各种商品数量超过了其他国家，以后这一状况一直有增无减。仅仅是棉织品一项，据 1913 年《大阪新闻》报道，中国东北每年输入约有市布 30 000 匹、粗布 100 000 匹、细斜纹布 20 000 匹、棉纱 50 000件、棉布（窄面的）20 000 匹，其中，日本产品几乎占 80%。⑤

四、商业路线和商业范围的变化

　　长久的商业活动，必然会促使稳定的商业路线的形成。而商业路线的形

---

　　① ［俄］波兹德涅耶夫：《蒙古及蒙古人》第 2 卷，刘汉明等译，内蒙古人民出版社 1983 年版，第 340 页。

　　② ［法］古伯察：《鞑靼西藏旅行记》，耿昇译，中国藏学出版社 1991 年版，第 50 页。

　　③ ［俄］波兹德涅耶夫：《蒙古及蒙古人》第 2 卷，刘汉明等译，内蒙古人民出版社 1983 年版，第 342 页。

　　④ ［俄］东省铁路经济调查局：《呼伦贝尔》，《呼伦贝尔之商业》，1939 年汉译本，第 202 页。

　　⑤ 汪敬虞：《中国近代工业史资料》第 2 辑下册，科学出版社 1957 年版，第 1161—1162 页。

成受地理、交通等多种条件的制约。在铁路修筑之前，内蒙古各城镇以驿站和官、商道为基础，在商品集散和流通趋向中，形成了相互连接的商业路线。这些商业路线大体可分为北部、东部、中部和西部等路线；沿着各条路线又形成了较为稳定的商业范围。

北部路线主要以海拉尔为中心。从海拉尔西至呼伦贝尔西境，西南通外蒙古，北达呼伦贝尔北境以至俄罗斯，东南越兴安岭达齐齐哈尔。这条路线所形成的商业范围，包括呼伦贝尔全境及喀尔喀蒙古东部的车臣汗部各旗。境外除与齐齐哈尔具有政治、商业等方面的紧密联系外，其他均通过各蒙古地方，属于长距离商业来往。东部路线以昌图、长春为中心，边外通向哲里木盟各旗，边内连接奉天、吉林各地。南部路线以平泉、赤峰为中心，商业范围是卓索图盟全境和昭乌达盟南部，通过长城东部喜峰口、古北口连接长城内外。中部路线连接内蒙古东、西部地区，以多伦诺尔为中心，南达张家口、独石口或古北口连接京津，北到外蒙古大库伦、恰克图以及俄罗斯，东西又连接昭乌达、锡林郭勒二盟和察哈尔左翼各旗。西部则以归化城为中心，向北越大青山进入乌兰察布盟东部、锡林郭勒盟西部以及达外蒙古；向西渡黄河进伊克昭盟各旗，或沿着山脉远达新疆。

铁路的修筑大大改变了商路及其商业范围，有的路线加长、范围扩大，反之，则呈相反的趋势。其中，北部、东部、西部路线及商业范围受铁路的影响最深。北部的城镇除了海拉尔外，新出现了满洲里，并且，其商业范围扩大到锡林郭勒盟东、西乌珠穆沁旗、昭乌达盟北部各旗以及哲里木盟各旗。东部新出现郑家屯、洮南等城镇，商业范围包括哲里木盟全境和昭乌达盟一部分、锡林郭勒盟乌珠穆沁等旗。西部的包头，水、陆交通改善，成为"水陆码头"，商业范围除了内蒙古西部之外，还包括陕西、甘肃、宁夏、青海等省的相邻地方。

无论是哪一条商业路线，还是哪一个商业范围，起到直接或间接连接内地传统农业社会和内蒙古农村和游牧区的作用。商业路线的畅通无阻，商业范围的扩大，使内地和内蒙古商业渐趋一体。这种商业的一体，不仅表现在商业内容和形式上，还表现在商品的供给、流通等方面。商业路线的畅通无阻，商业范围的扩大，又促使在内蒙古各地形成稳定而长期的商业圈。而商业圈，往往又通过那些大小不等的商贸城镇和商业路线，发挥和稳固商业功能。被包括在某一个商业圈内的内蒙古农牧民的日常商品需求，通过各地市场的供给，基本得以满足。而通过各市场的转运，内地市场也得到蒙古地方土特产品的不断供应。在资本主义列强的侵略加紧之时，各条商业路线也间接地通向国外市场，蒙古地方也同样受国外商业势力的冲击，在蒙古腹地深处的城镇市场上，也能看到洋商和洋货。

第二节　内蒙古的手工业

一、农产品加工业

内蒙古地区农业的发展，促进了农产品加工业的产生和发展。代表性的有酿酒业、面粉加工业、粉条加工业和榨油业等。

酿酒业，因传统做法是用锅蒸馏制作酒精度高的烧酒，在内蒙古东部习称烧锅，烧锅便成为酿酒业的代名词。而在内蒙古西部习称缸房。

酿酒业在内蒙古农耕区快速发展起来，有其自身的原因：一是内蒙古农耕区域的农家，能有较多剩余粮食出售，这就使大量粮食进入流通领域。粮商收购到粮食后，一部分运往外地，而有相当部分用做烧酒原料，在当地加工成烧酒再销售于当地或输出外地。这比将粮食运往境外，节省不少运费。二是内蒙古邻近各省"向多开设烧锅，以酒为业"者甚多，[1] 酒坊主和具有酿酒技术的工人随移民潮流进入内蒙古。充足的粮食原料，再加上农村和游牧区人们多以喝酒为嗜好，拥有广大的烧酒消费群体，这就保障了烧锅业的蓬勃发展。三是内地一旦遇灾年或歉收，烧锅就遭到政府的查禁而停烧。仅在光绪初至光绪二十六年（1900年），直隶各地烧锅前后查禁三次。[2] 而口外与内地情形则不同，口外由于天气旱寒、降水量少等原因，所产粮食里有"不常食"杂粮，如有耐干旱、寒冷的粟、杂豆、莜麦等，"此等杂粮全赖烧锅销售以资民用"。并且口外"造酒之人"，称为糟腿，每家二三十名或者三四十名不等，至少亦必有十余名。烧锅佣工人数不少，如果停烧，这

---

① 朱寿朋：《光绪朝东华录》，光绪三年十二月壬寅，中华书局1984年版。

② 《光绪朝谕折汇存》，光绪二十六年四月十七日。

些人失去谋生之路，"势必流而为匪"。在上述各种原因下，口外烧锅遇灾年也免于停烧。在内地邻近各省停烧后，口外各烧锅便成为供应内地烧酒需求的重要产地。

烧锅酒，俗称烧酒或白酒。东部地区以高粱为原料的居多，因而也叫高粱酒。除了高粱外，其原料还有糜、大麦、荞麦及上述"不常食"的杂粮等。烧酒的产量和烧锅业的分布与高粱等主要原料的产量有关，直接受这些农作物的种植分布影响。在内蒙古各地，受气候、地势、土壤等条件制约，农作物的种植和收成，从东向西、从南向北逐渐减少，从而酿酒业的分布也受其影响呈现同样的减少趋势。内蒙古东部的酿酒业，在各业当中实力相对雄厚，而西部相对薄弱。

酿酒业不仅需要稳定、充足的原料来源，而且也要求便捷的运输条件。内蒙古的烧锅大多设在粮食容易收购，交通较为便利的城镇及其附近，少数则设在农村。在清末民初，就重要城镇的烧锅开设情况看，赤峰的烧锅占有很大优势。赤峰有 18 家烧锅，[1] 除了粮行和杂货铺以外，烧锅在赤峰各行各业中，数目最多，从资本和规模比较，各业都无法与它抗衡。赤峰烧锅业的发展不仅表现在数量上，而且也表现在所产烧酒的消费市场范围上。清前期热河北部地区的烧酒供应一直靠八沟烧酒。据日本人星武雄的实地调查，平泉州所产烧酒，以八沟烧酒最为出名，[2] 后赤峰烧锅逐渐发展起来，占领了八沟烧酒以往的北部市场，即赤峰以北农耕区和游牧区。在赤峰以外的其他城镇中，洮南的烧锅实力也较厚。有 3 家烧锅，其中，庆升烧锅店资本雄厚，还发行帖子。光绪三十二年（1906 年），在洮南成立商会时，庆升烧锅店的店主李香荃被选任会长。此外，郑家屯只有一家烧锅。郑家屯烧锅少的原因，据有关资料记载，与郑家屯的"水质和燃料"有关。[3] 从赤峰向西烧锅又逐渐减少，西至多伦诺尔就已很少。光绪十九年（1893 年）到过多伦诺尔的波兹德涅耶夫就说"多伦诺尔不产烧酒"。[4] 多伦诺尔附近耕种条件

---

① ［日］《东部内蒙古调查报告》第 2 卷，1914 年，第 160 页。

② ［日］星武雄：《东蒙游记》，东亚图书株式会社，第 320—322 页。

③ ［日］《东部内蒙古调查报告》第 2 卷，1914 年，第 201、203、341 页。

④ ［俄］波兹德涅耶夫：《蒙古及蒙古人》第 2 卷，刘汉明等译，内蒙古人民出版社 1983 年版，第 341 页。

不好，难有足够的原料供给，也就注定了多伦诺尔"不产烧酒"的事实。

传统酿酒业规模的大小以蒸馏锅的多少决定，用一个蒸馏锅的作业叫做一班，用两个的叫做二班，用三个的叫做三班，分班越多，作业时间越长，产量就越多。并随着班数的增加，烧锅的产量和销售量也逐渐扩大。一般以二三班为常见，如三班营业的烧锅，其固定资产约二万多元。① 从其投资规模看，烧锅在东部地区各城镇手工业中确实居于主要位置。② 日本学者桑原隲藏所看到的烧锅店规模很大："都是该地汉人富豪（经营），用奴仆数十人，房屋四周筑有墙壁，好像是个小城堡，或备有兵器，或设有炮台，防备被袭。"③ 烧锅财力较厚，为了保护自己的财产，必须采取一定的防御和自卫措施。桑原氏看到的情况不仅仅是烧锅业普遍财力雄厚的反映，而且是当时社会不安定的写照。

东部城镇烧锅一年的酿酒产量，由于烧锅规模有大有小，难以断定。大抵一个烧锅店有 2 至 6 个锅，平均每户 4 个锅，若一年内酿酒日为 300 天，计算一个锅每天酿 250—300 斤，这样一户一年酿造 30 万至 36 万斤烧酒。若推算共有 150 个烧锅，一年可酿酒 4500 万—5400 万斤。若时价每斤平均 10 钱，可合计为 450 万—540 万元。这些烧酒不但供给当地和邻近各蒙旗，也运往直隶、山东、河南及东北各地。④

内蒙古城镇酿酒业多由汉族人经营，也有少数蒙古人。郭尔罗斯后旗札萨克经营的烧锅业在民国初年比较有名，成为丰乐镇两大烧锅之一。⑤ 民国初年，日本势力逐渐向东蒙古渗透，日本人也开始参与烧锅业。⑥

在农业经济不断发展，农耕区日益扩大的情况下，作为农产品加工业的产物，除了酿酒业之外，面粉加工业、粉条加工业和榨油业在内蒙古各城镇出现和发展起来，促进了城镇与农村、游牧区之间的密切联系。

---

① ［日］柏原孝久、滨田纯一：《蒙古地志》中卷，东京富山房 1919 年版，第 1036—1037 页。
② ［日］关东都督府：《东部蒙古志》中卷，第 8 编《殖产兴业·工业》，1914 年，第 157—163 页。
③ ［日］桑原隲藏：《考史游记·东蒙古纪行》，东京弘文堂书房 1942 年版，第 246—247 页。
④ ［日］《东部内蒙古调查报告》第 2 卷，1914 年，第 38—39 页。
⑤ ［俄］中东铁路局商业部：《黑龙江》，汤尔和译，商务印书馆，第 122 页。
⑥ 中国第二历史档案馆档案，全宗号 1045—245。

面粉加工业　面粉加工业的加工地方俗称磨坊，日久磨坊便成了面粉业的通用名称，无论在内蒙古东部，还是在西部，均用磨坊这一称呼。面粉的原料主要是小麦，其所产称白面。也有以荞麦、莜麦等为原料的，其所产面粉称荞面、莜面等。

具有一定规模的磨坊在农耕区大体都设在各城镇里，除了供应城镇人口需求外，主要销售到农村和蒙古游牧区。在游牧区的白面销售量仅次于糜子。如农安，清末民初年产白面130万斤，除90万斤本地消费外，其余40万斤输出各蒙旗。[①]

粉条加工业　以绿豆、马铃薯等为原料，磨成粉后，再加工成粉条。该业俗称粉坊，在内蒙古各城镇中比较普及，往往由大粮栈、烧锅和杂货店兼营。如洮南有十余户粉坊，均由粮栈、烧锅店兼营。农安大粮栈广巨永、广升栈、广和成和大烧锅店鸿盛源、大杂货店万成福等都兼营粉坊。粉条在农村和游牧区有很大的消费市场。如上述农安各粉坊一年生产60万斤粉条，除了本地消费35万斤外，其余25万斤销售到蒙古各旗。[②]

榨油业　俗称油坊，以豆类和麻类等为原料。以豆类为原料的榨油业占多数，加工出来的产品通称豆油，所剩油渣可做豆饼。以麻类为原料的榨油，由于原料有芝麻和大麻之别，产品有芝麻油和大麻油之分。不过，专营麻类榨油业者并不多，往往由豆油业者来兼营。一般都采取人畜结合的生产方式。三人、马（或骡）六头至八头为一班，一班人马一天可以完成两次工作程序。[③] 内蒙古农耕区的大豆产量非常大，除了大部分大豆向营口输出外，一部分在本地消耗成为榨油原料，"这桩生意是操在中国商人的手中"，他们从各处收购大豆，"集中到一定的某些地方，并从事榨油"。[④] 设在城镇的油房规模都比较大。以洮南为例，民国元年（1912年），当地有东兴福、豫贞庆（兼开烧锅）、德庆永、巨兴昌、广远庆等五家油房，冬季分两班榨油，而夏季只分一班，一年用黄豆5 000余石，产豆油256 000余斤，豆饼

① ［日］满铁总务部编：《满蒙交界地方经济调查资料》，1915年，第24页。
② ［日］满铁总务部编：《满蒙交界地方经济调查资料》，1915年，第216、220、224页。
③ ［日］《东部内蒙古调查报告》第2卷，1914年，第40页。
④ 彭泽益：《中国近代手工业史资料》第2卷，中华书局1984年版，第120页。

约 50 万块，销售当地及县境内约占 3/5，输往开通、洮安、镇东、安广的占 2/5。油房的产品，不像烧酒和面粉，它的消费市场只局限于农耕区，在广大的游牧区，本来就有丰富的奶油、黄油和肉质油脂，不需要或者不习惯食用植物油，所以当时尚未打开游牧区的消费市场。如农安，在清末民初一年产豆油约 90 万斤，其中本地消费 60 万斤，其余 30 万斤输出长春，却没有像烧酒和面粉那样输往蒙旗。①

总之，以各城镇为最主要生产基地的农产品加工业，是开垦耕种开始之后被带入蒙古地方，并以蒙古地方日益扩大的农业经济为基础。对蒙古各地来说，尽管这些农产品加工业均属于新的加工业，但是所产产品，尤其是烧酒、面粉和粉条，在蒙古各地打开了广泛的市场。农产品加工业领域内尽管出现了机器加工，但只占极少数，而绝大多数仍处于手工作业阶段。农产品加工业从无到有，从小到大，对城镇确立地方经济中心地位以及对城镇经济的发展和扩大，都起到了积极的推动作用。

二、畜产品加工业

在移民进来以前蒙古地区也存在着畜产品加工业，只是局限于简单的加工奶食品、缝制皮袄和皮靴及擀毡子等作业上，这也是游牧民族共同的、从古即有的原始手工业。农业移民进来后，手工业者也随之到来，利用蒙古地区丰富的原料和结合游牧区生产和生活需要，在各重要城镇陆续建立起了畜产品加工业。在各城镇中，主要的畜产品加工业有皮革业、毡（毯）子铺等。

皮革业，俗称皮铺，即前店后厂，自产自销的加工业。在内蒙古各城镇的畜产品加工业当中，皮铺是最重要的手工业之一。在长城以南的华北地区（主要是直隶中、西部，山西北部等地），皮铺属于传统的手工业。这些地方的移民带进了技术，带动了内蒙古农耕区皮革业的发展。原料主要是各种牲畜皮张，此外还有各类兽皮。皮铺细分有细皮铺、黑皮铺、白皮铺、熏皮铺等。细皮铺主要是鞣皮行业，黑皮铺是皮革染色行业，白皮铺是皮革漂白行业，熏皮铺多为制造靴子行业。这些皮铺工业一方面以简单的手工做法加

---

① ［日］满铁总务部编：《满蒙交界地方经济调查资料》第三，1915 年，第 20 页。

工或制作，另一方面在从生皮的收购到制作皮革品这一过程中，也常出售半成品，比如出售鞣好的皮子等。所以，这种皮铺具有"半工半商"性质。[1]在内蒙古城镇中，普遍存在着大小不一的皮铺，洮南、郑家屯、小库伦、赤峰、多伦诺尔、归化城、包头等与蒙古游牧区相连，与牧民直接交易的市场上尤其突出。如多伦诺尔，民国初年有40余户皮铺，主要以羊皮为原料，所产成品和半成品满足周围的需求。[2]再如归化城，19世纪末皮革加工作坊约有35家，这些作坊的"鞣革槽都是在地面挖坑，用砖砌成的。皮上的毛用石灰去除。……皮革只有白色和棕褐色的，这里根本看不到其他颜色的皮革"。[3]同样，包头经营皮革业的手工业者很多，由于皮革业内部经营项目的不同，被组织在不同的行社之下。主要行社有益合社、威镇社、集义社等。其中，以牛、马、骆驼、黄羊的皮张为主要原料，鞣制加工皮革的手工作坊称黑皮房，黑皮房归益合社；而以绵羊、山羊、羔羊皮、狗皮等皮张为主要原料的则称白皮房，白皮房归威镇社；购进黑皮房的皮革，制作皮革产品的皮靴铺，则归集义社。[4]

毡和毯子铺。制作毡子的手工业作坊叫毡铺，又称毡子局；制作毯子的叫毯子铺，原料都以羊毛为主。两者当中，毡子对游牧民来说，不管贫富，都是必须具备的生活用品。在农耕区，毡帽子、毡靴子（俗称毡疙瘩）、毡褥子[5]等生活品也有一定的市场。毡铺的原料出于蒙古地区，而加工后的大部分产品返销至蒙古地区，形成原料和产品销售市场一致的连锁关系。清末民初，在各城镇中以做毡子为主的毡、毯铺分布很广，数量也不少。如多伦诺尔有5家，赤峰有7家，小库伦有3家，郑家屯有12家，洮南有5家。其中，赤峰，"工艺以裁（栽）绒毯、白毡、牛毛线毯为特产"。[6]在当时，有的小市场上的这类加工业也占有一席之地。如乌丹毯子铺有5家，所制花

①　[日] 松本篤：《东蒙古真相》，兵林馆，1913年，第174—175页。

②　[日]《东部内蒙古调查报告》第2卷，1914年，第100页。

③　[俄] 波兹德涅耶夫：《蒙古及蒙古人》第2卷，刘汉明等译，内蒙古人民出版社1983年版，第99—100页。

④　[日] 安斋库治：《包头的黑皮房》，《满铁调查月报》卷19，1939年。

⑤　[日] 松本篤：《东蒙古真相》，兵林馆，1913年：毡褥子，有幅三尺，长五六尺；座垫，方二尺四五寸。

⑥　冯诚求：《内蒙古东部调查日记》，第4编《自喀喇沁至赤峰》，1913年铅印本。

毛毯较有名气。①

三、宗教用品手工业

在各城镇中，由于寺院的需要，宗教用品制造业甚盛，最有名的是多伦诺尔和归化城。19 世纪 40 年代到过多伦诺尔的法国传教士古伯察评价多伦诺尔的宗教用品说："出自多伦诺尔大铸造厂的那些钢铁和青铜的漂亮铸像，不仅仅在整个鞑靼地区，而且在西藏最偏僻的地区都具有赫赫的名望。它那庞大的铸厂向已皈依了佛门信仰的所有地区寄送偶像、钟和各种在偶像仪礼中使用的法器。那些小雕像都是用一块整材料制成的……"。② 多伦诺尔制造佛像技术达到了一定水准。"佛像为此邑名产，大至旬丈，小至盈寸，均能范铜铸造"，佛像"仪容微妙，衣纹挺劲"。

第三节　内蒙古的矿业

一、矿产资源分布及特点

蒙古高原地域辽阔，矿产资源极为丰富。天然盐、碱和煤、铁、金、银、铅、铜等矿藏，遍布蒙古各地。

金矿　内蒙古金矿地域广、储量多，遍布于大兴安岭山脉、阴山山脉和贺兰山山脉各地。在长城以北的卓索图、昭乌达盟辖境内均有金矿。其中有：敖汉旗境内的撰山子、金厂沟梁等处金矿；翁牛特右旗境内的红花沟金矿；喀喇沁右旗东北部鸡冠山一带金矿；平泉州境内，后属光绪二十九年（1903 年）新设建平县，霍家地、城子山、王家杖子及赤峰县属境柴火栏子，围场厅属境五台山、白山吐等六处金矿；阜新、朝阳境内的塔子沟、抬头沟、太平沟、新大堤沟等处金矿；呼伦贝尔北部的奇乾河、吉拉林等处金矿等。

---

① ［日］东亚同文会：《支那省别全志》，《直隶省》，1920 年版。
② ［法］古伯察：《鞑靼西藏旅行记》第 1 卷，耿昇译，中国藏学出版社 1991 年版，第 50—51页。

铜矿和银矿 内蒙古地区的铜矿和银矿，主要集中在卓索图盟以及阿拉善旗等地。如喀喇沁右旗境内的偏（遍）山线、土槽子、锡蜡片银矿；喀喇沁中旗境内的长杭沟银矿；阿拉善旗境内的哈勒津、库察山银矿。①

咸丰二年（1852 年）清政府开放矿禁时，平泉州属铅铜子沟一带铜矿，即有官办招商开采。因为用土法开采，矿洞积水无法抽出，不久即停歇。

光绪七年（1881 年），为了给天津北洋机器局制造军械提供原料，北洋大臣兼直隶总督李鸿章奏准清廷，成立平泉铜矿总局，委派招商局官员、直隶候补道朱其诏主持经营，招商股开采。一年以后，铜矿总局先后募集股金计 12 万银两，从"西洋"购进抽水、起重、吹风等新式机器，采铜炼铜生产日渐进展。但至光绪九年（1883 年）初，因购买机器、水陆运输、购地建房及雇工等开销已用去 93 000 余两。所产净铜，除解运天津机器局十批、上海三批之外，尚存铜矿砂 120 万斤（可出净铜 24 万斤）。由于照旧法熔炼，出铜量较少，遂再次招募股金 12 万两，拟购进西方新式熔铜机器（熔炉），聘请洋技师督炼。光绪十年（1884 年），由朱其诏聘请的德国矿师德璀琳开始主持经营，新式发动机等机器也安设投产。光绪十三年（1887 年），李鸿章又聘请美国著名矿师哲尔者前来平泉州铜矿等处查勘，并在他的监督下，开始用"最新方法开采提炼"。②

由于此矿积水较多，矿石较难提炼，"要炼成纯铜须经过复杂而费钱的手续"，而且雇外国技师聘金高昂（年金一万二三千两），外洋机器价格昂贵，使"洋法"采炼成本过高；加上当时社会动荡、地方不靖，常有盗匪抢劫，以及又历经光绪十七年（1891 年）冬的"金丹道"之乱，至十八年（1892 年），该矿已"残破不堪"。③

盐碱矿 内蒙古地区漠南诸湖泊和沙漠沼泽间，多有盐、碱产地。清代已开采的盐、碱矿著名的有乌珠穆沁草原的达布逊诺尔盐池，位于清代锡林郭勒盟乌珠穆沁右旗和浩济特左旗交界处（今属东乌朱穆沁旗境），蒙古人称之为额吉淖尔，即母亲湖。湖泊周长 30 余里，涨水期可达五六十里。湖

---

① 《清史稿》卷 124，《食货志·矿政》。
② 汪敬虞：《中国近代工业史资料》第 1 辑下册，科学出版社 1957 年版，第 670—674 页。
③ 汪敬虞：《中国近代工业史资料》第 1 辑下册，科学出版社 1957 年版，第 670—674 页。

面西北边较宽较深，东南较窄较浅，所以采盐主要在东南。湖水中的盐分主要靠日光热力曝晒结晶而成盐块、盐粒，盐块大者可达几尺见方。而且盐粒随采随出，可谓取之无尽，倘若终岁不捞，亦不见溢。谓之"盐色明洁，有若水晶，味之鲜美，远胜海盐"。① 本地区盐销往黑龙江、直隶、热河、山西大同、归化城等地。

阿拉善旗的吉兰泰盐池位于旗境东北部，距旗府所在地定远营（今巴彦浩特）200 余里，东距黄河磴口约 240 里。为该旗第一大盐池，属札萨克亲王之产业。该池盐盖厚约一尺，约七八寸不等，盐层深约七尺至一丈。②

察汉布鲁克盐池，简称察汉（罕、汗）盐池。位于旗境南部，东北距定远营 200 余里，南距宁夏中卫（长城边口）200 余里，距甘肃一条山（长城边口）约 300 里。所产之盐，质佳味美、色微青，故名青盐，为阿拉善旗第二大盐池。

同湖盐池又作通湖，位于察汉布鲁克盐池以南，南距宁夏中卫约 60 里。池盐色白，故又称白盐。

和屯盐池位于定远营西北 200 余里。池盐色微红，故名红盐。该池产盐颇丰，盐质优美，为阿拉善旗第三大盐池。

雅布赖盐池位于阿拉善旗西南部（今属阿拉善右旗），南距甘肃民勤 200 余里。该池所产青盐，质味俱佳，产量亦甚丰富，且全年均可采捞，为阿拉善旗第四大盐地。

昭化寺盐池，所产盐色红，故又称红盐，为阿拉善旗第五大盐池。

伊克昭盟杭锦旗西北有哈拉蟒耐盐池，"周围约十余里，水深四五尺，色浑、冬不冰冻，投以百物，旋化为盐，……盐在水中，结成颗粒，其质坚重，其色青白，其味苦咸，每斗约重二十三四斤，谓之大盐"，而五胜、扎萨等旗，有小盐池数处，"谓之小盐，然味苦，硝多，不过价比大盐稍廉耳"。③

---

① 姚锡光：《筹蒙刍议》"是覆东部内蒙古情形说帖"、"再上练兵处王大臣笺，光绪三十三年丙午闰四月"，光绪戊申（1908 年）自刻本。

② 马成浩：《宁夏阿拉善旗各盐池概况》，原载《边疆通讯》1943 年第 1 卷第 8、9 期，转引自《阿拉善盟史志资料选编》第 1 辑，阿拉善盟地方志编委会 1986 年。

③ 《神木县志》卷 2，《舆地志·盐碱》，道光二十一年刻本。

内蒙古东北部有珠尔博特盐池，又作绰尔卜特达布苏泊，位于海拉尔西南300余里（约今新巴尔虎左旗境内）。盐湖周长约10里，形似三角。每年春夏之交，微雨初晴后，有风则盐现湖面。至农历七月末降霜后，即不再见盐。

内蒙古碱的蕴藏量十分丰富，是"蒙古固有之利，处于内蒙古东西诸部"。内蒙古东部的郭尔罗斯前旗"公府西北三百里达普苏地方产碱最旺，碱泡宽广约周围三十余里，多年招户熬煮"。[①] 哲里木盟地质斥卤，除宾图王旗外，大半皆产碱之区。

西部蒙古的伊克昭盟境内各碱湖出产的天然纯碱质量最优。出碱的"诺尔"三处，"东诺尔在札萨克台吉旗，地名鄂肯诺尔；西诺尔在札萨克台吉旗与五胜旗交界处，名阿古拉察汉诺尔；后诺尔在五胜旗西北，名额卡宋或通察汉诺尔"。[②]

煤矿　内蒙古西部地区的煤矿：大青山一带的煤苗甚旺，比较有名的有：哈莫尔煤矿、阿利莫图煤矿、清水河煤矿、哈拉乌克尔图煤矿、万家沟煤矿、西沟煤矿、东沟煤矿、杨圪楞煤矿、巴图沟煤矿、小炭沟煤矿、水涧沟煤矿、五当沟煤矿、石拐沟煤矿、马王庙煤矿、柳林子沟煤矿、福来永村煤矿、沙嘴子沟、麻黄嘴沟煤矿，该地区煤矿煤层浅、煤质好。

呼伦贝尔地区的煤矿：札赉诺尔煤矿位于东清铁路滨州线札赉诺尔东站以西。甘河煤矿位于嫩江支流甘河南岸，又称九峰山煤矿，即今鄂伦春自治旗东南部大杨树煤矿。察汉敖拉煤矿位于满洲里西南、察汉敖拉卡伦以东。

内蒙古中东部地区的煤矿：喀喇沁右旗境内的煤矿有最早开发的旗境东北部的五家煤矿（今属赤峰市元宝山区）、旗东北部的十大分煤矿（今古山煤矿，属赤峰市平庄镇）、旗西北境还有小牛犀煤矿、喀喇沁左旗境内的冰沟煤矿、北岭窑煤矿、上湾子窑煤矿、下湾子窑煤矿、南台子窑煤矿。

卓索图、昭乌达盟地区最早开发的煤矿：元宝山煤矿、东元宝山煤矿；位于土默特右旗境内，朝阳县城东南凤凰山麓的嘎岔煤矿；敖汉旗境内还有小扎兰营子煤矿及其附近的青隆沟煤矿；翁牛特右旗西南部还柳条子沟、井

---

① 《郭尔罗斯前旗调查书》，宣统年间本。

② 乌云毕力格等：《蒙古民族通史》第4卷，内蒙古大学出版社2002年版，第304页。

子沟和黑山洼等煤矿。

二、矿业经营与管理

金属矿产的经营管理　清朝前期，不仅蒙古地区，内地各省的各种矿产
资源，也不准商民随意开采、销售、加工牟利。直至咸丰二年（1852 年），
因镇压太平天国财政匮乏，为筹措军饷，清廷诏告各省，弛解矿禁，允许并
要求各省官办招商开采金银诸矿。《清史稿·食货志》中罗列了一批当时开
采的各地矿藏，其中可确知在内蒙古盟旗属境的即有：翁牛特右旗境内的红
花沟金矿；列为"直隶"，但实仍属喀喇沁右旗境的偏（遍）山线、土槽
子、锡蜡片银矿；喀喇沁中旗境内的长杭沟银矿；以及阿拉善旗境内的哈勒
津、库察山银矿。① 光绪二十四年（1898 年），清廷再次下诏开办各地金银
矿厂。《清史稿·食货志》中又列有当时开采的内蒙古敖汉旗境内转（撰）
山子（平泉州）、金厂沟（梁）（建昌县）金矿；翁牛特右旗境内的红花
沟、水泉沟、拐棒沟金矿，以及"蒙古"之贺连沟、大小槽碾沟等处
金矿。②

在道光二十年（1840 年）之前，来到敖汉旗一带的汉族移民或流民，
已开始聚众采挖转山子、金厂沟梁等处金矿。由于未获清朝官府许可，当时
称为私采或盗采。咸丰十一年（1861 年），朝阳地区爆发各族民众反清起
义，其主要首领李凤奎，即是金厂沟梁的挖金工。③ 光绪十七年（1891 年）
冬，卓索图及昭乌达盟南部发生后果惨重的金丹道暴动，其道首杨悦春失败
后即逃匿至金厂沟梁金矿的矿洞，被官军搜剿捕获。④ 光绪十八年（1892
年）初，著名洋务派官商（企业家）、候补道徐润，奉北洋大臣兼直隶总督
李鸿章之命筹办建平（又作承平）金矿。同年春，徐润派矿师从建昌、平
泉一带（也即敖汉旗南部一带），转山子、霍家地等五处矿线（当时称矿

---

① 《清史稿》卷 124，《食货志·矿政》。

② 《清史稿》卷 124，《食货志·矿政》。

③ 《赤峰市志》（中），内蒙古人民出版社 1996 年版，第 1013 页；王魁喜等：《近代东北史》，黑
龙江人民出版社 1984 年版，第 76 页。

④ 《叶志超奏官军擒获教首杨悦春折》，《清代档案史料丛编》第 12 辑，中华书局 1987 年版，第
316—317 页。

场、矿区为线）采回矿苗样品，获知"周围数十里日出斗金，并非虚假。旧洞每处均尚可靠"。同年五月，正式成立矿局开始雇工开采，盛时招工多达 4 000 人。该年冬，徐润亲往建平金矿巡查。在三十几天里逐一详细查勘了所属金厂沟梁、各力格、霍家地、长皋、热水等分局，及所属几十个矿点。[①] 由于金厂沟梁等处岩金矿石坚硬，矿局还聘请西洋矿师，购买抽水泵等外国机具，用"洋法"开采。因为修筑矿厂、购入机器及职工聘用（一外国矿师聘金抵华工百人）等费用颇巨，期间又招集商股维持经营。

至光绪二十二年（1896 年）末，该矿虽始见成效，但历年获利仅约 8500 两。其后，因用"洋法""赔累甚巨"，只好仍改用土法。而一直采用土法的转山子金矿，至宣统二年（1910 年）时已"成效昭著"。[②] 自咸丰二年（1852 年）后开始官办招商开采翁牛特右旗境内的红花沟金矿。五年（1855 年），热河都统柏俊拟订开采蒙古红花沟等处金矿章程，奏报清廷获得批准。其产品分成规则为，"每金一两作十成计算，五成归商人工本；以三成六分为正课，三分为耗金，一分为解费；余一成为阿拉巴图当差之资"。也即产值的一半归经办商，四成上缴官齐全（税），一成归蒙旗（"山分"）。[③] 此后直至光绪中叶、19 世纪末，一直有人开采此矿，常年有采金工 2 000 人。光绪二十八年（1902 年），承德府官员（州判）范家鸾又雇工 400 余人，在矿区的龙头山、洋棒子沟等处开井数十处，扩大采金生产。至宣统二年（1910 年）热河（卓索图、昭乌达盟）地区各官办金矿相继停采，但民间采金始终未间断。[④] 咸丰二年（1852 年）清政府开放矿禁时，平泉州属铅铜子沟一带铜矿，即有官办招商开采。因为用土法开采，矿洞积水无法抽出，不久即停歇。

清朝皇帝辟建避暑山庄的热河（承德）地区，本属蒙古喀喇沁等旗领地。开采这一地区的矿产，按照清朝规定，须向蒙旗缴纳分成利润（税课）和山分（即山租）。

---

① 汪敬虞：《中国近代工业史资料》第 1 辑下册，科学出版社 1957 年版，第 1146—1150 页。

② 汪敬虞：《中国近代工业史资料》第 1 辑下册，科学出版社 1957 年版，第 1150 页。

③ 《清史稿》卷 124，《食货志·矿政》。

④ 《赤峰市志》（中），内蒙古人民出版社 1996 年版，第 1013 页；王魁喜等：《近代东北史》，黑龙江人民出版社 1984 年版，第 76 页。

　　咸丰二年（1852年）清政府开放矿禁，遂有内地商人呈准热河都统，先后承办开采承德府治附近的土槽子、遍山线（亦曰烟筒山）及罗圈沟等处银铅矿（银铅共生矿，以采炼银矿为主）。按照当时采矿定章，土槽子、遍山线等处矿产，分由热河都统和热河道派员按月征收课银（然后分成给喀喇沁右旗）。至同治元年（1862年），因该矿采挖日深，山洪秋水无法抽汲，加上资金（矿本）不足，遂行中辍。光绪七年（1881年），有锦州人倪中兴呈准接办该矿。因开挖成本较高，"每银砂一斤只出银一两余，一岁之中亏本数万"。一年之后，开挖愈深，银苗愈大，"每银砂一斤可出纹银七八两。"但获利愈厚，"人尽争趋"、"各思染指"，愈难经营，倪中兴遂欲将银矿转让出售。光绪八年（1882年），买办李文耀通过招商局官员朱其诏，预存付资金1万两获得此矿经营权，即成立热河三山矿务局，开采遍山线、土槽子、罗圈沟等处银矿。次年，又筹集资本银20万银两，并有著名洋务派商人唐廷枢也出资20万两，且另贴老股银5万两与其合办（唐不久奉派出洋，实未兑现）。据李文耀称，"矿局初以土法开采，成绩卓然。嗣欲使利开采，乃订购机器，延聘富有经验之中国矿师，产额因而倍增。"①光绪十二年（1886年），李文耀因经营亏损，资金难筹，私回原籍不返。次年四月，李鸿章改令当时经营平泉州铜矿的朱其诏接手兼办（改为官办）。其后李鸿章又聘请美国矿师哲尔者前往勘察并监督采炼。至十四年（1888年），该矿常年雇西方矿师、炉司、医生等15人，其中哲尔者（人名）年薪一万二三千两，副矿师以下每月300两不等，并且每人每月饭食费及交通、住房等费用均由矿务局支付。同时，该矿已配备各种进口西洋机器，雇有矿工200人，兵勇（护矿）50人。以上所有开矿经费，均由李鸿章"筹拨巨款"。至十五年（1889年），该矿开采逐渐旺盛，"计每吨矿石可取出白银五百两"。十六年（1890年），"每日开山炼矿工作者约共千人"。②至宣统二年（1910年），仍称"成效昭著"。当时该矿每年经热河道交喀喇沁右旗的山分（山租）为200两银，抽分（利润分成）为110两。③

---

① 汪敬虞：《中国近代工业史资料》第1辑下册，科学出版社1957年版，第1135—1138页。

② 汪敬虞：《中国近代工业史资料》第1辑下册，科学出版社1957年版，第691—696页。

③ 汪国钧：《蒙古纪闻》，赤峰市政协1994年版，第39—40页。

煤矿的经营与管理 内蒙古西部归化城土默特旗境内的煤炭开采据《绥远通志稿》卷九十四记载：前明广宁兵备道万有孚，于顺治三年（1646年）连接大同总兵姜瓖于偏头关举兵反清。是年，有孚兵败，携族人潜出塞，入大青山，息于产煤处，向蒙族租地开采。所居即今之万家沟。这应是清代大青山地区采煤最早的记录。而大青山各沟煤炭的大量采掘始于雍正年间。雍正以后，经归化城副都统恳请和为修筑绥远城的需要，这一地区的煤矿又逐渐被开采。除了土默特蒙古各阶层自开或雇人开采，也有许多汉民租山开采。乾隆时期，土默特地区的煤炭开采逐渐达到高潮。仅据乾隆年间的不完全统计，煤窑数量从乾隆八年（1743年）的46座增至乾隆六十年（1795年）的229座。土默特地区煤炭资源管理是从乾隆八年以后才逐步形成和完善起来的。当时煤矿开采，虽然可随蒙古等之便，但并不意味着随意开采。凡要自愿挖掘煤窑者，由同知衙门把他们的姓名、年龄造册登记、上报工部，工部同意并转发给同知衙门。同知衙门把开煤窑者的姓名、年龄以及他们所开之煤窑地点等一并交由巡逻煤窑的参领方能进行开窑。同时，煤矿的日常管理体系日渐成熟。首先建立了由六十多人组成的保护矿山资源的巡逻队。如归化城土默特从雍正二年（1724年）开始由巴尔米特等二十人扩大到乾隆三年（1738年）包括朝达木巴、诺尔博等六十二人。这支由官府在矿区轮流派驻的蒙古巡逻队，无时无刻不进行轮流巡逻保证煤矿外部环境秩序。若遇特殊情况，如盗匪猖獗时，归化城都统衙门还可以调饬察哈尔马队维持煤矿秩序。其次在各煤窑设立煤窑之长。从乾隆八年（1743年）二月的情况看，管理煤窑的参领伊米的、从佐领降一级调用的老颜和巴什胡郎等一百零二人是享受盘费银者，乾隆二十三年（1758年）为五十一人。煤窑管理者常住在矿井口公房里，巡查私自开挖者，一经发现查封，赏给各衙门官员；治理抬价勒索、聚集滋事、偷税漏税者；侦缉土匪；处理突发事件；对废弃煤窑进行处理；逐日填注雇募工人姓名、年貌、籍贯并按季核查上报，年终造册呈报等职责。其三严惩违禁、违法者。对私自开窑民人可打二十板，并封闭其私开之煤窑，没收其开窑执照，赏给各衙门官员；对出煤窑事故者根据相关法律处理。对煤矿管理者也有严格的奖惩制度。由于每年管窑人员弄虚贪污情况实不少见，因此各旗须经常轮流选派诚实官员去收税地点查访贪污行为，多收款项，进行贿赂行为者，被发现后，当即由地方乡村巡逻员汇报蒙古巡逻官并报管理煤矿官员，予以严厉处分。如巡逻官员与不法之徒私通关系共同作弊者，不论蒙汉官员均一律严加处分并罢免其官职，予以法办。采矿执照、管理队伍、相关措施的出现，说明了土默特地区矿业法规以及煤炭资源管理上的一大进步，体现了国家对矿产资源统一管理意识的形成。

从产煤之地的土地所有权形式看，多数为土默特两翼的公有产业，少数拨给各佐蒙古作为户口地，收吃山租。因此，起初的开挖煤窑者也只限于土默特蒙古，他们可以自力找矿，雇用或招用汉人民工（挖煤熟手）开挖煤窑。所开煤窑数量由开始时的一人一窑，到后来的一人五个窑。不仅有各地民人被雇用参加采矿工作，而且更有大批内地民人在当地开煤窑。清代本地区煤窑形式主要有官窑和民窑两种形式，前者在数量和规模上都不敌后者。从投资形式看，有当地蒙古人出资雇民人开采的独资经营；有分股合伙经营、合作经营、租赁经营等形式。

据《绥远通志稿》记载，昔二百年来，从事煤业者，类有当地人民小本经营，土法探采，从未有厚集资力，做大规模之经营者。① 采煤向来是一项最艰苦的工作，根据煤炭资源的埋藏深度不同，当地一般相应地采用矿井开采即一般煤井系斜洞（适合埋藏较深的有烟和无烟煤）和露天开采（适合埋藏较浅的泥炭或河炭）两种方式，土默特地区采煤业多属于前者。由于大青山各矿煤炭种类、品质、储藏深度、煤层厚度、地质状况等自然条件的差异性以及采煤多为地下采选，生产过程中的安全系数相对低，一经较大挫折，如发生透水、塌崩、失火之变，力难再举，事归停废，前踬后继，产量、经济效益受到严重影响。据分析在乾隆七年至六十年（1742—1795年），大青山各沟煤炭业发展得很不平衡，从乾隆七年至三十一年（1742—1766年）间处于缓慢增长阶段，收入差距仅 37 个百分点；乾隆三十一年至四十五年（1766—1780年）间进入快速上升阶段，收入差距为 77 个百分点；乾隆四十五年至五十年（1780—1785年）迅速下滑阶段，收入差距为78 个百分点；五十年后开始回升阶段，到嘉庆三年（1798年）十二月份进入第二个高峰期，与乾隆四十五年（1780年）仅差 5 个百分点。其后同治

---

① 绥远通志馆：《绥远通志稿》卷44，《矿业》，20世纪30年代稿本。

七年（1868 年）闰四月各沟售煤收入为 110 832 文，比嘉庆三年（1798 年）下降 70 个百分点，光绪十四年（1888 年）十二月各沟售煤收入为 224 744 文，比嘉庆三年（1798 年）下降 38 个百分点。

民国初年，绥远地方当局曾否认土默特旗的传统矿山权，下令将煤矿开采权改归实业处、财政厅管辖。由于土默特参佐官员联合向北京政府申诉反对，使其未能实现。

内蒙古中东部地区的煤矿 据说早在乾隆四十九年（1784 年），即有人开采喀喇沁右旗境内东北部的五家煤矿（今属赤峰市元宝山区），窑主 22 家，日产煤 90 吨左右。嘉庆二十一年（1816 年），有内地农民赵尉文携眷来到五家地方，以采挖煤炭为生。后来，因争夺矿区与人争头号致死。其家人进京告状，终于光绪十九年（1893 年）得到清政府发给的"龙票"（特许执照），取得了矿山经营权。当时，矿山分为前窑和后窑，有大小矿井 10 余口。由于煤矿地权属喀喇沁右旗，清末民初时，该矿每年须向喀喇沁王府缴纳定额山租（山分银）400 银两，折合制钱 1 800 吊，由热河都统署征收后转交该旗。[①] 喀喇沁右旗东北部的十大分煤矿（今古山煤矿，属赤峰市平庄镇），开采始于光绪二十七年（1901 年）秋，民国初期的经营者为邢福中，每年亦须向该旗王府缴纳山分银 400 两。[②] 该旗西北境还有小牛犀煤矿。光绪末年，喀喇沁王贡桑诺尔布将该矿开采权授予江殿英。该矿规模较小，民国初期仅有矿工数人进行开采。光绪[③]冰沟煤矿位于卓索图盟喀喇沁左旗（今属辽宁省）公爷府以南，分布着许多矿区。约从 19 世纪末开始，即有人逐步开采。光绪三十二年（1906 年），天津人丁令得投入 50 万吊资金，购进一台抽水机，开挖广东窑及北峰窑等矿区，后因矿坑涌水严重，受到很大损失而中止。北岭窑本矿区土地属喀喇沁左旗公爷府人许长春所有，自光绪三十二年（1906 年）开始，先后有二三名经营者开采。上湾子窑约 19 世纪末，有王品三等 6 人合资投入 2 000 元开始开采。下湾子窑约 19 世纪末，由凌源人栾荣玉联合另 5 人合资，设立营业公司开始开采。南台子窑

---

① 汪国钧：《蒙古纪闻》，赤峰市政协 1994 年版，第 39 页。
② ［日］柏原孝久等：《蒙古地志》中卷，东京富山房 1919 年版，第 766—767 页。
③ ［日］柏原孝久等：《蒙古地志》中卷，东京富山房 1919 年版，第 760—761 页。

约 19 世纪末，由刘玉有、张连贵二人合资开采。

盐碱资源经营与管理 达布逊诺尔盐池的采盐季节为每年旧历三月至九月。如遇阴雨连绵，则产盐量减少。其采盐方法为，盐工（又称捞户）着皮裤或赤裸，入池中以木斗淘捞盐粒，施以铁铣、簸箕、筐。较大盐层、盐块，则须用斧、镐头。然后，用木斗、筐，或手抬盐块，装入盐车。一般每人每天可采盐三至五车。运盐牛车，大车可载 8 石（每石 100 斤），小车可载三五百斤。较大盐块，整装堆垒于车，用绳索固定。装载盐粒，则在车上围以柳条笼，或用皮袋、毡袋盛装、堆垒。

盐池属乌珠穆沁右旗和浩济特左旗两旗所有，本旗人及寺院喇嘛可随意采挖、贩运，不缴任何税课。禁止外旗人采挖，采盐者（捞户）多为本旗缺少或没有牲畜的贫民。每至采盐季节，盐工即在湖边草地搭建蒙古包居住。清末民初，每年多时有六七十户近 200 人，少时也有 20 余户。两旗在盐池均派驻管池收税官员。凡前来拉运的贩盐者，包括外旗蒙古人和后来的汉民，均须缴纳税课。其税额为，清末时每车盐须缴官费银 3 钱（上缴旗札萨克），每 10 车须向管池官员缴纳“车轴”银 1 钱。银钱，也可用布匹、米面、砖茶、烧酒等粮食、日用品价抵缴纳。其产量，盛时每日进出牛车六七百辆。据清末亲往勘察者估算，每年外销约达二十万车，一百万石。

其销路，除锡林郭勒盟各旗外，北路至外蒙古库伦及其以东地区；东路、南路覆盖整个哲里木、昭乌达、卓索图三盟及其新、旧开垦设治也即汉民涌入地区和燕北长城口外；西南路覆盖察哈尔地区、口北三厅，并经张家口销入口内。达布逊诺尔蒙盐的贩运销售，成为清代特别是清末，热河、察哈尔地区地方当局厘税征收的重要来源。约至清末的光绪三十二年（1906年），由于关内沿海海盐生产的迅速发展和近代交通工具（如铁路）的出现，海盐开始涌出口外，内蒙古东南部沿边设治地区的市场多为海盐占据，达布逊诺尔蒙盐的销路也即产量始受到很大影响。[①]

清代以来，阿拉善旗境各大盐池均由当地蒙古人自行采捞消费，或运至邻近汉地换取粮食和日用杂货。到近代，随着内地局势变化和与内地社会经

---

① 姚锡光：《筹蒙刍议》“查覆东部内蒙古情形说帖”、“再上练兵处王大臣笺，光绪三十二年丙午闰四月”，光绪戊申（1908 年）自刻本。

济交流的日益频繁和密切，池盐私贩入口愈来愈多。由于盐的产销一直是中国封建王朝严格控制监管的"专营"产业，所以各大盐池先后由邻省官设盐务机构承租经营，产销量也随之大增。其销路，除邻近的宁夏、甘肃、陕西、绥远，东至山西北部，东南可至河南、湖北。阿拉善盐池，一般湖面为盐盖，厚约数寸至一尺，含有碱沙及其他杂质，不宜食用，盐盖下有一层池土，其下即为厚数尺不等的盐块、盐汁。其开采方法为，用铁钻将上层盐盖打开，凿成一长方形盐畦，清除上部混砂，再用钻将盐层打碎，用耙摆洗后用长柄勺或漏勺捞到池中晾晒，晒干即凝结成纯盐。采捞季节，多在春三月至五月，秋八月至十月。夏季雨水侵入，不便工作，冬季天寒地冻，难以采捞。其运销主要是骆驼驮运，每驮约重二三百斤。其成盐周期，每个盐畦坑洞采完后，池水逐渐重新溢满，几年后即重又成盐。[①] 吉兰泰盐池为该旗第一大盐池，属札萨克亲王私有。该池盐盖厚约一尺约七八寸不等，盐层深约七尺至一丈。[②] 其规模化开采最早，乾隆元年（1736 年）的年产量即有7 000 吨以上。嘉庆十年（1805 年）年产量增至 1 万吨，光绪三十三年（1907 年）达到3.5 万吨。[③] 光绪二十八年（1902 年），曾有包头官盐店与札萨克王府商妥承租开采。三十年（1904 年），山西省晋北榷运局派员与王府签订承租合同，盐池改由晋北榷运局承租经营。每年向王府缴纳租银 300两。察汉布鲁克盐池又简称察汉（罕、汗）池，是阿拉善旗第二大盐池，位于旗境南部，东北距定远营 200 余里，南距宁夏中卫（长城边口）200 余里，距甘肃一条山（长城边口）约 300 里。所产之盐，质佳味美、色微青，故名青盐。咸丰八年（1858 年），为禁止蒙汉私人随意开采贩运，阿拉善旗府将盐池改为官办，雇工采捞，招汉商领贴（清政颁发的执照）承销，议定每年向旗府缴纳租课银 1.6 万两。当时，年产量可达 20 万担以上。[④] 光绪

　　① 马成浩：《宁夏阿拉善旗各盐池概况》，原载《边疆通讯》1943 年第 1 卷第 8、9 期，转引自《阿拉善盟史志资料选编》第 1 辑，阿拉善盟地方志编委会 1986 年版。

　　② 马成浩：《宁夏阿拉善旗各盐池概况》，原载《边疆通讯》1943 年第 1 卷第 8、9 期，转引自《阿拉善盟史志资料选编》第 1 辑，阿拉善盟地方志编委会 1986 年版。

　　③ 《阿拉善左旗志》，内蒙古教育出版社 2000 年版，第 399 页。

　　④ 陈国钧：《西蒙阿拉善旗社会》"第九章盐产"，转引自《阿拉善盟旗志史料》，阿拉善盟政协1987 年版；叶祖灏：《宁夏纪要》（节录），《阿拉善盟史志资料选编》第 2 辑，阿拉善盟地方志编委会1988 年版。

三十二年（1906 年）七月，甘肃全省厘税总局与阿拉善旗（由札萨克亲王多罗特色楞的"预保"子即预定王位继承人贝子衔头等台吉塔旺布理甲拉出面代表）签订了承租察汉布鲁克盐池的合同。合同规定，每年须由蒙民驮盐共 6 万驮运交中卫和一条山督销局，厘税总局每年付给旗府租银 1 万两。如不足或超过 6 万驮，则按规定比例折扣或增加租银。旗府在盐池和中卫、一条山盐局均派驻官员督察，其"口粮"银依例由盐局付给。如再有蒙民私采私运者，一经查获，督销局即会同蒙旗所派官员装盐没收并处以罚银。合同还对蒙驼运于中卫、一条山的"脚价"银做了明确规定，并称"必须用公平付足色现银，不可以米面布匹等物作价付之；收盐必须用官秤收之，勿须有欺哄蒙人等情"，合同为期三年，期满可续订。① 该盐池所销 6 万驮，按"中六条四、分冬七春三"驮运，即每年运交中卫局 3.6 万驮，运交一条山局 2.4 万驮。按每驮 200 斤估算，当时的年产销量为 12 万担即 1 200 万斤、5 000 吨左右。② 光绪三十四年（1908 年），甘肃全省统捐总局与该旗塔旺布理甲拉签订合同，将和屯池及雅布赖、昭化寺等共 8 处盐池一并承租经销，年租银合共 3 000 两。

伊克昭盟境内的各碱湖所产的碱为纯净透明的结晶块状，采捞无须加工熬制，即可直接使用。清代前期的采捞向由蒙古人自行铲驮，运至神木变卖。后来神木贫苦小民亦蜂拥而至，进行采揽驮运，碱矿开采逐渐扩大，所采捞的碱大都驮运到山、陕、甘等地销售。

嘉庆以后，张家口、归化城等地盐碱专营业有了很大的发展，陆续开设了德裕恒、合成裕、光隆裕、天合裕等专营蒙盐、蒙碱德商号，组织驼队、车队把蒙盐、蒙碱运往北京、天津、陕西、河南等地销售。伊克昭盟鄂托克旗境内的察汗诺尔碱湖清末光绪年间，宁夏商人郑万福向鄂托克旗承租了察汗淖尔、纳林淖尔碱湖，成立大兴碱业股份有限公司经营开采。其中，察汗淖尔年租金 3 000 元，年产碱量约 50 万公斤。后来，大兴公司又从旗府获

---

① 《阿拉善盐池租赁合同与图说》，《阿拉善盟史志资料选编》第 4 辑，阿拉善盟地方志编委会 1989 年版。

② 叶祖灏：《宁夏纪要》（节录），《阿拉善盟名志资料选编》第 2 辑，阿拉善盟地方志编委会 1988 年版。

得哈玛日格太（旗王府以东约 15 里）碱湖开采权。大兴公司的经营开采额，曾达到年产天然碱 175 万公斤即 1 750 吨，碱锭 104 万公斤即 1 040 吨，年获销售收入 4 万余元，纯利润约 17 000 元。[1] 纳林淖尔碱湖清末光绪年间，由宁夏商人郑万福的大兴碱业股份有限公司，将纳林淖尔与察汗淖尔碱湖一起承租开采。纳林淖尔年租金 1 000 元，年产碱约 5 万公斤。[2] 此外、察汗淖尔、巴音淖尔碱湖，均为盐碱共生产。

内蒙古东北部的盐业　20 世纪初东清铁路通车后，俄国人即垂涎位于海拉尔西南的珠尔博特盐池，曾一再提出要"代办"经营。光绪三十一年（1905 年），经呼伦贝尔副都统苏那穆策麟提出，由官府承办。凡采盐者均须"领票交课"，并由官署定价收购经销。采盐者每百斤缴课税制钱 75 文；买盐运销者每百斤纳捐税 150 文，任其外运、不再重征。光绪三十二年（1906 年）后，因日俄战争日俄双方签订协约，海盐遂沿铁路进入呼伦贝尔地区市场。珠尔博特池盐因官府定价及运费过高，无法与海盐竞争，一度停止采捞。三十四年（1908 年），海拉尔汉商张腾甲集资 5 000 元承包经营，恢复采捞。因该池产盐粒细、色白，俄国人"最喜购买"。其盐运至海拉尔城，每百斤售价可至卢布一元二三角。清末，出盐时盐工约有 100 人左右，每人每日可采捞 400 斤。按每年春夏采捞 4 个月估算，年产量可达四五百万斤。入民国后，该池产盐渐趋衰落。[3]

科左中旗的玻璃山碱场属该旗闲散温都尔郡王领地。碱场内有乃门塔拉、十家子、苏通、波拉嘎吐等大小碱泡数十个，分布在东西 30 余里、南北 140 里的地域内。区域内还有淡水池泡 30 余个，盛产鱼类。约清末民初，郑家屯鱼碱公司从温都尔王承租了玻璃山碱场的碱泡、淡水池，经营采碱和捕鱼业。其中，碱场年租金 2 000 元。碱场采碱主要在春秋二季，春季解冻后至雨季之前为前期，秋九月至结冰之前为后期。鱼碱公司在碱场开设 7 个碱锅，前期所采碱制成砖碱，后期所采加工成面碱。

---

　①　刘治邦：《察汗淖尔碱矿的开采发展史》，《鄂托克旗文史资料》第 1 辑，鄂托克旗政协 1990 年版；《伊克昭盟志》第 3 册，现代出版社 1996 年版，第 108 页。

　②　《鄂托克旗志》，内蒙古人民出版社 1993 年版，第 385 页。

　③　徐世昌：《东三省政略》卷 1，《边务·呼伦贝尔篇》。

郭尔罗斯前旗的大布苏淖尔碱泡在光绪三十二年（1906 年）由北京董姓商人以同郭尔罗斯前旗札萨克辅国公齐默特色木丕勒（汉名齐克庄）合资经营名义，筹集巨额资本成立了长春天惠造碱实业公司，上报清朝农工商部注册立案，承租经营大布苏淖尔一带碱的开采加工和土地开发。承租契约规定，每至冰碱出产年（即碱层五六寸厚之年），向王府缴纳租金 20 块元宝（约合 1 000 银两）。公司开办之初，主要经营土地垦殖。约于宣统元年、二年（1909—1910 年）间，聘请化学专家，于隆冬时雇用工人一千数百名，修建 5 座碱锅，采取碱土，以土法煎熬加工，结成碱料后装袋外运销售。每袋 220 斤，年产 1 万余袋。其后，由于土法加工成本高，碱料质量差，难以同当时已入境畅销的英美产品相竞争，天惠公司又购办大小机器，改建近代化工厂，以化学成分用机器制造，使所产碱料由坚硬变为纯净，颜色由灰变白，产量及售价亦随之大为增长。

碱的加工和外销 晚清以降，散布于内蒙古各地的许多碱泡碱湖都得到开采利用和加工、外销。除上列各旗的较大碱泡开发之外，内蒙古东部地区较知名的还有：扎赉特旗境大赉（今吉林省大安）以南的一处碱泡，有碱锅三座；泰来溪（今黑龙江泰来县）附近的一处碱泡，光绪末年有碱锅三所。杜尔伯特旗境内有碱泡约 20 处，相应的碱锅亦有 20 余处，其中较著名的有萨尔图（今黑龙江大庆市萨尔图区）、小蒿子碱场。

内蒙古地区的天然碱加工，除上述天惠公司等个别使用新式机器的近代性企业之外，仍是以传统"土法"加工为主。在哲里木盟地区，土法加工又可分为蒙古人砖碱制法、汉人砖碱制法和面碱制法。蒙古人的砖碱制造方法为，修一个四五尺深的壕渠，上面固定横放数条木棍，然后将盛碱料（碱土）的柳条制大笊篱置于其上，用水冲涮。随水冲走的碱土，再从壕渠中捞出放进笊篱中冲涮。如此反复冲涮三四次，使其成为浓厚的泥状，然后将其放入类似制造砖瓦的木模中，经晾晒固结成碱块，即砖碱。约 100 斤碱土，可制成七八块碱砖，每块约重五斤。这种方法制成的砖碱，呈黑褐色，因其主要使用于染犯（染缸），也称为缸碱。汉人制砖碱的方法较为复杂和"先进"，其质量也比蒙古人的砖碱优良。其制造作坊称为碱锅。每座（户）碱锅约有工人 40 至 60 人。采碱季节，工人们先至碱泡碱场扫集碱土，在碱场旁边堆成一座座约重一两千斤的碱土堆，然后用车运至碱锅旁。每个工人每天一般可采碱土数百斤，碱产（从碱泡中涌出）旺盛时可采 1 500 斤。碱锅的制作场所（设备）和方法为，在露天修建一座长形火灶，其上依序排列置放 3 口大铁锅，每口铁锅直径 4 尺，深二尺五寸，厚一寸。火灶旁修建清洗池和贮池。先将碱土放入清洗池中，加水搅拌冲洗后存入贮池，再用长柄勺将贮池中积淀的碱渣捞至铁锅中煎熬。碱渣依序经第一、第二、第三口铁锅的煎熬搅拌，由充分溶解至水分完全挥发，成为膏状固体后捞出放入木模中，最后凝结成碱砖。按照这种方法制造碱砖，约 30 斤原料碱土可制成成品 10 斤。

制作面碱的也是汉人碱锅。其制造程序首先也是经过清洗池、贮池工序后放入大铁锅煎熬搅拌，只是煎熬次数增加到五至六次，即需五至六个大铁锅，使碱浆更为纯净浓厚。然后，将大铁锅中的碱浆放入数个直径 2 尺余、深八寸许的小铁锅，将小铁锅倾斜放在干燥地，使碱浆上部的稀薄部分流入干燥池。留在小铁锅中的浓浆，约三天后凝为结晶体，然后用温水将锅壁的黏着部分溶解，将碱半圆球状盒碱扣合在一起，装入草袋中搬运外销。一块盒碱约 60 至 90 斤，合在一起的一对即重 120 至 180 斤。这种制作方法，每 100 斤碱土原料可制出盒碱 40 斤左右。每座碱锅，每日可制出 40 至 50 个盒碱，即约 2 400 至 4 500 斤面碱。①

清末民初，随着商品流通市场的逐步打通，内蒙古各地的碱产品也开始经商品集散城镇，大批量外销。

第四节　清代内蒙古的财政

一、清代内蒙古财政管理机构

清朝对内蒙古的财政管理机构，在中央主要有理藩院和户部。理藩院负责处理蒙古诸部事务。下属旗籍、王会、典属、柔远、徕远、理刑六司和满汉档房以及司务厅、当月处、蒙古处、内外馆、银库等有关机构。户部掌管天下户口土田之籍和一切经费出入的统理，而地方财政管理机构则是因地制

---

① ［日］柏原孝久、滨田纯一等：《蒙古地志》中卷，东京富山房 1919 年版，第 975—981 页。

宜，因时立制。根据外藩、内属各旗和农耕移民集中的蒙旗行政建制形成了各不相同、各具特色的三套管理体系。

外藩蒙旗的财政具有相对独立性，不承担朝廷所需赋税，由旗札萨克负责全旗的税课、科派差役等。由协理台吉、管旗章京、梅林等辅佐旗札萨克分掌各项事务。旗下设佐，佐领负责统率全佐兵丁、审理丁册、征收课税、征发人夫等事。由领催辅佐佐领管理档册、征收赋税等。佐领以下分户，每十户设十家长 1 人，负责催征十户的赋税、督促兵役、差役的完成。各札萨克旗所征赋税，不收归国有，均听任自理。可用于当地行政开支、灾年赈济等。但是，朝贡物品、驿站廪费以及战争期间的兵力、物资、牲畜则须按规定完纳。

内属蒙旗的财政由朝廷所任将军、都统直接管理。下设总管、副总管、参领、佐领等，具体负责赋税、兵役和朝贡的征派。但其财政管理机构比较庞杂，如归化城土默特左右翼二旗由绥远城将军衙门、归化城都统（副都统）衙门或土默特旗务衙门以及山西巡抚管辖下的归绥道属归化城等厅组成。各机构相互间的隶属关系也比较复杂。如绥远城将军直隶于朝廷，是代表朝廷在归化城土默特地方进行统治的最高军政长官，其权限远在土默特二旗和道厅之上。归化城副都统受将军节制，而道厅隶属于山西巡抚，与土默特蒙旗互不相属，但道厅还代替土默特蒙旗催收有关赋税等。

自 17 世纪内地汉民不断迁徙、定居以及驻军等原因，使得蒙古地方田野尽开，生齿日繁，原有的管理机构颇有应接不暇之虞。为便于管理，清政府采取新的行政体制，即道府厅州县制。雍正初年设热河、归化城等厅，到乾隆中期开始改厅为县，这些基层行政建置的官员亲理当地财政。

二、财政收入以及赋税

对于清代内蒙古财政收入大体可分为田赋（丁赋）、畜产税、杂赋、关税、捐输五大类。

田赋 清代内蒙古的农田类型比较复杂，内蒙古的西部主要有官田、官庄、蒙古王公地、寺庙香火地、户口地、职田等，而东部谓内仓地、外仓地、闲散王公地、台吉或塔布囊地、恩赏地、福分地等。所征租课包括实物地租和货币地租两种。内蒙古地区的田赋收入最早从康熙年间开始征收，如康熙三十三年（1694 年），"犒赏旗师，倍加饷项，始将大小黑河下游之地，分画九区，招民认种，名之曰：善里九旗"，"每亩纳米一升七合二勺"；①道光五年（1825 年），田赋额明显增加到每亩征米 3 升 3 合 3 勺 3 抄。关于地亩升科，雍正元年（1723 年）四月，世宗下诏：各省凡有可垦之处，听民相度地宜，自垦自报，地方官不得勒索，胥吏亦不得阻挠。至升科之例，水田仍以六年起科，旱田以十年起科，著为定例。②接着雍正三年（1725 年），又明确规定了征收地租按土地肥瘠、产物丰歉，分为三等九则（上上、上中、上下；中上、中中、中下；下上、下中、下下），田赋据等则制定不同的税率。如乾隆元年（1736 年），古北口、热河地区各项旗地均以三等起科，"其上则者，每亩纳银一分四厘，中则每亩纳银七厘，下则每亩纳银三厘五毫"。③当然，随着商品货币关系的发展，田赋征收从最初的实物地租（粮谷等）转变为实物、货币兼收或以货币为主的局面。货币地租（包括折租，以实物租的租量作为基准，折纳征租。这种地租，农民所缴纳的已经不是他的生产成品——农产品，而是产品的价格形式——货币），除了军粮、俸米仍征本色外，其余一律折银征收。货币地租征收起始于雍正三年（1725 年），"照边内例，定为三等起科，每犁一具，征银四两二钱"。④而且成为清代赋税征收的主要形式，占主要地位。

　　内蒙古东部地区的田赋起征于嘉庆十四年（1809 年），从科尔沁左翼后旗昌图额尔克地区开始征收。其田赋分为大租和小租，赋税率为每顷每年交大租制钱 5000 文，自垦地日起，五年后起科，归旗所有，其中札萨克分得一半，其余由该旗台吉、官员、兵丁户口数目，均匀赏给；小租制钱 320文，垦地日起即行起租，作办公经费。⑤无论东部还是西部，随着农耕化的推进以及各项费用的逐年增加，田赋额明显提高。如乾隆初归化城浑津、黑河原垦地每亩征米 1 升，征草折银 9 厘，而到道光年间，归化城浑津、黑河庄头地每亩征米达 3 升 3 合 3 勺；光绪年间东部蒙旗赋税率每十亩岁收中钱

①　郑裕孚：《归绥县志》，《金石志》，1934 年铅印本。

②　《朔平府志》，《赋役》雍正十二年（1734 年）抄本。

③　《清朝文献通考》，《田赋》。

④　《清世宗实录》卷 28，雍正三年正月壬戌条。

⑤　《钦定理藩院则例》卷 10，《地亩》。

660 文等。

由于内蒙古地区居住条件的分散性和不同地区管理上的特殊性等原因以及现有资料的有限性，很难对田赋征收方法进行全方位的叙述。据已有资料，清代内蒙古赋税征收方法基本上似于滚单法。此法为康熙三十九年（1700 年）设立，"每里中以五户至十户为一单位，止用一单，书纳户之姓名，于其下记载所有田亩数、银米数、上忙应纳数、下忙应纳数，又将其应纳额分为十限，记载其每限应完纳之数；给与首名，依次滚催，令自封投柜，不许里长、银匠、柜役等征收。"① 如在光绪年间归化城土默特黑牛沟村、井尔沟村均设有轮膺粮头，他们负责催征本村花户应交之粮银，至于是否自封投柜却没有记载，遇有沉单（留单滞纳）者，轮膺粮头只能陈明实情，请求户司勘验办理，然既减少了中间环节，又有利于掌握承种纳粮之户的实际情况，保证了赋税额的原额征收。清代在察哈尔正红旗西之北新庄设满洲同知一员，督管农业事务，将各户姓名编造清册移送户部，每 50 家设里长一名，10 家设十长一名，督催钱粮。

畜产税　畜产税包括官牧场为官牧丁规定的畜产税和为蒙旗牧民规定的应该向封建王公缴纳的畜产税。为了保障政府的军需和王公贵族消费之需，顺治、康熙年间先后设置了御马场、礼部牧场、太仆寺牧场、察哈尔八旗牧场，并在杀虎口外设右玉八旗牧厂、大青山后绥远八旗牧场等。这些官牧场不仅剥夺了大片草场，还使官牧场的牧丁无论年景如何必须完纳所定各色畜群的孳生任务。如康熙三十三年（1694 年）奏准，张家口外牧群，定为牛三头每三年孳生一牛；羊三只每三年孳生二羔；② 马三匹每三年孳生一匹；驼群每六年清查一次，六年内五只孳生二只。③ 而且息者有赏，虚耗者有罚。如额外多孳生一牛二羔者，赏毛布一匹；若少一牛，牧丁鞭责二，少一羊，鞭责一。④ 当时口外官牧厂的牧畜增长非常快，如乾隆二十五年（1760年），仅察哈尔达布逊诺尔和达里冈崖两处牧厂，牲畜存栏的马驼 20. 8 万

① 吴兆莘：《中国税制史》第 2 辑，上海书店 1984 年版，第 24 页。
② （光绪）《大清会典实例》卷 1210，《内务府·畜牧》。
③ 金志章：《口北三厅志》卷 6，《考牧志》，台湾影印《中国方志丛书》本。
④ （光绪）《大清会典实例》卷 1210，《内务府·畜牧》。

余匹（峰），牛30 900余头，羊349 800余只。仅此两处牧厂畜群的各种牲畜就达将近60万头只。①

蒙旗牧民还承担为本旗札萨克王公缴纳实物税的义务。如顺治初年定，蒙古王公台吉等每年征收所属，有五牛以上及有羊二十者，并收取一羊。有羊四十者，取二羊。虽有余畜，不得增取。有二羊者取米六锅。有一羊者、取米一锅。其进贡、会盟、游牧、嫁娶等事，是所属至百户以上者，于什长处取一牛一马之车。有三乳牛以上者，取乳油一腔。有五乳牛以上者，取乳酒一瓶。有百羊以上者。增取毡一条。② 蒙民还缴纳多式多样的军赋。如本旗王公以报效朝廷的方式向属民摊派所取实物或银两。如同治年间，清朝为镇压西北回民起义（1862—1869年），在伊克昭盟、乌兰察布盟、锡林郭勒盟、阿拉善旗和察哈尔八旗，由王公强制牧民捐驼11 200余峰，马、牛、羊数万只。

杂赋 杂赋又作杂税，包括课、租、税三种。

1. 课包括盐课、矿课、茶课等。盐课是一种间接税，在清代蒙旗财政收入中占重要地位。清初，内蒙古地区允许民间自制食盐自用，但不许运入内地。后因晋北土盐不敷之州县就近买食蒙盐者日渐增多，于是乾隆元年（1736年），山西巡抚石鳞，咨查杀虎口盐税案内，议准蒙盐入口内行销，食土盐不敷之州县只许陆运，由杀虎口监督征税，每驮120斤征税银四分五厘，从此蒙盐可以合法搬运到内地。乾隆二十四年（1759年），规定"蒙盐交易场所，以萨拉齐、托克托、陕西皇川、神木四处为蒙古、商人交易之所，并限定盐价，每斤六厘"。③ 后因入口盐多，影响侵越潞盐销岸，乾隆四十五年开始禁运销售。乾隆四十七年（1782年），山西巡抚农起奏请解除禁令，仍由民众缴税贩卖。乾隆五十一年（1786年），阿拉善王旺沁班巴尔针对以吉盐陆运无几，恳请水运，准奏。"乾隆五十七年奏准阿拉善地方每年准造盐船五百艘，每船运盐四十石（每石为七百斤），共计二万石，运至

---

① 金志章：《口北三厅志》卷15，台湾影印《中国方志丛书》本。转引自卢明辉：《清代北部边疆民族经济发展史》，黑龙江教育出版社1994年版，第38页。

② （光绪）《大清会典事例》卷980，《理藩院·赋税》。

③ 《清朝通典》卷12，《食货》。

山西例食土盐州县贩卖，石收税银四钱共收银八千两。"① 嘉庆年间，由于吉盐水运侵占河东等地引案，故定吉盐水运禁止，仍照旧制，只准在托克托河口镇储积，概由陆运行销。嘉庆十一年（1806 年），太谷民人马君选私贩吉盐伏法，阿拉善王马哈巴拉惧而献其池，池归国，盐归官。朝廷对吉盐也与内地同实行引岸制，将食吉盐之口外各厅和大同、朔平两府以及阳曲等约计引地七十二处，每年约销盐三万石，岁定引额八万七千五百道。每引二百四十斤，纳课三钱九分八厘。嘉庆十七年（1812 年），因吉盐行销，致使河东盐务败坏等由，盐池归还阿拉善王，吉盐裁废，设岸仅有七年。咸丰八年（1858 年），陕甘总督奏请，将阿拉善盐池化私为官，招商承销，"明定章程，酌收商税，额定每百斤收税银八分，收厘八分准其进口"②。由陕甘总督将所收税银及厘金按季报部。此时的盐课已比乾隆年间的近三倍，其后的同治年间又比咸丰年间高出近三倍。光绪十年（1884 年），仍按同治年间的每斤盐抽制钱五文，光绪二十六年（1900 年），盐厘加重，吉兰泰、鄂尔多斯等处盐，每石 350 斤，抽厘银一两，复有庚子赔款每斤加价八文，其入口者另加一文。

嘉庆年间吉盐裁废，锡林郭勒盟出产之大青盐也行销于大同一带。"同治年间向口北、山西、绥东地区销售青盐年运销五万担。"③ 苏尼特盐每石 360 斤，抽厘银一两二钱；白盐每石 400 斤，抽厘银八钱；凡入晋之盐每斤又加价一文。清末不仅加大盐业税厘额度，同时于光绪二十七年（1901 年），在丰镇厅设官盐局，光绪二十九年（1903 年），在张家口设蒙盐督销局等，加强盐务管理。

清代内蒙古地区矿产资源十分丰富。最初朝廷认为具准开挖，以便官兵蒙古民人之日用。其中西部归化城土默特从乾隆初年始征收矿税，煤价每百斤售价二十钱，从中收税每百斤四钱，按三七分成分别使用成为定例。随着煤窑开采规模的扩大，上缴入库的煤税收入也增加到 2 000 两。昭、卓盟各煤窑每年煤税也在 2 000 两左右。

---

①　盐务署：《中国盐政沿革史》，《河东篇》，1915 年版，第 106 页。
②　盐务署：《中国盐政沿革史》，《河东篇》，1915 年版，第 136 页。
③　林振翰：《盐政辞典》，商务印书馆 1928 年版，第 49 页。

清初仿效明制，实行茶马之法，顺治二年（1645 年）定，陕西茶马事例，每茶一算为重十斤。上马给茶算十二、中马给茶算九、下马给茶算七。雍正八年（1730 年），定川茶征税例，始行征税。户部颁茶引给地方官，地方官再卖给茶商。茶引每引运百斤，每千斤准带附茶 140 斤，以充中途之消耗。税率最初每斤纳银四丝九忽零，后每斤增加到一厘二毫五丝。咸丰年间开始征收厘金。

当时的张家口、归化城是连接内地和北方的重要茶叶中转市场。康熙年间晋商由东西口（东口张家口，西口归化城）深入蒙古腹地，所运货物"以砖茶及日用品为多，而三六砖茶及二七砖茶为最通行，且有用以代货币者，故其销路远在他品之上"。①

多伦诺尔的茶叶税规定：每洪子砖茶，不论其中块数多少，收税九分二厘；每斤白毫茶，不论什么等级，收税三厘；"汉博"茶每一木葫芦子收税二分八厘。② 多伦诺尔的茶栈共有三家。

2. 租即出租官房所征之租。如归化城、翁衮岭等处官房及入官铺面房等，均出赁民间，按年收取租银。土默特两翼在归化城征收房租最晚应在雍正十三年（1735 年），③ 是属于土默特正项收入，所出租的房屋包括官署周围、学校周围等地段的房屋，租住者的主要用途为做买卖、开饭庄、居住等。归化城地方官房铺店租银，每月由管理库务官员征收记明。翁衮岭等地官房铺店租银，每年由户司派官员二员征收。在房铺内有关、开者，由库员移文户司陈明月、日后，由户司核实，依照旧例缮稿报院。

据乾隆年间的不完全统计，最好的年份房租收入为 685 两。房租收入的增减与房屋的地理位置、经济发展、社会稳定、人口流动等有着直接关系。

3. 税包括有牲畜记档税、当税、牙税、契税、落地税等。

牲畜记档税是归化城土默特地区最早开征的交易税种，是专为检查防贩盗卖而设。其征税自康熙四十二年（1703 年）始有案可稽。主要交易对象

①　《山西商人西北贸易盛衰调查记》，《中外经济周刊》，第 124 号。

②　［俄］波兹德涅耶夫：《蒙古及蒙古人》第 2 卷，刘汉明等译，内蒙古人民出版社 1983 年版，第 338 页。

③　呼和浩特市土默特左旗档案馆归化城副都统衙门档案，80—25—22。

是马、牛、骡、驴及绵羊、山羊。土默特户司所派人员记档管理，每价银一两抽制钱八文，所征收记档钱文，交缴土默特旗库，以资公费，按年报理藩院核销。自康熙五十五年（1716年）至雍正二年（1724年），共买过马307匹。共用过银 2 278 两有奇。① 当时的归化城四项牲畜交易已比较规范，不同牲畜所收的税率不同，驼每峰制钱 95 文；马、牛、骡、驴每畜制钱 19 文；绵羊、山羊每只制钱五文，年征税额，如乾隆十年（1745 年）十一月初一日起至乾隆十一年（1746 年）十月二十九日止，连同闰三月，共白银 4 949 两。一年中的一月至六月处于交易淡季，春节过后交易开始爬升，三月和六月有个小高峰，马牛骡驴的交易量约在 6 500 至 6 700 头匹左右；绵羊和山羊的交易量约在 2 万至 3 万只，秋冬两季交易量比较高，到八、九月份达到最高峰，马牛骡驴的交易量约在 13 000 头匹；绵羊和山羊的交易量约在 50 000 只。归化城等地牲畜交易量呈逐年上升态势，雍正十二年（1734 年）十一月起至雍正十三年（1735 年）十月止连同闰四月，归化城等地征收买卖牲畜记档银共 3 074 两；乾隆十年（1745 年）十一月至乾隆十一年（1746 年）十月止，连同闰三月，归化城等地征收买卖牲畜记档银共白银 4 949 两；除此之外，还有公用、军用驼马不收赋税，如同本地档案史料记载，如果把清代前期记档税项下的买卖人口税（一口征收 950 文）；房屋、土地税（房屋一处、地一块征收 950 文）；查获赌博者所得钱文；查出私买牲畜者所得银两等均包括的话，记档税收入就更加可观。于是乾隆二十六年（1761 年）开始，所有经由此四处的驼马牛羊除进口外，"若绕道趋赴他省售卖者，亦应一例征税。……各项牲畜，每价银一两征制钱八文"，②归入正项收入。乾隆三十一年（1766 年），在归化城设立总局而外，又在归化城与城之东西南北设四个栅口，牛桥、马桥牲畜税局和毕克齐、察素齐、萨拉齐、托克托、和林格尔等分税局③，进一步扩大了税源。在同年十月，归化城副都统吉福条奏，蒙古各札萨克赶牲畜来城，杀虎口差人记档收税，不通蒙古语言，遇有盗卖，无从稽查。朝廷派理藩院章京一员，驻归化城，

---

① （光绪）《大清会典事例》卷980，《理藩院·赋税》。
② （光绪）《大清会典事例》卷980，《理藩院·赋税》。
③ 张曾：《古丰识略》卷49，《课税三》，抄本。

管理牲畜记档税务。于绥远城、归化城、和林格尔、托托克、萨拉齐、西包头、昆都仑、八十家子等处设局抽收牲畜税钱。① 乾隆三十四年（1769年），朝廷决定归化城关税由山西巡抚兼辖，委派道府一员专司其事，按部则收税。乾隆三十六年（1771年），归绥道恭安准山西布政使蒋兆奎转咨归化关奏，派归绥道兼税务，收数多寡不等，现奏定以乾隆三十五年（1770年）收数定额为准。按年比较计，每年征落地税银 1.5 万两，牲畜税 9 000 串，此外作为盈余。② 清廷决定，每年归化城都统公费并兵丁操演盘费银 7 000 两，有所征牲畜税钱易银拨给，不敷由归绥道垫廉凑发。③ 随着归化关税收体系的逐步完善，其税收量也有了明显的提高。如乾隆三十四年（1769 年）"四月十三日起至次年四月十二日止，一年期内共收过……牲畜税钱九千一百三十七千六百一十文"，④ 按时价平均每两银折钱 850 文，共 10 750 两 1 钱 2 分 9 厘。乾隆三十五年（1770 年），归化城征收杂税银两并牲畜税钱以银 15 000 两、钱 9 000 串作为正额。⑤

当铺税系当铺营业税，由当帖而生。归化城土默特地区最早在雍正十三年（1735 年）十月，由民人顾巡昌从归化城同知衙门领取开当铺执照，于本地开设长龙号当铺，是年起征当课。当课的税率规定"征收归化城地方当铺税银，大当每年税银各十二两，小当每年税银各六两，入于记档银两项下公用"，⑥ 由归、萨、和、托、清五厅征收，再又归化城厅汇综转解归化城副都统衙门充作该衙门公费。本地当铺发展较快，从乾隆初年的 52 座发展到乾隆五十二年（1787 年）的 206 座，分布在城乡村庄。整个乾隆年间当铺税率稳定不变，而当铺收入确有增长的趋势，即从乾隆初年的 312 两增加到约 1 200 两。光绪十四年（1888 年），朝廷下令每当铺预支 20 年课银 120 两，解缴户部；光绪二十三年（1897 年）每当铺又加征 50 两。当铺经营金银首饰、珠宝古玩等贵重物品外，还有农具犁杖、锄头等日常生产生活

---

① 绥远通志馆：《绥远通志稿》卷 36，《关税》，20 世纪 30 年代稿本。

② 高赓恩·《归绥道志》卷 19，《杂税·盐法附》，内蒙古大学图书馆藏手抄本。

③ 绥远通志馆：《绥远通志稿》卷 36，《关税》，20 世纪 30 年代稿本。

④ 张曾·《古丰识略》卷 40，《物部·税课》，抄本。

⑤ （光绪）《大清会典事例》卷 237，《户部八六·关税》。

⑥ （光绪）《钦定理藩院则例》卷 12，《征赋》。

用品。

落地税系商人购得货物到店发卖时征收的税。其征收无统一税法，由地方官员随时酌收。一般在人烟凑集、贸易众多、官员易于稽查的市集乡镇征收。如在乾隆二十六年（1761 年）前不在归化城收税之例，后土默特蒙古地方现种烟叶杂粮，制造油酒烟等项，在归化城一带售卖渐成行市。于是该年户部议准：“归化城商民辐辏之处，所有烟油酒三项及皮张杂货等物，俱应归入落地税内，照例征税。”① 征收落地杂税设有总局一所、东西南北栅栏四处，按铺、按驮为单位征收。铺面分上中两个级别，上户年纳银 5 两，中户年纳银 2 两 5 钱外，无论就地货卖还是贩运他处，俱照杀虎口之例按驮征税。其数不及驮者，亦照该口则例，按驮烧酒、胡麻油，每驮收税 8 分，芝麻油每驮收税 1 钱 2 分，每驴一头可载油酒 120 之数，酌斤征收。落地税只在人烟凑集贸易众多且官员易于稽查的市镇征收，在乡村、无卖面油烟酒之处，面止 200 斤，油酒各止 50 斤，烟止 20 斤者一概实行免税。② 落地税由归化厅征解，无定例。每年归化厅油酒课银 27 两 5 钱。到了清末，税率提高，从光绪二十二年（1896 年）起，“烧酒每斤征制钱三文；每水烟一斤，征制钱十文；旱烟一斤，征制钱五文”，③ 将所征之钱换成银两，解缴藩库。

清初严禁铁器出口，以防私制武器。乾隆二十六年（1761 年），户部议准杀虎口监督祁成额奏，除废铁、铁料有碍打造军器而仍为禁止之例外，准许携带农器及民间日用器物出口。铁器抽税之则与烟酒油杂货同。商人领路票时写明姓名、年龄、体貌以及所携带物品名色、件数，该商持票赴各关口，由各关官员验明放行，如有贩往他处售卖者亦于出栅时按则抽税。

凡设立行号，处于供给与需用者之间，代买卖货物，交互说合，以抽取用费者，称之为牙行。经营牙行者（如米行、鲜货牙行、田地房产之经营者）必须先向户部或地方官府领取行帖，即牙帖。官府每年按帖缴纳的税

---

① 高赓恩：《土默特旗志》卷 7，《政典考》。载双宝：《民族古籍与蒙古文化》，总第 1—2 期，呼和浩特市民族事务委员会 2001 年版，第 264 页。

② 张曾：《古丰识略》卷 7，《物部·税课》，抄本。

③ 刘鸿逵、沈潜：《归化城厅志》卷 7，《关税》，光绪年间抄本。

银称牙税。清初牙帖与户部无关系，各省定额数，由藩司颁于牙行，征收其税，后雍正十一年（1733 年），禁止自由发给牙帖，令各省核定牙帖额数，报告户部存案，不许随意增添。后又改为由户部颁给，收入亦命解部。经营牙行者须在保人的担保下请领照票方可开业。当时在归化城土默特牙帖二十一张，每张岁纳课银一两二钱，共银二十五两二钱。① 在萨拉齐厅，每年发牙帖七张，每年共征牙税八两四钱；在清水河厅，设牙商三名，每名每年征税银一两二钱，共征银三两六钱。但随着当地经济贸易的发展还需要更多的牙行或牙侩，于是又招募一些巡牙。②

契税也称田房契税，是对民间买卖典押田产、房屋登录于官府时应纳之税。清初只课买契，不课典契。契税税率，顺治四年（1647 年），规定民间买卖土地房屋者，由买主按买卖价格每银一两征税三分，官府于其契尾钤盖官印以为证。雍正七年（1729 年），规定契税每两银三分之外加征一分，以充科场年费，到乾隆年间又进一步提高税率，买契为 9%，典契为 4.5%；清末宣统三年（1911 年）买契为 9%，典契为 6%，其中买契税之 3%，典契税之百分之四五为中央收入。这方面的资料比较少，乾隆朝能见到归化城土默特少量文献，如房屋一处、地一块，征收制钱 950 文。光绪三十四年（1908 年）始，定新旧典契均照买契减半报税，宣统二年（1910 年），改征六分。

土药税即对内地产鸦片所课之税。鸦片战争以后，沙俄等帝国主义列强利用其在蒙古地区贸易之便，将大量鸦片输入蒙古地区，很快在蒙古封建贵族"买卖烟具，随在吸食"。到同治年间，吸食鸦片的恶习迅速蔓延到蒙古人当中。由于只有少数有钱人能吸食外国的和广东的鸦片，加上栽种罂粟获利稍厚，从而竟将靠水膏腴之地播种罂粟以致愈种愈多。如光绪二十四年（1898 年），"归化 161 村，共种土药 4 885 亩 1 分"③，并且全山西消耗的鸦片几乎都是当地熬制的。随着鸦片种植业的发展，光绪十二年（1886 年），

---

① 郑裕孚：《归绥县志》，《经政志·赋役》，1934 年铅印本。

② 呼和浩特市土默特左旗档案馆归化城副都统衙门档案，80—6—4。

③ 《晋省鸦片》，载《农学报》第 48 卷，光绪二十四年九月下。转引自李文治：《中国近代农业史资料》第 1 辑，三联书店 1957 年版，第 463 页。

归化城、萨拉齐等厅共有鸦片行 12 座，每座每年纳课年银 24 两，全年共纳课银 288 两。光绪三十一年（1905 年），清廷规定，土默特蒙古种罂粟按山西亩捐章程每水地 1 亩收亩捐满钱 1 吊 215 文，旱地 1 亩收亩捐满钱 1 吊。所征银两按年解缴山西筹饷局充饷。光绪年间卓索图盟"喀喇沁每年烟土产量自百万两以上，价值银三十四五万两"。①

关税 清代的税关，史称"榷关"或"关榷"，榷关又据税收来源分为内地关税和国境关税。清代内地关税就是境内各关卡的商品所征收的关税，即通常所说的常关。归化城、杀虎口等关都属于常关。常关分为户关和工关两种，归化关由户部管辖，税收主要包括定额和盈余两种，并按规定不计闰扣足一年为税务届满之关期。届时照章奏请简派监督。收税包括牲畜税和杂税，以牲畜税较旺。归化城税收额数，杀虎口监督兼管时每年征银七八千两，乾隆二十六年（1761 年），在归化城增设归化关，设役稽查是为归化设关征税之始。乾隆三十五年（1770 年），户部在归化关的定额税银 1 500 两，钱 9 000 串，盈余 1 548 两，钱 137 串多，合计银 16 548 两，钱 9 137 串。在乾隆三十五年（1770 年）后至乾隆五十六年（1791 年）的近二十年间归化城关税总额最高为 27 390 两，最低也在 17 851 两。所收银两由山西藩库征解，上缴户部。关税税率按规定为从价 5%，但各地往往自定税率。乾隆年间按部颁税则百分抽一。② 此后逐渐提高，到光绪年间已达三十税一，每价银一两征税银三分。税率的增减与商品流通量、国力的强弱，税收监管机制等有关。

捐输等 捐输是朝廷为兴办社会性福利事业与兴建堤坝、庙宇等所征收的商税正课以外的附加税。包括经常捐输（兴学、育婴、救贫、治河等费）和临时捐输（赈灾救荒等费）等。清末朝廷制定蒙古王公的捐输。如咸丰六年（1856 年），朝廷颁布了《捐输银两和捐输驼马议叙章程》，规定蒙古各部、旗"札萨克汗、亲王、郡王、贝勒、贝子、公，闲散王、贝勒、贝子、公等，捐银一百两，给记录一次，二百两记录两次，三百两记录三次，四百两加一级，八百两加二级，一千二百两加三级，一千六百两，加四级，

---

① 姚锡光：《筹蒙刍议》卷上，《东部蒙古情形》，1908 年自刻本。
② 刘鸿逵、沈潜：《归化城厅志》卷 6，《关税》，光绪年间抄本。

二千两加五级，止。二千四百两以上，原有翎枝者，随时请旨。无翎枝者，请旨赏给翎枝。"又规定"内外札萨克、各旗札萨克、头等台吉、塔布囊，闲散头、二、三、四等台吉、塔布囊，捐银五十两给记录一次，一百两记录二次，……一千六百两，系头等台吉、塔布囊，加辅国公衔，二等台吉、塔布囊者加头等衔……五千两以上，随时请旨"。[①] 其他官员也都照此规定捐银。对于驼马议叙的规定中上述王公、官吏，捐驼马25匹以上者记录一次，600匹以上，原有翎枝者，随时请旨，无翎枝者，请旨赏给翎枝。如咸丰六年（1856年）九月丁丑"锡林果勒盟阿巴噶扎莎克头等台吉杜噶尔布木，所捐马一千二百匹，业经验收牧放。该台吉情殷报效，著赏给镇国公衔，并赏加四级，以示鼓励。其盈余捐数，著理藩院查明该台吉子孙，照例给予奖励"[②]。咸丰九年（1859年）以后，又对上述捐输议叙章程作出许多补充规定，使之更加制度化和法律化。同时还从蒙古捐输中派生出"喇嘛捐输"，使捐输范围扩大到僧侣阶层。光绪十年（1884年），奏准"六盟四部落，倘遇欠岁，呼图克图喇嘛等，捐银助赈至千两，或捐米面牲畜，覆计值银钱粮以上者呈该管大臣奏请赏给乐善好施字样匾额，不级钱粮，由该管大臣给匾旌赏，仍给乐善好施字样给予，均听本家自行建坊，毋庸给予坊银"。[③] 总之，捐输越多，加官晋爵越高，甚至蒙古王公贵族犯罪革职，也可以捐银免罪复职。

到清末，蒙民还承担各种捐税。如归化城土默特光绪年间始有斗捐。据《绥远通志稿》记载，斗捐以托克托厅为最早，光绪十三年（1887年），办二文斗厘，由粜籴米粮者每斗抽一文，集款预备随时补修以防水患。后改为粜籴各抽三文，创办义学、补助捕营经费。[④]

此外还有附加税，即耗羡、火耗、押荒银、加派银等。耗羡（羡余）即赋税之所盈余，官吏征收的银粮中，正赋以外的一切附加税、手续费、杂费等的总称，上述田赋、牲畜记档税、当税、关税、杂税等均带征耗羡。据

① 边疆政教制度研究会：《清代边政通考》，《蒙古捐输》。
② 《清文宗实录》卷208，咸丰六年九月丁丑条。
③ 边疆政教制度研究会：《清代边政通考》，《喇嘛捐输》。
④ 高延青：《呼和浩特经济史》，华夏出版社1995年版，第154页。

《归绥道志》记载：耗羡，旧管卷查乾隆十三年（1748 年）起，原额除正项草折银一万八千三十三两六钱五分七厘不加耗外，地粮银一万三千九百九两六钱四分七厘四毫，每两加耗五分，……新收卷查乾隆二十二年（1757年）起至乾隆五十四年（1789 年）止，开垦折色五分，加耗银一两一钱六分。① 所谓火耗，即赋税以银钱折纳时因银色良否有差等，待征收后熔解改铸时，有减量之虞，故正款之外带交小数，备补熔铸时的损失即称火耗。如归化城收"一二火耗"即"每缴正银一两，随加耗银一钱二分"。②

押荒银也叫押地钱，初由民人向蒙古人租种土地时缴纳的一次性押金，以保证承种者的租典权和租种者缴纳地租义务。押荒银的征收起始于嘉庆年间，最初由内蒙古东部的科尔沁各旗征收，一半留本旗，一半报效朝廷。按照地区和土质等条件的不同，内蒙古东部每当报领垦荒一垧，至少先交押荒银一两四钱，多者则达到六两六钱。道光十二年（1832 年）后，对整个内蒙古的押荒银征收进行了统一，规定领垦荒一顷，先交押荒银十两，即取得土地的永租权。光绪以后，押荒银的征收率不断攀升，上地每垧六两六钱，中地每垧四两四钱至一两八钱，下地二两二钱至一两四钱。西部押荒银征收起始于光绪八年（1882 年），光绪二十八年（1902 年），垦务局设立之后，土地划分等级，规定了不同额度的押荒银，每亩至少一钱，最多一两六钱。

同时，清廷对各旗统一规定，每价押荒银百两随收十五两，称之为"一五经费银"，作为支付各行局司员薪水、本价等各项开支费用。清末各种捐税层出不穷，说明了朝廷以及各级官府财政支绌，利用各种商业税来维持经济危机，也说明了劳动人民受剥削和压迫的程度不断加深。

清朝为了使蒙古王公心生敬畏以及笼络亲近，规定已出痘之蒙古王公的年班朝觐制度。每年年班进京时，须按规定朝贡。对内蒙古的王公、台吉，建立统一的朝贡制度，始于康熙二十四年（1685 年），③ 进贡之物为汤羊、乳酒。其中科尔沁十个旗共进羊、酒各十二九，即一百零八只羊，一百零八瓶酒；鄂尔多斯六旗、乌喇特三旗，共进羊、酒各九九，余下二十五旗，共

---

① 高赓恩：《归绥道志》卷 18，《田赋》，内蒙古大学图书馆藏手抄本。
② 郑裕孚：《归绥县志》，《经政志·赋役》，1934 年铅印本。
③ ［日］田山茂：《清代蒙古社会制度》，潘世宪译，商务印书馆 1987 年版，第 201 页。

进羊、酒各三九。康熙二十八年（1689 年）定，阿巴哈纳尔二旗、喀尔喀一旗，共进羊、酒各三九。乾隆元年（1736 年）定，蒙古各札萨克，每年十二月各进羊一只、酒一瓶。乾隆五十四年（1789 年）定，各旗台吉等每年进贡汤羊、乳油、熏猪等物。乌珠穆沁旗每十名收二只，其余旗每十名收一只，共收汤羊五百只，奶油五十肚，熏猪二十口。

三、财政支出

清代内蒙古地区的财政支出名目繁多，数量较大。概括为官俸及养廉、行政经费、驿站经费、军费支出、抚恤赈济支出、廪膳膏科场经费①等。

行政经费　行政经费是衙署按例支取的各项"公费"及各种名目的公务用项等开支。其中一般札萨克旗的行政经费包括札萨克本身的经费，如札萨克全家日常生活费、年班朝觐费等；札萨克印务处各级官员的薪俸，如郭尔罗斯前旗，每年支给各级官员的薪俸达 11 700 吊文。而内属旗财政由于机构庞杂，支出也更多。以归化城土默特为例，归化城土默特将军、都统、副都统的春秋两季官俸和养廉银以及本衙门各官员的俸外津贴，即绥远城将军四季养廉银 586.25 两，俸银 180 两；归化城副都统养廉银 600 两，俸银 155 两；绥远城将军随从（满语叫嘎什哈，为护卫，清朝高级官员的侍从武弁，总督、巡抚、将军、都统等官皆可自行委派）30 名饷银 60 两/月（照乾隆三年（1738 年）四月户部奏准咨行之例使用）、都统随从（披甲）30 名饷银 60 两/月（照乾隆二年（1737 年）十二月户部奏准咨行之例使用）、副都统随从（披甲）20 名饷银 80 两/月（照康熙六十一年（1722 年）四月设政处奏准咨行之例使用）；衙署的办公费如归化城副都统衙门兵、户两司、印务等处，每月需用心红纸张银 6 两 4 钱，全年计 76 两 8 钱（照雍正十三年（1735 年）原尚书通智报大院所定之例使用）；冬季三个月需用烤火银不得过 30 两；为造具兵司、户司咨送巡察大臣衙门 5 年册，购买纸笔等物银 10 余两；旗署行走笔帖式年养廉银 350 两；每年春秋二季祭祀先师孔子祭礼需银不得超过 80 两；春秋二季并 2 月 3 日祭文昌帝君用银 63 两 9

---

①　清末随着清廷的财政制度改革，归化城土默特地区的财政支出结构以起解各项、俸廉薪公、典礼费、教育费、军政费、藩政费、赈恤、杂支各款等接近于度支部各项进行归类。

钱；据监禁之犯人进出增减用银（买炭月用银 1—3 钱）等，合计约 4 500 余两银均从记档项下支领。除上述经常性开支外，还有一些临时性开支，如迎送巡查游牧大臣、朝廷钦差以及其他大员。

军政经费　军政经费即兵饷是清代财政支出中的重大项目。在清代常驻内蒙古军队主要有绥远城驻防官兵，朝廷直辖的察哈尔八旗，驻呼伦贝尔的索伦八旗。为此，这些旗每年负担数目不少的各项支出。同时，各札萨克旗旗兵的饷银，也由各旗负担。以归化城土默特为例，从乾隆九年（1744 年）开始，绥远城建威将军每年十一月派委官员、兵丁，前往巡查各处卡伦查看一次。包括各卡驻守官兵盘费银，如春秋二季操演营官兵盘费银如春秋二季操演土默特兵，每季 30 日，计兵 1 000 名，每名每日给盘费银各 5 分，共需银 3 000 两，由记档项下支开（按乾隆四十八年定）；购买鸟铳、火药、弹丸银，制造军器、军服、修补军器银如每年春秋二季操演鸟铳并夜间点放炮位需用火药 3 540 斤，需银 280 余两，均由记档项下支开［按乾隆四十八年（1783 年）定］；将军轿夫 48 名，每月应领工食银 24 两；乾隆三十五年（1770 年），从马价银内拨出被借官兵差使、红白事宜急需银 8 000 两；征收煤炭租税收入中例题补修军器钱 800 串，赏旗务衙门官兵 500 串；陆军饷项，如光绪三十三年（1907 年），陆军饷项公费 15 068.8 两等。

驿站经费　驿站经费是朝廷为了维持其行政、军事命令以及各种文书的传递由京城至各省乃至边地交通要道设置的驿、站、台、铺等机构所需开支。包括各厅所设递役食的工食银如归化城从乾隆二年（1737 年）开始，额设铺子 53 个送公文人役 168 名，每年应得盘费银 1 008 两，由记档项下支领（照乾隆二年议定）。后乾隆三年（1738 年），归化城等处 5 厅额设送公文人役 159 名，每四季共给工食银 954 两。咸丰四年（1854 年）正月起，归化城等五厅改设递送公文处递役 63 名，每名每年应支工食银 6 两，四季共给工食银 378 两，均由记档项下支领。买补牛马价银如仅乾隆五十三年（1788 年），为照例补充倒毙、残疾之驼支出银 600 两，车马费如押送盗犯进京租驴银八两、驿舍租银以及过往官员兵役人等的廪给口粮等项共约 2 000 两。

抚恤赈济支出　抚恤赈济支出，包括恤孤贫（抚恤死伤将士及家属）、养幼孤（鳏寡孤独者）、寺院香灯及喇嘛盘费、济贫救灾等支出。恤孤贫包括驻防官兵孀妇、孤女的养赡，如归化城土默特佐领孀妇一年的半俸银52两；防御孀妇一年的半俸银40两；骁骑校孀妇一年的半俸银30两。领催、前锋孀妇一年的半饷银24两；马甲孀妇一年的半饷银18两；步兵孀妇一年的半饷银9两；孀妇、孤女一年食赡银各12两。养幼孤，主要通过养济院等机构对本地鳏寡孤独者进行养赡。养济院是由官方出资兴建的，收养鳏寡孤独穷人的社会保障机构，如土默特两翼的养济院始建于乾隆元年（1736年），以百名为额，每人每日一仓升口粮，一年350余石米、一匹布，从每年九月至次年二月止，日给大炭三斤等有详细的规定。寺院香灯及喇嘛盘费，如归化城每年为果比托喱布拉克地方仁佑寺支香灯、供献银50两，该寺喇嘛每月给盘费银2两，徒众6名每月给银5钱，念经喇嘛20名每月各给盘费银1两，共350两，并年给米79仓石4斗7升2合5勺。驻扎多伦诺尔庙之土默特喇嘛4名，每年给盘费银192两。而其他各旗情况也大同小异。当时内蒙古的喇嘛大部分人是没有度牒的，他们没有固定的俸禄，但长期住庙里，旗财政发给每人每月5钱的盘费，年6两。这后来成为各旗财政的一项负担。

工程费　工程费包括用于坛庙、城垣、府第、公廨、仓廒、营房的营造和修缮支出等。清廷规定归化城土默特每年维修旗署各处房屋、庙宇用银，每宗用银不得过30两（照雍正十三年奏定之例使用）。由于房屋的质量以及自然等原因，维修费远不止30两，如归化城乾隆二十七年（1762年），养济院修房银99两有余，光绪九年（1883年），各处维修房屋用银356.91两等。

第五节　清代内蒙古的金融与货币

一、金融组织

金融业是指经营货币、信用等金融业务的行业。广义的金融还包括典当、钱铺、钱庄、炉房、票号、账局，以及近代出现的银行、信用社、保险公司、信托投资公司、证券公司等。货币是金融的基础，也是最早出现的金融工具。金融业最初是由商号兼营，在发展的过程中，逐渐出现专营，分为账庄（账局）、钱铺（钱庄）、票号和银号等几种。

账局　账局是专门经营放贷款业务的金融机构，也称做账庄。商铺在经营活动中，相互间的资金借贷时有发生，小商铺往往将销售收入款项存于大商号代为保管，不足时也往往向大商号告贷。后来便从这些存、贷的大商号中分离出来一种专门从事放款业务的商号，以放款取息为其盈利来源，成为账局，产生于雍、乾年间。雍正五年（1727年），中俄签订了《恰克图互市贸易条约》，恰克图成为两国贸易之中心。而雍正七年（1729年），清政府在中俄边界的恰克图设立市集以后，张家口成为中俄进出口贸易要冲。在贸易活动中由于长途贩运，商品流转周期延长，沿途需要更多的垫支资本，于是山西商人在张家口创办账局。后又在京城、山西等地开设账局。多伦诺尔的账局开办于道咸年间。①

　　账局通过办理存款和放款业务，集中和分配资本，在借者与贷者之间起着信用中介的作用，一般根据金融行市，借贷银两，收利息四五厘，存款利息较低，大约二三厘。由于账局是从商业资本转化而来，因此内蒙古地区的账局多由旅商在商业贸易繁华地带开设经营。清代内蒙古的账局有中兴永、天顺昌、法如春、聚顺发、天德隆、裕源永、丽泉生等名号，分布在归化城、张家口、多伦诺尔、赤峰等地。光绪中叶，归化城、多伦诺尔等地的账局通过向商号放贷款等形式获得巨额利润。有不少账局，通过存贷款，收取盈利，也有做买空卖空的"虎盘"生意而大获巨额利润者。但是，由于账局采用起镖运现的结算方式，而商业的发展要求解决不同地区间收解现金和清算债务的实际问题。在这种情况下，采用汇兑方式结算的票号就应运而生了。

　　票号　票号又称票庄、汇兑庄，是清代金融业的组成部分。清朝中叶，随着内蒙古与西北贸易的迅速发展，携带现银往返交易费时误事，开支大，不安全。由此产生了埠际间贸易往来，进行统一汇兑结算，以代替运现的客观要求。山西商人首创了商号间贸易往来实行相互划拨抵账方式进行资金周转，为票号的产生奠定了基础。同时自嘉庆、道光年间，产生于民间的信局通行各省，对信汇业务的形成产生了师范效应。

　　于是道光初年（1821—1824年），山西雷履泰把日升昌颜料铺改成票

---

　　①　苑书义：《艰难的转轨历程——近代华北经济与社会发展研究》，人民出版社1997年版，第282页。

号，开中国票号之先河。几年后山西票号各分号开始向内蒙古延伸，在归化城和包头分别设立存义公、大德通、锦生润、合盛元、大德玉、大生玉、裕盛厚、裕源永、蔚丰厚等分号。咸丰末年由于对外贸易的发展，各地结账频繁，促进了内蒙古票号业的发展，在归化城、包头、赤峰、多伦诺尔、丰镇等地先后出现了票号，仅归化城当时就有 13 个票号。同时，内蒙古东部地区以主要经营票汇业务及钱铺生意的汇兑庄也大量涌现出来。汇兑庄除了经营汇兑银两货币为主，兼办存款、放款外，还参与钱市交易。道光十四年（1834 年），平遥帮票号蔚丰厚在归化城、京师等地设分号。光绪年间，在归化城开设的票号有崇义公、大德恒、瑞生润、合盛元、大德玉、大生玉等，均为山西祁县帮、太谷帮、榆次帮设立的票号分庄；大盛魁经营票号，在京师、归化城设大盛川分号。这些票号多数采取商办独资或合资股份经营形式。清末是内蒙古票号最为发达时期。当时银行尚未兴办，而海禁大开，陆路和口岸的"对外贸易与金融的周转，更见频繁，所有一般的汇兑业务，完全由票号承办。因此票号生意兴隆，都能获得厚利，称雄一时"①。

钱庄与银号　钱庄与银号钱庄是旧中国的一种信用机构，多数起源于货币兑换业的钱店、钱铺。后来逐渐演变为经营存贷款业务的机构，少数还享有发行银票、钱票的权利。内蒙古钱庄业务兴起于康熙年间。当时在市面上流通的制钱，在远途交易中携带不便，从而用钱庄发行的钱票代替制钱流通。

内蒙古西部地区的钱庄主要集中在商埠重镇，以私人出资为主，少数为合伙经营。归化城钱庄嘉道年间有了很大的发展，所设钱庄多达 50 余家。并在乾嘉之交联合建立调节金融市场的行业组织宝丰社。宝丰社主要负责制定银钱行市、发放现金凭帖、汇总各业拨兑、仲裁钱业纠纷等，成为百业周转之枢纽。同治年间筹款措施之一的发当、发商"生息银两"，促进了归化城钱庄业的发展。光绪二十八年（1902 年）时，归化城还有法中庸、双兴厚等 30 家钱庄，至宣统年间约有钱庄、银号 32 家，这是归化城银钱商的旺盛时期。

包头一带在咸丰至同治年间专营银钱业，有复盛全、复盛公、复盛西、公和源、公和泰、兴盛号、兴隆长、天兴恒、海和成等多家钱庄。其资本形

---

① 卢明辉：《清代北部边疆民族经济发展史》，黑龙江教育出版社 1992 年版，第 331 页。

态多为独资，还有合资和联营。当时在贸易往来中，凡不用现金结算的交易，多数是依靠钱庄做标期和骡期贷款的过账核兑生意。在归化城等地金融市场上，全年规定有春夏秋冬四个标期之外，还规定有八个骡期（是指商号在过标结账后，经常有内地金融资本用骡驮运现银来所进行的放贷）。标期和骡期的具体时间，每年由当地商会与金融界商洽决定，而放贷利息的涨落则由金融市场上银根的松紧来定。

丰镇在清初即有钱庄，经营银钱的兑换以及资金的存贷业务。隆盛庄于道光年间开设钱庄，并很快有了自己的行业组织；兴和在清末始设钱庄，曾繁盛一时。

内蒙古东部的经棚早在清前中期即有了数家钱庄，经营着钱两汇兑、金银整零兑换和存贷款以及仓库业务。赤峰钱庄的钱两汇兑业务中，使用木板刻印制发凭帖来解决大宗商品交易、搬运银两不便的问题。持帖者可凭帖去商铺购物或到发帖本号兑取现金。钱庄还在春耕季节对农民发放信用贷款，待秋后收抵粮谷，储于仓中，再出售获利。

内蒙古各地的多处钱铺发行钱票，即帖子，补充货币的缺乏。[①] 各钱铺有关人员在规定的地点和规定的时间里聚集在一起，讨论、决定各种货币交换的标准，这一活动叫做开市或银市。赤峰9家钱铺当中出钱票者有7家，在二道、三道街设银市二处，每日开盘三次。[②] 海拉尔和满洲里由于地理位置偏远，钱铺的汇兑范围大，海拉尔的兴盛昌、九安两大钱铺的汇兑远可达其他省区。[③] 再如包头，光绪年间开设的四家钱庄有宝昌玉、懋和元、德中庸、广顺恒，直至1930年，该四家钱庄照常营业。归化城于光绪末年有29家钱庄，仅仅从该数目，足可以推测归化城金融业的发展。[④]

在东部各城镇，烧锅在金融领域内也占有一席之地。为了从农家收购原料，以秋收后的粮食为抵押，向农民借贷钱物，充当金融机构的角色。

---

① ［日］《东部蒙古志》中卷，第8编《殖产兴业·都市》，关东都督府编大正三年（1914年），第160、111页。

② 冯诚求：《内蒙古东部调查日记》第4编，《自喀喇沁府至赤峰》，1913年吉长日报铅印本。

③ ［日］东省铁路经济调查局编：《呼伦贝尔》第18章，《呼伦贝尔之币制》，1939年汉译本，第230—231页。

④ 东亚同文会：《支那省别全志》第17卷，《山西省》，1920年版，第885页。

官银号也叫官钱铺、官钱局，它是清代银钱并用的货币制度下，为稳定银钱比率而设定的金融机构。其做法是用银两向当铺收进制钱，再向市场抛售，以此平抑钱价。光绪三十年（1904 年），为了解决骑兵薪饷、财政亏空，仿照奉天、湖北等地做法由垦务公司借银一万两，在绥远城设立"绥远官钱局"。官钱局发行官帖（包括钱帖和银帖）以及经营一般的金融业务。到光绪三十四年（1908 年）随着赔谷被撤办，官钱局也被解散、停顿。光绪三十二年（1906 年），由公款内拨出资本设立热河官钱局赤峰分号，经营存放款、金银块买卖、汇兑及纸币发行和兑换业务，营业状况很是兴隆。天津官银号赤峰分号，在天津与赤峰钱业交往中曾起过重要作用。

新的金融机构——银行　鸦片战争后，外商银行随着西方资本主义的入侵而出现在中国，而中国自办银行起步较晚、发展缓慢。光绪二十三年（1897 年），由清朝官僚盛宣怀创办了中国第一家新式银行——中国通商银行之后，在各地陆续出现了许多银行，形成了新旧金融机构并存的局面。

与内蒙古具有密切关系的银行有中国银行、中国交通银行、黑龙江广信公司、东三省官银号、热河兴业银行、绥远平市官钱局、绥远丰业银行等。中国银行，创办于光绪三十一年（1905 年），原名户部银行，光绪三十四年（1908 年）改名为大清银行，民国元年（1912 年）又改名为中国银行；中国交通银行，创办于光绪三十四年（1908 年），由清政府邮传部在京师设立；黑龙江广信公司，设于光绪三十一年（1905 年），总行设在齐齐哈尔；东三省官银号，于光绪三十四年（1908 年）由奉天官银号改设。这些银行通过在大小城镇设立分支机构，使内蒙古各城镇出现了新的金融机构，引入了新的金融秩序。其中东三省官银号是在各城镇中设立分行（号）较多的银行之一，如海拉尔、洮南、彰武均设有分号。中国交通银行则在赤峰、多伦诺尔、归化城、包头等城镇设立分行。中国银行在海拉尔、满洲里、归化城、包头等地设有分支机构。广信公司等地方性银行的分行多设在周围地区，如海拉尔、满洲里设有广信公司分行。各银行的业务大体包括普通银行的汇兑、贷款、存款等业务之外，部分银行还发行货币。此外，满洲里的中国银行业务与其他处有所不同，专门代收海关税款。[①]

---

①　张伯英：《黑龙江志稿》卷 21，《财赋·钱币》，台湾影印《中国边疆丛书》本。

二、货币

随着内蒙古地区商品贸易的发展，以货易货的贸易形式转化为商品货币形式，为金融业的发展提供了前提和基础。当时市面上流通的货币有制钱和银两（元宝、银锭、大条、碎银等）。但是，由于这些银两的质量不一，与制钱的比价也不尽相同。如归化城地区乾隆初年按市价每银 1 两合制钱约800 文，乾隆中期 1 010 文，嘉庆朝 1 100 文，道光朝 1 400 文，咸丰朝2 230 文，同治朝 1 720 文，光绪朝 1 900 文。不仅不同时期银钱比价不同，而且就在归化城五厅之间银钱的比价也不同。如乾隆时期归化城 790 文，萨拉齐、昆都伦 820 文，托克托城 800 文，和林格尔 760 文。这种起伏不定的银钱比价直接阻碍地区间的商品流通以及统一市场的形成，不利于经济发展。银贵钱贱后折钱数增加，加上地方官的有意掠取，将折钱数定得比市价高出很多。同时，随着商业贸易的发展，蒙古王公贵族及封建上层也将以往向其属民征收的实物贡赋改为货币贡赋。广大民众为了完纳繁重的货币贡赋，经常以较低的价格出售商品，换取货币。总之，在诸多因素的作用下，内蒙古地区金融业有了起步和发展。

货币种类　货币的产生是与商品交换紧密联系在一起，并随着商品经济的发展，货币的种类和流通范围不断扩展。清代以来，内蒙古地区流通的货币种类繁多，有银两、制钱、银圆、铜圆、官票宝钞和银行兑换券等。

金属货币　金属货币是入清以来内蒙古地区货币流通的主要形式，包括银两、制钱、银元、铜元。清代的币制是银、钱兼用，以银为本，以钱为末，这两种货币有各自不同的使用范围。一般情况下，国家（或地方）财政收入、官员俸禄、兵饷、商人大笔交易多使用白银，而民间零星交易则使用铜钱。由于中国银矿蕴藏量较少，政府无法铸造统一的银币，所以白银只能作为称量货币流通。其成色、重量，各地不一，大体上有四种："元宝"也叫"宝银"或"马蹄银"，每只重五十两；"中锭"，重约十两，多为呈锤状，也有马蹄形的，叫"小元宝"；"锞子"，有各种形状，以馒头形者居多，重一二两至三五两不等；"散碎银"，为零碎银块，也称"滴珠"或"宝珠"，重一两以下。

清代的银两制度比较复杂，表现为各地使用的平砝的多种多样上。当时，各地的各种平砝约有 170 多种，主要者为四种：（1）库平，亦称"库平两"、"库平银"。清康熙时制定。为清政府收支银两所用之衡量标准。据康熙五十二年（1713 年），《数理精蕴》所定标准，黄铜方寸重 6.8 两。由此推算出来的"两"即库平两。中央政府的库平与各地方政府的库平不太一致，各地方政府中的库平的重量仍有轻重。（2）漕平，是漕米改征白银折色以后所用的标准，漕平比库平略轻，各地漕平的重量也不一致。（3）关平，是海关收税所用的标准平。（4）市平，各地市场授受银两通用的衡量标准。各地不同。运用较广的有：公砝平，简称砝平，多用于汇兑价格计算的标准，是北京通用的平砝；司马平，为对外贸易专用银的计算标准；钱平，钱业间相互往来通用，与其他行业的账目清算也以此作为计算基础；公估平，出自秤定银锭的公估局而得名。由于所铸银两重量、成色不一，在使用时都要称重、评色而后计算其价值。

铜钱，包括制钱、满钱和城钱。清朝时习惯对本朝所铸的铜钱通称为"制钱"，以区别前朝的"古钱"。铜钱不像银锭可以民间熔铸，而是必须由官府铸造，私铸私毁铜钱都是非法的。铜钱在康熙、乾隆时重量尚是一钱，以后又增重为每枚一钱二分至一钱四分。其成分原为黄铜，以后又改为和锌（白铅）及少量的铅、锡。制钱的重量及成分决定它的价值，在银、铜平行流通条件下又影响它们的比价，为防民间私铸就要增加重量改善成分，但又引起民间私毁制钱改铸器物。《清史稿·食货志·钱法》规定：私毁比之私铸论，处绞刑。原定三品以上之家准用黄铜器具，其后只限一品大员才能使用。整个清代是银贱铜贵。规定制钱的单位为文，千文为一串，或一吊，又称一贯，与历代相同。清朝初年规定制钱一串（千文）相当于银一两，一文值银一厘。实际上在康熙到乾隆年间每银一两只合制钱八百文左右。嘉庆、道光时逐渐减重，小钱杂出。咸丰时清政府内外交困，军费开支浩繁，不得已而铸造各种大铜钱，以一当十、当五十、当百、当五百、当千。到光绪三十四年（1908 年）时，官钱已减至每铜十两铸钱三百文，重量已减至原来的三分之一。清代归化城土默特地区流通的官铸有样钱、制钱、白钱、黄钱、红钱、普尔钱等，私铸有沙壳、风皮、鱼眼、砂板、鹅钱、水浮钱等。

到清后期，由于钱的减重和劣钱充斥市场，一个时期市场上流通"八十钱"（以 80 文制钱兑换 100 文小钱）、满钱（以 100 文兑 100 文小钱）即全部是大钱、是足数钱，主要用于缴纳公款及纳税；后来还出现"二七钱"（以 27 文兑 100 文）、"三六钱"（以 36 文兑 100 文）、混满钱（每 100 枚混有一二十枚小铜钱）等。归化城的钱法屡有变动，在清初以九十六文当百使用，叫"九六抵百"，乾隆年间以八十抵一百，随后历年递减，至光绪季年递减为十八抵百。而归化厅以外的各厅，钱则相对稳定。至民国初年，银元基本占领市场，随之制钱逐渐退出流通。

银元是以银为材料的铸币。随着对外贸易的日渐增多，清道光时期流入中国的外国银圆也剧增。宣统三年（1911 年），开始铸造大清银币，银元在市场上的流通，清末时数量已经很少。铜圆清末所铸，每枚重二钱，成色为九五、铅四、锡一，与铜圆的比价为一百比一，每枚铜元当制钱十文。

纸币 清代的通货中有两种性质的货币，一是政府发行，强制通用的国家纸币，一是由典当业、银钱业等所发行的银钱票。前者是从货币的流通手段职能产生的，后者是从货币的支付手段职能产生的。归化城地区纸币的流通最先有大清银行发行的官票宝钞及各种银钱票，还有清代的一些殷实商号、钱庄、当铺等填发的钱帖子、钱票、庄票。这些票帖都可直接凭票兑取现钱。本地流通的纸币在同一时期最多时达 20 余种。

清代以来，一方面，随着内蒙古各城镇商业活动的繁盛，流通市场的货币种类越来越多，流通范围日益扩大。另一方面，从西部包头、归化城至东北部的海拉尔，内蒙古各地商业范围与山西、京津、直隶、东北三省有着千丝万缕的联系，甚受上述各地货币流通影响。

归化城因其商业贸易地位，在清前期即在西部成为金融中心。早期归化城市面流通的货币"银为主，制钱辅之"，后来钱商为了图互相之间汇兑和转账便利，"始有谱银及拨兑"，代替现金。① 随着商贸活动的日益繁盛，约于清中期归化城的票号、钱铺等旧式金融机构组成行社，称宝丰社。宝丰社在归化城经济生活中占据举足轻重的地位，分别在咸丰、光绪年间，因过于

---

① 郑裕孚：《归绥县志》，《经政志·金融》。谱银是能够代替马蹄银的一种票据，拨兑则是可与铜钱兑换的票据。两者均不是实币，但是能够补充官钱供给短缺。另据《绥远通志稿》卷38，《金融》记载，谱银又称谱子，有周转不兑现和兑现之分。

操纵金融、货币市场而遭到官府的惩罚。[①] 官府对宝丰社的指责和惩罚，一方面证明旧式金融机构确实具有左右市面的实力，另一方面也表明了归化城货币市场的不稳定和混乱局面。在口外诸厅中，归化城"惯用短陌钱，银价比他处必昂"。[②]

多伦诺尔在中东部各城镇当中，是流通货币种类较多的地方。货币流通情况与张家口的货币大体相同，有"银块、银圆、老钱（一厘钱）、钱票"四种。[③] 以赤峰为中心的地区，以京津、直隶货币为主，有铜货、银货等多种货币。其中，有旧的货币，即制钱，也有银行发行的新币。此外还有当地发行的钱票，称哈达票（又称街帖），其流通范围在喀喇沁王府以北地区。[④] 以洮南、郑家屯为中心的东部和以海拉尔、满洲里为中心的北部地区主要流通奉天、吉林、黑龙江三省的各种货币。东三省银钱种类"有现银，有帖银，有过炉银，有大小银圆，有铜圆，有制钱，有中钱，有东钱，有过码钱，有屯帖"等。东清铁路修成，"俄之卢布、羌帖遂通行于路线所经"。[⑤] 日俄战争及其后，"日洋及军用手票、正金票、老头票之属，又蔓延于辽沈"，而且，俄国的道胜、日本的正金等外国银行势力渐入，"蓄储既便，汇划亦灵"，金融机关遂"操诸外人之手"。[⑥] 东北地区的中外各种"钱币之紊杂，较内地为甚"。[⑦] 主要的国内货币有吉林永衡官银号发行的官帖、奉天小银元票和东三省官银号、黑龙江广信公司发行的各种钱币等。洮南等地大商铺所发行的私帖，也流通于周围地区。如大赉厅市面上有洮南私帖，其市价与吉林官帖相近。在境外使用则兑换中国、交通两行钱币。此外，在流通领域盛行一时的俄国卢布，至第一次世界大战起，价格渐落，逐渐消失。

---

① "整立钱法碑"，碑文载于今堀诚二：《中国封建社会的机构》，日本学术振兴会1955年版，第744—745页。

② 绥远通志馆：《绥远通志稿》卷38，《金融》。短陌，指以不足一百实数的钱当做一百钱使用的现象。

③ ［日］剑虹生：《多伦诺尔记》，《东方杂志》第5年第10期。

④ ［日］关东都督府编：《东部蒙古志》中卷，1914年，第435页。

⑤ 徐世昌：《东三省政略》卷7，《财政·附东三省币政》。

⑥ 徐世昌：《东三省政略》卷7，《财政·附东三省币政》。

⑦ 徐世昌：《东三省政略》卷7，《财政·附东三省币政》。

　　总之，从各地货币流通的大体情况看，有两种明显的特点。一是多种货币同时流通，二是具有地方性。货币的多种多样，显然与各地金融机构有直接关系。部分城镇设立银行分行，该市场上就使用和流通银行所发行的货币。大部分城镇则没有设立银行等新的金融机构，市场上流通的则是从大城镇流入的货币，或者是充当金融机构的钱铺等所发行的帖子（街帖）。货币的地方性，取决于该地商业贸易势力和邻近各省各地的商业、金融影响。正如上文所提多伦诺尔的事例所反映的那样，流通于多伦诺尔市面的货币与张家口大体相同，该现象无疑是说明张家口商业、金融势力向多伦诺尔的渗透。

　　货币流通　在整个清代自始至终流通中最主要的货币只有两种，即银两与铜钱。银两与铜钱作为货币同时流通，而彼此之间却没有固定的价值联系，因此，在货币供求关系的作用下，银圆和银钱的比价经常变动不定。这种现象到民国政府实行"废两改元"，宣布废止银两，实行以银本位"元"为单位时才基本结束。货币是商品交易的媒介，但在大宗商品交易中市面上经常出现银两、元宝和制钱短缺，不敷应用现象。为此，各商号之间的大宗交易中实行了一种独特性质的货币流通形式——谱拨制。归化城地区的谱拨制产生于嘉庆年间，其特点是各商号间的交易可不使用现金，而以谱银代替现银，以拨兑钱代替现金，每月通过钱庄拨账清算。谱银、拨兑二者并无实质差别，"仅由银号、钱庄互相转账，藉资周转，用以代表银两及制钱而已，其价格且常较现银与制钱为高，周使以来，畅通无阻"，① 甚至有人存储数年不用，视为储藏手段。当时归化城地区的金融行业组织宝丰社，为了搞活金融资金流动，制定出地方性谱拨银和兑拨钱的支付制度。因为严格实行按月集中核对拨账，信用良好，所以执行货币职能，但是不具有纸币特征的独特货币流通形式，一直到"废两改元"才停止使用。

　　清代归化城地区市面上流通的银两种类十分复杂，银色成分混乱。有驴耳朵杂银、马前梁银、馍馍银、库银、国公宝银、俸禄银锭等，其中除了国公宝银、俸禄银锭外，都掺有铝、锡、铅、铁等金属。同时各地间流通的银

---

　　①　内蒙古政协文史资料委员会：《旅蒙商大盛魁》，《内蒙古文史资料》第 12 辑，内蒙古人民出版社 1984 年版。

元宝的名称、成色各不相同。有归化城宝、包头宝、太谷宝、蔚州宝等，蔚州宝质量最佳，归化城宝次之。各行业间使用的银两中，茶行使用的银子叫茶银或九二银，绸缎、布帛行使用的银两叫货银或九四银等。这些银两在流通中与谱拨银有固定不变的比价，但大宗商品交易、异地汇兑等以谱拨银的现银标准价格计算。咸丰、同治朝随着课税项的增多，金融市场上制钱、银两、谱银、拨兑帖子、铜圆、银洋等应运而生。归化城地区还曾制造过二皮钱和沙板钱，与制钱混合使用。

光绪年间内蒙古东部的昭乌达、哲里木等部分盟旗除了使用银元外，还少量流通吉林省宝吉局等银炉铸造的制钱、中钱以及顺治朝后历朝铸造的通宝制钱。总之，清代内蒙古市场上货币流通趋势是银贵钱贱。

三、赈贷和生息银两

赈贷　清代从京师到各直省都有粮仓。从省会至府、州、县俱建立了常平仓，或兼设预备仓。乡村则设社仓，市镇设义仓，为实现经常性的赈贷创造了条件。

清代的常平仓的粮谷主要用作赈贷。归化城地区是从"雍正三年贮谷归化城土拉库"，① 常平仓在五厅（归化城厅、萨拉齐厅、和林格尔厅、托克托厅、清水河厅）皆有。归化城常平仓建于乾隆二十八年（1763 年），在城隍庙侧内有六廒，系按丰欠平粜及供给农民之需。归化城常平仓额定储谷 3 万多仓石，但由于连年的灾害而粮食歉收，各年份的储谷量不一。据乾隆年间（1736—1795 年）的记载最多时储谷 10 万仓石米，少时有 1 000 多仓石。截止到光绪二十二年（1896 年），储谷 23 597 石 8 斗余。从光绪二十六年（1900 年），赈灾发放后无存，即未再积储。萨拉齐厅常平仓，内设六廒，额储谷 3 万石，光绪三十二年（1906 年）即无储谷。和林格尔厅常平仓额谷 3 万石，光绪二十六年（1900 年），赈抚动用后无存。托克托厅常平仓，有仓廒若干储谷 10 万石，至光绪三十二年（1906 年）只留 2 767 石余。清水河厅在乾隆二十七年（1762 年），设常平仓一处，有廒口七所，额储谷 30 560 石，咸丰十年（1860 年）后无存。上述常平仓谷米以政府购买

---

① 《清史稿》卷 96，《食货二·赋役仓库》。

为主，辅以捐纳、摊征和动用库银采买等方式为主要来源。

义仓是官督民办的仓储。如归化城义仓在三贤庙，储谷 1 212 石 8 斗，光绪十八年（1892 年），灾荒赈济后无存。清水河厅义仓附常平仓内，有二廒，光绪年间曾募集斗谷 10 528 石 6 斗。和林格尔厅义仓额谷 30 000 石，光绪二十六年（1900 年）赈抚后无存。义仓米谷来源于百姓，以义租形式缴纳或由商捐。如光绪十八年本地收到捐款银 10 149.744 两等。各仓储谷数量的多寡与当时的粮食产量、耕种面积、赋税负担、灾害发生的频率等有直接关系。

各仓米谷既用作平粜，也用做赈贷，而且主要用做赈贷。《大清会典》卷一二说："国家古制设常平仓，随时籴谷，用资赈贷。"赈贷一般在春夏出借，秋冬归还。归还时每石付息谷一斗。如乾隆三十七年（1772 年），归化城八十三村蒙古等地，被水成灾在六分以上，请计其人口，借给粟米，限二年照数缴纳。①

生息银两 生息银两为清代政府信用中以取利为目的的贷放，其本银谓之"生息银两"。但康熙时还没有产生"生息银两"之名称。雍正时各地的"生息银两"有的发商生息，有的开商店或当铺，有的买田招田。其中有些只是获取利息，有些则是获取经营收益。清代内蒙古地区的生息银两有发商生息和发当生息两种，息银作为公用开支。如乾隆二十三年（1758 年），奉旨备兵驼 500 只，嘉庆四年（1799 年），奉旨每只变价 20 两，共银 1 万两，由归绥道交当铺商民，每月每两生息 1 分，按四季交副都统衙门，备办乌里雅苏台、科布多等处公务差遣及迎送官兵驿站盘费等项之用。嘉庆十九年（1814 年），将发当生息银及煤税共 2 万两，转交归化等厅发商，按月 1 分生息，所收息银用于山后巡缉盗贼斯尔登等四处安设卡伦、发给官兵盘费，每月息银 200 两，尽饷官兵。嘉庆二十四年（1819 年），据绥远城将军奏准在归化城旗库存储土默特驼价生息并修补器械银项内共拨出 9 千两，转交归化等发商，按月 1 分生息，作为驻巡大青山后库特依等三处添设卡伦官兵盘费，每月息银 90 两，以上三项朝廷严格规定用于备办乌里雅苏台等处公务、迎送官兵驿站盘费及山后卡伦巡缉官兵盘费，不得挪作他用。咸丰六年

---

① 绥远通志馆：《绥远通志稿》卷 66，《赈务》，20 世纪 30 年代稿本。

（1856 年），黄河河道南移，在土默特境内涸出之地甚多，蒙旗为此争地涉讼至理藩院，直到光绪十二年（1886 年）四月，经察哈尔都统绍祺于查办土默特达拉特两旗争界案，进行裁断明确分割，土默特分得六成，达拉特分得四成。六成地每亩官租银上地 1 分 4 厘，中地和下地 1 分 3 厘。由萨拉齐厅征租，用于训练土默特精壮蒙丁。自光绪十二年开始征租，每年额征正耗租银 4 160 两 8 钱 7 分 6 厘。至光绪十七年（1891 年）时，土默特六成地租不敷练兵，自光绪十八年（1892 年）正月初一日起，历年六成地租共三万两，由归萨丰宁托五厅发散给各该城当商，按月一分生息，应征息银一律征收库平，① 五厅应按年按季解缴土默特旗库收存，变通作为津贴官兵当差之需。滋后每积至一万两即发商生息。

清代的生息银两就发商生息而言，基本上是低利贷款，也可以说是政府对商人的存款。在商人需要资金时，接受这种存款对经营是有利的，但若不需要资金时却成为负担。

四、高利贷业

典当业　中国典当业有着悠久的历史。清代当铺以经营高利贷性质的抵押放款为主，抵押品大多为实物，诸如金银饰等。农民和城市贫民往往以粮食和衣物抵押。此外当铺还经营信用放款、存款、货币兑换等业务，甚至发行银票和钱票，并兼营其他买卖。

典当业俗称当铺，是中国最古老的信用机构。最早称之谓质库，是以收取动产或不动产作为抵押，对押当人进行放款的高利贷机构。典当业按其规模大小和取赎期限的长短分为典、当、质、按、押五种，一般来说"典"的规模比较大，本金丰富，放宽期限长、数量大，收受的押品价值昂贵。"当"规模和资本仅次于，质、按、押的规模就比较小。典当物的种类一般为"估衣"、"首饰"、"铜锡"、"钟表"及"杂项（农具、羊皮、粗布衣裳）"。典当者多为城乡贫苦大众、下级职员及破落财主等，因生活困难而被迫典当。典当物取赎期限长短不一，分为六个月、一年、二年、三年不

---

① 清代土默特地区的主要用库平和湘平两种，光绪三十四年农工商部和度支部拟定划一度量衡，规定库平一两等于 37.301 克。

等，满期后可以付息续当，否则过期半年作为死当拍卖。典当业的利息率，清朝效法明朝的规定，每月取息不得超过三分（即3%），也有二分五或二分的。清代利息的计算方法有标息利、满加利和折息三种。"标息利以标期行息，名称、利率不一。一般冬春标利息高，夏秋标利息低，标内结清，则免加息，一过此限，另议加头。此种另加利息，名曰满加。此外还有折息，即以日计息，一般在币值不稳定时期采用。"① 一般来说，典当物价值小、取赎时间越短的，利息率就越高。当铺的日常业务，主要是收当、取赎和拍卖死当。收当包括看货、商价、开票、记账、上架；取赎即当票到了满当期，当户向当铺归还本当，付清利息和租栈费，赎回当品；若到期没能赎回，就成为死当（或绝当），抵押品的所有权就属于当铺，由当铺拍卖处理，抵还借款的本金及利息。当铺营业季节性较强，所谓春当秋赎，成为普遍风气。

清代内蒙古中西部商业比较繁华的归化城等地在清康熙、雍正年间，就已有当铺多家。如康熙年间，归化城"有恒升当，称盛一时"，在北门外牛桥。② 据文献记载，归化城最早在雍正十三年（1735年）十月，由民人顾巡昌从归化城同知衙门领取当铺执照，于本地开设长龙号当铺，③ 自乾隆年间开始该地当铺数量明显地增加。如乾隆四年（1739年）大小74座，至乾隆五十七年（1792年）197座。嘉庆十八年（1813年）222座。但是从咸丰年间开始，典当业陷入衰败境地，数量逐渐减少。如咸丰七年（1857年）140座，同治七年（1868年）134座，光绪五年（1879年）122座，光绪十三年（1887年）101座，光绪十七年（1891年）78座。归化城早在雍正年间就起征当课税。④ 乾隆年间"大当每年税银各十二两，小当每年税银各六两"⑤，以后税率加重。如光绪十四年（1888年），为了弥补国库空虚，奉上谕预征20年的当课银，每座计交银120两；光绪二十三年（1897年），户部以当课税太轻为由，奏请每座当铺按50两征收，后经山西巡抚以归化

① 苏利德：《内蒙古金融机构沿革》（1012—1949年），远方出版社2003年版，第7页。
② 土默特左旗编委会：《土默特志》上卷，《经济志》，内蒙古人民出版社1997年版，第313页。
③ 呼和浩特市土默特左旗档案馆，80—28—7。
④ 呼和浩特市土默特左旗档案馆，80—25—2。
⑤ （光绪）《理藩院则例》卷12，《征赋》。

各厅当商皆本小利微为由，恳请减半征收，至此各当每年按25两纳课，扣除预征之税，每年实际交19两；到光绪三十四年（1908年）开始又全额缴纳。

丰镇厅所属地区典当业发展较早。光绪二十五年（1899年）时有33座，均系因行甚小，领本甚微，通年各当架号多系农具杂物以及羊皮粗布衣裳并无贵重之物，约估架本均不过一千吊上下。[①] 除此之外还有道光至光绪年间成立的隆盛庄和清末的德巨当、明巨当、天盛当等20余家。

阿拉善地区，雍正年间始设有山西人经营的源泰当铺，该当铺同时经营放贷款业务。

内蒙古东部的经棚，在清康熙初年既有山西、直隶商人开设4座当铺，即庆德当、恒裕当、广德当、裕庆当。乾隆元年（1736年），山西商人出资在赤峰街开设乾元当铺，乾隆六年（1741年），开设蔚泰当，同治八年（1869年），开设复盛当。嘉庆年间郭拨贡、李景春合资开设普盛当。乾隆四十三年（1778年），在今翁牛特旗四分地原歇业永兴当与该旗王爷合股开设兴顺当。喀喇沁旗在乾隆年间始有利源当铺，至道光元年（1821年），改称利兴号，后光绪七年（1881年），改称通兴当，成为架本十万大洋的大当铺。敖汉旗于乾隆四十七年（1782年），开设万益当，咸丰元年（1851年），王福成开设福兴当，其经营多样势力雄厚，曾盛极一时。经棚"营业面最广和最大的几家店铺事'动产典当铺'，其中最富的是恒裕德。统称为当铺的这种铺子这里共有四家，而这些铺子的所在地——城市的主要街道，因此取名为'当铺街'"。[②]

内蒙古东部的当铺以兼营钱庄、商铺、烧锅、碾磨房、雇工耕种土地等为特点。如赤峰有当铺3家，[③] 郑家屯有当铺7家，实力均厚，兼营粮食、杂货买卖。在郑家屯各当铺的常客中，多有蒙古人，他们拿出金银首饰典当钱物。[④] 海拉尔和满洲里的当铺"外形均系高墙厚壁，内设之柜台较任何商

① 呼和浩特市土默特左旗档案馆，80—6—819。

② ［俄］波兹德涅耶夫：《蒙古及蒙古人》第2卷，刘汉明等译，内蒙古人民出版社1983年版，第412页。

③ 冯诚求：《内蒙古东部调查日记》第4编，《自喀喇沁府至赤峰》，1913年铅印本。

④ ［日］关东都督府编：《东部蒙古志》中卷，1914年，第511页。

号为高"。① 这是一种安全设施，但也可以看做特殊实力和财力的标志。当铺在各城镇中非常普及，甚至县城以下附属小镇多数也都设有当铺。如农安县属伏隆泉有当铺 2 家，赤峰州属乌丹有 1 家。各城镇的当铺，除了本业务——典当业务在各地拥有相当的市场之外，在地方金融领域中也常发挥重要作用。如梨树城没有钱庄、票号等专门金融机构，却有较大的当铺 4 家，与有实力的商家一同承担并完成该地金融机构的借贷、汇兑等许多业务。②

高利贷 清初对借债做出了明确规定，顺治五年（1648 年），世祖谕户部："今后一切债负，每银一两止许收息银三分，不得多索及息上增息，并不许放债与赴任之官放债与民。"③ 清代内蒙古地区的高利贷经营者为农村地主和城镇粮商为主，借贷者一般为贫苦农牧民、市民。其利息率以农村为高，农村的最低利息率为月息二分五厘，四分者居多，有个别的月息高达一成。清代归化城地区的高利贷有以下几种类型：放斗债，也叫放粮债，一般是春借一斗，秋还一斗半到二斗，也有的是春借一斗粗粮，秋后还一斗细粮。放青苗债，即以未成熟的农作物做抵押借债，利息一般为月息三至五分，作物成熟后如不能归还本息，作物就归放贷者所有。还有一种叫"买树梢"，是将未成熟的庄稼出卖，议定极低的价格，到收获粮食后，照议定的价格交粮抵借款。房屋抵押借款，借贷时以房屋、土地作抵，此种借贷利率较低，一般月息不超过三分，到期无力偿还本息，则以产业相抵。驴打滚，也叫金牛翻、双脚跳，一般是借一还二，过期计算复利，期限较长，不以月记息。到期不能归还，利归本、利加利、利滚利计算。本子利，借十元到期连本带利还二十元。还有一本二利的，到期需还本金的三倍。印子利，也叫日夜忙，白天黑夜计利两天，借款一月按两个月计息。死契黏单，借钱时以房地契约做抵押，月息为二至三分，并出具绝卖死契，死契上黏附借款纸据。到期无力偿还，债主即撕去死契上黏附的借据，房地即归债主所有。

商户对牧民的"商贷"是当时牧区高利贷的主要形式。内蒙古地区进行"商贷"的主要是旅蒙商，以牧民的牲畜、土地、作物等作抵押，向蒙

---

① 〔俄〕东省铁路经济调查局：《呼伦贝尔》，《呼伦贝尔之币制》，1939 年汉译本，第 230—231 页。

② 〔日〕关东都督府编：《东部蒙古志》中卷，1914 年，第 676、420 页。

③ 《清世祖实录》卷 38，顺治五年闰四月丁未条。

古人赊销商品，于一定期限后再来讨债。受旅蒙商高利贷者的高额利润的影响，有些蒙古王公贵族、牧主、上层喇嘛等也开始参与高利贷经营。如牧民借一头乳牛为期三年，到第三年归还时要带两个牛犊等。上层喇嘛以高达三分、五分甚至加一、加二的高利率向牧民放贷。

第　九　章

晚清内乱外患对内蒙古的冲击和影响

第一节　19 世纪下半叶的内外战争与内蒙古

道光二十年（1840 年）的中英第一次鸦片战争，标志着中国近代史的开端。清朝的内外局势和社会经济面貌很快发生了巨大的变化，中国社会开始逐步走向半殖民地半封建化。这一全国性重大历史变化，也不可避免地影响到了地处中国北部边疆的内蒙古地区。整个 19 世纪下半叶，对内蒙古社会冲击和影响最大的，主要是发生在区内外的全国性或地区性战争和动乱。

一、内蒙古出兵参加全国性内外战争

1840 年鸦片战争爆发后不久，英军舰队即驶抵天津海口，震动了清廷。道光二十一年（1841 年）以后，战争规模不断扩大。清政府急调各地八旗、绿营增防广东、福建和江浙沿海，英国侵略军也逐步沿海路北犯，并扬言调集舰船、兵力进攻天津。在东南沿海连吃败仗的清朝统治者，遂又想起了曾为满洲贵族打天下立过汗马功劳的蒙古骑兵。该年十月，清廷命时任御前大臣、八旗都统的科尔沁左翼后旗札萨克郡王僧格林沁等巡视天津海口防务。① 二十二年（1842 年）夏，战争形势愈趋危急，清廷急令察哈尔都统"预备察哈尔蒙古精兵二千名"，"驻扎口上游牧听候调遣。"旋即"著饬令

---

① 《清宣宗实录》卷 359，道光二十一年十月戊子条。

迅速启程，前赴天津。"并委派僧格林沁和署领侍卫内大臣、喀尔喀三音诺颜部札萨克亲王车登巴咱尔，传旨申谕察哈尔骑兵"务各奉法在途行走，速抵天津。"① 与此同时，又征调内蒙古东部哲里木、卓索图、昭乌达三盟"蒙古精兵三千名"，"在于各该盟近口地方驻扎，听候调遣。"② 由于清政府不久即战败求和，签订屈辱的《南京条约》，这些征调备战的各路蒙古骑兵，随即被遣返回籍。

这次全国性规模的反侵略战争，虽然战火远未烧到蒙古地区，但仍然对承平已久的蒙古族社会造成了很大影响。除上述奉命出征的 5 000 名蒙古骑兵，蒙古各阶层还捐献大量马匹以供军需。当察哈尔骑兵奉调出征时，清廷还从察哈尔地区的商都、太仆寺等牧群，即由蒙古牧丁承担牧养的官马厂征调了 4 000 匹战马。由于部分察哈尔兵丁、跟役"无力自备骑乘"，有 3 位察哈尔佐领、骁骑校等各捐献乘马 100 匹。此外，还有"察哈尔蒙古官员兵丁共捐马二千五百五十匹"，察哈尔"军台扎兰章京旺楚克等共捐输马一千零五十匹"，以及太仆寺、商都等牧群蒙古官员的捐输马匹，后来因战争结束而未被"赏收"的卓索图盟副盟长、喀喇沁中旗札萨克头等塔布囊克星额的"进马一百五十匹"。③

咸丰三十一年（1851 年），南方爆发太平天国反清起义。咸丰三十三年（1853 年）夏，已定都南京的太平天国派北伐军远征京畿，一路过关斩将，并于九月底在临洛关击溃了钦差大臣、直隶总督讷尔经额的重兵堵截。同年四月，已有归化城土默特蒙古官兵 1 000 人，由绥远城将军率领南下中原，镇压、堵剿太平军。六月，清廷又命僧格林沁等督办京城巡防。临洛关失守前后，又急调察哈尔马队 2 000 名，哲里木、卓索图、昭乌达三盟骑兵 3 000 人进京备防，分交驻京当差的护军统领、喀尔喀土谢图汗部二等台吉多尔济那木凯和理藩院额外侍郎、扎赉特旗札萨克贝勒拉木棍布扎布，八旗都统、土默特右旗札萨克贝子德勒克色楞等统带。同时还征调了察哈尔马 5 000 匹、锡林郭勒盟捐马 3 000 匹。十月，咸丰帝命宗室惠亲王为奉命大

---

① 《清宣宗实录》卷 373，道光二十二年五月癸酉条。
② 《清宣宗实录》卷 373，道光二十二年五月甲子条。
③ 《清宣宗实录》卷 376、377、380 相关条目。

将军、僧格林沁为参赞大臣督办军务，自僧格林沁率京营八旗和东二盟、察哈尔马队出京堵剿太平天国北伐军，北伐军屯驻天津以南独流、静海之后，由南方尾追而来的钦差大臣胜保，率包括归化城土默特马队在内的各路清军前往围攻。清廷还派土默特贝子德勒克色楞"帮办胜保军务"，驻京科尔沁镇国公棍楚克林沁赴僧格林沁军营。胜保久攻不下，僧格林沁奉旨率所部与胜保会攻，终于次年二月初攻陷独流、静海。①

太平天国北伐军突围南下，一路遭到僧格林沁、胜保两部清军的围追堵截，北伐军主将林凤祥率部踞守连镇，被僧军围困；另一主将李开芳率一部由连镇突围南下，被胜保、德勒克色楞部马队追至高唐包围。咸丰五年（1855年）三月，僧格林沁攻破连镇，生俘林凤祥。胜保因久攻高唐不下被清廷撤职，改令僧格林沁指挥围攻，同年五月底，僧军终于在高唐以南的冯官屯全歼北伐军残部，李开芳亦被生俘。②

由于为清廷立下显赫战功，僧格林沁晋封世袭博多勒噶台亲王，拉木棍布扎布加郡王衔、德勒克色楞加贝勒衔、棍楚克林沁"赏戴"双眼花翎并在乾清门行走。其他参战的台吉、塔布囊等也受到种种封赏，其中包括僧格林沁的胞兄琅布林沁晋封辅国公，胞弟崇格林沁"赏给二品顶戴并赏戴花翎"。③ 清朝自道光二十年（1840年）以来在内外战争中几无胜绩可言，僧格林沁此役使清廷极为振奋，所以他才会在第二次鸦片战争中成为职权最重的军事统帅。

咸丰十年（1860年），僧格林沁在八里桥之战失败后，爵、职均被褫夺，参战的察哈尔、东三盟马队也奉命遣返。但时隔仅1个多月，由于山东、河南和直隶南部捻军等"贼匪蜂起"，清廷又重新起用僧格林沁，复其郡王爵，仍任钦差大臣率兵征讨。同时还将拟遣返的1 200名哲、昭二盟马队仍归僧军，后来又陆续征调归化城土默特官兵1 000人、察哈尔马队1 250人等南下征剿。另有已奉调南征的哲、昭两盟兵1 300人，中途为镇

① 参阅《清文宗实录》卷87—89、93—120；《中国近代战争史》第1册，第104—112页；刘毅政：《太平军北分伐与僧王督办军务纪略》，内蒙古社会科学院历史研究所《蒙古史研究通讯》第2辑，1985年。

② 《清文宗实录》卷125—127、157、159、165—167相关条目。

③ 《清文宗实录》卷157、159、165、166相关条目。

压东北各族反清起义而被截留。①

自咸丰十年（1860 年）冬起，僧格林沁率八旗、绿营和蒙古骑兵等清军追剿捻军和太平军、宋景诗黑旗军等反清义军，辗转征战于直隶、山东、河南、淮北、鄂北各地，并于同治二年（1863 年）三月攻陷捻军重要据点亳州雉河集，全歼著名首领张乐行部。期间，因战功先后复世袭博多勒噶台亲王爵，御前大臣、领侍卫内大臣、八旗都统等职，加封其子伯彦讷谟祜世袭贝勒。并受命"统辖山东、河南军务，并直隶、山西四省督、抚、提、镇统兵大员均归节制"。由于所部有许多蒙古官兵，清廷曾一再谕令将上谕译成蒙古文"宣示"。② 至同治四年（1865 年）五月，僧格林沁所部因长途追剿，兵马疲惫，终于在山东曹州（今菏泽）高楼寨被捻军设伏全歼，僧亦战死。僧死后，清廷予以配享太庙、谥号"忠"，同治幼帝亲临僧宅祭奠，又加封一孙为辅国公等殊荣。先后在僧部从征战殁的还有八旗都统、齐齐哈尔达斡尔人舒通额，护军统领、海拉尔达斡尔人恒龄、察哈尔总管伊什旺布等各族将领。③

僧格林沁死后，余部交曾国藩等接管。所余蒙古军队，奉旨分别遣返，其中有哲、昭两盟官兵 380 余人、察哈尔官兵 480 余人，归化城土默特官兵 100 余人。④

二、陕甘回民起义军在内蒙古

当清朝统治者面临两次鸦片战争和太平天国反清起义严重内忧外患之际，清朝反动统治下长期积蓄于各地的阶级矛盾、民族矛盾也接连显露、激化，武装反抗、起义接踵爆发。

同治元年（1862 年）夏秋间，在进入陕西的太平军和四川农民军的直接影响下，陕西渭南、甘肃平凉、固原，宁夏（当时属甘肃省）金积堡（今宁夏吴忠市县境）等地回民接连起义反清。是年 9 月，据率兵入陕"剿匪"的钦差大臣胜保奏报，"回匪"已有"图窜归化城"的迹象。12 月初，

---

① 《清文宗实录》卷 331、343、344 相关条；《清穆宗实录》卷 16、40、57、138 相关条目。
② 《清穆宗实录》卷 108、137 相关条。
③ 《清史稿》卷 404，《僧格林沁传》、《舒通额传》、《恒龄传》。
④ 《清穆宗实录》卷 141、152、159、164 相关条目。

又有回民军已进迫内蒙古边境花马池（今宁夏盐池）的急报。清廷急命绥
远城将军、喀尔喀蒙古土谢图汗部札萨克贝子德勒克多尔济等调集乌兰察
布、伊克昭两盟蒙兵及归化、绥远二城和大同镇各路清军布防。德勒克多尔
济遂命伊盟副盟长、准格尔旗札萨克贝子扎那噶（济）尔迪为伊盟蒙兵统
带，乌盟副盟长、乌拉特中旗札萨克辅国公拉旺哩克锦（勒旺仁钦）为乌
盟各旗兵统带，率兵驻防沿边地区；绥远城、大同镇旗、绿各营驻防托克
托、萨拉齐、清水河等沿河一带。至是年末，扎那噶尔迪率伊盟各旗500蒙
兵分别驻守花马池等沿边各口，负责安边至横城口（堡）600里防务，另有
达拉特旗协理台吉率各旗蒙兵300名协同鄂托克旗驻防横城口至磴口400里
黄河沿岸。①

　　同治二年（1863年）初，宁夏、平凉回民起义大盛。先是金积堡回军
围攻宁夏（今银川）、灵州（今灵武）、平罗，清廷急令理藩院和宁夏将军
传谕伊克昭盟和阿拉善旗，"迅速调派阿拉善、鄂尔多斯各盟精兵数千，即
日率领由贺兰山口径趋平罗、宁夏，与内地兵、练觇贼所在，合力剿办。"②
二月，平凉府回军攻克固原，清廷又谕令征调阿拉善、伊克昭蒙兵3 000
人、归化城土默特蒙兵2 000人"星驰赴固"会剿。

　　但此前归化城蒙古兵1 000人"已全数调往（内地）僧格林沁军营"，
绥远城将军德勒克多尔济只好再"檄催"伊克昭盟盟长乌审旗札萨克贝子
巴达尔瑚"选派精兵克日赴甘"。新征调的1 500名伊盟蒙古兵在札萨克旗
札萨克头等台吉扎那巴尔嘎查（扎那巴兰札）率领下奉命集中定边后，由
于其中"年老体弱者，手中无兵器者，骑乘之驼马瘦弱者甚多"，被陕甘总
督裁汰遣回1 000人，选留500人入关参加"剿回"。③ 期间，札萨克郡王
额尔奇木毕哩克还因"托病迁延"未能按期征调本旗兵，被清廷责令"交
理藩院议处"。④ 奉调入关"会剿"的约1 000名阿拉善旗蒙兵，行抵平罗
边口时遭到数千回军伏击，官兵伤亡200余人，"遗失驼马、军械甚多"。

　　① 《清穆宗实录》卷38、40、46。
　　② 《清穆宗实录》卷50、52。
　　③ 《清穆宗实录》卷57、62、73、76。
　　④ 《清穆宗实录》卷59，同治二年二月庚子条。

所余 800 多阿拉善兵绕道渡黄河行抵伊克昭盟沿边草地后，也以"远来疲乏"、恐"不得力"，被陕甘总督咨令遣返回旗。期间，又一度被宁夏将军截留于宁夏边口"听调"。①

同治二年（1863 年）末，以伊斯兰教新派首领马化龙为首的金积堡回军攻破灵州和宁夏府城。围困八旗军驻守的宁夏满城，内蒙古西部沿边均受威胁。清廷急令从直隶、山东调兵 4 000 人，由署直隶提督率领沿北路即内蒙古境内西援征剿，并命德勒克多尔济等先期严密布防以待西调大军，递又有新征调的伊盟兵 500 人、乌兰察布盟兵 600 人被分布于沿边、沿河增防。②紧邻宁夏的阿拉善旗因更为地广人稀，札萨克亲王贡桑珠尔默特即奏请"饬邻近旗分领兵赴援，并恳赏赐大炮、火器，以资防剿"。而与此同时，因前方奏报马化龙回军在沿边设立集市，与阿拉善蒙古兵民交易、"勾串"，清廷还曾饬令贡桑珠尔默特严申禁止。③

同治三年（1864 年），陕甘各地回民起义烽火更加蔓延、炽烈，受其影响，新疆各地也爆发回民④反清起义，清朝西北边疆地区全面震动、危急。陕甘驿路被阻，清朝通往新疆的军政文报，正式改行张家口出边经漠北西达的外蒙古驿路台站。又在内蒙古西部增设台站，由绥远城将军等督饬各盟旗备办驼马转运、护送北路清军所需粮秣军饷。伊克昭盟统兵贝子扎那噶尔迪，即因"拨运宁夏粮饷出力"，被清廷赏加贝勒衔。⑤

同治四年（1865 年）以后，陕甘各路回军开始进扰内蒙古西部沿边地区。当年夏，宁夏回军欲出边口截断清军粮饷运道。被驻军磨石口的阿拉善蒙兵击退。阿拉善亲王贡桑珠尔默特获清廷"传旨嘉奖"。甘肃陇东回军企图由花马池、定边一带进扰伊克昭盟，亦被守边伊盟蒙兵击退。同年末，归化城副都统桂成率乌兰察布盟蒙兵增防花马池一带，2 个月内数次击退出边

---

① 《清穆宗实录》卷 67、70、73、76、83 相关条目。
② 《清穆宗实录》卷 86、87、89、92、93 相关条目。
③ 《清穆宗实录》卷 91、94 相关条目。
④ 一般史书所称新疆回族，包括维吾尔等信仰伊斯兰教的穆斯林各族。本书为行文概略，仍用此旧泛称。
⑤ 《清穆宗实录》卷 95—98、111、120、124、146 相关条；《清史稿》卷 520，《藩部三，阿拉善额鲁特部传》。

回军。① 同治五年（1866 年），新疆回军攻破伊犁、塔城等重镇，全疆"危急"。清廷急令征调内地及内外蒙古各路军队由北路西援，其中包括察哈尔 500 人，乌伊两盟 300 人，锡林郭勒盟 250 人；并将"年逾七旬"的乌里雅苏台将军明谊免职，改派时任绥远城将军的喀尔喀贝子德勒克多尔济继任，负责外蒙古西部军务。② 同年冬，由于宁夏回军进扰阿拉善旗并"窜至包头"，清廷改令拟西调的察哈尔和乌、伊两盟蒙兵 700 人留驻包头，加强防务。六年（1867 年）秋，有万余陕北回军一度进占伊盟南部沿边宁条梁一带。同年冬，又有"蒙古官兵击退越边窜匪"及进入陕西的捻军，"势渐北趋"的警讯。清廷又先后调集土默特蒙兵 500 人、察哈尔右翼四旗蒙兵 1 000 人及大同、太原绿营兵 2 000 人驻防归绥、包头一带，并再次起用已因病卸职回旗的外蒙古王公德勒克多尔济"驰赴"绥远城会同"办理防务"，旋即署任绥远城将军。③

由于连年"剿回"，师久无功，清政府改派镇压太平军、捻军起家的湘军主将左宗棠为钦差大臣、陕甘总督，"督办陕甘军务"。同治七年（1868 年），左宗棠率军入陕，逐步将南路各地回军击败，向北挤压，退聚陕西北部的回军开始突破蒙边，大批进入内蒙古西部。是年春，已有万余回军占据宁条梁；夏秋间，有几支回军马队深入伊盟腹地，盘踞准格尔境内古城、十里长滩等地四出袭扰郡王、达拉特、杭锦、札萨克旗境。同年冬，回军还向北突破河防"分扑包头镇、昭君坟"，进扰后套地区。至同治八年（1869 年），各路回军已遍布伊盟各旗、后套地区，并围困阿拉善旗定远营城一个多月，整个内蒙古西部均成为陕甘回民反清起义的主要战场。原来分散驻防沿边沿河地区的乌伊两盟和阿拉善旗蒙兵，无力抗击蜂拥而入的各路回军，纷纷溃散。清政府为确保黄河河防、归绥、包头等边地重镇和北路军运通道，从同治七年（1868 年）后期又陆续抽调大批内地清军进入内蒙古西部，由北路重兵围剿陕甘回民军。其中包括京旗神机营、天津洋枪队，察哈尔马队，吉林、黑龙江马队，新受命带兵赴任的宁夏副都统金顺所部，以及宋庆

---

① 《清穆宗实录》卷 127、143、155、156、162 相关条目。
② 《清穆宗实录》卷 172、177—179、184 相关条目。
③ 《清穆宗实录》卷 210、215、216、222 相关条目。

所部毅军、张曜所部嵩武军等等，总计当不下数万人，仅同治八年（1869年）夏间留驻分防"沿河地面"的"满蒙旗绿等营"防兵，即达 5 000 余人，直到九年（1870 年），在各路清军重兵围剿下，陕西回军才纷纷败溃，陆续退出内蒙古西部。①

同治九年（1870 年）春，由河西走廊北上进扰外蒙古的回民军首次"焚掠"了察哈尔北部军台，同年冬，经额济纳旗大举攻入漠北。一度攻占乌里雅苏台城的河西肃州回民军，在返回途中又进扰乌兰察布盟乌喇特中旗一带。十年（1871 年）夏，进入漠北的回民军在北路清军围剿下，退入乌兰察布盟北部边境，与乌盟、察哈尔蒙兵及其他清军交战。为防止回民军继续"东窜"，清廷还征集热河八旗兵 1 000 人、昭乌达、卓索图二盟蒙兵2 000 人备调增防多伦等地。十一年（1872 年）和十二年（1873 年），又有陕西和肃州回军余部两度进扰阿拉善旗境内。②

延续 10 年之久的陕甘回民起义和清朝镇压回军的战争，特别是同治七年至九年（1868—1870 年）蔓延蒙旗腹地的战乱，给内蒙古西部各盟旗造成了有清以来最为严重的灾祸和劫难。连年的战火夺走了许多蒙古丁壮（士兵）的生命。战争初期，奉调入关"剿回"的 500 名伊盟蒙兵在频繁的战斗中"伤亡甚多"。驻守沿边一带的千余伊盟蒙兵也因"身无御寒之衣"、"腹无充饥之食"而"生病倒毙者不少"。战火蔓延蒙旗境内之后，仅同治七年（1868 年）六至十月间，驻防沿边沿河地区的乌、伊两盟 2 000 名官兵即阵亡 216 人。至 1870 年底，两盟出征官兵已阵亡 467 人、受伤177 人。③

战争期间，盟旗出征官兵"应需军器、驼马、帐房均自行筹备，所有倒毙驼马、损坏兵器、破烂皮衣，亦须随时摊办补齐"。为驮运清军粮饷和武器装备，清政府还从各盟旗征调大批驼马，在内蒙古西部增设、新辟驿路台站之后，各蒙旗承担了更为繁重的运递任务。同治元年（1862 年），仅为

---

① 苏德毕力格：《陕甘回民起义期间的内蒙古伊克昭盟》，《内蒙古师范大学学报》1998 年第 5期。

② 《清穆宗实录》卷 280、299、301、311—315、337、351。

③ 苏德毕力格：《陕甘回民起义期间的内蒙古伊克昭盟》，《内蒙古师范大学学报》1998 年第 5期。

从归、绥将一批清军火器运往陕西定边，就从伊盟各旗征调了 200 多峰骆驼。同治四年（1865 年），从归化城至磴口新设 13 个粮饷转运台站，每站所需几十名站丁和上百峰骆驼均由各盟旗分摊。从包头经鄂尔多斯至花马池新设 12 个临时驿站，所需马匹、兵丁亦由伊盟各旗承担。① 同治九年（1870 年）末，乌里雅苏台失守后清朝调大军进入漠北，曾要求锡林郭勒盟十旗每旗提供 300 峰骆驼。②

除了军需征调，战乱兵灾尤使蒙古族人民的牲畜、财产损失惨重。如同治七年（1868 年）春，由宁条梁进扰乌审旗的一股回民马队，即"烧毁房舍五百余间，掳掠蒙汉人之牧畜六千余只"。察哈尔马队一次在郡王旗和达拉特旗之间击溃回民军后夺回被劫的大量牲畜，即有 1 000 余匹马、数万只羊、几千头牛和几百头驴。③ 八年（1869 年）夏，当清政府再次谕令乌、伊等盟备齐 3 000 峰军需骆驼时，绥远城将军等复奏说："伊克昭盟连年被匪滋扰，牲畜一空。乌兰察布盟所属屡奉征调，且乌喇特旗境被贼窜扰，穷苦难堪。驼只均难筹备。"使清廷不得不"著暂缓筹办，以示体恤"④。

蒙古民族的宗教文化活动中心和金银财物集中地藏传佛教寺庙亦遭严重劫难。同治六年（1867 年）冬，乌审旗的班禅庙首先被回民军烧毁。其后，较著名的乌审旗甘珠尔庙（乌审召）、杭锦旗浩特勒伊波勒图庙、郡王旗的察干苏卜日嘎庙等亦遭劫掠、焚毁。据确切记载，仅郡王旗就有大小 27 座寺庙被损毁。⑤

除了由于民族隔阂、冲突导致的仇杀劫掠，清军官兵也是战乱兵灾的祸源之一。如同治六年（1867 年）夏，有甘肃清军副将刘锡海所部官兵，"在河西蒙古地方殴兵抢马"、"肆行讹索"和"沿途抢夺"。同治九年（1870 年）春，阿拉善旗又发生了清军参领尚玉"抢夺驼只"，"提督金运昌委员郑瑞品，在该旗采买粮石，拷打市民，纵勇抢掠粮草、驼只，旗民惊慌"

① 苏德毕力格：《陕甘回民起义期间的内蒙古伊克昭盟》，《内蒙古师范大学学报》1998 年第 5 期。
② 《清穆宗实录》卷 295，同治九年闰十月丙戌条。
③ 苏德毕力格：《陕甘回民起义期间的内蒙古伊克昭盟》，《内蒙古师范大学学报》1998 年第 5 期。
④ 《清穆宗实录》卷 257，同治八年四月辛未条。
⑤ 苏德毕力格：《陕甘回民起义期间的内蒙古伊克昭盟》，《内蒙古师范大学学报》1998 年第 5 期。

等事件。①

在遭受战乱影响最早、时间最长的鄂托克旗，生命财产损失尤为惊人。为了躲避战乱，管理旗务的协理台吉携未成年的札萨克贝勒察克都尔扎布及部分旗民先期逃到阿拉善旗。当他们乱后返旗时发现，八十三个苏木之台吉、章京、阿勒巴图人等，或出征打仗，受伤致死，或遇"回匪"被害致死，或无处藏身，冻饿致死，以至各苏木之一半人口损失殆尽。在杭锦、乌审等旗，年老体弱者藏匿于沟壑，年富力强者远走他乡，但仍有不少人因冻饿死于旷野。② 同治十年（1871 年）夏天亲眼目睹了战后鄂尔多斯悲惨情景的俄国旅行家普尔热瓦尔斯基写道："东干人（指回民）自西方攻入此地，并摧毁一切所碰到的。当时，许多蒙古人为了保住性命，只好放弃家中所有东西和牲畜，四处逃奔。所以现在到处可以看到被丢失的、并且已野性化的牲畜。"③ 因长期失去主人而家畜"野性化"，便成为当时悲惨战祸的逼真写照。

紧邻宁夏马化龙回民起义中心的阿拉善旗，战祸也十分严重。同治二年（1863 年），奉调入关的阿拉善蒙兵在平罗口遇伏，一次就死伤 200 多人。已如前述，清政府增设驿路台站也大为增加了阿拉善旗的负担。同治三年（1864 年）春，该旗仅一次就奉命用 500 峰骆驼向被围的宁夏满城运送小麦 3 000 石。至同治五年（1866 年）秋，该旗已"捐输垫办防堵蒙兵饷需，并换运军粮、火药等项"，花费"共银二万余两、驼马四百匹之多。军务一日不竣，则台站一日不撤。该亲王力难为继。"同治八年（1869 年）夏，回军七八千人大举攻入阿拉善旗，围困定远营城长达月余，并将城外寺院、房屋焚烧，抢掠街市。贡桑珠尔默特祖茔及西园府第亦被焚毁。④

三、内蒙古东部的金丹道之乱及其严重后果

金丹道是内蒙古东部昭乌达、卓索图盟一带的汉族民间秘密结社。它原来是内地白莲教的一支，约于 19 世纪 70 年代传到热河边外。它的分支还有

① 《清穆宗实录》卷 209、276、280 相关条目。
② 苏德毕力格：《陕甘回民起义期间的内蒙古伊克昭盟》，《内蒙古师范大学学报》1998 年第 5 期。
③ ［俄］普尔热瓦尔斯基：《蒙古与青海》，内蒙古教育出版社 1990 年版蒙古文本，第 208 页。
④ 《清穆宗实录》卷 98、156、261 相关条目。

在理教和武圣教等。金丹道的秘密宗旨是"反清复明"，日常以吃斋行善相号召，所以也称"学好会"，实质上是以信教的名义结社自保的民间组织。它的主要首领有杨悦春（称为总老师）、李国珍等人，蒙旗境内的成员多是租种蒙地的佃民。如杨悦春就是敖汉旗闲散贝子达克沁属地的佃户。蒙旗佃户中的金丹道教民，经常受到蒙古贵族的欺凌压榨，滥肆征敛派差，甚至严刑拷打致死。同时，汉族佃户（包括已成为地方大户的"二地主"）恃众抗交拖欠蒙旗租银的现象也时常发生。住在天主教教堂附近的金丹道教民，也常与天主教教士、教民发生矛盾冲突。这些矛盾的激化，导致了暴动的发生。

光绪十七年十月初九（1891年11月10日），杨悦春以风闻达克沁贝子欲征调蒙兵1 000余人"托辞打猎""杀（汉）民腾地"① 为借口，召集金丹道徒众上千人，"先发制人"，乘夜攻破贝子府，将达克沁贝子全家（个别脱逃）及其仆从，附近数百家蒙古人几"全行杀害"，房屋"焚毁大半"。杨悦春将贝子府改称"开国府"，被众推为首，"出示安民，一面制造旗帜器械，抢掠马匹军火，以备攻打蒙古，抵敌官兵，欲占平（泉）、建（昌）、朝（阳）、赤（峰）四州县。"然后分兵四路，一路"招集五千人，抄杀东路土默特旗一带"；西路会集五六千人，至"平泉州、喀喇沁等旗一带抄杀"；北路令李国珍（后称"扫北武圣人"）等"招集七八千人，分往札萨克王旗（指敖汉札萨克郡王）、奈曼王旗、梅林王旗（指敖汉旗闲散郡王）一带抄杀"；一路南下攻打朝阳，另有佟杰（"平西王"）等前赴建昌联络在理教林玉山共同起事。②

杨悦春在敖汉贝子府"竖旗"造反后，各地金丹道、在理教及教外汉民蜂起响应，旬日之间发展到数万武装，烽火迅速遍及整个卓索图盟和昭乌达盟南部各旗。贝子府失陷后，协办盟长、敖汉旗札萨克郡王达木林达尔达克及该旗闲散郡王察克达尔扎普各率二三百蒙兵分别前往迎击，因金丹道武装愈聚愈多、众寡悬殊，均败退下来。察克达尔扎普逃赴热河（承德）和

---

① 遍阅有关金丹道暴动的历史档案和其他基本史料，当时并无达克沁征调蒙兵的迹象。

② 《清代档案史料丛编》（十二），中华书局1987年版，第341、332、317、305、346、347、283、386页。

京城理藩院请兵求救；达木林达尔达克则从翁牛特左旗请调 400 余援兵。仍屡战屡败，两王府均被攻占、焚毁。12 月 1 日，达木林达尔达克会同副盟长、翁牛特左旗札萨克贝勒德木楚克苏隆率兵 500 余再战再溃。李国珍所率金丹道武装进占翁牛特左旗衙署（王府），"放火焚烧，并入乌丹城（今翁牛特旗乌丹镇）街内"。由敖汉贝子府南下的金丹道武装，沿途迅速发展扩大，于 11 月 13 日攻占朝阳县衙。然后分兵攻占、焚毁了土默特右旗札萨克贝子府和土默特左旗札萨克贝勒府，左旗贝勒色陵（凌）那木济勒汪（旺）宝率 200 蒙兵抵敌，连战败溃，伤亡殆尽。另路东进的金丹道武装于 11 月 16 日进入奈曼旗境，"先行占据札萨克衙门，所有庙宇房产财物档案均被烧毁，并将旗仓备存仓粮军械抢掠一空"。在贝子府西南方向，金丹道武装也先后攻占四家子（建昌）县丞衙署、大名（明）城（今宁城县境）、（平泉州）州判衙署和喀喇沁中旗札萨克公衔头等塔布囊阿育尔扎那（俗称"阿公"）王府，州判于南筠、喀旗塔布囊福伦在率乡勇、蒙兵抵抗时均战死。[1]金丹道武装进占喀喇沁右旗东部后，被该旗闲散辅国公林沁多尔济等率蒙兵、乡勇截击、阻滞，其西部腹地未受很大扰害。[2]

在建昌、平泉南部地区，在理教林玉山得悉金丹道在敖汉贝子府起事后，亦率众武装暴动，会同金丹道佟杰等先后攻破焚毁三十家子（11 月 16 日）、平泉州街（11 月 18 日）和平泉以西聂（崖？）门子（11 月 21 日）天主教堂，并四出焚掠蒙众。喀喇沁左旗护印协理塔布囊等督率蒙兵、招募乡勇 1 000 余人"竭力拒守保护"，札萨克衙署得以"保全"。另有喀喇沁右旗记名协理希里萨拉率蒙兵、乡团"扼要堵剿"、"与贼力战"，建昌县城亦未被攻破。[3]

清政府闻讯，急令直隶、奉天等地精锐清军前去镇压，在一个多月的时间里，经建昌、朝阳、赤峰和翁牛特、敖汉旗等地的连续激战，各地金丹道武装相继溃败，李国珍等首领被擒杀。迄 12 月底，"开国府"被清军攻破，

① 《清代档案史料丛编》（十二），中华书局 1987 年版，第 397—398、311、313、252、322—323、279—280、339、238、281、284、375、395—396 页。

② 《清代档案史料丛编》（十二），中华书局 1987 年版，第 284—285、375、379 页。

③ 《清代档案史料丛编》（十二），中华书局 1987 年版，第 239—241、247、248、342、347、275、282—283、386、395—397、391 页。

躲藏在山林里的杨悦春也被捕获，暴动最后失败。

　　这场主要起因于反抗蒙古王公贵族欺凌压迫、部分地区兼以反洋教，并在一定程度上具有反抗清朝统治性质的汉族农民（实包括地主乡绅、手工、采矿业者、民间巫师、无业游民等各阶层）武装暴动，事实上很大程度上演化为一场民族仇杀惨剧，使战乱地区蒙古族人民遭受了有清以来的空前浩劫。在"受害最重"的卓索图盟五旗、昭乌达盟敖汉、奈曼、翁牛特左旗共8个蒙旗，除了贵族札萨克王府被抢掠、杀戮、焚毁，王公、（清室下嫁）公主陵墓被掘毁"开棺焚尸"，蒙古平民村屯，喇嘛寺庙亦遍遭蹂躏。暴动发起后，金丹道武装"凡所至之处，将蒙古不论老幼尽行杀害，并将沿旗蒙古房屋及庙宇均行放火烧毁"。"据各处禀报，此等匪徒……凡遇蒙古人及喇嘛庙宇无不烧杀抢毁，而于民人则但图裹胁。"三省练兵大臣定安奏折称：在喀喇沁三旗地区，五官营子一带"贼匪自起事以来，……始则烧杀蒙古"；"贼首"佟杰等率众在建昌南部高（叨）尔登地方"烧杀蒙古二百余人，肆行扰害"；"榆树林、叶柏寿之匪均极强悍，……自起事以来蒙部遭其蹂躏不堪言状"；喀喇沁与敖汉交界道古郎营子、白音格勒川等处，"近有贼匪……肆行滋扰劫掠，焚烧蒙古村舍"。在土默特左旗，札萨克贝勒府被占之后，"所属境内已占三分之二，房屋、庙宇、军粮尽被焚烧。该旗所管官员兵丁，除被贼伤毙外，余皆遭散，不知所往。"金丹道首领齐保山等于敖汉贝子府起事之后，"带领伙匪前往东土默特（右旗）地方抢夺贝子府，沿路烧杀蒙古村屯落无数。""扫北武圣人"李国珍"为赤峰一带总逆首，……到处焚烧蒙古，不分老幼一并杀害"；起事不久，即在敖汉贝子府以北敖吉地方"烧杀蒙古，抢夺枪炮马匹"；"查该逆倡乱以来、焚烧两王府。数百里蒙部均被蹂躏，惨不可言。"金丹道武装攻入奈曼旗之后，"该旗被难台吉壮丁等十室九空"。① 以上引述，大多出自汉族清军将领的亲历见闻报告。

　　死于这场战乱的蒙古人总数尚未见概略统计，仅"据敖罕、奈曼、翁牛特贝勒、西土默特贝子各旗呈报，被害户口或数百名，或二三十名不

---

　　① 《清代档案史料丛编》（十二），中华书局1987年版，第350、383、339、312、316、317、311、279、261、262、246、280、322—323、315、339页。

等", 清军前敌统帅叶志超在捕获杨悦春之后奏称, "所有数万生灵尽被该逆残害"。而"被该逆残害"的"数万生灵", 绝大多数应是蒙古族平民。此外, 不仅受害最重的 8 个旗, "其余各旗凡当贼匪经过之地, 所在民蒙均不免流离失所。除喀喇沁右旗之外, 各旗蒙众及逃窜难民, 乱定归来嗷嗷待哺者, 共计六万余户三十余万丁口。"① 还有众多蒙古人辗转逃亡昭乌达盟北部和哲里木盟各旗后, 定居在那里没有返回。

社会历史的矛盾运动是错综复杂的。在民族之间的矛盾隔阂严重存在的封建时代, 金丹道武装暴动虽然也直接或间接地打击了蒙古王公贵族和清朝统治, 但毋庸讳言, 它也给当时当地的民族关系, 特别是深受劫难的蒙古族人民, 造成了十分严重的灾难。

第二节 外国势力的侵略和渗透

一、外国经济势力侵入内蒙古

两次鸦片战争期间, 沙皇俄国乘英法等国从南方打开侵华大门之机, 以种种手段胁迫清政府签订一系列不平等条约, 割占中国东北和西北大面积领土, 从北方打开了侵略中国的大门。同治元年 (1862 年), 俄国又胁迫清政府签订了《陆路通商章程》, 并于同治五年 (1866 年)、光绪七年 (1881 年) 两次续订、改订了《陆路通商章程》。通过这些不平等条约, 俄国不仅获得了在外蒙古、新疆地区减免税贸易等侵略特权, 并开始越过戈壁沙漠侵入内蒙古地区。

鸦片战争之前, 中俄陆路茶叶贸易主要通过总号设在归化城等地的中国旅蒙商之手进行。俄国攫取种种通商特权之后, 俄商便直接进入我国南方产地收购茶叶, 并于武汉、九江等地开设近代化砖茶工厂自行加工, 尔后经海路运至天津, 再由陆路经蒙古免税或减税运往俄国, 或者在蒙古地区销售。这种不平等的茶叶贸易, 使得在国内过关卡照旧纳税的我国不少旅蒙茶商遭到损失, 倒闭破产。归化城、张家口等地的许多专营驼队, 也转而受雇于俄

---

① 《清代档案史料丛编》(十二), 中华书局 1987 年版, 第 376、317、383 页。

商，驮运茶叶等货物。俄商的贩运贸易路线，除原有的张家口至库伦、恰克图一条外，又增加了由天津、汉口经山西杀虎口至归化城，再由归化城至新疆和外蒙古乌里雅苏台、科布多等路线。① 在内蒙古的主要城镇及牧区一些传统的庙会、那达慕集市上，俄商、俄货也日渐增多。

俄国虽然打开中国北方门户，首先侵入蒙古地区，但是由于它相对落后于英、美等西方列强，当时还无力垄断与其相距较远的内蒙古地区的通商贸易。英、美等列强，通过《天津条约》迫使清政府开放的天津等北方口岸，也打开了对内蒙古进行经济侵略的通道。咸丰十年（1860 年），英商开始通过华商为其收购蒙古地方的驼毛。后来，西方其他国家也在内蒙古一些主要城镇开设买办商行，直接收购驼毛。到 19 世纪 70 年代，内蒙古的驼毛出口迅速增长，驼毛输出贸易已完全控制在外商手中。光绪五年（1879 年），经天津出口的蒙古驼毛近万担（每担约合 101 市斤），大致相当于 20 万峰骆驼的年产毛量。光绪十五年（1889 年），出口驼毛又迅速增加到 25 000 多担。英商将蒙古驼毛加工成高级衣料，销售于国际市场，牟取巨额利润。与此同时，西方各国从内外蒙古掠走的羊毛也逐年剧增。光绪元年（1875 年），经天津出口的蒙古羊毛仅 41 担，到光绪八年（1882 年）已达到 2 300 担，光绪十一年（1885 年）增至近 2 万担，光绪二十年（1894 年）又激增至 20 余万担。到宣统三年（1911 年），经天津出口的各种毛类，已达 50 余万担。②

英、美等国还通过内地旅蒙商或设在蒙古地区的买办商行倾销各种商品。它们推销的日用品从各种棉布到妇女化妆品、儿童玩具，几乎无所不包。到光绪十九年（1893 年），英美等国商品已充斥内蒙古西部地区的商业中心归化城的市场。当时归化城市场上出售的棉布几乎全是英、美产品。英、美等国商品在内蒙古地区不但排挤中国内地的传统产品，而且还打入外蒙古市场，与俄国商品竞争。③ 到 19 世纪末叶，内蒙古已被纳入国际资本

---

① 石楠：《辛亥革命前沙俄对蒙古地区的经济扩张》，《西北史地》1988 年第 3 期。
② 姚贤镐：《中国近代贸易史资料》第 2 册，中华书局 1962 年版，第 1118—1123 页。
③ ［俄］波兹德涅耶夫：《蒙古及蒙古人》第 1 卷，刘汉明等译，内蒙古人民出版社 1989 年版，第 283—284 页。

主义市场，成为俄、英、美等国掠夺土畜产、工业原料的基地和倾销其近代工业产品的场所。中俄《北京条约》之后的40年间，俄蒙贸易总额增长了80倍。但是俄国的经济侵略主要还是集中在外蒙古，至于内蒙古中西部的对外贸易，则基本控制在英、美等西方列强手中。

二、西方传教士的宗教侵略活动

早在11—12世纪，西方基督教的聂思脱里派（又称景教）就已传入蒙古高原，在操突厥语和古蒙古语的乃蛮、克烈、汪古等游牧部落中盛行，成吉思汗时期和元朝，仍有许多蒙古宗王贵族及其属民信奉。元末以降，特别是16—17世纪蒙古民族普遍笃信藏传佛教之后，基督教已在蒙古高原游牧民中绝迹。

西方基督教再次传入蒙古地区，是在19世纪30年代。由于清嘉庆和道光初期的严厉禁止，由天主教法国遣使会建立的北京传教区教士纷纷逃离北京，潜往内蒙古南部沿边地区。察哈尔南部的西湾子（今河北崇礼县）教堂，一时成为西方天主教在中国的重要传教中心。这一时期，察哈尔及卓索图、昭乌达盟沿边地区，开始出现了洋教传教点和教堂。道光十八年（1838年），罗马教廷将中国东北（满洲）和蒙古从北京教区划出，新建了一个"宗座代牧区"（教区）。道光二十年（1840年），教廷又将蒙古地区析出，单独设立了蒙古教区。当时，这些传教点和教堂都分布在沿边已开垦的农业区，受传入教的也几乎是汉族农民。

蒙古教区建立前后，"向游牧蒙古人布教并试图在他们之中开创一个传教区，"就成为这些西方传教士的重要使命，[1] 为此目的，一些传教士还努力学习和掌握蒙古语文，仿效游牧民的饮食、服饰等生活习惯。道光二十四年（1844年）九月，两位熟练地掌握了蒙古语以至藏语的法国传教士秦神父和古伯察，装扮成蒙古喇嘛，从位于昭乌达盟南部的黑水川（今属辽宁建平县）传教点出发，"前往北方的蒙古游牧民中布教"，他们西行穿过察哈尔、归化城土默特、鄂尔多斯和阿拉善之后，又南下青海、西藏，追寻蒙

---

① ［法］古伯察：《鞑靼西藏旅行记》，耿昇译，中国藏学出版社1991年版，第25—33页。

古藏传佛教的源头，让西藏的僧侣也改奉天主教。①

道光二十四年（1844 年）中法《黄埔条约》规定，外国可在通商口岸传教，但传教士进入内地（相对于沿海）仍属非法。天主教蒙古教区的传教活动，在蒙古人中还几乎没什么影响，道光三十年（1850 年）夏，昭乌达盟盟长、巴林右旗札萨克郡王那木济勒旺楚克于前往北京途中，在翁牛特旗境内遇到两名法国传教士。因其"恐系邪教，遂令人将该夷人拿获"，转交热河都统。后被清政府押解广东，"交该国（领事）领回。"②

中法《北京条约》允许外国传教士进入内地传教之后，天主教在蒙古地区的传教活动正式合法化。同治四年（1865 年），罗马教廷将蒙古教区改交新成立的比利时圣母圣心会接管。致力于在蒙古人中传教，仍是他们的主要宗旨。同治十二年（1873 年）春，阿拉善札萨克亲王贡桑珠尔默特、伊盟准格尔旗札萨克贝子扎那噶尔迪年班晋京返回时路过察哈尔南部新落成的西营子教堂，怀着好奇心入堂拜访。他们受到传教士的热情接待，与司铎（神父）"会谈良久，心为之悦，当面即请司铎等分身西来传教，必加保护帮助"。同治十三年（1874 年）春，比利时传教士德玉明等又找到当年曾陪同秦神父、古伯察西行的蒙古教友（教徒）沙当金巴（又译桑达钦巴）做向导，西行伊克昭盟。他们在准格尔旗和乌审旗受到王公札萨克的盛情款待，并在伊盟南端的城川一带招收到蒙古教友，"在城川建立雏形之教堂一座，有蒙籍教友数家"。但"蒙民教友仍不村居，故其教堂如设于旷野之中"。同年冬，德玉明一行又前往阿拉善旗传教，但受到冷遇，"在彼居住数月"，毫无成效而返。③

为了在蒙古人中传教，一些传教士还利用已掌握的蒙古语文翻译天主教教义、经文广为散布。20 世纪初期在城川教堂传教 20 年之久的比利时人田清波，更是广泛搜集和整理蒙古文书籍文献，成为国际知名的蒙古学学者。经过几十年苦心经营，19 世纪末时城川教堂终于有了蒙古教友 10 余家。民国以后发展到数百蒙古教友，成为"最繁荣的"，但也是"世界上唯一的一

---

① ［法］古伯察：《鞑靼西藏旅行记》，耿昇译，中国藏学出版社 1991 年版。
② （咸丰朝）《筹办夷务始末》第 1 册，第 91—92 页。
③ 常非：《天主教绥远教区传教简史》（抄本），伪蒙疆政权时期成书。

座蒙古教友堂口。"①

在普遍笃信藏传佛教的蒙古人中传教受阻，蒙古教区只好仍在汉族农民中发展教务。传教士利用中法《北京条约》允许教会购置田产的条款和内蒙古地区地广人稀，大片土地属蒙旗所有的特殊条件，主要以租占蒙旗土地招徕汉族农民垦种、入教的手段发展教务，使教会势力在沿边农业区迅速扩展。光绪九年（1883 年），罗马教廷又将蒙古教区一分为三，即卓、昭两盟、热河地区的东蒙古教区；察哈尔地区的中蒙古教区和归化城以西的西南蒙古教区。三教区当时已拥有教民 1.4 万人。② 由于有不平等条约规定的治外法权（领事裁判权）庇护教士、教堂及其经营的教会庄园，已逐渐成为不受蒙古盟旗、地方官府管辖的特殊地方势力。

西南蒙古教区主要管辖归化城以西的内蒙古西部。总堂初设在阿拉善旗三盛公（今属磴口县），后移至萨拉齐以南的二十四顷地（今属土默特右旗）。最初只有三盛公、二十四顷地、城川等几座教堂，教徒 1 000 余人。光绪三十一年（1905 年）时发展到较大教堂 30 座，教徒近万人（其中蒙古族 1 000 余人），还有数十所教会小学及修道院、育婴院等机构。

中蒙古教区主要管辖今乌兰察布盟、归化城土默特东部、锡林郭勒盟南部、张家口以北地区教务，总堂设在西湾子。初建时已有教徒 8 700 余人。主要由西营子（今河北尚义县南壕堑）、玫瑰营（今集宁以东）、乌尔图沟（今四子王旗境内）、香火地（今凉城县境内）等数座教堂。光绪三十一年（1905 年）时教徒发展到 2 万余人，大小教堂近百座，还有教会小学 60 多所及修道院、育婴堂等。

东蒙古教区管辖昭乌达盟、卓索图盟及热河一带教务，总堂设在土默特右旗境内的松树嘴子（今属辽宁省朝阳县）。初建时教徒约 4 000 人，教堂仅有东山（今赤峰市松山区）、苦柳图（今翁牛特旗境内）等几处。（1905年）时，发展到大小教堂 100 余所，教徒万余人，拥有教会中小学 31 所，及修道院、育婴堂等。③

---

① 《鄂尔多斯传教史》，内蒙古天主教爱国会译稿，转引自戴学稷：《西方殖民者在河套鄂尔多斯等地的罪恶活动》，《内蒙古近代史论丛》第 1 辑，内蒙古人民出版社 1982 年版，第 101 页。
② 王学明：《天主教在内蒙古地区传教简史》，《内蒙古文史资料》第 22 辑，1987 年。
③ 王学明：《天主教在内蒙古地区传教简史》，《内蒙古文史资料》第 22 辑，1987 年。

　　义和团反帝运动中，内蒙古境内的大部分洋教堂曾被义和团、独贵龙等汉蒙反教武装及清朝官军、蒙旗武装攻占、焚毁，西方教会势力受到沉重打击。八国联军和清政府联合镇压了义和团运动之后，西方教会即卷土重来，仰仗《辛丑条约》大规模反攻倒算。在内蒙古地区，天主教圣母圣心会不仅迫使清政府撤职"惩处"支持"纵容"义和团的绥远城将军永德、归化城副都统奎诚等一批军政官员，向山西等地方当局勒索巨额"教案"款（其中西南蒙古教区索赔30万银两、中蒙古教区索赔65万两）之外，还向参与或发生抗教斗争的各蒙旗强行勒索了数额远远超过所在（旗厅交错）地方道厅的"赔款"。如西南蒙古教区区域内，曾攻占三盛公教堂的阿拉善旗赔银5万两、伊盟南端城川、小桥畔等教堂所在的鄂托克旗及邻近的乌审旗、札萨克旗分别赔银8.4万两、4.55万两和1.4万两；准格尔旗赔银2.7万两；二十四顷地等教堂所在的达拉特旗赔银更高达37万两，中蒙古教区内铁圪旦沟、乌尔图沟教堂所在的四子王旗赔银11万两；属（副）都统治下内属蒙古的归化城土默特旗赔银1 500两；察哈尔右翼正黄、镶红、镶蓝三旗赔银1 600两，另赔土地1 000顷。①

　　因无力以现银偿付赔款，一些蒙旗只好用土地抵偿。如达拉特旗以河套地区乌兰卜尔一带土地2 000余顷抵银14万两；阿拉善旗三盛公附近数百顷土地抵银3万两；鄂托克旗以城川、小桥畔一东西长约80里、南北宽约20里，估计约合2 600顷土地抵偿部分款。杭锦旗虽未被规定赔款数字，但也被洋教士以"纵匪劫掠"为由，强租原由反洋教群众承种的土地，该旗在河套地区被教堂强租的土地即多达数千顷。② 19世纪末在河套扒子补隆地方设立耶稣堂的美籍基督教传教士费安河，在义和团运动兴起后逃到欧洲。教会势力却以他被杀为借口向达拉特旗勒索400顷土地作为"赔偿"。安河卷土重来后，即以此为基础，建立了包括农耕、畜牧和粮食加工等各业的经

　　① 黄时鉴等：《中国旧民主主义革命时期内蒙古人民的革命斗争》、戴学稷：《西方殖民者在河套鄂尔多斯等地的罪恶活动》，均载《内蒙古近代史论丛》第1辑，内蒙古人民出版社1982年版，第111—112页。

　　② 戴学稷：《西方殖民者在河套鄂尔多斯等地的罪恶活动》，《内蒙古近代史论丛》第1辑，内蒙古人民出版社1982年版。

济庄园。① 除了抵偿"教案"赔款的土地，教会势力用强租、讹占等手段扩张土地，如达拉特旗境内的小淖尔教堂就乘机扩张耕地 1 000 余顷。据粗略估算，庚子事变后仅天主教圣母圣心会在伊克昭盟和河套地区扩张的土地，总数应不下于 2 万顷。②

光绪二十六年（1900 年）之前，内蒙古境内的一些教堂已筑有围墙，备有武器和教会武装。《辛丑条约》之后，教会势力更以"防匪"自卫为借口，在较大教堂普遍修筑高大的围墙、碉堡，添置枪炮武器，扩建教会武装。如义和团运动被镇压后，西南蒙古教区主教闵玉清一次就从北京运回180 支枪，分发给二十四顷地、小淖尔、三盛公、小桥畔、城川埠教堂。曾被义和团等各族军民攻占焚毁的西南蒙古教区总堂二十四顷地，光绪三十一年（1905 年）重新建成了周长六里，围墙底宽 7 米、顶宽 4 米、高 4 米，南北大门及四角均筑有炮台的偌大城堡，不仅是内蒙古西部最宏大的教堂，极"繁盛"的教会庄园，其城郭几可与西北重镇绥远城相比肩。重建的阿拉善旗境内三盛公（即三道河）教会庄园也十分"繁盛"，曾被洋教士称许为"是所有天主教殖民地区中最大最繁荣的一个"。在这个"天主教小王国"里，"主教和各个本堂神父，就是统治这五千余居民的首领：处理诉讼，任命村长，分配土地等地方社会活动大权，都掌握在他们的手里"。即使在实力、地位远不及二十四顷地、三盛公的达拉特旗小淖尔村教会庄园，"教堂实有极大之势力。学校由其开设，治安由其维持，邮政由其举办，甚至区乡长须（受）教堂之指挥，教民皆须服从教堂之驱遣。自有新式武器，自成特殊区域，"教民只"知有教堂，而不知有民族国家，知有罗马教皇，而不知有中央政府……"③

由于有领事裁判权和不平等条约"保护"，这些强占蒙旗土地、在蒙旗境内建立的"国中之国"，不仅札萨克旗府无力管治，蒙古族人民受其欺凌，清朝从中央到地方各级官府也无权管辖过问。

---

① 郝维民：《内蒙古近代简史》，内蒙古大学出版社 1990 年版，第 12 页。

② 戴学稷：《西方殖民者在河套鄂尔多斯等地的罪恶活动》，《内蒙古近代史论丛》第 1 辑，内蒙古人民出版社 1982 年版。

③ 戴学稷：《西方殖民者在河套鄂尔多斯等地的罪恶活动》，《内蒙古近代史论丛》第 1 辑，内蒙古人民出版社 1982 年版。

三、俄国在内蒙古的全面侵略和扩张

19 世纪末，沙皇俄国在侵华列强中率先掀起了划分势力范围的瓜分"狂潮"。中国在中日甲午战争中失败后，清朝被迫将辽东半岛和台湾割让给日本。日本将侵略势力伸入中国东北，直接危害了俄国的侵华利益。俄国遂勾结法、德二强发起"三国干涉还辽"，迫使日本让中国"赎回"了辽东半岛。光绪二十二年（1896 年），俄国诱使清政府同它签订《中俄密约》（《中俄御敌互相援助条约》），允许俄国修建贯穿中国东北的东清铁路，并以中俄合办的名义先后成立了实由俄方控制、经营的东省铁路公司和华俄道胜银行。光绪二十三年（1897 年），俄国以承认德国在山东的独占权益，换取了德国承认它在整个中国北部的特殊利益。光绪二十五年（1899 年），俄国又同英国达成协定，相互承认各自在长城以北和长江流域的势力范围。就这样，内蒙古地区成为俄国的独占势力范围。

光绪二十六年（1900 年）义和团反帝运动爆发后，俄国在参加八国联军侵占京津的同时，出动十数万军队分路大举入侵、武装占领了东北。同年七月下旬，由外贝加尔入境的西路俄军，首先焚毁了呼伦贝尔境内的 17 个边境卡伦。侵占满洲里后，俄军大肆抢劫牲畜、残杀附近的巴尔虎蒙古牧民，使许多牧民逃往外蒙古车臣汗部避难。[①] 八月下旬，经多次激战，俄军终于击溃各族清军的抵抗，沿铁路占领了呼伦贝尔和西布特哈（今属呼伦贝尔盟）地区。[②] 同年十月，南路俄军攻陷盛京（今沈阳）后，曾在辽阳地区血战抗俄的盛京副都统晋昌率文武官员等退往辽西边外锡埒图库伦喇嘛旗。由采尔皮茨基少将率领的俄军跟踪而至，借口有人向俄军开枪，乘夜"强占了寺院，屠杀了许多僧侣和民众。并且劫掠了神殿，这位勇敢的将军所分得的战利品中，有将近二百尊镀金的青铜神像"。"为全蒙古人民所景仰的古老寺院，而且以富庶著称的库洛（伦）城"，就这样遭到了俄国侵略军的血腥屠戮和野蛮洗劫。[③]

---

　　① 中国第一历史档案馆（原明清档案部）：《民族类》，第 2466 卷。转引自《沙俄侵略我国蒙古地区简史》，内蒙古人民出版社 1979 年版，第 105 页。

　　② 林干等：《内蒙古民族团结史》，远方出版社 1995 年版，第 191—193 页。

　　③ ［俄］亚尔莫林斯基：《维特伯爵回忆录》，商务印书馆 1976 年版，第 86 页。

此外，同年底，强占东北的俄军还应天主教东蒙古教区主教叶布施的"请求"，派兵镇压了围攻朝阳即土默特右旗南边教区总堂松树咀子的反洋教群众。[1] 光绪二十七年（1901），驻伯都讷（今吉林松原）俄军又应蒙古王公的"邀请"，派兵用大炮轰破起义据点图胡莫，配合蒙旗武装镇压了刚保、桑保等领导的反抗斗争队伍。[2]

蒙古地区成为俄国独占势力范围之后，加上俄军强占东北、侵驻库伦，使俄帝国主义的政治经济势力在内外蒙古进一步扩大。19世纪以后，俄国在中国（特别是东北）的经济侵略，最主要特征就是"铁路加银行"的资本输出和资源掠夺。

通过《合办东省铁路公司合同章程》、《东省铁路公司续订合同》及《黑龙江铁路公司购地合同》、《黑龙江铁路伐木合同》、《黑龙江开挖煤斤合同》等一系列双边合同、协定，以"建造、经营、防护铁路所必须"为理由，几乎无偿占有了铁路沿线的大片土地，获得了沿线地区林木、煤矿的采伐、开采权。东清铁路西段自满洲里入境，在呼伦贝尔和西布特哈总管辖境内约长550公里。在哲里木盟东北部杜尔伯特旗和郭尔罗斯后旗境内约长200余公里。其中，呼伦贝尔境内铁路占地4万余垧，西布特哈和杜尔伯特旗境内铁路占地达10万余垧。从满洲里至哈尔滨即加上郭尔罗斯后旗等地境内占地共约30余万垧。使许多蒙古等各族牧民和农民、猎户失去了牧场、土地和家园。森林资源方面，经黑龙江当局与铁路公司反复据理力争，挽回大部分权利之后，仍有火壕沟和皮洛以两处各长30里、宽35里地段的森林被铁路公司占据。[3] 这些地段大部分属蒙旗或蒙古族聚居地。东清铁路占据的内蒙古东部矿产，最主要的是呼伦贝尔西部著名煤矿扎赉诺尔，曾使俄商获取了超过投资数十倍的利润。[4]

名为中俄合办实由俄国财政部直接控制的华俄道胜银行，未通过中国政府同意即制订了包括可以代收中国各种税收、经营与国库有关业务、制造和

---

① 孙庆璋等：《朝阳县志》第3卷，《记事》，1930年铅印本。
② 朱启钤：《东三省蒙务公牍汇编》卷3，《蒙务局督办咨呈奉天省公署查复札萨克图郡王乌泰私借俄债酌拟办法文》）。
③ 徐曦：《东三省纪略》，《边塞纪略下》。
④ 《前进中的扎赉诺尔煤矿》，扎赉诺尔矿局史志编研办公室1986年版，第18页。

发行货币及修筑铁路、敷设电线等一般国家银行才拥有的种种特权。其总行于光绪二十一年（1895 年）末设于俄国圣彼得堡，二十二年（1896 年）之后陆续在中国的上海、北京、哈尔滨等地设立十余所分行和代理处，其中包括内外蒙古及毗邻蒙古的海拉尔、满洲里、库伦、乌里雅苏台、齐齐哈尔和张家口。① 在东北和蒙古地区，它主要是发行货币、发放贷款，影响和控制金融市场；借助军政势力和种种特权，卢布和羌帖（俄国纸币）很快泛滥于中东铁路沿线地区，在呼伦贝尔和后郭尔罗斯等旗，俄币已充斥市场，排挤了中国"官币"。② 道胜银行和铁路公司还向蒙古王公上层发放债款，为其更为阴险的侵略渗透活动服务。如光绪三十年（1904 年）和三十二年（1906 年），道胜银行和铁路公司即分别向内蒙古科尔沁郡王乌泰发放债款共 29 万卢布，进行笼络收买活动。

蒙古地区的金矿资源也是俄国官、商觊觎的目标。如呼伦贝尔北部毗邻俄境的奇乾河金矿和吉拉林金矿，就曾被俄人强占或长期越境淘采。③

利用清代中国的民族矛盾，企图通过蛊惑策动各民族上层叛清投俄，是沙皇俄国侵略中国的另一个重要手段。光绪十九年（1893 年），沙皇的亲信谋士巴德玛耶夫向沙皇提出了以策动中国民族分裂实现吞并中国边疆地区的建议。他说：俄国的西伯利亚铁路，应修建一条从贝加尔湖附近穿过蒙古高原直达兰州的支线，不仅在铁路沿线开拓商业贸易，同时进行政治渗透，策动蒙古、西藏以至甘肃、四川等省举行反对清王朝的暴动，投靠俄国，最终实现"兼并蒙古—西藏—中国东方"野心。在俄国政府资助下，他还成立了一个形式上"具有完全私人性质"的商业公司，网罗形形色色的人员，以经商为名潜入中国边疆和内地，专门从事调查搜集情报和拉拢收买民族上层、蛊惑煽动民族分裂的活动，以实现上述罪恶计划。④

俄国政府在积极支持"巴德玛耶夫商业公司"开展活动的同时，其驻

---

① 汪敬虞：《近代中国金融活动中的中外合办银行》，《历史研究》1998 年第 1 期。
② 叶大匡：《调查郭尔罗斯后旗报告书》，《钱法》；张伯英等：《黑龙江志稿》第 21 卷，《财赋·钱币》。
③ 宋小濂：《呼伦贝尔边务报告书》，《宋小濂集》，吉林文史出版社 1989 年版。
④ ［俄］谢缅尼科夫：《在东亚的冒险——俄国兼并中国蒙古和西藏》，《内蒙古近代史译丛》第 1 辑，内蒙古人民出版社 1986 年版。

中国各地的使领馆、军队和铁路、银行等机构，也直接间接地参与了拉拢收买少数民族封建上层的活动。光绪二十六年（1900 年）俄国军事占领东北以后，在哈尔滨专门设立了"蒙务"机关和招待来哈蒙古王公的馆舍。同时，俄国政府电令驻齐齐哈尔领事巴克大讷夫专门负责对"蒙古各部经营联络事宜"。光绪三十年（1904 年），巴克大讷夫先后前往哲里木盟扎赉特旗、札萨克图旗（即科尔沁右翼前旗）、郭尔罗斯后旗，向王公札萨克馈赠金表、俄刀等礼品，进行拉拢、收买。他还从俄国运来 10 万支枪和大批弹药，准备卖给各蒙旗。①

札萨克图旗札萨克郡王乌泰，是第一个被俄国拉拢收买的内蒙古封建上层。光绪二十七年（1901 年），即有俄员格罗莫夫"游历"哲里木盟十旗，结交各旗王公上层，初次会见了科尔沁右翼前旗（俗称札萨克图旗）札萨克郡王乌泰，乌泰等王公上层请来俄军"助剿"图胡莫起义，就是由格罗莫夫出面经办的。②

庚子事变之前，乌泰即因负债累累和本旗贵族官员内部的矛盾纠葛而陷于窘境。镇压了图胡莫起义之后，乌泰赴卜魁向俄军"致谢"，同时也意在躲避旗内纠葛。乌泰到卜魁后备受俄国领事索克宁款待，并将他请到哈尔滨，受到俄伯力总督（即沿阿穆尔地区总督）哥罗的果夫（又译格罗德科夫）亲自接见，在为他特设的公馆里款待 20 余日，终于诱使乌泰"一再向伯（力总）督求护庇"。③

光绪二十八年（1902 年）四月，因科右前旗贵族官员控告乌泰"通匪"和"携印潜逃"，及科右中旗蒙众逼死札萨克亲王色旺诺尔布桑保案，兵部尚书裕德奉命赴东北查办，将乌泰等传至奉天。乌泰被革札萨克职留任，并决定放垦该旗土地，以荒价地租抵还债款。陷于严重困境的乌泰在奉天再次见到"俄员"格罗莫夫，遂向俄方提出借款。光绪二十九年（1903 年）春，乌泰年班晋京后返旗途经奉天。再次向俄方提出借款要求。经俄

①　白拉都格其：《阜海与清末民初内蒙古东部政局变化》，《内蒙古大学学报》1997 年第 1 期。

②　原沈阳东北档案馆，《于驷兴致东三省总督、奉天巡抚禀文》所附《节略》（以下简称于驷兴《节略》）。据《沙俄侵华史史料初编》，内蒙古大学政史系 1975 年油印本。

③　朱启钤：《东三省蒙务公牍汇编》卷 3，《蒙务局督办咨呈奉天行省公署查覆札萨克图郡王乌泰私借俄债酌拟办法文》。

国在东北的最高代表、驻旅顺的远东总督阿列克谢耶夫的批准，乌泰以"全旗矿产、牲畜作抵"，于光绪三十年（1904 年）从华俄道胜银行借得 20万卢布。[1]

光绪二十九年（1903 年），阿列克谢耶夫指令驻卜魁（新）领事巴克大讷夫（又译巴克达诺夫）"转办蒙古各部经营联络事宜"。巴克大讷夫"先赴北京晤商俄使，俄使允俟各蒙王公年班到京之日在京就近商议，继复由阿提督（即阿列克谢耶夫）派令巴克大讷夫驰赴各蒙一一查勘"。三十年（1904 年），巴克大讷夫在译员阜海随同下先后赴扎赉特、科右前旗，"赠两王金表、俄刀、宁绸、八音盒诸物"。在科右前旗，"巴克大讷夫一面将俄廷允准保护之电向乌（泰）王面告，一面称奉阿提督之命，许由俄国帮助该旗军装饷项，将来作俄藩属，并嘱其联合各蒙统归俄属"。同年，巴克大讷夫又从俄国运来 10 万支枪存放在富拉尔基车站"以备发给各蒙"，经阜海劝告，为避免清政府疑心，复改为作价发售，并命阜海经办。阜海遂以防盗匪为名呈报黑龙江署将军达桂，向科右前旗发售了 400 支。[2]

在巴克大讷夫前后，俄方又有"哈尔滨后路提督"那达讷夫，"参将"希得罗夫"办理蒙事"。光绪二十七年（1901 年）冬，巴克大讷夫在郭尔罗斯后旗境内"遇贼殒命"。希得罗夫名为驻哈尔滨，其实终年周历各蒙旗，尤常住在札萨克图旗王府内。当年一月，乌泰又"亲往俄前敌，见其帅林聂威赤，复至哈埠留连逾月，行踪颇为诡秘，车骑所至，均有俄弁兵等护从。现在俄武官等潜住该王府，深居简出，百端诱唉。而乌泰日惟以归附彼族之言向各台吉劝导，并谓俄允给快枪二十万支、快炮百尊。以此图强，何往不利"。经俄国侵略者和乌泰的种种活动，当时已有扎赉特、科右后、科右中等"各旗王公皆有倾心联俄之意"。同年六月，希得罗夫委派"营官写得罗夫、守备琐拔列夫"会同乌泰所派锡勒喇嘛等人，带着"八旗文书""赴库伦与西藏喇嘛（即达赖喇嘛，当时正因西藏动乱逃亡库伦）商为联俄之策"。这些人于八月间返回后，"虽如何联合不知其详，然言者均有喜色，

---

[1] 张文喜等整理：《蒙荒案卷》，《办理札萨克图蒙荒案卷》，吉林文史出版社 1990 年版，第 1—8页。

[2] 于骊兴：《节略》，《沙俄侵华史料初编》，内蒙古大学政史系 1975 年油印本。

所商似已就绪"。①

俄国蛊惑策动的这次蓄谋投俄叛清活动，是在俄军占领东北，清朝正东北（包括内蒙古东部）的有效统治受到严重影响和削弱的背景下发生的。正当东蒙局势风雨欲来、岌岌可危的时候，俄国在日俄战争中惨遭失败，它在中国东北的侵略势头受到顿挫，策动叛乱的计划也随之流产。

四、日本在内蒙古的侵略渗透

19 世纪下半叶，日本经过"明治维新"走上资本主义道路以后，国力很快强盛起来。而且把邻近的朝鲜和中国的"满蒙"即包括内蒙古东部在内的东北地区列为其侵略扩张的首要目标。中日甲午战争之后，日本跻入侵华列强的行列。虽因"三国干涉还辽"，不得已将割占的辽东半岛退还中国，但其各种侵略势力却开始直接进入东北等地。在内蒙古东部，日本也像俄国一样首先派出各种名目的人员进行"考察"、"游历"，调查搜集各方面的情报资料，结交拉拢蒙古王公上层，为逐步扩大其政治、经济和军事侵略创造条件。

光绪二十六年（1900 年）八国联军攻陷北京并大肆洗劫时，日本军队则奉命对蒙古王公贵族的宅第财产予以保护、不得触犯，以此博取王公贵族对日本的信任和好感。② 光绪二十九年（1903 年），经日本驻北京公使内田康哉介绍，喀喇沁右旗札萨克郡王贡桑诺尔布和喀尔喀常驻北京的清廷御前大臣那彦图亲王之子祺诚武等应邀私赴日本访问。参观神户国际博览会，受到陆军参谋长福岛安正中将等军政要员、各界人士的款待。之后，应贡桑诺尔布聘请教师的要求，日本军政特务机构又先后委派河原操子（女）、伊藤柳太郎大尉、吉原四郎中尉等来到喀喇沁右旗，创办毓正女子学堂和守正武备学堂，以教师身份从事间谍活动。在福岛安正和河原操子的"帮助"下，喀喇沁右旗又有 8 名男女青年赴日本振武学堂（陆军士官学校预备科）和女学堂留学。在此前后，日本人还结交了巴林右旗札萨克郡王扎噶尔等蒙古王公上层，郭尔罗斯后旗札萨克头等台吉布彦楚克也曾赴日本游历访问。吉原

---

① 于驷兴：《节略》，《沙俄侵华史料初编》，内蒙古大学政史系 1975 年油印本。
② ［日］葛生能久：《东亚先觉志士记传》中卷，东京黑龙会出版部 1935 年版，第 287—288 页。

四郎还同土默特右旗、奈曼旗和喀喇沁中旗签订过出售枪支弹药的合同。

日俄战争爆发后，中国东北南部成为其主要战场。日军为破坏俄国在东北的运输线，委派冲、横川两名"别动队"先至喀喇沁右旗与伊藤、吉原密谋，然后北经巴林等旗，在扎噶尔郡王派人陪送下北上谋炸齐齐哈尔嫩江铁路大桥（后被俄军捕杀）。日军还收买奉天及内蒙古沿边地区的土匪马贼组成所谓"洋队"，配合日军骚扰俄军后方，曾在哲里木盟南部等蒙旗地区肆行恣扰。

光绪三十一年（1905 年）日本打败俄国后，两国签订《朴茨茅斯条约》，俄国被迫将长春以南的东清铁路支线（"南满铁路"）和旅顺、大连租借地等让与日本，东北南部遂成为日本势力范围。光绪三十三年（1907 年）七月，日俄两国为进一步划定双方在远东的势力范围，签订了第一次协定和密约。《密约》中明确规定，"日本帝国政府承认俄国在外蒙古之特殊利益，担任禁制可以妨害此种利益之任何干涉"；同时在其附属条件中明确划定双方在东北的势力范围即所谓"南满"和"北满"的界线为："从俄韩边界西北端起……由此（秀水甸子）沿松花江至嫩江口止，再沿嫩江上溯至嫩江与洮儿河交流之点，再由此点起沿洮儿河至此河横过东经一百二十二度止"。据此，内蒙古东部划入"南满"，即日本势力范围的，是哲里木盟郭尔罗斯前旗和科尔沁左翼前、后两旗南部及其以南地区。为在侵华列强间不断变化的相互勾结和争夺中维护各自的权益，日俄双方又于宣统二年（1910 年）七月签订第二次协定和密约，再次确定"承认 1907 年密约附属条款所划定两国在满洲特殊利益范围之分界线为疆界"。

日本夺得东北南部的势力范围之后，在大连分别建立了统管租借地和南满铁路沿线控制区地方行政的"关东都督府"和经营南满铁路及相关工矿商贸企事业的"南满铁道株式会社"（简称"满铁"），负责在中国东北的政治经济侵略和扩张。"满铁"公司还专门设立调查部，罗致大批军政人员和各方面专家以至文史学者，开展大规模社会调查和情报搜集活动。从此，有更多的经济、政治、军事人员和各种名目的游历、考察队进入内蒙古东部地区，扩大政治经济影响，调查搜集各种情报资料。如光绪三十四年（1908 年）在东京出版的大部头《东部蒙古志》一书，就是依据大批实地调查人员所得各方面资料编成的。

第三节　各族人民的反侵略反压迫斗争

一、第二次鸦片战争中的内蒙古骑兵

第二次鸦片战争中，京津地区是主要决战战场，不仅有许多蒙古马队直接参战，清军的最高前敌统帅就是外藩蒙古的僧格林沁。

科尔沁左翼后旗札萨克郡王僧格林沁（1811—1865 年），是嘉庆朝和硕额驸索特纳木多布济嗣子。他自幼眷养宫廷，长成后常年驻京，道光、咸丰、同治三朝历（连）任御前大臣、领侍卫内大臣、八旗都统及钦差大臣等显赫职位。因镇压太平天国北伐军有功，晋封世袭博多勒噶台亲王，是外藩蒙古王公在皇帝身边的主要代表之一，也是备受三朝皇帝宠信的满蒙亲贵之一。面对外来侵略，他又是清廷内部坚决主战的重要代表之一。第二次鸦片战争爆发后，他曾激愤地"泣血上奏"，揭露"外夷"的侵略罪行，痛斥朝中的"误国庸臣"，并直言无忌地指责道光帝曾"一时误信谗言"，"孰知皇上（指咸丰）复信谗言，隐忧社稷，贻误子孙，有何面目见先王（皇）耶？"①

咸丰八年（1858 年）春，英法联军攻陷广州后扬言北犯天津。清廷仓促调兵加强渤海沿岸防务，有察哈尔马队 2 000 人奉调山海关。同年 5 月，英法联军攻陷大沽海口，清廷又急命僧格林沁赴京东通州负责防务，并从直隶、东北、内蒙古等地调兵 15 000 人归其指挥。其中，有哲里木、昭乌达两盟马队各 1 000 人，新调察哈尔马队 1 000 人。加上从山海关转调的 2 000 察哈尔马队，蒙古骑兵（不含八旗）总数已占征调总兵力的三分之一。②

大沽口失陷不久，僧格林沁被正式任命为钦差大臣"督办军务"，负责整个京津、沿海防务。《天津条约》签订后英法联军南撤，僧格林沁即前赴

---

① 胡世芸：《第二次鸦片战争时期的一篇主战奏疏——〈僧王奏稿〉》，《内蒙古师范大学学报》1985 年第 2 期。

② 茅海健：《第二次鸦片战争中清军与英法军兵力考》，《近代史研究》1985 年第 1 期。

海口整修炮台，征调兵力继续备战，从各地重新抽调的兵力中，有哲、昭两盟马队各 1 000 人，察哈尔马队 1 000 人，占当时大沽口一带清军总兵力四分之一以上。① 另有察哈尔马队 1 000 人、归化城土默特官兵 500 人被集中备调。② 僧格林沁亲临勘察沿海各地，整顿训练原驻和新调各路清军，大规模整修、新筑各口炮台，添设大炮，在海口层层修设木桩、铁栅。③ 他"昼夜辛勤，殚精竭虑"，"与士卒同甘苦，风雨无间"，"督率各营官兵，排列队伍，演放炮位，严密设防"，④ 使整个防务整饬一新。

咸丰九年（1859 年）六月二十五日，英法联军舰队再次北犯，第二次大沽口之战爆发。联军先用炮艇、工兵强行冲撞、拆毁木桩、铁栅，然后开炮轰击海口炮台。亲临指挥的僧格林沁立即下令开炮还击，英法舰艇多被击沉击伤。当晚，1 000 余英法步兵涉海进攻炮台，僧格林沁增派哲、昭两盟蒙古马队及抬枪队、鸟枪队进行反击，并令两盟马队"拨改步队数百名以护营垒"。"两盟马队于枪炮如雨之中往来驰突，连环枪炮，轰毙极多"，被同在前线的直隶总督恒福誉为"实属奋勇图功，不避锋镝，洵为勇敢得力之军"。经一昼夜激战，英法联军遭到惨败，被迫退出海口南撤。参战的 13 艘舰艇中，被击毁击沉 4 艘、重伤 6 艘，官兵死伤近 600 人。⑤

此役是 1840 年以来中外大小数十战中唯一一次较大胜仗，而且是有 2 000 多蒙古骑兵参战，由蒙古族统帅指挥的。哲、昭两盟马队中，因受到清廷嘉奖而载入史册的即有扎赉特旗札萨克郡王衔贝勒拉木棍布扎布及台吉琦兴额、诺林丕勒、崇格林沁，护卫图博特巴雅尔、阿勒坦桑等多人。⑥

第二次大沽口之战后，僧格林沁继续增兵备防，包括新征调的察哈尔马队 2 000 人，卓索图盟马队 1 000 人，归化城土默特兵 500 人。⑦ 另有锡林郭勒盟马队 1 000 人集中于张家口北，乌兰察布、伊克昭二盟骑兵各 500 人

①　茅海健：《第二次鸦片战争中清军与英法军兵力考》，《近代史研究》1985 年第 1 期。
②　（咸丰朝）《筹办夷务始末》，中华书局 1979 年版。
③　《中国近代战争史》第 1 册，军事科学出版社 1984 年版，第 183—185 页。
④　《第二次鸦片战争》第 4 册，上海人民出版社 1978 年版，第 109、41 页。
⑤　（咸丰朝）《筹办夷务始末》，中华书局 1979 年版。
⑥　（咸丰朝）《筹办夷务始末》，中华书局 1979 年版。
⑦　茅海健：《第二次鸦片战争中清军与英法军兵力考》，《近代史研究》1985 年第 1 期。

集中于绥远城备调。① 咸丰十年（1860 年）第三次大沽口之战前后，又有归化城及绥远城（驻防八旗）兵 1 000 余人，察哈尔马队两批 3 000 人，卓、昭、哲三盟马队各 1 000 人奉调增援京津战场。②

咸丰十年（1860 年）夏，英法联军大举增兵再次北上，从未设防的北塘海口登陆。8 月 3 日，联军数千人向塘沽方向进兵，遭到清军哲、昭两盟和归化城土默特等部骑兵拦截痛击后败退。8 月 12 日，联军集中步骑万余人和几十辆炮车进攻新河，各路清军马队激战抵抗后败退塘沽。此后，英、法又集中优势兵力并在舰队重炮配合下接连攻占塘沽和石缝等炮台，直隶提督乐善（八旗蒙古人）战殁。坐镇白河南岸炮台指挥的僧格林沁，曾决心"寄身命于炮台"与阵地共存亡，经咸丰帝再三严词谕令，才率军退往天津、通州。9 月 18 日，从海口集结北上的侵略军在通州以南张家湾与僧格林沁所部遭遇。"敌马步各队进前扑犯，经我兵枪炮齐施，毙贼无数。"清军马队转而发起进攻，但遭到联军先进枪炮齐射，"马匹惊骇回奔，冲动步队"，败退下来。③ 21 日，联军向通州以西八里桥一线清军阵地发起全线进攻，引发了第二次鸦片战争的最后决战。

驻守八里桥的清军分别由僧格林沁和瑞麟、胜保指挥。僧部 2 万人多数是八旗和内蒙古骑兵，瑞麟 8 000 人、胜保 5 000 人主要由八旗和绿营步兵组成。当联军分路展开进攻时，僧格林沁首先亲督马队向敌发起全线冲击。据参战敌军忆述，"从四面八方正对着我们就出现了无数用长矛和弓箭武装起来的骑兵，又整齐又迅速地向前冲来。……鞑靼骑兵的人数每时每刻都在不断地增加，很快我们整个战线都遭到迂回和包抄"。勇猛的各族骑兵前仆后继，反复、迂回冲锋，一度使联军西路被迫后撤，但最终被联军密集的枪弹和霰弹炮火击退。僧部骑兵冲击受阻后，瑞麟、胜保二部也开始与敌接火，奋勇抵抗。浴血鏖战从清晨打到中午。胜保不幸中弹落马，所部遂失斗志纷纷溃散，瑞麟部也受到牵动而败退。联军分兵抄袭与敌相持的僧部侧后，经哲里木盟马队"备力冲突，复又毙贼多名"阻止，僧格林沁才"一

---

① 《清文宗实录》卷306，咸丰十年正月戊子、甲午条。

② 茅海健：《第二次鸦片战争中清军与英法军兵力考》，《近代史研究》1985 年第 1 期。

③ 《第二次鸦片战争》第 4 册，上海人民出版社 1978 年版，第 450—501 页；第 5 册，第 83—84 页。

面抵敌，一面缓缓撤退"。①

这场极为惨烈悲壮的反侵略战争，终因清政府的昏庸腐败和清军装备的落后而失败；蒙古族官兵（不含八旗蒙古）在这次大沽海口保卫战中占清军总兵力的三分之一以上，占八里桥决战总兵力（3.4万人）的四分之一以上（近万人）。② 据史书记载，从天津海口到八里桥一直参战的 1 000 名昭乌达盟骑兵，战后只剩下 100 余名。③

二、义和团运动时期的反侵略斗争

光绪二十六年（1900 年）夏，河北等地的义和团反帝斗争烽火迅速蔓延到了内蒙古。此前不久，萨拉齐厅二十四顷地教堂所属教民石宗（又作石忠、石险生）等人，因强行霸占准格尔旗蒙古人高占年的土地未能得逞，即聚众将高占年等 9 人杀害。同年 7 月，正值内地义和团运动的烽火传到塞外，准格尔旗府武装和"独贵龙"群众配合汉族义和团和绥远城将军派出的官军，一举攻破二十四顷地教堂，处死了西南蒙古教区主教、比利时人韩默理和石宗等凶犯。④ 同年 8 月，清朝官军和汉族义和团围攻、焚毁大青山后铁圪旦沟、乌尔图沟教堂时，也有四子王旗数十名旗府武装参战。⑤ 同一时期，阿拉善旗管旗章京阿穆尔吉尔嘎拉率领旗府武装包围三盛公教堂。迫使躲藏在教堂的 15 名外国传教士投降并被逐出境（经外蒙古返回欧洲），教堂也被改建成藏传佛教寺院。⑥ 伊克昭盟南端的小桥畔教堂，曾被陕西、山西义和团和附近各旗蒙古族武装连续围攻 40 余天。其中包括鄂托克旗管旗章京宝日率领的独贵龙，乌审旗管旗章京朝鲁为首的独贵龙，札萨克旗独贵龙和各旗派出的数百名蒙古士兵。"蒙古兵以大炮（土制旧炮）攻堂，弹重四斤，猛不可遏，一弹直穿堂顶，坠地作穴。"⑦ 此外，在萨拉齐、包头

---

① 《第二次鸦片战争》第 5 册，上海人民出版社 1978 年版，第 99—108 页；第 6 册，第 287—294 页。

② 茅海健：《第二次鸦片战争中清军与英法军兵力考》，《近代史研究》1985 年第 1 期。

③ 《清文宗实录》卷 332，咸丰十年十月乙丑条。

④ 《义和团档案史料》上册，中华书局 1978 年，第 367、436—437 页。

⑤ 绥远通志馆：《绥远通志稿》卷 83，《教案》，20 世纪 30 年代稿本。

⑥ 《河套教区传教沿革》，《巴彦淖尔史料》第 1 辑，巴彦淖尔盟地方志编修办公室 1983 年。

⑦ 绥远通志馆：《绥远通志稿》卷 83，《教案》，20 世纪 30 年代稿本。

一带传教的基督教传教士一行 9 人，企图经后套大余太逃往外蒙古时，被当地蒙古族士兵截杀。达拉特旗境内的洋教堂，多被蒙古族各阶层攻破焚毁，以至后来外国教会要求惩办"祸首"时，"坚持先惩带兵焚杀之二蒙员"。①

辛丑条约签订后，一大批清朝京外官员因支持义和团仇杀洋人被革职、判刑以至处死。达拉特旗札萨克贝子图们巴雅尔也因此被"革爵查办"，阿拉善旗札萨克亲王多罗特色楞、准噶尔旗札萨克贝子扎那噶尔迪被"传旨申饬"，四子王旗札萨克郡王勒旺诺尔布也被交理藩院"议处"。②

在内蒙古东部，光绪二十六年（1900 年）俄军大举入侵之前，呼伦贝尔地区有成千名蒙古（巴尔虎、额鲁特等部）、索伦（今鄂温克及达斡尔等族）各族士兵整军备战。俄军入侵后，他们与满、汉清军一起在完工、雅克岭等处进行了激烈抵抗，付出了重大牺牲。③ 同年 10 月，曾率军与义和团一起坚决抵抗俄军侵略的盛京副都统晋昌，率残部经法库门退至锡埒图库伦（"库噜"）和科尔沁左翼前（宾图）旗境内。科左前旗郡王敏鲁布扎布等遂约集各蒙旗征调军队，拟会同晋昌所部反攻收复失地。④

光绪二十六年（1900 年）十一月，占领北京的八国联军一部继续向西侵扰。张家口地区的察哈尔骑兵与其他清军严密布防，"以阻洋兵西趋之路"。锡林郭勒盟也征调 2 000 骑兵并捐银 10 000 两给予支持。⑤ 光绪二十七年（1901 年）春，又有部分德国侵略军窜入丰镇地区，遭到当地察哈尔蒙古骑兵和汉族民众武装的"放枪拦阻"和袭击，⑥ 打击了侵略者的嚣张气焰。

三、19 世纪后期各族人民的反压迫斗争

从 19 世纪 50 年代开始，伊克昭盟的蒙古族人民不断掀起了以"独贵

---

① 绥远通志馆：《绥远通志稿》卷 83，《教案》，20 世纪 30 年代稿本。

② 《清德宗实录》卷 483、481、483、486、497 相关条。

③ 《义和团档案史料》上册，中华书局 1978 年版，第 271—273、379—382 页；下册，第 696、895—897 页。

④ 《义和团档案史料》下册，中华书局 1978 年版，第 717—720 页。

⑤ 《义和团档案史料》下册，中华书局 1978 年版，第 779—780 页。

⑥ 《义和团档案史料》下册，中华书局 1978 年版，第 1100—1101、1114 页。

龙"为独特组织形式的反抗斗争。"独贵"，蒙古语意为环形、圆圈。参加"独贵龙"的人在聚会时坐成圆圈，以表示成员的平等身份，在上书呈控签名时，组成环形，不知首尾，避免暴露领导者。

咸丰八年（1858年），乌审旗再次发生"独贵龙"反抗斗争，并迫使统治者作出让步，由盟长会同旗札萨克重新修订核定了有关条例、法规。其中包括，除旗衙门征收的（正常）赋税摊派，贵族官吏不得私自摊征地租、水草捐；凡被喇嘛、寺庙，贵族官员或其亲属擅自强占的耕地，（地权）一律收归旗衙门，禁止向旅蒙商借高利贷，禁止给高利贷商人发放有关证件、牌照；禁止随意征用乘马、食羊，或打骂、勒索、骚扰旗众等等。[①] 从这些规定中可以看出，当时乌审旗人民曾承受多么繁杂苛重的赋役负担。

在乌审旗"独贵龙"反抗斗争不断取得胜利成果的影响下，"独贵龙"运动逐渐扩展到伊克昭盟其他各旗。如同治五年（1866年）、光绪十一年（1885年）鄂托克旗的"独贵龙"运动，以及光绪五年（1879年）、光绪十七年（1891年）乌审旗接连不断的"独贵龙"反抗斗争。

光绪五年（1879年）乌审旗"独贵龙"运动的领导人是伊德木扎布、通那及霍日嘎、台吉毕勒棍达赖等人。当时的旗札萨克贝子巴达尔瑚，已在位长达50年并多年兼任盟长，因平息陕甘回民起义"有功"受封世袭贝勒衔，[②] 在鄂尔多斯七旗中是资历最老、权势最大的王爷。协理台吉图登苏伦、管旗章京拉希那木济勒等利用巴达尔瑚的昏庸老朽，把持盟、旗实权，滥肆增加赋役征敛，压榨旗民贪污肥己。伊德木扎布、通那等遂发动300余群众组成"独贵龙"，包围图布登苏伦和拉希那木济勒的住所，当面痛斥他们的种种罪恶、劣迹，强令将中饱私囊的钱财交还旗府。巴达尔瑚为"安抚"群众，被迫将拉希那木济勒革职。当群众的怒火暂时平息下去之后，他却勾结副盟长向理藩院"控告"伊德木扎布等率众"谋反"，并于光绪十年（1884年）实行武力镇压，派兵突然袭击逮捕了60名左右"独贵龙"群众。经酷刑拷打，伊德木扎布和通那分别被判流放湖南和山东充当苦役，他们的妻子儿女也被罚承担驿站劳役；台吉毕勒棍达赖、那木济勒等也分别受

---

① 宝音等：《鄂尔多斯人民独贵龙运动资料汇编》上册，1981年铅印本，第153—157页。
② 《清德宗实录》卷2，同治十三年十二月辛卯条。

到鞭杖和罚"九畜"等处罚。①

光绪十一年（1885年），鄂托克旗爆发了有下层台吉参加的"独贵龙"运动。这次反抗斗争被平息之后，盟长、准格尔旗札萨克贝子扎那噶尔迪（巴达尔瑚死后继任盟长）报呈理藩院批准，将有关条例法规修订、重申。其中规定：今后若有聚众十人以上代人兴讼滋事，旗府概不审理，一律遣交各该扎兰章京（参领）、苏木章京（佐领）分别传讯审处；若聚众百人以上捏造是非、作威兴乱，将参与的台吉、官吏报呈理藩院削革职衔，并将聚集的群众饬交各管参、佐镇辖。还规定：旗府及各扎兰、苏木摊派的例行官差、军需，应照旧章各自筹纳，不得借故抗交；如旗府岁收不敷开支、偿债，札萨克可会同协理台吉等审核情形，每年进行一千两乃至三千两差银之摊派，等等。② 这说明在镇压了"独贵龙"反抗斗争之后，贵族统治者又将肆意增加的赋敛摊派"合法化"，进一步加重了政治压迫和经济盘剥。

巴达尔瑚死后，其子察克都尔色楞袭任乌审旗札萨克贝子。他执政后，任用贪官污吏、阿谀之徒，纵容福晋那仁格日勒干预旗政、胡作非为，欺凌压榨旗民百姓。为了满足自己的贪欲，察克都尔色楞还加倍摊征赋税杂役，招垦出卖蒙古族牧民赖以生存的牧场土地，向旅蒙商号高利借贷，为邀宠晋爵向清廷"捐输"大量银两，并贿赂盟长和理藩院官员，为那仁格日勒谋取"诰命"夫人封号。光绪十七年（1891年），旗境东部乌力吉德勒格尔台吉率众组成"独贵龙"具状呈控，察克都尔色楞派兵拘捕乌力吉德勒格尔，削去其台吉爵位，镇压了这次反抗斗争。光绪二十二年（1896年），不堪忍受压迫盘剥的乌审旗人民在拉格巴扎木苏、阿勒坦敖其尔、白音赛因等人领导下再次发动了"独贵龙"运动。"独贵龙"群众围攻王府、旗仓、贵族官吏，联名具状向盟长和清朝理藩院提出申诉控告。察克都尔色楞则行贿收买清政府官员，反而诬陷控告"独贵龙"群众。"独贵龙"运动在乌审旗逐渐蔓延，长期坚持反抗斗争，一直延续到下个世纪初年。③

内蒙古东部的群众性反抗斗争，主要有"八枝箭"、"老头会"和科左

---

① 宝音等：《鄂尔多斯人民独贵龙运动资料汇编》中册，1981年铅印本，第10—14页。

② 郝维民：《伊克昭盟"独贵龙"运动》，《内蒙古近代史论丛》第1辑，内蒙古人民出版社1982年版。

③ 宝音等：《鄂尔多斯人民独贵龙运动资料汇编》中册，1981年铅印本，第14—18页。

后旗抗租斗争等。"八枝箭"即八个佐领，原来隶属于卓索图盟土默特右旗台吉素克都尔。素克都尔死后无嗣，改隶旗札萨克直接管辖。早在乾隆年间，"八枝箭"人民不满旗府官吏的苛敛压迫屡次呈控斗争。清廷又将其分编为18个佐领，分隶素克都尔近支子孙和旗府。乾隆末年彭索克琳亲袭任札萨克贝子之后，"八枝箭"人民遭受的压榨更为严重，"无事不役，无苦不当。苦得八枝箭地产尽绝，赤贫如洗，终身受苦，复加逼勒。致有饿死父母者，卖儿女者，上吊投水者，不计其数，耳不忍闻。"① 彭索克璘亲之孙德勒克色楞于道光中叶袭爵之后，常年驻京在清廷"当差"。为追求都市奢华生活，加重向旗民的征敛摊派。咸丰年间，他带兵随僧格林沁镇压太平天国北伐军立下"战功"，更有恃无恐地凌虐百姓。

从咸丰三年（1853年）起，八枝箭人民开始了拒不比丁、服兵役出征、当差和缴纳摊派的斗争。他们于1857、1883、1886年多次派代表向盟长和清廷理藩院呈控，但均无结果，遂从1857年开始在福泰等人领导下抗拒旗府。"八枝箭"群众将被旗府霸占划归旗仓的土地重新夺回自己耕种。聚集200多人修筑堡寨，自制车辆大炮。此后的十几年里，他们未交任何征敛摊派，三次拒不参加比丁，四次抗旨不奉调出征。旗府和盟长、理藩院驻三座塔（今辽宁朝阳市）司员等多次派官兵传讯拘捕。均被武力驱逐，官兵被打，鞍马被扣。后来，"八枝箭"还聚集100多人骑马持械闯进三座塔城向理藩院司员示威。②

咸丰七年（1857年），德勒克色楞因克扣东三盟出征兵丁赏银被清廷查处，革去职爵，"著发往热河（承德）交该都统严加管束"。其子索特那木色登袭札萨克贝子，仍常年驻京享受都市生活。同治七年（1868年），热河都统麟庆向清廷奏报"土默特八枝箭箭丁与旗员互控一案，因该贝子久不在旗，两造抗匿不出，案悬未结"。清廷遂饬令索特那木色登"迅速回旗，督同该协理旗员等，禀由正副盟长派委妥员前往，会同迅速将该箭丁富汰

① 黄时鉴等：《中国旧民主主义革命时期内蒙古人民的革命斗争》《内蒙古近代史论丛》第1辑，内蒙古人民出版社1982年版。

② 黄时鉴等：《中国旧民主主义革命时期内蒙古人民的革命斗争》《内蒙古近代史论丛》第1辑，内蒙古人民出版社1982年版。

（即福泰）等拘传到案，并将原案被控之旗员阿昌阿等解交热河都统衙门，以凭讯办"。① 麟庆即委派属下官员金函，会同三座塔司员，帮办盟务、喀喇沁左旗札萨克镇国公乌凌阿及索特那本色登前往查办，并称"八枝箭""再若抗拒，许即格杀勿论"。当时正逢福泰因病身死，金函等即宣称"罪由福泰一人，余皆免其既往"，企图乘势将反抗斗争平息下去。但是，"八枝箭"群众不为所动，继续在常明、那木萨赖扎布、德尔沁扎布、丹珠尔等领导下坚持抗拒官府。

到同治八年（1869 年）末，由于"该旗箭丁滋事一案越时已久"，索特那木色登"并未将原告、被告人传齐到案候讯"，并且虽经盛京刑部侍郎志和等"叠次咨催，仍复任意推延，实属胆玩"，清廷谕令将索特那木色登"交理藩院严加议处"，同时仍命已任礼部侍郎的志和会同新任热河都统庆春"严催该贝子带领应讯之该旗章京等速赴热河候讯，不准再有拖延"。九年（1870 年）春，在清廷高压下，常明等"八枝箭"领导人终被官兵拘捕"到案"。但仍有那木萨赖扎布等脱逃。经志和会同热河都统审办，结案称："此案土默特旗八枝箭箭丁瘸子常明等，因该旗科派太重，辄以该箭丁不应归土默特旗管辖，聚众呈控，又复立会敛钱，抗不比丁，并有殴伤旗员、霸抢地租情事，实属罪无可逭。"即以"积年滋事"、"始终怙恶不悛"，将常明、德尔沁扎布、丹珠尔"均著发往南五省驿站充当苦差"，其他几名斗争骨干也被"发交山东、河南驿站充当苦差"。为平息"八枝箭"群众的义愤，同时也将作恶多端的管旗章京阿昌阿、署印协理松威等旗府官员，均著"斥革"。为解决"善后问题"，志和等又拟订"章程八条"，规定"所有八枝箭箭丁仍著归土默特旗管束，并著理藩院将乾隆四十六年奏定章程详细纂入《则例》"。与此同时，也向"八枝箭"群众作出一定让步，允准"变通比丁章程，申明交纳丁钱旧章（即不得随意加征丁钱），及箭丁子女不准（被）妄行役使、随侍陪嫁，核减差派"等等。②

"八枝箭"群众历时十数年的反抗王公札萨克苛敛压迫的斗争终被清政府镇压下去。但清政府也不得不向反抗群众作出让步，惩处了旗府官员，一

---

① 《清穆宗实录》卷 206，同治六年六月辛亥条。

② 《清穆宗实录》卷 273，同治九年三月甲戌条。

定程度上减轻了"八枝箭"所受的封建赋役盘剥。

"老头会"，蒙古语称为"勿博格得会"，是昭乌达、卓索图盟一带蒙古族的群众性民间组织。沉重的封建压迫和苛敛，终于激起了土默特左旗蒙古族群众的反抗。还在咸丰十年（1860年）以前，绰金泰、那木萨赉等率众多穷困阿勒巴图纷纷组成"老头会"，联合起来抗交差派，聚众向地多的贵族大户"讹索钱文，宰食牛羊"。咸丰十年（1860年），他们联名具状赴京向理藩院提出，因"差重地寡"，要求派员核查地亩。（按地亩多少）重新制定"差项章程"，减轻差派负担。卓索图盟盟长奉理藩院之命查办，回答应派官员至该旗会查地亩，并限定丁户每年应纳的差钱限额，一面仍谕令必须照常纳差。在赴京呈控得不到满意结果后，绰金泰、那木萨赉等进一步聚众反抗，"手携鸟枪等器械"夺取贵族塔布囊的牲畜、草料和钱财、房产，不准其耕种土地，并曾将塔布囊库纳西哩擒获、杀死。同治元年（1862年）九月，当盟长和旗府派协理台吉帕尔赉率官兵前往拘捕绰金泰等人时，绰金泰发动数千人手持鸟枪器械将官兵赶走。于是，在不断有"老头会"代表赴京呈控的同时，也接连有遭到打击的札萨克贝勒那逊鄂勒哲依及其子散巴勒诺尔赞（同治元年十月袭爵）和一些贵族塔布囊向清政府控告"老头会"，以至"官民互相呈控，两造不下五六百人"。虽经热河都统春佑一再传令"催提"双方人证，仍迟迟"一人未到"，毫无结果。①

同治元年（1862年）十月，因都察院呈奏"老头会"代表达拉玛等"呈诉加增钱粮（差派）等情"，清廷谕令新任热河都统瑞麟"秉公查办"，并称"蒙旗钱粮，自道光十一年查办后不准加增，何以近复加增至六十千之多？并于咸丰十年指称兵差，加派十万余吊？"其后不久，清廷又加派刑部侍郎阿克敦布专程前赴热河，会同瑞麟查办。

同治二年（1863年）春，经阿克敦布、瑞麟等提讯人证"审明互控情形"之后奏准清廷，将"明知阿勒巴图差重，不惟不加体恤，反于求恩减差时喝阻不允"，"实属任意苦累属下"的梅伦格位扎拉散，"辄坐视众困，厥罪惟均"的协理塔布囊土布丹扎布均予革职，并"永远不准当差"；将屡次售卖阿勒巴图之女的塔布囊棍丹得吉特"著革去塔布囊，从重鞭责"。同

---

①　中国第一历史档案馆军机处录副档，《民族类》，义都和西格抄稿。

时，"老头会"代表达拉玛、齐达勒等也遭到"枷号三十日"和"枷号九十日"的残酷刑罚。为平息"老头会"反抗斗争，清廷又应阿克敦布等奏请，谕令热河都统瑞麟会同卓索图盟盟长、喀喇沁右旗札萨克郡王色伯克多尔济核查"该旗差项弊窦，严行禁革"，"明定差钱数目"章程；"清查地亩，力除积弊"；申令"严禁塔布囊不准例外加增侍女"。①

由于散巴勒诺尔赞及其他贵族官员仍一再"控告""老头会"，清政府下令派官兵缉捕绰金泰、那木萨赍等人，"老头会"群众也在他们的领导下继续坚持斗争。从咸丰十一年（1861 年）开始，"老头会"即以"维持地方治安，抵制旗内不公之事"等名义向各村摊派差役，实际上取代扎兰（参领）、苏木（佐领）行使地方基层政权的职能、权力。复以筹款进京呈诉，向"有地富户各家敛派钱文，宰食猪羊，吃用米面，如若不出，硬将牲畜抢去勒赎"。塔布囊里克鲁强占民女为婢，被绰金泰、那木萨赍等抓去用马鞭责打，直至伤重身死。塔布囊察棍固尔都曾有霸占地亩、苛虐箭丁等劣迹，被"老头会""宰食猪羊"并夺去鞍马和粮食。塔布囊巴尔几、福桑兄弟向属下阿勒巴图历年苛派差项，比较现定章程多至数倍，且将伊等虐使。"老头会"遂率众向其索还多派的钱文，将巴尔几、福桑两家的牛、驴、猪等牲畜和农具、草料等一并夺去，"作价抵还"。许多平常苛虐百姓、差派勒索的贵族官员都受到"老头会"群众的种种报复和惩处。而一些贵族塔布囊慑于"老头会"的威势，不得不"或将什物作价还"平时多征的差钱，或令招垦而来的庄丁"迁徙出户"腾出地亩。与此同时，绰金泰、那木萨赍等还多次将前来缉捕的盟长和本旗官兵围攻、击退。②

同治二年（1863 年）六月，因散巴勒诺尔赞等呈报"匪犯绰金泰、那木萨赍等聚众多人，向该地方讹索钱文"，"将派拿该匪之章京哲克通额等驴马多匹抢去"，又在"盟长派出扎兰巴丹等传讯时""聚众拒捕，劫去人口、驴马"，清廷遂命（新任）热河都统麟庆"迅派兵丁"会同卓盟盟长派员"查拿"；并令"盛京地方文武赶紧会缉"，"如须用兵会拿，即迅派得力文武带兵役，前往协缉，务将著名各犯悉数搜拿，毋任一名漏网"，后来，

---

① 《清穆宗实录》卷 55，同治二年正月己未条。
② 中国第一历史档案馆军机处录副档，《民族类》，义都和西格抄稿。

热河都统麟庆又呈奏"老头会肆抢一案，请派大员驰赴该旗就近查办"，清廷即"谕令理藩院侍郎额勒和布前往会同审讯"。①

同治三年（1864年），清廷钦派大员、理藩院侍郎额勒和布会同盟长色伯克多尔济来到土默特左旗，派官兵终将绰金泰、那木萨赉及恩合巴土、土们恩克等"老头会"首领拘捕"到案"。绰金泰、那木萨赉、恩合巴土被判"斩立决"，其他主要首领也分别被判处"即行正法"、"发湖广福建等省交驿站充当苦役"和"发极边足四千里充军"等刑罚。并严审"老头会名目，饬旗永远禁止"。与此同时，也将"藉拿老头（会）乘机抢掠分赃"的章京哲克通额革职"发极边足四千里充军"，梅伦托布希尔呼、扎兰萨炳阿、塔布囊齐莫特等贵族官员也分别受到革去职爵、折罚牲畜等处罚。并称："该旗众塔布囊等，安分守己者固属甚多，一向欺压箭丁、讹勒差项者亦复不少，本应查办。姑念历年已久，人数太多，且各多有被老头会报复骚扰情事，均请从宽免议。"② 这段话既承认了该旗贵族普遍向箭丁欺凌苛索，又说明他们已遭到"老头会"群众的沉重打击；所谓"均请从宽免议"，则反映了查办大员与蒙旗贵族统治者的共同阶级立场。

额勒和布等人会审"老头会"刚结案不久，同治三年（1864年）底，"老头会"首领恩合巴土、那木萨赉、土们恩克等即乘夜砸开铁镣越狱脱逃，清廷命卓盟盟长色伯克多尔济，严饬所属蒙古各旗，责令将该三犯按名严拿务获，并令盛京将军、盛京户部侍郎、奉天府尹、锦州副都统等"分饬各该地方官一体购线会缉"，同时将"疏脱要犯"的旗札萨克贝勒散巴勒诺尔赞"下理藩院严议"，协理塔布囊、管旗章京等官员摘去顶戴。③ 在"老头会"群众的支持和掩护下，虽有散巴勒诺尔赞"带兵亲往捕捉"，那木萨赉等仍一再脱身，并曾"纠众拒捕，致毙人命"。同治四年（1865年）夏，辗转逃到阿噜科尔沁旗的那木萨赉、恩合巴土终被捕获。恩合巴土伤重身死，仍被残酷地"戮尸枭首"，那木萨赉亦遭杀害后，"枭首示众"。④

---

① 《清穆宗实录》卷71，同治二年六月甲辰条；卷124，同治三年十二月辛巳条。
② 中国第一历史档案馆军机处录副档，民族类，义都和西格抄稿。
③ 《清穆宗实录》卷125，同治三年十二月庚寅条。
④ 中国第一历史档案馆军机处录副档，《民族类》，义都和西格抄稿。

延续 5 年以上，给王公札萨克和贵族官员的封建统治以沉重打击的土默特左旗"老头会"反抗斗争终于失败，但其"余波"并未停止。直到同治六年（1867 年）夏，仍有"老头会"成员具状赴京控告散巴勒诺尔赞的种种恶行。[①]

哲里木盟南部的科尔沁左翼后旗，从清代中期就开始有许多汉民垦种居住，成为蒙旗佃户。随着土地收益的逐年增加，王公札萨克也一再提高租额，激起了佃民的反抗。道光三十年（1850 年），该旗数千佃民在吴保泰、王柏龄领导下展开抗租斗争，并武装抗拒清朝官员的缉捕。咸丰二年（1852 年）初，盛京将军亲率清军驱散抗租群众，逮捕了吴保泰、王柏龄。三年（1853 年），该旗佃民在孟玉龄、霍义领导下再次掀起抗垦斗争，并于咸丰五年（1855 年）多次击退清军的进攻，还攻入了旗府征收地租的地局。是年冬，孟玉龄、霍义先后被清军俘获杀害，抗租斗争最终失败。

19 世纪 60 年代，受到内地大规模农民起义的影响，东北各地也纷纷爆发了反清起义。其中，白凌阿等蒙古族民众首领参加领导的斗争，是咸丰同治年间东北各地大规模反清起义的一部分，他们多生活在蒙汉杂居、汉族人口及其农耕生活已占主要地位的地区。与"独贵龙"、"老头会"等蒙旗内部反抗王公贵族征敛压迫的斗争不同，他们的斗争形式和手段更多地受到带有内地特点的汉族贫民、失业者的影响，一开始往往以草莽绿林的形式武装打劫富商大户以至官府的财物，逐步发展到与汉族造反者一起打击地方官府、对抗官军，其活动范围也不限于一旗一盟、一府一县，而是流动作战于整个辽西沿边广大地区，而且主要不是以蒙旗贵族统治者为斗争对象。

道光二十年（1840 年）以后，最早见于史料记载的蒙古族"关外积年巨盗"是"科尔沁王旗"人张广义（蒙古名伯拉）。早在二十二年（1842 年），张广义即与王阡、蜚克图等（均蒙古族）聚集二三十人活动于山海关内外，多次抢夺"过往行客财物"。光绪十一年（1885 年），王阡等人被捕。咸丰七年（1857 年），蒙古族张永太与汉族王五等聚集 70 余人"讹索"开原县境内某当铺，并活动于昌图厅一带。同年，白凌阿至锡埒图库伦喇嘛旗贩马时与"盗匪"王洛七相识。咸丰九年（1859 年），因贩马不利无以

---

① 中国第一历史档案馆军机处录副档，《民族类》，义都和西格抄稿。

谋生，白凌阿遂投入王洛七"伙内为头目"，聚众至 200 余人。同年，又有科尔沁左翼中（俗称达尔罕王）等旗蒙古人弥勒僧格、赵保琅（二喇嘛）、王果良（又作王果诚）及王阡等与汉族李凤奎、柴（才）宝善、刘珠等"结伙"。① 如前文已述，王五（绰号滚地雷）、王洛七、李凤奎、柴宝善、刘珠等均系当时边内外汉族民众（"绿林"）首领。

白凌阿，史料有作"东荒蒙古人"，又称"敖罕贝子旗管下蒙古"即敖汉旗闲散贝子达克沁属下，又有原籍喀喇沁旗的说法。弥勒僧格，又作噶勒布僧格、色勒布，汉名郭文德。是白凌阿的外甥。其原籍，有作"宾图（王）旗"即科尔沁左翼前旗人，但史料又称他原系喀喇沁旗人，"早年"来到土默特左旗伟陀营子居住并"娶有妻室"，后来曾充当该旗地方"社首"。② 由此推测，两人的原籍大概都是喀喇沁旗。

咸丰十年（1860 年）三月，白凌阿与张广义、王果良、王五等在关外劫夺"奉省饷车十三辆"。同年十月，又与王洛七等在锦州属界劫取"科尔沁王车十余辆"，获 13 块金条、5 块银宝等财物。咸丰十一年二月初四（1861 年 3 月 14 日），因王洛七之子被朝阳县衙缉捕，白凌阿与弥勒僧格、王果良等联合王洛七、李凤奎等部共 500 余人，乘马持枪炮乘夜攻入朝阳县街，击败官兵，焚烧县衙、税局，打开监狱释放数百"囚犯"。③ 此即前文已述震动清廷的义军攻陷朝阳县衙事件。

咸丰十一年（1861 年）三月，清军攻陷义军凤凰山据点，白凌阿在战斗中摔伤左腿，逃到库伦喇嘛旗一带躲避。同年冬，白凌阿、张广义与王五等复率 200 余武装（其中蒙古人有 70 余人）"车载枪炮刀械"进入义州边内，于次年初闯入闾阳驿镇，击伤官兵、焚抢二家当铺财物。④ 后因大批清军围追，白凌阿、张广义等分路出边退往昌图厅、八面城一带。同治元年（1862 年）四月，张广义在长春厅属境被捕，后遭杀害。⑤ 白凌阿辗转逃回敖汉旗，躲入深山，并有"髡发为僧"潜藏的说法。弥勒僧格躲回土默特

① 中国第一历史档案馆军机处录副档，《民族类》，第 2409 号。
② 中国第一历史档案馆军机处录副档，《民族类》，第 2409 号。
③ 中国第一历史档案馆军机处录副档，《民族类》，第 2409 号。
④ 中国第一历史档案馆军机处录副档，《民族类》，第 2409 号。
⑤ 中国第一历史档案馆军机处录副档，《民族类》，第 2409 号。

左旗后，一度被地方团练捕获。当时该旗正值"老头会"群众纷起打击贵族官员，他反被旗府官员"赎"出，授给六品顶戴委为地方社首。弥勒僧格脱身后，曾潜逃到郭尔罗斯前旗境内并再次被捕；在押往热河途中，又再次"乘间拧坏拷扭"脱身。① 清廷获悉白凌阿、弥勒僧格分别逃避于本旗后，一再谕令土默特左旗和敖汉旗札萨克散巴勒诺尔赞贝勒、达维多克丹郡王等"迅将""拿获"。弥勒僧格等人"藉蒙古各旗庇护"下反与地方练勇对抗，击毙击伤多人。清廷闻报极为恼怒，于同治六年（1867 年）初下令将"庇盗殃民"的散巴勒诺尔赞"解任讯办"。②

同治六年（1867 年）秋，当东北各地反清起义已进入低潮之后，弥勒僧格、白凌阿等率众"复出滋扰"，活动于朝阳、建昌和敖汉、土默特交界地区。清廷急令卓、昭两盟各旗出兵会同热河、盛京所派清军追剿。七年（1868 年）初，白凌阿在吉林属境弓棚子地方被清军缉捕。是年冬，弥勒僧格也在土默特左旗本籍伟陀（韦坨）营子被捕。据时任热河都统的麟庆奏报，弥勒僧格被押送承德府后不久，即于是年十二月二日（1869 年 1 月 14日）因伤重死于狱中。③

但时隔数年之后，白凌阿、弥勒僧格等领导的抗清武装，仍然活跃于辽西、热河沿边地区。光绪元年（1875 年）秋，白凌阿率众数十人在敖汉旗、建昌县一带"肆扰"。同年九月一日（1875 年 9 月 29 日），白凌阿所部在潜往围场途中，于阎家窝铺突遭清军洋枪队包围袭击，白凌阿不幸被捕。后被押至承德，讯明"正身"后被处死、"枭首示众"。④

弥勒僧格则长期隐匿于科尔沁左翼前（宾图王）旗，曾被授"副关防差使"（管旗副章京），盛京将军崇实查明原来死于狱中的并非"正犯"后，即于光绪二年（1876 年）夏派兵赴宾图王旗缉捕了弥勒僧格。事后，宾图王西哩巴咱尔反以"官兵骚扰蒙古地面"、"枉拿无辜"移文崇实要求予以释放，清廷遂以"袒护盗贼"将西哩巴咱尔的帮办盟务、备兵札萨克、御

① 中国第一历史档案馆军机处录副档，《民族类》，第 2409 号。
② 《清穆宗实录》卷 46、87、88、191、193 相关条目。
③ 中国第一历史档案馆军机处录副档，《民族类》，第 2409 号。
④ 中国第一历史档案馆军机处录副档，《民族类》，第 2409 号。

前行走、三眼花翎、紫缰等职衔、恩赏全行革除。①

白凌阿、弥勒僧格及其余部的抗清斗争，断续坚持了约近 20 年。他们的反抗斗争主要采取聚股流动形式，时聚时散，时隐时现，除了与汉族民众首领联合反清时期之外，规模也较小，并且看不出有什么明确的政治目标。但是，在近代蒙古民族历史上，长期采取这种激烈的、跨盟旗的武装斗争形式，毕竟是比较突出的史例。在清朝以皇帝为中心的全国性编年体资料长编《实录》中，"盗匪"白凌阿的名字出现了 60 次以上，弥勒僧格的名字也出现了 40 余次。这说明他们的武装斗争，明显地打击了清朝在蒙古（特别是沿边）地区的统治。

四、图合莫起义与花里亚荪造反

图合莫位于哲里木盟科右前旗东南部（今属吉林洮南）。光绪十七年（1891 年）卓索图、昭乌达地区发生大规模金丹道之乱后，陆续有在劫难中流离失所的喀喇沁、土默特、敖汉等旗蒙民北上流亡，到哲里木盟科尔沁右翼前旗南部洮儿河两岸承领土地垦种居住。科右前旗札萨克郡王乌泰为偿还债务，乐于收留这些外来户收取押荒银和地租。与乌泰有矛盾纠葛的协理台吉巴图济尔噶勒和前任已革协理台吉朋苏（束）克巴勒珠尔等贵族官员，则以有碍于本旗游牧业为由坚决反对，曾迫使乌泰下令驱逐遣返这些外来蒙户。②

光绪二十六年（1900 年）八月俄军大举入侵东北以后，各地清军纷纷溃散，社会局势陷于动乱。遂有原籍土默特左旗的刚保、桑保、萨那（呢）多尔济等率领数千名外来蒙户聚众造反。他们以科右前旗南部的图胡莫（又称图古木、吐何莫）为据点，公开与科右前旗及邻近的科尔沁右翼中旗、后旗和郭尔罗斯前旗王公统治者对抗，四处"滋扰"，夺取武器、财物，征收粮秣牲畜，打击王公贵族和富商大户。由于清朝在东北的统治已处瘫痪状态，贵族大户或者出逃避难，或者征筹兵丁守护宅第家产。后来，各

---

① 中国第一历史档案馆军机处录副档，《民族类》，第 2409 号。

② 张文喜等整理：《蒙荒案卷》，吉林文史出版社 1990 年版；内蒙古历史研究所编印：《原札萨克图旗清末土地放垦及其演变情况调查报告》，1965 年铅印本，第 17—19 页。

旗王公札萨克联合出兵进行会剿，均遭坚决抵抗，无力镇压下去，科右后旗协理台吉察克达尔色楞也被擒获处死。二十七年（1901 年）夏，黑龙江将军萨保和科右前旗乌泰郡王、科右后旗札萨克镇国公拉喜敏珠尔等人，又改用招抚手法。乌泰还亲赴图合莫，授给刚保、桑保等人梅伦、扎兰（参领）等职衔、顶戴。与此同时，科右前旗协理台吉巴图济尔噶勒则会同各旗官员"齐赴哈尔滨俄国伯里（伯力，俄名哈巴罗夫斯克）总督处商求派兵剿匪"。是年 12 月（旧历十一月一日），图合莫据点被俄军攻破，刚保、桑保等"溃散潜逃"，起义终于失败。①

在图合莫起义的冲击和影响下，科尔沁右翼中旗还发生了札萨克亲王被逼自缢事件。科右中旗札萨克土谢图亲王，在清代所有内外王公札萨克排序中名列首位。当时的土谢图亲王色旺诺尔布桑宝还兼任哲里木盟盟长，是个极为残忍暴虐、穷奢极欲的封建统治者，被旗民百姓称为"道格辛大王"，意为凶暴的王爷。为追求奢华生活，他不仅滥肆征敛旗民的牲畜财物，还外借商债五六十万银两，从北京等内地购买大量昂贵的珍玩服饰和竹石、花木，强征旗民千里迢迢运回旗里，在王府修建华丽堂皇的亭园楼树。这位"道格辛"王爷对待属下家奴和旗民极为暴虐，动辄严酷鞭笞致死人命，或者因于黑牢折磨致死。家奴出身的王府护卫花里亚苏和旗府兵丁得及得噶拉桑二人的父亲，均惨死于该王的黑牢。②

科右前旗图合莫起义爆发后，色旺诺尔布桑宝极为惊恐，便调集家奴、旗兵百余人为其日夜守护王府，并且连续几个月不准他们回家。光绪二十七年（1901 年）四月，王府护卫花里亚苏、属吏花连及得及得噶拉桑等人终于忍无可忍，约同众家奴、兵丁携带武器弹药哗变逃离王府。他们拒绝色旺诺尔布桑宝的诱劝招抚，还联名具状，罗列其罪孽 48 条，向哲盟副盟长呈诉。不久，留在王府的卫兵也陆续逃散。色旺诺尔布桑宝惊恐之下乘夜偕几名近侍出逃，企图前往承德、北京求救。花里亚苏等闻讯后立即率数十人闯入王府，夺取几十支枪和弹药，连夜前往追赶。与此同时，花连等也率众百余人分头追赶。两天以后，色旺诺尔布桑宝在距王府 100 余里的一座寺庙里

① 《清德宗实录》卷 489、494、495、496、514 相关条目。
② 徐世昌：《东三省政略》卷 2，《蒙务上·蒙旗篇》。

被造反群众追上围困起来。愤怒的群众纷纷斥责和控诉其种种罪孽暴行，逼迫他以死相抵。色旺诺尔布桑宝写下内责悔过的供状乞求饶命，被花里亚荪等人当即撕毁，随同出逃的 7 名近侍也被打死。该王遂被迫自缢身死。[①]

色旺诺尔布桑宝死后，旗府官员和他的家眷慑于群情激愤，便以病故呈报清朝理藩院。光绪二十八年（1902 年）二月，由于乌泰的呈奏告发，清廷特派兵部尚书裕德为钦差前往盛京会同将军增祺查办，派官员赴科右中旗缉捕了花里亚荪等人。同年夏，经理藩院议奏和刑部复核批准，花里亚荪以"奴婢谋杀家长"罪被凌迟处死，花连等 3 人被判"斩立决"，得及得噶拉桑被判"斩监候"，其他造反群众也受到种种刑罚。[②]

① 徐世昌：《东三省政略》卷 2，《蒙务上·蒙旗篇》。
② 徐世昌：《东三省政略》卷 2，《蒙务上·蒙旗篇》。

第　十　章

清朝对蒙政策的转变与放垦设治

第一节　清末新政与清朝对蒙政策的转变

清朝在 17 世纪相继征服漠南、漠北蒙古诸部后，至 18 世纪中叶最终平定蒙古准噶尔部，完成了西北边疆的统一。从此，蒙古社会从战乱走向安定，清朝对蒙古地区的统治也不断加强和巩固。清朝统治蒙古政策的基本特征是因俗而治和羁縻抚绥。所谓"因俗而治"，其核心是实行盟旗制度，保证蒙古人在盟旗范围内实行自治。同时，实行"封禁"政策，严格禁止和限制汉人随意进入蒙地，维护蒙古自主体制和蒙旗牧地。盟旗制度实际是清朝多元化的治边管理体制在蒙古地区的具体表现，既满足了清朝对蒙古的统治需要，又顾及了蒙古游牧社会的政治传统和特殊性，可谓因地制宜，因俗施治。羁縻抚绥，就是以"封王联姻"等手段笼络蒙古王公贵族，给予优厚的待遇和地位，使他们始终充当清朝统治蒙古的忠实代理人。这些方针、政策的实施，使清朝在蒙古地区保持了百余年稳定有效的统治。

一、解除对蒙封禁的吁请

鸦片战争爆发后，由于内忧外患的加剧，清朝在内地和边疆地区的统治不断受到冲击，危机四伏。于是蒙古地区的局势也逐渐发生变化，使得整个清朝的大后方开始不稳定起来，令朝廷上下为之担忧。事实上，清朝的"祖宗旧法"已无法保证蒙古地区的安全了。另一方面，土地和人口日益集中的山东、直隶等地农民，在官府的压榨和灾荒的袭击下，不顾清廷的禁令，源源不断地涌入关外。道光三年（1823 年）至光绪年间，直、鲁、豫、晋、陕等华北各省发生数十次虫涝旱灾，农业经济遭到极大的破坏，大量灾民背井离乡，逃荒到东北和蒙古地区。汉族流民进入关外已成不可阻挡之势。

在这种情况下，内外臣工尤其是清朝驻边将军等纷纷奏请解除边禁，实行移民实边。清政府不得已逐步放弃边禁，实行开放。自咸丰十年（1860年）开始，清政府解除了对东北的封禁。

在蒙古，清廷虽然没有像东北那样由官府出面组织招民开垦，但也逐渐放松了原有的种种"蒙禁"。首先是察哈尔、归化城土默特等清廷直辖地区的官荒马厂的放垦呈现出日渐增多之势。咸丰四年（1854 年），清政府即弛禁察哈尔地区的王公马厂，招民放垦。对于部分札萨克旗王公贵族招收内地汉民，私租私放旗地的事实，也更多地采取默认态度，并开始允许个别招垦。比如，道、咸以降，仅郭尔罗斯前旗，垦地就增加到六七十万垧。① 科尔沁左翼三旗的垦地也不断扩大，从事农耕的汉民数量随之增长。为此，清廷于光绪三年（1877 年）将原辖科左后旗汉民的昌图厅升为府，增设怀德、奉化、康平三县，隶于昌图府，以管理科尔沁左翼三旗汉民。其他如镇国公旗、扎赉特旗、杜尔伯特旗、郭尔罗斯后旗，也都在清末官放时查出了数目不等的"私放私垦地"。

19 世纪 80 年代以后，蒙古地区的全面开禁，愈来愈引起清廷内外人士的关注。尤其沿边各省督抚要求开放蒙古，允准汉民出关开垦蒙地的呼声日趋高涨。这种局面的出现，除了抵御外患这个根本因素之外，还有财政上的原因。那就是通过放垦蒙地，收取地租，以增加国家和地方财政收入，已成为与蒙地接壤各省督抚最关心的问题之一。

在财政上，清朝原以解款协款制度，由中央政府统一管理收支，户部拥有"制天下之经费"的权力。各省并无财政权，只是奉中央命令征收各项赋税，存入公库，然后奏准开销各项经费，如有结余均需解运中央或收支不敷的邻省。经太平天国之后，解款协款制度渐趋废弛。各省督抚军权在握，

---

① 徐世昌：《东三省政略》卷 2，《蒙务上·蒙旗篇》。

原来掌管地方财政并直接听命于中央政府户部的藩司，转而受制于督抚，中央政府已无法通过藩司控制地方财政。而厘金制的实行与就地筹饷，使地方督抚的财权进一步扩大。因数额可观的厘金均由地方征收和控制，上缴仅为其中一部分，大部分被地方督抚所截留。于是单一的财政中央集权体制随之瓦解，进而形成了与中央户部并立平行发展的较为独立的地方财政系统。随着地方财权的不断扩大，各省督抚千方百计扩大财源、增加收入。于是，那些与蒙古地区接壤的各边省督抚以及兼辖蒙旗的驻边将军、都统等，将视线纷纷移到蒙古地区广阔的土地上，急想通过放垦蒙地，收取荒价、报地升科，以增加地方收入。

　　清初，进入蒙地"私垦"的汉人，数量较少，蒙旗收一些微薄的租项，以补财政之匮乏。对此种"私垦"，各省地方官基本上是听之任之，不加干涉。但到了清后期，情况发生了变化。正如张之洞所说：今则出塞民人，数倍于土著蒙部，察哈尔附近、围场地方，弥望沃壤，私垦甚多，其地本属蒙部，不征钱粮，今若听其旷废，则可惜。徒听私垦，不能升科，则仍于国计无补。① 光绪六年（1880年），直隶总督李鸿章率先在口北三厅王公马厂设局招垦，收取押荒银，令垦户升科纳租。翌年，又将三厅理事同知一律改为抚民同知。② 理事与抚民的区别在于理事衔主要强调司法上的管理，抚民衔则意味着对当地民人正式行使行政管辖权。理事一旦改为抚民后，先前被视为违禁私垦的民户就可以在当地编入户籍，由客籍变为土著，成为朝廷承认的编户齐民。李鸿章在直隶口北三厅实行招垦和提升三厅理事同知为抚民要缺的举措，直接促成了晋省在丰、宁两厅设局开办押荒事宜和实施口外七厅改制。

　　光绪七年（1881年）十二月，张之洞出任山西巡抚后不久，即上奏清廷，请求"把寄居于察哈尔、归化城土默特以及伊克昭、乌兰察布两盟各旗境内的所有汉人稽查登记，编户立籍，令其报地升科、永远居住"。③ 他认为，如此办理，既有利于管理汉民，也有益于增加国家税收。光绪八年

①　《张文襄公全集·奏议》卷2，文海出版社影印本1980年版。
②　中国第一历史档案馆：《光绪朝朱批奏折》第54辑，中华书局1996年版，第841页。
③　内蒙古档案馆准格尔旗札萨克衙门档案，卷65。

（1882 年）八月，张之洞奏请仿照直隶省所定章程办理丰、宁两厅押荒事宜。并特派此前办理口北三厅垦务的直隶口北道奎斌兼办丰镇、宁远两厅（即察哈尔右翼四旗牧地）的押荒事宜。他还咨照察哈尔都统谦禧，饬旗蒙各员协助晋省所派之员会勘办理。所谓"押荒事宜"，概而言之，就是由官府向垦户（垦种蒙地的汉人农民）征收押荒银（即地价），发给部照（由户部发的土地执照），执为永业（承认领地农民对所种土地有永久的所有权）。民户凡开垦已满三年者，造册报部升科，即向国家缴纳赋税。①

　　如果说张之洞的奏请只限于在口外七厅范围内"就边外原有民人，编户立籍，原有田地，清亩立册，既非招内地之民添移边外，亦非使边外之民另占蒙地"②的话，那么，其继任者们则并不满足于仅在厅的范围内"编户立籍"，而是主张将更多的蒙旗土地，招民放垦，令所有民户报地升科，使其纳入正式的国赋体系，以增加地方财政收入。所以，力求放垦蒙地便成为清末每一任山西巡抚所必争之要务。胡聘之就任山西巡抚后，在光绪二十二年冬至二十三年春间，两次派人到内蒙古西部地区，对蒙旗土地进行了考察。据胡聘之听取考察人员汇报后呈递的奏折所称：在晋西北之蒙古地方，"可开垦之地不下三十万顷，若能全行垦辟，除议给蒙租及一切费用外，约岁可得官租二三百万两。"如能开屯放垦，即"岁增巨款，以裨度支"。因此，胡聘之积极筹划开垦一事，向清廷力陈开垦蒙地所带来的诸多利益，并提出了现今之蒙古"所以谋生者已不在牧而在租"的理论。③

　　在山西等边省督抚及各将军、都统、大臣等迭次奏请之下，清廷对放垦蒙地问题开始重视起来。光绪二十三年（1897 年）五月，国子监司业黄思永上奏："内蒙古伊克昭、乌兰察布二盟，牧地纵横数千里，土田沃衍，河套东西尤属膏腴"，"如今民多私垦，不如官为经营"，④清廷将其奏折转发给山西巡抚胡聘之等边省督抚，要求"详细筹划，妥议具奏"。不久，山西巡抚胡聘之上《议开晋边蒙地以兴屯利而固边防折》，提出了在晋西北边外

---

①　苑书义等：《张之洞全集》卷5，河北人民出版社1998年版。

②　中国第一历史档案馆：《光绪朝朱批奏折》第114辑，中华书局1996年版，第155页。

③　《光绪谕折汇存》卷16，光绪二十九年石印本。

④　朱寿朋：《光绪朝东华录》，中华书局1984年版，第3956页。

之伊克昭、乌兰察布二盟蒙旗地方招民放垦，以兴屯利的建议和具体办法。他首先指出："方今款绌时艰，中外臣工，莫不以开源节流议图补救，然开矿经商，效难骤睹，裁兵撤勇，亦无多求。其上裨国计，下益民生，程工速而兴利溥，莫若广开蒙地一事较有把握而无流弊。"接着提出了设局、筹费、定租、驻兵等一揽子方案。清廷虽然表示赞成胡聘之所提方案，但也强调开办屯田，必须以不妨碍蒙民生计为前提。为此特意指示："惟兴办屯田，固所以裕税课而重边防，亦须无碍蒙民生计。"①

但是，开放蒙地、放垦牧场遭到伊克昭、乌兰察布两盟各旗的普遍反对。胡聘之、黄思永等奏请开垦伊、乌两盟各旗牧地之后，以伊克昭盟盟长、准格尔旗札萨克贝子扎纳噶尔迪为首的各旗王公联名上书理藩院提出："蒙古各部，向来以游牧为生计。一旦令汉民编户立籍，开垦牧地，蒙人不免失去牧场而生计愈加艰难"，故"实难违背朝廷之旧律，允准内地汉人前来开垦牧场，永远居住"；② 而且"现拟办法，较东三盟自行收租之例，未免向隔"，因此"恳请奏明准免开垦"。③

鉴于西二盟王公的一致反对，清政府最后还是以"蒙古一旦失业，难免滋生事端"，下令停止在乌兰察布、伊克昭二盟兴办屯田。

在内蒙古东部，虽然农业发展较早且广，有些地方已基本农业化了，但清廷并未完全废止有关的禁令。嘉庆年间，吉林将军秀林奏请准许内地民人垦种蒙地并"照吉林民人例一体纳租"，曾遭到嘉庆帝的申斥，以为"不晓事体"。④ 按规定，在放垦土地的蒙旗地方，旗札萨克"每年将租息收齐，会同该理事官员、地方官齐集蒙古等，共同放给"，理藩院则令各"理事司员、地方官，严查有无侵蚀入己等弊"。⑤ 可见，清廷只是要求理藩院派驻的理事司员和地方官，监督蒙旗征收、发放租息，并不从中劈分。光绪十七年（1891年）的金丹道暴动后，直隶总督李鸿章在办理热河善后事宜时，奏请清廷拟将八沟、三座塔、乌兰哈达、塔子沟四税司员一律裁撤，"税务

① 《清德宗实录》卷406，光绪二十三年六月癸酉条。
② 内蒙古档案馆准格尔旗札萨克衙门档案，卷65。
③ 《清德宗实录》卷415，光绪二十四年二月庚申条。
④ 《清仁宗实录》卷71，嘉庆五年七月戊子条。
⑤ （光绪）《大清会典事例》卷979，《理藩院》。

均归州县一手经理。"① 但理藩院认为"分赏各旗地方税银"，不应归"不谙蒙例、蒙古语"之州县官经理，故清廷未批准李鸿章的奏请。光绪二十一年（1895 年），署黑龙江将军增祺在奏请放垦属境官地、旗地时，提出将哲里木盟杜尔伯特等蒙旗土地一并放垦，清廷仍以"事涉藩部"未予批准。②

从上述内容可看出，清政府对于蒙古地区，尤其是仍保持着游牧状态的外藩蒙古地方的开放，有很多顾虑，态度十分谨慎。自 19 世纪 80 年代以来，开放蒙古的舆论虽然不断上升，清政府也不同程度地放松了对蒙古的"封禁"，但它一直未批准沿边各省督抚，驻边将军等呈递的关于由清政府出面大规模放垦蒙古牧地的奏请。但是，沿边各省督抚以及驻边将军、都统等从未放弃开放蒙古的主张。随着国内外形势的变化和清朝统治危机的日益加深，他们要求开放蒙古的呼声愈加强烈。这对清廷造成了很大压力。

二、清末新政与清朝对蒙政策的转变

19 世纪末发生的中日甲午战争、戊戌维新运动、义和团运动和八国联军大举入侵等一系列重大事件，使近代中国的历史又一次发生了巨大、急骤的变化。《马关条约》签订以后，帝国主义争夺中国的步伐大大加快，中国面临被瓜分的严重危机。从国内形势来看，广大人民反帝反清政府的情绪日趋激昂。光绪二十六年（1900 年），终于爆发了义和团反帝爱国运动。帝国主义当即组成八国联军入侵中国、占领北京，逼迫清政府镇压义和团。在中外反动势力的联合镇压下，义和团运动终于失败了。清政府与列强签订了《辛丑条约》。这个不平等条约单是赔款就高达 4.5 亿两，加上利息近 10 亿两银子。

义和团运动和八国联军大举入侵，把清朝的封建专制统治推到崩溃的边缘。空前的国内外危机，激烈的社会政治矛盾，以及巨额战争赔款所带来的财政枯竭，使得清朝统治者再也无法恪守旧制。为了避免覆灭的厄运，清廷不得不表现出一些愿意革新的姿态，以取得帝国主义的扶植，并安抚统治阶

---

① 中国第一历史档案馆：《光绪朝朱批奏折》第 115 辑，中华书局 1996 年版，第 146 页。
② 《清德宗实录》卷 373，光绪二十一年七月己未条。

级内部各派系和资产阶级上层人物。慈禧太后和光绪皇帝还在流亡西安期间，清廷便于光绪二十六年十二月（1901 年 1 月）匆忙发布上谕，决意变法，施行"新政"。4 月，又下谕成立督办政务处，作为规划"新政"的机构，派庆亲王奕劻、大学士李鸿章、荣禄、昆冈、王文韶，户部尚书鹿传霖为督办政务大臣。此外，清廷还把一些实力强大的督抚，如刘坤一、张之洞、袁世凯（在李鸿章死后）等，拉入督办政务处，借以笼络汉族大官僚和地方实力派，为清朝支撑局面，壮大声势。从此，以汉族官僚为主的革新派进一步得到较充分发表自己政见的机会，于是他们便挣脱守旧派的羁绊，把晚清社会引入了比较全面、系统的变革之中。清末蒙古地区的大规模放垦正是这种政治背景下的产物。

清政府发出"变法"上谕后，先后收到一些京内外大臣的变法奏议，其中有人专门提出修农政和垦荒的问题。刘坤一、张之洞联合发出的著名的"江楚会奏变法"三个奏折中指出："中国以农业立国，盖以中国土地广大，气候温和，远胜欧洲，于农最宜，其种植之无不宜，为全球所不能及，故汉人有天下大利必归农之说。夫富民足国之道，以多出土货为要义，无农以为之本，则工无所施，商无可运。"接着提出了劝农兴垦的具体办法，主张责成各州县遵照实施。他们还特别提出"东三省地方广阔，土脉最厚，荒地尤多"，"拟请特定章程，一人能开田若干顷者，从优奖以实官，绅富助资借本者，分别旌奖，以期鼓舞"。刘、张二人虽没有直接提出放垦蒙地的问题，但针对内省人购买蒙古马，"章程甚密"的情况指出："方今蒙古之与腹省，情同一家，似不必多设限制"，"贩马入口贸易，商民出口购马者，均听其便"。① 各省督抚大力提倡劝农兴垦和要求开发边疆地区，对清政府改变对蒙政策产生了直接的影响。

另一方面，甲午战争、庚子之役后，在《马关条约》、《辛丑条约》等所带来的巨额赔款的压力下，清政府不得不改京饷拨解制度为"摊"款制度，各省不论穷富，均须分摊赔款、借款和新增的练兵、办学经费。各省分摊的数额是甲午战争以前的六倍②。当时，仅山西一省所分摊的赔款银每年

---

① 朱寿朋：《光绪朝东华录》，中华书局1984 年版，第 4758—4761 页。
② 彭雨新：《清末中央与各省财政关系》，《社会科学杂志》第 9 卷第 1 期。

达数百万两之多。① 如此沉重的负担，清廷只得听任各省督抚巧立名目，多方搜刮。

在这样复杂的背景下，兼辖内蒙古西部口外七厅的山西巡抚岑春煊于1901 年 6 月呈递了《恳开晋边蒙地屯垦以恤藩属而弭隐患折》。他首先强调"俄人之势，日益盛强，蒙古之众日就贫弱"的现势，并列举前库伦办事大臣张廷岳、前司经局洗马张之洞以及查办土默特争地大臣绍祺等的有关奏折，提出"边臣皆知蒙兵宜练而苦于无饷，蒙长（旗）皆欲自练其兵而苦于无力。是则欲练蒙兵，非筹练费不可，欲筹练费，非开蒙地不可"。②

数月后，岑春煊迫于晋省财政"东挪西垫，寅支卯粮"，入不敷出，再筹赔款，"竭泽而渔，亦且无可罗掘"的窘境，再上《筹议开垦蒙地》奏折，着重提出开垦内蒙古西部各蒙旗土地，以筹措款项的问题。③ 岑春煊的建议，对于自庚子事变之后陷于"度支竭蹶"，"库款支绌"的清政府来讲，不能不说是救燃眉之办法。于是，清廷顾不得考虑是否"有碍于蒙古生计"，即于 1902 年 1 月正式批准岑春煊的奏请，并郑重其事地指出："晋边西北乌兰察布、伊克昭二盟蒙古十三旗，荒地甚多，土脉膏腴，自应及时开垦，以实边储，于旗、民生计，均有裨益。"同时还应岑春煊之举荐，任命兵部左侍郎贻谷为"钦命督办蒙旗垦务大臣"，④ 前赴内蒙古西部，督办伊克昭、乌兰察布两盟及察哈尔垦务。当贻谷即将赴任时，清廷又"谕以时局艰难，库款支绌，令与岑春煊和衷筹办"⑤。

清政府专门派遣垦务大臣，在蒙地地区推行放垦蒙地，标志着它已废弃了长期实行的对蒙"封禁"政策。清朝对蒙传统政策已发生根本转变。从此，全面放垦蒙地、增设州县，强化对蒙统治便成为晚清政府对蒙政策的主要目标。

---

① 内蒙古档案馆钦差垦务大臣档案，卷 74。

② 内蒙古档案馆：《清末内蒙古垦务档案汇编》，内蒙古人民出版社 1999 年版，第 1—2 页。

③ 《光绪谕折汇存》，岑春煊奏折（朱批），光绪二十七年十一月二十六日。

④ 内蒙古档案馆钦差垦务大臣档案，卷 1。

⑤ 贻谷：《蒙垦陈诉供状》，清末京华印书局排印本。

第二节　"放垦蒙地"政策的推行

一、贻谷督办西盟垦务

光绪二十八年正月十八日（1902 年 2 月 25 日），督办蒙旗垦务大臣贻谷"跪聆圣训"后，于二月二十八日（4 月 6 日）驰抵太原，面见山西巡抚岑春煊"查照原奏事理，悉心筹议"。此前，岑春煊已派人赴河套，对乌拉特三公旗黄河沿岸牧地进行了调查，同时咨请绥远城将军转饬该三旗"会同妥商办理"。所以，岑春煊对开办西盟垦务已有所准备。贻谷和岑春煊商定，将内蒙古西部之乌兰察布、伊克昭两盟（即西盟）作为放垦的重点地区，并拟定放垦《大概办法》上奏清廷。该《办法》中拟定：首先从乌兰察布盟乌拉特三旗的三湖湾、缠金、乌拉河一带开始放垦。这里有可垦之处二十一段，水旱各地约二十万顷。其中，以三湖湾地为最肥美，"数百里间，极易开渠，足资浸溉，是以历来称为沃壤。"关于放垦所需经费，拟仿照奉天办荒成案，于"荒价外另征二成，以资办公"。对于国家征收的押荒银（即地价）、租银和蒙旗征收的地租，拟定将水旱各地各分上中两等，分别定价；常年地租则一半归之公家（国家），一半归之蒙部（蒙旗）。[①]

贻谷在到伊乌两盟之前，对放垦蒙地已有了初步"想法"，也作了一些必要的准备。但对于能否付诸实施，贻谷仍有疑虑。一方面是，乌、伊两盟蒙旗放垦土地，"私招者多，奏放者少"，放垦、定租等一切权力都掌握在蒙旗手里。一旦"官为勘办"，蒙旗将失去有关放垦、收租的一切支配权。因此，贻谷担心蒙古王公札萨克等必定"多方挑弄，贿交利动，期于沮止而后已"。另一方面是，蒙旗牧地，"未放者固多，已垦者亦不少"。蒙旗与佃户之间，虽然存在一种租佃关系，但蒙旗向地户所收取的租项是十分微薄的。如果清政府以政令放垦蒙旗土地，就意味着要把蒙旗先前"私自"租给民户的土地，先收归垦务局，然后重新丈放，向领地的民户加收押荒银，并逐步升科收租。换言之，佃户既以合法形式领到了土地，就要向国家缴纳

---

① 贻谷：《垦务奏议》，《近代中国史料丛刊》本。

田赋，其负担必然比以前加重。所以，佃户一闻开办"官垦"，很有可能"辄恐夺旧予新，哗然而起"。①

鉴于上述情形，贻谷在太原即开用"钦命督办蒙旗垦务大臣"木质关防，以垦务大臣名义向西二盟蒙、汉人民发布了《办理垦务示谕蒙汉由》告示。该告示中首先声明：此次奉旨饬办蒙旗屯垦"系为开拓地利，体恤蒙藩，外以巩固边防，内以消除隐患，并非欲侵取蒙旗之地利，收回地商之产"。接着对放垦蒙旗牧地的原因又作了一番解释："近年蒙部牧产所出，不足资生，兵备不修，饷糈无着，一遇灾歉，待毙自甘。"此皆因各蒙旗"拘于禁令，不请兴垦"所致。如乌兰察布之乌拉特三旗，伊克昭盟之达拉特、杭锦等旗"河水萦绕、田土膏腴"，然多未典种，自困窘乡。就各地户而言，所种地亩多出"私租或今岁领地而明岁被夺"，"强者得利，弱者受亏，人无著籍之安，田无永置之业"。这都是"地系私租，未领文照（即官府认可的领地执照）所致。"他还表示，本大臣"必为蒙旗、地户筹策完全"，"应给蒙部押荒岁租，务从优厚，按放地之多寡，量给蒙员、蒙兵随缺地亩。将来各蒙旗济生有资，练兵有饷，昔之贫弱可变富强，必由于此"。据此他要求伊、乌二盟饬令所属各旗，拣派通晓事体之蒙员，勘明、呈报各旗放垦地段。

贻谷最后强调，对蒙旗"违禁私垦"，朝廷可以"免咎既往"，而"筹将来富强之计"。各盟长、札萨克等"如能格外出力，定奏请特恩格外优奖"，倘仍以有碍游牧为由，阻挠开垦，本大臣"亦未便听违抗"；倘有"匪类棍徒"，捏造谣言，煽惑地户，则严惩不贷。② 可见，贻谷推行放垦蒙地，一开始就采取了恩威并用、双管齐下的方针。

同年四月，贻谷抵达绥远城后，与绥远城将军信恪会商，先后设立垦务大臣行辕文案处、收支处、督办蒙旗垦务总局等办事机构。后又陆续分设丰宁垦务局，负责察哈尔右翼垦务；设张家口垦务总局，负责察哈尔左翼垦务；设西盟垦务总局，主要分管乌兰察布、伊克昭二盟垦务。这样，除阿拉善旗以外的乌兰察布、伊克昭二盟十三旗，土默特旗，察哈尔左右两翼八旗

① 贻谷：《垦务奏议》，《近代中国史料丛刊》本。
② 内蒙古档案馆：《清末内蒙古垦务档案汇编》，内蒙古人民出版社1999年版，第25页。

等广大地区都纳入放垦范围。按照贻谷本人的话说，"经画三千余里，操纵二十余旗"。放垦规模之大，可见于此。其中，重点放垦区域为牧地多未开垦的伊、乌两盟十三旗。而察哈尔、土默特各旗，则以清理旧垦为主。八月，贻谷又奏请设立东西两路垦务公司，分别承揽察哈尔和伊乌两盟垦务。嗣后凡经过垦务局勘丈，准备放垦的蒙旗土地，都由公司照章缴价承领，或放垦或招典，皆归公司自主。

　　清政府专门派大臣到绥远城督办蒙旗垦务，引起了伊、乌两盟各旗王公的极大震惊和疑虑。但是，由于交通不便、信息不通，当时蒙古王公对国内形势的变化，清廷所面临的种种困境，并不十分了解。因而依然认为开垦蒙地只是山西巡抚等个别疆臣的"主意"，并非朝廷的"本意"。出于这样的猜测，伊克昭盟各旗札萨克联名上书绥远城将军和理藩院，呈请停止开垦蒙地。他们提出：本盟各旗境内"并无应准内地民人前来开垦谋生之余荒，若允准内地民人在游牧内杂处，实有碍蒙众生计，必引致争端"，故恳请停止开垦。① 在乌兰察布盟，以盟长勒旺诺尔布为首的六旗札萨克与伊克昭盟各旗遥相呼应一同抵制放垦蒙地，同样向绥远城将军呈递了请求停止放垦蒙地的呈文。

　　另一方面，当时绥远城将军信恪病重，且已调任江宁，新任绥远城将军钟泰尚未到任。如果没有绥远城将军的有力支持与配合，西二盟垦务是很难推行下去的。在这种情况下，贻谷只好改变原计划，"暂缓会商西盟垦务，趁便赴察哈尔，先行筹办右翼旗清垦事宜。"② 同时还派员赴大青山之北的绥远城八旗牧厂，勘分地界，筹办开垦事宜。至光绪三十一年（1905年），对察哈尔八旗官私牧厂的清理和丈放工作基本结束。其中，察哈尔右翼四旗放垦约 24 800 余顷，左翼四旗放垦 20 000 余顷，绥远城八旗牧厂放垦 3 700 余顷。

　　贻谷在察哈尔推行放垦，也曾遇到蒙旗方面的反对和阻拦，但较之伊乌两盟，还算是比较顺利的。察哈尔八旗不同于伊乌两盟十三个札萨克旗，是"官不得世袭，事不得自专"的内属蒙古，所以对属民和土地没有自主支配

---

① 内蒙古档案馆准格尔旗札萨克衙门档案，卷84。
② 《清德宗实录》卷499，光绪二十八年五月丁卯条。

权。另外，清末察哈尔南部的王公马厂、官荒之地，基本垦辟殆尽，几乎与内地无异。但因为是"私垦私租"，长期以来在蒙汉之间存在着复杂的土地纠纷，客观上需要清理整顿。因此，如果由官府清丈土地，发给执照，而垦户缴纳荒价领地耕种，显然有利于消除汉民"旋种旋抛"，蒙人"忽予忽夺"之弊。这就是在察哈尔无论蒙人还是汉民都比较容易接受"官垦"的原因所在。

由于各旗札萨克普遍抵制开垦，伊、乌两盟的放垦难以实施。为了使贻谷的垦务计划尽快实施，清政府先后授给他理藩院尚书衔和绥远城将军一职，赋予了直接统驭伊乌两盟各旗的权力。光绪二十八年（1902 年）十二月，贻谷以带头反垦为由奏请撤销了伊克昭盟盟长杭锦旗札萨克贝子阿尔宾巴雅尔的盟长职务。此后，又采取武装"护垦"措施，派兵镇压蒙旗牧民群众的抗垦斗争，捕杀了抗垦队伍首领准格尔旗东协理台吉丹丕尔。

在清政府的高压政策和贻谷的武力镇压下，"自（光绪）二十九年春夏间，伊克昭盟七旗均一律报垦"。① 杭锦旗报垦 4 000 余顷，达拉特旗 2 600 余顷，准格尔旗近 1 600 顷，郡王旗 9 600 余顷，札萨克旗近 2 200 顷，鄂托克旗 170 余顷，王爱召寺院属地 1 200 余顷。至光绪三十四年，除了"独贵龙"抗垦斗争最为激烈的乌审旗，其他各旗的报垦地亩基本丈放完毕。从光绪二十八年到三十四年，伊克昭盟各旗共放垦土地 23 500 余顷。共应征押荒银 76.7 万余两，至三十四年已征押荒银 74.7 万余两。②

乌兰察布盟各旗反对开垦的态度一直十分坚定。自西盟开办垦务以来，垦务大臣兼绥远城将军贻谷虽多次饬令乌盟六旗报垦，可是该盟六旗札萨克就是不理会。期间，理藩院也曾命令乌兰察布盟盟长，与伊克昭盟"一体遵办"，"不得稍有阻挠"。但还是不能奏效，直到光绪三十二年（1906 年）乌兰察布盟六旗仍未报垦。

光绪三十二年（1906 年）四月，理藩院尚书肃亲王善耆根据清廷旨意，严饬乌兰察布盟盟长勒旺诺尔布等迅速前往绥远城，与垦务大臣面谈报垦事

---

① 贻谷：《垦务奏议》，《近代中国史料丛刊》本。
② 宝玉：《清末绥远垦务》，内蒙古地方志编纂委员会编印：《内蒙古史志资料选编》第 1 辑（下册），第 68—96 页。

宜。同年八月，清廷的高压政策下，乌兰察布盟六旗札萨克最终联名报垦。至三十四年（1908年）五月，四子王旗放垦约3 900顷，达尔罕旗放垦近1 000顷，茂明安旗放垦680余顷，乌喇特三旗共放垦2 260余顷。此外，贻谷还先后设局丈放了绥远八旗牧厂地3 700余顷，伊克昭盟和归化城境内的驿站用地（杀虎口站地）7 900余顷。

光绪三十四年（1908年）五月，西盟各旗经贻谷六七年的"经营"，正处于"辟地千里，垦务大兴"之时，发生了垦务弹劾案。由于贻谷强制推行垦务，"凡绳丈所至，兵力随之"，引起了蒙旗各阶层的强烈不满，激化了民族矛盾，造成"势将激变"的局面。这种情况下，归化城副都统文哲珲参奏贻谷"败坏变局，欺蒙巧取，蒙民怨恨"。为了稳定局势，以防不测，清政府被迫将贻谷及垦务局主要官员"革职拿问"。此后，西盟垦务基本处于停滞状态。贻谷的继任者信勤、堃岫等虽继续推行垦务，但在清朝面临崩溃、社会处于动荡不安的形势下，西盟垦务收效甚微。"垦案"发生后，在乌、伊两盟新放、续放的土地只有1 300余顷。清末"新政"的十年间，清政府在内蒙古西部地区放垦蒙地计约88 700余顷。[①]

二、东盟各旗的放垦

清政府派遣贻谷督办西盟垦务的同时，在内蒙古东部各蒙旗也推行放垦蒙地。与西二盟不同的是，东盟各蒙旗的垦务主要是由东三省将军（东北改省以后为巡抚）、热河都统等督办的。

内蒙古东部地区即卓索图、昭乌达、哲里木三盟地区，较之西部伊、乌两盟，农业发展比较早，许多地方已经出现了成片的农业区，而且一部分蒙古人已经弃牧转农，将开垦种地"视为固然"。而大部分王公札萨克早已通过招民私垦蒙地，坐收荒银地租之利；还有部分王公札萨克因债务缠身，急于谋求新财路。所以，清政府推行官垦时，除了激起蒙古族中下层群众的反抗外，没有遇到像西部盟旗那样上下一致的抗垦运动。

在东部盟旗，首先放垦的是黑龙江将军辖下的哲里木盟北三旗蒙地。自

---

① 清末内蒙古西部各旗放垦地亩数字主要引自宝玉：《清末绥远垦务》及贻谷《垦务奏议》、《蒙垦续供》、《蒙垦陈诉供状》等资料。

光绪二十八年（1902 年）至三十一年（1905 年），扎赉特旗共丈放土地 45 万余垧；后来又续放 2 万余垧。郭尔罗斯后旗垦务始于光绪二十七年（1901 年），至三十四年（1908 年）该旗共放垦土地 63 万余垧。杜尔伯特旗，除了旗省交界地划入省境的 10 万垧外，该旗共放垦土地 25 万余垧。与此同时，蒙古依克明安部也放垦土地 30 余万垧；西布特哈总管属地，共丈放土地 43 000 垧。

吉林将军辖下郭尔罗斯前旗，在清末十年内共放垦土地 21 万余垧。

盛京将军辖下科尔沁六旗中，科尔沁右翼前旗最先报垦。该旗为了偿还债务，自光绪二十八年（1902 年）至三十二年（1906 年），共放垦土地 60 余万垧，到清亡，该旗又丈放土地 30 余万垧。总计该旗清末共放垦土地约 90 万余垧。科尔沁右翼后旗、科尔沁右翼中旗先后从光绪三十年（1904 年）和三十一年（1905 年）开始放垦，分别丈放了 60 万和 87 000 余垧。科尔沁左翼中旗，自光绪三十四年（1908 年）至宣统元年（1909 年），共丈放土地 16.9 万余垧。

光绪三十年（1904 年），在热河都统督办下，昭乌达盟西拉木伦河沿岸各旗陆续报垦。首先由敖汉旗丈放土地 200 余顷。至宣统三年（1911 年），巴林右旗共放垦土地 8 000 余顷；阿鲁科尔沁和扎鲁特左、右两旗共放垦土地约 8 000 顷。

据不完全统计，清政府在哲里木、昭乌达两盟共放垦蒙旗土地 330 余万垧零 1.6 余万顷。① 截至光绪三十四年（1908 年），清政府仅从哲里木盟北部 7 旗放垦中即征收押荒银约 387 万两。推行"官垦"之后，内蒙古各蒙旗大都失去了放垦、收租的自主权力，而原先"私租私垦"的汉民则纳入正式的国赋体系，照例向官府缴纳课粮。

从总体上讲，清末放垦蒙地政策的推行，显然取得了成功，在许多方面达到了预期的目标。在清末十年间，招民放垦蒙地，共约 10 万余顷加 330 余万垧，征得押荒银不下七八百万两。在内蒙古，推行垦务的地区，除了锡林郭勒盟、阿拉善旗等偏远牧区和已经农业化的卓索图盟等地，几乎遍及所

---

① 汪炳明：《清末新政与北部边疆开发》，见马汝珩、马大正主编：《清代开发边疆研究》，中国社会科学出版社 1990 年版。

有盟旗。"垦地日广，人民日多"的形势，最终促使清政府正式废除了对蒙古实行的各项禁令。

宣统二年（1910年）九月，清政府批准发布了理藩部关于为筹办蒙务应酌情变通旧例的奏议。其内容有：

1. 变通禁止出边开垦各条。在已经奏准放垦之各盟旗，凡旧例内禁止出边开垦地亩、禁止民人（即汉人）典当蒙古地亩及私募开垦地亩、牧场治罪等条，酌量删除，以期名实相符。已经招垦之各盟旗，酌照内地旗、民交产之例，允许各蒙旗与民人交易，并报官核办。未经招垦之各盟旗，则由各边省督抚及各路将军、大臣，与蒙旗商议后奏请开放，由理藩部咨商将军、大臣、督抚，察明各处情形后，筹拟章程，并纂入理藩部则例，奏明办理。

2. 变通禁止民人聘娶蒙古妇女之条。旗、汉现已通婚，蒙、汉可仿照办理。由各驻边将军、都统、大臣及各省督抚出示晓谕，凡蒙汉通婚者，均由该管官酌给花红（彩礼），以示旌奖。

3. 变通禁止蒙古行用汉文各条。废止旧例所规定的不准蒙古延聘内地书吏教读，不准蒙旗所呈公文、禀牍、呈词等使用汉文，不准蒙古人用汉字命名等各项禁令，以利于蒙古之开化和改变旧俗。①

清政府批准发布"变通旧例"的政令，虽然在实质上只是对既成事实的承认，但毕竟说明它已正式宣布全面解除对蒙古的封禁政令，标志着清统治者彻底改变了传统治蒙政策。至此，蒙古地区已向内地汉民全面开放。

第三节 增设州县与筹划设省

一、增设州县

增设州县是清末放垦设治的具体成果，也是对蒙新政的又一重要内容。在蒙汉杂居的地方，旗管蒙人，州县管汉人，实行蒙汉分治，这是清朝一贯的政策。清末新政期间的设治，虽属清朝既定政策的延续和发展，但也呈现

---

① 《宣统政纪》卷41，宣统二年八月丁亥条。

出与清代前期不同的特点。首先，清末"新政"以前所设府厅州县，是以渐进的方式发展起来的，基本上是移民垦殖在先而设置州县在后。而清末设治则与"放垦蒙地"同时进行，在有的地方甚至先设治而后招民放垦。其次，随着"放垦蒙地"的全面推行，州县由沿边地带推进到蒙旗腹地，大大缩小了蒙旗原有辖境。

早在"新政"之前，时任山西巡抚的张之洞就曾提出"增设民官"以加强晋省对口外汉民的管理并增加地方税收的问题。只是因为蒙古王公的抵制，未能付诸实施。后来岑春煊就任山西巡抚后，于光绪二十八年（1902年）奏请放垦乌、伊两盟蒙地时，也提出在口外"拟增民官，即以内地太原、汾州各府同知移改"。清政府批准岑春煊之奏请，派贻谷赴内蒙古西部督办垦务后，山西布政使赵尔巽又提出，蒙地"非分设厅治，未易收长治久安之效"。他解释道："晋省边外各厅，在雍正、乾隆建置之初，丰镇、宁远两厅仅管丰川、宁朔诸卫所地。归化五厅，仅管土默特一旗地。计一厅地面广者不过百数十里，狭者尚不及，是以治理较易。自察哈尔牧界议垦开荒，凡隶右翼四旗者，民蒙、粮赋、词讼均归丰、宁两厅经理。自乌兰察布、伊克昭两盟牧界私租私垦日多，凡寄居汉民词讼，皆由归、萨各厅审理。疆域日拓，事务日繁，……皆有查察不及，防范难周之患，自非分设厅治，未易收长治久安之效。"① 赵尔巽的建议最终为清廷所采纳，得以付诸实施。

光绪二十九年（1903年），贻谷督垦期间在内蒙古西部乌兰察布盟境内设置了武川、五原二厅；察哈尔境内增设陶林、兴和二厅。光绪三十三年（1907年），在伊克昭盟境内又设了东胜厅。这些厅均隶于山西归绥道。

这一时期，清政府在内蒙古东部蒙旗境内设置的府厅州县则更多。光绪二十九年（1903年），在已开垦殆尽的养息牧厂设立彰武县，从原科尔沁左翼三旗垦地已设昌图府、康平、奉化二县中析设辽源州。该年，将朝阳县升为府，并于卓索图盟境内新设阜新、建平二县。三十年（1904年），在科尔沁右翼各旗新垦地区设立靖安、开通二县，三十二年（1906年）设安广县，后又分别增设醴泉、镇东二县，统隶于新设洮南府。光绪三十至三十三年

（1904—1907 年），在辖扎赉特、郭尔罗斯后、杜尔伯特三旗垦地设立大赉、肇州、安达三厅隶于黑龙江。三十四年（1908 年），在昭乌达盟地区将赤峰县升为州，在巴林右旗和克什克腾旗垦区新设林西县、阿鲁科尔沁和扎鲁特垦区新设开鲁县隶之。同年，改变呼伦贝尔地区原有八旗体制，设立呼伦兵备道，并于海拉尔设呼伦厅、满洲里设胪滨府。宣统元年（1909 年），又在奉天省昌图府、洮南府、辽源州之上设立洮昌分巡兵备道（驻辽源州），在吉林省设立西南路分巡兵备道（驻长春）。

这一时期，清政府在内蒙古东西各地所设置的府厅州县，无论其数量还是所辖范围，都远远超过了清代前期任何时期。这些新增设的府厅州县，"一方面使原来蒙古王公的旗地大为缩小，成为清政府直接统治的地区，另一方面，有的又有辖治蒙旗和蒙民的权力，从而大大削弱了蒙古王公的管辖权。"① 府厅州县的增设，有效地限制和削弱了外藩蒙古王公原有自主权，进一步促进了盟旗制度的解体，使国家权力进一步渗入到蒙旗社会内部。凡是放垦和设治的地方，一部分蒙民和所有汉民都成为朝廷的"编户齐民"，如同内地农民一样向清政府缴纳课粮。这对加强清中央政府在内蒙古地区的统治和扩大国家财政收入的来源都产生了重要作用。府厅州县的增设，汉民的不断涌入，无论在体制上还是在财力上，都为清政府在内蒙古地区实行改制直至设省创造了条件。

二、筹划设省

筹划设省是清末"新政"期间，清政府对蒙古所采取的一项重要措施，它既是"放垦蒙地"、"增设州县"的必然结果，又是清末筹边改制政策的重要组成部分。

随着"新政"在全国范围内的推行，蒙古地区的改制问题日益引起国内舆论的重视，朝廷内外不断有人提出各种各样的筹蒙改制建议。其中，驻边将军、都统、大臣，边省督抚，以及清廷中个别官员的奏疏、条议是清政府筹蒙改制的重要信息来源和决策依据。

光绪二十九年（1903 年）初，时任湖南巡抚的赵尔巽（前盛京将军）

---

① 赵云田：《清末边疆地区新政举要》，《中国边疆史地研究》1996 年第 4 期。

在其《通筹本计条陈》一折中指出："查历代之制，内地治以郡县，边外治以军府，然汉之河西列郡，至今仍隶版图，唐之安西北庭未及，仍沦异域，是治边外，军府仍不如郡县，确有明证"。接着他以"崇实之于奉天，铭安之于吉林，先后奏请增设郡县，左宗棠于西事甫定，即有不可不设行省之议"① 为依据，主张内外蒙古也要改建行省。清廷接到赵尔巽的奏折后，一是感到"事体重大"，"未便遽议施行"，二是觉得"需费浩繁"，必须"详慎察度，预筹布置"。于是把他的奏折下发给驻边将军、都统、大臣等，要求他们详加讨论，各述所见。从此，蒙古改省问题，实际已进入讨论、酝酿阶段。

日俄战争爆发后，于光绪三十一年（1905 年）五月，练兵处军政司副使姚锡光赴东蒙进行考察。同年九月，他在上练兵处王大臣的《实边条议》中，根据日俄交战以来东北和东蒙所面临的形势，指出："东、北两边自俄罗斯西伯利亚铁道成而全局一变，自日俄交哄，胜负和战皆于我有绝大关系"，而东四盟蒙古"适当畿辅、奉、吉腰膂之间，此实堂奥之忧，并非边隅之患也，似应极为经营，建设重镇，斯内于京师，有磐石之安，外于奉、吉，有建瓴之势。时势所趋，所宜急起直追，不可前却徘徊，坐失事会者也"。接着他根据新疆开设行省的先例，提出了在内外蒙古分建行省的设想：内蒙古分为东西两省，以直隶边外承德、朝阳两府共六州县及口北三厅为东省；从三厅西界画一直线，北抵外蒙古，凡东四盟蒙古，察哈尔左翼皆隶东省。直线以西，以山西、陕西、甘肃边外诸部，察哈尔右翼，绥远城将军所辖之土默特蒙古，西二盟蒙古，新设口外各厅，宁夏将军所辖之阿拉善厄鲁特蒙古，皆隶西省。外蒙古则划分为东、西、北三个省。车臣汗、土谢图汗两部为东省，赛音诺颜、札萨克图汗为西省，科布多、唐努乌梁海为北省。最后他断言："诚使国家奖励有法，提倡得人，不出五年，漠南诸部，凡可垦之地，可全数放垦，土地既开，人民自聚，理财练兵，俱有所藉手可举。以郡县之法治之，其滂渤横溢，可计日以待。"②

姚锡光的设想不免过于脱离实际，但却如实地反映了当时一部分廷臣疆

<hr>

① 中国第一历史档案馆：《光绪朝朱批奏折》第 33 辑，中华书局 1996 年版，第 19—22 页。
② 姚锡光：《筹蒙刍议》（上），光绪三十四年（1908 年）自刻本。

吏欲将蒙古改建行省的急切心情。而他所提出的"先谋内二省，以保漠南，再建北三省，以制北徼"的策略思想，对晚清对蒙新政的制定和实施产生了重要影响。

姚锡光之后，给事中左绍佐以"西北空虚，边备重要，拟请设立行省"上奏清廷，除了强调加强西北边防的重要性，主要对内蒙古地区因垦殖和汉民的移入而发生的一些变化作了较为细致的分析。他认为，蒙旗原有之牧地，因私租私放，大半已成农田，且蒙汉杂居，客土混淆。然管蒙旗者（指将军、都统），不管地方（指府厅州县），管地方者（指督抚），不管蒙旗，事权不能归一。往昔蒙汉不相交涉之时，本可相安，现今蒙汉相接，事务繁多，两办之事，遂成两难。道府州县管理词讼，而蒙旗不肯受其约束，将军、都统控驭蒙旗，而地方非其节制，将军、都统呼地方而不灵，地方官吏呼蒙旗而不应。平时如此，一旦遇有事情，后果可想而知。故此，加强西北边防，必先经营西北之蒙旗，欲经营蒙旗，莫先于事权归一，欲事权归一，莫要于设行省。他的设想是：热河、绥远，均改为行省，以直隶省的承德府及张家口、多伦、独石口三厅为热河省之辖区；以山西省丰镇、宁远二厅和新设诸厅，察哈尔右翼四旗，以及乌兰察布、伊克昭二盟为绥远省之辖区。① 另外，署黑龙江将军程德全又上《时机危迫亟宜开通各蒙一折》，提出："蒙古各盟世为北边屏蔽，乘平日久，习于便安，比年时局变迁，亟宜设法经营，以资控制。"②

光绪三十二年（1906年）春，管理理藩院事务的肃亲王善耆在陈祖善、姚锡光等随同下，赴内蒙古东部各地进行考察。在历时3个月的考察中，分别在喀喇沁右旗、巴林右旗、乌珠穆沁旗和科尔沁右翼中旗等地召集了卓索图、昭乌达、锡林郭勒、哲里木四盟各旗王公札萨克参加的会议。③ 返回北京后，肃亲王向清廷呈奏"经营之策"八条："一、屯垦，二、矿产，三、马政，四、呢碱，五、铁路，六、学校，七、银行，八、治盗。并预计应筹

---

① 朱启钤：《东三省蒙务公牍汇编》卷5，《满蒙丛书》本。
② 《清德宗实录》卷551，光绪三十一年十一月壬辰条。
③ 陈祖墡：《东蒙古纪程》，1914年刻本。

款项，一面集资，一面兴办，请饬筹议施行。"① 随行考察的陈祖善则提出
先设移垦局，招募北五省人民前往开垦，并由官府区划经理，俟垦户渐多，
然后仿照东三省办法，改移垦局为设置局，逐渐筹备积极进行。② 姚锡光也
向练兵处王大臣呈递了"经画东四盟蒙古条议"和"拟设全宁副都统说
帖"，进一步翔实汇报东蒙情况的同时，就开垦、设治等问题，提出了一系
列具体建议。③

上述关于筹蒙改制的意见和建议虽不尽相同，但其中心思想是一致的，
即改变蒙古旧有的政治制度，通过移民开垦，增设州县直至建立行省，以达
到"实边固圉"的目的。随着清末新政的进一步实施，这一主张逐渐为清
政府所吸收、采纳，并在随后进行的理藩院官制改革中得到了体现。

光绪三十二年（1906 年）九月，慈禧太后在听取考察欧美日宪政体制
的载泽等五大臣的汇报后，宣布"预备立宪"，紧接着进行官制改革，作为
"预备立宪"之先导。不久，"更定官制"，调整新设民政、度支、陆军、
法、农工商等部的同时，改理藩院为理藩部，并相应调整了理藩院的机构设
置和职能。新制定的《理藩部官制草案》第七条所规定的殖产司的主要职
能之一就是开垦蒙地。④ 这说明，清政府以法律草案的形式为今后推行开垦
蒙地提供了依据。随后，理藩部还设立调查、编纂两局，对蒙、藏各藩部及
土司地方的现状及历史地理等全面进行调查，为进一步实施筹边改制做
准备。

这一时期，清政府也加快了对东北地方官制的改革。东北是清朝的龙兴
之地，所以其行政设置不同于内地行省，"各将军衙署原设有户礼兵刑工五
司，盛京以陪都礼制。又设有五部府尹，以资分理。"⑤ 但近代以来，由于
"交涉日繁，郡县日辟，举凡财政、军政、警务、学务，无不量添局所，增
派官员"，因此"旧司新局，分列渐多，旗署民官，畛域显判"，几乎到了
"漫无统纪，寖就废弛"的地步。可见，清初以来陪都体制下的驻防将军、

---

① 《清德宗实录》卷 564，光绪三十二年九月辛亥条。
② 陈祖墡：《东蒙古纪程》，1914 年刻本。
③ 姚锡光：《筹蒙刍议》（下），光绪三十四年（1908 年）自刻本。
④ 《东方杂志》第 3 年（1906）第 13 期，"临时增刊"、"理藩部官制草案"。
⑤ 朱寿朋：《光绪朝东华录》，中华书局 1984 年版，第 5670 页。

奉天府尹与盛京五部并存的局面，越来越暴露出事权不一，政令歧出的弊端。光绪初年以来，清廷对东北军政虽然采取了一些改革措施，如裁撤盛京五部及奉天府尹等，但未能根本改变"事权不一"的局面。

光绪三十二年（1906 年）十月，清政府决定派商部尚书载振、民政部尚书徐世昌等前往东北进行考察。次年春，徐世昌在《密陈考查东三省情形折》中指出："自日俄战定，两强势力分布南北，……恐不数年间而西则蔓延蒙古，南则逼处京畿"，"事势至此"即应"亟图挽回之术"。[①]　不久，他奉谕旨提出在奉天、吉林、黑龙江三省，每省各设行省公署，以总督为长官，巡抚为次官。[②]　清政府采纳徐世昌的意见，对东北官制进行改革，将盛京将军改为东三省总督，兼管三省将军事务，授予钦差大臣衔，为东三省最高长官。裁撤将军后，在奉天置巡抚，领八府、八厅、六州、三十三县；吉林置巡抚，领十一府、五厅、一州、十八县；黑龙江置巡抚，领七府、六厅、一州、七县。[③]　此外，东三省总督之下，特设蒙务局，统管哲里木盟十蒙旗事务；三行省公署除交涉、旗务、民政、提学、度支、劝业六司之外，又专设蒙务司分管辖境蒙旗。

设立行省后，在东北地方最高行政机构中，废除了旗民两重制，而且将在东部蒙旗新设置的州县并入三省管辖范围，使东北与内地行政体制归于一致。至此，中国边疆地区，除内蒙古大部分地区、外蒙古和西藏以外，都纳入了行省体制，全国共有二十三个行省。东北设省，进一步加快了筹蒙改制的进程。

光绪三十三年（1907 年）五月，时任两广总督的岑春煊上《统筹西北全局酌拟变通办法折》，从统筹西北全局的角度，着重阐述了蒙古各部的改制问题。他指出：西北各边，自准噶尔、回部平定以来，"文治武卫，历百数十年，迄未大议整饬。财日以匮，民日以困，治日以窳，兵日以弱，即是晏然无事，已不可支，何况界约屡更，事变日迫，不为补救，必悔后时。……因俗施治，疆锁其政，盖亦惟当日之所宜，刻下时局日新，难循旧

---

①　徐世昌：《退耕堂政书》卷5，《近代中国史料丛刊本》。
②　朱寿朋：《光绪朝东华录》，中华书局1984 年版，第5670 页。
③　刘子扬：《清代地方官制考》，紫禁城出版社1988 年版，第7 页。

辙"。因此，对西、北边疆各部之传统体制，必须进行"变通"。但实行"变通"，不可盲目从事，应当遵循以下两个基本原则：一是"先图近边之树立，再议远塞之恢张，分次第以推行，期根本之渐立"；二是"不必徒侈改制之名，而当先尽振兴之实；不必大耗度支之力，而当先谋生殖之图。"岑春煊在这两个基本原则下，最后提出了一套"变通办法"。①

岑春煊的变通办法，从变通官制到划分疆域，从推行垦务到兴办教育，从整饬边卫到选拔人才，可谓无所不容。这实际是对西、北边疆地区不同情况进行广泛、深入的研究之后提出的比较全面、系统的改革方案。从改制而言，它的中心意图是改变对蒙古的"因俗而治"政策，逐步推行行省制度，以加强清中央政府的直接管辖。具体步骤是，西、北两路各将军、都统和大臣，皆改为巡抚，以接管地方行政，专辖一方。而在条件具备的近边地区，则直接设立行省，"以一事权"。

当时正值清政府对中央和地方官制进行自上而下的改革，因此藩部体制的改革问题业已提到议事日程上。所以岑春煊的奏折立刻引起了清政府的重视。而且由于岑氏"洞悉"边情，"言之独详，筹之尤备"，其奏疏实际上成了清末筹边改制的指导方针。遂清政府命军机处将岑春煊关于统筹西北全局的各折片下发给东三省总督徐世昌、直隶总督袁世凯、陕甘总督升允、原盛京将军调任四川总督赵尔巽、云贵总督（曾任山西巡抚、热河都统）锡良、奉天巡抚唐绍仪、吉林巡抚朱家宝、署黑龙江巡抚程德全、山西巡抚恩寿、陕西巡抚曹鸿勋、新疆巡抚联魁、绥远城将军贻谷、热河都统廷杰、察哈尔都统诚勋、伊犁将军长庚、乌里雅苏台将军马亮、库伦办事大臣延祉、科布多参赞大臣连魁、科布多办事大臣（驻阿尔泰）锡恒、西宁办事大臣庆恕、驻藏办事大臣联豫等"阅看"，命他们"体察情形、各抒所见、妥议具奏"。于是，蒙古改省便进入具体筹划和拟订方案的阶段。遂有廷杰、诚勋、贻谷等就蒙古地区改制建省，先后提出了更为翔实、具体的建议和方案。

热河都统廷杰根据左绍佐先前提出的建议，于光绪三十三年（1907年）七月上奏提出："改设行省，以人民财赋足敷分布为要。（内蒙古）今若划分三省，恐形逼窄，宜依左绍佐原奏，以承德、朝阳二府及两盟（卓索图、

---

① 四川民族研究所：《清末川滇边务档案史料》（下），中华书局1989年版，第921—926页。

昭乌达二盟）之地，再隶以张、多、独三厅，围场一厅及察哈尔迤东各旗地，为热河省，以为畿辅左臂；以丰镇、察哈尔右翼四旗，并归绥道属之归化、萨拉齐、托克托城、和林格尔、清水河五厅，武川、五原、东胜三厅，而隶以乌、伊二盟、阿拉善一旗为绥远省，以为畿辅之右臂。俟整理就绪，再将乌（乌里雅苏台）、科（科布多）各城一律改设。"①

同年九月，察哈尔都统诚勋上奏清廷，提出："筹边当以近边为入手，近边尤当以近畿为入手"，"察哈尔者京师之项背、宣（化）大（同）之门户，恰（克图）库（伦）之后路，而实为俄国通商入口之要道也"，故此"拟请以察哈尔与绥、热皆列为行省，为北三省，布置一切。除岑春煊原议外，别请以直隶之宣化，山西之大同二府，择要拨归察哈尔管辖，或改名北直隶，如东三省例，置总督一员辖三省或即名曰宣化省，仍兼辖于直隶总督，设巡抚一员兼都统"。②

当时在内蒙古西部督办蒙旗垦务并兼任绥远城将军的贻谷也上奏清廷，提出"绥远城建设行省，以管辖、政令、防守、开垦四者论之，均宜及时改建"。③ 并且强调，归绥道现已有厅十二，与吉林、黑龙江两省基本相同，"此后垦务所至尚可添官，似无虑厅县之少。若谓财力过绌，然亦有税厘粮赋等项，尚非无可凭藉，稍资协拨，足济设施"。④ 由此可见，贻谷显然赞成将绥远单独建为一省。

署黑龙江巡抚程德全的意见与岑春煊基本一致，他认为，国家统一蒙、藏、回各部以来，"专以柔服羁縻，不思设法控驭，近则强邻环伺，大有外诱内离之忧"。为此他向清廷建议：

首先，发展交通，以开边路。因为除了热河、绥远、察哈尔三处，其余乌里雅苏台、库伦、科布多、阿尔泰山、西宁、西藏等地"类皆穷沙绝域，路远天寒"，"故非先利交通，以舒血脉，则一切兴举皆无下手之方"。

其次，注重漠南，以期渐进。外蒙古一时既难开通，应以晋边入手，将

①　《清德宗实录》卷575，光绪三十三年六月庚申条。
②　中国第一历史档案馆：《光绪朝朱批奏折》第33辑，中华书局1996年版，第76—80页。
③　《清德宗实录》卷577，光绪三十三年八月癸酉条。
④　贻谷：《绥远奏议》，《近代中国史料丛刊续编》本。

绥远、热河、察哈尔各将军都统改设巡抚。

再次，先办要政，以分缓急。垦务为开边要策，殖民尤实塞良图，凡招募商民垦地者，给予奖励。此外，还提出暂缓练兵，以求实际；注重边才，以握治本；统筹财政，以便措施等具体建议。①

宣统元年（1909年）七月，署归化城副都统三多上奏清廷，提出了一个与上述意见完全不同的建议，即把整个蒙古地区分建为四个部：以东四盟为一部，而设治所于洮南；西二盟为一部，察哈尔、土默特并套西之阿拉善附焉，而设治所于绥远；土谢图、车臣为一部，而设治所于库伦；三音诺颜、札萨克图为一部，科布多、塔尔巴哈台并额济纳之土尔扈特附焉，而设治所于乌里雅苏台。然后，各设蒙部大臣一员，仿东三省总督兼将军之例，在其下面分设总务、调查、警政、垦地、劝业、财政、编练、文化、裁判、交通、交涉、咨议十二局，以综理庶务。至于筹建经费，除开办初每部拨120万两外，每年递减20万两，五年一律减尽。以蒙财治蒙地，当可安中夏而御强邻。②

内阁中书章启槐所提意见，与三多基本相同。他认为蒙古改省虽不失为"上策"，但"审度国家财力，默察蒙古情形"，则又不能"遽改"，而只能采取循序渐进，因势利导之策略。所以，拟请将蒙古划为四部，"特简督办蒙古政务大臣，驻扎于繁盛冲要之区，以收居中统驭之功"。③

当时对蒙古改省亦有不同意见，特别是对外蒙古设省的反对意见较多。设省议论出现后，乌里雅苏台将军连顺、库伦办事大臣丰升阿、延祉，科布多参赞大臣瑞洵等先后上奏清廷，提出外蒙古政治仿照内地与他处边疆办理"多有窒碍难行"。他们反对在外蒙设省的理由，可归纳为以下几个方面：

1. 外蒙古的情况与东三省、新疆以及内蒙古各部大不相同。东三省"沃野腴壤，人民所趋，当其未设民官之先，业已市镇、乡村星罗棋布。故各将军因地因势，请设郡县，一再经营而事无不集"，外蒙地方则"平沙广漠，一望无垠，蒙古居处，冬山夏水，迁徙无定"，蒙古人更不识耕获为何

---

① 朱启钤：《东三省蒙务公牍汇编》卷5，《满蒙丛书》本。
② 《宣统政纪》卷16，宣统元年六月己亥条。
③ 朱启钤：《东三省蒙务公牍汇编》卷5，《满蒙丛书》本。

事。如此而欲设官垦荒，则"无民可治"、"无地可久"，实难与东三省之人稠产饶，相提并论；新疆气候暖和，适合于农耕，"回乱"平定后，汉民迁入甚多，而外蒙因土地瘠苦，汉民虽来，"不过工做贸易，从无携眷联姻、渐成土著之处"，故外蒙与新疆相比较，"似毋庸增官筑邑，多事纷更"；内蒙古各部"系处近边，蒙古与民人，日久相习，风俗多有异同之处"，故能"次第酌设厅县，开垦荒地"。但领种者多系汉民，蒙众仍"未尝喜事耕耘"。现在欲期外蒙按照内蒙之办法，一律设官垦荒，"诚恐令一出而蒙人惊为奇异，立见纷扰"，① 难以收到垦辟之实效。

2. 改设行省，于边局有害无利。内外蒙古各部向来设正副盟长、总管等官分管各旗事务，今若改设民官，则政教号令，必须悉归官府。外蒙古固有之盟长、札萨克等各官，皆为汗、王、贝子、公爵，秩分较崇，"若遽削其权，必致众情眷动"，"万一人心摇撼，群起抗官"，② 局势将无法控制。

3. 移垦设置，有碍于蒙古之生计。蒙古生计专以游牧为主，食以肉乳，服以毡裘，行止无定，每一迁移，即在数百里之外。若设厅县，必有定所，使"蒙人困处一隅，坐失生计"。③ 若按照内蒙之办法垦辟外蒙之地"不但于蒙古生计实有妨碍，即现在民户亦将失业无依，且实边原为防边，若蒙民先已失业，转恐别生枝节，得不偿失"。④

4. 需费浩繁，筹之非易。若建省设官，"创置城池、衙署、庙坛之费，常年文武员弁兵役俸廉、饷工之资，需款颇巨"，如王大臣所奏约计所需不下千万两。而蒙古地方"既无地丁钱粮可纳，又无正杂税课可征"，此项巨费，只能取之于各省。当此国用支绌之际，断不应"如此铺张致涉欺饰"。⑤

有关将军、大臣及边省督抚等，就蒙古如何实行改制提出各自的建议和意见后，清政府以"费巨事繁，难以猝举"，明确否定了在蒙古"分设四部大臣"的意见。⑥ 对于分建行省，虽表示赞同，但由于内外局势的急剧变化

① 中国第一历史档案馆：《光绪朝朱批奏折》第 33 辑，中华书局 1996 年版，第 18—19 页。

② 中国第一历史档案馆：《光绪朝朱批奏折》第 33 辑，中华书局 1996 年版，第 19—21 页。

③ 《宫中档·光绪朝奏折》第 17 辑，台湾故宫博物院印行 1974 年版，第 6 页。

④ 中国第一历史档案馆：《光绪朝朱批奏折》第 115 辑，中华书局 1996 年版，第 447—448 页。

⑤ 《政治官报》光绪三十三年十二月二十三日，第 93 号。

⑥ 《宣统政纪》卷 16，宣统元年六月己亥条。

和北路各将军、大臣等的普遍反对，清廷暂缓在外蒙古设立行省，而是着重筹划内蒙古的设省事宜。为此，还责成各路将军、都统等对蒙旗地方进行实地调查，为下一步的"经营布置"作准备。只是由于辛亥革命的爆发，在内蒙古设省的计划未及付诸实施，但它加速了由各将军、都统辖区构成的独立的行政区域的形成，为后来的民国政府设置特别区、行省铺垫了基础。

第四节　蒙古族各阶层的反开垦、反改制斗争

一、反开垦斗争

清政府专门派大臣到内蒙古并通过官办的垦务机构推行垦务，意味着清朝已经放弃对蒙古牧场的保护政策。清代前期的"封禁"，尽管未能完全阻止汉民进入蒙地开垦，但毕竟限制了其数量，客观上对蒙旗草场起到了一定的保护作用。如果彻底废除"封禁"，汉民的移入和蒙地开垦将失去任何限制，必然导致草场的急剧缩小。另外，清末以前的乌、伊两盟各旗土地开垦，无论是奏放地还是私垦地，荒价地租悉归蒙旗，地方官府一般不加干预。而清末岑春煊奏请放垦蒙地，其最主要的目的是征收荒价。后来贻谷与岑春煊拟定的放垦蒙地《大概办法》中明确提出要辟分蒙旗征收的地租银，即"一半归之公家（官府），一半归之蒙部"。这与以往的情况截然不同，实际是借取缔"私垦"，兴办"官垦"之名，以图夺取蒙旗固有的放垦征租的一切权力。所以，清政府派贻谷到绥远城的这一举措引起了伊、乌两盟各旗王公札萨克的极大震惊和疑虑。

还在贻谷到绥远城之前，光绪二十七年十二月十日（1902 年 1 月 19日），由兵部将岑春煊奏折转给绥远城将军信恪，要求他督饬乌、伊两盟并协助垦务大臣贻谷开办蒙旗垦务。不久，乌、伊两盟各旗陆续接到绥远城将军衙门发来的岑春煊奏折及其蒙文译文。岑春煊奏折称："晋边西北乌兰察布、伊克昭二盟蒙古十三旗，地方旷衍，甲于朔陲。伊克昭之鄂尔多斯各旗，环阻大河，灌溉利便……以各旗幅员计之，广袤不下三四千里，若垦十之三四，当可得田，数十万顷。（光绪）二十五年，前黑龙江将军恩泽奏请放扎赉特旗荒地，计荒价一半可得四五十万两。今以鄂尔多斯、近晋各旗论

之，即放一半亦可得三四倍……"① 很显然，岑春煊是主张在乌、伊两盟全境推行放垦，以期搜刮巨额荒价。当时，伊克昭盟盟长拉西扎木斯重病，由副盟长杭锦旗札萨克贝子阿尔宾巴雅尔署理盟长事务。阿尔宾巴雅尔于光绪二十八年一月八日（1902 年 2 月 15 日）收到转录岑春煊奏折的公文。他看到该奏折后感到十分震惊和不安，随即致函伊克昭盟各旗，要求派人前来共同商议应对之策。他在函中说："现在上面已发谕令决定在乌、伊两盟十三旗境内推行官办垦务，事情非同小可。果真照此办理，我等蒙古岂有安身之地。……切望诸兄弟札萨克齐心协力，共同应对。"②

伊克昭盟七旗所派出的官员多为协理台吉，他们按约定时间即于四月十二日来到副盟长处，开始商讨如何应付此次开垦。经过协商，大家一致认为绝不可允准照岑春煊所奏将土地尽数放垦，无论如何要保护牧场。随后，由各旗札萨克和协理台吉等联名向绥远城将军衙门和理藩院递交呈文，请求停止放垦蒙旗牧地。该呈文中称：

> 我圣主给内外蒙古部落分游牧，定界限以来，本盟共有七旗二百七十三个佐领，其游牧情形，若云大概，量亦非不少，乃或系荒滩大沙岗，或系河湾滩头，而在平坦草场之地方，住有专门从事成吉思汗陵寝祭奠事宜之五百户达尔扈特人，……有各旗王公、贝勒、贝子、公、札萨克、台吉众户口，亦有众多老少平民、箭丁，以及盟内所设六台之甲兵三百户，世世耕牧年久。……除此而外，并无应准内地民人前来开垦谋生之余荒。若允准内地民人在游牧内杂处，实有碍蒙众生计，必引致争端。而历任晋抚不能仰体内外庶众一视同仁之圣意，惟有压抑蒙古仆众，百方筹画，奏请开垦游牧之地，让内地满汉人民前来占据。先皇圣主分给游牧，惟我蒙众世世住守度日，故此一盟七旗札萨克、官员等难以应允开垦，一同声明，呈报鉴察。③

---

①　内蒙古档案馆准格尔旗札萨克衙门档案，卷 84。
②　内蒙古档案馆准格尔旗札萨克衙门档案，卷 84。
③　内蒙古档案馆准格尔旗札萨克衙门档案，卷 84。

当时的乌兰察布盟六旗，较之伊克昭盟各旗，可以说基本不识农耕，皆以游牧为生计，所以对放垦反映尤为强烈。盟长四子王旗札萨克郡王勒旺诺尔布及各旗札萨克都反对放垦蒙旗土地，也联名向绥远城将军呈递了请求停止放垦蒙地的呈文。贻谷本想从乌兰察布盟乌喇特三公旗的黄河沿岸地带（即刚毅、胡聘之等前任山西巡抚一再提出要放垦的三湖湾、缠金、乌拉河等处）开始放垦，以便开渠灌溉。但是，乌拉特三公旗反垦态度非常坚决，他们在给绥远城将军的呈文中称："近年以来，民人所称之三湖湾等处，实指理藩院所奏准划定的奈曼哈萨格、衮戈壁、撒彻查干额尔格等地，并无三湖湾之地。该各处系蒙旗牧养牲畜，专供各军台所需驼、马，廪羊之牧地"，"如今三公旗境内，只有明令禁止放垦的牧地，别无可供开垦的闲地"。①

由于乌、伊两盟各旗的一致反对，贻谷不得已"急东缓西"，先开始办理察哈尔左右两翼和绥远城八旗牧厂垦务。不过，在赴察哈尔之前，他咨请绥远城将军饬调乌、伊两盟盟长，要求他们在光绪二十八年七月十八日之前到绥远城面商放垦事宜。

七月二十八日，贻谷从察哈尔匆匆赶回绥远城，因为要求乌、伊两盟盟长到绥远城商讨放垦的期限已过了十天。但是，伊乌两盟盟长或称"各理各地，未暇和商"，或称"世世游牧，难允开垦，借词搪塞"，拒绝前来与垦务大臣会商。② 伊克昭盟盟长阿尔宾巴雅尔等还将贻谷向蒙旗散发的《办理垦务示谕盟汉由》尽数退回了绥远垦务总局。阿尔宾巴雅尔在给绥远城将军的呈文中指出：蒙旗事情，向来上自札萨克衙门下至十户长自行管理。如有重大案件发生或蒙汉争讼，则由理藩院、驻边将军衙门，以及沿边府州县地方官等分别情形会同办理。而满洲八旗副都统、兵部左侍郎贻谷却不顾上述各衙门及地方官，强令蒙旗放垦，实有曲解朝廷谕令，欺压蒙古之嫌。故我等蒙古无法接受《告示》所列各项内容，切望绥远城将军等转咨垦务大臣贻谷，停止开办垦务。③

① 内蒙古档案馆钦差垦务大臣档案，卷39。
② 内蒙古档案馆：《清末内蒙古垦务档案汇编》，内蒙古人民出版社1999年版，第1072页。
③ 内蒙古档案馆钦差垦务大臣档案，卷8。

贻谷切实感受到乌、伊两盟札萨克旗蒙古与察哈尔、土默特等内属蒙古之不同。自清初以来，作为外藩蒙古的各札萨克旗一直保持着半自主的社会制度，对旗内土地、人民拥有自理、自治权力。在察哈尔，贻谷与察哈尔都统商谈之后，单方面制定了开垦的各项章程，完全没有听取蒙旗的意见。而在伊乌两盟却不得不先努力争得蒙旗王公札萨克的赞同。

光绪二十八年（1902 年）八月，贻谷专门针对乌、伊两盟各旗发布了一道告示，其中指出："乌、伊两盟，地为封建之地，前已示将所征押荒归尔蒙旗一半，其常年地租银，则尽数全归蒙旗，是乌、伊两盟蒙古应得押荒岁租，较之察哈尔蒙古所得款项，极为优厚。此系奏奉谕旨允行之案，决无更易，本大臣自当钦遵办理，以示朝廷优待蒙藩之恩意。总之，此次所办垦务，必期于蒙古生计有益，决不使蒙古进项有损。诚恐各旗蒙古未能周知，妄生疑虑，合亟蒙汉合璧，出示通行晓谕。为此示仰乌、伊两盟十三旗蒙古人等，一体遵照。尔等当知本大臣为尔蒙旗计，胜于尔蒙旗自为计。将来两盟养生有资，练兵有饷，端在此举。若疑为夺藩封之分土，作朝廷征粮之官地，则是自误安全大计，非本大臣之所期也。毋违特示。"[1]

这一告示里，贻谷承认乌、伊两盟十三个札萨克旗，是朝廷封给蒙古王公的领地，并非朝廷征粮的官地，故不能按照察哈尔之做法办理。所以，只能以优厚的押荒、岁租作为交换条件，促使各旗自愿报垦。为此，将原拟蒙旗常年地租由国家与蒙旗各分一半的规定，改为全归蒙旗。与此同时，贻谷还派防御博勒亨和骁骑校色拉芬赴乌、伊两盟进行开导说服。他们到了乌盟，盟长勒旺诺尔布称病不予接见。乌拉特西公旗态度强硬，禁止色拉芬张贴宣传开垦的布告，还要驱逐他出境，并声言将用武力抗拒开垦。[2] 贻谷的"优惠"政策，显然未能使各旗王公改变态度。

乌、伊两盟对放垦饬令的漠视，使贻谷感到非采取强硬措施西盟垦务实难开办。同年九月七日，贻谷将乌、伊两盟的反垦情况密报清廷，指出："蒙垦成否，不仅利源得失所关"，"若因难而推，将使该蒙旗轻量国家，以后倘有号召之时，难保无自为风气之意。此尤不可不防范于其渐也"。各蒙

---

① 内蒙古档案馆：《清末内蒙古垦务档案汇编》，内蒙古人民出版社 1999 年版，第 27 页。

② 伊克昭盟地方志编纂委员会：《鄂尔多斯史志研究文稿》第 4 册，1984 年版，第 37 页。

旗向来以理藩院饬令为转移，现在西二盟抗旨不遵，亦均以未接到理藩院的饬令为借口。此次开垦，唯理藩院能左右。故恳请朝廷"饬下理藩院，转行乌兰察布、伊克昭两盟一体遵办，不得稍有阻挠，并严饬该盟长迅速来绥会商一切，以遵朝命而赴事机"。[1] 次日又上一道密奏再次强调："若再延时日，必益坚其漠视之心，以后开办愈难，不独利权事权不能自主，即愈欲收回驭藩之权亦恐非易。"[2] 可见，贻谷推行放垦，不仅辟分蒙旗押荒岁租，更重要的是要收回"利权事权"，加强控驭外藩蒙古的权力。

为了使贻谷的西垦计划尽快实施，清政府加授贻谷理藩院尚书衔，以便于统驭乌、伊两盟王公札萨克。同时下令理藩院转饬乌、伊两盟盟长"迅赴绥远城，与该侍郎将军等会商一切事宜，不得故意迁延，借端推诿，致误垦务"。[3]

理藩院接到皇帝谕令后，即转饬乌、伊两盟盟长迅速前往绥远城，会同垦务大臣商议开垦事宜。这是理藩院第一次明令乌、伊两盟王公要服从垦务大臣指令，并带领各旗协同该大臣办理放垦事宜。

此前，刚毅、胡聘之等山西巡抚曾多次奏请放垦乌、伊两盟牧地，但因为该两盟王公的反对和理藩院的干预而未获批准。此次贻谷督办西盟垦务，亦起因于山西巡抚岑春煊之奏请，且由兵部将皇帝朱批的岑春煊奏折下发给乌、伊两盟各旗，要求遵照执行。所以，两盟王公们向理藩院呈报蒙旗不能照晋抚所奏放垦牧地，呈请理藩院再次出面替蒙旗转奏朝廷停止放垦。

这次理藩院明令乌、伊两盟王公赴绥商谈垦务，清楚地说明，此次放垦蒙地是奉朝廷命令行事，如果抗不遵行，后果可想而知。当时，杭锦旗札萨克贝子阿尔宾巴雅尔刚接替故去的盟长拉西扎木斯升为盟长，固然对理藩院的饬令不能熟视无睹，但又不愿贸然先去绥远城带头报垦。所以决定按照惯例通过举行会盟，召集全盟僧俗蒙众，宣布放垦谕令，并与札萨克、协理台吉等大小官员共同协商拿出统一的意见后再赴绥远城。

举行会盟的消息一经传出，在伊克昭盟七旗下层牧民当中引起极大的震

① 内蒙古档案馆：《清末内蒙古垦务档案汇编》，内蒙古人民出版社 1999 年版，第 1072 页。
② 内蒙古档案馆：《清末内蒙古垦务档案汇编》，内蒙古人民出版社 1999 年版，第 1073 页。
③ 内蒙古档案馆钦差垦务大臣档案，卷 8。

动，各苏木纷纷派人到札萨克衙门，表示坚决反对放垦牧地，并且抵制举行会盟。尽管到处弥漫着抗垦的气氛，伊克昭盟七旗札萨克、协理台吉等大小官员们仍按照约定的会盟日期（即光绪二十八年十一月十日）和地点，来到郡王旗察汉苏巴尔噶（意为白塔）地方，一同商讨如何应对理藩院的饬令和权势日重的垦务大臣。商议的结果，与会者仍然一致表示反对开垦。最后，各旗札萨克王公等以"旗内众蒙古不听宣示晓谕，皆称游牧草场万难开垦"为由，联名上书绥远城将军和理藩院，再次请求转奏皇上"停止开办官田，轸念众蒙古奴仆"。[①] 盟长阿尔宾巴雅尔还专门向垦务大臣贻谷致函称：因本盟上下都反对开垦，"盟长我一人即使赴绥面见大臣、将军，也于事无补"，故不能前去绥远城商谈垦务。

光绪二十八年（1902 年）九月，以盟长勒旺诺尔布为首的乌兰察布盟六旗札萨克和协理台吉等联衔呈文绥远城将军衙门，表示反对开垦蒙旗牧地。其呈文称：垦务大臣兵部左侍郎贻谷所饬送蒙汉告示已接到，并将此项告示向各旗内寺庙及各佐领下的官员、台吉、兵丁、披甲、黄黑（即僧俗）老幼男妇人等，遍行晓谕。据彼等喊报，本盟蒙古人等，原重风俗事佛，原编产业牧厂，照所张贴之告示，将游牧牧厂开垦，断然不能遵行。乌兰察布盟六旗札萨克等共行会同，伏思本一盟六旗系属向来依赖牧厂，孳生四项牲畜养命，所有备官款项，皆出于游牧之精粹，若照垦务大臣所颁发告示，将圣主赏给的世代游牧之牧厂，招民开办官田，则一盟六旗蒙古台吉、兵丁等众奴仆，将失去居住地方，必受流离失所之苦。自光绪十年起，山西巡抚张之洞、刚毅、胡聘之等迭次陈奏以图开垦本盟游牧牧厂，历经本盟札萨克等将强行开办屯田有碍生计之一切实情呈报理藩院转奏，奉旨停办屯田，迄今依旧平安度日。而今不意山西巡抚岑春煊，将前办已成上谕定例，轻忽违背，若致复行开垦，断然败坏蒙古之牧放生计，窘困甚巨，不能不渐生窒碍。故此在本盟六旗地方，断然停止开办官田，使众蒙古奴仆照常游牧，安居度日为万愿。[②]

后来，绥远城将军将理藩院的严饬令转发给乌盟各旗后，虽然过了几个

---

① 内蒙古档案馆准格尔旗札萨克衙门档案，卷84。
② 内蒙古档案馆钦差垦务大臣档案，卷39。

月的时间，勒旺诺尔布等王公札萨克仍置之不理，拒绝前往绥远城商谈放垦事宜。

光绪二十九年（1903年）四月，绥远城将军向乌盟盟长勒旺诺尔布发出严饬令，声称：上谕发出已逾期数月，该盟长迄今仍未前来就议，若仍旧借端推诿，震怒圣上，自取惩处，本将军亦无从祖护，切望深思。[1] 受到绥远城将军的严饬后，勒旺诺尔布感到势在必行，于是与副盟长云端旺楚克商议，决定照伊克昭盟的做法通过会盟，作出最后的抉择。

同年六月三十日，乌兰察布盟六旗在喀尔喀右翼旗的广福寺（现百灵庙），如期举行会盟。因为要商讨关系到全盟蒙众切身利益的放垦问题，参加会盟的不仅有各旗札萨克王公、协理台吉等主要官员，还有不少闲散王公和参领、佐领等低级官吏。大家会商的结果，仍是一致反对将"当差度日"之牧厂放行开垦。各旗官员们还毅然写出"不计功名，但求保护牧厂"的誓言，呈交各自的札萨克，以表示义无反顾反对开垦的决心。会盟结束时，六旗札萨克联衔呈文绥远城将军和理藩院恳请"停办官田"。

全盟上下坚定的反垦态度，大大减轻了盟长勒旺诺尔布对"抗旨不遵"的畏惧感。从此，他对垦务大臣贻谷的饬令"置若罔闻，不予理会"。垦务大臣贻谷对勒旺诺尔布的斥责也日渐带有恫吓、威胁的味道。他警告："乌兰察布盟长倘仍前延抗，是该盟长不胜领袖之人"，"惟有据实参奏，革去盟长之任"。

同年九月，勒旺诺尔布和云端旺楚克联名呈文理藩院，对垦务大臣贻谷不顾蒙旗的一再反对，强行放垦蒙地的合法性提出了质疑。他们指出：督办垦务大臣贻谷迭称，开垦"必有益于蒙古生计"，是朝廷"体恤蒙艰，代筹永远之利"。而"本乌盟并无蒙艰者，亦未据各札萨克旗下报有蒙众艰苦，恳请具奏体恤之处"，"究系何人所报，何人代筹，亟应彻底究出，恳请朝廷明察个中原委，下可求免欺凌本各旗众官兵僧俗百姓，上可求免欺蒙朝廷之大奸"。针对贻谷的恫吓提出：凡外藩蒙古王公札萨克、盟长等爵职之承袭奖惩，皆由理藩院承办，仰蒙圣主朱笔圈出，钦定拣放。督办蒙旗垦务大臣并无统驭外藩蒙古之权，而该大臣扬言参奏惩处各盟长、札萨克等，显系

---

[1]　内蒙古档案馆钦差垦务大臣档案，卷39。

无视朝廷律例，压制蒙古。故此一并请求理藩院转奏皇上，撤回该垦务大臣，以安众蒙古。① 在以后的四五年当中，垦务大臣和绥远城将军多次札饬勒旺诺尔布带领各旗报垦，但他仍旧是不理睬。

　　至光绪二十九年（1903 年）春，伊克昭盟各旗的反垦斗争发生了新的变化。四月间，伊克昭盟盟长阿尔宾巴雅尔迫于绥远城将军、垦务大臣的再三催令，派本旗梅林棍布到绥远城，向绥远城将军递交了一道呈文。阿尔宾巴雅尔在呈文中称：历经钦差大臣、将军派员剀切晓谕，"本盟长亦深知此次办垦，专为蒙旗开浚利源，于各旗裨益甚大，并非夺蒙人生计。理应本盟长率先呈报开垦，并饬令所辖各旗一同办理。惟上年业经呈请理藩院停止开办官田，今若允准办理此项官田，又恐与前言不符，谨呈伏乞将军、大臣，迅即咨请理藩院答复。一俟理藩院严催开办垦务，本盟长咴当遵照，先由本杭锦旗开办，并饬令所辖各旗一律遵照办理，绝不敢稍有违误。如蒙恩允，梅林愿在城中守候理藩院答复"。② 从上述文字看，阿尔宾巴雅尔的态度显然不如先前那样强硬了。但这并不等于同意放垦，据档案资料记载，他派棍布到绥远城实际是一方面"探听城中的详情"，另一方面以等候理藩院的"答复"为由，尽量拖延时间，以便见机行事。③

　　棍布来绥，对垦务大臣贻谷来说，是个难得的机会，自督办西垦以来，这是第一次有蒙旗官员前来商谈垦务。所以无论如何要说服他带头报垦，以供其他蒙旗效仿。贻谷专门安排垦务局总办李云庆、绥远城协领文哲珲、骁骑校色拉芬等，同棍布商谈杭锦旗的放垦问题。经垦务官员的多方劝导和垦务大臣贻谷的利诱，棍布同意代替本旗札萨克报垦。④ 最后应贻谷的要求，呈报放垦杭锦旗黄河以北长约三百里，宽六七十或二三十里不等的牧地，即杭盖三巴噶地。⑤ 在此期间，伊克昭盟达拉特旗札萨克图们巴雅尔也派协理

---

　　①　内蒙古档案馆钦差垦务大臣档案，卷 39。

　　②　内蒙古档案馆钦差垦务大臣档案，卷 65。

　　③　苏德：《阿尔宾巴雅尔等伊盟王公对官垦的抵制》（蒙古文），《蒙古史研究》第 4 辑，内蒙古大学出版社 1993 年版。

　　④　萨·那日松：《鄂尔多斯人民独贵龙运动》，内蒙古人民出版社 1989 年版，第 83 页。

　　⑤　内蒙古档案馆钦差垦务大臣档案，卷 65。

台吉巴扎尔噶尔迪到绥远城，报垦缠金、长胜两处旗地，以抵垦务局垫付的赔教款。①

棍布和巴扎尔噶尔迪二人"报垦"，给贻谷开办西垦提供了一个契机，他急匆匆奏请嘉奖阿尔宾巴雅尔、图们巴雅尔二人"以示激扬"。同时大造盟长阿尔宾巴雅尔已经带头报垦的"舆论"，向伊克昭盟其他各旗札萨克施加压力，催促他们尽快报垦。这一计谋的确奏效，不明真相的其余各旗果真相继派人到垦务局呈报开垦。

伊克昭盟各旗一致反垦的局面发生逆转。但盟长阿尔宾巴雅尔仍然坚持反垦的态度，根本不承认报垦杭盖地的事，并表示要惩处擅自报垦的棍布梅伦。他还向各旗札萨克、协理台吉等发出饬令，要求他们严格遵守察汉苏巴尔噶会盟时作出的一同反对开垦的诺言，不可将前言视同儿戏派人到垦务局报垦。② 阿尔宾巴雅尔的举动，对伊克昭盟垦务的进一步推进造成了严重障碍。

光绪二十九年（1903年）八月，贻谷兼任绥远城将军，清廷赋予了他直接督饬伊乌各旗的权力。权势日重的垦务大臣贻谷决定采取强硬措施，惩处"罔知利害"、"任意延玩"的伊克昭盟盟长杭锦旗札萨克贝子阿尔宾巴雅尔。

同年十二月，贻谷奏请撤去阿尔宾巴雅尔的盟长职衔，以示惩处。其奏文称："兹杭锦贝子先既遵调派员欣然报地，继乃无端延宕抗不指交，今更唆使各属旗不令遵原议，意在借口群情不愿，以使弥缝之术，败我将成之局。不惟不率之效顺，而率之阻挠，似此盟长岂止为垦务之忧。……筹办两盟垦务时愈一年，用人至数十人员名，糜款至三万余两，极力经营始有今日，何能任令该盟长从兹反复，致挠大局。现在别无操纵之计，惟有请旨饬将伊克昭盟盟长杭锦旗札萨克贝子阿尔宾巴雅尔开去盟长之任，去其所恃而震以天威。"③

清廷批准贻谷的奏请，撤销了阿尔宾巴雅尔的盟长职务，任命对贻谷放

---

① 义和团运动期间达拉特旗发生严重教案，教士、教民死伤百余人。"庚子赔款"后，达拉特旗向教会认赔37万两银子。其中，17万两现银，由垦务局垫付。

② 伊克昭盟档案馆：《鄂尔多斯人民独贵龙运动资料汇编》（油印本），第11辑，第21—22页。

③ 内蒙古档案馆钦差垦务大臣档案，卷104。

垦较为配合的伊克昭盟副盟长乌审旗札萨克贝子察克都尔色楞为盟长，札萨克旗辅国公沙克都尔扎布为副盟长。接着贻谷又派绥远城协领文哲珲带兵赶到包头及达拉特旗，进而直逼杭锦旗，要挟阿尔宾巴雅尔签署放垦杭盖地的书面文件，同时下令逮捕了"妨碍"垦务的杭锦旗管旗章京那顺朝克、鄂勒哲巴图。[①]

清廷的决定使阿尔宾巴雅尔大受震惊，垦务大臣贻谷和垦务局官员的软硬兼施也让他难以招架。清政府的高压政策下，阿尔宾巴雅尔最终屈服下来表示同意报垦。光绪二十九年十二月（1904 年初），他向垦务局报垦了杭盖地中的东、中两巴噶地。至此，伊克昭盟王公札萨克共同抵制开垦的斗争以失败而告终。

与此相反，这时伊克昭盟广大下层牧民的抗垦斗争以迅猛之势发展起来，逐渐变成为武装起义。

招民放垦对于广大下层蒙民来说，除丧失牧场、土地而外并无任何其他意义。因此，清末放垦蒙地从一开始就遭到蒙古族群众的反对。随着放垦蒙地的规模越来越扩大，内蒙古东西部各盟旗群众的反垦情绪越来越高涨，逐渐形成了武装抗垦的潮流。

在西部盟旗主要有白音赛音、五喇嘛领导的乌审旗"独贵龙"群众的抗垦斗争，厂汉卜罗、那素朝领导的杭锦、达拉特两旗抗垦斗争，丹丕尔、门肯吉亚领导的准格尔旗抗垦斗争等。其中，丹丕尔领导的准格尔旗抗垦斗争异常激烈，影响甚大。

丹丕尔是伊克昭盟准格尔旗东协理台吉。自贻谷督办西盟垦务后，准格尔旗群众强烈反对开垦牧场，当时署理旗务的丹丕尔也不愿意将大片牧地交给垦务局放垦，因而对群众的抗垦斗争暗中表示支持。后来其举动被贻谷察觉之后，便毅然站出来参加并领导了群众的抗垦斗争。光绪三十一年（1905 年）夏，准格尔旗各支抗垦队伍在丹丕尔的领导下汇聚为全旗性抗垦武装。此后，准格尔旗抗垦群众在丹丕尔的带领下，多次武装驱逐前来丈放牧地的垦务局官员，并将局中公文、账簿等尽行烧毁。丹丕尔还派人联络乌审、达拉特、札萨克等旗的"独贵龙"群众，准备发动全盟范围内的抗垦

---

① 伊克昭盟地方志编纂委员会：《鄂尔多斯史志研究文稿》第 4 册，第 42 页。

运动。于是，垦务大臣贻谷不得已从绥远城、大同等地调来清军进行镇压。光绪三十一年（1905 年）十二月，清军捕获了抗垦首领丹丕尔。次年二月，丹丕尔在归化城被处死。[①] 准格尔旗抗垦斗争宣告失败。

乌兰察布盟抗垦斗争虽不如伊克昭盟激烈，但各旗一同抵制开垦的时间却很长，直到光绪三十二年（1906 年）夏寸土未报。其中主要有两个原因：一是乌兰察布盟各旗齐心协力、始终步调一致抵制开垦，使贻谷难以下手；二是伊克昭盟各旗开始报垦后，贻谷将主要精力放在了伊克昭盟各旗报垦地的勘察和验收上。

直到消灭了丹丕尔的抗垦武装后，贻谷才腾出手来集中解决乌兰察布盟的开垦问题。光绪三十二年（1906 年）初，贻谷派员赴京向理藩院禀陈蒙情时称："本爵大臣奉旨查办蒙古事宜，宣扬朝廷德意，以筹教养，策安全为宗旨"，现在"伊克昭已全盟认垦，惟乌兰察布一盟，屡经饬催而百计迁延，至今尚未就议"，"疲顽狡展，殊属不成事体"。[②]

光绪三十二年（1906 年）四月，管理理藩院事务的肃亲王严饬勒旺诺尔布赴绥就议，听候核办。他还特派记名河南道陆钟岱前往绥远城，协助贻谷催促乌盟各旗报垦，并将办理情形随时上报。四月五日，肃亲王向勒旺诺尔布又发出一道饬令，严厉斥责其延误垦务之咎："惟乌一盟，外示恭顺，内藏奸巧，降旨三四年之久，经大部文催，而该盟长勒旺诺尔布百计迁延，迄今尚未遵饬会议。将军贻（谷）本应将阻挠违抗情形据实奏参，以示惩儆，惟念国家体恤蒙藩二百余年，切该盟长素性愚鲁，误信旁言，每每为其保全，不忍过事催逼，容忍至今。设如开垦之事，与蒙古实无大益，而伊克昭全盟何以均已开垦……札仰该盟长四子郡王于文到之日内，率同乌喇特三公速即前往绥远城将军、垦务大臣行辕会商，以重朝命，遵守屏藩，勿得任意延玩，勿怀犹疑，自取咎戾。"[③]

在肃亲王的严饬下，勒旺诺尔布最终屈服下来，会同各旗札萨克于光绪三十二年六月二十五日（1906 年 8 月 14 日）联衔呈报开垦地段，并声称荒

---

① 内蒙古档案馆准格尔旗札萨克衙门档案，卷 87。
② 内蒙古档案馆：《清末内蒙古垦务档案汇编》，内蒙古人民出版社 1999 年版，第 1107 页。
③ 内蒙古档案馆钦差垦务大臣档案，卷 135。

价地租全报效国家。但垦务委员前去验收时发现所报之地宽长不过十里余，且多为不易开垦的荒滩沙地，显然是应付开垦，以免再受理藩院的斥责。贻谷心里虽然十分恼怒，表面上也称"论各该旗翻然效顺，即报地无多，究属可嘉"。①

清末放垦蒙地期间，内蒙古东部地区也发生了激烈的抗垦斗争。与内蒙古西部不同的是，在东部各盟旗未能形成王公上层联合抵制开垦的斗争，而是蒙旗中下层群众发起的武装抗垦成为斗争的主流。

内蒙古东部地区最早出现的抗垦武装，是由苏鲁克旗人白音达赉领导的。苏鲁克旗原来是清朝的官牧厂，至19世纪末已放垦殆尽。蒙古牧丁因丧失传统生计而纷纷破产，使该旗的各种社会矛盾格外尖锐复杂，成为频频出现"土匪"、"马贼"的地区。光绪三十年（1904年）起，白音达赉即招聚人马拉起队伍在彰武、靖安、洮南一带流动作战，打击地方官府，富商大户。② 此后，在郭尔罗斯前旗、科右前旗、扎赉特旗相继发生了陶克陶、牙什、绰克达赉等人领导的武装抗垦斗争。这些抗垦武装斗争中，陶克陶领导的武装抗垦起义规模最大，对清政府在内蒙古东部推行垦务造成了严重影响。

郭尔罗斯前旗的土地开放始于乾隆五十六年（1791年）。当时，札萨克镇国公恭格喇布坦，为了征收地租，将本旗南部一部分牧地（即后来的长春地方）放给汉人流民垦种。③ 到嘉庆时，进入郭尔罗斯前旗从事垦种的流民人数已达数千人。嘉庆四年（1799年），吉林将军秀林会同哲里木盟盟长拉旺查办郭尔罗斯前旗私垦地亩，查出汉民二千三百三十户，熟地二十六万五千六百四十八亩。④ 当时鉴于汉民在此开垦度日已久，一时难以驱除，同时考虑到该蒙旗亦离不开地租之利，于是决定由吉林将军奏请清廷以"借地养民"之名义就地安置这些流民。这是郭尔罗斯前旗正式出放土地给汉人的开端。道光以后，郭尔罗斯前旗又分别开放了长春老荒西北部的西夹荒和东部的东夹荒。光绪十六、十九年（1890年、1893年）陆续出放夹荒余

---

① 内蒙古档案馆钦差垦务大臣档案，卷135。
② 白拉都格其、金海、赛航：《蒙古民族通史》卷5（上），内蒙古人民出版社2002年版，第183页。
③ 徐世昌：《东三省政略》卷2，《蒙务上·蒙旗篇》。
④ 《大清会典事例》卷158、167，《户部》。

地伏龙泉及新安镇等地方。光绪二十三年（1897年）以后，相继放垦宝巴（农安）、奈银图（德惠）的全部土地。

光绪三十一年（1905年），郭尔罗斯前旗札萨克辅国公齐莫特桑丕勒被晋升为哲里木盟盟长后，应吉林将军的要求打算放垦二龙索口、赛银和硕和塔虎地方。塔虎一带的蒙众为了生计，推举陶克陶为代表去旗府请愿，要求停止放垦旗地。陶克陶到旗府后要求拜见札萨克欲说服其不要放垦，但印务协理图普乌尤图不但不引见，还命人将其重打五十大板，赶出了旗府。此后，陶克陶便策划武装抗垦。

光绪三十二年（1906年），陶克陶带领他的三个儿子和亲族兄弟三十余人，宣誓起义，向垦务局发起进攻，捣毁了设在二龙索口的垦务局。从此，他率领抗垦队伍辗转活动于哲里木盟科右前、科右中、扎赉特、科左中等旗广大地区，到处袭击垦务机构，厉行阻止丈放土地，还抢劫打击富商大户，震动了整个东部盟旗和东三省当局。

在内蒙古东部爆发的武装抗垦烈火，使清政府十分恐慌。光绪三十三年（1907年）徐世昌出任东三省总督后，奉命抽调各地清军进入蒙旗镇压抗垦武装。被清政府收编的著名匪首、清军统领张作霖等率步骑各营兵力，首先进攻白音大赉的队伍。白音大赉在彰武县一带与清军多次激战后，因寡不敌众接连受挫，不得不率残部退入科右前旗西北索伦山中。此后，张作霖又率部在吉林、黑龙江两省清军和蒙旗王公武装的配合下追剿陶克陶。陶克陶的队伍在哲里木盟中部和北部地区辗转游击，与清军多次激战，曾击败数倍、数十倍于己的优势敌军。在几路清军的尾追下，陶克陶的队伍也被迫退入索伦山，与白音大赉的队伍会合。光绪三十四年（1908年）二月，张作霖乘严冬率兵进入索伦山追剿陶克陶、白音大赉。抗垦队伍虽几经激烈抵抗，终因众寡悬殊，无力坚持。陶克陶退出山林，继续转战于哲里木盟中部各旗，后经昭乌达盟北部巴林草原、锡林郭勒盟东部乌珠穆沁草原退入外蒙古。该年秋，陶克陶又率部进入哲里木盟北部各旗。他们仍以索伦山为据点四处流动作战，继续坚持抗垦反清。直到宣统元年（1909年），陶克陶终因清军重兵追剿和蒙旗王公武装的防堵无处立足，经呼伦贝尔逃入俄国境内。①

---

① 卢明辉：《陶克陶胡史料集》第二部分，《档案资料》。

陶克陶、白音大赉等领导的抗垦队伍虽然人数不多、武器简陋，但他们能够与占绝对优势的清军对抗数年之久，主要因为得到了深受清政府放垦蒙地之害的蒙旗群众的积极支持和掩护。抗垦队伍在极为艰苦的环境中，不屈不挠地转战东蒙古各地，沉重打击了清政府强行放垦蒙地的民族压迫和掠夺政策。

二、反改制斗争

清政府在内蒙古增设州县，尤其是筹划设省的举措也引起了蒙旗各阶层的反对和抵制。蒙古王公反对改制建省，其中最根本的原因是，要维护以札萨克分封制为基本特征的传统的自主体制——盟旗制度。盟旗制度是清前期"因俗而治"和"分而治之"政策的产物，同时也是蒙古各部归附清朝的政治基础。这一制度的建立对于清朝广阔的北部边疆地区保持长期的平静和稳定发挥过重要的作用。但到近代以后，由于帝国主义列强的不断侵略和清朝国力日益衰微，蒙古地区同中国其他边疆地区一样出现了危机。因此，在清政府内外，不断有人主张废除札萨克分封制，进而将州县制度推广到整个蒙古地区。如姚锡光所说："我朝抚绥蒙古，分建札萨克、台吉、塔布囊，以掌旗务。画疆而理，实即封建之制也。……窃惟封建与郡县，二者不能并在，而封建之法，尤不宜今日之世界，势分力薄，不相统一，不足捍御外侮，其势不能久存。自非易封建而郡县，不能为治。然欲易为完全无缺郡县制度，非收回札萨克土地人民之权不可。"① 而这种思想也逐渐为清朝最高统治者所接受，清政府已经开始认真考虑筹蒙改制的问题，并提出了"遍设州县"、"治同内地"的政策目标。因此，晚清时期蒙古地区的设治与以往的设治不同，它是设省的前奏。清初以来，随着垦地日广，垦民日多，清政府在内蒙古东西部各地已经设置了若干个府厅州县，实行蒙汉分治，旗管蒙人，府厅州县管汉民。这些府厅州县的出现，尽管对蒙古传统社会制度造成了一定的冲击，但它仍限于局部范围，尚不至于从根本上触动盟旗制度。而设省则非同一般，意味着盟旗制度将被全面废除，而蒙古王公札萨克等，将完全丧失传统的自主权利。

---

① 姚锡光：《筹蒙刍议》（上），光绪三十四年（1908 年）自刻本。

当时，清政府在全国范围内推行"新政"的形势下，蒙古王公当中也有人认为有必要变通旧制、实施革新，以适应"变法自强"的形势，并非盲目抵制所有新政措施。比如，喀喇沁郡王贡桑诺尔布、土尔扈特郡王帕勒塔、阿拉善亲王多罗特色楞、科尔沁郡王棍楚克苏隆、科尔沁亲王阿穆尔灵圭等先后上奏清廷，对于练兵筹饷、择地开垦、开采矿山、修筑铁路、兴办教育等新政措施表示赞同。其中喀喇沁右旗札萨克郡王贡桑诺尔布已经以在本旗兴学练兵、开工厂、办邮政而著名。① 在强邻环伺，时局急迫的形势下，蒙古王公中也有人认识到"若不亟图变革，将无以自救"。如土尔扈特郡王帕勒塔在奏文中所说："近数十年，彼俄人大有觊觎。……若不及时图治，数年后更不堪设想。"哲里木盟科尔沁郡王棍楚克苏隆提出：取缔宗教，以祛迷信；振兴教育，以开民智；训练蒙兵，以固边圉；择地开垦，以筹生计。② 尤为值得注意的是，有些王公的奏议已经触及蒙古地区传统政治体制的改革问题。贡桑诺尔布在奏文中表示："各蒙旗办事，向有定章，本属法良意美，惟时世迁移，今昔情形渐异"，故有必要"斟酌变通"。而他说的"今昔情形渐异"，指的就是由于垦地日广、汉民日多而在蒙旗和州县之间出现的复杂的权力纠葛。蒙旗和州县如何划分行政权限呢？这是晚清时期内蒙古沿边地区各蒙旗所面临的实际问题。对此，喀喇沁郡王贡桑诺尔布曾提出过自己的主张，他认为，应当去改变过去那种蒙人归蒙旗管理，汉民归州县管理的分治办法。因为"两衙门皆属专辖，每多纠葛，因之转生畛域"，故蒙旗和州县应"只以政事分权限，不以蒙汉分权限"，并"按照地方远近编定，以地段分管，不以人数分管"。③

从上述内容可看出，在蒙古王公内部不仅有了一些"革新图强"的意识，而且也认识到对旧制进行一定的调整是必要的。但蒙古王公普遍要求的是按照符合蒙旗自身利益前提下的调整或革新，而不是把蒙旗置于州县和汉官的直接管辖之下。

然而，内省督抚所主张的筹蒙改制则与蒙古王公的想法大相径庭，他们

---

① 白拉都格其：《清末蒙古王公图强奏议概论》，《内蒙古大学学报》1997 年第 4 期。

② 《宣统政纪》卷 27，宣统元年十二月庚寅条。

③ 朱启钤：《东三省蒙务公牍汇编》卷 5，《满蒙丛书》本。

执意要求蒙古各部凡已设立府厅州县之处，无论蒙民汉民，"皆受治于地方官（即州县官）"。光绪二十八年（1902年）十二月，署热河都统、工部左侍郎松寿、直隶总督袁世凯、热河都统锡良联衔上奏，请求将理藩院派驻于热河、平泉、建昌、赤峰、朝阳四州县境内的司员一律裁撤，将"所有蒙、民命盗词讼案件，均归州县办理"，而各蒙旗应分得地方税银，则由都统发放。他们的奏请得到了清廷的批准。① 这样，蒙旗原有之各项权益必然受到损失、削弱。此后，锡良改任东三省总督后，就东省所属哲里木盟的设治问题向清廷提交的方案中，更为明确地提出了收回各札萨克旗"旧有职权"的具体办法：

1. 关于行政权限。嗣后凡已经设治的地方，所有租粮均归地方官催收，按数移交该旗；无论蒙汉人民典卖田宅，照章税契，倘有地亩浮多，或争执界址情事，应由蒙旗商请地方官清丈，不得自往踏勘；未经设治地方各蒙旗，原有草、租、车、捐等局，应一律交地方官查明，禀定章程再行核办；各蒙旗自办学堂、巡警以及应办各项要政，亦统由地方官监督。

2. 关于司法权限。凡民蒙交涉之案，如有应传人证、应拘人犯，不在设治境内居住者，一经地方官知照，即由该旗迅速拘传解送，倘仍推延匿庇，准由地方官详请奏参；其单蒙案件，有已经蒙旗办结冤抑未伸者，或经地方官访闻，或赴地方官控告，准由地方官提讯拟办。②

由此可见，当时各省督抚实际上是主张全面"收回"札萨克蒙旗的传统自主权，把州县官凌驾于札萨克之上。对于锡良的奏请，清廷除表示"若系蒙旗奏垦，例准自行收租，亦未便遽加侵夺"以外，其余各项基本同意付诸实施。这样，凡已经设治或即将设治的各札萨克蒙旗将失去其旧有的自主权。

清政府采纳地方督抚及将军、都统等的意见，增设一大批新州县，积极筹划建省，预示着建立在蒙古游牧封建制社会基础上的盟旗制度将被内地省县制度所取代。蒙古王公上层普遍担忧蒙古即将变成一个行省而丧失固有的权利和独自的社会传统，因而对移垦设治采取了普遍抵制的态度。这在尚未

---

① 中国第一历史档案馆：《光绪朝朱批奏折》第115辑，中华书局1996年版，第146页。
② 《宣统政纪》卷29，宣统二年正月癸丑条。

农耕化，或农耕化程度很低的内蒙古西部地区尤为明显。光绪二十九年（1903 年），山西省在内蒙古西部增设各厅时，即遇到蒙旗王公札萨克的抵制。他们认为，越过察哈尔、土默特各旗界，在乌、伊两盟十三个札萨克旗地面创设厅署，"与旧例不符，有碍蒙古之风俗"。① 这里的"风俗"显然是指蒙古地区传统的政治体制。当时，在乌兰察布盟境内设立武川、五原两厅时，该盟正副盟长及乌拉特三公旗札萨克联名呈文贻谷，提出：欲在外藩蒙古札萨克专辖地面创设武川新厅，实于名义不顺，请将武川等厅，均行删除以顺名义。② 东盟王公也有不愿接受东三省总督与热河都统节制的倾向。清政府实施新政，设省议论随之出现后，外蒙古僧俗上层的疑虑和恐慌尤为明显，其不满情绪与日俱增。宣统二年（1910 年）三多接任库伦办事大臣，开始实施新政后，喀尔喀的政治气氛顿形紧张，一部分王公明显地产生了离清投俄的倾向。

---

① 中国第一历史档案馆理藩院档案，1523—92。
② 中国第一历史档案馆理藩院档案，1523—187。

第　十　一　章

清末内蒙古经济文化的演变

第一节　农业区的扩大与畜牧业的衰颓

一、农耕区的扩大与农业的发展

19世纪中叶以后，由于清朝蒙禁政策的逐步松弛，也由于内地连年战乱造成大批破产农民出边垦种蒙地谋生，内蒙古的农业区进一步扩大，农业有了新的发展。像察哈尔右翼南部地区和哲里木盟南部的今昌图、康平、梨树一带，已基本过渡到纯农业区。在伊克昭盟南部与陕西交界地区和后套地区，也出现了成片的农耕区。在这些地区，除了直接从事农耕的汉族农民和少量蒙古人务农外，还有一些旅蒙商和教会、教堂购置、租占土地经营农业。在河套地区，一些有财力的地商还较大规模地投资修渠，引黄河水灌溉农田，并借此扩大耕地面积。如后套一带的48家兼营农业的旅蒙商号，曾联合兴修、扩建缠金渠（又称永济渠），全长140余里，渠干宽达数丈，每年灌地三四千顷，收粮数十万石。至19世纪末，后套已形成永济、通济、长济等八大干渠。除了最大的永济渠，其他干渠也可灌溉多则千余顷少则七八百顷农田。所产粮食不仅满足当地需要，还被旅蒙商运销邻近盟旗和包头、归化城等地，以至外蒙古地区。

20世纪初清政府推行放垦蒙地政策之后，内蒙古的农业和农业区又有了大规模的发展、扩大。

在内蒙古西部，集宁至多伦一线以南的察哈尔左右翼南部，适耕地已垦辟殆尽，基本上看不到传统的畜牧业了。大青山以北的武川、陶林（今察右中旗）、四子王旗一带，也出现了成千顷农田。在伊克昭盟，除南部边墙沿线和北部河套一带已基本变成农业区之外，中部东胜一带地区，也出现了新开垦的上万顷农田。清政府在这些地区增设兴和、陶林、武川、五原、东胜五厅，正反映了汉族农业人口急剧增加、农耕区不断扩大的实际情况。

在西路垦务公司及王同春等汉族大地商、外国教会势力的经营下，后套地区的土地开垦也有了较大的发展。费安河的耶稣教会庄园分布于扒子补隆为中心的后套东部地区。天主教会的土地庄园主要分布在以三盛公（今巴彦高勒镇）为中心的西部地区，仅清末 10 年间，即增建了渡口、补隆淖、蛮会、陕坝等教会庄园，拥有数千顷土地和教民数千人。贻谷督办垦务期间，在放垦后套蒙旗土地时，还将原来分属各大地商的灌渠收归官有，统一进行了修整、疏浚。到他被革职时，各大干渠已基本修浚完毕，可灌溉农田万余顷，明显促进了后套水利和农业的发展。

内蒙古东部新出现的最大的农业区，是以洮南为中心的哲里木盟东北部地区。清末放垦以后，哲盟北部七旗的大兴安岭以东地区，基本上成了农业区。在几乎全旗性放垦的郭尔罗斯后旗，1911 年时已看不到成群的牛羊、成片的草场，变成了村屯星罗棋布的比较典型的农业区。此外，在昭乌达盟西拉木伦河流域，也出现了以林西、开鲁为中心的两大块农业区。

由于放垦的多数是沿河丰腴地带，经过几年的垦辟，这些新农业区很快就变成了比较发达的产粮区。尤其是以洮南为中心的科尔沁右翼三旗南部和郭尔罗斯前旗，不久即以盛产玉米、高粱、谷子等杂粮著称。[①]

不过，清末内蒙古农业区的急剧扩大，是以清政府推行放垦蒙地政策为直接背景，以牺牲这些地区的传统畜牧业为代价的。放垦的地区，基本上是内蒙古各蒙旗水草丰美、地势平缓的沿河流域，而这些地区本来是蒙古族经营畜牧业的优良牧场。清政府强垦这些丰美的草场以后，蒙古族牧民赶着牲畜被迁往山陵、沙漠、碱滩等贫困地区，极大地破坏了传统畜牧业。

---

①　汪炳明：《清末新政与北部边疆开发》，《清代边疆开发研究》，中国社会科学出版社 1990 年版。

二、畜牧业的衰颓与萎缩

在农耕业得到大规模、迅速发展的同时，内蒙古地区的传统畜牧业却出现了严重的衰颓和萎缩。造成这种局面的主要原因有以下几个方面。

第一，是农业区的扩大占据了大面积的优良草场。经过晚清数十年的垦辟，曾驻牧着察哈尔各旗和成批清朝官私牧厂的察哈尔南部草原已不复存在；占据东北大平原中部和北部的广袤的哲里木大草原，只剩下兴安岭山麓的一小部分；昭乌达盟西拉木伦河流域，伊克昭盟中部、南部，后套平原和大青山以北等地农耕区的扩大，使大片优良的畜牧业草场变为农田，蒙古族传统的畜牧业遭到严重的打击。

第二，近代以来在中国大部分地区出现的近代经济因素，激烈冲击着蒙古族社会的商品经济和农业经济力量，并没有直接影响到传统畜牧业内部，推动经营方式和生产技术的变革。在畜牧业生产关系中，虽然带有租佃性质的"苏鲁克"剥削方式较以前有了一定的发展，但仍处于少量的次要的地位，而且也并没有推动畜牧业生产技术的改进。与此同时，由于内蒙古地区已被卷入国内外商品贸易市场，作为畜牧业基本生产资料的牲畜的绝对数，却在大幅度减少。清朝末期，内蒙古每年外销的牲畜，即达几十万头牛、十几万匹马、百余万只羊。日俄战争期间，日本仅从哲里木盟采购军马即达三万匹，俄国也采购食用牛羊三十万头只。此外，在频繁发生的内外战争中，清政府都从内蒙古征调大量军马驮驼，奉调出征的蒙古骑兵还都是自带马匹。

第三，蒙古族社会内部腐朽落后的封建王公制度，也是严重阻碍畜牧经济发展的重要因素。由于受到近代社会生活的影响，许多王公贵族越来越追求奢华，利用特权无限制地征敛旗民的牲畜、银两。在外国帝国主义、满汉统治者和封建王公的几重压迫、剥削之下，劳动牧民陷于贫困、破产。腐朽的社会制度和落后的生产方式，还导致无力抵御频繁发生的各种天灾、疾疫，造成牲畜的倒毙和劳动力的减少。

第四，由于藏传佛教盛行和沉重的封建压迫，使牧业劳动力严重缺乏。清朝统治者为控驭和削弱蒙古民族，一直对藏传佛教实行优待政策。按照藏传佛教教规，出家僧侣既不能结婚繁衍人口，又不直接参加社会生产劳动。

由于清政府的提倡和宗教迷信思想的禁锢，使得蒙古社会常年有众多男性出家为僧。据粗略统计，清末内蒙古蒙古族人口中喇嘛竟占 10% 左右。在纯牧区喇嘛的人数更多，普遍占男性人口的 40% 左右，有的旗甚至在 50% 以上。藏传佛教的盛行，不仅严重削弱了蒙古民族的意志和力量，而且还是直接阻碍畜牧经济发展的主要因素之一。

第二节　商业贸易与城镇的发展

一、商业贸易的发展及其特点

近代以来，外国经济势力的侵入，国内资本主义经济因素的不断增长，以及清政府蒙禁政策的松弛、废止，农耕区扩大带来的农业定居人口急剧增加，推动了内蒙古地区商品经济的迅速发展。原来主要处于自然经济状态下的农牧业产品，已愈来愈多地成为商品，被卷入贸易市场。销往内地或国外的畜产品，主要是役用的牛、马、骆驼，食用牛羊，作为手工业及外国近代工业原料的驼毛、羊毛、羊绒及畜皮。部分较为富庶的农业区，所产粮食不仅满足当地和邻近牧区的需要，还大批销往邻近各省或外蒙古地区。进入内蒙古市场的内地产品，仍然是传统的茶叶、粗布、丝绸、铁器、陶瓷器皿等日用品和简单生产工具，外国近代工业产品则有各种细布、钟表、灯具、妇女化妆品、儿童玩具等等。

蒙旗原有的传统庙会集市，也有很大发展。库伦喇嘛旗的庙市，随着绥东县的设立，已转变为周邻地区的重要商业城镇。呼伦贝尔南部的甘珠尔庙集市，已具有上万人的规模，景象十分繁盛。参加交易的除了呼伦贝尔地区各旗，还有邻近的外蒙古牧民、内地的直隶、山西商贩和俄国商号；交易的商品，"畜则驼马牛羊以数十万计，货则金玉锦绣、布帛菽粟、轮舆鞍辔"，蒙旗日用器物无所不备；寺庙周围数十里内"毡庐环绕"、"连车为营"，"蒙言汉语、驼啸牛鸣、车驰马走之声彻日夜不绝于耳"。[①]

清末内蒙古商品经济和商业贸易的发展繁荣，有力地促进了社会经济生

---

①　宋小濂：《呼伦贝尔寿宁寺市场记》，《东三省蒙务公牍汇编》第 4 卷，1909 年排印本。

活各个部门、各个方面的丰富和发展。但是，它也具有明显的历史局限性和突出的畸形色彩。首先，内蒙古牧业区的畜产品很大一部分销往国外，成为外国资本借以牟取高额利润的近代工业原料；愈来愈多的外国产品不仅排挤了国内传统手工业品而且使内蒙古成为外国倾销商品的市场。这种情况下的商业繁荣，很大程度上是外国经济侵略和掠夺的产物，实质上是近代中国半殖民地经济在内蒙古地区的一个具体体现。其次，在没有自己的近代工业和资本主义经营方式的情况下，这种单纯的商业繁荣并不具有近代资本主义性质，事实上也未能触动内蒙古的贵族领主经济和封建地主经济。第三，除了中东铁路沿线的呼伦贝尔一带，内蒙古的商业贸易活动仍然主要控制在具有很大历史局限性的传统旅蒙商手中。外国资本的倾销商品和掠夺原料，主要是通过华商代理人及一些旅蒙商号实现的，这些旅蒙商也就有了明显的买办性质。由于传统生产方式和旧观念的束缚，蒙古族社会内部极少有人参与商业活动。蒙古的牲畜、毛皮虽然大量商品化，但收购和经销仍然主要由旅蒙商垄断把持，而传统旅蒙商则以高差额的不等价交换进行残酷盘剥。也就是说，这种商业贸易活动的发展，不仅未能刺激蒙古畜牧业的发展，反而成为导致畜牧业衰退萎缩和蒙古族社会愈加贫困的主要因素之一。

二、新兴城镇的成批出现

近代以来，随着内蒙古地区整个政治经济形势的变化，如商业贸易的发展，放垦设治并强化军政统治，俄国修筑、经营中东铁路等等，使这一广袤偏僻地域上成批出现了新的城镇。

商业贸易活动的增加，直接导致原有商业城镇的发展扩大和新商业集镇的成批出现。新出现的商业城镇，西部主要有丰镇、武川、包头，东部主要有经棚、绥东（原库伦喇嘛旗，今属通辽市）、辽源、洮南、海拉尔、满洲里等。

有清以来，归化城不仅是内蒙古西部的商业贸易中心，还是内地通往外蒙古和新疆的重要通衢、商品物资集散地。19世纪中叶以后，这里的商业贸易又有很大发展。70年代，每年从西（新疆）、北（外蒙古）两路运入归化城的商品，价值即达2 000万银两以上。左宗棠平定新疆，开辟内地经兰州通往大西北的商路以后，归化城的贸易额受到明显影响。地理位置上邻近牧区的包头、武川，也很快发展为内外蒙古牲畜和毛皮等畜产品的集散地。其中，包头以收购山羊绒等畜产品为主，武川以集散牲畜为主。不过，19 世纪末，归化城每年经销的商品，仍有数十万只羊、上万斤驼毛、近百万匹布和 10 余万箱茶叶，年贸易额仍不下几千万两银，而且还拥有专门用于长途贩运货物的骆驼 1 万多峰。①

内蒙古东部的新商业城镇，主要是清末放垦蒙地后处在交通枢纽的新设府县。其中洮南和辽源分处哲里木盟北部和南部新农业区的枢要。由于洮辽大道的开通，使这两个城镇迅速发展为物资和商品转运中心。短短十几年间，洮南和辽源已由原来的草滩牧场骤变为拥有二三万人口、数百家商铺，每年分别经销集散 10 余万和 40 万石粮食、四五万头只牧畜、万余张畜皮、数万斤羊毛的重要商业城镇。②

俄修东清铁路通车后，中俄边境首站满洲里很快成为新兴城镇，原呼伦贝尔副都统驻地海拉尔的城市规模也迅速扩展。

满洲里本为广袤草原。俄国人称中国东北为满洲，东清铁路由此进入中国东北，遂将入境首站称为满洲里。光绪二十三年（1897 年）东清铁路动工，这里很快成为筑路工区，商业贸易也随之兴盛。清政府在满洲里设立胪滨府，并开设为通商口岸，不仅使这里中外商贾聚集，而且成为府级政治中心。俄国控制着车站附近街区，并且驻有护路军。距车站数里之外，是聚集着中国官署、商铺的街区。③

清末海拉尔分为新旧两个城区和铁路以北的铁道村。车站以南是俄国铁路公司控制的新城区，驻有俄方设立的各类机构，已有成千俄人居住。新城区以南是海拉尔老城，聚集着商贾店铺，设有呼伦道和呼伦厅衙署。④

清朝在内蒙古增设府厅州县，使内蒙古境内道府级以上的城镇，除原有归绥和海拉尔、满洲里之外，又出现了洮南府、洮昌道驻地辽源州，朝阳府等重要政治中心。为强化军政统治，洮南府驻有奉天巡防队 3 个营，辽源州

①　何志：《从清初到抗日战争前夕的呼和浩特商业》，《内蒙古大学学报》1961 年第 1 期。

②　［日］柏原孝久、滨田纯一：《蒙古地志》下卷，东京富山房 1919 年版，第 906—907、923—925 页。

③　［日］柏原孝久、滨田纯一：《蒙古地志》下卷，东京富山房 1919 年版，第 1185—1186 页。

④　［日］柏原孝久、滨田纯一：《蒙古地志》下卷，东京富山房 1919 年版，第 1179—1181 页。

驻有奉天巡防队 2 个营。黑龙江省辖下的海拉尔，驻有前路巡防队统领，下辖马、步各两个营。[1] 在内蒙古西部的绥远城和归化城，除已将原有驻防八旗和土默特蒙兵编练成新式陆军，还驻有山西后路巡防队。[2]

第三节　工矿企业与交通邮电

一、手工业与新型企业、实业

近代以来，内蒙古地区的手工业主要还是在原有基础上的发展，经营方式、加工门类、产品品种都没有很大改进，而且主要集中于较大的城镇或农业区的商业集镇。其部门和产品，仍以传统的皮革加工、制毡、木器加工、打制铁器和其他金属器皿等为主。以内蒙古地区最大的商业和手工业城市归化城为例，19 世纪末，这里的专门手工作坊主要是以鞣皮为主的皮革加工业和擀制主要用于货物包装的毛毡。皮革加工作坊约有 30 余家，每年用土法鞣制加工羊皮约 20 万张、牛皮三四万张。毛毡作坊约有二三十家，制作的毛毡每年约 1.5 万余条。其他手工业，如木器、铁器、皮制品加工等，多由商业店铺兼营的附设小型作坊制作。如专门出售皮靴的永德魁商号，拥有由数十名鞋匠做工的作坊。

19 世纪末开始，特别是清末新政倡办工商实业以后，内蒙古地区也出现了具有一定近代资本主义性质的新式企业、实业。这期间开办的采矿业，如转山子金矿、土槽子银矿、甘河煤矿等，无论是官办、商办或官商合办，已程度不同地具有近代企业的性质。归化城的毛纺工艺局、哲里木盟郭前旗的大布苏造碱公司、喀喇沁右旗综合工厂、蒙古实业公司、大兴安岭祥裕木植公司和赤峰涌源隆面粉厂等，也是清末出现的新型企业和实业。

归化城毛纺工艺局，是光绪三十一年（1905 年）由归绥兵备道胡孚宸创办的。他从绥远城将军、归化城副都统和归绥道台府筹银 4 000 两，加上商股 1 000 两作为资本，招募训练 50 余手工匠人，专门从事织毛布（毛棉

---

① 乌云格日勒：《近代内蒙古东部地区的城镇》（博士论文），2000 年。
② 《内蒙古辛亥革命史料》，内蒙古人民出版社 1979 年版。

混纺）和染色等生产。工艺局属官商合办性质。由于产品质量好、价格低，一度颇受欢迎，销路很好。但是它的工艺手段仍是手工操作的木织机，规模也只是稍大于一般的作坊。①

郭尔罗斯前旗的大布苏造碱业，是由长春天惠造碱实业公司联合该旗札萨克齐默特色木丕勒的股金创办的。这个公司设立于大布苏泡附近（今属吉林乾安县），本来以垦殖蒙地经营农业为主。宣统元年（1909 年）以后，聘请化学专家，雇用 1 000 多工人，将天然碱土用土法熬制成灰碱，装袋运销长春和东北各地。民国以后，又购置机器，建立工厂，改为近代化机器生产。②

喀喇沁右旗的综合工厂，是该旗札萨克贡桑诺尔布在光绪三十一年（1905 年）前后创办的。他先是派一批本旗青年去天津北洋大臣办的工厂学习，回来后聘他们为技术员；又从天津请来织毯师傅培训学徒工。该厂的门类、产品多种多样，有织布、染色、织毯、制毡、制作肥皂、蜡烛、染料等等。贡桑诺尔布还开设一家百货商店，出售本旗综合工厂的产品，并经销从天津、北京等地购进的各类日常用品。喀喇沁右旗一时成为周围地区小有名气的商业中心。③

蒙古实业公司是由一批驻京蒙古王公于宣统二年（1910 年）十月在北京创办的。主要创办人是科尔沁左翼后旗札萨克亲王阿穆尔灵圭和外蒙古亲王那彦图及贡桑诺尔布等人。资本银号称 50 余万两，但实际上只筹得现款 6 万两。该公司以"振兴蒙古实业"、"增殖蒙人生计"为宗旨，试图在内蒙古地区兴办各种实业。至辛亥革命爆发前，公司先后筹划过开办张家口至库伦的汽车运输、承揽郭尔罗斯后旗的部分垦务、经营乌珠穆沁旗的盐务、开办内蒙古西部黄河的内河航运等。清朝灭亡后，由于政局动荡和地方军阀的阻挠倾轧，这个公司筹办的各项实业事实上均未办成，遂于 1914 年宣布停业。④

---

① 《呼和浩特市毛纺织工业历史概况》（上），《呼和浩特史料》第 2 辑，呼和浩特地方志办 1983 年版。

② 彭泽益：《中国近代手工业史资料》第 2 卷，中华书局 1962 年版，第 388—389 页。

③ 吴恩和、邢复礼：《贡桑诺尔布》，《内蒙古文史资料》第 1 辑，内蒙古人民出版社 1979 年版。

④ 汪炳明：《蒙古实业公司始末》，《内蒙古社会科学》1985 年第 3 期。

祥裕木植公司，是由蒙古族地方士绅阜德胜创办的。该公司光绪三十一年（1905年）冬开设于扎赉特旗西北绰尔河上游的索伦山中。公司共筹得资本银1.6万两，股东均为附近各旗蒙古人。它最初是以官办招商、官商合办的名义出现的，但黑龙江省官府并未参与经营。其经营方式是，雇用工头招募伐木工人采伐木材，雇用车马外运销售。公司开办一年以后，已出售木材价值达8 000余两，还存有已伐原木12万余根。阜德胜死后，他的儿子、黑龙江省公署官员阜海又辞去官职，在洮儿河上游设立了哈海木局（位于今科右前旗索伦镇），继续经营索伦山伐木业。民国初年，哈海木局因蒙旗动乱停办。①

设在赤峰的涌源隆面粉厂，由商人李宝源创办于光绪三十四年（1908年），资本为28 000元，②厂址在三道街以东，用锅炉带动面粉机器，当时俗称"机器磨"。机器磨生产面粉速度快，质量好，产量多，销路广，获利甚丰。但后来因私人开设的磨坊、烧锅不断增多，原料小麦供应不足，再加经营不善，面粉厂不得不于1916年左右停业。③在当时的社会条件下，像"机器磨"那样的先进生产力没能在加工行业中获得进一步的发展，反而遭到停业倒闭的下场。这一事情反映内蒙古城镇市场上存在的传统手工业和早期机器工业之间的竞争，其结果是机器工业倒闭。同时证明了传统手工业仍然拥有相当的实力，相反，机器工业很不成熟，还不完全具备取代手工业的能力。

半殖民地工业在帝国主义列强侵略势力的渗透之下，内蒙古各城镇中也出现了由外国人开办经营的各种工厂。如林西自开垦之时，即有汉人"领日本人之资本，设立商号"，并承领县城东荒地，开烧锅店。后来，烧锅停业，在原地方设日本医院，并拟试办蒙古产业公司。④民国五年（1916年），日本人安井在赤峰二道街开办甘草公司，由本国运来锅炉及各种机器，用赤峰以北乌丹附近丰产的甘草，在新建的厂房内熬制甘草，年产甘草

---

①　汪炳明：《清末新政与北部边疆开发》，《清代边疆开发研究》，中国社会科学出版社1990年版。

②　汪敬虞：《中国近代工业史资料》第2辑下册，科学出版社1957年版。

③　谷正光：《赤峰民族工业的发端——涌源隆机器面粉厂的创办》，《红山文史》第1辑1985年。

④　苏绍泉：《林西县志》卷2，《人事志》，抄本。

膏 150 万斤，全部经大连运回日本。① 日本甘草公司后改称为满蒙兴业株式会社赤峰分店。②

呼伦贝尔自东清铁路开通之后，就渐有俄国移民来居，"地方上各种生业，亦渐趋仿效欧洲方式"。③ 在畜产品加工业当中，开办在海拉尔等地的有屠宰场、灌肠厂、洗毛厂等。这些加工厂的生产，不仅处于俄国人的垄断经营之下，而且所产加工品也主要输出俄罗斯市场。如制肠业在 1924 年以前，完全被操纵在布拉文洋行之手。④ 此外，俄国人经营的制革、制酒等各厂，设施完备，产品除大批发往东清铁路东西两条线路之外，在海拉尔、哈尔滨等城镇市场上，设立专门门市，销售产品。其中，倭伦错夫兄弟在海拉尔所设制酒厂技术和设备相当先进，所产酒运销喀尔喀蒙古、满洲里、博克图（滨州线在布特哈境内的车站）一带。⑤

二、矿业

内蒙古地区的矿藏，19 世纪以前还极少得到开采利用。咸丰二年（1852 年）清政府为筹集军饷，谕令各地招商开采金银各矿，内蒙古地区出现了第一批采矿业。这一时期开采的主要有阿拉善旗境内的哈勒津库察山银矿、翁牛特右旗境内的红花沟金矿、喀喇沁右旗境内的土槽子银矿、喀喇沁中旗境内的长杭沟银矿等。清政府还分别制订了蒙古金矿、银矿章程，规定所采金银矿产，按其价值除上缴国课、商股分成之外，十分之一拨归蒙旗。数年之后，由于矿产不丰、经营不善和征课过重等原因，这些矿场除土槽子银矿之外都已停采。

光绪二十二年（1896 年），清政府再次谕令开采各地矿藏。在此前后，又有一批矿藏得到开采。其中主要有敖汉旗境内的金厂沟梁、转山子金矿，翁牛特右旗境内的红花沟金矿，水泉子沟金矿，喀喇沁右旗境内的土槽子银矿等等，也先后以官办或商办的形式进行开采。其中的转山子、土槽子等

---

① ［日］《满洲国各县事情》，满洲事情案内所报告（50）。
② 辽宁省档案馆热河省长公署档案，JC23—23899。
③ 《呼伦贝尔概要》，手抄本。
④ 《呼伦贝尔概要》，手抄本。
⑤ 《呼伦贝尔概要》，手抄本。

矿，在近代著名买办资本家徐润等人的经营下，还一度购买外国机器用"西法"开采①。

黑龙江省的矿藏开采始于光绪前期。新政开始以后，在历任将军巡抚程德全、周树模的积极督办下，陆续对境内各种矿产作过广泛勘察和筹划开采。其中在内蒙古地理范围的主要有札赉诺尔、甘河、察汗乌拉煤矿和吉拉林、奇乾河金矿。

光绪二十五年（1899 年），俄人在勘修东清铁路时发现札赉诺尔煤矿。光绪二十八年（1902 年），由东清铁路公司开采，产煤主要用于铁路机车用煤。开采方法仍主要是用手镐等笨重人力方式。光绪二十九年（1903 年），札赉诺尔矿产煤 1 600 吨。三十一年（1905 年），扩展到 4 座矿井，并开始露天开采，年生产能力约 15 万—16 万吨。光绪三十二年（1906 年），清朝政府开始谈判回收光绪二十六年（1900 年）俄军侵占东北后所失各项利权。经哈尔滨铁路交涉局总办宋小濂与铁路公司交涉，收回煤矿地权，议定商租合同，煤每千斤缴纳税银一钱二分，并在矿区设立了煤税局。至宣统元年（1909 年），札赉诺尔煤矿共有煤洞（矿井、矿坑）14 个，分为明洞（露天）和暗洞（井下）。明洞出煤用人工，井下出煤用机械。除了因不慎点燃煤火未能扑灭而停采的 5 号矿，尚未开采的 3 个矿口及已采挖完毕者，当时正在开采的有 4 个矿。采煤工人 200 余名，既有中国人，也有俄国人，分为三班昼夜开采。光绪三十四年（1908 年）正月至十二月底，共产煤 2 亿斤即 10 万吨，中国煤税局收得税银 2 万余两。② 甘河煤矿位于嫩江支流甘河南岸，又称九峰山煤矿，即今鄂伦春自治旗东南部大杨树煤矿。光绪三十年（1904 年），有猎人在九峰山发现矿苗。光绪三十二年（1906 年），署黑龙江将军程德全聘请中外矿师前往踏勘，得知该煤田煤质优良，储量丰富。程德全遂奏准清廷，拨出官款江钱 20 万吊作为资本，委派官员前往兴办煤矿，雇矿工五六十人开始采挖。光绪三十三年（1907 年）以后，经东三省总督徐世昌派员调查滞销原因，得知主要是由于山多水急，运道梗阻，脚价运费过高，即提出从煤窑修铁路通至嫩江口墨尔根（今黑龙江省嫩江县），购进

---

① 汪敬虞：《中国近代工业史资料》第 2 辑下册，科学出版社 1957 年版，第 1137—1141 页。
② 徐世昌：《东三省政略》卷 1，《边务·呼伦贝尔篇》。

轮船经嫩江运往齐齐哈尔，自可收效。至宣统元年（1909 年），经继任黑龙江巡抚（东北改行省制，将军改巡抚）周树模会同继任东三省总督锡良奏准清政府，由黑龙江省广信公司借拨 20 万银两，着手修路购轮。宣统二年（1910 年），购进浅水轮船两艘。1912 年春，九峰山至墨尔根（博尔气）嫩江口的马拉轻便铁路工竣，甘澡煤矿的生产开始恢复和发展。当时每年外销原煤约 1.4 万吨，采煤工人最多时达 400 余人。① 光绪三十四年（1908 年），察汉敖拉卡官发现旱獭掘地洞所出之土含有煤质，遂命卡兵采探。挖至丈余见碎煤，至三丈余则有煤块重叠现出。② 同年冬，护理呼伦贝尔副都统宋小濂命该卡伦弁兵试办开采，嗣因时值寒冬、矿洞出水而暂停。宣统元年（1909 年）秋，署胪滨府知府张寿增到任后，与正在经营开采的矿商唐松年、卡弁王文兴协商，决定成立察汉敖拉煤矿有限公司，呈报黑龙江省正式立案发给执照开采，并于同年十月获得批准。由于唐松年等矿商资金不足，投入开采未及见成效即已亏赔，提出请官府出资改为官督商办。知府张寿增遂自行出面，拟召集商股资金羌贴（银圆）2 万元，商办经营煤矿公司，并于宣统二年（1910 年）二月呈报并获得东三省总督和黑龙江巡抚批准。

正当张寿增等人边筹资边试行开采时，俄办东清铁路公司及其属下的札赉诺尔煤矿也想染指该矿。宣统二年（1910 年）三月间，东清铁路公司未经黑龙江当局许可，即派矿师随带俄兵和控矿设备前来矿区"勘察"，企图阻止华商开矿。为此，俄国驻北京公使廓索维茨还出面照会清政府，以中俄《黑龙江铁路煤矿合同》（1907 年签订）中规定的允许铁路公司在路界（两旁 30 里之内）内随意择地开矿，他人开矿须经铁路公司批准等条文为借口，企图攫夺察汉敖拉煤矿。经中国黑龙江省及胪滨府根据《煤矿合同》明文规定的路界内同样允许华商开矿，交委派官员亲往查勘，证明华商确实先已开采并已获地方当局批准，据理力争，俄方才不得不撤回勘矿人员。俄国东清铁路公司攫夺察汉敖拉煤矿的企图虽未得逞，却使得华商资本畏于中俄纠葛而止步不前，原已入股参与经营的货商也提出要抽撤股金。张寿增不得

① 张伯夷：《黑龙江志稿》卷 23，《财赋志·矿产》，台湾影印《中国边疆丛书》本。
② 张伯夷：《黑龙江志稿》卷 23，《财赋志·矿产》，台湾影印《中国边疆丛书》本。

已，为维护主权、利权，转请黑龙江省署出资 5 000 元羌贴（银圆）官股，改由胪滨府出面经营煤矿，华商具体开采。据宣统二年（1910 年）九月，奉命前往察汉敖拉煤矿勘察的黑龙江省官员报告，该矿当时有原开、新开各 2 个矿井正在出煤，有矿工 20 余人，另有原开已停 4 个矿井。①

甘河煤矿位于嫩江支流甘河南岸，今鄂伦春自治旗境内。光绪三十二年（1906 年）由程德全派官经营，招募数十名矿工着手开采。该矿煤质优良，产量颇丰。因地处僻远难于外运，一度停采。后经东三省总督锡良会同周树模筹集资金，修筑矿区至嫩江口的轻便铁路，并购置内河货轮承担转运，使煤矿有了很大发展。

奇乾河是额尔古纳河支流，在今呼伦贝尔盟北部。该处金矿归漠河总厂经营，光绪十七年（1891 年）开始官督招商股开采。是矿产金较旺，盛时一名淘工日可采金达数十两。庚子之变后一度为俄商占据，光绪三十二年（1906 年）索还。吉拉林金矿位于奇乾河西南，初由俄人越界窃采。光绪三十二年（1906 年）由程德全交涉索回金厂，交商民承办。两年后因商民资金匮乏改由官办，招募 150 余人进行淘采。②

光绪二十七年（1901 年）清政府开始推行新政之后，喀喇沁右旗札萨克郡王贡桑诺尔布积极创办各项图强新政，筹资开采旗境各矿也成为其新政目标之一。光绪二十八年（1902 年），有逸信公司货商孙树勋、德商俾尔福，与喀喇沁右旗订立合同，开采全旗五金多矿。热河都统锡良以"全旗字样有违定章"，要求明确划定矿地界限，"不得包占全度"。贡桑诺尔布遂划定鸡冠山周围二十里为矿区，再次呈请批准兴办，但至光绪三十年（1904 年）夏间尚未签订正式合同。③ 光绪二十九年（1903 年），复有法国和兴洋行拟出十万元资金承办喀喇沁右旗矿产，被贡王拒绝。翌年，贡桑诺尔布又呈奏清廷，提出有荷兰商人白克耳愿为该旗承办机器、雇用外国技师（洋匠），拟以"华洋合办，股本各居其半"形式，开采该旗巴达尔胡川金矿。经清朝外务部、商部联合核查，以此前由逸信公司承办该旗矿务一事尚

① 《矿务档》第 7 册，台湾"中央"研究院近代史研究所 1960 年版，第 4826—4843 页。
② 徐世昌：《东三省政略》卷 1，《边务·呼伦贝尔篇》。
③ 汪敬虞：《中国近代工业史资料》第 2 辑上册，科学出版社 1957 年版，第 161 页。

无结果，以恐生纠葛为由未予批准。① 约从光绪三十年（1904 年）开始，有逸信公司陈明轸等人在鸡冠山南偏道子沟，雇工 100 多人开采金矿，10 余年间采金约 3 000 多两。② 光绪二十八年（1902 年），有候选知县、华商王绍林，与英商伊德合办平远矿务公司，拟筹集股金 100 万两，开采平泉州境内（后属 1903 年新设建平县境）霍家地、城子山、王家杖子，及赤峰县属境柴火栏子，围场厅属境五台山、白山吐等六处金矿，并经热河都统色楞额呈奏清廷获得批准。但是，在此后的拟订正式合同并辗转呈请审批过程中，平远公司华商代表王绍林病故，改由华商孙世勋顶替，原报拟开采 6 处金矿，改为开采建平属境的堆家地、城子山、王家杖子三矿。正式合同中还规定，此前已缴课银，按照清政府改订的章程，抵作矿税（值百抽十），其出口之科，仍遵海关税则照章缴纳；同时，如霍家地等三矿遇有矿深见水不能施工，准禀明都统，在该三处界内，另寻他处开采。至宣统元年（1909 年）春，此项合同正式获准签订。但直到宣统二年（1910 年）夏，尚未开始开采。③ 光绪三十一年（1905 年），清政府在阜新县治以南的塔子沟设立官办金矿局，承办开采附近的上抬头沟、太平沟、新大堤沟等处金矿。因入不敷出，经营亏累，至光绪三十四年（1908 年）均已停办。其中太平沟金矿，曾雇工 50 人，经营两年多亏损约二万元。

　　清末民初，朝阳县（土默特右旗）境内的马胡子沟、山咀子、徐家北沟等处金矿，也先后被采。其中，徐家北沟矿由当地人自光绪二十年（1894 年）开始开采，全盛时约有 1 000 名矿工，每日可采金约 150 克，至 1908 年因亏损停采。民国以后，仍有当地农民利用农闲零星采挖。上射力虎金矿 1912 年由当地人杨某出资 3 000 元，张洪寿具体经营开采。盛时雇矿工约七八百人，每日可采金 150 克。1914 年，因矿坑出水遭受很大损失而中止。上射力虎金矿以南的杨湾子金矿，开始时间与前者大体同时，盛时有矿工 300 人，每日可采金近 800 克。朝阳县治以西的小塔子沟金矿，约 18 世纪 70 年代即开始开采。后因矿坑出水而中衰，残留的矿坑有 30 多个。④

　① 　汪敬虞：《中国近代工业史资料》第 2 辑上册，科学出版社 1957 年版。

　② 　《喀喇沁旗志》，内蒙古人民出版社 1998 年版，第 408—409 页。

　③ 　《矿务档》第 1 册，台湾"中央"研究院近代史研究所 1960 年版，第 712、715—724 页。

　④ 　［日］柏原孝久、滨田纯一：《蒙古地志》中卷，东京富山房 1919 年版，第 711—728 页。

　　光绪二十四年（1898 年），在土默特右旗王府属下黑山沟煤窑担任矿工工头的晋阳县人徐某，在新邱一带老君庙下山沟中发现了经山洪冲刷后露出的矿苗。同年九月，徐某招雇矿工 100 人，开始在老君庙附近挖掘三个矿洞，开采煤炭。由于矿洞漏水严重，加上矿工佣金较高，造成经济亏空，遂停止开采。

　　光绪二十九年（1903 年），新邱煤田的福增、定成、隆兴、兴顺四个煤窑又相继被开采。光绪三十一年（1905 年）九月，烟台煤矿的英国技师前来勘察煤田蕴藏状况。光绪三十三年（1907 年）五月，京奉线厉家窜铺车部的铁路，以便煤炭外运。经营一年半之后，由于铁路公司与技师之间的意见不一致，亏累损失约 40 万元，停止营业。其后，煤田各矿区矿窑遂由各矿商分别经营开采。卓索图盟土默特右旗境内的北票煤田（今属辽宁省），最早开采于清朝末年，民国初期逐步兴盛。其主要煤矿有兴隆沟、大台吉营子、岳家沟、三义栈、尖山子等。三义栈煤矿光绪十一年（1885 年），由山西人五某开始开采。其后，又有桃某接手继续开采，后因矿井积水而废弃。岳家沟煤矿光绪三十一年（1905 年）开始开采，是当时朝阳县境内最大的煤矿。经营总办为阜新人从燮，窑口有永聚窑、天兴窑、东兴窑。元宝山煤矿位于翁牛特右旗东部，今赤峰市元宝山区，是卓索图、昭乌达盟地区最早开发的煤炭资源。据传早在乾隆三十三年（1768 年），有山东铁匠李某，在元宝山龙头山山沟中发现裸露煤层。其后，由当地人王某招雇 50 余农民开始开采。咸丰五年（1855 年），李瀚臣在元宝山矿区投资开办锦元窑，成为卓、昭两盟地区规模最大的煤矿。该矿资金总额 3.1 万银圆，最高年产量 2.4 万吨，产值 13.47 万银圆。在元宝山（又称西元宝山）矿区以东，还有东元宝山煤矿（今大风水沟矿区），也是清末较大矿之一。

　　嘎岔煤矿　位于土默特右旗境内，朝阳县城东南凤凰山麓。属新邱（阜新）大煤田的地质延伸部分。清光绪末期，由刘某开始经营开采，下分福增窑、裕德窑、麒麟山等煤窑。

　　此外，敖汉旗境内还有小扎兰营子煤矿及其附近的青隆沟煤矿。自宣统二年（1910 年）开始开采。

　　上列各矿的次第开采，在中国边疆地区地下资源开发史上占有重要地位。只是这些矿厂的规模都较小，工艺手段基本上仍是落后的手工"土法"。个别矿厂虽曾试用西方近代机器，也均以不尽适用或操作、经营不善而废弃。此外，无论官办、商办还是官商合办，其经营者和开采工匠也主要是汉族官员、商民。

三、邮电与铁路

从 19 世纪 70 年代开始，在清朝洋务派官员的主持下，近代邮政、电报、铁路已陆续创办于中国内地、沿海的一些大城市或通商口岸。其中，最早出现于内蒙古地区的是电报线路。至 19 世纪末，出山海关经锦州、奉天等处直抵黑龙江边黑河镇的东北电报干线；出嘉峪关经乌鲁木齐分达伊犁、塔城等地的西北、新疆电报干线；出张家口经滂江、乌得、叨林至库伦，北达恰克图的蒙古电报干线，均已修通。其东北干线上的茂兴（郭尔罗斯后旗境内，今属肇源县）、布特哈（布特哈总管驻地，今莫力达瓦旗所在地）等中继站均位于内蒙古的东北部。

清末新政时期，清政府在整顿修复东北电报干线的同时，又陆续在内外蒙古的昌图、辽源、洮南，赤峰、归化城、乌里雅苏台、科布多、阿尔泰等重要城镇新设了电报局、所（报房），开通了电报联系。[①]

边疆地区的邮政线路，多由原有驿路台站改建而成。光绪二十二年（1896 年）开始，东北地区陆续在牛庄总局之下添设各地分局，其中有内蒙古东部的昌图、朝阳等局所。清政府设立邮传部之后，邮政事业也在北部边疆得到逐步推广。除利用既有及新修铁路通邮之外，一些主要的城镇通衢，如内蒙古东部的洮南、辽源、赤峰，西部的归化、绥远、萨拉齐、包头、和林格尔、托克托、武川、五原，外蒙古的库伦、恰克图等处，均设立了邮政局所。[②]

光绪三十二年（1906 年）起，东三省还裁撤原有各地驿站，改建为专事递送清政府及各地官署的奏报公文的文报线路，陆续于各主要站点设立文报总分局。其中包括，兼理接递卓、昭、哲三盟及锡埒图库伦喇嘛旗（俗

---

① 徐世昌：《东三省政略》卷 11，《实业·附东三省电政》。

② 王树楠等：《奉天通志》卷 166，《交通六·邮政》；《绥远通志稿》卷 66，《邮电》；陈崇祖：《外蒙古近世史》，商务印书馆 1922 年版，第 46 页。

称小库伦）等各旗之间往来蒙文函件的新民、辽源、昌图等地分局。①

新政时期北部边疆的铁路建设，尚多流于奏议筹划。如光绪三十二年（1906年）由署黑龙江将军程德全肇始，历经东三省总督徐世昌赞同、继任总督锡良具体筹备的锦瑷铁路，拟以锦州为起点，中经朝阳、小库伦、辽源、洮南等处，纵贯内蒙古东部直抵瑷珲。② 光绪三十二年（1907年），由袁世凯奏请清政府，拟将正在修筑的京张铁路展修至外蒙古库伦。③ 次年开始，又由邮传部及陕甘总督等辩议修筑张家口经绥远（归化）、包头分抵兰州和凉州（今甘肃武威）、乌鲁木齐、伊犁的西北铁路干线。不过，迄于清亡，邻接蒙古地区的国有铁路修通的只有京张、京奉两线。这两条铁路线上的张家口、锦州、新民等站，均为蒙古与关内、东北腹地之间的重要商贸交通孔道。两条铁路的通车，为边塞内外的社会经济交流起到了明显的促进作用。

在蒙地交通方面，光绪三十四年（1908年）和宣统三年（1911年），还分别有蒙地商绅和库伦办事大臣三多筹拟开辟的张家口至库伦的长途汽车运输。三多曾为此拟订了相当具体的购进外国汽车、勘设沿途站点等计划。④ 此外，由于将辽源至洮南的原有驿路放垦和设治经营，洮辽之间的大道不仅是电报和邮政、文报的重要线路，也成为将洮南一带蒙旗和汉民垦区农牧产品外运的车马络绎的商路。

在清末特殊的历史环境下，俄国人经营的邮政、电讯和铁路，构成了内蒙古近代交通通讯事业的重要组成部分。

第二次鸦片战争期间，俄国先后诱胁清政府签订了《天津条约》（1858年）、《北京条约》（1860年）等不平等条约。根据《天津条约》，俄国获得了役使蒙古地区驿路台站的特殊权利。随着俄政府与驻华公使、俄中之间联系交往的日益增多，俄方经常超程和超负荷役使驿站交通，日渐成为蒙古驿丁夫役的沉重负担，也不断引起中俄双方的纠纷、交涉。⑤ 于是《北京条

---

① 徐世昌：《东三省政略》卷11，《实业·附东三省文报》。
② 徐世昌：《东三省政略》卷2，《蒙务下·筹蒙篇》。
③ 《东方杂志》第3卷第5号，《杂俎中国事记》。
④ 《东方杂志》第5卷第2号，《交通各省铁路汇志》。
⑤ 白拉都格其等：《蒙古民族通史》第5卷（上），内蒙古大学出版社2002年版，第21—22页。

约》签订不久，俄国方面又根据条约中允许俄商自雇伕役"另立行规"运送书信、货箱的规定，提出俄商要"自备资斧，以便建立台站"的要求。清政府虽然坚持认为条约中并无允许建立台站的规定，但却允许了俄商可以自雇驼马伕役、自由往来商路，事实上还是等于同意了俄方要求。①

同治二年（1863 年）六月，恰克图的俄国商人开始建立了途经库伦、张家口至北京、天津的定期邮政传送，并免费代递官方函件。其后，经俄东西伯利亚总督呈请沙皇政府批准，从同治四年（1865 年）十月起改由官办，由国库每年补贴 19 300 卢布。同治九年（1870 年）3 月，蒙古地区的俄办邮政又"被宣布为只是受到俄国政府保护的民办商业性企业"，但政府仍每年资助 17 600 卢布，作为邮务人员和委托承办人的薪金、报酬。②

在这条邮路上，俄国在库伦、张家口和北京、天津设立了 4 个邮政局。恰克图至库伦，主要委托（雇请）蒙古人承办递运；库伦至张家口，雇用蒙古人承担运递；张家口至天津则以汉人为伕役。邮件按轻重分别定期运递，重邮件用骆驼和骡车等，并有 2 名哥萨克护送，轻邮件用马和驴骡。③

这条邮路，途经张库大道上的内蒙古察哈尔和锡林郭勒草原。最初，每月定期一次，单程 15 天，后来增加到每月 4 次，其中 3 次发轻件，1 次发重包裹。夏季发轻件每班行 8 天，冬季 9 天半，重件则须 20 至 25 天，沿原驿路行驶。轻件由 2 名蒙古人骑马兼程，每 20 英里一站换马。④

光绪二十二年（1896 年）六月，沙俄诱使清朝代表李鸿章签订了《中俄密约》，规定中俄合办修筑与俄国西伯利亚铁路相衔接的中国东省铁路（即中东铁路，又称东清铁路），并指定由中俄合办的华俄（道胜）银行具体承办经营。同年九月，中俄两国又签订《合办东省铁路公司合同章程》（简称《公司合同》）及合办华俄道胜银行合同。同年十二月，俄国又以华

---

① 《清代中俄关系档案史料选编》第 3 编下册，中华书局 1979 年版，第 1102—1106、1118—1127 页。

② ［俄］波兹德涅耶夫：《蒙古及蒙古人》第 1 卷，刘汉明等译，内蒙古人民出版社 1989 年版，第 637—643 页。

③ ［俄］波兹德涅耶夫：《蒙古及蒙古人》第 1 卷，刘汉明等译，内蒙古人民出版社 1989 年版，第 637—643 页。

④ 《内蒙古自治区志》，内蒙古人民出版社 2000 年版，第 125—126 页。

俄道胜银行经办的铁路公司名义公布了《东省铁路公司章程》（简称《公司章程》）。据公司合同和公司章程的规定，实由俄国经营的铁路公司，取得了划占铁路沿线土地，随意开采矿产、林木资源，建造经营房屋建筑、工商企业和电线等特权，并实际攫取了铁路沿线地区的警察、司法、驻军以至地方行政管辖等特权，所谓铁路附属地实际成为俄国的租界地。①

中东铁路西起满洲里，中经齐齐哈尔（铁路站名昂昂溪，位于齐城以南）、哈尔滨，东至绥芬河；后来又增修从哈尔滨经长春、奉天（今沈阳），南抵大连、旅顺的"南满"支线。其由满洲里至哈尔滨的西段，又称滨洲线，全长约 935 公里。铁路经过地区，除哈尔滨、齐齐哈尔两城附近，均为内蒙古的呼伦贝尔、西布特哈和哲里木盟北部杜尔伯特旗、郭尔罗斯后旗属境。其由西至东的满洲里、札赉诺尔、嵯岗、完工、海拉尔、哈克、扎罗木得、牙克石、免渡河、伊列克得等站点，在呼伦贝尔境内；博克图、雅鲁、巴林、扎兰屯、成吉思汗等站点，在西布特哈境内；齐齐哈尔以东的烟筒屯、喇嘛甸、萨尔图（今大庆）、安达、宋站、满沟（今肇东）等站点，在杜尔伯特旗和郭尔罗斯后旗境内。

光绪二十五年（1899 年）春，东清铁路滨洲线从满洲里和哈尔滨两端同时开工修筑，光绪二十七年（1901 年）一月在海拉尔接轨，光绪二十八年（1902 年）一月正式通车。光绪二十九年（1903 年）七月，东清铁路及其南满支路全线正式通车。但直到这时，由意大利人承包修建的博克图车站以西长达 3 000 余米的大兴安岭隧道尚未完工，列车须经由盘山便线通过。②

铁路是邮政业务最为便捷快速的传递工具之一。俄国自光绪二十三年（1897 年）开始修筑东清铁路，即同时开始在铁路沿线各站点、城镇设立邮局，经办邮政传递业务。在横贯内蒙古东北部的滨洲线上，最早设立邮局的是满洲里（1897 年设）。迄光绪三十三年（1907 年），海拉尔、博克图、扎兰屯等主要站点均已先后设立。至 1914 年，东清铁路全线的所有车站，无论大小均已设立邮局（邮政业务点）。其邮政业务，由铁路局及其员工经营

---

① 《中国铁路发展史》，第 35—42、48—54 页。
② 马里千等：《中国铁路建筑编年简史》，中国铁道出版社 1983 年版，第 7、10 页。

管理。

光绪二十六年（1900 年）俄军大举入侵东北之后，为战争需要又在东北各地设立了许多军用战地邮局。战争结束后，各地的战地邮局于光绪二十九年（1903 年）均改设为民用邮局。光绪三十年（1904 年）日俄战争爆发以后，俄重又在东北各地设立战地邮局和随军流动邮局。战争结束以后，至光绪三十三年（1907 年），各战地邮局复改并为民用邮局。这期间，俄军在呼伦贝尔、西布特哈地区先后设立过满洲里、海拉尔、博克图、扎兰屯等战地邮局。

由俄国人经办的东清铁路沿线各邮局，当时又称为"客邮局"，主要服务对象是各类在华俄国侨民，承办俄人的信函、包裹、汇款等邮政业务。

光绪二十四年（1898 年），俄国在修筑东清铁路的同时，沿线架设电报杆线。同年，在满洲里设立电报局，可与哈尔滨通报。光绪二十六年（1900 年）在海拉尔设立战地邮电局，可与满洲里、哈尔滨通报。光绪三十年（1904 年），因日俄战争爆发，俄国又紧急开通了胪滨（今满洲里）至旅顺的第六线电报。同年，海拉尔车站与海拉尔城内接通了电报线路。①

邮电通讯和铁路交通的出现，是一个社会步入近代文明的基本标志之一。清末在内蒙古地区兴办的邮政、电报事业，还没有内地、东北那样普遍，没有较多地进入各族人民的社会生活，国有铁路也尚未修至境内。但是，它们的出现，对于促进边塞内外的社会经济交流、信息流通，改变内蒙古地区的闭塞落后局面，都已起到了积极作用。

第四节　新型文化教育事业的出现

废除传统的封建科举制度，倡办各级各类新式学堂，是清末新政的基本内容之一。主要由于各级官员和各族各阶层的积极努力，在 20 世纪最初的 10 年间，内蒙古地区也出现了一批近代新式教育文化机构。内蒙古地区的学堂可分为几种类型：一是由驻防将军等兴办的招收八旗、蒙古子弟的普通学校；一是由各地方州县兴办的主要招收汉族子弟的普通学校；一是由蒙古

---

① 《内蒙古自治区志》，内蒙古人民出版社 2000 年版，第 303 页。

王公上层自办的蒙旗学校。此外，还有清政府或邻省创办的兼收内蒙古各族子弟的专门学校。

一、各级地方官府创办的文化教育事业

内蒙古西部最早出现的新式学堂，是直接为编练新军服务的绥远城武备学堂。光绪二十七年末（1902 年初）由将军信恪创办。后经继任将军贻谷精心操办，逐渐粗具规模。原来专收驻防八旗子弟，后兼收归化城土默特兵丁入学。光绪三十二年（1906 年）后改建为陆军小学堂。光绪三十年（1904 年）开始，贻谷又陆续在绥远城为八旗子弟创办了绥远中学堂（由原有启秀书院改建）和 5 所初等小学堂。绥远中学堂还设有满蒙文班，兼招乌兰察布、伊克昭两盟蒙旗子弟入学。后来，为接续初小与中学的学业，又于绥远中学堂附设了高等小学堂。

光绪二十九年（1903 年）秋，归化城的古丰书院也改建为归绥中学堂。后经热心办学的归绥兵备道胡孚宸历年经营，该校很快发展为设有史地、数学、理化、外文等课程，备有理化实验仪器室，并附设师范班的相当规模的新式学校。① 在归绥道属下，归化城还先后出现了好几所新式初等小学堂。

由历任归化城副都统的积极筹划，土默特旗的新式教育也很快兴办起来。光绪三十二年（1906 年），贻谷会同副都统文哲珲将土默特原有启运书院改建为高等小学堂，并另设一蒙养学堂。三多继任副都统后，扩充健全了高等小学堂，将蒙养学堂改建为第一初等小学堂，并增设了第二初等小学堂②。此外，归绥中学堂也兼收土默特蒙古族子弟入学。

归、绥二城之外，内蒙古西部的新旧各厅以及包头、察素齐、毕克齐等集镇，也普遍办起了高等、初等或半日小学堂。如仅在丰镇一厅，即建有高等小学校 4 所。③

此外，积极推行新政、热心于边疆文教事业的蒙古人三多，还于光绪三十四年（1908 年）在归化城创办了一座公共图书馆。他将官署原藏书籍悉

---

① 《呼和浩特一中校史》，《呼和浩特史料》第 2 辑。
② 贻谷：《绥远奏议》，《筹土默特蒙养小学堂经费片》。
③ 绥远通志馆：《绥远通志稿》卷 50，《教育》卷 51，《学校》，20 世纪 30 年代稿本。

数交付归化图书馆，还从他的原籍（杭州驻防）浙江官书局征调大批图书，并筹集资金随时购进新刊书报。在他的积极努力下，这座图书馆在创办之初，除新式科学图书，仅经史子集四部旧籍即已收藏有 14 400 余卷，为偏僻塞外文化事业的发展作出了不小的贡献。①

新政时期内蒙古东部的新式学校，基本上是由分属各省的府厅州县分别兴办起来的。其中，不仅原有设治地区，一些在放垦过程中新设的厅县，如洮南、辽源、开通、靖安、肇州、大赉、安达等地，也陆续办起了新学堂。不过，比起各省腹地和原有厅县，这些新设治地区的学校数量较少，多是初级小学，而且均为以招收汉族子弟为主的普通学校。

为了开拓蒙旗地区的文化教育，东北三省还分别设立过一些专门学校。光绪三十三年（1907 年），黑龙江省呼伦贝尔城将原有官学改建为初等小学，后来又扩建成两所小学堂，专收索伦、巴尔虎等各地蒙旗子弟入学。次年，又于省城齐齐哈尔创办满蒙师范学堂，并附设小学，专收该省驻防八旗和扎赉特、后郭尔罗斯、杜尔伯特三蒙旗子弟，以学习满蒙汉文及其互译为主，加授普通学校的其他各门课程。奉天于光绪三十二年（1906 年）将原有省城八旗蒙文官学改建为蒙文学堂，并从次年起招收省境哲里木盟各旗子弟入学。后来，该校又扩充，改称为蒙文高等学堂。

在北京，由清政府设立的一些专门学校，如陆军贵胄学堂、贵胄法政学堂、满蒙文高等学堂等，也曾招收不少蒙旗王公及各阶层子弟入学。陆军贵胄学堂还专门设有蒙旗世爵班，并曾以新疆土尔扈特郡王帕勒塔为该班学监。②

总之，新政期间在内蒙古兴办的文化教育设施，比起工商路矿等各项实业，可称为实绩不小。虽然在众多的新式学堂中，专收、兼收蒙古族子弟的为数仍属寥寥，但毕竟为改变北疆、蒙古有史以来的文化落后状况，为近代各种新思潮在蒙古的传布，起到了明显的作用。如辛亥革命之前，在奉天蒙文学堂读书的一些蒙旗学生，曾在当地日益高涨的民主思潮影响下直接参加了请愿召开国会的学生运动③。辛亥绥包起义的主要领导人之一、归化城土

① 田惠琴、吴连书：《内蒙古图书馆》，《呼和浩特史料》第 5 辑。
② 《东方杂志》第 7 卷第 2 号，《交旨》。
③ 博彦满都：《回忆辛亥革命》，《内蒙古辛亥革命史料》，内蒙古人民出版社 1962 年版。

默特旗青年云亨，就是在归绥中学堂读书时加入中国同盟会的①。有"塞北文豪"之称的归化城土默特旗近代著名文人荣祥，也先后修业于清末的土默特第一初等小学堂和归绥中学堂②。

二、蒙旗自办的文化教育事业

蒙旗自办学堂成效最显著的是喀喇沁右旗。该旗札萨克郡王贡桑诺尔布，是内蒙古近代史上著名的维新派、改革家。在他兴办的各项图强新政中，成绩最突出，影响和意义最大的是文化教育事业。光绪二十八年（1902年）冬，贡桑诺尔布聘请内地著名文人主持，在本旗创办了整个蒙古族社会的第一所近代新式学校——崇正学堂。一年以后，他又从日本和内地聘请教师，办起了毓正女子学堂和守正武备学堂。在贡桑诺尔布的悉心经营下，这些学校很早就按照清政府制订的学堂章程，备齐了算术、史地、外语等各门新式课程。崇正学堂还设有图书室，附设师范班、实业班，创办、发行小型蒙文报纸。此外，贡桑诺尔布还通过各种途径选送本旗男女子弟分赴北京、上海、天津及日本学习深造，为培养人才可谓殚精竭虑。③

哲里木盟的蒙旗新式学堂主要有：科左前旗札萨克宾图郡王棍楚克苏隆在本旗后新秋镇（今属辽宁彰武县）创办的蒙汉小学堂；科左后旗王府官员在本旗马兰屯创办的蒙古学堂；在昌图府城外兴办的科尔沁左翼三旗蒙汉两等小学堂，还创办过一所体育师范专修学堂。

第五节　民族民主觉醒与同盟会革命活动

一、蒙古王公的变革图强奏议

清末的蒙古，经过清朝200年左右的严密控制，整个社会已极为贫弱、

① 经革陈：《先父子衡先生参加辛亥革命事略》，《内蒙古辛亥革命史料》，内蒙古人民出版社1962年版。

② 荣祥：《略谈辛亥革命前后的家乡旧事》，《内蒙古辛亥革命史料》，内蒙古人民出版社1962年版。

③ 吴恩和、邢复礼：《贡桑诺尔布》，《内蒙古文史资料》第1辑，内蒙古人民出版社1979年版。

衰颓。道光二十年（1840 年）以后的中国，经历了一系列巨大的历史变化。但是内外形势变化、社会动荡所促动、催生的全国性图强变革、近代化进程，如洋务运动、戊戌变法，在内蒙古几乎看不到任何反响。直到光绪二十六年（1900 年）爆发义和团运动、八国联军侵华战争和俄军侵占东北，特别是由此导致的清王朝几近倾覆，才给蒙古以极大的冲击和震动。庚子事变之后，清政府被迫推行比戊戌变法更为"激进"的新政改革，给蒙古地区带来剧烈变化的同时，也使蒙古民族内部产生了图强变革的意识和主张。当时的蒙古社会，王公贵族仍然居于传统的支配地位，占据着主要历史舞台。所以，蒙古民族振兴图强要求的主要表现，就是部分王公上层响应清朝新政的奏议。这些奏议的内容和思想，反映了蒙古民族近代意义上的初步觉醒。

光绪二十八年（1902 年）三月，内蒙古卓索图盟喀喇沁右旗札萨克郡王贡桑诺尔布奏"练兵筹饷，酌拟办法"。

光绪三十年（1904 年）二月，新疆旧土尔扈特东路右旗札萨克郡王帕勒塔奏"筹议蒙古新政事宜十二条"。其 12 条分别是：1. 设大学堂；2. 补充兵役；3. 开垦旷地；4. 蒙汉通商；5. 开采矿产；6. 设工艺局（即工厂企业）；7. 设报馆；8. 收牧畜税；9. 聘新政顾问；10. 公举盟长；11. 限制当喇嘛；12. 新政余款"报效国家"。

光绪三十四年（1908 年）正月，贡桑诺尔布奏"敬陈管见八条：曰设立银行，曰速修铁路，曰开采矿山，曰整顿农工商，曰预备外交，曰普及教育，曰赶练新军，曰创办巡警"；附片又奏"乌珠穆沁旗牧政"和"并陈各蒙旗办事定章应斟酌变通"。

宣统元年（1909 年）六月，阿拉善札萨克亲王多罗特色楞奏"西蒙一带开浚利源分为三事，曰垦务、曰矿务、曰盐务"。

宣统元年（1909 年）十一月，哲里木盟科尔沁左翼前旗札萨克宾图郡王棍楚克苏隆奏"条陈自强办法：一取缔宗教以祛迷信，一振兴教育以开民智，一训练蒙兵以固边围，一择地开垦以筹生计"，及第五条"筹设公司以兴实业"。

宣统二年（1910 年）正月，哲里木盟科尔沁左翼后旗札萨克亲王阿穆尔灵圭奏"整顿蒙疆，宜先勘修铁路"。

宣统三年（1911 年）二月，阿穆尔灵圭又奏"蒙疆危急关系全局，请实行兴业设治"。

此外，光绪三十一年（1905年）贡桑诺尔布还曾上呈清朝练兵处，提出兴办"该旗练兵及学堂等项事宜"，请练兵处派员督办。宣统二年（1909年）二月，蒙古王公中在清廷地位最高的两位御前大臣喀尔喀赛音诺颜部札萨克亲王那彦图（清初功臣策棱之后）和科尔沁辅国公博迪苏（僧格林沁之孙、阿穆尔灵圭叔父），在他们倡办的北京殖边学堂开学典礼上发表演说，也阐述了兴办各业振兴蒙古的主张。

这些王公奏议的第一个共同特点是，痛感蒙古自身的贫弱落后，强邻环伺下时局急迫，民族危机，认识到若不承图变革将无以自救。帕勒塔在奏议中说："内外蒙古全部政治，相沿至今泄沓如故。上至王公，不知时局艰难，……下至黎庶，不知自势难立。……日穷日危，将来伊于胡底……近数十年，彼俄人大有觊觎，谋而未割者，视如囊中之物，设一旦割去，奴隶视之，蹂躏听之。……恐彼时再欲自励而不可得矣。若不及时图治，数年之后更不堪设想"。贡桑诺尔布也指出："东西两邻之图我，日益岌岌"，"如及此不图，以后殆不堪设想"。棍楚克苏隆亦称："内外蒙古逼近强邻，觊觎之心日甚一日"，"蒙民见闻闭塞，知识不开，……若不急图自强，何以屏藩王室。"

变革图强，振兴蒙古，首要在于开启民智、兴办教育，是这些蒙古王公的共识。帕勒塔认为，蒙古"致弱之由，非蒙古之无智也，实无以开其智也"。"蒙古除喇嘛外无所谓教，以致人多朴鲁，不谙事理"，认为"开浚智识实为今日握要之图"，所以"教育即宜普及也"。棍楚克苏隆进一步指出：各国"国富兵强，无一非教育普及之效"，"蒙民之愚陋，一误于迷信日深，再苦于学风不振"，所以应"极力诱导而鼓吹之"。在办学具体方案上，棍楚克苏隆主张"责成各旗筹资多设小学，以教其子弟，俟其毕业，考验程度，以次推升选入京师大学"。贡桑诺尔布认为，"应先立师范学堂数处"，"学成归本旗多开小学，渐次递升，即渐次推广"；帕勒塔则主张蒙古各部酌量大小均分设大、中、小学堂，小学仅学蒙文，中学"习汉蒙文各一分"，大学则"习洋文一分、汉文一分、蒙文一分"，并"应兼学体操法"。他还进一步主张，蒙古各部均应在大学堂分设报馆，"至报文，用蒙汉两文，汉文不用文法，只用白话，令阅者晓畅为要"。帕勒塔主张用汉语白话文办报，固然是为了蒙古人容易学习掌握汉语，但也无意中成了较早提倡白话文的"先驱者"之一。

有的王公还认识到，想要开启民智，限制藏传佛教是重要前提。棍楚克苏隆认为，"信教自由，本东西各文明国之通例"，但蒙古信佛"日久相沿，迷信日众，……以至不事生产，愚陋日甚"。并尖锐地指出，蒙古"贫弱之根，实基于此；急欲图强，非取缔宗教不可"。他解释说，"取缔者非禁止之谓"，但"年至五十岁以外，有弟兄四人实无业可执者，方准披薙"。并称："如此限制之，则信教者仍不失自由之旨，而迷信之风亦可稍戢，由愚而明，由弱而强，庶几近之矣。"

兴办工商各业以发展经济，是蒙古王公图强奏议的最基本内容，前列各王公奏议中，均有专条提出这个问题，其中，帕勒塔主张蒙古各部应分设工艺局，（以自产畜产品）制作皮革、氆氇毯、布匹、绒毛、毡毯出售。贡桑诺尔布也主张制订规划分设工厂，并要"立极大织呢制革之厂"，以加工羊毛、驼毛、皮张等蒙古土特产。棍楚克苏隆认为，应"相应各盟适宜之处设立实业公司"，"以各旗所产之皮毛角骨作工业上之资料，一律督饬改良，制造各货"。

这些蒙古王公还认识到，兴办近代金融和交通、通信事业，既是振兴工商发展经济的必要条件，又是抵御列强侵略渗透、操纵控制的重要手段。贡桑诺尔布在揭露日俄等国利用银行、铁路控制蒙地金融市场和经济命脉的同时，主张在蒙古"各镇适中之地……分设劝业、殖民各银行"，"并发行纸币"，"严禁私开钱票，必使利权操之自我。不惟蒙民日用得苏，而从事农工商业者得借用资本广谋生计矣"。在兴修蒙地铁路方面，贡王的具体建议是：由京奉铁路分出支路，"由朝阳、赤峰等处经围场直接张家口"；然后"由张家口分两路北通库伦"，并"由库伦东南过乌珠穆沁等旗，经［乌］丹城接赤峰"；再"由张家口经西二盟直接新疆，然后再查情形添筑支路"；并指出"似此脉络贯通，边防自然渐固"。棍楚克苏隆在"筹设公司以兴实业"一节中也提出，兴办的实业公司可兼营资金存储业务；"亦可在蒙旗繁盛处所，修筑（铁路）支路"。

兴办垦务，发展、改良农牧业，是振兴蒙古经济的重要内容。贡桑诺尔布主张投入资金兴办农场，以改变因"地寒雨少"、"人工未尽"而"收获远逊内地"的状况。棍楚克苏隆则强调应因地制宜地发展农业和林木业："今宜调查各目垦种新法，由各盟设立垦务公司，辨其土宜，招人试垦。……如有碱地、荒山，一律栽植相宜树木，务使地无废弃。"

光绪三十二年（1906 年），贡桑诺尔布曾陪同清室肃亲王善耆考察了锡林郭勒盟乌珠穆沁旗等地的畜牧业。针对原始游牧业的落后状况，他在奏议中提出，为推行"新法"而"能使牛马善息强健"，应遴选人才"或派令出洋学习，或聘请教习设立马术、马医各专门学堂，并习畜牧之学。俟成绩可观，然后由各旗立一大公司专办此事，即以乌珠穆沁作一大牧场。……而蒙民商务，生计亦将因之饶裕矣"。

此外，那彦图、博迪苏在殖边学堂的演说中也谈到了如何振兴蒙古经济："财用不足也，为之屯垦、开矿、畜牧以富之；交易不便也，为之邮政、银行、铁路以通之。"棍楚克苏隆在奏议中还对振兴蒙古经济的前景作了展望："实业发达，输出之额自能畅旺，交换银货即源源不绝；……交道利便，百货自易转输。……十年以后，内外各蒙必能成一绝大互市之场。既能自辟利源，即可抵御外货，筹蒙万全之策莫先于此矣。"

编练新兵加强蒙古武力，是蒙古王公的另一个共同主张。贡桑诺尔布主张，按照北洋新军模式"将蒙旗通盘计画，分立镇、协"。棍楚克苏隆建议，应"先行设立陆军小学堂，以为基础"；再挑选丁壮按新式方法训练成军，然后"先行填扎外蒙古边疆一带，以备不虞"。贡王、宾图王所要建立的新式蒙古军，已经不是清制外藩蒙兵的某种改良，而是国家常备正规军了。此外，贡桑诺尔布还提出，要仿照京师之例在蒙旗创办巡警，行使近代警察的治安职能。

在全国"新政"、"宪政"的背景之下，部分蒙古王公也亟图改革蒙旗政治。帕勒塔主张，蒙古各部盟长人选，应改变由理藩院选定奏请的做法，而"由各部落公举文理通达、讲求时务之王公，拟定正陪"，奏请钦定。棍楚克苏隆在奏议中明确表示拥护推行"宪政"，认为内外蒙古"非速行宪法不能挽弱为强"，并焦虑于"各直省均已次第依限预备（宪政），惟蒙旗至今尚无萌芽"。他主张的振兴教育开通民智，很重要的目标就是"造成"蒙古人的近代"国民资格"，认为"知识渐开，宪政之前途自能发达矣"。贡桑诺尔布则提出，鉴于蒙汉混居、旗县交叉并存的局面，应明确区分蒙旗札萨克与府县地方官的职权范围，主张"只以政事分权限，不以蒙汉分权限"。他还提出，蒙旗内部应改变原有以佐领隶系人口的制度，"应按照地方远近编定（佐领），以地段分管"；同时还主张，应免除普通箭丁与贵族台吉塔布囊之间的人身隶属关系，以"一视同仁"、"俾其向上"。贡王的这一主张，对有史以来蒙古的贵族领属制度，已具有一定的变革性意义。

从这些奏议中可以看出，几位蒙古王公对中外大势的了解，已不仅限于一般性的"强邻逼处"。如帕勒塔在强调中国及其蒙古地区危急局势时，就列举了英国对印度、俄国对波兰、法国对安南（越南）的殖民侵略作为前车之鉴，并指出，"而舍仿行西法之途，更无致富强之策"。相比而言，贡桑诺尔布、棍楚克苏隆的内外识见，对近代新事物的了解又更进一步，并图强奏议中明确提出要吸收国内外先进经验，采用新的科学技术。如贡王，在"敬陈管见折"中较多地提到了银行、铁路的职能、作用，主张仿照日本修筑京（京城，即韩国汉城）釜（山）铁路和德国的修路办法修铁路；并提出了"仿外洋托辣斯办法集合巨资，……立极大织呢制革之厂"，以及前引"设立马术、马医各专门学堂，并习畜牧之学"等等。宾图王提出，在择地开垦时应"调查各国垦种新法"，应"辨其土宜"试垦；兴办公司、垦牧，要"仿照各国之卓著成效者办理"；开采矿产，"则聘请各省之矿学专家勘定，择优开采"。他的"信教自由本东西各文明国之通例"的认识，各国富强"无一非教育普及之效"的认识，为施行宪政还应培养、"造成近代国民资格"的认识，对商品经济、形成"绝大互市之场"在社会经济发展中的重要作用的认识，可以说视野更为开阔，在蒙古王公中更居前列。

在当时清政府内外的全面"筹蒙"改制已成"热点"的境况下，蒙古王公们仍坚持维护盟旗（也是蒙古民族）原有自主权益。这些王公奏议的共同特点是，除了铁路、银行等较大"工程"之外，都主张由蒙古盟旗自主兴办各种新政。如帕勒塔提出的兴学、练兵、开垦、通商、开矿等项新政，就明确主张"一切事宜归各盟长管理"或收税。宾图王也提出，（在清政府等多方帮助下）由各旗自办兴学、练兵，"各盟设立垦务公司"和实业公司。贡桑诺尔布的奏议，则是在已经实践了自办各项新政之后，提请清政府宏观统筹全蒙新政，在各方面给予切实具体的支持、帮助。而他提出的应明确区分府县与蒙旗的职权范围，实质上是在强调蒙旗原有自主权利，明显与当时清政府的蒙旗"司法权限"俟"将来州县遍设，仍统属于有司衙门"的基本方针和意图相左。

那彦图、博迪苏在殖边学堂开学演说中强调英、俄、德、美均以行殖民而强大，强邻虎视而欲对中国边疆"行其殖民之术"，"吾有蒙藏吾不自殖其民，伺吾之旁者能不攘臂而起耶？"似乎是无保留地赞同、全盘接受了内地舆论的"移（殖）民实边"主张，但细观其"力图自强"的具体办法却是："然则殖之（民）之法奈何？曰为之教，以改良其风俗；为之养，以孳息其种族；为之邮政，以消除其祸患；为之联络，以要结其腹心"；以及前引"财用不足也，为之垦、开矿、畜牧以富之；交易不便也，为之邮政、银行、铁路以通之"。也就是说，他们所要"殖"来的并不是"民"（或主要并不是"民"），而是内地、国外的先进经济、文化，近代交通、通信，或可谓之综合文明、大文化。他们的基本主张，仍然是蒙古自身的振兴图强，而不是靠殖（移）"民"来致富致强。

这些蒙古王公的图强主张，许多方面已经仿效、追随和赶上了内地维新、新政以来的新潮流。不过，这些主张明显具有脱离实际的空想性和盲目性；而且所要兴办的各项实业，总体上也未能超出内地洋务运动时期官办、官督商办等基本性质。尽管如此，在当时蒙古的历史环境下，能够提出这样的变革图强思想和主张，毕竟是进步现象。

二、民主革命思想的传播

资产阶级民主思想和反清革命潮流，主要通过两个途径传播到了内蒙古。一个是在区内外、海内外求学的内蒙古各族青年，对新型文化和思想潮流的接受和传播，一个是同盟会组织在内蒙古进步青年和社会各阶层中的宣传鼓动。

清末的蒙古族社会，王公贵族仍然居于传统的支配地位。部分接触国内外新事物较多并且较有见识的王公上层，也就较易于成为走在时代潮流前列的人物。但是，内外形势的急剧变化与贫弱落后社会生活的鲜明对比，各种近代化社会变革和种种新思潮，也不可避免地刺激和直接间接地影响到其他社会阶层，特别是具有一定文化知识的蒙古族青年。如后来著有《蒙古风俗鉴》的喀喇沁左旗人罗布桑却丹和著有《蒙古纪闻》的喀喇沁右旗人汪国钧，从他们的青年时期（清末）起就对清王朝对蒙古的歧视和压迫，蒙古王公札萨克阶层的腐朽和衰落，藏传佛教迷信盛行的严重后果，蒙古族经济文化的贫穷落后，人民大众的悲惨生活有着较为深切的认识和体会，对整个民族的命运深感忧虑。①

　　清末新政以后，有更多的蒙古族青年得以接触近代新事物，明显促进了早期的民族觉醒。如部分在沈阳蒙文学堂读书的哲里木盟蒙古族学生，在全国性请愿召开国会的学生运动中，作为本校的代表参加了奉天省学生代表大会，开始认识到清朝统治的腐朽和黑暗。他们还纷纷剪掉辫子，利用寒暑假回到本旗家乡宣传新思想。在北京学堂读书的蒙古族青年，也受到汉族进步同学的影响，从事过宣传反清革命的活动。②

　　地方厅县隶属山西省的绥远地区，是内蒙古境内最早出现中国同盟会革命活动的地方。约于光绪三十二年（1906 年），在归绥中学堂读书的归化城土默特旗蒙古青年云亨及其同乡挚友经权，就经山西同盟会员王建屏介绍加入了中国同盟会，成为蒙古族最早参加反清民主革命的先进分子。他们通过阅读同盟会革命书刊和介绍外国情况的书籍，了解到西方资本主义国家的先进强盛，认识到清朝统治的腐朽反动，特别是对蒙古民族受到清朝的愚弄压迫感受更深，认为蒙古人更应先革清朝的命。加入同盟会以后，他们在土默特旗一带开展秘密革命活动，云亨负责对外联络和宣传工作，经权负责内部联络和组织工作。他们还控制了本旗煤矿租税局的一个小税卡，作为开展活动的据点。云亨从归绥中学堂毕业后考入北京殖边学堂。经权则被推举为萨拉齐厅咨议员，在家乡继续宣传反清革命。

　　光绪三十四年（1908 年），日本东京出版的中国同盟会机关刊物《民报》上，还登载了署名"蒙裔之多分子"的《蒙古与汉族结合共伸讨满复仇大义之宣言书》。《宣言书》痛切于蒙古人在清朝统治下已"灭国灭种、

---

　　① 罗布桑却丹：《蒙古风俗鉴》，辽宁民族出版社 1988 年版；汪国钧：《蒙古纪闻》，马希、徐世明校注，赤峰市政协 1994 年版。
　　② 博彦满都：《回忆辛亥革命》；王宗洛：《辛亥革命的点滴见闻和对我的影响》，《内蒙古辛亥革命史料》。

万劫不复"，愤激地指斥和揭露了清朝治蒙政策："其果持何政策以灭我蒙古而使之永附于九渊乎？其荦荦大者莫如分割我蒙古部落，建汗、封王以相牵制，使势力消用，莫可有为。此即灭我蒙古全国之根本政策。其他置将军、都统、办事大臣于各地方，以握我实权，制我死命，犹其有形可见者。灭我国后，又果何政策以灭我种族乎？限我生计、制我膏血、愚我智识，固皆是也。而其最阴险无形者，则莫如藏传佛教一端，设计之毒，视白人待埃及、波斯、安南、印度之灭种政策尤高出万万。"文中指出，清廷近来"改行省、设督抚以钳蒙人死命"，"吾不宣言满清灭我种族之政策，其遂能终止乎！且今所受之隐毒，已穷极无可再加矣"。《宣言书》还指出，蒙古人所受"满清"统治的压迫和危害较汉族尤甚。我们蒙古民族绝不甘心"永远奴隶于满清而听种族之灭亡。与其终年荏苒，坐待灭亡，何如急起直追，从死中求生，或有生之一日！"并表示"敢以一言誓于汉族"，决心与汉族"同谋大举……排满复仇"，"则异日汉族之与我同幸福、同乐利，同居平等地位，同建一共和政府，同行一共和宪法。"文中还透露，他们已准备"著二书：（一）满清灭蒙古之痛史及现今之政策，内分灭国、灭种上下两篇；（二）论蒙古人欲保种族，必先排满，欲讨满必先结合汉族。"并称已"凡例粗具，数月后当出而问世"。此外，《宣言书》作者在致《民报》的信函中还表示，"吾蒙族共抱驱满主义，欲与贵社通函，并欲发表吾蒙族之意见者已两年于兹矣"。"故近同人决议"，"草就此文，寄呈大报"。[①]

这篇言辞激烈的《宣言书》，是迄今所知蒙古族反清革命志士的第一篇公开发表的讨清（满）檄文，它不仅首次相当深刻而尖锐地揭露了清朝统治者实行"封王联姻"、分割统治和扶植藏传佛教政策给蒙古民族带来的深刻危害，并且明确表示要与汉族（革命志士）共同推翻清朝，在民族平等的前提下共建一民主共和国家。

由于内蒙古地区的偏僻闭塞和经济文化落后，资产阶级民主革命思想的传播，在深度和广度上还不能同内地相比。特别是由于同盟会民族主义纲领的历史局限性，在蒙古民族中产生了一定的消极影响。但是，在总体上代表

---

① 《民报》第 20 号，1908 年。

历史进步潮流的新思想，仍在内蒙古地区逐渐传播，使各族人民逐渐觉醒起来。

三、同盟会在内蒙古西部的革命活动

中国同盟会在日本东京成立时，即已注意到应在蒙古地区开展活动，拟在其国内北部支部下设立蒙古分会。当时进入内蒙古活动的主要是山西分会成员，所以他们的活动区域也主要集中在内蒙古西部地区。

最早来到内蒙古的山西同盟会员主要有王建屏、李德懋等人。光绪三十二年（1906年），王建屏先后在归化城、萨拉齐加入天主教和耶稣教，以教会学校教员的合法身份广泛结交地方人士，进行革命宣传活动，发展同盟会组织。蒙古族志士云亨、经权等人，就是这期间由他介绍加入了同盟会。王建屏在其反清活动被教会发现以后，又假扮算卦先生在后套、包头等地开展活动。李德懋娴于拳脚武术，曾在包头等地以结交江湖好汉等方式发展组织，开展活动。经王建屏、李德懋等人的开辟，归化城、萨拉齐、包头、五原一带很快就成为同盟会会员较多，革命工作相当活跃的地区。早期同盟会员郭鸿霖经常奔走于包头、五原之间，从事革命活动，后来他又以包头某学堂堂长的身份在青年学生和知识分子中开展工作。在同盟会的联络和宣传鼓动下，绥包一带的清军巡防队中，也有不少官兵接受了革命影响，酝酿反清活动。①

同盟会在内蒙古西部的另一个活动中心是丰镇。清末以来，由于社会动乱频繁、阶级矛盾激化，丰镇地区陆续出现不少反对外国教会势力、反抗地方官府、土豪劣绅的"绿林"武装。同盟会在山西大同设有组织力量较强的支部，为策动反清起义，很早就注意在这些农民绿林武装中开展活动。在丰镇地区开展工作的同盟会员主要有李德懋和王虎臣（河北人）、弓富魁（山西人）等。在他们的宣传鼓动和争取下，分别拥有数十、上百人马的绿林首领张占魁（绰号小状元）、武万义（蒙古族）、马有才（回族）等人均已接受反清革命思想，准备发动武装起义。弓富魁等人还在丰镇内开设投送民间书信的书子房，作为秘密工作机关，四处传递信息情报，成为山西革命

---

①　内蒙古政协文史委员会编：《内蒙古辛亥革命史料》，内蒙古人民出版社1979年版。

党人同口外进行联络的交通站。①

　　经过同盟会组织几年的积极活动,内蒙古西部的归、绥、包头、丰镇一带,已成为一触即发的反清起义的基地。

---

① 内蒙古政协文史委员会编:《内蒙古辛亥革命史料》,内蒙古人民出版社 1979 年版,第 38—49 页。

第 十 二 章

清代内蒙古的宗教、文化与习俗

第一节 清代内蒙古地区的宗教

一、喇嘛教

1. 喇嘛教的传播与普及 喇嘛教又称"黄教"，或称"藏传佛教"。"喇嘛"在藏语中是"上师"的意思。16 世纪后半期，在土默特部俺答汗提倡的"政教二道"并行之策略下，藏传佛教再度传入蒙古族居住的所有地区。明万历六年（1578 年）土默特部俺答汗与西藏格鲁派首领索南嘉措在青海湖边新落成的仰化寺（察卜齐雅勒庙）举行了历史性会面。俺答汗赠与索南嘉措"圣识一切瓦齐尔达喇（藏语'执金刚'）达赖喇嘛"尊号，索南嘉措也给俺答赠与了"咱克喇瓦尔第（藏语'转轮王'）彻辰汗"称号，相互承认对方为元代忽必烈和八思巴的转世，从而拉开了 16 世纪末 17 世纪初藏传佛教再度传入蒙古地区的序幕。

俺答汗统辖的蒙古右翼土默特、鄂尔多斯万户是格鲁派藏传佛教在蒙古地区传播的最早的根据地。万历八年（1580 年），俺答汗为了完成仰化寺会见时的许愿，在库库和屯（今呼和浩特）建造了蒙古地区的第一座藏传佛教寺庙，明朝赐名"弘慈寺"。寺中供奉银制释迦牟尼像，故当时亦称"银佛寺"，蒙古民间则叫"伊克召"（意为大召）。此时，十二土默特之 108 人成为班第（小喇嘛）、托音（和尚）。① 万历十三年（1585 年）三世达赖喇嘛索南嘉措来蒙古右翼土默特、鄂尔多斯万户等地传法时，俺答汗之子僧格都棱汗在库库和屯又建造了锡勒图召，而此次陪同三世达赖喇嘛前来的希迪图噶布楚②，后来成为该寺的住持活佛——一世锡勒图呼图克图。此后的数十年间，在俺答汗子孙及其亲信们的资助下，在呼和浩特及其附近，美岱召、小召、乌素图召等相继建立。也正因为召庙林立，著名高僧涌现不断，当时呼和浩特又被称为"召城"，成为藏传佛教再度在整个蒙古地区传播的集散点。万历十六年（1588 年）三世达赖喇嘛前往察哈尔部途中圆寂。格鲁派上层为巩固与蒙古贵族的关系，认定俺答汗孙松木台吉之子为达赖喇嘛的转世灵童，授戒，起法名云丹嘉措，即四世达赖喇嘛。万历三十一年（1603 年），云丹嘉措进驻拉萨哲蚌寺，促进了藏传佛教在蒙古地区的进一步传播，使格鲁派在西藏的政治、宗教地位也得到空前的加强。

藏传佛教在蒙古右翼三万户地区开始传播的过程中，鄂尔多斯万户的呼图克台彻辰洪台吉追随俺答汗，主持筹办了仰化寺会见，并在大会上代表蒙古封建主宣读了元世祖忽必烈时期制定的"政教并行"的《十善福法规》。《十善福法规》的主要宗旨是，将佛教定为蒙古人的宗教，巩固其地位，并为此建立一些具体规定，如提出废除杀生祭祀和废除供奉萨满教"翁衮"之神；拥有绰尔济、喇木扎木巴、噶卜楚、格隆、托音、齐巴噶恩察、乌巴什、乌巴三察等称号之僧人的人身权利和地位等同于蒙古世俗封建主洪台吉、台吉、塔布囊和一般官员。这些法规的重新提出，对藏传佛教在蒙古地区的传播提供了法规依据，并对消除蒙古大众意识形态中根深蒂固的萨满教"翁衮"之神的崇拜起了关键作用。另外，三世达赖喇嘛索南嘉措来到其故乡鄂尔多斯传法时，专门请求三世达赖喇嘛在其驻地诵经三个月，引全部鄂尔多斯人皈依藏传佛教。据文献记载，鄂尔多斯万户境内的准格尔召、伊克召等寺庙均在 17 世纪初建立。藏传佛教在蒙古右翼三万户之一永谢布万户地区的传播也是在这一时期。明万历十六年（1588 年），三世达赖喇嘛自土

---

① 《阿勒坦汗传》，珠荣嘎译注，内蒙古人民出版社 2001 年版。
② 17 世纪蒙古文文献中以锡勒图固什绰尔济著称。

默特向东部地区传法，至永谢布万户所属喀喇沁部境内的吉噶苏台之地圆寂。① 其后，曾在俺答汗时期来到蒙古地区传法的青海阿木多地方的萨木鲁家族之阿兴喇嘛在其晚年来到喀喇沁等部境内传法，② 后来成为清代锡勒图库伦札萨克喇嘛旗奠基人。

以察哈尔为中心的蒙古左翼各部早在图们汗时期开始与藏传佛教接触。万历四年（1576 年），图们汗"往见盘结腰刀之噶尔玛喇嘛，遂授阐教"。③ 万历十五年（1587 年），图们汗曾派阿穆岱洪台吉前来邀请三世达赖喇嘛到察哈尔阐扬佛教。达赖喇嘛"是以传授阿穆岱洪台吉之灌顶陇灌居多"。④ 第二年图们汗复遣使臣克什克腾部之图迈洪台吉带领千人邀请三世达赖喇嘛赴察哈尔传教，只是三世达赖于途中圆寂。布延彻辰汗在位，"以政治佛教致大国于太平"。万历三十二年（1604 年）林丹汗即位后，从达赖喇嘛驻蒙古的代表迈达里诺们汗那里"承受秘密精深之灌顶，扶持经教"。不久，又从西藏萨迦派高僧沙尔巴呼图克图那里"复授秘密精深之灌顶，创修昭释迦牟尼庙以及各项庙宇，于一夏季趱赶建造，所有牌位神座俱已造成，照前整齐经教"。⑤ 另外，林丹汗又组织精通藏、蒙文字的人员完成了藏文《甘珠尔》经的蒙文翻译工作，对藏传佛教在蒙古地区的进一步传播起了重要作用。

内蒙古各部中，接受藏传佛教最晚的属东蒙古科尔沁等部。直到 17 世纪 20 年代，自科尔沁部王公贵族到广大民众则更为信仰"男女萨满，所有人都崇拜翁衮"，"所谓佛教信仰尚完全不为人所知"。⑥ 东蒙古地区领土上占统治地位的仍是萨满教。天命六年（1621 年），传教于科尔沁部的囊苏喇嘛因得不到科尔沁王公的信任，到爱新国主努尔哈赤那里避身。天命十年（1625 年）又有叫唐古特喇嘛者因不堪科尔沁蒙古诸贝勒的虐待，投附爱新

---

① 《阿勒坦汗传》，珠荣嘎译注，内蒙古人民出版社 2001 年版。
② 《吉祥佛陀教法源流之传记》，库伦旗人民委员会办公室油印本 1960 年版。
③ 《蒙古源流》卷 6，清武英殿本。
④ 《蒙古源流》卷 6，清武英殿本。
⑤ 《蒙古源流》卷 6，清武英殿本。
⑥ 《一世内齐托音传》，《呼和浩特史蒙古文献资料汇编》第 6 辑，内蒙古文化出版社 1988 年版，第 138 页。

国。① 科尔沁等部真正开始接受藏传佛教是在天聪四年（1630 年）内齐托音从盛京到达科尔沁部以后的事情。由于内齐托音是四世班禅的高徒，本身又是土尔扈特蒙古人，在嫩科尔沁、郭尔罗斯、扎赉特、杜尔伯特、扎鲁特、翁牛特等部中传教时，他用最流利而易懂的蒙古语宣扬佛教思想，结果不仅很快得到了像土谢图汗奥巴、札萨克图都棱布达齐等有威望的科尔沁大诺颜们的崇拜，而且几乎所有的人都听从了他的教理，成为他们心目中的圣人。在内齐托音的一再劝说之下，自王公贵族到普通的阿拉巴图，把各自供奉的翁衮堆积成四个剪子架的蒙古包般高后，在内齐托音住宅面前纵火焚烧。② 至此，人口众多的科尔沁等东蒙古各部遗弃萨满教的翁衮，真正接受了内齐托音宣扬的格鲁派藏传佛教。

经过近半个世纪的广泛传播，蒙古诸部先后皈依藏传佛教。在当时动荡的历史年代里，蒙古各部封建领主对藏传佛教的崇拜不仅达到了笃信程度，而且广大蒙古民众对萨满教的"翁衮"崇拜意识不断淡化，共敬佛教"三宝"（佛家以佛、法、僧为三宝）代替了萨满教的"翁衮"崇拜。

2. 大活佛系统的形成　藏传佛教活佛系统始于西藏，16 世纪后期在西藏藏传佛教格鲁派中首先形成了达赖和班禅系统。随着藏传佛教在蒙古地区的迅速传播，各地寺院林立，有影响的大呼图克图、活佛不断涌现，蒙古地区也有了自己的呼图克图、活佛转世系统。

哲布尊丹巴呼图克图和章嘉呼图克图是清代蒙古地区最有影响的两大活佛系统。

章嘉呼图克图是清代内蒙古地区的藏传佛教领袖，其转世系统的宗教首领地位在内蒙古地区的确立，与清廷的扶植息息相关。西藏传说中的章嘉呼图克图祖师为西藏格鲁派创始人宗喀巴弟子转世，而章嘉呼图克图系统的统治地位始于十四世阿嘎旺罗布桑却拉丹巴拉森波。顺治元年（1644 年），十四世章嘉呼图克图被清廷迎入京师，封为国师，由五世达赖喇嘛授小戒、大戒。顺治十八年（1661 年）"赴藏晋谒第五世达赖喇嘛，尊为师父"。③ 康

---

① 《满文老档》，天命十年十一月初六日条，中华书局 1990 年版。
② 《一世内齐托音传》，《呼和浩特史蒙古文献资料汇编》第 6 辑，内蒙古文化出版社 1988 年版，第 138 页。
③ 妙舟：《蒙藏佛教史》第 5 篇，江苏广陵古籍刻印社 1993 年版。

熙二十六年（1687年），作为达赖喇嘛使者前往喀尔喀调解札萨克图汗和土谢图汗的冲突。清廷注意到了他的重要作用，有意扶持他，以分哲布尊丹巴呼图克图系统作为蒙古地区宗教领袖的地位。在朝廷的支持下，他多次到多伦诺尔以及长城各要塞，兴建寺院，宣扬佛法，备受蒙古僧俗封建主的推崇，使其声誉大为提高，为清廷树立他为内蒙古地区藏传佛教领袖创造了有利的条件。康熙四十年（1701年），清廷命他为"多伦喇嘛庙总管喇嘛事务之札萨克喇嘛"，成为内蒙古藏传佛教中心的宗教首领。康熙四十六年（1707年），康熙皇帝赐"普善广慈"名号，封"大国师"，授八十八两金印。从此他成为清代八大禅师呼图克图的首席，常驻京师嵩祝寺和多伦诺尔善因寺，总管内蒙古各地藏传佛教，节制内蒙古等地呼图克图、呼毕勒罕、诺门汗及堪布、班第达等大喇嘛，并掌管盛京、五台山、多伦诺尔等地印务。康熙五十二年（1713年），康熙帝巡幸多伦诺尔时，宣布"黄教之事，由藏东向，均归尔（指章嘉）一人掌管"。这样，十四世章嘉呼图克图终于成为蒙古地区另一个与哲布尊丹巴活佛相比肩的活佛系统。到了雍、乾时期，哲布尊丹巴活佛系统的境况不断被削弱，而章嘉呼图克图系统的地位则有加强之势。有清一代，章嘉活佛系共转世六世，他们均转世于藏族。

除了章嘉呼图克图转世系统以外，清代内蒙古地区出现了诸多地方性呼图克图、活佛转世系统。这些呼图克图、活佛拥有雄厚的寺院财产，占有大量的土地和人数众多的沙毕纳尔，在各自的地方享有崇高的宗教威望。其中，被理藩院登记注册者转世时，在雍和宫实行"金瓶掣签法"，由章嘉呼图克图、理藩院大臣监督掣定。另外，清廷对这些被理藩院登记注册的内外蒙古呼图克图、活佛以及札萨克大喇嘛、副札萨克大喇嘛、札萨克喇嘛实行洞礼年班制度，分六个班次，每年轮流进京，为清朝皇帝"身心安康，万寿无疆"而诵经祝福。嘉庆二十二年（1817年）清廷规定，内外札萨克等处呼图克图、呼毕勒罕、绰尔济喇嘛、达喇嘛等，年已及岁已出痘者，准其来京朝觐，经卷熟习者，准其编入洞礼经。其洞礼经班定为六班，按年轮流于十一月中旬来京。如轮值本班有患病等故者，报盟长查实报理藩院，准其次年补班。[①] 洞礼年班期间，清廷对他们给予优待，使他们进一步靠拢朝

---

① 《大清会典事例》卷984，《理藩院》。

廷。另一方面，通过洞礼年班，清廷可以从侧面观察他们对朝廷的诚心程度，进而控制他们的行为准则。

清代拥有呼图克图或活佛称号的内外蒙古大喇嘛就有292人，其中，嘉庆年间被理藩院登记入册的蒙古地区呼图克图之转世者有114人，[①] 光绪年间在理藩院登记注册的有243人。按地区划分，他们之中有影响的主要有：

呼和浩特地区：清代呼和浩特地区转世呼图克图、活佛系统共有8个，他们轮换担任总管呼和浩特喇嘛班第之喇嘛印务处掌印札萨克大喇嘛和副大喇嘛职务。

锡勒图呼图克图住持呼和浩特锡勒图召，系呼和浩特地区最有势力和影响的活佛系统，曾多次担任总管呼和浩特喇嘛班第之喇嘛印务处的掌印札萨克大喇嘛和副大喇嘛，与理藩院和历朝皇帝有着密切的联系。有清一代，该呼图克图系统列入洞礼年班，其转世从起初的师徒继承变为经过理藩院金本巴瓶掣签认定。共转十世，其中第二、五、六、七世为蒙古人，其余均为藏族出身。

内齐托音呼图克图住持呼和浩特小召（崇福寺），系呼和浩特地区最有势力和影响的活佛系统之一，曾三次担任总管呼和浩特喇嘛班第之喇嘛印务处的掌印札萨克大喇嘛和副大喇嘛，与理藩院和历朝皇帝有着密切的联系。有清一代，该呼图克图系统列入洞礼年班，其转世从起初的师徒继承变为经过理藩院金瓶掣签认定。内齐托音共转八世，转世者均为蒙古人，其中多数出身于科尔沁王公台吉家族。

吹斯噶巴迪彦齐呼图克图住持呼和浩特广化寺（西喇嘛洞），系呼和浩特地区最有势力和影响的活佛系统之一，曾多次担任总管呼和浩特喇嘛班第之喇嘛印务处的掌印札萨克大喇嘛和副大喇嘛。有清一代，该呼图克图系统列入洞礼年班，其转世从起初的师徒继承变为经过理藩院金瓶掣签认定。吹斯噶巴迪彦齐呼图克图共转八世，除了第三世为西藏人以外，转世者均为土默特、乌拉特等部蒙古人。

咱雅班第达呼图克图来自喀尔喀地区，住持呼和浩特尊胜寺，系呼和浩特地区最有势力和影响的活佛系统之一，曾多次担任总管呼和浩特喇嘛班第

---

① 《呼和浩特史蒙古文献资料汇编》第1辑，内蒙古文化出版社1988年版，第54页。

之喇嘛印务处的掌印札萨克大喇嘛和副大喇嘛。有清一代，该呼图克图系统列入洞礼年班，其转世从起初的师徒继承变为经过理藩院金瓶掣签认定。咱雅班第达呼图克图共转六世，除了一世为西藏人以外，其余转世者均为土默特、乌拉特、外喀尔喀等部蒙古人。

察哈尔迪彦齐呼图克图住持呼和浩特庆缘寺，系呼和浩特地区最有势力和影响的活佛系统之一，曾多次担任总管呼和浩特喇嘛班第之喇嘛印务处的掌印札萨克大喇嘛和副大喇嘛。有清一代，该呼图克图系统列入洞礼年班，其转世从起初的师徒继承变为经过理藩院金瓶掣签认定。察哈尔迪彦齐呼图克图共转六世，除了一世为西藏人以外，其余转世者均为土默特、乌拉特、茂明安、察哈尔、外喀尔喀等部蒙古人。

察罕迪彦齐呼图克图住持呼和浩特慈寿寺（什保齐召），系呼和浩特地区较有影响的活佛系统之一，曾一次担任总管呼和浩特喇嘛班第之喇嘛印务处的掌印札萨克大喇嘛。有清一代，该呼图克图系统列入洞礼年班，其转世从起初的师徒继承变为经过理藩院金瓶掣签认定。察罕迪彦齐呼图克图共转七世，转世者均为邻近土默特、乌拉特、茂明安、四子部落等部蒙古人。

额尔德尼迪彦齐呼图克图住持呼和浩特崇禧寺（东喇嘛洞召），系呼和浩特地区较有影响的活佛系统之一。康熙年间，第四世额尔德尼迪彦齐呼图克图在呼和浩特附近兴建了四座寺院，时为呼和浩特大召所属呼必勒罕。有清一代，该呼图克图系统列入洞礼年班，其转世从起初的师徒继承变为经过理藩院金瓶掣签认定。额尔德尼迪彦齐呼图克图共转六世，除了一世为西藏人以外，其余转世者均为邻近乌喇特、茂明安、喀尔喀等部蒙古人。

额尔德尼莫日根洞科尔班第达呼图克图住持广觉寺（五当召），系呼和浩特地区很有影响的活佛系统之一。一世额尔德尼莫日根洞科尔班第达呼图克图罗卜桑扎拉桑出身于喀尔喀部，为甘珠尔瓦诺们汗之徒弟，乾隆年间兴建广觉寺的同时，曾参加过《丹珠尔》经的蒙文翻译工作。七世达赖喇嘛赐封他为"洞科尔班第达"。[①] 有清一代，该呼图克图系统列入洞礼年班，其转世经过理藩院金瓶掣签认定。额尔德尼莫日根洞科尔班第达呼图克图共

---

① 《呼和浩特史蒙古文献资料》第6辑，内蒙古文化出版社1988年版，第331页。

转六世，其转世者多为邻近土默特、乌拉特、喀尔喀等部蒙古人。

　　理藩院登记注册的参加洞礼年班的清代内札萨克蒙古（包括锡勒图库伦札萨克喇嘛旗）地区呼图克图、活佛和大喇嘛系统共有 34 个，即锡勒图库伦 2 人、郭尔罗斯 1 人、乌珠穆沁 6 人、阿巴嘎 1 人、科尔沁 3 人、土默特 6 人、浩济特 1 人、阿巴哈纳尔 5 人、苏尼特 2 人、乌拉特 5 人、四子部落 1 人、鄂尔多斯 1 人。① 其中，有影响的呼图克图、活佛和大喇嘛系统主要有以下若干名。

　　锡勒图库伦札萨克喇嘛旗札萨克大喇嘛为一旗之长，总理全旗政教事务，由清廷任免。雍正七年（1729 年），清廷规定："锡勒图库伦掌印札萨克大喇嘛缺出，应将墨尔根绰尔济之孙补放，或于徒众内择其才堪胜任者保送到院补放。"② 此墨尔根绰尔济为该喇嘛旗第二任札萨克大喇嘛。历任札萨克大喇嘛列入清朝制定的藏传佛教上层参加的洞礼年班之列。有清一代，锡勒图库伦札萨克大喇嘛共转 22 代次，历任札萨克大喇嘛多出身于青海萨木鲁家族。

　　卓索图盟土默特左旗额尔德尼察罕迪彦齐呼图克图住持土默特左旗境内的最大寺院瑞应寺，系清代内札萨克蒙古东部地区有影响的活佛系统之一。一世额尔德尼察罕迪彦齐呼图克图桑坦桑布为内齐托音弟子，康熙帝曾赐号为堪布喇嘛。康熙十五年（1677 年），一世额尔德尼察罕迪彦齐呼图克图偕弟子温布等 30 人赴藏谒见达赖和班禅。翌年，五世达赖喇嘛授予他"额尔德尼察罕迪彦齐呼图克图"称号，并授印信。③ 道光三年（1823 年），因四世额尔德尼察罕迪彦齐呼图克图名下徒弟已超过 3 000 人，所属阿拉巴图（黑徒）达 800 户，经申请，理藩院赐"土默特札萨克大喇嘛察罕迪彦齐呼图克图之印"。④ 有清一代，该呼图克图系统列入洞礼年班，其转世起初经过达赖、班禅认定，后经过理藩院金瓶掣签认定。额尔德尼察罕迪彦齐呼图克图共转六世，其转世者多为土默特左旗蒙古人。

---

　　① 《大清会典事例》卷 974，《理藩院》。

　　② 《大清会典事例》卷 984，《理藩院》。

　　③ 《额尔德尼察罕迪彦齐呼图克图传》，《呼和浩特史蒙古文献资料汇编》第 6 辑，内蒙古文化出版社 1988 年版，第 275—330 页。

　　④ 陶克通嘎等编：《瑞应寺》，内蒙古文化出版社 1984 年版，第 26 页。

哲里木盟科尔沁左翼中旗达尔罕呼图克图住持科尔沁左翼中旗境内的最大寺院莫力庙（集宁寺，又称巴彦莫林庙），系清代内札萨克蒙古东部地区有影响的活佛系统之一。一世达尔罕呼图克图为科尔沁左翼中旗贵族多尔济帕拉玛之子，系卓里克图亲王之子"阿巴嘎喇嘛"之呼毕勒罕。乾隆年间，达赖喇嘛授予他"班第达"称号，乾隆赐封为"额尔德尼车臣堪布呼图克图"。① 有清一代，该呼图克图系统列入洞礼年班，共转四世，其转世者多出身于该旗贵族家庭。

哲里木盟科尔沁右翼前旗诺颜呼图克图住持该旗境内的最大寺院葛根庙（梵通寺），系清代内札萨克蒙古东部地区有影响的活佛系统之一。一世诺颜呼图克图阿格旺丹巴雅尔丕勒为科尔沁右翼前旗四等台吉西图根之子，也是葛根庙首任住持毕里衮达赖（内齐托音徒弟）之转世呼毕勒罕。乾隆年间曾参加过《丹珠尔》经的蒙古文翻译工作，是蒙古文诵经的奠基人之一。乾隆帝赐予他"科尔沁之诺颜呼图克图"称号，并赐匾给其住持的庙为"梵通寺"。② 该呼图克图系统列入清朝洞礼年班，其转世起初经过班禅认定，后经过西藏迈达里格根认定。有清一代，共转六世，其转世者多为科尔沁左翼前旗、科尔沁左翼中旗蒙古人。

昭乌达盟阿鲁科尔沁旗察罕达尔汉呼图克图住持该旗境内的最大寺院罕庙（戴恩寺），系清代内札萨克蒙古东部地区有影响的活佛系统之一。据考证，察罕达尔汉呼图克图的前四世均为西藏人，其一世为皇太极手下之察罕喇嘛，顺治帝授予他"达尔汉绰尔济"封号，系驻京八大呼图克图之一。③ 五至八世均转世于阿鲁科尔沁旗蒙古人，并驻锡汗庙。

锡林郭勒盟阿巴哈纳尔左旗"班第达呼图克图"④ 住持该旗旗庙——贝子庙（崇善寺），系清代内札萨克蒙古地区有影响的活佛系统之一。一世班第达呼图克图是西藏章隆地方的高僧，曾从七世达赖喇嘛获得"班第达"

① 德勒格：《内蒙古喇嘛教史》，内蒙古人民出版社 1998 年版，第 377 页。

② 斯·斯钦必力格：《科尔沁诺颜呼图克图阿格旺丹巴雅尔丕勒及其转世传略》，《内蒙古社会科学》（蒙文版）1990 年第 5 期。

③ 《阿鲁科尔沁文史》第 7 辑，第 23 页。

④ 妙舟：《蒙藏佛教史》第 5 篇，江苏广陵古籍刻印社 1993 年版。

称号，故亦称其为"阿日雅（吉祥）·章隆·班第达"。① 其转世经过达赖、班禅认定。有清一代，该呼图克图系统列入清朝洞礼年班，共转五世，除了一世为西藏人以外，其余系苏尼特、阿巴噶、浩齐特、阿巴哈纳尔部蒙古人。

乌兰察布盟乌拉特前旗莫尔根迪彦齐活佛住持该旗旗庙——莫尔根召（崇善寺），系清代内札萨克蒙古西部地区有影响的活佛系统之一。一世莫尔根迪彦齐为内齐托音徒弟，是蒙古文诵经的奠基人之一。三世莫尔根迪彦齐罗卜桑丹毕扎拉桑进一步发展了蒙古文诵经制度，对蒙古语言文学的发展起了重要作用。有清一代，该活佛系统列入清朝洞礼年班，共转五世，除了一世为西藏人以外，其余系苏尼特、阿巴噶、浩齐特、阿巴哈纳尔部蒙古人。

阿拉善和硕特部多卜藏呼图克图住持阿拉善额鲁特旗福因寺，系清代阿拉善和硕特部两大活佛系统之一。一世多卜藏呼图克图多卜仓夏仲为阿拉善和硕亲王罗卜藏多尔济之子。二世多卜藏呼图克图吉仲加木样被清廷册封为"多卜藏呼图克图"封号。② 有清一代，该呼图克图系统列入清朝洞礼年班。

阿拉善和硕特部达克布呼图克图住持阿拉善额鲁特旗广宗寺，系清代阿拉善和硕特部两大活佛系统之一。追封的一世达克布呼图克图仓央嘉措为西藏人，当地信徒认为他就是六世达赖喇嘛。二世达克布呼图克图温都尔格根为阿拉善额鲁特旗镇国公贡其格之子，乾隆三十四年（1769 年）清廷授予他"达克布呼图克图"封号。有清一代，该呼图克图系统列入清朝洞礼年班，共转六世。

3. 寺庙及僧侣　清朝中期，内札萨克蒙古地区喇嘛教寺庙约有 1 800 多座，喇嘛人数约有 15 万人左右。③ 到了 19 世纪，在内蒙古地区共有 1 200 多座寺庙，④ 喇嘛约 10 万之众。⑤ 阿拉善和硕特旗境内寺院共计 30 余

---

① 内蒙古图书馆藏：《法轮大殿崇善寺史》。
② 《宁夏定远营调查记》，《西陲宣化使公署月刊》第 1 卷第 3 期。
③ 德勒格：《内蒙古喇嘛教史》，内蒙古人民出版社 1998 年版，第 452 页。
④ 图齐、海西希：《西藏和蒙古的宗教》，耿昇译，天津古籍出版社 1989 年版，第 353 页。
⑤ 乌云毕力格、成崇德、张永江：《蒙古民族通史》第 4 卷，内蒙古大学出版社 1993 年版，第 334 页。

座，喇嘛人数达到 6 400 余名，[①] 占全旗蒙古族人口的 1/4。以上数据仅仅表明清代蒙古地区藏传佛教寺院和喇嘛数量的大概情况，据清代喀喇沁中旗札萨克衙门蒙古文档案记载，宣统二年（1910 年）该旗境内仍有大小寺庙 103 座，喇嘛共计 1 605 人。[②] 而清代建立的鄂托克旗境内的寺庙也有 77 座。[③]

呼和浩特地区：包括清代绥远城、土默特左右翼旗的呼和浩特地区俗有"七大召、八小召、七十二个绵绵召"之说。其中，无量寺（大召）、延寿寺（锡勒图召）、崇福寺（小召）、灵觉寺、广化寺（西喇嘛洞召）、庆缘寺等六大寺，加上无量寺和庆缘寺的属庙藏康庙、察哈尔寺以及建筑年代更早的古佛寺、华严寺等最早建立于入清之前以外，其余寺庙均兴建于清朝顺治至乾隆年间。除了呼和浩特地区主要寺庙以外，顺治至康熙年间建立的该地区其他小庙有：广安寺、延禧寺、兴福寺、三官庙、福慧寺、隆福寺、佛寿寺、永寿寺、彰庆寺、长寿寺、增福寺、公和寺、广集寺、广法寺、永福寺、同经寺、广寿寺、永安寺、观音寺、广层寺、菩萨寺、藏康庙、福庙、红召、毕克齐召、吉特库召、圪速贵召、灵照寺、红山口召、全化寺等；雍正至乾隆年间建造的小庙有：普荟寺、塔尔梁寺、福慧寺、菩萨庙、药王寺、南山寺、菩提寺、广福寺、广宁寺、普祯寺、全庆寺、广觉寺、荟安寺、法禧寺、白庙、福庙、卡特利召、黑格林召、苏布尔盖召等。[④] 呼和浩特地区的大多数召庙建立于清朝顺治、康熙、雍正、乾隆四朝时期。

伊克昭盟地区：伊克昭盟地区是 16 世纪末藏传佛教再度传入蒙古地区的主要区域，也是清代内外蒙古地区中寺庙和喇嘛较多集中的地区之一。除了准格尔召、广福寺、广慧寺、广佑寺等少数寺庙建立于明末以外，大多数召庙建造于清代。其中，清朝历代皇帝赐匾的寺庙就有 250 多座，喇嘛九千余名，而实际存在的大小寺庙和喇嘛数字远远超过此数。[⑤]

乌兰察布盟地区：据清末统计，乌兰察布盟地区仍有 118 座寺庙，喇嘛

①　《阿拉善左旗志》，内蒙古人民出版社 2000 年版，第 240 页。

②　内蒙古档案馆喀喇沁中旗札萨克衙门档案，504—2—2291。

③　阿尔宾巴雅尔、曹纳木编：《鄂托克寺庙》，内蒙古文化出版社 1998 年版，第 388—410 页。

④　孙利中：《呼和浩特召庙补遗》，《呼和浩特史料》第 8 集，第 360 页。

⑤　萨·那日松、特木尔巴特尔等：《鄂尔多斯寺院》，内蒙古文化出版社 2000 年版。

人数达 10 460 人。①

锡林郭勒盟和察哈尔地区：清代的锡林郭勒盟十旗；察哈尔地区八旗察哈尔、多伦诺尔及其邻近驻牧的属于清皇室的太仆寺、商都等牧厂和马群等地区，直到解放前仍有 273 座寺庙，喇嘛人数为 14 378 人。②

昭乌达盟、卓索图盟地区：清代的昭乌达盟共有寺庙 278 座。喇嘛上万人。③ 土默特左旗境内有 195 座寺庙；④ 宣统二年（1910 年）喀喇沁中旗境内仍有大小寺庙 103 座，喇嘛共计 1 605 人。⑤ 昭乌达盟、卓索图盟地区的寺庙约有 600 余座。清朝末年，由于昭乌达盟、卓索图盟地区的开垦面积不断扩大，内地汉族农民的大量涌入，所辖各蒙旗境内府、厅、州、县并存，使原有各旗所属部分寺庙划入汉族农民居住的各县境内，并随着时间的推移，那些寺庙逐渐荒废或被遗忘。

哲里木盟、锡勒图库伦喇嘛旗和呼伦贝尔地区：清末科尔沁右翼中、后、前旗和扎赉特旗共计寺庙 31 座，喇嘛 2 614 人；科尔沁左翼后旗 61 座，科尔沁左翼中旗 76 座；科尔沁左翼前旗地区有寺庙 10 余座；⑥ 杜尔伯特旗境内有寺庙 12 座，喇嘛共计 740 名；⑦ 郭尔罗斯后旗寺院有 12 座，计领度牒喇嘛 325 人。⑧ 从以上数据综合，清代哲里木盟十旗境内共计寺庙有 200 余座。

锡勒图库伦旗是清代内蒙古地区唯一实行政教合一制的喇嘛旗，旗境内共有寺院 38 座。⑨ 清代的呼伦贝尔地区寺院主要包括呼伦贝尔副都统衙门管辖新巴尔虎八旗、索伦八旗（包括陈巴尔虎）、额鲁特旗等五翼总管旗境内的藏传佛教寺院，共有寺院 42 座，喇嘛 2 655 人。其中，广慧寺、光远寺、延福寺、寿宁寺、德孚寺为最著名。

---

① 满都麦、莫德尔图：《乌兰察布寺院》，内蒙古文化出版社 1996 年版，第 15 页。
② 德勒格：《内蒙古喇嘛教史》，内蒙古人民出版社 1998 年版，第 485 页。
③ 嘎拉增、呼格吉勒图、巴图巴雅尔：《昭乌达寺院》，内蒙古文化出版社 1994 年版。
④ 阿拉坦嘎日迪等：《蒙古贞宗教》，内蒙古文化出版社 1994 年版，第 178 页。
⑤ 内蒙古档案馆喀喇沁中旗札萨克衙门档案，504—2—2291。
⑥ 德勒格：《内蒙古喇嘛教史》，内蒙古人民出版社 1998 年版，第 458 页。
⑦ 波·少布、何日莫奇：《黑龙江蒙古部落史》，哈尔滨出版社 2001 年版，第 263 页。
⑧ 叶大匡：《调查郭尔罗斯后旗报告书》，1909 年。
⑨ 呼日勒沙：《哲里木寺院》，内蒙古文化出版社 1993 年版，第 3—4 页。

蒙古地区的藏传佛教寺院多数建立于清康熙、雍正、乾隆、嘉庆年间，各庙喇嘛人数最多时期也是以上四朝年间，而晚清以来建造或修建的寺院很少，喇嘛人数也无法与清前期相比。另外，至今保留的相关文献资料中记载的清代蒙古地区藏传佛教寺院和喇嘛方面的信息主要体现在各地区著名寺院或呼图克图、活佛方面，而蒙旗更多的小型寺庙的名称和数量等几乎没有留下大概的记载。所以，我们只能从晚清或近代相关文献资料以及调查报告中大体反映出有清一代蒙古地区的藏传佛教寺院及其喇嘛人数。

二、其他宗教

1. 萨满教　蒙古萨满教产生于古代北方民族对祖先的崇拜和对大自然的崇拜，保护人及其财产以对付疾病和灾难造成的所有危险和痛苦是萨满教的主要功能。萨满教承认宇宙间的任何事物都有生命和灵魂，认为人的躯体是灵魂的外壳，人的生死取决于灵魂的留去，但灵魂是永生的。人死后其灵魂到彼岸世界，与故去族人一起过着与人间无二的生活，亡者的灵魂既可保佑生者，亦可加害生者。从腾格里天神开始，经过翁衮、先祖的守护神、布麻尔、其他已故亲属的亡灵，一直到灾难的各种人格化形式。①

蒙古人最原始的信仰是"博额"，即巫师，相当于满洲—通古斯语族各民族中的萨满，故后人称其教为萨满教。蒙古人称萨满教的男性巫师为"博额"，称女性巫师为"伊都干"（内蒙古东部称"乌得干"）。"博额"是人与神灵之间的媒体，即传达神的意志、旨意的人。因此"博额"主持祭祀神灵，请神驱鬼及占卜问卦避害趋利。"博额"有世袭非世袭之分，即有的世世代代父子相传，有的则是通过某种灵异现象之后，认为神灵附体，变成"博额"。"博额"平时生活、劳作与普通人没有什么区别，只是在举行各种萨满教仪式时由其主持。平时，被请到发生一些意想不到的灾祸或怪异疾病的人们家里做法事，举行请神、驱鬼、治病或占卜算卦等仪式。女性"伊都干"则除与男性"博额"一样，举行驱邪治病等仪式之外，还担当"接生妇"的角色。所以，在一些地区"伊都干"一词就有"接生妇"的含义。蒙古人供奉萨满教的"翁衮"（守护神），"翁衮"是用毡或丝绸

---

① ［德］海希西：《蒙古宗教》，《蒙古史研究参考资料》第32、33辑，第12页。

（后多改为青铜）制成的人形的小偶像，一般将其供奉于蒙古包内门两侧或北隅，有些供奉于专门的车内。

16 世纪末 17 世纪初藏传佛教再度传入蒙古时，在蒙古封建领主的支持下萨满教被无情地镇压，而藏传佛教最终成为蒙古民族供奉的唯一宗教。但是，萨满教对蒙古族意识形态领域的影响并没有因此彻底消除。直到 1788 年阿噶布里亚特蒙古人还是"萨满教信仰的彻底支持者"。① 有清一代，在内蒙古人中萨满教遗留较多的有鄂尔多斯部（伊克昭盟）、科尔沁部（哲里木盟）、巴尔虎部（呼伦贝尔）以及锡勒图库伦喇嘛旗、喀尔喀左翼旗等。

蒙古人信奉的萨满教的内容大致有自然崇拜和祖先崇拜两种，自然崇拜包括对天、地、日、月、星、山、水（河、湖、泉）、火、雷、电以及赋予神灵色彩的实物，如矛、纛、弓箭、马以及树木、动物等的崇拜及其祭祀仪式；对祖先崇拜，除每个家庭对自己祖先的定期祭祀之外，还有对成吉思汗、哈撒儿、别里古台、月伦太后等民族杰出人物的定期祭祀及其仪式。

祭祀腾格里（天），是蒙古族萨满教的最隆重的祭祀活动之一。所祭之神，最初是祖先之神或翁衮等萨满教的神灵。其中，"长生天"是所有天神中的最高者。在萨满教祈祷文中长生天定居于天上，"上界是我的长生天，下界是我的地母"，而后来这句话演变为"天父"和"地母"。在萨满们的咒歌中，另有九十九尊腾格里天神。17 世纪成书的一部描述蒙古萨满教的布里雅特蒙古文献中曾阐述说："西方共有五十五尊最高腾格里天神，东方有四十四尊，共有九十九尊。在西方的五十五尊腾格里天神中，可能有五十尊应以祈祷而崇仰，而五尊则要用祭祀予以崇拜，……在东方的四十四尊腾格里天神中，有四十尊应以祈祷而崇仰，而四尊则要以祭祀来崇拜。"② 伊克昭盟乌审旗哈塔斤氏蒙古人有自己独特的祭祀十三尊"阿他"腾格里的仪式仪规。祭祀的场所建有桃状毡房，四周有用红柳条编成的篱笆园子，毡房内的祭台上供奉有天神的布幔以及弓箭、刀剑、长明灯、锣、鼓等祭祀用品。③ 哈塔斤氏的成员每年正月及春、夏、秋季规定日子举行专门的仪式。

---

① ［德］海希西：《蒙古宗教》，《蒙古史研究参考资料》第 32、33 辑，第 25 页。
② ［德］海希西：《蒙古宗教》，《蒙古史研究参考资料》第 32、33 辑，第 33 页。
③ 勒·胡日查巴特尔：《哈塔斤十三家神祭祀》，内蒙古文化出版社 1986 年版，第 107—113 页。

萨满教思想学说中的这些腾格里天神都具有超自然之力神化色彩，而它们的共同作用在于保护那些向它们祈祷的人。

祭祀鄂博（又译敖包），源出于萨满教重要的祭祀活动之一，是萨满教对天、地、山、川的祭祀仪式。鄂博被认为是各种神灵的汇集处。仪式由萨满主持，因而备受蒙古民众的重视。在固定地点堆的石堆，即鄂博一般都位于高地、山口、叉路口等处。它们是当地守护神和地神的神祠，可招请当地的守护神和地神。为了祭祀使用，人们便以建鄂博来装饰此地和石堆以艺术的形式排列。[①] 有清一代，蒙古地区不仅有旗鄂博、苏木鄂博、氏族鄂博、家庭鄂博（如某某台吉鄂博等），还有若干旗共同祭祀的鄂博。如哲里木盟十旗共同祭祀的会盟鄂博（位于科尔沁右翼中旗境内的哲里木河岸），呼伦贝尔诸旗共同祭祀的"安邦鄂博"（意即副都统鄂博，位于海拉尔城北山），锡林郭勒盟十旗共同祭祀的额尔德尼鄂博（贝子庙之北）等。蒙古人祭祀鄂博的主要目的在于祈求风调雨顺、五畜兴旺、生活幸福。除了地方神和在鄂博中表现出来的神之外，蒙古人还崇拜特殊的山河之神及其化身。在各地萨满教祈祷经文中，特别崇拜蒙古地区的一些名山，如巴颜祖日赫山、阿拉善山、穆纳罕山。对于哈通河（黄河）也赋予了同样的荣誉。[②]

祖先崇拜是蒙古人的萨满教信仰之一。祖先的亡灵都要受到崇拜，因为它们可以帮助与邪恶势力以及生命的压力和已经被人格化的自然力相抗衡。清代蒙古人不仅对自己的祖先定期举行祭奠仪式，而且也为本民族的帝王及有影响的人物建造独特的陵园或寺庙，定期举行祭祀。这方面具有代表性的是在鄂尔多斯保留的成吉思汗"八白室"。"八白室"是从元朝宫廷太庙祭祀活动延续下来的。15世纪中叶鄂尔多斯蒙古人入居黄河河套以后，"八白室"一直被供奉在伊克昭盟郡王旗境内，并有500户"达尔哈特"人专司守护、祭祀事宜。"八白室"中除供奉成吉思汗的灵位之外，还有他的两位夫人和幼子拖雷及其夫人的灵位。"八白室"祭奠有年祭、季祭、月祭，都有一整套祭祀仪式、仪规。其中每年农历三月二十一日（成吉思汗生日）的祭奠最为隆重，除鄂尔多斯七旗官员及牧民之外，其他地区的蒙古人也不

---

① 罗卜藏尊丹：《蒙古风俗习惯史纲》抄本，第64页。
② ［德］海希西：《蒙古宗教》，《蒙古史研究参考资料》第32、33辑，第83页。

远千里前来参拜，以祈求祖先保佑平安。

此外，在清代蒙古人的祭火、祭北斗星、祭七老翁星、祭苏鲁德神等祭祀活动中，仍保留着萨满教的思想学说。

16 世纪末 17 世纪初藏传佛教再度传入蒙古时，佛教教规与萨满教的某些思想学说，即用奴隶和动物进行血祭，供奉代表其祖先灵魂的模拟翁衮等发生了激烈的冲突，在蒙古封建领主的支持下萨满教无情地被镇压。但是，藏传佛教在传入蒙古社会的过程中吸收了众多深受萨满教影响的传统文化因素，诸如祖先崇拜、火神崇拜、大自然崇拜等，而且其影响随着藏传佛教的传播和普及又得到了进一步的加强，使蒙古族文化具有了萨满教、藏传佛教双重影响的特色。这在某种意义上与佛教在西藏地区传播和发展过程中大量吸收当地传统的苯教文化因素如出一辙。换句话说，随着藏传佛教的传入和普及，清代蒙古萨满教仪式与祝词、咒语等有了明显的增补、修改和伪装，其词句和形式在内容上开始异化。

祭祀腾格里（天），最初是蒙古族萨满教的最隆重的祭祀活动之一。藏传佛教再度传入蒙古地区后，这一祭天习俗被藏传佛教继承了下来。所祭之神，最初是祖先之神或翁衮等萨满教的神灵，入清后又增加了藏传佛教的佛像。另外，古老的祈祷经文中也出现了佛教化的增补内容。如古吉尔控噶尔腾格里原为萨满教九十九尊腾格里天神之一，藏传佛教传入后它以佛教的别名大神王而出现在布里亚特人中间，被称为"古吉尔腾格里铁匠大神王"，并说它是根据佛陀圣师之尊命，由霍尔穆斯达腾格里的祝福而诞生。[1]

祭祀敖包是源出于蒙古族萨满教的传统祭祀中最重要的活动之一。敖包被认为是各种神灵的汇集处，因而备受蒙古民众的重视。仪式最早由萨满主持。藏传佛教再度传入后改由喇嘛主持，并由喇嘛进行祈祷和祝赞。同样，在祭祀敖包仪式和内容上，喇嘛教礼仪学家们或多或少对萨满教形象进行改造，并把地方神灵分为地神和龙神或地神龙神的八大等级。祈祷词中明显沾染了佛教色彩，如以神香向肯特山脉的山神奉献祭祀中有了类似的祈祷："……使暴雨、雷电和冰雹停止，使喇嘛及其初治地者运用驮兽和坐骑的障

---

[1]　［德］海希西：《蒙古宗教》，《蒙古史研究参考资料》第 32、33 辑，第 39 页。

碍消失。"①

　　火神也是蒙古萨满教的主要神灵之一。祭祀火神这一风俗在藏传佛教再度传入后，除了祭祀活动原由萨满主持变为由喇嘛主持，即由喇嘛进行祈祷和祝赞之外，火神的形象也发生了变化。如火神与佛教的成就法相似，神秘的密教音节"罗摩"变成了火神的起源，火王便叫做"米兰札"。"我的火王米兰札……你由莲花生上师所创，由强大的佛陀释迦牟尼以火镰而产生"②，便可说明佛教和密教徒取代了原来火的创造者。

　　祖先崇拜是蒙古人信奉萨满教的重要内容。藏传佛教再度传入蒙古地区后，佛教僧侣们尽可能把蒙古传统的祖先崇拜纳入佛教体系中。在祭祀成吉思汗祈祷经文中，丝毫不体现成吉思汗那种古老的狂风暴雨之神、战神和天神的特点，而完全变成了藏传佛教的保护神，已被看做是一尊神。一世章嘉呼图克图撰写的一部祭祀经文中，竟把成吉思汗当成"天之爱地的梵天神"，试图把佛教中的神僧伽婆罗与"成吉思汗的苏鲁德腾格里"考证成一体。18世纪中叶用蒙古文撰写的一部有关成吉思汗祭祀祈祷经文描写成吉思汗："俯请降临到举行祝愿的地方，降临到用无价之珍珠制成的御座上，降临到用八朵芳艳的荷花制成的地毯上，非常和谐的守护神，白色信事男。"③ 这就是佛教僧侣们以综合的形式把萨满教中的古老观念和神与佛教仪轨结合起来的典型。

　　在藏传佛教与萨满教的长期对峙过程中，萨满教为自卫采取了灵活的态度，开始承认某些佛教词句，同时也开始祈祷佛教之神，或者利用佛教符和咒自我掩饰。同样，藏传佛教对蒙古萨满教重新变得倾向于宽容起来的时候，萨满教也向一种藏传佛教的形式过渡或异化。藏传佛教中的一种禅师喇嘛——古尔塔木是著名的巫师，他身穿一件丝绸服装，外套一件类似蓝色棉布女袍的衣服。衣服的上部装饰有死人的头颅，标志着凶教煞神；服装的另一部分是衣领，在佛教圣像中，它是菩萨们所固有的服饰组成部分；衣领上则有一种典型的萨满教标志——一面镜子，背部装饰有五色布条。五色布条

①　［德］海希西：《蒙古宗教》，《蒙古史研究参考资料》第32、33辑，第84页。
②　［德］海希西：《蒙古宗教》，《蒙古史研究参考资料》第32、33辑，第54页。
③　［德］海希西：《蒙古宗教》，《蒙古史研究参考资料》第32、33辑，第46页。

与萨满的翁衮代表同一意义，即与恶魔作斗争的力量。这种已成为神和巫师的喇嘛居住在寺庙中，以兴奋狂舞和鬼魂附身状态来代替驱邪萨满。在仪式开始时，古尔塔木手持鞭子和魔刀。然后，弟子们诵读有关此神的仪轨性规则，在鉴别神的时刻到来时，古尔塔木便由守护神附身。然后，他手持刀剑，全身颤动，乱劈乱砍，表示已附其身的佛教保护神正在与恶魔进行殊死搏斗。① 在清代内蒙古东部地区，类似古尔塔木神师的形式，用来代替萨满，一般被称为"赖清"。"赖清"不属于任何宗教团体，而是世俗人。他们在驱邪期间身披贝壳甲和头戴一顶盔，以喇嘛寺院乐器中得到的锣来代替萨满们的鼓，并在驱邪期间口中念诵佛教祈祷经文，而且正是借助于这种祈祷经文才得以控制病魔。"赖清"有男亦有女，这就是藏传佛教对蒙古萨满教重新变得倾向于宽容起来的时候，萨满教向一种藏传佛教形式的过渡或异化。

2. 基督教 13—14 世纪以前有部分蒙古人信奉基督教（汉语称景教），蒙古语称作"也里可温"。随着蒙元帝国的衰败，蒙古人中的基督信仰已基本绝迹，只是在鄂尔多斯部有一部分自称"厄尔呼特"（即"也里可温"的复数形式）的蒙古人。他们是中世纪蒙古基督教徒的后裔，其宗教信仰与藏传佛教和萨满教不同，虽然以秘密宗教的形式流传下来，而对过去信仰的基督教只留下一些模糊的记忆而已。②

到了清代，随着西方教会势力进入中国内地，基督教再次传入蒙古地区，并且有部分蒙古人信奉了基督教。

19 世纪 30 年代，天主教法国"遣使会"在长城外察哈尔南部的西湾子村（今属河北省崇礼县）秘密传教。道光二十二年（1842 年），"遣使会"在梵蒂冈教廷的支持下，确定了向蒙古民族传教的方针，建立单独的"蒙古宗座代牧区"即蒙古教区，将西湾子教堂确定为蒙古教区总堂。但由于蒙古人信奉天主教的人极少，所以"遣使会"传教士就吸引内蒙古东部卓索图盟和昭乌达盟南部以及察哈尔右翼四旗境内的兴和、宁远厅（凉城）

---

① ［德］海希西：《蒙古宗教》，《蒙古史研究参考资料》第 32、33 辑，第 46 页。
② ［比］田清波：《厄尔呼特人——鄂尔多斯蒙古基督徒后裔》（1933 年），《鄂尔多斯研究文集》第 1 辑，内蒙古自治区伊克昭盟档案馆编印 1984 年版，第 20 页。

以及土默特旗、四子王旗等地的汉民入教，并建立了许多教民村和教堂。

同治三年（1864 年）九月，梵蒂冈教廷指定蒙古地区为比利时"圣母圣心会"的传教范围。同治四年（1865 年），比利时"圣母圣心会"从法国"遣使会"接管蒙古地区教务之后，仍"以蒙古归奉圣教为目的"。①

同治十一年（1872 年），巴耆贤主教将蒙古教区划分为三个部分，即东区为赤峰一带，中区为西湾子周围地区，西区为南壕堑（今河北省尚义县）、岱海、归化城以及大青山以北地区。

同治十二年（1873 年），伊克昭盟准格尔旗和阿拉善旗札萨克赴京年班归途中路过南壕堑，参观该地天主教堂后，当即请天主教传教士到他们的旗传教。同治十三年（1874 年），天主教传教士到达鄂尔多斯和阿拉善，分别在准格尔旗的尔架马梁、鄂托克旗的城川以及阿拉善旗的三盛（圣）公（今巴彦淖尔市磴口县巴彦高勒镇）等地相继建立教堂，劝化当地居民信奉天主教。

光绪九年（1883 年）12 月，梵蒂冈教廷根据"蒙古教区"主教巴耆贤的建议，将蒙古教区划分为中蒙古教区（总堂设在西湾子）、东蒙古教区（总堂设在松树嘴子）、西南蒙古教区（总堂设在三盛公）。其中西南蒙古教区范围不仅包括当时的伊克昭盟全境、归化城土默特旗以及阿拉善旗，还包括陕北三边及宁夏的部分地区。光绪二十六年（1900 年），西南蒙古教区的总堂从三盛公迁到二十四顷地（今属土默特右旗）。

法国"遣使会"和比利时"圣母圣心会"向内蒙古地区传教，起初主要目的是要让蒙古人改信天主教。传教士为了能劝说蒙古人改信天主教，积极学习蒙语，熟悉蒙古人的风俗人情，在衣食住行上也力求与蒙古人一样穿皮衣、吃奶食、住帐幕、骑走马等。

天主教传教士初到西湾子以后，曾劝化萨木丹尽巴等两名蒙古喇嘛入教，并向他们学习蒙古语。道光二十四年（1844 年），萨木丹尽巴作为向导，带领"蒙古教区"主教孟振生所派出的秦神父和古柏察神父二人，经察哈尔、归化城、鄂尔多斯、兰州、青海等地，最后到达西藏拉萨。

---

① 常非：《绥远传教区传教简史》，抄本，转引自戴学稷：《西方殖民者在河套鄂尔多斯等地的罪恶活动》，《历史研究》1964 年第 5、6 期。

　　由于藏传佛教在蒙古人中的强大影响，改信天主教的蒙古人始终不多。信奉天主教的蒙古人主要集中在鄂尔多斯。"圣母圣心会"传教士在鄂尔多斯鄂托克旗南部城川建立教堂的同时，曾劝化当地"蒙籍教友数家，加入天主教"。[①] 此后，城川地区的蒙民信奉天主教的人数有所增加，该教堂被称为"世界唯一"的"最繁荣的一个蒙古教友会堂"。[②] 此外，三盛公教堂周围的阿拉善旗、杭锦旗、鄂托克旗的极个别蒙古人也信奉天主教。

　　基督教新教（通称基督教或耶稣教）传入蒙古地区较晚。1900 年以前，只有耶稣教美国"协同会"和瑞典国"内地会"传教士在内蒙古西部地区建立教堂传教。当时，耶稣教美国"协同会"传教士费安河牧师等在内蒙古伊克昭盟达拉特旗扒子补隆（今乌喇特前旗新安镇）建立教堂，向当地蒙古人传教，光绪时同时也向汉人传教。礼拜日聚会讲道时，牧师不仅用蒙古语讲道，还为前来听道的蒙古人提供饭菜，并每人发放现洋一元，以广招教徒。该教堂设有学校和医疗室，学校聘请蒙古教师，为蒙古人子弟教授蒙古语文。牧师们注意学习蒙古语言文字，有的就用蒙古语讲道。该教堂医疗室为附近的蒙古人和汉人治病。义和团运动中，美国传教士及地方少数信徒曾遭杀害。

　　光绪二十六年（1900 年）以前，瑞典国"内地会"传教士在内蒙古西部地区的丰镇、归、绥、萨拉齐、沙尔沁、包头等地建立教堂传教，其传教对象主要是汉人。

　　光绪三十二年（1906 年）七月，瑞典"蒙古传道团"的耶稣教传教士埃德文·卡尔兰夫妇到察哈尔商都牧群塔本乌拉（今化德县土城子乡塔本乌拉村）建立传教点，开始向当地蒙古人传教。光绪三十四年（1908 年）夏，他们又在该牧群哈伦乌苏（今化德县朝阳乡新围子村哈伦乌苏）建立传教所，并将该所作为向当地蒙古人传教的中心，建立学校及医疗所、印刷所，使察哈尔左翼四旗四牧群的一小部分蒙古人信奉了耶稣教。

---

　　① ［比］隆德里：《西湾圣教源流》，西京西库印字馆 1939 年版，第 81 页，转引自申万里：《清末内蒙古地区的天主教会》（未刊稿），1999 年。
　　② 内蒙古天主教爱国会译稿：《鄂尔多斯传教史》，转引自戴学稷：《西方殖民者在河套鄂尔多斯等地的罪恶活动》，《历史研究》1964 年第 5、6 期。

尽管蒙古人信奉天主教和耶稣教的人数很少，但是西方教会势力进入蒙古地区以后，与当地的政治、经济及文化等方面产生了密切的关系。

西方教会势力传入蒙古地区，受到中外各种不平等条约的保护，传教士均享有治外法权。他们在蒙古地区传教的过程中，通过各种方式，取得了大片土地，并以土地吸引汉族农民入教耕种。比如"庚子赔款"中，土默特、四子王、达拉特、准格尔、鄂托克、乌审、札萨克及阿拉善旗共计赔款70.2万两白银。这笔巨额赔款中，除少部分用现银和牲畜赔偿之外，大部分是以土地做抵。这样，在天主教教堂周围形成了大大小小的"教会庄园"。传教士在这些庄园内，不但行使教权，还行使行政、司法权，有的教堂还有自己的武装，形成一个个不受中国中央政府及地方政府管辖的"国中之国"。传教士还利用自己享受治外法权的身份，为各自教堂的利益，经常插手、干涉盟旗内部事务。

清代以来，基督教在蒙古地区的传播，是西方殖民主义者以坚船利炮及不平等条约为后盾的侵略政策的产物。但同时，基督教教会不仅传播了西方的宗教信仰及与其相应的近代西方科学文化，而且在向西方世界介绍蒙古民族的语言、历史、文化方面也起到了相当的作用。另外，教会在蒙古地区创办学校、医院、育婴堂等社会公益事业，救济灾民，禁止教民吸食鸦片，提倡男女平等，兴修水利，发展新式农业，植树造林等在客观上都对当地社会文化的发展及人民生活的安定等方面起到了一定的积极作用。

3. 伊斯兰教 蒙古民族信仰伊斯兰教的历史比较长，13世纪时察合台汗国、伊儿汗国和钦察汗国的蒙古人大多信奉伊斯兰教。后来其中大部分蒙古人逐渐与当地的信仰伊斯兰教的各民族融合。藏传佛教传入蒙古地区后，蒙古族中信仰伊斯兰教的人数开始减少。在清代，只有在阿拉善旗、青海等地的少数蒙古人仍信仰伊斯兰教。

在阿拉善旗有一部分被人称作"蒙古回回"的蒙古人信奉伊斯兰教。他们散居在该旗北部吉兰太、磴口、沙金套海、巴音套海、哈腾套海、哈鲁乃、科布尔、红古尔玉林等地。

这部分蒙古穆斯林，是由阿拉善旗第二代札萨克阿宝于清康熙年间从青海、西宁等处带来的"缠头回回"的后代。而这批"缠头回回"究竟属于什么民族，已无从查考。他们初到阿拉善时只有100多人，到光绪年间时已经发展到 100 多户。①

在清代，他们已被阿拉善旗衙门编入该旗丁口册内，和其他蒙古人一样服兵役、纳税、应差，有的还到旗衙门担任公职。这部分蒙古穆斯林，除宗教信仰与其他蒙古人不同之外，语言文字及生活习惯方面与其他蒙古人没有什么区别，都使用蒙文蒙语，从事畜牧业生产。

第二节　清代内蒙古地区的文化

一、语言文字

清代，蒙古语言文字进一步发展。18 世纪初，蒙古语愈加定型化，蒙古文字也基本规范化。这一时期是蒙古语言文字研究硕果累累的丰收时期。清雍正年间，乌珠穆沁人丹津达克巴著《蒙古文启蒙注释正字苍天如意珠》，继承和发展 14 世纪初语言大师搠思吉斡节尔的语言学成就，形成了研究蒙古书面语原理的名作。该书归纳总结了蒙古文字母体系，提出了蒙古文共有 123 个字母及音节的观点，并对蒙古文元音、辅音，蒙古文的刚元音和柔元音，格助词作了精到的论述，还对蒙古语的形态结构方面作了深入的研究。18 世纪上半叶，乌拉特人毕力衮达赖撰写了《蒙古文授业启示》，主要阐述了搠思吉斡节尔的蒙文原理。18 世纪下半叶，八旗蒙古正黄旗卓特氏敬斋公编写了《满蒙汉三合便览》辞典，作为导言，撰写了《蒙古文旨要》一文，为后人研究蒙古语提供了许多启发和借鉴。道光八年至十五年（1828—1835 年），归化城土默特人格拉桑撰写了一部蒙古语法名著《蒙文全释》，其内容广泛，解释准确，比《苍天如意珠》、《蒙文旨要》等前进了一大步。道光八年（1828 年），阿拉善人丹达尔拉兰巴还写了一部名为《善说蒙文原理语饰》的语法书。

清代，由于蒙古族和其他兄弟民族文化交流的日益扩大，蒙古学者纂修过大量辞书，这对蒙古语词汇的发展起到了积极的作用。康熙五十六年

---

① 章秀文、马怀诚：《伊斯兰教在阿拉善旗传播发展概况》，《阿拉善盟文史》第 4 辑，政协阿拉善盟委员会编印 1988 年版，第 184—185 页。

（1717 年），喇喜、丹津、阿尔毕达虎等十几名语言学者经过近十年的工作，编纂了第一部以蒙古文解释蒙古语词汇的辞典《二十一卷本辞典》。康熙五十七年（1718 年），贡噶扎木措编写了蒙藏文辞典《清心之阳光》。乾隆二年（1737 年），毕力衮达赖和衮布扎布合编了蒙藏文对照的《藏语便学书》。乾隆六年（1741 年），衮布扎布等著名学者编纂了《贤者生成源》（藏蒙辞典）。乾隆四十五年（1780 年），敬斋公刊行了《三合便览》（满、蒙、汉文对照）。此外，清朝官修的《五体清文鉴》（满、蒙、托忒、汉、藏、维吾尔文）、《四体合璧清文鉴》（满、蒙、汉、藏文）、《西域同文志》（满、蒙、汉、藏文）等大型辞书中，都凝结着蒙古族语言学家的辛勤劳动。这些辞典对蒙古语言文字的使用和规范化起了重要作用。

二、文学

清代，蒙古族文学得到长足发展。在民间文学领域，口传文学仍然很发达。《格斯尔可汗传》、《汗—哈郎贵》和《吉祥天母传》都是清代广为流传的史诗。其中，《格斯尔可汗传》是蒙藏人民共同创造的文化遗产。它最早脱胎于藏族《格萨尔王传》，但是经过民间艺人和文人的改编、丰富和再创作，最后形成了一部为蒙古族人民喜闻乐见的具有独特形式的蒙古民族史诗。《满都海彻辰哈屯的故事》是流传于民间，后来经文人笔录后保留至今的一则历史传说。这则传说比较真实地再现了满都海夫人在满都古勒汗病逝后，扶持达延汗登上蒙古汗位统一蒙古各部的历史。《巴拉根仓的故事》是典型的昭乌达盟巴林旗蒙古民间故事。巴拉根仓的性格风趣幽默，诙谐滑稽，是蒙古人民根据自己的愿望虚构出来的理想人物。故事以夸大和虚构的艺术手法再现现实生活，用巴拉根仓的事迹表示人民对统治阶级的憎恨和蔑视。神话故事广为流传，其中有叙说神女麦德尔将人们从洪水灾难中拯救出来的《麦德尔姑娘开天辟地》；叙说专司人畜安全和兴旺的神灵《济雅齐》和《保牧勒》的故事。这种神话不仅仅是故事，同时还构成其他如祭祀、祭奠等文化形式的内在精神来源。民歌是口头文学的另一个形式。清代的蒙古叙事诗歌非常发达，大都诉说劳苦大众的痛苦遭遇，悲歌当哭，对社会黑暗与邪恶势力进行无情抨击。《都仁扎那》、《丁科尔扎布》等作品唱出了由摔跤手和士兵的悲惨遭遇而产生的悲愤和控诉。歌颂忠贞的爱情，也是叙事

诗常见的主题。《金珠尔》、《达纳巴拉》等是其中的经典。叙事歌叙唱比较
完整的故事，往往以历史人物和历史事件为主题。《嘎达梅林》是反映清末
蒙古族人民反抗暴政、反抗开垦斗争的叙事民歌，流传广泛，影响极大。到
清末，内蒙古地区叙事民歌发展较快，尤其在游牧生产方式向农耕生产方式
转变的东部地区更为显著。这主要与该地区传统文化的转型与各种社会矛盾
的激化不无关系。

　　民间故事内容丰富，题材多样，广大民众喜闻乐见。其中最有代表性的
是降伏蟒古斯的故事。动物故事更是蒙古民间故事中最有特色的作品。其内
容十分丰富，几乎覆盖了人类社会人际关系中的各种矛盾和现象，闪烁着深
刻的哲理、美妙的隐喻和生动的语言光辉。

　　清代的文人文学题材越来越多。17世纪形成了蒙古短篇小说体裁，出
现了《色特尔扎布传》等较典型的短篇小说。清代的蒙古文人写下了大量
的诗篇。《恩都噜勒汗的故事》是喇嘛文人阿旺札木措创作的叙事诗。随着
印藏大德名著的大量翻译，蒙古训谕诗受到印度和西藏训谕箴言的影响，得
到了进一步的发展。《明镜》、《取舍四行诗》、《鹦鹉之训》、《老幼众人的
谈论话要》等都是很成功的训谕诗。乌拉特旗活佛梅力根格根、鄂尔多斯
僧人伊西丹津旺济拉等都是杰出的诗人。

　　清代，以八旗蒙古子弟和驻京蒙古官僚后裔为代表的汉学派和以僧侣文
人为主体的藏学派逐渐形成和壮大。梦麟、博明、法式善、那逊兰保（女）
等人是八旗汉学派的杰出代表，察哈尔人罗卜藏楚勒图木、鄂尔多斯人罗卜
藏念都克、阿拉善旗人丹德尔喇兰巴则等是僧侣文人的代表，他们大大地丰
富了蒙古文学宝库。

　　清代，《西游记》、《水浒传》、《三国演义》、《红楼梦》等汉族名著都
被译成蒙古文。长期受到汉族文化深刻影响的卓索图盟土默特右旗人尹湛纳
希创作了《青史演义》和《一层楼》、《泣红亭》三部小说。前者在艺术上
吸收了汉族演义体小说的营养，后两者则明显模仿了汉族名著《红楼梦》。
这些作品，对蒙古族近代文学的发展起了相当大的影响。这个时期，还有大
量印度和西藏文学著作被译成蒙古文。在18世纪中叶，著名的佛学经典
《丹珠尔经》被译成蒙古文。

　　蒙古文学遗产中，文论（文学理论与批评）是不可忽视的一个组成部

分。蒙古文论的产生和发展，是与印度诗论经典《诗镜论》的翻译、解释同步进行的。18世纪，格力格扎拉森把该经典译成蒙古文。此后罗布藏楚勒特木、阿格旺丹达尔、嘉木延噶尔布等喇嘛学者研究《诗镜论》，成绩显著，影响广泛。这些学者从作品的体裁、内涵和表现手法三个方面入手，重点探讨作品的表现手法和诗体韵律风格，并在各自的创作中加以应用和发展《诗镜论》的文学理论。《诗镜论》的研究在当时蒙古文人中成为一门学问，其中修饰和形式研究占很大比重，得到精详的阐述。从而在当时的文学创作中，形成追求作品的形式美，崇尚华丽词藻风格的文风。到了清末，蒙古文论的发展主要受到汉族文学影响，与翻译和接受汉族经典作品同步进行。当时的代表是哈斯宝和尹湛纳希。前者在《新译红楼梦回批》的序、回批中，通过对《红楼梦》人物性格和故事情节的具体分析，阐述了有关人物性格的刻画、情节与人物性格的关系等一些文学基本问题的独到观点和见解。[①]尹湛纳希写过不少文论和杂文，就文学和社会现实的关系及文学内部的规律问题，以及文学作品的审美作用和娱乐作用方面提出了独到见解。

三、艺术

蒙古族民间艺术具有悠久的历史和广泛的群众基础。它与蒙古族人民日常生活的方方面面都有联系，在蒙古包、服装、马具、荷包、褡裢、刀具、乐器、头饰以及饮食上，具有民族特色的民间美术图案的美化装饰无处不在。

蒙古族民间美术，有各种固定的美术图案形式，如狮、虎、五畜、花草、鸟、云彩、日月及佛教八宝等。民间美术的工艺方法也多种多样，刺绣、雕刻、绘制、镶嵌等都是常用的工艺方法。所用的材料根据用途而设，有木头、金属（金银铜铁等）、皮革、泥土、布料、绸缎、毡呢、石料等。从其用途来看，有单纯的艺术或工艺品，有装饰性的生活用品，更有宗教用品。

民间美术创作与人民风俗习惯和生活理想有关。民间美术在蒙古族民俗中起着重要的作用。每逢新年、红白喜事、鄂博祭祀、那达慕等重大节日，

---

① 亦邻真：《汉译〈新译红楼梦回批〉》，《亦邻真蒙古学文集》，内蒙古人民出版社2001年版。

人们的服饰、用品的工艺装饰就成为表达特定场合气氛的重要因素。美术装饰的各种图案则是一种象征语言，如虎、狮、鹰等动物形象表示英雄气概；云纹和八宝寓意吉祥和因果报应；花鸟代表幸福安宁。民间美术创作中常用的颜色也含有象征意义。蒙古人认为，蓝色（青色）象征永恒、坚贞和忠诚，是蒙古民族色彩；白色是纯洁、美好、善良的代表；红色是愉快的颜色，代表胜利和热情。黑色则代表不幸与灾难。这一切反映了蒙古民族在长期的历史过程中所形成的独特审美趣味和观念。

马鞍是马背民族的必需品。蒙古人出于爱马和欣赏马的心理，非常讲究马鞍的造型和外观，用珍贵的材料，用最美的艺术工艺装饰自己的马鞍，使之成为一件艺术品。清代各旗都有各自特点的马鞍造型和装饰，雕花的、鲨鱼皮的、骨雕的、贝雕的、金银装饰的马鞍比比皆是，呈现出异常的气派和韵味。

清代，蒙古族建筑艺术得到空前的发展。除传统的毡帐外，蒙古地区建造了数千座寺庙。其建筑风格有藏式的、汉式的、蒙藏混合式的和汉藏混合式的。这一期间出现了大批蒙古族建筑师，不少寺庙是由他们设计和建造的，充分显示了他们的才华。归化城著名的蒙古族工匠希库尔达尔汉和贝勒达尔汉设计建造了西乌苏图召。包头昆都仑召是由该寺一世活佛嘉木苏容布设计修造的。伊克昭盟准格尔召的设计也是出自蒙古族建筑师之手。

蒙古族善于雕刻，尤其木雕最甚。马头琴、胡琴、蒙古象棋等都是精美的雕塑作品。清代蒙古金属工艺品与雕刻大有发展。蒙古金属工艺品一般用金、银、铜、铁等原料制作，包括桶、碗、壶、勺、酒器、头饰、马具、火镰、刀子等生活用品和佛像、察木舞道具等宗教器物。蒙古金银匠主要采用錾雕手艺，在金属制品上錾出精美的各色纹样和图案。佛教寺院供养的佛像和法器都是精致的艺术品。比如，五当召雄踞殿内的十米高的黄铜弥勒佛像、额尔德尼召内的二十一度母像等都很著名。

四、音乐舞蹈

蒙古民族能歌善舞，创造了极其丰富的音乐舞蹈作品。内蒙古各盟旗，直到苏木、巴嘎，都有各具特点的歌舞音乐。民间有民歌，王府有王府音乐。每当婚宴大喜，举行盛大筵宴，欢歌美酒，终夜不散。婚宴时，有专门的送亲、接亲歌，每举行婚宴的一个仪式和节目，就有专门的歌曲唱颂。民间歌曲更是丰富多彩，欢快的、忧郁的、凄凉的、委婉的曲调，应有尽有，加上优美的歌词，美妙无比，使人产生强烈的美感和无比的舒适感。最有代表性的有鄂尔多斯的婚宴歌曲，锡林郭勒的长调歌曲，科尔沁的叙事歌曲等。

蒙古乐器除了传统的民族乐器马头琴、蒙古筝等以外，还新添了汉族的二胡、四胡，藏族的长号角，哈萨克族的冬不拉等。

蒙古民间舞蹈有了新的发展。集体舞"安代"在内蒙古东部各盟旗中普遍流行。藏传佛教影响到蒙古音乐舞蹈领域，西藏寺院在法会上表演的一种化装舞剧——"察木"在蒙古地区广为流行。在"察木"的启发下，19世纪30年代开始出现了蒙古歌舞剧的萌芽。

在内蒙古东部区出现了新的说书风气。说书，是蒙古民间艺人一边拉四胡，一边说唱"本子故事"。"本子故事"一般都是蒙译并经改编的汉族长篇小说，诸如《封神演义》、《隋唐故事》等。

五、体育

蒙古民族在长期的生产生活过程中，创造了具有游牧民族特色的体育文化，其中射箭、摔跤、赛马、马术等是最具广泛的群众性和娱乐性的传统体育活动。将射箭、摔跤和赛马称为男儿三技或男子汉三项竞技。射箭源于狩猎和军事活动，随着社会安定，成为民族体育的竞赛项目。每逢重大节日和活动，蒙民不分男女，都愿意引弓劲射，一争高低。射箭比赛可分立射、骑射，射程不等，有二十五步、五十步、一百步之分。比赛规则为三轮九箭，每人每轮只射三箭，三轮中以中的多少决定胜负名次。摔跤，蒙古语称"搏克"，备受蒙古人民的喜爱。每逢重大节日和祭祀活动，都要举行摔跤运动，成为内蒙古草原的惯例。参加比赛的摔跤手人数不等，但都是2的若干次乘方数，如8、16、32、64、128、256、512、1 024等。一般分为大、中、小三种比赛形式。大赛参加人数很多，一般达到512个或1 024个摔跤手。摔跤手有特制的摔跤服和摔跤靴。内蒙古乌珠穆沁搏克、巴儿虎搏克，盛装腾舞，如狮如鹰，极富观赏性。摔跤比赛采取单淘汰制，无时间限制，直到摔倒对方为止。摔跤手以力量、技巧和智慧战胜对方，常常引起人们长时间的赞颂。产生一位冠军，将会被民众当做英雄对待，备受尊重。根据胜负以及取得的名次，摔跤手被冠以阿尔萨兰（狮子）、詹（大象）、巴尔（老虎）、纳沁（鹰）、双和尔（鹘）等称号。

赛马更是蒙古民族的一项长久不衰的体育娱乐活动。分为赛走马、跑马、颠马等多种形式。走马，要马的前后腿交错迈动，以比赛马的速度、稳健和美观，同时展示马的主人调教坐骑的本事。跑马，主要赛马的速度和耐力。颠马则是比赛马用一种独特的步伐飞速奔跑的运动，极具挑战性。跑马距离遥远，有 20 里、30 里、50 里不等，一般以 8—12 岁的儿童作为骑手。随着赛马运动，进一步产生了马球运动，不过其普及程度不高。

六、史学

清代是蒙古史学空前发达的时期。17 世纪中期以后，蒙古各地相继出现了大量的蒙古史著作。《白史》是《十善福经白史》的简称，是用蒙古文写成的一部宣扬"政教合一"政体的政治学、历史学著作。《白史》作者不详，成书年代也有争议。16 世纪，鄂尔多斯部呼图克太彻辰洪台吉于肃州城①获得一部《白史》后，对照元代国师畏吾人比兰纳识里的旧本，重新整理编就成书。流传至今的《白史》各种抄本大都源于呼图克太彻辰洪台吉的重写本，元代的旧本则不传。书中首先提出"双治制度"的渊源，并大力宣扬宗教之治与世俗之治的关系。认为"双治"乃为宗教之治的"经"和"咒"及世俗之治的"平"和"易"。实施宗教之治的应为为皇帝开灌顶之四大江的国师以及僧侣阶层；施行世俗之治者是能够遵循宗教之治的转轮王，即穿戴皇帝盛装登上大宝，威严地治理大国，并将世俗之治的"平和"和"容易"两种原则加以贯彻的皇帝。以下又为国家的结构作了严密的设计，以达到宗教之治的"犹若锦罗之结永不松懈"，世俗之治的"犹若金铸之轭永不破损"。《白史》所设计的政体非常严密，而且为施行这种政体构筑了完整的宗教和政治体制。所以该书对蒙古政治体制的认识具有重要的意义。《大黄史》，音译为《沙拉图济》，成书于 17 世纪前半叶。其内容从蒙古的起源一直讲到 17 世纪蒙古诸部的王公及其世系。蒙古各部贵族系谱之详细，是该书的主要特点。该书引用五世达赖喇嘛所著《少年之宴》

---

① 一般认为是松州城。据蒙古文字体和具体地理位置，"松州"当是"肃州"的讹误。

中的一句话："凡人不知其来源，则如林中迷路的猴子；不知其宗族，则如
碧玉雕成的假龙；不读其家谱，则如遭到遗弃的婴儿。"以此来强调研究自
己民族的历史，熟悉祖宗来源的重要性。《蒙古源流》是一部优秀的蒙古通
史，成书于康熙元年（1662 年），作者是鄂尔多斯人萨囊彻辰。全书主要叙
述了从蒙古人的崛起、成吉思汗及其后裔的征战扩张，一直写到林丹汗的败
亡。该书遵循 17 世纪蒙古文史书所通用的印、藏、蒙一统相承的叙述模式，
同时对鄂尔多斯万户和土默特万户的历史叙述最详。《蒙古源流》作为蒙古
文史书三大著作之一，其史料价值和文献价值一直受到学术界的重视。乾隆
三十一年（1766 年），外喀尔喀蒙古王公成衮扎布将家藏的抄本呈献给乾隆
皇帝。乾隆皇帝下令将其依次译成满文和汉文，由此产生了《蒙古源流》
的蒙古、满、汉文的殿本，流传甚广，影响巨大。《黄金史纲》，大约成书
于 17 世纪后半叶，作者名罗卜藏丹津，因此又称罗氏《黄金史纲》。作者
曾经利用过《蒙古秘史》的某种传抄本，并移录了其中 1/3 的内容，对研
究《蒙古秘史》有重大的参考价值。成书于 18 世纪的蒙古史著作，有乌珠
穆沁人衮布扎布著《恒河之流》。该书是清代中期成书的一部较为系统的蒙
古编年史。全书分为"首章"和"另章"两部分。"首章"叙述了乞颜部
黄金家族族源，成吉思汗及其继承者和直接产生于成吉思汗黄金家族的蒙古
部落首领及其继承者。"另章"记述了成吉思汗兄弟及其后裔和继承者，蒙
古历史上的著名人物以及蒙古行政设置情况。该书的特点在于详细地记载了
从成吉思汗到林丹汗总共 35 个蒙古皇帝的生卒、即位年代，同时记载了蒙
古历史上的重大事件。作为该书的主体部分，还详尽地、逐代地记录了清初
施行盟旗制度后形成的蒙古王公的世袭爵位情况。扎鲁特人达尔玛著《金
轮千辐》六卷（1739 年），对蒙古部族的历史作了详细的记述，称蒙古左右
三万户和四万卫拉特为"十万兀鲁斯"，并对其构成作了明晰的交代，尤其
对蒙古文、汉文史料中含混不清的察哈尔八鄂托克作了明确的解释，还对漠
南喀尔喀五鄂托克分别作了记述。通过该书可以确定蒙古历史上的一些重要
人物的名称，具有很高的史料和学术价值。阿巴哈纳尔札萨克贝子衮布旺扎
喇于乾隆五十七年（1792 年）写成《黄金数珠》一书。该书记述了蒙古地
区政教史，以描述蒙、满、藏之间的宗教关系为宗旨，也是该书最具价值的
部分。《珍珠数珠》是清代高僧第一世章嘉活佛的传记。系章嘉活佛弟子西

拉布却登于雍正七年（1729 年）遵照二世章嘉活佛的命令，根据一世章嘉活佛自传和他自己的耳闻目睹所撰写。该书详细记载了一世章嘉活佛的一生经历，具有很高的史料价值，是研究 17 到 18 世纪清藏关系、清朝的对藏传佛教政策、对蒙古政策的极为珍贵的资料。《蒙古博尔济吉忒氏族谱》，成书于雍正十年至十三年（1732—1735 年）之间，作者是喀喇沁人罗密，原作用满、汉文著成，后有人作了蒙译。该书分三卷叙述了从成吉思汗到林丹汗的历史，更有入清以后的蒙古历史。其清代部分的史料价值很高，对黄金家族的系谱也作出了系统而相近的排列，是一部重要的蒙古史著作。乌拉特人罗卜藏丹碧扎勒森（梅力根格根）乾隆三十年（1765 年）著《黄金史册》，叙述了宇宙形成到印藏王统以及有关历史传说；成吉思汗祖先的历史以及成吉思汗、哈萨尔的历史，他们的后裔，一直到达延汗的谱系。该书对哈萨尔后裔的记载颇详，也是这部著作最有价值的部分。巴林人喇西朋素克乾隆四十年（1775 年）著《水晶珠》，利用汉文史书为其特点。作者不仅记史，还对史实进行评论。乌拉特中公旗人津巴道尔济，于道光二十六年至二十九年（1846—1849 年）间撰成《水晶鉴》一书。该书记载了传统的蒙古史学著作所要记录的主要内容外，还记述了林丹汗与藏传佛教格鲁派的敌对关系、漠南王公之间的矛盾冲突、内蒙古王公以及他们归属清朝的详细经过等。书中有关蒙藏关系、满蒙关系、蒙古与准噶尔关系方面的许多内容，具有较高的史料价值。鄂尔多斯人益西巴勒丹著《宝贝念珠》，成书于道光十五年（1835 年）。该书记述了蒙古汗统传承，佛教在蒙古地区的传播和汉藏经典的蒙译以及蒙古地区寺庙分布等情况。其中蒙古地区寺庙情况的记载具有很高的价值。除了这些编年体史书以外，还出现了大量的传记著作。其中额尔德尼毕力衮达赖《内齐托音一世传》（乾隆四年，1739 年）、达摩三谟陀罗的《内齐托音二世传》（康熙十年至四十二年，1671—1703 年）、作者佚名的《哲布尊丹巴传》（咸丰九年，1859 年）等对清代内蒙古地区宗教历史研究具有很高的史料价值。

清代八旗蒙古人的汉文著作有家谱、笔记、杂录、方志等多种体裁，内容也相当丰富。罗密著、博卿额续纂的《蒙古博尔济吉忒氏族谱》、松筠著《西招图略》、《西藏图说》、《西陲总统事略》和《新疆识略》、和英著《回疆通志》等都是有关边疆史地的著作。清代蒙古人的藏文著作很多，其中伊西巴勒珠尔的《青海史》、《如意宝树》和罗卜藏群丕勒的《圣教宝灯》，负有盛名。

七、科学技术

明安图是清代著名的蒙古族科学家。明安图是八旗蒙古正白旗人，在钦天监工作了五十余年。他先后参加过《律历渊源》、《历象考成后编》和《钦定仪象考成》等书的编纂工作，后者是有清一代天算历象科学发展的里程碑。青海人伊西巴勒珠尔同时也是历算学家，他用藏文写过《汉历概要》和《算学明鉴、随月计算新法》两本历算学专著。康熙五十一年（1712年），蒙古学者第一次用蒙古文翻译和刊行《康熙御制汉历大全》，这是时宪历最早的蒙古文版本。八旗蒙古中出现了不少优秀的地图测绘人才。乾隆二十年至二十四年（1755—1759年）年间，明安图等对新疆地区进行精确测绘，绘制出《乾隆内府舆图》，其制图技术代表了当时世界的先进水平。

清代蒙古族数学家的成就也是令人瞩目的，其中最杰出的代表是明安图。明安图独立论证了割圆理论，乾隆三十九年（1774年）写就《割圆密律捷法》一书，独创了六种割圆方法。

清代，蒙古医学从理论到临床，从医疗技术到药剂配制都有了长足的进步。寺院是蒙医人才成长的摇篮。蒙古地区较著名寺院都设有曼巴扎仓（医学院）。在土默特左旗的瑞应寺和鄂托克旗的席日召分别成为漠南蒙古东西部的蒙医中心。鄂尔多斯人伊西丹津旺济拉曾致力于学习和研究俄罗斯、汉族和西藏医学，定二百余种药方、一百余种治疗技术和几十种药物炮制法，成为在内外蒙古地区具有广泛影响的医生。除此之外，还出现了占巴拉的《蒙医金匮》、官布扎布的《各种重要药方》、罗布藏苏勒合木的《蒙医制剂和脉诊》、占巴拉多尔济的《蒙药正典》等十余种医学书。

第三节　清代内蒙古地区的教育

一、各类学校的兴办

八旗蒙古是清朝赖以勃兴的基本军事力量之一，满洲统治者一向对其

"视犹一体"，对其教育问题十分重视。因此，八旗蒙古子弟比内外札萨克蒙古子弟接受教育的机会多，条件较好。在教育形式上，清廷在京师和各驻防地兴建了各类官学和义学，以培养自己所需人才。这些学校按其级别来分，大体可分为三类：一、初级学校；二、中级学校；三、专门学校和高级学校。学习课程，除了基础性的满、蒙古语言文字以及四书五经等汉文典籍外，还涉及许多专门性的学问，如藏学、俄罗斯学、数学、天文历算及步射、骑射等军事技能。

在京师设立的初级学校中，比较重要的有如下一些学校：

蒙古义学，建立于康熙三十年（1691 年），八旗蒙古每佐设一学校。乾隆二十三年（1758 年）裁撤。

八旗学堂，又称礼部义学，设于雍正二年（1724 年），专为八旗贫寒子弟设立的学校。乾隆二十三年（1758 年）裁撤。

蒙古清文学，也称蒙古清文义学或甲喇学。设于雍正七年（1729 年），是以学满文为主的学校。八旗蒙古每甲喇（参领）设一所。

八旗教场官学，专为居住在教场的满蒙汉军子弟设立的学校。设于雍正元年（1723 年）。

八旗左右翼世职官学，设于乾隆十七年（1752 年），是为贵族子弟设立的学校。

在各驻防地，专为八旗蒙古子弟设立官学，主要有吉林蒙古官学（乾隆六年，1741 年）、绥远城蒙古官学（乾隆八年，1743 年）、热河蒙古官学（道光八年，1828 年）、盛京蒙古官学（同治年间设立）等。

中级学校一般设在八旗一级衙署或国家机关内，而不设在参、佐领或驻防地，实际上只供驻京八旗蒙古子弟就读。中级学校的学生多选拔自初级学校，其选拔升转均有严格的规定。中级官学主要有以下两种：

八旗蒙古官学，也称八旗蒙古语学，设于雍正元年（1723 年），八旗蒙古每旗一所，学生自蒙古各佐领中选拔，每佐一人。学生定期考试，优异者可以作为蒙古笔帖式供职于各部院。该学于雍正六年（1728 年）裁撤。

国子监八旗官学蒙古馆。八旗官学创设于顺治元年（1644 年），始称八旗书院，后改称官学。隶国子监而分设于八旗驻地。每旗官学设有六馆，内有蒙古一馆，蒙古馆学生选自蒙古旗佐的优秀生员，数量最多时达二三百名。蒙古馆毕业的学生或进入高级蒙古官学，或考试补用于各部院蒙古官缺。有的也参加科举考试，另谋仕路。

除上述两类普通学校外，清代还为八旗蒙古人设立了一些特殊的专门学校，培养专门人才。这些学校可列入蒙古官学中的高级学校，也可称专门学校。主要有：

咸安宫蒙古官学，设于乾隆十三年（1748年），地址在咸安宫院内。该学设管理大臣一人，总裁三人均由理藩院官员兼任。学生来自八旗官学蒙古馆，学制长达10年。学生5年一考，按考试成绩分别录用。

唐古特学，设于顺治十四年（1657年），是专门培养藏语人才的学校。学生全部为蒙古子弟，主要自咸安宫、国子监蒙古馆学生中挑选。

托忒学，是一所专为培养托忒文人才而设的学校。托忒文是西北卫拉特蒙古人通用的蒙古文。

综观八旗蒙古的教育，无论是深度还是广度，都是蒙古族教育史上前所未有的。这对蒙古语言文化的普及和发展，蒙古人的开化起到了积极的作用。但清中叶以后，随着满洲的日益汉化，八旗蒙古人的民族意识也逐渐淡化，专心学习本民族语言文字的人越来越少了。由于脱离了游牧生活，八旗蒙古人在文化形态上，走向了先满洲化，继而汉化的道路。

二、札萨克地区的教育

在清代前期，内外札萨克蒙古地区的教育，主要是通过寺院教育的形式延续和发展的。蒙古地区较大寺院都设有扎仓（僧学院），作为喇嘛学习、深造的场所。扎仓共有六种：却伊剌、曼巴、卓特巴、洞阔尔（东科尔）、吉多尔、拉麻哩木，此外还有跳神学部（千巴扎仓）、艺术学部（上下花院）等。有些喇嘛在扎仓中毕业获得较高学位后，或荣归家乡寺院，或被外地寺院迎请担任住持。大多喇嘛仍作为学僧，终身留在学问寺研习学问。因此在蒙古地区，寺院既是唪经朝拜的场所，又是研讨学问的学府。地位最高的寺庙才设有六个学部，如内蒙古西部的五当召。其次是具备却伊剌、卓特巴、曼巴、洞阔尔四个学部的，如内蒙古东部阿鲁科尔沁旗的罕庙（戴恩寺）、奈曼旗的蒙楚格庙、东土默特地区（今阜新市）的瑞应寺、科尔沁左翼中旗的巴彦莫林庙，内蒙古西部的百灵庙（巴特哈拉噶庙）等等。多数寺庙只具备其中的两三个学部或一两个学部，少数小庙不设学部。寺院教育，除了宗教内容，还兼跨社会科学和自然科学两大类，涉及的学科很多，如语言、文学、哲学、宗教、艺术学、伦理学、医学、兽医学、建筑学、数学、天文、历法等等。虽然这些知识并不系统、准确，许多都被涂抹上了神秘的宗教色彩。但它毕竟是古代科学文化遗产的一部分，就其内涵而言，已远远超出了宗教文化范畴本身。

寺院教育之外，还有一种附属于各旗衙门的教育形式。按照清朝规定，蒙古地区公文需以满蒙合璧文或蒙古文书写。这就需要各旗不断培养懂满文翻译的人才，以便呈文的上传下达。因此，各札萨克旗为了培养通晓满蒙文的笔帖式（文秘兼翻译），便由印房招收一定数量的贵族和官吏子弟作为学生，自任教师，教授满文、蒙古文及公文书信的书写等实用知识。

到了清末，内外札萨克蒙古地区的教育状况发生了较大的变化。随着"新政"在边疆地区全面推行，清统治者开始意识到"非广兴教育不足以绥边，非变通旧例不足以兴学"，于是逐渐废除旧有的各种禁令，兴办新式学堂，以期"开启民智"。于是，在废除科举制度，倡办新式学堂的热潮中，蒙古地区出现了第一批新式学堂。

内蒙古中部地区最早出现的新式学堂是绥远城武备学堂（后改为陆军小学堂）。它建于光绪二十八年（1902年），原来专收驻防八旗子弟，后兼收归化城土默特旗蒙古人。光绪三十年（1904年）以后，绥远城将军贻谷又陆续在绥远城为八旗子弟设立中学堂、高等小学堂和初等小学堂。中学堂还有满、蒙文班，兼收伊克昭、乌兰察布二盟蒙旗蒙古族子弟。在内蒙古东部，有些蒙旗也自行办起新式学堂。其中成效最显著的是喀喇沁右旗。光绪二十八年（1902年）冬，该旗札萨克郡王贡桑诺尔布在本旗创办崇正学堂；次年又办起毓正女子学堂和守正武备学堂。鉴于贡王兴办学堂"颇见成绩"，清廷特意赏赐写有"牖启蒙疆"四个字的匾额以嘉奖。

光绪三十二年（1906年），奉天在盛京设立蒙文学堂，专收满蒙八旗子弟，次年起招收哲里木盟各旗蒙古族子弟，后又扩充、改建为蒙文高等小学堂；光绪三十三年（1907年），黑龙江省在海拉尔设立专收索伦、巴尔虎等旗各族子弟的小学堂。

新式学堂的出现和近代社会科学和自然科学知识的传播，明显地产生了

"开风气，促进化"的效应，使内外札萨克地区社会展现出迈向近代化的迹象。

第四节　清代内蒙古地区的风俗习惯

一、婚俗

清代内蒙古地区实行一夫一妻制，贵族阶层虽多一夫多妻，但以正妻为主，其余则以妾视之。出身显赫的王公贵族多与清室或其他满族贵族联姻，互相嫁娶。王公虽然付出相当数量的聘礼，但下嫁的公主、格格不仅可以给男方带来额驸的身份，还可随身携带大量的陪嫁人户和物品。一般的贵族与门当户对的外旗贵族通婚。正妻之外的妾可以纳自平民，但王公贵族之女不能嫁给平民。

清代内蒙古地区婚俗中继承了前代婚姻旧俗，继续实行兄亡弟娶兄嫂的收继婚，男到女家的入赘婚，女方十四岁就可结婚的早婚等婚俗，但最主要的还是聘婚制。婚事由父母做主，然后经过媒人说亲、相亲、订婚、聘礼、许婚宴、迎亲、送嫁、结婚宴等程序。说亲时派媒人到女方家，由媒人表明男方家求亲的心愿。征得女方家的同意后，便送聘礼定亲。聘礼以马、牛、羊为主，数目视贫富情况而各有差别，以九为吉祥数。清朝还明文规定了聘礼数目："国初，定蒙古庶人结婚聘礼，给马五、牛五、羊五十，逾数多给者入官。""又定，蒙古人结亲行聘者，马二、牛二、羊二十，不得多给。"女方聘姑娘时，也有送嫁妆的习俗，嫁妆主要有首饰、四季服装和牲畜，甚至包括全套家具的蒙古包等。婚礼日期须由喇嘛选择吉祥日子。男方准备新蒙古包，举行隆重的搭包仪式。新郎迎亲，盛装骑马，佩带弓箭，随迎亲队伍到岳丈家。经过一系列仪式后，新娘以布遮面，哭别父母，随迎亲队伍到婆家，脚踏白毡进包里。给新娘梳理媳妇发式，换穿媳妇新装，一对新人祭拜天地日月圣火，最后，向双方父母尊长叩头谢恩。婚宴隆重热烈，用整羊、羊背、奶食、奶茶、美酒款待客人，婚宴多伴以蒙古长调歌曲以及欢快的乐曲，尽欢而散。结婚仪式后的第三天新郎新娘在郎亲的陪同下探望新娘的父母，举行回门宴。

二、祭祀

祭天。清代蒙古族继承了古老的祭天习俗，农历正月初一凌晨，在蒙古包前一高地上点燃篝火，火前摆放供品，男女老少跪在洁白的毡上，向四面八方的九十九天叩拜，祈祷九十九天保佑全家平安、人畜兴旺。在平时，遇到任何灾难困苦时都要向苍天祈祷叩拜，希望得到苍天的护佑。祭天，除了正月初一清晨和大型庆典时举行外，在婚礼和一些临时性的活动中也祭天。

祭地。祭地也是蒙古人自然崇拜的一种，蒙古人有"天父地母"之说，认为大地上的山川树木都有神灵。蒙古人把食物和饮料的首份要献给所在地方的山巅，表示致祭。正月初一，喝早茶以前把节日的茶、肉、奶食等的首份献给大地，并到附近的鄂博磕头。崇拜大地的习俗还表现在对具有奇特形状的山崖、高大的树木、神奇的温泉的祭祀上。禁止人们在这些地方砍柴、杀生和动土。

祭鄂博。祭鄂博是内蒙古民间最普遍的祭祀活动。鄂博是具有神力的石堆，是草原上习见的供人们祭祀的场所，被认为是山神、地神及游牧民族保护神的化身。在重大的节日，都要祭祀鄂博，平时路过鄂博的人，必须下马下车，并在鄂博堆上添加石头，将携带的食物献给鄂博。鄂博分为很多类。有供一个部落、一个盟祭祀的阿勒坦鄂博，一般设立在当地最秀丽、最高大的山顶上；有作为路标的路边鄂博；有为河源清泉而设的清泉鄂博；有为具有疗效的温泉设立的鄂博；有为部落之间界限而设的边界鄂博；还有为特殊事件设立的纪念鄂博等。内蒙古各部落都在农历五月十三日举行大型祭祀鄂博活动。届时举行盛大的祭祀，祈求风调雨顺，人畜兴旺。同时举行大型集会，赛马、摔跤、射箭，开展物资交流交易。

祭火。祭火也是蒙古民族古老的祭奠之一。一般在农历腊月二十三或二十四日举行祭火仪式。晨起打扫和焚香净化房间和祭祀物品。祭火的榆树枝或柳条，必须取之于干净没有被污染的地方。祭品主要用羊胸肉和在羊肉汤中煮熟的放有红枣、葡萄干、红糖、奶酪和黄油的米粥以及五色布条和羊毛线。祭火仪式开始，家长亲自点火，家庭主妇向火里献鲜奶、黄油和酒。家长诵读祭火词，家庭成员盛装拜跪，双手向火献上祭品。大家齐声呼唤福分的到来，祈求火神保佑，最后把祭品放入火中烧掉。

祭祖。祭祀祖先的活动与灵魂崇拜有着直接的关系。蒙古人认为，人的灵魂是永存的，死者的灵魂将永远陪伴活着的人们，并保佑其平安。因此，在祭祀祖先的仪式中不仅为祖先烧供品，而且咏颂和赞美祖先功德。不仅祭祀家族的祖先，而且祭祀同一氏族共同的祖先。祭祀成吉思汗，则成为蒙古民族祭祀共同祖先的一种重要活动。一般在除夕举行祭祀祖先的仪式，向祖先灵骨所在方烧饭祭祀。清明节也盛行祭祀祖先，向祖先敬献食物、酒类的习俗。祭祀成吉思汗则是蒙古民族祭祀共同祖先的一种重要仪式。伊克昭盟郡王旗伊金霍洛，有达尔扈特五百户，祖祖辈辈祭祀和守护成吉思汗陵寝。传说这里成吉思汗及其夫人的陵寝，由"八白室"组成。对其的祭奠，分平日奉祭、月祭和季祭。奉祭用羊和黄油、圣酒；月祭用全羊、圣酒，仪式都严格按照蒙古帝国和元朝时期遗传下来的章程进行。每月都有月祭，其日期为：正月初一、初三；二月初一；三月初一、初三，四月初一、初三、初八（每三年一次）；五月初一、初三；六月初一、初三；七月初一、初三、二十七（台吉们叩头日）；八月初一、初三；九月初一、初三；十月初一；十一月初一；十二月初一、初三、二十三（祭火日）。季祭包括春天的马奶祭（三月二十一日）、夏天的诺尔祭（五月十五日）；秋天的禁奶祭（八月十二日）；冬季的皮条祭。季祭规模都很大，其中三月二十一日的马奶祭规模最大。

三、丧葬

清代内蒙古地区的丧葬习俗深受藏传佛教的影响。人死后请喇嘛诵经超度亡灵，已相当普遍。葬式有天葬、土葬、火葬等形式。天葬即野葬，也称风葬。多用于贫苦牧民或下级喇嘛、沙毕阶层。将死者置于车、马之上，使之任意前行，直至尸体落地。三日后寻找，如被禽兽所食而分解，则庆贺其已达天堂。若未分化，需请喇嘛唪经赎罪。土葬多适用于王公贵族和汉民。一般蒙民被掩埋土葬，多见于人烟稠密的农业区或半农半牧区。王公贵族葬仪隆重，使用棺材装殓死者，葬于墓中，并有陵寝。一般平民土葬，使用简单的卧棺或坐棺。火葬多适用于上层喇嘛或一般平民的不正常死亡者。火葬在野外进行，其骨灰装入罐中再作安葬。清代内蒙古高层喇嘛的骨灰，往往送往五台山或塔尔寺安葬。

各地都有服丧习俗，父母亡，守孝七七四十九天，并诵经四十九天。其家不杀生，其子不理发。忌日致祭，延请喇嘛诵经。

四、禁忌

忌讳火里放脏物，严禁往火里吐痰，小便。不能从火上迈过去，也不能踩踏。蒙古人祭火，严禁外族人和不相识的人参加，外甥是别部人，因而也禁止参加。

蒙古人特别崇敬水。水源及河里不能洗澡，不能洗脏东西，不能倒垃圾，更不能大小便。不能迈过井口，忌讳将井水倒回井内。

不能依门框而立，更不允许踩踏门槛；不能发出空剪铰声。鳏寡孤独、喇嘛尼姑不准做媒人；选配偶忌讳生辰属相相克；婚礼、喜庆活动要避讳"红喜鹊日"。

孕妇禁吃骆驼肉和兔子肉，怕生出兔唇的孩子；禁吃鸟蛋，怕生雀斑和麻点孩子；为了不使孩子夭折，不给新生儿起好名字。

忌讳死者脸露在外面，要用白、蓝色哈达蒙住；不许猪、狗接近死者；送葬时不许哭喊；禁止将死者从门口抬出去；送葬返回时不准走同路，进门前需用火洁身。

总之，民间的禁忌种类繁多，从中折射出古老的传统文化。

五、节日、娱乐

察干萨喇。蒙古族新年正月为"察干萨喇"（白月），是蒙古人最盛大节日。除夕，做好过年的所有准备工作：新衣新靴做好；新年食物备好，一般是煮好的整羊和包子、炸饼、炒米、奶油等物。傍晚时分，首先向祖先祭烧供品，然后吃团圆饭。晚餐非常丰盛，除了肉食外，还应有饺子、包子等食物。除夕夜，家家熬夜，彻夜不眠，叫做"守岁"。整夜准备初一凌晨祭天、祭火物品，准备初一桌子上的摆设。启明星升起，家家点燃旺火，在院落中铺上崭新的毡子，摆上供桌，全家向苍天磕头，敬献供品。然后按照喇嘛的指点，在各自最吉祥的方向敬献供品。事毕，返回家中享用新年茶，向父母老人磕头拜年，获得祝福。正月初一是蒙古历的第一天，增添一岁的欢喜日子。这天，蒙古人穿最好的衣服，骑最好的马，吃最香的饭，喝最醇的酒。自初一起，互相拜年串门，直到正月十五日，才算进入正常的生产生活。

迈达哩节。正月十五日，蒙古地区的大小寺院举行恭弥勒佛（蒙古人称迈达哩）的庙会。蒙古人不分男女老少前去参加，会上表演查玛舞，热闹非凡，是有清一代重要的宗教节日。

那达慕。意为游戏、娱乐。清代每当祭祀鄂博、庆祝丰收时各地都要举行。一般在五月十三日、七月十五日举行。此外，遇有其他重大喜庆事件，也要举行。那达慕大会以摔跤、赛马、射箭比赛（男儿三艺）为主要内容，胜者可得到优厚的奖品，优胜的力士、名马和神射手可名扬整个草原。清初，太宗皇太极，喜欢从蒙古部落中通过摔跤选取力士，作为自己的贴身侍卫。

第三编

专　　题

第 十 三 章

清初蒙古部落变迁及满蒙关系

第一节　科尔沁部与爱新国联盟

科尔沁（Qorčin）是成吉思汗长弟合撒儿后裔所领部落名称。合撒儿十四世孙奎蒙克塔斯哈喇，随蒙古大汗、察哈尔部首领打来孙率部越兴安岭南下，游牧于嫩江流域，号所部为嫩科尔沁。奎蒙克子博第达喇，有子九，长子齐齐克、次子纳穆赛，世领科尔沁，自称"嫩"、"嫩科尔沁"或"博罗科尔沁"。齐齐克长子翁果岱，纳穆赛子莽古思和明安。翁果岱有子两人，长子奥巴、次子布达齐。此二人与近族叔父图美是 17 世纪 20 年代嫩科尔沁部最具势力的三首领。

1616 年，建州女真首领努尔哈赤建立了女真政权——爱新国（1616—1636 年）。女真人自称其国为"Aisin gurun"，意为"金国"；为了和完颜氏"金朝"（1115—1234 年）加以区别，史称"后金"。爱新国第二代汗皇太极于 1636 年改元崇德，改国号为"大清"（Daicing gurun，1636—1911 年）。

蒙古科尔沁部与女真爱新国为近邻，它们之间的关系，是清代蒙古史和满蒙关系史研究中的重要课题。利用当时形成的蒙古文书和满文档案，系统研究科尔沁部与爱新国关系具有重要的学术价值。

一、科尔沁部与爱新国的初期关系

17 世纪初，在中国政治舞台上，形成了中原明王朝、蒙古北元、女真爱新国三家鼎立的局面。作为北元后裔的以察哈尔汗为首的蒙古诸部，处在刚刚崛起的爱新国与日趋衰落的明王朝之间，东邻爱新国，南接明朝。

由于蒙古游牧社会缺乏长期统一的经济基础，百余年前达延汗统一的蒙古本部，此时已经走向分裂，封建割据日趋严重。从兴安岭到嫩江流域分布着嫩科尔沁各部，明开原、铁岭、沈阳、辽阳和广宁边外分布着内喀尔喀五部，辽河上游西拉木伦河流域及其以北跨兴安岭的广大地区分布着强大的察哈尔部，独石口边外至张家口一带游牧喀喇沁部，其西邻是以呼和浩特为中心的土默特部，在河套地区则驻牧着鄂尔多斯诸部。兴安岭以北呼伦贝尔一带及漠北地区分布着阿噜科尔沁、阿巴噶、翁牛特等阿噜蒙古各部和外喀尔喀七部。除此还有被称作"卫拉特"的西蒙古诸部，游牧在天山南北直至中亚的广大地区。蒙古诸部各自为政，大汗实际上成了察哈尔一部之主。在这种政治背景下，少年林丹汗于 1604 年即蒙古大汗位。林丹汗继位之后，试图通过武力手段强化汗权，自天命四年（1619 年）以后的十余年间，加兵内喀尔喀五部和喀喇沁、土默特、阿巴哈纳尔以及嫩科尔沁等部，严重地损害了漠南蒙古各部封建主的切身利益，从而进一步加剧了蒙古内部的分裂。嫩科尔沁、内喀尔喀五部，甚至察哈尔本部的敖汉、奈曼等部落纷纷背叛林丹汗，与新兴的女真政权建立了反察哈尔联盟。

在同一时期，与嫩科尔沁、内喀尔喀五部等左翼蒙古为东邻的女真人，在努尔哈赤的率领下逐渐统一，天命元年（1616 年）建立起爱新国。随着爱新国日趋强盛，女真贵族野心渐大，与明王朝和蒙古林丹汗之间的冲突愈发激烈。在这种形势下，争取嫩科尔沁和内喀尔喀等蒙古部落对女真政权具有举足轻重的意义。所以，女真上层对蒙古诸部采取了积极争取的亲善政策，同时不断地分化、瓦解察哈尔蒙古的实力。

明万历十五年（1587 年）努尔哈赤在苏子河畔佛阿拉地方，筑城建宫，短短的几年之内兼并了苏克苏浒部、浑河部、哲陈部、王甲（完颜）部、董鄂部等建州女真各部。万历十九年（1591 年），又吞并了鸭绿江部，控制了抚顺以东，至鸭绿江、长白山南侧的地区。

努尔哈赤统一建州女真诸部以后，开始向东海三部以及海西扈伦四部用兵。女真诸部，"西南北三面襟带蒙古各部之地"，[1]与蒙古族有着久远的密

---

①　福格：《听雨丛谈》卷 1，中华书局 1959 年版。

切关系。尤其扈伦四部中的叶赫部的祖先，与蒙古族有血缘亲裔关系。[①]所以，努尔哈赤统一女真诸部的行动，引起了游牧于嫩江流域的蒙古嫩科尔沁首领翁果岱、莽古思、明安等人的强烈不满。

万历二十一年（1593年）九月，以叶赫部首领布寨为首的扈伦四部与蒙古嫩科尔沁等诸部结成九部联军，主动向以努尔哈赤为首的建州女真部发起攻击。当时，联军三万人，分三路进军，企图以众击寡、以强压弱，彻底消灭努尔哈赤。但临时联合起来的九部联军，内部指挥不统一，行动不果断，战斗力不能充分发挥。而努尔哈赤英勇果断，亲督大军，迎敌于浑河岸古埒山。努尔哈赤抓住九部联军的弱点，集中优势兵力突击联军的薄弱环节，大败九部联军，建立了对女真诸部的霸权。此役，嫩科尔沁部翁果岱、明安、莽古斯等诸首领，率一万兵来会战，战败逃归，蒙古与爱新国第一次武力较量，便以蒙古的惨败而告终。古埒山之战迫使蒙古嫩科尔沁部明安及喀尔喀巴岳特部老萨于万历二十二年（1594年）正月，遣使与努尔哈赤通好，于是，蒙古各部首领遣使往来不绝。不久，万历三十六年（1608年），努尔哈赤长子阿尔哈图图门贝勒褚英、侄阿敏贝勒率兵五千，征乌拉部，围攻宜罕阿林城，乌拉部贝勒布占泰与科嫩尔沁部首领翁果岱、奥巴父子合兵出战，因见爱新国的兵势强盛而撤退。[②]面对强盛的建州女真，嫩科尔沁与内喀尔喀诸部开始与努尔哈赤建立联姻关系，以示和好。万历四十年（1612年），科尔沁部明安将女儿嫁给努尔哈赤为妻;[③]万历四十二年（1614年），努尔哈赤第四子皇太极娶嫩科尔沁部莽古思之女为妻。[④]随后，万历四十三年（1615年），蒙古嫩科尔沁部孔果尔送女与努尔哈赤为妻。[⑤]通婚之频繁由此可知。婚礼仪式也很隆重，每有婚娶，娶亲的满洲贵族一方必"以礼亲迎，大宴成婚"，其仪式规则与满洲同族间所行完全相同。这样，科尔沁与女真的关系逐渐得到改善。

相反，林丹汗在这个时期却采取了武力统一蒙古诸部的政策，最终迫使

---

① 《清太祖实录》卷6，天命四年八月己巳条。
② 《旧满洲档》，台湾故宫博物院1969年版，第19页。
③ 《旧满洲档》，台湾故宫博物院1969年版，第35页。
④ 《旧满洲档》，台湾故宫博物院1969年版，第88页。
⑤ 《旧满洲档》，台湾故宫博物院1969年版，第89页。

科尔沁等部投靠女真爱新国。本来，林丹汗实力强大，在科尔沁、内喀尔喀五部等东方诸部中有较高的声望。林丹汗即位后不久，于万历四十年（1612年）首次亲率三万人马抄掠明边，到了万历四十三年（1615年）仅在闰八月一月之内连续三次攻入明边，惊动了明朝，打出了名声。①同时，向蒙古各部封建主示以兵威，突出自己的"共主"地位，提高了在蒙古诸部中的号召力。《旧满洲档》中有两则有趣的消息：科尔沁土谢图汗奥巴有一匹叫"杭盖"的良马，努尔哈赤曾想以精制的十副甲交换而不得，奥巴却将这匹良马献给了林丹汗；②科尔沁部奥巴之从子吴克善有一只猎鹰，林丹汗派人索取，吴克善爱不释手，奥巴劝说"应尊重共主"，吴克善便献给了林丹汗。③由此可见，当时，科尔沁部认可林丹汗的共主地位，服从其命令，向他称臣纳贡，而对努尔哈赤的要求则采取置之不理的态度。

天命四年（1619年）六月，努尔哈赤攻取明开原城；七月，下明铁岭，喀尔喀部及科尔沁联军在铁岭与女真作战失利；④八月，灭叶赫，最终统一了女真诸部。十月，林丹汗派康喀尔拜虎投书努尔哈赤，自称"统四十万众蒙古国主巴图鲁成吉思汗"，"谕问水滨三万人满洲国主英明皇帝安宁无恙"。接着说："明与吾二国，仇雠也。闻自午年来，汝数苦明国。今年夏，我已亲往明之广宁，招抚其城，收其贡赋。倘汝兵往广宁，吾将牵制汝。吾二人非素有衅端也，但以吾已服之城为汝所得，吾名安在。若不从吾言，则吾二人是非，天必鉴之。"⑤警告努尔哈赤不要进攻广宁，抗议努尔哈赤不断进攻、分化和拉拢内喀尔喀五部的行径。努尔哈赤则痛斥林丹汗，并扣押和杀害了林丹汗的使臣康喀尔拜虎。林丹汗一反强硬态度，不敢进一步应对努尔哈赤的挑战，尽量避免与之发生正面冲突。然而林丹汗的胆怯行为大大降低了他在蒙古诸部中的声望，促使内喀尔喀五部于该年十一月在噶克察漠多冈干塞忒勒黑地方与爱新国会盟，双方建立了政治性、军事性的攻守

---

① 《明神宗实录》卷557，万历四十五年五月辛未条。
② 《旧满洲档》，台湾故宫博物院1969年版，第4965页。
③ 《旧满洲档》，台湾故宫博物院1969年版，第4965页。
④ 《清太祖实录》卷6，天命四年秋七月壬午条。
⑤ 《满文老档》，太祖十三，天命四年十月二十二日条，中华书局1990年版。

联盟。①

天命七年（1622 年），努尔哈赤亲率大军攻打广宁。明朝希冀蒙古助兵，可是，林丹汗却未派一兵一卒。结果爱新国轻而易举地占领了广宁。林丹汗在广宁之战中对明朝的消极态度，产生了严重的后果。他在广宁之战中的行为，不仅给明、蒙关系蒙上了一层阴影，而且在蒙古内部再一次降低了他的威望，同时也助长了爱新国的野心。尽管林丹汗曾致书努尔哈赤，警告他不得染指广宁，但在关键时刻，却不敢前往迎战，这自然会极大地损害大汗的名声和号召力。爱新国则乘机大大加强对科尔沁和喀尔喀部的威胁和利诱，甚至渗透到大汗直属八大营，使之产生了裂痕。察哈尔所属敖汉、奈曼二部暗中与爱新国的交往，②即是最典型的例子。

二、科尔沁部与爱新国联盟的形成

爱新国和东部蒙古诸部的交往，对林丹汗构成了直接的威胁，因此，加强对左翼的控制成为他的首要任务。天命八年（1623 年）正月，林丹汗走上了用兵科尔沁部的道路。③

天命八年（1623 年）正月，风传察哈尔林丹汗将联合内喀尔喀，东征科尔沁部。此时，科尔沁部被夹在两大强敌之间，处于自身难保的境地。对科尔沁部首领奥巴洪台吉来说，如何对付察哈尔林丹汗的讨伐，是他当时面临的最大问题。于是，科尔沁奥巴立即向爱新国遣使求购弓箭。④努尔哈赤借此机会派使者去科尔沁部，提出了建立反察哈尔联盟的建议。⑤同年五月，奥巴致书努尔哈赤，表示愿意联盟，"唯恐察哈尔、喀尔喀先构兵"。⑥努尔哈赤便于天命九年（1624 年）二月派遣榜式希福、库尔缠二人到科尔沁部，与科尔沁奥巴洪台吉、阿都齐达尔汉台吉、戴青蒙果台吉等会盟。因为《旧满洲档》天命九年（1624 年）二三月份的记载遗矢，我们无法得知建

---

①　《清太祖实录》卷6，天命四年十一月庚辰条。
②　《满文老档》，太祖四十二，天命七年六月二十六日条，中华书局1990 年版。
③　《旧满洲档》，台湾故宫博物院1969 年版，第 1297—1298 页。
④　《满文老档》，太祖四十三，天命八年元月二十一日条，中华书局1990 年版。
⑤　《旧满洲档》，台湾故宫博物院1969 年版，第 1297—1298 页。
⑥　《旧满洲档》，台湾故宫博物院1969 年版，第 1584—1585 页。

立联盟的详细过程。但是，在天命年的蒙古文书中仍然能够看到双方宰白马乌牛，向天地发誓结盟的记载。①参加会盟的科尔沁首领奥巴是博第达喇长子齐齐克之长孙，蒙果是博第达喇三子乌巴什之子，阿都齐是博第达喇四子爱纳噶之子，都是科尔沁部的实力人物。爱新国方面的希、库两人，具有"榜式"（baksi）称号，也都是地位显赫的人物。

（一）联盟的第一阶段：天命九年（1624 年）二月至天命十年（1625 年）六月

天命九年（1624 年）二月，科尔沁与爱新国初建联盟关系。但是，科尔沁部首领奥巴对联盟并无诚意，他之所以参加联盟，是为了对付林丹汗的东征。然而直到次年（1625 年）初，察哈尔始终没有东下，形势逐渐稳定下来。奥巴对爱新国的态度随之强硬起来，致使与努尔哈赤的关系变得十分紧张，联盟关系一度濒临破裂。这是科尔沁与爱新国关系史上重要而有趣的一章。但是，关于这些事情，《清太祖实录》没有留下蛛丝马迹，后来的官修史书，诸如《皇清开国方略》、《王公表传》等等，均无记载，有关论文著作也从未提及。所以，有必要根据《旧满洲档》的满文原始记载来再现和分析当时的情况。文中省略满文拉丁字母转写，直接译成汉文加以引用。

第一份文件：《旧满洲档》第 1873 页

汉译：在［天命十年三月］初八，科尔沁奥巴台吉、达尔汉台吉②遣来了使者四人［带来一条狗］，说要约定（会面）地点。

第二份文件：《旧满洲档》第 1885—1886 页

汉译：［天命十年］五月初一，遣回科尔沁奥巴的使者党阿赖。给党阿赖和布达齐③的使者每人十两银子，给三位侍从每人三两银子。和党阿赖一同派遣了易沙穆、阿布尔户、库拜、丹泰四人，讲给易沙穆、库拜和党阿赖的话：我们两国合好，不是为了取他人或得到他人的东西，他们把自己当做天子，视我们如牛马，加以欺凌，令我等憎恨不已。为此，当为一计，以谋生计而会盟矣！

---

① 《17 世纪蒙古文书档案（1600—1650）》，内蒙古少儿出版社 1997 年版，第 4 页。
② 达尔汉台吉，即阿都齐，是科尔沁部的一支杜尔伯特首领爱纳噶之子，卒于 1629 年。
③ 布达齐，奥巴之弟。

第三份文件：《旧满洲档》第 1891 页

汉译：［天命十年六月］十九日，以科尔沁奥巴贝勒来到了所约之地，汗率众贝子出城。

第四份文件：《旧满洲档》第 1891—1892 页

汉译：［天命十年六月］二十四日到达开原后，易沙穆和库拜协同奥巴的使者党阿赖一人到达，（他）说：奥巴以为由于他所娶的妻子的缘故①会给他定罪而未到，说罢即返回。

根据以上四条史料，先是天命十年（1625 年）三月初八日，嫩科尔沁首领奥巴和科尔沁之杜尔伯特部首领达尔汉台吉阿都齐向努尔哈赤派遣四名使节，送一犬为礼，欲同努尔哈赤约定相会地点。到了五月初一日，努尔哈赤送回嫩科尔沁首领奥巴、布达齐兄弟二人的几名使者及其侍从，赏以厚礼，并向奥巴表示，爱新国与科尔沁联盟，其目的不仅仅是为了抢掠，而是结盟以对抗共同的敌人察哈尔。同时，努尔哈赤挑拨科尔沁部与察哈尔的关系，说察哈尔汗以天子自居，欺凌压迫科尔沁和女真，以致愤怒不已。他建议共同谋求计策，以获得对察哈尔斗争的胜利。接着到了六月十九日，努尔哈赤以为奥巴到了所约相会地点，率领爱新国众贝子出沈阳城前往所约之地。但是，二十四日，当他到达相会地点开原时，奥巴的使者赶来，告诉努尔哈赤，奥巴不能前来，原因却是他与察哈尔的亲戚结了亲。

从这些事实中，我们可以得出如下几点结论：一、天命九年（1624 年）二月科尔沁同爱新国联盟，其真实目的仅在于威吓林丹汗，阻止他东侵。当这场危机过去后，奥巴暂时不再需要女真人的支持，他和爱新国的关系遂冷淡起来。二、奥巴对努尔哈赤的会晤要求敷衍了事，先是约好在开原相会，接着当努尔哈赤率领诸贝子赴约时却单方面终止了会盟。更有甚者，奥巴不赴约的理由是，他同爱新国的凤敌察哈尔的亲戚结成了姻亲，所以假惺惺地表示畏罪。这些事情充分说明，联盟初期双方的关系是完全平等的，甚至由于林丹汗对科尔沁未采取军事行动，奥巴没有必要向爱新国提出援助的要求，所以变得对努尔哈赤不屑一顾。三、对爱新国来说，拉拢和争取科尔

---

① 关于奥巴的这桩婚事，有些细节仍然不明了。但是，1628 年天聪汗罗列奥巴的十条罪状时，作为第六条，指出这位夫人是蒙古"大人之女"，是察哈尔的亲戚。

沁，极大限度地孤立林丹汗，各个击破蒙古各部，乃是既定政策。所以，努尔哈赤委曲求全，一直耐心对待奥巴等科尔沁贵族。在一般的使节往来礼节的细节上，都表现出大度和耐心，比如受奥巴的一犬之礼而回赠奥巴的使节几十两银子，连使节的侍从也不曾忘记。

以上所述的科尔沁与爱新国之间的种种事情，在《清太祖实录》的各种版本中均无记载。众所周知，《清太祖实录》的最主要的史料来源就是我们今天所用的《旧满洲档》。那么，至今保存完好的这些档册为什么没在《清太祖实录》中被录用呢？

一般认为，《清太祖实录》最初是在太宗朝天聪六年至崇德元年（1632—1636）之间纂修完成的。当时，科尔沁早已被爱新国所合并，漠南蒙古各部先后都成为爱新国/清王朝的臣民，蒙古与女真/满洲的关系发生了根本性的变化。在这样的政治环境下，女真/满洲贵族撰写他们的王朝史，不可能再现历史的真相。综观《清太祖实录》，蒙古与女真（满洲）关系中，女真贵族一开始就被塑造成蒙古诸部的宗主形象，蒙古与他们的种种政治、经济、军事关系，无一例外地被描写成对爱新国的"投诚"、"归附"或"进献"。

上述奥巴与努尔哈赤关系的种种事实，当然不符合《清太祖实录》的记事标准。这里的清太祖努尔哈赤绝无蒙古宗主之尊，在双方的交往当中，努尔哈赤以同科尔沁一样遭受察哈尔欺凌的地位，建议共同谋求生计，并一再委曲求全，以争取科尔沁加入他的行列。这在当时虽然属于权宜之计，但是当太宗皇帝荡平天下之后，却成了不可告人的不光彩的事情。这就是这段历史事实没有在《清太祖实录》中记载的真正原因。

（二）联盟的第二阶段：天命十年八月至天命十一年六月

天命十年（1625年）在奥巴借故推掉与努尔哈赤的会盟后不久，八月初突然传来了这年九月林丹汗将东征科尔沁的消息。奥巴惊慌失措，不得不再次向爱新国求援。从此，科尔沁与爱新国使节来往频仍，双方关系进入了第二个阶段。下面，我们利用《旧满洲档》的记载和蒙古文档原件的内容，分析这段历史。

第一份文件：《旧满洲档》，第 1909 至 1911 页

汉译：［天命十年八月］初九日，科尔沁奥巴台吉遣书说：（我们）二国原欲成为一国，宰白马与天，杀黑牛与地，发誓，歃血立盟。约定凡事以战争和军队相救援。洪巴图鲁遣乌济耶凯扎尔固齐①为使说：察哈尔下月十五日将向你们出兵。北察哈尔到来后，南察哈尔也要到来……②说：冰结草枯之前要夹攻。去年，（我们）听到了确切消息，正准备派遣使者，汗（先）听到了消息并急遣易沙穆携带十马前来。现在，这个消息被证实了。派（助）兵多寡，汗知之。带来放火炮人一千名！（我）不知其他喀尔喀，（但是）据说洪巴图鲁急刈获（收）庄稼，欲与我会合。我们所信赖的只有洪巴图鲁和巴林这两个。据称有介赛和巴哈达尔汉③与察哈尔一道来的情状。如果察哈尔和喀尔喀向我们出兵，从后面到他们家的事情，汗等明鉴。

第二份文件：《旧满洲档》，第 1913 页

汉译：［天命十年八月］十日派阿尔津、辛达什、巴本、尼齐这四人作为使者，配备八名汉人炮手遣往科尔沁。

第三份文件：《旧满洲档》，第 1914 页

汉译：［天命十年八月］十日（努尔哈赤写）给奥巴台吉的书：你叫（我们）带来的军队，多要多派，少要少派，你不要过于担心。（军队的）多寡不是原因，（而是）天的原因呀！

第四份文件：《旧满洲档》，第 1941—1942 页

汉译：［天命十年十月］到奥巴那里去的阿尔津带来的书称：绰尔济喇嘛欲使科尔沁与察哈尔合好，来到后住下了。然我等曾经约定，如果我们两国要合好，就商量着合好，如果交恶，也要商量着交恶。汗（＝努尔哈赤）曾经对金泰说："你们兄弟间有罪过，还没有建城郭而（互相）使奸计、诋毁。"对此怎样回复，汗明鉴。阿尔津来后，来了三四次消息，（敌）兵到

---

①　洪巴图鲁即内喀尔喀五部之一乌济叶特部的首领炒花，号卓哩克图洪巴图鲁。达延汗第五子阿剌楚博罗特有子五人，长子虎喇哈赤。虎喇哈赤也有子五人，其幼子即炒花。他是内喀尔喀五部中的实力人物。参见答哩麻固什：《金轮千辐》，乔吉校注，内蒙古人民出版社 1987 年版，第 216—225 页。

②　"南察哈尔"指兴安岭以南的阿喇克绰特、敖汉、奈曼和乌鲁特。"北察哈尔"指兴安岭以北的蒿齐忒、乌珠穆沁、苏尼特和克什克腾。参见宝音德力根：《好陈察罕儿、察罕儿五大营和八鄂托克察罕儿——17 世纪前察罕儿历史研究》，《内蒙古大学学报》1998 年第 4 期。

③　介赛和巴哈达尔汉是内喀尔喀五部弘吉喇部首领。虎喇哈赤第三子兀班，兀班长子暖兔，即巴哈达尔汉，次子伯要儿，蒙古史书称祁塔特洪台吉，其子即介赛。参见答哩麻固什：《金轮千辐》，乔吉校注，内蒙古人民出版社 1987 年版，第 224 页。

来似真。如果有了（敌）兵已经启程的确切消息，（我）将迅速派去使者。关于援兵之事，告给下次的使者并遣来！

第五份文件：《旧满洲档》，第 1942—1944 页

汉译：［天命十年十月］二十八日奥巴来书说：洪巴图鲁派遣使者来告：此处察哈尔于本月十一日会师，十五日出发。我们对察哈尔（本来）没有大的罪过，当（我们）无事安居的时候，（察哈尔）杀害了达赖台吉而去，如今又欲杀（我们）而来。达尔汉台吉弃扎赉特、锡伯、萨哈尔察而东去了，只有我们三位首领留居城里，认定死则一命，干则一尘。卫征①和我二人先得到消息后急忙赶来了。汗说过：如果贝子来，带兵一万，如果大臣们来，带兵一千，让贝子们的儿子去吧。近期听到消息后，急忙派遣了这些大臣。派兵多寡，汗明鉴。

第六份文件：《旧满洲档》，第 1944 页

汉译：［天命十年十一月］初五日，科尔沁奥巴的使者一个班第和四个人同来，说：察哈尔兵前来是真，能看见其影状。之后，（爱新国）每八旗令出二十个人，让孟格图带领，于初六日遣往。

第七份文件：《旧满洲档 》，第 1946—1949 页

汉译：［天命十年十一月］因察哈尔兵来围科尔沁，十日汗率众贝子、大臣出兵援助科尔沁。至开原城镇北堡，汗返回，令莽古尔泰贝勒、四贝勒、阿巴泰台吉、济尔哈朗台吉、阿济格台吉、硕托台吉、萨哈廉台吉②等率精兵五千前进。汗率众贝子、大臣、兵士返回。当晚亥时派二人遣往出征诸王，说：阿拉盖、喀拉珠③处虽有放炮声，不得前往。至农安塔处前，获彼处情报，若能前往彼处，滞留于农安塔汗处，遣还彼处蒙古使者。对他们的使者说：来时一昼夜，去时一昼夜，仅仅如此。时多我军不等。若不能得到彼处可靠消息，待我方去彼处之哨探兵士来后返回。出征诸王到农安。察哈尔兵虽欲攻科尔沁，闻爱新兵到后，连夜未战而退。此后，诸王返回。

---

① 卫征，是奥巴之兄图美之称号，1626 年努尔哈赤授予他代达尔汉称号。

② 莽古尔泰，努尔哈赤第五子，以序称三贝勒。四贝勒即皇太极。阿巴泰，努尔哈赤第七子。济尔哈朗，舒尔哈齐（努尔哈赤弟）第六子。阿济格，努尔哈赤第十二子。硕托，代善（努尔哈赤第二子）第二子。萨哈廉，代善第三子。

③ 科尔沁境内的地名，地望有待研究。

第八份文件：《旧满洲档》，第 2080 页

汉译：丙寅年（天命十一年六月）初六日，（努尔哈赤）行大礼，宰白马与天，杀黑牛与地，向科尔沁的奥巴台吉发誓，说："爱新国汗努尔哈赤向天地发誓：汉人、察哈尔和喀尔喀欺辱和折磨了我所属老实过日子的人，所以我难以忍耐，控告与天。天眷佑了我。又，察哈尔和喀尔喀会合，向科尔沁奥巴洪台吉出兵，欲杀他，掠他。天眷佑了奥巴洪台吉。奥巴洪台吉怨恨察哈尔和喀尔喀，欲（与我）商定政事，与我合好。（这是）天使我们两个受苦人合好的呀！如果念上天所合，互不欺诈，择善而行，愿天仁爱〔又仁爱，〕抚养〔又抚养〕！如果不念上天所合，欺骗说谎而行，愿天责备〔又责备！折磨又〕折磨！如果后世子孙破坏我二人所定的政道，愿天把破坏之人责备〔又责备，折磨又〕折磨！如果永世忠心耿耿，愿天仁爱〔又仁爱，抚养又〕抚养（我们）世代子孙！

奥巴洪台吉发誓之语："应长生天之命，获得因天地播种所成的无比汗王身世的公正睿明汗，和（与之）无阻相遇的奥巴洪台吉俩人，向天发誓。从札萨克图汗（时期）以来，我们科尔沁部诸诺颜诚心希望对察哈尔和喀尔喀不作恶，顺从他们，（但他们）不肯，（一直）不休止地杀掠（我们），毁了我们博罗科尔沁。① 此后，我们即便没有罪过，（他们）却杀死了达赖台吉。随后，介赛来，杀害了六位诺颜。我们本来想不得罪于人，好好生活，（但他们）不肯。我们反抗他们无故杀害掠夺。当我们反抗的时候，察哈尔和喀尔喀愤恨我们反抗，发兵来杀掠。上天保佑，救了我们。满洲汗也给了许多恩惠。为了不忘上天的保佑和满洲汗的恩惠，来见满洲汗，为了国政，向天地以诚言发誓。如果违背向天所誓，忘记满洲汗的恩惠，与察哈尔、喀尔喀言和，（那么）愿把奥巴洪台吉责备又责备，折磨又折磨。如果做到向天所誓之言，不忘满洲汗的恩惠，行为好的话，愿上天眷佑又眷佑，抚养又抚养。如果我们的后世子孙违背这个誓约，愿上天对他责备又责备，折磨又折磨！如果不违背这个誓约，恒久善行，愿上天抚养又抚养，眷佑又

---

① 博罗科尔沁，在明清时期的蒙汉文献中均不见这个称呼。据学者透露，在中国第一历史档案馆藏明朝兵部题行档的有关夷情塘报中却屡见有关林丹汗欲征"博罗好儿趁"（好儿趁即科尔沁的明代译写）的记载。可见，"博罗科尔沁"是嫩科尔沁的自称，当时被世人共知。

眷佑！发誓的时候，在南河岸土台上宰白马黑牛，烧香，将肉全部供奉。汗率奥巴洪台吉三次跪拜、九次叩首。叩首完毕，将两份誓书念给众人后烧毁。

第九份文件：《旧满洲档》，第 2082—2083 页

汉译：[天命十一年六月] 初七日，由八旗摆八十桌，宰八只羊，设酒宴。宣读授奥巴洪台吉以名号的书。书中说：如果上天惩罚恶行，致令国政衰败破灭；如果上天仁爱善行，致令国政兴旺，（让他）成为汗。总之，这是天意呀。察哈尔汗兴兵欲杀奥巴洪台吉而来，上天眷佑了奥巴洪台吉。把上天所眷佑的人叫做汗，符合上天的义理。授予奥巴洪台吉以土谢图汗名号，授予图美 [卫征] 以代达尔汉，布达齐 [哈谈巴图鲁] 以札萨克图杜棱，贺尔禾代以青卓礼克图名号。[当初，男人（给别人）起名，取鞍马；女人（给别人）起名，取衣物。]

以上所引《旧满洲档》的满文和蒙古文史料，充分而生动地反映了天命十年（1625 年）8 月至天命十一年（1626 年）6 月的嫩科尔沁与爱新国的关系。综观这段历史，由于林丹汗率兵东征科尔沁，本来与爱新国几至终止联盟关系的奥巴不得不再次倒向努尔哈赤一边，要求他的援助。努尔哈赤乘人之危，和奥巴建立了明确的反察哈尔联盟，为日后合并科尔沁打下了坚实的基础。

先回顾以下历史过程：天命十年（1625 年）八月，亲近科尔沁的内喀尔喀乌济叶特部首领炒花向奥巴通风报信，说察哈尔于九月十五日出兵指向科尔沁。据称，内喀尔喀弘吉喇部将与察哈尔一道进攻。奥巴火速向爱新国报警，并请求他们出兵支援。九日求援信刚到，十日努尔哈赤就派出了四名使者和八名汉人炮手，同时致书奥巴，答应尽量满足他的要求。

但是，不知何故，直到十一月初林丹汗迟迟未来。有趣的是，十月份奥巴遣书努尔哈赤称，这期间有位绰尔济喇嘛到奥巴处，"欲使科尔沁与察哈尔合好"。因科尔沁与爱新国有盟誓在先，未予答应。今复有兵报云云。似乎察哈尔与科尔沁之间曾经进行过一次秘密谈判。也许因林丹汗没有放弃吞并科尔沁的政策，奥巴难以接受，不得不又联合爱新国对付察哈尔。这样看来，奥巴并非心甘情愿地和爱新国联盟，而是林丹汗的错误政策所使然。

到了十月份，炒花又送来情报，说察哈尔于十一月十一日会师，十五日起程。科尔沁内部人心惶惶，达尔汉台吉等头目仓皇逃跑，奥巴、图美和布达齐三兄弟准备背水一战。同时，要求爱新国出兵救援。十一月初五，奥巴的使节到达沈阳，努尔哈赤先从每八旗抽调二十名军士派往科尔沁。随后，十一月十日努尔哈赤亲率大军往援。到达开原以北的镇北堡后，努尔哈赤班师，遣莽古尔泰、皇太极等贝勒数人率精兵五千继续开赴，夜达农安塔。此时，林丹汗不克科尔沁，又听到爱新国援军已到，随即撤回。科尔沁转危为安。

努尔哈赤利用这次机会，巩固了同奥巴的联盟。天命十一年（1626年）六月六日，奥巴在爱新国都城的南河岸上，和努尔哈赤一道宰白马乌牛，向天地发誓，宣读双方永世反察哈尔反喀尔喀的誓言，并为了让上天作证，将誓书当众焚毁。次日，努尔哈赤授奥巴及其几位兄弟以名号。值得注意的是，努尔哈赤为奥巴授名号的依据，并不是因为他受了爱新国的恩惠，而是"上天眷佑了奥巴洪台吉。把上天所眷佑的人叫做汗，符合上天的义理。"《旧满洲档》中被后人涂掉的一句话，即"当初，男人（给别人）起名，取鞍马；女人（给别人）起名，取衣物"，充分说明，当时的授予名号还不像后来那样有浓厚的政治色彩，这只不过是双方友好的表现，正如在女真部落中曾经有过的习俗一样。

这回奥巴又娶努尔哈赤弟舒尔哈赤之女为妻，与爱新国汗室建立了姻亲关系。

分析这些史料所反映的一些情况，可以得出如下几点看法：

一、就在察哈尔重兵压境的燃眉之际，奥巴虽屡屡向爱新国求援，但每每提及天命九年（1624年）二月初盟时期的双方义务，从不附加新的让步条件。可见奥巴对联盟的防范心理。

二、天命十年（1625年）八月，当奥巴听到林丹汗来攻后，立即派使者到爱新国告急。但不久，绰尔济喇嘛来科尔沁，在察哈尔和科尔沁之间斡旋。奥巴近两个月没有和爱新国往来，只有在与察哈尔重新兵戎相见时，才又一次向努尔哈赤求救。由此看来，奥巴和爱新国建盟实属迫不得已。

三、努尔哈赤每次都满足奥巴的要求，随叫随到，毫无怨言，同样也不附加其他条件。努尔哈赤富有政治远见，在和明朝作战的情况下，他诚心希望拉拢他的近邻科尔沁，解除后顾之忧。同时，由于他和察哈尔争夺蒙古诸部，科尔沁是一股举足轻重的力量，它的存亡，直接关系到爱新国的命运。所以，努尔哈赤对科尔沁的态度可谓谦卑且耐心。

四、在双方的以上处境和心理下，这段时间里的科尔沁与爱新国关系仍然是平等互利的关系，尽管双方在察哈尔进攻面前的实际情况大不一样。如果仔细读一读奥巴与努尔哈赤的誓词，双方的诸言、条件甚至语气都没有任何不同。努尔哈赤发誓说："如果不念上天所合，欺骗说谎而行，愿天责备［又责备！折磨又］折磨！"奥巴的誓词也一样："如果违背向天所誓，忘记满洲汗的恩惠，与察哈尔、喀尔喀言和，（那么）愿把奥巴洪台吉责备又责备，折磨又折磨！"双方以反察哈尔反喀尔喀为前提，建立了联盟，绝无隶属关系。就授与土谢图汗名号而言，也不过是双方关系进一步加强的标志。这与1606年内喀尔喀五部授予努尔哈赤以"昆都伦汗"名号，属于同样的性质。这样的做法源于蒙古和女真的古老习俗，正如《旧满洲档》所暗示。把这类事情与后来清朝皇帝的授予称号、爵位等册封，是不能等同的。

由此我们得出结论，当时科尔沁虽然受到察哈尔的进攻，在和爱新国的联盟中处于被动地位，但由于双方的利害所使，他们的联盟仍然是平等的。

（三）联盟的第三阶段：天命十一年六月至天聪三年二月

天命十一年（1626年）六月，奥巴自爱新国返回科尔沁。八月，努尔哈赤死，皇太极即位，称天聪汗。天聪初年，奥巴与爱新国关系又经过了一段曲折。天命十年（1625年）底，林丹汗东征科尔沁无功而归，暂时放弃了对东部蒙古的经营。天聪元年（1627年）夏，林丹汗率部西迁，不再成为科尔沁等左翼蒙古诸部的威胁。于是，奥巴立即疏远爱新国，甚至与皇太极争夺对内喀尔喀的支配权，拒绝和皇太极一道远征察哈尔。但是，爱新国对明战争屡传捷报，又基本控制了敖汉、奈曼、内喀尔喀、喀喇沁和东土默特诸部，爱新国的实力地位日益加强。皇太极再不能容忍奥巴与之分庭抗礼。由于察哈尔的西迁，爱新国没有了任何后顾之忧。这样，于天聪二年（1628年）十二月皇太极遣使奥巴，罗列其十条"罪状"，严词斥责。次年正月，奥巴赴爱新国认罪。从此，联盟的性质发生了根本性的变化，奥巴洪台吉和爱新国的汗不再是平等的伙伴，而前者成为后者的附庸。

第一份文件：《旧满洲档》第2569页

汉译：初九日，从喀尔喀蒙古逃来的人来报称："察哈尔汗出兵，全部带走了我们喀尔喀。扎鲁特向科尔沁方向逃走。（察哈尔把）不战而降的人收养了，抗拒的人杀了。"

第二份文件：《蒙古文文档》第 18 页，第六号

汉译：天聪汗致书嫩（科尔沁）诸诺颜，我们想，土谢图汗、代达尔汉、扎萨克图杜凌三和硕筑一城，秉图、亦尔都齐与巴特玛筑一城，卓礼克图洪台吉①的四个和硕筑一城，选好地址，三座城筑在一处，速使坚固。待城坚固后，如果察哈尔前来攻打你们，如前所约，你们派台吉们（求援）的话，我们增兵于你们。若城垒不坚，一旦察哈尔来攻，你们又依靠哪里厮杀，我们又怎知你们在哪里而前往。我们想我们两国以后嫁女成亲不断往来。你们若被察哈尔所取，我们又与何国结亲往来。我们听说秉图和卓礼克图洪台吉正在一起筑城，秉图你的名气不小，你率亦尔都赤、巴特玛等几个弟弟筑一城。若使三城相连，即使敌人来攻，也怎能进入其间（与你们）厮杀。我（以前）之所以说：若把桑图给我，就发誓，若不给，就不要发誓，是因为（当时）我们两国和好结盟，喀尔喀、扎鲁特与我们为敌。而桑图的父母已被我所得。若不让桑图与其父母相见，而遣往敌国，我们结盟和好，又有何益。所以说不要发誓。现在不止桑图，逃奔察哈尔兵的所有喀尔喀，都在投归你们，今已遵守我们的法规。现在我们为何向你索要桑图。秉图、亦尔都赤你们要发誓，若桑图前来父亲处，你们不要阻拦，随桑图之愿而行。

吴克善、巴特玛，兔年②正月二十七日发誓。

孔果尔老人四月二十日发誓。

第三份文件：《旧满洲档》第 2813—2814 页

汉译：［天聪二年四月］二十五日，巴林部塞特尔贝勒、色棱洪台吉、阿玉石台吉、满珠习礼台吉③进献驼马，来拜见汗，（汗）闻之，率众王于五里之处出迎，宴赉之。初，色棱、阿玉石等是蒙古喀尔喀部、巴林部诸

---

①　秉图即孔果尔，元太祖弟哈萨儿十六世孙纳穆寨之子；卓礼克图洪台吉即吴克善，纳穆寨之子莽古斯之子。

②　天聪汗在位时期的兔年无疑是天聪元年（1627 年）。

③　塞特尔是达延汗玄孙塔噶赖代青之子；色棱洪台吉即塔噶赖代青长子兀布台之子。

王。察哈尔蒙古的林丹汗，毁坏喀尔喀部之后，塞特尔、昂安等率其国人，归附蒙古嫩科尔沁部。因科尔沁诸王常使之痛苦，压制，故领其国人来归。

第四份文件:《蒙古文文档》第 134 页，第 46 号

汉译:愿吉祥安康。敖汉、奈曼依靠了天聪汗；巴林、扎鲁特依靠了我们。……如果让归附你们的敖汉、奈曼和归附我们的巴林、扎鲁特，任其自由，在（我们）二者之间一起生活，这事汗知之。如果以为他们一起（另处）生活是错的话，（也）汗知之。我们从豪古泰那里得知，巴林归入了敖汉、奈曼。

第五份文件:《旧满洲档》第 2839 页

汉译:初六日出征察哈尔。出兵之前告科尔沁、喀喇沁、敖汉、奈曼、喀尔喀等:将出征察哈尔，速与大军会师。约定会合地点之后，派出了使者。

第六份文件:《旧满洲档》第 2840—2841 页

汉译:十七日，……去科尔沁的使者希福榜式回来，说:科尔沁诸诺颜不来，土谢图汗、哈谈巴图鲁、满朱习礼已率兵起行，他们不愿与我们会师，往别处出击，然后来会师。汗大怒，复遣希福，说:土谢图额驸务必来会师。

第七份文件:《旧满洲档》第 2842 页

汉译:科尔沁国主土谢图额驸奥巴侵掠察哈尔国边境的数家后，不来会师，率领所部兵已返归。汗（皇太极）之妹夫科尔沁的满朱习礼台吉及孔果尔诺颜之子巴敦台吉等率所属兵掠察哈尔，携以所俘获，于二十二日来会汗，汗赞赏（他们），并给满朱习礼台吉以达尔汉巴图鲁号，给巴敦以达尔汉卓礼克图号。赏缎、币、马、驼、牛、羊甚多。把俘获人口，按战功分给官兵，凡系宗室，无论从征还是在家，平等分给一头牛。大兵还师。十四日在纳里特地方祭纛。

第八份文件:《旧满洲档》第 2845—2846 页

汉译:十五日回到沈阳城。午刻，向堂子叩首，汗回到家里。这次战争中仅死二人。

第九份文件:《蒙古文文档》第 4 页，第 1 号

汉译:愿吉祥安康。致书长生青天之下，四方世界之上，为游牧人众之

主的阿尔斯兰博克达天聪汗：初，昆都仑汗遣希福、库尔缠二榜式，刑白马于天，刑黑牛于地，酹酒［盟誓］，成为了一国。［汗］遣詹都说：为汗的名誉，为我们的国政，为［报］我们的仇出征吧。出征时未出发，未让汗看见我们的身影，未与洪台吉、哈谈巴图鲁二人①做伴。对汗做了错事。对汗做错事的原由是：汗的使臣来叫我们二十五日出发。我们二十五日未出发。我们遣名叫巴哈泰的人为使臣，往哈谈巴图鲁处，问以后何时出发。［哈谈巴图鲁］说：待我抓了战马，再遣使［告知于你］。［后］未遣使。当洪台吉出发五日后，我们由行人口中得知［这个消息］，便出发了。七日后停下马驼，返回了。这是我们的一件错事。此事是非，请汗明鉴。

第十份文件：《蒙古文文档》

汉译：愿吉祥安康！致天聪汗。当遣希福到所约之地时，我们的探子发现了一股人。（我们）攻掠了他们，并约希福三日（后赴约）。因希福未到，（我们）路上来去各（用了）两天。因你的军队无音信，且未请我军（相助），我为养伤而回。此事对与错，汗明鉴。

奥巴对爱新国的亲近和疏远，每次取决于来自察哈尔威胁的程度。奥巴始终视爱新国为战场上的盟友，和平时代的邻国。天命十年（1625年）十一月，林丹汗征科尔沁无功而归，已不构成对科尔沁部的威胁。于是，奥巴也疏远了爱新国。天命十一年（1626年）八月努尔哈赤死，奥巴不但不亲去吊唁，甚至连子侄大人都不遣一个，只遣一个小班第，牵一匹老马，敷衍爱新国的国丧。此后，皇太极送奥巴所娶舒儿哈赤之女到科尔沁，奥巴仅以八匹有鼻疽之马做回礼。②可见奥巴对爱新国的怠慢。

分析前文所引几条史料，概括起来，有两个方面的问题应引起特别的注意。

其一，围绕对巴林、扎鲁特部民的控制权进行的较量。天聪元年（1627年）正月，内喀尔喀遭到林丹汗的洗劫，多数被收并，逃脱的扎鲁特部众奔赴科尔沁。其中有位名叫桑图的台吉，父母投奔了爱新国，故皇太极以此为由向科尔沁索取桑图，要求科尔沁台吉们发誓让步。天聪元年正月二

---

① 洪台吉即奥巴；哈谈巴图鲁即奥巴弟布达齐。

② 《17世纪蒙古文书档案（1600—1650）》，内蒙古少儿出版社1997年版，第38页。

十七日乌克善和巴特玛起了誓，四月二十日孔果儿也发了誓，但奥巴始终没有答应放走桑图。桑图事件的实质，说到底是双方对扎鲁特部众的争夺。

据所引第三号文件，当时投靠科尔沁的还有巴林部众。当时，色棱、阿玉石等巴林贵族率部走科尔沁。天聪二年（1628 年）四月，色棱等因与科尔沁台吉发生矛盾，旋即投奔了爱新国。据奥巴致皇太极的蒙古文书信，奥巴认为，敖汉、奈曼归附了爱新国，而扎鲁特、巴林投靠了他。如今要么让敖汉、奈曼和扎鲁特、巴林一起离开爱新国和科尔沁，使之独立生活；要么维持原来的状况。这显然是要求皇太极归还巴林部人众。

这些事实说明，奥巴与皇太极分庭抗礼，争权夺利，寸步不让。这里我们不探讨奥巴对爱新国策略的得与失，就他的立场和做法而言，充分说明了他在和爱新国联盟中的平等、独立的地位。

其二，围绕出征察哈尔进行的交涉。天聪二年（1628 年）九月，皇太极决定亲率爱新国军队和蒙古各部军队出征察哈尔。因为这年二月喀喇沁部台吉、塔布囊遣使沈阳，诡称：右翼蒙古各部和阿噜蒙古联军在呼和浩特消灭了林丹汗四万军队，林丹汗处境岌岌可危，并煽动爱新国乘机出兵察哈尔。皇太极信以为真，迅速组织了联军。①九月初六日，皇太极率大军出发，自八日起先后与蒙古敖汉、奈曼、内喀尔喀、喀喇沁等部军队会师。十七日，差往科尔沁的希福返回，报称，奥巴已率部出发，声言自为一路往征察哈尔，不与爱新国会师。皇太极大怒，复遣使于奥巴，要他务必来会师。二十一日，科尔沁部台吉满朱习礼和巴敦来会，告知奥巴早已出发。皇太极无奈，便于次日班师。事后，奥巴致书皇太极说：爱新国使臣希福未按期赴约，也不知爱新国军队的音信，又因爱新国未求奥巴以兵相助，故未赴会师之地云云。但是，与此同时科尔沁的达尔汉台吉也致书皇太极，陈说他未能出兵的原因。据其所报，奥巴根本没有通知达尔汉台吉出兵的具体时间和地点。奥巴出发五天后，达尔汉台吉才从行人口中得知，匆忙起程，七天后因未寻见奥巴，不得已而返回。可知，奥巴根本无意与皇太极的满蒙联军会师，而且不愿让达尔汉台吉等前往。奥巴的目的到底是什么？想保存自身的

---

① 乌云毕力格：《从 17 世纪蒙古文和满文"遗留性史料"看内蒙古历史的若干问题——昭之战》，《内蒙古大学学报》（蒙古文版）1999 年第 3 期。

力量？还是有别的不可告人的目的？我们不得而知。总之，因为奥巴没有参加，使这次已进军到兴安岭的察哈尔远征半途而废。可能是由于奥巴未到，皇太极自感兵力不足，难与察哈尔决战；或是对奥巴存有戒心，担心他乘虚捣其后方。无论如何，这次远征因奥巴而流产了。

由此可见，科尔沁与爱新国的联盟是松散的、临时的、不牢靠的。这是一个没有盟主的联盟。无论对科尔沁还是对爱新国，联盟的前提是察哈尔的威胁。察哈尔西迁后，奥巴不再需要爱新国了，拒绝参加皇太极组织的军事行动就是一个信号，科尔沁将要退出联盟。但是，从林丹汗西迁中收益的不只是奥巴，还有皇太极。由于察哈尔西迁，皇太极慑服科尔沁的时机终于成熟。这样，天聪二年年底，皇太极遣使至科尔沁，历数奥巴对爱新国的无礼行径，罗列其十条罪状。在这种情况下，奥巴深感形势严重，也明知自不能敌，故在第二年亲至爱新国认罪，修复双边关系。从此，科尔沁与爱新国联盟的性质发生了根本的变化。科尔沁不再是联盟中的平等伙伴。

第二节　敖汉、奈曼部归附爱新国始末

察哈尔是元裔蒙古大汗所领部落，敖汉、奈曼是察哈尔的两个宗支。17世纪前叶，爱新国对察哈尔本部采取渗透、分化等措施，使其终于土崩瓦解。

17世纪初，女真贵族努尔哈赤创建的爱新国日益强大，与明王朝相对峙。处在两大政治集团之间的蒙古，成为爱新国和明王朝争夺的对象。蒙古作为一个强大的政治势力，对爱新国和明王朝具有决定性意义，谁能够争取到蒙古，谁就能够制约对方，甚至打倒对方。爱新国争取到蒙古，就可以扩大自己的势力，消除后顾之忧，进而同明朝争夺辽东地区。明王朝则要边事安宁，钳制爱新国，蒙古是其最有力的屏障。明朝战败萨尔浒之后，起用熊廷弼、王化贞二人，采取联西（蒙古）制东（爱新国）的政策，但熊、王二人各持己见，将帅不和，不能互取所议之长，致使爱新国曾一度进占广宁。崇祯即位后，索性革去广宁及蓟镇蒙古诸部抚赏，明廷与蒙古的关系旋即破裂，盟友变为敌对。明朝摇摆不定和反复无常的做法，最终失去了这个最为难得的盟友，从而走向灭亡的道路。与此相反，爱新国方面始终明白要

灭明必须首先解决蒙古问题。女真与蒙古在文化上相互影响，源远流长，二族"语言虽各异，而衣饰风习，无不相同"。①因此爱新国统治者，努力渲染与蒙古的亲缘关系，积极拉拢蒙古，通过联姻、联盟、封赏、朝觐等手段，征服了以察哈尔部为首的漠南蒙古诸部，拥有了骁勇善战的蒙古兵力，拔取了明朝的北部屏障，最终于1644年得以入主中原，建立了中国历史上最后一个封建王朝。

蒙古察哈尔部的败降，标志着漠南蒙古诸部归附爱新国/清朝。敖汉、奈曼部的投靠和归附爱新国，分裂了察哈尔大本营，使其失去了与爱新国抗衡的实力；加之敖汉、奈曼部又随同爱新国一道参加了征讨察哈尔部的战争，导致察哈尔部败降。征服察哈尔后，皇太极得到了蒙古大汗供奉的嘛哈噶喇佛像和传国玉玺，于察哈尔归附的第二年即1636年改国号为大清，改元为崇德。

一、察哈尔宗支部落：敖汉与奈曼

（一）察哈尔名称的由来

16世纪初，达延汗（Dayan qaγan，1473—1517年）统一蒙古后将麾下部众改编成六个万户（Tümen），并将其分封给自己的诸子，这就是人们通常所说的六万户蒙古。蒙古六万户并非达延汗时期的产物，早在满都鲁汗时就已有六万户，到达延汗时，六万户得到了进一步的巩固和加强。满都鲁汗是忽必烈后裔的杰出代表，出现在历史舞台上是在1475年。1388年脱古思帖木儿汗被杀，拉开了东西蒙古争夺蒙古高原霸权争斗的序幕，大汗沦为异姓大贵族的傀儡，蒙古高原陷入了长期的封建割据混战中，黄金家族内部诸系子孙，纷纷卷入了这场争夺汗位的漩涡之中。直到1479年满都鲁汗与脱罗干等彻底打垮了永谢布大封建主乱加思兰后，结束了半个多世纪的混战，改变了以往"瞬息之间，未闻一人善终"的状况，汗权得到加强，蒙古黄金家族的地位才得以复苏。达延汗即位后，讨灭亦思马因，察哈尔代替了强大的永谢布部，成为最具实力的万户，为重新确立黄金家族的统治扮演了

---

① 《满文老档》太祖一，天命四年九月条，中华书局1990年版。

"利剑之锋刃，盔甲之侧面"① 的角色。因此，察哈尔部历史一直是学术讨论的热点。

　　从 20 世纪 20 年代起学术界对"察哈尔"一词的含义进行了种种解释。主要观点有：1. 从语言学的角度解释为"邻近"。因为察哈尔部的驻牧地毗邻长城，所以根据蒙古语"札哈（Jaq-a）"之意推测为"边界"、"边疆"。2. 有认为察哈尔（čaqar）是"白色"的意思，理由是蒙古语"察罕"（čaɣan）为白色，"察哈尔"一词源于此。② 上述两个观点不论是从语言学角度还是从历史学角度都有牵强附会之处。3. 芬兰的兰斯铁解释"察哈尔"一词为"王宫宫廷周围的平民（工匠和仆人）"，③ 并与意为"狩猎区"的突厥语 čaqar 做了联系。④ 4. 国内学术界根据《元朝秘史》第 68 节"察合"旁译为"孩儿"，以此推测"察哈尔"一词来源于突厥语 čaqa"孩子、幼小"。⑤ 上述诸观点缺少有力的证据，所有推论很难立足。

　　伯希和对"察哈尔"一词进行了语音和历史两方面的系统论述，其推论具有一定的可信度。他认为，"察哈尔"一词来源于波斯语 čaqar，意为"家人"或"臣仆"；据汉文史书记载，早在 8 世纪时期，活跃于隋唐时期的突厥汗国军队中有被称作"附离"的侍卫之士，有从突厥各部征集来的控弦之士，还有由中亚昭武九姓胡组成的精兵，这些精兵被称作"柘羯"。唐朝镇压安史之乱时曾从中亚募集以"柘羯"命名的军队。"柘羯"就是 čaqar 一词最早的汉译形式。后来这个词传入蒙古后，音"jaqar"，这并不足为怪。伯希和还说，察哈尔部的名称无论如何也应该为 jakhar，而不是 čakhar。⑥ 按照中古汉语语音，柘，之夜切，假开三去祃章，拟音为 [tʂǐa]；羯，居竭切，山开三入月见，[kǐɐt]，构拟作 ∗tʂagat ~ Jaɣad。拟音应该说

　　① 《大黄册》，乌力吉图校注本，民族出版社 1983 年版，第 150 页。
　　② 宝音德力根：《好陈察罕尔·察罕尔五大营·八鄂托克察罕尔——十七世纪前察罕尔历史研究》，《内蒙古大学学报》1998 年第 4 期。
　　③ 引薄音湖：《关于察哈尔史的若干问题》，《蒙古史研究》第 4 集，内蒙古大学出版社 1997 年版。
　　④ 宝音德力根：《好陈察罕尔·察罕尔五大营·八鄂托克察罕尔——十七世纪前察罕尔历史研究》，《内蒙古大学学报》1998 年第 4 期。
　　⑤ 额尔登泰、阿尔达扎布：《蒙古秘史还原注释》，内蒙古教育出版社 1986 年版，第 130—131 页；亦邻真：《〈元朝秘史〉畏吾体蒙古文复原注释》，内蒙古大学出版社 1987 年版，第 43 页。
　　⑥ 参见伯希和：《卡尔梅克史评注》，耿昇译，中华书局 1994 年版，第 69—70 页。

很接近伯希和的说法。

（二）察哈尔诸鄂托克的演变

察哈尔作为万户的名义出现，其具体年代目前还不能确定。日本学者冈田英弘对察哈尔万户的起源从史实方面做过探讨。他对相关蒙古史实进行分析后认为，成吉思汗赐予拖雷之妻唆鲁禾帖尼（Sorghaqtani）的八鄂托克察哈尔万户（nyiman otoγ čaqar tümen）肯定与察哈尔万户的起源有密切的关系。其主要根据是罗卜桑丹津《黄金史》中有关察罕尔万户起源的传说，[①]因为察罕尔万户一直供奉拖雷之妻也失哈屯（Eši qatun）的灵位，所以很可能就是唆鲁禾帖尼臣民的后裔。罗卜藏丹津《黄金史》中的传说将唆鲁禾帖尼与王汗之女察兀儿别乞混淆，而且拖雷也并不是替父而是替兄窝阔台而死的，因此札奇斯钦断言，传说完全是"后人的臆作"。[②]通过上述观点，我们可以认为，15 世纪中叶察哈尔真正作为万户或鄂托克出现后，一直属于拖雷唆鲁禾帖尼之子大元可汗忽必烈后裔托脱不花、摩仑、满都鲁、达延汗的统辖。[③]显然，察哈尔万户与拖雷唆鲁禾帖尼的八鄂托克察哈尔万户有明显的历史渊源关系。

满都鲁汗时期的察哈尔万户逐渐强大，进而成为六万户的政治中心。15 世纪，忽必烈后裔大汗们的汗帐设在察哈尔万户，察哈尔万户归大汗统辖。可以说，15 世纪时期的察哈尔万户最早是拖雷、唆鲁禾帖尼的臣民，后来由他们的子孙大元可汗忽必烈及其后裔继承，到 15 世纪中期又成为忽必烈汗后裔脱托不花汗、摩伦汗、满都鲁汗、达延汗等直辖的臣民。[④]

对于察哈尔诸鄂托克数量或名称，蒙古文史书习惯地按某一时期大的鄂托克称呼其万户。当然这种称呼也并非一成不变的。随着万户中鄂托克数的

　　① 据罗卜藏丹津《黄金史》载，可汗（成吉思汗）患病，其幼子拖雷亦感不适，卜者说，若一人痊愈，其一则难逃厄运。于是拖雷之妻察兀儿别吉（čaqaur beki）向天祈求："若可汗死去，将国民无主，若拖雷死去，唯我成寡。"祈求果然应验，拖雷死去，可汗痊愈。为此可汗（成吉思汗）嘉奖其念汗父而不顾丈夫的贤德，特给予封号，赐予八鄂托克察哈尔万户。

　　② 札奇斯钦：《蒙古黄金史译注》，1979 年版，第 108 页。

　　③ 宝音德力根：《好陈察罕尔·察罕尔五大营·八鄂托克察罕尔——十七世纪前察罕尔历史研究》，《内蒙古大学学报》1998 年第 4 期。

　　④ 宝音德力根：《好陈察罕尔·察罕尔五大营·八鄂托克察罕尔——十七世纪前察罕尔历史研究》，《内蒙古大学学报》1998 年第 4 期。

增减，称呼也会不断改变。16 世纪后半期，乌鲁斯博罗特的后裔在察哈尔万户内部不断分封，产生了若干个新鄂托克，但主要鄂托克只有八个。汉文史书中有关察哈尔鄂托克的记载，魏焕的《皇明九边考》可能是最早的了。① 稍后成书的郑晓《皇明北虏考》亦有此类记载。② 上述两书分别成书于 1541 年和 1551 年，这是 15 世纪末 16 世纪初即博迪（Bodi，明译卜赤、不地）汗时期关于察哈尔鄂托克的真实写照。两书中所说的"好陈察哈尔"在 16 世纪前半期的察哈尔部五大鄂托克中为第一大营，而且达延汗的汗帐设于此营，所以当时以"好陈察哈尔"来称呼察哈尔万户，这一名称后来被简化成"察哈尔"。③ 察哈尔万户被称作"八鄂托克察哈尔"是按 16 世纪中叶至后叶时期，即打来孙库登汗和土蛮汗直辖的察哈尔万户的鄂托克数而称呼的。从达延汗与不地汗时代的察哈尔"五大营"到打来孙汗时代及以后的察哈尔部"八大营"的变化，表明察哈尔万户的不断扩大，而且也说明达延汗诸子，即各鄂托克封建主们，也按照传统在自己的万户或鄂托克内进行了再度分封。当然我们不能就此认定察哈尔的鄂托克只有八个，这只是对其中较大的鄂托克的习惯称呼，"见于记载的部名早已超过八个，不可能排出整齐的八鄂托克的图表。"④

林丹汗即位，汗帐依然设在察哈尔，"察哈尔"成为漠南蒙古的统称。此时的察哈尔八鄂托克⑤（八大营）又被分为左右翼，即山阴或右翼的浩齐特、苏尼特、乌珠穆沁、克什克腾四鄂托克；山阳或左翼的阿喇克绰特、敖汉、奈曼、兀鲁特四鄂托克。这里所说的山，达力扎布认为应该是大兴

---

① 魏焕：《皇明九边考》卷 6，山东齐鲁书社 1997 年版。

② 郑晓：《皇明北虏考》，上海书店出版社《丛书集成续编》本。

③ 宝音德力根：《好陈察罕尔·察罕尔五大营·八鄂托克察罕尔——十七世纪前察罕尔历史研究》，《内蒙古大学学报》1998 年第 4 期。

④ 乌兰：《〈蒙古源流〉研究》，辽宁民族出版社 2000 年版，第 327 页。

⑤ 贡布扎布：《恒河之流》所载察哈尔八鄂托克是："阿喇楚特（Alčud）、克什克腾（Kišigten）、敖汉（Auqan）、奈曼（Nyiman）、塔塔儿（Tatar）为山阳四鄂托克；乌珠穆沁（Üjümüčin）、浩齐特（Qayučid）、克穆克齐特（Kemkečid）、喀尔喀（Qalq-a）为［山阴］四鄂托克。"《金轮千辐》中说："察哈尔万户是，敖汉、奈曼、苏尼特（Sünid）、乌珠穆沁为山阳左四鄂托克；珠伊特（Juyid）、博罗特（Borod）、阿喇克（Alay）、阿喇克绰特（Alayčud）为山阴右四鄂托克。"除此之外，如《蒙古源流》、《水晶珠》等相关蒙古史书也记载了已不知其踪迹的许多部落名称。见达力扎布：《明代漠南蒙古历史研究》，内蒙古文化出版社 1998 年版，第 129 页。

安岭。

察哈尔八鄂托克的具体情况：

1. 浩齐特（Qaγučid）：是察哈尔五大营第一大营，"好陈察哈尔"的简称，由"好陈"（Qaγučin）的复数形演变成浩齐特。《钦定外藩蒙古回部王公表传》（以下简称《王公表传》）卷三十五《浩齐特部总传》说："元太祖十六世孙图噜博罗特，再传至库登汗，号其部曰浩齐特"。达延汗→兀鲁斯博罗特→不地→打来孙，可见浩齐特部一直到打来孙汗时，仍由蒙古大汗直接统治。传中说，"以林丹汗不道，徙牧瀚海北，依喀尔喀"。由此可知它的牧地应该在大兴安岭北，且离喀尔喀很近。

2. 苏尼特（Sünid）：《蒙古秘史》47 节中有"抄真斡儿帖该生子六人，……一名雪你惕（Sünid），……"的记载。可见苏尼特已有悠久的历史，是个古老的蒙古部落。从其北附喀尔喀来看，它的牧地应该离明边较远，且与浩齐特为邻。

3. 乌珠穆沁（Üjümüčin）：宝音德力根认为这一名称来源于葡萄（Üjüm）。①《王公表传》载："博迪汗第三子翁衮都喇尔，号其部曰乌珠穆沁。"②《万历武功录》说，其驻地离明边很远，一定在潢水之北。③乌珠穆沁在林丹汗西征时，也归附了喀尔喀。达力扎布认为，其驻地可能比清代乌珠穆沁旗的位置靠北一些。④

4. 克什克腾（Kešigten）：这一名称肯定来源于蒙元时期的大汗禁卫军怯薛（复数作怯薛丹，Kešigten）。《王公表传》卷三十三说："元太祖十六世孙鄂齐尔博罗特，再传至沙喇勒达，称墨尔根诺颜，号所部曰克什克腾，……"⑤《辽夷略》说克什克腾"离义州正北千余里驻牧，……拥兵骑约七八千"，可见牧地也在大兴安岭北。《蒙古文档》上编第 5 件皇太极敦

① 宝音德力根：《好陈察罕尔·察罕尔五大营·八鄂托克察罕尔——十七世纪前察罕尔历史研究》，《内蒙古大学学报》1998 年第 4 期。

② 《钦定外藩蒙古回部王公表传》卷 34，《乌珠穆沁总传》，武英殿刻本。

③ 《万历武功录》卷 10，《黑石炭列传》，中华书局影印 1962 年版。

④ 达力扎布：《明代漠南蒙古历史研究》，内蒙古文化出版社 1998 年版，第 128 页。

⑤ 《钦定外藩蒙古回部王公表传》卷 33，《克什克腾总传》，武英殿本。

促蒙古奈曼部洪巴图鲁结盟的信中说："可将此书与两克西克腾诸贝勒观之。"①克什克腾亦属山阴鄂托克，但并未像其他山阴鄂托克那样"依喀尔喀"，由此可以断定它的牧地离明朝较远，却与敖汉、奈曼的驻地较近。

5. 阿喇克绰特（Alaɣču d）：根据《史集》此部名来源于在昂可喇河（今安加拉河）与谦河（今叶尼塞河）放牧斑驳马的人们（Alaɣčin Aduɣutan）。17世纪初，阿喇克绰特作为察哈尔大的万户出现在史书记载当中。《蒙古源流》里有阿喇克绰特部的萨岱多郭朗劝满都海彻臣哈屯嫁给乌讷博罗特王（Ünebolod ong）而被热茶浇在头上的记载。兀鲁斯博罗特的后裔挨大笔失（Aidabiši）和脑毛大（Namu Taiji）是该部的统治者。②即达延汗→兀鲁斯博罗特→也密力→挨大笔失→脑毛大。

天聪二年（1628）二月，皇太极趁林丹汗西征，以察哈尔多罗特部两次截杀爱新国遣往喀喇沁使臣为由，"皆选精锐以行之兵"往征阿喇克绰特及其所属（或相邻）的多罗特部。俘获一万一千二百人，以蒙古、汉人男丁一千四百名，编为民户，余俱为奴。③俘获的人数足以表明，阿喇克绰特也是一个相当大的部落。

6. 兀鲁特（Uruɣud）：来源于古代蒙古部落兀鲁兀，是元代五投下之一。森川哲雄推论兀鲁特是达延汗第十子格埒博罗特领有的鄂托克。④这一推论统一了诸蒙文史书中颇不一致的说法。很多史料把兀鲁特的明安和科尔沁部的明安台吉加以混淆，就连《清史稿·明安传》⑤也将两人混为一人。实际上自广宁归附的明安是察哈尔属部兀鲁特的台吉，《辽夷略》中称此部首领为五路，就是以它的部落名称称呼的。《辽夷略》中的五路就是郎台吉（Lung beile），而归附爱新国的明安便是五路的后裔。⑥兀鲁特部与爱新国发

①　《清太宗实录》卷2，天聪元年二月乙亥条。

②　宝音德力根：《好陈察罕尔·察罕尔五大营·八鄂托克察罕尔——十七世纪前察罕尔历史研究》，《内蒙古大学学报》1998年第4期。

③　《满文老档》，中华书局1990年版，第879—880页；《清太宗实录》卷4，天聪二年二月丁未条。

④　［日］森川哲雄：《试论察哈尔八鄂托克及其分封》，《东洋学报》58—1、2。

⑤　《清史稿》卷229，《明安传》。

⑥　明安不是郎台吉的儿子，而是孙子。参阅宝音德力根：《好陈察哈尔·察罕尔五大营·八鄂托克察罕尔——十七世纪前察罕尔历史研究》，《内蒙古大学学报》1998年第4期。

生联系，最初是在天命六年（1621），是年七月"蒙古乌鲁特国达尔汉巴图鲁贝勒属下十五户来归"。①《满洲实录》天命七年（1622）二月十六日条载兀鲁特部明安等十七贝勒，与喀尔喀等部台吉，共率所属军民三千余户并牲畜归附。这是兀鲁特和喀尔喀两个部落来归人数的总数。我们从《满文老档》中可以了解到更详细的情况："二月十六日，兀鲁特部明安、索诺木、揣尔扎勒、噶尔玛、昂昆、多尔济、顾鲁、绰尔吉、奇布塔尔、青巴图等十贝勒率妇孺及一千男丁，逃来广宁城。"② 这才是兀鲁特部来归的确切数字。有关兀鲁特部归附爱新国的原因，根据明辽东经略熊廷弼和明臣王在晋的情报，林丹汗的宠臣贵英哈"宿其所属五路妇女"，③于是兀鲁特部"率万众降炒花"，但仍难以立足。天命七年（1622）正月，爱新国攻克广宁，住地在明广宁近边的兀鲁特部直接受到爱新国的威胁，于二月十六日"明安、锁诺木绰乙喇札尔、……共十人，率子女、男千人逃至广宁"，④ 成为敖汉、奈曼归附前察哈尔本部中第一个归附爱新国的部落。努尔哈赤授明安三等总兵官，别立兀鲁特蒙古一旗。

7. 敖汉。

8. 奈曼。

（三）敖汉与奈曼

敖汉（Auqan）是蒙古语"auɣan→uuɣan"（第一、长子等意）的古老形式。奈曼部来源于成吉思汗时期的大部落乃蛮。《蒙古源流》中记载了妥懽帖睦尔皇帝被明兵追杀，有乃蛮氏不花丞相力战而逃的故事和达延汗祖父哈尔忽出黑台吉（Qarɣučuɣ）下有个家童叫乃蛮氏亦纳黑·格咧（Inaɣ gere）的事情。《黄金史纲》中说脱脱不花汗时期其手下有叫敖汉桑得格沁彻辰（Sendegčin）的人主张除掉也先太师，歼灭瓦剌。⑤ 可见二部也是具有悠久历史的部落。⑥

① 《满文老档》太祖二十四，中华书局1990年版，第219页。
② 《满文老档》太祖三十六，中华书局1990年版，第331—332页。
③ 《明熹宗实录》，天启元年九月癸丑条。
④ 《满文老档》太祖五十七，中华书局1990年版，第534页。
⑤ 朱风、贾敬颜译：《汉译蒙古黄金史纲》，第59—60页；蒙古文原文第173—174页。
⑥ 达力扎布：《明代漠南蒙古历史研究》，内蒙古文化出版社1998年版，第124页。

达延汗长子图噜博罗特早逝。次子兀鲁斯博罗特以长子的名义成为汗位继承人。1508 年兀鲁斯博罗特在右翼三万户的叛乱中被弑，其子不地[①]于1519 年即位，统辖察哈尔万户。不地弟也密力的后裔统领了敖汉、奈曼部。《王公表传》卷二十六记载：

敖汉部，在喜峰口外，至京师千有十里，东西距百六十里，南北距二百八十里。东界奈曼，西界喀喇沁，南界土默特，北界翁牛特。……皆元太祖十五世系孙达延车臣汗之裔。达延车臣汗子十一：长图噜博罗特，其嗣为敖汉、奈曼、乌珠穆沁、浩齐特、苏尼特五部。……图噜博罗特子二：长博迪阿喇克，……次纳密克，[②]生贝玛土谢图，子二：长岱青杜楞，号所部曰敖汉。

《王公表传》卷二十七记载：

奈曼部，在喜峰口外，至京师千有百一十里。东西距九十五里，南北距二百二十里。东界喀尔喀左翼，西界敖汉，南界土默特，北界翁牛特。元太祖尝偕其弟哈布图哈萨尔，平奈曼部，详见元史。太祖十六世孙图噜博罗特，三传至额森伟徵诺颜，即以为所部号，子衮楚克嗣，称巴图鲁台吉，服属于察哈尔。以林丹汗不道，天聪元年，偕从子鄂齐尔等率属来归。

《王公表传》中误将代青都楞为贝玛长子，其实代青都楞是贝玛长子秃丈都剌儿（Tujang dural）之子。不地和也密力（Emlig）的后裔在察哈尔万户内部不断分封，敖汉、奈曼部正是也密力子贝玛后裔的臣民。分封具体情况如下：

达延汗→兀鲁斯博罗→也密力（Emlig）→贝玛（Buima）→秃章都喇儿（Tujang dural）→戴青都楞（Daičing dügüreng）……敖汉

达延汗→兀鲁斯博罗特→也密力→贝玛→额森伟征（Esen üijeng，贝玛第二子）→衮出斯巴图鲁（Günčus baɣatur）……奈曼

另外《王公表传》说戴青都楞和额森卫征分别号所部曰敖汉、奈曼。可以认为，敖汉、奈曼二部同属贝玛后裔，血缘一致，因此相邻而牧，关系

---

① 有关此考证详见宝音德力根：《15 世纪中叶前的北元可汗世系及政局》（十四），《蒙古史研究》第 6 辑，内蒙古大学出版社 2003 年版，第 131 页。

② 纳密克即也密力。

很密切。它们属于察哈尔万户中的山阳或左翼鄂托克。在察哈尔部举部向南迁移时，敖汉、奈曼作为两大宗支部落也一起南迁。

根据《辽夷略》记载，敖汉、奈曼部距义州正北上四百里。这一位置大概是现在的西拉木伦河南、大凌河附近，大体相当于清代至今的敖汉旗和奈曼旗以及今天的辽宁省建平县附近。[①]这应该是南迁后的地理位置，它们同爱新国接壤，与爱新国时有往来，战略位置上它们的驻地又是爱新国向西扩张的必经之地。

二、敖汉与奈曼归附爱新国

（一）察哈尔部分裂前的内外形势

明朝、元裔蒙古与爱新国三足鼎立局面　16 世纪末、17 世纪初，在中国政治舞台上，出现了有着各自政治目的三大政治集团，纵横捭阖，激烈角逐。中原明王朝当时占有长城以内十八省及东北一带。到崇祯朝时，农民起义频繁，内部矛盾重重，人心涣散、兵力不足，国势衰微，显露出必亡之兆。

17 世纪初，以努尔哈赤为首的建州女真部逐渐强大，万历四十四年（1616）统一女真各部，建立了爱新国，形成了明朝、蒙古和爱新国三足鼎立的新局面。随着爱新国的强大，女真贵族立志问鼎中原，更加积极经营漠南蒙古诸部。因为首先，漠南蒙古位于爱新国的右翼，想要进入辽沈地区，只有征服漠南蒙古才能无后顾之忧；其次，元裔蒙古与明朝有着共同抵御爱新国的盟约，只有拆散这个联盟方可犯明；再次，需要以骁勇善战的蒙古兵力和取之不竭的蒙古马力来弥补军事力量上的不足。所以，女真贵族以联姻、馈赠物品等为诱饵，采取逐一渗透、各个击破的战略措施，积极争取各自为政的蒙古诸部。为了孤立察哈尔部，爱新国通过对来归者厚礼相迎、封官加位、袒护、救济等手段，使毗邻的蒙古部落一一倒向爱新国。敖汉、奈曼便是其中之一。

元裔蒙古，自明初以来一直与明廷对峙。当时的蒙古的政治地理仍是互不统属的三大区域，即漠南蒙古、漠西卫拉特及漠北喀尔喀。政治中心仍是

---

① 达力扎布：《明代漠南蒙古历史研究》，内蒙古文化出版社 1998 年版，第 124 页。

蒙古大汗所在的察哈尔部。漠南是蒙古部落最多，且最不稳固的地区。东北部大兴安岭地区分布阿禄蒙古各部，嫩江流域是科尔沁部。相邻的则是内喀尔喀五部、乌齐叶特、弘吉喇、巴约特、扎鲁特和巴林部。控制边外归化城和土默川地区的是俺答汗后裔土默特部。此外还有哈喇嗔部、永谢布和占据黄河河套地区的鄂尔多斯部。

万历三十二年（1604年），林丹汗即位时，蒙古诸部各自为政，政局极端混乱。少年林丹汗意欲重振蒙古雄风，三次抄掠明边，曾一度攻陷广宁，被明人称为"虏中名王，尤称桀骜"。鉴于当时的政治形势，林丹汗采取攘外须安内的政策，决定武力征服游离不定的蒙古各部，再与爱新国、明朝争锋。林丹汗的军事行动确实在某种程度上改变了蒙古以往"穷饿之虏"、"柔弱无为"的形象，也在某种程度上突出了其"共主"地位。但是当时的蒙古社会需要的是稳定的政局和经济的复苏，而不是无休止的战乱。林丹汗的举措非但未能改变蒙古地区多年的封建割据和经济萧条的状况，反而加剧了本支部落"八大营二十四部"部众的背离、独立的倾向。努尔哈赤恰恰利用了这个时机。

察哈尔部唇亡齿寒的局面　如上所述，林丹汗对蒙古的武力统一并未达到预期目的。相反，靠近女真的蒙古左翼各部纷纷投靠爱新国，科尔沁和内五喀尔喀相继成为爱新国的盟友。

科尔沁部（Qorčin）是成吉思汗长弟合撒儿后裔所领部落名称。合撒儿十四世孙的奎蒙克塔斯哈喇，随着蒙古大汗、察哈尔部首领打来孙、喀尔喀左翼首领忽喇哈赤率部越兴安岭南下，驻牧于嫩江流域，以同族有阿噜科尔沁，号嫩科尔沁以自别。[1]科尔沁东邻乌拉，东南近叶赫，西南界扎鲁特，南接内喀尔喀，北临嫩江上游地区。早在1583年和1587年，科尔沁部翁阿岱等应叶赫部的请求攻打过扈伦四部中的哈达部。万历二十一年（1593）难以容忍努尔哈赤统一举动的科尔沁部右翼翁阿岱、左翼莽古斯、明安等应叶赫、哈达等女真诸部的呼吁与努尔哈赤相战，这就是所谓的九部联军之战，战争以九部联军的彻底失败而告终。这样，在努尔哈赤时期的满蒙关系

---

[1]　《钦定外藩蒙古回部王公表传》卷17，《科尔沁部总传》，武英殿本。

史上，蒙古与爱新国第一次武力较量，便以蒙古的惨败而告终。①对于爱新国来说，努力争取科尔沁，极大限度地孤立林丹汗，在漠南蒙古打开缺口才是上策。因此在对待科尔沁问题上，努尔哈赤表现得非常耐心大度，摈弃旧怨，与科尔沁部结姻盟。万历四十年（1612年）努尔哈赤与科尔沁明安贝勒的联姻就是最好的例证。此后，爱新国方面与科尔沁部建立了频繁的联姻关系。②科尔沁部与爱新国的联姻，对林丹汗构成了威胁。天命八年（1623年）正月林丹汗用兵科尔沁，以解决科尔沁问题。这种为渊驱鱼的做法使科尔沁彻底倒向爱新国。先是科尔沁部落首领奥巴向努尔哈赤求援，努尔哈赤借此机会提出了建立反察哈尔联盟的建议。③天命九年二月，奥巴与爱新国建立了反察哈尔联盟。科尔沁从此成为爱新国的政治同盟和军事支柱，以后也成为清朝的军事屏藩。科尔沁归附爱新国后，受到了前所未有的良好待遇和保护，以免遭察哈尔部的攻击，这成为其他蒙古诸部纷纷同爱新国建立友好关系的开端，也为爱新国向其他蒙古部落渗透打开了良好的局面。

内喀尔喀是继科尔沁之后，与爱新国建立盟友关系的又一大政治集团。

内喀尔喀部为达延汗第五子阿尔楚博罗特（Alčubolud）之后裔的部众。阿尔楚博罗特子虎喇哈赤有子五人，分别率领五部，故称喀尔喀五部。④内喀尔喀部东界海西女真叶赫部，西接察哈尔部，南近广宁，北界科尔沁部。内喀尔喀五部之间内讧不休，时联时分，争掠频繁。早在万历二十二年（1594年），内喀尔喀部贝勒老萨同科尔沁贝勒明安遣使通聘努尔哈赤。万历三十三年（1605年），巴约特部索宁歹青之孙恩格德尔台吉最先与建州建立了贸易关系。第二年他又引喀尔喀五部使者去建州进驼马，还给努尔哈赤上汗号。这是双方关系进一步加强的标志，但双方关系是平等的，绝无政治上的隶属关系。从此喀尔喀与建州使臣往来不绝，通好贸易。万历四十二年（1614年），喀尔喀扎鲁特贝勒钟嫩以女妻努尔哈赤子大贝勒代善，不久，

---

① 《清太祖实录》卷1。九部：夜黑（叶赫）、哈达、兀喇（乌喇）、辉发、实伯（锡伯）、刮儿恰（卦尔察）、朱舍里卫、内阴卫（讷殷卫）、廓儿沁部（科尔沁部）。

② 努尔哈赤在位时，同科尔沁联姻十次，其中娶入九次，嫁出一次。皇太极在位时，同科尔沁联姻十八次，其中娶入十次，嫁出八次。

③ 《旧满洲档》，台湾故宫博物院1969年版，第1297—1298页。

④ 答哩麻固什：《金轮千辐》，乔吉校注，内蒙古人民出版社1987年，第216—225页。

内齐汗以妹妻莽古尔泰贝勒。铁岭之役前的双方因为没有经济利益的冲突，所以保持着良好的关系。而天命四年、万历四十七年（1619 年）爱新国攻占开原，继而又攻下了铁岭后，由于内喀尔喀巴约特、扎鲁特、翁吉喇特等三部的驻牧地在辽河流域东面，与明朝互市于铁岭、开原一带，爱新国的攻占使这三个部落失去了与明朝的市口，经济利益的冲突就在所难免了。是年，翁吉喇特部宰赛召集扎鲁特和明安贝勒向努尔哈赤诉诸武力，袭击了爱新国军刚刚占领的铁岭，结果联军惨败，爱新国俘虏了宰赛。铁岭之败和宰赛被俘给蒙古带来了消极影响，使内喀尔喀不得不放弃抵抗，遣使求和。是年十月，"喀尔喀部落卓礼克图洪巴图鲁率众贝勒"[1] 致书努尔哈赤，请求结盟。十一月一日双方在噶克察漠都冈干塞忒勒黑（γaγča modutu γangγan—u seterhei）会盟，建立了针对共同的敌人——明朝的政治性、军事性攻守同盟。通过解决宰赛事件，努尔哈赤不仅钳制了喀尔喀五部，同时也稳定了同科尔沁、巴约特等部的联姻通好关系。这不能不说是一代枭雄努尔哈赤的智慧和精明。

但是随着明朝对蒙古政策的再次改变，内喀尔喀对同盟誓言也就束之高阁。他们从明朝领取可观的赏金后，断绝了与爱新国的来往，还堵截爱新国的使者。[2]扎鲁特部昂安便是一位积极的抵抗者。对于内喀尔喀的背盟行径，爱新国不得不诉诸武力。天命十一年（1626 年）四月，爱新国征讨喀尔喀，其攻击面覆盖了乌济叶特、巴林、巴约特三部。[3]十月，爱新国又以"喀尔喀五部落竟潜通于明，听其巧言，利其厚赂"[4] 为理由重创扎鲁特部。几乎同时，林丹汗亦出兵兼并喀尔喀诸部。兼并的结果使扎鲁特、巴林两部逃往嫩科尔沁。巴约特部恩格德尔率部归附爱新国，一代强酋炒花的部落溃散，或投爱新国或往明朝，其余被兼并。《蒙古文档》中天聪元年（1627 年）二月皇太极给奈曼部首领洪巴图鲁的书信中说："……察哈尔汗攻掠喀尔喀，以异姓之臣为达鲁花而居诸贝勒之上，离析诸贝勒之妻，强取诸贝勒之

---

① 《清太祖实录》卷 6，天命四年六月辛未条。
② 《满文老档》太祖二十六，中华书局 1990 年版，第 235 页。
③ 达力扎布：《明代漠南蒙古历史研究》，内蒙古文化出版社 1998 年版，第 283 页。
④ 《清太宗实录》卷 1，天命十一年十月乙酉条。

女为摆雅喇之奴矣"。①可见林丹汗出征内喀尔喀大约是在天命十一年（1626年）末，天聪元年（1627年）正月之间。兼并内喀尔喀部落的原因众说纷纭，笔者以为一是争夺明朝的市赏，二是通过兼并防止爱新国的渗透。

爱新国将毗邻的科尔沁和内喀尔喀五部逐一纳入自己的势力范围后，察哈尔部最东部的两大宗支部落敖汉、奈曼便成为爱新国向察哈尔部渗透的首要目标。

（二）敖汉、奈曼归附爱新国的经过

敖汉、奈曼与爱新国关系　敖汉、奈曼部早在林丹汗西迁之前就与爱新国有使节往来。根据《满文老档》的记载，天命七年二月二十五日，"我等（爱新国）兵进入锦州、戚家堡、义州等三处，……在义州敖汉都棱处……生擒百人，杀四百余人。……"②天命七年（1622年）三月六日，敖汉、奈曼使者二人到来；天命七年六月二十六日，敖汉使者又来，为首者赏银八两，从仆各赏银三两；六月二十九日，送敖汉使者回。送敖汉都棱贝勒金腰带一，银碗一。③看来爱新国一方面与敖汉、奈曼保持使节来往，另一方面也采取军事打击以动摇敖汉、奈曼部。爱新国一方面以军事行动来证明自己的势力向敖汉、奈曼示威，在某种程度上旨在防止林丹汗向爱新国渗透。而敖汉、奈曼部与爱新国保持友好往来，无非是避免战争发生在自己的领土上。可是当喀尔喀被兼并之后，局势发生突变，敖汉、奈曼部就开始动荡不安了。以强酋炒花为首的内喀尔喀在林丹汗和爱新国的交替打击下支离破碎时，敖汉、奈曼被夹在两大政治势力之间。如何面对内外压力，而保证自己不受打击，敖汉、奈曼两部开始充当察哈尔林丹汗与爱新国之间的调停者。如明人谓："自虎并炒，而之八大营俱不安。都令、色令俱不善于虎，居炒之西，虎之南，我倚为藩也。炒失而都与之邻矣，外畏强邻，内惧虎酋，内徙则为两避。"④《辽夷略》中说鬼麻之枝有五，即长男都令小歹青，次男额

---

① 《蒙古文档》上卷，第5件；包文汉整理《藩部要略》："天聪元年正月，有喀尔喀部人逃至者，言察哈尔林丹汗兴兵攻掠其部，从者收之，拒者被杀。扎鲁特、巴林二部，奔依科尔沁部。"黑龙江教育出版社1997年版，第5页。

② 《满文老档》太祖三十七，中华书局1990年版，第341—342页。

③ 《满文老档》太祖四十二，中华书局1990年版，第350、389—390页。

④ 《崇祯长编》卷14，崇祯元年十月壬辰条。

参委正……等。鬼麻即《王公表传》中的贝玛土谢图。引文中都令，不是贝玛之子，应该是贝玛之孙，系秃章都喇尔子岱青都棱。而色令则是岱青都棱之弟。他们害怕林丹汗的兼并搞到自己的头上，而对新兴劲敌爱新国又无何奈何，所以想通过与爱新国的使节往来和谈判来缓和林丹汗与爱新国之间的紧张气氛，以保证自己的部落不受侵害。所以遣绰尔济喇嘛以调停者的身份"欲为察哈尔汗与我国（爱新国）讲和"。①天聪元年（1627 年）二月二日，皇太极给奈曼部长衮楚克巴图鲁回书曰："果而修好，可遣一晓事人来"，并且以"善者不欺"来暗示敖汉、奈曼投靠爱新国，以"恶者不惧"②向二部施加压力。敖汉、奈曼部依然没有甘心，又遣使者，再次进行调节斡旋。天聪元年（1927 年）二月二十九日，皇太极给敖汉、奈曼诸王回书，书中皇太极措辞强硬，明知林丹汗不会和爱新国和谈，却执意要与林丹汗直接对话，并且始终以"科尔沁已将讲和之事托于我等"③ 为前提，对于敖汉、奈曼所提出的和平共处的愿望，不予理会，致使此次斡旋流产。四月，"衮楚克巴图鲁同敖汉部长索诺木都棱、塞臣卓礼克图及察哈尔国济农台吉遣使通款"，以保证暂时的安宁。林丹汗方面对于敖汉、奈曼部的苦口婆心不予理解，反而对二部与爱新国的直接接触敏感起来。林丹汗不愿意看到自己的宗支部落被别人指手画脚，从而对自己构成新的威胁，所以故伎重演，加紧对二部的兼并。也许林丹汗想通过军事打击来阻止敖汉、奈曼脱离本营，防止它们步科尔沁和内喀尔喀后尘成为爱新国的盟友，同时也想让爱新国知道自己还有一定的势力与之抗衡。汉文史料记载"都既降，虎恐其部为都续，遂吞并乃蛮、黑石炭等，一概收之，惟余拱兔一家。拱居宁远也，最恭顺，今春亦为攻击。"④ 乃蛮即奈曼，黑石炭即克什克腾。拱兔为林丹汗叔祖。林丹汗本来想通过兼并来抵御爱新国对其本部的瓦解，但是林丹汗所担心事情果然发生了。事与愿违，兼并对敖汉、奈曼产生了消极的影响。正当敖汉、奈曼部彷徨犹豫之际，爱新国方面采取了军事行动。五月六日，

---

① 《皇清开国方略》卷 11，《四库全书》影印本。
② 《清太宗实录》卷 2，天聪元年二月乙亥条。
③ 《清太宗实录》卷 2，天聪元年二月乙丑条。
④ 《崇祯长编》卷 14，崇祯元年十月壬辰条。

皇太极向明出兵，九日抵达广宁。①皇太极率军攻打了明锦州、宁远二城，
拆毁了明朝在大、小凌河新建城池。此次出征，一方面破坏了明朝加固外围
据点的计划，另一方面切断了察哈尔等部与明朝间的互市关系，也给邻近岭
南察哈尔各部施加了压力。② 敖汉、奈曼部本来想以第三者的身份调解林丹
汗与爱新国的紧张关系，防止战争的再发，但是由于使节往来被林丹汗误解
而遭打击，爱新国方面又措辞强硬，不予理会，而且采取军事行动施加压
力。于是在内外作用之下，经过一段犹豫后，敖汉、奈曼终于在皇太极征明
班师途中，即于天聪元年（1627 年）六月十二日"率国人来叛"。③当留守
都城的诸王告知这一消息时，皇太极遣人打探"来叛真否"。④他们的来归，
显然出乎皇太极的预料之外。等到二十五日，敖汉部都棱、塞臣卓礼克图和
奈曼部洪巴图鲁三王使者到达后，皇太极才确信无疑，遂于七月四日出都尔
鼻城，渡辽河，至十里外迎来归蒙古诸王，并设宴接纳，赏赉诸王。皇太极
紧紧把握敖汉、奈曼来归的绝好机会，并且巧妙地利用他们与察哈尔的矛
盾，于七月六日立即与敖汉、奈曼诸王建立反察哈尔联盟。敖汉、奈曼部与
爱新国建立联盟关系后，察哈尔阵营人心涣散，部分属部纷纷逃离本部，有
些被爱新国吞并。天聪元年八月十八日，察哈尔部阿喇克绰特国巴喇巴图
鲁，诺敏达赉，绰伊尔扎木苏（čoirjamsu）三王携男 15 人，女 14 人，小儿
10 人，马 45 头逃亡来归。⑤天聪二年（1628 年）二月，爱新国以遣往哈喇
嗔部使者被截杀为借口，向驻牧在敖牧伦的多罗特部进攻，"多尔济哈坦巴
图鲁负伤败走，妻子皆获，杀其台吉古鲁，俘获万一千二百人"。⑥但东投爱
新国是部分贵族的选择，此时的察哈尔阵营内绝大部分还是不愿意背叛自己
的大汗。明人记载说："熹宗天启七年九月，都令、色令俾乃蛮等降建州，
其余部分不肯往，多西投虎墩兔。"⑦岭北（大兴安岭北）的察哈尔的另外三

---

①《满文老档》太宗五，中华书局 1990 年版，第 845 页。

②达力扎布：《明代漠南蒙古历史研究》，内蒙古文化出版社 1998 年版，第 293 页。

③《满文老档》太宗六，中华书局 1990 年版，第 855—856 页。

④《满文老档》太宗六，中华书局 1990 年版，第 855—856 页。

⑤《满文老档》太宗七，中华书局 1990 年版，第 864—865 页。

⑥《满文老档》太宗十二，中华书局 1990 年版，第 880 页。

⑦《蒙古民族通史》第 4 卷，内蒙古大学出版社 2002 年版，第 19 页。

个宗支部落即浩齐特、乌珠穆沁、苏尼特部落，也"徙牧瀚海北，依喀尔喀"。①

至此，林丹汗的兼并战，把左翼各部一一推向了爱新国，就连自己的宗支部落也不是投靠爱新国就是四处溃散，因此林丹汗为了暂时避开爱新国的锋镝，转而西迁，俟机与爱新国重新较量。

1627 年的盟誓　天聪元年（1627 年）察哈尔的两大宗支部落敖汉、奈曼投靠爱新国，与其建立联盟的最显著标志应该是皇太极的这份誓词。在当时，对天盟誓是统治者的惯例，也是积极争取新的政治盟友的一种手段。虽然是一种形式，但若违背盟誓则被认为是逆天而行，因此誓词具有相当的约束力。誓词一般宣读后便烧毁，遗留的一般是草稿或其抄本。《清实录》等官修史书中能够见到的誓词与我们目前所发现的《盛京档》和《蒙古文档》中的蒙文稿件有很大的差异，而《盛京档》和《蒙古文档》间也有若干个互异处。下面对这份誓词的不同抄本进行比较，进而分析 1627 年敖汉、奈曼与爱新国联盟的性质、意义和对后来产生的影响。

《蒙古文档》稿正面文件后用旧满文写着："天聪汗元年丙卯年秋七月初六日对敖汉、奈曼诸贝勒的发誓的书"。背面亦用旧满文写着："对敖汉、奈曼发誓的书"。汉译：

> ［大金国］天聪汗告天盟誓。察哈尔汗破坏自己的国家，不认自己的兄弟，无故破坏了喀尔喀五部落，所以敖汉、奈曼的诸诺颜（贝勒）怨恨察哈尔汗，来投靠天聪汗。我如果不加轸念，让（他们）进入长城内（境内）像自己的平民一样对待（的话），天聪汗、大贝勒、莽古尔泰贝勒、阿巴泰、德格类、济尔哈朗、阿济格、杜度、岳托、硕托、萨哈廉、豪格、等全部（愿我们）被上天谴责，寿命短暂。（我们如果）如此爱养（下去），（而）都棱、洪巴图鲁、塞臣卓礼克图、土谢图、代青、达尔汉、桑噶尔寨、俄齐尔、杜尔霸等全体诺颜们听信察哈

---

① 《钦定外藩蒙古回部王公表传》卷34—36。有关上述三部的牧地在明朝史料中没有记录，达力扎布认为，它们的牧地一定靠北一些，因此林丹汗西迁时北附喀尔喀车臣汗部。见达力扎布：《明代漠南蒙古历史研究》，内蒙古文化出版社 1998 年版，第 128 页。

尔的离间之言，抛弃我们，怀二心（的话），（愿你们）被上天谴责，寿命短暂。（如果）所有的人遵守誓言（的话）（愿）上天眷佑我们，（让）我们的寿命延长，子孙繁盛，千秋万代幸福永远。

如前所述，内喀尔喀在爱新国和林丹汗的交替打击下，失去了独立存在的地位。而处在两大集团（察哈尔、爱新国）之间的敖汉、奈曼由于害怕被林丹汗兼并，于天聪元年（1627年）六月十二日投靠了爱新国，以寻求庇护。皇太极乘人之危，以二部被林丹汗攻击而同情敖汉、奈曼，明确地表示要爱养、轸念他们，以此来感化敖汉、奈曼成为他的盟友。当时，敖汉、奈曼部为了暂时回避林丹汗的攻击而迫不得已投靠了爱新国。皇太极对二部的投靠既重视，又谨慎。因为他知道，如果与这二部建立盟友关系，西征察哈尔可谓轻车熟路，没有多大的障碍了。这才是皇太极真正的想法。皇太极不可能没有任何交换条件地去抚养投靠他的蒙古诸部，这在以后的战争中体现得比较明显。单从这一点上讲，联盟的意义不是原来的性质了。皇太极的苦心，终于变成了现实。敖汉、奈曼投靠后的第二年，即天聪二年（1628年）九月，皇太极以"察哈尔汗不道"为由，偕敖汉、奈曼等蒙古诸部第一次出征察哈尔。一同征察哈尔时的联盟，就其性质来说，双方是平等的，根本没有任何隶属关系。因为在誓词中盟誓，不管盟誓的哪一方如果违背了誓言，就会被"天鉴谴"、"夺其纪算"。三次出征察哈尔后，敖汉、奈曼又成为皇太极攻打黑龙江诸部和朝鲜国的主要力量。通过先后征战，皇太极巧妙地掌握了对共同作战的蒙古兵的指挥权，对违反军规的蒙古兵士直接惩罚，合作或联盟已经没有了往日的平等，而逐渐转变成指挥与被指挥，统治与被统治的性质了。

三、爱新国（清）对敖汉、奈曼部的招抚措施

爱新国/清朝统治者为了巩固与敖汉、奈曼部的联盟关系和进一步加强对二部的统治，与其他来归蒙古诸部一样，对二部采取了封官加位、联姻等手段，进行招抚。

（一）封官加爵

爱新国/清朝统治者对来归蒙古诸部首领以频频赏赉金银、布匹、绸缎、

甲胄、军马、牲畜、丁户等来笼络他们，在蒙古人心目中牢固确立宽温大度的形象，让蒙古诸部更好地服从自己，进而建立自己的统治地位。除了上述物质奖赏以外，主要还给来归蒙古诸王封官加爵，让他们逐渐成为爱新国/清朝的臣民。天聪元年（1627 年）敖汉部索诺木杜棱率部来归（其实是建立盟友关系），皇太极立即赐号济农（顺治五年赠敖汉部落贝勒索诺木都棱为郡王，以其子马济承袭），让来归者与自己平起平坐，以拉拢更多的合作伙伴。对在征战中有突出表现者，也以封号加以鼓励，提高来归者的积极性。奈曼部的衮楚克和鄂齐尔（同俄齐尔）便是很好的例证。天聪元年（1627 年）以鄂齐尔"征察哈尔兵百获牲畜百余献，赐号和硕齐。"[1]天聪二年（1628 年）五月，以衮楚克"随大军征察哈尔固特塔布囊等于阿喇克绰特"，赐号达尔汉。崇德元年（1636 年）皇太极改元，封敖汉部塞臣卓礼克图子班第和奈曼部衮楚克为札萨克多罗郡王。满族入关后，对敖汉、奈曼诸王后裔的分封也是相当高的。

（二）联姻

恩格斯说过："对封建王公来说，结婚是一种政治行为，是一种借新的联姻来扩大自己势力的机会；起决定作用的是家世的利益，而决不是个人的意愿"。[2]女真贵族与敖汉、奈曼部王公联姻，便是很好的例证。天聪元年（1627 年），以哈达公主下嫁敖汉部落琐诺木杜棱。琐诺木都棱后又娶莽古尔泰妹莽古济。天聪七年（1633 年），敖汉部班第尚固伦公主，授固伦额驸。崇德二年（1637 年）6 月，奈曼部落达尔汉郡王衮楚克子巴达理娶和硕礼亲王代善女，被授予和硕额驸。

四、归附爱新国后的敖汉、奈曼部

就在与爱新国订立攻守同盟后不久，即天聪元年（1627 年）九月，奈曼部洪巴图鲁弟奥齐尔台吉（Očir taiji）出征察哈尔，杀百人、获家畜约二

---

① 《钦定外藩蒙古回部王公表传》卷 27，《奈曼部总传》，武英殿本。
② 《马克思恩格斯全集》第 21 卷，人民出版社，第 91—92 页。

百，献汗。①这是双方订立同盟后，奈曼部对察哈尔部采取的第一次军事行动。

敖汉、奈曼归附后，察哈尔部虽然失去了东面的屏障，但还没有到不堪一击的地步。但是两大宗支部落的归附，不论是从性质上、还是从影响上对察哈尔本部来说是重大的损失。皇太极的军事行动很快就证实了这一点。

（一）敖汉、奈曼随征察哈尔

天聪二年（1628年）九月四日，皇太极率领境外归降的蒙古科尔沁诸王，喀喇沁塔布囊，敖汉、奈曼诸王，喀尔喀诸王麾下兵士出征察哈尔国。出征期间皇太极严明军规，一再明令禁止杀害逃亡者，以笼络失散的蒙古人。兵至兴安岭，十月十五日返回沈阳。②此次出征显得有些草率，由于科尔沁诸王没有率兵来会，皇太极便没有采取更深入的军事行动。《满文老档》说"此次战争只有二人死亡"，③看来没有打过一次像样的战斗，与其说是出征，不如说是对察哈尔部的一次试探。经过此次教训后，皇太极明白征讨察哈尔部并非朝夕之事，所以积极筹备第二次出征。为了再次出征察哈尔，皇太极给敖汉、奈曼等部诸王下书，再三重申保护军马（骟马），④甚至明文控制来朝的次数，以保护军马的体力，⑤ 并且让敖汉、奈曼部五十人在 Ordoi Boro Tologai 设置哨探。

天聪五年（1631年）夏四月，皇太极欲偕蒙古诸部往征察哈尔，但科尔沁部土谢图汗奥巴奏言，"蒙古马不堪用，所发兵又少"，遂罢征察哈尔。⑥

经过一段时间的筹备后，皇太极第二次出征察哈尔。天聪六年（1632年）四月一日，皇太极统领满洲八旗和投顺后的科尔沁、内喀尔喀、敖汉、奈曼和喀喇沁等部蒙古骑兵，大举进攻察哈尔部。就在出征的几个月，皇太

---

① 由于此次出征，奥齐尔台吉被皇太极授为奥齐尔和硕齐（Hošooci）。《满文老档》太宗一，中华书局1990年版，第911页。

② 参加此次出征的有：喀喇沁塔布囊，敖汉、奈曼诸王，喀尔喀诸王。《满文老档》太宗一，中华书局1990年版，第911页。

③ 《满文老档》太宗十三，中华书局1990年版，第911页。

④ 《满文老档》太宗四十三，中华书局1990年版，第1177—1178页。

⑤ 《满文老档》太宗四十三，天聪五年闰十一月二十八日条，中华书局1990年版。

⑥ 祁韵士：《皇朝藩部要略》卷1，光绪十年（1884年）刻本。

极专门致书土谢图汗，消除其对察哈尔的恐惧，并且说服他向西移牧，甚至对军马的饲养都做了详细的部署。①皇太极是在避免再次出现科尔沁土谢图汗违背旨令而贻误征察哈尔的事件。爱新国军渡辽河，过西拉木伦河，越兴安岭，次大儿湖之公古里河，又进至都勒河。皇太极本以为这一次可以顺利地征讨察哈尔部，了却多年的夙愿。然而事与愿违，四月十八日当大军至喀喇木轮河宿营时，两名蒙古人逃往察哈尔，为察哈尔通风报信。②而告密的人又恰好是皇太极本以为忠诚归附了的蒙古人。察哈尔举部西移，爱新国又一次扑空。皇太极转军南下，自归化城起行，趋明边，沿途掳掠，耀武扬威，于六月二十四日大军至宣府边外张家口喀喇把尔噶孙地方，示于明张家口。此间，皇太极在致明方的书中一再重申"我等起兵无取天下之意"，③并且对入明境偷盗者严惩不贷，尽力回避与明朝发生正面冲突。经过三个多月的长途跋涉，于七月二十四日，返回沈阳。就这样，对察哈尔的第二次出征也以"五出三犁"的形式告一段落。

两次的出征并非像《藩部要略》和《清太宗实录》等官修史书中所说的那般"大破降之"，④而主要是沿途掳掠，收抚逃亡的官民，根本没有进行过一次正规的战役。

第三次出征（敖汉、奈曼没有参加此次出征）是在林丹汗去世后的第二年（1635年）。闻爱新国军来攻的林丹汗"星夜西遁"，于1634年夏至青海大草滩，患痘症而崩。林丹汗死后，失去抗金旗帜的察哈尔部四分五裂，各奔东西。1634年六月"察哈尔户口一千来归"。⑤察哈尔额林臣岱青等王宰桑二千七百余人归爱新国。紧接着图巴济农，阿牙克也率千余户归金。就连察哈尔部最有实力的贵族多尼库鲁克四大宰桑也率众六千及家口归金。仅十一月甲午一次"来归"的即达五千户二万口。⑥而察哈尔汗室仍困守在大漠深处。林丹汗的三福晋苏泰率部众东移，于1635年元月至托里图（今伊

---

① 《满文老档》太宗五十一，中华书局1990年版，第1257页。
② 《满文老档》太宗五十二，中华书局1990年版，第1271—1272页。
③ 《满文老档》太宗五十五，中华书局1990年版，第1303—1304页。
④ 祁韵士：《皇朝藩部要略》卷1，光绪十年（1884年）刻本。
⑤ 《皇清开国方略》卷19，《四库全书》影印本。
⑥ 《蒙古民族通史》第4卷，内蒙古大学出版社2002年版，第28页。

克昭盟乌审旗托里图苏木）驻营。漠北车臣汗部遣使欲将穷途末路的蒙古大汗汗位继承者额哲置于麾下，但错失良机，而爱新国方面早已从来归者口中得知林丹汗"病痘殂"①的消息，因此一直密切关注着察哈尔汗室的动态。1635 年二月苏泰人马驻营托里图的消息传到爱新国，爱新国方面作出迅速反应，皇太极命和硕墨尔根代青贝勒多尔衮、贝勒岳托、萨哈廉、豪格等为统兵元帅，率精骑一万，包围托里图，利用苏泰福晋之弟南楚进行劝降，额哲母子见大势已去，"遂归降爱新国"。综观爱新国三次出征察哈尔，正面战役比较少，甚至几乎没有。主要是对其宗支部落进行分化瓦解、逐一击破，致使察哈尔分崩离析，失去统一的战斗力，爱新国几乎兵不血刃地征服了明朝的北部屏藩。

（二）敖汉、奈曼随征朝鲜及明

以科尔沁部为开端，相继有内喀尔喀与爱新国形成统一战线，如今又有察哈尔宗支部落投往爱新国。爱新国已有了充足的兵力资源，因此可以无所顾忌地采取深入的军事行动，向明朝和察哈尔炫耀自己的兵威了。天聪三年（1629 年）冬十月，皇太极亲统大军伐明。以蒙古喀喇沁台吉布尔噶都为向导，大军次杜尔鼻。初四，扎鲁特部贝勒以兵来会。初五日，当大军次阳石木河时蒙古诸贝勒及奈曼部衮出斯巴图鲁和敖汉部都喇尔巴图鲁以兵来会。皇太极率大军，过蒙古地，沿途蒙古各部贝勒纷纷率兵来会，都想通过这次战争掠夺财富。皇太极以抢掠财物来鼓舞士气，浩浩荡荡地向明出发了。皇太极对明朝采取边争取说服投降，边攻打的政策，天聪四年（1630 年）三月，自喀喇沁之青城入洪山口，克遵化，围燕京，破良乡、香河，焚通州，克永平、滦州。"攻城转战，蒙古部多有功。"② 天聪四年（1630 年）元月已丑，兵至昌黎县，皇太极以"若攻克其城，城中财物，任尔等取之"作为条件令敖汉、奈曼、巴林、扎鲁特蒙古兵攻之。是日，蒙古诸贝勒来报"昌黎城不（能）克"。皇太极说："何难攻克，我兵可往取之"，于是亲率大军前往，终未能攻克。皇太极这才相信"不能克"，下令"退兵"。③

---

① 《皇清开国方略》卷 19，《四库全书》影印本。
② 祁韵士：《皇朝藩部要略》卷 1，光绪十年（1884 年）刻本。
③ 《清太宗实录》卷 6，天聪四年正月癸巳条。

天聪五年（1631 年）十月，皇太极率科尔沁、阿噜、扎鲁特、巴林、敖汉、奈曼、喀喇沁、土默特八路蒙古步骑兵共二万余会同八旗军队，围攻了大凌河城。经过一个多月的围困后，明军弹尽粮绝，祖大寿被说服投降，后与皇太极盟誓，共讨明锦州。①在此次战役中，敖汉、奈曼部蒙古兵骁勇善战，成功地袭击了明朝从锦州派来的援兵。

天聪八年（1634 年）五月，皇太极征明，六月喀喇沁、土默特、巴林、敖汉、奈曼部长各率兵至。敖汉、奈曼与其他蒙古诸部攻克得胜堡后，又进大同，各籍所俘获以闻。此次战役中奈曼部衮楚克因"以离营别宿，且争俘伤喀喇沁部卒"②而遭罚，表明皇太极当时偕蒙古诸部的出征目的不是抱着灭明的政治远见，而是以掠夺为主要目的。敖汉、奈曼归附之前，爱新国方面虽然也有征战，但多是小规模的。随着这两个部落的归附，爱新国对明朝和察哈尔（主要是察哈尔）的战略措施发生了变化。对察哈尔部的三次出征就是很好的例子。在敖汉、奈曼部为首的其他蒙古诸部的积极参与下，天聪九年（1635 年）察哈尔部归降。察哈尔部的归降标志着漠南蒙古诸部被爱新国所降服，同时意味着明朝"以夷制夷"的战略部署的彻底破灭，清统治者再也不是以前的"无取天下之意"的爱新国了，如何灭明被提到议事日程上来。皇太极认为"取北京如伐大树，须先从两旁斫削"，进行了一系列的军事行动。首先征讨以瓦尔喀部为首的黑龙江诸部，这一地区丰富的贵重毛皮成为爱新国统治者的主要目标。崇德四年（1639 年）和崇德八年（1643 年）连续往征，建立了巩固的后方。此前，崇德元年（1636 年）十二月，皇太极出征朝鲜，朝鲜最终沦为属国。这一系列的军事行动表明清朝已经具备了与明朝抗衡的实力，决战不过是时间问题了。

崇德八年（1643 年）八月，皇太极崩，福临即位，改元顺治，以济尔哈朗和多尔衮辅政。顺治元年（1644 年）年四月，多尔衮等统领满洲、蒙古兵启行伐明。五月，破李自成，五月二日底定燕京。冬十月乙卯，清定鼎燕京，入主中原。

从征服察哈尔诸部到征服瓦尔喀、虎尔哈、索伦等部落，相继又出征朝

---

① 《满文老档》太宗四十一、四十二相关内容，天聪五年十月二十四日条，中华书局 1990 年版。
② 《钦定外藩蒙古回部王公表传》卷 27，《奈曼部总传》，武英殿本。

鲜，最终灭明，入主中原，以敖汉、奈曼为首的诸部蒙古兵发挥了重要的作用，①它们成为清朝最得心应手的帮手。即使是入关后，敖汉、奈曼部也多次参加了军事行动，为维护大清的统治始终扮演重要的角色。这种相互的配合关系，后来发展成为满、蒙贵族联盟的基础。

第三节　四子部落及其迁徙历程

17 世纪上半叶，阿噜蒙古的一支——四子部落（Dörben keüked ayimaɣ）从大兴安岭北麓呼伦贝尔草原迁徙到阴山北麓西拉木伦河流域，整个迁徙过程复杂而离奇，一直没有得到很好的研究。四子部落的游牧过程颇能说明17 世纪上半叶满蒙关系的实质，有助于了解清代乌兰察布盟形成的历史。本文利用《旧满洲档》、《满文老档》、《内国史院档》、《清实录》以及蒙古文档案资料，通过对四子部落迁徙过程的考察，试图揭示这个时期满蒙关系的实质。

一、阿噜蒙古南迁的历史背景

17 世纪初，东北大兴安岭以北、以西、呼伦贝尔草原直到克鲁伦河下游一带分布着阿噜（aru，蒙古语，"山阴"之意）蒙古各部，包括成吉思汗诸弟后裔所统阿噜科尔沁、乌喇忒、茂明安、四子、翁牛特、喀喇车里克、伊苏特、阿巴嘎、阿巴哈纳尔等部落。这些部落由于驻牧在大兴安岭山阴而得名。嫩江流域是长期独立于蒙古六万户之外的科尔沁部。相邻而牧的则是分布于西辽河和辽河流域的内喀尔喀五部。控制西部山西、大同边外归化城和土默川地区的是俺答汗后裔土默特部。处于察哈尔和土默特中间的是喀喇沁万户，包括喀喇沁、东土默特和原来辽东地区的兀良哈三卫所属部落，即原"山阳万户"。占据黄河河套地区的是鄂尔多斯部。实力最强的是蒙古大汗所在的察哈尔部，分布于老哈河以东，广宁以北的辽河河套地区。

---

① 《钦定外藩蒙古回部王公表传》卷26，《敖汉部总传》：（崇德）十二月，从征朝鲜。（崇德）二年由朝鲜进征瓦尔喀，至吉木海，败平壤巡抚、安州总兵，及安边道援兵。卷27《奈曼部总传》：（崇德）二年，随大军由朝鲜进征瓦尔喀，俘获甚众。

1604 年，年少的林丹汗继蒙古大汗位，称呼图克图汗。在位期间，他致力于强化汗权，试图用武力与强权统一蒙古。长期的割据助长了蒙古各部的离心倾向，各部封建主纷纷称汗，蒙古汗权衰微，林丹汗实际上成为只能驾驭察哈尔一部的蒙古末代大汗。

正在这个时期，深受蒙古语言文化和风俗习惯影响的建州女真，在成为明朝建州卫的期间，经过其酋长努尔哈赤的苦心经营，实力迅速壮大。1616 年建立爱新国；天命四年（1619 年），取得击败明军的萨尔浒大捷；天命六年（1621 年）攻陷辽阳、沈阳，成为抗衡明朝，威胁蒙古的新兴政治力量。明朝面对爱新国的挑战，玩弄"以夷制夷"的把戏，拉拢林丹汗，恢复其市赏，以图制约爱新国。爱新国则千方百计与林丹汗争夺科尔沁和内喀尔喀五部，甚至向察哈尔属部渗透，利用各部与察哈尔林丹汗之间的矛盾，积极与之联姻、结盟，以孤立林丹汗。

在这种形势下，林丹汗则一味地用武力征讨游离不定的各部，妄图重新建立汗权。林丹汗的武力征服策略，为渊驱鱼，加速了蒙古诸部离心和投奔爱新国的进程。天命八年（1623 年），林丹汗征讨实力最强的嫩科尔沁部，导致天命九年（1624 年）的爱新国与科尔沁部反察哈尔联盟的形成。天命十年（1625 年），林丹汗亲自率兵围攻科尔沁部长奥巴，努尔哈赤派兵解围，进一步巩固了联盟关系。天命十一年（1626 年），努尔哈赤授奥巴以土谢图汗名号，并妻之以女，建立了姻亲关系，使科尔沁部成为爱新国最忠实的盟友。

分布于辽河流域的巴林、扎鲁特、弘吉喇特、巴约特和乌济叶特等内喀尔喀五部，也在爱新国的拉拢和打击下，纷纷进入爱新国的统治之下，只有一部分被察哈尔吞并。

天聪元年（1627 年），林丹汗被迫西迁，导致喀喇沁部离散，土默特部首领博什克图汗退入河套，部众藏匿山野。年底，喀喇沁和一些右翼蒙古鄂托克联合发动了对察哈尔的一次反击，一度占领库库和屯，很快又被击败。二年（1628 年），喀喇沁与爱新国订立共同敌对察哈尔的盟约。东土默特部地处喀喇沁部之南，与爱新国距离遥远，直到天聪三年（1629 年）才表示归附爱新国。从此以后，喀喇沁万户实际上失去了独立自主的地位，成为爱新国的附庸。

由于林丹汗的高压政策和爱新国的不断拉拢和渗透，自天命六年

（1621 年）始，察哈尔本部也出现裂痕。察哈尔所属兀鲁特部达尔汉巴图鲁台吉以及明安等十名台吉对林丹汗的统治不满，率领所属投奔女真，拉开了察哈尔分裂的序幕。

继兀鲁特之后，敖汉、奈曼两部于天聪元年（1627 年）投奔爱新国。至此，察哈尔三个鄂托克归附爱新国。1627 年下半年，林丹汗留阿喇克绰特部于大凌河一带旧牧地，率领主力鄂托克向西迁徙。在林丹汗西迁期间，察哈尔部下的鄂托克如苏尼特、乌珠穆沁、蒿齐特等脱离察哈尔，越过瀚海，投靠外喀尔喀部左翼车臣汗硕垒部。

天聪二年（1628 年），爱新国利用察哈尔西迁后出现的有利局势，征灭了在大凌河流域驻牧的阿喇克绰特部，紧接着和喀喇沁万户建立了同盟关系。至此，爱新国成功地孤立了林丹汗，将大兴安岭以南直到明长城的广大区域内的蒙古诸部置于自己的控制之下。下一步摆在爱新国面前的就是如何拉拢和争取游牧于大兴安岭北面的阿噜诸部的问题了。在这样的形势下，阿噜蒙古诸部被大兴安岭山阳形成的政治漩涡所吸引，逐渐南移，加入到了蒙古部落归附爱新国的行列之中。

二、四子部落的南迁及反察哈尔联盟的形成

成吉思汗胞弟哈布图哈撒儿十五世孙诺颜泰有子四：长子僧格，号墨尔根和硕齐；次子索诺木，号达尔汉台吉；三子鄂木布，号布库台吉；四子伊尔扎木，号墨尔根台吉。分牧呼伦贝尔，号称四子部，是为阿噜蒙古之强部。①

四子部僧格四兄弟是阿噜科尔沁部长达赖楚琥尔的从侄，还与乌喇忒部三兄弟和茂明安部长车根都是堂兄弟关系，他们都是成吉思汗胞弟哈撒儿后裔。翁牛特、喀喇车里克、伊苏特是成吉思汗三弟哈赤温后裔所统之部。②

---

① 《钦定外藩蒙古回部王公表传》卷 39，《四子部总传》；蒙古文《金轮千辐》以及《恒河之流》相关内容。

② 《钦定外藩蒙古回部王公表传》卷 31，《翁牛特部总传》将翁牛特列入成吉思汗幼弟斡赤斤（《表传》作谔楚因）后裔所统治部落。据《黄金史纲》、《金轮千辐》、《恒河之流》、《水晶念珠》等蒙古文历史文献记载，翁牛特部应是成吉思汗季弟哈温后裔之属部。又详乔吉校注：《恒河之流》，内蒙古人民出版社 1980 年，第 158—159 页；胡日查：《关于阿鲁蒙古几个部落》，《内蒙古师范大学学报》（蒙古文版）1994 年第 4 期；宝音德力根：《往流、阿巴噶、阿鲁蒙古》，《内蒙古大学学报》1998 年第 4 期；乌兰：《蒙古源流研究》，辽宁民族出版社 2000 年版，第 337—339 页注 71。

阿巴嘎与阿巴嘎纳儿二部则是成吉思汗季弟别里古台后裔属部，初服属于察哈尔，后因不满林丹汗的统治，移牧克鲁伦河，依附外喀尔喀车臣汗硕垒。

天聪三年（1629 年），爱新国为了拉拢阿噜蒙古诸部，以探亲的名义派遣早先投诚爱新国的察哈尔诺颜昂坤杜棱前往阿噜阿巴嘎部，阿巴嘎部首领杜思噶尔济农遣使偕来通好，献马十匹。阿噜部自此开始与爱新国交往。①

天聪四年（1630 年）三月，阿噜阿巴嘎、阿巴嘎纳尔、翁牛特、阿噜科尔沁等四部落济农、台吉遣使通好于爱新国。二十日，皇太极亲自接见，以当时的惯例，以议和好，盟之天地，并举行大宴。《满文老档》记载当时的情景为："天聪四年三月二十日，汗率诸贝勒偕阿噜四部落贝勒使者升殿，以议和好，奠酒盟诸天地毕，宰八羊举宴。时令我国力士与阿噜部力士赛力。"

《旧满洲档》第 3217—3220 页用无圈点满文记录了爱新国与阿噜蒙古举盟誓词暨致阿噜蒙古书。汉译：

> 天聪四年三月二十日，金国汗、三大贝勒、八旗台吉等与阿噜四部诺颜②、济农、孙都棱、达赖楚呼尔及大小贝勒以政体一致、共享富贵，誓告天地。今既结盟修好，若金国先渝盟，陷察哈尔奸计，贪其财货，背弃阿噜，与其和好，则听天罚我，无克永年，必致夭折。阿噜诸贝勒若先渝盟，与其结好，陷察哈尔奸计，贪其财物，背弃我等，与之和好，天罚阿噜四部诸贝勒，夺其寿算，无克永年，为至夭折。我两国同践盟言，尽忠相好，则蒙天佑，俾克永寿，子孙世享太平。③

该誓书中翁牛特、阿噜科尔沁二部首领孙都棱、达赖楚呼尔的名字赫然出现。只是誓书中出现的诺颜和济农所代表的部落尚不清楚。根据阿噜阿巴嘎部杜思噶尔济农率先派遣使者与爱新国通好的事实，可以认定其他两部就

---

① 《清太宗实录》卷 3，天聪元年十一月庚午条："察哈尔国管旗大贝勒昂坤杜棱携妻子人民来降，以礼迎之。"卷 5，天聪三年九月丙戌条："昂坤杜棱以事往阿禄部落，阿禄杜思噶尔济农遣使偕来通好，献马十。阿禄通好自此始。"

② 满文作 beise，意义与蒙古语"诺颜"同。

③ 《满文老档》太宗三十三，中华书局 1990 年版，第 1084 页。

是阿巴噶和阿巴噶纳尔。这四部的代表性令人注目，阿巴噶和阿巴噶纳尔代表着别里古台后裔属部，翁牛特代表着哈赤温后裔所统诸部，阿噜科尔沁则代表着哈撒儿后裔属部。这就意味着成吉思汗黄金家族东道诸王所统阿噜蒙古诸部都有了与爱新国联盟，共同以察哈尔为敌的意向。

爱新国利用已经举行盟誓的极好条件，几天后便派出了精通蒙古语和蒙古事务的巴克什希福率每旗兵十五人，偕阿噜部来使出使阿噜部。① 从此以后，双方使臣频繁来往，积极为阿噜蒙古南迁，归附爱新国作准备。

天聪四年（1630 年）十一月，阿噜四子部落诸贝勒率众来归。诸贝勒俱留爱新国边境，四子兄弟中的幼弟伊尔札木台吉率领苏黑墨尔根、毕礼克、翁惠、布桑等台吉先至。天聪皇帝命诸贝勒出城五里迎接，宴毕入城。② 二十一日，新降阿噜四子部落台吉伊尔札木拜见皇太极，行率众遥拜、二叩头，复近前独行一叩头、抱皇太极膝等礼，次见两大贝勒。皇太极令伊尔札木台吉坐大贝勒代善右，其余四台吉坐于下，大设筵宴。诸台吉进献驼马、貂裘。③

二十七日，阿噜伊苏特部落诺颜为察哈尔汗兵所败，又值爱新国使臣察汉喇嘛游说，说皇太极善养人民，便随察汉喇嘛率部来归，留所部于西拉木伦河，前来朝见。④ 二十八日，其班首寨桑达尔汉、噶尔马伊尔登、摆沁伊尔登三诺颜以及所属下小台吉五十六人受到皇太极的隆重接见。⑤至此，附属于翁牛特部的伊苏特部正式归附爱新国。爱新国对伊苏特部采取的游说方法，显然也是对其他部落所采取的方法。

天聪五年（1631 年）庆贺元旦的行列里，第一次有了阿噜部落众蒙古

---

① 《满文老档》太宗三十三，中华书局 1990 年版。

② 《清太宗实录》卷7，天聪四年十一月甲午条："阿禄四子部落诸贝勒来归。诸贝勒俱留我边境，令台吉宜尔札木、苏黑墨尔根、毕礼克、翁惠、布桑先至。命诸贝勒出城五里迎之，宴毕入城。"

③ 《清太宗实录》卷7，天聪四年十一月丙申条："上御殿，新降阿禄部落台吉宜尔札木见上，率众遥拜，行二叩头礼，复近前独行一叩头礼，抱上膝见，其四台吉于众班次朝见，上令宜尔札木台吉坐大贝勒代善右，四台吉坐于下，大设筵宴。诸台吉进驼马、貂裘，酌纳之。"

④ 《清太宗实录》卷7，天聪四年十一月壬寅条："阿禄伊苏忒部落贝勒为察哈尔汗兵所败，闻上善养人民，随我国使臣察汉喇嘛来归，留所部于西拉木伦河，先来朝见，上命诸贝勒至五里外迎之。"

⑤ 《清太宗实录》卷7，天聪四年十一月癸卯条："上御殿，诸贝勒毕集。时阿禄班首寨桑达尔汉、噶尔马伊尔登、摆沁伊尔登三贝勒率小台吉五十六人，遥拜行二叩头礼，三贝勒复近前，行一叩头礼，抱上膝相见。上令三贝勒坐御座下，众台吉依次列坐，大宴之。"

参与的记载。① 十六日，阿噜四子部三弟鄂木布台吉与阿喇诺木齐来朝，庆贺元旦。② 当时尚未指定牧界，据天聪汗正月十三日致四子部落书，四子部落迁移到兴安岭山阳后竟行盗贼之事，驱赶原有敖汉、奈曼、巴林、扎鲁特、科尔沁牧群，可以认为他们当时留居西拉木伦河以北地区。③

《旧满洲档》第 3378 页载十三日致阿噜部之四贝勒书文。汉译：

> 天聪汗传谕四子部落。尔等以政体统一而来归我，但闻尔等来后，竟行盗贼哄骗之事而驱赶马群以去。若敖汉、奈曼、巴林、扎鲁特、科尔沁合为一体，赶走尔等马群，尔等马群岂能余哉。原有邪恶之念未除，恣意胡为，乃非尔等之罪耶。

三月初七日，爱新国遣伊拜往土谢图汗处，艾松古往孔果尔老人、乌克善处，阿赖往孙杜棱处，昂阿往达赖楚呼尔处，额尔比和往四子部落，④ 恰好说明了当时科尔沁左右翼、翁牛特、阿噜科尔沁和四子部落的从东北一直排到大兴安岭南麓所处位置的顺序，大致可以说明翁牛特、阿噜科尔沁和四子部落已经迁到大兴安岭南麓一带，西拉木伦河以北地区的事实。而且可以推定，四子部落已经分牧独处，但与阿噜科尔沁之达赖楚呼尔相邻。值得注意的是，最早与爱新国建立联系并与之建立盟誓的阿巴噶和阿巴噶纳尔二部却未能迁来。这可能与其驻牧地在克鲁伦河中游一带，往来需经过大兴安岭西麓而受到察哈尔部阻拦有关。这次遣使诸部的目的，就是要召集嫩科尔沁、翁牛特、阿噜科尔沁和四子部落首领会盟，在皇太极的亲自主持下，将已经南迁的阿噜诸部正式纳入反察哈尔联盟中来。

---

① 《清太宗实录》卷8，天聪五年正月乙亥条："卯刻，上率诸贝勒大臣诣堂子行礼，还宫，拜神。上御殿，两大贝勒列坐于侧，诸贝勒大臣左右侍立。首蒙古科尔沁国土谢图额驸奥巴、敖汉济农额驸琐诺木各率属员行礼，次八旗诸贝勒各率本旗依齿序行礼，次额驸恩格德尔率察哈尔、喀尔喀诸贝勒，次总兵官额驸佟养性率汉官生员，次总兵官吴讷格率八旗蒙古官，次阿禄部落众蒙古，各分班朝贺毕。"

② 《旧满洲档》，天聪五年正月十六日条无圈点满文记载："是日，阿鲁部之鄂木布台吉、阿喇诺木齐来朝，庆贺元旦。以来朝礼，宰牛三羊六进宴。是宴也，汗升其门楼，携众台吉及土谢图额驸宴之。在宴所献牲畜数：鄂木布台吉献马十三，驼一；阿喇诺木齐献马二、驼二。汗全纳阿喇诺木齐二马、二驼及鄂木布台吉五马，剩余八马及驼，未纳而却之。"台湾故宫博物院 1969 年版，第 3379 页。

③ 《旧满洲档》，台湾故宫博物院 1969 年版，第 3378 页。

④ 《旧满洲档》，台湾故宫博物院 1969 年版，第 3394 页。

三月二十七日，四子部伊尔扎木台吉再次充当使臣前来见汗。皇太极在辽河岸边主持会盟，导演了阿噜诸部归入爱新国势力范围的一出妙戏。

《旧满洲档》第 3406 页载。汉译：

> 是日，阿噜部伊尔扎木台吉来见汗。来见时，叩拜毕，抱汗膝见，并以所携酒献汗品尝。

二十八日，即第二天，四子部兄弟老大僧格和硕齐、老二索诺木、老三鄂木布弟兄首次悉数前来朝见皇太极，表明正式归附爱新国。

《旧满洲档》第 3407—3408 页载。汉译：

> 是日，阿噜部之僧格和硕齐、索诺木、鄂木布至。朝见时，汗坐黄幄内。僧格和硕齐、索诺木、鄂木布率众遥拜一次。僧格、索诺木、鄂木布复近前叩拜一次，抱汗膝见。见两大贝勒时，亦照行见汗之礼。见众台吉时，依齿序相继叩见，行抱见礼。见毕退，以所携烧酒，献汗品尝。品尝完毕，遂命坐于右。复命班迪、内齐、根度尔、桑图、色特尔、达尔汉巴图鲁、额登等分两翼而坐。宰牛四、羊十六，宴之。僧格和硕齐献汗驼一、马七，貂皮袍一；索诺木献驼一、马八；鄂木布献马一。汗纳僧格马一及索诺木马一，余悉却之。①

四月初一日，皇太极赏赐索诺木和伊尔扎木二人。②当天土谢图额驸、乌克善国舅、扎鲁特部台吉等近百人来朝，同样受到皇太极的礼遇。初二日，阿噜科尔沁部首领达赖楚呼尔到达。初六日，翁牛特部孙杜棱、阿噜科尔沁部达赖楚呼尔以及科尔沁部在朝诺颜等与天聪汗、诸贝勒拜天，行三跪九叩头礼。见毕，命孙杜棱陪坐于汗之左侧，达赖楚呼尔陪坐于大贝勒之右侧，命科尔沁部哈坦巴图鲁陪莽古尔泰贝勒而坐，宰牛八、羊三十，盛宴之。是

---

① 《满文老档》太宗三十六，天聪五年三月二十八日条，中华书局 1990 年版，第 1106 页。
② 《旧满洲档》，台湾故宫博物院 1969 年版，第 3409—3410 页。

日，皇太极赏赐孙杜棱的同时，还赏赐达赖楚呼尔及四子部首领僧格。① 从座位的排列来看，翁牛特部在归附爱新国时所起作用要比阿噜科尔沁部要大。

初七日，翁牛特部孙杜棱弟东代青、喀喇车里克部嘎尔玛黄台吉、诺木齐戴青等蒙古诸贝勒拜见汗。② 这一事实说明附属于翁牛特部的喀喇车里克部也完成了归附爱新国的进程。拜见毕，集科尔沁部土谢图额驸、翁牛特部孙杜棱、阿噜科尔沁部达赖楚呼尔、四子部僧格和硕齐及众蒙古台吉举行盛大筵宴，并按当时通行的方式，盟诸天地，订立誓书。

《旧满洲档》3417—3418 页载誓书。汉译：

> 是日，蒙古嫩科尔沁、阿巴噶科尔沁诸贝勒盟诸天地，誓曰：以天聪汗为首，两大贝勒、土谢图汗、孙杜棱、达赖楚呼尔、僧格和硕齐，于辛未年四月初七日立法盟誓。由山阴进入山阳的诺颜等，若对他们不依土谢图汗之律一视同仁，恃强夺取尔等人畜，则天必厌之谴之，殃及我等；阿噜部众诺颜若渝誓言，擅离我等，弃所指驻牧地，远出异地，天地亦厌之谴之，殃及阿噜众诺颜。若负此盟誓，我等将以阿噜部诸诺颜为敌。若谁能践盟言，则天地眷佑，延年益寿，子孙千世，永享太平。所指驻牧地西界为噶海萨尔门绰克阿勒坦、冬霍尔、谔奇尔津、乌济叶尔；东界至洮尔河湾头。③

皇太极让土谢图汗奥巴参加爱新国与阿巴噶科尔沁，即阿噜科尔沁以及翁牛特、四子部诸贝勒的盟誓活动，意义重大。奥巴与爱新国联盟日久，成为皇太极最信任的伙伴，在争取阿噜部进入反察哈尔联盟的过程中，奥巴具有决定性的影响。他可以作为榜样使阿噜部放心地与爱新国联盟，同时必须承担以土谢图汗律例来加以约束，让阿噜诸部跟随嫩科尔沁部行事的责任。

---

① 《旧满洲档》，台湾故宫博物院 1969 年版，第 3412—3415 页。
② 《旧满洲档》，台湾故宫博物院 1969 年版，第 3415—3416 页。
③ 《满文老档》汉译此段文字多有错误，可能乾隆朝转译成满文时造成了失误。其中最主要的有以下两处：1. aru—ačeöber—tür oruju iregsen noyad—i：“由山阴进入山阳的诺颜等”，《满文老档》译做“除阿噜部外，凡未归之众台吉”，词义完全错了。2. jegün jaq-a tur-yin γol-yin moquγ-a：“东界至洮尔河湾头”，《满文老档》译做“东界至津河尽头”，所造成的误解更大。例如呼日查《关于阿噜蒙古几个部落》一文，据此“津河”一说，将阿噜蒙古南迁后的东界划到遥远的根河地区。

更值得注意的是在这次盟誓中明确界定了阿噜蒙古诸部的驻牧地：西界为噶海萨尔门绰克阿勒坦、冬霍尔、谔奇尔津、乌济叶尔；东界至洮儿河湾头。说明其地域西起现在的西乌珠穆沁境内之噶海沙地，东至白城一带洮儿河大湾的西拉木伦河以北、大兴安岭以南广大地区。

十一日，土谢图汗、哈坦巴图鲁、乌克善、伊儿都齐等嫩科尔沁部大小台吉，集于天聪汗前，重新划定了嫩科尔沁部牧地：自东边之达呼尔克勒珠尔根至绰尔满为居住地，从乌拉之珠尔齐特霍尔坤以下为居住地，自乌拉之珠尔齐特边界以上为驻牧地。大旗筑一大城。谁若破坏此法规，罚马百，驼十。倘十札萨克之十台吉见有不服从者，务请汗遣使令其迁移，并拟于当年十月以前完成迁徙。这样，新划定的嫩科尔沁部的牧地东北邻达斡尔人居地，东面以松花江为界，西接阿噜部落。[①]

十二日，皇太极亲自主持了由土谢图汗、孙杜棱、达赖楚呼尔、僧格和硕齐参加的议定针对蒙古诸部律例的会议。该律例详细规定了蒙古诸部在征伐察哈尔及明国时所应承担的义务、责任，明确了以科尔沁和满洲法审理各种违法事件的办法。[②]

同时还布置了西部到北边的哨所，严令蒙古诸部派兵守卫，以防察哈尔的东侵。西界哨所定为：敖汗部都棱庙之乌兰哈达，其迤东大小二喀儿占，齐嫩河之虎拉呼，绰尔济庙之阿布济南、密喇图河中游、洮儿河等，每旗遣五十人，备月干粮出哨，若不足五十人，则罚其人马一。若不赴所约之地，五日内者，罚牛一；逾五日者，罚马一。[③]这些哨所的西界全部在现今赤峰翁牛特旗和巴林右旗地区，北界在西拉木伦河以北大小喀尔占、狼河、虎拉呼，东北达洮尔河，其地域与当时阿噜诸部落所处地域相合。至此，爱新国完成了安置新附阿噜蒙古的工作，并以科尔沁律和满洲法加以约束，构建了新的反察哈尔联盟和针对察哈尔的防线。

三、四子部落驻牧地的确定及札萨克旗的形成

天聪五年（1631 年）七月，皇太极开始策划于来年春天草青时征伐察

---

① 《旧满洲档》，台湾故宫博物院 1969 年版，第 3425—3426 页。
② 《旧满洲档》，台湾故宫博物院 1969 年版，第 3420—3422 页。
③ 《旧满洲档》，台湾故宫博物院 1969 年版，第 3426—3427 页。

哈尔的行动。初五日，遣额尔比和往科尔沁部土谢图汗处，拜音达里往阿噜
部孙杜棱、达赖楚呼尔和四台吉处，命他们准备兵员和马匹，同时派员到养
息牧河参加会议，部署对察哈尔的征伐。①从拜音达里一人赴翁牛特、阿噜
科尔沁和四子部的情况以及给阿噜科尔沁部首领达赖楚呼尔的信件内容可以
看出，此时的四子部是与阿噜科尔沁部一起游牧。当时阿噜诸部中的乌喇忒
部正在归附途中，经额尔只格之子和扎赉特挑拨，又返回兴安岭北。皇太极
紧急要求达赖楚呼尔和僧格墨尔根和硕齐遣使打听消息。这不仅证明他们的
牧地相邻，更能说明爱新国在利用哈撒儿后裔诸部之间的关系，拉拢和动员
乌喇忒部归附。

《旧满洲档》3439 页载致达赖楚呼尔、四台吉书。汉译：

> 汗谕达赖楚呼尔、僧格墨尔根和硕齐。尔等会议后，遣使往乌喇忒
> 部，其来与否，打听翔实回还。乌喇忒前移临近兴安，据称额尔只格诸
> 子及扎赉特以恶言语使之折还。速遣使往。

这封书信非常清楚地道出阿噜乌喇忒部归附爱新国时所表现的犹豫不决
的态度。同时也可以看到已经归附爱新国的蒙古部落内部还有对归附爱新国
的不同意见和看法。

七月十九日，察哈尔逃人带来了林丹汗得到明朝赏赐后由胡喇汗一带
（现正蓝旗境内）向东北移动，以图拦截阿巴噶济农投奔爱新国，并伺机抢
掠西拉木伦河以北翁牛特和四子部的消息。爱新国立即要求蒙古诸部各派哨
兵五十名，严加防范。②

十一月，闻察哈尔侵阿噜蒙古驻牧之西拉木伦地方，皇太极亲率诸贝勒
各官，统大军往征察哈尔。察哈尔林丹汗亲率众兵入阿噜科尔沁达赖楚虎尔
驻牧地，至西拉木伦河北岸，大掠塞冷阿巴海一营而去。③说明当时的阿噜

---

① 《旧满洲档》，台湾故宫博物院 1969 年版，第 3437—3439 页。

② 《旧满洲档》，台湾故宫博物院 1969 年版，第 3442—3443 页；《满文老档》，天聪五年七月十九
日条，中华书局 1990 年版。

③ 《清太宗实录》卷 10，天聪五年十一月丙戌、庚寅条。

科尔沁部牧地在西拉木伦河北岸靠西地区。

闰十一月十九日，皇太极致信土谢图汗，鉴于察哈尔威胁的解除，要求嫩科尔沁诸弟兄将其牧地朝西边近处移动，同时派遣可靠使臣到郭尔罗斯、扎赉特、七台吉、达尔汗台吉处，说服和拉拢他们五旗就近与阿噜阿巴噶①毗邻驻牧，以防他们游离爱新国的势力范围。②

十二月，爱新国遣拜里往翁牛特孙杜棱、东戴青等处；关堆往阿噜科尔沁达赖楚呼尔、达喇额克、海色巴图鲁、四子部落等处；孙达里往巴林、伊苏特、哈喇车里克、喀喇沁、土默特部诸台吉塔布囊等处；鄂齐图往敖汉、奈曼及扎鲁特部右翼、左翼等处，要求各部管旗诸台吉等，携所有交换之罪人，即于正月初六日，集于四子部落处议罪断事。③说明当时翁牛特部的牧地在西拉木伦河以南地区，巴林、伊苏特、哈喇车里克、喀喇沁、土默特部驻地相邻，从翁牛特部驻牧地依次推进到西南明界；敖汉、奈曼及扎鲁特部右翼、左翼等处则处于翁牛特部以东老哈河及辽河流域地区，东北与科尔沁诸部为界；四子部还是与阿噜科尔沁部相邻，其地肯定处于西拉木伦河以北靠东一带，上述诸部容易集结的居中地区。

天聪六年（1632 年）四月，经过精心准备后，皇太极开始征伐察哈尔。大军行至西拉木伦河，阿噜四子部僧格和硕齐与阿噜科尔沁部达赖楚呼尔领兵在此地与大军会合。④此次西征直到归化城，又入略明边，导致察哈尔的彻底崩溃，迫使林丹汗西迁青海。

天聪七年（1633 年），阿噜蒙古的乌喇忒和毛明安归附爱新国。至此，除了阿巴噶、阿巴噶纳尔二部外，所有阿噜蒙古部落归降了爱新国。

天聪八年（1634 年）年，林丹汗病死，察哈尔溃散，蒙古黄金家族统治结束。皇太极再次发动大规模的对察哈尔残部及明朝的军事行动。在肃清对爱新国的最后一个威胁后，于十月间，皇太极派国舅阿什达尔汉、塔布囊

---

① 阿鲁阿巴噶系指阿鲁科尔沁部。又称其为阿巴噶科尔沁。
② 《旧满洲档》，台湾故宫博物院 1969 年版，第 3447—3448 页；《满文老档》，天聪五年闰十一月十九日条，中华书局 1990 年版。
③ 《旧满洲档》，台湾故宫博物院 1969 年版，第 3467—3468 页。
④ 《满文老档》，天聪六年四月初九日条、十三日条，中华书局 1990 年版。

达雅齐往外藩蒙古，大会于硕翁科尔地方，① 完成了八旗蒙古和外藩蒙古编旗和划分牧地事宜。翁牛特与巴林以胡喇虎、胡虎布里都为界，②巴林与镶蓝旗以克里叶哈达、③胡济尔阿达克为界，两红旗与奈曼以巴噶阿尔合邵、巴噶什鲁苏忒为界，敖汉与正黄旗以扎噶苏台、囊家台为界，镶黄旗与四子部落以杜木大都藤格里克、④ 倭朵尔台为界，达赖达尔汉与两白旗以塔喇布喇克、⑤ 孙岛⑥为界，正蓝旗与扎鲁特以诺绰噶尔、多布图俄鲁木为界，合计地界大势西南至噶古尔苏，西至纳喇苏台，西北至哈尔占，北至胡喇虎、克里叶哈达、巴噶阿尔合邵、扎噶苏台、⑦杜木大都藤格里克、塔喇布喇克、⑧ 诺绰噶尔，东北至纳噶台，东至兀蓝达噶胡里也图，东南至哈尔巴噶

---

① 张穆：《蒙古游牧记》卷 1。

② 据《巴林游牧图》，"胡喇虎"指西拉木伦河北岸的 quraqu ayula，"胡虎布里都"可能指胡喇虎山下的 qara nayur。由此可以认定巴林牧地在西拉木伦河北，翁牛特则在河南，与今天的区域划分基本一致。详《巴林右旗志》，内蒙古人民出版社 1990 年版。又张穆《蒙古游牧记》卷 3："巴林部……旗东南百五十里有伊克哈尔占山，百六十里有扈拉琥山。"

③ 据《巴林游牧图》，克里叶哈达位于西拉木伦河北岸，狼河下游，今天阿鲁科尔沁旗西南界。

④ 该地位置不详。按张穆《蒙古游牧记》卷 1："科尔沁左翼中旗，……旗西北百八十里有中天河，蒙古名都母达图腾格里，源出吉尔巴尔山，南流四十余里有阿噜坤都伦河。""旗北百六十里有东天河，蒙古名准腾格里，源出吉尔巴尔山，东南流会吉伯自泉，入佟噶喇克察罕泽池。"又卷 3："札噜特部……左翼北百九十里有额伯尔坤都伦河，源出愁思岭，东流入科尔沁界。百八十里有天河，蒙古名都木达都腾格里河，源出吉尔巴尔山，南流五十余里会阴凉河。""右翼西北五十里有巴伦腾格里河。"据此可以认定杜木大都藤格里克是河名，其西有巴伦腾格里河，即西天河，其东还有东天河，在科尔沁左翼中旗西北境，扎鲁特左翼旗北境，在阿噜坤都伦河以北地区。杜木大都藤格里克，多出"克"音，致使后人对四子部落牧地的混淆与误解。

⑤ 张穆《蒙古游牧记》卷 1："科尔沁右翼中旗，……当哈古勒河、阿噜坤都伦河合流之北岸。东至那哈太山，南至察罕莽哈，西至塔勒布拉克，北至巴音和硕。……札萨克驻巴音和硕之南，曰塔克禅。""科尔沁左翼中旗，……旗东北百二十里有他喇泉。札萨克驻西辽河之北，伊克唐噶里克坡。"他喇泉，即塔喇布喇克，在西辽河北科尔沁左翼中旗旗所在地东北一百二十里处，大约在今天的科尔沁左翼中旗东北，吉林通榆县境内。

⑥ 孙岛位置不详。天聪九年，林丹汗之子额哲额尔克孔果尔归附后，被安置在义州边外的孙岛、习尔哈地方，二地相距不应很远。习尔哈河，即獐河，离今天的围场不远，位置相当靠南，在喀喇沁旗境内，是老哈河上游的一个支流。孙岛当在该地域。又冯瑗《开原图说》中所说的"三岛"地区，也是位于潢河（即西拉木伦河）以南的森林地带。根据以上塔喇布喇克的定位，孙岛的位置已经相当靠南，恐怕不是与塔喇布喇克相近之处。这里或许是记录错误，或另指一个孙岛。详《皇舆全览图》第 7 "热河图"；《中国历史地图集》第八册，"清时期·直隶·内蒙古六盟西二旗察哈尔图"。

⑦ 扎噶苏台，今阿鲁科尔沁旗境内有扎嘎斯台诺尔，是清代狼河（今乌力吉木仁河）与哈喜儿河汇流后形成的湖泊，也称之为达布苏图泊。

⑧ 塔喇布喇克在此处明显排列在西拉木伦河、西辽河北部边界一带，应当在扎噶苏台以东地区，这样就和前面的与孙岛临近的记载相左。

尔，南至多布图俄鲁木、胡得勒、乌讷格图莽喀、布木巴图、胡鲁苏台、古尔班克谷尔、库痕哈喇合邵、噶海、茅高阿大克、门绰克、什喇虎敖塔孪罗、乌兰哈达等处。说明四子部落在西拉木伦河以北居住在正中地带，西界巴林，西南界奈曼，南界敖汉、东界阿噜科尔沁，东南界扎鲁特。其地域大致在今科尔沁左翼中旗以北，扎鲁特旗南部及科尔沁右翼中旗西部地区。其分定地方户口之数，四子部落二千户，阿噜科尔沁达赖达尔汉、车根塞冷三千户，翁牛特杜稜济农二千户，东戴青二千户。①巴林、翁牛特、奈曼、敖汉、扎鲁特牧地至此基本划定，以后没有大的变动。蒙古诸部真正划入爱新国的旗分，也就是从这个时候开始的。

天聪九年（1635 年），四子部伊尔扎木随大军参加了收降林丹汗子额哲及察哈尔部众的军事行动。崇德元年（1636 年）四月，皇太极在外藩蒙古十六部四十九贝勒的拥戴下登汗位，受尊号，建国号为大清，改元为崇德元年，改族名为满洲。四十九个贝勒中就有四子部的鄂木布和伊尔扎木二兄弟。从此，东蒙古诸部正式成为清朝的一部分，皇太极成为满洲和蒙古的大汗。二十三日，分叙外藩蒙古诸贝勒功，阿噜部中翁牛特部首领孙杜稜被封为多罗杜稜郡王，东戴青被封为多罗达尔汉戴青，四子部鄂木布被封为多罗达尔汉卓里克图。四子兄弟中只有鄂木布一人被封，说明他拥有了对四子部的札萨克权。②二十八日，外藩诸贝勒皆还。是日，以皇太极钦定律书颁行外藩诸部。③十月，清廷全面开始在蒙古各旗中编设牛录。四子部达尔汉卓里克图三百七十户，编为七牛录；鄂尔古都儿六百七十户，编为十三牛录；索诺木三百八十户，编为六牛录；伊尔扎木七百七十六户，编为十五牛录；苏克六十户，编为一牛录。以上属于四子部落的共二千二百五十六户，四十二牛录。④

年底，皇太极发动了征伐朝鲜的战争，阿噜诸部包括四子部、乌喇忒部

---

① 《旧满洲档》和《满文老档》缺天聪七年到崇德的记载，《内国史院档》此段记载亦残缺。详《清太宗实录》卷 21 ，天聪八年十一月壬戌条。

② 《钦定外藩蒙古回部王公表传》卷 39，《四子部落总传》。

③ 《满文老档》太宗七、八、九相关条目，中华书局 1990 年版；《清太宗实录》卷 28，崇德元年四月丁酉条，

④ 《满文老档》太宗三十四，中华书局 1990 年版，第 1661—1674。

及阿噜科尔沁部派兵参加。

四、四子部落的最后迁徙

崇德元年（1636 年），清廷授鄂木布札萨克，赐号达尔汉卓礼克图，俾统四子部。此后，四子部在鄂木布的率领下，从征朝鲜、喀尔喀、明朝，直到顺治元年（1644 年）随大军入关，镇压李自成，屡建功勋。也正是这个时期，四子部再一次面临远徙的命运。

崇德三年（1638 年）正月，外喀尔喀札萨克图汗逼近归化城，皇太极率军亲征。二月，大军到达西拉木伦河喀尔占地方时，蒙古诸部兵来会，其中有四子部的鄂木布和伊尔扎木兄弟。崇德四年（1639 年）二月，皇太极亲征明朝，四子部只有伊尔扎木参加。八月，清廷派员在西拉木伦河乌兰布尔噶苏地方与敖汉、奈曼、三乌喇忒、二扎鲁特、阿噜科尔沁、四子部、二巴林、二翁牛特会盟，审理蒙古诸部征明遣兵不及额之事。当时四子部还是伊尔扎木参加，并以元旦不朝贺进贡之罪受到惩罚。崇德五年（1640 年）元旦朝贺，四子部也只有伊尔扎木在场，而不见鄂木布。崇德六年（1641 年）元旦，外藩十三旗中不见四子部名字。冬十月万寿节，伊尔扎木来贺，鄂木布却派使者纳木达尔参加。崇德七年（1642 年）九月，以征明锦州、松山大捷，鄂木布才来朝行庆贺礼。崇德八年（1643 年），征明克捷，鄂木布等来朝，上表庆贺。顺治元年（1644 年）四子部派兵从入山海关，参加追击李自成的战役。从以上罗列的情况分析，崇德三年（1638 年）征伐外喀尔喀札萨克图汗以后，鄂木布很有可能率领一部分人马西迁，以备外喀尔喀部的南侵。伊尔扎木则留在后方，处理旗务。

顺治三年（1646 年）年春，苏尼特部左翼首领腾机思在喀尔喀车臣汗硕垒等的策动下，叛清逃归外喀尔喀。腾机思叛逃时首先被四子部发现，鄂木布达尔汗卓礼克图等率众追击，斩杀苏尼特部乌班岱等五名台吉以及其他五名同伙，俘获不少人口和牲畜。说明四子部落的鄂木布当时已经毗邻苏尼特左翼而居。

据《清实录》的记载，崇德四年（1639 年）正月开始，苏尼特部陆续附清。到冬十月，苏尼特部左路墨尔根台吉腾机思及其弟腾机特，右路台吉叟塞济农等率大小诸贝勒，同阿巴噶部落额齐格诺颜、达尔汉诺颜各率部众自外喀尔喀来归附清朝，到达乌朱穆沁地方后各遣头目来朝贡马。十二月，苏尼特部落墨尔根台吉腾机思亲率一百十四人、巴图鲁济农叟塞率六十七人偕同阿巴噶部落额齐格诺颜、达尔汉诺颜来朝。清朝非常重视他们的来归，命和硕亲王以下、大臣以上迎于演武场宴之，宴毕入城。翌日，清太宗皇太极在崇政殿接受朝见，并在清宁宫赐宴招待。崇德五年（1640 年）正月，清廷以多罗郡王阿达礼妹僧色格格许配苏尼特墨尔根台吉腾机思。腾机思初行聘礼，并于当年九月完婚，成为清朝额驸。崇德六年（1641 年）六月，腾机思亲自将女送到清廷，与固山贝子博洛为妻。十月，腾机思被封为多罗墨尔根郡王。十二月，清廷赐腾机思多罗郡王顶戴和仪仗，并礼送腾机思额驸偕公主归部。崇德七年（1642 年）清廷又封苏尼特西路台吉叟塞济农为多罗杜棱郡王。至此，清廷完成了苏尼特部的安置，以腾机思掌左翼，叟塞掌右翼，另其各安地方，准许与汉人贸易。①

《清太宗实录》卷 65 崇德八年六月丁巳条载："以征明克捷，敕谕朝鲜国王李倧。……又鄂尔多斯济农、土默特部落格根汗所居地方暨兴安地方以西乌朱穆秦、蒿齐忒、苏尼特等部落及各处归附蒙古尽欲举兵，以地处甚远，令其各安地方，仍与汉人贸易。"说明苏尼特部的牧地与大兴安岭以西今锡林郭勒盟北部迤东地区驻牧的乌朱穆沁、蒿齐忒、阿巴噶等部邻近。

根据以上的史实，四子部由兴安岭南麓、西拉木伦河流域西迁，开始于崇德三年，基本完成是在顺治初年。迁移的目的就是防范外喀尔喀札萨克图汗部南侵归化城。由于林丹汗的西迁，归化城一带战事频仍，造成土默特、鄂尔多斯等部的流散，阴山北麓艾不盖、西拉木伦河流域形成真空地带。外喀尔喀西路诸部通常通过归化城与明朝贸易，这里是他们必经之路。天聪八年（1623 年）以后，清廷在归化城土默特设旗编佐，让古禄格、杭古等章京领之。崇德六年（1641 年），对归化城作了进一步的扩建与加固，以完善其防务。

直到崇德六年，阴山北麓艾不盖、西拉木伦河流域还是阿噜阿巴噶部多尔济额齐格诺颜之子布达斯辖布活动地域。

中国第一历史档案馆藏《蒙古老档》崇德六年正月二十日条载。汉译：

---

① 详见齐木德道尔吉：《腾机思事件》，《明清档案与蒙古史研究》第 2 辑，内蒙古人民出版社 2002 年版。

上谕土默特部古禄格章京、杭古以及所有章京。阿巴噶之多尔济额齐格诺颜之子布达斯辖布额尔德尼卓里克图，将其驻牧地前行迁移，在艾不盖、西拉木伦河一带驻牧。几经令其朝我们这里迁移，却不到所指定的牧地驻扎，而在那里偷盗尔等额鲁特、喀尔喀和土默特部牲畜。喀尔喀巴速特之色臣诺颜所献马十匹被盗，布达斯辖布将其部分归还，另一部分却不予归还。若彼在尔等地方贸易，将其人等捆绑上镣禁闭，抢夺其乘马和财货。其行偷盗之人，应派出强盗抢夺其马群。当捕抓其人，抢夺其马群时，他们若称我等已经归附圣主等语，尔等当说既不是圣主之人，又不似喀尔喀，违背圣旨，当何看待。崇德六年春正月二十日。

从以上谕旨可以看出归化城的空虚情况。清朝在完成入关，确立对全中国的统治以后，对蒙古诸部的重新安置便成为必然。作为阿噜蒙古的一支，四子部落首先被选定为归化城屏藩。随着苏尼特腾机思部的平定，四子部落于顺治三年（1646 年）开始移牧阴山北麓西拉木伦河流域，以防遏外喀尔喀。顺治六年（1649 年）八月初十日，顺治皇帝叙其带兵从皇叔父王多尔衮征明、从摄政王入山海关、追击李自成兵、平定苏尼特腾机思叛乱等功，封鄂木布达尔汉卓礼克图为达尔汉卓礼克图郡王。

中国第一历史档案馆藏《蒙古老档》顺治六年八月初十日条。汉译：

秋八月初十日。鄂木布，在后随皇叔父王率大军经北京往征山东省，击败冯太监马步兵之战中，率领自己旗兵歼灭了敌人。在皇叔父王夺取明朝的征战中，追击流贼，于秦渡县①追及后，击败了其援敌。苏尼特之腾机思叛逃之时，追及之，杀死乌班代达尔汉巴图鲁以及其他五名台吉，虏获其妇女孩子、帐幕牲畜。叙其功劳，晋封为达尔汉卓礼克图郡王。

顺治六年（1649 年）十一月，摄政王多尔衮征喀尔喀二楚虎尔到达席巴尔台（今卓资山境内十八台）时，四子部落、乌喇忒、土默特部落王、

---

① 蒙古文 cing du hiyan，暂做"秦渡县"。

公、固山额真等各率兵来会，① 说明四子部至此完成了最后的迁徙。从此以后，四子部在鄂木布及其后王统治下，游牧戍边，以四子王旗著称于世，成为清朝的北部屏藩，历任乌兰察布盟长，凡十五世三百余年，经清朝、民国两代，迄至 20 世纪 40 年代末。

第四节　乌喇忒部及其迁徙历程

17 世纪 30 年代，阿噜蒙古的四子（Dörben Keüked）、乌喇忒（Urad）以及茂明安（Muu mingγan）等三部落从大兴安岭北麓呼伦贝尔草原迁徙到大兴安岭南麓的西拉木伦河流域，40 年代（茂明安部要更晚一些）又迁徙到阴山一带，成为清朝外藩内蒙古六盟之一——乌兰察布盟的主要组成部分。他们的迁徙原因复杂，过程离奇，充满了不解之谜。对此既没有清代官方文献的明确记载，更没有得到很好的研究。

一、阿噜蒙古诸部归附爱新国

成吉思汗胞弟哈布图哈撒儿十五世孙布尔海，姓博尔济吉特，游牧呼伦贝尔，号所部为乌喇忒。有子五：长子赖噶，次子布扬武，三子阿尔萨瑚，四子布噜图，五子巴尔赛。后分乌喇忒部为三，分别由赖噶孙鄂木布，巴尔赛次子哈尼斯青台吉之孙色棱和巴尔赛第五子哈尼泰冰图台吉之子图巴分领其众。②乌喇忒，又做乌喇特、吴喇忒，今做乌拉特，是蒙古语"工匠"之复数读音。在今天的乌拉特婚礼仪式中，男方通报自己祖籍起源时吟诵如下诗句："故地呼伦贝尔，远祖布尔海，起源三公札萨克；祖籍呼伦贝尔，祖辈哈布图哈撒儿，现居穆那汗山阳"；还能进一步说出游牧呼伦贝尔时的具体地望："老家在鄂嫩土拉呼伦贝尔，忽布图乃满查干"；同时道出何时何故迁到穆那汗山阳："顺治六年，弟兄三人，登上征途，顺着山脉，沿着黄河，征灭敌人，获得封号，掌印统兵，是为乌兰察布盟的乌拉特三公旗"。③

① 《清世祖实录》卷46，顺治六年十一月庚申条。
② 《钦定外藩蒙古回部王公表传》卷41，《乌喇特部总传》，武英殿本。
③ 纳日苏、阿拉木斯：《乌拉特风俗志》（蒙古文），内蒙古人民出版社1993年版，第114、120—124页。

乌喇忒部三兄弟与当时的四子部僧格四兄弟以及茂明安部长车根都是堂兄弟关系，是阿噜科尔沁部长达赖楚琥尔的从侄，他们都是成吉思汗胞弟哈撒儿后裔。翁牛特、喀喇车里克、伊苏特是成吉思汗三弟哈赤温后裔所统之部。①阿巴噶与阿巴噶纳儿二部则是成吉思汗季弟别里古台后裔属部，初服属于察哈尔，后因不满林丹汗的统治，移牧克鲁伦河，依附外喀尔喀车臣汗硕垒。他们都属于阿噜蒙古，是成吉思汗诸弟后裔所属部落。

天聪三年（1629 年），爱新国为了拉拢阿噜蒙古诸部，以探亲的名义派遣早先投诚爱新国的察哈尔诺颜昂坤杜棱前往阿噜阿巴噶部，阿巴噶部首领杜思噶尔济农遣使通好，献马十匹。阿噜部自此开始与爱新国交往。②

天聪四年（1630 年）三月，阿噜阿巴噶、阿巴噶纳尔、翁牛特、阿噜科尔沁等四部落济农、台吉遣使通好于爱新国。二十日，皇太极亲自接见，以当时的惯例，以议和好，盟之天地，并举行大宴。《满文老档》记载当时的情景为："天聪四年三月二十日，汗率诸贝勒偕阿噜四部落贝勒使者升殿，以议和好，奠酒盟诸天地毕，宰八羊举宴。时令我国力士与阿噜部力士赛力。"③

爱新国利用已经举行盟誓的极好条件，几天后便派出了精通蒙古语和蒙古事务的巴克什希福率每旗兵十五人，偕阿噜部来使出使阿噜部。④这样，双方使臣频繁来往，积极为阿噜蒙古南迁，归附爱新国作准备。

天聪四年十一月，阿噜四子部落诸贝勒率众来归。天聪皇帝命诸贝勒出城五里迎接，宴毕入城。二十一日，新降阿噜四子部落台吉伊尔札木拜见皇太极，皇太极令伊尔札木台吉坐大贝勒代善右，大设筵宴。诸台吉进献驼

① 《钦定外藩蒙古回部王公表传》卷 31，《翁牛特部总传》将翁牛特列入成吉思汗幼弟斡赤斤（《表传》作谔楚因）后裔所统治部落。据《黄金史纲》、《金轮千辐》、《恒河之流》、《水晶念珠》等蒙古文历史文献记载，翁牛特部应是成吉思汗季弟哈赤温后裔之属部。又详乔吉校注：《恒河之流》，内蒙古人民出版社 1980 年版，第 158—159 页；胡日查：《关于阿鲁蒙古几个部落》，《内蒙古师范大学学报》（蒙古文版）1994 年第 4 期；宝音德力根：《往流、阿巴噶、阿鲁蒙古》，《内蒙古大学学报》1998 年第 4 期；乌兰：《蒙古源流研究》，辽宁民族出版社 2000 年版，第 337—339 页注 71。

② 《清太宗实录》卷 3，天聪三年九月丙戌条；卷 5，天聪元年十一月庚午条。

③ 《满文老档》太宗二十五，天聪四年三月二十日条，中华书局 1990 年版，第 1010 页。

④ 《满文老档》太宗二十五，天聪四年三月二十四日条，中华书局 1990 年版，第 1011 页。

马、貂裘。①

二十七日，阿噜伊苏特部落诺颜为察哈尔汗兵所败，又值爱新国使臣察汉喇嘛游说，说皇太极善养人民，便随察汉喇嘛率部来归，留所部于西拉木伦河，前来朝见。二十八日，其班首寨桑达尔汉、噶尔马伊尔登、摆沁伊尔登三诺颜以及所属下小台吉五十六人受到皇太极的隆重接见。②至此，附属于翁牛特部的伊苏特部正式归附爱新国。爱新国对伊苏特部采取的游说方法，显然也是对其他部落所采取的方法。

天聪五年（1631 年）庆贺元旦的行列里，第一次有了阿噜部落众蒙古参与的记载。③

三月初七日，爱新国派遣伊拜往嫩科尔沁部右翼土谢图汗处，艾松古往嫩科尔沁部左翼孔果尔老人、乌克善处，阿赖往翁牛特部孙杜棱处，昂阿往阿噜可尔沁部达赖楚呼尔处，额尔比和往阿噜蒙古四子部落处，④欲召集嫩科尔沁、翁牛特、阿噜科尔沁和四子部落首领会盟，将已经南迁的阿噜诸部正式纳入反察哈尔联盟中来。从以上部落的排列情况，可以清楚地推知当时科尔沁左右翼、翁牛特、阿噜科尔沁和四子部落从东北嫩江流域一直到大兴安岭南麓的分布情况，并可以确定翁牛特、阿噜科尔沁和四子部落已经迁到大兴安岭南麓，西拉木伦河以北地区的事实；而且也可以认为，四子部落已经分牧独处，但与阿噜科尔沁之达赖楚呼尔相邻。值得注意的是，最早与爱新国建立联系并与之盟誓的阿巴噶和阿巴噶纳尔二部却未能迁来。这可能与其驻牧地在克鲁伦河中下游一带，往来须经过大兴安岭西麓而受到察哈尔部阻拦有关。

三月二十八日，四子部兄弟老大僧格和硕齐、老二索诺木、老三鄂木布弟兄首次悉数前来朝见皇太极，表明正式归附爱新国。

四月初一日，土谢图额驸、乌克善国舅、扎鲁特部台吉等近百人来朝。初二日，阿噜科尔沁部首领达赖楚呼尔到达。初六日，翁牛特部孙杜棱、阿噜科尔沁部达赖楚呼尔以及科尔沁部在朝诺颜等与天聪汗、诸贝勒拜天，行

① 《清太宗实录》卷7，天聪四年十一月丙申条。
② 《清太宗实录》卷7，天聪四年十一月癸卯条。
③ 《清太宗实录》卷8，天聪五年正月乙亥条。
④ 《旧满洲档》，台湾故宫博物院 1969 年版，第 3394 页。

三跪九叩头礼。见毕，命孙杜棱陪坐于汗之左侧，达赖楚呼尔陪坐于大贝勒之右侧，命科尔沁部哈坦巴图鲁陪莽古尔泰贝勒而坐，宰牛八、羊三十，盛宴之。是日，皇太极赏赐孙杜棱的同时，还赏赐达赖楚呼尔及四子部首领僧格。从座位的排列来看，翁牛特部在归附爱新国时所起作用要比阿噜科尔沁部要大。

初七日，翁牛特部孙杜棱弟东代青、喀喇车里克部嘎尔玛黄台吉、诺木齐戴青等蒙古诸贝勒拜见汗，[①] 说明附属于翁牛特部的喀喇车里克部也完成了归附爱新国的进程。拜见毕，为科尔沁部土谢图额驸、翁牛特部孙杜棱、阿噜科尔沁部达赖楚呼尔、四子部僧格和硕齐及众蒙古台吉举行盛大筵宴，并按当时通行的方式，盟诸天地，订立誓书。

皇太极此时让土谢图汗奥巴参加爱新国与阿噜科尔沁以及翁牛特、四子部诸贝勒的盟誓活动，意义重大。奥巴与爱新国联盟日久，成为皇太极最信任的伙伴，在争取阿噜部进入反察哈尔联盟的过程中，奥巴具有决定性的影响。他可以作为榜样使阿噜部放心地与爱新国联盟，同时接受土谢图汗律例之约束，跟随嫩科尔沁部行事。更值得注意的是在这次盟誓中明确指定了阿噜蒙古诸部的驻牧地：西界为噶海、萨尔门、绰克阿勒坦、冬霍尔、谔奇尔津、乌济叶尔；东界至洮儿河湾头。说明其地域西起现在的西拉木伦河上游地带，东至白城一带洮儿河大湾的西拉木伦河以北、大兴安岭以南的广大区域。

十一日，土谢图汗、哈坦巴图鲁、乌克善、伊儿都齐等嫩科尔沁部大小台吉，集于天聪汗前，重新划定了嫩科尔沁部牧地：自东边之达呼尔克勒珠尔根至绰尔满为居住地，从乌拉之珠尔齐特霍尔坤以下为居住地，自乌拉之珠尔齐特边界以上为驻牧地。大旗筑一大城。谁若破坏此法规，罚马百，驼十。倘十札萨克之十台吉见有不服从者，务请汗遣使令其迁移。并拟于当年十月以前完成迁徙。这样，新划定的嫩科尔沁部的牧地东北邻达斡尔人居地，东面以松花江为界，西接阿噜部落。[②]

十二日，皇太极亲自主持了由土谢图汗、孙杜棱、达赖楚呼尔、僧格和

---

① 《旧满洲档》，台湾故宫博物院 1969 年版，第 3415—3416 页。

② 《旧满洲档》，台湾故宫博物院 1969 年版，第 3425—3426 页。

硕齐参加的议定针对蒙古诸部律例的会议。该律例详细规定了蒙古诸部在征伐察哈尔及明国时所应承担的义务、责任，明确了以科尔沁和满洲法审理各种违法事件的办法。①至此，阿噜蒙古的主体已经归附爱新国，其余分支的归附也就成为时间的问题了。

二、乌喇忒部归附爱新国及迁徙历程

天聪五年（1631年）七月，皇太极开始策划于来年春天草青时征伐察哈尔的行动。初五日，遣额尔比和往科尔沁部土谢图汗处，拜音达里往阿噜部孙杜棱、达赖楚呼尔和四台吉处，命他们准备兵员和马匹，同时派员到养息牧河参加会议，部署对察哈尔的征伐事宜。②拜音达里所赍书信中，记载着有关吴喇忒部的重要信息。《旧满洲档》3439页载：

致达赖楚呼尔、四台吉书

汗谕达赖楚呼尔、僧格墨尔根和硕齐。尔等会议后，遣使往乌喇忒部，其来与否，打听翔实回复。乌喇忒前移临近兴安，据称额尔只格诸子③及扎赉特以恶言语使之折还。速遣使往。④

这封书信非常清楚地表明阿噜蒙古乌喇忒部归附爱新国时所表现的犹豫不决的态度以及已经归附爱新国的蒙古部落内部还有对其归附爱新国所持的反对态度。皇太极还是依靠阿噜科尔沁和四子部落首领做工作，以争取乌喇忒部前来归附。

几乎过了两年，乌喇忒部才前来归附。

天聪七年（1633年）五月初四日，乌喇忒部台吉图门达尔汉、海萨巴图鲁、古木布、伊尔格、僧格、琐尼泰等率部来归，进献马匹。秋七月初二，随同阿噜翁牛特部落孙杜棱之子台吉古木思辖布、寨桑吴巴什、阿什

---

① 《旧满洲档》，台湾故宫博物院1969年版，第3420—3422页。
② 《旧满洲档》，台湾故宫博物院1969年版，第3437—3439页。
③ 应为科尔沁部贵族额勒济格卓里克图。成吉思汗弟哈图哈撒尔十五世孙博第达喇西室哈屯吉鲁根生额勒济格卓里克图，为噶喇珠色特尔等七子父。天聪八年（1634年），科尔沁部噶尔珠塞特尔、海赖、布颜代、白谷垒、塞布垒等各率本部落人民，托言往征北方索伦部落，取贡赋自给，遂叛去。科尔沁部土谢图济农巴达礼、札萨克图杜稜布塔齐、额驸孔果尔、卓礼克图台吉吴克善率兵往追噶尔珠塞特尔等，俱获之。杀噶尔珠塞特尔、海赖、布颜代、白谷垒、塞布垒等，尽收其部下户口。
④ 《满文老档》对此段文字的翻译有误。

图、巴达尔和硕齐等，乌喇忒部落台吉阿巴噶尔代来朝，贡驼、马。八月初三，随同阿噜翁牛特部落穆章台吉、阿玉石、巴尔巴图鲁、格根戴青、达颜吴巴什，乌喇忒部落额布根台吉、额勒孔果尔、噶尔马台吉等来朝，贡驼、马。①台吉图门达尔汉是鄂木布的称号，是布尔海长子赖噶之孙，掌三乌喇忒之一部；海萨巴图鲁，是赖噶幼子巴尔赛第五子哈尼泰冰图台吉之子图巴之子，也是乌喇忒一部之代表；额布根台吉，即巴尔赛次子哈尼斯青台吉之孙色棱之称号，统领乌喇忒另一部。至此，乌喇忒三部全部归附爱新国。

　　天聪八年（1634 年），林丹汗病死，察哈尔部众溃散，蒙古黄金家族统治结束。皇太极再次发动大规模的对察哈尔残部及明朝的军事行动。乌喇忒三部之图巴、绰克托、图虎、阿布尔古、孟古尔代、桑噶尔寨、苏墨尔、和尼海、班第思辖布、土门达尔汉、克什克、阿巴噶尔代、俄木布、塞冷、阿拜图、岱青、多尔济、莫罗寨，从大军征明，由喀喇鄂博入得胜堡，略大同，克堡三、台一。师旋，以奈曼、翁牛特违令罪，各罚驼马，诏分给所部。

　　在彻底肃清察哈尔部对爱新国的威胁后，于十月间，皇太极派国舅阿什达尔汉、塔布囊达雅齐往外藩蒙古，大会于硕翁科尔地方，完成了八旗蒙古和外藩蒙古的编旗和划分牧地事宜。翁牛特与巴林以胡喇虎、胡虎布里都为界，巴林与镶蓝旗以克里叶哈达、胡济尔阿达克为界，两红旗与奈曼以巴噶阿尔合邵、巴噶什鲁苏忒为界，敖汉与正黄旗以扎噶苏台、囊家台为界，镶黄旗与四子部落以杜木大都藤格里、斡朵尔台为界，达赖达尔汉与两白旗以塔喇布喇克、孙岛为界，正蓝旗与扎鲁特以诺绰噶尔、多布图俄鲁木为界，合计地界大势西南至噶古尔苏，西至纳喇苏台，西北至哈尔占，北至胡喇虎、克里叶哈达、巴噶阿尔合邵、扎噶苏台、杜木大都藤格里、塔喇布喇克、诺绰噶尔，东北至纳噶台，东至兀蓝达噶胡里也图，东南至哈尔巴噶尔，南至多布图俄鲁木、胡得勒、乌讷格图莽喀、布木巴图、胡鲁苏台、古尔班克谷尔、库痕哈喇合邵、噶海、茅高阿大克、门绰克、什喇虎敖塔孛罗、乌兰哈达等处。说明四子部落在西拉木伦河以北居住在正中地带，西界巴林，西南界奈曼，南界敖汉、东界阿噜科尔沁，东南界扎鲁特。其地域大

---

①　《清太宗实录》卷14 、15 相关条目。

致在今科尔沁左翼中旗以北，扎鲁特旗南部及科尔沁右翼中旗西部地区。但是其中不见已经归附的乌喇忒以及茂明安部落的牧地划分情况。根据"四子部落、土门达尔汉二千户，塔赖达尔汉、车根、塞冷三千户，杜稜济农二千户，东戴青二千户"①的记载，乌喇忒的土门达尔汉显然被包括在四子部落之中，茂明安的车根和乌喇忒的塞冷被包括在阿噜科尔沁部之中。巴林、翁牛特、奈曼、敖汉、扎鲁特牧地至此基本划定，以后没有大的变动。蒙古诸部真正划入爱新国的旗分，也就是从这个时候开始的。十二月，外藩蒙古执政诸贝勒以元旦来朝，乌喇忒部图巴在场。

崇德元年（1636年）四月，皇太极在外藩蒙古十六部四十九贝勒的拥戴下登汗位，受尊号，建国号为大清，改元为崇德元年，改族名为满洲。四十九个贝勒中就有乌喇忒部的鄂木布土门达尔汉、图巴、塞冷三兄弟。从此，东蒙古诸部正式成为清朝的一部分，皇太极成为满洲和蒙古的大汗。

十月，清廷全面开始在蒙古各旗中编设牛录。乌喇忒部图巴一系750户，编为14牛录；塞冷一系390户，编为8牛录；额布根一系750家，编为15牛录。②由此看，乌喇忒部的户数为1 890 牛录数为37。按每户5口计算，其人口数为9 450 也就是说，当时乌喇忒部人口大约为一万人。

年底，皇太极发动了征伐朝鲜、瓦尔喀的战争，阿噜诸部包括四子部、乌喇忒部及阿噜科尔沁部派兵参加。嗣征明锦州、松山、蓟州，乌喇忒部皆以兵从。顺治三年（1646年），从征腾机思，败外喀尔喀联军于扎济布鲁克。顺治五年（1648年）叙功，时鄂木布、塞冷已卒，以图巴掌中旗，封镇国公；鄂木布子谔班掌前旗，封镇国公；塞冷子巴克巴海掌后旗，封辅国公，各授札萨克。

经过长期的征战和动荡，归化城迤西迤北地带到清初时成为真空地带。外喀尔喀诸部以及卫拉特蒙古尚未纳入清朝版图，以往他们常常通过此地，与中原以及归化城土默特进行贸易。为了加强对外喀尔喀诸部和卫拉特蒙古的防守和保卫战略要地归化城，清廷从崇德初年到康熙初年，陆续将归附的

---

① 《清太宗实录》卷21，天聪八年十一月壬戌条。《旧满洲档》和《满文老档》缺天聪七年到崇德元年的记载，《内国史院档》此段记载亦残缺。

② 《满文老档》太宗三十四，中华书局1990年版。

阿噜蒙古部众中的四子部、乌喇忒部和茂明安部从西拉木伦河地区西迁至阴山以北地带。顺治六年（1649 年）十一月，摄政王多尔衮征喀尔喀二楚虎尔到达席巴尔台（今卓资山境内十八台）时，四子部落、乌喇忒、土默特部落王、公、固山额真等各率兵来会，[①] 说明四子、乌喇忒部落此时已经从西拉木伦河流域迁徙到了阴山山脉。这条记载也证实了蒙古文献以及乌喇忒民间传说的正确性："清廷于顺治六年己丑岁八月十五日，将乌喇忒三公之民从故乡呼伦贝尔迁移到现址，令其永久居住。"[②] 不过，乌喇忒部的迁徙不是一次完成的，而是经过了天聪七年（1633 年）从呼伦贝尔到兴安岭山阳的西拉木伦河北岸；顺治三年至六年（1646—1649 年）再从西拉木伦河北岸迁到穆那山一带的复杂过程。

乌喇忒部三公所领各旗以其所住牧地分别称为：西公旗，即前旗，首任札萨克为镇国公谔班，驻防穆那和硕，今乌拉特前旗西山嘴迤东一带；中公旗，即中旗，首任札萨克为镇国公图巴，驻防哈达门口，今包头市哈达门口迤东一带；东公旗，即后旗，首任札萨克为辅国公巴克巴海，驻防昆都伦河口迤东，今包头市一带。巴克巴海于顺治五年（1648 年）卒，其弟楚充客袭札萨克辅国公，统领该旗。

清廷将以上阿噜蒙古的四子部、乌喇忒三部和茂明安部，会同从漠北迁来的喀尔喀中路台吉所属，编成 6 个札萨克旗，会盟于归化城土默特所属乌兰察布地方（今呼和浩特北的红山口），称为乌兰察布盟。

该盟位于内蒙古六盟最西部，东接锡林郭勒盟，南与伊克昭盟和归化城土默特相连，西同阿拉善额鲁特旗相邻，北与外喀尔喀土谢图汗及赛音诺颜部交界。相当于今乌兰察布盟四子王旗，包头市达茂联合旗和巴彦淖尔盟乌拉特前、中、后三旗以及杭锦后旗、五原县和包头市固阳县、呼和浩特市武川县的一部分。旗分为：1. 四子部落旗，俗称四子王旗。在平定腾机思事件之后，于顺治三年至六年（1646—1649 年间）迁徙到归化城土默特部东北。2. 喀尔喀右翼旗。顺治十年（1653 年）外喀尔喀中路台吉贡塔尔台吉

---

① 《清世祖实录》卷 46，顺治六年十一月庚申条。

② 色·宝音巴达拉胡：《乌拉特三公旗简史》（蒙古文），乌拉特后旗党史地方志编委会 1987 年版。

因内部不和，率所属自漠北归附清朝。遂编为一旗，称为喀尔喀右翼旗，又称达尔汉旗。定牧在大青山西北。3. 茂明安旗。入清后的康熙三年（1664年）才编为一旗，大体相当于今达尔汉茂明安旗西部和包头市白云矿区及固阳县的一部分。4. 乌喇忒三旗。与四子部前后迁徙到河套北界。三旗同在一处游牧，没有明显界限。牧地东接茂明安旗，南与伊克昭盟交界，西同阿拉善额鲁特旗相连，北和外喀尔喀蒙古相邻。大体相当于今乌拉特中、前、后三旗和五原、固阳、临河及杭锦后旗一部分。

直到 1949 年，西公旗，即乌喇忒前旗札萨克承袭了 19 代；中公旗，即乌喇忒中旗札萨克承袭了 16 代；东公旗，即乌喇忒后旗承袭了 14 代。他们在这里游牧戍边，为国家的统一和民族的兴盛，作出了突出的贡献，并在这里的 350 多年间，创造了独特的乌拉特文化。

第五节　腾机思事件

天聪八年（1634 年）林丹汗去世以后，爱新国成功地招抚了林丹汗所统察哈尔本部，持续四个多世纪的蒙古汗统遂告终止。崇德元年（1636 年）漠南蒙古诸部首领汇聚盛京，奉爱新国皇帝皇太极为天聪可汗，接受了清廷的统治。接着，直到崇德四年（1639 年）原来由于动乱而投靠外喀尔喀部的察哈尔属部如乌朱穆沁、蒿齐特、阿霸垓等部落也陆续返回原牧，归顺清朝，其中包括苏尼特（Sünid）部落。崇德末年，随着辽东战事中清军节节胜利，投归明朝的大量蒙古人也纷纷投顺清朝。当清军于顺治元年（1644年）大举入关问鼎中原时，清朝已经完成了对漠南蒙古的彻底统治。从此，漠南蒙古诸部以及蒙古八旗兵丁，追随清朝的号令，同清军八旗一起，或征讨，或戍守，为确立清朝在中国的统治立下了汗马功劳，同时屏藩着清朝的北部边疆。正当清朝倾其全力，扫除南明势力和镇压农民起义之时，归附清朝还不到七年的察哈尔属部苏尼特东路台吉腾机思（Tenggis），在外喀尔喀左翼车臣汗硕垒（Šoloi）的策动下，于顺治三年（1646 年）春叛清，带领其部众逃往漠北外喀尔喀。这便是清代蒙古历史上著名的"腾机思事件"。正当清朝竭尽全力在全国逐步建立统治的关键时刻，在其大后方发生"腾机思事件"，直接动摇了清朝对漠南蒙古的有效统治，威胁到清朝后方的安宁。清廷高度重视腾机思叛清事件，在兵力不足的情况下，派遣豫亲王多铎率部分八旗兵丁，并发外藩蒙古诸部大兵，深入克鲁伦河上游以及土喇河流域，迅速平息了叛乱，打败了前来支援腾机思的外喀尔喀联军，稳定了局势，巩固了统治，并为以后收服外喀尔喀诸部创造了有利的条件。本节利用蒙古文档案材料，结合《清实录》等官方史料，对腾机思叛清的原因、过程和结果作一番描写，同时对清朝对平定"腾机思事件"所采取的策略作一些考察。

一、苏尼特部和腾机思归清

苏尼特（Sünid）是一个古老的蒙古部落，《蒙古秘史》称"雪泥惕"，说海都的第三子抄真斡尔帖该的诸子成为斡罗纳儿、晃豁坦、阿噜剌惕、雪泥惕、合卜秃儿合思、格泥格思等氏族的祖先。同时还有出身雪泥惕的斡歌列扎儿必与忽都思合勒潺共同指挥成吉思汗尚未称汗时的七十个护卫散班以及立国称汗后将原管散班添至一千，还教斡歌列扎儿必管着的记载，说明雪泥惕部的成员当时已经成为成吉思汗的亲近侍卫千军首领。[①]拉施特《史集》则称雪泥惕部是"现今称为蒙古的突厥部落"，认为合卜秃儿合思部落是雪泥惕部落的分支。[②]《元史》只有一处记载"雪泥氏族"，说只有出身雪泥等氏族的达官世家之贵重者才有资格参加蒙古旧俗"射草狗"仪式。[③]明代汉籍中不见该部名，而在明代蒙古文史籍如《蒙古源流》、罗卜桑丹津《黄金史》中却有较多的记载。[④]据宝音德力根的研究，15 世纪中叶，察哈尔真正作为万户或鄂托克出现。从此以后，察哈尔一直属于拖雷、唆鲁禾帖尼之

---

① 　《元朝秘史》第 47、191、226 节。

② 　[波斯]拉施特：《史集》第 1 卷第 1 分册，余大均等译，商务印书馆 1983 年版，第 159 页。该书将合卜秃儿合思部落作为从雪泥惕部落分出的部落加以叙述。

③ 　《元史》卷 77，中华书局标点本。

④ 　萨冈彻辰《蒙古源流》中多次出现雪泥的吉鲁干把都儿及其子朵台扎力必辅佐成吉思汗的事迹。乌兰：《蒙古源流研究》，辽宁民族出版社 2000 年版，第 162、163、165、227、229 页。罗卜桑丹津《黄金史》第 9 页有关海都之子成为雪泥等氏族祖先（öbüges）的记载同《元朝秘史》的记载有明显的歧义。据《黄金史》的记载，海都诸子成为雪泥等氏族的祖先，而不是海都的儿子雪泥等成为该部的祖先。这样，可以证明拉施特记载的正确性，即雪泥惕是蒙古化了的突厥部落之说。又该书 174 页有不地汗的后裔成为察哈尔诸部首领的记载。乌兰巴托影印本，1990 年。

子大元可汗忽必烈后裔托脱不花、摩伦、满都鲁、达延汗的统辖。①雪泥惕作为显赫的氏族，其成员在成吉思汗时期就成为侍卫亲军的千军首领和元代所据有的崇高地位，还有许多首领在伊里汗国充当重要异密的事实，有理由认为，在察哈尔万户形成时期，雪泥惕便隶属其下，成为真正意义上的部落。清代《蒙古王公表传》曰："苏尼特部，……元太祖十六世孙图噜博罗特，再传至库克齐图墨尔根台吉，号其部曰苏尼特。……库克齐图墨尔根台吉子四，长布颜珲台吉，子绰尔衮，居苏尼特西路。次贝玛墨尔根伊勒都齐，次布延泰车臣贝哩卓哩克图，裔不著。次布尔海楚琥尔，子塔巴海达尔汉和硕齐，居苏尼特东路。"而其兄库登汗，弟翁衮都喇尔台吉则分掌蒿齐特、乌朱穆沁二部。②腾机思为达延汗六世孙，号墨尔根台吉，是苏尼特东路首领塔巴海达尔汉和硕齐长子。在林丹汗时期，苏尼特部不满其统治，且为躲避战乱，同蒿齐特、乌朱穆沁、阿霸垓等部落脱离察哈尔，越过瀚海，投奔外喀尔喀左翼车臣汗硕垒部。③

---

① 宝音德力根：《好陈察罕尔、察罕尔五大营、八鄂托克察罕尔——17 世纪前察罕尔历史研究》，《内蒙古大学学报》1998 年第 4 期。

② 《钦定外藩蒙古回部王公表传》卷 36，《苏尼特部总传》，武英殿本。

③ 该三部何时脱离察哈尔投靠车臣汗硕垒的准确时间不详。《清世祖实录》卷 48，顺治七年三月甲子条："谕札萨克图汗、土谢图汗、伊思丹津喇嘛、俄木布额尔德尼、大小贝子曰，……前此察哈尔无端执我使臣，且不欲朕加兵于明，如我兴师，彼必助明为难，以故斩其来使康喀尔拜户，兴师致讨，破其家国，擒其妻孥。苏尼特原系察哈尔属部，苏尼特腾机思先乘乱叛入硕雷，后向化来归。"四月乙未条："遣侍卫舒尔虎纳克等往谕厄鲁特部落台吉鄂齐尔图曰，……曩与察哈尔原无畔隙，乃擅执吾使，且欲阻我伐明，否则助明为难，朕所以斩其来使，兴师致讨，破其家国，俘其妻孥。至于察哈尔所属之苏尼特腾机思前乘兵乱，遁附喀尔喀硕雷，后亦慕义来归。"又卷 51，十一月辛未条："遣侍卫桑阿尔寨等赍敕往谕喀尔喀落札萨克图汗、土谢图汗、伊思丹津喇嘛、俄木布额尔德尼、大小贝子等。敕曰，……曩与察哈尔原无畔隙，乃擅执吾使，且言勿伐明，伐则助明为难，所以我国斩其来使，兴师讨察哈尔，收其土地，俘其妻孥。至于苏尼特部落，原系察哈尔汗所属，抢攘之际，苏尼特部落腾机思遁附尔硕雷，后复慕义来归于我。"又《王公表传》卷 36，《苏尼特部总传》："苏尼特部，……初皆服属于察哈尔，以林丹汗不道，徙牧瀚海北，依喀尔喀。"由此来看，苏尼特等察哈尔属部是在天命四年（1619 年）十月林丹汗致书努儿哈赤以及蒙古使臣被杀，天命五年（1620 年）努儿哈赤遗书林丹汗，爱新国使臣被杀为起端，爱新国与察哈尔林丹汗发生了直接冲突。为了使蒙古各部统一，合力抗击爱新国的威胁，林丹汗对蒙古内部使用高压政策，致使蒙古各部纷纷叛离。最初有内喀尔喀部诸台吉归附爱新国，天命七年（1622 年），察哈尔左翼属部兀鲁特部附金，天命九年（1624 年）科尔沁与爱新国结盟。天命十年，林丹汗围攻科尔沁，爱新国救援，迫使林丹汗退走。天聪元年（1627 年）察哈尔左翼敖汉、奈曼二部归附爱新国。天聪二年（1628 年）二月，金帝皇太极以察哈尔多罗特部杀害使者，亲击破之，又于九月，皇太极亲攻察哈尔，大掠而还。林丹汗为了避开爱新国锋芒，进而统一蒙古右翼，于 1627 年间开始了西迁。据此可以推测，苏尼特等察哈尔属部叛离林丹汗，投靠车臣汗就在 1627—1628 年之间。

随着察哈尔的被征服和蒙古政治中心的消失，封建割据的外喀尔喀及额鲁特诸部直接面对清朝的威胁。为了延续黄金家族的统治，漠北喀尔喀左翼车臣汗硕垒在林丹汗死后，曾试图争取林丹汗遗孀苏泰太后和子额尔克洪果尔额哲以及其余众归附自己。但是，爱新国派遣大军，将察哈尔余众以及其他林丹汗遗产全部俘获。面对巨大的威胁，为了保住自己的独立地位，以车臣汗硕垒为首的喀尔喀左翼势力，在天聪年间频繁派遣使臣，贡方物，作贸易，与清朝建立了友好的关系。①在车臣汗硕垒的带动下，林丹汗时投靠他的蒿齐特、乌朱穆沁、苏尼特、阿霸垓等部落也纷纷派遣使臣，进贡方物，进而归附清朝。

最早，苏尼特部西路首领绰尔衮之子巴图鲁济农叟塞（腾机思堂兄弟）偕喀尔喀车臣汗，于天聪九年（1635 年）向清廷遣使贡方物，以示友好。②崇德二年（1637 年）腾机思偕清廷使臣始遣使清廷，贡献方物。③自此以后，苏尼特左右翼不断遣使到清廷，贡献方物，甚至腾机思还派遣十五人的使团参加崇德四年元旦的朝贺。④崇德三年（1638 年）二月，清太宗皇太极率大军亲征来犯归化城的外喀尔喀札萨克图汗部，途经多云地方时，令新附的乌朱穆沁部落塞臣济农朝见，在献驼马的队伍中还有苏尼特部的台吉吴善、叶尔登、塞冷、达尔玛等人，说明当时已经有不少苏尼特部人同乌朱穆沁部南下附清，并且直接为清军引路做向导。⑤据《清实录》的记载，崇德四年（1639 年）正月，苏尼特部落的超察海台吉率十户，苏尼特部落右翼台吉噶布褚、汤古忒、卓特巴、席达喇等率部下一百二十户，四月，苏尼特部赵巴、莽古思台吉下巴土赖、额思赫尔等，接着莽古思台吉自己率三十户，俄尔寨台吉率四十户来附清。⑥到冬十月，苏尼特部落墨尔根台吉腾机思及其弟腾机特，右路台吉叟塞济农等率大小诸贝勒，同阿霸垓部落额齐格

---

① 齐木德道尔吉：《外喀尔喀车臣汗硕垒的两封信及其流传》，《内蒙古大学学报》1994 年第 4 期；《1640 年以后的清朝与喀尔喀的关系》，《内蒙古大学学报》1998 年第 4 期。

② 《清太宗实录》卷 26，天聪九年十二月癸未条。

③ 《清太宗实录》卷 35，崇德二年五月壬申条。

④ 《清太宗实录》卷 44，崇德三年十二月己丑朔条。

⑤ 《清太宗实录》卷 40，崇德三年二月辛酉条。

⑥ 《清太宗实录》卷 45，崇德四年正月甲戌条、二月辛卯条、四月丙午条、辛酉条。

诺颜、达尔汉诺颜各率部众自外喀尔喀前来归附清朝，到达乌朱穆沁地方后各遣头目来朝贡马。①十二月，苏尼特部落墨尔根台吉腾机思亲率一百十四人、巴图鲁济农叟塞率六十七人偕同阿霸垓部落额齐格诺颜、达尔汉诺颜来朝。清朝非常重视他们的来归，命和硕亲王以下、大臣以上迎于演武场宴之，宴毕入城。翌日，清太宗皇太极在崇政殿接受朝见，并在清宁宫赐宴招待。②

　　崇德五年（1640年）正月，清廷以多罗郡王阿达礼妹僧色格格许配苏尼特墨尔根台吉腾机思。腾机思初行聘礼，③并于当年九月完婚，成为清朝额驸。④崇德六年（1641年）六月，腾机思亲自将女送到清廷，与固山贝子博洛为妻。⑤十月，腾机思被封为多罗墨尔根郡王。⑥十二月，清廷赐腾机思多罗郡王顶戴和仪仗，并礼送腾机思额驸偕公主归部。⑦崇德七年（1642年）清廷又封苏尼特西路台吉叟塞济农为多罗杜棱郡王。⑧至此，清廷完成了苏尼特部的安置，以腾机思掌左翼，叟塞掌右翼，令其各安地方，准许与汉人贸易。⑨

二、腾机思叛清，投奔喀尔喀

　　崇德八年（1643年）八月，清太宗皇太极无疾而终。年仅六岁的福临继位，郑亲王济尔哈朗、睿亲王多尔衮辅政。当时，中国政局发生了重大的变化。农民起义军节节胜利，李自成于明崇祯十七年（1644年）正月在西安称王，国号大顺，建元永昌。然后东进，势如破竹，于三月进入北京，十九日，明崇祯帝自缢死。四月，清朝睿亲王率领满洲、蒙古军队的三分之二，汉军的全部，欲乘明乱，大举入侵明朝。中途适遇明山海关守将吴三桂

　　①　《清太宗实录》卷49，崇德四年十月庚寅条。
　　②　《清太宗实录》卷49，崇德四年十二月壬寅条。
　　③　《清太宗实录》，康熙朝纂手抄本卷50载有阿达礼妹之名叫僧色格格。阿达礼，颖毅亲王萨哈璘第一子。萨哈璘于崇德元年（1636年）死，僧色格格所以以阿达礼之妹的身份出现。
　　④　《清太宗实录》卷52，崇德五年九月甲午条。
　　⑤　《清太宗实录》卷56，崇德六年六月戊午条。
　　⑥　《清太宗实录》卷58，崇德六年十月壬申条。
　　⑦　《清太宗实录》卷58，崇德六年十二月戊午条。
　　⑧　《清太宗实录》卷63，崇德七年十一月庚午条。
　　⑨　《清太宗实录》卷65，崇德八年秋七月丁巳条。

请兵书来，遂率精兵直扑山海关。二十二日，多尔衮率清军于山海关一举击败李自成军。李自成败归北京，然后又率大顺军离京西遁。五月二日，多尔衮率清军进入北京，八月，清廷自盛京迁都北京，同时加快了入主中原的步伐。

正当清廷竭尽全力逐鹿中原的时候，尚未进入清朝版图的西蒙古卫拉特部落和漠北外喀尔喀诸部的封建主们，在蓬勃发展的黄教势力的影响和促使下，图谋联合，共同对敌，以保其独立地位。崇德六年（1640年）8月，他们于卫拉特的塔尔巴哈台地方举行了盛大的会盟。喀尔喀部的札萨克图汗、土谢图汗、乌巴什达赖诺颜、达赖洪诺颜、车臣诺颜以及其他首领，卫拉特的巴图尔珲台吉、鄂齐尔图台吉、昆都仑乌巴什以及青海的固什汗、伏尔加河的和鄂尔勒克等二十六名贵族首领和其他喇嘛高僧参加了会盟。会议制订了著名的《蒙古—卫拉特法典》，以调整封建主内部的关系，加强对臣民阿拉巴图的统治，并约定共同御敌。[1] 喀尔喀诸汗王、台吉们在此法典精神的鼓舞下，协调一致地对清朝采取了直接对抗的政策，致使30年代形成的友好关系出现了明显的恶化势头。[2] 不久的腾机思叛清事件便是在这样的政治形势下发生的。

腾机思自从被封为郡王以后，再也没有亲自到过清廷，甚至清太宗皇太极死后，也没有亲自进香，只是让其弟腾机特来朝进香。[3] 到顺治元年（1644年）十一月，腾机思才以祝贺迁都为名赴京进贡。[4] 从该条记载中可以看出清廷对他的冷落：将一个堂堂的清朝多罗郡王及朝廷额驸等同于归化城土默特部的一个章京，鄂尔多斯部尚未封王的济农，喀尔喀部一个普通绰尔济喇嘛，与以往的礼遇和重赏形成鲜明的对比。在以后的康熙朝，清圣祖曾经指出，多尔衮摄政后，腾机思与摄政王有隙，腾机思兄弟不再受到清廷的礼遇，反而受到摄政王的压制。[5] 腾机思所部左翼驻牧地同外喀尔喀车臣

① Peter Simon Pallas, Sammlungen historischer Nachrichten über die mongolischen Völkerschaften, Erster Teil, Akademische Druck- u. Verlagsanstalt, Graz-Austria, 1980, p. 194.

② 齐木德道尔吉：《1640年以后的清朝与喀尔喀的关系》，《内蒙古大学学报》1998年第4期。

③ 《清世祖实录》卷2，崇德八年冬十月乙丑条。

④ 《清世祖实录》卷11，顺治元年十一月辛丑条。

⑤ 《清圣祖实录》卷142，康熙二十八年九月戊戌条。

汗部接壤，归附清朝后，同他们的联系一直没有断绝。对此，《王公表传》作："先是腾机思依喀尔喀车臣汗硕垒，后来归受封，硕垒忌之，诱仍附己。"①

清朝迁都北京后，显然为了巩固后方，笼络喀尔喀部，于顺治二年（1645 年）正月十五日，以顺治帝的名义致书喀尔喀玛哈撒玛谛车臣汗硕垒，向他发出进一步和好的信息："奉天之恩，朕得夙仇明国之政，遂登大宝。吾等红缨之国由来一体，现为众生休养生息计，当须政体和睦一致矣。"②

外喀尔喀车臣汗硕垒没有响应清廷的建议，反而利用摄政王与腾机思之间的不睦，策动腾机思叛清。顺治三年（1646 年）春，腾机思偕腾机特及台吉乌班岱、多尔济思喀布、蟒悟思、额尔密克、石达等各率所部叛奔喀尔喀。蒙古四子部落首先发现他们叛逃，温卜达尔汉卓礼克图、多克新等率所部兵马追击，阵斩乌班岱、多尔济思喀布、蟒悟思、额尔密克、石达等五台吉，擒获其人口、牲畜。"腾机思事件"由此爆发。由于《清实录》等史籍没有完整地记录腾机思事件的全部过程，这里需要利用中国第一历史档案馆所藏蒙古文有关档案，比较《清实录》的记载，加以叙述。

中国第一历史档案馆藏蒙古文顺治三年档，蒙字 3 号。汉译：

> 四子部落温卜达尔汉卓礼克图、多克新为首追及叛去之苏尼特部落乌班岱、多尔济思喀布、蟒悟思、额尔密克、石达等后，杀死了乌班岱、多尔济思喀布、蟒悟思、额尔密克、石达等五台吉，还杀死了操同一语言的其他五人。俘获数为，男子一百五十二，马二千二百一十七，骆驼二百九十六，牛一千四百七十七，绵羊八千三百五十，奏入。得旨，被杀五台吉妻子、孩子、帐房、牲畜全部献上，其他被杀五人之妻

① 《钦定外藩蒙古回部王公表传》卷 36，《原封札萨克多罗郡王腾机思传》，武英殿本。
② 中国第一历史档案馆藏蒙古文顺治二年档，蒙 2 号。拉丁转写如下：（1）Qaγan-u jarlaγ bičig：Maq-a samadi sečen qaγan-du ilegebe：（2）tngri-yin qayir-a-ber：erten-ü ösiyetü kitad ulus-un（3）törü-yi（4）bi abču yeke oron-dur saγuba：bida ulaγan jalaγ-a-tu ulus（5）erten-eče nige bile：edüge yeke ulus-i amuγulaqu-yin tulada：（6）törü ey-e-ben nigedküle keregtei bui y-a：（7）ey-e-ber jasaγči-yin nögüge on，qabur-un terigün sara-yin arban tabun-a。

子、孩子、帐房、牲畜，达尔汉卓礼克图自己欲取多少，给予出力人员多少，由达尔汉卓礼克图知之。从其他俘获人口中挑选十名优俊男子，一并其帐房、牲畜献上。其被杀五人之妻子、孩子、帐房、牲畜由达尔汉卓礼克图保存。从其剩余人口中达尔汉卓礼克图欲取多少，分予一同追及之台吉们多少，惟达尔汉卓礼克图定夺。夏六月初五日。

该档内容收入《清世祖实录》卷26顺治三年五月丁未条：

> 四子部落温卜达尔汉卓礼克图、多克新等疏报，追剿叛去苏尼特部落吴班代等，阵斩吴班代、多尔济思喀布、蟒悟思、额尔密克、石达等五台吉，擒获一百五十二人，马二千二百一十七、骆驼二百九十六、牛一千四百七十七、羊八千三百五十，奏入。得旨，五台吉妻子、家产入官，余赐达尔汉卓礼克图，并在事有功人员。

温卜（Ombu），号达尔汉卓礼克图（Darqan joriɣtu），四子部札萨克。多克新系降明蒙古人，爱新国兵征大同时率七十户来归，取察哈尔国时充当向导，又同达尔汉卓里克图追杀苏尼特部落反叛之吴班代等，授为牛录章京。腾机思叛逃时首先由四子部落发现，然后温卜、多克新等率众追击，斩杀乌班岱等五名台吉以及其他五名同伙，俘获不少人口和牲畜。但是，腾机思等人叛逃的准确时间不详。清廷派大军追击腾机思的时间是在五月初二日，而蒙古文档案记载赏赐四子部落达尔汉卓礼克图的时间为六月初五，都是叛逃以后较久的事情。《实录》将这条记载归入五月丁未条，说明编纂《实录》时将征讨腾机思的内容归到一起，然后对时间作了修改。据《内国史院档》记载，腾机思没有参加顺治三年的元旦朝贺，仅派顾鲁古为代表而已。依次推断，其叛逃时间当在二月、三月间。腾机思及其台吉们叛逃，首先由四子部落发现，并追击斩杀，说明四子部落毗邻苏尼特左翼而居。众所周知，四子部落与乌拉特、茂明安部落均属阿噜蒙古，游牧于大兴安岭北麓，呼伦贝尔草原地带。这时同苏尼特左翼毗邻而居，说明该部的西迁早在顺治初年便已开始。

三、清军追击腾机思，战胜喀尔喀联军

腾机思叛逃后，投奔喀尔喀车臣汗部，落脚于原来驻牧的克鲁伦河源、肯特山阳的噶鲁台湖和那噶尔山一带。① 清廷非常重视腾机思事件，立即派兵追击镇压，以稳定外藩蒙古，进而震慑喀尔喀诸部。顺治三年（1646年）夏五月初二日，清廷任命和硕德豫亲王多铎为扬威大将军，同多罗承泽郡王硕塞等率内外大军往征苏尼特腾机思。临行，摄政王明确交代多铎，如果可能，将车臣汗硕垒一并取之。② 中国第一历史档案馆藏蒙古文顺治年间档中有几条重要的记载，能够较为完整地反映清廷镇压腾机思叛逃和击败喀尔喀联军的事实。

第一份文件：中国第一历史档案馆藏蒙古文顺治三年档，蒙字第3号。汉译：

奉天承运皇帝诏曰，兹命尔和硕德豫亲王多铎为扬威大军之主，交付于尔内外所有部落之大军，往征背叛之苏尼特等蒙古部落。尔受命系众，凡事必同诸将商榷，便宜行事。切勿傲慢而背拗众意，勿谓我章京英勇、士兵强壮而轻敌。勿使军营、了望、巡哨受袭。表明出力者，严格行使律令。探明对方之空虚，知晓其事体后破之。我军之章京、军士及所有人等身先陷阵，破敌有功者以及临阵逃跑，扰乱军队，获杀身重罪者，与众议定奏闻。众臣之其余小罪，护军校和骁骑校以下死罪，与众议定，即于当地完结。勿得有失，小心勿怠。顺治三年夏五月初二日。

该档内容收入《清世祖实录》卷26顺治三年5月丁未条：

赐之敕曰，兹命尔和硕德豫亲王多铎为扬威大将军，统领内外大兵

---

① 据苏尼特右翼旗札萨克王的苏勒锭祭祀语："sür yeketü süldetü tengri tan-i Aru qangyai, Gün γalaγutai, Naγal nabčitai γajar-ača urin jalaju iregsen……"。详嘎林达尔：《苏尼特部族起源与变迁》（蒙古文），内蒙古人民出版社1997年版。
② 《清世祖实录》卷26，顺治三年五月丁未条。

往征背叛蒙古苏尼特等部落。尔受命御众，凡行军之事，必同诸将商榷，以图万全。勿谓己能而违众，勿恃将勇兵强而轻敌，队伍营寨，瞭望听静，一切慎防，勿得怠惰。信赏必罚，相度机宜，乘其不备而破之。我将士有首先陷阵，破敌立功者，及临阵败走，惑乱军心，干犯重刑者，可同众定议奏闻。其各官所犯小过，及护军校、骁骑校以下犯罪应斩者，同众商榷，即行发落。祗承勿怠，尔其慎之。

该档证明清廷任命德豫亲王多铎为扬威大将军，统率内外大军征讨腾机思的时间为顺治三年五月初二日，与《清世祖实录》所记一致。"往征背叛之苏尼特等蒙古部落"一段话表明，清廷欲同时解决喀尔喀车臣汗问题，这与摄政王多尔衮所言"闻腾机思、腾机特等已奔喀尔喀部落硕雷，果尔，即将硕雷一并取之。至于临阵将帅，皆宜躬先破敌，勿得退后，以冒虚名。倘敌人败入杭崖，可即班师，再行整兵征讨，务尽根株"相符，表现了清廷对背叛行为严惩不贷的决心。

清军除京城部分八旗主力外，动员了科尔沁、察哈尔、巴林、阿噜科尔沁、乌拉特、土默特等几乎所有外藩蒙古诸部兵力，向导则由阿霸垓、乌朱穆沁部人充当。蒙古各部兵，首先聚集于克鲁伦河（但不知在克鲁伦河的哪一段），同京城兵会合后，搜寻苏尼特叛众，然后聚歼之。以下用蒙古文档案的记载，结合《实录》对清军追击腾机思的过程作一考察。

第二份文件：中国第一历史档案馆藏蒙古文顺治三年档，蒙字第3号。汉译：

理藩院奉旨宣示，扬威大将军和硕德豫亲王、和硕土谢图亲王、和硕卓礼克图亲王为首，内外众王、诸颜、台吉以及官员全体奏闻，从翁衮地方之乌兰厄儿几给纛章京叶西、甲喇章京阿塞一百士兵，遣往衮噶尔察克山，令其察看是否有哨卒。他们于次日夜抵达衮噶尔察克山，遭遇并击败其哨卒，捉生审问，谓腾机思、腾机特在衮噶鲁台地方。大将军王与外藩二亲王、众官员商榷后，丢下马夫，大将军王亲率大军出发。给蒙古固山额真阿赖库鲁克达尔汉、伊拜，纛章京霍格泰、巴延、阿齐赖、达尔岱等内外兵二千，令其到衮噶鲁台地方的险隘处扼据，如有先离去之踪迹，可谨慎追赶，若无，则小心守候，遂遣之先去。随后大将军王亲率大军日夜兼程，紧急奔袭。当抵达衮噶鲁台时，腾机思、腾机特已经逃走。遂令外藩蒙古巴图鲁郡王满朱席礼、札萨克图郡王白思喀尔、尚嘉布、达尔汉戴青栋、土默特之固穆、巴噶色冷、巴吞达尔汉卓礼克图、巴答礼额驸、吴班、侍郎尼堪、梅勒章京明安达理、纛章京伊尔都齐、扎答等率内外二千兵追击，在其先派出全部先锋护军。他们日夜兼程，于次日抵达欧特克山，逃跑之敌迎战我先锋护军，厮杀一番而败之，又追及而厮杀时，纛章京伊尔都齐赶到，合力与之战，斩毛害台吉。此后又科尔沁巴图鲁王、伊尔都齐与先锋护军一起抵达时，腾机思、腾机特之四百兵迎战，遂败而遁入林中。科尔沁巴图鲁郡王、札萨克图郡王、侍郎尼堪梅勒章京明安达礼、纛章京伊尔都齐、扎答、先锋军统领阿思翰等问腾机思、腾机特之逃遁方向时，无人知晓，只是说将格格带往行营之前面。遂追及之，获得格格。当问知晓地理之人，谓彼逃跑时必将于土喇河被追及。遂命梅勒章京阿哈尼堪率兵往截去往布尔哈图汗山的关口。当他们到达时，遇腾机特子多尔济台吉、巴图舍津、腾机思孙噶尔玛特木德克为首一百多人逃遁，尽行戮之，获其所有妻子、家产。在先派遣之镇国将军瓦克达、内大臣吴拜、梅勒章京明安达礼、纛章京伊尔都齐、扎答、先锋军统领阿思翰等追至行营之首，抵达乌里雅太河，遇散哨二人，杀其一，捉其一。又杀喀尔喀固穆台吉子博音图台吉为首的十一人，获其妻子、家产。大将军王率军抵达布尔哈图山阳之岭后，遣博和托台吉、固山额真拜音图、公德参济旺、大臣吴达海、祁他特车尔贝、镇国将军僧格、布颜、哈郎图、新达礼、扎鲁特桑噶尔、博落得额尔德尼、色冷额尔德尼等率二千兵，与镇国将军瓦克达、内大臣吴拜等会合。返回时，举行围猎，一路杀其人，掠其家产。又遣镇国将军僧格、布延、喀兰图、新达礼等率内外王、诺颜、台吉之侍卫与三百兵往土喇河，俘获众多牛羊。又蒙古固山额真阿赖库鲁克达尔汉、伊拜、纛章京呼纳泰、巴延、阿齐赖、达尔岱等率兵追赶直达土喇河，俘获大量牛羊。次日，渡土喇河与大将军王会合回军，在欧特克山阳打围，杀其人，掳掠其驼马、牛羊而返。所获数为生擒八百二十五人，获骆驼一千四百五十，马一万九千三百九，牛一万六千九百六十，羊一十三万五千三百，斩一千一百九人，其中杀死的有名之人为毛害台吉、腾机特子多尔济台吉、腾机思孙噶尔玛特木德克台吉、喀尔喀之固穆台吉子博音图、苏尼特旗主库布苏库虾台吉自身及其子卓布拉库摩尔根虾、巴图舍津等。秋首月十八日。

该档部分内容收入《清世祖实录》卷 27 顺治三年秋七月丁巳条：

> 扬威大将军和硕德豫亲王多铎等师至营噶尔察克山，闻腾机思等屯于衮噶鲁台地方，随令蒙古固山额真库鲁克达尔汉阿赖等率兵先出，绕其后，扼据险隘，大军继进。腾机思等闻风遁去，即令外藩蒙古巴图鲁郡王满朱习礼同梅勒章京明安达礼等乘夜进追。次日，及之于欧特克山，贼迎战，大破之，斩其台吉毛害，并迎下嫁腾机思格格还。我兵渡土喇河，复遣镇国将军瓦克达等率兵追之，阵斩腾机特子多尔济、巴图舍津、腾机思孙噶尔马特木德克、博音图，斩首无算，尽获其家口、辎重。次晨，我军至博儿哈都山，遣贝子博和托等，率兵与瓦克达等合军追剿，斩首千余级，生擒八百余，获骆驼一千四百五十只、马一万九千三百余四、牛一万六千九百余头、羊十三万五千三百余只。至是，捷闻。

这是一个由理藩院于顺治三年七月十八日（1646 年 8 月 28 日）向外藩蒙古诸部发布的捷报。《清世祖实录》卷 27 顺治三年七月壬戌（十八日）条载有 "以击败苏尼特部落捷音，榜谕外藩蒙古" 的记录正好与之相应证。以该档内容记入《清世祖实录》顺治三年秋七月丁巳条（十三日）来看，对腾机思的征剿行动于顺治三年七月十三日（1646 年 8 月 23 日）结束，然后于七月十八日向外藩蒙古诸部发布了这个捷报。

该档较为详细地记载了追击腾机思部的过程，具有相当高的史料价值。《清世祖实录》所记较之简略且有出入。

根据以上三条记载，可以勾勒出清军追击腾机思的过程。顺治三年五月初二（1646 年 6 月 14 日）清廷任命德豫亲王多铎为扬威大将军，率内外蒙古兵及京城八旗先锋兵前往喀尔喀克鲁伦河一带征讨。其任务非常明确，就是追击腾机思的同时还要捉拿策动腾机思反叛的喀尔喀车臣汗硕垒。清军整整用了两个多月的时间才抵达克鲁伦河地区完成集结。七月上旬，从克鲁伦河上游的翁衮地方（抑或杭爱山东麓之翁衮河）的乌兰厄尔几派出 100 人的队伍前往营噶尔察克山进行哨探，探知腾机思、腾机特在衮噶鲁台地方。豫亲王多铎同科尔沁土谢图亲王巴达礼（Badari）、卓礼克图亲王乌克善（Uqšan）商议后，即刻派出内外兵 2 000 人，由蒙古固山额真阿赖率领，绕到衮噶鲁台背后扼守关隘，截其退路，自己亲率大军日夜兼程，奔袭腾机思，结果扑空。遂派科尔沁巴图鲁郡王满朱席礼、卓礼克图郡王拜思喀尔率内外蒙古兵二千，追至欧特克山，与先遣之护军先锋兵汇合，杀苏尼特毛害台吉，击散腾机思四百兵，并在继续追击中找回腾机思所尚僧色格格。清军继续追击，在土喇河南岸布尔哈图山截杀腾机特子多尔济台吉、腾机思孙噶尔玛特木德克台吉等。又在乌里雅台河斩杀喀尔喀固木台吉等。清军行围于布尔哈图汗山阳，大肆杀戮苏尼特及喀尔喀部人民如同猎物，最后又在土喇河北岸之欧特克山举行围猎，大肆杀掠，获得大量人畜、财物。

　　这里的一些地名值得注意。1. 衮噶鲁台 Gün γalaγutai：康熙朝绘制《皇舆全览图》之色楞厄河图[1]作滚鄂模、噶老台鄂模，说明衮噶鲁台是由衮和噶鲁台两个湖泊组成的地方，位于土喇河东南，北纬47°—48°，东经107°—109°之间。该地名是否同《元史》卷一《太祖本纪》中的"萨里川哈老徒之行宫"有关，尚不能定论。因为在《元朝秘史》中的"撒阿里客额列"，即"萨里川"明显位于杭爱山北麓。而清代尚能记忆和保存的地名"滚鄂模"和"噶鲁台鄂模"则远离杭爱山而位于克鲁伦河大弯以西，土喇河上游向西拐弯之处的东南方向。该地名在今日蒙古国已经消亡，无人记忆。2. 欧特克山（Öteg aγula），《皇舆全览图》做厄图克山，位于土喇河上游拐弯处北岸，北纬47°—48°、东经107°—108°之间，也就是在今乌兰巴托市以东土喇河北岸山区。蒙古人早在 19 世纪末将这里的一大片地区作为自然保护区加以管理至今。该地名如果同成吉思汗葬地"大斡特克山"有关系的话，《皇舆全览图》的记载有巨大的意义。3. 布尔哈图汗山（Burqatu qan aγula），《皇舆全览图》作"汗山"，位于土喇河南岸，厄图克山西面，

---

① Walter Fuchs, Jesuiten Atlas der K'ang-his Zeit, China und die Aussenländer, Peking, 1943.

北纬 47°—48°、东经 106°—107°之间。该地名显然与斡难河源的不而罕合勒敦无关。4. 乌里雅台河（Uliyatai γoul），《皇舆全览图》做乌里雅思泰河，系土喇河支流，在色儿必河（Serbi γool）之东，由北向南注入土喇河，位于北纬 47.5°—48.5°、东经 107°—108°之间。以上几个地点基本处于北纬 47°—48°、东经 106°—109°之间，清军来回奔袭，一般都在一天一夜之间便能完成，完全符合时间因素。

第三份文件：中国第一历史档案馆藏蒙古文顺治三年档，蒙字第 3 号。汉译：

> 理藩院奉旨宣示，扬威大将军和硕德豫亲王、土谢图亲王、卓礼克图亲王为首，追击腾机思、腾机特，于秋首月十三日抵达扎古齐温都尔查济泉时，喀尔喀土谢图汗两子及众台吉率兵二万前来。我大军列阵厮杀，击败之，追逐至三十余里，斩杀甚多，获骆驼二百七十七只，马一千一百四。次日，正当清点所获时，喀尔喀硕垒汗之四个儿子本霸巴图鲁台吉、巴吧台吉、汤兀忒台吉、诺尔布台吉为首，率领其所属阿巴哈纳尔、巴尔虎、哈达斤、乌梁汉等四部落二十万兵到达。我军列阵迎战，击败之，追杀二十多里，斩杀甚众，获骆驼二百十二只，马七百六十一匹。问所俘，言土谢图汗、硕垒汗之行营提前逃遁，已达色楞格河。由此，我军班师。秋之中月二十日交付员外郎郭尔图。

该档部分内容收入《清世祖实录》卷 27 顺治三年八月乙酉条：

> 扬威大将军和硕德豫亲王多铎等奏报，我师自土勒河西行，于七月十三日，至查济布喇克地方。喀尔喀部落土谢图汗两子率兵二万，横列查济布喇克上游，我师严阵而前，敌来迎战，我师遂击败之，追逐三十余里，斩杀甚众，获骆驼二百七十余只、马千一百余匹。次日，喀尔喀部落硕雷汗之四子本霸巴图鲁台吉等率兵三万，遮查济布喇克道口而来，我师列阵奋击，败之，追逐二十余里，复斩杀甚众，获骆驼二百余只、马七百六十余匹。及问俘卒，言硕雷家口部众悉走塞冷格地方。众议将欲前进，因马疲乏，于七月十六日，班师还矣。捷闻，下所同察叙。

　　理藩院的这通公告也是写给外藩蒙古诸部的，于顺治三年八月二十日（1646 年 9 月 28 日）写成后交给理藩院员外郎郭尔图作进一步的传达。《实录》的记载却在八月的十二日（1646 年 9 月 20 日）早于这通公告 8 天。奇怪的是，七月十三日到十七日之间发生的事情，居然过去整整一个月后才加以公布。这同击败苏尼特部的捷报形成明显的对照。

　　七月十三日，清军无法追赶逃往色楞格河的腾机思、腾机特而回师，并向清廷报告了击败腾机思的消息。当大军从土喇河畔欧特克山一带西行抵达扎古齐温都尔查济泉时，与喀尔喀土谢图汗之两子及众台吉率领的二万援兵相遇，经过对阵，击败之。第二天又有喀尔喀车臣汗大军前来迎战，又击败之。对于久经战阵的清军来说击败喀尔喀联军并不是很难的事情，但作为喀尔喀中路和东路二汗来说，能够集结如此众多的人马，前来支援腾机思，抗御清军的入侵，说明喀尔喀抗清的决心很大。在此档案中对车臣汗部的人马数作了明显的夸大，而在《实录》中作了修改，称作三万人马。根据清军从土喇河西行到查济泉的记载，可以推测清军班师的路线正好是沿杭爱山东麓，经翁衮河而来，显然这是一条捷径。清军来时可能也循着这条路来的。

　　据《王公表传》，喀尔喀土谢图汗衮布有子三，长察珲多尔济，次哲卜尊丹巴呼图克图，季西第什里，并说"顺治三年，苏尼特部长腾机思叛逃，豫亲王多铎率师追剿至扎济布喇克，衮布遣喇瑚里等，以兵二万援腾机思，为大军所败，弃驼马千余窜。"说明衮布子并未参加此次战役。车臣汗硕垒有子十一。长嘛察哩，号伊勒登土谢图；次察布哩，号额尔德尼台吉；次拉布哩，号额尔克台吉；次本巴，号巴图尔达尔汉珲台吉；次巴布，袭父汗号；次绰思嘉布，号额尔德尼珲台吉；次巴特玛达什，号达赖珲台吉；次车布登，号车臣济农；次阿南达，号达赉济农；次布达扎布，号额尔德尼济农。档案中提到的车臣汗四个儿子的名字同《王公表传》的记录能够对上号的只有第四子本巴巴图尔达尔汉珲台吉和第五子巴布，而档案中写作巴吧。至于汤兀忒台吉、诺尔布台吉肯定不是车臣汗子弟。最有趣的是车臣汗部援兵由其所属阿巴哈纳尔、巴尔虎、哈达斤、乌梁汉等四部落组成的记载。阿巴哈纳尔，成吉思汗弟必里古台后裔所部名，称阿噜蒙古，依车臣汗硕垒驻牧克鲁伦河。此时该部作为车臣汗部的重要组成部分，参加了抗清战争。阿巴哈纳尔部的大部归入清朝并南迁漠南是康熙二十七年以后的事，而且有一千多户留在喀尔喀车臣汗部未走。巴尔虎，蒙古古老的部落，《蒙古秘史》第九节说巴儿忽歹篾儿干是阔勒巴儿忽真脱窟木地面的主人。哈达斤、乌梁汉等著名部落其时在喀尔喀还有众多人口。

腾机思叛逃喀尔喀，清廷坚决镇压，最后导致喀尔喀中路和东路的大动荡，迫使二部汗率领所属同苏尼特部一起远逃色楞格河。清军最后不能作远距离征战，只能于七月十七日罢兵回师。至此，苏尼特部叛清事件遂告平息。

四、清廷对苏尼特事件的善后处理

顺治三年九月二十三日（1646 年 10 月 31 日），摄政王次塞外兀蓝诺尔。是日，出征和硕德豫亲王师至。摄政王出营五里外迎之，并举行盛大仪式迎接出征内外王、贝勒、贝子、公等诸大臣。以俘获马驼牛羊大赏出征内外王、贝勒、贝子、公、台吉等暨固山额真以下、侍卫、牛录章京以上等官员。十月七日顺治帝亲自出安定门迎劳之。[①]

清军班师后，清廷利用各种机会向喀尔喀土谢图汗、车臣汗和丹津喇嘛施压，要他们务必于来年草青以前执送腾机思来朝，同时威胁以大军征伐喀尔喀。[②] 喀尔喀车臣汗通过腾机思事件认识到自己还没有力量与清朝对抗，遂于顺治四年（1647 年）四月遣使谢罪。[③] 接着，跟随腾机思反叛的苏尼特诸台吉纷纷降清。五月，班代、峨齐尔、胡巴津等自苏尼特来降，[④] 十二月，又有乌巴希台吉、伊尔毕斯台吉、沙金台吉、额林臣台吉、海色台吉、伊思希特台吉等从腾机思处归来。清廷对归来的台吉们一律优待，赏赐有加。[⑤] 清廷还派人招降腾机思。[⑥] 顺治五年八月，喀尔喀土谢图汗、车臣汗等正式遣使，以马千匹、骆驼百只谢侵夺巴林部罪。[⑦] 腾机思走投无路，被

---

① 《清世祖实录》卷 28，顺治三年九月丙寅条；卷 31，顺治四年四月己巳条。

② 《清世祖实录》卷 28，顺治三年九月己未条。

③ 《清世祖实录》卷 31，顺治四年四月丙子条。

④ 《清世祖实录》卷 32，顺治四年五月乙丑条。

⑤ 《清世祖实录》卷 35，顺治四年十二月甲申条。

⑥ 《清世祖实录》卷 41，顺治五年十二月辛卯条；《钦定外藩蒙古回部王公表传》卷 36，《原封札萨克多罗郡王腾机思列传》，武英殿本。

⑦ 《清世祖实录》卷 40，顺治五年八月乙未条。

第 十 四 章

晚清治蒙思想

第一节　清代前期的"因俗而治"与"分而治之"

清朝是继元朝之后，又一个由非汉民族缔造的中央王朝。在入关前，满洲贵族率先征服漠南蒙古诸部并与之建立起紧密的盟友关系，为入主中原打下了坚实的基础。入主中原后，清帝以中国正统王朝的继承者自居，接受"大一统"思想，力求确立"天子"一统"天下"的秩序。入关之初，顺治帝曾宣示喀尔喀蒙古部土谢图汗：以中原平定，朕诞登大位，我等与红缨蒙古素为一家，今应一统。① 中原底定后，康、雍、乾三帝一脉相承，以统一西北边疆为己任，为之征战不已。1755—1759 年，清朝相继平定蒙古准噶尔部和回部，最终统一西北边疆，使长城内外归于一统。

西北边疆统一后，蒙古各部领地、回部及西藏等边疆民族地区占据着清朝整个版图的一半以上。为了统治地域如此广大，且民族、文化迥然不同的领土，满洲统治者认真总结和吸取历史的经验教训，采取了不同于历代中原王朝的治边方针。自秦汉以后，华夷观逐渐形成为"明华夷之辨"、"严华夷之防"的理论，而且为历代中原王朝的统治者所继承。这种尊崇中原地区汉民族，贬低边疆地区非汉民族的民族偏见，必然影响边疆政策的制定。

---

① 中国第一历史档案馆蒙文老档，蒙字 1 敕谕档。

"秦始皇攘却戎狄，筑长城，界中国"，① 正是这种思想的具体表现。秦以后的中原王朝的统治者，对待边疆民族，或主张以武力征服，或主张弃之不理，或视其为化外之民，或视其为边患之源，都是受这种思想的影响。这无疑限制了他们采取更积极有效的措施以加强对边疆地区的控制与管理。即使最成功的统治者也无非是采取怀柔与羁縻政策而已。

清朝入主中原之初，虽以中原王朝正统的继承者自居，但汉族的精英——士人们并不认同由"夷狄"统治中国的合法性，使清朝在中原内地的统治面临严峻的挑战。所谓"自古明王，化中国以信，驭夷狄以权，故《春秋》云：'戎狄豺狼，不可厌也；诸夏亲昵，不可弃也'"，② 主张对不脱豺狼本性的夷狄，要驭之以权诈。以夷狄未"向化"，不懂儒家伦理而加以蔑视和践踏，是古代浸透着大汉族主义优越感的汉族士人对周边四夷的具有代表性的看法。明清易代，在明遗民看来，是"夷狄窃夺天位"，其严重性岂止一姓王朝的更迭，而是"中原陆沉"，"日月无光"，纲常名教荡然无存，整个社会沉沦于漫漫长夜。③ 于是有的汉人借"华夷之别"高于"君臣之义"，暗中鼓动汉人起来推翻清朝统治。因此，清统治者不得不对儒家思想体系的"华夷之辨"思想和正统论进行批评和驳斥，以图确立自身的合法地位。

雍正帝对"严华夷之辨"的批评最突出地表现在作为"夷狄"的清统治者不同于中原王朝（即汉族王朝）统治者的思想意识。雍正六年（1728年），发生了曾静策动岳钟琪反清事件。审理曾静、吕留良案时，面对吕留良为代表的汉族士人对满人的歧视，雍正帝不仅从理论上批判了传统的华夷观，而且以上谕的形式向全国颁布其主张，影响极大。

雍正帝抓住"明华夷之辨"的核心，即吕留良宣扬的"夷狄异类，譬如禽兽"进行剖析批判。他尖锐地指出，吕留良等在"华夷一家、天下一统之时，而妄判中外"，时"逆天悖理"。进而批判夷狄即禽兽之说，认为，"尽人伦则谓人，灭天理则谓禽兽，非可因华夷而区别人禽也。"他还指出

① 《汉书》卷 96，《西域传》。
② 《旧唐书》卷 62，《李大亮传》。
③ 郭成康：《清朝皇帝的中国观》，《清史研究》2005 年第 4 期。

"自古中国一统之世，幅员不能广远"的原因，就是因为传统的华夷观限制了历代向边疆地区的发展，对那些"不向化者，则斥之为夷狄"而不去治理，即使是"汉、唐、宋全盛之时，北狄、西戎世为边患，从未能臣服而有其地，是以有此疆彼界之分"。由于清朝无此束缚，故能"并蒙古极边诸部落俱归版图，是中国之疆土开拓广远，乃中国臣民之大幸，何得尚有华夷中外之分论哉"。①

雍正十一年（1733 年），雍正帝在批阅书籍时指出：

> 朕阅览本朝人刊写书籍，凡遇胡虏夷狄等字，每作空白，又或改易形声。如以夷为彝、以虏为卤之类，殊不可解，揣其意，盖为本朝忌讳，避之以明其敬慎。不知此固背理犯义，不敬之甚者也。夫中外者地所画之境也，上下者天所定之分也。我朝肇基东海之滨，统一诸国、君临天下，所承之统，尧舜以来中外一家之统也；所用之人大小文武，中外一家之人也；所行之政礼乐征伐，中外一家之政也。内而直隶各省臣民，外而蒙古极边诸部落以及海澨山陬，梯航纳贡，异域遐方莫不尊亲奉以为主。乃复追述开创帝业之地，目为外夷，以为宜讳于文字之间，是徒辩地境之中外，而竞忘天分之上下，不且背谬已极哉？孟子曰：舜，东夷之人也，文王，西夷之人也。舜，古之圣帝，孟子以为夷，文王，周室受命之祖，孟子为周之臣子，亦以文王为夷，然则夷之字样，不过方域之名，自古圣贤不以为讳也，至以虏之一字，加之本朝，尤为错谬……②

由此可见，雍正帝认为所谓夷狄，无非是一种地域的划分，比如汉人所尊崇的舜即东夷人，文王即西夷人，这是"本其所生而言，犹今人之籍贯耳"。"本朝之为满洲，犹中国之有籍贯"，满族与汉族无非是地域之分，绝不应有中外之分。很显然，雍正帝是在淡化华夷之间的文化差异。既然华夷只是表示地域的不同，那么，"何得以华夷而有殊视？"

---

① 雍正：《大义觉迷录》，中国社会科学院历史研究所清史研究室编《清史资料》第 4 辑。
② 《清世宗实录》卷 130，雍正十一年四月己卯条。

乾隆帝继承"天下一统"、"华夷一家"的思想，进一步提出了一个皇帝是否正统的新标准，这个新标准的核心在于不问其开国皇帝是否身为夷狄，只要入主中原而主中华者即为正统。乾隆完成了融通传统史家正统理论体系的构建，从而确立清朝在中国历朝正统序列中的合法地位。①

有学者认为，清统治者对华夷观的批判，基于两个方面的原因。首先是，满洲是崛起于东北地区的少数民族，按儒家传统观，无疑被视为"夷狄"之列。如果承认"明华夷之辨"，那么，满洲贵族就很难使自己建立起的中央政权具有合法地位。因此，他们反对"明华夷之辨"，这是满洲贵族的既定方针，自清初以来一直如此。其次是，中国境内各民族之间在政治、经济、文化各方面联系的加强以及民族融合的逐步加强这一客观现实清楚地告诉了清统治者，继续坚持传统的华夷观不利于边疆的统一和稳定。而入清以来大一统思想更加深入人心，要求统一已经成为不可抗拒的历史潮流。②上述分析是比较符合当时实际情况的。

不过，清统治者反对华夷观，还有一个更直接、更重要的原因，那就是，为了在边疆地区建立稳固的统治秩序。如果接受中原王朝的传统华夷观，试图"明华夷之辨"或"以夏变夷"，在边疆地区是无法建立起稳定的统治的。满洲贵族十分懂得，当其以武力统一幅员辽阔的边疆地区后，要在那里建立稳定的、行之有效的统治，就必须根据边疆地区的不同情况，因地制宜地建立起不同的统治体制与行政建制。因为在边疆各民族聚居地区，长期以来已形成了各自的行政制度、社会组织、宗教信仰与生活习惯，而且各民族对此早已安之若素、习以为常。如实行"以夏变夷"，在边疆地区强行划一行政制度、宗教信仰与社会习俗，势必引起各民族的反对而造成动乱。此外，因为满族本身是"夷狄"，清统治者对边疆民族在思想感情上是比较接近的，对其原有的社会制度、习俗以及宗教信仰是较为尊重的，而这也正是对边疆民族地区采取不同于内地的特殊政策的重要思想基础。

清朝自征服漠南蒙古各部开始，对各外藩部落采取了两个基本方针，一是"因俗而治"，另一是"分而治之"。建立中央政权，完成西北边疆的统

---

① 郭成康：《清朝皇帝的中国观》，《清史研究》2005 年第 4 期。
② 李世愉：《清代前期治边思想的新变化》，《中国边疆史地研究》2002 年第 1 期。

一以后，清朝对这两个基本方针也长期奉行不移，使之成为处理边疆民族事务的根本准则。

"因俗而治"是由《礼记·正义》中"修其教不易其俗，齐其政不易其宜"概括而成的。"因俗而治"的核心内涵是：在清中央政府的主权管辖之下，基本保留民族地区（主要是藩部地区）的传统政治制度，保证各民族上层对本民族内部事务拥有一定的自治权。这种自治权当然不是独立于国家权力以外的另外一种政治权力，而是清朝政治体系中一个具有较为自主性的权力层次。具体表现是外藩王公上层一方面受制于中央，另一方面在各自的领地或管辖范围内保持对属民的自理权。但由于各民族地方情况各异，其自治、自理的方式和程度亦不尽相同。在藩部中，首先，是西藏因保留着政教合一的政治制度和统一的地方政权，对内部事务享有较高的自治权。其次，实行札萨克分封制的外藩蒙古，对内部事务也有相当的自治权。各旗札萨克兼有封建领主和朝廷官吏的双重职能，是其领地上的最高领主，清朝的各驻扎大员一般不干预其内部事务；札萨克又部分地扮演着中央政府任命的地方官的角色，享有政府发给的俸禄，所以必须严格接受朝廷法令、法规的约束，并通过朝觐、进贡等形式，表示臣服之意。在回疆，除了吐鲁番、哈密二地的伯克享有与外藩蒙古相等的权力之外，其余各地实行伯克制度。伯克虽自理民政，但其权力很分散且受各级驻扎大臣的严格控制与监督，几乎没有多少自主权力，或者说自治程度很低。不过，无论自治程度高或低，清中央与藩部的统属关系主要是通过藩部上层与清朝皇帝间的君臣关系来体现的，因此藩部上层个人对皇帝的忠诚与否至关重要。

清朝还通过立法的形式，保证了蒙、藏、回各部地方政治制度的特殊性和民族上层的权利与义务。制定《蒙古律例》时乾隆帝就指出："国家控驭藩服，仁至义尽，爰按蒙古风俗，酌定律例"，"不可以内地之法治蒙古。"① 他对回疆立法亦曾明谕："办理回疆众事务，宜因其性情风俗而利导之，非可尽以内地之法治也。"② 雍正时期清政府对青海制定的《藩例条款》，也基本上是依照蒙藏民族习惯法制定的。嘉庆十六年（1811 年），清廷在乾隆时

---

① 《大清会典》卷 80，《理藩院·理刑清吏司》。
② 《清高宗实录》卷 648，乾隆二十六年十一月上丁未条。

期《蒙古律例》的基础上，吸收西藏、青海和回疆等地的立法成果，制定了民族地区的基本法规《钦定理藩院则例》，其中职守、设官、奖惩、军政、会盟、边禁等条例对边疆民族地方所履行的义务作出了明确的规定。而品秩、袭职、擢授、俸禄、朝觐等条款则给民族上层的种种特权予以法律上的确认。一系列成文法确立了代表清朝国家权力的皇权在边疆地区的最高权威。与此同时，使边疆民族地区的特殊地位，得到法律上的承认，从而将原先政治上处于不确定状态的边疆地区纳入封建国家法制的轨道，既保证了国家领土和主权的完整，又照顾了边疆民族的特殊性，这无疑是一种进步。在当时的社会历史条件下，这或许是促使蒙古各部上层从内心里服从国家最高权力皇权，从而使多民族国家达到长治久安的一个较为现实的途径。

从清前期满蒙关系发展的总趋势看，"因俗而治"政策是成功的。蒙古各部上层对清朝皇帝普遍表示效忠，保证了清朝在蒙古地区统治秩序的稳定和有效。

"分而治之"，即"众建之而分其力"①，是清朝针对边疆民族，特别是蒙古、回疆各部制定的另一基本方针。为防止边疆民族上层的权力过分集中，对清朝统治构成威胁，清政府在边疆地区确立新的统治秩序时尽力推行"分而治之"的方针。

自古以来，蒙古高原一直是北方游牧民族自由游牧、纵横驰骋的场所。至 13 世纪，成吉思汗统一蒙古各部，建立大蒙古国以后，蒙古人不仅成为蒙古高原的霸主，而且也成了时常对中原地区造成威胁的强大势力。至 17 世纪，由于严重的内讧，蒙古各部分崩离析，无法形成统一的力量。这就给刚刚崛起的女真人提供了发展壮大的绝好机会。爱新国主努尔哈赤曾说过："云合则致雨，蒙古合则成兵，其散犹如云收而雨止也。俟其散之，吾当亟取之。"② 努尔哈赤的继承者皇太极，依其父训，采取"分而击之"的策略，把漠南蒙古各部纳入其统治之下。继而在漠南四十九名王公贵族的协助下创立了清王朝。满族贵族入主中原后，也一直惧怕蒙古人重新崛起，威胁清朝的统治，因此采取了既要利用蒙古的军事力量维护清朝的统治，又要"分

---

① 　昭梿：《啸亭杂录》卷 3，《西域用兵始末》，中华书局 1980 年版，第 77 页。
② 　《满洲实录》卷 7，天命八年正月条。

而治之"以削弱其实力的办法。

"分而治之"作为一种制度，首先是由漠南蒙古逐渐推行到其他蒙古地区的。自天聪年间起，清朝在归附的漠南蒙古中编佐设旗，崇德初大规模设置旗分，至康熙初已增到49旗。喀尔喀设旗从顺治年间开始，康熙年间编为32旗，至乾隆朝增到86旗。雍、乾时期，青海蒙古和漠西卫拉特逐次被征服后，也设置旗分，青海设28旗，漠西设34旗。再加上额济纳旧土尔扈特1旗，阿拉善和硕特1旗，至乾隆中叶，札萨克旗数达199个。①

全面推行札萨克分封制的结果，大大分散和削夺了蒙古封建主的权力，把原先以部落为单位在草原上自由迁徙的蒙古人严格地固定在许多以旗为单位的小块领地内。例如，漠南蒙古鄂尔多斯部，原来的共同首领是济农额琳臣。入清后，清即分封六个札萨克，分成互不相属的六个旗（后又增加一札萨克旗）。外蒙古各部首领虽保留了"汗"的称号，实际上只能支配其自任札萨克之一旗。曾经企图反抗清朝的察哈尔、卫拉特等部，则或者取消其札萨克权力，或编为军队，分驻各地，无法再形成统一的一部。这样，旗地最终变成了蒙古人的生活圈，蒙古各旗民就分别被固定在这种狭小的天地内，不能再像以往那样进行氏族或部族的活动。于是，蒙古人无论在政治上或军事上都丧失了朝气，而甘居于被管束的秩序之中。②

分封札萨克之后，原先的兀鲁思、土绵、鄂托克、爱玛克等彼此间具有领属关系的大游牧领地被分割成彼此隔离的许多小块领地——旗。于是蒙古封建主原有的实力大大削弱了。他们虽在各自的旗地上保持基本的领主地位，但互不统属，不能结成为一个自己管理自己的自治共同体，而是直接受清朝理藩院的管辖。这样，蒙古各部之间出现横向的政治联合的可能性已变得微乎其微了，相反，大大小小的蒙古封建主始终充当着清廷的忠实臣仆。可以说，清朝从根本上消除了蒙古诸部重新联合而对中原造成威胁的可能性。

"因俗而治"、"分而治之"这两个基本方针表明了清朝统治者既承认蒙古地区特殊性并给予特殊的政策，又严格控制蒙古僧俗上层势力，防止对己

① 《钦定理藩院则例》卷1，《旗分》。
② ［日］田山茂：《清代蒙古社会制度》，潘世宪译，商务印书馆1987年版，第168页。

产生不利因素的治边思想。这两条方针的贯彻实施，对于维护清朝在蒙古地区的统治发挥了积极的作用。乾隆中期以后的百余年中，蒙古地区一直未发生大的动乱，蒙古僧俗上层始终充当着清朝皇帝的忠实臣仆，维护清朝的统治秩序。清政府对蒙古地区的有效管辖和各部上层的倾心内附，有力地促进了多民族国家族际关系的巩固和发展。当然，作为封建专制王朝，清朝对蒙古民族一直实行分化、削弱政策，这对于蒙古民族的进步、发展也产生了不利的影响。正如著名清史专家王锺翰先生所言：蒙古族"经过清朝三百年的长期统治，被制服成了一个一蹶不振，不相统属，人口下降，贫穷落后的弱小民族。清王朝对此是要负主要责任的，我们不能为其讳言"。[1]

第二节　19 世纪中叶以后的边疆危机与廷臣疆吏的治边论说

鸦片战争以后，在资本主义强国的侵略下，中国边疆地区普遍出现危机。与此同时，中国国内的阶级矛盾、民族矛盾也日益加剧，清朝在边疆地区的统治受到来自下层人民的反抗。由于内忧外患交错迭起，中国边疆地区进入了更加动荡不安的时代。

阿古柏入侵新疆后，新疆大部分沦于外敌占领下，国人要求迅速出兵、收复新疆的呼声日益高涨。清政府也一直在筹划布置，力争早日收复新疆。

但是，正当清政府注重新疆之事时，日本出兵侵犯台湾，东南海防顿时紧张。同治十三年（1874 年）九月，总理各国事务衙门因日本"以一小国之不驯，而备御已苦无策，西洋各国之观变而动，患之频见而未见者也"，提出练兵、简器、造船、筹饷、用人、持久六条，上奏清廷，请求饬令东南沿海各省督抚在一个月之内就此提出具体方案及时复奏。[2] 随之，闽浙总督李鹤年，广东巡抚张兆栋，署山东巡抚漕运总督文彬，直隶总督李鸿章，山东巡抚丁宝桢，办理台湾等处海防大臣沈葆桢等，就加强东南海防，提出各自的方案。其中，即有人主张停止出兵新疆，以腾出之经费筹办海防。于

---

① 王鐘翰：《试论理藩院与蒙古》，《清史研究集》第 3 辑，1984 年版。
② （同治朝）《筹办夷务始末》卷 98，中华书局 1979 年版，第 20 页。

是，清政府内部对出兵收复新疆出现分歧，形成了一场关于"海防"与"塞防"的争论。

直隶总督李鸿章是坚持"海防"论的中心人物。他认为"海防西征力难兼顾"，因而主张暂时放弃收复新疆。他在《筹议海防折》[同治十三年（1874年）十一月]中提出：

> 新疆各城，自乾隆年间始归版图，无论开辟之难，即无事时，岁需兵费尚三百余万，徒收数千里之旷地，而增千百年之漏卮，已为不值。且其地北邻俄罗斯，西界土耳其、天方波斯各回国，即勉图恢复，将来断不能久守。屡闻外国新闻纸及西路探报，喀什噶尔回酋新受土耳其回部之封，并与俄、英两国立约通商，是已与各大邦勾结一气，不独伊犁久距已也，揆度情形，俄先蚕食，英必分其利，皆不愿中国得志于西方。而论中国目前力量，实不及专顾西域，师劳财痡，又虑别生他变。曾国藩前有暂弃关外，专清关内之议，殆老成谋国之见。今虽命将出师，兵力饷力，万不能逮。可否密谕西路各统帅，但严守现有边界，且屯且耕，不必急图进取。一面招抚伊犁、乌鲁木齐、喀什噶尔等回酋"，准其自为部落，如云贵粤蜀之苗徭土司，越南、朝鲜之略奉正朔可矣。两存之则两利，俄、英既免各怀兼并，中国亦不致屡烦兵力，似为经久之道。况新疆不复，于肢体之元气无伤；海疆不防，则腹心之大患愈棘，孰重孰轻，必有能辩之者。此议果定，则已经出塞及尚未出塞各军，似需略加核减，可撤则撤，可停则停，其停撤之饷，即匀作海防之饷。否则只此财力，既备东南万里海疆，又备西北万里之饷运，有不困穷颠蹶者哉？[1]

从英、法、美、日等国多由东南沿海入侵来说，加强海防是重要的，应该将它放在战略上加以考虑。李鸿章专注海防，固然与日本侵略引起的东南局势紧张有关。可是，这时因与日本订约，东南形势并不如西北严重，新疆战略地位十分重要，并非弹丸无用之地。故过分强调海防，甚至要放弃新疆

---

[1] 《李文忠公全书·奏稿》卷24，光绪三十四年（1908年）刻本。

以注重海防是不合时宜的。更严重的是，此番议论中，李鸿章还是提出了所谓使"回酋""奉正朔"的主张，即"招抚伊犁、乌鲁木齐、喀什噶尔等回酋，准其如同越南、朝鲜一样"奉正朔"。李鸿章之所以产生这种想法，并非只因朝廷度支竭蹶、财力不支所造成的，这还与他本人及某些朝臣对回疆藩属地位的错误认识有密切的关系。李鸿章等昧于传统"华夷"思想，将回疆视为"外夷"之地，甚至与越南、朝鲜等属国等同起来作权衡，认为力不能及，则可弃之。这种混淆藩部与属国的不同性质，对清朝在新疆的主权地位认识不清，是李鸿章轻言放弃新疆的思想根源所在。

除李鸿章之外，因分摊西征军协饷而苦恼的地方督抚中也有一些人支持"海防论"的意见。比如山西巡抚鲍源深曾以财政问题为由提出如下议论：

> 自古立国之经，必先足用。足用之道，必先充实内地而后以余力控制边陲。未有竭内地之藏，供边陲之用而能善后者也……今之内地空虚极矣。自咸丰初年军兴以来，殚竭财赋以佐饷需者，为数已不可胜计。迨发、捻既平，滇黔胥靖，而各省犹协拨频仍，不遗余力。以内地甘、陇未清，不得不竭力图维勉资军食，其实百计搜括，已极艰难，乃自肃州告捷，因出关师行紧要，征饷益繁……盖关外用兵，骆驼之费、转运之资，较之关内，且增数倍。然其事果有把握，计期可以告藏。各省即设法筹措，尚冀有日息肩。无如边地荒远，回情狡谲，恐非克日成功之举。设迁延岁月，边外之征需未已，内地之罗掘无穷，万一贻误戎机，悔将何及。①

鲍氏显然如同李鸿章从"内地为心腹"，"边地为四肢"的理论出发，奏请清廷将西征军驻扎于安西、敦煌、玉门一带，实行屯田以备将来。至于新疆，显然是不必急图收复。

河南巡抚钱鼎铭亦认为关外只宜屯垦缓进，不宜添兵大举，并拟将宋庆军调回潼关。此外，光绪生父、醇亲王奕𫍽亦支持"海防"论的意见，认

---

① 朱寿朋：《光绪朝东华录》，中华书局1984年版，第23—25页。

为"李鸿章之请罢西征为最上之策"。①

湖南巡抚王文韶、湖广总督李瀚章、山东巡抚丁宝桢，陕甘总督左宗棠以及军机大臣文祥等人，则提出塞防急于海防，主张应及时出兵收复新疆。

同治十三年（1874年），湖南巡抚王文韶在奏文中指出：

> 海疆之患，不能无因而至。其所视成败以为动静者，则西垂军务也。何以言之，西洋各国俄为大，去中国又最近。庚申以来，其于英法美诸国，一似相于无相与者。其狡焉思逞之心，则固别有深谋积虑，更非英法美诸国可比也。比年以来，新疆之事，邸钞所不尽宜，人言亦不足信。然微闻俄人攘我伊犁，殆有久假不归之势。履霜坚冰，其几已见。今虽关内肃清，大军出塞，而艰于馈运，深入为难，我师迟一步，则俄人进一步，我师迟一日，则俄人进一日。事机之急，莫此为甚。彼英法美诸国，固乘机而动者。万一俄患日滋，则海疆之变，相逼而来，备御之方，顾此失彼。中外大局，将有不堪设想者矣。臣愚以为目前之计，尚且以全力注重西征，不在兵多，但期饷给，责成左宗棠、景廉等，悉力经营。冀有成效可观，但使俄人不能逞志于西北，则各国必不致构衅于东南。此事势之可指而易见者。非谓海防可缓，正以亟于海防，而深恐西事日棘。将欲其历久坚持，而力所不逮，势有所不及也。②

王文韶从国防战略的角度认为西北之俄患更重于东南海疆之患，故提出只要"使俄人不能逞志于西北，则各国必不致构衅于东南"的论断。这一论断，后来对清廷的决策产生了极重要的影响。

东南各省督抚中，李瀚章是就筹备海防一事较早复奏的督抚之一。同治十三年十月，他奏陈："东南防务，固宜认真图谋，西北征军，尤贵及时清理。新疆回逆，尚未剿灭净尽，自难遽议撤兵"。不过，他又提出"惟现在统率太多，事权不一，各路之营勇难稽，则饷项之馈输无定，统计关内外各

---

① 中国近代史料丛刊《洋务运动》（一），上海人民出版社1961年版，第116页。
② （同治朝）《筹办夷务始末》卷99，中华书局1979年版，第60—61页。

军月饷，岁以数百万计，东南各省财力，半耗于此。刻下创办海防，需用浩繁，日久恐难兼顾。似应饬令西征各统率大臣，汰弱留强，裁无益之兵，以济有用。"① 强调出征西北，应以不影响东南海防为前提。

光绪元年（1875 年）一月，山东巡抚丁宝桢也提出了与王文韶类似的观点，进一步阐述了俄患可忧之理：

> 窃虑寝食不安，则尤在俄罗斯，而日本其次焉者也。盖外洋各国，与中国水陆虽通，而陆路不通，且均远在数万里外；日本洋面虽近，而陆路尚阻。惟俄罗斯，则水陆皆通中国，而水陆较各国为近，陆路则东北、西北，直与黑龙江、新疆各处连壤，形势在在可虞。况该国最称强大，自通商以后，皆与各国一律换约，轮船亦时有往来。臣数年来暗为查考通商各口，并未见该国有大宗货物交易，而每遇各国与我口舌等事，彼往往两利俱存，务为见好，此即其意存窥伺，乘机观变之大较也。窃谓各国之患，四肢之病患，远而轻；俄人之患，心腹之疾患，近而重。现在东南海防渐次筹办，而北面为京畿重地，以形胜而论则拊我之背，后路之防实尤为紧切。将来时势稍变，各该国互相勾结，日本窥我之东南，俄国扰我之西北，尤难彼此兼顾。②

丁宝桢在这里主要强调"俄患"为中国真正心腹之患，因此必须出兵保住西、北两边疆不被俄人占据，以免将来腹背受敌。

总理衙门在总结前一段争论后，除了令王公大臣和朝内大臣悉心妥筹复奏之外，于光绪元年（1875 年）二月，要求陕甘总督左宗棠统筹全局，就海防与塞防妥筹密奏。

左宗棠参与了对太平军、捻军以及陕甘回民起义的镇压，屡立战功，并由此跻身统治集团，成为封疆大吏中的重要一员。由此而得到的资格和经验，使他具有了与李鸿章抗衡并率兵收复新疆的条件。光绪元年（1875 年）三月，左宗棠上《复陈就海防塞防及关外剿抚粮运情形折》，就出兵新疆提

---

① （同治朝）《筹办夷务始末》卷 100，中华书局 1979 年版，第 13 页。
② 王彦威：《清季外交史料》卷 1，书目文献出版社 1978 年版，第 20 页。

出如下意见：

> 时势之宜筹，谟谋之宜定者，东则海防，西则塞防二者并重。今之论海防者，以目前不遑专顾西域，且宜严守边界，不必急图进取，请以停撤之饷，匀济海防……今若画地自守，不规复乌垣，则无总要可扼，即乌垣速复，驻守有地，而乌垣南之巴里坤，哈密北之塔尔巴哈台各路，均应增置重兵，以张犄角；精选良将，兴办兵屯、民屯，招徕客、土，以实边塞。然后，兵渐停撤，而饷可议节矣……若此时即拟停兵节饷，自撤藩篱，则我退寸而寇进尺，不独陇右堪虞，即北路科布多、乌里雅苏台等处，恐亦未能晏然。是停兵节饷，于海防未必有益，于边塞则大有所妨，利害攸分，亟宜熟思审处者也。①

左宗棠认为，海防固然要备，新疆也要收复。因为新疆是中国固有之版图绝不可放弃，况西征成与否，实为中国存亡之问题，毫无退却之余地。从战略上讲，应当海防、塞防二者并重，但从目前形势来讲，塞防更急于海防。若失去了塞防，中国就要腹背受敌，海防亦难以筹备。只有保住西北，东南才能守住。如他所分析的"海疆之患，不能无因而至，视西垂之成败以为动静，俄人攘我伊犁，势将久假不归。大军出关，艰于转运、深入为难，我师日迟，俄人日进，宜以全力注重西征。俄人不能逞志于西北，各国必不致挑衅于东南"。可见，在海防与塞防的战略关系的认识上，左宗棠的想法与王文韶完全一致。其奏文中的这段文字也是从王文韶的奏文中引用的。左宗棠对新疆战略地位的认识，较他人更加深刻，一向坚持认为新疆收复与否，将关系到整个国家的安危。以往历代各朝，凡国势渐衰时，往往先弃西北以保东南，却又因丢掉西北导致国势更衰，最后连东南也保不住。只有新疆安定，自西北至京畿"联络一气"，才不会给外敌造成可乘之机。总之，左宗棠的观点是：在特殊情况下，朝廷要对东南海防与西北塞防通盘考虑，有所侧重。当前，西北形势的危机数倍于东南，就应集中力量解决西北问题。只有保全了西北，才能更好地保全东南。

———————————

① 《左文襄公全集》卷46，《奏稿》，台湾文海出版社1979年版。

光绪元年（1875 年）十一月，文祥在宫廷会议上发表意见，"排众议之不决者，力主进剿"。他认为："我朝疆域，与明代不同，明代边外皆敌国，故可画关而守，今则内外蒙古皆臣仆。倘西寇数年不剿，养成强大，无论坏关而入，陕甘内地皆震，即驰入北路，蒙古诸部落皆将叩关内徙，则京师之肩背坏，彼时海防益急，两面受敌，何以御之。"文祥相信"此次以陕甘百战之师，简锐出关，破未经大敌之寇，乌鲁木齐辖境，不难指日肃清"。[①]军机大臣文祥力主出兵新疆，给左宗棠以重大支持，对清廷最后采纳塞防论的意见发挥了重要作用。

在收复新疆的问题上，出现海塞防之争后，清政府一时难以作出决定。李鸿章等反对出兵新疆，固然存在对新疆的错误看法，但清政府财政困难，经费奇缺，无疑是最重要的原因。如前文已述，自张格尔之乱以来，如何维持对新疆的粮饷供给，一直是清政府的一个难题。单从财政而言，要想维持在新疆的统治，对清政府的确是个巨大的负担。所以，同治中期新疆发生大变乱，脱离了清朝的实际统治之后，令清政府难以作出出兵决定的主要原因仍是财政问题。其实，在李鸿章之前，于同治十年（1871 年）正月曾国藩曾奏请清廷"暂时放弃关外，专守关内"，其原因也在于经费难以筹措。光绪纪元之始，即因西征经费问题，形成海防、塞防之争论。最后，左宗棠所提出的海防塞防"两者并重"的战略思想和对军饷、粮运的多方谋划，才使清廷认识到西征的迫切性，也使其看到筹措经费的可行性。

左宗棠精辟透彻的分析、论证，对促使清政府最终作出收复新疆的决定产生了重要作用。光绪元年（1875 年）三月，清廷命左宗棠以钦差大臣督办新疆军务，率师规复新疆。[②]左宗棠便制定"缓进急战"的战略方针，于光绪二年（1876 年）二月指挥大军出关。西征军仅用一年半的时间就击败阿古柏势力，收复了被其占领的全部土地。新疆被外国侵略势力占据，中国国家统一遭到严重破坏的危急时刻，左宗棠提出海防、塞防并重的战略思想，最终战胜了"放弃新疆"论，不仅为清政府出兵收复新疆指明了方向，也对晚清治边思想转变产生了深远影响。

---

① 李云麟：《西陲事略》，台湾影印《中国方志丛书》，台湾成文出版社 1968 年版。
② 《左文襄公全集》卷 46，《奏稿》，台湾文海出版社 1979 年版。

光绪十年（1884 年），清政府采纳左宗棠、刘锦棠等人意见，在新疆建立了行省。这是清代边政制度史上的重大变革。从治边思想史而言，也是一个重要转变的开端。左宗棠提出的废除藩属体制，实施改制设省的主张，终为清廷所采纳的实事表明，清朝统治者已经开始转变"因俗而治"的传统治边观念。另一方面，以汉族军事官僚为主体的内地新兴官僚阶层的边疆认识与治边意识，在边疆政策的制定和实施中开始发挥主导作用。这一变化，对清末清政府在蒙、藏地区推行新政，加强统治也产生了影响。

第三节　晚清时期筹蒙议论

左宗棠力主收复新疆的重要原因之一就是要保蒙古。光绪元年（1875 年）三月，他上奏《复陈就海防塞防及关外剿抚粮运情形折》，即以日趋严峻的"俄患"为由，提出"若此时即拟停兵节饷，自撤藩篱，则我退寸而寇进尺，不独陇右堪虞，即北路科布多、乌里雅苏台等处，恐亦未能晏然。"光绪三年六月左宗棠上奏《遵旨统筹全局折》正式向清廷提新疆改设行省时，更进一步提出"重新疆者所以保蒙古，保蒙古者所以卫京师"的论点。换言之，保蒙古的意义不仅在于巩固北疆，而且关系到保卫京师的安全。同治年间新疆发生变乱，继而俄国派军队侵占伊犁后，蒙古的形势岌岌可危，朝廷内外无不为之担忧。继左宗棠之后，张之洞等封疆大吏就备边和筹蒙问题提出了一系列影响深远的建议和主张，成为晚清政府决策的重要思想基础。

（一）张之洞的筹边奏议与治蒙论说

张之洞（1837—1909 年），字孝达，直隶南皮人。同治进士，历任翰林院编修、湖北学政、四川学政、国史馆协修、詹事府洗马左庶子、山西巡抚、两广总督、湖广总督、署两江总督、军机大臣体仁阁大学士、管理学部大臣等要职，是晚清重臣之一。

关于伊犁事件的廷议中，张之洞锋芒毕露，显示了雄才大略。他的言论虽未被清廷所用，但很多重臣相信他是一个后生可畏的锐进之士。张之洞对蒙古问题的关注始于中俄伊犁问题之谈判。光绪五年（1879 年），清政府派崇厚出使俄国，谈判伊犁归还问题。崇厚缺乏外交常识，对新疆边境情势更全无所知，在俄政府的胁迫和愚弄下，与俄签订了《里瓦几亚条约》（亦称《交收伊犁条约》）。该条约规定：中国仅收回伊犁一座孤城，却要割让大片领土；修改塔尔巴哈台和喀什噶尔附近边界；俄商在蒙古、新疆免税贸易，增辟由陆路至天津、汉口的通商路线；俄国在嘉峪关、乌里雅苏台、科布多、哈密、乌鲁木齐、古城（今奇台）增设领事等。此外，中国还要向俄国赔偿"代守"伊犁兵费 500 万卢布。

崇厚签订《里瓦几亚条约》的消息传到国内，朝野一片哗然。张之洞首发其端，于光绪五年（1879 年）十二月上《孰权俄约利害折》，力陈该约不可准许。其中重要一条理由就是不准俄国通过设领事、行贸易等手段，将势力伸向蒙古各盟。他指出："中国屏藩全在内外蒙古，沙漠万里，天所以限。俄人即欲犯边，迤北一面，总费周折。若蒙古台站供其役使，彼更将指重利以陷蒙人。一旦有事，音信易通，粮运无阻，势必煽我藩属为彼先导。"很显然，张之洞担心的是蒙古人为俄国人所利用，使俄国对中国的侵略更容易得逞。这种想法，与左宗棠将新疆和蒙古的问题通盘考虑的战略思想是十分一致的。

围绕伊犁问题，中俄之间出现严重对峙时，张之洞力主以武力做后盾，改订崇约。他认为朝廷只要以左宗棠督率军务，即使俄人因改约而挑起兵端，中国亦能应战并最终能战胜俄人。他说这并不是因为"敢迂论高谈，以大局为孤注"，而是"深观世变日益艰难，西洋扰我权政，东洋思启封疆，今俄人又故挑衅端"。如果再忍让，"从此各国相逼而来，至于忍无可忍，让无可让，又将奈何？"如今"乃中国强弱之机，尤人才消长之会，此时猛将谋臣，足可一战"。若再过数年，"左宗棠虽在而已衰，李鸿章未衰而将老，精锐渐尽，欲战不能。而俄人已城于东，屯于西，行栈于北，纵横窟穴于口内外，通卫藏，胁朝鲜"。他最后强调，今日不捍御蒙古等诸"藩篱"，而待他日斗之于"庭户"，则"悔何及乎！"①

同年十二月，张之洞针对中俄伊犁问题危机，再上《详筹边计折》，极力主张做好与俄作战的准备，并提出了以练兵、筹饷、用人三项为中心的防俄方策。在练兵一项内，张之洞谈到了训练蒙兵、讲求牧政、使蒙古各部富

---

① 《张文襄公全集》卷 2，《奏议》，台湾文海出版社 1979 年版。

强起来的问题。他说：

> 蒙古各盟与圣清累朝同休戚，与今日中华同利害。雍乾间征讨准、回，蒙古各部均资其兵力，以集大勋。近年各藩无才，日就贫弱，俄人乘机阑入。乌梁海南北受其牢笼，克鲁伦河东西，侵为田牧，渐且尽夺膏腴，杂居无限，一旦有事，卡伦、鄂博直如虚设，彼将径叩边墙。①

根据以上判断，张之洞要求清廷派遣特命蒙古王大臣，随带熟悉边事的文武官员数人，前往蒙古各盟，尤其体察土谢图汗等四部（即喀尔喀四盟）情形，布告各盟"晓以俄人叵测，意在蚕食蒙疆"，并令各王公激励属民，讲求牧政，简练成军，以求富强。为此，张之洞提出政府必须提供整顿蒙兵及沿边重镇的专项经费。他说：北洋所需有海防经费，新疆所需有西征专饷，东三省饷项可于南洋海防经费内酌拨。惟整顿蒙兵蒙疆，无专项经费。沿边重镇如科布多、乌里雅苏台、归化城、张家口诸处，均需增兵增饷。故拟请饬下各省督抚，酌量裁汰营勇，即汰四存六，以节余之饷供边军。张之洞还强调蒙古兵丁应由蒙古王公统率，特意提出：科尔沁亲王僧格林沁之子王伯彦诺谟祜"世笃忠贞，廉扑勇敢"，若令其总统各盟，副以大臣分防乌里雅苏台、库伦两路，"当能远追超勇亲王策凌之英风，近绍忠亲王僧格林沁之余烈。"

据上所述，张之洞首先看到蒙古"日就贫弱"，俄人有可能"径叩边墙"的危机情势，提出了"蒙古强则我之候遮，蒙古弱则彼之鱼肉"的观点。如何加强对俄防御，他认为，关键在于使蒙古各部强盛起来。这主张与清代前期"众建之而分其力"，尽力抑制蒙古强盛的传统思想是截然相反的。也与同、光以来廷臣疆吏中普遍持有的"蒙王不可依，蒙兵不足恃"的观点大不相同。就当时蒙古各部的日趋"贫弱"的态势看，使之充当抵御强俄的主要力量虽令人怀疑，但任蒙古继续贫弱下去，则已不符合清朝强边御敌的现实需要了。张之洞能够认识到这一点，并且在朝野对蒙古日感失望的形势下，倡导改变蒙古贫弱状态，使之强盛起来，的确难能可贵。不

① 《张文襄公全集》卷2，《奏议》，台湾文海出版社1979年版。

久，张之洞在其《会议未尽事宜片》（光绪六年正月）中，就振兴牧政、开办屯田等问题，提出了一些具体建议，如饬令各部王公劝谕所属旗民，采取储草御冬寒等办法，使牲畜安全过冬，使之愈益繁盛起来；在库伦附近等可耕地方，派员耕种夏熟之谷物等，开辟地利，以裕生计等。①

经过了伊犁危机之后，清政府对于俄患有了迫切的感受，故对张之洞的筹边奏议十分重视。此后，张之洞逐渐成为对外交、边政皆有发言权的重要人物。《中俄伊犁条约》签订后，清政府根据张之洞等人的意见，对北部边境地区采取了一些防范措施，以图加强御俄之力量。光绪七年（1729 年）四月，上谕指出："现在俄事虽已定议，惟念中国边境与俄毗连，必宜慎固封守，以为思患豫防之计。……至库伦为俄人来往冲途，关系甚重。"随之，任命喜昌为库伦办事大臣，"著将所部新军酌带一千人，前赴库伦，并督率该处原有宣化马队勤加操练，以备不虞"。②

喜昌到任后感到"库伦、恰克图非置重兵，无以壮声威，非立大员无以昭镇压"，于是请求清廷"在库、恰两处各驻兵五百名，嗣后若能举办屯垦，藉以裕其兵食，再由宣化、古北口拣选熟悉农务步队一千名驻扎后地（即库伦以北地带），就地开垦耕种。三年后，能否节减兵费，查看情形，酌量办理三处防兵，前后两千名，以恰克图为前路，后地为中路，库伦为后路。军威既能联络，窥伺即杜防，而交涉事件较易办理"。③ 除了在库、恰派驻重兵外，他还强调在漠北大力开展兵屯，就地解决驻军粮饷，以边养边。喜昌所奏请的内容，实际是张之洞所提筹蒙防俄主张的具体化，虽引起过清廷的重视，但由于粮饷难以筹措等因，未能付诸实施。

边省督抚及兼辖蒙旗的将军、都统等关注蒙古，除防俄这个因素外，还有一个重要原因，那就是开辟利源。

光绪七年（1881 年）十二月，张之洞出任山西巡抚之后，他对边事的兴致更多地集中到了口外七厅的整饬和田赋的清理上。

山西省与内蒙古西部的察哈尔、土默特及鄂尔多斯东南部沿边地区接

---

① 《张文襄公全集》卷 2，《奏议》，台湾文海出版社 1979 年版。

② 《清德宗实录》卷 129，光绪七年四月己亥条。

③ 中国第一历史档案馆：《光绪朝朱批奏折》第 114 辑，中华书局 1996 年版，第 21—26 页。

壤。自清初以来，山西等华北各省的汉族农民不断迁入察哈尔、土默特境内，从事农耕，渐成聚落，定居下来。自雍正初至乾隆中叶，清廷为了管理移居蒙地的汉人，在土默特和察哈尔右翼境内先后设立了归化城、萨拉齐、和林格尔、托克托城、丰镇、宁远七厅。起初，这些厅分别隶属于山西省归绥道和雁平道，均由山西省派地方官管理汉民并受理蒙汉诉讼。"厅"，本是府的派出机构，最初不是一级独立的行政建制。厅的长官同知或通判也是非正印官，手中只有关防而无印。清廷在新开辟的边外地区不便径设府州县，所以将厅移植过来作为过渡，并在同知、通判前加理事或抚民衔，以示可以掌管厅内的一切行政。厅因而成了特殊的行政建制。[①] 在内蒙古西部设立的上述七厅，隶属于山西省归绥道，均由山西省派地方官管理各厅汉民，并受理蒙汉诉讼。因此，这些设厅的蒙旗地方，在政治和经济关系上，与山西省有了密切的关系，实际上成为山西省的延伸部分。

在清代前期，清朝虽然禁止内地汉人随意进入蒙地开垦牧地，并制定相应的法令。但仍有汉人违禁进入蒙地，从事耕种。不过其数量较少，蒙古人所征收的租项亦很微薄。对这种"私垦"，沿边州县地方官虽有查禁的责任，但实际上是听之任之，并不加干预。到了清后期，情况发生了很大的变化。如张之洞所说：今则出塞民人，数倍于土著蒙古，如"察哈尔附近，围场地方，弥望沃壤，私垦甚多，其地本属蒙部，不征钱粮。今若听其旷废则可惜，徒听私垦，不能升科则仍于国计无补"。[②] 于是张之洞等边省督抚们认为，唯有募军屯田，练兵节饷，才是巩固边圉的善策。

张之洞出任晋抚不久，即上奏清廷，要求"把寄居于察哈尔、归化城土默特以及伊克昭、乌兰察布两盟各旗境内的所有汉人稽查登记，编立户籍，令其报地升科、永远居住"[③]。他认为，如此办理，既有利于管理汉民，也有益于增加国家税收。此后，又以山西口外七厅，今昔治理不同，奏请将七厅理事厅员，仿照直隶成案酌改抚民理事要缺，以加强施政的力度。当时，由吏部奉旨与各衙门商议后，要求张之洞将"未尽事宜，详细妥议"

① 张永江：《论清代漠南蒙古地区的二元管理体制》，《清史研究》1998 年第 2 期。
② 《张文襄公全集》卷 2，《奏议》，台湾文海出版社 1979 年版。
③ 内蒙古档案馆准格尔旗札萨克衙门档案，卷 65。

后，再奏明办理。

光绪九年（1883年）九月，张之洞上《筹议七厅改制事宜折》，正式提出口外七厅改制一案。他首先强调："归化等七厅、宣云，屏藩漠南重镇，幅员荒阔，民、蒙杂居，侨户逋粮，曩称难治，去省辽远，吏治不修。近年以游勇马贼之摽掠，河界地租之斗争，奸商大猾之扰乱，风气嚣然，隐患渐伏。"据此他提出分别缺项、定章补署、更议管辖、浚筑城垣、编立户籍、清理田赋、建设学校、变通驿路、筹补遗粮、添设公费、募练捕兵、议定巡牧十二项整饬措施，请求清廷批准实施。其改制之重点则在于以下几方面：

改定官制　将归、萨、丰三厅同知和宁、和、托、清四厅通判均由理事改为抚民要缺，并且满汉通用。扩大归绥道的管辖范围，改变七厅分隶二道之现局。口外七厅中，丰、宁向隶雁平道，归、萨、和、托、清向隶归绥道，七厅分隶二道，未免事权不一，且雁平道驻代州，远离丰、宁，鞭长莫及。故将丰、宁二厅改隶归绥道管辖以资联络。改设抚民同、通后，一切仓库、钱粮、交代、词讼、缉捕事宜均责成归绥道查核。命盗要案及秋审案件亦由该道审转。

编立户籍　七厅半系客民，五方杂处，良莠不齐，人无定名，籍无定户。现欲整齐治理，非查造户籍，无从措手。应令该管道督饬该厅员，逐一查清。察哈尔、土默特等处蒙旗寄民众多，因非各厅所管辖，外来游匪，往往恃为逋逃渊薮。以后由七厅会同蒙旗，每年派员编查一次各旗寄居民人，并分三种办法，编入户籍。即将种地纳粮者编为粮户；置有房产、种有田地者编为业户；携有眷口并无房产，不常厥居者编为寄户。此次编定以后，如有新来寄民，应令呈明入籍。

清理田赋　七厅地亩，征粮征租，端绪纷杂，有民粮地、王公牧地、王公租地、右卫圈地、大同屯地、已升科官荒牧地、未升科蒙古牧地等。近来，庄头疲累，逃户滋多。府欠租，官欠粮，旗欠米，庄头亏业，客民亏本，蒙古亏牧。现七厅改制，务须清理田赋。将业户、租户一律查清，里甲互出保结，稽查逃匿，寓清粮于编审户籍之中；令各粮户，自行封纳差役，只传里长，不催粮户，寓清粮于稽查保甲之中；严饬各道厅，设法体恤民困，剔除弊端，寓清粮于整饬吏治之中。

据以上所述，张之洞提出的七厅改制，其主要目的，一是通过提升厅官的职权，将口外七厅逐渐升格为与内地州县相同的行政建制，并且满汉兼用，打破以往汉员不得任边缺的定制，达到以汉官管理汉民的目的。二是通过编立户籍，使寄居蒙地的客民获得以合法的形式在蒙旗永住和管业（土地使用权）的权利。同时清理田赋，汉人若种官地（主要有察哈尔的官荒牧地和土默特的大粮地），要缴纳国赋；若种蒙地则缴纳蒙租，以保证田赋的正常征收。

张之洞的七厅改制案是针对因汉人移民的到来而在察哈尔、土默特地方所出现的复杂的土地租佃关系问题和嘉、道以来出现的农民逃亡、耕地荒废、田赋减少等现象提出来的。[①] 同时又集中地反映出山西省方面急欲加强对口外七厅的管理，并且逐渐使之分离于察哈尔、土默特蒙古，进而变成山西省的普通州县的意图。其理论上的依据则是内属蒙古不同于外藩蒙古，初非"君国子民"者，后又由晋省设厅分治，实际与内地州县无异。所以，张之洞认为使七厅完全纳入晋省管辖之下是理所应当的事情。

自清初以来，土默特和察哈尔的蒙古人多数已习惯于与汉人移民共享土地资源，从中得到一些经济上的补偿和实惠。但是，在长期的生产活动和生存竞争中，蒙古人因不谙农商事宜，往往处于劣势地位。同时，垦地的扩大、牧地的缩小，并未使蒙古人的生活从根本上改善起来。所以蒙古人并不愿意"客民"变成"土著"，蒙地变成"民地"。张之洞提出七厅改制一案后，便遭到土默特旗十二参领的极力反对，引起双方的一场争论。至于察哈尔各旗反映如何，尚未找到史料记载。但据推测，察哈尔方面对七厅改制一事可能没有提出异议。众所周知，察哈尔部因康熙间反叛清朝而变成内属蒙古，失去了对土地的自主支配权。而且被编入八旗体制，成为清廷的直辖地区，土地任由清廷处置了。如果牧地被过多开垦，无法维持生计，察哈尔人只有避垦北迁的一条路。土默特虽然与察哈尔同属内属蒙古，但情况有所不同，至少没有编入八旗体制内，清朝的控制比察哈尔多少宽松一些。从前土

---

① 以清水河地方为例，乾隆时代这里已垦熟地曾达 13426 顷，但到嘉庆二十五年，荒废的已有 1774 顷 79 亩，到道光年间，计 4171 顷又归于荒废。即荒废的土地约达耕地面积的 40% 左右。见安斋库治：《清末土默特的土地整理》，《满铁调查月报》第 19 卷，第 12 号。

默特的都统、副都统等皆由土默特蒙古人充当且世袭，类似札萨克。这样，土默特人便"自命外藩"，强调对其牧地的领有权。因此，张之洞的改制一案，特别是为客民立户一事遭到蒙旗方面的反对，引起了一场争论。

光绪十年（1732年）二月，绥远城将军丰绅、归化城副都统奎英应土默特左右两旗十二参领联衔报称，上奏清廷反对在土默特旗界内编立民籍。其主要理由是：土默特蒙古界内，除五厅民户万数余家所耕种官地，其余皆为蒙古人户口地或游牧草场。而各厅集镇商家、村庄农民，多系只身贸易佣工，每年春出口外，冬归关内，并非土著，皆系流民。况且本朝定鼎以来，蒙古人与民（汉）人，内地与边外治理不同，以边墙为界，其内俱系府厅州县，其外俱系蒙古部落游牧草场。一旦在土默特旗界内，为流民编籍立户，该流民等必日聚月广，占据蒙古牧地，造成"鸠夺鹊巢"之势，实与蒙古生计，大有妨碍。① 清廷接到这一奏折后，亦认为："流民编籍，原为安靖地方起见，然于蒙古生计，未免有碍。详阅该将军所奏，尚系实情。"所以命张之洞详查七厅实情后，再具奏说明。

张之洞接到谕旨后，即饬令山西布政使奎斌、归绥道阿克达春等，前赴土默特亲自查看情形，据实禀呈。奎斌经过一番调查后，给张之洞上了一道回禀，其中称道：口外七厅编立户籍，原本以"种地客民生齿日繁，故就边外原有民人，编户立籍；原有田地，清亩立册。既非招内地之民，添移边外，亦非使边外之民，另占蒙地"。就是"清其根底，定其法制，将来增丁减口，有籍可稽，夺地逃粮，有册可考。可以诘奸宄，可以禁侵占"。如此一来，就可以改变从前那种"漫无稽查"的混乱状态，而对于蒙旗游牧也没有任何妨碍。奎斌还进一步说明，此次编户籍，实际与雍正十二年（1734年）由理藩院奏准在土默特设立牌甲是相同的事情。如今该旗反对客民编立户籍，难道"民、蒙杂居则相安，编籍则有碍"，"岂杂居足以禁侵占、盗卖，一经编籍，反无以禁之。如此持论，诚不可以理测。"

阿克达春则在给张之洞的回禀中说道："归化等七厅之在土默特地面与直隶张独多厅等之在察哈尔地面情形稍有不同者，察哈尔蒙古在本朝已编隶八旗，而土默特蒙古自命外藩，欲私分土，故边制更难于措手。"清初，土

---

① 中国第一历史档案馆：《光绪朝朱批奏折》第114辑，中华书局1996年版，第144—147页。

默特蒙古因有反清举动而其头领被削去封爵，部众被编为左右两翼，并由清廷任命的都统管理。故与察哈尔同属于内属蒙古。但土默特人坚持认为他们是带地投诚于清朝的，如同外藩蒙古，对其土地有自主支配的权利。对于外来汉民编户定居，使他们获得与土著蒙古同等地位，表示不能接受。所以，以"妨碍游牧"为由，反对山西省为口外七厅汉民编立户籍，改变他们的客民地位，让他们永久定居于土默特旗境内。阿克达春对此持否定态度，他认为，"当土默特人投诚时地已非其所有，而该参领等，尚谓带地投诚，一若不知其地为我朝赏还之地。"故土默特仍不同于外藩蒙古，对其土地并无领有权。此外，阿克达春根据土默特地方因蒙汉杂处而发生的历史变化，阐明了为客民编立户籍的道理：

> 土默特部附近边墙内，其服食起居，竟与内地民人无异。渐至惰窳成性，有地而不习耕耘，无畜而难为孳牧，唯赖民人租种其地，彼才有粮可食有租可用。故现在该蒙古以耕牧为生者十之二三，藉租课为生者十之七八。至该旗所谓游牧地、户口地者，自康熙年间以来，久已陆续租给民人以田以宅，二百年于兹矣。该民人等久已长其子孙，成其村落，各厅民户何止烟火万家，此等寄民，即不编籍，亦成土著……近年来寄民之久居者益多，若仅设立牌甲而不为编定户籍，则人无定名，籍无定户，土客浑淆而莫辨赋役，散乱而难稽，欲施治理，诚难措手。

接着阿克达春又强调，现在编立户籍"无非就各厅原有之民人，查明户口，编立册籍"，与土地不相关涉。况且蒙地"例准民租，不准民买"，民人虽编定户籍，土地则仍属蒙古。以后蒙古人将牧地不租给民人，民人也不可以随意占据。边外寄民，现在既漫无考稽，若不编定户籍，将来更漫无限制，不但有人满之患，且有盗贼出没、蒙汉械斗之忧。如果编定户籍则"良民之有业者，方能编收入籍，游民之无籍者，亦可驱逐出境"，可以限制流民麇集蒙地。

阿克达春对土默特地方蒙汉人相处情况的描述是比较符合实际的，对客民立户的解释也是相当有道理的。至于编立户籍以后，能否限制流民涌入蒙地，就另当别论了。总之，奎斌和阿克达春的报告给张之洞推行七厅改制提供了极为有力的依据。

张之洞听取奎斌和阿克达春的回禀后，即于光绪十年（1732年）二月上奏清廷，明确提出"口外编籍，无碍游牧"。他首先强调：客民编户，"既非迁内地流民以实边防，亦非使现有客民另占蒙地"，而是蒙汉两利的事情。同时，对土默特蒙古以"外藩自居"、"自为风气"，表示了极大的不满，所以从更早期的历史上找出"依据"，加以否认外藩与内省的区别。其奏文指出：

> 大青山以南，归化城以东以西，延袤数千里，西汉元朔以来，久为郡县即定襄、云中、五原三郡之境。况以国家休养生聚二百余年，士农工商数十万户，断无驱还口内之理。著籍与否于蒙古生计何干，若如所奏则是土客浑杂，转可相安，法制竟然反生疑虑，臣愚思之，良所为解。窃惟辽沈以北，吉林以东乃圣朝龙兴丰镐之地，今皆编有民籍，版册蕃庶，学校莘莘，岂土默特一区，便应自为风气。①

张之洞看来，归化城土默特地方早在西汉时期就建立过郡县，清朝建立以来，在二百余年中，已有数十万户汉民迁入土默特，从事各业。故绝不可以把他们驱逐回内地。既然汉民不能驱逐，就应当为其编立户籍，使之定居于蒙地，以便安心从业。清廷接到张之洞的奏折后，改变了原先的态度，认为"所驳各条，字字切实"，而绥远城将军等前奏则"毋庸置议"。这样，张之洞便成为这场争论的赢者。不久，张之洞为使七厅改制顺利进行，还以"徇庇蒙古，阻挠地方"，参奏归化城副都统奎英，要求清廷制裁。清廷批准张之洞的改制奏请，证明清朝旧有的禁垦蒙地令已形同废弛。

七厅改制的实施，加强了晋省对口外汉民的管理，大大提升了厅官的职权，抑制了蒙古官员在蒙汉事务中所发挥的作用。张之洞力求打破边外蒙地与内地省县的界限，促使客民土著化的主张和措施，为后来的晋省官吏所仿效和继承，并推行到牧地多未开垦的乌、伊两盟各札萨克旗。张之洞的治蒙论说，特别是打破外藩蒙古与内省的界限，使之融为一体，以强化边备、开

---

① 《张文襄公全集》卷8，《奏议》，中国书店1990年版。

辟利源的思想主张，对后来的晋省官吏们产生了重要影响。张之洞之后的每一任山西巡抚不但对于口外七厅的治理都格外重视，而且主张将更多的蒙旗土地，招民放垦，令所有民户报地升科，使其纳入正式的国赋体系，以裕税课。

（二）胡聘之奏请开垦乌、伊两盟牧地与各蒙旗的抵制

如果说张之洞所推行的改制只限于口外七厅范围内"就边外原有民人，编户立籍，原有田地，清亩立册，既非招内地之民添移边外，亦非使边外之民另占蒙地"[①] 的话，那么，其继任者们则并不满足于仅在厅的范围内"编立户籍"，而是主张将更多的蒙旗土地招民放垦，以济国家饷需。所以，力求放垦蒙地便成为清末每一任山西巡抚所必争之要务。

光绪十二年（1886 年）九月，山西巡抚刚毅奏请在分属伊克昭盟杭锦、达拉特两旗和乌兰察布盟乌拉特三公旗的河套地方拨兵分驻，兴办屯田。还提出设置文武官各一员，驻后套缠金地方（属达拉特旗），"专理兵屯、商屯事务"。[②] 但因伊、乌两盟各旗的反对，清廷未批准刚毅的奏请。

至 19 世纪末，清政府的财政危机日趋严峻，尤其经过了中日甲午战争之后，在《马关条约》所带来的巨额赔款压力下，清政府不得不改京饷拨解制度为"摊"款制度，各省不论穷富，均须分摊赔款、借款和新增的练兵、办学经费。在与日俱增的摊款压力下，晋省官吏对口外蒙地的兴致又大为增加。这时，他们并不满足于仅在七厅范围内编立户籍、清理田赋，而是主张将更多的蒙旗土地，招民放垦，令所有民户报地升科，使其纳入正式的国赋体系，以辟新的利源。光绪二十二年（1896 年）冬至二十三年（1897年）春间，又一任山西巡抚胡聘之先后两次派人到内蒙古西部的河套地区，即达拉特旗和乌拉特三公旗沿河牧地，对可垦土地进行考察。胡聘之听取考察人员的汇报后奏陈：

　　　上年冬间，派员赴边履勘，当经查明，西二盟所属之三湖湾、缠金等地二十一段，多属膏腴，道光年间曾奉旨准其租种抵欠，因未妥立章

---

① 中国第一历史档案馆：《光绪朝朱批奏折》第 11 辑，中华书局 1996 年版，第 119 页。
② 《清德宗实录》卷 232，光绪十二年九月辛卯条。

程，致滋事端，奏明封禁。今惟五大村、山后等地，尚私自放租，而承重者怵于违禁，莫敢公然垦辟，以致数十万顷滨河沃壤，悉变污莱，深为可惜。本年二月复经派员与该旗领事人等会商屯垦事宜，并论以与其违禁私阻（租），动致酿争贻患，何如官为经理，按则收租，应得蒙地租银，从宽议给，既可裕蒙民生计，更可济国家饷需，较为有利无弊。该旗员等虽亦领悟，惟据称此地曾经封禁，必须明奉谕旨，方能遵办，拟俟筹议章程即行奏明，请旨办理。①

这段文字向我们传达了这样一些重要信息：西二盟境内尚有蒙古人将牧地私自租给汉人耕种的现象，但因为是违禁开垦，承种的汉人不敢公然垦辟，以致数十万顷滨河沃壤，不能垦种，深为可惜。蒙旗将牧地私自租给汉人开垦是违反清朝法律的，但是如果官为经营，即由山西省方面奏准放垦，就成为合法。汉人尽管垦辟，蒙古人亦可名正言顺地收租了。不过，所得租项的一部分要上缴国库。换句话说，使违禁"私垦"变为合法"官垦"，将蒙租的一部分变为官租即国赋。否则就是如张之洞所说的"徒听私垦，不能升科"，于"国计无补"。

经此次调查后，山西省方面所派出的人员惊奇地发现内蒙古西二盟有可垦之地不下三十万顷，若能全行垦辟，除议给蒙租及一切费用外，约岁可得官租二三百万两，即可"岁增巨款，以裨度支"。

光绪二十三年（1897年）四月，国子监司业黄思永奏陈："内蒙古伊克昭、乌兰察布二盟，牧地纵横数千里，土田沃衍，河套东西尤属膏腴"，"如今民多私垦，不如官为经营"。② 很显然，黄氏的奏请与晋省派人赴河套进行考察是有某种联系的。清廷将黄思永的奏折转发给沿边各省督抚，谕令"详晰筹划，妥议具奏"。不久，山西巡抚胡聘之便上《议开晋边蒙地以兴屯利而固边防折》，③ 阐述了在伊克昭、乌兰察布二盟蒙旗地方实行招民放垦的理由以及实施放垦的具体办法。他首先强调："垦辟以尽地利乃经国之

---

① （光绪）《谕折汇存》卷16。
② 朱寿朋：《光绪朝东华录》，中华书局1984年版，第3956页。
③ （光绪）《谕折汇存》卷16。

大猷，缮屯以实边防尤安邦之要策。"接着便提出："我朝道光中，富俊于双林堡，林则徐于新疆皆开荒办屯，卓有成效。方今款绌时艰，中外臣工，莫不以开源节流议图补救，然开矿经商，效难骤睹，裁兵撤勇，亦无多求。其上裨国计，下益民生，程工速而兴利溥，莫若广开蒙地一事较有把握而无流弊。"况且现今"蒙古生计，在租不在牧"，故开垦牧地，无碍蒙人生计。胡聘之还说道：西人富国，往往开辟"鸿荒未辟之野，榛芜硗确之乡"，使之成都会。中国要开辟塞外蒙古要比美国开发西部，英国殖民澳大利亚容易得多。即以今日伊、乌两盟而言，乃古之郡县，先人屯田的故迹历历可寻，虽云垦荒，无异复旧，较之西人所开，何止事半功倍。

据胡聘之的推测，放垦蒙地至少有以下四方面的益处：其一、可兼置兵屯，声势联络，以实边备；其二、议租以赡其身，置兵以维其地，为蒙民策安全，以恤藩部；其三、帑藏空虚之际，岁增巨款，以裨度支；其四、择地建仓，广为储积，以备灾荒。此外，他还提出了设局、筹费、定租、驻兵等实施放垦的具体方案：首先在"三湖湾"设立屯垦局，派员专理放垦事宜。按照吉林、奉天之例，酌量提取租银，以充各项办公费用。依据土地肥瘠，将放垦地分上中下三等，以定租银。所收之租银，除应给蒙租外，其余概做官租，仍提取三成，以一成充局用，一成储仓谷，一成津贴屯兵，余悉报部充饷。派驻官兵以防范、弹压关外游民聚集于放垦之处滋生事端。

最后胡聘之还针对东南海上藩篱尽撤，长江锁轮空存的危机情势，提出以开辟漠南蒙古西二盟为开头，建立大西北稳固后方的宏伟计划。他提出："方今外患纷乘，世变日亟，海上藩篱尽撤，长江之锁轮空存，东南各省，凡敌舰可到之处，类皆防不胜防，一旦有事，计惟秦晋一隅，可以画疆而守耳。诚宜广积仓储，精练士马，为未雨绸缪之计，免临时仓猝之虞，则办屯其首务也。查西二盟壤地毗连数省，萦绕河流，不特晋边境内土田沃衍，其与陕甘临界者，可垦之地尚多，果能一律开办，渐推渐广行见，西连瀚海，北亘畿疆，户尽知兵，人皆足食，飞刍挽粟，供内地之转输，列成分屯，屹神京之保障。纵异日海波腾沸，而西北万里之形势，仍可固于磐石，固若金瓯，此尤根本之要图，国家之至计。"①

---

① （光绪）《谕折汇存》卷16。

　　胡聘之既然提出了如此"上裨国计，下益民生"的实边计划，并且声称"业经派员与各旗会商，均各领悟"。对此清廷自然很重视，当时谕旨称："惟兴办屯田，固所以裕税课而重边防，亦须无碍蒙民生计，著胡聘之饬令派出查看各员，晓譬伊克昭、乌兰察布二盟长，谕以朝廷兴办此举，实为蒙民策安全，既议租以赡其身，复置兵以卫其地，该地方蒙民等无不乐于从事之理。"① 可见，清廷对于胡聘之的奏折是很赞成的。它还认为，西二盟毗连数省，其中与陕、甘两省邻界处，也应该有很多可垦之地，若是一律开垦，亦属"有裨大局"。所以，又令陶模、魏光焘等也各就地方情形，详细察看，应如何陆续兴办之处，分别妥筹，奏明办理。

　　当时，陕西省延榆绥道曾奉晋抚之令，咨请伊克昭盟盟长饬令所辖各旗尽快调查各自境内的可垦空闲地，并将调查的结果及时上报该延榆绥道衙门，以便转呈晋抚，制订放垦计划。绥远城将军也奉命饬令伊、乌两盟各旗迅速查明各自旗内的可垦之地，并绘制地图一并呈报，以便于朝廷之采择。为在河套地区"兼置屯兵"，山西巡抚胡聘之还令山西大同镇总兵徐（音）前往乌喇特三旗黄河沿岸地方，查看情形，为调迁大同练兵驻屯作准备。不久，山西省在大同设立了"晋边督办垦务总局"和若干分局，由上述大同镇总兵徐出任总办。②

　　伊、乌两盟各旗接到由山西省和绥远城将军衙门等处转来的胡聘之之原奏后，各王公札萨克对于放垦蒙旗牧地，特别是由晋省方面开办官垦，普遍表示反对。伊克昭盟盟长、准格尔旗札萨克贝子扎那济尔迪接到由陕西省延榆绥道转来的有关开垦的谕旨后，起初并没有意识到问题的严重性，所以奉命行事，饬令各旗按上面的要求将旗内可垦土地尽快查明上报，以遵朝命。但是，各旗札萨克们纷纷表示在各自旗境内并没有可供招民放垦的空闲地，若将牧地开垦，实有碍游牧，影响蒙古人生计。此外，还有一些王公还怀疑胡聘之等人奏请开垦蒙地，另有目的。如杭锦旗札萨克阿尔宾巴雅尔在给盟长扎那济尔迪的信中写道：山西等省，不仅欲开垦蒙地，还追溯汉、唐古郡县之名，借练兵屯田，安置内地流民，以图占据蒙古牧地。我等蒙旗万不可轻

---

① 《清德宗实录》卷406，光绪二十三年六月癸酉条。
② 内蒙古档案馆准格尔旗札萨克衙门档案，卷79。

易答应招民开垦，否则将失去所有地方，必沦于欲牧无草场，欲耕无土地的境地。① 经过一番磋商后，伊克昭盟各旗一致表示反对开办官田。盟长扎纳噶尔迪也改变先前比较配合的态度，转而与各旗札萨克一同抵制开垦，并且决定上书理藩院，代请朝廷废止胡聘之原奏，谕令停止在伊、乌两盟开办官田。

光绪二十三年（1897年）十一月，伊克昭盟盟长扎那济尔迪和各旗札萨克联名向理藩院呈递公文，表示反对开办官田。其呈文内称：

> 查道光十五年圣旨谕曰：蒙古地方广阔，以骑射、游牧为本。禁止边内旗、民人等，赴蒙古开垦种地。此前亦有应蒙旗之请，驱除私垦民人及商人，撤回关内之案。如允准民人随意赴关外开垦，势必越占牧地，妨碍蒙古生计，有负朕体恤蒙古之至意。此后，我等各札萨克旗皆遵守圣旨，未敢私放牧地，仍旧以游牧度日，皆不事耕种……今若照晋抚原奏所称，将例禁之牧地全行放垦，开办官田，则牧地必为民人所占，蒙古人无法孳养牲畜，生计愈加艰难。虽说可分得租项，日子一长，难保不生事端。况现拟办法，亦与东三盟自行开垦收租之例不符。各札萨克旗，世受圣主恩赐，安逸度日。倘若允准省吏所请，非但有违旧例，更使蒙古丧失牧地，致起种种事端。盟长及札萨克等不揣冒昧，将晋抚原奏抄录一并复陈，恳请理藩院据情奏明，准免开垦牧地。②

从上述内容看，蒙旗方面对放垦的看法，与黄思永、胡聘之等截然相反。在西二盟境内，除了牧地，并无可垦闲荒。如果开垦牧地，不仅有碍蒙人生计，而且违犯朝廷禁令，其后果更令人担忧。蒙旗并非到处是私垦私租，更不是单靠出租土地度日。此外，晋抚所定的劈分租项的办法，亦与东三盟各旗自行收租的惯例不符合，是不能接受的。

乌兰察布盟六旗也同样反对开垦。当时由乌兰察布盟副盟长云端旺楚克递交绥远城将军的一道呈文中详细陈述了该盟各旗先前被迫开垦的缘由，以及现在无法增辟牧地的实情。其大意如下：在乾隆、嘉庆年间，各旗因各路

---

① 内蒙古档案馆准格尔旗札萨克衙门档案，卷79。
② 内蒙古档案馆准格尔旗札萨克衙门档案，卷79。

驿站负担过多，拖累蒙古甚重，不得已呈请理藩院奏明，招民垦种若干处牧地。其所收租项，皆资穷蒙古度日。除此而外，各旗并无贪图租项，自私开放之地。现有各旗地方，多半系孳养牲畜之牧地，且地势高寒，不宜耕种。除游牧草场，别无开办官田之闲地。现在山西巡抚胡聘之奏请放垦蒙古牧地，兴办官田，以我等之愚见，如同拆东墙补西墙，求创新而废旧律，破已有之资产而求未有之利益，可谓得不偿失矣。倘若照晋抚所奏，违背朝廷旧律，将蒙旗牧地全行放垦，我等蒙古皆丧失牧场，生计无以维持，必受种种苦难。列圣恩准蒙古王公札萨克世守，当差养赡之地方，实难按照晋抚所陈各项，出放牧地以开官田。恳请将军阁下呈报朝廷，停止开办官田，使各札萨克旗蒙古仍旧安稳度日。① 由此可见，伊、乌两盟各旗王公札萨克一致反对开办官田，既有经济的原因，也有政治上的考虑。

山西省派人到河套进行考察，并且联合直隶、陕西、甘肃三省，共同策划放垦蒙旗牧地，这在西二盟历史上是前所未有的，是非同一般的事情，严格来讲是内省督抚直接干预外札萨克内治的问题。包括乌拉特三公旗在内的乌兰察布、伊克昭二盟十三个旗皆属于内札萨克四十九旗，是地道的外藩蒙古。伊、乌两盟各旗原本都是牧区，自清初以来，因内地汉民迁来租种地亩，才出现了农耕区域。农耕区域主要分布于伊克昭盟南部沿边地带和黄河沿岸各旗境内。此外，在大青山以北的达尔罕、茂明安二旗也有一些零星的开垦区域。从清末伊、乌两盟的总体情况来看，各旗大部分地方仍属游牧区域，蒙古人绝大多数从事畜牧业生产。其情形与土默特旗和察哈尔截然不同，开垦面积占很小的比例，客民人数也少得多。所以，清廷在该两盟境内尚未设民官、置厅县，如有蒙汉争讼，由设在土默特境内的邻近各厅及沿边各县与蒙旗进行会审，加以处理。

自清初以来，伊、乌两盟各旗牧地的开垦，一直是以自主、自愿的方式进行的。各旗开垦可分为两大类：一曰奏放地，即由蒙旗札萨克王公上奏清廷并获得批准后招民放垦的土地。奏放地的租项多用于札萨克衙门的各种开支或救济灾民等应急措施，有时也用于台站、寺庙差徭等的支付。奏放地主要是在清前、中期集中出现的。前文所述乌兰察布盟各旗的土地开垦大多属

---

① 内蒙古档案馆准格尔旗札萨克衙门档案，卷80。

于此类。二曰私垦地，即王公贵族及官员等未经清廷许可，私自招民放垦的土地。私垦地的租项，皆归于私放者个人。私垦地于清中叶集中出现以来，逐渐成为一部分蒙古人维持生计的途径，因而其规模越来越扩大。在伊克昭盟的准格尔、达拉特等旗，私垦私租现象较为普遍，垦地已经占据大片牧地。私垦地的不断扩大，导致蒙旗牧地的缩小，对从事畜牧业的蒙古人的生计所造成的不利影响越来越明显了。因农田挤占牧场而发生的蒙汉争讼时有发生，成为蒙旗社会一个突出的矛盾。因此，在晚清时期的内蒙古西二盟各旗，大多数王公札萨克一般都反对将旗内公共牧场私自租给汉人，有的旗甚至采取强制措施，驱除私垦民人，以恢复牧场。在现存的伊、乌两盟各旗札萨克衙门档案中有关这方面的记载比较多。例如，道光三年（1823年），绥远城将军升（音）曾亲赴乌喇特三公旗，取缔蒙汉人的私租私放，将二十六段牧地奏请查禁，宣布不得再违禁开垦。[①]

伊、乌两盟王公反对放垦，还有一个重要原因，那就是维护盟旗制度的基础——土地的总有性质。内外札萨克旗的牧地是"设旗当时，由清朝作为封土总括地授予札萨克的土地。不过，并没有把封建领主对土地应有的一切权限都赐给，仍然受到清朝国家权力的极大限制"。[②] 札萨克个人并不能绝对自由地支配旗地的使用。旗地的分配，并没有贯彻札萨克和台吉、旗民之间的纯粹封建关系。旗地是全体旗民的总有地，任何人均享有使用土地的权利。全体旗民作为权利主体，对旗地拥有自主支配权和使用权。如牧地、租地、养赡地、香火地，皆由蒙古人自种自租，"并无应纳国赋，官无册档可稽"。这是实行札萨克分封制的外藩蒙古，在土地所有权关系上，与内地郡县完全不同之所在。如果清政府解除对蒙"封禁"，迫令蒙旗向汉人开放牧地，实行招民放垦，进而按照州县的方法，编立户籍、报地升科，势必导致私有地的出现。其结果，必然是熟悉农耕的内地民人，不断前来报领蒙旗土地，便以合法的形式定居于蒙旗。随着移民人数的增长和私有地的扩大，以土地总有性为基础的盟旗制度必然走向解体，外藩蒙古将丧失其政治上的自主地位。这是伊、乌两盟十三个札萨克旗一致反对开办官田的根本原因所在。当

---

① 内蒙古档案馆钦差垦务大臣档案，卷39。
② ［日］田山茂：《清代蒙古社会制度》，潘世宪译，商务印书馆1987年版，第189—190页。

时，伊克昭盟各旗还专门派人赴北京，向理藩院陈述各蒙旗情况，请求该院据实奏明，以免开办官田。鉴于西二盟各旗的一致反对，清廷最终以"蒙古一旦失业，难免滋生事端"，又下令停止在伊克昭、乌兰察布二盟兴办屯田。

（三）黑龙江将军恩泽等的开垦蒙地奏议

清初以来，东北三将军辖区，名义上虽称东三省，但实际上实行军府制，财政经费，向来不能自给，主要由户部拨款和内地各省协济。如有人所说：东北"二百余年沿军府旧制，八旗世仆，十部蒙藩，土旷人稀，务为简静，故其时重军籍而略民治，特协饷而无财政。"[1] 咸丰初年，改为各省调拨，解至盛京户部，三省分别领取。但由于内地发生大规模农民运动，直隶、山东等省财力困难，无力解送。同治以后，各省拨济东北的经费，几乎年年缺额。据记载，仅到同治四年（1865 年）十二月止，各省欠解奉天俸饷杂款等银，已至 154 万余两之多。[2] 黑龙江的处境则更为严峻，"自咸丰四年起，到同治七年止，历年积欠俸饷银一百二十万六千九百余两"，而到光绪五年（1879 年）时，"各省欠解银二百三十余万两，……揆之三省积欠惟黑龙江最多"。[3] 俸饷接济，日感窘迫的黑龙江将军不得不招民开垦各处闲荒，开始着眼于开辟本地利源。

咸丰七年（1857 年），将军奕山查勘呼兰所属蒙古尔山等处闲荒一百二十万垧，试图招民开垦，但担心"夷人慕膻潜越，不能予操把握"，未能付诸实施。咸丰十年（1860 年）间，将军特普钦因奉饷不继、防范维艰，再度奏请招民试垦，借裕度支兼防窥伺。特普钦的奏请终于获准，招民开垦便从江省精华呼兰地方开始展开。经同治至光绪年初，已形成相当的规模，对于接济俸饷起到了重要作用。当时黑龙江省额定饷银为三十七万两，而呼兰租赋已抵十有余万。[4] 此后"收获愈众，积储愈丰"，历任将军多认为"开垦之举实为黑龙江省第一大利"，亦是"抵御外人觊觎，充实边围之上策"。因此，招民开垦从黑龙江将军的直辖区逐渐拓展到了兼辖之蒙旗地方。此

---

① 徐世昌：《东三省政略》，《钱能训跋》。
② 《清穆宗实录》卷164，同治四年二十月下乙卯条。
③ 中国第一历史档案馆黑龙江将军衙门档案，卷20。
④ 《光绪朝黑龙江将军奏稿》上，第358页。

外，自咸丰初东北逐步开放以来，无论筹饷练兵还是备边兴利，清廷多重视吉林、奉天而对黑龙江则未免有些轻忽。对此黑龙江将军很不以为然，批评"甚非万全之策"，强调黑龙江"近为吉林唇补，远为盛京护翼，以天下全局而论，实为东北第一门户"。所以，在本省内积极兴办开垦的同时，对周边蒙地的开禁放垦也十分积极，一再要求清廷允准实施。

自光绪中叶以来，恭镗、依克唐阿、增祺、恩泽等历任黑龙江将军都曾提出过放垦蒙旗牧地，以兴地利的奏请。其中，恩泽于光绪二十五年（1899年）上奏的《商妥蒙古酌放荒地期集巨款藉实边围折》最有代表性，它集中反映出东三省将军及边省督抚们的实边兴利思想。该奏折的要点可归纳为以下几方面：

实边兴利，首在辟土　"天下大利，首在兴农，边寒要区，允宜辟土。盖土辟则民聚，民聚则势强，此实边之要道，兴利之良法。"这是恩泽要求开垦蒙地的理论依据和基本信念。所谓"辟土"，除开放东北旗人所占有的旗地和各处闲荒，主要是开放各蒙旗牧地。按清制，内蒙古东部哲里木盟所属扎赉特旗、杜尔伯特旗、郭尔罗斯后旗三个旗归黑龙江将军兼管，其余郭尔罗斯前旗、科尔沁左右翼三旗等则分属吉林将军和盛京将军兼管。东三省将军所兼辖各蒙旗，普遍牧地辽阔，土脉膏腴，可垦之地比比皆是。恩泽认为，蒙旗往昔多以游牧为生，如今则牧不蕃息，度日艰难；蒙旗虽有一望无际的蔓草平原，却不识耕耘而闲置，实属可惜。所以，开垦蒙地为恤蒙艰、兴地利的最好办法。

收取荒价，以筹款项　"现在国家帑项奇绌，苟有可筹之款，自应亟亟图维。"恩泽说，黑龙江所出粮食，向来不敷本地之用，近来更有外人搜买一空，粮价愈极其昂贵，贫苦小民皆有不能糊口之势。因此，非多辟荒地，无以救此燃眉。各蒙旗之"荒地"均极饶沃，若照寻常荒价加倍订拟，以一半归蒙旗，既可救其艰窘，以一半归之国家，复可益我度支。而民户乐于得荒，更无不争先快领。日后升科收租，亦于其中酌提经费，为安官设署之用，诚一举而数善备之道。这里恩泽首次提出，蒙旗出放土地所得荒价（即地价），要由国家和蒙旗对半劈分，以破除蒙旗向来自行收取全部地价地租的惯例。

招民垦荒，使蒙古富强起来　"蒙古本我一家，休戚相关，祖宗之厚泽深仁，沦肌浃髓。故年班宿卫，诸王公久安世仆之常，与前代之稍一强大，即为边患者不同。"这里恩泽强调，蒙古与国"休戚相关"，其强大不是边患，而是边事之幸。但现今的蒙古"因牧政渐弛，多有贫弱之虑"，所以必须寻求使蒙古"强大"起来的途径。恩泽认为，如果自东北直到西北，在沿边各蒙旗，全部实行招民放垦，大兴垦殖，蒙古就可以迅速富强起来，并且又成为"一带长城"，中国即"无虑北鄙之警矣"。①

由此看来，东三省能否实边兴利，中国北疆能否充实边备，蒙旗放垦显然是关键所在。为使蒙旗开垦顺利推行，恩泽还制定出《札赉特蒙荒招垦章程十四条》。该章程的主旨是，尽量使蒙旗多放垦土地，以期速见实边兴利之效。放垦的基本原则是，所得荒价，由国家和蒙旗对半分；常年地租亦由国家和蒙旗按一定比例分成，大致是四成归国家，六成归蒙旗；所有丈放土地、征收荒价等事务，乃至诉讼等均由省县所设蒙旗荒务局办理，以备将来设立地方民官。恩泽所制定的这一章程，清末清政府推行放垦蒙地政策时，即成为各省县地方所参考、仿效的重要依据。不仅为同处一隅的吉林、奉天两省所仿行，也成为临界内蒙中西部的直隶、山西等省向清廷要求放垦西部蒙旗土地的重要依据。清廷派出的垦务大臣贻谷在内蒙古西部督办垦务时，也根据这一章程的基本精神，制定了各项具体的放垦办法。其影响和作用之大，可见于此。

自19世纪80年代至光绪二十八年（1902年），清政府正式推行放垦蒙地为止，在边省督抚、驻边将军、都统等中，奏请解除对蒙封禁或开垦蒙地者为数众多，其大致情况如下表：

年　份	官　职	姓　名	请求开放或开垦的地区
光绪九年（1883年）	山西巡抚	张之洞	伊克昭、乌兰察布两盟及土默特、察哈尔各旗
光绪十二年（1886年）	山西巡抚	刚毅	达拉特旗、杭锦旗、乌拉特三旗
光绪十二年（1886年）	伊犁领队大臣	长庚	达拉特旗
光绪十三年（1887年）	黑龙江将军	恭镗	呼兰、布特哈等地

---

① 朱寿朋：《光绪朝东华录》，中华书局1984年版，第4478页。

（续表）

年　份	官　职	姓　名	请求开放或开垦的地区
光绪二十一年（1895 年）	署黑龙江将军	增祺	呼兰等地
光绪二十二年（1896 年）	黑龙江将军	恩泽	呼兰等地
光绪二十三年（1897 年）	山西巡抚	胡聘之	伊克昭、乌兰察布两盟
光绪二十三年（1897 年）	国子监司业	黄思永	伊克昭、乌兰察布两盟
光绪二十六年（1900 年）五月	黑龙江副都统	寿山	扎赉特、杜尔伯特、郭尔罗斯后旗
光绪二十五年（1899 年）十二月	黑龙江将军	恩泽	扎赉特、杜尔伯特、郭尔罗斯后旗
光绪二十七年（1901 年）	绥远城将军	信恪	归化城土默特等地
光绪二十七年（1901 年）	黑龙江将军	萨保	布特哈、札赉特旗

资料来源：《伊克昭盟准格尔旗札萨克衙门档案》、《郡王旗札萨克衙门档案》、《杭锦旗札萨克衙门档案》（均为内蒙古自治区档案馆馆藏档案）以及《清德宗实录》、《光绪朝东华录》等。

自 19 世纪 80 年代以来，无论东三省将军还是山西巡抚，凡与蒙地接壤或兼管蒙旗者，都提出了放垦蒙地、实边兴利的奏请。可见，放垦蒙地、实边兴利已成为省县官吏们的共同愿望。但是，这时的清朝最高统治者们则仍处于思想矛盾之中，尽管已不再强调对蒙封禁，尚不能完全废除禁垦蒙古牧地的法令、法规。因为，除沿边部分蒙旗，其余多数蒙旗的多数蒙古人仍以游牧度日，一旦允准全面开垦，必将影响他们的生计。另外，土地多未开垦的各旗，多数是札萨克旗，属外藩蒙古，不同于"官不得世袭，事不得自专"的察哈尔、土默特等内属蒙古。它们对内部事务拥有较广泛的自主权，而这种自主权的最集中体现就是对旗地的自由支配。汉民在札萨克旗垦种土地，无论奏放的还是私租的，地租全归蒙旗，国家不得劈分。这说明，外藩蒙古仍保持着土地所有者的主体地位。如果由省县来招民放垦、劈分租项，各札萨克蒙古，必将失去放垦、收租的权利。由此引起蒙古王公的不满，则不利于变局的稳定，可谓得不偿失。这一切不能不令清廷感到担忧。因此，光绪中叶以来，开放蒙古的吁请虽不断增加，清政府也不同程度地放松了对蒙封禁，但它一直没有批准由边省督抚、驻边将军等提出的由省县出面大规模放垦蒙旗牧地的奏请。朝廷虽难以定夺，内省督抚、驻边将军等却不放弃推行放垦蒙地的决心。随着内外形势的骤变和清朝统治危机的日益加深，要求全面开放蒙古，推行放垦的呼声愈加强烈，给清廷造成了极大的压力。

第四节　清末新政时期的"筹蒙改制"论

（一）关于蒙古问题的社会舆论

19 世纪末发生的义和团运动和八国联军大举入侵，把清王朝的统治几乎推到了崩溃的边缘。空前的国内外危机，激烈的社会政治矛盾以及巨额战争赔款所带来的财政枯竭，使得清朝统治者再也无法恪守旧制。为了避免覆灭的厄运，清廷不得不表现出一些愿意革新的姿态，以取得帝国主义的扶植，并安抚统治阶级内部各派系和资产阶级上层人物。慈禧太后和光绪皇帝还在流亡西安期间，清廷便于光绪二十六年十二月十日（1900 年 1 月 29 日）匆忙发布上谕，决意"变法"，施行"新政"。清廷宣布变法维新，无论对内地还是边疆，都预示着一个空前的变局的到来，即一切旧有的法令和制度都可以进行"变通"乃至"革除"。变法上谕中提出"世有万古不易之常经，无一成不变之治法"，"法令不更，锢习不破，欲求振作，当议更张"。并且强调"参酌中西政要"，说明还要借鉴西方的政治经验。所以，随着新政从内地各省逐渐推向边疆地区，筹蒙改制问题也越来越为人们所关注。此间又发生了英军入侵西藏，日俄在东北交战等重大事件，对蒙古地区造成极大的影响，筹蒙议论更成为时论的热点。当时筹蒙议论的焦点主要集中在以下几方面：

改设行省　光绪二十九年（1903 年）初，湖南巡抚赵尔巽（前盛京将军）上《通筹本计条陈》，提出了将内外蒙古改为行省的意图后，清廷曾征求过有关驻边大员的意见。此举即刻引起了朝廷内外的议论。随之，各种报刊关于筹蒙改制的报道、议论也日渐多起来。《东方杂志》是清末影响很大的刊物之一。自创刊以来，该刊物对边疆事务亦颇为关注，时常刊登、转载一些关于边疆问题的新闻报道、时势评论及重要谕旨等。光绪三十一年（1905 年）《东方杂志》第三期转载了《时报》所刊登的题为"论蒙古改设行省之不可缓"文章。该文中说："近日颇闻都中议论，有改革蒙古部落制度，建设行省而置巡抚于库伦之说。"当时究竟何人提出在库伦设巡抚，不得而知，但改蒙古各部为行省的议论的确是有的。《时报》的文章又说道，政府因"蒙边贫瘠，设官置守，费无所出，故事虽可行，只宜暂缓云云。"接着文章对暂缓设省提出了尖锐的批评，认为蒙古改省，刻不容缓。其理由是：在日俄战争中，俄人失利于东北，故必图弥补于西北。因此东事毕而西事起，西北边疆形势可危。蒙古与新疆必不能幸逃于俄国"梦魂"之外。但新疆已经改设行省，俄人不易图谋，故蒙古各部必成为今后俄人蚕食之目标。再以西藏和东三省为例，西藏若先置行省，英人不易长驱直入，东三省早用汉官，亦何至今日地步。蒙古诸盟，事同一律，故必须改为行省。此外，文章还以蒙古"阴受煽惑"和"售其地于俄人"为由，进一步强调了设省之不可缓。文章说，"且更有可虑者，记者常闻蒙部诸藩，阴受煽惑，且以困穷之故，屡售其地于俄人，亲近如喀尔喀部，犹所不免……及今不为清查，迟之十年，不难以内外六盟游牧之区，尽变而为俄人之公产，而为之上国者，犹将不自知，使一旦猝起事端，不悉何以处此，蒙边之实情若是，而谓可不为过问，窃恐被其害者，终在中国也"。文章最后指出：挽救"蒙疆"危局，惟有改设行省，别无他策，若改定行省，百度更新，广招农民，肆力垦辟，尽地利，教耕战，边患必可除。利于国家，利于蒙藩，且利于汉民。改设行省虽需费巨繁，但欲弭巨患，不可因之坐误时机。在蒙古各要区，本有将军、都统驻扎，若"酌量移并，而又豁除蒙藩岁贡之驼马等费，以挹注之，度改革之费，尚不致其病"。①

光绪三十一年十一月十三日（1905年12月9日），《南方报》所载《论今日宜明定统治蒙古之法》一文，其观点颇类似于上述文章，该文指出："今日始议整顿蒙古，其事已迟，然终胜于毫无举动。况蒙古与中国之关系，在今日日益繁要，欲筹补救，尤不可不先事预图，惟今日之筹蒙古，即以对外为先。"所谓"以对外为先"，就是针对蒙古与俄国相逼处，其情势日益危机的局面，详细规定中国对蒙古的"统治之权"。国初虽详定治蒙法令，理藩院亦大半管理蒙古之事，后来"丕治中衰，声灵不振，以属地之事，置之度外，一切法度，乃当然无所守而成今日悉行放任之局。"中国作为"上国"，应当行使一切军事、外交、财政之特权于蒙古，这是方今列国对其属地所采用的基本原则。今日与列国立于竞争之场，权限稍有未明，势

---

① 《东方杂志》第2年第3期。

必即滋借口。故必须"将统治蒙古之法速行制定，宣示内外，使外人知蒙古为中国属地，确无疑义，以杜前此西藏之弊，而中国应享之权利亦即随之而明。"再则"列国之于属地，未有不明定统治之法者，我国虽有理藩院以统治属地，然相沿腐败，无一人能举其职。此时若欲整顿，应先将理藩院对于属地之权利、义务，详为制定。"①

从以上论断看来，该文作者想表明的意图，似乎是清朝对蒙古的旧有法令已经失效，理藩院对蒙古的管理也不能尽职尽责。所以必须制定新的法令、制度来确保中国对蒙古的统治。此外，"今西域已置郡县，如内地东三省又为我有，蒙古全属，久应改为行省"。可见，作者一再强调明定统治蒙古的权力，其最终的目的是将蒙古改为行省。据此文，当时也曾"有欲以蒙古为联邦者，有欲改为属国者"，作者则明确提出"蒙古民族尚无此资格"。

上述两篇文章，主张蒙古改省，其根本动机显然是抵御"俄患"，反映出国人为北疆局势极为担忧的心理。不过，值得注意的是，《时报》所载文中，将边疆危机，如西藏和东北的危机情势，完全归咎于未建行省或设汉官治理，是不尽符合历史实际的。近代中国边疆普遍出现危机，主要是帝国主义列强的侵略所造成的，其根本原因不在于内治，是外力的侵略所导致的。此外，该文作者对以往的"藩政"进行否定的同时，对蒙古与清朝的统属关系重新进行定位，提出所谓"属地"与"上国"的概念，借鉴西方列强与保护国间的隶属关系，论及"中国"与"蒙古"的关系，是十分耐人寻味的。《南方报》所载文，先是强调加强理藩院对蒙古的管辖，后来又提出蒙古应改设行省。既然确立、加强理藩院对蒙古的管辖权，就无须将蒙古改为行省，若将蒙古改为行省，理藩院就没有存在的必要。显然，作者的筹蒙主张是自相矛盾的。

上述舆论的观点和主张，反映出了当时人们思想意识中的一个重要变化，即传统藩属体制崩溃，近代西方主权国家观念传入中国后，人们开始对蒙、藏藩部的相对自治地位进行反思，以寻求加强对藩部统治的新思路。于是出现了将蒙古改为行省，使之与内地行省联为一体的主张。但是，反思、评价清朝对蒙传统政策及其作用时，也出现了偏颇乃至错误的言论。

---

① 《东方杂志》第 3 年第 1 期。

日俄战争爆发后，中国东北地区的局势顿形混乱和动荡。日俄双方乘机纷纷派军人、特务等，潜赴东蒙古各旗，在蒙古王公上层中积极进行策动、拉拢活动，试图让他们为各自的侵略战争提供便利与支持。此间，有些蒙古王公也主动与日、俄势力秘密交往，以求获得财力上的援助或供蒙兵所用的武器。清政府发现这一情况后，连忙特命肃亲王善耆掌管理藩院事务，并派他到东蒙古进行视察，以图稳定局势，加强对蒙古的控制。随着东北局势的骤变和清廷对筹蒙改制的关注，改设行省主张更成热点。

移民实边　清末社会舆论中，"移民实边"、"改制设省"、"开辟利源"三者是相互密切关联的概念，皆为筹边舆论的中心议题。因为对边疆的价值判断不同，对时局的认识各异，有人主张以"移民垦殖"为根本之图，有人则强调挽救危局，必先改设行省。而有人强调双管齐下，移垦设治同时进行，以收一举两得之效。当时移民实边亦称徙民实边、迁民实边、殖民实边等。其中"殖民"一词，同移民意思相同，与今日我们通常所指的西方强国推行于弱国的"殖民"主义不是一个概念。

光绪三十三年（1907 年），《东方杂志》第七期发表了题为《论移民实边之不可缓》的社论，该社论指出："徙民实边为今日第一要计，盖国家既无多财力，经营八表之资，则移内地之羡民，以实边方之旷土，既可省筹边之费，且可减内地人满食寡之虞，一举而三善备焉。"然而政府和"边帅"所急图者，只有外交、练兵二事，而根本之谋即徙民实边，却忽略不讲，此非"长治久安之策也"。以后边患之棘，当日甚一日，移民实边，势不可缓。"蒙古虽龙沙万里，而沃壤要自不乏……倘吾不急自为谋，他日者，悉罗刹之禁脔耳。"①

光绪三十四年（1908 年），《东方杂志》第一期所刊登的《徙民实边私议》一文，则结合内地人口过剩的问题，探讨了移民实边的迫切性。文中说："今天下之户籍繁衍者，惟蜀为最，人数至八千万而赢，其次则吴越楚粤诸省，综计长江流域生殖之盛，足以敌全国之半而有余。人数日益多，斯生计日益绌，生计日以绌，斯生事日以窳。……回顾西、北两边，有此广漠无垠之大陆，而不知酌盈剂虚、裒多益寡，以增进国民生计，至使强邻伺隙

① 《东方杂志》第 4 年第 7 期。

机眈眈逐逐，日肆其强暴凭陵之手腕，我顾束手而无以御之岂不惜哉。"是故移民于西北者，御外侮而靖内忧，乃一举而两利之上策也。徙民之方法则有三：一曰募豪俊，即广募才俊之士，出塞开屯。其才足以帅百人者，使为百人之长，才足以帅千人者，使为千人之长。二曰来商旅，即广招内地之商家，以兴边地之实业。三曰遣罪囚，凡徙流以上罪囚，皆迁诸沿边各部，恤其生事，而柔以礼教。同年，《津报》所刊登的《变通迁民实边办法之刍言》一文亦从内地人口过剩所造成的种种问题出发，同时借鉴各列强的"殖民"办法，探讨了中国的迁民实边问题。文中说，"今以人口增加率计之，恐不出百年而内地将无隙土矣。当此之时，其骈足内地，以待死乎，抑将远适他方，以谋发展乎"。是故非实行迁民实边之策不可。

《东方杂志》同一期所载之《沿边改建行省私议》一文则强调蒙藏之特殊性，反对蒙藏各地径直改设行省，而提倡先实行移民实边。该文指出：蒙藏改省"其事有数难"：一是，国家财力难以担负。自军国多故，度支奇绌，各省率皆自保不暇，沿边协饷大抵积欠频年。若蒙藏再改行省，则一切官吏之俸饷、衙署之建造，事事需费甚巨，国家财力难以担负。二是，蒙藏地方，土旷人稀，遍设郡县，则户口寥落，不成邑聚。择要而设，则官吏所不到之区，即成法令所不及之处。三是，蒙藏边地，华夷杂处，宗教不同，礼俗各异，不能悉治以中原之法律。而蒙古诸旗，尤皆逐水草而居，以游牧为生涯，非有室庐田园之定处，可以按籍而稽。此即蒙藏改省议论已有数年，而终未有结果之缘故。由鉴于此，该文指出："他国之开辟新地，以殖民也，故每获一地，筚路蓝缕，经营开创，不十余年，而繁盛埒于母国，君与民遂两受其益。吾国之扩张版图，非以为民也。不过侈国威之雄，夸武功之盛而已。故属地周西北两边，幅员之广，愈本国数倍而，如获石田无所用之。一旦有事，则反糜国帑以事遐荒，边事未有振兴之日而，中原已坐受其弊矣。不致力于本原之地，而第涂饰形式，以为美观，则他日之督抚、藩臬，何异于今日之将军、都统也。"这段文字，虽有些似是而非的论断，但也道出了蒙藏不可以设省的一些道理。作者最后提出"欲举荒僻之地而郡县之，则非实行殖民政策，不为功矣"。"安边固圉之谋，必当以徙民实边为先务，然后郡邑可得而治，富教可得而施也。"

开辟利源 即指开辟、开发边疆地区土地、矿藏等自然资源，并促进农工商各业的发展。晚清边疆政策的制定过程中，影响清朝政府决策的一个关键性因素是财力问题。新疆沦陷后，李鸿章等人主张暂时放弃收复新疆，其根本原因就是"度支竭蹶"的问题。对于英国入侵西藏，清政府一味采取妥协、退让的政策，主要原因之一也是财力不足的问题。在国库空虚，内省自顾不暇的情势下，朝廷内外人士便悠然产生开辟边地之利源，以边地之财经营边地的思想。于是，凡谈论边事者，无不提及开辟利源。如前述《论移民实边之不可缓》一文，除强调移民与实边的关系之外，还着重论述了移民与农、商、矿的关系。文章认为，蒙古虽龙沙万里，而沃壤肥土亦不乏，如乌梁海唐努山之阳，及内蒙河套地方，即可移民开垦以兴地利。西北一隅，东起库伦，西至伊犁，名城巨镇皆恃俄商为转运之枢，洋货充斥市肆。我国商民如不积极致力于西北之工商业，将无以抵御外力之内侵。再则我国矿产之富，北胜于南，尤以塞外为最，西起天山之麓，东迄渤海之滨，绵延二万余里，悉千古未开之富源也。国家既困于资力而无暇顾及，边人又不能自谋，自应动员内地民间之人力、财力，以求开发西北边地之途径。

《津报》所登的《变通迁民实边办法之刍言》一文提出：我国迁民实边，"不可不师各国殖民之法而稍变通之"。各国殖民政策行之于异国，而我国之"殖民"则对于边地而言。但我东南各省人民，要远殖于西北极边地方，则需要种种奖励、保护之法，这实际与各国殖民于异国没有多少差别。各国殖民之法，有政治上之殖民，有军事上之殖民，有农业上之殖民，还有经济上之殖民。过去我国迁民实边，大致由政治、军事、农业而来，并非注意经济上之移民。以各国而言，凡政治、军事上有优势者，无不以经济移民打基础。我国采用迁民实边之政策，亦不可不注意经济上的移民，即与各种产业的开发与建设相结合起来。"必从事于各种产业，而后利源裕，而后民生厚，而后民心安，而后迁民实边之策乃得其效果，非可仅从事于垦荒一端而已也。"根据各国之经验，我国移民实边，应采取以下几种方法：

（1）当以营业的主义行之，不当以政治的主义行之。何谓以营业的主义行之，即集合各小资本而成一大资本，以组织拓殖公司。如英国的东印度公司、荷兰的东印度公司等。

（2）不可只靠无业游民之垦辟，还须鼓励资本家投资于边地的开发。所谓生产三要素，一曰自然，二曰劳力，三曰资本。欲求边地生产之发达，只有自然和劳力而无资本投入则难以成效，故必须输入资本，而后才可以收迁民实边之效果。

（3）迁民实边之策，不仅施以奖励之方法，而且予以防卫之术。我国边地盗贼横行，非假以防卫之特权，不足以系人心而广招徕。因此，应为移民授以保护自身之权利，如同英国殖民公司有设立警察之权。

（4）不仅从事于垦辟事业，而且要从事于交通事业。"移殖事业之发达，实随交通事业之发达而发达，欲奖励移殖事业，不可不先奖励交通事业。"只要做到了资本投入、保护移民、完备交通，迁民治边之策，才收实效。

总之，"迁民实边之策既实行，则可以固边围，可以繁生殖，可以卫地宝。不行则其利害适相反，为他族侵占，为他族孳息，为他族利源，奈至何勿图。"①

光绪三十四年（1908 年）四月十四日，《神州日报》刊登的《国家今日急宜经营西北说》一文认为，本朝二百余年来，"于西北政治上颇有建施，视为重镇要害而设专官于其地"，加以控驭抚绥。但对于开辟地利却未曾有何建树。而"今日所宜急图者，则在开发其地利，俾不至终沈荒远，为人篡取，且不以此长疲中国本部而终于受协，致不能振肢耀魄，为国光华"。因此，今日至急之要务为修筑通往西北各地的铁道，以激励国人经营西北。其次则实施奖励，凡在西北边地设公司者，无论经营何事，国家皆借给资金以示奖励，如有亏损，则以公款补助之。西北诸地虽交通不便利，但其天然物产颇为丰盈，"如金沙、皮革、毛羽、林木尤为固有之大利，少加振理，便能发皇。且金沙之利，既事简费轻，尤便携取，洵宜劝国民以为之也。"② 该文一再强调，只要修筑了通往西北的道路特别是铁道，西北边地的开发经营必将吸引内地有产者蜂拥而至，掀起空前的开发人潮。

（二）岑春煊与清末筹蒙改制论说

除了社会一般舆论，廷臣疆吏关于蒙古问题的奏疏也是促使清统治者改变对蒙传统观念的重要因素。清末疆吏中，关注蒙古问题者多以边省督抚、驻边将军、都统为主。当时山西巡抚岑春煊，垦务大臣兼绥远城将军贻谷，

---

① 《东方杂志》第 5 年第 3 期。
② 《东方杂志》第 5 年第 6 期。

黑龙江将军程德全，东三省总督徐世昌、锡良，热河都统廷杰，察哈尔都统诚勋等在任内或离任后都曾呈递过颇有影响的奏疏。这些奏疏为朝廷上下广泛议论，有些奏折实际转变成了清政府在蒙古地区推行的具体政策和措施。此外，给事中左绍佐，练兵处副使姚锡光等朝中大小官吏也提出过一些很有分量的奏议、说帖等。在疆吏中，岑春煊的几道奏折影响最大，其建议和主张多被清廷所采纳，对促成清朝对蒙传统政策的彻底改变产生了重要作用。

岑春煊（1861—1933 年），字云阶，广西西林县人。壮族，云贵总督岑毓英之子。光绪十一年（1885 年）中举人。光绪十四年（1888 年），以报效海军经费，补工部郎中。翌年，以父恤典，赏五品京堂候补，后补授光禄寺少卿，迁太仆寺少卿，署大理寺正卿。光绪二十四年（1898 年），任广东布政使。两个月后，调任甘肃省藩司。光绪二十六年（1900 年），八国联军攻入京城，岑春煊由甘肃率兵赴京"勤王护驾"，深受慈禧太后嘉奖。遂提授陕西巡抚。以后，又任山西巡抚、两广总督、云贵总督、四川总督、邮传部尚书等要职。

岑春煊是继张之洞之后，对口外蒙地的开垦极感兴趣并投入很多精力的晋抚之一。同时也是清末新政时期对于整顿边政特别是筹蒙改制提出过诸多建议和主张的封疆大吏之一。岑春煊是在出任山西巡抚伊始关注筹蒙问题，并逐渐参与到清末对蒙新政的决策当中的。

光绪二十七年（1901 年）四月，岑春煊呈递《开晋边蒙地屯垦以恤藩属而弭隐患折》，就北疆危局、蒙部情势、筹饷练兵、开垦蒙地等诸多问题进行全面的阐述，提出了自己的看法：

> 溯自天聪、崇德以来臣服蒙古，洎于康熙之世，准部披猖，同治之年西回缴扰，而京辅宴然，无烽燧之警者，以蒙古为之藩也。蒙部二百年来奉朝贡，听征调，供役使，趋上之急，惟力是视者，以朝廷加之勤恤也。近则俄人之势，日益盛强，蒙古之众日就贫弱。同治九年，前库伦办事大臣张廷岳有蒙兵不足恃之奏；光绪六年前司经局洗马张之洞有练蒙兵之奏；十一年，查办土默特争地大臣绍祺有蒙古租乃能练兵之奏……边臣皆知蒙兵宜练而苦于无饷，蒙长（旗）皆欲自练其兵而苦于无力。是则欲练蒙兵，非筹练费不可，欲筹练费，非开蒙地不可……

自辛巳俄人换约以来，行走卡伦，役使台站，经库伦而达张家口，程途二千余里，讥禁毫无。至于越界淘金，议置领事，蓄谋用意，皆难预测。而我边备不修，兵癯器顿，科城七部，乌、库四盟，虚若无人，倘出非常，何堪设想。①

在这段文字中，岑春煊主要指出了两方面的问题。一是，蒙古各部日益贫弱，蒙兵已不足恃，漠北各处更是虚若无人。外敌一旦犯边，蒙古难以抵挡；二是，自中俄签订《伊犁条约》，即辛巳换约以来，俄人利用其所获得的特权，对蒙古加紧进行侵略，对整个北疆造成严重的威胁。由鉴于此，他提出了"开蒙部之地为民耕之地，而竭蒙地之租，练蒙部之兵"，以修"边备"的主张。

在上述奏折中，岑春煊还说明了开垦蒙地的四大益处：其一，利在实边。晋省边外蒙地，广漠数千里，绝无险阻，"寇来难御，寇去难追。"蒙地开则，自晋边溯河（即黄河）而上达宁夏，河内外"并筑屯堡"，陕甘边境，必得到巩固。其二，利在强兵。现今蒙古日趋贫困，种族零落，兵丁缺衣少食，军储无出，武备遂坠。蒙地开则，收取地租，以作练兵之饷，亦可购买军火，更新装备。开垦由晋边推及诸边域，汉民纳租，蒙旗练伍，则十万强兵，一朝可征集。其三，利在密防。漠北三城，与直晋各边，道里悬隔，若俄人犯边，理难阻挡。蒙地开则，置营乌盟，巩固晋防，若三城有警，亦可刻期前赴。边镇不危，利在密防。其四，利在靖盗。蒙古各盟，地方遥远，散勇遗匪，往往潜踪于深山密林，禁令不及，查察难周。蒙地开则，可将散勇编为兵屯，并仿内地，设立牌甲，以靖地方。最后，岑春煊又提到"俄人经营黑龙江以来，开屯至二百有奇"一事，以强调开辟蒙地之刻不容缓，要求清廷特简大员，总理蒙古屯垦事宜，常驻扎晋边，以专委任，而责成功。

数月后，岑春煊再上《筹议开垦蒙地折》，主要强调晋省财政入不敷出，已无法再筹赔款的窘境，提出了开垦蒙地以筹款项的请求。其奏文称：

臣维现在时局艰难，度支竭蹶，兵费赔款之巨，实为历来所为未

---

① 内蒙古自治区档案馆：《清末内蒙古垦务档案汇编》，内蒙古人民出版社1999年版，第1—2页。

有。欲议筹款，不外加厘税，加捐输，然此仍取商民固有之利，而非为黎庶谋衣食之源，是不足言兴利也。其言救贫者，则或议裁节饷费，或拟振兴工商，然汰兵省官，所节无几，矿路制造，效难骤求，以糜财河沙之时，而规取锱铢之入，是虽理财之常经，仍无应急也。查晋边西北乌兰察布、伊克昭二盟蒙古十三旗，地方旷衍，甲于朔陲。伊克昭之鄂尔多斯各旗，环阻大河，灌溉利便……以各旗幅员计之，广袤不下三四千里，若垦十之三四，当可得田数十万顷。（光绪）二十五年，前黑龙江将军恩泽奏请放扎赉特旗荒地，计荒价一半可得四五十万两。今以鄂尔多斯、近晋各旗论之，即放一半亦可得三四倍……何可胜言，是利国也。[1]

清廷最终批准岑春煊的奏请，并任命兵部左侍郎贻谷为督办蒙旗垦务大臣，前赴晋省边外的西二盟督办垦务。由此可见，岑春煊的"开垦备边"主张，对清政府的决策产生了决定性的影响。

自贻谷督办垦务以后，在短短几年内，开垦蒙地，效果极为显著，清朝施行二百余年的封禁制度，被开垦洪流彻底冲破，沿边各蒙旗的大门向内地汉民敞开了。

随着蒙垦的全面展开，在内地推行的各种"新政"措施也逐渐推行到蒙古地区。于是，蒙古盟旗制度的改革问题便成为各种舆论的焦点，朝廷内外不断有人提出筹蒙改制的建议和主张。此时，岑春煊虽离开山西赴任两广总督，但他对西北边事，仍关心备至，不断发表意见。光绪三十三年（1907年）四月，岑春煊又上《统筹西北全局酌拟变通办法折》，从统筹西北全局的战略高度，着重阐述了蒙古各盟旗的改制问题。[2] 其主要内容如下：

整顿之办法宜分次第　西北各部、蒙古内外各盟及科布多、阿尔泰、青海各地计有二百数十旗，如一律实行整顿，实非旦夕所能奏效。现在内蒙古哲里木、卓索图两盟各旗，多已开垦，分设郡县。乌兰察布、伊克昭两盟垦

---

①　［日］安斋库治：《清末绥远的开垦》，那木云译，载内蒙古大学《蒙古史研究参考资料》第6、7辑，1963年；另见内蒙古档案馆准格尔旗札萨克衙门档案，卷84。

②　四川民族研究所：《清末川滇边务档案史料》（下），中华书局1989年版，第921—926页。

务，近年办理有效，日见畅兴。其他昭乌达盟各旗及阿拉善旗等亦多先后开垦，间有汉民村落，商埠廛市，繁盛如内地。近来驻防军，设巡警，办厘税，有民可治，有款可收，与漠北乌、科诸城之荒塞寥落不同。历来经营漠南，以边内为根本，现在经营漠北，应以漠南为根本。因此，仿照东三省原设将军之方法及热河都统管理热河道，伊犁将军节制伊塔道之例，凡热河、察哈尔都统，绥远城将军，均令专辖一方。所有地方文武，统归节制，考核一切。升调补署及行政事宜皆由该都统、将军经理，以一事权。该三处开辟有效、渐具规模后，即推之于库伦、乌里雅苏台各城。

官制宜变通 原设各将军、都统、大臣等，皆属武职，对于"垦林生财之本，学校教育之源"，极少议论。即使"武备一端"亦有"名实具废之弊"。另外，察哈尔都统、绥远城将军，于"边防"皆非专管。故在察哈尔、土默特，凡事涉蒙旗，地方官必须会同各旗总管、参领等办理。而陕西神木又设有理事同知、宁夏又有理藩院司员，皆为理蒙专官，归省、院节制，不属将军。如此紊乱牵制，事权自不能归一。因此，拟请将热河、察哈尔两都统，绥远城、乌里雅苏台两将军以及库伦、科布多、阿尔泰、西宁、西藏等处各大臣，均改名为巡抚，加兼陆军部侍郎衔。原设副都统、参赞大臣、帮办大臣有二三员者，均仿东三省所奏准新制，于巡抚下改设左右参赞一二员。并照政务处议准成案，凡原设将军、都统、大臣，改设巡抚以下各缺，皆旗汉兼用，以边省抚藩。并从各部侍郎、左右丞内开单请简，以广取才之路。所设地方官，概用府、州、县，不设道员，以便径隶于民政司。

垦务宜先举 "垦草创邑，僻地植谷，为富民之本。远而周汉，近而欧美，皆以是为重。"今西二盟即伊克昭、乌兰察布二盟，垦务已有端倪，宜推及于阿拉善及漠北之札萨克图、三音诺颜各旗；昭乌达各旗之垦务，宜推及于乌珠穆沁、扎鲁特及漠北车臣、土谢图各旗。锡林郭勒一盟较为硗瘠，然不乏可垦之地、盐礧之利。总之，"守边之本，足兵足食。诸侯之宝，土地人民。垦务不举，则无食无人，而兵亦无由练"。凡能募捐商民垦地千亩，招民二十户以上者，给外奖；垦地万亩，招民二百户以上者，给内奖。此外，矿产、盐田、森林、渔业，只要创办有效，均宜给奖。无论蒙汉官商，一律照奖，如此则垦地之盛，边民之集，计日可待。

蒙旗出路宜变通 蒙古"宗教则全尚喇嘛"，因之"迷信日深，丁口日少，人才不出，弊亦丛生"。故多设学堂，以开蒙智。前任晋抚张之洞曾有设土默特蒙学之议，近年奉天蒙部设立学堂，亦请蒙生毕业一体奖励，此法最善。拟请令将军等遍饬蒙古各部设立蒙学，并于驻扎处所先设中学堂。凡蒙生皆从宽收录，学成毕业，与京外旗、汉各生一体任用。如此办理，"不独激劝有术，生其向学之心，且可使剃度日稀，渐化颛愚之习，此开蒙智之要者也。"

疆域宜区划 现议改制，自近边为始，应先从热河、察哈尔、绥远办起。拟以承德、朝阳二府和卓索图、昭乌达二盟各旗，设热河省；以直隶张家口、独石口、多伦诺尔三厅，山西丰镇、宁远、兴和、陶林四厅，察哈尔左右翼及锡林郭勒盟，取元上都开平路之称，设开平省；以山西归绥道之归化、萨拉齐、托克托城、和林格尔、清水河五厅，新设武川、五原、东胜三厅，合乌兰察布、伊克昭二盟及阿拉善旗，并陕晋向理蒙务各州县隶之，设绥远省。以上三省，统称为北三省。

边卫宜渐修 各边旗、绿等兵，器械朽钝，训练不讲，名为制兵，实与民同。蒙兵性质健壮，然无饷、无械、无操法，欲备缓急，万不可恃。现在筹款，万分为难，唯有先立军学之一法。拟各将军所驻地方，皆设陆军小学堂一所。皆选蒙、汉、土司等子弟合格者入学。其军队，则酌量各边财力，热河、察哈尔、绥远城等处，皆先练陆军一混成协。库伦、乌里雅苏台、科布多、阿尔泰则先练步、马各一标。暂时款如不敷，不妨酌减，或练巡防队以缉盗贼，通邮传，卫商民。

岑春煊这套办法，从变通官制到区划疆域，从推行垦务到兴办教育，从整饬边卫到选拔人才，可谓无所不容。这实际是对西、北边疆地区不同情况进行广泛、深入的研究之后提出的全面、系统的改革方案。从改制而言，它的中心意图是改变"因俗施治"的对蒙传统政策，逐步推行行省制度，以加强清中央政府的直接管辖。具体步骤是，西、北两路各将军、都统和大臣，皆改为巡抚，以接管地方行政，专辖一方。在条件具备的近边地区即漠南，则直接设立行省，"以一事权"。再以漠南为基础，将行省制推进到漠北。

这时正值清政府对中央和地方官制进行自上而下的改革，因此对藩部体制进行更广泛的改革，已提到其议事日程上。所以岑春煊的奏折立刻引起了清政府的重视。加之岑氏"洞悉"边情，"言之独详，筹之尤备"，其奏疏更使力主筹蒙改制的边省督抚们欢欣鼓舞。

清廷接到岑春煊的奏折后，即命军机处转发各边省督抚及驻边将军、都统和大臣等，结合各自情形"各抒所见、妥议具奏"。从此，蒙古改省，从议论阶段，跨进了拟订方案和筹备实施的阶段。遂由驻防漠南重镇的廷杰、诚勋、贻谷等驻边大员们陆续提出了各自的建省方案。这些方案虽未超出岑春煊所提出的基本框架，但因试图为各自所拟建的省份内多划进一些地盘，他们提出的行政区域的划分还是有些差异。

光绪三十三年（1907 年）六月，热河都统廷杰上奏清廷，以"改设行省，以人民财赋足敷分布为要"，提出内蒙古若划分三省，必定加重百姓的负担，所以分设两个行省则较为适宜。廷杰不赞成岑春煊的在漠南建三个省的计划，而主张分建两个省，其目的显然是使未来的热河省占有更多的地盘。

同年九月，察哈尔都统诚勋"拟请以察哈尔与绥、热皆列为行省，为北三省，布置一切。除岑春煊原议外，别请以直隶之宣化，山西之大同二府，择要拨归察哈尔管辖，或改名北直隶，如东三省例，置总督一员辖三省或即名曰宣化省，仍兼辖于直隶总督，设巡抚一员兼都统"。[①] 察哈尔都统诚勋看来，若照岑春煊的方案划分，察哈尔不足以自成一个省，所以他提出了将宣化、大同二府划归拟设察哈尔省管辖的要求。

当时在内蒙古西部督办蒙旗垦务并兼任绥远城将军的贻谷则十分赞同岑春煊的建省方案，所以对拟设三省的区划并没有提出异议，而是从加强管理，统一政令，强化防守、整饬地方诸方面，更加充分地"论证"了建立绥远省的迫切性与可行性。

除改省议论之外，当时也有将内外蒙古改为四个部的意见。光绪三十四年初（1908 年），内阁中书章启槐上《整顿内外蒙古折》，"拟请将蒙古划为四部，特简督办蒙古政务大臣，驻扎于繁盛冲要之区，以收居中统驭之功。其下建设属官，秩同巡抚，分驻四部，节制各部盟长"。[②] 此后，又有

---

① 中国第一历史档案馆：《光绪朝朱批奏折》第 33 辑，中华书局 1996 年版，第 76 页。
② 朱启钤：《东三省蒙务公牍汇编》卷 5，宣统元年（1909 年）排印本。

署归化城副都统三多上奏清廷，提出了与章启槐完全相同的主张，即把内外蒙古分建为四个部。

章启槐和三多虽提出了改蒙古为四个部的建议，但从其长远目标看，他们并非反对建省，而是缓建行省而已。章启槐所拟设的蒙古政务大臣，实质上如同各省总督，总督辖下之官如同巡抚；总督统辖四部，巡抚分治四部，"无行省治制之形式，有行省治制之精神"。所谓划分四部，实际等于建四个准行省，一旦国家财力改善，条件具备，即将其一律提升为行省。总之，各方所提方案和主张，在省的区划上虽与岑春煊的计划有些差别，但设省的动机和目标等，并无实质的区别。

（三）姚锡光及其《筹蒙刍议》

姚锡光（1868—?）字石泉，江苏丹徒人。光绪十二年（1886 年），自京师至天津，于湖广总督张之洞所建陆军学堂任监督。光绪二十一年（1895 年），任湖北自强学堂提调。二十四年（1898 年）赴日本访问陆军各学校并议定送湖北学生入校学习事宜。翌年，至京应试入选后，赴安徽任知县等职。光绪二十九年（1903 年），返京任京师大学堂监督，为亲贵善耆、铁良所倚重。光绪三十二年（1906 年），任练兵处军政司副使。铁良任陆军部尚书后，姚锡光署左丞。清朝灭亡后，曾在北洋政府蒙藏事务局任副总裁。

姚锡光是清末颇受近代西方思想影响的青年军事专家。他是在练兵处任职后开始接触蒙古事务的。日俄战争爆发后，东三省和东蒙局势顿形紧张。光绪三十一年（1905 年）四月，练兵处奉旨派姚锡光赴东蒙古喀喇沁、土默特等旗进行考察。经过一个多月时间的考察，姚锡光对东部蒙旗情形有了大致的了解。考察结束后，他向练兵处王大臣等递交《查复东部内蒙古情形说帖》、《实边条议》两个报告。光绪三十二年（1906 年）春，理藩院尚书肃亲王善耆赴东蒙进行考察，姚锡光亦随同前往。在历时 3 个月的考察中，分别在喀喇沁右旗、巴林右旗、乌珠穆沁旗和科尔沁右翼中旗等地召集了卓索图、昭乌达、锡林郭勒、哲里木四盟各旗王公札萨克参加的会议。①经过这次长时间的考察，姚锡光对蒙情了解更深，感触颇多。返京之后，即

---

① 陈祖善：《东蒙古纪程》，1914 年刻本。

提出了"经画东四盟蒙古条议"、"私售大段重要蒙地情形说帖"、"蒙古教育条议"、"拟设全宁副都统说帖"等。① 姚锡光两次赴东蒙考察，所形成之条议、说帖，前后凡十一篇。光绪三十四年（1908 年），汇集刊行，名曰《筹蒙刍议》。

姚锡光在《筹蒙刍议》中探讨的主要内容，不外设州县、开蒙荒、兴地利、实边备。但其思想观点较前人更加系统，具有更多的理论色彩；关于设省置县、放垦蒙地、开发蒙旗资源等具体建议和规划也十分详尽、具体。如果说岑春煊的筹蒙论说代表了相当一部分疆吏的主张的话，那么，姚锡光的观点则反映出一些洋场学士对待边疆问题的思想倾向。对《筹蒙刍议》进行解析，有益于我们深入了解像姚锡光这样掌握了不少西学知识，且从西方强国向海外殖民扩张的浪潮中悟出许多道理的一些人士是怎样认识蒙古和看待蒙古问题的。

在中外局势发生巨变的新形势下，如何治理蒙古是姚锡光在《筹蒙刍议》中探讨的首要问题。他所谈论的蒙古问题，基本都以"实边"即充实边疆作为根本出发点。所以，他借鉴西人的经验，对"实边"作了一番解释，进而就如何治蒙实边，提出了自己的观点。他说道：窃维患气之来，恒自虚而入，故古人筹边之策，最重实边。实边云何？即西人之所谓膨胀力也。膨胀力有三，一是生齿之膨胀力，二是财产之膨胀力，三是政治之膨胀力。而财产膨胀力亦有三，即农业、工业和商业。而各种膨胀力，实相互为用。无民间生齿、财产之膨胀力以为国家之后援，则政治之膨胀力，无自而生。无政治之膨胀力，则民间生齿、财产膨胀力，又无自而保。无农业之膨胀力，则生货不多，而工商无本源。无工业之膨胀力，则熟货不成，而农商无运用。无商业之膨胀力，则销货不广，而农工无交通。此数膨胀力者，盖国力之所以充。由此可见，姚锡光所讲的实际是，人口、经济、政治三者的关系以及国力的强盛问题。实边就是将诸膨胀力推向边疆的问题。那么，具体如何从事，他谈到了先从诸膨胀力之基础即农业入手的问题。认为，古今中外，凡新开之地，无不先从农业入手为第一者。因为"盖必农业兴，而后草莱辟，榛莽芟。于是人始有栖止之所，周行之道，烟户稍聚，工商诸

---

① 姚锡光：《筹蒙刍议》（下），《满蒙丛书》本。

业，乃有所附丽。此自然不易之理。美澳诸洲无不先从农业极意经营，此其明效大验。我国蒙古地方何以异是，自应从民间固有之膨胀力尽力扩充。于是其未有之膨胀力，尽力提倡，实边之道，胥在是矣。窃维我国历代以来开边之策，率主兵力，而无民间之膨胀力，以继其后，往往一蹶不振。……不知见在西人开拓之雄，恒以实力之膨胀为主。不以兵力之所至为主，而兵力之膨胀亦自在其中。今者我北徼孤露极矣，先宜充实内蒙古，而推其力于外蒙古土谢图一部，以为之基。漠南全境宜立统治之法，漠北诸部宜筹开辟之方，所谓实边者此也"。

上述内容中，姚锡光主要阐述了筹蒙实边的基本理论问题，将国家的"膨胀力"推进到蒙古。而推进膨胀力，要"以实力之膨胀为主，不以兵力所至为主"。所谓"实力之膨胀"，主要是尽力扩充民间固有的膨胀力，即移民垦殖。在此基础上，再加强工、商业的膨胀力。漠南全境，因民间膨胀力的基础较厚实，所以应注重立统治之法度，而漠北则因汉民移居甚少，应积极筹划开辟之方法。二者切实能够做到，即可收筹蒙实边之实效。姚氏提出这套筹蒙理论后，接着在《筹蒙刍议》的核心篇《实边条议》中，分别从地方建制、蒙部处置、内政区划、统筹内外蒙古四大方面，提出了翔实、具体的治蒙方策。

"东蒙地方制置"　　姚锡光认为，自俄罗斯西伯利亚铁道修成后，东北和北部边疆局势为之一变。目前日俄交战，无论谁胜谁负，皆于我边局有绝大关系。以东四盟蒙古论，"适当畿辅、奉、吉腰膂之间"，一旦发生事变，"此实堂奥之忧，并非边隅之患"，故东四盟蒙古应"极为经营，建设重镇"，使内于京师有磐石之安，外于奉、吉有建瓴之势。这是时势所迫，宜急起直追，不可徘徊不定，坐失机会。从东四盟蒙古自身而言，各部箭丁"坐食而喜，实不堪用，断难恃为折冲御侮之备。"基于此，提出如下建议：

其一，依照新疆设省之先例，设直隶山北行省。其辖治范围包括热河口北两道所辖二府三厅六县，以此迤北至外蒙古南界。该省仍由直隶总督兼辖，另设巡抚。凡吏治、财赋、兵政及汉民蒙部，皆由巡抚专辖，以归统一。巡抚驻赤峰，即于赤峰迤东而北，设立军镇，则外而奉吉之交可资策应，内而东四盟南北之会差亦适中。且赤峰迤北而西，为昭乌达及锡林郭勒两盟蒙古，其境地多未垦辟。兹封疆大吏，驻节赤峰，益以军屯，渐括而北，则人民辐辏，气象殷阗。其二，选派通晓练兵、理财、吏治之专人，督办开垦、练兵事宜。如无地方之权，兵无从练，财无从理。故简派专人赴东蒙办理练兵、理财及开垦事宜，并兼热河都统。但热河都统因成例所限，不能掌管蒙旗事务，故从此热河都统直隶练兵处，以破除"拘挛"，不致为理藩院及各部成法所束，以别开生面，掌理蒙旗事宜。此外，哲里木盟蒙古境地凡出东三省边境以外者，锡林郭勒盟全境，亦一律归热河都统管理，以通声援。其三，练兵与理财要分开。理财一人，由练兵处奏派，并补以热河道。另派镇统或协统，以司练兵。理财与吏治相表里，如无地方之权，则呼应不灵，故必兼热河道，以资实行。由练兵处奏明特派之员兼管热河道，俾借专辖地方之权以济特别应办之事，与寻常热河道不同。矧新政所关，练兵所系，又与寻常地方事件不同。则都统似尚无所用其牵掣，抑或别加崇衔以隆体制，避免掣肘。总非兼有地方事权，无论大小，不能有济，若仅负空名，并无实力，主客殊形，则成败立判，虽百其员，以效驰驱，亦无当于事，是直谓无策。

"蒙古部落处置" 朝廷抚绥蒙古，起初分建札萨克以掌旗务，画疆而理，实即封建之制也。而自汉人移居口外以来，各处分置府厅州县，此又郡县之制也。虽同立于一地之上，而蒙人属札萨克，汉人归州县，区别两种人民，受治于两种官吏。此法已不适时宜，非特五洲万国、本国属地，皆无此办法。且畛域区分，势必猜嫌互起，诉讼繁行，迭起忿恨。故封建与郡县，二者不能并存，而封建之法，势分力薄，不相统一，不足捍御外侮。自非易封建而郡县，不能为治。然欲易札萨克制为郡县制，非收回各札萨克土地人民之权不可。收回札萨克之权，亦不可强取豪夺而致生阻力，而要用柔和利导之法。其一，保证各札萨克王公及一般贵族固有之富贵。无论官产、私产，凡向为札萨克所掌者，应一律给予管业，并准其任便典售蒙汉。闲散王公、台吉等所有私产办法亦同。以此种利导之法，收其土地人民系属之权力，以推广垦殖，设置郡县。其二，使将蒙古人一律归地方官管辖，其出身仕途，一律与各州县汉人无异，以增进其内向之情。朝廷对于上流蒙古人，予以"登进朝官"之路。对一般蒙民亦因势利导，设法使所有蒙民，脱离于札萨克，直隶于国家统治之下。同化之力，似无过于此。其三，蒙地限于成例，开垦不多，人迹荒凉，不成市廛，工商不兴，无从交换。耕牧余暇，安坐喜，贫困之由，亦半出此。故应使蒙民，或入伍领饷，或从事工农商各业，以裕其生计，而摆脱游牧之习。其四，准蒙古人与汉民典卖田土，化行国为居国，变牧地为耕地。开辟蒙地，国家宣布法令，不取押荒、不收地价，任蒙汉自行典卖、自行交易。如此则蒙古土满之患，与汉民人满之患，皆潜消于不觉，而国家膨胀之力，亦自周匝于边陲。总之，言处置蒙古之方法，务使上而王公，中而贵族，下而壮丁，各得其所求，使其土地人民之权，收回于不觉之中。

"内政区划" 口外各州县只有治汉民之权，而无治各旗蒙古之权，亦无辖蒙古土地之权。垂三百年，国家对蒙古率以宽大处之，从未蓄意区划蒙地。而今时艰日棘，经营蒙古，内政之区划，势不可缓。就东四盟蒙古而言，有开垦旗分，有未开垦旗分，有设州县地方，有未设州县地方。其中，卓索图盟喀喇沁、土默特两部五旗及翁牛特部两旗，敖汉、奈曼、喀尔喀各一旗，凡四部五旗皆已开垦，且已设州县。哲里木盟科尔沁、郭尔罗斯、杜尔伯特、扎赉特共四部十旗皆已开垦，其全境十之三，错入奉吉黑三省州县之中。昭乌达盟之克什克腾旗虽已开垦，但尚未设州县。昭乌达盟巴林、扎鲁特、阿噜科尔沁三部五旗，锡林郭勒盟五部十旗，则皆未开垦，亦未设州县。言经营方法，未经开垦旗分，唯有提倡农业，奖励垦务；已经开垦而尚未设州县的旗分，亟应划出地段，设立州县。已经开垦且已设州县之地方，则应为经营蒙古根据之所，其内治办法，即为日后新开各地之榜样。其已经开垦之旗份，即参照内地成法，以行政、财政、巡警、赋税、讼狱、自治、教育八大纲领，治理地方。

"漠南漠北通筹" 方今谋国之道，首重国防。国家宅都燕蓟，逼近边墙，恃内外蒙古为我藩卫，形势所在，本所必争。以局势言，外蒙古之防卫，尚急于内蒙古；以步骤言，则必先经营内蒙古，以为根本，乃能推及于外蒙。内蒙古之地，专用民垦，外蒙古之地兼用兵屯，而后画境分疆，设省置县。内蒙古宜分设东西两省，外蒙古则暂划分东西北三省。漠南两省，凡已垦辟之地，尽设州县，一如内地。其未垦辟之地，设农政司，仿照日本北海道之拓殖使办法，厉行开垦。漠北三省，设屯垦司，参照日本第七师屯田方法，以兵屯开其先，为民垦奠定基础。若使国家奖励有法，提倡得人，不出五年，漠南诸部，凡可垦之地，可全数放垦。土地既开，人民自聚，理财练兵，俱有所借手可举。以郡县之法治之，其滂渤横溢，可计日以待。而漠北之经营，即以此为基础，任蒙汉自由典卖，再由官为多方提倡。风气既开，蒙汉皆有利可图，则十年之间，必有成效可睹。

除整顿蒙部，兴蒙地之利也是姚氏《筹蒙刍议》的主要议题之一。他先后两次考察东蒙，特别注意了解蒙旗可垦之土地和可兴之利源。遂提出了垦辟蒙地、经营蒙盐、创设银行等十分具体的计划和建议。

清末，凡关心蒙事者，无不主张放垦蒙地，收荒价地租之利，以裕国课。姚锡光也不例外，他认为"国用倚地亩税为大宗"，"中国历代皆然"，"东西各国依然"。所以主张凡可垦之蒙地，应尽数垦辟。但是，他所提倡的放垦方法与主旨，与山西巡抚、黑龙江将军等有所不同，即反对由官府办理垦务，尤其不分土地之荒熟，一律向垦民勒收荒价的做法。其理由是，自光绪末蒙地推行官垦以来，办理垦务者，多以搜刮荒价为主旨，而对于振兴农业，则并未真正讲求。如"东省之放牧场，西边之放河套，皆取民间已经开垦成熟之地，勒收押荒银两，实未放出荒地一亩，徒使未垦之地，人转视为畏途，而莫利耕种，致生无限阻力。"征收押荒银两，只是一时之微利，而土辟民聚，借以实边，才是"经国之远途"。所以，放垦蒙地，断不可以收取押荒银为宗旨，应以提倡垦辟为主。国家不取押荒，不收地价，而明布法令，任蒙汉自行典卖。蒙地垦辟成熟，升科收租以后，国家所收之利，区区押荒银两何足比拟。方今放垦蒙地，务须采取最便捷之方式，任蒙汉自行交易，毋庸官立名目，反致无荒可放。

据姚锡光勘察、推测，除垦辟一项，蒙地可收之近利，又有盐业、银行两事。"蒙盐色味俱佳，实为天然美富"，然向不隶于盐政，"非盐运司所管辖，亦非商人引地所在"，任蒙人自行销售，本非通法。自应仿照各国现行盐政之例，收为国家所有，以立财政之基础。盐业成则银行即因之成立，操蒙部之财权，即握治蒙之要领。盐银两业，相辅而行，斯财政操纵之权，全局咸归条理。蒙地已有日俄纸币流通，我尚无从设立银行，"是以拟于盐业之中，即附以银行基础"。凡盐业店铺设立所至，即以盐业为担保，设立大小银行，发行钞票，以便流通。财政既通，百务俱举，可谓"银行者，蒙部经营之母也；而盐业者，又银行成立之母也"。销盐愈多，钞票之流通愈广，于是银行之力日益涨，银行之力益涨，农、工、矿、商，道路交通各业，皆能速其进步。通查东蒙全局，盐业、银行、地租三项乃大利所在，亦政策所资。而理财、练兵及举行一切新政，皆于是乎藉。自应全力经营，以立不拔之基。

清末议论边事者多属边省督抚或驻边大员，而姚锡光只是练兵处的一个小官员，尚未步入封疆大吏的行列。但他精通中原王朝自古以来的治边之道，对西方列强殖民扩张运动亦有相当精深的了解与感悟。所以，既有传统儒家学说的根基，又具备关于西方制度和思想意识方面的知识。在《筹蒙刍议》中，姚锡光对晚清以来的治边论说作了一次比较全面总结，提炼出其"精髓"，使之更加系统化了。理论上的出发点，不外乎移垦设治、充实边围，但在具体的方法和措施上，则以传统的郡县、农本思想为基础，借鉴列强开疆拓土，扩张势力的经验，提倡藩部体制的全盘内地化。如其所称：中国经营蒙古，以发展农业而言，如同西人经营美澳诸洲。废除蒙旗制度而言，则类似于日本废藩置县，实施维新。"日本不收回诸藩土地，不能启维新之业，我今不收回蒙古土地人民，不能为锁轮之谋。究之日本诸藩，迄今与国同休，长享爵禄，于诸藩亦何尝不利。我之蒙古，何以异此？矧出柔和之方，持以积渐之法，使其蒙归还土地人民之福，而不失尊荣安富之恒，所以为蒙古谋者亦至矣。制贵因时，法难泥古。国初利存封建，故不嫌任其自治，今日利存合并，故势必收其主权。利害所形，无所用其顾虑，使列圣而处今日，穷变通久之方，恐亦不外此已。"① 可见，姚锡光将蒙古各札萨克旗比做日本的诸藩，借鉴日本废藩置县的经验，主张废除蒙古盟旗制度，以实行行省制度，以收回札萨克的人民、土地之权。

改蒙旗为州县，促进蒙人汉化，兴办教育是个关键的问题。姚锡光有个《蒙古教育条议》，其中开门见山地说道："今日定蒙古教育，莫良于蒙汉同化之一法。此于国家有利无害，于蒙古有利无害，于汉民亦有利无害。似蒙汉同化之教育定，而教育之宗旨即定。蒙汉同化，则互相携手，同为国民，以御外侮。"何谓对蒙古亦有利？因为"蒙古之贫弱，由于不知自营生计，今有蒙汉同化之力，则汉民之耕种、工艺、经商各等生活之法，皆蒙民之所取资。"不过，蒙古之教育不可以由蒙旗自主办理，因为蒙古学堂，"率以

---

① 姚锡光：《筹蒙刍议》（上），《满蒙丛书》本。

提倡兵操为主，而其授课所引譬，暇日所演说，则时以恢复成吉思汗之事业，煽其三百万同胞，以相鼓舞。而我朝圣武神功，阒未一闻，则其心盖可相见。"① 所以，非设立专官为之主持一切不可，否则学堂愈增，其流弊亦日增。

废除蒙旗固有的自主体制，改置郡县，实行边外与边内一体化，以加强中央政府的统治，加强抵御外侮的能力，是晚清统治阶层治蒙思想的核心。姚锡光亦未脱离这核心。因此，其思想主张皆源于"实边"这个根本动机，蕴涵着很多积极因素。但是，与传统官僚、士大夫相比，姚锡光更多地吸收欧美列强的殖民扩张方法、途径，或仿效日本废藩置县的经验，赤裸裸地鼓吹通过"殖民"方式，去治理、开发国内边疆民族地区。加之对清朝传统的因俗施政表现出完全否定的态度，主张移垦设治、取消蒙古盟旗制度。所以，其思想言论充满了大民族主义的褊狭，显得过于激进和武断。姚锡光的思想主张，虽然在现实社会中很难付诸实践。但它的确反映出清末统治阶层思想意识中普遍存在的一种倾向，即将蒙古改为行省，促使蒙古人汉化，最终以同化的方式使塞外蒙古与内地行省融为一体，以收"长治久安"之效。

（四）反对蒙古改省主张

清末新政时期出现的，各种筹蒙议论多否定"因俗施治"，而主张"移垦设治"。不过，"移垦设治"论，并不完全一统天下，也有一些不同的声音，虽十分微弱，却令人瞩目。这就是一部分疆臣反对将蒙古改为行省。

如前文已述，湖南巡抚的赵尔巽于光绪二十九年（1903 年）初，上《通筹本计条陈折》，提出"查历代之制，内地治以郡县，边外治以军府，然汉之河西列郡，至今仍隶版图，唐之安西北庭未及，仍沦异域，是治边外，军府仍不如郡县，确有明证"。并依据"崇实之于奉天，铭安之于吉林，先后奏请增设郡县，左宗棠于西事甫定，即有不可不设行省之议"②，主张内外蒙古也要设置郡县，建立行省。清廷接到赵尔巽的奏折后，即令政务处妥议覆奏，而未交理藩院议处。可见，蒙古改制亦属官制改革范围。但政务处王大臣等感到蒙古改设行省事体重大且需费浩繁，一时拿不出什么意

---

① 姚锡光：《筹蒙刍议》（下），《满蒙丛书》本。
② 中国第一历史档案馆：《光绪朝朱批奏折》第 33 辑，中华书局 1996 年版，第 19 页。

见来，只好请旨将赵尔巽的奏折转发给各有关驻边将军、大臣等，饬令"悉心规划，详细覆奏"。

当时，赵尔巽的条陈得到内省督抚及驻漠南的绥远城将军、热河都统等的一致赞同。遂有前任山西巡抚岑春煊及绥远城将军贻谷、察哈尔都统诚勋、热河都统廷杰等，加紧开始策划设省。但是，蒙古改省在漠北各路将军、大臣中却引起了不同的反应，他们普遍反对蒙古改省，特别是明确反对外蒙古改设行省。

乌里雅苏台将军连顺接到清廷的谕旨后，于光绪二十九年（1903年）四月上《蒙古部落碍难改设行省谨据实覆陈折》提出：蒙古地方情形实与东三、新疆迥异，未便改设行省。东三省沃野腴田，汉民愈来愈多，兼以商家辐辏，布满城乡，在未设州县以前，早已人烟稠密，具有规模。故崇实与铭安先后请设厅县，其势不得不然。至于新疆，天气和暖，土地肥饶，本可以设官养民，近年来汉民迁入者日多，乡村林立，处处与"回民"杂处。故左宗棠于新疆收复后，即请改设行省，皆因其势而利导之，并不待勉强而事集。蒙古地方则不然，即以本将军所属喀尔喀蒙古而论，纵横五千余里，户口两万余丁，散布辽阔，人烟稀少，其中并无汉民杂居。设官原为治民，无民则官无所治，以喀尔喀情势，即无设民官之需要。若设官而筑城造堡，则工费浩繁，多糜帑项。蒙古生计以游牧为主，行止无定，每一迁移，即在数百里之外。若设厅县，必使蒙人困于一隅，丧失生计。此外，外蒙地势高寒，多不宜农耕，若将四盟改设行省，增设民官，则屯垦不能推广，而徒增俸饷，无益于国家。[①]

库伦办事大臣丰升阿于光绪二十九年（1903年）五月上《外蒙古政治按照内地与他处边疆办理多有窒碍难行折》，请求外蒙暂缓改设行省。丰升阿反对改省，其理由与连顺基本相同，认为：外蒙各部情形不仅与内地各省迥异，即与东三省、新疆和内蒙古也"大相悬殊"。他说，东三省沃野腴壤，人民所趋，当其未设民官之前，"业已市镇、乡村星罗棋布，故各将军因地因势，请设郡县，一再经营而事无不集"。外蒙古则"平沙广漠，一望无垠，蒙古居处，冬山夏水，迁徙无定"，蒙人不识耕获为何事。若设官垦

① 《宫中档·光绪朝奏折》第17辑，台湾故宫博物院1974年版，第6页。

荒，则"无民可治"、"无地可垦"，故外蒙古实难与东三省相提并论。新疆
较之外蒙，气候暖和，适合耕种，且"回乱"平定后，汉民迁入甚多，宜
于设汉官治理。外蒙则因土地贫瘠，汉民虽来，从无携眷联姻、渐成土著
者。故外蒙人民，仍由各王公等尽心治理为宜。再则内蒙古各部，"系处近
边，蒙古与民人，日久相习，风俗多有异同之处"，故能"次第酌设厅县，
开垦荒地"。但耕种者仍以汉民为多，蒙众习于耕耘者甚少。若照内蒙之办
法，于外蒙一律设官垦荒，"诚恐令一出而蒙人惊为奇异，立见纷扰，于边
局实有不便"。①

继丰升阿之后，科布多参赞大臣瑞洵又上《北路地方改设行省有害无
利据实覆陈折》指出，蒙古游牧，改设行省，似不宜举行，其原因有以下
几方面：一曰隔阂。设民官（即汉官），必先官民相通、相亲，然后可以为
治。科布多所属，皆蒙古部落，汉文汉语全不通晓，如设汉官，官民之间必
生隔阂，治理更加困难。二曰蠹扰。口外地方，既无地丁钱粮可纳，又无正
杂税课。如设省置县，将各衙门之所需，诛求诸蒙古，强则违阻，弱则逃
避，甚且激生他变。三曰疑惧。蒙古各部向设正副盟长、总管等官分管各旗
事务，今若改设民官，则政教号令，必须悉归官府。蒙古各盟长、札萨克等
皆为汗、王、贝子、公爵，秩分较崇，若遽削其权，必致众情耸动，各怀不
安，群思诡避。四曰苦累。朝廷优待蒙古，分寄屏藩，不过资其捍卫，本无
利其人民土地之意。今若设民官，蒙人不以为开辟利源，反以为夺其生计。
故万一人心摇撼，群起抗官，局势将难以控制。此外，往来之官衙人数倍
增，加重北路各台站之负担，势必苦累蒙众。瑞洵最后表示，改省需费甚
巨，"当此国用支绌之秋，若再重耗中帑以试办千载一时不可成之事，奴才
等受恩深重，具有天良，断不敢如此铺张致涉欺饰"。②

除驻漠北各将军、大臣等之外，当时陕甘总督升允也曾奏请青海暂缓改
设行省。他说道："该地蛮荒沙漠，部族杂居，论开化则尚未及时，言利益
则只知游牧，若欲遽建行省，不独风俗制度，未易强同，且恐设官而民无定

① 中国第一历史档案馆：《光绪朝朱批奏折》第 33 辑，中华书局 1996 年版，第 19 页。
② 中国第一历史档案馆：《光绪朝朱批奏折》第 33 辑，中华书局 1996 年版，第 19 页。

所，钤束维艰。"① 加之建省设官，"创置城池、衙署、庙坛之费，常年文武员弁兵役俸廉饷工之资，需款颇巨"，如王大臣所奏，约计所需不下千万两。而蒙古地方"既无地丁钱粮可纳，又无正杂税课可征"，此项巨费，只能取之于各省。当此国用支绌之际，断不应"如此铺张致涉欺饰"。②

上述各将军、大臣反对设官改省，其根本原因在于他们身临其境，深知蒙古根本不同于内地各省，也无法与东三省、新疆等边疆地区相提并论。即使内外蒙古的情况也各不相同。所以，他们主张因地制宜，因势利导，不可强求一律，强行设省，否则适得其反。可见，切身了解蒙古，特别是外蒙古实际情况的将军、大臣所持观点，显然与内省督抚、驻近边的将军、都统等不同，他们或多或少考虑到了蒙古作为藩部具有的特殊性和蒙古自身的利益问题。但这些意见在筹蒙改制、移垦设治思想在现实的意识形态中已占支配地位的情势下，对清政府决策难以产生影响。清朝灭亡之前，清政府虽未及推行内外蒙古改省，但内蒙古的改省已有了相当成熟的实施方案，而筹划外蒙古改省亦是时间问题而已。

（五）蒙古王公的自强主张及其对新政的反映

清政府在全国范围内推行"新政"的形势下，蒙古王公当中也有人认为有必要变通旧制、实施革新，以图自强，并非盲目抵制所有新政措施。特别是长期驻京的蒙古王公对清末新政反应较为积极。其中，代表性人物有：喀喇沁郡王贡桑诺尔布、土尔扈特郡王帕勒塔、科尔沁郡王棍楚克苏隆、科尔沁亲王阿穆尔灵圭等。

内蒙古卓索图盟喀喇沁右旗札萨克郡王贡桑诺尔布是清末蒙古王公中最活跃的人物。他常年驻北京，精通蒙、满、汉文，对清末动荡的局面，变法革新的形势，耳濡目染，很早就产生了变革自强的意识。清政府推行新政后不久，光绪二十八年（1902年）初，贡桑诺尔布奏请"练兵筹饷"，以加强蒙旗武备。此后，他开始在本旗兴办学堂和练兵，并请求练兵处派员督办。③ 光绪三十二年（1906年）春，肃亲王善耆在陈祖善、姚锡光等随同

---

① 《东方杂志》第5年第3期。
② 《政治官报》：光绪三十三年十二月二十三日第93号。另见《光绪朝朱批奏折》第33辑，中华书局1964年版，第19页。
③ 姚锡光：《筹蒙刍议》（上），《满蒙丛书》本。

下，到内蒙古东部地区进行考察。肃亲王此行的目的主要有两方面：一是了解日俄战争以后的东蒙局势；二是考察蒙旗可开垦的土地和可开发的资源。肃亲王来到东蒙后，贡桑诺尔布曾陪同他去锡林郭勒盟乌珠穆沁旗等地进行过考察，所以体察到了肃亲王此行的意图以及蒙旗革新图强的迫切性。光绪三十四年（1908 年）正月，贡桑诺尔布上"奏敬陈管见折"提出："伏维时事艰难，原于兵威不足，财政不充，而外侮交乘，实原于边防之不固。数年来，东南之海患，忽又集于西北。奴才生长蒙古，叨备外藩，窃见东西两邻之图我，日益炎炎，至今而犹有可为者，则以蒙古臣民，感荷圣朝恩泽，垂三百年，虽外人时加诱惑，骤难移其素志。此时若举办富强各大政于蒙古尤为切要者，分别先后，逐渐举办，无论如何艰巨，必以就绪为期，何难挽局势之危，而责藩篱之效。如及此不图，以后殆不堪设想。"由此可见，贡桑诺尔布虽然是外藩王公，但对时局的认识程度和危机感，与廷臣疆吏并没有多少差别。而他诉说的"蒙古臣民，感荷圣朝恩泽，垂三百年，虽外人时加诱惑，骤难移其素志"，的确也是当时多数蒙古王公心理状态的真实写照。就蒙旗应如何实施新政，贡桑诺尔布曾提出过如下"管见"：

设立银行 自来外人攫我利权，每多于内地各省设立银行，发行银圆纸币，商人多领其成本，资其周转。日俄战后，该两国之银行又于东三省林立，势将侵蒙旗而来，蒙民必受累甚深。趁此外权未及侵入之时，应由民政部在蒙古分设劝业、殖民两银行，使利权操之自我。如此则不仅有益于蒙民日常生活，从事农工商业者亦可借用资本，广谋生计。

修筑铁路 各蒙旗交通不便，已属窒阻新机。况自战事后，日经营东南，俄又改图西北，若不速修铁路，断难抵制。应由度支部、各蒙旗王公札萨克以及劝业银行共同筹集经费，从速修筑关外铁路分支。首先修由朝阳、赤峰等处经围场，直接张家口的线路。再由张家口分修两条线路，一条北通库伦，另一条经西二盟直通新疆。然后再查情形，增修支线。如此脉络贯通，边防自然渐固。

开采矿山 各蒙旗虽富于矿产，然无大力开采之人。现在考察铁道路线，应带勘矿苗，若勘得佳矿，即可认真开采，以为先导。以后，修成一段铁路，即就近开采矿山，既便于运输尤益于筹集路款。倘开采得法，日日进款，日日修路，利不可胜计。

整饬农工商业　地方之繁盛，在于工商之发达，工商之根本在于农业之发展。蒙旗虽有农业，然因技术落后，收获远逊于内地。至于大宗土产羊毛、驼毛、皮张等，多由各洋商减价购进，然后出口制成洋货，又以高价返销于中国，蒙旗吃亏甚巨。应由农工商部，拣派专门人才前往蒙旗，提倡、规划，分置农场、工厂、商业局，并由劝业银行，借以资本，各责成效。

预备外交　现在游历蒙旗之外国人日趋增多，各蒙旗不第通晓外交者，了无其人，虽充翻译者亦无其人。加之地方辽阔，盗贼出没，保护少疏，动成交涉。此则国际攸关，非札萨克及蒙员所能胜任，应饬令外交部筹议，可否在蒙旗分划地段，设立外交翻译等官，以弭隐患。

普及教育　蒙古除喇嘛外，无所谓教，人多朴鲁，不谙事理。故开浚智识，实为今日要图。应饬令学部、理藩部，先就东蒙筹议，责成各旗王公札萨克广兴教育，并令子弟入学，以为昌率。先设立师范学堂数处，再由师范学堂毕业生，分赴各旗多开小学，渐次递升，渐次推广。所有经费，概由各旗自筹。

编练新军　蒙旗壮丁向称扑勇，开国以来，屡著奇功。今强邻日逼，人人思图强，听其趋闲散，尤为可惜。应饬令陆军部，将蒙旗通盘计划，分立镇协，筹购饷械，拣派通晓兵学将官，统帅训练，俾成劲旅，以资备御，而固边防。

创办巡警　巡警为内务之要，首在保卫民生，勤之以艺业，捍之以威武，纠之以法律，济之以医药。千头万绪，无一事不关系民政，既无一事不注重治安。应饬令民政部，拣派通晓警务者数人，综理蒙旗与边外州县之警务事宜。

贡桑诺尔布最后还特意强调漠南四十九旗的重要地位，试图引起清廷对蒙旗革新图强的重视。他说，"边防不固，则内地亦不能安，内地不安，则畿辅且将蓐食"，而"迴顾陪都，实为四十九旗之臣仆，有辅车屏翰之势"，若能及时筹办各项新政措施，"自然固若苞桑"。①

从贡王的八条"管见"看，他对内地所举办的各项新政是乐意接受的，

---

① 朱启钤：《东三省蒙务公牍汇编》卷5，宣统元年（1909年）排印本。

而且表现出积极配合的态度。但我们稍注意一下，就会发现这八条当中并未提到当时朝廷上下普遍鼓吹的最重要的新政措施即开垦蒙地。这实际上暗示着蒙古王公对新政是有选择的，各蒙旗所愿意接受的是练兵、办学堂、设银行以及开采矿山等自强举措，而不是大肆开垦牧地。然而，清廷实行新政以后，练兵、开学堂等各项新政，在蒙旗虽有所推行，但其范围极小，效果并不显著。而放垦蒙地，实际上成了清末对蒙新政的最主要内容，得到了全面的实施。这样，就造成了蒙旗尤其是尚处于游牧状态的各蒙旗对"放垦新政"的不满和抵制。

肃亲王自东蒙回到京师后，其实也向清廷提出了经营蒙古的八项方策，其第一条就是开办"屯田"。随行的陈祖善、姚锡光亦对如何经营蒙古提出各自的主张，他们二人也极力主张迅速推行蒙旗放垦。尤其姚锡光曾断言：只要"国家奖励有法，提倡得人，不出五年，漠南诸部，凡可垦之地，可全数放垦"。当时所谓的"可垦之地"，实际就是垦务局官员认为可开垦的地方，而不是蒙旗主动出让的空闲土地。从垦务大臣贻谷在西二盟推行垦务的情况看，水草好且地势平坦的草场往往成为放垦的对象。可见，一经推行放垦，垦务局是不考虑蒙旗利益的。

朝廷上下皆主张放垦蒙地的情势下，贡桑诺尔布实难表示反对，但他并不赞成不分地点，不问条件，盲目放垦蒙旗牧地，而主张宜农则农，宜牧则牧。他说过：蒙古人原先都从事游牧，但经过百余年的垦放，其"旧俗"已发生变化，一部分人弃牧转农，而一部分人仍在从事牧业。因此必须因地制宜，因势利导，宜农则农，宜牧则牧，不应一律推行放垦。贡桑诺尔布在关于整顿乌珠穆沁旗牧政的奏议中提出，"乌珠穆沁旗所产马牛驼只种类极佳，而其地又高寒，难于耕种，兴办牧政，最为相宜"。应推行"新法"，由各旗内选择通晓汉文者若干人，"或派令出洋学习，或聘请教习，设立马术、马医各专门学堂，并习畜牧之学。俟成绩可观，然后由各旗立一大公司，专办此事，即以乌珠穆沁做一大牧场。"① 很显然，贡王认为在不宜开垦的牧区不应推行垦殖，应以振兴牧业为主，而且要引进外国先进的畜牧业技术，以促进蒙旗畜牧业的发展。

---

① 朱启钤：《东三省蒙务公牍汇编》卷5，宣统元年（1909年）排印本。

另外，贡王对疆臣的筹蒙改制呼声也曾作出反应，表明自己的见解。他在《奏请变通蒙旗办事章程片》中指出："各蒙旗办事，向有定章，本属法良意美，惟时世迁移，今昔情形渐异"，故有必要"斟酌变通"。所谓"今昔情形渐异"，指的就是因垦地日广、垦民日多而在蒙古地区出现的旗县并存局面。由于旗县并存、蒙汉分治，蒙旗与州县权限不明，形成复杂的权力纠葛。蒙旗和州县如何划分行政权限？这是晚清时期内蒙古沿边各蒙旗所面临的棘手问题。同时也是关系到与蒙旗接壤的各省权益的问题。贡王亦承认"两衙门皆属专辖，每多纠葛，因之转生畛域"。所以，他主张：蒙旗和州县"只以政事分权限，不以蒙汉分权限，庶各专责成，俱无偏倚之弊"。为此，他请求清廷饬令理藩部、民政部、热河都统和东三省督抚等，会商议定蒙旗与州县行政界线，明确各自的权限范围。① 可见，贡王是主张划分蒙旗与州县的行政界线，并不期望以州县取代蒙旗。

土尔扈特郡王帕拉塔是革新意识较强的青年蒙古王公之一。光绪三十年（1904年）四月，他奏请"出洋游历"，考察欧美各国政情。他在奏文中说：内外蒙古全部政治相沿至今，泄沓如故，上至王公不知时局艰难；下至黎庶不知自势难立，日穷日危。近数十年来，俄人大有觊觎，若不及时图治，数年后更不堪设想。欲筹自强之策，必以开蒙古民智为要图。然因风气未开，必以游说为先。因此，他请求清廷给他赏假一年，允准赴欧美各国考察政情，并著蒙文书籍。自国外回来后，他将游说蒙古各部，令其悔改苛政，发愤自励，力图报效国家。此外，帕勒塔还上奏清廷，提出了整顿蒙古政治的"十二条"建议：

1. 蒙古各部应酌情分设大、中、小学堂。无论王公还是平民，都送子弟入学学习。经费均在本地筹措，不用国家款项。其学堂一切事宜归各盟长管理。

2. 各部人民二十岁以上四十岁以下者，都入兵册，每人应二十年兵差。按五人抽一人充常备兵四年，期满后再充后备兵十六年。其一切事宜归各盟长管理。

3. 按各该部落地段，尽力开垦。若遇地广人稀之段，准许招民耕种，

---

① 朱启钤：《东三省蒙务公牍汇编》卷5，宣统元年（1909年）排印本。

照章完税。其一切事宜归盟长管理。

4. 准许蒙汉来往通商，应如何纳税，由各盟盟长奏准后再议定。

5. 各部查有五金矿产，准蒙古富商开采。如有汉商在该部落禀称开采者，其矿课矿租，均归该部落盟长收纳。

6. 各部分设工艺局，先制皮革、氆氇、毡毯等物出售。其价值除该局各项经费外，按年查核余利归公。

7. 各部落分设官办报馆，须用蒙汉两种文字，文法只用白话。

8. 拟按各部养畜数目，设局派员收税，归各部盟长查核，呈缴归公开销。

9. 各部实行新政，须由省县派公正廉明之汉员进行监督，可充当参谋、顾问等职，每盟拟设二名。

10. 蒙古各部盟长向来归理藩院奏请简放，拟请嗣后由各部公举文理通达、讲求时务之王公，拟定正陪，奏明请旨简放，充当盟长以期办事得力。

11. 各部百姓子弟，除孤子不准当喇嘛外，限兄弟二三人准其一人，兄弟五人准其二人当喇嘛。如兄弟过五人亦不准加充喇嘛。

12. 各部所拟筹办开浚利源各项，除学堂、练兵等项经费外，如有余款，各盟长造具清册咨部查核，报效国家而充库帑。①

从上述内容看，帕勒塔所提出的各项新政措施，多数与贡桑诺尔布所提出的相类似，也是以办学堂、练兵、兴农工商矿为主旨。这也是内地新政所提倡的主要内容。但是，帕勒塔特别强调蒙古各部的一切新政，皆由盟长主持办理，主张通过实施新政大大提高、加强蒙古各部盟长的行政地位和职权。甚至要求改变各盟盟长向归理藩院奏请简放的旧制，由各部自己选举合适的人选，奏请特旨简放。此外，各部实行新政，省县可派公正廉明的汉员进行监督，亦可充当参谋、顾问等职，而不能直接掌管蒙旗新政。这里帕勒塔充分表达出了保护蒙古固有自主权，主要依靠蒙古各部自身的力量，自主进行改革，以达自强的意愿。

宣统元年（1909 年）十一月，科尔沁宾图郡王棍楚克苏隆通过东三省

---

① 《东方杂志》第 1 年第 4 期。

总督锡良上奏清廷，"就现今蒙旗情势缓急"，提出"变通办理之办法"。①
其大致内容如下：

1. "取缔"宗教，以祛迷信。信教自由，本东西文明各国之通例。然
蒙民信佛教，迷信日众，除讽诵经咒外，别无研究，以致不事生产。蒙古人
愚陋、贫弱之根，实基于此。欲图自强，非取缔宗教不可，所谓"取缔"，
非禁止也。以后先定学佛规则，凡蒙民出家必须由本旗长官查验，年龄过五
十岁，有兄弟四人，实无业可执者，方准披剃。如此则迷信之风可受到
限制。

2. 振兴教育，以开民智。蒙民之愚陋，一误于迷信日深，再苦于学风
不振，以致外人乘隙而入。今欲杜此隐患，宜从设立学堂入手，先由各旗选
派稍进时务之人员，挨屯宣讲各国侵略之阴谋、殖民之政策，使蒙民生其爱
国保种之心，思患预防之计。然后责成各旗筹资，多设小学以教育其子弟。
俟其毕业，考验程度以次推升，选入京师大学。

3. 训练蒙兵，以固边圉。蒙人风气勇猛，欲捍御边患，莫若利用其尚
武之精神。今拟照征兵章程，由陆军部遴派教习，先行设立陆军小学堂。再
由各旗壮丁内挑选资质聪颖、体力强健者，依式训练成军，先行驻扎外蒙古
边境一带，以备不虞。一切详细章程，仍由陆军部酌核，责令各旗遵照办
理。盖蒙民习惯枪马，能耐寒冷，地势熟悉，加以学识，便成劲旅。

4. 择地开垦，以筹生计。蒙旗绵长万余里，可垦之地甚多。今宜调查
各国垦种新法，由各盟设立垦务公司，辨其土宜，招人试垦，所得荒价除报
效国家外，余作为于本旗办理新政及兴学练兵之用。如有城地荒山，一律栽
植相宜树木，务使地无废弃，庶殖民政策亦渐次可以实行。筹款实边一举而
两得。

5. 筹设公司，以兴实业。内外各盟土产之丰，矿质之富，久为外人所
垂涎。值此财政困难之时，若不开辟利源，无以维持新政。故必须创办工
商、实业，或由国家先行拨款，或招集股款，选择各盟相宜之处，设立兴业
公司，以此推广垦牧等业。各种矿产则聘请各省之矿学专家，勘定择优开

---

① 吉林省档案馆、吉林省少数民族古籍整理办公室编：《吉林旗务》，天津古籍出版社1990年版，
第261页。

采。各旗所产之皮毛骨角等工业原料，一律督饬加工，制成产品。

此外，阿拉善亲王多罗特色楞、科尔沁亲王阿穆尔灵圭等其他一些王公也曾先后奏请兴办垦务、矿务以及修筑铁路等，其具体内容与上述各王公奏议大致一致，故在此不一一列举。

综观清末蒙古王公的奏议，其首要特点是，都痛感蒙古贫弱落后，强邻环伺，危机四伏，认识到若不亟图变革，将无以自救。普遍认为：变革图强，振兴蒙旗，务须兴办教育，以启发民智；兴办工商矿各业，以发展经济；编练新军，加强武备，以抵御外侮。这些主张都已冲破清朝传统的"蒙禁"政策的束缚，表明了蒙旗要自觉地去应对、适应时局变化的动向。值得注意的是，蒙古王公们提出的奏议中还有一个共同点，那就是针对当时甚嚣尘上的筹蒙改制、设省置县的议论，蒙古王公坚持维护蒙旗固有的自主权益的立场，强调蒙旗实施"新政"，除铁路、银行等较大"工程"之外，其余都由蒙旗自主兴办。如郡王帕勒塔提出兴学、练兵、开垦、通商、开矿等项新政时，就明确主张一切事宜归各盟长管理并征收各项税银。棍楚克苏隆提出的"开垦"，也是由各盟设立垦务公司，选择适宜的地方自行开垦。这是与由省县推行的所谓"官垦"截然相反的。贡桑诺尔布提出要区分州县与蒙旗的权限范围，实质上也是在强调蒙旗原有自主权利不被剥夺，明显与当时清政府的蒙旗"司法权限"，"俟将来州县遍设，仍统属于有司衙门"的方针和意图相左。①

从上述奏议的内容看，蒙古王公"革新图强"的意识是很强的，许多人已经认识到了对旧制进行改革、调整的迫切性。蒙古王公要求的是，在符合蒙旗自身利益前提下，自主进行革新，兴办各类新政，而反对借实行新政，把省、县凌驾于蒙旗之上。但是，行省督抚等所主张的筹蒙改制，则与蒙古王公的想法大相径庭，他们执意要求蒙古各部凡已设立府厅州县之处，无论蒙民汉民，"皆受制于地方官（即州县官）"。光绪二十八年（1902 年）十二月，署热河都统、工部左侍郎松寿、直隶总督袁世凯、热河都统锡良联衔上奏，请求将理藩院派驻于热河、平泉、建昌、赤峰、朝阳四州县境内的理事司员一律裁撤，将"所有蒙、民命盗词讼案件，均归州县办理"，而各

---

①　白拉都格其、金海、赛航：《蒙古民族通史》第 5 卷，内蒙古大学出版社 2002 年版，第 160 页。

蒙旗应分得之地方税银，也由都统发放。他们的奏请得到了清廷的批准。①
这就意味着改制必然导致蒙旗原有各项权益的削弱和损失。此后，锡良改任
东三省总督后，就东省所属哲里木盟的设治问题向清廷提交的方案中，更为
明确地提出了收回各札萨克旗"旧有职权"的具体办法。②

　　由此可见，当时各省督抚实际上是主张全面"收回"札萨克蒙旗的传
统自主权，把州县官凌驾于札萨克之上。对于锡良的奏请，清廷除表示
"若系蒙旗奏垦，例准自行收租，亦未便遽加侵夺"以外，其余各项基本同
意付诸实施。这样，凡已经设治或即将设治的各札萨克蒙旗将失去其固有的
自主权。

　　清政府采纳地方督抚及将军、都统等的意见，增设一大批新州县，积极
筹划建省，预示着建立在蒙古游牧社会基础上的盟旗制度将被基于农耕社会
的内地省县制度所取代。因此，蒙古王公上层普遍担忧蒙古即将变成为行省
而丧失固有的权利和独自的社会传统，因而对移垦设治采取了普遍抵制的态
度。这在尚未农耕化，或农耕化程度较低的内蒙古西部地区表现得尤为明
显。光绪二十七年（1901 年），山西省在内蒙古西部增设各厅时，即遇到蒙
旗王公札萨克的抵制。在乌兰察布盟境内设立武川、五原两厅时，该盟正副
盟长及乌拉特三公旗札萨克联名呈文垦务大臣兼绥远城将军贻谷，提出：欲
在外藩蒙古札萨克专辖地面创设武川新厅，"实于名义不顺，请将武川等
厅，均行删除以顺名义"。③ 东盟王公也有不愿接受东三省总督与热河都统
节制，对省县干预蒙旗事务表示过不满。清政府实施新政，尤其设省议论出
现后，内外蒙古僧俗上层的疑虑和恐慌尤为明显，其不满情绪与日俱增。

　　晚清筹蒙思想是伴随着近代中国边疆危机的出现，萌发、形成的一个思
想体系，有着鲜明的时代特征。如果说清代前期的治蒙思想集中体现了清朝
皇帝的意志，那么晚清时期的治蒙思想则更多地体现了以汉族士大夫为主体
的晚清官僚阶层对边疆危机的感悟以及他们日益增强的忧患意识和对传统治
边体制的反思。在 19 世纪末至 20 世纪初的近三十年当中，随着内地汉族官

　　① 中国第一历史档案馆：《光绪朝朱批奏折》第 115 辑，中华书局 1996 年版，第 146 页。
　　② 《清实录》卷 29，《宣统政纪》，宣统二年正月癸丑条。
　　③ 中国第一历史档案馆理藩院档案，1523—1587。

吏地位的日益上升和满洲贵族统治地位的严重动摇，原先边疆政策的决策机制、决策原则、决策依据皆发生重要变动。满汉政治实力对比的改变，满蒙贵族联盟的逐渐解体，最终打破了边疆民族事务只有理藩院和满蒙贵族出身的驻边将军、都统、大臣等掌管而汉员不得染指的定制。于是各省督抚，特别是那些锐意革新的汉族官吏们有了对蒙古问题发表见解乃至直接参与决策的机会。他们的思想观念在相当程度上引导着晚清治蒙政策的走向。

晚清筹蒙改制思想的核心是，改变蒙古盟旗制度，使之与内地行省一体化。这既是现实政治形势的产物，也是一定程度上反映着历史发展的必然趋势。在清朝统一多民族国家这一政治前提下，二百余年来，边疆和内地各民族，以各种形式突破了清朝隔离、限制政策的束缚，在人员往来、经济交换和文化交流诸方面都取得了历史上前所未有的进展，其中最重要的是内地化趋势的长足发展。内地化，是边疆地区各个民族区域在政治、经济和文化诸方面出现的与内地汉族地区逐渐趋同和接近的趋势。这一趋势是晚清筹蒙改制思想萌生的土壤，也是执政者之所以接受这一思想的前提和基础。

此外，晚清筹蒙改制思想的产生也有经济和文化方面的原因。在清代前期，清帝的治边理念，主要是注重军事和国防，而并不追求经济利益，即所谓"资其屏藩"，"不利其土地人民"。因此在经济上，蒙古地区享受特殊优待，接受内地行省的接济。清廷对各部王公上层一般都豁免各种负担和徭役，并按照爵位高低，给以优厚的岁俸以及各种赏赐。但是，嘉、道以后，清朝国家财政日益紧张，对边疆地区的各种开支越来越成为内地各省的巨大负担。于是，以省督抚为首的地方官吏们极力主张废除各种"边禁"，移民开垦，"开浚利源"。于是"开浚利源"便成为促使晚清政府改变传统边疆价值观的思想动力。在宗教文化等精神领域内，随着边疆与内地的经济往来的加强，特别是大量汉族移民的到来，各民族之间的文化壁垒逐渐被打破了。这一变化给各民族超越各自狭隘的族群限制，实现相互间的社会、文化的渐次整合提供了必要的前提。晚清时期的治蒙思想是，古代中国思想史的延续和发展，而其发展的一面更显突出。它又是中国统一多民族国家族际关系在近代条件下的发展与变化，在人们思想意识中的反映。晚清边疆、内地一体化思想，对当时乃至后世的治边政策产生了重要而深远的影响。

第　十　五　章

内蒙古法律、军政制度与清末新政

第一节　清代蒙古的法律制度及其演变

清朝政府对蒙古采取因地制宜、因俗而治的统治政策，并通过对蒙古的特殊立法，确立了清代蒙古地区不同于内地的一整套各项行政、法律制度。清朝针对蒙古而制定的法律法规，在清代的文献中通常被称为"蒙古例"、"蒙古律"、"蒙古则例"。具体来说，它包括不同时期的《蒙古律例》、《理藩院则例》以及《大清律例》、《大清会典》等全国性法典所载有关蒙古的法律条文，它是在考虑并尊重蒙古民族的旧有习惯和法律传统的基础上制定的专门适用于蒙古的一项特别法律。清朝对蒙古的立法经历了由简单到复杂，由局部向整个蒙古扩展，并逐步制度化的历史进程。清末新政以前，由于清朝对蒙政策的一贯性，清代前中期形成的各项法律制度的演变较为缓慢。到清末，受到筹蒙改制议论和筹备立宪运动等各种因素的影响，蒙古传统的各项行政、法律制度也开始发生了重大转变。

一、清代历朝对蒙古的立法

清朝从爱新国时期就开始对归降满洲的漠南蒙古各部颁发政令、军令，设置掌管蒙古事务的专门机构，不断加强控制。经过一代又一代的努力，逐渐征服漠南、漠北、漠西蒙古各部，将其置于自己的统治之下。清朝对蒙古的立法也是随着这一过程逐渐地得到了系统化和制度化。

（一）清朝入关前对归附蒙古各部的立法

17世纪初努尔哈赤统一女真各部，于1616年在赫图阿拉即汗位，建立爱新国（史称后金）。努尔哈赤死后，其子皇太极继位，接着攻灭蒙古察哈尔部，得到大元传国玉玺。崇德元年（1636年），漠南蒙古十六部四十九个封建主聚会于盛京，承认皇太极为蒙古汗统的继承者。是年，皇太极将其民族改称为满洲，国号改为清。在此期间，漠南蒙古各部先后归附女真（满洲）爱新国（清）政权。爱新国对蒙古的立法活动也是随着这一进程，从对个别部落的立法逐渐推广到整个漠南蒙古各部。

早在努尔哈赤时代，爱新国与蒙古科尔沁部之间虽有矛盾和冲突，但总体上保持着良好的同盟关系。努尔哈赤虽为爱新国汗，但在与科尔沁部的关系上充当着盟主的角色，略占优势。同盟关系的维持，除了依靠平时的婚姻亲戚关系等之外，还要受到具有萨满教色彩的"盟誓"的约束。"盟誓"是古代人为了互相表示诚实而采取的一种特殊仪式。蒙古、土蕃、满洲等很多民族都有这种风俗，主要是在遇有结盟、征战、议和等重大事件时举行，是调节入誓双方关系的重要手段之一。爱新国与蒙古各部之间早期的结盟活动，一般都伴有"盟誓"仪式。据史料记载，爱新国与蒙古部落之间常有"对天刑白马、对地刑乌牛"发誓，"若不践盟言，……则天地鉴谴……殃及罪孽，不克永年，有如此血，出血而死；埋于土中，有如此骨，变为白骨"；"……若践天地之盟，天地眷顾，延年益寿，我等将子孙千亿永享太平"。这种仪式从努尔哈赤时代一直延续到皇太极时代。可以说，它是满洲对蒙古立法的早期雏形。

皇太极继位后，满蒙关系开始发生变化。他不愿承认平等的结盟关系，巧妙地利用满蒙关系上或蒙古部落间的各种事件，逐步控制联盟的主动权，进而发布了更具约束力的军令、政令。天聪二年（1628年）九月，皇太极联合蒙古科尔沁、喀喇沁、敖汉、扎鲁特、奈曼等部，袭击蒙古察哈尔部。但来降的察哈尔部众却遭到有些蒙古部的抢夺掠杀。针对这一情况，皇太极于同年十月召集敖汉、奈曼、巴林、扎鲁特等部首领颁布禁令：

"闻各处来降者，尔等每要杀之。……今后来降之人，若贝勒明知而杀者，罚民十户，贝勒不知而小民妄行劫杀者，抵死，妻子为奴……"① 这是

---

① 《清太宗实录》卷4，天聪二年十月丙申条。

最早针对蒙古诸部颁布的具有具体内容的法令。

对蒙古察哈尔部的用兵，给皇太极提供了向归附蒙古各部颁发法令的很好契机。若要征讨察哈尔，必须依靠蒙古军队一同作战并要其听从指挥。然而，有些蒙古部落不如期会师或违反军规的情况时有发生，需要进一步严肃军纪、加强立法。从此以后，爱新国对蒙古各部的立法明显加快，日趋频繁。天聪三年（1629 年）正月，又命科尔沁、奈曼、喀尔喀、喀喇沁五旗等"悉遵我朝制度"。①

同年三月，皇太极为首，科尔沁土谢图汗、冰（宾）图、达尔汗台吉及大小诺颜议定军律：

> 出征察哈尔时掌旗诺颜们，七十岁以下，十岁以上皆出征。不出征之诺颜罚马百匹、驼十头。迟三日不至所约之地，罚马十匹。入敌境返出时仍不至，罚马百匹、驼十头。出征明朝时，掌旗大诺颜一人、台吉二人，一百壮士出征。若不出征，大旗罚马千匹、驼百头。迟三日不至约会之地，罚马十匹。入敌境返出时，仍不至者，罚马千匹、驼百头。于相约地方先行抢掠者，罚马百匹、驼十头。十日程，十日至，十五程，二十日至。一切刑犯从札萨克诺颜请使追捕。札萨克诺颜两天内未派使臣，逮捕该罪犯，若不逮送境内罪犯之牲畜，以应罚畜数从其札萨克诺颜牧群捉走牲畜。札萨克诺颜（若前往审案）骑十匹驿马返回，犯人负担此十匹驿马［之差役］。②

从皇太极来说，议定此项军令的目的就是要归附的蒙古军队在征讨察哈尔和明朝时必须听从他的统一指挥。各札萨克诺颜属下若有犯罪，由札萨克自行处理；刑罚仍以蒙古传统的罚畜为准等一些清代蒙古重要的法治原则，在这项军令中也有所体现。仔细观察以上法令，还可以发现它是皇太极与蒙古上层共同议定的法令（蒙古语为 kelelčegsen čaγaja）而不是皇太极的钦定法令（蒙古语为 Toγtaγaγsan čaγaja）。再据李保文等人编辑整理的 17 世纪

① 《清太宗实录》卷 5，天聪三年正月辛未条。
② 中国第一历史档案馆：《十七世纪蒙古文文书档案》上卷，天聪三年三月初二日条。

初蒙古文文书档案①，这种与蒙古上层共同议定的法令还有不少。收录于清代满文档簿的 49 件蒙古文文书档案中涉及蒙古法制的 6 份法律文书中的 3 份文书为如上"共同议定的法令"，其余 3 份为"钦定法令"。从这一点来说，较早归附清朝的蒙古封建上层也直接参与了"蒙古例"的制定过程。

天聪五年（1631 年）四月，皇太极先后四次与归附的科尔沁等部封建上层共同议定法令 3 项，发布钦定法令 1 项，内容涉及征讨察哈尔和明朝时应守军律、刑罚、设置卡伦等方面。

天聪六年（1632 年）一月，皇太极向归附蒙古部落发布钦定法令："若诺颜杀来降者，罚十户；平民杀〔来降者〕，杀人者均处死。"同年十月，再次颁布钦定法令，由于篇幅和主题关系，无法将这些法令内容一一列举，但从对蒙古立法的程序来看，从天聪六年（1632 年）以后好像不再与蒙古封建上层共同议定法令，而全部由钦定法令来代替了。

天聪七年（1633 年）八月，又派官"颁钦定法律于科尔沁、土谢图济农"。② 皇太极还多次训谕"尔蒙古诸部落向因法制未备，陋习不除"，以后"如不遵我国制度者俱罪之"。③ 这些记载虽然很零散，但仍可窥见爱新国政权对蒙古的早期立法的基本概貌及其特点。

崇德三年（1638 年），清政府曾向蒙古各部颁布过一部《军律》。据申晓亭介绍，这部法典现藏于北京图书馆（现北京的国家图书馆），蒙古文刻本，19 页，内容残缺。收录于《蒙古律例》和《理藩院则例》的部分条文，在这一法典中也可见到。④ 除此而外，未见有更深入的研究。

崇德八年（1643 年），即清入关的前一年，清政府为了全面而彻底地贯彻对蒙古各部制定的各项法令，尤其是军令，把此前的各项法令汇编成为

---

① 李保文、那木喀：《有关 17 世纪初的 43 份蒙文文书》，《内蒙古社会科学》（蒙文版）1996 年第 2 期。

② 《清太宗实录》卷 15，天聪七年八月癸酉条。

③ 《清太宗实录》卷 17，天聪八年正月庚寅条。

④ 申晓亭：《北图所藏蒙文珍本崇德三年〈军律〉》，《文献》1985 年第 19 期。

《蒙古律书》，颁发给漠南蒙古各部。① 至于早期《蒙古律书》的版本及其具体条文内容，目前还不得而知。但它作为清入关前对蒙古立法的阶段性成果，在蒙古法制史上的地位是重要的。

清朝对已归顺的蒙古各部宣布法律，命其遵行的同时，他们还根据满洲八旗制度的组织原则，并参照蒙古各部原有的爱马克、鄂托克等社会组织形式，给归附的蒙古各部划定游牧（领地），编设旗佐，初步建立了蒙古的行政管理体制。

在此阶段，蒙古各部刚开始归附清朝，清朝的立法活动也并未十分完善。但基本上完成了漠南蒙古的盟旗划分和设立处理蒙古事务的专门机构等一些重大措施。由最初的"盟誓"到"共同议定的法令"再向"钦定法令"的发展进程，反映了入关前清朝对蒙古的立法逐渐走向正规、制度化的演变模式。由于这些立法活动早在清入关前，即清朝改用汉法——制定《大清律例》以前就已初具规模，给清代不同于内地的、蒙古地方特殊的法律制度的形成打下了基础。

作为征服者的清朝政府似乎有可能将其制度、法令全盘强加给归附的蒙古各部并令其遵行。但是他们并没有这样做，对蒙古颁布的法令也并未直接触及蒙古社会原有的各种风俗习惯，只是从外部整体上加强了对蒙古的限制，这就是清代皇帝所谓的"因俗而治"。它作为对蒙古立法的基本原则，入关后也未被改动，一直贯彻到清末。

（二）入关后清朝对蒙古立法范围的扩大

清入关后，从顺治朝到乾隆时期，经过一百余年的时间先后征服了漠北的喀尔喀蒙古和统治青藏地区的蒙古和硕特汗廷以及漠西的蒙古准噶尔汗国。随着这些征服活动和在蒙古的统治地位的巩固，清朝对蒙古的立法也更加完备、制度化。

关于顺治朝对蒙古的立法情况，从《清实录》等史料中可以勾勒出它的概貌。据《清世祖实录》记载，顺治八年（1651年）三月，定袭职例，凡世职官员身故，以其子袭职，无子以亲房兄弟袭职。九年（1652年）八月，更定婚娶之制。十年（1653年）正月，定蒙古王公服色、随从人员数

---

① 《清圣祖实录》卷24，康熙六年九月癸卯条。

额，以及俸禄之制。十五年（1658 年）九月，议定理藩院大辟条例。十六年（1659 年）闰三月，更定赐祭外藩蒙古事例。十二月，定世职承袭例。十八年（1661 年）四月，颁世职俸禄例等。①

再从康熙朝《大清会典》中的理藩院资料来看，在有关蒙古的爵级、会集、丁册、驿递、防汛、严禁逃人、抚辑逃人、朝集、贡献、宴赉、喇嘛、朝贡、赏给、刑例、人命、贼盗、军法等方面的各项法令、规定中，除了"国初定"的和康熙年间的"上谕"、"题准"，顺治年间发布的法令也为数不少。如："顺治四年题准，审丁时，数目开载不全，及后其主虽自声明遗漏，亦以隐丁治罪"；"顺治五年题准，外藩王、贝勒等所属人，有首告图来内地者，一概发还"；"顺治十五年题准，夫故杀妻者抵绞"等等。②由于这方面的内容较多，在此不能全部列举。但可以肯定的是，到顺治朝时对蒙古颁发的法令，比以前所颁布的《蒙古律书》更加丰富、详细。

康熙皇帝继位后，进一步加强了对蒙古的立法活动。康熙六年（1667年），清政府在崇德八年的《蒙古律书》的基础上，重新修订，并增入从顺治朝至康熙六年以前制定的相关条例，予以颁布。关于这一点，《清圣祖实录》康熙六年（1667 年）九月癸卯条记载"理藩院题，崇德八年，颁给蒙古律书，于顺治十四年（1657 年）定例，增减不一，应行文外藩王贝勒等，将从前所颁律书撤回，增入现在增减条例颁发。从之"③。可见，顺治十四年定例之后，崇德八年（1643 年）的《蒙古律书》已不再适应新的变化，须由新的法律来代替。应该说这是第二次以这个名称颁布的《蒙古律书》。

据介绍，康熙六年（1667 年）《蒙古律书》刻本，现藏于中国第一历史档案馆，书名为《Engke amuγulang-un jirγuduγar on-u qaγučin jasaγ-un bičig-dür nemejü toγtaγaγsan jasaγ-un bičig》，即《康熙六年增定蒙古律书》。共收入蒙古例 113 条，第一条是迎接诏谕礼仪，最后一条是外藩蒙古、八旗游牧蒙古、察哈尔等不得将军器售予喀尔喀及厄鲁特。内容增入了顺治朝至康熙五（1666 年）年的定例，可以说是对康熙六年

---

① 《清世祖实录》卷 55、67、71、125、132。
② （康熙）《大清会典》中的理藩院资料，《清代理藩院资料辑录》（综合卷）。
③ 《清圣祖实录》卷 24，康熙六年九月癸卯条。

（1667 年）以前所颁布蒙古例的系统整理和编辑。①

康熙三十年（1691 年），康熙皇帝与喀尔喀蒙古封建主在多伦诺尔举行会盟，喀尔喀蒙古正式归附清朝，清政府对蒙古的立法范围随之扩大到了漠北蒙古各部。此后不久，康熙三十五年（1696 年），清政府对蒙古发布了由152 条内容构成的一部法。关于这一点，梁赞诺夫斯基在《蒙古法的基本原理》一书中提到："1696 年康熙帝曾颁布针对蒙古的特别法典，最近在蒙古发现了这一法典的写本。它是于 1629 年到 1695 年间清朝皇帝颁发的有关蒙古的法规集成，于 1696 年由康熙帝最后改订颁发的，共 152 条。这些记录的年代顺序为：太宗时代，1627—1644 年；顺治时代，1644—1662 年；康熙时代，1667、1668、1672、1676、1687、1690、1691、1695 年。"② 可以认为梁氏提到的写本应该是康熙三十五年（1696 年）第三次颁发的《蒙古律书》。

据达力扎布介绍，这部抄本其实是一部刻本，现藏于蒙古国国立中央图书馆手抄本收藏部。成书时间应在康熙三十三年（1694 年）以后。③ 这部律书的前 113 条与康熙六年本基本相同，其中有七条删并，还有一些条例通过增加内容，补充了旧例不完善之处。其余部分是康熙六年（1667 年）以后新增的定例，例文总数增至 152 条。据乾隆朝《大清会典则例》记："康熙三十一年覆准，喀尔喀等每札萨克各颁给《律例》一册。"康熙三十一年（1692 年）以后，喀尔喀正式归附，因此，理藩院奏请颁给《蒙古律例》，以与外藩蒙古四十九旗在法律上统一。这本从喀尔喀车臣汗斡耳朵发现的《蒙古律例》很可能是为此修订、刻印和颁发的。④

此外，1985 年版的《蒙古族简史》中也写道："理藩院在 1696 年，将清太宗以来陆续发布的一百二十五条有关蒙古的法令，汇编为《则例》，作为处断蒙古事务，调整、巩固蒙古封建主对清朝的臣属关系和蒙古社会内部的阶级关系，以及维护蒙古社会秩序的法律依据。"⑤ 从《蒙古族简史》的

---

① 达力扎布：《〈蒙古律例〉及其与〈理藩院则例〉的关系》，《清史研究》2003 年第 4 期。
② ［俄］梁赞诺夫斯基：《蒙古法的基本原理》（日译本），第 70 页。
③ 达力扎布：《〈蒙古律例〉及其与〈理藩院则例〉的关系》，《清史研究》2003 年第 4 期。
④ 达力扎布：《〈蒙古律例〉及其与〈理藩院则例〉的关系》，《清史研究》2003 年第 4 期。
⑤ 《蒙古族简史》，内蒙古人民出版社 1985 年版，第 218 页。

上述内容以及其他相关的论述来看，它可能参考了梁氏著作，但未注明出处。至于125条和152条的差异，也许是抄录中的不慎引起的。这段文字曾多次被人引用，还引起不少的猜测和推论。①

乾隆时期，清朝征服了蒙古的最后一个政权——准噶尔汗国，对整个蒙古的统治得到全面的加强和巩固。乾隆六年（1741年）十二月，理藩院奏"蒙古律例告竣"。② 从此，在汉文文献中首次出现了"蒙古律例"这样的名称。据岛田正郎分析，用"律例"来称蒙古法律，是因为在乾隆五年（1740年）清政府修订大清律，将其正式名称《大清律集解附例》改为《大清律例》。在这样的前提下，仿照上述提法将适用于蒙古的特别法相应地称为《蒙古律例》的。③ 但由于乾隆六年（1741年）的《蒙古律例》现已不存，无法得知其具体情况。

此后，《蒙古律例》在乾隆时期经过几次修订颁行，到乾隆五十四年（1789年）时，其内容及规定条文已达到12卷209条。这12卷里分别规定了有关蒙古的官衔、户口差徭、朝贡、会盟行军、边境卡哨、盗贼、人命、首告、捕亡、杂犯、喇嘛例、断狱等方面的各项规章制度。④ 可以说它是清开国以来专门对蒙古制定的最完备、最系统的一部特别法。

（三）《理藩院则例》的制定

从清初到嘉庆年间的很长一段时间里，清政府一直未曾撰修《理藩院则例》。理藩院内部的各种典制、事例等工作条例，全部是在《大清会典》的理藩院部分中制定的。就是说，对蒙古颁发的各种法令和理藩院内部的工作条例是分别制定的。清政府征服了整个蒙古，理藩院所掌管事务的范围已经固定之后，专门对蒙古颁发的《蒙古律例》也逐渐为《理藩院则例》所代替。

嘉庆十六年（1811年），理藩院以"臣院旧有满洲、蒙古、汉字则例二百九条，自乾隆五十四年（1789年）校订后，迄今二十余载，所有钦奉谕

---

① 刘广安：《清代民族立法研究》，高等教育出版社2008年版，第5页；苏亦工：《明清律典与条例》，中国政法大学出版社2000年版，第84页。

② 《清高宗实录》卷156，乾隆六年十二月丙午条。

③ ［日］岛田正郎：《清朝蒙古例研究》，创文社1982年版，第131—132页。

④ 《蒙古律例》，嘉庆年间刊本。

旨及大臣等陆续条奏事件，俱未经纂入颁行"① 为由，奏请撰修《理藩院则例》。这一奏折虽然并没有把理藩院旧有则例说成是《蒙古律例》，但其中提到的 209 条与乾隆五十四年（1789 年）的《蒙古律例》的条文数目正相吻合，应即指此而言。由此可见，《理藩院则例》是在《蒙古律例》的基础上增修而成的。

修订则例的奏请得到允准之后，理藩院从嘉庆十六年（1811 年）开始了制定《理藩院则例》的工作。至嘉庆二十年（1815 年），理藩院"将旧例二百零九条逐一校阅"后，其中 20 条因系年代久远，近事不能援引而删除，"其余一百八十九条内，修改一百七十八条，修并二条"，并将顺治以来的"应遵照之稿案译妥汉文，逐件复核，增纂五百二十六条"，共修订成 713 条后，② 于嘉庆二十二年（1817 年）刊刻颁行。

从以上的叙述和理藩院则例的原奏内容来看，这部则例应该说是最早的《理藩院则例》（蒙文版名称为 γadaγadu mongγol-un töru-yi jasaqu yabudal-un yamun-u qauli jüil-ün bičig）。但是，邓衍林在其《中国边疆图籍录》中记录有《理藩院则例》乾隆朝抄本残卷。③ 由中国社会科学院中国边疆史地研究中心于 1988 年编辑出版的《清代理藩院资料辑录（综合卷）》里，也收进了乾隆朝内府抄本《理藩院则例》。从而出现了乾隆朝就已经编纂过理藩院则例的说法。

从乾隆朝内府抄本《理藩院则例》的编纂体例来看，它是以当时理藩院所属录勋清吏司、宾客清吏司、柔远清吏左司、柔远清吏右司、理刑清吏司、银库等机构为卷目，各卷（机构）之下以职掌立篇目，以时间先后为序，记述了清政府对蒙古等少数民族制定的各项政令、制度。在这一点上与以后的《理藩院则例》以及其他各部"则例"的编纂体例是完全不同的，而恰恰与《大清会典》的"因官分职，因职分事，因事分门，因门分条"的编纂体例基本一致。

其次，从抄本则例的成书年代来看，它记事起于清初，止于乾隆二十年

---

① 《理藩部则例》，《原修则例原奏》（嘉庆十六年四月十八日）。
② 《理藩部则例》，《原修则例原奏》（嘉庆二十年十二月初七）。
③ 邓衍林：《中国边疆图籍录》第 11 辑，105 号，《近代中国史料丛刊续辑》。

（1755 年），大概成书于乾隆二十二年（1757 年）。而在抄本则例成书以前，乾隆皇帝于乾隆十二年（1747 年）谕旨续修《大清会典》，并指出"例可通，典不可变。缘典而传例，或摭例以殽典。会典、则例各为之部而辅以行，若网在纲，咸正无缺"①。遂将会典与则例分别纂修。换言之，清政府编修会典的有关部门从乾隆十二年（1747 年）就开始按照会典的体例要求编纂各部院衙门（理藩院也在内）典制、则例了。然而，随着清朝基本征服准噶尔，于乾隆二十二年（1757 年），清政府对理藩院的司属机构进行调整，改录勋司为典属司，宾客司为王会司，柔远右司（当时也称后司）为旗籍司，柔远左司（当时也称前司）为柔远司。② 理藩院机构的调整对大清会典的撰修工作带来了新的要求。所以在整个会典和会典则例的编修工作告成以前，编修会典部门必须以理藩院调整后的机构职掌来重新编纂相关典制、则例。并且，还需要根据新的政治形势的变化对已经编纂的内容进行增删。正如文献所说"理藩院职掌藩服，恭遇西陲平定，规制详备，展辑条例至乾隆二十七年"。③ 于是，乾隆朝《大清会典》于二十九年（1764 年）告成，其中的理藩院部分也按照新的要求编纂完成了。④ 那么，对理藩院机构进行调整的乾隆二十二年（1757 年）与乾隆朝内府抄本《理藩院则例》的成书时间正好相符。

通过以上分析，可以确定乾隆朝内府抄本《理藩院则例》就是乾隆朝《大清会典则例》中有关理藩院部分的最初未刊稿本。也就是说，以理藩院原来的司属职掌基本编纂完成了的典制、则例不是作为会典和会典则例的正式内容，而是以乾隆朝内府抄本《理藩院则例》这样的稿本形式被流传下来了。⑤

此外，关于《蒙古律例》与《理藩院则例》的关系，学界仍存在一些意见分歧。大部分学者认为《理藩院则例》是对《蒙古律例》的继承和发展。但另一种意见认为《理藩院则例》不是《蒙古律例》的续编，而是内

---

① （光绪）《大清会典事例》，《光绪十二年李鸿章等奏折》。
② 赵云田：《清代理藩院理藩院资料和理藩院研究》，《清代理藩院资料辑录》（综合卷）。
③ （光绪）《大清会典》，中华书局影印 1991 年版，第 4 页。
④ （乾隆）《大清会典》中的理藩院资料，《清代理藩院资料辑录》（综合卷）。
⑤ 应该是乾隆五十四年本。

涵不尽相同的两部书。尽管修纂《理藩院则例》时吸收了《蒙古律例》的某些内容，但不能把前者看成是后者的续编。从《则例》原奏中可以看出，《则例》编纂时没有参考乾隆三十一年殿刻本，它参考的只是嘉庆年间刊本《蒙古律例》。《则例》基本上是新修纂的一部书。不仅如此，就在清政府决定编纂《则例》之后的嘉庆年间，《蒙古律例》仍在续纂。①

关于这一问题，日本学者岛田正郎对《蒙古律例》的几种版本（汉文版六种）进行比较分析后认为，《理藩院则例》就是对《蒙古律例》的继承和续纂，增定则例中附有嘉庆十九年（1814年）"部示"的嘉庆年间刊本《蒙古律例》是它的最后一个版本。② 笔者也认同这个观点。因为从清政府决定编纂《理藩院则例》到正式颁行，经过了六年时间（嘉庆十六年至二十二年）。在此过程中，或者是为了编纂则例中利用参考，或者是将其作为历史资料予以保存，在原有《蒙古律例》后附录嘉庆年间（嘉庆二十二年以前）的增订则例并加以刊刻颁行是完全有可能的。而且，在当时清朝征服整个蒙古的政治形势和已经制定比《蒙古律例》更为详细完整的《理藩院则例》的情况下，清政府方面也没有必要再修纂《蒙古律例》了，除非是为了保存资料而重新刊行。

嘉庆二十二年（1817年）《理藩院则例》第一次颁行之后，还曾修订过三次。道光三年（1823年）至七年（1827年）纂修过一次。这次律条增至1454条，分65门。道光十三年（1833年）至二十三年（1843年）间又重新纂修，其条文数目也有所变化，从续纂则例时的原奏内容来看，"蒙古则例原奏一卷，官衔一卷，总目上下卷，通例上下卷，旗分等63门，共63卷"。此后，光绪十六年（1890年）至十七年（1891年）再度编修，此次共有律条971条，条例1605条，64门，64卷。③ 以光绪朝修订的《理藩院则例》为例，"通例"卷里对理藩院及其机构职掌、编制作了明确规定。"旗分"、"职守"、"设官"、"比丁"、"军政"、"会盟"、"边禁"等卷，对

---

① 赵云田：《蒙古律例和理藩院则例》，《清史研究》1995年第3期。

② ［日］岛田正郎：《清朝蒙古例研究》第4章，《蒙古律例诸本》，创文社1982年。再于1936年根据嘉庆年间刊本《蒙古律例》（12卷，附增例），并把它作为"国学文库第32编"重新印行。

③ 《理藩部则例》，《续修则例原奏》（道光七年九月十一日、道光二十三年五月初二日）。

蒙古的盟旗组织、盟旗设官、兵役制度、会盟等，都作了详细的规定。在
"品秩"、"袭职"、"擢授"、"奖惩"、"俸银"、"俸缎"、"朝觐"、"贡输"、
"宴赉"、"扈从事例"、"仪制"、"印信"、"婚礼"、"优恤" 等卷的规定确
立了蒙古王公上层封爵制度、年班朝觐制度、联姻制度等各项重要制度。在
"人命"、"强劫"、"偷窃"、"犯奸"、"首告"、"审断"、"罪罚"、"入誓"、
"捕亡"、"监禁"、"遇赦"、"违禁"、"杂犯" 等卷的规定基本确立了清政
府在蒙古实行的刑罚制度以及司法审判制度。

从理藩院则例的增修过程、条文数目以及内容规定等情况来看，《理藩
院则例》在其包括的内容、法律效力的覆盖面以及系统化程度上已经远远
超出了以往的《蒙古律书》和《蒙古律例》。它不仅详细规定了理藩院内部
的各项规章制度，还囊括了有关蒙古地区的各种社会政治制度方面的和清政
府与蒙古封建王公上层统治集团之间的权利义务关系方面的种种规定。此外
还规定了青海、西藏等地区的一系列相关的重要内容。它以其体系的庞大、
内容的丰富、适用范围的广泛等各方面，代表了清朝政府对蒙古和其他民族
立法的最高成就。

从上述几部特别法的内容和体例形式来看，无论是《蒙古律书》，还是
《蒙古律例》，或者是《理藩院则例》，与中国封建时代的其他法律一样，都
具有诸法合体、民刑不分，以行政法、刑法为主的明显特点。

（四）《大清律例》与 "蒙古例"

《大清律例》是清代最重要的基本法典，是以《大明律》为蓝本编纂制
定的。清入关以后，在采用明代旧制作为过渡期的临时措施的同时，还着手
进行了清朝自己的法律编纂工作。顺治三年（1646 年）制定《大清律集解
附例》，颁行全国。康熙十八年（1679 年）纂修《现行则例》。乾隆五年
（1740 年）正式定名为《大清律例》。它由名律、礼律、户律、吏律、兵
律、刑律、工律等七个部分组成。其中的每一条规定都由律文和例文两部分
构成。律为定例的依据，具有概括性和稳定性。例以其灵活性和具体性来补
充律文的不足。《大清律例》的绝大部分律例条文并不适用于蒙古，但有一
些条文规定与蒙古有直接关系。这些规定与《蒙古律例》、《理藩院则例》
一样，是清代 "蒙古例" 的组成部分之一。

清入关不久，清政府于顺治三年（1646 年）以《大明律》为蓝本，修

成《大清律集解附例》。在其名律例"化外人有犯"条中规定："凡化外（来降）人犯罪者，并依律拟断"。并注明："化外人既来归附，即是王民，有罪并依律断，所以示无外也"。①

"化外人"条是中国封建法律中一项具有重要意义的规定。据史料记载，有关"化外人"的规定始于唐朝，以后历代沿袭。

"化外"是指"中国古代统治者所倡导的礼义、制定的法令未能贯彻实行的地方"，居住于"化外"之地的人即为"化外人"。它主要是中国古代华夷观念的产物。若按照现在的话来说，当时所称"化外人"既包括未被华夏礼仪所教化的边疆少数民族，也包括来朝的外国人。但是在不同的朝代对它的解释或理解稍有所不同。据《唐律疏议》解释，"化外人，谓蕃夷之国，别立君长，各有风俗，制法不同。其有同类自相犯者，须问本国之制，依其俗法断之。异类相犯者，若高丽之与百济相犯之类，皆以国家法律论定刑名"。② 也就是说，当事者双方都属同族情况下的化外人与化外人互犯，按照其本族法律问处，是采取属人法主义原则；当事者双方不属于同族情况下互犯，按照大唐律处置，采取的是属地法主义原则。众所周知，唐代的中国是亚洲乃至世界的政治、经济、文化中心，唐朝与外族、外国间的接触、交流十分频繁。有关"化外人"的以上规定，也正好反映了当时的客观需要。到明代时，"化外人"案件的处理原则好像有所改变。《大明律》规定"凡化外人犯罪者，并依律拟断"。即"化外人"犯罪，无论是否同族异族，概依明律处理，采取了属地法主义原则。从明代的情况来看，明朝虽与蒙古的北元帝国一直处于对峙局面，明朝内地仍有很多蒙古人、色目人等散居各地，而且都已不同程度地汉化。明代"化外人"的以上规定也可能更多的是针对这些散居内地的"化外人"而制定的。

这样，顺治朝修律时，将明律中的"化外人有犯"条原文一字未动地保留了下来。其原则也与大明律相同，即凡"化外人"犯罪，都按照大清律处理。然而，清入关前就已开始颁布蒙古例，蒙古人的犯罪以蒙古例为

---

① 《近代中国史料丛刊续辑》第91辑，第906号，《皇朝政典类纂·刑一》卷374；《近代中国史料丛刊三编》第22辑，第212号。

② 《唐律疏议》卷6，刘俊文点校，中华书局1983年版。

准，并不适用大清律。从这一点来说，清初的"化外人有犯"条只是作为中国封建法律中历代相沿的原则性规定，被沿袭下来，但似乎看不出与"蒙古例"有什么直接关系。

雍正三年（1725 年），清政府修订大清律，在"化外人有犯"条原律文后增入"隶理藩院者，仍照原定蒙古例"一句。[①] 从此，"化外人有犯"条中首次出现了有关蒙古的规定。从"华夏"民族正统观看来，蒙古等边疆民族仍属"化外人"，但事实上蒙古人案件不是以大清律为准，仍照蒙古例处理。解决凡化外人犯罪均以大清律处理的规定和蒙古人犯罪不依大清律的现实之间的矛盾，是增补这条规定的主要意图所在。另一方面好像在说明对于不归理藩院管辖且已变成"化内人"的八旗蒙古，仍要适用大清律，而不适用蒙古例。当时的"蒙古例"是指在此以前发布过的《蒙古律书》，或者是指在雍正三年以前对蒙古颁发的各项法令、法规的总称。

雍正十一年（1733 年），在原律文后又增入例文"蒙古案件有送部（指刑部——作者注）审理者，即移会理藩院衙门，将通晓蒙古言语司官派出一员，带领通事赴刑部公［共］同审理，除内地八旗蒙古应依律定拟者，会审官不必列衔外，其隶在理藩院应照蒙古例科断者，会审官一体列衔。朝审案内如遇有蒙古人犯，知会理藩院堂官到班会审。遇有照蒙古例治罪者亦一体列衔"[②]。与雍正三年（1725 年）的补充规定相比，此项规定内容更为具体，至少有三条法律原则包含其中：一、理藩院管辖下的蒙古案件仍照蒙古例；二、内地八旗蒙古案件依照大清律；三、在刑部受理的案件和朝审案内，如有蒙古案件，需与理藩院会审。

此后，清政府在修订《大清律例》的过程中，在"化外人有犯"条之下还曾四次增入有关蒙古的具体条文。其增订时间及其规定为：

乾隆八年（1743 年）增订："青海蒙古人有犯死罪，应正法者，照旧例在西宁监禁。其偷窃牲畜例应拟绞解京监候之犯，俟部复后，解赴甘肃按察使衙门监禁。于秋审时，将该犯情罪入于该省招册，咨送三法司查核。"

乾隆二十六年（1761 年）拟定："蒙古与民人交涉之案，凡遇斗殴、拒

---

① 马健石、杨育棠：《大清律例通考校注》，中国政法大学出版社 1992 年版，第 295 页。

② 马健石、杨育棠：《大清律例通考校注》，中国政法大学出版社 1992 年版，第 295—296 页。

捕等事，该地方官与旗员会讯明确，如蒙古人在内地犯事者，照刑律办理；如民人在蒙古地方犯事者，即照蒙古律办理。"

道光元年（1821年）续纂："蒙古地方抢劫案件，如俱系蒙古人专用蒙古例，俱系民人专用刑律，如蒙古人与民人伙同抢劫，核其罪名，蒙古例重于刑律者，蒙古与民人俱照蒙古例问拟，刑律重于蒙古例者，蒙古与民人俱照刑律问拟"。

咸丰三年（1853年）增订："热河承德府所属地方遇有抢夺之案，如事主系蒙古人，不论贼犯是民人是蒙古，专用蒙古例，如事主系民人，不论贼犯是蒙古是民人，专用刑律，倘有同时并发之案，如事主一系蒙古一系民人，即计所失之赃，如蒙古所失赃重，照蒙古例问拟，民人所失赃重，照刑律科断。"①

可见，这些条文基本上也都属于如何处理蒙古案件和蒙汉交涉案件的原则性规定。

除了上述《大清律·名律例》中的"化外人有犯"条以外，从乾隆朝以后在名律例"流囚家属"条、"常赦所不原"条，刑律·盗贼"盗马牛畜产"条、"盗田野谷麦"条、"起除刺字"条，刑律·捕亡"徒流人逃"条，刑律·断狱"囚应禁而不禁"条、"检验尸伤不实"条等条的附例中也先后制定纂入了不少针对蒙古或蒙汉交涉案件及其处理准则的规定。

但这些增补例文的大部分内容先后为以后的《理藩院则例》所吸收。可以说，随着清朝对蒙古控制力度的加强和蒙汉交涉案件的增多，在全国性法律中的相应规定也在增加。

总之，《大清律例》作为清朝最重要的基本法，规定了"蒙古例"的特殊适用范围及其原则。其具体规定的相关条文无论被"蒙古例"吸收与否，在蒙古同样具有法律效力。《蒙古律书》和《蒙古律例》以及《理藩院则例》作为专门适用于蒙古等民族地区的法律，它在整个清朝的法律体系中具有特别法的性质。

（五）《大清会典》与"蒙古例"

《大清会典》是记述清朝典章制度的官修史书，同时又是清政府的国家

---

① 《大清律例增修统纂集成》，"化外人有犯"条。

行政立法方面的重要法典。会典的编纂体例一般是"因官分职，因职分事，因事分门，因门分条"。就是说，清政府在中央所设所有衙门机关的职掌及其工作条例都是在会典的编纂范围内。理藩院作为处理蒙古等民族事务的专设机关，在会典的编纂过程中，对理藩院及其所属各机构制定了很多的条例、章程，明确了它们的职责与职能。

《大清会典》初修于康熙二十三年（1684年），雍正、乾隆、嘉庆和光绪朝曾四次重修。康熙朝《大清会典》162卷。成书于康熙二十九年（1690年）。记崇德元年（1636年）至康熙二十五（1686年）年事。其中"理藩院"部分共四卷（原142卷—145卷），按照会典的编纂体例，以理藩院下属录勋、宾客、柔远、理刑四个清吏司的职掌，分别划分各司所属事务来编纂的。如录勋司分爵级、会集、丁册、驿递、防汛、严禁逃人、抚辑降人等7门，宾客司分朝集、贡献、宴赉等3门，柔远司分喇嘛、朝贡、赏给等3门，理刑司分刑例、人命、盗贼、军法等四门。①

雍正朝《大清会典》，于雍正二年（1724年）颁诏始纂，成书于雍正十年（1732年）。记康熙二十六年（1687年）至雍正五年（1727年）事，亦有个别延至雍正七年、八年（1729年、1730年）者。共250卷，其中"理藩院"部分共2卷（原221卷—222卷）。其体例和编排方式与康熙朝会典相同。②

乾隆朝编纂会典时，乾隆皇帝下旨将会典与则例分别纂修。从而出现了会典与会典则例（嘉庆朝为"事例"）两种形式，以后成为定制。会典的体例仍旧以各衙门及所属各机构的职掌，编纂当时正在实行的各种典章制度，会典则例则以各衙门所掌管事务的分类，按年月日编纂其沿革损益情况。乾隆朝《大清会典》于乾隆十二年（1747年）始修，二十九年（1764年）成书。记事起于清初，至乾隆二十三年（1758年）止，理藩院部分至二十七年（1762年）。会典共100卷，则例180卷，其中，会典的"理藩院"部分共2卷（79—80卷），则例的"理藩院"部分共5卷。其会典部分中以理藩院及其下属旗籍、王会、典属、柔远、徕远、理刑等六个清吏司以及银库的

---

① （康熙）《大清会典》中的理藩院资料，《理藩院资料辑录》（综合卷）。
② （雍正）《大清会典》中的理藩院资料，《理藩院资料辑录》（综合卷）。

职掌，分门制定的。如以旗籍司掌管事项来分疆理、旗制、封爵、册诰、谱系、仪众、军功、……驿骑、骑使等门，王会司分朝期、朝仪、来朝班次、……振恤等门，典属司分疆理、旗制、封爵、……庆祝礼等门，理刑司分罚例、死罪、重囚、听讼、疑狱等门，银库分库帑、奏销等门。[①] 则例部分中，以年代顺序详细记述了各有关事务及其规定的演变情况。

嘉庆朝《大清会典》，于嘉庆六年（1801 年）开修，二十三年（1818年）成书。所载内容从清初至嘉庆十七年（1812 年）。会典共 80 卷，事例（乾隆时期为"则例"）920 卷，还有会典图 132 卷。其中，会典的"理藩院"部分共 5 卷（49—53 卷），会典事例"理藩院"部分共 9 卷。[②] 体例方式与乾隆朝会典基本相同。

光绪朝《大清会典》，于光绪十二年（1886 年）始纂，二十五年（1899 年）告成。记事起于清初至光绪二十二年（1896 年）。其中，会典100 卷，事例 1 220 卷，图 270 卷。会典的"理藩院"部分共 6 卷，事例中的"理藩院"部分共 35 卷。[③] 编纂体例基本沿袭嘉庆会典。

从以上可以看出，清政府纂修的五朝会典在其内容方面越来越详备、系统化，反映了清朝在行政立法方面的成就及其发展过程。在有关"理藩院"的部分中详细规定了理藩院及其所属各机构的职官编制、行政职守、权限范围以及对蒙古制定的各项政令、法令及其演变。

二、清代内蒙古的法律制度

清朝政府为了有效地控制蒙古，通过以上的立法活动，将从中央的理藩院到蒙古地方的各项政治社会制度方面的政令、法令，都以法律形式确定下来。尽管在不同时期，这些制度方面的具体规定都有所不同，但基本上随着对蒙古立法的系统化和制度化，逐渐成为定制。

（一）清朝对蒙古的行政管理体制

理藩院对蒙古盟旗的管理体制　清代的理藩院是从清入关前设置的蒙古

---

① （乾隆）《大清会典》中的理藩院资料，《理藩院资料辑录》（综合卷）。

② 赵云田：《清代理藩院理藩院资料和理藩院研究》，《理藩院资料辑录》（综合卷）。

③ 赵云田：《清代理藩院理藩院资料和理藩院研究》，《理藩院资料辑录》（综合卷）。

衙门演变而来，是清政府为了管理蒙古等民族事务而专门设立的最高中央机构。所以，在《大清会典》、《理藩院则例》中对它的机构、人员编制、职掌，都作了明确的规定。理藩院中枢层由管理院务大臣，尚书，左、右侍郎，额外蒙古侍郎等组成，掌管理藩院所属一切事务。直属机构由旗籍、王会、典属、柔远、徕远、理刑等六个清吏司和司务厅、满档房、蒙古房、汉档房、银库、当月处、饭银处、督催所等机构组成。其中，旗籍司承办内札萨克蒙古六盟等处王公官员升降、袭替、田产、比丁、过继、承嗣、家谱、封赠、赐恤、致祭、议叙、议处等事宜。王会司承办内札萨克六盟王公、台吉、公主额驸等年班、朝觐、进贡、俸禄等事宜。典属司承办外札萨克喀尔喀四部落、土尔扈特、杜尔伯特、西藏、青海等处汗王、台吉、官员升降、袭替、过继、承嗣、家谱、比丁、田产、封赠、赐恤、致祭、议处、赈济等事宜。柔远司承办喀尔喀四部落、土尔扈特、杜尔伯特等处汗王、台吉以及呼图克图喇嘛的年班、进贡、俸禄、各寺庙钱粮等事宜。理刑司承办蒙古各部命盗词讼案件。其他各司、厅等机构也按照有关规定分别承办理藩院内部各类事务。

理藩院附属机构包括唐古特学、蒙古学、托忒学、内馆、外馆、俄罗斯馆、喇嘛印务处、木兰围场、则例馆等。

派出机构（人员）有：神木理事司员，管理鄂尔多斯六旗蒙民（汉）交涉事件；宁夏理事司员，管理鄂尔多斯贝勒一旗、阿拉善王一旗蒙汉交涉事件；八沟理事司员，管理喀喇沁王一旗、喀喇沁公一旗蒙汉交涉事件，兼管税务；塔子沟理事司员，管理喀喇沁札萨克塔布囊一旗、敖汉王一旗蒙汉交涉案件，兼管税务；乌兰哈达理事司员，管理巴林王一旗、巴林贝子一旗、翁牛特王一旗、翁牛特贝子一旗、克什克腾札萨克台吉一旗、阿鲁科尔沁贝勒一旗蒙汉交涉事件，兼管税务；三座塔理事司员，管理喀尔喀贝勒一旗、奈曼王一旗、土默特贝勒一旗、土默特贝子一旗、西垧图库伦喇嘛一旗的蒙汉交涉事件，兼管税务。此外，在张家口、杀虎口、喜峰口、古北口、独石口、赛尔乌苏等台站设置的管站司员、笔帖式等各官，以及恰克图、库伦管理买卖事务司员，库伦管理印房事务司员、笔帖式，科布多、乌里雅苏台兵差司员等，都在理藩院的统一指挥下承办各自应办事务。①

① （光绪）《理藩院则例》，《通例》（上、下），内蒙古文化出版社1998年版。

理藩院在其地位和权限方面与中央六部平行，直接对皇帝负责，并能参加处理国家各种重大政务。

驻边机构对蒙古盟旗的统辖监督体制 蒙古地区地处北疆，直接与俄罗斯接壤，在清朝的对外关系中占有重要的战略位置。而且，蒙古各盟旗都是相对独立的军政组织，札萨克王公拥有一定的军权。因此，清政府为了加强边防和镇戍地方，严密防范蒙古王公的反叛朝廷的行为，在蒙古地区先后设置了将军、都统、大臣等驻防官，加强了对蒙古盟旗的监督。随着清朝对蒙统治的不断加强，驻防官对盟旗的监督体制成为一代定制，一直保留到清朝灭亡。

在漠南地区设立的驻防官有热河都统、察哈尔都统、绥远城将军、呼伦贝尔副都统等。热河都统统辖昭乌达、卓索图两盟十六旗军务，对该两盟各旗札萨克王公实行监督，并兼理该地区的蒙汉交涉事件。察哈尔都统负责统辖张家口驻防官兵、游牧察哈尔八旗、察哈尔四大牧群，兼摄锡林郭勒盟十旗军务。绥远城将军统辖驻防官兵及归化城土默特两翼兵马，兼摄乌兰察布、伊克昭两盟军务，并处理归化城土默特地区词讼案件。隶属黑龙江将军的呼伦贝尔副都统统辖呼伦贝尔地区额鲁特、陈巴尔虎、新巴尔虎等总管旗兵马。此外，黑龙江将军、吉林将军、盛京将军虽然不设在蒙古地区，但对邻近蒙古各部，也负有监督控驭盟旗军政之责。如盛京将军监督哲里木盟科尔沁左右翼六旗；吉林将军监督哲里木盟郭尔罗斯前旗；黑龙江将军节制呼伦贝尔副都统外还监督哲里木盟杜尔伯特旗、扎赉特旗和郭尔罗斯后旗。至于不设盟的阿拉善和额济纳二旗军务，则由陕甘总督进行监督。

在漠北地区设置的驻防官有乌里雅苏台定边左副将军、库伦办事大臣、科布多参赞大臣等。他们负责北部边防事务，并兼管漠北蒙古各旗军务。乌里雅苏台将军统辖外蒙古札萨克图汗部、赛音诺彦部所属各旗军务以及唐努乌梁海五总管旗军政事务。库伦办事大臣统辖外蒙古土谢图汗部、车臣汗部所属各旗兵马；还兼管外蒙古地区的宗教事务以及各类词讼案件的复核审理等。科布多参赞大臣主要统辖杜尔伯特左翼十一旗、右翼三旗、辉特二旗、乌隆古土尔扈特二旗、哈弼察克新和硕特一旗等十九旗兵马以及阿尔泰乌梁海七旗、阿尔泰诺尔乌梁海二旗、扎哈沁、明阿特、额鲁特三旗等总管旗军务。

在漠西和青海地区设立的驻防官有伊犁将军、塔尔巴哈台参赞大臣、西宁办事大臣等。伊犁将军管辖驻防军队外，统辖乌讷恩素珠克图土尔扈特四盟十旗以及巴图塞特奇勒图盟新和硕特三旗兵马。塔尔巴哈台参赞大臣受伊犁将军节制，主要负责管辖所属地区卡伦官兵以及驻扎该地的厄鲁特、察哈尔八旗兵马。在青海地区设立的西宁办事大臣负责统辖青海蒙古和硕特部、土尔扈特部、辉特部各旗兵马，并负责审理该地区词讼案件。①

清政府通过设置上述各驻防官，建立了对蒙古各盟旗的监督体制。但是，驻防官的主要职责在于军事方面统辖监督，而对于盟旗内部行政事务则没有管辖治理权。

蒙古的行政区域与盟旗制度　盟旗是清代蒙古地区最基本的行政区划建置。被编入盟旗的蒙古（外藩蒙古）有内札萨克和外札萨克之分。内札萨克蒙古由内蒙古的哲里木盟、昭乌达盟、卓索图盟、锡林郭勒盟、乌兰察布盟、伊克昭盟所属各旗构成。外札萨克蒙古由外蒙古的喀尔喀土谢图汗部、札萨克图汗部、车臣汗部、赛音诺彦汗部等四部各旗，西宁办事大臣监督下的青海和硕特、土尔扈特、辉特等部各旗，科布多参赞大臣监督下的辉特、土尔扈特等部各旗，伊犁将军监督下的土尔扈特等部各旗，陕甘总督监督下的额济纳土尔扈特旗、阿拉善和硕特旗构成。此外还有体制相同而不称旗的黑龙江将军监督下的伊柯明安公游牧。

外藩札萨克世袭统治的旗，具有军政合一的性质，构成封建领主性领户集团——领地，同时，它也是清朝大一统体制下特殊的一级地方行政建置。各旗设札萨克一人，职位世袭，战时动员本旗兵丁出战，平时管辖本旗内行政、司法、赋税、徭役、牧场以及旗内官吏的任免等各项事务。下设协理台吉（或塔布囊）、管旗章京等僚属，协助札萨克办理旗内事务。其中协理台吉（塔布囊），只有贵族台吉或塔布囊才能担任，并且须呈报理藩院经皇帝批准。札萨克因故出缺、常年驻京或未及 18 岁不能亲政，例由协理台吉执掌印信，代行札萨克职权。札萨克以下各级官员，均无任期限制，除协理之外，其他均由札萨克任免，并且可从平民中选任。凡年在十八岁至六十岁之

---

① 乌云毕力格、成崇德、张永江：《蒙古民族通史》第 4 卷，内蒙古出版社 2002 年版，第 227—233 页。

间的蒙古男丁，都有服兵役的义务。旗与旗之间独立为政，不准互相干涉，不准越界游牧，如有违反，受到处罚。此外，在清政府在蒙古设置的札萨克旗中还有一种特殊的喇嘛旗。它是在重要寺庙领地设置的有影响的宗教上层的直属领地，喇嘛旗设札萨克达喇嘛，管理旗一切事务。清代在蒙古地区先后设有七个喇嘛旗，分别为内蒙古锡埒图库伦札萨克喇嘛旗，外蒙古的哲布尊丹巴呼图克图旗、额尔德尼班第达呼图克图旗、札牙班第达呼图克图旗、青苏珠克图诺门汗旗、那鲁班禅呼图克图旗，青海的察汗诺门汗旗。

盟是源于蒙古原有的"会盟"传统。属于外藩札萨克蒙古的数旗组成一个盟，设盟长、副盟长、帮办盟务等职官。一年或数年间由盟长召集举行一次会盟，其主要目的是"简稽军实，巡阅边防，编审丁籍，清理刑名"。盟长主要负责召集会盟、对所属各旗进行监督、对蒙旗上报案件的承转、复审等，但并不直接干涉盟所属各旗内部事务。此外，还有几个未被编入盟的札萨克旗，如阿拉善和硕特一旗、额济纳土尔扈特一旗、科布多和硕特一旗，它们均不会盟，其相应事务归邻近的总督、大臣统辖。

除了实行盟旗制度的盟和旗，还有不少被称为"内属蒙古"的总管制旗。总管旗包括察哈尔部各旗群、归化城土默特两翼、呼伦贝尔副都统所辖新巴尔虎、陈巴尔虎、额鲁特等部五翼等。总管旗设总管、副总管等职官，管理旗内事务，但不世袭。总管制各旗不举行会盟，直接归驻扎该地的都统、副都统管辖。[①]

（二）蒙古王公上层的封爵、年班制度

蒙古王公封爵制度　清政府在征服蒙古各部的过程中，除了在喀尔喀蒙古四部和漠西土尔扈特部保留蒙古封建主原有的汗号之外，废除其他济农、洪台吉、宰桑等名号，比照满洲贵族爵秩，对归附的蒙古各部封建主、贵族，根据其祖先血统的尊卑、原来地位的高低、效忠程度和功劳的大小，分别授以各种等级爵位，实行了严格的王公封爵制度。爵位分亲王、郡王、贝勒、贝子、镇国公、辅国公六等。又照顾"黄金家族"后裔在蒙古社会历来享有的尊崇地位，授以一、二、三、四等台吉世爵，对出自非"黄金家族"的异性贵族授以一、二、三、四等塔布囊封号。

---

① 《钦定理藩院则例》卷1《旗分》、卷5《职守》、卷6《设官》、卷7《擢授》。

　　蒙古王公、台吉、塔布囊的爵位均得世袭，承袭品级的高低据被承袭者等级的高低确定。如亲王之子授为一等台吉；郡王之子授为二等台吉；承袭时间的长短据被承袭者军功和劳绩的大小、有无以及投诚清朝的先后确定。承袭手续分四季三个月一次查办，合例者汇题请袭，不合例及呈报不清者按例驳查。承袭台吉要求开具等级源流，不得含混呈报。

　　蒙古王公、台吉、塔布囊中如有在蒙旗担任札萨克职务者，其职位又得承袭。承袭年龄一般限定为十八岁，但有特殊者可例外，如十岁以上父殁后承继家业者不拘十八岁之例，即给予职衔。

　　蒙古王公贵族的顶戴、服色、坐褥等，也按照其爵位的高低，比照满洲贵族王公待遇服用。而且，绝大多数王公贵族都能享受清政府的俸银、俸缎、俸米。此外，清政府还规定了一系列相关要求，如蒙古王公生子命名报院，蒙古王公之子夭殇报院，蒙古王公家谱十年一次由院具奏修改等。①

　　王公上层年班朝觐制度　年班朝觐制度是清政府规定的蒙古族和其他少数民族上层人士每逢年节来京朝见皇帝、瞻仰圣颜的一种制度。依据地区和人员成分的不同，蒙古王公上层的年班分为内札萨克年班、外札萨克年班、喇嘛年班等三种形式。内札萨克年班分为三班，外札萨克年班分四班，喇嘛年班分六班，一年一班，轮流来京。

　　年班来京之汗、王、贝勒、贝子、公、台吉、塔布囊、额驸等定于每年十二月十日以后，二十五日以前到齐，如遇有事故、公事、患病等情况，须由该旗协理台吉或旗内职分较大的台吉一人代替来京。但必须事先用印文报部查核，或由札萨克预报盟长，由盟长备文报院。凡年未满 18 岁、超过 65 岁，以及未出痘者，可免其来京。但未出痘者及 65 岁以上者仍须于清帝围猎时赴热河朝见。

　　蒙古王公等年班进京时，还必须给清朝皇帝带一定的贡品。而且对贡品的种类、定额、奖惩等方面都有严格规定。如喀尔喀图什业图汗、车臣汗、哲布尊丹巴呼图克图，均准贡"九白"（白驼一峰，白马八匹），其他蒙古王公等不得擅进"九白"。一般蒙古王公等准进贡驼、马、汤羊等物。进贡物品的定额，因地而异。

---

　　① 《钦定理藩院则例》卷 2《品秩》、卷 3《袭职》、卷 4《俸银俸缎》、卷 13《廪饩》等。

对凡年班来京进贡者都给予一定数额的回赏，并且在中正殿、紫光阁、正大光明殿等地设各种宴会，以示优待。凡来京王公的路费及食宿费，由清政府拨给，名为"廪饩"。廪饩的多少，因爵位高低而有所区别。①

总之，清政府通过年班制度加强了与蒙古王公间的联系和对他们的统治，蒙古王公也能借此机会觐见皇帝，享受清政府特殊优待。

（三）清代蒙古的刑罚制度

清代蒙古的刑罚，是在参照内地使用的五刑（笞、杖、徒、流、死），并结合蒙古刑罚传统而制定的。刑罚种类可以概括为死刑、流刑、鞭刑、监禁、科罚等几种。

死刑中除了斩立决、绞立决、斩监候、绞监候等正刑以外，还有凌迟、枭首等酷刑。死刑主要适用于危害国家统治利益、侵犯皇帝和封建上层或杀人放火等罪大恶极的犯罪。如凡偷窃围场营盘马匹五匹以上的首犯，绞立决，示众。刨发王公贵族坟冢的首犯等均斩立决。凡家奴杀其主者，平民与福晋通奸者都要凌迟处死。凡聚众执持弓矢军器，白日邀劫道路，赃证明确，及昏夜持火执刀涂脸入室，搜掠财物，实有杀人放火各重情者，不分首从，皆斩立决，枭首。凡斗殴伤重五十日内身死，殴之者，绞监候，等等。

在蒙古实行的流刑，根据犯罪的轻重，流放地点的远近程度也有所不同。有发往河南、山东交驿站充当苦差的，有发往南方各省交给驻防兵丁为奴的，有发往云南、贵州、广东、广西烟瘴地方的，有发往伊犁、乌鲁木齐等地充当苦差的，有发往邻盟严加管束的。如凡伙众强劫伤人而未得财的从犯及其妻，一人强劫什物而未伤人的犯人及其妻，均要发往河南、山东交驿站充当苦差。偷窃围场营盘马匹三匹以上者，发云南、贵州、广东、广西烟瘴地方等。

鞭刑是在蒙古地区较常用的刑罚之一。凡是依照刑律拟以笞、杖者，在蒙古均以照数鞭责代替。② 因犯罪轻重不同，鞭数也有鞭一百、九十、八十、七十、六十、五十、四十等几种等次。如偷窃银两十两以上至四十两，为首者，鞭一百；为从同行分赃者，鞭九十；虽经同谋，并未同行，但于窃

---

① 《钦定理藩院则例》卷14、15《廪饩》，卷16《朝觐》，卷17《贡输》，卷18、19《宴赉》。

② 《钦定理藩院则例》卷43，《审断》。

后分赃者，鞭八十；等等。

监禁，拿获罪犯之后，在就近地方官那里监禁。如察哈尔等地方的罪犯解送到附近的张家口、多伦诺尔、丰镇等处地方官收禁。哲里木盟十旗地方罪犯，押解到附近的昌图厅寄监。

科罚，可分为籍没产畜、罚俸、罚畜等三种形式，但多为罚俸和罚畜。罚俸主要用于王公上层，罚畜对王公上层和一般平民都能适用。罚俸又有罚三年俸、二年俸、一年俸、半年俸、三个月俸等几种形式。罚畜一般以九作为基数，有罚六九、五九、四九、三九、二九、一九等不同级别。①

（四）清代蒙古的司法审判制度

清朝对蒙古的司法审判制度是在国家统一行使对蒙古的司法权，并结合蒙古固有的司法审判传统的基础上建立起来的。与全国各省县一样，蒙古也并没有专设的司法审判机关，采用的仍然是行政、司法合一的形式。蒙旗札萨克王公和盟长具有审理在蒙旗所发生的轻微的刑事案件和民事案件的权力，但对罪至发遣和死刑案件无权审判，须报理藩院审理。罪至发遣的，理藩院会同刑部裁决，死罪案件要与"三法司"（大理寺、刑部、都察院）会审定案。不设札萨克的地方由驻防将军、都统、办事大臣等就近审理；蒙汉交涉案件由各该札萨克与理藩院派驻各地的理事司官或与该地厅县地方官会同审理，再由将军、都统复核；如遇重案仍须报理藩院查核。

在诉讼程序上，必须按照程序逐级上诉，不得越诉。就是说蒙古案件先在旗札萨克处诉讼，经札萨克审理不能解决，再报盟长听断，仍不决，报理藩院裁决。诉讼时只准本人呈控，由他人代控者概不受理。如所控不实，按事之轻重将原告人反坐其罪；如出首有功，对出首之人给予保护和奖励。

关于判决中法律条文的适用，《则例》规定了以下几种情况：一、一般情况下蒙古人在蒙古地方犯罪，均照蒙古例定罪。二、凡办理蒙古案件，如蒙古例所未备者，准照刑例办理。三、内外札萨克王公、台吉、塔布囊如遇各项应议处分，凡蒙古例所未备者，准咨取吏、兵、刑三部则例比照引用，体察蒙古情形定拟，毋庸会办。如有奉旨交议案件，内有事隶各衙门的由各

---

① 《钦定理藩院则例》卷35《人命》，卷36《强劫》，卷37、38《偷窃》，卷39《发冢》，卷40《犯奸》，卷41《略卖略买》，卷44《罪罚》，卷48《监禁》。

该衙门会办。四、蒙古民人各按犯事地方治罪，蒙古人在内地犯事，照依刑例定拟。民人在蒙古地方犯事，照依蒙古例定拟。五、在蒙古地方，蒙古、民人伙同抢劫，从重科断，核其罪名，蒙古例重于刑律者，蒙古与民人俱照蒙古例问拟；刑律重于蒙古例者，蒙古与民人俱照刑例问拟。①

除此之外，蒙古例还规定了为获取犯罪证据而设的"入誓"、根据犯罪者的犯罪轻重、次数及家庭情况而确定其存留养亲方面的"留养"、犯人准否用财物抵销其刑罚方面的"收赎"、犯罪后准否减免刑罚方面的"遇赦"等很多详细规定。②

（五）宗教领域的"喇嘛事例"

清朝征服蒙古的过程中喇嘛教起过重要作用。清政府为利用喇嘛教来统治蒙古，让一些有影响的喇嘛上层享有与世俗封建主同等的政治地位与权力。在重要寺庙领地先后设置喇嘛旗，给予各该喇嘛旗管辖处理其领地内的所有宗教事务以及行政、司法、税收等事务的特权的同时，还对喇嘛事务制定了不少规定。可以概括为以下几点：

确定了蒙古地区活佛转世制度。如凡蒙古部落呈报呼图克图大喇嘛之呼弼勒罕出世，只准从闲散台吉或属下人等之子嗣内指认，各蒙古汗、王、贝勒、贝子、公、札萨克台吉等子孙内禁止指认呼弼勒罕。各处呼图克图圆寂后，准寻认呼弼勒罕；从前并未出有呼弼勒罕之寻常喇嘛已故后，不准寻认呼弼勒罕。凡蒙古各部落所出之呼弼勒罕，须呈报理藩院，由理藩院堂官会同掌喇嘛印之呼图克图缮写名签，入于雍和宫供奉的金瓶内掣定。

确定了蒙古地区呼图克图的职衔、名号、印信等制度。如哲布尊丹巴呼图克图赏给印册，其印册均用金。其余各呼图克图等如果封国师名号者，印册均用银镀金。封禅师名号者印用银，颁给敕书，等等。

规定蒙古职任喇嘛的定额、升用、调补、品秩、坐次、服色、病假等方面的制度。如多伦诺尔汇宗、善因二寺札萨克达喇嘛一缺，达喇嘛二缺，副达喇嘛二缺，等等。

---

① 《钦定理藩院则例》卷38《强劫》、卷43《审断》。
② 《钦定理藩院则例》卷42—55，《首告》、《审断》、《罪罚》、《入誓》、《疏脱》、《捕亡》、《监禁》、《递解》、《留养》、《收赎》、《遇赦》、《违禁》、《限期》、《杂犯》。

确立了蒙古地区呼图克图喇嘛年班朝觐制度。如内外札萨克等处呼图克图、呼弼勒罕、绰尔济喇嘛、达喇嘛等，年已及岁、已出痘者，准其来京朝觐。经卷熟习者，准其编入洞礼经班次。其洞礼经定为六班，按年轮流，于十一月中旬来京。其未及岁、未出痘及不值班者，准其照蒙古王公例差人进贡、请安，等等。

确立了管理一般喇嘛的各种制度。如喇嘛等例服金黄、明黄、大红等色，其余颜色不准擅服；凡内外札萨克旗喇嘛等呈请札付度牒者，由院给予，年终汇奏；凡喇嘛容留犯罪盗贼者，与犯人一律科罪，其罪名至死者，该喇嘛减一等办理；喇嘛、班第等私自逃走，自行投回者，初次鞭六十，二次鞭八十，三次鞭一百，革退等。①

以上的概括是清政府对蒙古的法律规定中占有重要比重的内容。除此之外，清政府还规定了其他方面的各种法规、条例。它主要体现在有关蒙古地方的驿站、边禁、婚礼、赐祭、军政、优恤、地亩、比丁、仓储、征赋、捐输等诸多方面。这些规定构筑了清代蒙古地区各项行政、法律制度体系的基本框架。

三、清代蒙古法制的特点

（一）"因俗而治"的立法原则

在清末"新政"以前，"因俗而治"一直是清政府在蒙古推行的基本政策之一，也是清政府能够在蒙古长期保持其统治的重要前提和政治基础。它是清朝中央政府在政治、军事等方面保障其统治的前提下，保留和给予蒙古王公上层较高程度的自主权。清政府之所以推行这种政策，其原因很多。从当时蒙古民族自身的情况来看，风俗习惯、宗教信仰与内地有很大不同，游牧地域十分广阔，军事方面也保持着较强的实力。从蒙古与满洲贵族的关系来看，蒙古各部虽然先后归附清朝，但清朝更多采用的是满蒙联姻或笼络手段，而不是全靠武力征服。从统治者满洲贵族的情况来看，他们也是少数民族出身，在其生活方式、语言文字等各方面都与蒙古比较接近。总之，清朝政府要想在内地和蒙古以及西藏、新疆回部等其他少数民族地区维持其有效

---

① 《钦定理藩院则例》卷56—60，《喇嘛事例》。

统治，只有因俗而治才能保证其国家的稳定。这种"因俗而治"表现在行政上的因俗设官，宗教上推崇和利用喇嘛教等许多方面。法律是国家政策的重要体现，也是推行政策时的主要依据和保障。因此，清政府的这一政策在有关蒙古的立法活动中也得到了充分的体现。

首先，清政府的"修其教不易其俗，齐其政不易其宜"，成为对蒙古立法的重要原则之一。如前所述，清朝初期对大明律进行修改，编纂清律以后并没将其强制推行于蒙古，而是制定了专门适用于蒙古的另一套特别法。他们本着"从俗从宜、各安其习"的统治原则，多次强调因俗立法，"拂人之性，使之更改，断乎不可"。① 乾隆还曾指出："国家控驭藩服，仁至义尽，爰按蒙古风俗，酌定律例"，② 不可以内地之法治蒙古。清代的《蒙古律书》和《蒙古律例》以及《理藩院则例》，都曾是处理蒙古事务的最重要的法律依据。

其次，清政府在对蒙古的立法活动中有选择地保留和承认了一部分蒙古习惯法规范。如蒙古从成吉思汗的《大札撒》开始，一直以罚牲畜代替多种刑罚的执行。这种科罚制度被清代的《蒙古律例》等特别法所保留，规定除谋叛、杀人抢劫等重大犯罪外，对一般犯罪几乎全是科罚牲畜，依犯罪的轻重而定罚牲的数量。有时连死罪也可以牲畜赎罪，"凡蒙古犯罪皆论罚"。在司法审判上保留了传统的"入誓"习俗。如遇到疑难案件，令当事人"入誓"，承认其入誓后的证言。婚姻家庭方面的规定也大多是在蒙古原有习惯的基础上拟订的。

最后，在清政府的这种立法原则下，拟定并逐渐得以制度化的各项制度本身具有浓厚的蒙古特色。对此，在前一节已作比较详尽的交代，故不赘述。

（二）清代蒙古盟旗的特殊地位和待遇

清政府对蒙古采取的统治方式与内地"流官"制度下的直接统治完全不同，它是通过蒙古世袭王公札萨克以及一大群僧俗封建上层得以维持、实

---

① 中国第一历史档案馆：《国朝掌故讲义》，转引自赵云田：《清代蒙古政教制度》，中华书局1989年版，第64页。

② （乾隆）《大清会典》中的理藩院资料，《理藩院资料辑录》（综合卷）。

施的。所以，有关蒙古王公上层的地位和待遇方面的规定，是清朝对蒙古立法中最重要的特殊内容之一。

在清政府中央机关中，理藩院作为专管蒙古等外藩事务的最高机关，在职权、机构等方面与中央六部一直处于平等地位。此外，在清政府成立"总理各国事务衙门"以前，它还负责处理与俄罗斯等外国的交涉事件，实际充当着外交部的角色。这些都反映了理藩院衙门的重要性，同时也说明了蒙古在中央政府工作中的地位和受重视的程度。

在清朝与蒙古的关系上，封王联姻是对蒙古的立法中明确规定的一项重要内容。在清政府采取的"南不封王、北不断亲"的政策指导下，一直重视与蒙古贵族联姻，皇帝与皇室子弟娶蒙古王公女子为后妃、福晋，并以公主及宗室女下嫁蒙古重要首领，招蒙古贵族为额驸。从清初的大规模联姻，到道光年间开始实行"备指额驸"制度，都能说明清代满蒙联姻的制度化过程。这种现象在满洲贵族与其他民族之间是极少的。因此，从蒙古王公上层的角度来看，清朝政府具有很强的满蒙贵族联盟性质。

清代蒙古地区的国家行政管辖体制是以盟旗制度为核心的蒙古封建领主制。在这种体制下，中央对它不进行直接统治，不派出内地官吏充当蒙古盟旗各级职官，而由蒙古世袭札萨克王公自理。

蒙古王公上层所受到的特殊待遇，主要还表现在清朝皇帝授予的爵位和俸禄方面。清朝在蒙古实行的王公封爵制度，在清政府所实行的由宗室封爵、外藩蒙古封爵、民世爵（八旗满洲、蒙古、汉军及汉人封爵）等三种爵制构成的封爵体系中占据着重要的位置。爵位的高低，直接表现在俸禄的高低和表示其身份的顶戴、服色、坐褥、坐次等方面。虽然，外藩蒙古王公中就连爵位最高的科尔沁三亲王（图什业图亲王、达尔罕亲王、卓里克图亲王）的地位、年俸（年俸 2 500 两银）也远不如宗室亲王那么高（宗室亲王年俸 10 000 两银），但与内地官品最高的一品官的年俸（一品文官年俸 180 两，一品武官年正俸 81 两、加支 524 两）相比，仍然高出很多。此外，与视其特殊战功或是否清室外戚、孔子后裔、朱明后代而授封的民世爵相比，几乎所有原来的蒙古封建主、贵族都授封为王公、台吉。而且，蒙古爵位都可世袭罔替，民世爵虽可世袭，但各爵均定有降袭次数。如一等公袭二十六次，一等侯兼一云骑尉袭二十三次，等等。在顶戴、服色、坐褥等方面，内外札萨克汗、王、贝勒、贝子、公，俱戴用宝石顶戴，其服色、坐褥等项，均照满洲贵族王公品级服用。内外札萨克各旗一、二、三、四等台吉、塔布囊应用顶戴、服色、坐褥，则照依内地一、二、三、四品官服用。①

在清政府选拔各级政府官吏的活动中，科举制度起着重要的作用。通过童试、乡试、会试、殿试等层层考试，被录用者才有可能在中央和地方的各级衙门担任官职。但是，蒙古盟旗各级官吏的选拔、任用，不受此限。他们不参加科举，不在内地各省县担任职务。而是以其他方式参与朝政，扩大其影响。如外藩盟旗王公上层通过年班进京觐见皇帝，得到种种赏赐和殊荣的同时，还可以得到各类御前行走、乾清门行走等尊贵职衔，以至留京当差，充当宫廷侍卫大臣、八旗都统等重要职务。

在盟旗对朝廷的义务方面，盟旗不承担国家赋税，但必须每年向朝廷进贡。相应地，清政府对蒙古的贡物种类、数量、进贡资格、进贡时间、进贡人数都作了明确规定。如喀尔喀土谢图汗、车臣汗、哲布尊丹巴呼图克图每年均准贡"九白"；内札萨克哲里木盟科尔沁等三十七旗台吉准贡进汤羊；科尔沁王以下、台吉以上及福晋、夫人等，每年贡进汤羊，其数不得过二、三只；进贡之台吉、塔布囊造册报部查核；进贡之台吉等轮流来京；册档无名未授职衔之人不准进贡等。② 然而，这种规定并不是以获取经济利益为目的，而主要是从政治上体现清朝皇帝对蒙古臣民的统治权力，蒙古对清朝皇帝所尽臣子义务并保持清政府与蒙古王公上层的经常性联系。而且，清廷所给的赏赐，其数量和质量都远远超过贡物。但并不是说因为如此特殊而盟旗就不承担任何其他基本国家义务了。他们享受朝廷赋予的特殊待遇的同时，所承担的基本义务，最主要的是兵役和站役。即战争时期盟旗王公札萨克奉命带兵或调兵出征，和平时要维持和保障在蒙古地方设立的各路驿站的正常运行。

清政府还对蒙古实行封禁政策，制定了很多相关的法律条文。如口内居住旗民人等，不准出边在蒙古地方开垦地亩，违者，照私开牧场例治罪；内

① 《钦定理藩院则例》卷2，《品秩》。
② 《钦定理藩院则例》卷17，《贡输》。

外札萨克蒙古不准延请内地书吏教读或使充书吏；禁止蒙古行用汉文；蒙古人等不得用汉字命名，等等。① 这样做的客观结果，虽然阻碍了蒙汉民族间的经济文化交流，但在另一方面又比较有效地保护了蒙古地区的牧场及草原生态，从而使蒙古族人民的游牧经济生活得到了一个良好的自然条件和法律保障。从这个意义上说，清朝在清末新政前对蒙古的封禁政策及其相关规定本身，就是对蒙古的一种特殊"照顾"。以上所述，清政府对蒙古各种特殊待遇主要是以蒙古贵族为主要对象，围绕着他们与清政府的关系中得到的待遇加以论述的。清朝政府虽然规定了很多禁令，禁止内地民人出边开垦，但是在实际生活中，向蒙古地区移民开垦的内地民人在整个清代始终未绝，其人数及垦种地亩逐年增多。对此清朝法律是明文禁止的，如果从清政府的责任去考虑这种屡禁不止的原因，那就是对所定法律的实施方面的不力所致。

（三）蒙古王公上层在盟旗内部的特殊权利

从一个中央政权的角度来看，明确而详细地规定所属各级政府机构及各级官吏的权限范围，对国家各项政策法规的贯彻落实和整个政权统治的顺利运行具有重要的意义。清代的盟旗作为蒙古地区的基本行政组织，其盟长及各旗札萨克的权限，在清政府对蒙古制定的特别法中也作了比较明确的规定。由于清代整个蒙古的特殊地位和作用，盟旗的权限也与其他各地相应机构存在着明显的不同。

对蒙古的立法权归于中央清政府，这是毫无疑问的。但蒙旗王公札萨克在各自的管辖旗内具有自行制定地方性法规的权力。虽然清政府在有关蒙古的各类法律规定中均没有明确表示要赋予盟旗这方面的权力，但是清代盟旗札萨克王公自行制定并至今仍被流传下来的《喀尔喀法典》、《内蒙古自治区巴彦淖尔盟阿拉善旗清代单行法规及民刑案件判例摘译》等资料却恰恰证明了这种权力的存在。这说明，清政府事实上对此采取了承认的态度。

从上述两部法律文献的制定年代来看，前者是在外蒙古已经归附清朝以后，康熙末年到乾隆时期，后者是在乾隆朝中期到光绪年间。众所周知，乾隆朝以后正是清政府在蒙古的统治得到全面的加强和巩固，《蒙古律例》、《理藩院则例》等特别法在蒙古地区均被贯彻落实的时期。那么，在这样的

---

① 《钦定理藩院则例》卷10《地亩》、卷53《违禁》。

背景下，盟旗札萨克能够自行制定出具有"自治条例"性质的地方性法规这一事实，足以证明了清代盟旗所拥有的权力。这些在各自的蒙旗境内都具有法律效力的单行法规的存在，也正好补充了清政府制定的蒙古地区特别法的不足和遗漏之处。

外藩蒙古的盟长和札萨克都享有盟旗案件的司法审判权。在外藩蒙古各旗如发生民事案件和轻微的刑事案件，该旗札萨克有权根据清政府对蒙古制定的有关法律或本旗内自行制定的有关条例，对案件进行审理和作出终审判决。如果札萨克的判决不公，可以向盟长控告，对此类案件盟长具有复审权。如遇蒙汉交涉案件，各该旗札萨克也有权会同各该地方官进行会审。

蒙旗札萨克王公拥有对旗内大部分官员的任用权。旗作为清代外藩蒙古地区最基本的行政组织，必须具备由各级行政机构和官吏组成的系统的治理机构。一般情况下蒙旗札萨克对于本旗所设的协理台吉、管旗章京、副章京、梅伦、参领、佐领、骁骑校、领催等各级职官，除了协理台吉由札萨克从本旗贵族中指定后报理藩院批准外，其以下各级官吏均由札萨克自己任用。

蒙旗王公札萨克有权向所属旗民征收赋税。如札萨克属下平民有五牛以上或有羊二十只以上的，取羊一只；有羊四十只以上的，取羊二只；有牛两头的，取米六锅；有牛一头的，取米三锅。蒙古贵族遇有进贡、会盟、移营、嫁娶等事，所属有百家以上的，在十家内取马一匹，牛车一辆；有三乳牛以上的，取奶子一肚，有五乳牛以上的，取奶子酒一瓶；有百牛以上的，增取毡一条等。①

蒙旗还拥有向在蒙旗境内租种地亩的内地移民征收地租的权力。对此，则例规定：在蒙古地方居住之民人，租种地亩，赁居房屋，均照原议数目纳租交价。倘恃强拖欠，或经札萨克呈报，或经业主房主控告，该司员及同知、通判等，即为承追。如欠至三年者，查蒙古得有民人押租银两，即以押租银两作抵。如无押租银两，将该民人所种之地、所赁之房撤回，另行招租，仍勒限饬将欠租交清。倘限满不交，即将该民人枷号一个月，满日折

————————

① 《钦定理藩院则例》卷12，《征赋》。

责，递回原籍管束。① 这些规定也说明了清政府对蒙旗土地所有权的认可。

蒙古各盟旗还拥有一定程度的兵权。这与清代盟旗制度下的旗兼具军事组织的性质有直接关系。外藩蒙古各旗平时注意加强军备，进行操练之外，如遇有战事，蒙旗札萨克等必须率领所属军队奉命出战。内札萨克蒙古六盟，每盟设有备兵札萨克一员，统辖各盟蒙古兵丁，管理军务一切事件。外札萨克喀尔喀四部各设副将军一人，管辖各部蒙古兵丁，副将军处又各设参赞一人，协助副将军办理军务。

总而言之，清政府经过历代朝廷的立法活动，建立了蒙古的特别法体系，并由此确立了蒙古地区独具特色的各项制度，同时确认了蒙古的法律地位。《大清律例》作为清朝最重要的基本法，其中规定的相关条文在蒙古也同样具有法律效力。《蒙古律书》和《蒙古律例》以及《理藩院则例》，先后作为专门适用于蒙古等民族地区的法律，它在整个清朝的法律体系中具有特别法或地方性法规的性质。而《喀尔喀法典》以及阿拉善蒙古札萨克衙门制定的条例等作为蒙古王公在清朝法律认可或赋予的权限以内自行制定的法规，它具有二级地方性法规的性质。由于受当时封建时代的影响，所谓蒙古的法律地位，很多方面都体现在蒙古贵族上层的法律地位、待遇、权力等方面。即蒙古王公上层在与中央清政府的关系上能够享受到法律上明确规定的种种待遇，在各自的管辖旗内可以行使法律上赋予和默许的种种特权。清政府的这些以法律形式禁止的或允许的很多规定，在清朝长达二百多年的统治中自觉不自觉地成为蒙古自身特点的重要标志，或成为理所当然的社会习惯，给蒙古社会留下了深远的影响。

四、清末改制与蒙古法律制度的演变

（一）清朝对蒙政策的转变

19 世纪以前，让清政府头痛的许多问题不是来源于外国的侵略势力，而是来源于边疆地区本身。因此，制定和颁布对蒙古的政策、法令的目的就是为了稳定蒙古地区，以此来换取整个清王朝的安稳。但从 19 世纪中叶以后，俄国开始向蒙古地区渗透、扩张，清政府在蒙古地区的统治受到了很大

---

① 《钦定理藩院则例》卷 10，《地亩》。

的威胁。俄国以武力威胁和外交讹诈，迫使清政府先后签订了《中俄北京条约》、《中俄伊犁塔尔巴哈台通商章程》，《中俄科布多界约》、《中俄乌里雅苏台界约》等一系列不平等条约，取得了在蒙古地区的免税贸易权、领事裁判权等种种特权。在此过程中，以前作为清朝北部屏障而受到种种优待的蒙古，未能抵御沙俄的入侵与渗透活动，逐步成为俄国为首的资本主义国家推销商品和榨取原料的半殖民地市场。这不仅彻底暴露了清朝北部边防的空虚，还使蒙古地区已不再是清朝安定的后方。再加上由于清政府对蒙古的封禁政策而形成的蒙古相对独立的状态也引起了清政府失去蒙古的担心。

鸦片战争以后，清政府为了镇压此起彼伏的太平天国运动、捻军起义、回民起义等农民起义，连年向蒙古征调大批军用驼马、银两及军队，不仅给蒙古社会带来了沉重的经济负担，还使大量蒙古士兵战死疆场，蒙古社会的劳动力更加缺乏，畜牧业生产遭到损害。原先以英勇善战而著称，并在清朝统一全国的战争中立下汗马功劳的蒙古军队，也随着冷兵器时代的结束，在防御外敌、镇压反抗起义方面的作用明显衰弱下去。

每次都以赔款结束的中外战争，使得清政府国库枯竭，外债数额直线上升，政府财政陷入严重危机。晚清以来朝廷官吏的腐败、苛捐杂税的加重和连年的战乱，使许多农民陷入破产。于是，土地资源极为丰富的蒙古地区逐渐成为内地汉民逃避战乱和前来谋生的理想场所。

随着蒙古的游牧经济与军事力量的衰弱，蒙古王公在清政府统治阶层中的地位日益下降，靠镇压农民起义和兴办洋务起家的汉族实力派官僚则越来越成为清朝倚重的主要统治力量。在这样的背景下，在清朝统治集团内部，尤其是沿边各省督抚要求清廷改变对蒙古的传统政策，允许汉民出边开垦的呼声日趋高涨。

光绪二十六年（1900 年），义和团运动爆发，八国联军攻陷北京，清王朝的统治已经到了崩溃的边缘。为了挽救清王朝的统治危机，安抚人心，稳定政局，于同年十二月十日（1901 年 1 月 29 日），流亡西安的慈禧太后（清廷）发布变法上谕："世有万古不易之常经，无一成不变之治法"，命各省督抚及政府大员议奏，"举凡朝章国故、吏治民生、学校科举、军制、财政，当兴当革，当省当并，如何而国势始兴，如何而人才始盛，如何而度支始裕，如何而武备始精"。①　同年 4 月 21 日，又命成立督办政务处，作为清朝中央政府推动"新政"的专门机构。接着陆续颁布各种章程、命令，在全国范围开始了长达十年的"新政"改革。

清末新政时期，在全国推行的改革措施主要体现在军事、政治、法制、经济、文化教育等各方面。在军事方面，裁汰旧军，以西方新法编练"新军"。在政治方面，改革官制、整顿吏治和在全国推行宪政。在法制方面，修改《大清律例》，制定新律；改革"诸法合体"的传统法律结构；行政司法的分离等。在经济方面，增加税种，提高税率，振兴商务，奖励实业等。在文化教育方面，废科举、兴学堂、奖游学等。由于其传统背景和独特情形，在蒙古地区推行的"新政"与全国"新政"有所不同。主要体现在以筹措赔款、兵饷为主要目的移民和放垦蒙地，由此而广泛设立府厅州县；为加强边防而进行的编练新军；作为全国新政的响应部分而进行的兴办新式学堂、开采矿产、修筑铁路、筹设电报线路等方面。

如前所述，清政府在实施新政之前，巨额的战争赔款使国家财政陷入严重危机。为了偿还赔款和筹措练兵经费，清政府将其摊派各省，并严令限期筹缴。于是，陆续有人，特别是蒙古沿边各省督抚奏请清政府开放、招垦属于蒙旗所有的土地，以增添国库收入。庚子赔款之后，于光绪二十七年（1901 年）十一月，因财政危机而百般焦虑的清政府终于批准山西巡抚岑春煊的放垦晋边蒙地的奏请，特派兵部左侍郎贻谷赴绥远督办包括伊克昭盟、乌兰察布盟、察哈尔在内的整个内蒙古西部垦务。与此同时，东北三省将军和热河都统也陆续在所辖内蒙古东部各盟旗全面开始官放蒙地。这样，放垦蒙地作为清末对蒙新政的一项最重要的内容，在蒙古地区（主要是内蒙古）全面铺开。

清政府在蒙古地区实施新政的另一个重要动机是加强边防，并以此来控制蒙古、抵御俄国的入侵。因此，在蒙古地区编练新式军队成为清末对蒙新政的一个重要内容。光绪二十七年末（1902 年初），科布多即开始筹办练兵事宜。次年初，绥远城将军、归化城副都统也制订出将驻防八旗和土默特蒙兵改练为新式常备、续备军的具体方案。光绪二十九年（1903

---

① 中国第一历史档案馆：《义和团档案史料》下册，中华书局 1959 年版，第 915 页。

年）以后，察哈尔都统曾为编练蒙旗马队奏请拨发枪械，驻防热河和库伦的防营也不断得到添练和续募。在内蒙古东部的一些新设府县也随时添募兵队，用来弹压地方，对于蒙古王公札萨克的自请练兵筹饷，清廷也慨然允准。①

自晚清开始的筹蒙改制的一个重点是在蒙古地区遍设州县、改建行省，改变原有通过王公札萨克的间接统治为郡县制的直接统治。清末新政开始后，在蒙地也增设了不少府县。如光绪二十八年（1902 年）在科尔沁左翼中旗境内设置辽源州；光绪三十年（1904 年）在科尔沁右翼前旗境内设洮南府，是年在该旗境内又设靖安县、开通县；光绪三十一年（1905 年）在科尔沁右翼后旗境内设安广县，等等。② 总之，在清末新政的第一阶段，除了清政府重点实施的上述措施之外，其他兴办教育、工商实业等一些新政措施在蒙古地区很少得到实施和响应。清政府方面也并没有制订出比较详细的新政规划和改革步骤。上述得以实施的新政具体措施，尽管在清政府的相关法律上没有得到明确的体现，但事实上它已经打破了原有《理藩院则例》中的许多规定，标志着清政府对蒙传统政策的转变和蒙古特别法体系开始被打破。

光绪三十二年（1906 年）清廷宣布"仿行立宪"之后，"新政"进入一个新的发展阶段。这一时期，清政府为了在全国范围内推行"宪政"，进行了改革官制、修订法律、设立资政院等一系列改革和筹备措施。所谓的"宪政"，就是立宪政治的简称，指以宪法为中心的民主政治。宪政是以民主与法制相结合，即以民主为基础、民意为依据、宪法为准绳，构建国家政府，治理国家社会。它是近代西方国家资本主义商品经济发展和资产阶级革命胜利的产物。那么，毫无宪政传统可言的清政府能够在清末宣布"仿行宪政"，是与近代以来西方宪政思想在中国的传播有着直接关系。"仿行立宪"时期，在蒙古地区已经开始的放垦、设立府厅州县等活动并未中止。随着理藩部的官制改革和清政府的"藩属宪政"的筹备，蒙古地区的新政

① 汪炳明：《清末新政与北部边疆开发》，《清代边疆开发研究》，中国社会科学出版社 1990 年版，第 52—86 页。

② 周清澍：《内蒙古历史地理》，内蒙古大学出版社 1993 年版，第 164—172 页。

有了较为明确的目标和步骤，大部分新政措施也被纳入宪政轨道，得到了更进一步的深入和发展。

（二）理藩部官制改革

清末理藩部官制改革，是清末中央官制改革的一部分。是与晚清以来就已开始的行政官吏体制的改革和理藩院所主管的边疆形势的变化有着直接的关系。

鸦片战争以后，随着西方势力的强行侵入，中国传统的封建君主专制政治体制开始受到前所未有的严重挑战。清王朝的旧体制愈来愈暴露出固有的弊端，无法应付新情况的不断出现。清政府要想应付新的形势，维持其封建统治秩序，必须对其政治体制进行调整和改革。咸丰十一年（1861 年）设立总理各国事务衙门（简称总理衙门），作为清政府的外事机构。接着又设立了南洋、北洋通商事务大臣、总理海军事务衙门。光绪二十六年十二月（1901 年 1 月）清廷下诏"变法"，二十七年三月（1901 年 4 月）谕令设立督办政务处，总办"新政"事务。"新政"开始后，光绪二十七年（1901 年）七月设立外务部（由总理衙门改），光绪二十九年（1903 年）九月设立商部，光绪三十一年（1905 年）十月设立巡警部，十二月设学部等。这些反映了行政官吏制度从鸦片战争到清朝灭亡的 70 余年时间里缓慢的演变过程。光绪三十二年（1906 年）清廷宣布"仿行宪政"之后，从中央各衙门官制到地方官制都进行了较大规模的改革。理藩部官制改革就作为改革的一环而进行的。

与此同时，晚清以来蒙古在内的边疆形势的变迁和清末清政府对蒙政策的转变，也客观上提出了改革理藩部官制的要求。随着蒙古地区的半殖民地化和清末对蒙政策的转变以及放垦蒙地和府厅州县的设立，理藩院所掌管的事务范围也发生变化，自然提出了调整机构设置及其职掌的要求。

随着整个国内局势的变化，裁汰有些不太重要的机构和员缺、精简机构，以便节约开支，是清末官制改革的一个重要目标。清末新政开始后，清政府先后设立外务部、商部等新机构，行政管理体制的改革开始启动。光绪三十一年（1905 年）五月，理藩院奉慈禧皇太后"方今时局阽危，百端待理，内务府司员太多，应如何裁汰归并，著政务处会同内务府大臣妥议具奏。其余内外各衙门亦仿照核办次第推行"的懿旨，裁撤了所属蒙古房、督催所和热河所属八沟、塔子沟、三座塔、乌兰哈达等四处及山西所属神木一处差缺，"所有蒙、民命盗、词讼案件，均归州县办理"。①

同年六月，清政府派载泽等五大臣分赴东西洋各国考察政治。十月设立考察政治馆，研究各国政治与中国体制相宜者，纂订成书，随时呈进。光绪三十二年（1906 年）六月，载泽等五大臣回国后奏请立宪。同年七月，清政府颁布"预备立宪诏"，宣布："时处今日，惟有及时详晰甄核，仿行宪政，大权统于朝廷，庶政公诸舆论，以立国家万年有道之基"，并强调预备立宪先从"厘定官制"入手。② 接着，清廷又接连颁布：《预备立宪先行厘定官制谕》、《裁定官制上谕》，著派载泽等 14 人，厘定中央各衙门官制。③清末官制改革运动就此拉开帷幕。

光绪三十二年（1906 年）九月，厘定官制大臣奕劻等将《理藩部官制草案》编定复核后，缮单进呈。并在其附录中说明"各国竞争，殖民为要，蒙、藏、青海，固圉防边，其行政事宜，实与各部并重，故易理藩院为理藩部"。④《理藩部官制草案》共十六条。其全文如下：

　　第一条　理藩部管理各蒙旗、西藏、回部及西宁、西藏附近土司等事务。

　　第二条　理藩部尚书、左右侍郎、暨丞参以下各职员之权限及职任依通则所定行之。

　　第三条　理藩部除承政厅、参议厅所掌外，设五司其目如左：王会司、旗籍司、理刑司、殖产司、边卫司。

　　第四条　王会司所掌事务如左：一、各蒙旗、西藏、回部、土司及廓尔喀、布鲁克巴、坎巨提等封袭朝贡等事项；二、各蒙旗会盟事项；三、各藩王公俸缎、盘费、口粮及捐输等事项；四、通译各藩语言文字事项。

①　《锡良遗稿》卷 4，《奏稿》，中华书局铅印本 1959 年版。
②　《清德宗实录》卷 562，光绪三十二年七月己酉条。
③　《清德宗实录》卷 562，光绪三十二年七月己酉条。
④　《清末筹备立宪档案史料》上册，中华书局 1979 年版，第 43—44 页。

第五条 旗籍司所掌事务如左：一、各蒙旗游牧、疆理、地亩、赋税、丁口册籍事项；二、回部、西藏及附近西宁、西藏之玉树土司等疆理、赋税、丁口册籍等事项；三、红黄喇嘛教封拜、转世及庙产、僧籍事项。

第六条 理刑司所掌事务如左：一、覆核各蒙旗、土司民事诉讼事项；二、覆核各蒙旗、土司刑事案件事项。

第七条 殖产司所掌事务如左：一、开垦蒙地、保护林业事项；二、整理牧畜、牲狩、织造、皮毛骨角等事项；三、筹修铁路、开辟矿产事项（由本部会商交通部农工商部办理）；四、兴举渔业、整理盐法事项（由本部会商农工商部财政部办理）。

第八条 边卫司所掌事务如左：一、训练蒙藏军队及征发事项（由本部会商陆军部办理）；二、筹办蒙藏学务事项（由本部会商学部办理）；三、台站供支事项；四、蒙藏边疆界务事项；五、各藩、土司商务并互市事项。

第九条 理藩部除通则所定职员外，得置专门职员如左：艺师（奏补）、艺士（委用）。

第十条 艺师承尚书之命，筹划各项土木工程及测量土地、编制地图等事宜。

第十一条 艺士承上官之命，从事各项工程及测量制图。

第十二条 艺师之定额，由理藩部尚书酌定后，咨送阁决议定之。

第十三条 艺士之定额，由理藩部尚书自定之。

第十四条 理藩部设编纂局，纂修各藩历史地志、王公表传世系及本部故实则例等项，并搜辑诸外国管理藩属殖民地制度，其局长由理藩部尚书侍郎奏派，其局员由尚书侍郎选派。

第十五条 理藩部设藩言馆，教授蒙古、唐古忒、托忒等语言文字，并兼满汉英俄等文及各藩历史地理典例等项，以储经理边藩之材，其馆中监督，由理藩部尚书侍郎酌以相当之员奏请简派，其余教习等员，由理藩部尚书侍郎选派。

第十六条 理藩部设藩务调查会，调查各藩政治、边情、殖产、军防及一切应兴办事项；其会长由理藩部尚书侍郎酌以相当之员奏派，其会员由尚书侍郎选派部内或部外通晓藩务人员充之。①

《官制草案》是在清末全国范围内进行的官制改革的大背景下拟定出来的。据《理藩部官制草案》的附加说明，他们编纂该草案的宗旨是"以事为经、以地为纬之意，与户部改财政部总列十司办法略同，重在撮举大纲，以类相从，未能一一备载，精神所注全在殖产、边卫两司，御侮保边莫急于此"。能否真正适合理藩部的实情，在各藩属地方马上得以实践，对编纂官制的大臣们来说也不甚明确的。因此，他们也提出"如有应增删修改之处，随时由理藩部咨送阁议请旨裁定"。②

与理藩院原有官制相比，新拟订的官制草案在其形式和内容上都发生了很大的变化。形式上，它突破了原来的《大清会典》、《理藩院则例》所规定的理藩院的机构、编制、职掌、权限等方面的庞杂的体系和形式，为部门化的单行法规形式所代替。在内容上，新设承政厅和参议厅，对原来的六个清吏司所掌事务进行了调整，并在此基础上增设边卫司和殖产司，设立藩言馆等。

官制改革的具体实施，必然带来原有机构的裁减或合并，以及由此而出现的人员的去留升降等许多问题。经过一段时间的斟酌和研究，理藩部于光绪三十二年十一月（1907年1月），向清廷提出实施官制草案的具体意见：

> 一、承政厅、参议厅尚难设立。因为理藩部事宜向来由承办各司员直接办理，尤其是每到蒙古王公朝觐之时，事务繁多，随报随办，且有不及具径行片奏者，若设丞参各官，层折较多，转恐贻误，所有左右丞、左右参议，拟俟设立殖产、边卫两司再行请旨遵行。

> 二、殖产、边卫两司事宜拟暂行缓办。官制草案所拟殖产司和边卫司所掌事宜因事体繁重，一时骤难举行，拟先由理藩部咨商各路将军大臣及各部落盟长，体察所属各旗情形，何地宜兴办何项新政，总期设施得宜，有利无弊，一俟详细声覆后，再行会同度支、陆军、学部、农工

---

① 《东方杂志》1906年第13期。
② 《东方杂志》1906年第13期。

商、邮传部等衙门分别核议，妥拟章程，奏明办理。

三、处所量为归并。拟将理藩部所属汉档房、俸档房等处并入满档房，改为领办处，遴派司员充为领办。

四、蒙古学宜量为扩充。理藩部原有蒙古学向以本署实缺候补司员、笔帖式入学肆业，因经费难筹，肆业者无多，蒙文为理藩部案牍所必需，亟应设法培植人才方足以资治理，拟先就原设之蒙文教习，筹加津贴，增益学员，认真教育，草案所拟藩言馆用意正同，即宜蒙古学量为扩充。

五、原设六司拟仍因其旧。六司执掌事宜各有专责，未便移易，且以六司名称旧播蒙藩，仍存旧名，以免误会。

六、司务厅、当月处、银库、饭银处、喇嘛印务处等机构一仍其旧。①

可见，理藩部的意见与官制草案的基本精神是一致的，只是因为有些事情一时难以办到，或给理藩部的工作带来更多麻烦，所以尽量推托操作时间，在具体操作、实施过程中提出了一些有利于自己的意见。此后，理藩部的工作就是以官制草案的规定事宜为目标，在上述意见的基础上继续展开的。

如前所述，理藩部官制改革的重点在于迅速设立并开办殖产、边卫两司及其事宜，但从理藩部实际情况来看，当时还不具备马上实施和着手兴办这些事宜的能力和可能性。从光绪二十七年（1901年）开始在蒙古地区推行的"新政"，虽然在"放垦蒙地"方面效果显著，但多由驻防蒙地的各路将军都统直接承办，在理藩部那里还没有这方面比较具体的统计资料，而且，在兴办教育、开采矿产、修筑铁路等方面更没有可以参考、借鉴的基础和经验。所以，若使这项工作顺利进行，必须"先行调查"，以便会同中央其他各部妥拟章程。

光绪三十三年六月（1907年7月），理藩部以"惟调查伊始，头绪纷繁，其编纂条规，酌拟办法，亟宜设立处所，派委专员以资统摄"为由，

---

① 《大清光绪新法令》，《官制一》，商务印书馆宣统二年（1910年）版。

奏请设立调查、编纂两局并将其附入理藩部领办处，作为将来添设殖产、边卫两司之基础。同时，还拟定出《理藩部司员缺分定责任章程》，对理藩部内部新设机构和旧有机构人员编制及其责任作了重新调整和规定。其详细情况如下：

领办处拟设领办二员，以郎中员外郎充之；帮办二员，稽核文移二员，总看奏折四员，以郎中员外郎主事充之；委署主事四员，正缮写四员，副缮写八员，以笔帖式充之；

调查局、编纂局分股任事，以郎中员外郎充，正管股以郎中员外郎主事充，副管股以郎中员外郎主事笔帖式择其翻译优长者充翻译官，此两局暂不预定额缺，俟添设殖产、边卫两司再行分别酌定。

旗籍司拟设掌印一员，以员外郎充之；帮印二员，主稿二员，以郎中员外郎主事充之；委署主事四员，正缮写四员，副缮写四员，以笔帖式充之；

典属司拟设掌印一员，以郎中员外郎充之；帮印一员，主稿二员，以郎中员外郎主事充之；委署主事四员，正缮写四员，副缮写四员，以笔帖式充之。

王会司拟设掌印一员，以郎中员外郎充之；帮印二员，主稿二员，以郎中员外郎主事充之；委署主事三员，正缮写四员，副缮写四员，以笔帖式充之。

柔远司拟设掌印一员，以郎中员外郎充之；帮印二员，主稿二员，以郎中员外郎主事充之；委署主事三员，正缮写四员，副缮写四员，以笔帖式充之。

徕远司拟设掌印一员，以郎中员外郎充之；帮印一员，主稿一员，以郎中员外郎主事充之；委署主事二员，正缮写三员，副缮写三员，以笔帖式充之。

理刑司拟设掌印一员，以郎中员外郎充之；帮印一员，主稿一员，以郎中员外郎主事充之；委署主事二员，正缮写三员，副缮写三员，以笔帖式充之。

司务厅拟设掌印一员，以郎中员外郎充之；帮印一员，以郎中员外郎主事充之；委署主事四员，正缮写四员，副缮写四员，以笔帖式充之。①

宣统二年（1910 年）二月，宪政编查馆奏请饬京外各衙门普遍设立宪政筹备处之后，理藩部将负责各藩属宪政事宜的调查、编纂两局改为宪政筹备处。并以"藩属人民程度不齐，教育未备，家族政体未尽改，游牧旧习未尽除，欲励宪政进行之机，非用因势利导之方，难收逐渐改良之效"为由，在宪政筹备处内附设一藩务研究所。② 宣统二年四月，理藩部又呈"文牍日增，人才难得"，奏请选出外务部右承曹汝霖、翰林院侍讲文斌、候补四品京堂劳乃宣、民政部左参议吴廷燮、内阁候补侍读汪荣宝等谙习法政、通晓边情的咨议官数名进入藩务研究所，与理藩部司员共同研究在藩属地区如何推行宪政以及应兴应革等方面的事宜。③ 宣统三年四月十日（1911 年 5 月 8 日）清政府设立新内阁，理藩部与其他中央各部一样，尚书改称大臣，侍郎改称副大臣。

《理藩部官制草案》是清末理藩部官制改革的主要依据，同时也是理藩部官制方面的最新规定。与原先相比，其最重要、最大的不同之处在于拟设立边卫司和殖产司及其有关规定上。殖产司所掌开垦蒙地、保护林业、筹修铁路、开辟矿产事务及边卫司所掌训练蒙藏军队及征发、筹办蒙藏学务事项等方面的规定，在以前的官制中是见不到的，甚至开垦蒙地等有些条文是清廷所明文禁止的。新拟订的官制草案，却把这些内容作为官制改革的重点，作了明确的规定。其实，光绪二十七年（1901 年），清政府在蒙古地区开始推行"放垦蒙地"政策之后，原先以法律形式，禁止汉人出边开垦等许多禁令，已经失去了效力。但清政府还未来得及修订其原有的法律规定。从这个意义上说，理藩部官制草案第一次以法律草案的形式给放垦蒙地等政策的进一步顺利推行提供了依据。

（三）《大清现行刑律》的修订

到清末，实行多年的《大清律例》已经不能适应历史发展的需要，亟

---

① 《大清光绪新法令》，《官制一》，商务印书馆宣统二年（1910 年）版。
② 《大清法规大全》卷 5，《宪政部》，台湾考正出版社 1972 年影印本。
③ 《政治官报》第 933 号，《折奏类》，《理藩部奏酌拟本部咨议官缮单呈览折》。

待制定新的法律。清政府从光绪二十八年（1902 年）实行"新政"开始，就把修律问题提到议事日程，下诏"参照各国法律"，修订现行刑律。次年设立修订法律馆，命沈家本、伍廷芳为修订法律大臣，负责拟订奉旨交议的各项法律与各专门法典，删订旧有的法例与各项章程。光绪三十一年（1905 年）清政府决定"仿行立宪"之后，修订法律成为预备立宪的重要组成部分，修订法律馆的修律活动也进入一个新阶段。但是，新法正式颁布之前，清廷还是决定以原来的《大清律例》为基础，略加修改，作为过渡性的刑律公布施行。

宣统二年（1910 年），作为过渡性刑律而制订的《大清现行刑律》正式颁行。于是，《大清律例》中有关蒙古的条文也随之得到了相应的修改。《大清律例》中对蒙古的最主要规定，就是名律例"化外人有犯"条及其相关条例，即"凡化外（来降）人犯罪者，并依律拟断。隶理藩院者仍照原定蒙古例"。此次《现行刑律》将其修订为"蒙古及入国籍人有犯"条，规定"凡蒙古人犯罪，照理藩部蒙古例定拟；其余藩属并因归化入籍者仍依律科断"。关于它的修改理由，在修订法律馆的案语中作了以下说明："此条沿用唐律本指化外人之入中国籍者而设。宣统元年闰二月初七日经宪政编查馆奏请颁行国籍条例，奉旨：依议钦此。钦遵通行在案，凡外国侨居内地之人，既许其归附，自应删除化外人名目，以坚其内向之忱，所有律目、律文，化外人应一律改为入国籍人，以符定制。又蒙古各部属隶屏藩二百余年，与归化之人甫隶版图者不同，亦应移列于前，以示区别"。①

《大清现行刑律》"蒙古及入国籍人有犯"条，规定了附加条例五条。其内容为：

> 第一条：凡内外蒙古死罪案件不论所引何律，概归理藩部主稿，咨送大理院覆判，会同具奏奉旨后，系立决人犯，由理藩部行文该将军都统处决；系监候人犯，由理藩部、大理院分咨法部，秋审时由法部会同理藩部办理；其遣罪以下人犯，应发遣者，由理藩部咨送大理院覆判；应改折者由原审判衙门判结；其在京蒙古案件咨交地方审判厅审理，仍

① 《政治官报》，宣统二年四月十八日，《法制章程类》，《宪政编查馆会奏现行刑律修改各条清单》。

由部派员翻译。

第二条：青海蒙古人有犯死罪，应正法者，照旧例在西宁监禁。其余一切应拟绞候之犯，俟部复后，解赴甘肃按察使衙门监禁。于秋审时，将该犯情罪入于该省招册，咨送法部查核。

第三条：蒙古与民人交涉之案，凡遇斗殴、拒捕等事，该地方官与旗员会讯明确，如蒙古在内地犯事者，照刑律办理；如民人在蒙古地方犯事者，即照蒙古例办理。

第四条：蒙古地方抢劫案件，如俱系蒙古人专用蒙古例，俱系民人专用刑律，如蒙古人与民人伙同抢劫，核其罪名，蒙古例重于刑律者，蒙古与民人俱照蒙古例问拟，刑律重于蒙古例者，蒙古与民人俱照刑律问拟。

第五条：凡苗人土蛮獐猺犯罪，例无专条者无论罪名轻重悉照民人一律问拟。①

与《大清律例》的原条例（条例内容见第一章）相比较，其中的第一条和第五条为新增条例，第二、三、四条基本上没有太大的变化。第一条为宣统二年（1910年）二月二十九日宪政编查馆奏定的条例。第五条是以原有规定（原条例为咸丰三年（1853年）增订，内容见第一章第一节）因"热河承德府地方已属内地，所有案件既归州县审理，似宜无论蒙古、民人俱照刑例定拟，较为简易"②为由，将其删除之后新增的内容，实际与蒙古案件并无直接关系。

此外，《大清现行刑律》还对《大清律例》中关涉蒙古的一些条例，如名律例"流囚家属"条、"常赦所不原"条，刑律"起除刺字"条、"盗田野谷麦"条、"徒流人逃"、"盗马牛畜产"条、"囚应禁而不禁"条、"检验尸伤不以实"等，进行了修改或废除。如前所述，《大清律例》所定有关蒙古的主要条例，是属于处理蒙古案件的原则性规定。对这些条文的修订标志着其相应原则的转变。

---

① 沈家本：《大清现行刑律》卷2，"蒙古及入国籍人有犯"条。
② 《大清现行刑律案语》，《名律例》，"化外人有犯"条。

（四）蒙古刑罚的减轻

光绪三十一年（1905年）三月，修订法律大臣沈家本、伍廷芳等上奏"删除律例内重法折"，建议永远删除旧律内所有凌迟、枭首、戮尸三项，"嗣后凡死罪至斩决而止"；"所有现行刑律内凌迟、枭首各条均改为斩决；其斩决各条均改为绞决；绞决各条俱改为绞候，秋审入实，斩监候改绞监候，秋审时分别实缓办理。同时废除刺字、宽免、缘坐等刑罚，改笞杖为罚金"。

尽管在内地使用的各种法律并不直接适用于蒙古，但全国范围内减轻刑罚，必然带来蒙古刑罚的相应变化。在此以前，内外蒙古的刑名案件，向来设有蒙古例专条，而且蒙古例所规定的罪名及其刑罚一般都比刑律罪名刑罚为轻，其重罪内仅有凌迟、枭首等几条。同年四月，理藩院与刑部会奏，现今"更定新章，蒙古事同一律"，请旨改减蒙古刑律，并得到清政府允准："所有蒙古专例内，凌迟、斩枭之条目应遵照新章具改斩决，其斩监候各条具改绞候秋，审时分别实缓，其余各条本较刑例罪轻似可勿庸再行递减，至蒙例未备者，如此引刑例应照新章办理，倘遇交涉案件牵及蒙古，亦应概照刑例新章问拟，不得仍引蒙例，以免分歧"。①

此外，《大清现行律例》中修改保留的许多条例，对蒙古案件的定罪量刑的标准普遍地降低了一级。虽然这些新规定未能及时地被编入《理藩部则例》，但清廷下旨，所有蒙古案件的刑罚均照新章办理。从这个意义上看，清末的修律对蒙古刑罚制度的改进产生了一定的积极影响。

（五）司法制度改革对蒙古司法审判制度的影响

司法审判制度的改革，也是清末法制改革中的一个重要组成部分。中国封建社会长期实行行政机关兼理司法职权，行政与司法不分。光绪三十二年（1906年）清政府进行官制改革时，仿照资本主义的三权分立原则，将刑部改为法部，专管全国司法行政事务；把大理寺改为大理院，为全国最高审判机关。宣统元年（1909年），清政府颁布《法院编制法》，将审判衙门分为初级、地方、高等审判厅和大理院四级，实行四级三审制，在各省县地方也先后设立了相应的审判衙门。随着这些改革措施，蒙古的司法审判制度也逐

---

① 《东方杂志》1906年第1期，《内务》。

步地发生了新的变化。

首先，在蒙古死罪案件的判决方面发生变化。清末修律以前，对于蒙古死罪案件的判决，若引用蒙古例，由理藩院覆核，会同三法司具奏；若引用刑律，先咨交大理院覆判，会同法部具奏。宣统元年清廷将大理院作为全国最高审判机关之后，重新规定对蒙古死罪案件的判决，不管引用蒙古例还是刑例，都由理藩部主稿，大理院复判。并将其附入于宣统二年作为过渡性刑律而制订的《大清现行刑律》"蒙古及入国籍人有犯"条。①

其次，光绪三十三年（1907年）清政府设立奉天、吉林、黑龙江三省之后，三省高等审判厅也相继建立。于是，按照原来的盛京、吉林、黑龙江将军对蒙旗的统辖监督体制，哲里木盟等地各蒙旗的司法审判事宜也被分别划入三省高等审判厅的管辖范围之内。当时，尽管在各蒙旗没有直接设立审判厅，蒙旗的司法审判制度也照旧维持，但是，这些措施给民国以后蒙古司法审判制度的变化奠定了基础。

最后，有关蒙汉交涉案件的审理。清末以前，蒙汉交涉案件由该管各札萨克与理藩院派驻各地的理事司员或与各该地方官会同审理，再由将军、都统复核。光绪三十一年（1905年）五月，理藩院奉旨裁撤了热河所属八沟、塔子沟、三座塔、乌兰哈达等四处及陕西所属神木一处差缺，"所有蒙、民命盗词讼案件，均归州县办理"。之后，理藩部不再直接参与地方的蒙汉交涉案件的审理。而由在蒙地设置的府厅州县或沿边各省审判厅直接审理。

正是这种权力的下放，意味着在蒙古地方所设的州县权力的膨胀。其结果，必然会引起驻防将军都统与沿边各省、各府厅州县与蒙旗之间在司法权限问题上发生矛盾。首先在行政司法等方面，在蒙地设置的府厅州县一直隶属沿边各省，而并不归驻防蒙地的将军大臣管理。这就很容易招致将军大臣对沿边各省的不满。以在热河都统统辖下的昭乌达、卓索图两盟各旗所设府厅州县为例，其行政司法一直归直隶省管辖。宣统二年（1910年）十一月经法部奏准，在直隶省设一高等审判厅，在热河设立高等分厅及地方以下各厅，专司热河地方各类民刑案件的审理。于是，热河地方的各类案件的审判大权就被直隶省把持。对此，热河都统在向清廷上奏的奏折中称："热河地

---

① 沈家本：《大清现行刑律》，《蒙古及入国籍人有犯条》，1910 年刊本。

方蒙民杂处，命盗讼狱繁过内地，若仅设一高等分厅，事权遥制于总厅，直热相距窎远，分厅位卑权轻，必多窒碍，矧热河蒙民交涉案件刑司既若无大员坐理，不足以镇服蒙旗……"，要求清廷在热河设立高等审判检察厅，并给予热河道暂加提法使衔。① 这就预示着在热河一旦设立高等审判厅或相等级别的审判机构，热河地方的蒙汉交涉案件就归它管辖。可以推断，热河都统以外的绥远城将军、察哈尔都统的情况也应该与此一致。

第二个是蒙旗与各州县如何划清司法权限问题。这对当时的清政府来说，仍然是个非常棘手的问题。宣统三年（1911 年）四月，理藩部在派员调查蒙古的工作计划中，才把筹设审判厅、改良监狱、添设习艺所等，作为今后的应办事项。他们提出："向来盟长、札萨克均有审判死罪以下之权，与将军、大臣无异，其中只分单蒙案件与民蒙交涉案件而已。因案件不同，而审判之权遂有会同、不会同之别，是不独行政官兼管审判，即审判人员又有蒙员、汉员之差异，如欲筹设审判厅，则司法不能不独立，究竟将军、大臣与盟长、札萨克能否尽弃其审判权，而单蒙与民蒙交涉案件能否全归审判厅办理，或暂行分别审判等级。凡关于初级审判厅案件，无论民蒙均归各旗自审。关于地方审判厅以上案件，无论民蒙统归审判厅审理，仍以将军、大臣为监督机关。暂定过渡办法之处，均须就各地情形切实调查，乃能定改正之方法也。"② 但是，清政府在这些计划未来得及实施以前就灭亡了，在蒙旗也未能设立专门的审判机构。从而，使蒙古的司法审判反而陷入了一个无秩序状态。

如果从整体上考察，清末的修改旧律、制定新律的过程就是古老的中华法系的解体过程。至少在形式上以《大清律例》为代表的诸法合体的形式逐渐被近代意义上的许多部门法所代替。因此，清末年间出现了不少新法律。如光绪三十三年（1907 年）宪政编查馆制定的《钦定宪法大纲》，宣统二年（1910 年）修订颁布的《大清新刑律》、《大清商律草案》、《刑事诉讼律草案》、《民事诉讼律草案》、《法院编制法》，宣统三年（1911 年）颁布的《宪法重大信条十九条》、《大清民律草案》，等等。

---

① 《大清宣统新法令》第 31 册，《法部奏热河改设高等审判检察厅折》。

② 《清实录》卷 53，《宣统政纪》，宣统三年四月丁酉条。

按照中国法律的传统和清政府的惯例，这些新制定的全国性法律并不直接涉及蒙古。但是，清末修律以后这一情况也有所改变。如宣统三年（1911 年）七月法部奏定的《司法汇报规程》第二章第十三条规定："内外蒙古民刑案件之汇报适用本章之规定"。第四条又规定："未设审判厅地方各该地方官衙门所理一应案件，亦分别已结、未结，按季汇报一次"。不久，理藩部即咨行乌里雅苏台等处内外蒙古地方各路将军、大臣、都统等转饬所属各蒙旗一体遵照，所有应行汇报案件，即由各盟旗呈报，将军都统大臣等汇总，按季咨报法部暨理藩部。①

总之，清末的修律是中国近代法制史上的一个重大事件。首先，它打破了中国两千多年来的以刑为主，民刑不分，诸法合体，司法与行政混同的传统的封建法律旧体制，建立了新的法律体制。实行民法、刑法有别，司法与行政的独立。其次，废除了许多封建法律原则和刑罚制度，如废除枭首、凌迟等野蛮的酷刑，建立了自由刑为中心的刑罚制度。在这一过程中，蒙古旧例内原有的酷刑也被废除，其他刑罚也都得到了普遍的减轻，司法审判制度也发生了一些变化。

（六）《理藩部则例》部分条文的废除

随着清朝对蒙传统政策的转变和"放垦蒙地"的进一步深入，《理藩部则例》所规定的有关蒙地封禁的各项禁令，已失去了它的法律效力。光绪三十二年（1906 年）理藩部虽曾重新排印《理藩部则例》，但其内容几乎没有发生变化。

宣统二年（1910 年）八月，理藩部向清廷提出："藩部预备宪政，首在振兴蒙务，而非择要酌将旧例量为变通，先祛阻碍，则筹办蒙务亦无措手之方"，"开溽利源，莫重于辟地利；启牖蒙智，莫急于化畛域，通文字"，建议废除《理藩部则例》中对蒙古的各种禁令：

一、禁止出边开垦各条。"凡旧例内禁止出边开垦地亩，禁止民人典当蒙古地亩，及私募开垦地亩、牧场治罪等条，酌量删除，以期名实相符。"

二、禁止民人聘娶蒙古妇女之条。"拟由各驻边将军、都统、大臣，各

---

① 《内阁官报》，宣统三年八月初九日。

省督抚出示晓谕，凡蒙汉通婚者，均由该管官酌给花红，以示旌奖。"

三、禁止蒙古行用汉文各条。"旧例内外蒙古，不准延用内地书吏教读，公文、禀牍、呈词等件不得擅用汉文，蒙古人等不得用汉字命名。今则惟恐其智之不开，俗之不变，断无再禁其学习行用汉文汉字之理。"①

理藩部的建议得到清廷批准，以上各条规定正式被废除。这给清政府在蒙古地方推行具有掠夺性质的以放垦蒙地为主的各项新政，提供了法律保障。还给以后的民国政府继续推行有关政策打下了基础。

除此之外，清末清政府始终未能进行对蒙古旧例的完整的修订工作。因为律例馆认为"若蒙古治罪各条，载诸《理藩院则例》，及《西宁番子治罪条例》，……以其习俗既殊，刑制亦异，未敢轻议更张"。②

清末新政以前，清政府对蒙古颁发的各项政令、法令，是在"因俗而治"的立法原则下制定的。随着它的系统化、制度化而确立起来的蒙古的各项制度、体制的存在，是以这种传统的对蒙政策以及蒙古地区相对封闭的环境为最基本前提的。但是，从清末"新政"之后，清政府对蒙古的传统政策完全被抛弃，反而为"放垦蒙地"、"与内地一体化"政策所代替，蒙古地区原来的相对封闭的状态也随之被打破。对蒙政策的调整和转变，必然带来蒙古旧法体系及其有关规定的变化。如前所述，清末对蒙古的新政措施，如理藩部官制改革、修改律例条文、宪政筹备等，都是作为全国范围内各项改革的一环而进行的。但是在改革刚刚开始，蒙古的特殊性仍然保留得很好的情况下，要想把蒙古完全纳入全国统一的改革轨道，是一件难度很大的事情。因此，蒙古地区的新政也具有了上述独特的内容和特点。通过近十年的新政改革，蒙古原有的旧法体系被打破了。其中的有些变化在清政府所修订颁布的法律上得到了比较具体的体现。由于辛亥革命的爆发和清政府的迅速灭亡，正处于筹备或过渡阶段的"藩属宪政"和其他措施未能在蒙古地区全面实现。但这些措施为后来的民国政府继续推行"放垦蒙地"和"与内地一体化"政策打下了很好的基础。

---

① 《清实录》卷41，《宣统政纪》，宣统二年八月丁亥条。
② 《清史稿》卷142，《刑法一》。

第二节　清代呼和浩特地区军事

清朝入关以后，以武功定天下，以武力威慑天下，从边疆到腹里，形成了其与历朝都有所不同的戍险制度——八旗驻防。驻防的满洲、蒙古、汉军八旗官兵，置将军、都统、副都统、守城尉等不同级别的将官统辖，绝大多数为满缺。乾隆中叶以后，随着满、汉、蒙等民族矛盾趋于和缓，驻防官兵无须频繁更换，驻防地域也基本稳定，全国驻防的将军始定为十四个，东北：盛京、吉林、黑龙江将军；西北：西安、宁夏、绥远城、伊犁、乌里雅苏台将军；滨江沿海：江宁、福州、广州、杭州、荆州、成都将军。将军下辖副都统、守城尉，驻节所辖区域。新疆、外蒙古则设参赞、办事大臣管辖（曾一度设驻防将军）。呼和浩特地区的八旗驻防，就是这样一步步建立起来的，而驻防将军一直是这一地区的最高军政长官。

一、清代土默特两翼的军事

（一）土默特两翼武装

天聪六年（1632年），皇太极率军西征林丹汗，占据土默特地区，博硕克图汗之子俄木布洪台吉收集部众，降服满洲，皇太极"命安堵如故"，即土默特部作为一个整体归附爱新国，爱新国对其政制、领域、属众等均保留如故。

天聪九年（1635年），爱新国以谋叛罪，逮捕俄木布，押赴盛京（今沈阳）。崇德元年（1636年），清廷废俄木布为庶人，将土默特部编为左右两翼，每翼一旗，把旗内的壮丁编为20个佐领，后两旗共增至62佐领，额设兵丁5000名。旗由都统统领，下设参领、佐领、骁骑校等大小官员。兵制遂定。

土默特两翼各设都统一员，副都统两员，均由功臣世家子弟出任。都统的袭任，札萨克的授予或革除，都统以下各官的任免，均由朝廷掌握。乾隆二年（1737年），停袭左翼都统，乾隆十八年（1753年），停袭右翼都统，改由京员简任。到乾隆二十六年（1761年），裁撤两翼都统，各留副都统一员。乾隆二十八年（1763年），复裁副都统一员，并改为专城（归化城）

副都统，由朝廷派员充任，成为定制。

兵丁来源，按清制，18 岁至 60 岁的男子均为壮丁，载入丁册，均有义务入伍当兵。三分之一的壮丁服役，其余为预备役，遇有战事出征等。则三分之二壮丁差遣，三分之一留家应差。《蒙古律例》规定，土默特两旗三年编审丁册一次。届时核计两翼丁数，按每佐 150 丁计，如果有丁口增减的情况，允许增设或裁汰佐领。编审丁册期间，如有隐瞒，该管"都统、副都统罚五九牲畜，参领罚三九牲畜，佐领革职，罚二九牲畜，骁骑校革职，罚一九牲畜"。既保证了兵源，又对壮丁增减情况有清楚的了解。

土默特地方武装的主要职能就是维护地方的安全和秩序。战时，听从清廷在这一地区常设的驻防将军的调遣和节制，协同驻防兵作战。为保证兵丁的战斗力，以备征调，土默特两翼设有操演营。每年春秋二季，派拨兵丁千名入营训练。清初，清廷对土默特两翼兵丁的训练水平要求极严，康熙三十六年（1697 年），清圣祖"以土默特士众萎靡，弓马不娴"的缘由，给左右两翼都统定"废弛军律，不事训练"罪，予以削职，停右翼都统世袭，改用京员任都统。这里自然有借口削弱蒙古贵族世袭特权的用意，但在一定程度上说明土默特兵丁战斗力确需加强。但随着战事减少，承平日久，到清末，据清代编辑的《土默特旗志》所载，两翼兵丁"可调遣者千有余人，春秋两季仅定百余人轮番操演"，"兵无薪饷，全倚户口地亩且耕且牧，充当各路苦差，故难望其操练成军"，表明土默特两翼武装的作用和地位日见衰微。

当差是土默特两翼兵丁的主要义务，大致有以下几种：

在将军、副都统衙门当差。两翼官兵必须按月在绥远城将军衙门和归化城副都统衙门轮流值勤，由前锋校 20 名、前锋 200 名组成，其中将军衙门值勤人员为 120 名，副都统衙门的值勤人员 80 名。

守卫卡伦（哨卡）、渡口。在土默特两翼所辖境内的大青山前后共设卡伦 30 多处，后来大青山前的 11 处卡伦奏停。两翼须按月派官兵 178 名轮流坐卡巡察。黄河东岸设官渡两处，守卫官渡官兵 34 名。每年十一月由绥远城将军委派驻防官并稽查。

从征。从征系蒙丁的必尽义务，朝廷每有战事，往往征调土默特两翼官兵从征，如顺治三年（1646 年）土默特官兵 1 500 名随多铎进击喀尔喀土谢图汗及车臣汗于扎济布拉克地方，是役阵亡骑校 3 员，兵 167 名；康熙三十五年（1696 年），土默特两翼官兵千余名，奉调随西路大将军征噶尔丹，阵亡官员 5 人，兵 230 余名；乾隆五年（1740 年），土默特官兵 2 500 名，奉调参加乌松珠拉战役，阵亡佐领等官员 4 人，兵丁 180 余人等等。有清一代，土默特官兵奉调出征数十次，阵亡官兵数千人。

当差是蒙丁的又一主要义务。具体有，负责土默特境内的驿地递；承缉命盗人犯，剿匪治安；守卫各级衙署、旗库及城门；轮流到本参领、佐领处听差。此外，临时差役亦很繁重，不一而足。

（二）土默特两翼武装的演变

清末，由于土默特地区承平日久，土默特兵制徒具虚名，处于"将鲜知兵，士卒嬉游渐成风气。以视国初蒙兵之骁勇，而南北用兵足资调遣者迥不侔矣……"。于是先后两次更定新章，编练了土默特常备军和陆军。

常备军 光绪二十六年（1900 年）五月，绥远城将军永德、归化城副都统奎成等，奏请朝廷，经准允后，从土默特两翼壮丁内挑选蒙古兵 300 名，编为巡防队，配备参领、佐领等军官集中训练。巡防队的编制是，设营总 1 员，带队佐领 3 员，队官骁骑校、前锋校 6 名。全队除执旗、擂鼓、吹号兵丁不练鸟枪之外，共有鸟枪兵 240 名，白天操演鸟枪、队列等，晚上分班巡逻。给予巡防队的官兵较高的薪饷。

光绪二十九年（1903 年），该巡防队为常备军。因常备军薪饷只靠六成地租息银一项支付，入不敷出，尚需另筹。绥远城将军贻谷与归化城副都统文瑞奏准，改定土默特常备军营制饷章。将常备军的人数由 300 名改为 200 名，分为左右两翼，每翼各设管带官 1 员，哨官各 2 员，排长 4 员。满一年后，让他们回家务农，编为续备军，再从两翼壮丁内挑选新兵，每年续换。用最新式的战术要求训练新兵，并从德国购买 240 只毛瑟马步快枪。这样，常备军成为土默特地区一支装备精良、训练有素的地方武装。

陆军 光绪三十二年（1906 年），绥远城将军贻谷经奏请朝廷获准，仿照北洋陆军的办法改练新军，以绥远城驻防八旗兵编为陆军步兵第一营，挑选土默特两翼兵丁编为步骑两营。步兵营人数 520 名，骑兵营士兵 270 名，营设管带统领。土默特陆军步骑两营均用德国造斜五眼和汉阳造快枪装备，采用新式方法训练，在当时较为精锐，薪饷较为充足，是土默特地方最重要的武装力量。

二、清代呼和浩特地区驻军

有清一代，由于今呼和浩特地区地理位置的重要性和地区民族关系的复杂性，清廷除了采取控制和扶持土默特地方武装的军事举措之外，就从未间断过这里的常驻军队。驻防呼和浩特的军队以修建绥远城竣工的乾隆四年（1739 年）为界，分前后两个时期。

（一）清初的归化城驻军

天聪六年（1632 年），皇太极亲统大军西征蒙古察哈尔部，林丹汗兵败西走，满洲军占领归化城，派重兵镇守，其统帅称做归化城将军。漠北喀尔喀蒙古不服役属，率兵向南，归化城首当其冲，地理位置愈显重要，顺治十年（1653 年），清廷以多罗安郡王岳洛为宣威大将军，统兵戍防归化城。

康熙中期，漠西准噶尔噶尔丹举兵东向，康熙二十七年（1688 年）清廷派遣彭春、诺敏率军驻扎归化城提防噶尔丹南向。两年后，又命康亲王杰书、恪慎郡王岳希率师驻归化城，并命茂明安、乌拉特、达尔汗贝勒等旗选兵驻防归化城。由于噶尔丹恃强不服，康熙皇帝决定亲自征讨，首先任命裕亲王福全为抚远大将军，驻守归化城。康熙三十三年（1694 年），归化城继续增兵，康熙任命费扬古为抚远大将军驻节归化城，兼归化城将军，整饬训练。康熙三十五年（1696 年），费扬古率西路各处官兵进击噶尔丹。噶尔丹败殁后，归化城将军成为常设之员一直到绥远城建成之后。

康熙末至雍正间，归化城仍为清廷屯兵要地。如康熙五十四年（1715 年）为征讨策旺阿拉布坦，调外藩蒙古兵集结归化城。雍正九年（1731 年）为进剿噶尔丹策凌，康亲王崇安率兵驻归化城，喀尔喀右翼等旗亦选兵进驻城中，受康亲王崇安节制。

可以看出，清初呼和浩特地区的军队驻防，主要是战争的需要，同时也是为巩固刚立国不久的满洲政权的需要，随着战事的逐渐平息，驻军的规模和性质也发生了变化。

（二）绥远城八旗驻防

修建绥远城　到了雍正末年，清朝与准噶尔部的战争几经较量，双方都投入大量的兵力和财力，各有胜负。由于耗时日久，均无力再战，只得议和，双方偃旗息鼓，撤军退回本部，漠北一时出现了和平局面。但清廷对西北的局势仍放心不下，认为准噶尔"必将窥伺中原，不至殒命不止"。而且，漠北喀尔喀蒙古仍担心准噶尔部的再次进犯，请求清廷驻兵防护。《清高宗实录》对此记述较详细，"总理事务王大臣奏言：大兵既撤，若喀尔喀蒙古等必需内兵防护，请酌留东三省兵五千名，驻扎鄂尔昆"。就当时的形势而言，修建一座新城，不仅仅是安排从战场上撤回的官兵，而且"以此为基地，以便日后进击准噶尔"。① 清廷最初的八旗驻防起始于山西的右卫，即今右玉县，位于山西北部，距大同 100 公里。从此处出长城的关隘至呼和浩特为 120 公里。康熙三十二年（1693 年），"原因噶尔丹之事，预为之备也，"② 将蒙古 3 650 人驻扎右卫，康熙三十三年（1694 年），又派八旗满、蒙、汉军护军 2 299 人，领催、马甲 2 604 人，铁匠 112 人，以将军 1 员统领，在此驻防。但是，右卫"本城孤悬西北，向来寇骑突犯，辄当其冲"③。又因右卫在长城以内，因此将驻防中心北移更符合战略考虑。北移的驻防地首选必是归化城，清廷对此有清醒的认识，所以决计在归化城附近修建一座新的八旗驻防城。

归化城修建于明万历三年（1575 年），据张曾《古丰志略》记载，"归化城……周三里许"，最初只是一个很小的城堡，迫于战备和驻防的需要，于康熙三十年（1691 年）和乾隆元年（1736 年）重修，但"归化仅弹丸之地，戏楼酒肆大小数十百区"，商业十分繁荣。由于城小，人员结构复杂，归化城已不适合大规模的长期驻军。因此，清廷决计在归化城附近修建一座新城用于八旗驻防。所以"特命大臣一人驰往，会右卫将军岱林卜，归化城都统丹津、根敦、尚书通智等，相视形势，其戍兵如何分驻，及筑城垦田以足兵食之事，详悉确议具奏"。在这种形势下，清廷决定，"归化旧城，修整完固，于城东门外，紧接旧城，筑一新城；新旧两城，搭盖营房，连为犄角，声势相援，便于呼应"。于是，在朝廷的计划并积极准备的情况下，新城于乾隆二年（1737 年）二月七日破土动工。

---

① 于永发：《志之余》，远方出版社 2001 年版。
② 《清圣祖实录》卷 186，康熙三十六年十二月乙丑条。
③ 顾祖禹：《读史方舆纪要》卷 44，中华书局 2005 年版。

绥远城的规模及结构　根据土默特满文档案记载，归化城都统丹津、尚书通智于雍正十三年（1735 年）六月上奏折中提到，修建新城，工程浩大，需用大量的砖、瓦、石头、石灰等，仅木料一项，就需大小木料三十余万根。这些木料，一部分就近砍伐于大青山中，但部分砍伐于穆纳山中并运送到筑城地。并从山西等各地征召十余万民工来此施工，在工地附近修建许多的砖厂和瓦厂烧制砖瓦。同时，为了解决数十万民工及驻军的粮食问题，清廷还从长城沿线召集大量的农民来到呼和浩特附近的清水河等地开垦荒地数千顷，并从口外收购数万石粮食储存以应急。动工期间，时任右卫建威将军的王昌移驻在这里监造城池，经过两年的紧张施工，新城于乾隆四年（1739 年）竣工，历时二年零四个月。整个工程，包括修建城垣、衙署、兵丁房、庙宇、仓廒、堞楼、桥梁等，耗白银共计一百三十万两。经建威将军王昌上折请命，乾隆皇帝亲自赐名为"绥远城"。

据《绥远城驻防志》记载，绥远"城垣，东，距京一千二百里。南，距太原府省城一千里，距右卫二百四十里。东界，察哈尔镶红旗。西界，鄂尔多斯。南界，朔平府。北界，乌兰查布部落。……周围九里十三步。高二丈九尺五寸，底阔四丈"。另据《敕建绥远城碑》所载："绥远城周 1 960 丈"，按清制合十三里二十步。根据实地的科学测量，后者较为可信。

绥远城呈正方形，四面各设一门，四门楼门为重门。四门的名称均由乾隆皇帝亲自命名并御笔题匾额，东为"迎旭门"，南为"承薰门"，西为"阜安门"北为"镇宁门"，并将乾隆御题满蒙汉三种字体刻成大理石门额，镶嵌于城门上方中央。每座城门有瓮城，城外有护城河，河上建石桥与城门相接。各城门之上建有城楼，每面城墙之上建两处望楼，四角设角楼，不仅便于放哨守护，而且规整美观。

城中心建有钟鼓楼一座，以钟鼓楼为中心，向四边延伸出四条大街，东街和北街近城门处拐弯，形成拐把子，因此，东西门不正对，南北街错开，是为军事战术上的需要。由于将军衙门占据城区南北中轴的位置，所以绥远城之东西南北 4 条大街都不能居城区的中心线上，只能以建在将军衙门南北中心线以东 110 米处钟鼓楼为中心。除四条主干道外，另有东西、南北向的街道 24 条，将城市分割成棋盘状，四通八达。

绥远城内的主要建筑　绥远城作为军事驻防城，规模浩大，城内相应的建筑比较齐全，主要有：

钟鼓楼，楼高 31 米，为新城的最高建筑。钟鼓楼共三层，每层约 10 米。底层四面各有一高 6 米的石券门洞，四面相通。二楼置铁钟、牛皮鼓。三楼为望楼，阳面悬挂"帝城云裏"巨字匾额。阴面木匾书有"玉宇澄清"四个大字。楼顶之上有一马鞍形建筑，称之为"玉皇弥罗阁"。

绥远城内建有众多的大小不同等级的衙门，分建于城内的不同区域。

将军衙门，位于城中心以北的南北中轴线上，占地面积 2.25 万平方米，合 33.8 亩，是城里最大且最重要的建筑。将军衙门的布局分为纵向三列，中列为 5 进套院，东西两列为辅助性的跨院。府门正南为大型影壁、东西辕门、鼓炮房、石旗杆、左右双狮。将军府前平时不准通行，只有将军出巡或接待钦差贵宾时通行，其他人员只能绕行。

将军衙门的格局是严格按一品封疆大吏的规格，按封建官衙前堂后寝的格式营建。朱红大门三楹，两侧八字墙。进府门迎面为仪门三楹，两边有便门供官员出入。第二进为大堂大院，大堂五楹，为将军府内最大建筑，是将军迎接圣旨或举行重大典礼时的场所，平时关闭不用。大院两边为东西厢房，大堂两侧是左右耳房。第三进为二堂大院，二堂五楹，较大堂矮小，是将军研处军政要务的廨署处，二堂大院的其他建筑一如大堂大院。二堂大院之后依次为三堂大院和四堂大院，主要是将军和家眷以及下人们的生活区域。

将军衙门的西跨院主要有库用房、花园、家庙等。东跨院主要有轿房、车马房等建筑。整个将军衙门共建有房 132 间。所有建筑为砖木结构，各厅堂大梁檩椽立柱均为红木大料，房顶为悬山五脊飞檐，以此凸显将军位高权重的威武气势。

万寿宫，位于东街道北，与将军衙门东西呼应，是供奉清朝历代皇帝的地方，三进院落，门前为照壁，向北依次为大宫门、二宫门、正殿、朝房，共计有房二十间。

另外，绥远城内还有将军以下的副都统衙门、左司衙门、右司衙门以及协领、佐领、防御、骁骑、笔帖式等各级衙门 200 余所，用房 8 760 间，八旗兵用房 12 000 间，面铺房 1 530 间，还有圣庙、关帝庙、城隍庙、财神庙、马王庙、火神庙、龙王庙、菩萨庙、娘娘庙等数十处建筑。

总之，绥远城建设规模宏大，城垣坚固，城内建筑协调规整，为清代边疆八旗驻防城的代表。

驻防旗兵的人数 雍正十三年（1735 年），清廷在筹划修建绥远城的同时，陆续拨派八旗官兵进驻归化城，俟新城修建完工之后便可移驻。《清高宗实录》记载"总理事务王大臣奏言：又归化城，路当通衢，地广土肥，驻兵可保护札萨克蒙古等，调用亦便。请于右卫兵四千内，酌拨三千，并军营所撤家选兵二千，热河鸟枪兵一千，并令携家驻归化城。若喀尔喀等自能防守，令鄂尔昆不必驻内兵，则归化城请再酌增兵四千为一万人，令其戍守。设将军一员总理，副都统二员协理，所留右卫兵一千名，以副都统一员领之，仍隶归化城将军管辖。……从之"。乾隆元年（1736 年），根据"稽查归化城军需工料给事中"永泰关于"右卫驻防兵丁，不宜迁移，镇守仍照旧制"的提请，乾隆皇帝决定不动用右卫驻兵，决定先派热河兵及家选兵 3 000 人先行进驻归化城，乾隆二年（1737 年）新城的修建工作开始，清廷便命令当时驻守右卫的建威将军王昌移驻工地，于当年三月到任，奉旨监造新城。

乾隆二年（1737 年）八月，根据将军王昌的奏请，又从蒙古八旗中调来 5 个佐领的 500 名旗兵，在先有旗兵 3 000 名的基础上，移驻新城兵房的旗兵共有 3 500 名。此后到清末，驻防绥远城的八旗兵丁人数，虽根据当时的情况有所增减，但大体上保持在 2 000—3 000 名之间。

绥远城驻防初设将军 1 员，副都统 2 员，满洲协领 8 员，佐领、防御、骁骑校各 19 员；蒙古、汉军协领各 2 员，佐领、防御、骁骑校各 8 员。后几经裁汰，到清末，绥远城驻防八旗实有协领 5 员，佐领、防御、骁骑校各 20 名，兵 3 300 名，其中领催 80 名，前锋 200 名，马甲 1 720 名，步甲 700 名，养育兵 600 名。

驻防旗兵的分布与生活 最初绥远城的八旗驻防，是由满、蒙、汉八旗联合驻防的。从清军入关到乾隆初年，汉军旗人与满蒙旗人一样，享受朝廷给予的特殊优待。随着八旗人口的急剧增加，而在编八旗佐领的数量不需大幅增加，许多满洲旗丁无额可补，只好靠朝廷的救济维持生活。到了乾隆年间，为解决满洲旗人的生计，清廷强令大部分汉军出旗，空出之八旗兵额，让满洲旗丁补占。这样，到了乾隆十二年（1747 年），驻扎绥远城的 2 000

汉军旗人出旗编入绿营，朝廷将京旗满洲八旗兵 1 200 人调驻绥远城，从此，绥远城的驻防只剩下满、蒙八旗兵了，而且满洲八旗兵占绝大多数。

自乾隆二十六年（1761 年）始，原定五年一换防的制度取消，驻防八旗官兵及家属一律迁入城内的建筑格调一致的"老官房"。八旗官兵居住的区域不许随意迁移，而是按旗随城内驻防的区域而居住，满洲八旗与蒙古八旗也是分开的。当时蒙古八旗只有四个佐领，分属为镶黄旗、正黄旗、镶白旗和镶红旗，他们驻防于绥远城的四个角，即镶黄旗驻扎在东北角，镶白旗驻防于东南角，镶红旗驻守于西南角，而正黄旗驻守于西北角，称做"四翼蒙古"。

满洲八旗每旗二甲，分居城中，称做"满洲八旗"。满洲旗兵与蒙古旗兵分属十二旗。人数在 3 000 人左右，各自驻防于划定的区域内。

绥远城八旗满洲兵与八旗蒙古兵的居室相同，城内有主要街道 28 条和小巷 26 条，在每条东西向的巷内，有专为旗兵及其家眷修建的"老官房"两排，前后排院门相对，每排宅院相连。每一处宅院占地均为 0.33 亩，住房两间，为一名甲兵的居所。这种专为旗兵营建的"老官房"，均为砖瓦结构，规划统一整齐，内部的结构也是以满族人的生活习惯设置。

八旗兵丁有马甲（骑兵）、步甲（步兵）和养育兵（后勤服务人员）之分。每一个马甲每月领饷银三两，步甲可领饷银一两五钱，养育兵与步甲同。同时，每年春秋两季，每一名甲兵还可领到"粟米折银"二斗五升，并按一兵可养五人计算，共发给一石二斗五升的折银补贴。如果从步甲升到马甲，补贴可加倍，即一名马甲按供养 10 口人计算，再加上每一名马甲配备战马两匹，两匹马每年供给草料费，旗兵的生活是衣食无忧的。

八旗制度规定，旗兵的后代，从小必须学习国语骑射，每年有春试，年满十六岁的男子都要参加骑射武术的考试，合格后可登记在册，成为后备的旗丁，从此便可按月领取粮饷，并参加相应的各种义务。

八旗兵丁有严格的制度和纪律。甲兵外出必须请假，傍晚关城门前必须返回，否则受到杖罚。不许串旗闲走。并对家属及其子女有严格的规定和要求，如男子一律不准经商、务农、做工、学手艺等，只许练习骑射武术等。

绥远城八旗驻防兵的装备与训练 绥远城作为清中期设立的边疆八旗驻防城，极受清廷的倚重，驻防官兵装备精良。驻防官兵分协领、佐领、骁骑校、恩骑尉、委前锋什长、委前锋小旗、前锋、领催、马甲、步甲以及养育兵等大小不同的等级，配备有不同级别的武器装备。常规的冷兵器主要有盔甲、腰刀、撒袋、弓箭等，还配备了子母炮、冲天炮、赞扒拉鸟枪及充足的火药等。

根据《绥远城驻防志》记载，绥远城八旗驻防兵的装备情况是：盔甲，1 664 副。棉甲，800 件。帐房，600 顶。铜锅，600 口。鸟枪，8 杆。鸟枪小旗，52 杆。骁骑，20 杆。骁骑小旗，100 杆。赞巴拉特鸟枪，800 杆。撒袋，2 464 副。腰刀，2 764 口。梅针箭，146 000 支。批箭，13 365 支。长枪，600 杆。弓，2 828 张。长矛，200 杆。子母炮，24 位。九节十成铜炮，3 位。冲天炮，2 位。牛腿炮，1 位。威远炮，3 位。大子母炮，100 位。小子母炮，86 位。堪用枪，5 197 杆。修理堪用枪 2 730 杆，等等。这些装备，虽然在绥远城初建时及清末，数量及质量都有所变化，但大的规模没有改变。

清廷为驻防将领规定的首要任务就是操演兵丁，整饰武备。从圣祖康熙皇帝开始，就一再告诫各地驻防将领要加强演练军事，操演骑射，雍正时逐渐成为具文。乾隆皇帝更是经常对各地将领严加训斥："今见各省将军、副都统等，或有不以训练技艺为事，而徒务无关紧要之虚文……伊等日坐署中，不训练兵丁，优游养安，徒縻厚禄，宁有是理？"因此，多次令各地将军加意整饬，并派官员前往查验。①

驻防绥远城的官兵，按清代八旗制度，每天都须训练，每月要演习六次。最主要的是每年春秋两季，都要进行大规模的军事演习。春天演习始于二月十五日，四月十五日结束，历时两个月。秋季则开始于七月十五日，到十月十五日结束，操演共三个月。具体的演习内容有：演放子母炮，在哈尔沁沟口的地方，演习放炮，共十天；操演鸟枪，春秋两季练习赞扒拉鸟枪射击十天；枪箭操，为演习期间必须训练的科目；吹演海螺，让司号兵在四周城墙上演习吹螺号十五天；演习长矛，在每年的开操日演习。其他还有演习骑马、射箭、登云梯等，都是演习的必备科目。

演习布阵是最为隆重的项目，也是每年演习结束的阅兵式。届时，在大

----

① 《清高宗实录》卷539，乾隆二十二年五月己酉条。

校场由绥远城将军亲自主持并阅兵。对此，《绥远城驻防志》有较具体的记述。"演阵式"开列于后：

八旗鸟枪、炮位队伍官兵、纛旗及两翼官兵、纛旗数目，俱照部颁阵图排列齐整。

将军大人至校场升公坐，中军号炮三声，将台海螺兵两分，接至两黄旗号纛前排立，吹过一阵，大队中军处海螺接吹时，将台海螺即停吹，退回原立地方站立。

两翼枪炮头队、二队、翼队俱各布列整齐排立。

大队海螺吹毕，击鼓时，排列枪炮、弓兵人等，俱徐徐而进。击鼓渐紧，至头进放枪处，擂鼓愈紧，各令旗俱押伏至地，枪手俱举枪。

俟尾声大鼓一击，各令旗齐起，鸣锣，各枪手随即放枪。如此三进毕，放连环一阵。看队后红旗一押，螺鸣，前进、接放、进步，……最后，大将军训话或颁布号令之后，各队人马依次解散。

这样，每年春秋两季四个月的操演以及最后的演阵阅兵式成为定制。

绿营兵和其他驻军：

绿营兵 乾隆二十五年（1760年），由大同镇调拨绿营兵2营来土默特地区分防城邑、堆汛（哨卡）。归化营设于归化城，靖远营设于和林格尔，两营均归杀虎口副将兼管。

归化营兵员401名，其中马兵130名、步兵112名、守兵159名。设都司1员，把总、外委把总、额外外委各1员，管辖归化城、萨拉齐、包头镇、多尔济、清河（小黑河至二道洼一带）、昌沁（上土城至一间房子一带）6汛。各汛由把总、外委把总或千总管领。后历经裁撤，到光绪二十三年（1897年）时，仅剩官兵81名。

靖远营兵员350名，由都司统领，下设千总、外委、额外外委各1员。管辖新安（榆林城至二道边）、五定（榆树梁至坝顶一带）、托克托、清水河4汛，各汛由外委或把总管领。历经裁汰，至同治十年（1871年），剩余官兵128名。

练军 清末，绿营兵形同虚设，清廷于是另行招练兵马，称之为练军。光绪十一年（1885年），驻防土默特地区的练军有：大同镇标练军马队第五旗，驻防台格木、毕克齐等处，官兵197名；大同镇标练军马队第六旗，驻扎可可伊力更镇，分防蜈蚣坝、坝口子等处，人数 197 名；大同镇标练军步队营，驻扎包头镇，设官兵 500 名，分防包头至后套缠金一带。

续备军　光绪二十九年（1903 年），山西巡抚张曾敡奏准招练续备军，编为马步八旗。后改为后路巡防队，分驻沿边各厅。第一队驻扎于归化城、陶林两厅，第二队驻扎于武川及萨拉齐厅包头镇。巡防队以统领辖之，人数在 360 名左右。

捕盗营与巡警营　光绪十年（1884 年），经山西巡抚张之洞奏请，在口外归化城等七厅添捕盗营，后改为巡警营。各营编制如下：

归绥道巡警营，设于归化城，管带、教习各 1 名，队官 5 名，马步排长 10 名，副排长 14 名，马步兵 240 名。

归化城厅巡警营，设哨官、哨长各 1 名，马步兵 45 名。

萨拉齐厅巡警营，设哨官、哨长各 1 名，兵 40 名，民练 20 名。

清水河厅巡警营，设哨官、哨长各 1 名，马步兵 25 名。

和林格尔厅巡警营，设哨官、哨长各 1 名，马步兵 30 名。

托克托厅巡警营，设哨官、哨长各 1 名，马步兵 27 名。

第三节　清代右卫和绥远驻防城关系

一、右卫八旗驻防城设置的背景

清朝历任皇帝一再声称："我国家以武功定天下"，表明了军事在他们建立政权和巩固统治方面占据极其重要的地位。所以，国家机器中军事职能的充分发挥，构成了有清一代政治统治的鲜明特点。我们知道，清朝入关后，各项制度多沿袭明朝旧制，唯有兵制创制兴革是满族特有的八旗制度。这种制度不仅是军制，还是一个集行政、生产、军事诸职能为一体的社会组织形式，具有与历代汉族封建王朝兵制不同的种种特征。

八旗有禁旅和驻防之分。本着居重驭轻的原则，清廷将精锐旗兵集于京城，达十多万人，平时镇守中央，有事调集出征。为便于对广大地区的控制，除设置绿营外，在水陆要冲还设置了十数万的驻防旗兵，这对地方起着巨大的震慑作用。这一建立在民族和等级统治基础之上的独特制度，正是清廷用来镇压全国各族人民反抗以维护政治统治长达三百余年最得力的工具。

右卫八旗驻防城的设置有其深刻的历史背景。康熙十二年（1673年），吴三桂发动"三藩之乱"，清廷倾全国之力用八年时间将其削平，全国基本上又归于统一。从"三藩之乱"中清廷得到两点深刻的教训：一是只有自己民族的武装才可真正信赖，"八旗满洲系国家根本"。康熙皇帝曾云："凡地方有绿旗兵丁处，不可无满兵。满兵纵至粮缺，艰难困迫而死，断无二心。若绿旗兵丁，至粮绝时少或窘迫，即至怨愤作乱。"① 二是为有效地控制全国，需在要害之地增设八旗驻防兵，从而形成一个控制和震慑地方的军事网络。这套八旗驻防军事体系，主要有三大部分。第一是沿长江、大运河、黄河、沿海地区的为防止汉族人反抗的驻防体系；第二是为对付蒙古族而于长城沿线设立的控制体系；第三是为防止沙俄扩张而在东北故里设置的驻防体系。基于以上两点认识，用八旗兵力控制全国，已成为清廷的当务之急。

康熙中期，漠西蒙古准噶尔部兴起，在其首领噶尔丹的统领下，不断东进南下，进逼北京，最后于康熙二十九年（1690年）八月，清准双方爆发了"乌兰布通之战"。这标志清廷的军事重心开始从内地转向北方地区。北京的重要性是众所周知的，从历史上看，将北京作为国都的明王朝，无不考虑它在防御北方游牧民族南下方面的特殊位置。对清廷而言，蒙古稳定，可二者联合面对汉族的反抗，而无后顾之忧；一旦蒙古有变，从京城发兵进击，路途也不是很远。所以，为京城安全计，从康熙初年开始，清廷陆续在其周围设立了喜峰口、独石口、古北口、罗文峪、三河、玉田、热河、张家口等小型八旗驻防点。为进击准噶尔蒙古部方便，在长城沿线设置大型八旗驻防城就提到了清廷的议事日程。清军在乌兰布通击败噶尔丹蒙古军后，清廷一改历史上封建王朝修筑长城戍守之成规，主动出击，变军事防御为军事进攻。规模较大的右卫八旗驻防就是在这种历史背景下设置的。

---

① 《东华录》卷20，康熙五十六年十月己亥条。

二、右卫将军与右卫驻防旗兵

康熙三十一年（1692 年），康熙皇帝开始着手右卫驻防的具体事宜，先后派大员往勘右卫城（今山西右玉县右卫镇）和归化城（今呼和浩特市旧城）一带的地形风貌，几经周折，最后决定在右卫城设置八旗驻防。据《清圣祖实录》记载：

> 先是，上以西北有警，命户部尚书马齐，兵部尚书索诺加，往勘归化城驻兵之地。至是马齐等疏言：臣等查勘，右卫与归化城相近，应移右卫人民出城外，令住郭内，城中盖造房屋，可以驻兵；杀虎口外迤北五十里，东西五十里内，所有熟荒地亩，近者给兵，远者给大臣官员。归化城小，地荒田卤，难以耕种；归化城西南三十余里外，有浑津村，村南十里外，有浑津巴尔哈孙旧城基址，城北有大土尔根河，周围三里余，宜展此基址，一面三里，筑土为城，造房驻扎官兵；城之四周所有田地，可取以给官兵耕种。命议政王大臣等议。寻议覆：归化城之浑津巴尔哈孙无城，右卫见有城，且近归化城，大宜驻兵；其往驻时，应拨每佐领护军三名，骁骑校三名，汉军火器营兵一千驻扎，统以将军一员；每翼护军统领各一员，满洲副都统各一员，汉军副都统各一员；每旗协领各一员，佐领各七员，防御各七员，骁骑校各七员，其协领以实授参领遣往；护军每旗以实授护军参领各四员，护军校各七员；汉军一千名，以每翼协领各一员，每旗佐领各二员，防御各二员，骁骑校各二员，令其约束；每佐领，拨什库六名；护军、拨什库，骁骑仍照京城例，给以钱粮，驻兵既发之后，按缺补足；其喀尔喀阿尔萨阑戴青等人丁，三丁合披一甲，可得甲九百六十五名，以五十名为一佐领，编成十九佐领；蒿齐忒郡王达尔玛吉里迪旗下人丁，亦以三丁合披一甲，可得甲一百五十四名，编为三佐领，所余人丁，作为附丁，选择才干善于约束之台吉头目，授以佐领、骁骑校，附归化城土默特两旗，在归化城四周游牧；再发绿旗马兵一千，步军二千驻扎，设总兵官一员，标下立为五营，如有事当行，此新设总兵官及宣大两镇标下官兵，俱听将军调遣；将军以下大小官员口粮及马之草料，一概停给，以口外五十里以内

荒地给之，自力开垦；右卫城内所有民房俱给价购买，安插官兵。上曰：城内居民，若令移于郭外，必致困苦，可勿令迁移，照常居住；若造官兵房屋，城内难容，即于城外建造；此满兵有事即行，不必授田，大臣官员，宜给与口粮，马给草料，务使势力有余；至于绿旗官兵遇调用，则宣大绿旗兵在近调发甚便，停其添设，其缺以满洲官兵增驻；所发护军之缺，应即补充；骁骑火器营兵之缺，应行停止；官兵住房，宜拨往驻大臣官员监修。著再议。寻议覆：增设绿旗官兵应停止，每佐领增发护军三名、骁骑校一名，每佐领兵共十名；其护军，每旗发实授护军参领七员，以一员为夸兰大，设护军校十四员以领之，驻兵既拨之后，其护军之缺补足，骁骑火器营兵之缺，不必补足；城内居民不必迁移，官兵住房，拨工部堂官一员、驻防大臣内每翼一员及每旗护军参领等一员监造；官员口粮，照例给发，马匹草料，夏秋停给，令其牧放，其口粮草料，一半折给，一半本色；将大同府应征地丁银，改征本色，以给官兵。得旨：每佐领减去护军一名、校骑一名，余如议。随授都统希福为建威将军，噶尔玛为左翼护军统领，四格为右翼护军统领，方额为左翼副都统，马锡为右翼副都统，张素义为左翼汉军副都统，吴兴祚为右翼汉军副都统，令驻右卫①。

随着右卫八旗营房的迅速建成，右卫将军希福亲率满、蒙、汉八旗兵进驻了右卫城（满洲兵多为京旗人）。现右卫城一带的北草场、南草场、马营河、红旗口等即是当年八旗兵的居所遗存。杀虎口外的和林格尔境内有右卫八旗兵广袤的八旗牧场。康熙三十二年（1693年）九月，清廷又"选来堪披甲蒙古三千六十五人，……令驻右卫"②。至康熙三十三年（1694年），右卫将军辖有满蒙汉八旗兵4 903名及铁匠112人。康熙三十四年（1695年）十月，费扬古身兼右卫将军和归化城将军两职，这显然是为防御和进击噶尔丹的战事所设。康熙三十五年（1696年）春，清军分东、中、西三路进击噶尔丹。费扬古亲率以右卫八旗兵为核心的西路军北征，五月，在昭

---

① 《清圣祖实录》卷157，康熙三十一年十二月壬寅条。
② 《清圣祖实录》卷160，康熙三十二年九月庚午条。

莫多地方与噶尔丹军展开血战，致使噶尔丹的精锐部队丧失殆尽。噶尔丹仅率数十骑逃走，右卫八旗兵威名远扬。这就是历史上著名的"昭莫多之战"。同年九月，康熙皇帝出巡归化城和鄂尔多斯蒙古部。十二月初七日，在回京途中经过杀虎口，初八日，抵右卫城。在此，康熙巡阅了右卫八旗兵，部署了对噶尔丹的军务。[①] "昭莫多之战"后，驻防右卫的满洲旗兵大多撤回京城，留下无人居住的营房甚多，为解决京城旗人滋息甚繁无兵额可补之窘状，康熙四十九年（1710 年）又在右卫添设了八旗骁骑 2 400 人，汉军火器营兵 600 人。后随着西北八旗防务体系的变化，清廷深得右卫驻防城太靠南，不利于进击准噶尔蒙古部和控制内蒙古西部蒙古诸部，驻防重心需北移，故在乾隆二年（1737 年），右卫将军迁驻于绥远城（今呼和浩特市新城）。随之，右卫八旗驻防降格为副都统所辖，乾隆三十三年（1768 年）又降为城守尉所辖，隶于绥远城将军。

清代的右卫将军始设于康熙三十一年（1692 年）十二月二十八日，止于乾隆二年（1737 年）三月二十二日。历时 45 年，共有 8 位将军就任，分述如下：

1. 希福：康熙三十一年（1692 年）十二月二十八，都统希福首驻右卫，为右卫将军，并授建威将军。康熙三十四年（1695 年）六月初四被革职。期间，康熙三十二年（1693 年）五月初七，清廷授三等伯、内大臣费扬古为安北将军，驻归化城，管理归化城事务。康熙三十三年（1964 年）七月初七，费扬古西征凯旋后，清廷授其将军印，并兼任右卫大臣。

2. 费扬古：康熙三十四年（1695 年）十月初四，清廷授费扬古为右卫将军，并兼归化城将军事务；十一月三十，又授为抚远大将军。康熙三十五年（1696 年），因出征额鲁特噶尔丹，被免去右卫将军职务。

3. 费扬固：康熙三十五年（1696 年）十二月初九，清廷提任护军统领费扬固（宗室旗人）为右卫将军。康熙五十一年（1712 年）正月二十九，又封为辅国公。康熙五十七年（1718 年）正月二十六，因病被免职。

4. 颜寿：康熙五十七年（1718 年）三月十七，清廷提任归化城副都统颜寿（觉罗旗人）为右卫将军。雍正二年（1724 年）六月十七，降为左翼

副都统。

5. 吴礼布：雍正二年（1724年）六月十七，清廷提任右卫右翼副都统吴礼布为右卫将军。雍正四年（1726年）二月二十八，调任为八旗蒙古正黄旗都统。

6. 申穆德：雍正四年二月二十八，清廷调任八旗蒙古正黄旗都统申穆德（宗室旗人）为右卫将军。雍正十三年（1735年）十一月被免职。

7. 岱林布：雍正十三年（1735年）十一月二十二，清廷调任八旗汉军镶红旗都统岱林布为右卫将军。乾隆元年（1736年）十二月二十八，改任为江宁将军。

8. 王昌：乾隆元年（1736年）十二月二十八，清廷调任参赞大臣王昌为右卫将军。乾隆二年（1737年）三月二十二，清廷令王昌率部分右卫八旗官兵调迁新筑之绥远城。

三、绥远驻防城中的原右卫旗兵

雍正末年，清朝与漠西准噶尔部的战争几经较量均已无力再战，只得议和，双方偃旗息鼓、撤军回寨，漠北一时出现和平局面。雍正十三年（1735年）十二月，清廷决计在归化城旁建一新城——绥远城，以安排从漠北撤回的军士。清廷决计从右卫调迁 3 000 人旗兵、漠北征战的满洲家选兵 2 000 人和热河鸟枪兵 1 000 人驻防新城，以右卫将军迁驻绥远城统领之。[①]

当筑城屯兵之举正处于筹划之时，稽查归化城军需工料掌印给事中永泰为长远计，于乾隆元年（1736年）四月上奏云："右卫驻防兵丁，不宜迁移，镇守仍照旧制，庶于地方有益。"乾隆皇帝认为永泰言之有理，遂改初衷，决定停止调迁右卫八旗兵去绥远城，改由京师满洲八旗兵 3 000 人迁驻之。[②] 这样先前调迁右卫旗兵的动议改由京师满洲兵驻防绥远城，而热河兵及满洲家选兵 3 000 人依议未变。

七月，清廷将在漠北军营已征战五六年的京城满洲家选兵 2 000 人，因作战军功均提高身份，由以前的满洲八旗家仆分立另户，归入汉军旗分，成

---

① 《清高宗实录》卷 9，雍正十三年十二月丙戌条。
② 《清高宗实录》卷 61，乾隆元年四月甲戌条。

为有一定政治与经济待遇的汉军旗人。十二月，乾隆谕令速建绥远城，并告知筑城官员：驻防兵丁"于明春即当遣往"①。

乾隆二年（1737年）三月，清廷又决定在绥远城停增新设将军，只需将右卫将军迁此即可，同时暂停派遣京师满洲旗兵②。在六月之前，绥远城营房已完工，按既定方针，从漠北而来的已成另户汉军的原2 000家选兵及热河汉军1 000人率先进驻了绥远城。同年八月，从右卫将军任上调迁到绥远城将军任上的王昌，初到伊始，遂决定速办增加旗兵，拣选官佐，制定仪卫，奏定钱粮，制办军器，频发关防等事宜。其中最主要的是从右卫八旗蒙古中调迁5个佐领的500名旗兵③。自此绥远城在原3 000旗兵的基础上，又从右卫蒙古八旗中调来五个佐领的500旗兵，绥远城共有旗兵3 500人，但佐领以上大员，大多从京旗及右卫满洲内调补。

乾隆六年（1741年）三月，新任将军补熙看到绥远城兵多官少，不敷统率，应从右卫移驻少许下级官佐，故奏准"将右卫正红、镶白、镶红、正蓝、镶蓝五满洲旗分内，每旗拨佐领、防御、骁骑校各一，董率兵丁。"④这样，共计15名下级官佐移驻绥远城。

乾隆十二年（1747年），已是汉军旗人的原京师家选兵2 000人在绥远城遭到裁汰，出旗编入绿旗营。同时，酝酿已久的京旗满洲兵1 200人，大规模地首次进驻绥远城。乾隆二十九年（1764年），驻守绥远城近30年的热河汉军此时虽然兵丁数已翻一番（2 117人），成为驻绥远城主力，但也只能步京师家选兵之后尘，清廷谕令其全部出旗入绿旗营。绥远城只剩旗兵1 300人。

乾隆三十年（1765年）五月，绥远城将军蕴著又觉满蒙旗兵兵力太少，不敷应用，奏请增兵为2 000人。奏折云："绥远城官五十四员，兵一千三百余名。右卫官四十八员，兵一千五百余名。二处官兵多寡不同，请量其敷用均齐。将绥远城满洲作为佐领十六，蒙古作为佐领四，共二十佐领……又

---

① 《清高宗实录》卷32，乾隆元年十二月庚午条。
② 《清高宗实录》卷39，乾隆二年三月庚戌条。
③ 《清高宗实录》卷48，乾隆二年八月丙寅条。
④ 《清高宗实录》卷138，乾隆六年三月戊寅条。

绥远城、右卫二处，每兵百名作为一佐领，每佐领下除匠役二名外，领催、前锋、马甲共七十五，养育兵、步甲共二十五。绥远城应兵额二千，现一千三百。不敷满兵七百，于由京派来驻防兵内补；不敷蒙古兵一百，于右卫蒙古余额兵内补。"乾隆批示："从之。"① 可知，由于清军在西北战事的巨大损失，原 500 名八旗蒙古兵剩为 300 人，需再从右卫驻防城调迁 100 名蒙古旗兵才可编为 4 个蒙古佐领。

乾隆三十三年（1768 年），清廷又决定在绥远城增设马步兵 700 人。而《绥远城驻防志》对此记载较详："将右卫兵丁内，移驻绥远城马甲五百名，步甲一百五十，养育兵五十名，添入八旗满洲、蒙古各佐领下当差。合本城兵二千名，现在实存兵二千七百名。内：领催、前锋、马兵二千名，步兵四百名，养育兵三百名。"这 2 700 名旗兵中，甲兵为 2 000 人，但多数为京师满洲旗人。从右卫而来的 700 名满蒙旗兵中，满洲旗人当为绝大多数。遍检典籍，右卫满洲兵大规模地驻防绥远城，终清一代只此一次。

以上统计，有清一代，清廷在乾隆二年（1737 年）、乾隆六年（1741 年）、乾隆三十年（1765 年）、乾隆三十三年（1768 年），共四批次迁调右卫满蒙旗兵 1 315 人驻防绥远城。

四、余论

1. 清朝是以满族为统治主体而建立的一个封建专制王朝。它统治幅员辽阔的中国长达 268 年之久。它的盛时疆域，东北至外兴安岭及库页岛，北达恰克图，西北到巴尔喀什湖和葱岭，南抵南海诸岛，东到台湾。在这片土地上生活着满、汉、蒙、回、藏等 50 多个民族。它们在这个统一的国家里，进行政治、经济、文化的交往，推动着祖国社会的进步。清代统一的多民族国家之所以得到巩固和发展，是中国历史发展的必然。各民族的共同利益、共同命运、共同追求，始终像一条纽带把它们紧紧联结在一起。这是统一的多民族国家得以发展、巩固的根本条件，也是有清一代建立巩固的多民族统一国家的基础。清初的满族是一个新兴的民族，以崭新的面貌，旺盛的活力登上了中国历史舞台，当它加入了中华民族大家庭后，以其勃勃生气，肩负

---

① 《清高宗实录》卷 736，乾隆三十年五月丁亥条。

起了历史使命。有清一代，满族人民与我国各族人民一道，为要求统一、坚持团结、反对分裂，防御外敌的共同利益而斗争，为推动社会生产力的不断发展，写下了不少光辉灿烂的篇章。具体讲，右卫和绥远城的设置，在巩固和保卫国家统一的过程中，屏藩朔漠，有着不可估量的历史作用。驻防旗兵们披坚执锐，露宿风餐，汗马血战，百死一生，为稳定北部边疆乃至中华民族的疆域立下了殊勋。

2. 清代的八旗兵，除当兵食饷外，不从事其他生产活动，故八旗驻防城建立伊始就成为商贾云集的中心。如右卫驻防城设置后，大量晋商云集于此，从事南北物资贸易，以供旗兵的日常生活，从而给杀虎口一带的社会经济带来了空前的繁荣。右卫将军迁驻绥远城后，大批晋商继续追随与旗人贸易。当时绥远城东、西、南、北四条大街两旁充满了晋商的林立店铺，他们或贸易、或佣工，各种商店酒馆，工匠铺等应运而生。据史书记载：因筹建绥远驻防城，"数年以来，归化城商人饷口裕如，家赀殷富，全赖军营贸易生理"。[①] 这时的归化城已成为人烟稠密的商业中心。绥远城设置后，归化城的经济贸易日趋发展。据史书记载："归化仅弹丸之地，戏楼酒肆大小数十百区，镇日间燔炙煎熬，管弦讴哑，选声择味，列坐喧呼。问之则曰，某店肆新开燕贺请客也；又问之则曰，某店肆算账盈余请客也；再问则曰，某店肆歇业亏本抵债请客也。循环终岁，络绎不休。而开设戏楼酒肆之家亦复彼此效尤，恣情挥霍，不数月而转易他姓矣。"[②] 其商业繁茂，由此可见一斑，这是其经济繁荣景象的真实写照。

3. 随着清朝对全国的统一，长城内外的蒙、汉居住区连为一体，为蒙、汉人民的经济文化交流和长城内外的人口流动创造了有利的条件，也为清廷利用国家政权力量，随时调整其对蒙汉地区的统治政策，实行"移民实边"或"借地养民"等政策提供了可能。"走西口"的移民潮就是在这种前提下产生的。绥远城的设置，数千旗兵连同上万眷属屯居一处，粮食副食品的供给自是首要大事，这就极大地刺激了山西流民的迁移垦荒和贸易经商的心愿。他们不顾朝廷禁令，三五成群，接踵而至。清朝中后期，随着蒙古地区

---

① 《清高宗实录》卷412，乾隆十七年四月辛卯条。
② 张曾等：《古丰识略》卷21，抄本。

弛禁放荒，从而为内地大批破产流亡农民出塞谋生铺平了道路。由于天灾人祸，山西的流民不畏艰辛，成群结队，扶老携幼，风餐露宿地"走西口（出杀虎口），去归化"，蜂拥进入内蒙古中西部各地觅食求生。先为春去秋归的"雁行"客户，后由于聚族益繁而定居常住，并逐渐成为当地人口的大多数。久之，使昔日广袤无垠的游牧区，逐渐变为蒙、汉杂居、耕牧兼营的半农半牧区。蒙古地区农业的发展，不仅促进了蒙古畜牧业的发展，也促进了蒙、汉人民间的互助合作。蒙古牧民向汉族农民学会了耕种耘耨的农业生产技术，汉族农民向蒙古牧民学会了经营畜牧业的经验与技术。总之，蒙地的开垦，改变了内蒙古中西部地区的社会结构和经济结构并产生了深远的影响。

4. 随着右卫驻防城的设置，将满族的习俗从北京、东北地区带到了这里。随着绥远城的设置，满族和山西汉族的风俗又带到了蒙古地区。三个民族的生活习俗在呼和浩特地区相互影响和交融，极大地丰富了这一地区的物质文化与精神文化。例如，旗人初来绥远城时，只会满语，不谙汉语，但由于长期处于汉族人民的包围中，日常交往离不开汉语，至清朝末年，旗人已多不会满语，改说汉语；同样，由于绥远城内的山西商人多年与满族交往，也多会说京腔北京话。他们自称这种京腔汉语为"满洲话"，至今这种京腔北京话仍在他们的后代中对外说用。此外，满语传入呼和浩特地区，极大地丰富了当地汉语的语汇，至今呼和浩特地区的汉语中，保留有许多满语词汇和大量的蒙古语词汇。又如：在今呼和浩特地区汉族的婚礼中，仍保留有男方娶亲时需给女方家留下"离娘肉"的习俗，而"离娘肉"正是满族古老的婚俗之一，在长期的满汉文化交往中，这一习俗为汉族所吸取。此外，满族习俗对土默特蒙古人也产生了巨大的影响。据《土默特旗志》记载："蒙人生子有尽剪发者，留囟门发一撮者，名曰马发。十二岁到奶奶庙以骑驴还愿，或杂以草。后留发辫曰十二和尚……女十五以上戴笄，即满洲大簪也。"[①] 而这些土默特男子、女子的头饰，正是清代满族头饰的一部分。再如绥远城旗人家遇丧事穿孝服时，从右卫驻防城而来的旗人后代鞋上均蒙白布，而从东北或京师来的旗人后代绝无此俗。由此便可知此户旗人的由来，

---

① 　高赓恩：《土默特旗志》卷8，光绪三十四年木刻本。

这是右卫旗人受山西汉族文化影响的一个范例。此外，在饮食方面，满、蒙、汉三个民族的相互影响和交融更是数不胜数。

第四节　城镇的政治功能与"新政"后发生的变化

内蒙古城镇的出现和发展，不管是在清朝前期还是在清末民初，大多与地方行政建置有关。少数城镇的兴起，虽然开始时其宗教中心或者商贸中心、军事中心地位较为突出，但在当地人口不断聚集的过程中，清政府相继也派官设治。

清代内蒙古的地方行政建置，有道、府、厅、州和县。这些地方行政建置经历了从无到有，从小到大的推广过程。各级地方行政建置形成了从上到下的层层管理体系，与此同时，也形成了不同级别的政治中心城镇。作为政治中心，城镇政治功能也经历了逐渐趋于完善的过程。

内蒙古的城镇呈现出几种不同的类型。一类是，设治以前在当地早就是中心市场，交通方便，商业较有起色。这类城镇多出现在清前期，为了控制蒙古地区不断扩大的农业区，按照朝廷所规定的职责发挥其政治功能。另一类是，前期政治中心城镇为了对所辖地区有效地行使职权，常选择地理和交通等条件较好的附属小镇安置属官，协助管理境内事务，使之具有一定的基础和规模。这类城镇也可以看做前一类城镇的延伸，多出现在清代中、后期。再一类是设治时只求选择一个较好的适中城基，可能原住人户甚少或荒无人烟。在被勘测为城基之后，人户剧增，得以迅速发展。这类城镇大多出现在清末民初官垦时期，尤其是清末。

据此可以说，城镇和行政建置之间的关系，是互动的、相辅相成的关系。一方面城镇的兴起和发展，便利了早期行政建置的设置和推广；另一方面行政建置的不断推广，促进了城镇的进一步发展和新城镇的出现。

那么，在某个地区、某个特定领域内，内蒙古的城镇发挥的政治功能是如何呢？在时代变迁中又呈现出怎样的变化和特点呢？

一、城镇中各级地方政府的治权与职能

清朝在内蒙古最早设置的地方行政建置是基层的厅，后来设置渐多，又

有了州、县以及府道等更高级的设置。清亡之后，北洋军阀政府基本上保留了在内蒙古各旗境内所设立的各级建置。

（一）厅、县

厅　清制，府有佐贰官同知（正五品）和通判（正六品），或在府城，或派遣到境内某地分管事务。同知和通判的办公地方叫厅，所以厅本不是独立的地方建置，而是府的一个办事衙门。清初在各地派遣八旗驻防军后，出现了旗、民杂居的情况，为了解决二者之间的纠纷，就在府里设置由八旗官充当的理事同知（或通判），作为知府的佐贰官专门处理上述事情。① 在少数民族聚居或沿边地区，也采取在府境内分防的办法，特别是事情复杂而又不便设州县的地方，派遣同知和通判，久之形成由府管辖（或由省直辖）的一个独立的地方行政建置——厅。厅，根据其隶属关系，可分为直隶厅和散厅。直隶厅，直属于省布政使司，同于府；散厅或属将军，或属道府，同于州县。以其长官的官职区分，派同知任长官者称为同知厅，派通判任长官者称为通判厅。以其兼衔，又可分为理事厅和抚民厅；理事者，专门负责审理少数民族和民人之间的交涉、诉讼事件，是清代的特有官制；抚民者，统辖境内一切事务，与内地地方官没有区别。在内蒙古地区，多设理事同知或理事通判厅，后期汉族移民渐占绝大多数，改为抚民同知或抚民通判厅。

从雍正元年（1723 年）直至光绪末年，在内蒙古先后共设置了 28 个厅，其中的 26 个厅直接设置在内蒙古垦地上，此外的 2 个厅（热河、张家口）则全部或者部分不属于内蒙古，却兼辖内蒙古农垦区域事务。由于厅是清代内蒙古地区最早设置的地方行政建置，也是最具有民族地区特色的地方政权机构，因此有必要将各厅的设置时间、地点、管辖范围、设官和职权等，根据朝廷的规定逐一介绍，有便于具体了解各城镇在辖区内所发挥的政治功能，也可以看出，这些城镇主要是因地方设治而形成、发展起来的，政治需要是促成城镇产生的重要原因。

雍正元年（1723 年），设热河直隶厅。热河当时是皇帝行宫所在地，虽

① 定宜庄：《清代理事同知考略》，《王钟翰先生八十寿辰学术论文集》，辽宁大学出版社 1993 年版，第 267—274 页。

直属于清廷，但受权管理卓索图盟和昭乌达盟部分蒙旗的蒙、汉交涉事务。① 即卓、昭二盟境内蒙古族仍由各旗札萨克管理，当时凡已在这两盟从事农商的移民及蒙、汉交涉事务皆由热河厅管理。同一年，在归化城设归化城厅。归化城土默特地处山西口外，有适于农耕的广袤平原，是汉民出口后首先到达的地方。这样，从雍正元年（1723 年）开始，蒙古地区开始出现了两个重叠的权力机构，一方是各蒙旗，另一方是管理农耕区的厅。

雍正七年（1729 年），由于热河厅本身事务较多，清廷另在热河以东卓索图盟喀喇沁中旗的八沟增设八沟厅，置理事通判一人，管理喀喇沁三旗商民事务。② 随着农垦的扩展，汉人逐渐向蒙地深入，乾隆时又增设了几个厅。热河西南，原来是察哈尔左翼四旗治所所在地，分别是镶白旗治土城子、正蓝旗治黄姑屯即波罗河屯、镶黄旗治大阁儿和正白旗治郭家屯。乾隆元年（1736 年），在土城子设四旗厅，专辖左翼察哈尔。③ 乾隆五年（1740 年），在八沟东北喀喇沁左翼旗北部塔子沟地方，设塔子沟厅，置理事通判一人，管理该旗种地民人，兼理土默特左、右翼旗及敖汉、奈曼、库伦、喀尔喀左翼旗等蒙汉交涉事务。乾隆三十九年（1774 年），在土默特右翼旗东部偏南的三座塔设厅，由于汉民已较为集中，开始划出厅的管辖境界，"东北境为土默特左旗地，西北境为土默特右旗地，北为奈曼旗地。东北兼辖锡埒图库伦旗和喀尔喀左翼旗部分商民事务"。④ 同年，析八沟厅北境，在翁牛特旗的乌兰哈达设厅，将此前由热河、八沟和塔子沟三厅管理的昭乌达盟部分蒙旗的垦地和蒙汉商民事务交由该厅管理。⑤

在察哈尔左翼四旗治所以西，长城口外的察哈尔牧场业已被大量开垦。设热河厅的次年，即雍正二年（1724 年），在张家口也设置理事厅，辖察哈尔左翼镶黄一旗、右翼正黄半旗之蒙汉交涉、逃匪、命盗等事，以及口内七州县旗民事务。当时，多伦诺尔地方的各类案件也由张家口同知处理。但是

① 《清世宗实录》卷12，雍正元年十月乙卯条。
② 《清世宗实录》卷87，雍正七年十月戊午条。
③ 和珅等：《钦定热河志》卷49，《疆域二》。
④ 《乾隆府厅州县图志》卷2，《承德府》，天津古籍出版社影印本。
⑤ 《清高宗实录》卷959，乾隆三十九年五月癸酉条。

"张家口与多伦诺尔相距五百余里"，前往稽查，已露"鞭长莫及"之忧。①
雍正十年（1732年），哲布尊丹巴呼图克图移住多伦诺尔地方后，迫切需要
加强地方管理。同一年，设多伦诺尔厅，置理事同知一人，"管理东翼正
蓝、正白、镶白、镶黄察哈尔四旗及内札萨克、外喀尔喀一百三十余旗蒙、
民交涉、命盗等案，并查缉逃匪，审理汉铺户争讼、窃劫、人命各案之
事"，此外还兼辖独石口驿站事务。② 雍正十二年（1734年），因张家口理
事同知所管地方辽阔、事情繁多而在其辖区内的独石口设理事厅。至此，清
代口北三厅均已设置。

在归化城土默特左、右翼两旗地方，雍正十二年（1734年），设萨拉
齐、和林格尔、托克托等三个协理通判厅。乾隆元年（1736年），增设清水
河协理通判厅③。毗邻归化城土默特旗的察哈尔右翼旗地，乾隆年间始有厅
的设置。乾隆十五年（1750年），裁汰原设察哈尔旗地的丰川、宁朔卫和镇
宁、怀远所，改设丰镇厅和宁远厅。

乾隆末年，开垦已扩及哲里木盟。嘉庆五年（1800年），在郭尔罗斯前
旗长春堡设长春厅，置理事通判一人，管理该旗商民和已经开垦地区。④ 道
光五年（1825年），移治宽城子。嘉庆十一年（1806年），在科尔沁左翼后
旗昌图额勒克地方设昌图厅，置理事通判一人，管理该处垦地和科尔沁左翼
前、中、后三旗满汉商民事务。

嘉庆之后，到清朝末年，又设置若干新厅。光绪二十九年（1903年），
在归化城土默特地、乌兰察布盟地和察哈尔右翼旗地，设立了武川、五原、
兴和、陶林四个厅。光绪三十年（1904年），在鄂尔多斯左翼中旗地设东胜
厅。同年，在扎赉特旗东南莫勒红冈子设大赉理事通判厅，"管理该旗垦地
及商民事务"。⑤ 光绪三十二年（1906年），设法库（部分垦地属科左前
旗）、肇州（辖郭尔罗斯后旗东部垦地及该旗商民事务）、安达（辖杜

---

①　金志章：《口北三厅志》卷1，《地舆志》，台湾影印《中国方志丛书》本。
②　金志章：《口北三厅志》卷1，《地舆志》卷4，《职官志》，台湾影印《中国方志丛书》本。独
石口驿站，是指清康熙年间在独石口设立的驿站。
③　（光绪）《大清会典事例》卷41，《吏部·满洲铨选》。
④　《清仁宗实录》卷68，嘉庆五年五月戊戌条。
⑤　《清史稿》卷57，《地理志》。

尔伯特旗东北等处垦务及商民事务）三厅。光绪三十四年（1908年），在海拉尔添设呼伦厅，"管理境内索伦、新、陈巴尔虎及厄鲁特诸旗牧场"。①

清代内蒙古各厅一览表

厅　名	设置年	所在地	所属旗地或管辖事务
热河厅	雍正元年（1723年）	承德	卓索图、昭乌达二盟部分蒙旗的蒙汉交涉事务
归化城厅	雍正元年（1723年）	归化城	归化城土默特旗地
张家口厅	雍正二年（1724年）	张家口	察哈尔左翼镶黄一旗、右翼正黄半旗蒙汉交涉、逃匪、命盗等事
八沟厅	雍正五年（1727年）	八沟	喀喇沁三旗商民事务
多伦诺尔厅	雍正十年（1732年）	多伦诺尔	察哈尔左翼正蓝、正白、镶白、镶黄四旗和有关蒙旗
独石口厅	雍正十二年（1734年）	独石口	察哈尔（口北三厅志年）
萨拉齐厅	雍正十二年（1734年）	萨拉齐	归化城土默特
和林格尔厅	雍正十二年（1734年）	和林格尔	归化城土默特
托克托厅	雍正十二年（1734年）	托克托	归化城土默特
清水河厅	乾隆元年（1736年）	清水河	归化城土默特
四旗厅	乾隆元年（1736年）	土城子	察哈尔左翼旗地
塔子沟厅	乾隆五年（1740年）	塔子沟	喀喇沁左翼旗种地民人，兼理土默特左、右翼旗及敖汉、奈曼、库伦、喀尔喀左翼旗等蒙汉交涉事务
丰镇厅	乾隆十五年（1750年）	衙门口	察哈尔右翼正黄正红旗地
宁远厅	乾隆十五年（1734年）	哈尔图	察哈尔右翼旗地
三座塔厅	乾隆三十九年（1774年）	三座塔	东北境为土默特左旗地，西北境为土默特右旗地，北为奈曼旗地。东北兼辖锡埒图库伦旗和喀尔喀左翼旗部分商民事务
乌兰哈达厅	乾隆三十九年（1734年）	乌兰哈达	昭乌达盟部分蒙旗的垦地和蒙汉商民事务

---

① 徐世昌：《东三省政略》卷1，《边务·呼伦贝尔篇》。

（续表）

厅　名	设置年	所在地	所属旗地或管辖事务
长春厅	嘉庆五年（1800年）	宽城子	郭尔罗斯前旗
昌图厅	嘉庆十一年（1806年）	昌图额勒克	科尔沁左翼后旗
武川厅	光绪二十九年（1903年）	可可以力更	乌兰察布盟
五原厅	光绪二十九年（1903年）	隆兴长	乌拉特前中后三旗、鄂尔多斯右翼后旗、左翼后旗地
兴和厅	光绪二十九年（1903年）	二道河	察哈尔右翼旗地
陶林厅	光绪二十九年（1903年）	科布尔	察哈尔右翼旗地
东胜厅	光绪三十年（1904年）	板素壕	鄂尔多斯左翼中旗
大赉厅	光绪三十年（1904年）	莫力红岗子	扎赉特旗
法库厅	光绪三十二年（1906年）	法库	科尔沁左翼前旗部分地
安达厅	光绪三十二年（1906年）	安达	杜尔伯特旗
肇州厅	光绪三十二年（1906年）	肇州	郭尔罗斯后旗
呼伦厅	光绪三十四年（1908年）	海拉尔	呼伦贝尔八旗

以上各厅初设时都是由于内地农、商移民散处蒙地，朝廷为了便于管理，就选择一个汉民聚集的适中之地作为厅的治所。它的辖区内移民与从事游牧的蒙古族插花杂居。实际上厅与蒙旗共同治理同一片土地，厅与蒙旗分族而治。后来厅虽然有了固定的辖区，但仍管辖区以外在蒙旗散居的汉人。如多伦诺尔厅的治权范围，除察哈尔左翼四旗外，“内札萨克、外喀尔喀一百三十余旗蒙、民交涉、命盗等案”，皆由该厅理事官处理。因此厅及其厅治所在的城镇所发挥的功能与内地的县大不相同。较内地的县，其所辖地区更辽阔，所管人民更分散，事务也更复杂。

各厅长官之下设有属官。厅属官有巡检、巡检兼司狱、经历等。内蒙古各厅的属官以巡检为最多，巡检有驻厅城和分驻外地、兼司狱和不兼司狱之分。由于厅的辖区、事务繁简不一，各厅的巡检数也不同。少数厅设有两个巡检，多数则设有一人。比如归化城厅有二人，一在归化城内，另一在毕齐克齐；萨拉齐厅有二人，一在萨拉齐厅城内，另一在包头镇；多伦诺尔厅有二人，一驻厅城，另一驻在白岔（今克什克腾旗境内），光绪十年（1884年）移驻经棚。丰镇厅有二人，一初驻高庙子（今兴和县东南高庙子乡），乾隆四十三年（1778 年）改驻张皋尔（今兴和县东南张皋镇），另一驻大庄科①（今丰镇县东北大庄科乡），光绪十年（1884 年）改驻二道河（今化德县西北二道河子乡）。八沟、塔子沟、三座塔、乌兰哈达、清水河、和林格尔、托克托、昌图等厅各有一人。清末新设诸厅，也有巡检或巡检兼司狱之设置。比如，兴和厅巡检一人，由原属丰镇厅的二道河巡检改设。陶林厅新设巡检兼司狱一人。五原厅则有二人，一驻中滩舒穆图（后改驻大佘泰，今乌拉特前旗东北大佘台乡），一驻王家渠（后改驻缠金渠，今五原县境内）。大赉、肇州、安达等三厅设巡检兼司狱各一人②。

厅经历和照磨往往分设在境内较为重要的地方。如昌图厅经历一人，驻在八家镇，光绪年间此地设怀德县；大赉厅经历二人，一驻在塔子城（今黑龙江省泰来县西北），另一驻在景星镇（今黑龙江省龙江县南）。肇州厅在昌五城（今黑龙江省肇东市）设经历一人。昌图厅照磨一人，驻科尔沁左翼中旗垦地梨树城（今吉林省梨树县所在地）。

县　县是地方行政管理的基层组织，清沿明制。每县置知县一人，正七品，"掌一县之政令，平赋役、听治讼、兴教化、厉风俗"。③ 其佐贰官及属官有县丞（正八品）、主簿（正九品）、巡检（从九品）、典史（未入流）等。

清代前期和中期的内蒙古，原来是农业区与游牧区犬牙交错，汉族农民和蒙古牧民杂居一处，所以，采取设厅的办法来管理蒙、汉事务。久之，农业区不断扩大，相互连成一片，牧民除远徙外，留下的少数业已转业农耕，与汉族无异，相应厅也改为地方的基层建置——县，行政管理体系与内地趋于一致。清末新政前后，有些农业区没有经历设厅之举，直接设置了新县。

清代内蒙古最早的县出现在卓索图和昭乌达二盟的农垦地区。分别于乾隆元年（1736 年）、乾隆五年（1740 年）、乾隆三十九年（1774 年）设置厅的四旗、塔子沟、三座塔、乌兰哈达等四厅，乾隆四十三年（1778 年）

---

①　刚毅、安颐等：《晋政辑要》卷 1，《吏制·官制》，光绪十三年刻本。
②　张伯英等：《黑龙江志稿》记载大赉、肇州、安达三厅设巡检兼典史一员。而据《东三省政略》，上述三厅设巡检兼司狱一人。典史是县属官，掌监察狱囚，因此，后者在说法上较准确。
③　嵇璜等：《皇朝通典》卷 34，《职官十二》，光绪二十七年（1901 年）版。

一同改为县。同时，四县改用新名，分别为丰宁、建昌、朝阳、赤峰。从乾隆后期的改县举措之后，到清末的百余年间，内蒙古再未出现改县或新县设置。掀起设县之热出现在光绪年间，新出现的县或由厅改设，或属创设。

有清一代在内蒙古地区前后共设置了 21 个县，除了后来升为府的朝阳和升直隶州的赤峰外，其余各县分别为承德府所辖丰宁县；昌图府所辖奉化、康平、怀德三县；长春府所辖农安、长岭、德惠三县；洮南府所辖靖安、开通、安广、醴泉、镇东五县；朝阳府所辖建昌、建平、阜新、绥东四县；赤峰州所辖林西、开鲁二县；新民府所辖彰武县。

县长官知县（民国初改为知事）的行政权力以及其管辖范围都有规定。丰宁和建昌二县分别管理察哈尔左翼四旗（部分）和卓索图盟喀喇沁左翼旗的农业区；奉化、怀德、康平三县管理科尔沁左翼中、后二旗农业区；阜新县，管辖土默特左翼旗农业区；建平县，管理敖汉旗南部、喀喇沁左翼旗北部农业区；开鲁县，管理阿噜科尔沁旗东、扎鲁特左、右翼二旗南部农业区；林西县，管理巴林左、右翼二旗西部、克什克腾旗东部农业区；绥东县，管理奈曼旗东南、喀尔喀左翼旗和锡埒图库伦札萨克喇嘛旗农业区；农安、德惠、长岭等县管理郭尔罗斯前旗东南、西南农业区；彰武县管理科尔沁左翼前旗西部、土默特左翼旗东部农业区；靖安、开通、醴泉、镇东、安广等五县分别管理科尔沁右翼中旗东南、科尔沁右翼前旗南部、右翼中旗北部、右翼后旗中南部、右翼后旗南部农业区；双山、通辽二县管理科尔沁左翼中旗农区；瞻榆县管理科尔沁右翼中旗农业区。在众多知县当中，也有特殊任命的。如丰宁、建昌以理事通判管理知县事；也有加理事衔的，如靖安、开通、安广等县知县，加理事同知衔。知县下有典史、巡检兼典史（或司狱）等属官。如奉化、怀德、康平、彰武等县设典史各一人；农安置巡检管司狱事一人；丰宁、建昌、阜新、建平、靖安、开通、安广等县设巡检兼典史各一人。

厅改县或设新县时，县治所在城镇已基本上处于农业区的中心，县城的政治功能已与内地的县城接近。

各县与厅一样，也派出县丞、主簿、巡检等官分驻县境某地。建昌县设县丞一人，驻四家子。① 彰武县设县丞一人，分防于西北的哈尔套街。康平

---

① （嘉庆）《大清会典事例》卷 27，《吏部·官制》。

县设主簿一人，分防于辽源（郑家屯）。在辽源设州后，主簿移驻县内石头井子（今辽宁省康平县西），后又移驻后新秋。①

农安县设主簿一人，驻新安镇（今吉林省长岭县西南），光绪三十四年（1908年）后改隶长岭县。② 建昌县设巡检二人，一驻塔子沟，另一驻莽牛营子（今辽宁省凌源县东南）。

以上厅和县的属官分驻境内某地，代表厅、县行使治权，成为厅、县城以外的分支政治中心，久之发展为小城镇，或发展成为新县的治所。

清、民初内蒙古各县一览表

县　名	设置年	所在地	清代原建置或所属旗地
丰宁县	乾隆四十三年（1778年）	土城子	由四旗厅改设，察哈尔左翼旗地
建昌县	乾隆四十三年（1778年）	塔子沟	由塔子沟厅改设，喀喇沁左翼旗地
朝阳县	乾隆四十三年（1778年）	三座塔	由三座塔厅改设，土默特左、右翼旗地
赤峰县	乾隆四十三年（1778年）	乌兰哈达	由乌兰哈达厅改设，翁牛特右翼旗地
奉化县	光绪三年（1877年）	梨树城	科尔沁左翼中旗地
怀德县	光绪三年（1877年）	八家子	科尔沁左翼中旗地
康平县	光绪六年（1880年）	康家屯	科尔沁左翼后、前旗地
农安县	光绪十五年（1889年）	农安	郭尔罗斯前旗地
长岭县	光绪三十二年（1906年）	长岭子	郭尔罗斯前旗地
德惠县	宣统二年（1910年）	大房身	郭尔罗斯前旗地
靖安县	光绪三十年（1904年）	白城子	科尔沁右翼前旗地
开通县	光绪三十年（1904年）	七井子	科尔沁右翼前旗地
安广县	光绪三十一年（1905年）	解家窝铺	科尔沁右翼后旗地
醴泉③县	宣统元年（1909年）	醴泉镇	科尔沁右翼中旗地
镇东县	宣统元年（1909年）	南叉干挠	科尔沁右翼后旗地
建平县	光绪二十九年（1903年）	新邱	喀喇沁左翼旗、敖汉旗地
阜新县	光绪二十九年（1903年）	新秋	土默特左翼旗地
绥东县	光绪三十四年（1908年）	小库伦	奈曼、喀尔喀左翼旗、锡埒图库伦喇嘛旗地
林西县	光绪三十四年（1908年）	林西	巴林左、右翼旗地

---

① 徐世昌：《东三省政略》卷2，《蒙务下·筹蒙篇》。
② 徐世昌：《东三省政略》卷2，《蒙务下·筹蒙篇》卷5，《官制·吉林省》。
③ 1914年，醴泉县改称突泉县。

（续表）

县　名	设置年	所在地	清代原建置或所属旗地
开鲁县	光绪三十四年（1908 年）	开鲁	扎鲁特左、右翼二旗和阿噜科尔沁旗地
彰武县	光绪二十八年（1902 年）	横道子	科尔沁左翼前旗、土默特左翼旗地

（二）州、府、道

州 按清代地方建置，府以下的基层建置是州县。州有散州与直隶州之分，直隶州同于府，"惟无倚郭县"① 散州同于县。各州置知州一人，掌一州之政令。直隶州知州，为正五品，散州知州为从五品。知州佐贰官有州同（从六品）、州判（从七品）。其属官有吏目（从九品），每州置一人，"掌司奸盗、察狱囚、典簿录"。②

内蒙古东部地区先后设有平泉、辽源和赤峰等三个州。乾隆四十三年（1778 年），八沟厅改设平泉州，以理事同知管知州事，设巡检一人，兼管州吏目事，隶属于承德府。光绪二十八年（1902 年），在郑家屯设辽源州，置"知州、吏目各一人，仍隶昌图府"。③ 其管理的地方包括科尔沁左翼中旗中部偏东及左翼后旗东北的一小部分垦地。④ 三十四年（1908 年），赤峰县升为直隶州，置知州一人，辖开鲁、林西二县。原赤峰县典史改为州吏目。⑤ 平泉州派出属官州判一人，驻大宁城。赤峰州判一人，驻大庙，由原设县丞改设。

府 清朝各省下分设府，府为"承上接下"的地方行政建置，在司、道的领导下辖以州县。各府设知府（从四品），"掌一府之政，统辖属县"。⑥ 其佐贰官有同知和通判，属官有经历（正八品）、知事（正九品）、照磨（从九品）、司狱（从九品）。

内蒙古东部地区先后共设有承德、昌图、长春、朝阳、洮南和胪滨等六

---

① 嵇璜等：《皇朝通典》卷 34，《职官十二》。
② 《清史稿》卷 116，《职官志三》。
③ 王树楠等：《奉天通志》卷 124，《职官三》。
④ 徐世昌：《东三省政略》卷 2，《蒙务下·筹蒙篇》。
⑤ 朱寿朋：《光绪朝东华录》，中华书局 1984 年版，第 5863 页。
⑥ 嵇璜等：《皇朝通典》卷 34，《职官十二》。

个府。乾隆四十三年（1778年），热河厅改设承德府，改原热河厅理事同知为知府，改巡检为经历兼摄巡检管司狱事，知府统理旗、民交涉事务和地方诉讼案件，辖平泉州和滦平、丰宁、建昌、赤峰、朝阳等五县，隶热河道统辖。[①] 光绪三年（1877年），昌府厅升为昌图府，置知府一人，"依照热河承德府之例，仍管地方词讼各事"，[②] 并将厅巡检一人升府司狱，旧设照磨、经历改为府照磨、经历，辖辽源州和奉化、康平、怀德等县，隶属奉天。宣统二年（1910年），昌图府归新设的洮道统辖。光绪十五年（1889年），长春厅升为长春府，置知府一人，管理"地面命盗、词讼各事"。[③] 并置分防照磨、经历、司狱各一人，辖农安、长岭、德惠等三县。改设之初，直属吉林将军，后来府之上又设西南路道。光绪三十年（1904年），朝阳县升为朝阳府，置知府一人，裁巡检兼管典史一人，改设府经历。朝阳府管辖之下有建平、阜新、建昌、绥东等四县。同年，在科尔沁右翼前旗双流镇设洮南府，置知府、经历兼司狱各一人。[④] 辖靖安、开通、安广、醴泉、镇东等五县。洮南府管理科尔沁右翼前旗南部垦地及右翼三旗满汉商民事务。光绪三十四年（1908年），呼伦贝尔地方设胪滨府，宣统元年（1909年），始设知府。

府的属官有设在府城内的，也有派出分防境内某地的。昌图、长春、洮南等府设照磨各一人，分别驻在八面城、靠山屯和乾安镇。[⑤] 承德府设巡检一人，驻张三营（今河北隆化县北）。

府是县以上的地方行政建置，下辖若干县，因此府城是所辖各县的政治中心，政治地位的提高也增加了府城的重要性。

内蒙古东、西部地区设置府厅州县以后，在府之上又添设了道。

道　清沿明制，设道由临时派遣改为地方实官。有"兼辖全省者，有分辖三四府州者，各以职事设立，无定员"。[⑥] 即可分为管辖若干府县和一

①　海忠：《承德府志》卷30，《职官》，台湾影印《中国边疆丛书》本。

②　朱寿朋：《光绪朝东华录》，光绪三年三月戊午条。

③　李桂林等：《吉林通志》卷60，《职官志三》，台湾影印《中国边疆丛书》本。

④　王树楠：《奉天通志》卷124，《职官三》。

⑤　徐世昌：《东三省政略》卷1，《蒙务下·筹蒙篇》。

⑥　（嘉庆）《大清会典事例》卷22，《吏部·官制》。

定地域的道，还有一种在督、抚、藩、臬之下分管省内事务的专职道员。道的首长称道员，俗称道台，设于布政使和按察使下，为两司的辅助官，品秩为正四品。道员有加带"兵备"衔者，即可节制所管地区内的武职。① 在内蒙古东、西部地区先后设有热河、口北、归绥、呼伦、西南路、洮昌等六个道。

雍正二年（1724年），在察哈尔旗等地设立张家口厅，新设置的厅归直隶口北道兼辖。雍正末年口北又设独石口、多伦诺尔二厅，口北道统辖该三厅。道台驻宣化。

乾隆五年（1740年），因"直隶承德州等处，绵亘数千里，所设同知（热河同知）等官，隶霸昌道统辖，势难遥制，于古北口外添设热河兵备道一人，驻承德州"。② 乾隆三十一年（1766年），热河道加兵备衔，"辖承德府并所属一州五县，兼辖武弁。"③

乾隆六年（1741年），在归化城"设总理蒙古、旗民事务分巡道一人"。④ 新设道，名归绥道，道台衙门在归化城，除了"总理蒙古、旗民事务"外，兼管驿传，监督税务。

光绪三十四年（1908年），设呼伦兵备道，驻海拉尔。辖同年设置的呼伦直隶厅、胪滨府和吉拉林设治局。呼伦道道台，根据黑龙江省新订官制，有"办理交涉、关税，调遣境内巡防各军，并考核所辖府、厅，兼理旗、蒙一切事务"等职权。⑤

光绪三十三年（1907年），设西路道，驻长春⑥。宣统元年（1909年）改为西南路道，全称西南路分巡兵备道，仍驻长春。该道除统辖吉林府、伊通州、蒙江州等府州县外，还辖长春府及府属三县。

宣统二年（1910年），设洮昌兵备道，驻郑家屯。辖洮南、昌图二府全

---

① 嵇璜等：《皇朝通典》卷34，《职官十二》。

② （嘉庆）《大清会典事例》卷22，《吏部·官制》。

③ 梁国治等：《热河志》卷83，《文秩》，台湾影印《中国边疆丛书》本。

④ （光绪）《大清会典事例》卷25，《吏部·官制》。

⑤ 徐世昌：《东三省政略》卷5，《官制·黑龙江省》。

⑥ 徐世昌：《东三省政略》卷2，《蒙务下·筹蒙篇》卷5，《官制·吉林省》。

属，兼管蒙旗事务。①

上述四个道，均为分巡道，隶属于各省按察使司。均加兵备衔，即除统辖所属各地地方事务外，所辖境内的守备、千总、把总等各武职及军队，也归其节制。各道治所因此成为所辖府、州、厅、县的上级政府驻地，作为兵备道，道员又是兼理军政的首脑。除热河是皇帝行宫外，长春、郑家屯、海拉尔等城镇驻有军政大员，地位又有提高。

清代内蒙古州府道一览表

建置名称	设置年	所在地	统辖范围
平泉州	乾隆四十三年（1778年）	八沟	原八沟厅管辖
辽源州	光绪二十八年（1902年）	郑家屯	科尔沁左翼中、后旗
赤峰州	光绪三十四年（1908年）	乌兰哈达	开鲁、林西二县
承德府	乾隆四十三年（1778年）	承德	平泉州和滦平、丰宁、建昌、赤峰、朝阳五县
昌图府	光绪三年（1877年）	昌图额勒克	辽源州和奉化、康平、怀德等县
长春府	光绪十五年（1889年）	宽城子	农安、长岭、德惠等县
朝阳府	光绪三十年（1904年）	三座塔	建平、阜新、建昌、绥东等县
洮南府	光绪三十年（1904年）	双流镇	靖安、开通、安广、醴泉、镇东等县
胪滨府	光绪三十四年（1908年）	满洲里	呼伦厅、吉拉林设治局等
热河道	乾隆五年（1740年）	承德	承德府、平泉州和滦平、丰宁、建昌、朝阳、赤峰等县
口北道		张家口	张家口、独石口、多伦诺尔等三厅
归绥道	乾隆六年（1741年）	归化城	归化城、萨拉齐、和林格尔、清水河、托克托等五厅；清末丰镇、宁远二厅和清末新设五厅
呼伦道	光绪三十四年（1908年）	海拉尔	呼伦厅、胪滨府、吉拉林设治局

---

① 《清实录》卷8，《宣统政纪》，宣统二年二月庚辰条。

（续表）

建置名称	设置年	所在地	统辖范围
西南路道	宣统元年（1909 年）	长春	吉林府、伊通州、蒙江州、长春府及府属三县
洮昌道	宣统元年（1909 年）	郑家屯	昌图、洮南二府及府属各县

综上所述，一方面清代内蒙古的地方行政建置，不管是厅道，还是府州县，都是移民不断流入的产物，地方建置和职官选派都经历了不断的变化，以至不断符合统治需要。在这种变化过程中，各城镇中的行政建置逐渐具有更完备的政治功能。因政治的需要兴起、发展的城镇，自然处于政治中心地位。城镇的政治中心地位，又促使该城镇成为所辖地区的商贸和文化教育中心，促进该城镇的多方面的发展。如乌兰哈达（赤峰），当初仅仅是进行集市交易的地点，乾隆年间被视为适中之地，设置厅后不久又改设县。此后的乌兰哈达，不仅仅是管理翁牛特右翼旗广袤农业区的政治中心，而且逐渐发展成为远近闻名的农牧产品交易地点。清末又被改设为直隶州，不仅管理州境内的一切事务，而且还要统辖设置在昭乌达盟北部新垦区域的开鲁、林西二县。管辖范围大大扩大，相应发挥更为繁多、复杂政治功能。另一方面，在具有一定规模和发展基础的城镇中，清政府根据城镇的规模、所处地位的重要性，选其为厅、县、州、府、道的治所。因设置了不同级别的地方建置，又刺激和促进该城镇本身赋予及其其他功能的进一步扩大和完善。在清代以来的内蒙古的农业区域中，地方建置和城镇之间的这种互动关系，是显而易见的。地方建置促进和带动城镇的发展，而城镇的不断扩大和发展，有助于地方建置地位的提高和有效发挥其治权。

二、内蒙古各城镇的政治功能

内蒙古地方行政建置的治权和管辖范围有大小之别，因而，各级政府的行政职能也繁简不同。大小政治中心城镇的政治功能正是通过所驻各级政府的行政职能发挥出来的。根据清朝赋予府厅州县的上述具体的职责规定，将近代内蒙古各级政府基本职能可归纳为以下几个方面：

一是安查民籍、查缉逃匪；

二是审理城乡铺户、民人盗窃争讼人命等案；

三是审理蒙民、旗民交涉命盗等案；

四是主管地方税收；

五是兼辖驿站和军务。

其中，安查民籍、查缉逃匪和管理蒙民、旗民交涉、命盗等案是最为繁重的任务。特别是审理蒙民、旗民交涉命盗等案是清代以来内蒙古地方政府最繁重、难办之事。也是赋予那些地方政府的特殊的政治功能。根据上述各职能的地方性和特殊性，可以概括为三项，即安查民籍、查缉逃匪；处理蒙民纠纷和兼理税务、驿站事务。

（一）安查民籍、查缉逃匪

康熙年间，蒙旗土地开始被大量开垦，逐渐形成农耕区域。但是，并没有紧随耕种的步伐设置专门管理新出农耕区域的地方建置和地方官。对新垦区域的众多管理问题，朝廷往往将实施在内地的、解决同类问题的措施，借用于蒙古地方。其实，对蒙古地方的新增户口从一开始朝廷就格外地重视。康熙皇帝担忧说："山东民人往来口外垦地者多至十万余……但不互相对阅查明、将来俱为蒙古矣。"① 他同时无奈地强调："必须时常编查新增户口，以免无籍户口的增多，导致管理的混乱。"可见当时编查户口的重任，由移民所属省份的官吏来完成的。

至雍正、乾隆年间，随着内蒙古地方建置的设置，改由新设地方官来完成这项编查户口之任务。新设的地方官，不仅仅只是编查人口、造册上报，同时还采取措施，将被编查的人口有效管理。这时，内地农村户籍管理制度——保甲制被引进。雍正年间，归化城土默特地方"开地渐广，寄民稍多"，始有编甲之法，"彼时村户零散，多为联合数小村庄，始可编为一甲"②。乾隆年间热河地方垦荒就食之民越来越多，清政府就曾令遵照清初设保甲之法，命"该处驻扎司员及该同知、通判各将所属民人逐一稽查数目，择其善良者立为乡长、总甲、牌头，专司稽查"③。而"蒙古地方敖汉、

---

① 《清圣祖实录》卷250，康熙五十一年五月壬寅条。

② 绥远通志馆：《绥远通志稿》卷26，《保甲团防》，20世纪30年代稿本。

③ （光绪）《大清会典事例》卷978，《理藩院·户口》。

奈曼、翁牛特、土默特各处流寓民人，附近归八沟、塔子沟所管辖，亦设乡牌，互相稽查"。① 在卓索图盟喀喇沁诸旗乾隆年间的档案当中，有关某某地某某牌头参与处理民间诉讼、纠纷等记载屡见不鲜，显然朝廷在地方"设乡牌，互相稽查"的施政意图，日益见实效②。又如道光年间，"盛京、法库边外，科尔沁达尔汉王、宾图王二旗界内，向有蒙古招留流民耕种地亩，并开设铺店生理"，对此朝廷下令，"就近责成昌图通判编立甲社随时稽查管理"。③

上述热河各厅和敖汉、奈曼、翁牛特、土默特、科尔沁左翼中、前旗以及归化城土默特地方流寓汉民，通过设牌头、乡长、乡约，或"编立甲社"，归八沟、塔子沟、昌图、归化城厅等地方官统辖。这样，从宋代开始的封建户籍管理制度、保甲之法，自清雍、乾年间起实施在内蒙古的农耕区，不仅便于控制已有居民，而且，更重要的是及时掌握不断新增的人户。基层的保甲和地方行政建置，形成从下而上的管理体系。那些不断出现的农家村落日益拓宽农耕区域，而厅官衙门所在的厅城，也是人口聚集，保甲密布的地方。在厅的管辖区域内编制乡牌和保甲，管理上述不断拓宽的农耕区域的人户，厅城自然成为统辖各乡牌、甲社的政治中心，四乡有事，或必须进城经官办理，或派官审理，确定了城镇对乡村的统辖关系。

与编查户口同样难办的便是查缉逃犯。蒙古地方由于幅员辽阔人烟稀少，犯罪之人容易窜逃匿藏。在未设地方官之前，若遇案件，朝廷派遣专官查办。如康熙四十一年（1702年），命内务府官员查拿古北口外盗贼。④ 雍正年间设置地方官之后，查办所辖范围内的此类案件成为各级官员的重要职责之一。如咸丰十一年（1861年），奉天"已获盗首王达余党"在朝阳县境内"纠众劫囚，焚烧衙署，抢劫税银"，朝阳县知县带领兵勇捕拿。⑤ 清末热河地区，因"每一州、县所治动辄数百里，不但寻常词讼、传审维艰，

---

① 《清高宗实录》卷430，乾隆十八年正月戊辰条。
② 内蒙古档案馆喀喇沁右翼札萨克衙门档案，505—1—30。
③ 《清宣宗实录》卷38，道光二年七月庚辰条。
④ 《清圣祖实录》卷210，康熙四十一年十二月癸巳条。
⑤ 《清文宗实录》卷343，咸丰十一年二月庚午条。

即命盗重大案件，亦付之无可如何"，而改设朝阳府，增设阜新、建平等县，① 使新设地方官员就近处理案件。

（二）处理各种纠纷

蒙古人和汉族移民杂居的地方，除了一般的民事诉讼案件之外，还常出现蒙古人和汉人之间的纠纷。处理蒙古人和汉人之间的纠纷，极其棘手，处理不当，容易引发民族之间的矛盾。所以从清前期开始在蒙古地方设厅，委以不同于内地的重任。蒙、汉交涉案件，由蒙旗与地方官往往在地方政治中心所在的城镇会审处理。清前期开垦的地方，蒙民之间的纠纷、诉讼不断增多，这正是使朝廷从雍正年间开始在蒙古地方设置为数不少的、且别于内地地方建置的厅的直接原因。同时，遴选厅官的要求是"通汉文晓蒙古语"，这也充分表明了厅和厅官的特殊性和地方性。有些事务繁多的地方除了厅官之外，还设置了由朝廷直接派遣的理事官。在八沟、塔子沟、三座塔和乌兰哈达等地在清前期由理藩院派出理事官参与地方事务的管理，这一措施一直延续到清末。这些理事官的职责主要是处理所在地区蒙古、民人之间诉讼、命盗案件，② 成为内蒙古东部蒙汉交界或杂居地区特殊的官员，也使上述四个城镇形成地方官和中央部门派遣官员同驻一地的局面。换言之，这也反映这些城镇此类案件的繁多。地方官、蒙旗官府与中央派遣理事官一同处理案件，是热河各厅（县）和蒙旗的特殊一面。例如，光绪二十四年（1898年），喀喇沁中旗的蒙古人和汉人之间因债务之事酿成人命案，上告至平泉州知州衙门，知州向喀喇沁中旗札萨克致书要求将与人命有关的蒙古人送至知州衙门。③ 光绪二十五年（1899年），喀喇沁中旗蒙古人因买卖之事由向喀喇沁中旗札萨克上告瓦房街汉铺广德昌，后因不服札萨克所判，又上诉到八沟理事官衙门④。再如内蒙古西部乌兰察布盟各蒙旗、归化城土默特旗的蒙古人与邻近各厅汉民之间的纠纷案件接连不断。甚至有的案件牵涉到两个

---

① 《锡良遗稿》卷4，《奏稿》，中华书局1959年版。
② 张永江：《八旗蒙古俄官初探》，《蒙古史研究》第3辑，内蒙古大学出版社1989年版，第150—181页。
③ 内蒙古档案馆喀喇沁中旗札萨克衙门档案，504—1—5338。
④ 内蒙古档案馆喀喇沁中旗札萨克衙门档案，504—1—6420。

厅，厅官相互推卸责任，案件数年不得结案，蒙民怨声自然不息。①

蒙旗之间的争地事件，常有发生，案发之后由一方上告至理藩院。遇到此类案件，往往由理藩院派遣官员，临时驻扎要地，主持或参与处理。乾隆二十七年（1762年），敖汉旗和翁牛特右旗发生争地，理藩院派官员到乌兰哈达处理此案②。此案以敖汉旗的胜诉而结束，其处理方式，被定为处理其他蒙旗同类案件的依据。当时的乌兰哈达，虽然还未设置地方建置，但是事实上已经是该地中心，中央官员选择此地办理案件。

（三）兼理税务、驿站等事务

地方官兼管城镇税务。乾隆年间，归化城、八沟和多伦诺尔等内蒙古商旅集聚的地方，相继收税，税务便成为地方要务，也成为地方政府经费来源之一。归化城是最早征收地方土产税的地方之一。乾隆二十六年（1761年），因"蒙古地方现种烟叶、杂粮，制造油、酒、烟等项在归化城一带售卖渐成行市"，归化城开始抽收烟、油、酒三项和皮张、杂货、落地等税，由杀虎口监督负责。③乾隆三十四年（1769年），经户部议准，归化城税务改归归绥道接管。

八沟、塔子沟、三座塔、乌兰哈达和多伦诺尔等城镇，也从清乾隆年间开始征收各种杂税。八沟等四处的理事司官，就兼管地方税收事务。光绪二十八年裁撤之后，其地方税收，由都统委员征收。多伦诺尔的税务开始时由专任监督来征收，后改由理事同知管理。④盐税是多伦诺尔特殊的一种税收。北部锡林郭勒盟乌珠穆沁盐池距多伦诺尔地方千余里，由私人采掘上市。"盐务旧归商贩，商蒙随间交易，颇为便利，其税归厅署。"⑤

部分驿站事务也归地方官兼管。如多伦诺尔厅同知兼辖独石口驿站事务。⑥掌邮传迎送的驿丞，"支直于府、州、县"。⑦如平泉州州驿，丰宁、

---

① 江实：《蒙古联合自治政府巴彦塔拉盟史资料集成·土默特特别旗之部第一辑》，蒙古文化研究所1942年版，第150—154、164—168页。

② 内蒙古档案馆喀喇沁右翼札萨克衙门档案，505—1—81。

③ 张曾：《古丰识略》卷40，《物部·税课》，清咸丰年间抄本。

④ 李鸿章、黄彭年等：《畿辅通志》卷107，《经政·榷税》，河北人民出版社点校本1982年版。

⑤ 刘钟荣：《多伦诺尔厅调查记》，1914年5月《东方杂志》第10卷，第11号。

⑥ 金志章：《口北三厅志》卷1，《地舆志》，台湾影印《中国方志丛书》本。

⑦ 《清史稿》卷116，《职官志》。

建昌、赤峰、朝阳等四县县驿由州县官兼辖。[①]

在城镇的各级地方官员中，有的兼辖军务。如六个道道员均加兵备衔，即所辖境内的守备、千总、把总等各武职及军队，归其节制。知府等各官也有责任管理地方军务。地方如发生人民起义或匪乱，兼辖军务的地方官可以从城镇中派驻军前往弹压。如光绪十七年（1891年）热河蒙旗发生金丹道暴动，由于地方文武员弁"疏于防范"，热河道道员、承德府知府等都"交部议处"。[②]

三、地方驻军与城镇

内蒙古设有地方行政建置的城镇，往往既是政治中心，也是驻军要地，其建置级别越高，相应驻军也多，军衔也高。

清代，八沟营参将和多伦诺尔协副将同在直隶古北口提督管辖之下，而不同的是，多伦诺尔协由宣化镇总兵统领，河屯协直属于古北口提督。两处军事部署始于清前期，其中多伦诺尔到清末仍有所变动。

雍正八年（1730年），在八沟设八沟营守备，归河屯协兼辖。[③] 清代绿营兵各营，其长官有副将、参将、守备、都司等。可见，当初八沟营设守备，是营较低级的军官。嘉庆十六年（1811年），移蔚州路参将、守备驻八沟，作为八沟营参将、守备。至此，八沟营长官升为参将，由直隶古北口提督直辖。辖本营并分防七汛和兼辖建昌、赤峰、朝阳三营。此外，驻八沟的还有守备一人，千总一人，把总二人。

多伦诺尔，雍正十年，始派汛防千总，带兵40名，"按年更换，驻扎旧营"，汛防千总衙门，在多伦诺尔旧营兴隆街由旧官房改建。[④] 乾隆二十二年（1757年），在多伦诺尔地方添设了多伦营，派都司、千总、把总、外委等各一人。[⑤] 都司和千总驻多伦诺尔。光绪年间，"北境俄患渐逼"，光绪六

---

① （光绪）《大清会典事例》卷655，《兵部·邮政》。

② 《光绪朝东华录》，光绪十七年十一月，中华书局1984年版。

③ 康熙四十五年设河屯营守备等官。雍正元年增设河屯营参将。乾隆三年裁河屯营参将改设副将。见（光绪）《大清会典事例》卷546、547，《兵部·官制》，河北人民出版社点校本1982年版。

④ 金志章：《口北三厅志》卷4，《职官志》。台湾影印《中国方志丛书》本。

⑤ 李鸿章、黄彭年等：《畿辅通志》卷120，《经政·兵制》，河北人民出版社点校本1982年版。

年（1880 年），调宣化练军、直隶步队赴库伦防俄。次年，张家口副将改为多伦诺尔协副将，属宣化镇总兵管辖，驻扎多伦诺尔厅，"统辖本标中、左、右三营"。[1] 副将俗称协台，协台衙门建在喇嘛庙南兴化镇的牛市街街头。[2] 协标左、右二营，由张家口协标左、右二营移驻，守备、千总、把总、外委各一人，左营额外外委一人，右营额外外委二人，其中右营守备驻经棚，其余各官都驻本营；中营，由原设多伦营改设，都司、千总、额外外委各一人，驻本营，把总二人，一驻本营，外委二人，一驻本营。这样，经过雍正至光绪年间 150 余年的改设，多伦诺尔地方的绿营兵制，已具备一定的规模。多伦诺尔协副将成为直隶宣化镇总兵管辖之下的两个副将（另一是独石口协副将）之一，也是直隶提督管辖之下的八协副将之一，担任察哈尔左翼各旗和昭乌达盟克什克腾旗等广大地区的军事防务要职，在直隶北部与内蒙古连接地方居重要的军事地位。

察哈尔右翼和归化城土默特地方推广绿营是在乾隆年间。乾隆二十五年（1760 年），首先在宁远厅设立把总，由杀虎口协[3]把总改设，仍归杀虎口协兼辖。同年，在清水河、托克托城、善岱、萨拉齐设立营官[4]。翌年，设归化城守营，由杀虎口协利民营移驻，置都司、把总、外委、额外外委各一人，仍隶杀虎口协。归化营辖萨拉齐、包头、多尔济、清河、沁昌等汛，各汛设把总、外委等官[5]。

哲里木盟蒙旗所设各府厅州县统归盛京、吉林、黑龙江三将军，所以一直没有安置绿营兵。直到清末各地举办巡防队，从而才有地方部队。

清末新政，在改练新军的同时，在地方建立治安部队，即巡防队。巡防队以维持治安、弹压地方为职责，以路、营编列组织。东三省改立行省后，奉天、吉林、黑龙江三省各设巡防队，分前、中、后、左、右等五路。各路军择地驻扎，许多政治中心城镇驻有重兵。如奉天省前路步队第一营驻辽源州；第二营驻洮南府，前路马队第一营驻辽源州，第二营分驻。康平、怀

---

① 《清史稿》卷 137，《兵志》。
② 《清史稿》卷 54，《地理志》。
③ 王轩：《山西通志》卷 77，《营制略上》，中华书局 1990 年版。
④ 对营官一说，史料记载不明。依据（光绪）《山西通志》，似乎是把总。
⑤ 张曾：《古丰识略》卷 27，《人部·兵防附俸饷》，光绪年间刻本。

德、奉化等县，第三、五营驻洮南府。右路马队二营驻安达厅。中路步队第
一营驻昌图府属同江口。后路步队第一、二营，马队第三、四营驻彰
武县。①

驻扎在城镇的军队及其家属，使各城镇增加了一批消费人口，刺激城镇
消费市场。部分驻军对所驻城镇进行建设。如毅军后路军在林西县城驻扎
时，在原来的基础上"令各营兵士做工，以土筑墙"，建砖石城门。② 另外，
军饷一般由地方筹办，增添了地方负担。如农安县新军四营，"系就地筹
饷，按每垧公租地捐钱百文，城镇各商分别出资"。③

必须指出，各城镇所驻扎的军队的主要目的，就是通过城镇中军队，震
慑所辖地区各族人民的反抗或会党、匪徒的暴乱等等，当然，在列强觊觎我
国时，各城的驻军也有安定边疆的作用。

四、"新政"以后增设的职能机构

第一次鸦片战争以后，中国的封建社会性质发生了变化，开始了近代半
殖民地半封建化的历史过程。这一社会变革在随后的半个多世纪里愈演愈
深，经历第二次鸦片战争、太平天国运动、洋务破产、甲午惨败，尤其是义
和团反帝运动的爆发，八国联军的武装干涉，更加暴露了清王朝的腐败无
能、内外失制。八国中俄国侵略军的强占东北，直接涉及内蒙古东部地区，
清朝最高统治者为了挽救苟延残喘的局面，被迫推行新政。

清末新政包括诸多内容，而在东北地区和内蒙古，在地方官的推动下，
在各府厅州县治所原有的传统封建官僚机构中，还增设或改设了若干新的机
构——局、所。也使它们开始具备近代城镇的众多功能。

（一）治安机构的变化和更新——巡警局

清代没有专设负责地方治安的机构。而府厅州县属官和佐贰官，如吏
目、巡检、县丞、典史等负有缉捕之责。此外，还设有捕盗营，置捕盗官，
专司缉捕盗贼之事。

---

① 徐世昌：《东三省政略》卷4，《军事·军政篇》。
② 苏绍泉：《林西县志》卷1，《地理志》，内蒙古图书馆抄本。
③ 郑士纯、朱衣点：《农安县志》卷5，《军警》，1927年铅印本。

内蒙古的各府厅州县的部分属官或佐贰官，负责城镇和辖区的治安、缉捕等事。此类官一般都设在府厅州县的政治中心，即在府城、厅城、州城和县城，担任缉查、捕盗等事务，承担本府厅州县的治安之责。一部分厅县由于管辖范围大，属官便设在厅、县城之外的境内要地。

清政府在直隶、山西、奉天、吉林等地设置专门负责缉捕盗贼的捕盗官员，① 捕盗官所设各官与绿营兵官称呼相同，但它不归绿营，而"分辖于文职"。② 多伦诺尔千总、把总、外委和额外外委等官，驻扎多伦诺尔厅，归多伦诺尔厅同知辖。热河喀尔沁千总一人，驻扎平泉州，由平泉州知州兼辖；乌兰哈达千总一人，驻扎赤峰县翁牛特汛，由赤峰县知县兼辖；塔子沟千总、外委、额外外委各一人，驻扎建昌县，由建昌县知县兼辖；平泉州卧佛寺把总一人，驻扎卧佛寺，由平泉州知州兼辖；三座塔把总、外委各一人，驻朝阳县三座塔，由朝阳县知县兼辖。光绪十年（1884 年），口外七厅——归化、萨拉齐、丰镇、宁远、清水河、托克托、和林格尔等各厅始设捕盗营，设外委、额外外委各一人，而节制于厅员③。

昌图府属千总、把总各一人、外委三人，驻扎昌图府，由昌图府知府兼辖；怀德把总、外委各一人，驻扎怀德县，由怀德县知县兼辖；奉化县把总、外委各一人，驻扎奉化县，由奉化县知县兼辖；康平县把总、外委各一人，驻扎康平县，由康平县知县兼辖。④

在全国各地创建巡警是清末新政的一个重要内容。采取西方国家巡警之制，尽用警官、警兵分段站岗，以代兵役。光绪二十七年（1901 年）七月，清政府颁谕各省饬练巡警。光绪三十一年（1905 年）九月，设巡警部和京师警察总局，同年继饬各省府县一律仿照京师设局招警。

在内蒙古率先设巡警的是奉天管辖之下的府厅州县。奉天正式设置巡警之前，"各州县城镇、屯堡筹款置械，互相捍卫，或称保甲，或称巡捕，或称乡团，或称堡防"。⑤ 光绪三十一年（1905 年），各属创办巡警时，就有

---

① （光绪）《大清会典》卷 45，《兵部》。
② （光绪）《大清会典》卷 45，《兵部》。
③ （光绪）《大清会典事例》卷 548，《兵部·官制》。
④ （光绪）《大清会典事例》卷 590，《兵部·绿旗营制》。
⑤ 徐世昌：《东三省政略》卷 6，《民政·奉天省》。

由团练改设警察的，如彰武县，改团练为警察，设警察分局四处，归县节制。① 彰武县、法库厅、昌图府、辽源州、奉化县、怀德县、康平县、靖安县、开通县、镇东县等府厅县相继设巡警总局，总局均设在府、县、厅治内。有些地方的巡警之设与设县同步进行。如镇东县，宣统元年（1909 年）设县，当年，就设立巡警局。②

吉林各府厅州县巡警的设立普遍晚于奉天。长春府及其属各县，从光绪三十二年（1906 年）开始创办巡警。长春府巡警局（又称长春府巡警城局）创办于光绪三十三年（1907 年）；农安县巡警局（又称农安县巡警乡局），与长春府同时创办，长岭县巡警总局，创办于宣统元年（1909 年）正月。黑龙江省于光绪三十三年（1907 年）以后才开始"遵照部章，檄饬各属一律举办巡警"，并且根据"各属民人之多寡，商务之盛衰，分区设卫"。③ 大赉、安达、肇州等三厅均设有巡警，但是没有奉天和吉林各属设施完备，大都以地方行政长官总辖城乡警务，下置警务长以实行命令。

热河都统管辖之下的府县，于光绪三十二年（1906 年）开始创办警务。如朝阳县巡警局，创办于光绪三十二年（1906 年），赤峰县巡警局创办于三十三年（1907 年），其属乌丹镇也设有巡警分局。④

多伦诺尔也于光绪末年设立了巡警总局。置巡丁 40 名，分南北两街，当市场警察之任。⑤ 归绥道管辖之下的口外诸厅也纷纷设立巡警局。其中新设置的武川厅于光绪三十一年（1905 年）设立巡警局。五原厅设巡警局，其官叫做管带，由五原厅同知兼任，下设哨官兼教习、哨长各一名和骑兵、步兵共 70 名。⑥

巡警局的设立及其逐步走向正规，受制于地方各方面的条件。吉林省"府、厅、州、县，或地属通衢，注重交涉，或距省写远，附属边务，或疆界未定，或设治未久，故成立之先后不同，而规划之情形各异。"⑦ 有的县

---

① 王恕等：《彰武县志》卷 2，《政治志》，1933 年铅印本。
② 陈占甲、周渭贤：《镇东县志》卷 3，《政治志》，1927 年铅印本。
③ 徐世昌：《东三省政略》卷 6，《民政·黑龙江省》。
④ ［日］关东都督府编：《东部蒙古志》中卷，第 8 编《殖产兴业·都市》，1914 年，第 419 页。
⑤ ［日］剑虹生：《多伦诺尔记》。
⑥ 《五原厅志稿》卷上，《兵志·巡警》，江苏广陵古籍影印社景印。
⑦ 徐世昌：《东三省政略》卷 6，《民政·吉林省》。

先有保甲团练基础，其组织和名称也多有变化。如怀德县，光绪三十二年（1906 年）创办时为巡警总局，宣统元年（1909 年）设警务长，旋将巡警总局改为警务局，嗣后改为警务公所。① 彰武县，始称警察分局。光绪三十二年（1906 年）改设总局，全境分为五路，每路设分局一处。三十四年（1908 年），将总局归并县署，改巡官为警务长。宣统元年（1909 年），立巡警总局，不久又改为警务局。靖安县巡警局，光绪三十四年（1908 年）重加整顿，划分区域，设总局，分设四个所。② 长春和农安巡警局开始时称做城局和乡局，后来改称巡警总、分局。

巡警、警察及其局所的设立，由于地方分治的原因，在归化城引起了一场归化城副都统和归化城厅之间的矛盾。光绪二十七年（1901 年）清廷颁诏命令创办巡警之后不久，归化城土默特副都统将土默特驻守官兵改为巡警兵。此后，山西省又在归化城厅地方设巡警，"同处一方，同办一事"。随后，"土默特巡兵竟成虚设"，兵饷停发。光绪三十一年（1905 年），归化城副都统又筹办设立警察。③ 归化城的巡警一项，直至清末民初才趋于正轨。所以，口外诸厅除了上述新设置的武川、五原清末筹备设立了巡警局以外，归化城等地方却迟到进入民国才开始着办。

各地巡警机构，名目不一，有的称做巡警局，有的则称做警务局，有的不称局而称所。名目虽不一，但其行使的职能是一致的，即"保护地方公安，维持公共秩序，助长内务行政至关重要，如清查户籍，划区站岗，施行禁令条例，查察有无干违为入手通务"。④ 巡警对城镇产生的影响很大。首先，每一府县的巡警总局，都设立在府和县城内，成为全境巡警指挥中心。昌图府"将局所分为城、乡两处，总局均设于府街"。⑤ 其次，城镇巡警分工较细。如农安县，"城市巡警原分五区，至是改四区为四分所，驻四大城门，一区归局中。"⑥ 最后，巡警和巡警局、所的成立及其逐步调整和完善，

① 孙云章等：《怀德县志》卷 2，《职官》，1929 年铅印本。
② 蒋国铨：《奉天省洮安县志书》，油印本。
③ 《光绪谕折汇存》光绪三十一年十月初三日，据日本东洋文库所藏散本。
④ 王树楠等：《奉天通志》卷 143，《民治·警察》，《东北文史丛书》。
⑤ 洪汝冲：《昌图府志》第 2 章《政治志》，1910 年铅印本。
⑥ 郑士纯、朱衣点：《农安县志》卷 5，1927 年铅印本。

使城镇治安秩序、街道卫生、消防等各方面的社会生活，终于有专门机构或专门人员管理，为城镇功能的有效发挥创造了条件。并且，巡警总局、分局或城、乡局，通过上下系统管理，加强城镇和村落之间的联系，对城镇地位的提高，必然起了积极的作用。如在归化城，副都统和厅官分别设立巡警，"自为保卫地面起见"。在官府经费入不敷出的情况下，设立巡警之事受到如此的关注，足以表明其重要性。

（二）普遍设立税务机构

税务是城镇重要的事务之一。清末"新政"以前，在内蒙古各城镇中设有税收机构，有的由地方官征收，有的专门设有税收官员。如归化城，专设归化关：归化关"向驻旧城北门内，租赁民房，并无固定地址"①，长官为监督，其"收款为解部正项"，其收项"全恃拍收经过货物之税厘为大宗"②。归化城部分税收由归化城同知征收外，额征杂税、牲畜税和"洋药税、菻油酒杂货税、铁器税、落地税各名目俱由归化关设局经收"③。如多伦诺尔税收由同知统一管理，分设马、皮、杂货、斗等四局，④分别征收牲畜、皮毛、杂货和粮食税。清末民初，"每年任国课万八千两，所有盈余，归厅支用。"⑤赤峰等地的税务则由理事司员征收。东北地区的各州县，各税务机构名目不一。如怀德、奉化等光绪初年设置的县，设有斗秤土药捐局或斗秤捐局。⑥

"新政"开始后，大多数府县始设税捐局（也叫税局）。如彰武县设有税捐局，由新民府税捐总局分设。⑦昌图府设有税捐总局，怀德、奉化县税局改名为税捐总局。辽源州、康平县设有辽康税捐局⑧，其下有辽源州辽康

①　绥远通志馆：《绥远通志稿》卷18，《衙署》，20世纪30年代稿本。

②　绥远通志馆：《绥远通志稿》卷37，《税捐》，20世纪30年代稿本。

③　郑裕孚：《归绥县志》，《经政志·赋役》，1934年铅印本。

④　刘文凤：《东陲纪行》，《陆庵丛书》本。

⑤　刘钟荦：《多伦诺尔厅调查记》，《东方杂志》第10卷第11号。

⑥　赵享莘、孙云章等：《怀德县志》，1929年铅印本，卷5，《财政》："光绪二十五年始由省宪专派委员立斗秤土药捐局，隶昌图总局"。

⑦　王恕等：《彰武县志》卷2，《政治志》，1933年铅印本。

⑧　设立之初，经收辽源、康平税捐，后又收通辽、双山等县税捐。见辽宁省档案馆档案，全宗号JC10，案卷号4735。

税捐局、牛马税局和康平县辽康税捐局等分设机构。清末民初新设的县，由于"辟荒未久，人民稀少"而有数县税务统归一个税务局的现象。

洮南设税捐总局，管靖安、安广、开通、镇东等县的税捐事务。① 也有的临时设有税收机构，如醴泉县设醴泉、开化二镇税捐分卡二处，民国二年（1913年），两处临时税捐分卡改为正式税捐分卡。隶属洮南税捐征收局。② 各府州县在境内重要地方也立税务分卡，有的地方多达五处。如彰武县在哈尔套街设有分卡，昌图府设分卡五处，分别是鸳鸯树、八面城、大洼、金家屯和亮中桥。③ 辽源州在哈拉沁屯、好官屯、辽阳窝堡等三处设分卡。奉化县也在榆树台、拉玛甸、四站和五站等四处设税卡。

部分府厅州县设有督销局或盐厘局等名目不一的盐税管理机构。如多伦诺尔，到清光绪末年"由直隶招商认课设局督销"。④

（三）邮政、电信业的创办

在近代邮政未传入之前，清代各地文报由驿站传递。以京师为中心，通向全国各地的驿站，以古老、落后的形式传递中央和地方之间的各种文书，并迎送官员，是负责供应传递文书人员和来往官员的中途食宿及夫马车船的邮传机构。在蒙古地区除了特设五路驿站外，在相临各省的驿站中，也有设在蒙古地方的，或者设在连接内地与蒙古地方的。⑤ 除了驿站外，清朝在各省府厅州县设铺司，传递公文。在承德府管辖之内的平泉州设铺19处，其中巴里罕等铺至今仍在内蒙古境内。丰宁县设铺10处，建昌县设铺10处，朝阳县设铺11处，波罗赤、三道梁、乌森图鲁、鄂尔土板等地均为境内较大的地方。驿站和铺司，其基本职能是负责军政通信、官吏来往和物资转运，是专门为官方服务的邮递机构。民间邮递则到了清末以后才始有开办。

光绪前期，在一些洋务派官员的主持下，邮政、电报已陆续创设于内地、沿海的主要都会通衢。光绪二十二年（1896年），成立大清邮政，从此产生于西方国家的邮电通信业开始在全国各地出现和普及。光绪三十二年

---

① 辽宁省档案馆奉天省长公署档案，JC10—4735。

② 突泉县志编纂委员会编：《突泉县志·大事记》，内蒙古人民出版社1993年版，第8页。

③ 徐世昌：《东三省政略》卷6，《民政·奉天省附件》。

④ 刘朝铭：《蒙盐纪要》，内蒙古图书馆藏手抄本。

⑤ （光绪）《大清会典事例》卷655，《兵部·邮政》。

（1906年），奉天始办文报局，三十三年（1907年），上奏拟请裁撤奉省驿站："奉省设立文报总、分各局，递送往来公文，较前迅速倍蓰，驿站直同虚设，自应裁撤以节经费"。[①] 从此，东北地区由奉天开始裁撤驿站，取而代之，在各地方陆续出现了文报局、邮电局等。并且，这些邮政通信机构的设立都选择各地的中心城镇，这样不仅便于管理新成立的各局，也便于在全境内有效地发挥作用。

清末内蒙古西部归化城的邮政开办较早。光绪二十七年（1901年），开始试办，但是"奏折文书仍由驿站递达"[②]。宣统三年（1911年），裁撤驿站，邮局业正式启动运作。在归化城小东街设立一等邮政局，直隶交通部[③]，又在绥远城西街设支局，在毕克齐和萨拉齐二镇分设邮寄代办所。

同一时期，内蒙古东部的各城镇中陆续开设邮政局，各邮政局又分归热河、奉天、吉林、黑龙江等邮务管理总局。如经棚，光绪三十四年（1908年），由商号代办邮政。[④] 彰武县城邮政局一处，县境内分设代办处二，一在大庙，另一在哈尔套街。[⑤] 法库厅城有邮政局一处；昌图府城，光绪三十三年（1907年）设立邮政局，总局下有分局五，分别在境内二道沟、同江口、金家屯、八面城和四平街。辽源州设邮政局二处，一在州治，另一在三江口。怀德县，设邮政局二处，一在县治、另一在黑林镇（县南43里）。昌图府又于光绪三十二年（1906年）设立文报分局[⑥]，接递昌图府同江厅、康平、奉化、怀德等县境内衙署、局所的往来公文和科尔沁左翼后旗蒙文文牍。辽源州的文报分局，传递洮南府、辽源州、开通、靖安、安广、醴泉等县境内衙署、局所的往来文牍和科尔沁右翼前、中、后等三旗蒙古文文牍。醴泉县，宣统二年（1910年），设文报站，传递洮南和醴泉间公文、信件。[⑦]

---

① 徐世昌：《东三省政略》卷11，《实业·附东三省文报》。
② 郑裕孚：《归绥县志》，《经政志·交通》，1934年铅印本。
③ 郑裕孚：《归绥县志》，《经政志·交通》，1934年铅印本。
④ 《热河经棚县志》卷20，《职官》，呼和浩特古丰书斋誊印本1982年版。
⑤ 王恕等：《彰武县志》卷2，《政治志》，1934年铅印本。
⑥ 程道元、续文金：《昌图县志》卷3，《交通》，1916年铅印本。
⑦ 徐世昌：《东三省政略》卷6，《民政·奉天省附件》。

　　电线和电报的出现及其推广，直接与帝国主义列强的侵略有关。光绪初年，海防紧急，在各沿海要港安设电线，奉天的旅顺和营口就是那时设线通电。此后，"吉林、黑龙江逼处俄疆，边防尤要"，光绪十五年（1889 年），"自吉林省城设线至松花江南岸，历茂兴站、齐齐哈尔、布特哈、墨尔根、兴安岭、黑龙江以达黑河镇"。① 这是最早在东北内陆所设电线，这条线基本沿着驿站设置。此后，奉天、吉林、黑龙江三省电线基本形成三条路线。奉天路线从山海关至长春，吉林路线从长春至锡耳古，黑龙江路线从哈尔滨至海兰泡。其中，经过内蒙古东部地区的支线主要是奉天路线，有开原至昌图府、昌图府至通江口、通江口至法库门、昌图府至公主岭和公主岭至长春等各段。② 而沙俄修铺中东铁路，在铁路沿线各地立杆拉线，在东北地区经营铁路的同时，也经营了电报、电话等业务。随之，在各府州厅县之间就有了电线，出现了电报局等电信机构。日俄战争期间，东北电业"或占或毁，杆线荡然"，光绪三十二年（1906 年）开始修复，次年，奉、吉之报始通。修复之后，"奉省西北路由新民府经法库门、辽源州、洮南府以达齐齐哈尔。"③ 这条电线连接了法库、康平、昌图、辽源、奉化、怀德、洮南、农安等府厅州县。④ 并且，沿着电线重要城镇设有电报局，如昌图府电报局，设于光绪三十二年（1906 年）；农安县电报局，设于光绪三十四年（1908 年）。

　　直隶是在全国最早设立电报的省份之一。光绪十七年（1891 年）的金丹道暴动被平息之后，筹办善后事宜，始在热河承德府设两条线路，一由通州至承德府，一由锦州府至朝阳县。⑤ 该条线路因电费"收数较旺，有盈余"，于光绪二十四年（1898 年），拟续设承德至朝阳线路，与奉天线路接通。⑥ 新政之后，承德府属各州县也陆续设立电报局。如朝阳电报局，设于

　　① 《清史稿》卷 151，《交通三》。

　　② 卓宏谋：《蒙古鉴》（第 3 版），第 3 卷《实业》，1923 年铅印本。

　　③ 徐世昌：《东三省政略》卷 11，《实业·附东三省电政》。

　　④ 徐世昌：《东三省政略》卷 6，《民政·奉天省附件》。

　　⑤ 朱寿朋：《光绪朝东华录》光绪十八年四月丁巳、李鸿章奏折、光绪二十四年十一月丁卯裕禄奏折，中华书局 1989 年版，第 3109、4281 页。

　　⑥ 朱寿朋：《光绪朝东华录》光绪二十四年十一月丁卯，中华书局 1988 年版，第 4281 页。

光绪三十一年（1905 年），① 同一时期，建昌县也设电报局。②

西部各城镇的电报、电话业仍然从归化、绥远二城开始。归化电报局创设于宣统二年（1910 年），地址在归化城北门内。

第五节　清末新政在绥远地区

清代的绥远地区，大体上就是当今内蒙古西部地区的主体部分。由于诸多历史原因，尤其是清朝"蒙禁"政策的影响，到 19 世纪末，这里还没有出现多少近代资本主义因素。20 世纪初，清统治者迫于形势，实施所谓的"新政"。

一、概论

（一）关于清末"新政"

清王朝经过义和团运动的冲击及八国联军的大举入侵，其统治几乎垮台。中国在此时已完全沦为半殖民地半封建社会，阶级矛盾尖锐，统治集团和新兴的民族资产阶级上层之间的矛盾也十分尖锐。面对严重的内忧外患，清政府提出在全国推行所谓的"新政"。

光绪二十七年（1901 年），清廷出台了"变法"上谕。清政府关于变法的解释如下："世有万古不易之常经，无一成不变之治法……法令不更，锢习不破；欲求振作，当议更张。著军机大臣、大学士，六部、九卿、出使各国大臣、各省督抚，各就现在情形，参酌中西政要，举凡朝章国故、吏治民生，学校科举，军政财政，当因当革，当省当并，或取诸人，或求诸己，如何而国势始兴，如何而人才始出，如何而度支始裕，如何而武备始修，各举所知，各抒所见，通限两个月，详悉条议以闻。再由上禀慈谟，斟酌尽善，切实施行。"③

同年 4 月，清政府成立了"督办政务处"，作为规划新政的机构。清廷

---

① 周铁铮：《朝阳县志》卷 16，《职官》，1930 年铅印本。
② 周宪章、宫葆廉：《凌源县志略》卷 9，《公署》，1927 年稿本。
③ 《清德宗实录》卷 476，光绪二十六年十二月上丁未条。

以发布"变法"上谕、成立"督办政务处"为标志，正式拉开了清末新政的帷幕。

清廷作出了下决心变法的姿态，声称："须知国势至此，断非苟且补苴所能挽回厄运，惟有变法自强，为国家安危之命脉，亦即中国民生之转机……。舍此别无他策。"① 督办政务处成立后，清廷任命奕劻、李鸿章、荣禄等六人为督办政务大臣，刘坤一、张之洞遥为参领。"新政"的各项措施从此逐步推出。这些措施主要包括改革官制、兵制和学制，以及筹饷、奖励工商、改革刑律等。

在清政府统治的最后十余年间，绥远地区最重大的事件就是推行新政。推行新政带来的变化几乎涉及该地区社会生活的每一个方面。当时发生的重大事件，几乎都与新政有着直接或间接的关系。

在绥远地区推行新政的主要内容是通过放垦蒙地（简称蒙垦）进行筹款。史学界对蒙垦的研究是比较深入的，但是，清末新政的内容是多方面的、多层次的。在绥远地区推行的新政措施也是如此。除蒙垦之外的其他新政措施，比如编练新军，创办新学以及试办工矿实业等，尽管不如蒙垦推行得深入，但在这里也有程度不同的实施，而且对当地产生了多方面的影响。

二、"新政"在绥远地区的概况

绥远城建于乾隆年间，山西右卫的建威将军移驻于此，使其成为内蒙古地区的军事重镇。建威将军即改为绥远城将军。绥远城将军的权力很大，除统辖驻防的满洲八旗官兵外，兼管归化城副都统以及乌兰察布盟、伊克昭盟，同时还有权节制沿边各道、厅。我们把绥远城将军管辖的这些主要地区，称为绥远地区。其大致范围包括绥远城、归化城及土默特旗、乌伊两盟境内十三旗，位于这一带的萨拉齐厅、和林格尔厅、清水河厅等归绥道所属的沿边各厅等。这一地区，位于内蒙古的西部，在"清末新政"以前，同内蒙古其他地区一样，由于清王朝的"蒙禁"政策，在政治、经济和文化等方面与内地的联系较少。

清王朝的"蒙禁"政策，人为地限制蒙古族同汉族及其他少数民族之

① 故宫博物院明清档案部编：《义和团档案史料》，中华书局 1959 年版，第 1327—1328 页。

间、蒙古地区与内地之间的正常交往与交流。这一民族隔离政策，近代以来，呈现出逐步松弛的趋势。但是，直到清末推行"新政"以前，绥远地区的社会生活，几乎没有什么近代资本主义因素。洋务运动、维新运动等革新运动，还未波及这一地区。总之，近代以来的社会变革对当地的影响是极其微弱的。这里仍处于比较落后、闭塞的状态。

清廷在全国推行"新政"，在绥远地区也付诸实施，而且产生了较大影响。"筹款"是新政的主要内容，从新政的角度来说，官放蒙地（简称蒙垦）是清廷在绥远地区"筹款"的主要途径。如此筹款，不仅如内地各省筹款一样，激化了阶级矛盾，而且产生了另外一些恶果，特别是激化了民族矛盾，严重破坏了当地的畜牧业经济和生态环境。

"编练新军"是新政的核心内容。清廷在绥远地区编练了常备军和续备军，后改为陆军，同时还创办了军事学堂，设置了巡警等。"新军"在该地区得到推广，当地出现了一批新式学堂，"西学"开始传播。练军和办学堂，都取得了一定的成效，但限于经费以及当地的发展状况，这些变革都很有限，推行得并不深入。

在绥远推行新政期间，归化城设立了洋务局，各道厅也设立了咨议局，当地官府还提倡革除陋习，如禁止鸦片等。

同一时期，新政的其他措施也在当地开始推行。在绥远城和归化城分别创设了工艺局，主要从事纺织和皮革加工等。在土默特旗境内，一些煤矿受到重视，官府准备由此推广近代化矿业。同时绥远地区还试办了邮电业和铁路，创办了官钱局（属于金融行业）。这些发展近代化实业的新政措施，规模都较小，数量及资金也少，当时的作用也很有限。但这些新兴行业，与新军、学堂等，都给当地带来了新风气，引入了近代文明成分，对于该地区的社会发展产生了不可低估的影响。

新政在绥远及内蒙古其他地区的推行，也是清王朝对蒙政策彻底转变的过程。近代以来，外国侵略势力对蒙古地区的侵略不断加强，蒙古地区的社会矛盾，尤其是阶级矛盾、民族矛盾也日益尖锐，清政府不再把蒙古王公贵族作为其统治的倚重力量，中央政权转而形成满汉官僚的联合统治，从而促使清王朝的对蒙政策开始转变。因此，新政在绥远等蒙地的推行，几乎是同步出现的。从清末官放蒙地开始，清政府在蒙古地区推行的一系列改变旧制的措施，是推行新政与转变对蒙政策的具体体现。因此，新政在绥远等蒙古地区的推行，具有浓厚的地区特色。就是说，上述的改变旧制的措施，明确解除了对该地区的种种禁令，如解除了原有的垦禁、矿禁、禁止蒙古族用汉文、禁止蒙汉通婚等。① 同时，这也是清政府对该地区统治政策的急剧转变。

清末新政在蒙古地区的推行，其主要内容为"筹饷"——通过官放蒙地筹款。大规模官放蒙地，随之大批汉民进入该地区垦种、定居。在习惯上，史学界称之为"移民实边"问题。

绥远地区是内蒙古的重要组成部分。新政在内蒙古的推行、清廷对蒙政策的转变，在绥远地区都有比较全面的反映。

绥远蒙垦，是新政"筹款"在绥远地区的具体化。在蒙垦推行中增设治所（道厅），是清廷新政中强化统治的组成部分，也是对蒙政策转变的具体体现。绥远练军、创办新学、试办实业、革除陋习等措施，都体现清廷的这一目的。在客观上，绥远地区的一些措施给当地带来了西方文明成分和资本主义因素，有其值得肯定的一面。

三、"新政"筹款与绥远蒙垦

（一）新政筹款的具体化——绥远蒙垦

《辛丑条约》签订后，清政府为了支付巨额战争赔款，缓解财政危机，发出"筹款"、"救急"的上谕，决定在全国广开财源，增加财政收入。此时，山西巡抚岑春煊再次上奏清廷，提出放垦内蒙古西部盟旗的土地，"现在……兵费，赔款之巨，实为历来所未有。欲议筹款，不外加厘税，加捐输……查晋边西北乌兰察布、伊克昭二盟蒙古十三旗地广旷衍，甲于朔陲。伊克昭之鄂尔多斯各旗，环阻大河，灌溉利便……以各旗幅员计之，广袤不下三四千里，若垦十之三四，当可得田数十万顷。二十五年，前黑龙江将军恩泽奏请放札赉特旗荒地，计荒价一半可得银四五十万两。今以鄂尔多斯近晋各旗论之，既放一半，亦可得三四倍……何可胜言是利于国也。"② 可见，

---

① 《清实录》卷41，《宣统政纪》，宣统二年八月丁亥条。
② 《光绪谕折汇存》。

岑春煊在多方筹措款项仍感到"点金乏术"之际，提出放垦蒙地，以所谓
"垦务朝出一令，暮入千金"[①] 的构想，打动了清廷决策者。岑春煊的这次
奏请是在光绪二十七年（1901 年）十一月底。光绪二十八年（1902 年）一
月，清廷就决定派贻谷督办蒙旗垦务。

绥远地区的筹款，是全国"筹款"的一个组成部分。清王朝向帝国主
义列强乞降，每年须偿付巨额赔款。为了维护其统治，又推行"新政"，其
财政支出急剧增加。清政府为了"敛财"，在全国各地竭力搜刮。在内地各
省，清政府巧立名目，乱增税种，如房税、契税、烟酒税、印花税、肉税、
纸税，以至百货无不加税，甚至"一鸡一鸭，一鱼一虾，凡肩挑背负和寻
常饮食之物，莫不有捐"，而且"各种苛捐杂税，省省不同，府府不同，县
县不同，名目不下数十种之多"。[②] 当时，绥远地区也有种种苛捐杂税和向
蒙古王公推行的捐输。光绪三十年（1904 年），绥远城将军贻谷即奏请开征
耕牛捐。[③]

清政府在绥远地区的"筹款"，罗掘搜刮，其最主要的方式是官放蒙
地。通过放垦蒙地，清政府可在短期内搜刮到巨额押荒银。这较之其他方
式，更为快捷。因此清廷的"筹款"措施——蒙垦，较之其他新政措施推
行更早，更为重视，竭力施行。这是在绥远地区推行新政的主要内容。

清廷决定官放蒙地，解除蒙地的垦禁，也是清王朝对蒙政策彻底转变的
开始。在此以前，蒙古地区的农业有一定的发展，除清政府官垦的官地、旗
地等土地之外，多数是流民私垦和蒙古王公私自招垦的。在当时，这样的一
些农业区对蒙古地区的经济和社会生活，没有产生急剧的触动和影响。清末
官垦蒙地，清政府派员设置机构，大肆丈放招垦，毫不顾及蒙古民族各阶层
的利益，强制推行这一政策。这是前所未有的，震动了整个蒙古地区。

（二）绥远蒙垦的概况

光绪二十八年（1902 年）二月，"督办蒙旗垦务大臣"贻谷赴太原，

---

① 黄时鉴：《论清末清政府对内蒙古的"移民实边"政策》，《内蒙古近代史论丛》第 1 辑，内蒙
古人民出版社 1982 年版。

② 梁启超：《中国国债史》，《饮冰室文集》第 24 卷，第 21 页。

③ 贻谷：《绥远奏议》，台湾影印《近代中国史料丛刊续编》本。

与山西巡抚岑春煊会商放垦蒙地事宜，然后抵达绥远城，与绥远城将军信恪筹议放垦一事。随后，贻谷在绥远城设立"督办蒙旗垦务总局"。贻谷等垦务官员赴任后，先打算放垦乌、伊两盟的一些地方。他们看到了这里肥沃的土地以及便利的灌溉条件，"先从近晋乌喇特各旗入手"。①

贻谷关于放垦蒙地的"晓谕"发出后，遭到乌、伊两盟的普遍抵制。当时绥远城将军信恪也未能给予贻谷大力协助，贻谷只好改以察哈尔开始实施垦务。光绪二十八年（1902 年）六月底，贻谷从察哈尔返回归化城，奏请理藩院行文乌、伊两盟盟长，令其迅赴归绥，会商放垦事宜。为了顺利推行绥远垦务，清廷又给贻谷加授理藩院尚书衔。

贻谷采取威胁、利诱的两面手法，"用刚用柔"，② 声称"押荒一半归蒙，升科地租全归蒙旗"。③ 光绪二十九年（1903 年），伊盟的一些蒙旗准备报垦。首先报垦的是杭锦旗和达拉特旗。不久，准格尔旗、郡王旗、鄂托克旗也表示同意报垦。此时，伊盟盟长阿尔宾巴雅尔的态度发生了转变，借口须说服属下蒙民后再行报垦，撤回了该旗（杭锦旗）的报垦。盟长的态度必然影响到全盟，贻谷决定对"始驯继抗"④ 的阿尔宾巴雅尔严惩，奏准革去其盟长职务。被革去盟长职务的阿尔宾巴雅尔，其态度又发生了转变。光绪二十九年（1903 年）冬，他重新同意放垦，并于第二年春天亲赴绥远城，向贻谷"力陈悔过情形"。⑤ 十月，他又"报效练兵经费银二万两，又绥远城工经费银五千两，绥远城学堂经费银五千两"。⑥

在清政府"一劝一惩"的高压下，伊盟各旗陆续开始报垦。光绪三十年（1904 年）九月，乌审旗和札萨克旗报垦了所谓的"祝嘏地"（或称"万寿地"）。⑦ 这一时期，达拉特旗放垦了所谓的"赔教地"，王爱召等喇嘛庙放垦了香火地（寺院属地）等。

---

① 贻谷：《垦务奏议》，台湾影印《近代中国史料丛刊续编》本。
② 贻谷：《垦务奏议》，台湾影印《近代中国史料丛刊续编》本。
③ 贻谷：《垦务奏议》，台湾影印《近代中国史料丛刊续编》本。
④ 贻谷：《垦务奏议》，台湾影印《近代中国史料丛刊续编》本。
⑤ 贻谷：《垦务奏议》，台湾影印《近代中国史料丛刊续编》本。
⑥ 贻谷：《垦务奏议》，台湾影印《近代中国史料丛刊续编》本。
⑦ 安斋库治：《清末绥远的开垦》，《蒙古史研究参考资料》第 6 辑，1963 年 10 月，第 34 页。

贻谷等采取高压手段，在伊盟强行放垦蒙地，激起了蒙古族人民普遍的抗垦斗争。乌审旗人民首先发动抗垦斗争。杭锦旗的抗垦群众在厂汉卜罗等人的领导下，组织成许多的"独贵龙"，阻止垦丈，打击垦务官员。其中，准格尔旗协理台吉丹丕尔等人领导的武装抗垦斗争，让垦务官员十分惊慌。贻谷派军队进行镇压，并于光绪三十二年（1906 年）逮捕、杀害了抗垦领导人丹丕尔。

乌兰察布盟各阶层也普遍抵制放垦。直至光绪三十二年（1906 年），肃亲王严饬乌盟盟长，"迅速遵行，晓以利害……派委道员陆钟岱来绥，守候札调，商定操纵之法"。① 贻谷又"派员前往就近开导，候至数月，该盟无可藉延"。② 盟长勒旺诺尔布与各旗札萨克会商后，开始联衔呈报垦地。由于乌盟各旗报垦较晚，垦务局在此放垦的土地，所收押荒银也较少。正是由于这时期官垦的"实绩"远不及伊盟，乌盟地区的抗垦斗争也不及伊盟那样激烈。

此外，贻谷还清理了土默特旗的垦地。光绪三十二年（1906 年）九月，贻谷任命张光甫为土默特旗查地处总办，开始清丈土默特旗的旧垦地亩。光绪三十三年（1907 年）三月，王德荣接任土默特地亩总局总办，继续清理土默特的垦地。在清丈过程中，萨拉齐发生了群众性的反清丈斗争。贻谷派军队对其进行了镇压。

光绪二十八年（1902 年），八旗牧厂垦务局成立，开始放垦大青山后的绥远城八旗牧厂。光绪三十二年（1906 年），杀虎口驿站地垦务局成立，放垦绥远地区的驿站用地。

在推行蒙垦的过程中，各级垦务机构纷纷成立。光绪二十八年（1902 年）八月，贻谷在包头试办了乌、伊两盟垦务局。第二年，两盟垦务局正式成立，姚学镜为该局总办。该垦务局在伊盟设有四个垦务分局。贻谷最初打算由这个垦务局办理乌、伊两盟的垦务，但后来因乌盟垦务更难推行，该垦务局的活动不得不限于伊盟范围了。光绪三十二年（1906 年），乌盟垦务局成立，李云庆为总办，该局下设两个垦务分局及其他一些垦务机构。

---

① 贻谷：《垦务奏议》，台湾影印《近代中国史料丛刊续编》本。

② 贻谷：《垦务奏议》，台湾影印《近代中国史料丛刊续编》本。

为了便于垦务的推行，贻谷还设立了西路垦务公司，负责承领乌、伊两盟的一些垦地。这个官商合办的垦务公司，名义上是为了避免地商的操纵、转手渔利，为了集合官商股本，一次承领，预缴押荒银，以节省国家的垦务开支，而实际上，垦务公司由垦务官员把持，先收地价，再缴押荒银，转放土地时加收地价，攫取了巨额的利润。

贻谷督办蒙旗垦务，遭到绥远地区各蒙旗的普遍抵制和反抗。办垦过程中又出现了种种弊端，当地的社会矛盾不断被激化。光绪三十四年（1908年）四月，归化城副都统文哲珲参奏贻谷，声称贻谷欺蒙朝廷，侵吞巨额垦款，请求朝廷派员查办。清廷决定对贻谷"革职拿问"①，并派员查办"贻案"。轰动一时的垦务弹劾案发生后，绥远蒙垦转入低潮。但是，当地垦务并未终止。继贻谷之后，清廷又派信勤、瑞良和堃岫先后督办该地区垦务。这期间，继续放垦的蒙地有乌盟四子王旗和乌拉特三公旗的部分已报（垦）未放地，伊盟乌审旗报垦数年的土地，鄂托克旗和王爱召香火地新放垦的少量土地。继西路垦务公司之后，又成立该公司的"后截公司"，承领转放乌喇特三公旗报垦土地，继续转放"前截公司"已领未放的杭锦旗部分土地。

综合各种基本文献的记载，在贻谷督办垦务的 6 年多时间里，先后放垦的绥远蒙地为：伊克昭盟各旗土地 18 800 余顷，乌兰察布盟各旗土地 7 900 余顷，绥远城八旗牧厂地 3 700 余顷，杀虎口站地 7 900 余顷。其中，乌、伊两盟的放垦地包括：杭锦旗 4 000 余顷，达拉特旗 2 600 余顷，郡王旗 9 600 余顷，鄂托克旗 170 余顷，札萨克旗近 2 200 顷，准噶尔旗近 1 600 顷，王爱召香火地 1 200 余顷，四子王旗约 3 900 顷，达尔罕旗近 1 000 顷，茂明安旗 680 余顷，乌拉特前（西公）旗 2 000 余顷，乌拉特中（中公）旗约 70 顷，乌拉特后（东公）旗 190 余顷。贻谷被革职后，乌伊两盟又新放、续放垦地 3 300 余顷。其中主要有乌审旗 2 000 顷，乌拉特中旗 860 余顷，乌拉特后旗 270 余顷。综计清末绥远蒙垦，共放垦的土地为 44 730 余顷。②

① 《清德宗实录》卷 589，光绪三十四年四月丙辰条。
② 宝玉：《清末绥远垦务》，参阅内蒙古地方志编纂委员会总编室编印：《内蒙古史志资料选编》第 1 辑（下册）有关篇章，加以核对、计算。

从光绪二十八年（1902 年）到三十四年（1908 年），办理乌、伊两盟垦务总局（即西盟垦务总局，实际上只限于督办伊盟垦境内的垦务），共应征押荒银约 767 210 两，已征约 747 644 两；乌盟垦务总局共应征押荒银约 192 890 两，已征约 89 099 两；杀虎口站台垦务总局应征押荒经费、地价等项银 267 853 两；土默特清查地亩总局应征地价银 222 136 两；八旗牧厂垦务局应征押荒银约 37 570 两。就是说，直到"贻案"发生，绥远地区的各级垦务机构应征押荒、地价银约 1 487 659 两，其中，乌、伊两盟已征押荒银约 836 743 两。另外，西路垦务公司共收款约 2 031 275 两，其中前截公司收款约 1 035 527 两，后截公司收款约 995 748 两。①

经过清末大规模的官放蒙地，绥远地区的农耕区有了空前的扩大。大批由招垦而来的汉族农民定居这里，当地新添设了一些治所。武川抚民同知厅、五原抚民同知厅和东胜抚民通判厅，就是在此期间设立的。

（三）评析绥远蒙垦

绥远地区的官放蒙地，是清政府在该地区推行新政的最主要措施。如前所述，绥远蒙垦是新政"筹款"在该地区的具体化。结合绥远的地区特点，清政府认为，放垦蒙地是最有效、最快捷的筹款方式。因此，官方对此项措施最为重视，全力推行，"成效"显著，影响深远。这些都是其他几项措施，如练军、兴学等不能比拟的。清政府推行官放蒙地，也是清王朝对蒙政策彻底转变的开始，传统的禁垦政策被彻底废除。对于蒙古地区，清政府开始由间接统治转变为直接统治。清廷的这一举动以清统治者的利益为出发点，将其意图强加于蒙旗，毫不顾及蒙古民族的权益。

大规模官放蒙地，使大片的优良牧场被开垦，蒙古族牧民被迫赶着牲畜，迁往丘陵、荒漠、碱滩、贫瘠地区。这是对蒙古民族的残酷掠夺和压迫，同时也极大地破坏了传统畜牧业。丈放已垦的土地，同样也剥夺了蒙古民族的土地占有权，减少其出租土地的经济收益。此外，部分已转务农业的蒙古族农民，也竟被搜刮押荒银，处境同汉族农民完全一样。对于汉族农民，耕种丈放的蒙地，主要是受缴纳押荒银和岁租的剥削，遭受到超经济的

---

① 宝玉：《清末绥远垦务》，参阅内蒙古地方志编纂委员会总编室编印：《内蒙古史志资料选编》第 1 辑（下册）有关篇章，加以核对、计算。

强制性掠夺。仅贻谷办垦的 6 年多时间里，从绥远地区搜刮的押荒银、地价银即 100 余万两。官府的横征暴敛使汉族农民的负担日益沉重，不少农民由此弃地而逃，使其垦地荒芜。① 这对农业生产的破坏，是可想而知的。

清政府的筹款放垦、筹蒙改制，其主观目的是加强其封建专制统治。在绥远地区，清政府首先试图以放垦蒙地来达到这一目的。实际上，对于绥远地区，被搜刮走的上百万两押荒银、地价银，究竟被用做何用？作为边疆大吏，贻谷为清廷竭力搜刮，且不论贻谷个人是否侵吞巨款，绥远蒙垦的各级垦务官员、大小地商，尤其是西路垦务公司，营私舞弊，从中肥私，这已为学术界公认。当时绥远财政却十分拮据，绥远地区的编练新军、创办新学以及试办实业等，其经费相当紧缺，常常是东挪西凑，严重影响了这些新政措施的推行。

清政府在绥远地区推行蒙垦，增设了一些地方治所，如武川厅、五原厅和东胜厅等。同时，清统治者也提出了在这些地区改制设省的主张。绥远城将军贻谷提出在绥远地区设省，仿照东北三省"复通官制"、"区划疆域"、"推广垦务"、"振兴武备"、"整理边治"、"计划经费"② 等。虽然这些改制设省的主张，由于清王朝覆亡，没有来得及实施。但是，在此基础上，该地区在民国年间即改设为特别区、行省。

同时，随着大规模的官放蒙地，新的地方治所的设置，以及许多设省改制议论，使蒙古族王公上层深感其传统权益受到了影响，害怕其原有的地位由此而动摇，对中央政权的离心倾向也日益加重。此时，他们更容易成为外国侵略者拉拢、收买的对象。绥远蒙垦是对蒙汉族人民群众的一次残酷的掠夺，也是清王朝对蒙古族进一步施行民族压迫政策的集中体现。该地区各阶层普遍抵制官放蒙地，并掀起了群众性的抗垦斗争。在伊克昭盟，发展为武装抗垦斗争。当时的阶级矛盾十分尖锐，参加抗垦斗争的蒙汉族群众的斗争矛头直指清政府的办垦官兵以及贪利报垦的蒙古族王公上层。大规模的放垦蒙地，极大地破坏了蒙古族的传统畜牧业。当地农业区的急剧扩展，是以排

---

① 黄时鉴：《论清末清政府对内蒙古的"移民实边"政策》，《内蒙古近代史论丛》第 1 辑，内蒙古人民出版社 1982 年版。

② 贻谷：《绥远奏议》，台湾影印《近代中国史料丛刊续编》本。

斥和牺牲传统畜牧业为代价的。当时出现了突出的农牧矛盾，由此激化了蒙古族牧民与汉族农民之间的民族矛盾。

清末大规模的官放蒙地，严重破坏了当地生态环境。绥远地区的许多地方，是不适宜垦种的。这是由当地自然条件决定的。在这里，尤其是伊盟的一些地方，地表物质含沙量大、质地松散；气候又是温差大、干旱少雨而且降水集中；地表植被稀疏、低矮。这就容易出现土地的沙化、水土流失。清末及其以后的大规模开垦，没有注意这里的自然条件，盲目滥垦，致使一些地方水土流失严重，出现了大片的沙化地带。这些放垦，破坏了当地的自然资源，使其生态环境趋于恶化，这是该地区经济发展中最惨痛的教训。

分析绥远蒙垦，还应该认识到：事实上，畜牧业和农业是可以并行存在的，而且二者并无哪个先进、哪个落后之别。在符合客观规律的发展中，如果二者并行发展，可以相互依赖、相互补充。这是被历史已经证实的。

清末绥远蒙垦，由清朝官方取消了传统的禁垦政策。这是该地区历史上的重大变化。绥远蒙垦有许多危害性影响，但是在一些宜农地区，这些开垦对当地农业的发展，有一定的促进作用。一些垦务机构，投资水利工程，修渠引水，灌溉农田，甚至形成了水利网。内地的一些先进的农业生产技术，此时也由汉族农民带进了绥远地区。随着农业的发展，居民点的增加，手工业和商业也进一步发展起来。其间的一些客观积极作用，应予以肯定。

四、绥远练军及其影响

（一）全国练军的概况

义和团运动之后，清统治者也认识到，清朝旧军队不但"捍外侮不足"，而且"常此不改，恐内患亦不易平，届时再谋振顿，嗟何及乎？"[①] 清廷把裁汰旧军队，编练新式"常备军"作为"新政"的主要内容之一。光绪二十七年（1901 年）秋，先后谕令停止武举考试，各地实力推行编练新军。光绪二十八年（1902 年），清政府将直隶、湖广的练兵作为全国的"样板"，命各地派员去参观、效法。光绪二十九年（1903 年）十二月，清政府设立练兵处，专门负责全国的练军。

---

① 苑书义：《中国近代史新编》下册，人民出版社 1988 年版，第 62 页。

光绪三十年（1904年），练兵处、兵部奏准在全国编练新军，制定了《新军营制饷章》、《陆军学堂办法》、《选派陆军学生游学章程》。全国的新军分为三种，即常备军、续备军、后备军。新军编制为军、镇、协、标、营、队、排、棚，大致相当于后来军队中的军、师、旅、团、营、连、排、班。建立军事学堂、培养新军军官也是编练新军的一个重要组成部分。当时的陆军学堂分为四等，即陆军小学堂、陆军中学堂、陆军兵官学堂、陆军大学堂。此外，还有速成师范学堂。与此同时，清政府还陆续派遣大量留学生，赴英、法、德、奥等国学习军事，其中以派赴日本的为多。

由于财政拮据，经费困窘等原因，清政府的编练新军计划并没有能够按期完成。全国各地的编练成效也有较大的差异。

（二）绥远地区编练新军

绥远地区最早的"新军" 绥远地区编练新军，是从绥远城将军信恪编练新式"常备军"开始的。光绪二十七年（1901年），绥远城将军信恪开始筹练绥远常备军，并创设绥远武备学堂。"由八旗兵丁内挑选年力强壮者三百人，均补马甲之饷，以本城原练步队每年应支津贴银七千余两，分别津贴此项。新队作为常备，教练一年，期满改为续备，仅令食马甲之饷，不予津贴。仍另选三百名充补常备，津贴照给。以后照此选相更代。其武备学堂，系就绥远城旧有书院改设。挑选八旗子弟六十名作为武备学生，亦均令坐补马甲之饷。另延教习训练操法。所有新军及学堂开办经费，拟由旗库存储、兵丁各本身照例坐扣，加添马价银一万一千余两内先行动用。常年经费则指于垦放绥远八旗牧厂应征押荒租项，全数留支。"① 可见，这一阶段编练常备军、创设武备学堂，正如贻谷所言"规模初具，尚有可观"。② 武备学堂采用了德、日两国的建军制度、学习课程和训练方法。

光绪二十八年（1902年），绥远城将军信恪离任。此后，"钟泰、恒寿复相继出缺。均在任未久，未及详筹"。③ 光绪二十九年（1903年）八月，贻谷接任绥远城将军。贻谷对编练新军十分重视。他认为，"绥远地居边

---

① 贻谷：《绥远奏议》，台湾影印《近代中国史料丛刊续编》本。
② 贻谷：《绥远奏议》，台湾影印《近代中国史料丛刊续编》本。
③ 贻谷：《绥远奏议》，台湾影印《近代中国史料丛刊续编》本。

要，为直晋防边之后路，更为乌、科转饷之后路。"① 然而，"绥远满营疲弱，积习已深"。因此，"建军兴学，今日必不可缓之图"。②

绥远常备军的编练及开办武备学堂，受到经费短缺的严重困扰。"开办之始，只恃库存马价银万余两借垫开支。两年以来，早已用尽。而旗帜、号衣、书籍、仪器，一切应需之件，尚且未经置备，然已左支右绌，无法腾挪。"其原因是"原议指动牧厂垦务押荒、岁租，如果厂地膏腴，不难丈放，……无如地既硗瘠，又值东西垦务同时兴办，孰无选美择肥之意？今纵变通招致，仍复领户寥寥，押荒并无所入"。出于应急，贻谷让东路垦务公司承领了一些八旗牧厂地，"先行交价，以济急需"。同时，贻谷又命牧厂垦务局变通开垦的一些规定，"宽之以限期，动之以近利"。此外，贻谷还让八旗官兵领地开垦。他认为这样会"免土地荒芜之叹，兼有兵、农合一之规，似可与兴学、练军并期两得"。③

贻谷还把绥远城所存煤税银 600 余两、矿利余银 1 300 余两，作为绥远武备学堂购买书籍、仪器等的经费；另外又决定将每年征收的煤税、矿利用于贴补学生膏火。每年这两项的收银数也只有三四百两。贻谷试图做到"丝毫裨益，亦学务藉助之一端"。④

光绪三十年（1904 年）三月，贻谷等奏请改编土默特常备军。"拟将常备兵三百名改为二百名，分为左、右两翼。每翼各设管带官一员，哨官各二员，排长各四员。认真管辖、操练……一年后饬令归农，编为续备，再挑新军，迭相更代。"裁去 100 名常备军，可节省出一笔款项。即 100 名常备兵的月饷银 300 两，其中 120 两添做新编常备军的月饷，即每名新兵可增月饷银六钱；另余 180 两，按月积存，留做每年置办旗帜、号衣、皮袄、靴帽等，也可用于教习的薪金以及赁居兵房等办公用项。该常备军的军官共有14 名，每月共支津贴银 150 两。⑤ 其左、右翼管带官分别为参领苏联春、记名佐领前锋校倭什珂。因当地财政困窘，新编土默特常备军的官兵饷项比内

---

① 贻谷：《绥远奏议》，台湾影印《近代中国史料丛刊续编》本。
② 贻谷：《绥远奏议》，台湾影印《近代中国史料丛刊续编》本。
③ 贻谷：《绥远奏议》，台湾影印《近代中国史料丛刊续编》本。
④ 贻谷：《绥远奏议》，台湾影印《近代中国史料丛刊续编》本。
⑤ 贻谷：《绥远奏议》，台湾影印《近代中国史料丛刊续编》本。

地的常备军要少。

购枪等项军队建设　在此过程中，绥远的地方官员贻谷等人也认为使用新式枪炮对编练新军是十分重要的。贻谷强调，"有兵无械与无兵同，有械不精与无械同"①，"盖军不练则已，练必须夫快枪；枪不购则已，购必求其精利"。② 绥远地区在开始编练新军的时候，并没有新式的枪炮。旧军队用的都是土枪，贻谷等官员下决心尽力筹款，购置新式枪炮。贻谷认为，新军"改练日久，渐有可观。若不及时购办，技力枉用，津贴徒靡，光阴亦复可惜，则改如不改，练如不练"。③

光绪三十年（1904 年）冬，贻谷等官员为绥远常备军和土默特常备军订购了第一批新式马、步快枪。这批新枪是与德国泰来洋行订购的。为绥远常备军订购"新式七密粒口径、五响毛瑟步枪四百支，马枪二百四十支。每支带子弹一千粒，合天津化宝行平银六十九两五钱八分余。共需银四万二千四百四十八两八钱。又附购无烟子弹十五万粒，合银六千七百五十两；单响铅头子弹十万粒，合银二千三百两"。④ 据贻谷奏称，此次购买新枪及子弹，有关办事人员做了较为细致的工作。如他们了解到内地的一些省也订购该洋行的枪械，且认为该洋行的新枪质量属上乘；又与该洋行的商人就枪价等问题进行了耐心、细致的商谈，最后订立了购枪合同。这次购买新枪及子弹的款项，暂时挪用库存马价、岁用房租两项款，并且向当地商号挪借了一部分。

另外，这次购枪时也为土默特常备军订购了马、步快枪 240 支。其筹措购枪款时，也暂时挪用了一些办公款项。

光绪三十一年（1905 年）春，所购新枪及子弹运回了绥远，但期间有一部分枪支的质量并不合格，贻谷又派员将其进行退换。贻谷等人认为，购枪数目尚有不足，而且订购新枪所用时间较长。因此，贻谷又派绥远城协领荣昌与德商信义洋行订购七密粒、五响毛瑟步枪 300 支，马枪 460 支；同时

---

① 贻谷：《绥远奏议》，台湾影印《近代中国史料丛刊续编》本。
② 贻谷：《绥远奏议》，台湾影印《近代中国史料丛刊续编》本。
③ 贻谷：《绥远奏议》，台湾影印《近代中国史料丛刊续编》本。
④ 贻谷：《绥远奏议》，台湾影印《近代中国史料丛刊续编》本。

又为土默特订购马枪 40 支。贻谷等官员又考虑到，"绥远辖境与宁夏、库伦、乌科等处辖境毗连，沿边要地数千里内无一旅炮队。若边疆偶有骚动，何以为防守之资……晋省虽练有炮队数营，然以相距过远，艰于运转，且亦呼应不灵……即需要攻坚击远时，必须运用炮队。于是，贻谷派荣昌在北京"面商比国使臣葛飞业，代购比国考克利尔厂所造新式四十七米利迈达口径过山钢炮六尊，计足一队之用，配齐子弹。订立合同。"① 这一年订购的步枪，"每支合银二十六两五钱；马枪每支合银二十六两，共枪价银一万九千九百一十两正。钢炮连炮车轮、马鞍、弹箱及一切应用零件，每尊合银二千八百六十两正，共炮价银一万七千一百六十两正；无烟开花弹一千二百颗，连引火每颗合银六两四钱三分五厘，无烟子母弹六百颗，连漫药嘴每颗合银五两七钱三分，共子弹价银一万一千一百五十四两正"。此次购买枪炮的款项，拨用了杭锦旗贝子阿尔宾巴雅尔报效绥远购械银的全数 5 000 两、东路公司入股罚款所得暨绥远修理城垣支存银两共 13 000 余两，绥远官钱局在这一年获得的余利银 3 000 两。另外，还有贻谷的公费节省银两、绥远官弁凑集的银两以及裁减各处冗费所得银数共 9 000 两。此外，该项用款还暂挪了一些其他经费。②

这次订购的新式快枪于光绪三十三年（1907 年）运送到绥远城。这些新枪包括七密粒五响毛瑟马、步枪共 1 160 支，另有土默特购进的 240 支。绥远地区新军的装备在此时颇有改观。"荒城有此利器，聊壮声威"。贻谷等官员打算逐步扩编绥远地区的新练常备军。光绪三十二年（1906 年）十月，贻谷又派知府赋仪到天津，续向信义洋行订购"一千九百零四年最新式毛瑟步枪四百支。每支随带皮带、背带等件，并无烟子母弹一千粒，计每分价值行平化宝银七十两零五钱，共合二万八千二百两"。③ 这次购枪因难于筹措现款，与该洋行议定，先不交定银，限九个月枪到验收后，再行如数付款。

为绥远地区新军购置武器装备的过程中，经费短缺这一问题始终困扰着

①　贻谷：《绥远奏议》，台湾影印《近代中国史料丛刊续编》本。
②　贻谷：《绥远奏议》，台湾影印《近代中国史料丛刊续编》本。
③　贻谷：《绥远奏议》，台湾影印《近代中国史料丛刊续编》本。

编练新军。贻谷等有关人员曾多方筹措购枪款项，"迭次购械各款，均系由绥自筹，并未动用库款"。① 土默特订购枪械的款项，与绥远城的情形相似，即除了动用积年存储的当课银外，不足由公款及归化城商号挪借。

在购置新式枪炮的同时，"建盖军械所亦属事不容缓"。② 贻谷等官员打算在武备学堂院内修盖军械所。因经费短缺，贻谷奏请用绥远城的废旧米仓的砖木来建盖军械所，这样"以陈仓之弃材作武库之实用，于彼无损毫末，于此足当巨资，洵为两得其宜"。③

绥远城的一些商贾钻兵米发放中的空子，盘剥旗兵。贻谷等有关人员仿照奉天、湖北等地的做法，在绥远城创设了官钱局。"有无缓急调剂盈虚，俾市面流通，公私两便，庶兵丁从此永不为奸商所制。"因经费短缺，其初始资金即暂从垦务公司借银 10 000 两。④

贻谷等官员对绥远武备学堂的建设也十分重视。贻谷到任后，将武备学堂从旧书院内移入空闲旗署，并为该学堂竭力筹措经费。贻谷决定将筹措到的 24 000 两银，"以每月商息一分计之，按年得二千八百八十两之数"。又将杭锦旗贝子阿尔宾巴雅尔报效绥远学堂经费银五千两，城工经费银五千两，共一万两银作为武备学堂的经费，"仍照前案发商生息"。⑤

陆军和陆军小学堂 光绪三十二年（1906 年），遵照练兵处的章程，绥远常备军改为陆军。绥远城陆军官兵在原绥远常备军的基础上，又"续挑新兵二百零四名，各项兵三十名。将管带、督队各官员数、正副目兵名数及号兵、护兵、匠目等悉按奏定陆军营制更正，遴委、充补为一营"。⑥ 该营的管带官为花翎守备、北洋武备学生胡恩光。

因经费有限，绥远城陆军的饷章较全国的章程有所变通，即对管带、督操官照章发给正薪，而该营应需公费减支为每月 80 两，"排长，司务长各员分别酌给津贴，正、副目兵等各就其马甲底饷外，酌加津贴一两五钱……其

① 贻谷：《绥远奏议》，台湾影印《近代中国史料丛刊续编》本。
② 贻谷：《绥远奏议》，台湾影印《近代中国史料丛刊续编》本。
③ 贻谷：《绥远奏议》，台湾影印《近代中国史料丛刊续编》本。
④ 贻谷：《绥远奏议》，台湾影印《近代中国史料丛刊续编》本。
⑤ 贻谷：《绥远奏议》，台湾影印《近代中国史料丛刊续编》本。
⑥ 贻谷：《绥远奏议》，台湾影印《近代中国史料丛刊续编》本。

官兵薪饷共需银一万三千余两……所有各官兵应支薪饷及公费等项，统按湘平发给"。至于置办其装备，则尽力节省经费，如该营兵丁捡用了库存的棉甲。这些棉甲从乾隆初年到清末近二百年间从未动用，"经派员详查，大半糟朽……拣其未全霉烂者，变价改制军衣"。①

按照练兵处的章程，陆军兵丁"应三年出伍，退充续备"。而绥远城陆军因"兵皆旗籍，取材太隘，选募较难"，② 而对此规章的实施，也有一些变通。即在该营兵丁随营满三年后将要退伍时，从中挑选技艺精湛、年龄也符合规定者，继续留做陆军。经挑选后不合格者，令其退伍；同时挑选新兵入伍。

在绥远城陆军的组建过程中，其号兵、护兵的设置，对有关章程的规定也有一些变通。另外，为节省经费，当时没有设置军医、枪匠、备补兵、伙夫等。"如遇有行军之事，自宜照章添设，并将官兵薪饷酌加，以应缓急。"③

同年，遵照练兵处的章程，绥远武备学堂也改为绥远陆军小学堂。仿照福州、察哈尔等地的做法，该学堂的学生定员也是 90 名，学制为三年，即每年招生人数为 30 名。光绪三十二年（1906 年）八月，绥远城陆军小学堂招够头班学生 30 名，在原武备学堂的校舍内开始正式上课。其学生分别来自绥远城、土默特以及右卫。其教习和管理人员，在第一年时仍用前武备学堂人员；从第二年开始，增加教员、执事员，即调用了前班武备毕业生任教习和管理人员，其中有胡恩光、阎善尧等 20 余人。为培养新型军事人才，该学堂开设了较全面的课程，如第一学年的第一学期即开设了修身、国文、英文、历史、地理、算学、格致、图画、训械、操练、兵学等课程。④

贻谷等官员也打算扩编绥远地区的陆军，筹建绥远陆军中学堂。"纵不能成军、成镇，亦须有混成一协，以壮声威……以绥远陆军小学堂改设陆军中学堂，无论旗、汉、蒙古，其材质、年岁如能及格，一并选取入学，广为

---

① 贻谷：《绥远奏议》，台湾影印《近代中国史料丛刊续编》本。
② 贻谷：《绥远奏议》，台湾影印《近代中国史料丛刊续编》本。
③ 贻谷：《绥远奏议》，台湾影印《近代中国史料丛刊续编》本。
④ 高赓恩：《绥远志》卷 6，光绪三十四年（1908 年）刻本。

造就。庶成材日众，不难编配成营。"①

创设巡警 为加强治安，贻谷于光绪三十二年（1906 年），在绥远城创设巡警。城内设巡警总局，下设四所分局，分驻该城东、西、南、北四街。"挑选健壮兵丁，粗识文义，一百二十名，日夕分段站岗，仍轮班抽调演练。"方苏任巡警总队的总办，"该员游学欧美多年，习知警政。"②

绥远城创设巡警，"参照北洋及各省警章，参以东西各国警察规则，拟定法程……并设帮办、提调等员"。其警官、巡官则由前武备学堂的一些学生担任。贻谷认为，"以知兵者习警事，本相近，用亦得宜"。此外，该巡警局还以各种警察讲义，"令各员于办公之余，按日自课，且分授所率警兵，使其要知警察作用、意义……虽未立学堂，而已寓教育之法。此非徒具形式，但进规美备，极合章程"。③ 贻谷等官员还打算选送该巡警局的一些警官，到部立高等巡警学堂或北洋巡警学堂学习警务。

该巡警的经费来源：停撤抬枪营每年津贴闲散兵丁银两归巡警，每年1 500 两；绥远月放土默特卡伦盘费银拨归巡警，每年共 414 两（遇闰年增加）；另外裁原来发给绥远官兵（用于巡查大青山后卡伦和操演壮丁常年口粮）的银两，转归巡警经费，每年 2 400 两。贻谷强调，"如此变通，以后尽归实用。且以公济公，仍以兵饷。饷、兵名实既符，名义亦顺"。④ 在"新政"期间，土默特旗也设有巡警兵。其官兵共 100 名。⑤

编练新军的成效 绥远地区的新军，虽规模不大，但经过几年的编练，还是取得了一定的成效。贻谷等官员奏请奖励其间的一些有功人员。光绪三十年（1904 年）十月，贻谷奏称，土默特常备军在春秋两次检阅中，"坐退进作，均合新军操法。春间套匪滋事，该军亦会征调，守御有劳。平时巡缉保卫地方，复能不遗余力，洵属著有成效"。其翼长、参领伊精额、福禄自该军成立以来，在督练、筹饷和制械等过程中，颇为出力；管带、参领苏联

① 贻谷：《绥远奏议》，台湾影印《近代中国史料丛刊续编》本。
② 贻谷：《绥远奏议》，台湾影印《近代中国史料丛刊续编》本。
③ 贻谷：《绥远奏议》，台湾影印《近代中国史料丛刊续编》本。
④ 贻谷：《绥远奏议》，台湾影印《近代中国史料丛刊续编》本。
⑤ 贻谷：《绥远奏议》，台湾影印《近代中国史料丛刊续编》本。

春以及奏保佐领倭什珂"认真简习，不惮繁难……其劳绩均未可没"。① 贻谷奏请将伊精额和福禄赏加副都统衔，苏联春加二品衔，倭什珂"俟补佐领后，以参领尽先升补，先换顶戴"。②

光绪三十二年（1906年）底，贻谷又奏请奖励绥远军事学堂的有关人员。该学堂开办数年来，"荒徼风气初开，不啻以移山之愚成兴学之举，艰苦百倍于他处"。③ 由于经费短缺，"教习及承办人员数难足额，薪难照章，且多不领薪，人少事繁……不计薪俸，朝夕从事，与诸生厌苦惟均。"加之该学堂的学生"坚忍向学，能耐艰辛"。④ 其成效也较为显著，"该学堂六十学生，前经练兵处考选，送赴日本留学两名，暨派附北洋武备学堂留学七名，现均在留学地方考取优等，次第卒业。本年五月间，派员带领在堂学生四十五名送京考验，除在途病故一名不计外，到京与考者四十四名。经练兵处考取，五成以上者十五名，四成以上者十八名，其不及格者十一名……是合之留学毕业各生成就，已在四十名以上。此外有留充本城陆军教习长五名，并经科布多咨调赴科委派练兵一名，暂因现充要职，未经咨送到京考试，而其学业程度实均合格，亦与卒业无异"。⑤

贻谷奏请对该学堂兵学教习胡恩光、洋文教习方苏，学堂监督陈光远，汉文教习乔桐荫"共四员照异常给奖"；对提调文瑞、文案委员蔡焕勋，稽查委员德本三人"照寻常给奖"。⑥ 贻谷特别强调对这些人员奖励的重要性，"处穷困之地，有此成就之数，已非意料所及；承办各员如此勤劳，若不从优给奖，何以昭激劝而励将来?!"⑦

光绪三十三年（1907年）八月，贻谷又奏请奖励绥远陆军的管带官胡恩光。胡恩光在担任绥远军事学堂教习和新军管带官期间，"劳瘁不辞，尤

---

① 贻谷：《绥远奏议》，台湾影印《近代中国史料丛刊续编》本。
② 贻谷：《绥远奏议》，台湾影印《近代中国史料丛刊续编》本。
③ 贻谷：《绥远奏议》，台湾影印《近代中国史料丛刊续编》本。
④ 贻谷：《绥远奏议》，台湾影印《近代中国史料丛刊续编》本。
⑤ 贻谷：《绥远奏议》，台湾影印《近代中国史料丛刊续编》本。
⑥ 贻谷：《绥远奏议》，台湾影印《近代中国史料丛刊续编》本。
⑦ 贻谷：《绥远奏议》，台湾影印《近代中国史料丛刊续编》本。

资得力"。① 贻谷奏请将胡恩光"作为补千总、守备，归都司班补用，以资
励奖"。②

（三）绥远地区编练新军的影响

清末"新政"期间，绥远地区编练的新式军队，主要是指绥远城和土
默特的新式常备军、续备军以及巡警兵。当时在绥远城还创办了新式军事学
堂，即武备学堂（后改为陆军小学堂）。绥远地区在此期间的编练新军也如
当时全国的练兵一样，许多计划并未付诸实施。因当地的财政十分拮据，该
地区又地处偏远的中国北疆，经济、文化也十分落后，其编练新军的数量、
新军的装备、军饷以及新军官兵的个人素质，都不如内地许多地方的新军。

这时期绥远地区编练新军，最主要的困难就是经费短缺。当地财政十分
困难，又难于找到充足、固定的专款来源。当时的有关人员如贻谷等人曾多
方设法为此筹款。这样，当时虽没能较大程度地扩展当地新军的规模及加强
新军的装备、增加新军官兵的饷银，但经过数年的努力，绥远地区的练兵还
是取得了一定的成效。在偏远的绥远地区，这时期毕竟出现了一支经过较多
严格挑选、采用西方先进的装备及训练技法的近代化的新式军队。到清朝覆
亡，绥远地区已编练成新式陆军步骑三个营。③ 这些军队也具备较强的战斗
力。如土默特新军在宣统三年（1911 年）冬参加了刀什尔战役，击败了阎
锡山率领的山西革命军。④ 编练新军也使该地区出现了最早的一批近代化军
事人才。当时绥远地区的新军及其军事学堂的一些人员，在清末及民国年
间，在全国或地方性的军队中都担任过不少重要的军政职务。⑤

当时的编练新军，在绥远地区的军事史上是一次划时代的变革。西方先
进的建军思想与训练技法在此时引入到该地区的军队中，一些知晓西方军事
理论与技术知识的人员被任用为该地区新军及其军事学堂的军官、教官。其

---

① 贻谷：《绥远奏议》，台湾影印《近代中国史料丛刊续编》本。
② 贻谷：《绥远奏议》，台湾影印《近代中国史料丛刊续编》本。
③ 汪炳明：《清末新政与北部边疆开发》，马汝珩、马大正主编：《清代边疆开发研究》，中国社会
科学出版社 1990 年版，第 56 页。
④ 于永发：《土默特步骑两营及其演变》，呼市政协文史委员会编：《呼和浩特文史资料》第 9 辑，
第 116 页。
⑤ 计魁元：《清朝绥远城军事学府——武备学堂》，《呼和浩特史料》第 1 集，1983 年版，第 292
页。

官兵和学员大多是经过挑选的优秀年轻人。该地区的一些官员又为新军购置了较为先进的武器装备，加之较为严格的训练，这些新军及军事学堂都取得了一定的成效。编练新军及其他的"新政"措施把西方近代资本主义因素带进了较为偏远、落后的绥远地区。

绥远地区的练兵与其他"新政"措施类似，其主观目的是维护清朝的封建专制统治，即决定其具有自身的反动性。因此，虽然它具有某些革新色彩，同时却有很大的历史局限性。

五、绥远地区的创办新学

（一）全国学制改革概况

在义和团运动之后，清朝社会各阶层进一步提出了废科举、办学堂、派留学的主张。这种改革主张要求全国有统一的学制，并在此基础上形成系统的学校制度。光绪二十七年（1901年），张之洞和刘坤一建议清廷递减科举，注重新式学堂。"将科举略改旧章，令与学堂并行不悖，以期两不偏废；侯学堂人才渐多，即按科递减科举取士之额为学堂取士之额。"[1] 同年九月，清廷下谕："著各省所有书院，于省城均改设大学堂，各府及直隶州均改设中学堂，各州县均改设小学堂，并多设蒙养学堂。其教法当以四书五经纲常大义为主，以历代史鉴及中外政治艺学为辅。"[2] 光绪二十八年（1902年）年初，清政府任命张百熙为管学大臣，进一步推行学制改革。同年八月，清廷颁布《钦定学堂章程》；第二年，又颁布《重订学堂章程》，详细规定了各级学堂的章程及其管理体制。这时形成的学制，是近代中国的第一个在全国范围内实际推行的学制。

根据这一学制的规定，全国的学校分为七级，即蒙养学堂（院），学制四年；初等学堂，学制五年；高等小学堂，学制四年；中学堂，学制五年；高等学堂和大学堂，学制各为三年。大学堂中又设通儒院，其学习年限为五年。与各级学校并行的，还有初级师范学堂（中等教育性质），优级师范学

---

[1]　舒新城：《中国近代教育史资料》上册，人民教育出版社1979年版，第56页。
[2]　朱寿朋：《光绪朝东华录》，中华书局1984年版，总第4719页。

堂（高等教育性质）。① 这一学制，其规定的学习期限太长，但它的组织形式较为完备，对后来的学校教育制度有很大的影响。

由于形势的迅速发展，清政府不得不于光绪三十一年（1905 年）九月，谕令"著即自丙午科开始，所有乡会试一律停止，各省岁科考试亦即停止。"② 这样，自光绪三十二年（1906 年）开始，延续千余年的科举制度最终被废止了。光绪三十一年（1905 年）十二月，清廷又谕令成立学部，将其作为管理全国学制的专门机构。

此后，全国各地广为推行创办新式学堂。这些新式学堂的办学方针并没有超出"中学为体，西学为用"的范围。其《学堂章程》规定，"中小学堂宜注重读经，以存圣教。"③ 但是，在全国范围废除科举、兴办新式的大中小学堂和蒙养学堂，终究是中国教育史上的一件大事。延续了 1 300 多年的科举制度在这个时期被最终废除了，而当时西方先进的资本主义思想文化和科学技术知识，也是从这些新式学堂中进一步传播开来的。

在宣统二年（1910 年），全国的学堂达 42 696 处之多，学生人数也达 1 300 739 人。④ 在全国广设新式学堂的同时，各地也出现了出国留学的热潮。清政府在"新政"期间，鼓励各地官府选派青年出国留学、各地学生自费留学。其毕业留学生，"分别赏给进士、举人各项出身；……自备旅资出洋留学者，……准照派出学生一体考验奖励"⑤。这时期的中国留学生，以留日学生为最多。光绪二十八年（1902 年），清政府派出管理赴东洋游学生总监督，统一管理官费和自费的留日学生。光绪三十二年（1906 年）十月，清廷还颁布了《考验游学毕业生章程》。

这时期的学制改革，使中国社会出现了一大批新式学堂的毕业生以及出国归来的留学生。他们接受了西方社会的科学、文化知识，富有政治敏感性，成为当时中国社会中最积极、最活跃的因素，不仅没有为清政府利用，而且在资产阶级民主革命运动的发展中，起到了先锋和桥梁的作用。

---

① 陈旭麓：《近代中国八十年》，上海人民出版社 1983 年版，第 398 页。
② 舒新城：《中国近代教育史资料》上册，人民教育出版社 1979 年版，第 63 页。
③ 《近代中国史稿》编写组：《近代中国史稿》下册，1976 年版，第 712 页。
④ 苑书义：《中国近代史新编》下册，人民出版社 1988 年版，第 72 页。
⑤ 朱寿朋：《光绪朝东华录》，中华书局 1984 年版，总第 4720 页。

（二）绥远地区的"新学"

较早的新式学堂　推行新政以前，绥远地区的文化教育很落后。在推行新政时，在该地区开始创办新学。在这里，最早的新式学堂是绥远城武备学堂。它创办于光绪二十七年末（1902 年初），光绪三十二年（1906 年）改建为陆军小学堂。这一时期，归化城也出现了新学堂，光绪二十九年（1903 年）九月，归绥道道台朴寿，将古丰书院改设为归绥中学堂，并以原书院的院长为新学堂的堂长，是年开始招生。

光绪三十年（1904 年），绥远城将军贻谷在启秀书院的旧址上创办了绥远中学堂。"选八旗聪颖子弟入堂，选择教习，按照学堂章程分班教习，兼习清、蒙、洋文。即以书院常年进款，改作该堂经费"。贻谷很重视新式学堂的建设，关心学生的学习情况，"不时到学堂传集该教习、学生等，考其学业，与之讲解问难，加以督勉，将来可望日臻进步"。光绪三十一年（1905 年），贻谷又在绥远城添设蒙养学堂一所，蒙小学堂五所。蒙养学堂培养年少的学生，"授以清、汉各文，并习练体操，以备升入中学堂之选"。"蒙小学堂……择八旗幼丁肄业"。[①] 到光绪三十一年（1905 年）年底，绥远城的新式学堂内共有学生 500 余人。

随着科举制在全国范围内的废除，各地的新式学堂进一步兴办起来。这时的绥远地区，新式学堂也得到了进一步发展。归绥道尹胡孚宸在光绪三十二年（1906 年）到任后，十分重视新学。他在归绥中学堂内附设师范学堂，"前后毕业三班，二年卒业者二班，一年简易卒业者一班，共九十余人"[②]。同时，归绥中学堂还附设模范高等小学堂。归绥中学堂已发展成比较正规的新学堂。该学堂的课程设有史地、数学、理化、外文、体操等，另外还备有理化实验仪器室。[③] 到此时，归绥道所属各厅几乎都成立了初、高等小学堂。"绥学虽在草创，而气象至为蓬勃。中学则慎重师资，各科教员皆极一时之选。宽筹基金……各大厅如归、萨、丰镇，则改良私塾，推广乡学，亦

---

① 贻谷：《绥远奏议》，台湾影印《近代中国史料丛刊续编》本。

② 绥远通志馆：《绥远通志稿》卷 52，《文教机关》，20 世纪 30 年代稿本。

③ 《呼和浩特一中校史》，《呼和浩特史料》第 2 集，1983 年。

均积极进行。"① 当时，仅丰镇一厅，就建有高等小学堂四所。

胡孚宸在督办新学期间，"筹集巨额基金，发交各县商生息。复购置学田三十余顷。次第拓展校基，添筑校舍。而对于中学学生，朝夕督课维勤。每遇课期，亲身校阅。仍进诸生，口讲指画，娓娓不倦。时捐廉俸，给奖高才生，以资鼓励。各厅员办理学务不当或不力者，则札饬，详撤不少贷。故在当时各厅同、通各官，均视办学为考成之最要，兢兢奉行，罔敢懈忽。凡所以恢宏其规制，巩固其基础，使绥省后来教育日见进展者，皆其力也"。② 胡孚宸还在归绥中学堂内题有一对联："重译共轨文，异学分歧，愿多士无忘国粹；十室有忠信，及时思奋，虽边地岂乏人才"这也反映出胡孚宸等筹办新学人员的一些观念和精神。

旗学的进一步发展　绥远城的新学堂，招收八旗子弟入学，也兼招乌、伊两盟的蒙旗子弟。同时，土默特旗的旗学也有进一步地发展。光绪三十一年（1905 年），贻谷从山西聘请了两名新式学堂的毕业生，来绥远城担任中学堂的教习。同时，将蒙养学堂改为初等小学堂。此外，还设有半日学堂，"专收寒畯子弟。既不使旷时失学，仍不误作苦营生"。③ 原设的五所蒙小学堂，又逐步发展为东、西、南、北、中五路蒙学；每路设有两所学堂，共成为十所蒙小学堂。

"新政"期间，全国性的新学堂章程施行后，绥远地区各学堂也遵照新章程，逐步改进其规章和课程等。如绥远中学堂，所用规章为"讲堂条规十四则"；④ 课程有经学、国文、算学、英文、格致、图画、历史、修身、地舆、体操、科学、博物等；除教习外，还有管理人员，如教务提调、兼学、庶务提调、出手、夫役等。

原附设于绥远中学堂内的清、蒙两科，在这时另设清文学堂，专门教学满文、蒙文。注重教学满文，是因为"不讲既羞于数典，更窘于办公。另立一科，俾业精于专，速成犹易"。另外，由于"绥远统辖乌、伊两盟，日

---

① 绥远通志馆：《绥远通志稿》卷 51，《学校》，20 世纪 30 年代稿本。
② 绥远通志馆：《绥远通志稿》卷 51，《学校》，20 世纪 30 年代稿本。
③ 贻谷：《绥远奏议》，台湾影印《近代中国史料丛刊续编》本。
④ 高赓恩：《绥远志》卷 6，光绪三十四年（1908 年）刻本。

与蒙接。现在报垦愈广，交涉愈多，翻译需才亟应预为造就"，① 强调要重视蒙文的教学。贻谷鼓励绥远地区的各蒙旗派送青年入该学堂学习，"给其衣食，宽其课程，优厚相加"。②

光绪三十二年（1906 年）年初，在归化城创设了土默特蒙小学堂。当时有学生四十名。"延致教习，分授满、蒙、汉文及浅近教科之学"。③ 其管理人员有司督、司事以及汉、满、蒙文教习等。三十三年（1907 年），归化城土默特副都统文哲珲将启运书院改为土默特高等小学堂，任命卜瑞机为堂长。④

光绪三十三年（1907 年）六月，贻谷等官员又在绥远中学堂内附设了高等小学堂。其生源即为绥远初等小学堂的优秀毕业生，教习及管理人员都由绥远中学堂的教习、管理人员兼任。绥远高等小学堂的课程有经学、国文、算学、格致、图画、历史、修身、地舆、体操、科学等。

绥远地区的经济、文化较为落后，其创办新学的条件也较差，特别是经费短缺，在很大程度上制约着当地新兴教育的进一步发展。这种情况可从绥远城的新式学堂反映出来。绥远城各学堂的经费，"一系出院旧有经费发商息，一系右卫马厂地租"。⑤ 另外，还有贻谷等官员的捐赠款项等。这些经费，仅能够使各学堂勉强维持其现状。而其所指望的款源，如八旗牧厂的押荒、租银等，由于放垦困难等种种原因处于"指禾待实"的状态。绥远高等小学堂的筹建，也因缺少经费，一再拖延，最终"中学堂承办教习各员，知奴才急于兴学，艰于筹款，皆愿尽义务担任兼办"。⑥ 该学堂附设于中学堂内，"不必添设员司……学费可省，洵属一举两得"。⑦ 土默特蒙小学堂在开办初始时，也由于经费不足，"其购买书籍及常年杂费，暂由该员生等自筹"。⑧

---

① 贻谷：《绥远奏议》，台湾影印《近代中国史料丛刊续编》本。
② 贻谷：《绥远奏议》，台湾影印《近代中国史料丛刊续编》本。
③ 贻谷：《绥远奏议》，台湾影印《近代中国史料丛刊续编》本。
④ 绥远通志馆：《绥远通志稿》卷51，《学校（旗学）》，20 世纪 30 年代稿本。
⑤ 贻谷：《绥远奏议》，台湾影印《近代中国史料丛刊续编》本。
⑥ 贻谷：《绥远奏议》，台湾影印《近代中国史料丛刊续编》本。
⑦ 贻谷：《绥远奏议》，台湾影印《近代中国史料丛刊续编》本。
⑧ 贻谷：《绥远奏议》，台湾影印《近代中国史料丛刊续编》本。

　　到光绪三十三年（1907 年）年底，贻谷等官员倡导、督办的"新学"取得了一定的成效，绥远城"先后设陆军中学、高等、初级、蒙养、半日、清蒙各学堂十八处，学生入学者已八百余人矣。绥远子弟，计无所遗，亦复满、汉无分，有归斯受"。①

　　选派留学生　清末"新政"期间，绥远地区也有一些青年出国留学。但因绥远地区较为偏远、落后，出国留学的人数并不多。光绪三十年（1904 年），山西"选拔东、西洋留学生时……归绥道曹受培以官费保送龚秉钧、李景泉二名，留学日本。其时偕同留学者有刘兆瑞、李茂林、谢魁元等数人"。除龚秉钧、李景泉为官费留学生外，其余的一些人都是自费留学生。当时的这些官费留学生，官府除发给其津贴外，还按月发给其家人一定的赡养费。当时，"学科、学额咸未确定，而经费亦为临时筹拨"。②

　　创设图书馆　随着新学的推广，全国各地都兴办了图书馆。在绥远地区，此时也成立了归化图书馆。光绪三十四年（1908 年）十月，在归化城副都统三多的主持下，创办了该图书馆。图书馆附设阅报社。该社只有房屋十间。图书馆陈列有官藏书籍 5 800 余卷。此外，三多还征调浙江官书局的书籍 2 600 余卷，收藏于归化图书馆。另外，还拨用一些款项，购买了不少图书。到宣统元年（1909 年）十月，除了新式科学图书，仅经史子集四部旧籍，已藏有 14 400 余卷。该图书馆定有章程，派专人管理馆务。这个图书馆就是民国年间绥远省立图书馆（后来又为绥远省立归绥图书馆）的前身。中华人民共和国成立后，在此基础上，当地成立了绥远省人民图书馆。1954 年，该馆改为内蒙古图书馆。③

　　（三）新学对绥远地区的影响

　　清末"新政"期间，绥远地区兴办了一些新式学堂。这些新式学堂包括蒙养学堂、初等小学堂、高等小学堂和中学堂。新式学堂的兴起使绥远地

---

　　①　贻谷：《绥远奏议》，台湾影印《近代中国史料丛刊续编》本。

　　②　绥远通志馆：《绥远通志稿》卷 53，《留学》，20 世纪 30 年代稿本。

　　③　田惠琴、吴连书：《内蒙古图书馆》，《呼和浩特史料》第 5 集，1984 年版。又见武莫勒：《近代内蒙古地区公共图书馆事业史》，《内蒙古近代史论丛》第 4 辑，内蒙古大学出版社 1991 年版。

区的学校教育走向近代化。其课程除传统教育中的经学、国文之外，更有历史、地理、算术、图画、体操、英文等。近代西方的科学文化知识在这些新学堂中得以传播，西方文明也随之进入偏远的绥远地区。新学及其他"新政"措施，被普遍地认为是起到了"开风气"的作用。

新学对当地的思想和文化都有较大的影响。当时新学堂的一些学生，在后来成为较有影响的知识分子。如土默特旗著名文人荣祥，曾就读于清末的土默特第一初等小学堂以及归绥中学堂。①

这时期，绥远城、归绥道及其所属各厅普遍兴办学堂。这些新学堂，到后来几乎都成为当地条件较好、被重点建设的学校。据《绥远通志稿》记载，民国元年（1912 年），绥远中学堂与归绥中学堂合并，改称归绥中学校。民国十四年（1925 年），归绥中学校改称绥远区立第一中学校。这所学校一直是当地颇有名气的中学。另外如民国年间的归绥县立第一小学校，其前身就是归绥道胡孚宸在光绪三十三年（1907 年）创设的归绥小学堂；萨拉齐县立第一小学校，其前身也成立于光绪三十年（1904 年）；兴和县立第一小学校的前身，成立于光绪二十九年（1903 年）九月；包头县立第一高级小学校，其前身成立于光绪二十九年（1903 年）三月；凉城县立第一小学校、和林格尔县立第一小学校以及土默特旗立第一中学校附属小学校，其前身都成立于光绪三十三年（1907 年）；清水河县立第一小学校，其前身成立于光绪三十二年（1906 年）八月。②

新学在绥远地区的推广，同样是清政府对蒙政策彻底转变的具体体现之一。清王朝传统的蒙禁政策，禁止蒙古族用汉文，不准延聘汉人充任教师、书吏等。在推行新政期间，该地区兴办学堂，提倡新学。西学等近代科学文化知识，进入了偏僻、落后的绥远地区。清统治者也于宣统二年（1910 年）九月，以理藩部的名义行文，正式解除了有关禁令③。这都有利于当地的科技文化发展和社会进步。

---

① 荣赓麟：《先父荣祥先生生平事略》，《呼和浩特史料》第 3 集，1983 年版。
② 绥远通志馆：《绥远通志稿》卷51，《学校（省学）》、卷51，《学校（县学）》，20 世纪30 年代稿本。
③ 《清实录·附宣统政纪》卷41，宣统二年八月丁亥条。

六、新政的其他措施及其影响

（一）改革官制

官制改革是清末新政的内容之一，其中的一些措施在绥远地区也得以实施和响应。清廷设立外务部以后，其对外政策和对外机构均有调整。为了办理教案，各省相继设立洋务局。光绪二十六年（1900 年）冬，山西省也成立洋务局。二十七年（1901 年）二月，设口外七厅洋务分局，负责办理口外（七厅）的教案。这年春天，归绥道道台恩铭奏准设立洋务分局，专门负责当地查办教案一事。该局设总办一人，由道台兼任。另外，还设有提调及正、副委员。归绥洋务分局成立后，负责给教民追索失物，商定赔教款项，协助教会查寻在反洋教斗争中遗失的人口和失物，处理有关案件，特别是惩办反洋教斗争的首领以及参加过反洋教斗争的清政府官员等。光绪二十九年（1903 年）七月，因当地的教案已基本办理完毕，归绥道道台朴寿奏准裁撤洋务分局，将该洋务局的有关事务合并于巡警局。在巡警局内设有提调二员，专门管理洋务事宜。①

此外，清政府在宣布预备立宪、更定官制时，又改理藩院为理藩部，并陆续调整了该部的机构设置和职能。宣统二年（1910 年）九月，清政府批准理藩部的呈奏，正式解除对蒙古地区的有关禁令、限制。这标志着清朝对蒙政策的彻底转变。在改革官制的过程中，绥远地区的各道厅也设立了咨议局。

（二）官办企业

推行新政期间，全国各地都倡办了一些工艺局。倡办工艺局，是为了解决无业游民的生计问题，也是为发展工商业。光绪三十一年（1905 年），农工商部在北京成立工艺局，分设织工、染工、木工、藤工、纸工、料工、铁工、画漆等十二科，共有徒工五百余人。各地工艺局开设的行业，也大多是成本较低、见效较快的。②

在此期间，绥远地区也出现了官办工艺局。当时，绥远城和归化城各设

---

① 绥远通志馆:《绥远通志稿》卷 83,《教案》,20 世纪 30 年代稿本。
② 苑书义:《中国近代史新编》,人民出版社 2007 年版,第 77 页。

一所工艺局，"以织布、染线、栽绒、熟皮为实业"。① 绥远工艺局创办于光绪三十年（1904 年）。绥远城将军贻谷会同地方官商，集资创办了该工艺局，主要进行栽绒、熟羊皮等生产。② 创设工艺局的目的是解决八旗子弟的生计问题。据记载，该工艺局也有一定的成效，"人竞趋之，于是两城旗民鲜游手"。③ 光绪三十一年（1905 年），胡孚宸创办了归化城工艺局。该工艺局主要经营毛纺织业，也属于官商合办。这里招募、训练的工徒共有几十人。④ 其产品质量较好，一度有很好的销路。

绥远城将军贻谷仿照各省的养济院，创办了一个女工厂。这里共有女工40 余人，主要是制作军衣、军鞋、编织草帽等。该工厂又称"恤纬堂"。⑤

绥远地区在此期间的工艺局、官办工厂，基本都属于官办工艺局。当时全国各地的工艺局，也都名称各异。倡办工艺局，也是清末新政的内容之一。工艺局强调劝工习艺，对于各地的推广技术，转移风气，发展实业等方面，都有一定的积极作用。绥远地区的工艺局在发展当地的纺织业方面曾经有较好的收益，"远致本无之布线，畅销自有之皮毛，互市通工，兼收游惰，取益多矣。"⑥ 工艺局与传统官府手工业有根本的区别，工艺局的产品是商品，在经营中重视行销和开拓市场。但是，工艺局掌握在各级官僚手中，官吏们用行政手段指挥生产，经营无方。另外，由于官府控制，工艺局招商股也很困难。这样，由于经费缺乏，其难以扩大规模。例如，归化工艺局由于工艺手段仍然是手工操作的木制织机，规模也只能是稍大于民间手工匠人的作坊。⑦ 旧的生产方式严重束缚着工艺局，生产目的很难实现，社会作用也受到了极大的限制。

（三）矿务等各项实业

开办矿务同样是新政的内容之一，在绥远地区也进行了一些试办。这主要是对土默特境内的煤炭窑进行了整顿和管理。按照商部有关章程的规定，

---

① 贻谷：《绥远奏议》，台湾影印《近代中国史料丛刊续编》本。
② 高赓恩：《绥远志》卷5，光绪三十四年（1908 年）刻本。
③ 高赓恩：《绥远志》卷5，光绪三十四年（1908 年）刻本。
④ 《呼和浩特市毛纺织工业历史概况》（上），《呼和浩特史料》第 2 集，1983 年版。
⑤ 贻谷：《绥远奏议》，台湾影印《近代中国史料丛刊续编》本。
⑥ 贻谷：《绥远奏议》，台湾影印《近代中国史料丛刊续编》本。
⑦ 《呼和浩特市毛纺织工业历史概况》，《呼和浩特史料》第 2 集，1983 年版。

办矿者应领取商部的执照。如果是小本经营，可变通办理。土默特旗境内的煤炭窑，主要分布于万家沟、五当沟、巴图沟一带。这里的窑户，曾经由归化城副都统衙门管理。在缴纳煤炭税钱后，窑户领取该衙门的票据，进行开采。推行新政期间，贻谷派员勘察这些煤炭窑，准备进行整顿。贻谷提出，对这些煤窑抽收煤炭窑厘，"按窑每售一分价内，抽收二厘公费，量时加减。其从前该窑陋规，概行裁革。如是办理，于窑户既无亏损，无不乐从；而于例征税厘，亦并行不悖，经理更宜"。①

贻谷决定，对于这些煤炭窑，自光绪三十四年（1908 年）年初，"开局试办，所抽窑厘分为三成：以一成作为各处公费；一成作为学堂经费；其一成另款存储，俟积有成效，专作推扩矿务"。贻谷计划在萨拉齐"设立总局，以便统属各处分局"，② 开始试办矿务。

清政府为加强统治，促进地区之间的联系，设立了邮传部，开始试办邮电通信和发展铁路交通。光绪二十八年（1902 年），绥远城和归化城各设一邮寄代办所。这是绥远地区最早的邮政业。此后，又"添设萨拉齐、包头、托克托、和林格尔各厅，河口、可可以力更、隆兴长各镇邮寄代办所多处"。③ 这些邮寄代办所，在民国年间，逐步改为邮电局。清末，归化城还开设了电报业务，与外地有了电报联系。

同一时期，绥远地区还筹划修建铁路。光绪三十三年（1907 年）八月，京张铁路竣工，詹天佑建议修筑从张家口至绥远的铁路。于是，邮传部派工程司进行勘测。第二年三月，张家口至绥远的铁路开工。辛亥革命爆发后，该工程停顿。民国元年（1912 年）冬天，该路段工程复工。到民国十年（1921 年）五月一日，京绥铁路终于修通。④

推行新政期间，金融业方面也有变革。光绪三十一年（1905 年），清政府开设了户部银行。光绪三十四年（1908 年），该银行被改组为大清银行。在全国各省，普遍设立了官钱局，"统筹圆法，系维全省之利源"。⑤ 光绪三

① 贻谷：《绥远奏议》，台湾影印《近代中国史料丛刊续编》本。
② 贻谷：《绥远奏议》，台湾影印《近代中国史料丛刊续编》本。
③ 绥远通志馆：《绥远通志稿》卷 66，《邮电》，20 世纪 30 年代稿本。
④ 《绥远通志稿》卷 67，《铁路》，20 世纪 30 年代稿本。
⑤ 贻谷：《绥远奏议》，台湾影印《近代中国史料丛刊续编》本。

十年（1904 年）年底，绥远城将军贻谷，奏请在绥远城设立官钱局。当时，绥远八旗兵丁的兵米经常拖欠，奸商趁机垄断居奇，进行盘剥，"层层剥折，母子循环，一本万利"。绥远城官钱局仿照奉天、湖北、江西、河南等省的办法，进行试办。"有无缓急，调剂盈虚，俾市面流通，公私两便。"该局所用经费，暂由垦务公司借银 10 000 两。贻谷委派一协领专门负责该官钱局事务。贻谷试办官钱局，取得了一定的成效。各旗佐"已于目前均沾实惠"。①

（四）禁烟禁毒等措施

清政府在推行新政期间提出禁止种植、吸食鸦片。光绪三十二年（1906 年）九月，清廷发布禁烟上谕；同年十一月，颁布《禁烟章程十条》。此后，全国各地开始关闭烟馆，限制吸食鸦片，禁种罂粟。这时的全国性禁烟，取得了一定的成效。

鸦片输入绥远地区，大约是在十九世纪中期。到光绪年间，绥远地区吸食、种植鸦片的现象，已相当严重。② "鸦片之毒遍天下，于晋尤甚，绥人之染积习者尤多。"③ 推行新政期间，贻谷等官员也施行禁烟禁毒的措施。"以差缺为劝惩，以少壮易老弱。言随以法，几于不近人情。行之四年，从前之十人九癖者，近则不过二、三，而仍不少宽假。"④ 可见，当时的禁烟也是有一定成效的。

推行新政期间，清政府也解除了一些传统的禁令、限制，如允许满汉通婚等。对于绥远等蒙古地区，允许蒙汉通婚。宣统二年（1910 年）九月，清政府批准理藩部的奏议："变通禁止民人聘取蒙古妇女之条。旗汉现已通婚，蒙汉自可仿照办理。……凡蒙汉通婚者，均由该管官酌给花红，以示旌奖。"⑤ 允许蒙汉通婚，是在蒙古地区推行的新政内容之一，也是清朝对蒙政策彻底转变的体现之一。废除有关的禁令，允许蒙汉通婚，符合客观规律。对其中的进步意义，应予以肯定。

---

① 贻谷：《绥远奏议》，台湾影印《近代中国史料丛刊续编》本。
② 《鸦片在归绥》，《呼和浩特文史资料》第 6 辑，1988 年版。
③ 贻谷：《绥远奏议》，台湾影印《近代中国史料丛刊续编》本。
④ 贻谷：《绥远奏议》，台湾影印《近代中国史料丛刊续编》本。
⑤ 《清实录》卷 41，《宣统政纪》，宣统二年八月丁亥条。

清政府对上述在绥远地区的这些新政措施，较之蒙垦、练军和新学，并没有深入地推行。如设立洋务局，仅仅是一个办理教案的临时性机构。工艺局的规模也不大，对当地经济影响也是有限的。至于整顿矿务、创办邮电业等有关的新事物，也只局限于个别地方。对其他广大地区，特别是这里的各蒙旗，产生的直接影响也更小。但是，这些新政措施将资本主义因素带进了绥远地区；近代文明成分，特别是邮电和铁路交通的出现，对于当地与外界的进一步联系及社会进步都有较大的积极意义。

第 十 六 章

汉族移民与地域社会变迁

第一节　东部蒙旗的农业与村落化

位于长城以北、柳条边墙以西的东部蒙旗分别隶属于卓索图、哲里木和昭乌达三盟。卓索图盟辖有喀喇沁左、中、右三旗，土默特左、右二旗等五旗；昭乌达盟辖有翁牛特左、右二旗、敖汉旗（宣统三年把敖汉旗分为左、右二旗）、巴林左、右二旗、奈曼旗、喀尔喀左翼旗、克什克腾旗、阿噜科尔沁旗和扎鲁特左、右二旗等十一旗；哲里木盟包括科尔沁左翼中、前、后三旗，右翼中、前、后三旗，郭尔罗斯、前、后二旗，杜尔伯特旗和扎赉特旗等十旗。

这里广阔的平原、众多的河流以及肥沃的土壤、适宜的气候条件吸引着内地农业人口。随着清朝的建立，数量较多的汉族移民开始流入东部蒙旗，使该地区的社会面貌发生了前所未有的变化。移民开垦的深入，不仅影响了蒙旗社会外部，而且进一步渗透到蒙旗社会内部，带来了这些蒙旗政治、经济、文化等诸多领域的变化。以汉族为主的农业人口逐渐成了当地人口的大多数，大部分蒙古人开始从游牧走向定居，东部蒙旗开始了漫长的农耕村落化的历程。在这个过程中，由于三盟二十六个蒙旗所处的地理位置和自然环境的不同等原因，无论是农耕的起始、还是农耕村落的形成以及蒙旗社会内部发生的一系列变迁等方面各蒙旗都表现出了自己独特的特点。

一、移民开垦的历史背景

（一）内地的人地矛盾

明末清初战乱的结束，大一统局面的形成和休养生息政策的推行等对人口的增长提供了有利的环境。康、雍、乾时期，中国人口急剧增长，形成了内地人多地少的矛盾。早在康熙年间就出现"内地实无闲处"的情形。用康熙帝的话来说就是："今太平已久，生齿甚繁，而田土未增，且士商僧道等不耕而食者甚多。或有言开垦者，不知内地实无闲处。今在口外种地度日者甚多。"① 到雍正年间（1723—1735 年），内地大部分地区的平原、河谷和宜开垦之地都已成为农田，人烟稠密，人口继增，人多地少的矛盾进一步加深。乾隆末年，中国人口突破了 3 亿大关，乾隆帝曾不无忧虑地说："朕恭阅圣祖仁皇帝实录，康熙四十九年民数二千三百三十一万二千二百余名口，因查上年各省奏报民数，共三万万七百四十六万七千余名口，较之康熙年间，计增十五倍有奇。……以一人耕种而供十数人之食，盖藏已不能如前充裕，且民既日益繁多，则庐舍所占田土，不啻倍蓰。生之者寡，食之者众，于闾阎生计，诚有关系。"② 若从乾隆六年（1741 年）起算到道光三十年（1850 年）的一百余年间，全国人口数字从 1.4 亿增至 4.3 亿，③ 达到中国封建社会历史上人口最高纪录，人多地少的矛盾更加激烈。在内地无法生存的过剩人口，为谋食而背井离乡，游走四方，寻找新的土地，沦为流民。其中一部分人是临时出外做工的劳动者，另一部分人则成为他乡永久性的移民。在内地人地矛盾较为突出和农业生产力发展水平相对滞后的情况下，地广人稀的北部边疆内蒙古地区便成为他们奔赴的乐土。正如乾隆帝所言："犹幸朕临御以来，辟土开疆，幅员日廓，小民皆得开垦边外地土，藉以暂谋口食。"④

（二）自然灾害

整个清代直隶、河南、山东等省灾荒连续不断。发生饥荒后，人们不得

---

① 《清圣祖实录》卷 268，康熙五十五年闰三月壬午条。
② 《清高宗实录》卷 1441，乾隆五十八年十一月戊午条。
③ 梁方仲：《中国历代户口田地田赋统计》，上海人民出版社 1980 年版，第 251、256 页。
④ 《清高宗实录》卷 1441，乾隆五十八年十一月戊午条。

不四处逃荒觅食。正如乾隆帝所言："岁偶不登，间阎即无所恃，南走江淮，北出口外。揆厥所由，实缘有身家者不能赡养佃户，以致滋生无策，动辄流移。"① 康熙四十三年（1704 年），山东省潦灾，"秋禾失收，民滋困苦……至于未经散赈之际，饥民有流入京城者，老幼讹离，急于得食。……复念饥民抛弃乡土、久住京师，究非长策，于是遣官雇募船只悉送还籍"。② 雍正元年（1723 年）、二年（1724 年），直隶、山东一带发生了严重的水灾，河南黄水溃决，泛滥于直隶地方，两省近水居民耕种无资，衣食匮乏，饥民云集口外。为了解决流民问题雍正帝颁发了"借地养民"令，在喀喇沁、土默特、翁牛特、敖汉、克什克腾、奈曼等地实施。乾隆七年（1742 年），黄河漫溢，豫、鲁均遭水灾，损失之大，范围之广，为多年所罕见。乾隆八年（1743 年），"天津、河间等处较旱，闻得两府所属失业流民，闻知口外雨水调匀，均各前往就食，出喜峰口、古北口、山海关者颇多"，清廷令各关官弁，"如有贫民出口者，门上不必阻拦，即时放出"。③ 乾隆五十七年（1792 年），直隶省京南被旱，清廷"除已令热河道府，就近晓谕各贫民由张三营、博罗河屯等处，分往各蒙古地方谋食者不禁，其京南地方，亦一体妥办……今年关东、盛京及土默特、喀喇沁、敖汉、八沟、三座塔一带，均属丰收，尔等何不各赴丰稔地方，佣工觅食，俟本处麦收有望，即可速回乡里。如此遍行晓谕，并令其或出山海关赴盛京一带，或出张家口、喜峰口，赴八沟、三座塔暨蒙古地方，不必专由古北口出口，则分民中稍可力图自给者，知有长途觅食之路，自必分投谋生"。④ 光绪三年（1877 年）至五年（1879 年），山西、河南、河北、山东四省大旱三年，出现了被称为"丁戊奇灾"的近代最严重的旱灾，甚至部分地区，寸雨未下。"晋省成灾州县已有八十余邑之多，待赈饥民逾五百万之众……往来二三千里，目之所接，皆系鹄面鸠形；耳之所闻，无非男啼女哭。……甚至枯骸塞途，绕车而

---

① 《清高宗实录》卷 309，乾隆十三年二月甲戌条。
② 《清圣祖实录》卷 217，康熙四十三年冬十月辛巳条。
③ 《清高宗实录》卷 195，乾隆八年六月丁丑条。
④ （光绪）《大清会典事例》卷 158，《户部·户口》。

过，残喘呼救，望地而僵。"①

（三）蒙旗招垦

由于蒙古族人民对农产品的需求，清初对内地农民到内蒙古地区开垦种地采取欢迎的态度。17 世纪末，蒙古族王公等主动招募汉人开垦的情况，在东部蒙旗较为普遍。如康熙年间，喀喇沁三旗亦"呈请内地民人前往种地"，至乾隆十四年（1749 年）已达数万之众。② 正如嘉庆皇帝所言"若该王公等不行招致给与地亩耕种，伊等无业可图，必不能久留边外，是流民出口之多，总由该王公等招垦所致。"③ 然而，蒙旗的招垦不仅限于王公贵族，整个蒙旗几乎所有阶层都被卷进了私招私垦的行列。私招汉人的到来给各蒙旗王公带来了一些畜牧业以外的收入。蒙旗王公受利益的驱动愈加招纳大量内地汉人垦种，接下来的蒙旗就出现了上至札萨克王公贵族和旗佐官吏，下至台吉、塔布囊，乃至一般壮丁、普通牧民等，都主动招募内地汉人开垦的情况。乾隆五十六年（1791 年），郭尔罗斯前旗札萨克恭格拉布坦开始招垦，嘉庆五年（1800 年），查出民户 2 330 户，熟地 265 648 亩。道光二年（1822 年），科尔沁达尔汉王、宾图王二旗界内私招流民，给荒开垦，民人已有二百余户，垦成熟地已有 2 000 余垧。道光六年（1826 年），卓哩克图王、宾图王二旗界内，新招流民又有 760 余户之多。④ 为此清朝政府也采取法律措施，限制各蒙旗的私招私垦。如嘉庆十一年（1806 年），制定限制内外札萨克蒙古等私招民人开垦地亩的法律。但是，为了缓和内地人多地少的矛盾，清朝政府在一定的时间和范围内，又不得不允许内地农民进入蒙地垦种或特许蒙古王公等私招私垦。嘉庆十六年（1811 年），理藩院一面晓谕敖汉旗"不得多开一陇，多招一民"，一面又承认"该旗博尔克之地，仍给该王为业，听其自行办理"。二十二年（1817 年），划出"东自库苏尔哈达起，西至库伦布哈屯之东萨察花山顶止，南自绍海卓博哩察罕苏巴尔汉熟地

---

① 何炳棣：《明初以降人口及其相关问题》（1368—1953 年），生活·读书·新知三联书店 2000 年版，第 271 页。

② （光绪）《大清会典事例》卷978，《理藩院·户丁》；《清高宗实录》卷348，乾隆十四年九月丁未条。

③ （光绪）《大清会典事例》卷978，《理藩院·户丁》。

④ （光绪）《大清会典事例》卷978，《理藩院·户丁》。

界起，北至松吉纳图山腾吉里克山顶止，种地千七百八十顷十四亩，起立鄂博，给该王招民耕种"。① 嘉庆十七年（1812年）定，科尔沁左翼后旗札萨克郡王旗昌图额尔克地方，西自辽河起东至苏巴尔汉河止一百二十里，北自太平山起，南至柳条边止五十二里，西至柳条边十六里，东至柳条边二十里，准其招民开垦。② 这种默认或特许的态度，加快了各蒙旗私招私垦的进程，为汉族移民流入蒙古地区开辟了道路。

（四）清朝初期的鼓励农耕和后期的全面放垦蒙地政策的推行

鼓励农耕发展农业政策　顺治元年（1644年），首次颁布"招徕流民，不论籍别，使开垦荒地，永准为业"③ 的政策，顺治十年（1653年）又颁发了辽东招民开垦例。辽东与内蒙古东部地区毗连，实行辽东招垦政策时，就有不少晋齐一带的汉人到卓索图盟的土默特和喀喇沁一带开垦。康熙、雍正和乾隆初年，正值西北用兵频繁，内地灾情不断，流民涌入蒙地的高峰期。为了解决粮食问题并提供部分军粮，清朝统治者在内蒙古采取鼓励农耕发展农业的政策。康熙皇帝曾多次派人前往蒙古地区，"教人树艺，命给牛种"。④ 康熙三十年（1691年），提出"边外积谷，甚属紧要"，令人派遣庄丁到达尔河、呼尔河、西拉木伦地方耕种，"其籽粒、耒牛、皆令预备"。⑤ 康熙三十七年（1698年），派遣原任内阁学士黄茂等"前往教养蒙古"，临行时还吩咐"蒙古地方，多旱少雨，宜教之引河水灌田"，并说"朕适北巡，见敖汉、奈曼等处，田地甚佳，百谷可种，如种谷多获，则兴安等处，不能耕之人，就近贸易贩籴，均有裨益，不须入边买内地粮米，而米价不致腾贵也。且蒙古地区既已耕种，不可牧马，非数十年草不复茂。尔等酌量耕种。其草佳者应多留之，蒙古牲口惟赖牧地而已"。⑥ 雍正元年（1723年），谕户部："朕临御以来，宵旰优勤，凡有益于民生者，无不广为筹度。因念国家承平日久，生齿殷繁，地土所出，仅可赡给，偶遇荒歉，民食为艰。将

① （光绪）《大清会典事例》卷979，《理藩院·耕牧》。
② （光绪）《大清会典事例》卷979，《理藩院·耕牧》。
③ （光绪）《大清会典事例》卷166，《户部·田赋》。
④ 汪灏：《随銮纪恩》，《小方壶斋舆地丛抄》第一帙。
⑤ 《清圣祖实录》卷153，康熙三十年十二月丁亥条。
⑥ 《清圣祖实录》卷191，康熙三十七年十二月丁巳条。

来户口日滋，何以为业？惟开垦一事，于百姓最有裨益，嗣后各省凡有可垦之外，听民相度地宜，自垦自报，地方官不得勒索，胥吏亦不得阻挠"①，提出"边外地方辽阔，开垦田亩甚多，将京城无业兵丁，移驻于彼，殊为有益"。② 谕令内地乏食民人可往蒙地垦荒谋生，"乐于就移者"，免其田赋，蒙旗王公"欢迎入殖"者，"特许其吃租"。③ 人们将雍正元年（1723 年）的那道命令称为"借地养民令"或曰"一地养二民"。雍正四年（1726年），甚至宣布按照招种多寡作为考核官员政绩的办法，规定"直隶张家口外地亩，分作十分招种。如招种八分以上，题请议叙，不及五分，题请议处"。④ 到乾隆初期，蒙古地区出现了清入关以来又一次移民潮。乾隆八年（1743 年），针对内地灾民纷纷流往口外谋生的情况，令喜峰口、古北口、山海关诸关口官弁，"如有贫民出口者，门上不必拦阻，即时发出"，"今日流民不比寻常，若稽查过严，若辈恐无生路矣，……令其不必过严，稍为变通，以救灾黎"。⑤

清末全面放垦蒙地政策 清末，国内义和团运动的爆发、八国联军的入侵、俄国的大举入侵东北等给近代中国带来了前所未有的急剧变化。光绪二十七年（1901 年）《辛丑条约》签订后，形成了帝国主义列强瓜分中国之势，国内政治矛盾更加激烈，清朝封建专制统治已处于崩溃的边缘。光绪二十七年（1901 年）一月，流亡在西安的慈禧太后，在国内外形势的逼迫下发布了"变法"上谕，开始推行所谓的"新政"。"新政"在内蒙古地区具体实施的最主要内容就是改变原有对蒙古的封禁政策，官垦蒙地，向关内广大无地农民招垦。光绪二十八年（1902 年），清政府批准山西巡抚岑春煊的奏请，派垦务大臣贻谷到内蒙古西部地区推行开垦蒙地。随之，东北三将军也对各自管辖范围内蒙旗地方实行招民放垦。至此，内蒙古地区已向内地农民全面开放，进入了官放蒙地的阶段。

---

① 《清世宗实录》卷6，雍正元年四月丁亥条。
② 《清世宗实录》卷8，雍正元年六月辛酉条。
③ 张丹墀、宫保廉、王瑞岐：《凌源县志》卷3，《纪略》，辽宁省图书馆藏油印本。
④ （光绪）《大清会典事例》卷166，《户部·田赋》。
⑤ 《清高宗实录》卷195，乾隆八年六月丁巳条；《清高宗实录》卷208，乾隆九年正月癸巳条。

二、清代移民开垦

清代东部蒙旗移民开垦，大致可分为三个阶段：清初至乾隆十三年（1748 年）；乾隆十三年（1748 年）至光绪二十八年（1902 年）；光绪二十八年（1902 年）至清末（1911 年）。

（一）移民开垦的初期阶段

清初至乾隆十三年（1748 年），是移民进入蒙地的起始阶段。在全国统一条件下，从十七世纪中叶起，内地汉人逐渐流入内蒙古地区开垦种地，从而开启了清代内蒙古地区移民潮流的先河。顺治元年（1644 年）至康熙八年（1669 年），满洲贵族以"东来诸王、勋臣、兵丁人等，无处安置"① 为由，在华北地区大规模圈占土地。在圈地过程中大批丧失家宅田土的内地民人，背井离乡，北移出口，流落到土旷人稀的内蒙古地区谋生。他们首先进入沿长城一带的东部蒙旗，其中喀喇沁地区由于距内地最近，只隔长城一墙，所以率先进入这里。当时进入喀喇沁地区的内地汉人中会有一部分人是在清朝跑马圈地时候被迫流入该地区的。但由于史料缺载，具体人数无法查实。据《东三省政略》载，科尔沁宾图王旗（科左前旗）法库厅康平县属境的七大屯——獾子洞、长岗子、刘邦屯、十家子、石椿子、东特布色克图、西特布色克图"庄头高、杨、刘、董、梁、周六姓数百户，而高姓为之魁，皆札萨克图王旗庄丁也。自顺治间六姓占籍是土，相传随和硕格格下嫁扎旗，栖止秀水河边，垦种祭田，渐成村落"。②

康熙时期，在既默许又有限制的蒙地开垦政策之下，内地冀、鲁、秦、晋等省百姓流向口外蒙古地区的现象，已相当普遍。政府率先示范，在古北口外的喀喇沁旗和翁牛特旗西部的围场地一带，开设庄头地，派满族人充当庄头，招徕内地汉人耕种土地，由此开辟了在蒙地招徕内地汉人的先例。康熙五十五年（1716 年）喀喇沁三旗王公也仿效此举，"呈请内地民人前往种地"，得到朝廷的允准。③ 但又以"每年由户部给予印票八百张"的规定来

① 《清世祖实录》卷 12，顺治元年十二月丁丑条。
② 徐世昌：《东三省政略》卷 2，《蒙务上·蒙旗篇》。
③ （光绪）《大清会典事例》卷 978，《理藩院·户丁》。

限制流入蒙地汉人人数。从此，持有"印票"的汉人纷纷前往该旗租地耕种，使喀喇沁三旗成为最早由蒙古人自己招民开垦的地区。但八百张"印票"不可能起到限制汉人流入蒙地的作用，反而"负耒耜而至者日众"①，其规模远远超过了顺治年间。到康熙四十六年（1707 年）皇帝巡行边外时，就见到各处皆有山东人"或行商或力田，至数十万人之多"，② 五十一年（1712 年），再次发现"山东民人往来口外垦地者，多至十万余"。③ 虽然"数十万、十万余"只是概数，但移民开垦规模由此可见一斑。

雍正元年（1723 年）、二年（1724 年），直隶、山东一带发生严重的自然灾害，大批灾民涌入口外蒙古地区。清廷为缓和社会矛盾，解决边口流民问题，在卓索图盟的喀喇沁三旗、土默特二旗和昭乌达盟的翁牛特左右旗、敖汉等旗推行了"借地养民"政策。在这种政策的鼓励下，直隶、山东一带的贫民便滔滔流水一样涌入卓索图和昭乌达等盟的部分地区，而且在该地区定居者不断增多。雍正九年（1731 年），土默特贝子就曾因本旗汉族移民居住过多，有碍游牧，呈请理藩院驱逐在该旗居住的汉人。这一情况在乾隆前期仍在继续。乾隆六年（1741 年）"古北口至围场一带，从前原无民地，因其处土脉肥腴，水泉疏衍，内地之民愿往垦种，而科粮甚轻，故节年开垦升科者三千余顷"。④ 久而久之，此等"民人安立家室，悉成土著"。⑤ 乾隆八年（1743 年），天津、山东、河南遭灾，灾民纷纷出喜峰口、古北口、山海关，流往口外蒙古地区。清廷令诸关口官弁，"如有贫民出口者，门上不必拦阻，即时放出"，"今流民不比寻常，若稽查过严，若辈恐无生路矣……令其不必过严，稍为变通，以救灾黎"。⑥ 这样，汉族移民不仅来到长城沿边的蒙地，而且渐次推进到蒙古腹地。当年，乾隆皇帝东巡经过敖汉旗，就亲眼目睹了"渐见牛羊牧，仍欣禾黍"⑦ 的半农半牧景象。乾隆十二

---

① 哈达清格：《塔子沟纪略》卷 11，《艺文》，《辽海丛书》本。
② 《清圣祖实录》卷 230，康熙四十六年七月戊寅条。
③ 《清圣祖实录》卷 250，康熙五十一年五月壬寅条。
④ 《清高宗实录》卷 155，乾隆六年十一月辛卯条。
⑤ 《清高宗实录》卷 210，乾隆九年二月壬子条。
⑥ 《清高宗实录》卷 195，乾隆八年六月丁巳条；《清高宗实录》卷 208，乾隆九年正月癸巳条。
⑦ 和珅等：《钦定热河志》卷 75，《藩卫一》。

年（1747年），八沟以北及塔子沟通判所辖地方已有汉民户"二、三十万之多"。①

（二）乾隆十三年至乾隆末年（1748—1795年）的移民开垦

从乾隆十三年（1748年）开始，清朝对移入蒙地汉族移民的政策开始转入严格的禁垦阶段。乾隆十三年（1748年）清廷发布"典地回赎令"，议准："民人所典蒙古地亩，应计所典年分，以次给换原主。"②禁止蒙古人向汉人典卖土地。同时，将以往所典地亩分别年限回赎，"价在百两之下，典种五年以上者，令再种一年撤回；如未满五年者，仍令民耕种，俟届五年再行撤回。二百两以下者，再令种三年，俟年满撤回，还给业主"。③乾隆十四年（1749年），再次宣布"喀喇沁、土默特、敖汉、翁牛特等旗，除现存民人外，嗣后毋许再行容留民人，多垦地亩及将地亩典给民人"。④并"晓谕该札萨克等，严饬所属，嗣后将容留民人居住，增垦地亩者严行禁止。至翁牛特、巴林、克什克腾、阿噜科尔沁、敖汉等处，亦应严禁出典开垦，并晓示察哈尔八旗一体遵照"。⑤为了杜绝容留汉人开垦地亩的事情，制定了严厉的惩罚条例。蒙古官民等若"再图利，容留民人开垦地亩及将地亩典与民人者"，该札萨克"照隐匿逃人例，罚俸一年"；管旗章京、副章京"罚三九"；佐领、骁骑校"皆革职，罚三九"；领催什长等"鞭一百"；"其容留居住开垦地亩典地之人，亦鞭一百，罚三九；……其开垦地亩及典地之民人，交该地方官从重治罪，递回原籍；该管同知、通判，交该部察议。"⑥

乾隆年间虽然发布了清朝入关以来最严厉的禁垦令，但由于清朝统治者很难解决内地人地矛盾等所引起的流民问题，所以在事实上乾隆年间进入蒙地的汉人不但未减少，反而与日俱增。在乾隆十三年（1748年）仅一年时间内，"山东饥民出口者几至数万。"⑦这一年，清政府派员到卓索图盟和昭

①《清高宗实录》卷304，乾隆十二年十二月己未条。

②（光绪）《大清会典事例》卷979，《理藩院·耕牧》。

③（光绪）《光绪会典事例》卷979，《理藩院·耕牧》。

④（光绪）《大清会典事例》卷979，《理藩院·耕牧》。

⑤《清高宗实录》卷348，乾隆十四年九月丁未条。

⑥（光绪）《大清会典事例》卷979，《理藩院·耕牧》。

⑦《清高宗实录》卷314，乾隆十三年五月己丑条。

乌达盟，查出的各蒙旗民人所典蒙古地亩为"土默特贝子旗下有地千六百四十三顷三十亩，喀喇沁贝子旗下有地四百顷八十亩，喀喇沁札萨克塔布囊旗下有地四百三十一顷八十亩"。① 乾隆十四年（1749 年）清朝政府的典地回赎令，就是针对此种情况而颁布的。但是典地回赎令发布的第二年，即乾隆十五年（1750 年），清朝官员陈大寿却上疏说："虽上年奉旨退地，而今春耕种之际，又有别无生计之穷人，强种原地，冀纳租以资糊口，"而蒙民则"情愿招租者仍私相定议，令民租种"。② 即租种之事还得到了蒙古人的支持。这种情况至少一直延续到乾隆四十一年（1781 年）。这一年乾隆帝在谈到山东贫民流往各处的情况时，还不得不承认，每岁山东出口之人，扶老携幼，不可数计，"虽禁之不止"。③ 无法禁绝的原因，是因为清廷实在无力解决内地人多地少的矛盾，这时禁垦政策就不得不做一些改变，甚至鼓励内地灾民前往蒙地就垦。乾隆五十七年（1792 年），直隶、河南灾情严重，清廷只好宣布"往各蒙古地方谋食者不禁"，引导灾民"今年关东盛京及土默特、喀喇沁、敖汉、八沟、三座塔一带，均属丰收，尔等何不各赴丰稔地方，佣工觅食"，并准许灾民举家迁移。④

喀喇沁三旗 汉人何时进入喀喇沁地区没有明确记载。但到乾隆年间，该地区的汉族移民和耕种地亩数等已有相当规模。喀喇沁左旗与内地和辽东只有一墙之隔，自然而然成为汉人进入卓索图盟的前哨站。到乾隆初年的时候，这里已经有了相当规模的耕地以及定居的人口和村落。

喀喇沁左旗境内塔子沟地方"本无城郭、村堡"，但"地势平坦，山环四面，水绕左右，民居之可耕可溉"⑤ 的地理位置吸引了不少内地汉人。乾隆初年时候，该地区的汉族居民已达到需要建立新的行政机构来管理的程度。据喀喇沁左旗蒙古文书档案记载，乾隆二年（1737 年），喀喇沁左旗境内种地民人共有 92 户，471 口。⑥ 乾隆四年（1739 年），在喀喇沁左旗境内

---

① （光绪）《大清会典事例》卷 979，《理藩院·耕牧》。
② 中国第一历史档案馆：《朱批奏折·民族事务类》，乾隆十四年陈大寿折。
③ 《清高宗实录》卷 1012，乾隆四十一年七月辛未条。
④ 《清高宗实录》卷 1408，乾隆五十七年七月辛丑条；《大清会典事例》卷 158，《户部·户丁》。
⑤ 哈达清格：《塔子沟纪略》卷 3，《市镇》。
⑥ 内蒙古档案馆喀喇沁左旗蒙古文档案，503—2—7488。

种地民人和开店铺民人共 232 户，男女总数有 1 474 口，耕种土地 281 顷 44 亩。① 乾隆五年（1740 年），设立塔子沟直隶厅，置理事通判一员，管理喀喇沁贝子、札萨克公两旗命盗等案并蒙古民人互控案件。乾隆十七年（1752 年），在喀喇沁左旗境内的汉人男女口数有 61 407 口，租种地亩数为 14 527 顷 30 亩 1 分。② 由于农耕区的扩展和农业人口的增多，乾隆四十三年（1778 年），清朝政府把塔子沟厅改为建昌县。建昌县属南境为喀喇沁左旗地，北境为敖汉旗地，西界平泉州地。乾隆四十七年（1782 年）建昌县境内居住民人 23 730 户，男女共有 99 293 口。③ 这些人户，绝大多数都应当是喀喇沁左旗的汉族人口。

喀喇沁右旗札萨克衙门档案记载了乾隆十三年（1748 年）开始，一直延续到嘉庆十八年（1813 年），喀喇沁右旗境内种地民人和耕种地亩数："居住种地民人和开店铺民人数男女共有 30 541 口，佃种地亩数 5 888 顷 5 亩。"④ 六十多年之久的移民人数与耕种地亩数完全一样，很可能隐藏着一个重要的问题。喀喇沁右旗札萨克衙门档案提供了一个重要线索，这就是乾隆十三年（1748 年）钦差大臣调查本旗境内居住汉人和耕种地亩数以来，喀喇沁右旗直到嘉庆年间再没有进行过一次全面系统的调查。所以这个数字本身只代表乾隆十三年（1748 年）本旗境内移民开垦的情况，就其以后的移民开垦的发展来说，已经没有任何的实际意义。

喀喇沁中旗境内的汉人增加很快，在乾隆年间已经形成了一定的规模。据《乾隆十三年钦差大臣调查在本旗境内所住汉民之户口男女及佃种地数目清册》，这一年喀喇沁中旗境内汉人男女口数有 42 924 口，形成了 103 个移民村屯，耕种地亩为 7 741 顷 6 亩。⑤ 与喀喇沁右旗的情况一样，乾隆十三年（1748 年）、十七年（1752 年）、十九年（1754 年）和二十五年（1760 年），喀喇沁中旗境内居住民人男女口数为 42 924 口，耕种地亩数为

---

① 内蒙古档案馆喀喇沁左旗蒙古文档案，503—1—89。

② ［日］伪满地籍整理局：《锦热蒙地调查报告》下卷，1937 年版，第 1435—1436 页。

③ 和珅等：《钦定热河志》卷 91，《食货志》。

④ 内蒙古档案馆喀喇沁右旗蒙古文档案，505—1—43、38、47、48、53、55、77、83、92、113、118、126、127、131、133、138、142、143、147、159、177、180、216、261、49。

⑤ ［日］伪满地籍整理局：《锦热蒙地调查报告》下卷，1937 年版，第 1425—1427 页。

7 741 顷 6 亩。① 乾隆四十三年（1778 年），原属喀喇沁中旗地方的八沟厅升为平泉州，平泉州与清朝皇帝行宫所在地热河连成一体，成为该地区商贸和交通中心。在乾隆四十七年（1782 年），平泉州境内居住汉人共计 29 315户，男女共有 154 308 口。②

土默特左右二旗 土默特左旗位于卓索图盟东北部，地势较平坦，是卓索图盟五旗中唯一的居于平原的旗；土默特右旗位于九关台门（今辽宁义县西北九关台）和新台边门（今辽宁锦西县西南新台）外，牧地跨敖木伦河。土默特左右二旗"昔本蒙古藩封，征逐水草，康熙年间始辟土地，树艺百谷"。③ "在康熙年间便有口里的汉人移入，少数是跟着公主、郡主下嫁而来的"，而"多数是贪高额利润和种地不纳粮而来的山西商贩和山东农民"。④ 所以至少在康熙年间，甚至更早些时候，汉人就进入了土默特左、右二旗南部接近内地的地方。此后经过几代人的农耕活动，除了最北部地区未开垦以外，其余地区很快几乎开垦殆尽，并显现出渐次向北推进的趋势。雍正九年（1731 年），为此，土默特右旗贝子因本旗汉人居住过多，有碍游牧，曾特意呈请理藩院驱逐在该旗居住的汉人。⑤ 雍正末年，土默特右旗境内三座塔地方，已成为"民人众集之所"。⑥ 乾隆十三年（1748 年），土默特贝子旗民人所典种蒙古地亩数就达 1 643 顷 30 亩。⑦ 由于资料所限，当时该旗境内民人所佃种地亩数以及开垦地亩数等无从考察。蒙文档案提供了有关流入土默特地区汉人人数和垦地数方面的信息。据记载，乾隆二十五年（1760 年）土默特右旗"帮办旗务"台吉巴达荣贵、喇嘛札布等人报告，在土默特右旗境内居住开店铺的内地汉人男女共有 3 805 口，居住种地民人男女共有 48 133 口，境内汉人总数共有 51 938 口，耕种地亩数有 8 913 顷61 亩 9 分。⑧ 这与乾隆十三年（1748 年）只有汉人典种数字的情况相比，

① 内蒙古档案馆喀喇沁中旗蒙古文档案，504—2—2571、292。
② 和珅等：《钦定热河志》卷 91，《食货一》。
③ 哈达清格：《塔子沟纪略》卷 2，《疆域》。
④ 李守信：《我出生前后的热河南部蒙旗社会》，《内蒙古文史资料》第 10 辑，1983 年版。
⑤ 中国第一历史档案馆：《雅德博卿额奏哲里木垦荒事折》，乾隆三十七年四月初五日。
⑥ 哈达清格：《塔子沟纪略》卷 1，《建置》。
⑦ （光绪）《大清会典事例》卷 979，《理藩院·耕牧》。
⑧ 内蒙古档案馆喀喇沁右旗蒙古文档案，505—1—43。

是一个进步。在理论上这个数字应该比乾隆十三年（1748 年）的汉人所耕种地亩数要多得多，但在乾隆十三年（1748 年）的汉人耕种地亩数缺乏的情况下我们能做的只是一个推测而已，至于实际情况如何难以考证。为了进一步管理日益增多的汉人，乾隆三十九年（1774 年），在土默特右旗境内三座塔地方设三座塔直隶厅。四十三年（1778 年），改为朝阳县。朝阳县"东北境为土默特左翼地，西北境为土默特右旗地，又北境为奈曼旗地，又东北境兼辖喀尔喀、库伦两旗地"。① 乾隆四十七年（1782 年），朝阳县境内汉人户数已达 15 356，男女口数共有 61 220 。②

昭乌达盟　昭乌达盟地处卓索图盟以北，流入这里的大量汉人状况表明，汉人已由南向北推进。由于史料缺载，早期的移民情况不明。有关乾隆年间翁牛特右旗境内居住汉族移民，据蒙古文档案记载，乾隆十三年（1748 年），钦差大臣查出在该旗境内居住民人已有三万多口，其中有的已住四五十年，有的则二三十年。说明早在康熙年间就有不少民人移住该旗。③ 乾隆二十七年（1762 年），又查出被民隐占的土地一千顷。④ 翁牛特北部的克什克腾旗，在乾隆三十六年（1771 年）也"陆续查出新添民人六百七十余名，所垦地亦比原报增多"。⑤ 据俄国人波兹德涅耶夫的调查，"汉人从乾隆五十年（1785 年）起就开始移居克什克腾了，那时在这里第一次划出三十块耕地，允许汉人购买这些地块并进行耕种。"⑥ 但从前面的记载来看，克什克腾旗的汉民垦种开始的时间显然要早于波兹德涅耶夫所说的时间。在乾隆五十年（1785 年），敖汉旗境内耕种地亩数已经有 1 780 顷 14 亩。⑦ 到乾隆五十三年（1788 年），由于敖汉旗境内汉人的增多，清廷在这里特意设立鄂博（边

---

① 和珅等：《钦定热河志》卷 49，《疆域》。
② 海忠：《承德府志》卷 23，《田赋·户口》。
③ 赤峰市档案馆翁牛特右旗蒙古文档案，1—1—142。
④ 《清高宗实录》卷 675，乾隆二十七年十一月庚辰条。
⑤ 中国第一历史档案馆：《直隶总督杨廷璋折》，乾隆三十六年六月二十二日。
⑥ ［俄］波兹德涅耶夫：《蒙古及蒙古人》第 2 卷，刘汉明等译，内蒙古人民出版社 1983 年版，第 419 页。
⑦ 《钦定理藩部则例》卷 10，《地亩》。

界标志），规定"鄂博以内安住民人，以外不准招民人耕种。"① 目的是防止蒙、汉民因垦地引起纠纷。鄂博以内可以由旗王公招民垦种的具体界线是，"东自巴启尔果勒以西库苏尔哈达起，西至伯尔克熟地以东库伦布哈村之东、萨察华山顶止，南自绍海卓博哩察罕苏巴尔汉熟地界起，北至哈达图多伦巴尔党之北、松吉纳图山、腾吉里克山顶止"。② 不过，这些界线远不能阻挡汉民越界垦种。

哲里木盟　哲里木盟地处卓、昭二盟之北，大量汉人流入的时间自然要晚些，大约是从乾隆时期开始的。这表明东部蒙旗的移民和垦种地在继续向北扩展。乾隆以后汉人流入哲里木盟的步伐加快。郭尔罗斯前旗，"乾隆中直隶、山东人出关就食，流寓旗地，渐事耕种"。③ 长春厅境本属"蒙古郭尔罗斯前旗游牧地也，乾隆时，以垦荒民户，安土重迁，遂有借地养民之举。"④

有关在科尔沁左翼前旗、左翼中旗汉族移民的最早记载，是在乾隆四十九年（1784 年）出现。盛京将军永玮等于乾隆四十九年（1784 年）奏："宾图王旗界内所留民人近铁岭者，达尔罕王旗所留民人近开原者，即交铁岭县、开原县治之。"⑤ 关于种地或经商民人与蒙古有关交涉事，奏准"所有宾图郡王地方游牧商民，住址近铁岭县，即交铁岭县管理。达尔汉亲王地方游牧商民，住址近开原县，即交开原县管理。如有词讼案件，该县呈报。"⑥ 说明至少在这一年这两旗境内已有不少内地民人从事农耕或经商。另外，在科尔沁左翼中旗东南部法库边门一带，在乾隆四十六年（1781 年）形成了 74 个流民农业屯。这些村屯的形成过程与贵族陵地和招民开垦有关。该地原为科尔沁左翼后旗博多勒噶台亲王地，但在清朝初期时，达尔罕王旗借占邻近博王旗境内水草丰美的地方，选为本旗王公坟墓以及公主园寝地，派遣陵丁看管陵园。据《谕折汇存》载，该地南至边壕，东、北均邻博多

① 中国第一历史档案馆：《珠隆阿奏敖汉旗札萨克台吉栋鲁布控王朝发争种地亩案》，嘉庆十二年九月初六日。

② 《钦定理藩部则例》卷 10，《地亩》。

③ 徐世昌：《东三省政略》卷 2，《蒙务上·蒙旗篇》。

④ 《长春厅志》，南京大学图书馆藏手抄本。

⑤ 《清史稿》卷 518，《藩部一》。

⑥ （光绪）《大清会典事例》卷 978，《理藩院·户丁》。

勒噶台亲王旗界，西至宾图王旗界，与达尔罕王旗界相隔二百余里，边界毫不毗连，原本是博多勒噶台王旗界内之地。达尔罕王旗借占此地，在乾隆四十六年（1781 年）得到允许，但规定其用途只准"达尔罕王旗壮丁游牧居住以及葬坟，不准招民垦地卖给民人，倘有招民垦地，将地卖给民人者，仍由博多勒噶台王旗撤回。"[①] 但达尔罕王旗违背原约，将此处地亩卖给民人，垦种收租，这样，公主园寝、王公贝勒坟墓地逐渐变成内地汉族移民聚集处，竟然形成了 74 个移民屯。不久七十四屯地方被编入法库县，所以在《法库厅乡土志》亦记载有关这方面的事情："本朝属开原县。康熙三年，废三万卫改置开原县，以其地属焉。旧称三台子，系镶白旗坐落，只佟、张、聂、徐、刘、丁、翟、李八户聚族而居，置边门，后因名'八户门'，俗称'巴虎门'，'法库'其转音也。"[②] 这里所载的佟、张等八户人显然是清代初期达尔罕王所派遣的看管园寝坟墓的陵丁户。由于类似的原因，在科尔沁左翼前旗也形成了长岗子、獾子洞、平顶山等七个汉人村屯，他们是皇家公主下嫁蒙古王公时带来的陪嫁人员的后代。

（三）嘉庆至光绪二十八年的移民

乾隆以后，面对不可阻挡的前往蒙地的汉人移民潮，清朝政府虽然采取禁止或派人驱逐等措施，但是年有驱逐之名，而迄无驱逐之实。对于这种禁而不止的流民现象，嘉庆皇帝也无可奈何："流民出口，节经降旨查禁……每查办一次，辄增出新来流民数千之多……再届查办复然。是查办流民一节竟成具文。"[③] 在"禁而不止，驱而不散"的情况下，嘉庆四年（1799 年），吉林将军秀林查办郭尔罗斯前旗招民私垦荒地一案时，提出安置已来民人，阻止新来民人的方法。秀林的意见被朝廷采纳，为此嘉庆和道光皇帝调整了政策，在承认既成事实的前提下，对乾隆年间的禁垦政策作了更缜密的补充。嘉庆和道光年间虽然继续重申乾隆年间的禁垦政策，制定严厉的处罚条例，三令五申地禁止内地汉人流入内蒙古地区开垦耕种。但实际上已经承认了既成事实，对已流入蒙地汉人采取安置或给荒开垦，允许个别蒙旗限定招

---

① 《谕折汇存》，光绪二十一年十一月十日。
② 刘鸣复：《法库厅乡土志》，辽宁省图书馆 1985 年编：《东北乡土志丛编》，第 483 页。
③ 《清仁宗实录》卷 236，嘉庆十五年十一月壬子条。

垦。即所谓的"严定招垦之禁，已佃者不得逐，未垦者不得招。"① 如道光元年（1821年）松筠奏称："敖汉旗地亩，除册报不准招民垦种各处外，其招民开垦之地，既据该王等呈明，从前均系台吉等得价私写，并非民人强占，今民人垦种年久，既出地价，又费工本，眷口众多，难以迁移，请停其撵逐，给与印照，按亩交租，以免纷扰"。② 道光四年奏准"敖汉旗牤牛营子、小牛群、台阁山三处地亩，经该旗台吉等租给民人垦种，嗣因该民人互控地界，经前任都统查明并未呈报入册，断令撂荒，撤交该旗作为牧场。迄今该民人等仍未迁移，本应查照原案办理，惟念该民人等垦种成熟，业费工本，居住既久，户口日繁，若令其迁徙他往，必致失业流离，殊堪悯恻。既据该札萨克情愿换给印照，仍令民人耕种交租，著准将该旗三处地亩免其撂荒，俾民人咸得安居，而该旗穷苦蒙古藉可收租糊口。"③

嘉庆和道光年间，流入蒙地的汉人和耕种地亩数逐年增长。嘉庆八年（1803年），"出关民人，或系只身，或携带眷属，纷纷前往佣工贸易"，"山东、直隶无业贫民，均赴该处种地为生，渐次搭盖草房居住，是以愈集愈众"。④ 特别是遇到灾荒年份更是如此。就像嘉庆皇帝所言："其内地民人，均有土著版籍，设地方间遇灾荒年岁……州县官果能勤宣德，劳来安集，小民又何肯轻去其乡，至出口垦荒者，动辄以千万计！"⑤ 所以，事实上嘉庆、道光年间的禁垦已较前期放松。当然，汉人流入蒙地的潮流也就愈加汹涌。

卓索图盟和昭乌达盟 卓索图和昭乌达两盟的汉族移民在原有的基础上继续增长。

卓索图盟的喀喇沁三旗和土默特二旗垦区日益扩大，嘉庆十八年（1813年），卓索图盟官方所登记的民人租种地亩共有40 293.05 顷，见下列表格。

---

① 《清史稿》卷518，《藩部一》。
② 《清宣宗实录》卷13，道光元年二月癸卯条。
③ 《清宣宗实录》卷66，道光四年三月甲子条。
④ 《清仁宗实录》卷111，嘉庆八年四月丙子条。
⑤ 《清仁宗实录》卷164，嘉庆十一年七月己未条。

嘉庆十八年（1813 年）年喀喇沁等四旗汉人租种地亩数

旗　别	租种地亩数（单位顷）	所属关系	租册交存处
喀喇沁王旗（右）	9 489	王公台吉塔布囊官员职员平民差丁喇嘛庙丁	八沟通判衙门
喀喇沁札萨克公旗（左）	8 884.0745	公额驸塔布囊职员箭丁驿站差户无档之新户庙宇喇嘛	八沟通判衙门
喀喇沁札萨克旗（中）	12 724.7983	札萨克协理贝勒塔布囊职员箭丁庙宇喇嘛	塔子沟通判衙门
土默特贝子旗（右）	9 195.17862	札萨克贝子台吉官员箭丁庙宇喇嘛	三座塔通判衙门

资料来源：《锦热蒙地调查报告》下卷，第 1437 页。

同样的情况也被反映在其他文献当中。如嘉庆二十年（1815 年）和宁奏，喀喇沁三旗及土默特贝子旗"民人租典蒙古地亩，每旗自八九千顷至一万顷不等"，[①] 这与上述表格的具体数目非常吻合。如果将嘉庆十八年汉人所佃种的蒙古地亩数字与乾隆年间相比，那么喀喇沁左旗以外其余地区的耕种亩数都有增长趋势。

道光年间喀喇沁右旗因"商民日集，占垦地亩日广"，终至"蒙古人无地牧放牲畜"，[②] 不得不改营农业，有些蒙古人甚至被迫到其他旗垦种。道光五年（1825 年），由于"东土默特旗实无应行封禁牧场"，因而松筠奏请令其"随处垦种"，[③] 得到清廷的许可。道光七年（1827 年），承德府及所属各县户数有 122 445 户，人口数为 667 906 口，较之乾隆四十七（1782年）增长了 182 581 口，增长率为 37.6%。

热河蒙旗的土地有蒙地和清朝直辖地的区别。清朝直辖地有满洲牧场、皇庄和一般旗地。直辖地不受禁垦令的影响，所以清初至乾隆年间，这些直辖领地已完成了农耕的过程，变成了农业区。到道光年间，该地区人口增长也显现出自然增长的趋势。从上表可以看出，在乾隆四十七年（1782年）

①　中国第一历史档案馆：《和宁奏为口外民人租典蒙古地亩分别酌定章程俾安本业而息讼端折》，嘉庆二十年五月二十日。

②　中国第一历史档案馆：《阿勒清阿奏喀喇沁王控商民不给抽分地铺银两》。

③　《清宣宗实录》卷 80，道光五年三月丁未条。

乾隆四十七年（1782 年）—道光七年（1827 年）热河蒙旗人口增长情况表

府县名称	乾隆四十七年（1782 年）		道光七年（1827 年）		人口增长数	人口增长率
	户　数	口　数	户　数	口　数		
承德府	8 979	41 496	16 339	110 171	68 675	165.5%
平泉州	29 315	154 308	20 449	158 055	3 747	2.4%
滦平县	5 230	106 630	6 914	45 769	−60 861	−57%
建昌县	23 730	99 293	31 996	163 875	64 582	65%
赤峰县	6 324	22 378	14 996	112 604	90 226	403.2%
朝阳县	15 356	61 220	31 751	77 432	16 212	26.5%
总数	88 934	485 325	122 445	667 906	182 581	37.6%

据《钦定热河志》和《承德府志》制作。

至道光七年（1827 年）间，热河蒙旗府州县境内人口增长率承德府为165.5%，平泉州为2.4%，滦平县为−57%，未增反而减少了。这说明到乾隆中叶，热河旗地的移民过程已基本结束，人口增长转入以自然增长为主，而在北部蒙地，移民仍在大量增加。其中平泉州因辖区变动，人口增长率较低以外，其余蒙旗人口骤增，特别是赤峰县的人口增长率为403.2%。反映出汉族移民从长城沿边的卓索图盟和昭乌达盟的南部地区渐次向北推进的趋势。

卓索图盟喀喇沁以北的昭乌达盟各旗，自乾隆末年开始有了相当规模的移民，并且有了规模较大的农垦区，其中敖汉旗尤为突出。嘉庆五年（1800 年），皇帝的上谕中就谈到敖汉旗的"蒙古地亩"，招民垦种之初"均出有押租钱文"的汉民垦种的，"嗣后民人挟资携眷，陆续聚居，数十年来，生齿日繁，人烟稠密"[1] 的情况。敖汉旗老河对岸，顺坡斯板、囊金哈喇二处，已开熟地37顷27亩5分，种地民人共计揽头5名，佃户25名。[2] 渐次加增，辗转招种，遂致民人挟资携眷陆续聚居，出现生齿日繁，人烟稠密景观。嘉庆十六年（1811 年），理藩院一面晓谕敖汉旗"不得多开一陇，多招一民"，一面又承认"该旗博尔克之地，仍给该王为业，听其自行办理"。嘉庆二十二年（1817 年），又划出土地 1 780 顷14亩，"给该王招民耕种"。[3]

[1]《清仁宗实录》卷67，嘉庆五年五月甲午条。
[2]《钦定理藩部则例》卷10，《地亩》。
[3]（光绪）《大清会典事例》卷979，《理藩院·耕牧》。

克什克腾、巴林等旗也有一定规模的开垦。嘉庆年间（1796—1820年），克什克腾旗境内汉人耕地的块数在乾隆五十年（1785年）的三十块耕地基础上又增加了十二个。① 为取得更广阔的土地，道光十一年（1831年），发生了巴林与克什克腾旗争地一案。据巴林王那木济勒旺楚克声称，"克什克腾旗实有招民种地之事，……该旗希图得租开种，以致地窄，又欲展占巴林地界。"② 位于该旗西部，长城以北南北交通要道上的经棚，其地势的优越性，逐渐成为清代东部蒙旗中有名的集市。据记载该地区早在乾隆年间，"集商为市"，集市始有雏形。③ 其有规模居民点的形成应为嘉庆年间。据俄国人波兹德涅耶夫的记载，经棚是个产金地区，又被称为金棚城，位于乌松图龙河左岸，在克什克腾旗主庙侧，西拉木伦河以北约三十里处，是由大约八十年前在这里盗掘金子的汉人每年搭窝棚的地方建立起来的。在那以前，这里除旗庙外，没有任何居民点。④ 波兹德涅耶夫到达经棚的时间为光绪十九年（1893年），他所说的大约八十年前应为嘉庆十八年（1813年）前后的事情。久而久之，随着克什克腾旗境内汉人移民的增多，到同治年间（1862—1874年），发展到居民八千人的城镇。光绪初年，汉族小商人更加蜂拥而至，以致汉人居民点在仅仅两年之内就延伸到克什克腾旗庙前方，⑤ 经棚属多伦诺尔同知管辖。管理日益增多汉人之需，道光五年（1825年）在克什克腾境内白岔地方，设多伦诺尔厅巡检，光绪十年（1884年），又将白岔巡检"移治经棚"，⑥ 专管汉人事务。

哲里木盟　自嘉庆年间开始，进入哲里木盟地区的汉族移民活动在原有的基础上继续扩展，科尔沁和郭尔罗斯等地形成了部分农业区。

郭尔罗斯前旗，乾隆年间山东、河北等地内地民人就开始流入本旗境内

---

① ［俄］波兹德涅耶夫：《蒙古及蒙古人》第2卷，刘汉明等译，内蒙古人民出版社1983年版，第419页。
② 《清宣宗实录》卷183，道光十一年正月己卯条。
③ 康清源：《热河经棚县志》卷2，《建置》，1982年呼和浩特古丰书斋誊印本。
④ ［俄］波兹德涅耶夫：《蒙古及蒙古人》第2卷，刘汉明等译，内蒙古人民出版社1983年版，第408页。
⑤ ［俄］波兹德涅耶夫：《蒙古及蒙古人》第2卷，刘汉明等译，内蒙古人民出版社1983年版，第408—409页。
⑥ 《热河经棚县志》卷2，《建置》。

从事农耕。嘉庆四年（1799 年），吉林将军秀林以"豫、鲁、燕异地窄人稠，民生困苦"① 为由奏准在郭尔罗斯地方"借地安民"，② "始为借地安民之议"。③ 嘉庆五年（1800 年），清廷准其地"招民垦种"，遂解汉人出关之禁。全面放垦蒙地以前流入本旗境内汉人主要集中在两个地方，一为长春堡，一为农安县。首先开放的是长春堡地方（今吉林新立屯）。"自嘉庆五年，将军富俊设长春厅，开垦蒙荒，民户因续至"，④ 嘉庆五年（1800 年）查出郭尔罗斯地方流寓内地"种地民人有二千三百三十户，耕种熟地有二十六万五千六百四十八亩"。⑤ 清廷考虑到这些民人"均系节年租地垦种，难以驱逐"情况，将其地"自本旗游牧之东穆什河，西至巴延吉鲁克山二百三十里，自吉林伊通边门，北至吉佳窝铺一百八十里"划为移民垦界，定为"不准再有民人增居，每年令吉林将军造具户口花名细册，送部备查。仍设立通判、巡检各一员弹压专理词讼"。⑥ 于是添设长春厅，"奏准设立理事通判于长春堡，并设巡检，以管狱事"。⑦ 遂将"其地划分四大乡，一曰沐德、二曰抚安、三曰恒裕、四曰怀惠，俗呼为大荒，又曰老荒。""老荒每亩征粮四升，共折银五百七十八两六钱。该札萨克自向民人征收"。⑧ 这样，在郭尔罗斯前旗沿伊通河、饮（驿）马河、雾开河两岸自然形成了农业区。

嘉庆十一年（1806 年），"郭尔罗斯地方开垦种地民人增至七千余名口之多"。⑨ 十三年（1808 年）五月"续经查出流民三千一十户，仍准入于该处民册，登记安插"。⑩ 嘉庆十五年（1810 年）十一月，"长春厅查出新来流民六千九百五十三户"。⑪ 如果按一户五口来计算，长春厅境内嘉庆十三年（1808 年）续经查出流民数已有 15 050 口，十五年（1810 年）已增至

① 石绍廉：《德惠县乡土志》（不分卷），吉林省图书馆油印本 1960 年。
② 徐世昌：《东三省政略》卷 2，《蒙务（上）·蒙旗篇》。
③ 李桂林等：《吉林通志》卷 29，《食货志》，台湾影印《中国边疆丛书》本。
④ 《农安县乡土志》，辽宁省图书馆《东北乡土志丛编》，第 511 页。
⑤ （光绪）《大清会典事例》卷 978，《理藩院·户丁》。
⑥ （光绪）《大清会典事例》卷 158，《户部·户口》。
⑦ 《长春厅志》，《疆域》，南京大学图书馆藏手抄本。
⑧ 《吉林通志》卷 29，《食货志》；《谕折汇存》，光绪二十四年七月二十四日。
⑨ （光绪）《大清会典事例》卷 978，《理藩院·户丁》。
⑩ 《清仁宗实录》卷 196，嘉庆十三年闰五月壬午条。
⑪ 《清仁宗实录》卷 236，嘉庆十五年十一月壬子条。

34 765 口，与十三年（1808 年）相比增长之数达一倍之多。道光四年（1824 年），郭尔罗斯公翰克托克托瑚希图渔利，私自容留民人，以致新旧流民开垦田地共至 2 700 余顷。① 道光五年（1825 年），"移建厅署监狱于宽城，为厅属适中之地，商贾辐辏于此"。②

农安俗称龙湾，放垦始于道光年间。道光七年（1827 年），长春北部及农安地方，取得开垦夹荒的许可，出放农安夹荒地，曰农安乡，"夹荒则在四大乡界址以外"。③ 所谓的夹荒是指"郭尔罗斯前旗四大乡界址以外横跨长春所属地界，名曰夹荒"。④ 其地段"横跨长春、农安两县"。⑤ 分东西两段，"西夹荒即恒裕乡十、十一、十二、十三、十四、十五甲，东夹荒即怀德乡木石河一带"，⑥ 流入该地区的汉人起初"供蒙民劳工之役，每一人给地三十垧，故名曰月字荒，遂渐移入，生聚日繁"，⑦ 数十年间已形成村屯林立，星罗棋布的繁华景象。咸丰元年（1851 年）至六、七年（1856、1857 年），光绪十一年（1885 年）至十八年（1892 年），屡奉理藩院咨催勘丈，经将军长顺查出"熟地四十三万余垧，生荒房园二十四万余垧"。⑧ 道光十九年（1839 年）着手于夹荒余地的招垦，夹荒余地分布在与农安接界沿边间荒（今新安镇地方）"东西长一百里，南北宽不及三十里"的地方，定为移民垦区。本区本系昔年所放夹荒余地，清政府以"既经蒙公招民开垦，与该旗牧场无碍"或"于本旗甲兵牧场毫无窒碍"为由，招民开垦，晓谕"自未便再行禁阻"，"现在户口渐众，应请派员清丈立界，并将余荒放给无业佃民耕种。"⑨

随着垦地的扩大，流入郭尔罗斯前旗的汉族人口数量亦日益增多。道咸

① 《清宣宗实录》卷65，道光四年二月丙午条。
② 《长春厅志》，《建置》，南京大学图书馆藏手抄本。
③ 《谕折汇存》，光绪二十四年七月二十四日。
④ 《吉林通志》卷29，《食货志》。
⑤ 《谕折汇存》，光绪二十四年七月二十四日。
⑥ 郑士纯等：《农安县志·田赋》，1927 年铅印本。
⑦ 石绍廉：《德惠县乡土志·沿革》。
⑧ 《吉林通志》卷29，《食货志》；《谕折汇存》，光绪二十四年七月二十四日。
⑨ 《谕折汇存》，光绪十九年十月初四日。

以降，垦者日众，至咸丰时期垦地"逐渐增至六七十万垧"。① 光绪七年
（1881 年）"通判改为抚民仍加理事衔，并添设农安照磨"。② 光绪十五年
（1889 年）把长春厅升为府治，并析置农安县。农安县隶属于长春府管辖。
据《长春县志》记载，长春堡地方自嘉庆五年（1800 年）设厅至十六年
（1811 年）间，在册编定民户数为 11 781 丁，有 61 755 口，至光绪九年
（1883 年）新增民户 8 705 户，新增民人 27 952 口，在册编定户数增长到
23 975 户，在册编定人口数增长到 92 125 口。这期间，道光二年（1822
年）虽然有新增户 182 户，新增长人口有 657 口，但由于本境内有迁出户
1 187 户，迁出人口有 10 534 口，导致反而本境人口户数等出现了减少的趋
势。道光十六年（1836 年），新增民户 4 494 户，新增丁口 12 290 口；光绪
七年（1881 年）至九年（1883 年）新增民户为 8 705 户，新增民人口数为
27 952 口。光绪十七年（1891 年），农安县境内汉族移民共有 16 874 户，
男女总数有 142 438 口。③ 比光绪十五年（1889 年）增长户数竟达 9 539
户，人口数字从十五年（1889 年）的 28 210 口增长到 142 438 口，增长人
口数为 114 228 口，增长率达 404%。说明本旗境内流入汉人仍在继续。

郭尔罗斯前旗嘉庆五年（1800 年）至光绪十五年（1891 年）的汉人增长情况表

		时　间	户　数	口　数
郭尔罗斯前旗汉人集居区	长春府	嘉庆五年（1800 年）	2 330	（11 650）
		嘉庆十一年（1806 年）	1 400	7 000
		嘉庆十三年（1808 年）	3 010	（15 050）
		嘉庆十五年（1810 年）	9 963	（49 815）
		嘉庆十六年（1811 年）	11 781	61 755
		道光二年（1822 年）	10 776	51 878
		道光十六年（1836 年）	15 270	64 168
		光绪七年（1881 年）至九年（1882 年）	23 975	92 135
	农安县	光绪十五年（1889 年）	7 335	28 210
		光绪十七年（1891 年）	16 874	142 438

资料来源：《吉林通志》卷 28《食货志》；《农安县志·户口》；《长春县志》卷 3《户口》，《大清会典事
例》卷 158；《清仁宗实录》等。

---

① 徐世昌：《东三省政略》卷 2，《蒙务上·蒙旗篇》。
② 《长春厅志》，《建置》，南京大学图书馆藏手抄本。
③ 《农安县志·户口》。

　　科尔沁左翼后旗亦在嘉庆年间奏准开垦。嘉庆和道光年间，该旗移民聚集区主要有两个：一为昌图额勒克地区，一为库都力克地方。嘉庆七年（1802 年），准四万多口流民在科尔沁左翼后旗继续垦种，并允许"科尔沁昌图额勒克等处空地，准令招民垦种。所收租银，作为该旗当差之用"。①嘉庆十一年（1806 年），种地农民已有三千九百余户。② 清廷又将"东至吉林边栅，西至辽河一百余里，南至威远堡边界，北至白塔水河二三十里、四五十里不等"的昌图额尔克地方划为垦地，规定"每年孳生民数，止准本户续报注册，不得任听流民借户增添，其原议里数内未开之荒地，准其开垦"。并"依照长春堡事例"，分科尔沁左翼后旗蒙地，置昌图理事通判，"办理农民一切事件。设巡检一员，管理监狱，稽查保甲奸匪"。③ 嘉庆十七年（1812 年），再划出昌图额勒克地方"西自辽河起，东至苏巴尔汉河止一百二十里；北自太平山起，南至柳条边止五十二里；西至柳条边十六里，东至柳条边二十里"④ 准其招民开垦。道光八年（1828 年），"科尔沁郡王僧格林沁旗界台吉那沁等，将该旗库都力等处牧马荒厂，招集流民，私行开垦。据该将军委员查明，共有一千四百余户"。道光十二年（1832 年），清廷考虑到此地移民"均系无业贫民，携眷种地度日，若按户驱逐，未免失所"，⑤ 将"东至硕勒合硕，西至姑奈经勒克，南至昌图，北至库都力甸子"划为新的开垦区，准开库都力地亩，安置无业移民。当时"已有原招民人一千四百余户，误写界外地亩，改移界内，民人三百余户"。⑥ 同年，查勘科尔沁开垦荒地界址，酌拟章程八条，规范科尔沁地区垦荒事宜。

　　科尔沁左翼前旗在嘉庆年间开放法库厅暨康平县界内荒地七万七千垧，主要在该旗南部和东部地区。该旗"王府以北地多沙碛，间有水草稍盛之区，而仅供台壮牧养，而种植无余地也……而南境近接边墙，地多腴美，自

---

①　载龄、惠祥：《户部则例》卷 7，《田赋》。

②　（光绪）《大清会典事例》卷 978，《理藩院·户丁》。

③　（光绪）《大清会典事例》卷 978，《理藩院·户丁》。

④　（光绪）《大清会典事例》卷 979，《理藩院·耕牧》。

⑤　《清宣宗实录》卷 142，道光八年九月壬寅条。

⑥　《钦定理藩部则例》卷 10，《地亩》。

弛禁以来，历经蒙汉人民缴价报领，已开七万七千余垧"。① 旗东境析置郡
县之区康平和法库，所属之马拉沁屯、后新秋、平顶山、十家子、獾子洞均
成为较为繁盛的市镇。在该旗北部，虽可供垦地不多，但也在不断扩大垦
区。道光二年（1822年），在科尔沁左翼中旗和前旗境内查出"招留民人二
百余户，垦成熟地已有二千余垧"，② 三年（1823年），又续行查出科尔沁
左翼前旗"招流民人一百三户，耕种熟地一千五百四十六垧"。③ 该旗蒙古
王公等私招流民开垦地亩仍在继续，至道光六年（1826年），共查出二旗界
内新招流民572户。④

　　流入科尔沁左翼中旗境内的内地汉人记载，最早出现于乾隆四十九年
（1784年）。⑤ 当时流入本旗境内的汉人已经形成相当规模，但还不到设置
州县的程度，只是由邻近的开原县遥治的方式去管理该旗境内从事农耕或经
商汉人。科尔沁左翼中旗向内地汉人公开招垦，始于嘉庆年间。在接壤吉林
边栅的东南部地区开始，后呈现出渐次向腹地推进的趋势。

　　该旗首先招垦的是邻近内地的奉化县地方（今吉林省梨树县）。奉化
"自前明中叶系干戈用武之地，国初立为间田，嘉庆初年始行垦荒。"⑥ 即嘉
庆八年（1803年），"蒙王招垦，奉旨弛流民出边禁，内地人民渐次纷
集"。⑦ 可见该地区汉人的进入与"弛流民出边禁"、"蒙王招垦"有关。于
是就"腹地人民纷然麇集"，⑧ "连陌荒田辟为沃壤"。⑨ "嗣因地日广，聚族
益繁，添设昌图厅通判。道光元年始设梨树城照磨为昌图分防，光绪四年升
奉化县"。⑩

　　嘉庆八年（1803年），同意续放八家镇荒。八家镇地方位于东辽河近边
一带，正式开放是道光元年（1821年）。八家镇开放的道光元年（1821

　　① 　徐世昌：《东三省政略》卷2，《蒙务上·蒙旗篇》。
　　② 　《清宣宗实录》卷38，道光二年七月庚辰条。
　　③ 　《清宣宗实录》卷58，道光三年九月庚午条。
　　④ 　《清宣宗实录》卷100，道光六年七月癸未条。
　　⑤ 　（光绪）《大清会典事例》卷978，《理藩院·户丁》。
　　⑥ 　陈文焯：《奉化县志》卷1，《天时志》，光绪十一年（1885年）刻本。
　　⑦ 　《梨树县乡土志》，辽宁图书馆1985年编《东北乡土志丛编》，第658页。
　　⑧ 　《奉化县志》卷2，《地理志》。
　　⑨ 　《梨树县志》卷1，《建置沿革》，1934年铅印本。
　　⑩ 　《梨树县志》卷1，《建置沿革》，1934年铅印本。

年），在科尔沁左翼中旗的梨树城设昌图厅分防照磨，管理该处垦地，并兼管附近的科尔沁左翼中、后二旗满汉商民事务，至光绪三年（1877年），在八家镇设置了怀德县。[1] 所以，怀德县地方的开垦始于道光年间，即"清道光初年招民开垦，始辟草莱而成阡陌"。[2] 其招垦也先东而后西，"左近是谓大荒，六年（1826年）始出七里界荒至爱宝屯等处，尤其后者。久之民之来者日众"。[3]

道光三年（1823年），科尔沁左翼中旗境内招留民人255户，铺店、酒局16座，共垦地3 184垧。[4] 六年（1826年）续查出该旗界内新招流民193户。[5] 但实际数字远不仅限于此数。

道咸以降，流入该旗境内垦地者日众。至咸丰时期，科尔沁左翼中旗又招垦了吉兰呼图和郑家屯辽河西岸一带荒地。[6] 同治五年（1866年），在科尔沁左翼中旗东北部的八家子设昌图厅分防经历，管理该处垦地及邻近的科尔沁左翼前旗商民事务。光绪初年，蒙地招垦进入了渐盛阶段。由于农地扩大，人口增多，遂于光绪四年（1878年），移梨树分防照磨至科尔沁左翼后旗的八面城，在原梨树城地方置奉化县，管理科尔沁左翼中旗东南部地区。同年，在八家镇置怀德县，六年（1880年），在康家镇置康平县。三县皆归府属，隶于盛京将军。

光绪四年（1878年），奉化县境内共有16 858户，男女口数160 614口。至十年（1884年），户数共计16 912户，大小男丁妇女161 963口，计新增户54，丁1 349。[7]光绪十年（1884年）较之四年，新增人口只有1 349人，增长率为0.83%，已出现人口增长缓慢趋势。说明光绪初年奉化县地区的人口开始出现了自然增长趋势。其人口构成上汉人已占十分之九五，继续居住五十年以上者凡七百余户。[8]

---

① 徐世昌：《东三省政略》，《蒙务下·筹蒙篇》。
② 赵亨萃、赵云章：《怀德县志》卷1，《地理》，宣统三年（1911年）刊本。
③ 《怀德县志》卷10，《古迹》，1929年铅印本。
④ 《清宣宗实录》卷58，道光三年九月庚午条。
⑤ 《清宣宗实录》卷100，道光六年七月癸未条。
⑥ 徐世昌：《东三省政略》卷2，《蒙务上·蒙旗篇》。
⑦ 《梨树县志》丁编："从事"卷1，《户口》，1934年铅印本。
⑧ 《梨树县志》丁编"从事"卷1，《人类》，1934年铅印本。

　　彰武县所属新苏鲁克荒，本属于科尔沁左翼前旗和东土默特两旗地。在康熙三十一年（1692年），科尔沁左翼前旗宾图王及东土默特两王把该地献于清朝皇帝，作为永、福、昭三陵牧养地，隶盛京牧群司，改地名曰养息牧，专供祭祀。从此，该地的一切关系都直接属于清朝，与蒙旗脱离。嘉庆年间该地区也开始农耕，即嘉庆十八年（1813年）经盛京将军奏准开垦养息牧场，赐恤锦、宁、广、义等邑旗丁地八十余方，名曰试垦界。光绪二十二年（1896年）开禁，招佃续垦，二十八年（1902年）设县治，名曰彰武县，隶新民厅。

　　同治年间，杜尔伯特蒙旗境内发生了私招民人开垦地亩事情。同治十年（1871年），德英奏杜尔伯特蒙古招民开垦荒地，请饬严禁一折内称："黑龙江附近蒙古荒地，向为蒙古旗丁游牧打牲之所，不准招民开垦，例禁綦严。乃杜尔伯特协理台吉那逊乌尔吉等，擅将该蒙古旗荒招垦，经德英及该盟长叠次阻止，仍敢抗不遵办，实属大干例禁。著将理藩院传知署哲里木盟长吉克丹旺固尔，严饬杜尔伯特贝子，将现在所招民众驱逐出境，妥为弹压，毋须逗留滋事，嗣后不准再有招垦情弊，以靖地方。其擅议招垦之协理台吉那逊乌尔吉等，并著德英咨查，严参惩办。"① 说明同治年间杜尔伯旗境内已有民人从事农耕了。到光绪初年，科尔沁右翼后旗札萨克镇国公旗境内亦开始出现内地汉人流入的情况。如安广县地，明初为三万卫，后属蒙古科尔沁部右翼后旗。清朝为札萨克镇国公封地。光绪初年"始省内地穷民迁徙开垦，向公旗交租，陆续来者共有四百余家"。② 科尔沁右翼中旗与此情形相似，"自光绪初年迄今招集佃户开辟已多"，出现"驱之则穷黎失所，不驱则蒙众无以为生，事属两难"③ 的情况。至于开垦较早的科尔沁左翼三旗和右翼前旗等四旗，到光绪二十八年（1902年）全面放垦蒙地以前，共招垦11 048顷20亩，基本完成了由牧转向农耕的历史。

　　（四）全面放垦蒙地

　　从光绪二十八年（1902年）至清末，清政府不仅取消了限制蒙旗开垦

---

① 《清穆宗实录》卷306，同治十年二月乙酉条。
② 《安广县乡土志》，辽宁省图书馆编《东北乡土志丛编》本，第720页。
③ 《谕折汇存》，光绪二十五年十一月六日条。

的政策，而且还强制蒙旗实行全面放垦，并且改变了过去由蒙旗自招自垦的做法，改由官为办理，从而使清代内蒙古东部蒙旗的农垦进入了官垦阶段。

在东部蒙旗中，首先实行官垦的是哲里木盟，而哲里木盟各蒙旗中最先开垦的是扎赉特旗，"哲盟十旗荒地，由官局丈放者始于扎赉特旗"。① 早在光绪二十一年（1895年），黑龙江将军增祺就奏请开放扎赉特等旗土地问题。光绪二十四年（1898年），黑龙江将军恩泽派员前往扎赉特旗、杜尔伯特旗和郭尔罗斯后旗。二十五年（1899年）十二月，奏请开放"荒地百万顷，约可缴押荒银约九十余万两"。正在分别报部间，"光绪二十六年拳匪乱作，俄兵闯入，该旗台壮又有多留生计之争"，② 使扎赉特旗的土地放垦被迫推迟。光绪二十八年（1902年），齐齐哈尔副都统程德全附片奏明清廷，扎赉特的土地开始放垦，正式拉开了官放蒙地的序幕。

扎赉特旗前后丈放土地二次，第一次从光绪二十八年（1902年）六月到三十一年（1905年）撤局止。期间先后开发了熟地29 690余垧，生地456 980余垧。第二次为三十二年（1906年）至三十四年（1908年）三月为止，共计499 940余垧，到光绪三十四年（1908年）为止，"扎赉特旗全旗约开放十分之四"。③

光绪三十二年（1906年），以办理扎赉特旗荒务告竣，景星镇拟添设分防经历一员。④

郭尔罗斯后旗丈放荒地共分四段，即沿嫩江荒段、铁路迤西荒段、铁路两旁荒段和铁路两旁碱地。⑤ 前后丈放四次。铁路两旁系从光绪二十九年（1903年）四月开放，计放毛荒地290 005.72垧；铁路迤西系光绪三十年（1904年）开办，为前署庆仁菴观察经理，共放毛荒152 866.2垧；铁路西北暨迤南之莲花泡等处系光绪三十二年（1906年）为崇司马缓开办，计放毛荒59 490垧。⑥ 沿江一带系光绪三十二年（1906年）黑龙江将军程德全

①　徐世昌：《东三省政略》卷2，《蒙务上·蒙旗篇》。
②　徐世昌：《东三省政略》卷2，《蒙务上·蒙旗篇》。
③　《政治官报》，宣统二年正月二十八日，第845号。
④　《清德宗实录》卷554，光绪三十二年正月丙子条。
⑤　徐世昌：《东三省政略》卷2，《蒙务上·蒙旗篇》。
⑥　《政治官报》，宣统二年正月二十七日，第844号。

奏请"续放郭尔罗斯后旗沿江余荒，并拟开辟商埠，亟应派员前往先行开办，以实边圉。"① 光绪三十三年（1907 年）前后勘放，计毛荒 130 179. 18 垧。以上四项共计毛荒 632 540. 9 395 垧，全旗约开放五分之一。②

郭尔罗斯前旗，清末全面放垦蒙地前大部分地区已经变成农业区。正如宣统年间《政治官报》所载，"该旗于嘉庆初年开放长春府，道光八年（1828 年）开放农安县，光绪十六年（1890 年）开放伏龙泉，十九年（1893 年）开放新安镇，三十二年（1906 年）开放长岭县，荒地计一百十六万余垧，全旗约开放十分之六"。③ 该旗在清末只丈放一次，丈放时间为光绪三十三（1907 年）年四月至宣统二年（1910 年），经前清吉林将军达奏准出放毛荒 300 286. 6 垧。④

杜尔伯特旗，该旗面积约五万余平方里。早在光绪二十一年（1895 年），护理黑龙江将军增祺奏请开垦杜尔伯特闲荒，"……至蒙古杜尔伯特诸部闲荒，事涉藩部，毋用置议"。⑤ 光绪二十五年（1899 年），将军恩泽以招垦蒙地，事关边圉为由，复奏派员商劝放垦。这两次都未能实行。从光绪三十年（1904 年）开始，该旗先后丈放二次。详情见表格。

杜尔伯特旗清末放垦情况表

丈放次数	丈放地方	丈放年月	荒地或者是熟地	丈放数字（垧）
第一次	东清铁路两侧	光绪三十年（1904 年）	熟地 荒地	1 090.8 208 417.9
	东清铁路东北省界附近	同上	熟地 荒地	1 006.4 122 136.9
第二次	嫩江沿岸一带	光绪三十二年（1906 年）七月	熟地 荒地	113.92 44 013.6
	西部省界夹荒（余荒）	同上	荒地	12 466
合 计				389 245.52

据《满洲旧惯调查报告》第141 页制作，同时参照 1912 年 11 月 1 日《黑龙江时报》。

---

① 《清德宗实录》卷558，光绪三十二年三月丙午。

② 《远东报》，宣统二年十月十二日；《政治官报》，宣统二年正月二十七日，第844 号。

③ 《政治官报》，宣统二年正月二十六日，第843 号。

④ 《政府公报》，1912 年 8 月 5 日，第97 号。

⑤ 《清德宗实录》卷373，光绪二十一年七月己未条。

这个数字较接近宣统二年（1910 年）《政治官报》所载的内容。该报载光绪三十年（1904 年）开放荒地 208 410 余垧，又开放迤东荒地 122 130 垧，并熟地 1 006 垧余，三十二年（1906 年）又开放沿江荒地 44 010 垧，又熟地 110 余垧，共计 386 250 余垧，全旗约开放十分之三。①

科尔沁右翼前旗俗称札萨克图郡王旗。本旗在全面放垦蒙地以前已有开垦耕种的历史。光绪十七年（1891 年），科右前旗札萨克乌泰开始招纳外旗蒙古人垦荒耕种，在其南境及洮儿河夹沁荒地容留土默特、喀喇沁蒙民垦种。数年间，垦民由最初的 60 多户，猛增到数千户。② 在当时，"查验明丹地照，共户一千二百六十余名，其实近已千余家"。③ 放垦以后汉户渐次迁入的原因是，"札萨克图郡王乌泰，初因欠债三万余两，无款筹还，始拟放荒招垦，而众台吉、壮丁等人情愿多摊银两，抵还该王欠债，求为尽逐荒户，该王亦曾允许……因该郡王事后食言，不但旧各荒户未逐，而新增荒户"。④ "添招民人数千户，光绪二十四年六月放该旗达赉窝棚地方，二十五年二月丈放哈奇于吐地方荒地，前后丈放合计长六百余里，幅三百余里，招徕揽头陈有等民人五十户，默许垦户建家开垦等事情……"。⑤ 至光绪二十八年（1902 年）官垦，先后开垦荒地四十余万垧。⑥

清末官放科右前旗地前后举行了四次，全旗开放约八分之一。详情见下表。

科尔沁右翼后旗札萨克镇国公旗，牧地跨洮儿河两岸，东西狭而南北广，面积约 3.5 万平方里。全面放垦蒙地以前该旗界内旧户有该公私招者名曰红户，有台吉、壮丁、揽头私招者名曰黑户。⑦ 清末全面放垦蒙地时前后

---

① 《政治官报》，宣统二年正月二十九日，第 846 号。

② 李澍田：《蒙荒案卷》，《长白丛书》第 4 集，吉林文史出版社 1990 年版，第 5 页。

③ 《谕折汇存》，光绪二十五年十一月六日条。

④ 《谕折汇存》，光绪二十八年四月二十八日条。

⑤ 《满洲旧惯调查报告》，南满洲铁道株式会社编，1935 年版，第 76 页。

⑥ 《政治官报》，宣统二年正月二十三日，第 840 号。

⑦ 《谕折汇存》，光绪三十一年三月十四日条。

丈放二次，共丈放地为 437 062.2 垧。

科尔沁右翼前旗札萨克图郡王旗清末放垦情况表

丈放次数	丈放地段	丈放时间	生熟地（垧）或城镇基地（平方丈）	丈放数字	合 计	
					生熟地	城镇基地
第一次	洮儿河东北一带、沙碛茅土以北洮儿河以南、沙碛茅土以南巴彦昭以北一带、双流镇即洮南县市街地	光绪二十八年（1902年）七月至三十年（1904年）九月	生地和熟地 城镇基地	625 000 1250 000	993 088.464	1390 640方丈合为1 931.44
第二次	毗连靖安县之七十七道岭，毗连洮南府之黄羊圈、绰勒木山一带余荒	光绪三十二年（1906年）四月至九月	生荒 城镇基地	89 063.464 140 640		
第三次	爱其纳地方（划入开通县境内）	光绪三十四年（1908年）	生 地	135 000		
第四次	洮儿河北第二次丈放余荒地或沙碱地	宣统二年（1910年）四月	生荒与沙碱地	143 485		

据《满洲旧惯调查报告》第81—84页制作。

清末科尔沁右翼后旗丈放情况表

丈放次数	丈放时间	丈放地段	丈放数字		丈放总数（垧）
第一次	光绪三十一年（1905年）三月至十一月	洮儿河北	耕地（垧）	城镇基地（平方丈）	437 062.2
			241 458.7	154 520 计 1 603.5 垧	
第二次	光绪三十四年（1906年）六月至宣统元年三月	洮儿河南	生荒 194 000 余垧		

据《满洲旧惯调查报告》第88—89页制作。

科尔沁右翼中旗，俗称札萨克和硕图什业图王旗，该旗面积有 97 080 平方里。该旗先后丈放二次，第一次为光绪三十一年（1905年），将军赵尔巽遵旨筹办蒙荒，遣道员张心田赴王府议放迤东一带闲荒，北起茂改吐山，南迄得力四台，南北长 380 里，东西宽 40 里。嗣后展放茂改吐山之阿力加拉嘎一带荒地，南北长 60 里，东西宽 40 里。第二次为光绪三十四年（1908

年），以逋欠商款，受人逼索，复续放高力坂荒137平方里，是处在霍勒、阿木台两河之间。[①] 至宣统三年（1911年），共放出毛荒756万亩，以一垧为十亩折算应为756 000垧。若加之城镇基地南北长4.4里，东西宽4.3里，合14方9分6厘，每方45垧，共合673.2垧。[②] 所以至清末共丈放地为756 673.2垧。

科尔沁左翼中旗，俗称札萨克和硕达尔汉亲王旗，该旗先后丈放两次。第一次为宣统元年（1909年）二月十六日起至八月底，丈放采哈、新甸二荒，共丈放生荒86 085垧。第二次为宣统元年（1909年）二月至二年（1910年）正月止，丈放洮辽站荒地83 025垧。合计放荒169 425垧。

清末科尔沁左翼中旗丈放情况表

丈放次数	丈放时间	丈放地段	丈放数字（垧）	丈放总数（垧）
第一次	宣统元年二月十六日至八月底	采哈、新甸	86 085（86 400）	169 425
第二次	宣统元年二月至二年正月	洮辽站荒地	83 025	

据《满洲旧惯调查报告》和同书所附宣统二年（1910年）三月四日《政治官报》880号等制作。

清末全面放垦（官垦）蒙地时期，哲里木盟扎赉特旗、杜尔伯特旗、郭尔罗斯前旗、郭尔罗斯后旗、科尔沁右翼三旗和科尔沁左翼中旗等地共放出荒地约有3 772 000多垧，其中科尔沁左翼后旗和前旗已在全面放垦蒙地以前基本上开垦殆尽，所以下面的统计不包括这两旗。

1902—1911年全面放垦蒙地时期哲里木盟地区放垦情况表

旗　别	放垦地亩数（垧）	熟地（垧）
扎赉特旗	578 062	29 690
郭尔罗斯后旗	632 540.946	1 204.73
郭尔罗斯前旗	300 286.6	不详
杜尔伯特旗	389 245.946	1690
科尔沁右翼前旗	993 088.464	42 899.9 966

① 徐世昌：《东三省政略》卷2，《蒙务上·蒙旗篇》。
② 《奉天公报》，1913年8月28日，第516号。

（续表）

旗　别	放垦地亩数（垧）	熟地（垧）
科尔沁右翼中旗	756 673. 2	不详
科尔沁右翼后旗	437062. 2	22. 228. 76
科尔沁左翼中旗	169 425	不详
放垦总数	4 256 384. 2	97 713. 486

卓索图盟和昭乌达盟的南部地区早在乾隆年间已变成农耕区，清末全面放垦蒙地时候，可以放垦的地区只限于昭乌达盟的敖汉、巴林二旗、扎鲁特二旗和阿噜科尔沁等地。就像黑龙江将军程德全所奏的那样："索岳尔济山东西一带，阿噜科尔沁旗、东西扎鲁特旗、巴林左右翼等旗，广袤数千里，荒芜空旷，非将此处开通，中间仍相阻隔"。①

在昭乌达盟主办垦务的是热河都统廷杰，光绪三十二年（1906年），奏准开放敖汉旗九道湾、上台等地蒙荒为起点，昭乌达盟的官垦时期开始了。在光绪三十三年（1907年），热河都统廷杰派员勘丈巴林二旗蒙荒，到宣统元年（1909年），已丈放了8 181顷71亩6分。阿噜科尔沁和扎鲁特左、右二旗，从宣统元年（1909年）至宣统三年（1911年），阿噜科尔沁共丈放毛荒3 850余顷，扎鲁特右旗丈放毛荒4 050顷，东扎鲁特旗丈放毛荒5 400顷，三旗共丈放生地13 300余顷，其中可种之地8 000余顷。②

三、农牧交错、蒙汉杂居格局的形成

随着移民开垦的深入，东部蒙旗政治、经济、文化等领域都受到了来自农耕民族的影响和冲击，发生了前所未有的变化。这种变化表现为农耕经济在内蒙古地区渗透、拓展，并呈现出牧业由南向北，由东向西收缩，农耕区相应向前推进的态势。这种农耕与半农半牧区，又被称之为农牧交错带，是一种地理结构。这个结构的形成，标志着以长城线为农牧分界线的蒙汉民族

---

① 中国第一历史档案馆：《程德全奏时机危迫亟宜开通各蒙折》，光绪三十一年十一月。
② 中国第一历史档案馆：《热河都统诚勋委呼廷杰调查林西、开鲁垦务情形札》，宣统二年三月。

长时期对峙状态的结束，也标志着新的冲突、矛盾与磨合的开始。

（一）农牧交错格局的形成

经过二百多年的移民垦殖活动，以及随之而来的内地行政管理体系府厅州县的建立为标志，内蒙古东部蒙旗渐次形成了大规模的农耕与半农半牧区。

卓索图盟和昭乌达盟　内蒙古东部蒙旗最早形成的农牧交错地带，分布在长城线以北的卓索图盟与昭乌达盟的南部地区。由于与内地接壤的地理位置的特殊性，卓索图盟的喀喇沁三旗与土默特二旗，首先成为流入蒙地汉人的立足点。他们以此为基础，渐次向北渗透，达到昭乌达盟的南部地区。经过康、雍期的汉族移民活动，到乾隆年间该地区基本完成了由牧转向农耕的变迁。卓索图盟的全部与昭乌达盟的南部地区，从一个纯游牧地区演变为农耕或半农半牧交错地带。由于山川交错分布的地理环境的特殊性，早期的农垦虽然覆盖了整个南部地区，但"农耕主要集中于丘间低地、河谷两岸"等地，呈现出零星分布。这种情况到乾隆四十三年（1778 年）有了很大改变，以承德府及所属平泉州、建昌县、朝阳县的建立为标志，大小凌河、老哈河以及滦河流域的广大地区连成一片，变成了统一的农耕世界。到光绪二十九年（1903 年），以朝阳县的升府以及建平、阜新二县的建立为标志，农耕区的范围进一步渗入到昭乌达盟的北部腹地。

光绪三十一年（1905 年），姚锡光实查东部蒙旗时候，将卓索图盟和昭乌达盟地区以潢河（西拉木伦河）为界线分作南北二大界。潢河以南为已垦之地，潢河以北悉为未垦之地。潢河以南地区南抵边墙，除热河之承德府、丰宁、滦平两县及口北三厅以外，为卓索图盟五旗、昭乌达盟南五旗之地。其旗分包括卓索图盟的喀喇沁中旗及左右两翼旗、土默特左右两旗等五旗和昭乌达盟的翁牛特左右翼两旗、敖汉旗、奈曼旗、喀尔喀左翼旗等五旗，这十旗为已垦地，皆隶于热河都统。除承德府专治丰宁、滦平两县以外，凡平泉一州、建昌、建平两县以及新设朝阳、阜新两县共五州县，皆设于蒙旗境内，以管理蒙汉民户事务。已垦地区境内汉民无论土著、行商，蒙人无论官员、箭丁，皆受地方官统辖。潢河以北未垦地区包括昭乌达盟之巴林、克什克腾、阿噜科尔沁、扎鲁特等旗。[①] 而到光绪三十三年至宣统三年（1907—

---

① 姚锡光：《筹蒙刍议》（下），《经画东四盟条议》。

1911 年），扎鲁特二旗与阿噜科尔沁旗亦开始了农耕与半农半牧的历程。

　　光绪三十四年（1908 年）增设绥东县后，基本确定了清代卓、昭两盟地区农耕或半农半牧区的轮廓。卓索图盟五旗、昭乌达盟十一旗，共798 443 平方里的大地上，以潢河两岸为中心地带，形成了农耕与半农半牧区。其中卓索图盟的绝大部分地区，昭乌达盟的敖汉、翁牛特、奈曼旗的部分地区已变成了农耕区，占地面积为 510 050 平方里，占二盟全境面积的63.9%；昭乌达盟十一旗全境面积为 430 843 平方里，农耕区面积为142 450 平方里，占总面积的 33.1%；中部西拉木伦河两岸的巴林二旗、扎鲁特二旗、阿噜科尔沁旗和克什克腾等旗的部分地区基本变成了以农或以牧为主的半农半牧区，总面积为 288 393 平方里，占全境面积的 66.9%。

卓、昭二盟地区农耕与半农半牧区情况表

盟别	旗　别	全境面积（平方市里）	从属县	从属面积	从属地
农耕区					
卓索图盟	喀喇沁三旗	225 000	平泉州 建昌县 建平县 朝阳县 阜新县	264 600 178 100 137 800	喀喇沁右、中旗 喀喇沁左旗 喀右旗、敖汉旗 土默特左旗 土默特右旗、奈曼旗、喀尔喀左旗
	土默特二旗	142 600			
	总面积	367 600			
昭乌达盟	敖汉旗	44 800	赤峰州 绥东县	18 000	翁牛特右旗 库伦、奈曼旗
	翁牛特二旗	48 000			
	奈曼旗	20 900			
	喀尔喀左旗	28 750			
	总面积	142 450			
半农半牧区					
	旗别	全境面积	从属县	从属面积	从属地
昭乌达盟	巴林二旗	58 483	林西 开鲁	12 000	巴林二旗 扎鲁特二旗、阿噜科尔沁旗
	扎鲁特二旗	57 500			
	阿噜科尔沁旗	54 600			
	克什克腾旗	117 810			
	总面积	288 393			

资料来源：据张穆：《蒙古游牧记》；姚锡光：《筹蒙刍议》及《内蒙古历史地理》等制作。

　　哲里木盟　在卓索图盟的绝大部分地区和昭乌达盟南部地区完成由牧转

向农耕历史的乾隆年间，汉族移民活动开始冲击柳条边外西辽河两岸的科尔沁左翼三旗和伊通河流域的郭尔罗斯前旗等地，使该地区成为哲里木盟最早形成的农耕与半农半牧区。到全面放垦蒙地以前，从伊通河边门起，到法库边门，沿边墙外的狭长地带，以昌图、长春二府以及所属一州五县的建立为标志，形成了两大农业区：一为以长春府以及所属农安县为中心，沿伊通河、驿马河、雾开河两岸、松花江南岸的郭尔罗斯前旗南部地区，一为以昌图府为中心，沿西辽河流域到新开河流域的科尔沁左翼三旗的南部地区。此后，哲里木盟地区的农耕区的范围在旧垦地的基础上继续向北向西北方向推进，到清末全面放垦蒙地时期，农耕渗入蒙古腹地，以在放垦地区内所设的一府三厅七县为标志，又形成了两大农业区：一为以洮儿河流域的洮南府及其所属五县（靖安县、开通县、安广县、醴泉县、镇东县）为中心的农耕区，一为松嫩平原的达赉、肇州、安达三厅为中心的农耕区。

清代哲里木盟地区农耕与半农半牧区情况表

农耕区					
旗别	土地总面积	放荒面积	已垦地	从属县	设置面积
郭尔罗斯前旗	80 000	42 000	29 400	长春、农安、长岭三县	42 000
科左前旗	18 100	7 800	7 800	康平县	7 800
半农半牧区					
科左后旗	57 000	31 500	31 500	昌图、康平、辽源	31 500
科左中旗	210 000	42 000	33 000	辽源、奉化、怀德	42 000
郭尔罗斯后旗	51 000	31 000	6 200	肇州厅	31 000
杜尔伯特旗	50 000	14 300	1 430	武兴、林甸	43 000
扎赉特旗	60 000	10 600	76	大赉	10 600
科右后旗	39 600	18 600	1 274	安广、镇东	18 600
科右前旗	82 900	58 400	2 820	洮南、开通、靖安	58 400
科右中旗	61 000	16 800	250	醴泉	16 800
总数	709 600	273 000	113 723		273 000
所占比例		38.5%	16%		38.5%

资料来源：据王士仁：《哲盟实剂》。

哲里木盟科尔沁十旗，全境面积为 709 600 平方市里，以一平方市里 5.4 顷来折算（此为姚锡光：《筹蒙刍议》中的折算法），应为 3 831 840 顷。随着有清一代汉族移民的活动，这片广袤无垠的大草原上形成了四大农耕区，其中科尔沁左翼前旗和郭尔罗斯前旗，已完成了由牧转向农耕的历史，农耕区的面积为 98 100 平方市里，占总面积的 13.8%，其余八个蒙旗亦变成了半农半牧区，半农半牧区的面积为 611 500 平方市里，占总面积的 86.2%。十旗共放草场面积 273 000 平方市里，占全境面积的 38.5%，其中已垦成熟面积达 113 723 平方里，占全境面积的 16%，占已放垦面积的 41.7%。

哲里木盟农耕区与半农半牧区的范围，逐渐扩及全盟，"农耕北界北端已到洮儿河下游白城及其以北地区，并西南沿西辽河北岸，经开鲁直到西拉木伦河流域的林西"。呈现出农业由南向北，由东向西推进，牧业相应收缩的趋势。卓索图盟和昭乌达盟地区农业的扩展，是由长城线以北渐次推进，哲里木盟地区则是由柳条边墙向西推进到郭尔罗斯前旗、科尔沁左翼中旗与左翼后旗，又向西向北的方向扩展，卷进了科尔沁左翼前旗，最后推进到科尔沁右翼三旗和扎赉特、杜尔伯特、郭尔罗斯后旗等哲里木盟的北境。

四、定居人口与村落

清代汉族移民将游牧与农耕文化的接触带从长城以南推到长城以北，进而推向蒙古腹地。农耕文化北移的过程就是与游牧文化冲突、矛盾乃至交融的过程，在这个过程中，农耕文化以前所未有的势头冲击着蒙古地区固有的文化氛围，使蒙古地区社会风貌发生了极大的变化。随着汉族移民的进程，内蒙古地区形成了定居的人口和村落。

（一）汉族移民在蒙古地区取得土地的过程

汉族移民在蒙古地区取得土地的途径主要有四种：第一种是汉农给蒙古王公做工种地，蒙古王公以土地耕作权为工资支付给汉农；第二种是旗衙或蒙古王公贵族将大片荒地交给汉族揽头，由揽头招佃垦种，垦荒户通过向揽头缴价的方式获得永佃权；第三种是蒙古牧民以土地"倒买"的形式，将土地的耕种权卖给汉农；第四种是在佃农对土地的长期耕作或佃权的多次转移过程中，逐渐形成的永佃权。内地汉人主要通过以上四种途径取得蒙古地区土地的耕种权，在这个过程中起着重要作用的是蒙汉之间所签订的各种契约文书，通过各种契约文书的不断签订，经过多次的"倒买"、"兑倒"与"典当"等，蒙古地区土地的实际使用权转移到汉人手中，蒙古人反而丧失了土地。蒙汉民族之间所签订的契约文书有：红契、顺契、倒兑契、租契、烂价地契、当契、押地契约文书等。

地商、高利贷　在"倒卖"与"兑倒"的过程中起重要作用的是地商和高利贷者。地商和高利贷者，在东部蒙旗多以揽头身份出现的"均挟重资"，"专以兴贩地亩"为目的的内地汉人。揽头是"在蒙旗开垦过程中大面积承揽荒地的地商，是蒙旗土地的主要倒卖者、揽租者和蒙古族大地主地租的代征者"。他们凭借实力，在蒙旗王公和札萨克手中得到红契，揽下大批面积土地的使用权。在东部蒙旗蒙古人和汉人之间所签订的契约文书主要有两种，一为红契、一为白契。所谓红契就是蒙旗札萨克王公以及旗公署所发给的盖有官府印章的土地执照，私招私垦时期，内地地商、高利贷者从蒙旗王公、札萨克所签订的契约文书都属于红契。所谓白契就是普通蒙古人与汉人之间所签订的没有官衙印章的地契，蒙古人通过此契约把自己的土地使用权转让给汉人。最初进入蒙地汉人主要通过此两种契约文书取得蒙古地区土地的具体使用权，在这个基础上汉人将已到手的土地使用权又转让或倒卖给其他汉人，从此产生了所谓的"倒契"、"兑契"、"当契"、"租契"等各种契约文书。这些契约文书的对象有时在汉人与汉人之间、有时在汉人与蒙古人之间进行，没有一个严格的标准分界线。以揽头身份出现的地商和高利贷者流入蒙地的目的不是谋食，而是谋取更多的利润。这些人揽下大面积土地以后所谋取利润的途径不同，以此为准可把他们分成两部分。一部分人纯属于倒卖土地、谋取利润为目的的商业人，此等人揽下土地以后就立即出手倒卖，然后携带红契和所赚的差价，返回原籍或迁往他处。一部分人则属于开发性地商，来蒙地的目的虽然与前者相同，但他们揽下大面积土地以后，或兑倒一部分，自己经营一部分，或招徕内地汉人全为自己经营。如喀喇沁左旗境内揽下大面积土地的大地主巨国栋和银稳德等都是有名的开发性揽头。巨国栋在乾隆初年承揽土地 1 260 亩，雇用 15 人经营。[①]　银稳德在道光

① ［日］天海谦三郎：《锦热蒙地开垦资料二则》，满铁调查局，1943 年版，第 52 页。

年间从札萨克贝勒手中揽下的土地有 1 691 亩，其中可耕地为 1 551 亩地，除他自己盖房居住以外，又分劈转租给 27 户民人耕种。① 因为这些人是蒙古地区土地的最早承揽者和开发者，所以把他们又被称为"占山户"，而那些分劈他们土地的则被称为"劈山户"。有些较大的劈山户还把分劈来的土地再度分劈倒卖，成为劈揽头。在东部蒙旗通过这种开发性揽头和劈揽头的手段形成的村屯很多。

穷苦百姓取得土地的途径　清代流入蒙地汉人除呼朋引类，从原籍老家直接招来的以外，大多数是因灾荒从山东、河北、山西等地逃荒谋食者，是两手空空，身无分文的穷苦百姓。起初这些人既没有土地，也没有开垦土地权，他们在蒙古地区取得土地主要经过数年、数十年、甚至几代人的耪青、苦力、打工等生活，点点滴滴地攒钱，最后通过"缴价、购买等方式从揽头或地东手中购买到小块土地的永佃权"，始而为佣，继而为佃是内地汉人在蒙古地区取得土地的主要形式，他们在蒙古地区的定居大多数都要通过几代人的努力，"稍有积蓄"，才置办了生活及生产资料，建房屋、筑院宇，"搬移眷属"，"盖房屋居住"。②

大约在乾隆年间，山东、山西、河北等地汉人流入了翁牛特右旗的老府村地方。其中，除从旗公署买入大段土地的汉人的性质不明以外，其余都是通过熟人，给蒙古人以及先住汉人和旗公署乃至王爷等当耪青，或者干苦力、打零工，以攒钱为目的佣工觅食者。此等人在蒙古地区取得土地并定居是个漫长的过程，一般时间上要经过一代或二代甚至更长一些。手段上入垦以后当耪青或打短工、服苦差等积蓄钱财，最后购买土地，或者是耪青→佃农（小作）→永佃农（自耕农）。汉人土地的购入要通过各种各样的契约文书。这样，原本为蒙古人的土地最后通过各种契约文书的签订最后转移到汉人手中，如下图表：

$$
\text{蒙古人土地} \longrightarrow \begin{cases} \text{农奴} \\ \text{汉人} \longrightarrow \text{佃农} \longrightarrow \text{典} \longrightarrow \text{倒兑} \longrightarrow \text{汉人土地} \\ \text{耪青} \end{cases}
$$

---

①　内蒙古档案馆喀喇沁左旗蒙古文档案，503—1—1272。
②　［日］《锦热蒙地调查报告》中卷，伪满地籍整理局 1937 年版。

内地汉族移民流入蒙古地区以后，不一定居住在一个固定的地方，而通过多次的转移最后定居在某地方。比如上面所提到的翁牛特左旗庙前营子的赵和，在康熙末年，由山东永平府贤南县来到山嘴子，光绪二十八年（1902 年）又迁移到庙前营子。翁牛特左旗在乌丹城的地主王凤林，大约在乾隆年间从山东省永平府贤南县移住乌丹四方井子地方，后又移住乌丹北部庙前营子地方。喀喇沁右旗公爷府四十家子柳条沟王唤，在光绪二十年（1894 年）左右来到北台子地方，给汉人当榜青，后又经过多次的迁移，最后来到此地定居。①

总之，一般地商、高利贷者和普通穷苦百姓，在蒙古地区获得土地耕种权（或使用权），大多数都是通过各种契约文书的签订而最后完成的。通过签订契约文书所取得的土地耕种权，表面上看似乎非常合理，好像都是在两相"缴价"或"交租"的前提下进行的。所以，日本人及川三男把这种通过签订契约文书的方式所取得的土地纳入"合法取得"的范围。在这个范围内，人与土地的关系中，汉人"缴价"或"交租"的形式得到了蒙古地区土地的使用权，蒙古人以"吃租"的形式体现其土地的占有权。通过那些盗垦、典押、抗租等方式所取得的土地耕种权和光绪十七年（1891 年）金丹道暴动中烧毁地契的方式所占有的土地权纳入为不合法取得的范畴。②不过事实上，在长期的人与土地的关系中，汉人不仅有了土地的使用权，而且拥有了土地的占有权，蒙古人连"吃租"权也转移到汉人手中。汉人在蒙古地区所取得的土地占有权，无论合法还是不合法，其所产生的后果及其所带来的影响都是相同的，意味着农耕的拓展。

（二）定居人口与村落

汉族移民在蒙古地区取得土地与定居的过程是同步的，二者之间有着相互依存，相互推进的关系。土地是定居的必备条件，随着内地汉人流入蒙地并取得土地使用权的进一步深化，在原本单一的蒙古社会便开始有了定居的人口，形成了许多汉族移民村落。

"雁行"到定居 从"雁行"到定居，逐渐形成村落和市镇，是清代内

---

① ［日］《锦热蒙地调查报告》中卷，伪满地籍整理局 1937 年版。
② ［日］及川三男：《热河蒙旗概要》，伪满热河省公署民政厅旗务科，1936 年版，第 10—20 页。

蒙古地区移民历程的一个重要特点。康熙年间，清朝政府对流入蒙地汉人的规定是"不准潜留各部落娶妻立产"，"限一年催回"，"止准支搭帐房，不准苫盖房屋"。① 所以，起初流入蒙地的汉人，大多数是"春令出口种地，冬则遣回"的"雁行人"，去无定所，聚散不常，属于季节性流动人口，尚不能算为严格意义上的移民。从某种意义上来说，"雁行人"是内地汉人迁入蒙古地区的先驱者。

从"雁行"到"定居"是个漫长而复杂的过程。在这个过程中起着重要作用的是蒙旗王公和普通牧民，他们为贪得地租之利，就开始容留汉人定居耕种。如"康熙年间，喀喇沁札萨克地方宽广，每招募民人，春令出口种地，冬则遣回。于是蒙古贪得租之利，容留外来人，迄今至数万"。② 地旷人稀，宜农宜牧的自然环境促使着"雁行人"的定居，他们当中不断有人退出游动生活，搬移眷属或娶妻生子，盖起房屋，修起院落，便有了定居的人口和村落。只是起初定居人口较少，数家茅屋亦称村而已。

起初流入蒙古地区的汉人，无论在人口数量还是其他方面，都居于从属地位。所以，很容易接受蒙古民族的语言和文化、生活习惯等，出现了融入蒙古民族的情况。对三三两两流入蒙地的汉人来说，"依蒙族、习蒙语、行蒙俗、垦蒙荒、为蒙奴、入蒙籍、娶蒙妇、为蒙僧"③ 是定居前的必备条件。"雁行人"在蒙地定居主要是从入蒙籍开始的。东部蒙旗将这种加入蒙籍的汉人叫"随蒙古"或"归化蒙古"，实际上就是蒙古化的汉人。如康熙初朝阳县境内所谓八大匠者"由内地随媵而来，娶蒙妇入蒙籍者，又若干家，若王姓、李姓、周姓、张姓、白姓、朱姓之蒙古，问其先多山东人也。与初来之孤苦汉人，或以娶得蒙女，或以贪垦蒙人之荒，相因而主蒙籍者，又若干家。是二者谓之为'随蒙古'"。④ 如李守信一家本是山东济南府长清县李家庄人，祖辈单身跑到卓索图盟土默特右旗给蒙古人种地，后被主人招

---

① （光绪）《大清会典》卷67，《理藩院·典属清吏司》。
② 《清高宗实录》卷348，乾隆十四年九月丁未条。
③ 《朝阳县志》卷26，《种族》，1930年铅印本。
④ 《朝阳县志》卷26，《种族》，1930年铅印本。

为养老女婿，变为"随蒙古"。① 汪国钧《蒙古纪闻》中也记载了许多入喀喇沁右旗蒙古籍的汉族匠人。如金姓（今住王府镇下瓦房村），原籍浙江绍兴，风鉴为业，乾隆年间来此，旗主赏女为妻，指地为业，后入蒙古籍。闫姓（住王府镇坏厂子），原籍直隶保定府，以绘画为业，乾嘉年间出口，旗主赏妻赐宅，指予地土，后入蒙古籍。② 现在土默特左旗境内的最大喇嘛庙瑞应寺是康熙三十年（1691 年）至四十三年（1704 年）间建立的，当时从北京请来的木工、泥瓦匠等手工业者达数百人。竣工后这些人便归化蒙古，娶蒙古人为妻，积蓄钱财，最后取得土地，从事农耕。③ 土默特右旗（今朝阳）境内的佑顺寺，是康熙二十五年（1686 年）从西藏来的西域苏朱克土朝尔吉喇嘛敕建公修的，前后用十二年时间，在康熙三十七年（1698 年）竣工。从事本寺建工的木工、泥瓦匠等人都是从关内招来的汉人，有赵、杨、陈、潘、姚、王、徐姓等八户，竣工后直接归化蒙古，成为庙户（即佑顺寺属户），在此生息繁衍，到日本人调查的 1937 年已有三十户。④ 又如喀喇沁右旗上瓦房村张俊亭，原籍为山东省登州府文登县，在嘉庆年间来到此地，归化蒙古，当榜青。到其父亲时候，通过倒契从箭丁汪新齐手里买入土地四十亩，旗公署发给翻契一枚，得到富裕仓外仓地四十亩。他本人又把自己的二十亩土地转倒给汉人方振齐名下，现有（1937 年）耕种土地七十亩，住瓦房三间、草房二间、牛一、马一、猪二。⑤

星罗棋布的移民村屯　清初至雍正年间，出边耕种的内地汉人多在偏僻的山谷中开垦耕种，分布和定居的范围主要限于长城沿边地区。如近长城以北的热河"地方辽阔，山沟险僻，远来垦荒就食之民，散处其中，复逾边境，与蒙古错处。"⑥ 这里本无土著，都是"燕北齐东"无业贫民"严关以外辟耕"。⑦ 后来这些流入蒙地的内地汉人逐渐北移，到乾隆年间，已经逾

---

① 李守信：《我出生前后的热河南部蒙旗社会》，《内蒙古文史资料》第 10 辑，内蒙古人民出版社 1983 年版，第 124 页。

② 汪国钧：《蒙古纪闻》，马希、徐世明校，内蒙古人民出版社 2006 年版，第 121 页。

③ ［日］《锦热蒙地调查报告》上卷，伪满地籍整理局 1937 年版，第 49 页。

④ ［日］《锦热蒙地调查报告》上卷，伪满地籍整理局 1937 年版，第 269 页。

⑤ ［日］《锦热蒙地调查报告》中卷，伪满地籍整理局 1937 年版，第 734 页。

⑥ 《清高宗实录》卷 430，乾隆十八年正月戊辰条。

⑦ 和珅等：《钦定热河志》卷 7，《天章七》。

越卓索图盟喀喇沁等地，深入到昭乌达盟翁牛特、巴林、克什克腾、阿噜科尔沁、敖汉等蒙古腹地。

"汉族初来，不住高岗，便住山僻，以耕为居，无复远虑，以故三五零居，无大村落。故村有孤家子、两家子、三家子、四家子、五六七八九十家子等名。"① "多至二十家，少则三五家，逾百户之村庄实数寥寥。"② 随着"春至秋归"的"雁行"人的定居和入蒙籍汉人增多，后来"一年成聚，二年成邑"，③ 这种趋势逐渐扩大，终至形成了星罗棋布的移民村屯。康熙年间喀喇沁、土默特一带渐有内地汉族移民组建的农耕村落。法国传教士郭尔毕良在康熙二十七年（1688 年）至三十年（1691 年）间，曾两次旅行到蒙古地方，他看到辽河河边地方有汉族行商房舍。康熙皇帝在《御制诗》中也写道："沿边旷地多，弃置非良策。年来设屯聚，教以分阡陌。春夏耕耨勤，秋冬有蓄积……行之无倦驰，定能增户籍。"④ 描写的就是村屯相连、耕耘稼穑的景象。清廷行宫所在热河地方，"本无土著，率山东、山西迁移来者口外隙地甚多，直隶、山东、山西人民出口耕种谋食者岁以为常。"⑤ 康熙四十二年（1703 年），清廷在此修建行宫，随着避暑山庄的建立，这里形成人口密集的村镇。康熙四十四年（1705 年），热河行宫开始使用以后，移居开垦和经商人以及手工业者的人数倍增，热河行宫一带出现了繁华的景象。到康熙五十年（1711 年）就已经是"生理农桑事，聚民至万家"⑥ 的大村镇。在雍正朝"借地养民"政策的鼓舞下，越"边墙"出口垦种的人增多，携眷出口的人也比康熙年间增多。至乾隆中期，"内地贫民相與全家北上，至则择地而居，自营村落，亲戚相依"⑦ 形成星罗棋布的移民村屯。

清代东部蒙旗汉族移民建立的农耕村落的数量，限于资料，我们不可能

① 《朝阳县志》卷 26，《种族》，1930 年铅印本。
② 《张北县志》卷 5，《户籍志》，台湾影印《中国方志丛书》本。
③ 《凌源县志》卷 3，《纪略》，1930 年铅印本。
④ 和珅等：《钦定热河志》卷 92，《物产一》。
⑤ 海忠：《承德府志》卷 27，《风土》，光绪十三年（1887 年）铅印本。
⑥ 和坤等：《钦定热河志》卷 73，《学校》。
⑦ 《朝阳县志》卷 26，《种族》，1930 年铅印本。

做出全面的统计。但是，可以根据现有的档案文书和地方志等文献史料，能够勾勒其形成、发展的大概线索。乾隆十三年（1748年）钦差大臣调查喀喇沁中旗境内汉人户口男女及佃种地目数册中被保存下来的本旗103个汉族移民村屯，是东部蒙旗农耕村落化过程中我们唯一能看到的最早的、最完整的记载。这103个村屯中人口最多的为八里罕沟，有2 042口人，其次为七家岱沟，有1 567口人，其次为长汉沟，有1 387口人，其次为毛阑沟，有1 212口人，其余均为60—1 000人之间的中小村屯。如果一户平均人口为5口来计算，八里罕沟有408户人，七家岱沟有315户人，长汉沟有277户，毛阑沟有242户人。而人口最少的鹰手营子仅有60人，有8户人家。其中除"蒙古素沟"、"蒙古苏"、"乌立雅苏台"、"那拉散沟"、"八什汉沟"、"桃花沟"、"吐门尔"、"塘吐沟"、"哈拉桃花"、"驿马图"、"孩儿脑"、"坤代沟"、"喇嘛忙哈"、"哈礼斯台"、"八伯梁海"、"撒八海沟"、"噶海沟"、"王古特沟"、"大来营子"、"吴蓝布尔城和硕"、"花杖"、"石拉合沟"、"钢岔茂"、"杜代梁"等23个村屯名称与蒙古地名有关外，其余皆与按照流入蒙地汉人的居住情况有关。比如"三家"、"七家岱沟"、"十家"等名称直接与该村屯历史有关，说明该村屯刚刚形成时，或有三家或有七家或有十家。"平房"、"瓦房"等带有居住结构的特点；"茶棚"、"铜匠沟"、"鹰手营子"等带有居住者所从事职业的特点。

乾隆十三年（1748年）喀喇沁中旗境内103个移民村屯情况表

村　名	人口数字	村　名	人口数字	村　名	人口数字
七家岱沟	1576	毛阑沟	1212	双泪子沟	384
胡树沟	212	小毛阑沟	201	大冰沟	187
苏达子沟	331	黄子梁子	399	骡马图沟	791
三家	138	白池沟	77	龙潭沟	321
二道河子	258	八里罕沟	2 042	三支箭	276
石羊石虎沟	832	八座台沟	197	孩儿脑	942
龙潭沟	996	寸金沟	308	坤代沟	873
蒙古素沟	611	东厂子	86	景家杖子	211
柳石沟	416	哈登台沟	168	喇嘛忙哈	129
小龙潭沟	423	喇嘛城子	377	哈礼斯台沟	322

（续表）

村　名	人口数字	村　名	人口数字	村　名	人口数字
布板沟	159	三岔口	695	八伯梁海	603
长汉沟	1 378	瓦房	153	大来营子	191
土泪子梁	420	忠义庙	111	半截子沟	318
小八里宰	733	准梯沟	123	撒八海沟	420
平房	159	马圈子	429	噶海沟	526
孩儿脑五家	234	西打鹿沟	385	道虎沟	662
灭清沟	168	石填台沟	610	峰山沟	245
小那清沟	60	三槐辐轴	280	水泉	336
墨城	131	那拉散沟	295	松树台沟	314
樱桃沟	234	义丹沟	336	鹰手营子	60
黑石沟	874	景山沟	701	三沟	62
五十家子	751	手官营子	179	白城	275
那世沟	638	三家	183	鸽子沟	137
蒙古苏	236	打鹿沟	921	小塘沟	168
茶棚	120	朝宝沟	392	小道虎沟	195
少甸子	144	八什汉沟	392	银头沟	34
黑里河沟	875	大宁城	396	沙沱子	430
十家	278	蒿沟	227	樱桃沟	409
乌立雅苏台	285	桃花海	374	乌驸马梁	258
二道营子	327	吐门尔	199	乌阑岗	333
宝板台沟	808	塘吐沟	130	杜代梁	210
铜匠沟	408	王古特沟	237	钢岔茂	242
哈拉挑花沟	132	土铜子沟	257	石拉哈沟	952
石头老爷庙	129	吴蓝布尔城存和硕	765	花杖	100
五化沟	451				

资料来源：据《锦热蒙地调查报告》下卷，第 1425—1427 页。

　　乾隆三十八年（1773 年）前后，塔子沟地区各蒙旗形成了 178 个移民村屯。其中喀喇沁左旗境内有 49 个，土默特右旗境内有 70 个，土默特左旗境内有 21 个，敖汉旗境内有 24 个，奈曼旗境内有 14 个。[①] 乾隆四十七年

---

① 哈达清格：《塔子沟纪略》卷 2，《疆域》，《辽海丛书》本。

（1783 年），平泉州北境的喀喇沁右旗境内有 30 个汉人移民村屯，喀喇沁中旗境内有 41 个，赤峰县境内有 127 个，建昌县境内有 82 个，朝阳县境内有 107 个，共形成了 387 个村屯。[①]

乾隆年间，辽河两岸的科尔沁左翼三旗和伊通河流域的郭尔罗斯前旗等地开始有了零星的汉族移民聚落。嘉庆五年（1800 年）添设长春厅以来，郭尔罗斯前旗沿伊通河、驿马河、雾开河两岸连成一片，自然形成了为数不少的村屯。在长春厅所属沐德、抚安、恒裕、怀惠等四乡境内移民村屯数达 194 个。光绪十三年（1887 年），升长春厅为府，以该旗界内黄龙府旧地置农安县。在清末全面放垦蒙地之前，长春府、农安县、伏龙泉、新安镇等地都已经变成了内地汉族移民聚居的农耕区。据《长春县志》所载，民国初全县原规划为三十乡，又并其中之十六乡为六镇十四乡。民国后期重划全县为三十乡五区，五区境内共有村屯 1 675 个。农安县，分东西两个段，西夹荒即恒裕乡十、十一、十二、十三、十四、十五甲，东夹荒即怀德乡木石河一带，流入该地区的汉人"遂生聚日繁，数十年已村屯林立，棋布星罗矣。"[②] 初农安县设治分为十二社曰康、惠、和、勤、俭、乐、裕、丰、祥、治、平、略。光绪十八年（1892 年）、二十七年（1901 年）续放伏龙泉等荒，名曰新社。光绪三十三年（1907 年）秋改为十二区，曰心、正、义、诚、身、修、家、齐、国、泰、民、安。三十四年（1908 年）秋划齐、家、国三区隶长岭县治，共余九区，复以城区为中区，共十区。宣统二年（1910 年）冬第一区安区、第二区诚区、第三区意区、第四区正区、第五区心区、第六区身区、第七民区、第八东修、第九西修、第十泰区，共十区。复以民泰两区为镇，余皆为乡，共二镇八乡。民国元年（1912 年）自治停办，乡镇仍为区。据《农安县志》所载，本县境内村屯数已达 639 个。

科尔沁地区清末全面放垦蒙地以前汉人主要聚集在科尔沁左翼三旗。乾隆年间，科尔沁左翼中旗东南部法库边门一带，形成了 74 个流民农业屯，科尔沁左翼前旗形成了长岗子、獾子洞、平顶山等 7 个汉人村屯。

清末哲里木盟各蒙旗已有 5 775 个汉族移民村屯。

---

① 和坤等：《钦定热河志》卷 53—54，《建置沿革》。
② 《德惠县乡土志》卷 13，《政体》，吉林省图书馆油印本 1960 年版。

清代哲里木盟所属府州县村屯数

旗　别	设治各称	设治时间（年）	辖属村屯（个）
科左后旗	昌图府	1877	611
	康平县	1880	660
科左中旗	奉化县	1877	472
	怀德县	1877	438
	辽源州	1902	139
科左前旗	彰武县	1902	495
科右前旗	洮南府	1904	125
	开通县	1904	113
	靖安县	1904	41
科右后旗	安广县	1905	226
	镇东县	1910	141
科右中旗	醴泉县	1909	不详
郭尔罗斯前旗	长春府	1902	1675
	农安县	1889	639
	长岭县	1907	不详
	德惠县	1909	不详
扎赉特旗	大赉厅	1904	不详
合　计			5 775

这样，在清代东部蒙旗地方形成了星罗棋布的移民村落，分布在长城线以北，柳条边墙以西的广阔的地区，并继续呈现渐次推进的趋势。

（三）蒙汉杂居状态

零星的蒙汉杂居情况出现得很早，以卓索图盟的土默特两旗为例，右旗在左旗西南，与奉天的锦州、义县和开化接壤。乾隆初年为塔子沟东境，以后又在该旗的三座塔地方设了三座塔厅，即后来的朝阳县。朝阳县境内有一座康熙年间所建的喇嘛庙佑顺寺。在建庙之前那里就有山西人所开设的"三泰号"商店，故朝阳有"先有三泰号，后有喇嘛庙"的乡谚。[①] 开始建立佑顺寺是康熙二十五年（1686 年），[②] 可见土默特右旗在距今三百多年以

---

① 《内蒙古文史资料》第 10 辑，第 123 页。

② ［日］《锦热蒙地调查报告》上卷，伪满地籍整理局编 1937 年版，第 269 页。

前，就开始了蒙汉民族的杂居。乾隆十三年（1748 年），清朝政府为了防止蒙古、民人借耕种为由，互相容留，滋生事端，决定"嗣后蒙古部内所有民人，民人屯中所有蒙古，各将彼此附近地亩，照数换给，令各归其地。"并考虑到土默特贝子旗、喀喇沁三旗民人，杂处已久，一时难以分移的情况，即令"札萨克会同司员、同知、通判等，渐次清理。"① 但效果并不显著。随着星罗棋布的汉族移民村屯的建立，蒙古地区也形成了"蒙古部内有民人，民人村内有蒙古"的蒙汉杂居的局面，使蒙古游牧社会面貌一新。

东部蒙旗有开垦旗分和未开垦旗分，亲自调查东部蒙旗的姚锡光以边墙距离的远近为标准把东部蒙旗的已开垦区划分为二段，其中近边墙各旗开垦最早，蒙汉杂处，蒙民习俗已与汉民相差无几，离边墙稍远各旗，蒙汉自成团体，各住一区，每岁除租谷交涉以外，互不相往来。由此可见，汉族移民首先进入的靠边墙的喀喇沁等地农耕发达处为蒙汉杂居区，离边墙较远的农牧交错地方，蒙汉各自成体系，形成蒙汉分别居住格局。就其生活状态而言，南部地区俨然是农业社会，北部农牧交错区蒙汉两族之间的差异仍很明显，蒙古人"食则羊肉，宿则棚张，乘则牛车"，但为数也已不多，更多的是农垦迹象，"亟招徕无限农民，以垦此数十百万方里之地……即以畜牧言，于日行数十里中，不过见牛群羊群数起，且并无大群，而马群则尤不多观。"②

蒙、汉杂居状况不仅有"蒙古部内有民人，民人村中有蒙古人"的情况，而且亦有"民人屯外有蒙古艾拉（即村屯），蒙古艾拉外围形成汉人村屯"的情况。喀喇沁左旗境内离边墙较远的腰鲁艾拉至特木根哈达的锡尼楚德艾拉地方原本属于蒙古人聚居区。居住该地区境内的汉族居民，大多数属于嘉道年间流入本地区并定居下来的直隶、山东等地移民的后裔。从道光年间所属境内种地民人及耕种地亩数以及原籍的记载中，我们可以了解流入蒙古人村落的汉族移民从"雁行"逐渐定居，最终形成"蒙古部内有民人，民人村中有蒙古人""民人屯外有蒙古艾拉（即村屯），蒙古艾拉外围形成汉人村屯"的情况。下面是道光十六年（1836 年），从腰鲁艾拉至特木根哈达的锡尼楚德艾拉之间居住种地民人姓名、原籍、耕种地亩数等方面的蒙古

---

① （光绪）《大清会典事例》卷978，《理藩院·户丁》。
② 姚锡光：《筹蒙刍议》（下），《再上练兵处王在臣笺》。

文档案文书的内容。据该档案记载，道光年间流入该地区并与蒙古人杂居在一起的汉族移民共有 195 户，所种蒙古地亩为 6 994 垧 3 亩地。①

1. 在腰鲁艾拉东北地区"东至山麓，西至河边，南至蒙古人旧田，北至牧场"的 91 垧地亩，是道光十四年（1834 年）十一月札萨克贝勒写给民人单巨勇、伊幸胡等人名下耕种地。该地后面，民人要盖房居住，经营砖窑，说是前任札萨克贝勒招之民人。

2. 在塔本格尔西南阿日艾拉正西方向的"东西为水渠，南为牧场，北为河边"以及塔本格尔东南"东西为德布格，南为河边，北为蒙古人田地"共有地 40 垧 9 亩地，是道光十四年（1834 年）十一月札萨克贝勒衙门写给民人席元宝名下，……民人已盖房居住。

3. 在窝棚图艾拉东北的"东为大道，西为河，南为塔布囊套格屯扎布新开垦地，北为蒙古人旧田"共有 204 垧地，是道光十五年（1835 年）三月，札萨克贝勒写给民人闫欣苏等七人名下耕种，现有四户民人在该地盖房居住。又在该田地西边新耕种的一块共 29 垧 9 亩地，是道光十六年（1836 年），塔布囊套格屯扎布转给民人闫欣优、张财、刘民、席玉山等四人名下，其中二户已在此定居。

4. 哈日套鲁海之前的三家村居住民人齐光振为山东登州府人，道光五年（1825 年）来到此地定居。民人王四长直隶顺天府人，并雇用耪青民人二户。此外以下八户民人皆属于道光三年（1823 年），定居哈日套鲁海艾拉的移民。

姓　名	原　籍	所种地亩数（单位：垧）
王成志	河间府宁津县	30
李永贵	山东武定府开封县	20
孙和军	山东济南府	10
杨成先	山东贵州府耶县	8
张富香	山东济南府长山县	10
夏稳廷	山东登州府宁海州	4

---

① 内蒙古档案馆喀喇沁左旗蒙古文档案，503—1—1272。

（续表）

姓　名	原　籍	所种地亩数（单位：垧）
刘义和	河建府宁静县	2
杨洪泰	山东东昌府	10

汉族移民在内蒙古地区的定居落户，显示了内地农耕经济向内蒙古地区的伸展，促进了游牧转向农耕的历程。"同时它又将这种转化了的内蒙古经济与中国的整个农业经济联系在一起，成为它的不可分割的一部分。"① 随着农耕经济发展，牧地减少，活动在这块土地上的原本单一的逐水草而游牧的蒙古牧民也向农业和农民转化，开始了定居的生活。

（四）蒙古人的定居与村落化

19 世纪末，俄国人波兹德涅耶夫在从经棚到库伦的旅行中，路过昭乌达盟巴林部时看到了"巴林右旗人几乎全已定居"的情况。但"有意思的是没有一个巴林人从毡篷直接过渡到汉式土房子的。他们是这样过渡的，当毡篷破损时，从事农业的巴林人已经不能用新毡来加以更新了，而是在木架子周围造一道芦苇篱笆，用泥抹住。这样他们就有土房子了。"这是定居的第一阶段，在第二阶段，汉化程度进一步加深，房子周围一定有围墙，墙内往往栽种树木，帐篷已经抹上泥，里面的灶已经固定。在定居的第三阶段，巴林人开始建造汉式的土房子，有炕和炉子，还专门为牲口盖了棚子，所养的牲畜也主要是牛、驴和骡子，小牲畜是绵羊和山羊，已完全汉化。② 这是东部蒙旗蒙古人从不定居的蒙古包转向定居的土房子过程的写照。以此推测，在东部蒙旗普通蒙古人的居住样式的变迁，一般都经历了游动的蒙古包—固定式蒙古包—土房子的过程。

这样，蒙古人聚居区也先后出现了许多蒙古村屯。东部蒙旗蒙古人聚集的科尔沁左翼后旗和中旗境内的村屯历史，与汉人村落建立的时间相差无几，都有几百年的历史了。经过有清一代的移民开垦，该地区的大部分已变

---

① 陶克涛：《内蒙古发展概述》（初稿），内蒙古人民出版社 1957 年版，第 198 页。

② ［俄］波兹德涅耶夫：《蒙古及蒙古人》第 2 卷，刘汉明等译，内蒙古人民出版社 1983 年版，第 428 页。

成了以牧为主的半农半牧区，大多以蒙古艾拉为中心，很少与汉人杂居。以科尔沁左翼后旗为例，政府所在地甘旗卡镇所属 27 个自然屯中，16 个为清朝时期的老村屯。这 16 个村屯中，束力古台、海斯、嘎日哈、哈图塔拉、老甘旗卡、好力保哈尔乌苏、好力保、东好力保、西好力保、塔班呼、温都日呼等地建屯时间都在乾隆年间，其余为嘉庆、光绪年间所建。吉尔嘎朗镇，清朝时为科尔沁左翼后旗札萨克驻地，是蒙古人聚居区，现有的 40 个自然屯中 22 个为清朝时期所建。最早建屯的伊和淖尔，于康熙年间建屯。乾隆年间的有喜桂、巴彦哈嘎、恩和代、长毛套布等 4 个屯。咸丰年间的有吉如干格尔 1 个。道光年间建屯的有少敦艾勒、牌子达艾拉（当时居住一个牌子达，所以有了此名）、棍淖尔等 3 屯。其余均为光绪年间所建。伊胡塔镇，现有 26 个村屯中 20 个为清朝时期所建，康熙年间的有塔日根 1 个。乾隆年间的有柴达木、吉如和、阿伯艾拉、德日苏、玛林格尔等 5 个。道光年间所建的有巴润花根、准花根、玛拉楚达、伊和布拉格等 4 个。同治年间的有伊胡塔拉、巴润边布拉、布日敦、准沙布嘎吐、巴润沙布嘎吐、阿都沁等 6 个。光绪年间的有巴润烈很杰、巴润霍拉吐、准霍拉吐等 3 个。哈日乌苏苏木，均为蒙古族，有 13 个自然村屯，均为清朝时期所建。顺治年间的有明嘎塔哈日乌苏 1 个。乾隆年间的有麦里吐、塔班诺义德（贵族 5 兄弟在此居住，所以有了此名）、敖包哈日乌苏、乌日都哈日乌苏、敦达哈日乌苏 5 个。道光年间的有嘎其毛都 1 个。光绪年间的有辉图阿克台、巴润阿克台、乌丹塔拉、辉图哈日乌苏、乌日都阿克台等 5 个。宣统年间的有毛希盖乌苏 1 个。满都苏木也是一个纯蒙古人居住区，现有 19 个村屯中 17 个为清朝时期所建。乾隆年间的有翁斯德、伊和要鲁、辉图来申台、乌日都来申台等 4 个。同治年间的有满斗 1 个。咸丰年间的有乌日都乌那嘎 1 个。光绪年间的有辉图乌那嘎、巴彦塔拉、龙音艾拉、巴润海拉斯台、黑麻艾勒、准海拉斯台、和日呼舒、良沙布尔、乌日都章棍塔拉、辉图章棍塔拉、巴嘎要鲁等 11 个。海斯改苏木，有 24 个村屯，均为清朝时所建。乌顺艾拉苏木，有 17 个自然屯，全为清代所建。浩坦苏木，有 18 个屯，10 个为清朝所建。巴雅斯古楞苏木，均为蒙古族，17 个为清朝时期形成。阿古拉苏木，均为蒙古族，有 19 个嘎查，18 个为清朝时期形成。巴彦茫哈苏木，17 个屯，6 个为清朝时期形成。布郭哈日根苏木，有 21 个嘎查，20 个为清朝时形成。巴嘎塔拉苏木，有 19 个村屯，18 个为清朝时形成。努古斯台苏木，17 个村屯，15 个为清朝时形成。花灯苏木，有 9 个屯，8 个为清朝时形成。额木勒苏木，有 19 个村，10 个为清朝时形成。阿都沁苏木，有 23 个屯，21 个为清朝时形成。茂道吐苏木，有 11 个屯，10 个为清朝时形成。乌兰敖道苏木，有 8 个嘎查，7 个为清朝时形成。朝鲁吐苏木，有 16 个嘎查，13 个为清朝时形成。巴彦毛都苏木，有 14 个嘎查，12 个为清朝时形成。沙日塔拉苏木，有 17 个嘎查，19 个自然屯，12 个为清朝时形成。海鲁图苏木，蒙古人占 96.5%，有 18 个屯，13 个为清朝时形成。哈日额日格苏木，有 14 个嘎查，均为清朝时形成。[①]

说明这些蒙古人所住村屯，在清朝时候已经形成。至少在顺、康时期东部蒙旗蒙古人已开始了村落化的历程。

五、汉族移民的管理

流入蒙地汉族移民的增多，农耕区的形成，星罗棋布的移民村屯的出现给原本单一的蒙古社会带来了诸多社会问题。如何管理流入蒙地的汉人和解决农耕与游牧文化之间的矛盾与冲突是摆在统治者面前的一个重要问题。

（一）印票制

印票相当于许可证，持有印票的汉人才有资格进入蒙古地区。印票制起源于康熙年间，主要有四种：一为户部发给种地民人的有限额。此项印票仅限于喀喇沁地区，当时喀喇沁三旗呈请内地民人前往种地，为了便于管理和限制进入蒙地汉人数量，每年由户部给予印票八百张，逐年换给。此等持票汉人春时至蒙旗种地，秋收后回籍，不得在口外过冬。到乾隆年间，由于流入蒙地汉人的增多，此项印票制已成具文，予以停止。[②] 第二种是汉人原籍州县发给的，供出口时接受边官检查之用。雍正年间规定"民人出入关口耕种佣工者，呈明该州县，每年给予印票一次，将年貌、姓名覊交，该口官弁验年貌、姓名相符，准其出入，该州县将给过印票，守口官将放过人数，于年底汇造清册，报部查覈。"① 规定验明票内所开年貌、姓名、相符者准其出入。如无州县各官印票，或票与册内所开年貌、姓名不符者，不许其出入。嘉庆八年（1803 年）经兵部酌议，出口民人凡只身前往，无论贸易、佣工、就食穷民，皆令呈明地方官给票，各官口查验放行。第三种是汉人管理机构所发给的印票。乾隆十三年（1748 年），"责令司员暨同知、通判等查明种地民人确实姓名、现在住址及种地若干、一户几口，详细开注，给予印票。贸易民人亦一例查给。仍令乡长、总甲、牌头等，于年终将人口增减之数，报官查核，换给印票。"② 又针对关外东口两沟虽有山坡垦种地亩无多，数十里外，即系游牧草地，并无可垦，亦无村落，其商贩往来，俱由都统衙门给予照票。其余只身出入民人，亦俱取关内铺户保状，方准放行。第四种是接纳汉人地区的札萨克等处所发给的印票。"内地民人寄居蒙古部落，所在蒙古部长察明耕种贸易踪迹，无可疑者给与印票安置"。③ 嘉庆年间寄居在蒙古地区的汉人采取用札萨克印票来替换汉人管理机构——府厅州县所发给的印票。嘉庆十六年（1811 年）规定："敕汉开垦地之民，换给札萨克印票，该司员及州县官出示晓谕，将地亩四至数目、民人姓名籍贯，填写明晰，理事司员地方官一体记档，互相稽查。有抗拒不换印票者，将地撤出，交还蒙古，将民人递解原籍。"④ 为了贯彻此项规定，严审了有关法律条文。

（二）东部蒙旗的理事司员

雍正元年（1723 年）热河直隶厅的设置，往往被认为是对东部蒙旗境内汉族移民管理的起始。其实，蒙旗境内汉族移民的管理早在康熙年间已经开始了。

康熙年间（1662—1722 年），在"默许又有限制"的政策下，流入喀喇沁等地的内地民人已有相当规模，其管理问题已引起蒙旗王公的注意。康熙五十八年（1719 年），喀喇沁王伊达扎布"（蒙旗境内）种地民人等若有违规者如何处罚问题"请示理藩院。根据喀喇沁、土默特等地种地和行商的内地民人众多，若有行窃盗贼者，蒙旗王公、贝勒等无权处罚内地民人之

---

① （光绪）《大清会典事例》卷 158，《户部·户口》。
② （光绪）《大清会典事例》卷 978，《理藩院·户丁》。
③ 海忠：《承德府志》卷 26，《蕃卫·寄籍》，光绪十三年（1887 年）重订本。
④ （光绪）《大清会典事例》卷 979，《理藩院·耕牧》。

情，理藩院向"喀喇沁三旗、土默特二旗各派司员一名驻扎，以管理内地民人。"① 这便成为对东部蒙旗境内汉族移民管理的起始，又标志着理藩院向东部蒙旗派遣理事司员的开端。

随着雍正元年热河直隶厅的设置，东部蒙旗行政建制发生了历史性的变化，形成了由蒙旗札萨克和同知、通判分别统治的旗县并存的二元管理体制。在这种特殊体系的运作过程中理藩院章京扮演重要的角色。如"蒙古民人交涉事件，若遇有民人控告之事由同知转行理藩院章京，理藩院章京又转行所属之札萨克王公贝勒等查办，蒙古等控告之事由理藩院章京转行同知查办。"② 在此过程中虽然防范了同知和札萨克彼此袒护所属之人之弊端，但"往来公文之际，难免既让控告人等候，又牵连无故之中间人，而互相推托行窃盗贼等案件。"③ 所以，乾隆二年（1737 年）理藩院又奏准"撤八沟、九关台等地内地同知及理藩院章京，按照张家口、归化城等地派设专理蒙古民人事务同知之例，在各部、院外郎、笔帖式当中，遴选会蒙译，通汉文的贤能之人士"④ 管理蒙古民人交涉事件。

撤回东部蒙旗理藩院章京，虽然避免了"让控告人等候，牵连无故之中间人以及互相推托行窃盗贼等案件"的弊端，但又出现了地方官与蒙旗札萨克之间彼此袒护所属之人情况。乾隆十三年（1748 年），理藩院以"札萨克蒙古与同知通判等地方官，彼此袒护所属之人，办理公事不无掣肘"⑤为由，向东部蒙旗派设了乌兰哈达、三座塔等地理事司员，后又增设了八沟、塔子沟等地理事司员。

各地理事司员的义务方面方志类或官方史书中均记载"管理蒙古民人事务兼管税务"。其实乌兰哈达、三座塔理事司员开始之初，其权限仅限于管理蒙古民人交涉事件，兼管税务是乾隆二十一年（1756 年）的事情。据蒙古文档案记载，聚集民人众多，商业较发达的八沟、塔子沟、乌兰哈达、龙须门、小子沟、大城子、三座塔等地商业及税收管理并不统一。发展较早

① 内蒙古档案馆喀喇沁右旗蒙古文档案，505—1—10。
② 内蒙古档案馆喀喇沁右旗蒙古文档案，505—1—10。
③ 内蒙古档案馆喀喇沁右旗蒙古文档案，505—1—10。
④ 喀内蒙古档案馆喇沁右旗蒙古文档案，505—1—10。
⑤ （光绪）《大清会典事例》卷976，《理藩院·设官》。

东部蒙旗境内理事司员

名　称	派设时间	所属旗	管理范围	职　责
乌兰哈达	乾隆十三年（1748）	翁牛特王旗	喀喇沁、翁牛特二王，喀喇沁札萨克一旗及翁牛特贝子、巴林、阿噜科尔沁等处	蒙古民人交涉事务，兼管税务
三座塔	乾隆十三年（1748）	土默特贝子旗	土默特、敖汉、喀喇沁贝子及奈曼、喀尔喀贝子二旗、锡呼图库伦喇嘛等处	蒙古民人交涉事务，兼管税务
八沟	乾隆十七年（1752）	喀喇沁中旗	喀喇沁王一旗、喀喇沁贝子一旗	蒙古民人交涉事件，兼管税务
塔子沟	嘉庆十五年（1810）	喀喇沁左旗	喀喇沁塔布囊一旗、敖汉王一旗	蒙古民人交涉事件，兼管税务

的八沟税收历史可以追溯到雍正年间，其中虽然有过几次变动，但到乾隆十七年（1752年）时候，已形成规模。相比之下其余地方到乾隆二十一年（1756年），还没有税收之例，所以出现了商业之民从八沟等有税之地迁入无税之乌兰哈达等地的情况。乾隆二十一年（1756年），八沟、塔子沟税务大臣玛尔洪阿呈请理藩院"在龙须门、大城子、三座塔等地与八沟、塔子沟税收之例定其税收，以杜八沟、塔子沟税额缺口之弊，富足其税率。"土默特贝子哈穆噶巴雅斯呼朗图又奏请"在乌兰哈达、三座塔等地定其税收，以资旗内贫乏之人。"理藩院根据各地税收不一，导致奸商乘机逃离者众多之情，议准"三座塔属于土默特贝子旗地，乌兰哈达属翁牛特王布达扎布之地，离八沟三四百里，若归八沟兼管其收税鞭长莫及，应归乌兰哈达、三座塔理藩院章京兼管。"① 这样不仅统一了各地税收，而且可以避免奸商乘机逃离之弊。从此乌兰哈达、三座塔理事司员兼有税收之务。②

　　八沟理事司员的权限一开始仅限于税务，兼管蒙民交涉事务是乾隆二十三年，（1758年）的事情。但其来龙去脉在以往的记述性史料中均无记载，喀喇沁和翁牛特等地蒙古文档案给我们提供了宝贵的第一手史料。由于行商

---

① 翁牛特右旗档案馆蒙古文档案，1—1—216。

② 海忠：《承德府志》卷33，《职官一》，光绪十三年（1887年）重订本。

人的增多，早在雍正九年（1731 年）就定八沟（东街）落地税。① 这便成为八沟税收历史的开始。八沟东街的税收起初由地方官吏负责，曾经一度蒙旗经营。后由于停止西街税收，东街的收税也随之停止。乾隆十四年（1749 年），直隶总督陈大秀奏准重新恢复八沟等地落地税，② 其税务仍由八沟同知负责。③ 乾隆十七年（1752 年），喀喇沁王拉特纳锡第（伊达木扎布子，乾隆四年袭）呈请"停止八沟同知税收，其税收由该王旗负责。"理藩院以"税收之事蒙古人等不可经营"之由，未准其请，派遣理藩院司员管理八沟税务。④ 乾隆二十三年（1758 年）按照乌兰哈达、三座塔等地差员均管蒙民交涉案件之例，议准"喀喇沁等旗蒙古民人交涉事件，向经乌兰哈达、三座塔司官分管者，嗣后改归八沟司官兼理。"⑤ 从此八沟理事司员便有了管理八沟、塔子沟等地税收之外，还兼管喀喇沁王、公、札萨克三旗蒙古民人交涉事务的义务。

　　"塔子沟系八沟分口，该处蒙古民人事件俱归八沟管理，地域辽阔，向派理藩院笔帖式一员收税。"⑥ 乾隆十七年（1752 年），八沟税收大臣唐喀禄以"塔子沟地方买卖之民稀少，仅收粮税，其余商品均无税"之由，请求理藩院统一八沟与塔子沟的税收。理藩院针对"买卖之民乘机而逃离者（众多）"而"地域辽阔，相距甚远，如一人管理恐力不从心"之情，议准派遣笔帖式一人专管税收。⑦ 这样出现了理藩院笔帖式一员在八沟理事司员的统辖下协理塔子沟税务之情况。嘉庆十五年（1810 年），裁笔帖式，改派司官一员，驻扎塔子沟专管塔子沟税务，并分八沟差员所管之喀喇沁札萨克旗事务归塔子沟差员办理。⑧ 裁汰塔子沟笔帖式另设差员驻扎塔子沟专管税务分札萨克旗事务之后，八沟差员的管辖范围仅锁定在"八沟、小子沟、

---

① 内蒙古档案馆喀喇沁右旗蒙古文档案，505—1—43。
② 内蒙古档案馆喀喇沁右旗蒙古文档案，505—1—43。
③ 内蒙古档案馆喀喇沁右旗蒙古文档案，505—1—61、69。
④ 内蒙古档案馆喀喇沁右旗蒙古文档案，505—1—61、69。
⑤ （光绪）《大清会典事例》卷 976，《理藩院·设官》。
⑥ （光绪）《大清会典事例》卷 976，《理藩院·设官》。
⑦ 翁牛特右旗档案馆蒙古文档案，1—1—216。
⑧ 海忠：《承德府志》卷 30，《职官一》，光绪十三年（1887 年）重订本。

龙须门税务及喀喇沁王、公二旗事务。"①

　　嘉庆十五年（1810 年），清廷议准，热河副都统一缺裁汰，改设都统一员，赋予其"附近一带蒙古事件，向属税员兼管者，俱改归该都统专办"的权力。又将以上四处司员，照察哈尔游牧理事司员之例，俱改为蒙古理事官，为都统之属。"遇有应报理藩院之事，皆令呈报热河都统，由都统核定报院，都统衙门办理旗人蒙古刑名案件，照新疆例派理藩院司官一员，随同都统办事"。②

　　光绪二十八年（1902 年），清朝政府全面改变对蒙政策，推行"新政"的背景下，着力加强同知、通判等地方官吏的权力，进一步贯彻其边疆一体化政策。热河都统松寿等以"热河州、县皆兼理事同知通判职衔，原为讯断蒙旗事件，事属一律。今值整顿地方，欲定划一之规，宜革纷歧之弊"③之由再次请求撤理藩院四税员并得到批准。至此，持续 180 多年的理事司员在东部蒙旗的活动宣告结束，其权限均归州县等地方官，由地方官直接管理蒙古民人交涉案件和税收。理事司员在东部蒙旗的活动并不是简单意义上的管理蒙民交涉事件兼管税收的事情。在理事司员的派遣、同知与通判等地方官吏的设置、蒙旗札萨克的存在等因素相互作用下，形成了蒙旗社会特有的行政管理体制。管理三方处理各类蒙民交涉案件的过程中，日益激烈的权利和义务的纷争，不同程度地显示这一管理体制固有的诸多弊端。最后理事司员的撤销以及其原有职权转移到地方官吏手中，标志着内札萨克蒙旗境内地方官吏管辖治理权的增强，标志着蒙旗传统司法权的削弱。

　　（三）移民稽查制度

　　针对"蒙古地方民人寄居者日益繁多，贤愚难辨"的情况，乾隆十四年（1749 年），复准"由理藩院间年一次简选才能司官二人，自次年为始，将喀喇沁、土默特等旗分为两路，驰驿前往，会同该同知、通判并驻扎办理蒙古民人事务之官巡查。"④ 关于具体实施方面，喀喇沁札萨蒙古文档案提供了很多宝贵的史料。据该档案记载，乾隆十四年（1749 年），理藩院规定间一年选派司官二人，会同地方官进行巡查蒙旗境内种地民人和耕种地亩数

　　①　海忠：《承德府志》卷 33，《职官一》，光绪十三年（1887 年）重订本。
　　②　（光绪）《大清会典事例》卷 976，《理藩院·设官》。
　　③　《光绪朝朱批奏折》第 115 辑，《民族·蒙古族》。
　　④　（光绪）《大清会典事例》卷 979，《理藩院·耕牧》。

以后，乾隆十五年（1750 年）和十七年（1752 年），分别两次选派大臣巡查过喀喇沁、土默特等地，二十五年（1760 年）"准备驿站、住宿等差使，苦累所属蒙古"等因，间年一次巡查制度改为每隔几年进行一次。从有关委官巡查喀喇沁、土默特等地移住民人与耕种地亩数方面的其他几份档案记载的比较研究来看，自从乾隆十七年（1752 年）直到乾隆四十年（1775 年）正式取消该制度为止，这种稽查制度本身一直在被终止状态。其原因很多，归纳起来主要有以下几点：乾隆十九年（1754 年）理藩院以"皇上驾幸盛京、吉林乌拉"之由停止。① 乾隆二十年（1755 年）以"各札萨克旗遇会盟比丁之年和向伊日盖（银川）护送牛马等公差"等因停止。② 乾隆二十一年（1756 年）到二十四年（1759 年），又有相同的原因停止。乾隆二十五年（1760 年）改为每隔几年进行一次的稽查制度也从未得到实现。乾隆三十一（1766 年）、三十四（1769 年）、三十七年（1772 年）又被停止。乾隆四十年（1775 年），由于"乾隆十七年以来二十多年间，民人新垦种的各蒙旗地亩繁多，若以查出之名，撂荒民人多年垦种之地，使伊等失其生源"等因正式取消了该稽查制度。③ 这说明，乾隆十四年（1749 年）发布的稽查各蒙旗境内种地民人和耕种地亩数的制度并没有得到很好的实施。

这样，调查蒙旗境内种地民人和耕种地亩数的义务自然落到东部蒙旗理事司员以及同知、通判等地方官吏身上。乾隆十三年（1748 年）规定乌兰哈达、三座塔等地理事司员"每年所管之地遍巡一次……每年廪给银三百六十两以外别给银百两，以为公费。"④ "每年各将所属旗分巡查一次，并将有无新招民人私开地亩之处上报理藩院。"⑤ 理事司员每年所属境内巡查情况方面，喀喇沁中旗嘉庆二年（1797 年）的一份蒙古文档案留下了这样一个记载，"遵循每年所管之地遍巡一次之规，每年都按照各旗上报的移住民

---

① 内蒙古档案馆喀喇沁中旗蒙古文档案，504—5—337；内蒙古档案馆喀喇沁右旗蒙古文档案，505—1—53、292。

② 内蒙古档案馆喀喇沁右旗蒙古文档案，505—1—53、292；内蒙古档案馆喀喇沁中旗蒙古文档案，504—5—441。

③ 内蒙古档案馆喀喇沁右旗蒙古文档案，505—1—128。

④ （光绪）《大清会典事例》卷976，《理藩院·设官》。

⑤ 《钦定理藩部则例》卷5，《职守》。

人与耕种地亩数，上报理藩院。"① 说明理事司员每年的遍巡仅限于旗札萨克衙门与理事司员衙门之间的来回路程，而他们每年上报理藩院的数字其实就是各蒙旗札萨克调查之数。但由于"蒙古地方辽阔，蒙古民人散居各地，耕种地亩数众多"② 等诸多原因，各蒙旗王公等进行全范围的调查力不从心，只好不厌其烦地反复上报乾隆十三年（1748 年）的同一个数字。嘉庆十八年（1813 年）以后，各蒙旗札萨克例行上报的形式亦失去意义，喀喇沁札萨克衙门蒙古文档案中再没有出现任何移民方面的统计数字。

（四）府厅州县制在东部蒙旗的推广

流入蒙地汉人数量的不断增多和农耕区的形成，为以农耕经济为基础的内地府州厅县制在内蒙古地区的推广提供了条件。为了管理流入蒙地汉人和解决蒙汉民族之间交涉事务，早在雍正年间开始，清朝政府就把内地行之已久的府厅州县制推广到东部蒙旗，陆续设置了不少府厅州县，形成了盟旗和内地府厅州县并存的二元管理体系。

府厅州县在内蒙古的推广过程中，首先设置的是"厅"。"厅"只是府的派生机构，而非一级独立的行政建置。是"事情复杂而不便设州县"的少数民族或沿边地方所设置的一个特殊的建置。雍正到嘉庆年间，清朝政府在卓索图盟和昭乌达盟境内先后设置了热河、八沟、塔子沟、乌兰哈达、三座塔等 5 个厅。在哲里木盟地区先后设置了长春、昌图等 2 个厅。

东部蒙旗境内的厅

	厅置名称	设置时间	管辖范围
卓、昭二盟	热河	雍正元年（1723 年）	昭、卓二盟部分蒙旗的蒙汉交涉事务
	八沟	雍正七年（1729 年）	喀喇沁蒙古民人缉捕等事
	塔子沟	乾隆五年（1740 年）	喀喇沁左旗、土默特左右二旗及敖汉、奈曼、库伦和喀尔喀左翼等旗蒙汉交涉事务
	乌兰哈达	乾隆三十九年（1774 年）	翁牛特两旗，巴林两旗蒙民交涉事务
	三座塔	乾隆三十九年（1774 年）	土默特二旗、奈曼、库伦、喀尔喀左翼等地部分蒙民事务

① 内蒙古档案馆喀喇沁中旗蒙古文档案，504—6—168。
② 内蒙古档案馆喀喇沁右旗蒙古文档案，505—1—267。

（续表）

| 哲里木盟 | 长春 | 嘉庆五年（1800 年） | 郭尔罗斯前旗境内民人事务 |
| | 昌图 | 嘉庆五年（1800 年） | 科尔沁左翼后旗境内民人事务 |

资料来源：据《理藩院则例》、（光绪）《大清会典事例》等制作。

乾隆四十三年（1778 年），清廷改热河厅为承德府，改八沟厅为平泉州，塔子沟厅改为建昌县，三座塔厅改为朝阳县，乌兰哈达厅改为赤峰县，四旗改为丰宁县，喀喇哈屯厅改为滦平县。承德府及所属州县的统一建置，标志着府州县在内蒙古地区的正式确立。

从雍正元年（1723 年）设东部蒙旗境内第一个汉族移民管理机构热河直隶厅开始，到清末全面放垦蒙地时，清朝政府在内蒙古东部蒙旗共设置了 5 府、5 厅、3 州、21 县。

在卓索图盟和昭乌达盟境内共设置了 2 府、1 州、8 县。

卓索图盟和昭乌达盟境内的府州县

	府州名称	所属县	设置时间	沿　革
卓索图盟	承德府	平泉州	乾隆四十三年（1778 年）	雍正七年设八沟厅，乾隆四十三年改为州
		建平县	乾隆四十三年（1778 年）	乾隆五年所设塔子沟厅改为县，光绪二十九年隶朝阳府
		朝阳县	乾隆四十三年（1778 年）	乾隆三十九年设三座塔厅，四十三年改为县
	朝阳府	建平县	光绪二十九年（1903 年）	析平泉州、建昌县之地增设
		阜新县	光绪二十九年（1903 年）	光绪二十九年由朝阳县析置
		绥东县	光绪三十四年（1908 年）	阜新北境、奈曼东南境、喀尔喀左旗和锡埒图库伦部分地区增设
昭乌达盟	赤峰州	开鲁县	光绪三十四年（1908 年）	札鲁特二旗、阿鲁科尔沁旗南部地方
		林西县	光绪三十四年（1908 年）	巴林左右二旗地

哲里木盟境内的府州县

府州名称	所属县	设置时间	
长春府	农安县 长岭县 德惠县	光绪十五年（1889 年） 光绪三十四年（1908 年） 宣统二年（1910 年）	郭尔罗斯前旗 郭尔罗斯前旗 郭尔罗斯前旗

（续表）

府州名称	所属县	设置时间	
昌图府	奉化县 怀德县 康平县 辽源州	光绪三年（1877 年） 光绪三年（1877 年） 光绪六年（1880 年） 光绪二十八年（1902 年）	科尔沁左中旗 科尔沁左中旗 科尔沁左后旗 科尔沁左中旗
洮南府	靖安县 开通县 安广县 醴泉县 镇东县	光绪三十年（1904 年） 光绪三十年（1904 年） 光绪三十一年（1905 年） 宣统元年（1909 年） 宣统二年（1910 年）	科尔沁右中旗 科尔沁右前旗 科尔沁右后旗 科尔沁右中旗 科尔沁右后旗
其他厅县	彰武县 法库厅 大赉厅 肇州厅 安达厅	光绪二十九年（1903 年） 光绪三十二年（1906 年） 光绪三十年（1904 年） 光绪三十二年（1906 年） 光绪三十二年（1906 年）	科尔沁左前旗地 部分科尔沁左前 旗地 扎赉特旗 郭尔罗斯后旗 杜尔伯特旗

　　清代内蒙古地区所设置的府厅州县，大体上分为两个时期：清初至光绪二十八年（1644—1902 年）为第一阶段；清末全面放垦蒙地时期（1902—1911 年）为第二阶段。随着府厅州县制在内蒙古地区的推广，在原本单一的蒙古社会形成了旗县公立、蒙汉分治的二元管理体制。

　　（五）基层组织——内地保甲制度的推行

　　清朝政府对于流入蒙古地区的汉族移民，三令五申要他们以保甲制进行编排，以加强管理。保甲制是以农耕经济为主的内地行省地区最基层的社会组织，直接隶属于府州县，它是为保证赋役征收而建立的。乡村每 110 户为一里，设里长；城市名之为坊（城区）、厢（城郊），也以 110 户为单位，各设其长。一里十甲，十户设一甲长。雍正以后，里甲制崩溃，其职能并入保甲制中。保甲制主要是为治安而建立的。州县城乡，十户立一牌头，十牌立一甲头，十甲立一保长，户给印牌一张，备书姓名、丁数，出则注明所往，入则稽查其所来。其客店亦令各立一簿，每夜宿客姓名、人数、行李、牲口，作何处理，往来何处，逐一登记"。① 其目的是以纯化汉人移入的成分，减缓

----

① （光绪）《大清会典事例》卷158，《户部·户口》。

汉人移入的速度，保障治安，减低游民的不法行为以及与蒙古人的冲突。

汉族移民社会的推广　在州县城乡，"十户立一牌头，十牌立一甲头，十甲立一保长，户给印牌一张，备书姓名、丁数，出则注明所往，入则稽查其所来。其客店亦令各立一簿，每夜宿客姓名、人数、行李、牲口，作何处理，往来何处，逐一登记"。① 其目的是以纯化汉族移民的成分，保障蒙古地区的社会治安。

保甲制在内蒙古各蒙旗的具体体现是，蒙古地方种地民人居住地方，"设立牌头、总甲及十甲长等，凡系窃匪逃人，责令查报，通同徇隐，一并治罪。"② 有关东部内蒙古保甲制何时建立问题上以往的"记述性"史料中均无记载。为此，喀喇沁右旗札萨克衙门档案提供了宝贵的第一手史料。早在雍正六年（1729 年），热河管旗大臣都统拉希（raši）等人上奏中提到喀喇沁三旗境内种地民人"由州县设乡负（后来的乡长）、牌头来管理"③ 问题。雍正十年（1732 年），议政大臣等议定："八沟临近于三个喀喇沁，在此设一个同知，立乡负、牌头、总甲等专司稽查民人，缉捕行骗盗贼者……九关台位于土默特二旗之中，设同知一个，立乡负、牌头、总甲等，管理土默特二旗所属民人。"④ 这便成为东部蒙旗境内保甲制的起始。

为了便利管理和稽查，在蒙旗境内按照内地保甲制来编审门牌，"男女大小户口，按户书写开列，悬之门内，每年将应增应减民数，责令该屯乡地牌头报名同知更换。该界巡检届时稽查，如有诡冒情弊，将该户民分别办理外，仍将该屯乡地牌头一并严处，以示惩儆。该同知应随时抽查，毋任蒙混，并令编造丁册，以便与门牌随时核对，均于年底归入民数案内，咨部考核。"⑤ 乾隆三年（1738 年），对土默特两旗境内所住汉人内，按照保甲制来编审门牌，重新设牌头、乡长等乡职，在管边同知的监督下，每年春秋二季编审现有的户口。⑥

乾隆十三年（1848 年）清廷针对"蒙古地方，民人寄居者日益繁多，贤愚难辨"的实际，提出在更大范围内实行门牌，设立牌头、乡长等职，

① （光绪）《大清会典事例》卷 158，《户部·户口》。
② （光绪）《大清会典事例》卷 158，《户部·户口》。
③ 内蒙古档案馆喀喇沁右旗蒙古文档案，505—1—35。
④ 内蒙古档案馆喀喇沁右旗蒙古文档案，505—1—35。
⑤ 《清宣宗实录》卷 38，道光二年七月庚辰条。
⑥ 《清高宗实录》卷 82，乾隆三年十二月戊子条。

专门负责编审户口、所属民人姓名，户籍造册上报。责成"该处驻扎司员及该同知、通判，各将所属民人逐一稽考数目，择其善良者，立为乡长、总甲、牌头，专司稽查，遇有踪迹可疑之人，报官究治，递回原籍。该司员、同知、通判，每年于春秋二季，将所属民人姓名，造成册档，并饬取具乡长、总甲、牌头各无容留匪类甘结存案。此内有作奸犯科之人，视其所犯轻重，将乡长等分别治罪。"①"敖汉、奈曼、翁牛特、土默特各处流寓民人，附近归八沟、塔子沟所管辖，亦设乡牌、互相稽查。"② 其规模、人数、具体实施情况等诸多问题，由于受现有史料所限，难以考证。从日本人天海谦三郎在喀喇沁左旗境内发现的乾隆十七年（1752 年）本旗境内所住种地民人情况来看，乡约郝得复管下有乡长张士秀等 11 名，施仁霖等保头 5 名，有 30 家牌长，共有 921 户，如果减去承种 2 地或 2 地以上重复佃民就有 792 户。

乾隆十七年（1752 年）喀喇沁左旗乡约郝得复管辖乡长、保头等所属汉佃情况表

		姓名	原籍	现住地	年龄	所属户数	承种地（亩）
乡约郝得复	乡长	张士秀	直隶永平府临榆县	夹皮沟		60	
		（不明）		哈拉房子		74	
		刘士美		窝儿岭沟口		101	
		李永朴		陈老沟		51	
		陈		姚家沟		65	
		刘		双井		71	
		武德怀	山西汾州孝义县		48	79	70
		安福才	直隶顺天府		62	115	25
		张元成			40	82	200
		马德慧	直隶永平府			52	
		姜朝汉	直隶河间府		57	64	375
	保头	施仁霖	直隶永平府		50	13	60
		温华	同上		73	18	100
		刘允五	同上		38	29	40
		刘治	同上		60	15	110
		刘德仁	同上		55	31	80
户口总数 921 户							

资料来源：据［日］天海谦三郎：《旧热河蒙地开垦资料二则》，第 99—100 页制作。

---

① （光绪）《大清会典事例》卷 158，《户部·户口》。
② 《清高宗实录》卷 430，乾隆十八年正月戊辰条。

这是东部蒙旗境内较完整的用保甲法编排的蒙旗境内汉人原籍、户口、男女口数的原始资料。当时乡约郝得复管辖汉人有921户，分属于11个乡，5个保甲，30个牌长。如果以内地十户立一牌头，十牌立一甲头，十甲立一保长的基本结构相比，蒙古地区所推行的乡约、乡长、牌头、保头之间的隶属关系应为户隶属于牌，牌隶属于乡或保，乡或保直接隶属于乡约。根据上述表格的内容来看，一个乡约所管辖户口大约在一千以内，一个乡所属户口大约在50—120户之间，一个保头所管辖户数大约在十到三、四十不等。但是，由于蒙古地区的地理与人口情况不同于内地，所以各地保甲组织的情况应因地而异。

内地保甲制在内蒙古地区推广的过程中，由于历史和地理的原因，不同时期、不同地段都有不同的内容。以上乡约、乡长、牌长、保头等是蒙古地区府州县开始建立过程中形成的一种特殊地方建置。直接隶属于直隶厅其基本任务是登记流入蒙地汉人户口、原籍和耕种地亩数等，专司稽查踪迹可疑之人。显然，是针对流入蒙古地区内地汉人良莠不齐的情况，出于时常编查蒙旗境内新增户口的需要，清朝政府把内地保甲制推广到了蒙古地区。

嘉庆十一年（1806年），在昌图额尔克地方，设理事通判一员，办理农民一切事件。设巡检一员，管理监狱，稽查保甲奸匪。[①] 十八年（1813年），吉林伊通河两岸郭尔罗斯前旗汉人居住区，设立门牌制。即"男女大小户口，按户书写开列，悬之门内，每年将应增应减民数，责令该屯乡地牌头报名同知更换。该界巡检届时稽查，如有诡冒情弊，将该户民分别办理外，仍将该屯乡地牌头一并严处，以示惩儆。该同知应随时抽查，毋任蒙混，并令编造丁册，以便与门牌随时核对，均于年底归入民数案内，咨部考核。"[②] 显然，是针对流入蒙古地区内地汉人良莠不齐的情况，出于时常编查蒙旗境内新增户口的需要，清朝政府把内地保甲制推广到了蒙古地区。道光年间，"盛京、法库边外，科尔沁达尔汉王、宾图王二旗界内，向有蒙古招留流民耕种地亩，并开设铺店生理"，对此清政规定"造具民户花名细

---

① （光绪）《大清会典事例》卷978，《理藩院·户丁》。
② 《清宣宗实录》卷38，道光二年七月庚辰条。

册，就近责成昌图通判编立甲社随时稽查管理。"①

据地方志等文献记载，民国以前的内蒙古地区最广泛流行的社会基层组织就是乡、社或区（牌）、屯（村）等建置。洮南府为科尔沁右翼前旗札萨克图郡王地，全境分为8社，125个屯。

洮南府所属社屯情况表

社　别	离义社	震庆社	兑智社	坎安社	艮吉社	乾平社	坤礼社	巽仁社
辖屯数	16	16	21	17	25	30	无	
城之距离	南 70 里	东 60 里	西 110 里	北 110 里	东北 70	西北 200 余里	西南 140 里	在府城中

资料来源：据《洮南府乡土志》制作。

彰武县为新苏鲁克荒，康熙年间，蒙古宾图及东土默特两王献为永、福、昭三陵牧养地，称为养息牧，光绪二十八年（1902 年）设县治。全境分为东、南、西、北并西北共五乡，由五乡划分二十三区。各区有若干村屯组成。昌图府与康平县均属于科尔沁左翼后旗地，昌图府共分二十二社，康平县共分十二社，分为十三区。在郭尔罗斯前旗长春堡地方，初设厅之时，划分沐德、抚安、恒裕、怀惠等四乡，不久又划农安乡，增至五乡。后农安地方设立县治，分为农康社、农勤社、农俭社、农祥社、农治社、农丰社、农乐社、农和社、农裕社、农平社、农略社、农新社等十二社。在科尔沁左翼中旗奉化县，光绪四年（1878 年）初设县治，编查保甲，合境九社，村屯四百七十有奇。

蒙古人社会中的推广　汉族移民在蒙古地区的定居落户，显示了内地农耕经济向内蒙古地区的伸展，促进了游牧转向农耕的历程。"同时它又将这种转化了的内蒙古经济与中国的整个农业经济联系在一起，成为它的不可分割的一部分。"②随着农耕经济的发展和牧地的减少，以牧为主的蒙古人逐渐转向了农耕或半农半牧的社会形态，形成了大量的蒙古人村屯。农耕村落化的蒙古人社会生活中，"十家长"和"族长"制仍起着重要的作用。"凡台吉等，每族设族长一人，稽查本族内一切事务"，"十家设一长，专司稽

①　《钦定理藩部则例》卷 6，《设官》。

②　陶克涛：《内蒙古发展概述》（初稿），内蒙古人民出版社 1957 年版，第 198 页。

查约束。有不设立者，将该札萨克罚俸三个月。"① 早在乾隆年间开始，内地基层社会组织——保甲制已经推广到了蒙古人社会中。喀喇沁右旗乾隆四年（1739 年）的档案记载中就出现了蒙古人充当的牌头松珠尔、乌哈泰等。② 乾隆十四年（1749 年）的档案中又出现蒙古人牌头以外还出现了大小牌头、蒙古村屯牌头，让蒙古人担任侗扎沟、乌伯尔翁古察等蒙古村屯牌头的情况。③ 乾隆末年以后，进一步推行到蒙古腹地，在蒙古人原有的苏木制和十户长的基础上出现了屯达（村长）、保正（达鲁噶）、达玛拉（甲长）等。乾隆以后的农耕的历程较早的喀喇沁等地蒙古文档案中频繁地出现这方面的记载。同治四年（1865 年）七月，喀喇沁中旗孟和乌孙、嫩达干二河各村屯用保甲制来编排的户口名册中，我们可以了解内地保甲制在蒙古社会中推广的具体情况。该两河共立为 2 个保长、13 个甲长。孟和乌孙三个部落艾拉（村屯）共有 73 户，410 人口，加上寺院喇嘛 34 人，共有444 口；嫩达干三个聚住部落艾拉（村屯）共有 79 户，391 口，加上寺院喇嘛 64 人，两河共有 899 口。

同治四年（1865 年）喀喇沁中旗孟和乌孙、嫩达干二河各村屯户口名册

孟和乌孙郭勒三个村屯	保长	达木林扎布	村屯	甲长	户数	口数	喇嘛口数	总口数
			孟和乌孙上艾拉	乌哈图、阿庆嘎、乌力吉图	73	410	34	
			孟和乌孙二艾拉	硕玛尔				
			孟和乌孙三艾拉	萨布哈图				
嫩达干郭勒	保长	王楚克	嫩达干上艾拉	满首、德毕勒胡、萨木巴拉	79	391	64	
			嫩达干二艾拉	王古尔、巴图仓				
			嫩达干三艾拉	图布德、阿优尔				

资料来源：内蒙古档案馆喀喇沁中旗蒙古文档案：504—1—1685，《同治四年八月户口名册》。

太平社　保甲制在东部蒙旗推广过程中，与其相为表里的太平社制度也值得一提。该制度在喀喇沁地区蒙古人和移住汉民村落中尤为广泛而具有典

---

① 《钦定理藩院则例》卷 6，《设官》。
② 内蒙古档案馆喀喇沁右旗蒙古文档案，505—1—16。
③ 内蒙古档案馆喀喇沁右旗蒙古文档案，505—1—40。

型性。太平社与保甲制相互协助，共同达到了加强管理和治安的目的。嘉庆十五年（1810年），热河都统上任以后，这里的社会治安得到进一步的加强。道光二十年（1840年），热河都统针对日益增多的盗贼行骗等案件，呼吁建立太平社，肃清地方，加强治安。① 他们不仅按照内地保甲制来编审门牌，而且在各地区纷纷设立了太平社。太平社的基层组织仍为村屯和甲，在蒙古和蒙汉村屯以及蒙汉杂居地区，以几个村屯为单位，选取社头，编制了类似于村落共同体的太平社。从此，农耕的历程较早的喀喇沁等地率先进入了太平社时期。喀喇沁等旗塔布囊以及旗内官员等积极响应热河都统的号召，纷纷促使太平社的普及。② 同治和光绪年间进一步加强了太平社，特别是光绪十七年金丹道事件以后，加强太平社，举办团练的声音日益高涨。如光绪二十年（1894年），侍郎志锐以"热河迤北一带蒙古各旗，地势绵长，防守不易"为由，奏请"拟将内蒙古各旗举办团练，以资捍卫。"③ 志锐所奏"热河各府厅举办乡团"之事得到皇上的批准，"当谕令该驰往热河，商同该都统查酌情形，奏明办理。著崇礼于到任后，将团练事宜与庆裕、志锐悉心筹办，妥定章程"。④

　　喀喇沁三旗札萨克衙门档案中保存来的同治年间编排的蒙古人村落中，日益普及的保甲制和门牌制的蒙古文档案给我们提供了很好的史料。据喀喇沁右旗咸丰四年（1854年）编制的蒙古人保甲制和门牌制的户口名册，毛瑞、章吉埃拉、齐木德、白查、那林等五个村屯部落组成了一个新的社会共同体——社。该社社长扎兰陶布塞上报的户口名单，对了解蒙古地区大量编排的保甲和门牌制以及与此相应的太平社的情况有很大的帮助。该档案记载了共5部213户1290口人，加上该5部所属各寺院喇嘛人85口，共有1375口人分别编排保甲和门牌，最后组成一个太平社的情况。⑤ 另外，喀喇沁中旗蒙古文档案中也保存同治四年（1865年）巴苏台郭勒村屯、寺院、阿贵户口名册。该档案记载了共7个村屯部落、1个寺院、2个阿贵，分别

---

① 内蒙古档案馆喀喇沁右旗蒙古文档案，505—1—370。
② 内蒙古档案馆喀喇沁右旗蒙古文档案，505—1—370。
③ 《清德宗实录》卷351，光绪二十年十月乙卯条。
④ 《清德宗实录》卷351，光绪二十年十月辛酉条。
⑤ 内蒙古档案馆喀喇沁右旗蒙古文档案，505—1—470。

隶属于 19 个苏木的 194 户，共有 1 147 口人，编排保甲和门牌，组成一个太平社的情况。

　　大量编排的户口名册表明，内地保甲制和与此相应的太平社制度对蒙古人原有的非常完整、严格的苏木制构成了冲击。清朝的法律法规中严格限制蒙古人的跨界流动，以旗或以苏木为单位的固定界限内限制他们的活动。保甲、门牌制和太平社制度在蒙古人社会中的推广，不仅打破了苏木与苏木之间的界限，而且对清代以来蒙旗苏木的变迁产生了重大影响。受其影响在蒙古人原有的苏木和十户长的基础上还出现了带有农耕文化气息的屯达、保正（达鲁嘎）、甲长（达玛拉）等，并且一个苏木的人被划分成若干个甲，重新组合一个新的社会组织——保甲，最后形成一个新的共同体——社。以保甲、门牌制来编排的喀喇沁地区大量蒙古文档案记载可以证实这一点。比如同治四年（1865 年）喀喇沁中旗吉雅日艾拉 67 户人丁，共有五甲，保长一人，各个甲户丁都为来自不同苏木，即达布里图、祥和、太稳宝、拉嘎新图、先郭、亡汉等 6 个苏木人丁构成。同治四年（1865 年）六月十五日，喀喇沁中旗章吉汉都上报的编排保长、甲长、门牌的户口册的情况也可以证实这个问题。据记载，章吉汉都所属 23 个苏木人丁共分成 13 个村屯，共有101 户 568 口，可举甲长者有色音充嘎、锁柱、李金宝、达日玛、奈日拉图、八胡、散庆、六十等人。①

第二节　喀喇沁地区移民开垦与社会变迁

　　位于长城以北、柳条边墙以西的东部内蒙古地区，因其特殊的地理位置与良好的自然条件，成为清代农牧交错区域。这里虽自五六千年以前就已有原始的农业，并经历了不同的发展阶段，但直到清朝初年，这里的农业并没有达到能够左右整个东部内蒙古社会经济发展的地步。除了少数已经加入蒙古旗籍的汉人仍继续从事农耕，以及曾经有过农耕经历的一小部分蒙古人并未完全忘掉农业之外，根本谈不上大规模的农业经济生产和农耕村落社会。

　　自清朝康熙朝中后期开始，这里曾经历了一次激烈的蒙地开垦与急剧的

---

① 内蒙古档案馆喀喇沁中旗蒙古文档案，504—1—1691。

农业化过程。大规模内地移民的流入与开垦蒙地，使这里原有的社会面貌开始发生变化。这种变化，从蒙旗社会外部逐渐向内渗透，导致这些蒙旗在政治、经济、社会、文化等各个领域内发生巨大变革，使其呈现出了与以往的游牧时代完全不同的景象。

位于东部内蒙古最南端的喀喇沁地区，首当其冲地经历了有清以来东部内蒙古移民开垦这一历史进程，成为整个内蒙古地区农业化的先驱与典范。无论是土地的开垦、移民的进入，还是农耕村落社会的形成等方面都走在了前面。这些给喀喇沁地区传统的游牧社会带来了巨大的变化。

这种变化不仅涉及喀喇沁地区民族人口结构、经济形态、土地关系等，甚至对蒙旗社会制度、社会结构、基层社会组织以及旗民经济社会生活等各方面都带来了很大的影响。在这个过程中，十数万名喀喇沁蒙古人经历了复杂而艰难的历程。他们成为了东部内蒙古由牧向农的社会转型过程中最早接受挑战的一群人。他们的跨旗流动，不仅打破了清朝通过旗的"地域封锁"与苏木的"人的封锁"的二重制度来严禁旗下蒙古人越旗流动的规定，同时对其迁出地和迁入地都带来了很大的影响。对其迁出地而言，作为苏木基本构成要素之一的丁数的减少，使传统的苏木制度遭到了空前的破坏。对其迁入地而言，使较早接触农业文化，并已具备一定的农业技术的喀喇沁蒙古人的影响波及到了东部内蒙古尚未农业化的其他地区。这一举动大大推动了整个东部内蒙古的农业化进程，以至于将东部内蒙古已经农业化的蒙古人称作 oyodung mongγol（短衣蒙古）或 qaračin mongγol（喀喇沁蒙古）。

清代的喀喇沁地区有由喀喇沁属部兀良哈蒙古人设立的喀喇沁右翼旗（即喀喇沁右旗，俗称喀喇沁王旗）、喀喇沁左翼旗（即喀喇沁左旗，俗称南公旗或乌公旗）和喀喇沁中旗（俗称马公旗或头等塔布囊旗）三个札萨克旗。与土默特部二旗，统属于卓索图盟。①

喀喇沁右旗建立于崇德元年（1636年），旗地位于卓索图盟西北部，跨老哈河。在康熙四十年（1701年）以前，其四至大体如下：东接敖汉旗西

―――――――――

① 虽然《大清会典事例》明确记载"喀喇沁三旗、土默特二旗，共五旗，于卓索图地方为一会"。但在喀喇沁地区并没有那么严格的制度化倾向。在档案记载中，喀喇沁三旗与土默特两旗会盟地点不在卓索图（盟地在土默特右翼境内）地方者很多。

南部（今辽宁省建平县北部），西邻正蓝旗察哈尔界（今围场县西部），北起翁牛特右旗，南到热河（今河北省承德市）东北。大体相当于今赤峰市喀喇沁旗、宁城县和河北省围场县、承德市、平泉县及辽宁省建平县的一部分。康熙四十年（1701年），喀喇沁右旗王公把今承德、围场一带献给清朝皇帝，肇建热河避暑山庄及木兰围场，西界遂向东收缩至今围场、承德东界。康熙四十四年（1705年），又把该旗南部及东南部划出，另置喀喇沁中旗。该旗所余地区不过今赤峰市喀喇沁旗和河北省平泉、围场二县的一部分，以及辽宁省建平县的一小部分。

喀喇沁左旗建立于顺治五年（1648年），旗地位于卓索图盟南部，东接土默特右旗，南抵柳条边墙，西、北两面和喀喇沁中旗相接。辖地大体相当于今辽宁省喀喇沁左翼蒙古族自治县、凌原县和建昌县。

喀喇沁中旗，于康熙四十四年（1705年），析喀喇沁右旗南部与东南部而建。旗地位于喀喇沁左旗和喀喇沁右旗中间，西部和北部嵌入喀喇沁右旗，东部和东南部与喀喇沁左旗相接，正南方与热河相连。辖地大体相当于今赤峰市宁城县的全部和河北省平泉县、辽宁省建平县的一部分。

一、喀喇沁地区移民定居与蒙汉杂居村落的形成

（一）喀喇沁地区移民开垦与定居

移民开垦是清代东部内蒙古社会变迁的根本原因。喀喇沁地区原本属于传统的游牧社会，以牧猎为生，不知耕种。而因其地处东蒙古最南端，气候宜牧宜农，这种特殊的地理位置和良好的自然环境使这里更早地接触到了农业，并首当其冲地经历了移民开垦这一历史进程，成为了东部内蒙古甚至整个内蒙古地区农业化的先驱与典范。

对清代喀喇沁地区招民开垦的开端，诸说不一。有称顺治年间者，还有康熙初年或康熙中叶者。[1]《大清会典事例》明确记载，"喀喇沁三旗，自康熙年间呈请内地民人前往种地，每年由户部给予印票八百张，逐年换给"。[2]这应该是喀喇沁蒙古人公开招民垦种和向内地农民学习农耕技术的开始。此

---

① ［日］《锦热蒙地调查报告》下卷，伪满地籍整理局1937年版，第1420页。
② （光绪）《大清会典事例》卷978，《理藩院·户丁》。

后喀喇沁三旗境内民人寄居者日益繁多，八百张印票制度也失去了意义。乾隆十三年（1748 年）议准，"现今民人前往者众，此项印票竟成具文，应行停止。嗣后责令司员暨同知通判等，查明种地民人确实姓名，现在住址及种地若干，一户几口。详细开注，给予印票。贸易民人，亦一例查给，仍令乡长总甲牌头等，于年终将人口增减之数，报官查覆，换给印票"。① 喀喇沁蒙古人的农业接触以及自康熙朝以来的招民开垦为这一地区的移民开垦铺垫了道路。禁而不止的移民潮最终使这里形成了与传统的游牧社会完全不同的农耕村落化社会。

起初汉民来旗佃种，春来耕种，秋收还籍。查禁佃民不准久留旗内落户置产。随着移民数量的不断增多，逐渐由"春至秋归"的"雁行"阶段开始转向定居。有的迁移眷属，娶妻生子，在那里建房屋，修院落，成为村落。综观档案与调查报告我们可以发现，喀喇沁地区移民定居与农耕村落化社会的形成经历了以下几种途径：一、早期的部分移民直接移住到了喀喇沁蒙古人原有的定居村落内，形成了所谓的蒙汉杂居村落；二、部分移民在租种地亩附近直接形成了独立的汉民村落；三、蒙汉杂居村落内的一些蒙古人因种种原因离开自己的村落后，该村落经历了蒙古人村落—蒙汉杂居村落—汉民村落的发展过程。

喀喇沁地区移民开始定居的时间比较早，速度也比较快。早在康熙末年就有"数万定住者"。② 乾隆年间的一份档案记载，也证明到雍正初年时，喀喇沁等地已出现了蒙汉杂居状态。③ 乾隆朝以后，有关移民定居与农耕村落社会的信息开始丰富起来。《锦热蒙地调查报告》所载喀喇沁中旗"乾隆十三年（1748 年）钦差大臣调查在本旗境内所住汉民之户口男女及佃种地等数目清册"表中，当时该旗境内的汉人佃户聚落在 103 个村屯中。其中沿用蒙古固有地名者有：蒙古素沟、蒙古苏、乌立雅苏台、那拉散沟、八什汉沟、桃花海、吐门尔、塘吐沟、哈拉桃花圆、驿马图、孩尔脑、坤代沟、喇嘛忙哈、哈醴斯台、八伯梁海、撒八海沟、噶海沟、王古特沟、吴蓝布尔城

① （光绪）《大清会典事例》卷 978，《理藩院·户丁》。
② ［日］《锦热蒙地调查报告》下卷，伪满地籍整理局 1937 年版，第 1420—1421 页。
③ 内蒙古档案馆喀喇沁右旗蒙古文档案，505—1—35。

和硕、花杖、石拉哈沟、钢岔茂、杜代梁等二十三个村屯。其他村屯名完全由于汉民的移入而采用了汉名。[1]

与喀喇沁中旗相比，更为接近口内的喀喇沁左旗汉人佃户中，到乾隆初年时，其大部分都已形成为汉人聚落了。这表现在 1. 其乡约、乡长们所居住的村屯名，如养马店、夹皮沟、窝儿岭沟、陈老沟等都取汉名；2. 其承种地段落，如回流水、大桃皮沟、房身沟、三股水及其四至，如梨树沟、黄土岭、西叉沟等也全部采取了同一标示方法，而固有的蒙古地名很少出现；3. 这些村落内居住的民人，已不是孤苦伶仃的独身者，很多已有家庭。并且他们的房子一般都在三间以上，与新开地时的掘立小屋式窝棚有了很大的不同。[2]

《塔子沟纪略》记载该旗民人耕种贸易聚处之村庄共 49 个。其中塔子沟东境在喀喇沁左旗地者有大鹿沟、大城子、赤里赤、铁沟、五道岭、玲珑塔、过梁沟、蛮子八家、杨树沟、头道湾、筱其儿、海亭、小营子、香炉山、十道营、科尔里、纱帽厂、杨树湾、葫芦素台、海石岭、马厂、养马甸子、青山岭等 23 个村庄；塔子沟西境在喀喇沁左旗地者有塔子底下、宋家嶂子、喇嘛嶂子、双庙、北宫等 5 个村庄；塔子沟南境在喀喇沁左旗地者有五官营子、黄金带、茶棚、刀儿、大甸子、小甸子、哈巴箐、三台、平房儿、奈玛营、白牛群、虎头石、小蒜沟、舍楞沟、龟石岭、孤桥子、土心塔等 17 个村庄；塔子沟北境在喀喇沁左旗地者有三官营、朱里科、小城子、热水汤等 4 个村庄。[3]

（二）蒙汉杂居村落的形成

乾隆十三年（1748 年）议准，"蒙古、民人借耕种为由，互相容留，恐滋事端。嗣后蒙古部内所有民人，民人屯中所有蒙古，各将彼此附近地亩，照数换给，令各归其地"时，喀喇沁等地已"民人杂处已久，一时难以分移"，令札萨克会同司员同知通判等"渐次清理"。[4] 这说明，乾隆十三年

---

[1]　［日］天海谦三郎：《旧热河蒙地开垦资料二则》，满铁调查局 1943 年版，第 88 页。
[2]　［日］天海谦三郎：《旧热河蒙地开垦资料二则》，满铁调查局 1943 年版，第 87—88 页。
[3]　哈达清格：《塔子沟纪略》卷 2，《疆域·村庄》，《辽海丛书》本。
[4]　（光绪）《大清会典事例》卷 978，《理藩院·户丁》。

（1748 年）有关蒙古地区蒙汉杂居问题方面的政策出台之前，喀喇沁地区已
经出现了大量的蒙汉杂居村落。因此，对他们来说更为重要的是，如何将已
经杂居的蒙古、民人分离开来的问题。在官方史书和档案中也有很多如何处
理已经杂居的蒙古、民人问题的记载。对此天海谦三郎指出，乾隆十三年
（1648 年）议准的有关更换耕种土地的法令，实际上是"蒙古各旗蒙古人与
民人，通过互相更换耕种地亩，使蒙古人与蒙古人，汉人与汉人分别聚居。
以期尽量减少由于蒙汉杂居而容易发生的各种纠纷争讼。但是，对于汉人移
入较早，蒙古、民人在相当长的时间里杂居在一起的土默特右旗和喀喇沁三
旗来说，蒙汉杂居问题的整理难以急于求成。所以，作为例外不得不采取渐
进的解决措施。从此也能看出，土默特，喀喇沁两部四旗地方，在乾隆初叶
时已经到处出现了蒙汉杂居聚落，尤其是蒙古人自身已放弃传统的游牧，逐
渐向农耕生活转型的事实"。①

　　与此相比，同一时期的昭乌达盟部分蒙旗，虽有汉民定居者，但并没有
与蒙古人杂居，很多都是直接形成了独立的汉人村落，"敖汉、翁牛特、巴
林、阿鲁科尔沁、克什克腾等七旗现有的租种地亩均为旧有民人所有。他们
各自盖建房屋，独自居住在汉人嘎查内，并没有和蒙古人杂居者，也没有违
禁增招民人垦地者"，这里的蒙古人"仍以牧畜为生"，因此清政府下令
"除了现有民人之外不准增招一民，不准增垦一亩地，如有违禁者，务必严
惩"，目的是为了"保留蒙古人旧俗，保护蒙古人生计"。②

　　此后，无论是清廷还是蒙旗方面都很努力去解决蒙汉杂居问题，但并没
能够得到很好的实效。在喀喇沁右旗，乾隆十五年（1750 年），曾要求"蒙
古人与蒙古人聚居，民人与民人聚居"。③ 喀喇沁中旗遵理藩院旨意，"将民
人村落中的蒙古人与蒙古人村落中的民人分开居住"，并将此事交给同知受
理。但是同知处并没有采取很好的行动，仍有民人盖房居住者，并称"蒙
古、民人杂居已久，一时难以解决"。④ 乾隆十六年（1751 年），清政府再

① ［日］天海谦三郎：《旧热河蒙地开垦资料二则》，满铁调查局 1943 年版，第 5 页。
② 内蒙古档案馆喀喇沁中旗蒙古文档案，504—5—243。
③ 内蒙古档案馆喀喇沁右旗蒙古文档案，505—1—44。
④ 内蒙古档案馆喀喇沁中旗蒙古文档案，504—5—241。

次强调除了土默特木城子和三座塔两地之外，"其他村落内杂居的蒙古、民人仍照所请将其撤回各自的村落内，不能推诿拖延"。① 直到乾隆四十三年（1778 年）时，喀喇沁右旗仍在驱逐与蒙古人杂居的民人，破坏其窝棚。②

布仁赛音在谈到卓索图盟蒙古人北上问题以及卓索图盟农业化对其所研究的科尔沁左翼中旗所带来的影响问题时指出，"对卓索图盟地区的农业化有必要明确两个问题。一为卓索图盟地区的蒙古人社会如何接纳个别移来的汉人，将其吸收在自己的蒙古人社会这一问题。还有，未融入到蒙古人社会，而在蒙古人社会近邻地区创建独自的汉人社会的汉人集团与蒙古人社会之间的关系如何等问题"。③

《锦热蒙地调查报告》对喀喇沁右旗王府以及边家店、五家子、义盛源、小牛群、南台子、大牛群、公爷府、四十家子、牛头沟门、木匠营子、黑水、六家、太平地、东来店、西桥店、二道营子、高粱秆子、孤山、二十家子、马厂、建平县建平街、罗卜沟、榆树林子、殊碌科、铁匠营子、小哈拉沁、卧佛寺、叶柏寿、札兰营子等村落的开垦沿革与村落形成及其村名来历等进行了详细的实地调查。从中我们可以了解一些蒙汉杂居村落的形成和发展历史。如：小牛群村，在乾隆三十五年（1770 年）王府从木匠营子搬来之前这里已被开垦。当时有很多蒙古人在那里放牧，由此得名。王府搬来时，也有很多蒙古人和汉人来住。汉人中有王府当差者、工匠、商人等。蒙古人也分得了福分地，从事耕种。自道光年间以后，从山东、山西等地来此交纳开荒费用，获取土地，从事开垦的汉人逐渐多起来。④ 公爷府，在顺治年代以前，这里已有蒙古人居住。其后，在其附近从事放牧的蒙古人渐渐多起来。并且在王府从小喀喇沁移到木匠营子时带来了少数的木工、瓦匠及其他具有特殊技术的当差、商人等。道光以后农耕汉人流入者较多。⑤ 六家村，约在雍正、乾隆朝开始由山东、山西方面有杨（山西）、李（山西）、

---

① 内蒙古档案馆喀喇沁右旗蒙古文档案，505—1—46。
② 内蒙古档案馆喀喇沁右旗蒙古文档案，505—1—1。
③ 布仁赛音：《近现代蒙古人农耕村落社会的形成》，风间书房 2003 年版，第 176 页。
④ ［日］《锦热蒙地调查报告》中卷，伪满地籍整理局 1937 年版，第 798 页。
⑤ ［日］《锦热蒙地调查报告》中卷，伪满地籍整理局 1937 年版，第 835 页。

车（山西）、成（山西）、黑（山东）、朱（山东）六姓汉人移来居住，因此得名。[①] 当时有十二脑牧场，有很多蒙古人居住。其中山西人与蒙古人做买卖，山东朱氏为蒙古人做苦力，黑氏做铁匠。

另外，有些蒙汉杂居村落内的蒙古人因种种原因迁移他处，导致这些村落内的蒙古人户逐渐减少，有的干脆变成了汉人居住村落。如喀喇沁右旗黑水村，开始有蒙古人在这里从事放牧。雍正初年，汉人从山东、山西方面移来开垦。乾隆初年开始定居下来。[②] 而到清朝末年，这里的"居民全为汉人"，他们在经营农业牧畜，并"非常富豪"。[③] 三十家子，因最早只有三十户居民而得名。该地直到 17 世纪末只有蒙古人居住。但随着内地民人的移住，蒙古人势力逐渐衰弱。到 20 世纪 30 年代，其 453 户 1 883 口居民中蒙古人只有 260 人。[④] 东来店和西桥村，自乾隆年代开始有很多汉民流入。但其中很多已绝户或移住他处。所以其居民大多数为道光年代以后移来定居者。另外，道光年代蒙古人居住者也很多。虽主要从事放牧，但开始耕种上等地者也不少。后来将土地出倒给汉人，蒙古人的大部分移到了他处。叶柏寿村，原有公爷塔布囊名叶布收居此，故名。据称，这里的原住蒙古人是从阜新方面移来的。自乾隆年代开始有山东方面的移住汉民。当时这里几乎为老乌家独占势力。尔后老乌家因将地分给当差的一般蒙古人，或分家等原因，逐渐分化，其势力也逐渐衰退。尤其是光绪十七年（1891 年）金丹道暴动后，这里的蒙古人逃亡者甚多。[⑤] 还有二道营子、孤山村、二十家子、马厂村、罗北沟村、榆树林子村等大都为乾隆年代移住的汉人后代。虽然当时都有蒙古人放牧者，但后来这些村落里的汉蒙人比例已很悬殊。

在移民定居过程中并非所有的移民都融入到原有的蒙古人定居村落内。一部分移民在蒙古人定居村落附近形成了自己独立的汉人村落。喀喇沁地区

---

① ［日］《锦热蒙地调查报告》中卷；伪满地籍整理局 1937 年版，第 896 页。
② ［日］《锦热蒙地调查报告》中卷，伪满地籍整理局 1937 年版，第 895 页。
③ ［日］鸟居君子：《从土俗学角度观看蒙古民族》，东京大镫阁藏 1927 年版，第 693 页。
④ 日本关东军后援满洲医科大学第二回热河地方病研究团：《热河省都邑事情》，1934 年版，第 35 页。
⑤ ［日］《锦热蒙地调查报告》中卷，伪满地籍整理局 1937 年版，第 1078 页。

大量的窝铺、窑、营子①等的出现就是很好的证明。在汉民村落形成过程中，有的在村落名称上附以户数，有的将开拓者的名字、地名、店铺名与窝堡等连在一起为村名。如喀喇沁右旗义盛源村是在乾隆初年，有山西民人来此开设义盛源烧锅而得名；②　边家店村是由光绪二十八年（1902 年）从围场来的边姓民人开设店铺而得名。③

到清朝末年时，喀喇沁地区到处可以看到作为汉民村落的营子了。而蒙古人介在汉人村落中，"无力形成独立村落"。④　仅在喀喇沁右旗境内的营子就多达一千六七百之多。⑤　在《宁城县地名志》所载 1 700 多个村落中，有 80% 以上的村落是在清代形成的。其中，清朝初年建村者较少。大多是在康熙朝以后所建。在乾隆朝和嘉庆朝，这里的农耕村落社会有了很大的发展。在光绪朝时所建村落数目最多。这些村落以纯汉人居住村落为主。蒙汉杂居村落其次。而纯蒙古人居住村落甚少。⑥　在《喀喇沁旗地名志》所载 1 100 多个定居村落中，近 90% 的村落都是在清代建立的。其中康熙朝以后所建村落逐渐增多，到乾隆朝时期达到了高峰。并且纯蒙古族居住的村落甚少，纯汉族居住的村落约占 10%。而其他 80% 的村落均为蒙汉杂居村落。⑦

二、喀喇沁地区汉民管理与蒙古、民人交涉事件的审理

随着喀喇沁地区移住汉民的增多，以及蒙汉杂居状态的形成与发展，蒙古、民人交涉事件⑧越发频繁。如何管理已经入住蒙地的汉民，以及如何审理频繁发生的蒙古、民人交涉事件，成了清朝政府对蒙政策中最关键并且最棘手的问题。这在东部内蒙古移民开垦先驱的喀喇沁地区表现得更加突出。

---

①　"窝铺"亦写作"窝堡"、"窝棚"，是移民刚来蒙地时居住的简易房屋。而蒙古人的定居村落名往往与 tobu、ger、ail 等连在一起的。

②　［日］《锦热蒙地调查报告》中卷，伪满地籍整理局 1937 年版，第 779 页。

③　［日］《锦热蒙地调查报告》中卷，伪满地籍整理局 1937 年版，第 754—755 页。

④　［日］町田咲吉：《喀喇沁部农业调查报告》，光绪三十一年（1905 年）版，第 145 页。

⑤　［日］町田咲吉：《喀喇沁部农业调查报告》，光绪三十一年（1905 年）版，第 145 页。

⑥　宁城县人民政府：《宁城县地名志》，喀喇沁旗人民政府 1987 年版。

⑦　喀喇沁旗人民政府：《喀喇沁旗地名志》，喀喇沁旗人民政府 1986 年版。

⑧　在喀喇沁三旗蒙古文档案中，将内地移民称做"irgen"，将蒙古、民人间的交涉事件称做"mongɣol irged-ün qoɣorunduki qariǐčan qolbuɣdaɣsan kereg jarɣu"。《大清会典事例》将其称做"蒙古内地民人交涉事件"或"蒙古内地民人交涉事务"。这里将其简称为"蒙古族人、民人交涉事件"。

清朝政府在喀喇沁地区率先摸索制定的一些政策措施，成了东部内蒙古其他地区汉民管理与蒙古、民人交涉事件审理方面的经验和典范。

过去有关东部内蒙古移民开垦及其社会变迁方面的研究成果，几乎都曾涉及了这一问题。但由于资料的缺乏，研究者们主要根据《理藩院则例》、《清会典》、《清会典事例》等官方史书或一些地方志书中的零散记载。而只依靠这些记载，并不能完整地了解喀喇沁地区汉民管理与蒙古、民人交涉事件审理之来龙去脉。当我们占有更多的第一手史料时才可以发现，原来这里的汉民管理与蒙古、民人交涉事件的审理并非那么简单，而是经历了复杂的创立和逐步完善的过程。在不同时期的多次移管现象则说明，清朝政府也为解决此事费尽了脑汁。而在蒙古、民人交涉事件审理中的各种矛盾与冲突，反映了这一地区所谓的"二元管理体制"与"三堂会审制度"的诸多弊端。

（一）理事司员的派遣与理事同知、理事通判的设置

关于早期移住到热河蒙地内的汉民管理问题，日本的及川三男《热河蒙旗概要》一书认为，在雍正年代以前，"旗内居住的汉人均与蒙古人一样接受蒙旗管辖"。① 但档案记载却并非如此。乾隆二年（1737年），理藩院致喀喇沁王伊德木扎布、贝勒僧衮扎布、札萨克喀宁阿等人札文记载说明，早在康熙五十八年（1719年），喀喇沁三旗已分别派有理藩院章京受理蒙古、民人交涉事件，并且是在喀喇沁方面的要求下设置的。② 这是有关喀喇沁地区甚至是东部内蒙古地区汉民管理和蒙古、民人交涉事件审理方面的最早的档案记载。也就是说，直到康熙五十八年（1719年），清朝政府对出口谋生的汉人并没有采取过任何严格的或系统的管理措施，蒙旗方面也无权管辖，因此他们实际上处于无人管理的状态。

而理藩院章京的派遣并没能够使事情得到最后的解决。其后关于如何管理蒙旗境内移住民人，以及如何审理蒙古、民人交涉事件问题提到日程上来。到雍正年间，自热河、八沟至哈奇尔河间民人已多达五十多万人，喀喇沁三旗境内也有好几万民人居住。于是，雍正六年（1728年），都统拉锡奏

---

① ［日］及川三男：《热河蒙旗概要》，伪满洲热河省公署民政厅旗务科1936年版，第59页。
② 内蒙古档案馆喀喇沁右旗蒙古文档案，505—1—10。

请，喀喇沁三旗境内民人，除了理藩院章京外，应由州县设乡约牌头掌管。① 雍正十年（1732 年），参赞大臣等遵旨议奏，热河地方民人众多，唯独一同知与喀喇沁三旗理藩院章京难以统辖。奏请在热河设直隶州，在喀喇沁三旗八沟与土默特两旗九官台②地方各设同知一人，并建立乡约、牌头、总甲，令其掌管稽查民人，缉捕偷盗等事。同时将理藩院所派受理蒙古、民人交涉事件之三个章京改设一人，其余二章京内一人设在八沟，一年更换，令其与喀喇沁三旗同知一同会审蒙古、民人交涉事件。一人要设在九官台地方，一年更换，令其与土默特两旗地方同知一同审理蒙古、民人交涉事件。③

但因八沟、九官台为汉地，同知不通蒙古语，加上，在审理蒙古、民人交涉事件过程中，理藩院章京、同知与各旗札萨克间来回行文，或互相推诿，会耽误事件的审理。因此，乾隆二年（1737 年），将原设之同知与理藩院章京撤回，照张家口、归化城之例，遴选通汉文晓蒙古语的贤能人士为理事同知，令专门审理蒙古、民人交涉、诉讼事件。是年，八沟同知呈请将原设之喀喇沁三旗理藩院章京撤回，并把八沟同知、九官台同知（tümed-ün qoyar qušiɣun-u kereg-išitgejü saɣuɣsan temdeglegči tüšimel；qoyar tümed-ün quš iɣun-dur kereg-i ilɣar-a saɣuɣsan temdegleg či tü šimel）分别改为理事同知（bageü-yin keregšigükü tüngji），照张家口、归化城理事同知之例，令其专门受理喀喇沁、土默特等地汉民事务和蒙古、民人交涉事件。④ 与同知者主要分掌督粮、捕盗、海防、江防、清军、理事、抚苗、水利诸事相比，理事者专门负责审理少数民族和民人之间的交涉、诉讼事件。并且"同知"改为"理事同知"最重要的一点是要遴选"通汉文晓蒙古语"之贤能人士。⑤ 也就是说，清朝在蒙地内蒙古、民人交涉事件的审理和地方官的选派上非常注重其语言条件，为的是能够更好地审理蒙古、民人交涉事件。

作为喀喇沁地区第一个汉民管理建制的八沟厅的设置年代，众说不一。

---

① 内蒙古档案馆喀喇沁右旗蒙古文档案，505—1—35。
② 九官台，即九官台门，是柳条边墙之一，今辽宁省锦州市义县西北。
③ 内蒙古档案馆喀喇沁右旗蒙古文档案，505—1—35。
④ 内蒙古档案馆喀喇沁右旗蒙古文档案，505—1—10。
⑤ 乌云格日勒：《略论清代内蒙古的厅》，《清史研究》1999 年第 3 期。

有称雍正七年（1729 年）者，也有称雍正十年（1732 年）者。《大清会典事例》载，"雍正七年，设八沟厅，置理事通判一人。十年，添置理事同知一人，仍保留理事通判"。① 《承德府志》也载，"雍正十年设八沟厅理事同知一员，与理藩院章京分管喀喇沁蒙古民人缉捕等事。以八沟东街之钢叉帽、乌勒瑚玛梁南岭等处地方隶之……凡旗民命盗钱谷专归八沟同知管辖"。② 但从前引两份档案记载来看，虽然早在雍正六年（1728 年），热河同知就曾奏请设立州县管理喀喇沁三旗地方移住民人，但实际上是在雍正十年（1732 年），参赞大臣等奏准在喀喇沁三旗之八沟、土默特两旗之九官台地方各设同知一人。若八沟厅的建立与八沟同知的设置一致的话，应该是在雍正十年（1732 年）设置八沟厅。而且，理事同知是在乾隆二年（1737 年）改置的，而并非添置。

设置八沟厅后，于乾隆五年（1740 年），在喀喇沁左旗北部塔子沟地方设塔子沟直隶厅，设理事通判（qara čin-u qoyar qosiɣun-u yal-a sigükü tungpan）一员，③ "管理喀喇沁贝子、札萨克公两旗命盗等案，并蒙古、民人互控案件，盘查奸匪，定为繁难要缺。又设立巡检一员、捕盗千总一员，均由塔子沟通判考核节制差委"。④ 至此，喀喇沁地区蒙古、民人交涉事件分别由八沟理事同知和塔子沟理事通判与各旗札萨克会同审理。

但是，撤回设在各旗的理藩院章京，蒙古、民人交涉事件由各旗札萨克和理事同知、理事通判直接会审后，就出现了札萨克与地方官互相袒护所属之人，使事件的审理受到挫折的问题。遂于乾隆十三年（1748 年），理藩院尚书那延泰、侍郎罗布桑受命安插喀喇沁、土默特等地民人问题后题奏，该管札萨克和同知、通判等地方官在受理蒙古、民人交涉事件时，相互袒护所属之人，耽搁公事，奏请在翁牛特贝子旗下乌兰哈达、土默特贝子旗下三座塔地方各派一名司官，令其与八沟同知、塔子沟通判会审喀喇沁、翁牛特、

---

① （光绪）《大清会典事例》卷 24，《吏部·官制》。
② 海忠：《承德府志》卷 30，《职官》，光绪十三年（1887 年）重订本。
③ 《承德府志》记载塔子沟厅理事通判的设立年代为乾隆四年（1726 年）。
④ 哈达清格：《塔子沟纪略》（《辽海丛书》本）卷 1，《建置》记载，"乾隆五年于遵旨查奏事案内经前都宪孙嘉淦题准设立塔子沟理事通判一员"。可在该书卷 3《市镇·塔子沟》又记载"自乾隆六年设立通判"，前后矛盾。

敖汉、土默特、巴林、奈曼、克什克腾、阿鲁科尔沁等几旗蒙古、民人交涉事件。① 是年就议准，"札萨克蒙古与同知、通判等地方官，彼此袒护所属之人，办理公事，不无掣肘。嗣后于翁牛特王旗下乌兰哈达地方，遣司官一人驻扎，令其将喀喇沁、翁牛特二王、喀喇沁札萨克一旗，及翁牛特贝子、二巴林、阿鲁科尔沁等处，凡有蒙古、内地民人交涉事件，一并管理。再于土默特贝子旗下三座塔地方，遣司官一人驻扎，令其将土默特、敖汉、喀喇沁贝子及奈曼、喀尔喀、锡埒图库伦等处，凡有蒙古、内地民人交涉事务，一并管理。仍各会同该札萨克随事完结。倘有不公，再赴地方官告知。各铸给关防，以昭信守。此差往司官，定为三年更代……并令每年所管之地，遍巡一次"。②

派遣三座塔司官和乌兰哈达司官，除了与各该札萨克会审蒙古人互控案件之外，还为了"稽查防止札萨克与地方官相互袒护，互相推诿迟误之事的发生"。③ 该两地司官与其他地区司官一样，就近受理蒙古人互控事件和蒙古、民人交涉事件。若遇到蒙古、民人交涉事件，就与该札萨克和地方官会同审理。这样，在派遣八沟、塔子沟两地司官之前，喀喇沁地区蒙古、民人交涉事件由乌兰哈达司官和三座塔司官与各该札萨克和地方官会同审理。

乾隆十三年（1748年），经理藩院尚书那延泰奏准，裁汰奉省九官台同知后，将其所隶土默特贝勒、贝子两旗与敖汉一旗蒙古、民人交涉事件归并塔子沟通判管理，属直隶总督。将塔子沟通判旧管喀喇沁札萨克公一旗事务改归八沟同知管辖。④ 是年八月十一日，塔子沟通判致喀喇沁札萨克头等塔布囊齐齐克旗咨文内也记载，将喀喇沁札萨克旗蒙古、民人交涉事件交给八沟地方审理。⑤

但是乌兰哈达和三座塔两地距喀喇沁三旗较远，所有会审事件两地司官间来回行文会耽搁时间，拖延公事，致使案件不能够及时得到解决。加上札

① 内蒙古档案馆喀喇沁右旗蒙古文档案，505—1—61。
② （光绪）《大清会典事例》卷976，《理藩院·设官》。
③ 内蒙古档案馆喀喇沁右旗蒙古文档案，505—1—69。
④ 哈达清格：《塔子沟纪略》卷1《建置》，《辽海丛书》本；内蒙古档案馆喀喇沁中旗蒙古文档案，504—5—210、504—5—211。
⑤ 内蒙古档案馆喀喇沁中旗蒙古文档案，504—5—211。

萨克、地方官会审时，袒护所属之人的问题仍然存在。因此，于乾隆二十三年（1758 年），侍郎罗布桑稽查奏请，将喀喇沁三旗蒙古、民人交涉事件改归八沟税官①受理，令与地方官秉公会审。②

《大清会典事例》对此记载，乾隆二十三年（1758 年）议准，"喀喇沁旗分蒙古、民人交涉事件，向经乌兰哈达、三座塔司官分管者，嗣后改归八沟司官兼理"。③ 由此，乾隆十七年（1752 年），所设之八沟税官开始兼理了喀喇沁三旗蒙古、民人交涉事件，具有征税与兼理蒙古、民人交涉事件的双重身份，名称上也由原来的八沟、塔子沟等地掌管税务之官员（bageü tazigeü-yin jerge-yin γaili-yin kereg-i jakirun šitgegči said）改为"钦差受理八沟、塔子沟等地税务兼理喀喇沁三旗蒙古、民人交涉事件之司员"（jarliγ-iyar qaračin-u γurban qošiγun-u mongγol irgen-ü kereg-i šitgekü bagou tazigeü-yin γaili-yin kereg-i šitgegči said）或"征收八沟、塔子沟等地税银受理喀喇沁三旗蒙古、民人事件之员外郎"（bageü tazigeü-yin jerge-yin γajar-un γaili quriyaqu qaračin-u γurban qošiγun-u mongγol irgen-ü kereg-i ilγaqu tusalaγči tüšimel）等。喀喇沁三旗蒙古、民人交涉事件也由乌兰哈达、三座塔理藩院章京手中移到了八沟税官手里，分别与八沟同知和塔子沟通判会审。并按税官之例将"三年一换"改为"一年一换"。④

这说明，原来在这里所说的"八沟司官（司员）"并非由理藩院直接派出的。而是在原有的乾隆十七年（1752 年）所设之八沟税官的基础上给予的司官权力。而乌兰哈达、三座塔两地与此相反，是在理事司官的基础上给予的税官权力。因此与神木、宁夏等地的理事司官不同的是，热河地区理事司官具有受理蒙古、民人交涉事件和征收税收的双重身份⑤。《大清会典事

① 所谓的八沟税官是乾隆十七年（1752 年），由理藩院派往喀喇沁右旗八沟地方征税之官。参见海忠：《承德府志》卷 30，《职官》，光绪十三年（1887 年）重订本。

② 内蒙古档案馆喀喇沁右旗蒙古文档案，505—1—61；内蒙古档案馆喀喇沁中旗蒙古文档案，504—5—211；（光绪）《大清会典事例》卷 976，《理藩院·设官》。

③ （光绪）《大清会典事例》卷 976，《理藩院·设官》。

④ 内蒙古档案馆喀喇沁右旗蒙古文档案，505—1—69。

⑤ 直到嘉庆、道光年间，宁夏理事司官的名称仍为"jarliγ-iyar jaruγsan irγai-dur saγuju mongγol irgen-ü kereg-i-šitgegči said"或"jarliγ-iyar jaruγsan irγai jerge-yin γajar-un mongγol irgen-ü kereg-i šitgegči yamun"，阿拉善左旗档案馆蒙古文档案 101—4—55—（21 年）、101—3—86—（47 年）。

例》对此也明确记载，"其派往各处驻扎理事兼管征税司员，八沟一人，塔子沟一人，乌兰哈达一人，三座塔一人，由热河都统管辖。热河都统衙门随同办事本院司员一人"。①

乾隆二十九年（1764年），析八沟厅北境设乌兰哈达厅，析塔子沟厅东境设三座塔厅。② 乾隆四十二年（1777年），曾喀喇沁王、公两旗民人事务交给乌兰哈达通判掌管，但并没有能够持续多长时间。③

乾隆四十三年（1778年），是包括喀喇沁三旗在内的整个热河地区行政建制方面作很大调整的一年。是年，清朝改变了以往以"厅"为主要行政单位的行政区域划分方法，将该地所有的理事厅均改为抚民性质的府、州、县建置。将热河厅改为承德府，八沟厅改为平泉州，成为了承德府管辖下的第二级的"州"，"仍以同知管知州事"④，其行政中心设在平泉州内。其余的五个厅即喀喇和屯、四旗、乌兰哈达、塔子沟、三座塔分别改为滦平县、丰宁县、赤峰县、建昌县⑤和朝阳县，被列为第三级的行政区——县。该五县均以"理事通判管知县事"。⑥ 与理事者专门负责审理少数民族和民人之间交涉、诉讼事件相比，抚民者要统辖境内一切事务的权力。也就是说，至此原来专司调解纠纷的附设机构正式成为了国家地方行政机关。这标志着府州县在漠南蒙古地区的正式确立。用波兹德涅耶夫的话来说，这是开垦蒙地内"与长城以南的统治制度完全一样的行政机构"的开始。⑦ 此后，清朝开始对设治区内的汉人正式编立户籍，进行专门行政统辖，使旗县分立、蒙汉分治的二元化体制固定了下来。这些直省系统的府厅州县的建立，是清政府既定的蒙汉分治政策的结果。它给汉族移民、蒙古王公和清朝都带来了深远的影响。州县化的进程同时也是汉族移民地位逐渐合法化的过程。在这些府

---

① （光绪）《大清会典事例》卷976，《理藩院·设官》。

② 该两厅与塔子沟厅一样设理事通判。

③ 内蒙古档案馆喀喇沁中旗蒙古文档案，505—1—133。

④ 海忠：《承德府志》卷30，《职官》，光绪十三年（1887年）重订本。

⑤ 1914年改称凌源县，主要管辖喀喇沁左旗北部居住汉人。1931年从其分设凌南县，令其管辖喀喇沁左旗南半部居住汉人。

⑥ 海忠：《承德府志》卷30，《职官》，光绪十三年（1887年）重订本。

⑦ ［俄］波兹德涅耶夫：《蒙古及蒙古人》第2卷，刘汉明等译，内蒙古人民出版社1983年版，第290页。

厅州县境内，他们开始取得了合法的定居居民身份。①

　　嘉庆十五年（1810 年），热河副都统改设都统后，其管辖权限又发生了一些变化。是年议准，"热河副都统一缺裁汰，改设都统一员。除了驻防事务之外，还要掌管蒙汉交涉案件及承德府所属的平泉州、朝阳县、建昌县等处税务。所有附近一带蒙古事件，向属税员兼管者，俱改归该都统专办。八沟距热河一百五十里，塔子沟距热河四百七十里，三座塔距热河七百一十里，乌兰哈达距热河六百四十里"，"八沟、三座塔、乌兰哈达三处，向派理藩院司官各一员收税。塔子沟向派理藩院笔帖式一员收税。塔子沟系八沟分口，该处蒙古事件，俱归八沟管理。地方辽阔，今于塔子沟添设司员，将笔帖式撤回。以上四处司员，照察哈尔游牧理事司员之例，俱改为蒙古理事官，为都统之属。定为二年一次更换，由礼部铸给满洲蒙古汉字三体字样理事关防，加铸所驻地名，遇有应报理藩院之事，皆令呈报热河都统，由都统核定报完"。②《承德府志》也记载："嘉庆十五年，裁塔子沟笔帖式另设差员一员，驻扎塔子沟专管税务，分扎萨克旗事务，并所拨坤都笔七克齐披甲归塔子沟差员管理，八沟差员尽管八沟小子沟龙须门税务及喀喇沁二旗事务。"③ 也就是说，嘉庆十五年（1810 年），改设热河都统后，所有蒙古、民人交涉案件与四地税务均归其统辖。并撤回原设塔子沟笔帖式，改理事司官一人，其管辖范围也发生了变化。嘉庆十五年（1810 年）的一份档案④记载，在塔子沟地方添设司员之后，要求其分管旗分将各自旗界、苏木数等详查上报。该档只记载了喀喇沁右旗四至及苏木丁数等，并没有说清到底有哪些旗分改归塔子沟司员管理。但据《钦定理藩部则例》载，"八沟理事司员一员，管理喀喇沁王一旗、喀喇沁贝子一旗蒙古、民人交涉事件，兼管税务，二年更换。塔子沟理事司员一员，管理喀喇沁札萨克塔布囊一旗，敖汉王一旗蒙古、民人交涉事件，兼管税务，二年更换"。⑤ 这说明，自乾隆二十三年（1758 年），喀喇沁三旗蒙古、民人交涉事件由乌兰哈达、三座塔司

---

① 张永江：《论清代漠南蒙古地区的二元管理体制》，《清史研究》1998 年第 2 期。
② （光绪）《大清会典事例》卷 976，《理藩院·设官》。
③ 海忠：《承德府志》卷 30，《职官》，光绪十三年（1887 年）重订本。
④ 内蒙古档案馆喀喇沁右旗蒙古文档案，505—1—261。
⑤ 《钦定理藩部则例》卷 5，《通例》。

官改归八沟司官受理后，又发生了一次变化。这个变化应发生在撤回原设塔子沟笔帖式，设理事司官的嘉庆十五年（1810年）以后。将喀喇沁札萨克塔布囊一旗蒙古、民人交涉事件划归新设的塔子沟理事司员审理。

道光七年（1827年），令热河都统总辖热河地方汉民行政。所属文武官员都归热河都统节制。[①] 此后还经营卓索图、昭乌达二盟的监督及垦务矿务等事务。蒙古、民人交涉案件原则上仍由理事司员审断。这一情况一直持续到清朝末年。光绪二十七年（1901年），取消税务，撤废理事司员后，所有蒙古、民人交涉案件原则上由旗长及县长或盟长及都统商办。[②] 而所谓的会审制度也已无形废止。其后蒙古、民人互讼案件，州县旗均以往返咨会，酌情审理。而旗内蒙古人，每因言语不明的关系，不敢上县起诉。[③] 光绪二十九年（1903年），析平泉州、建昌县之地增设建平县，并割敖汉旗东南部分垦地归其管辖。于是，在喀喇沁地区，旗札萨克衙门专管所辖境内的蒙古人，府厅州县衙门专管所辖境内的汉民事务的一地两府或所谓的二元管理体制最终形成。

（二）"二元管理体制"与"三堂会审制度"

清初的内蒙古地区实施一元化的盟旗制，直属理藩院管理，是独立于内地行省制的边疆特别体制。随着喀喇沁地区移住汉民的增多，清朝政府除了派遣理事司员审理蒙古、民人各种交涉事件外，还专门建立府厅州县，设置地方官吏管理蒙旗境内的移住汉民。从而形成了蒙旗与州县一同在一定的疆域内实施所谓的属人主义行政的局面。即旗县分别管理所辖境内的蒙古人与移住汉民，蒙归蒙治，汉归汉管。这种旗县并存的二元管理体制，是那些开垦蒙旗地区"社会经济长期发展变化的结果，或者也可以说是经济文化类型变迁的结果"，"对游动畜牧型的蒙古社会而言，盟旗制是适合的，但对定居的汉族农耕社会而言，内地长期行之有效的府厅州县制无疑是现实的最好选择"。[④] 这种行政建制上的变化，不仅使这里的盟旗制度变得复杂，而

---

① 海忠：《承德府志》卷30，《职官》，光绪十三年（1887年）重订本。
② ［日］及川三男：《热河蒙旗概要》，伪满洲热河省公署民政厅旗务科1936年版，第72页。
③ 内蒙古档案馆喀喇沁右旗地政局：《蒙地概况》1941年版，第31—32页。
④ 张永江：《论清代漠南蒙古地区的二元管理体制》，《清史研究》1998年第2期。

且对其管辖治理权也带来了一定的影响。

　　首先，蒙旗境内专治汉民的行政建制的建立，不仅使蒙旗旧有管辖地域范围进一步缩小，而且还分割了蒙旗王公的治权。因为府厅州县的建立，使蒙旗牧地有所收缩，理所当然地使札萨克的施政范围也缩小了。到清末民初时，包括喀喇沁三旗在内的卓索图盟大半地区已化为汉人居住地带，成为县治。于是蒙古人居住地带与汉人居住地带毗连而存，形成了蒙古人由旗札萨克衙门管理，汉人由府、州、县衙门管理的"一地两府"的状态。蒙地内州县行政的施行范围是所辖区域内的汉民管理，与札萨克同域而治，札萨克专治蒙古人，府厅州县专治汉民。① 也就是说这些州县只有"治侨寓汉民之权"，无"治各旗蒙古之权"，亦无"辖蒙古土地之权"。② 但实际上，"对人的统治方式也就意味着对土地的统治方式，清廷正是通过这样的方式，使原先属于蒙古王公的领地隐蔽地向国家所有制转变"。③ 张永江也指出，"州县化的过程同时也是蒙古王公旧有封建权力不断缩小，国家权力不断深化的过程"，"蒙古王公原有的土地管理权转移到国家手中，蒙民的土地使用权转移到了汉人手中，相应地，土地上的收益包括各种商业税收自然也转移到国家财政中。表面看，蒙古王公通过招垦得到了一大笔租金，但最后的结果却是地非其地、民非其民。因为归根到底，土地的所有权毕竟在国家手中"。④

　　其次，移民开垦后的蒙旗在司法审判权上出现了属人主义特点，即"凡蒙古人与蒙古人争讼，由旗公署审讯之。如在杂居地带内，有蒙人与汉人争讼之事件，由札萨克与地方官会同办理之。如汉人在蒙地违法，或与汉人争讼，由旗公署移送附近之县公署办理"。但"有时旗公署亦加以审判，同时蒙人与蒙人亦有赴县公署起诉者。然皆为例外"。⑤ 与过去领主时代蒙古封建主们享有通过会盟议定法律的立法权和在辖地内独立的司法审判权相比，清代的蒙旗在失去其独立的立法权的同时，札萨克的审判权也受到了很

---

① 姚锡光：《筹蒙刍议》，《蒙古教育条陈》、《实边条议·议三·内政区划》。
② 姚锡光：《筹蒙刍议》，《实边条议·议三·内政区划》。
③ 薛智平：《清代内蒙古地区设治评述》，《内蒙古垦务研究》第 1 辑，第 70 页。
④ 张永江：《论清代漠南蒙古地区的二元管理体制》，《清史研究》1998 年第 2 期。
⑤ 札奇斯钦：《近代蒙古之地方政治制度》，《蒙古史论丛》，学海出版社 1980 年版。

大的限制。在蒙古人案件的审理上，开始实行三级审判制。还要受理事司员的监督。

此外，喀喇沁三旗地方向为纯蒙区域，本无蒙汉互讼事情。随着移住汉民的增多，蒙古、民人之间以土地纠纷和蒙租问题为中心的各种交涉事件的频繁发生，使向以受理单蒙案件的蒙旗司法审判权变得更加复杂。如前所述，康熙五十八年（1719年），在喀喇沁三旗分别设置一名理藩院章京受理蒙古、民人交涉事件，这无疑了喀喇沁地区受理蒙古、民人交涉案件所采取的最早的措施。后来，撤回理藩院章京，设立地方官。这些地方官除了管理所辖境内行政及司法事务外，遇有蒙古、民人交涉事件，需与该旗札萨克会同审理，形成了旗厅司法裁判关系。其后，蒙古、民人交涉事件由理事司员、札萨克与地方官三方会审，形成了所谓的"三堂会审制度"。[①] 也就是说，在蒙古、民人交涉事件的审理上，蒙旗向无单独审理的权力，必须与相关府厅州县官员会同审理。因此，会审成了蒙古、民人交涉事件审理最大的特点。

虽然蒙旗与州县的管辖治理权非常清楚，但它们毕竟是两种完全不同的、分属于两个系统的管理体制。所以在具体实施过程中出现了很多矛盾与冲突。加上，清朝政府以处理蒙古、民人交涉事件为目的，派遣理事司员后，使这里的行政建制变得更加复杂多端。札萨克与地方官之间、札萨克与理事司员之间以及理事司员与地方官之间的矛盾与冲突，使蒙古、民人交涉事件的审理更加复杂化。

首先，札萨克和地方官在蒙古、民人交涉事件中的交涉最多，其矛盾冲突也是最突出的。

在蒙古、民人交涉事件的会审中，地方官与蒙旗各自袒护所属之人的问题，自始至终没能得到很好的解决。虽然蒙旗与清朝政府都意识到了这一问题的重要性，并为此还特意派遣理事司员来监督和会审，但并没能够杜绝此类事情的发生。以至于有些蒙古、民人交涉事件直接递给理藩院受理。乾隆三十五年（1770年），民人张秉卫控告喀喇沁右旗蒙古人阿其图欠债不还一事。经审双方供言完全相反。对此直隶总督认为："如将此事交给八沟同知

与台吉等会审的话，难免又互相祖护，难以秉公处理，奏请交给理藩院，转饬喀喇沁王及八沟同知，将有关此事的折子及相关当事人等派员送往京城受审"，而该事最终由"刑部与理藩院会审"。① 档案内众多的蒙古、民人交涉事件的审理中，虽然蒙旗方面催促地方官将如何审理惩罚犯事民人之事回信，而地方官方面却很少有回报者。这当然会引起蒙旗方面的疑心。乾隆十八年（1753 年），喀喇沁右旗致同知文内称，"同知虽来文称严惩了胡元田，但这句话并未说清究竟是根据哪条法律如何处理的"，② 要求同知一定要将所惩详情回报。

另外，蒙旗与地方官办案不力，或越权行事也会使蒙古、民人交涉事件的审理受到挫折。清朝政府对蒙旗各种案件的审理并没有非常详实的规定。如蒙旗抓捕呈送旗员并无期限，失职者并无严惩规定等，导致各旗在审理或抓捕犯人时会有玩视重案的现象。如不将滋事旗员呈送严惩、办理不善或事后捏报、延不解送犯证、借词支吾、应讯犯证抗违不送等，以至案件积压未解者甚多。甚至还有将犯事民人私自打死之事。乾隆十六年（1751 年），偷窃蒙古章京之马的两个民人被送到札萨克衙门后，头等塔布囊协理台吉阿其图并没有将犯事民人送往地方官处，而是自己打死。③ 到清朝末年，热河都统延煦奏明，"蒙案关提人证，向由该盟长及各旗解送，乃近来辄以奉差患病等词支饰，延宕不解。其各旗应备乌拉亦多不应，甚至命案重情，该旗擅取供词，率请了结，种种弊端，不一而足，亟应严加整顿"。于是理藩院严饬卓索图、昭乌达两盟各旗札萨克等，"先将积压案内应解人证、应备乌拉，各于行提文到之日，赶紧解送。嗣后遇有案件务遵定例，依限办理。倘再延宕支饰，即行指名严参惩办"，"嗣后各旗再有玩视重案之事，该都统不即奏参，请饬部议照章惩处"。④

地方官办案不力者也很多。这在蒙旗、理事司员与八沟同知、塔子沟通判等来往文书中得到了反映。乾隆二十一年（1756 年），喀喇沁右旗札萨克

---

① 内蒙古档案馆喀喇沁右旗蒙古文档案，505—1—110。
② 内蒙古档案馆喀喇沁右旗蒙古文档案，505—1—48。
③ 内蒙古档案馆喀喇沁右旗蒙古文档案，505—1—46。
④ 《清德宗实录》卷84，光绪四年十二月乙未条。

致塔子沟通判文内称，"我旗塔布囊将不交地租的民人告到塔子沟通判处，已有几次，但始终未给解决"。① 在驱逐汗朝鲁、高粱秆子甸等地种地民人时，地方官明显有袒护民人驱逐不力的现象。②

按理上，在蒙古、民人交涉事件的审理上，札萨克与地方官的职权是非常明确的。同知、通判如传唤案关蒙古人，必须给该旗署发文传唤，令札萨克处解送。如为命案，则出其事由，致文该札萨克，并告知附近艾里部落之达鲁噶官员等。但在具体的审理过程中，地方官所派衙役随意拿捕蒙古人之事时常存在。③ 甚至有随意抓捕而致死之事。④

其次，理事司员与札萨克之间也存在矛盾冲突。蒙旗方面对司员的查旗似乎并不是很欢迎，甚至要想方设法阻止其查旗。按照清朝规定，派往蒙古地方之理事司员有每年各将所属旗分巡查一次，并将有无新招民人私开地亩之处报部的责任。⑤ 可是道光三年（1823 年），喀喇沁二旗曾给八沟司员送礼，阻止他查旗。⑥ 即使在蒙古人的互控案件中，理事司员与蒙旗札萨克间也会有矛盾冲突。

理事司员的派遣实际上就是为了监督与防止蒙旗与地方官在蒙古、民人交涉事件的会审中出现的互相推诿或袒护所属之人的问题。但众多的个案证明，这些理事司员实际上只是架在旗札萨克与地方官之上的调解性设置而已。而且其调节作用也受到了种种限制。

理事司员的派遣，对调解和缓和早期的蒙古、民人交涉事件起到了一定的作用。但是随着在蒙古、民人交涉事件的审理中三方矛盾的加剧，导致很多蒙古、民人交涉事件得不到很好的解决。档案中有关蒙古、民人交涉事件上大量的来往文书证明了这一点。这种三堂会审制度中存在的司员与地方官之间、司员与札萨克之间、地方官与札萨克之间的职权纠葛与矛盾冲突，会直接导致会审过程中意见不一，致使事件得不到及时解决，经年不能拟结，

① 内蒙古档案馆喀喇沁右旗蒙古文档案，505—1—64。
② 内蒙古档案馆喀喇沁右旗蒙古文档案，505—1—177。
③ 内蒙古档案馆喀喇沁右旗蒙古文档案，505—1—30。
④ 内蒙古档案馆喀喇沁右旗蒙古文档案，505—1—48。
⑤ （光绪）《大清会典事例》卷 976，《理藩院·设官》；《钦定理藩部则例》卷 5，《职守》。
⑥ 内蒙古档案馆喀喇沁右旗蒙古文档案，505—1—320。

蒙、汉俱受拖累。尤其是自乾隆四十三年（1778 年）改设六州县，各地方官都兼有理事同知通判职衔之后，八沟等处税务司员与地方官"政出两歧"的现象更加严重。光绪四年（1878 年），热河地方积压的有关蒙古案件就有"八沟二起，三座塔四十七起，塔子沟五起，乌兰哈达二十起"。①

　　鉴于"三堂会审"制度中存在的种种弊端，到了光绪年间曾有过裁撤理事司员的呼声。光绪十七年（1891 年）金丹道暴动后，直隶总督李鸿章条奏热河善后事宜内奏请"将八沟、三座塔、乌兰哈达、塔子沟四税司员裁撤，案件、税务均归州县一手经理"。而理藩院以"分赏各旗地方税银及恐州县不谙蒙例蒙语"议驳。② 光绪二十八年（1902 年），直隶总督袁世凯等再次奏请裁税员，案件、税务统归地方经理，以一事权而资治理。原折内称"热河平泉、建昌、赤峰、朝阳四州县境内人，由理藩院奏派司员理事，兼收税务，遇有蒙古命盗案件，司员会同州县勘验，蒙、民交涉命盗词讼，州县勘验会同司员覆讯，行之日久，畛域各分，案须会讯，往往意见不合，经年不能拟结，蒙民同受拖累"。而"山西口外七厅同知通判，兼理蒙汉，不闻或有异议。热河州县皆兼理事同知通判职衔，原为讯断蒙旗事件事属一律，今值整顿地方，欲定划一之规，宜革纷歧之弊。拟请旨将理藩院四税司员裁撤，所有蒙、民命盗词讼案件，均归州县办理。其年例查旗差使，自庚子乱后，历经蒙古王公各旗呈称蒙丁困苦，恳请展限，税员既裁，应请一并裁免，由都统随时稽查，以示体恤而昭慎重。至分赏各旗地方税银由都统发放，四税亦由都统委员征收。按照现在额征数目除解支外，若有盈余，每年增解理藩院衙门办公银二千两，并留作津贴各官及练兵经费之用。如蒙俞允，则事权归一，于吏治边氓均有裨益"。③ 理事司员制度撤废后，所有蒙汉互讼案件由县旗咨会审理，并在"裁撤四税司员善后案"内酌定两盟各旗札萨克与该管州县办事章程七条，以资遵守。

---

① 中国第一历史档案馆编：《光绪朝朱批奏折》113 辑，《民族·蒙古族》，中华书局 1996 年版，第 767 页。

② 中国第一历史档案馆编：《光绪朝朱批奏折》113 辑，《民族·蒙古族》，中华书局 1996 年版，第 146 页。

③ 中国第一历史档案馆编：《光绪朝朱批奏折》113 辑，《民族·蒙古族》，中华书局 1996 年版，第 146 页。

到了清朝末年，随着厅县行政权限的进一步扩大，其司法职权也有所扩大，并渐渐分解和顶退蒙旗的传统审判权。甚至在单蒙案件的审理上"有已经蒙旗办结、冤意为伸者，或经地方官访问，或赴地方官控告，并请准由地方官禀请提讯拟办"。① 在单蒙案件的审理中地方官权力的介入表明，蒙旗司法审判权受到了一定的削弱。

（三）关于"入籍蒙古人"

在喀喇沁地区汉民管理上，除了一般意义上的新的行政建制统辖以外，还有所谓的"入籍蒙古人"，即"汉人内入蒙籍者"。② 也称"随蒙古人"。③ 他们移入蒙旗之后，得到札萨克的许可，取得蒙籍，对蒙旗王府印务处负担差徭。这些入籍蒙古人已经与纯蒙古人没什么两样，受旗公署支配。④

关于卓索图盟境内汉人入籍问题，布仁赛音在其《近现代蒙古人农耕村落社会的形成》一书中曾指出，蒙旗方面为了给予庇护，企图使汉人能够在蒙古地方长期停留，其具体的办法之一就是"使这些汉人与蒙古人结为婚姻关系，使他们入蒙旗旗籍"。⑤ 在进入喀喇沁、土默特等蒙旗内的汉人之中，"以单独行动，直接进入蒙古人群体内的种地农民和工匠为中心的蒙古化在发展。随着农业化，蒙古人社会虽然与集团性地、蜂拥而至的汉人社会尖锐地对立着，但还有将其作为自己集团内的一员而积极接纳，使其同化的倾向"。⑥ 除此之外，在那些公主陪嫁人中，除了极少数在公主死后获准回京或回籍之外，大多都加入了蒙籍，成为随蒙古人。⑦

《锦热蒙地调查报告》载有一些所谓的入籍蒙古人的记载。如在喀喇沁右旗汉民生计调查中，被调查者哈喇沁上瓦房村张俊亭，原籍为山东省登州

---

① 《锡良遗稿》，《中国近代史资料丛书》，中华书局1959年版。

② ［日］及川三男：《热河蒙旗概要》，伪满洲热河省公署民政厅旗务科1936年版，第54页。

③ 王玉海：《发展与变革——清代内蒙古东部由牧向农的转型》，内蒙古大学出版社2000年版，第61页。

④ ［日］及川三男：《热河蒙旗概要》，伪满洲热河省公署民政厅旗务科1936年版，第54页。

⑤ 布仁赛音：《近现代蒙古人农耕村落社会的形成》（日文）风间书房2003年版，第177页。

⑥ 布仁赛音：《近现代蒙古人农耕村落社会的形成》（日文），风间书房2003年版，第181—182页。

⑦ 王玉海：《发展与变革——清代内蒙古东部由牧向农的转型》，内蒙古大学出版社2000年版，第61页。

府文登县，嘉庆年间，从山东地方移住到现住地，直接入籍为蒙古人，[①] 并为十家长。[②]《热河蒙旗概要》称，"汉人佃户中有得到许可成为蒙古贵族或喇嘛庙属下人而居住生计者。但这些人中的大多数，早在前清时代前半期就已入了蒙旗旗籍，被编入箭丁。所谓的入籍蒙古人是其中由佃户被编入蒙籍者"，"各旗王府附近的汉人中，依然被蒙旗管辖者不少。如敖汉右旗境内三十一个村、喀喇沁中旗王府附近、喀喇沁右旗王府附近一带的居住汉人是在蒙旗行政管辖之下"。[③]

汪国钧《蒙古纪闻》对喀喇沁右旗境内加入蒙古籍的汉人，即所谓的入籍蒙古人记载详尽。在喀喇沁右旗的外来移民中，有"原自辽、金、元以来，自山东等各道、路、州徙居于龙州大宁路各地。至明季划入朵颜卫者，后为乌梁海所属，迨至明季末叶，遂为喀喇沁之向导，或为清兵之翻译通事，屡立战功，后分归喀喇沁之蒙古籍"者。如著者汪国钧的祖先汪姓，原籍山东省登州府汶县人；吴姓，原籍山西太原人；李姓，原籍山东登州府汶县人，"以上三姓皆为向导、翻译，各有劳绩"，其中"汪姓有七世为管旗章京之诰命"，"吴、李二姓有世世为王府长史之奖札"。[④] 此外，还有金姓，"原籍浙江绍兴府人，风鉴为业，乾隆年间来至喀喇沁王旗，经旗主赏女为妻，指地为宅，于是落户该旗为蒙古籍人矣"。阎姓，"原籍直隶保定府人，画匠为业，乾嘉年间从旗主出口，赏妻赐宅，指予地土，后入旗籍"。此外，"零星小户难以枚举，而其姓氏不一，大抵其落户为蒙古者，皆因旗主赏妻赏地，后来繁殖增户口者也"。[⑤]

再如，宁城县和硕金营子村庄内的汉族"汪"，其先祖"烧饼汪"原住山东登州文登县，清朝初年到关外谋生。当时，宁城为蒙地，内地汉人来得很少。他的烧饼很适合蒙族的口味，所以生意兴隆。他先在大明落脚，后来搬到和硕金营子。他的烧饼不仅赢得蒙古族群众的信誉，而且受到蒙古族上层人物的赏识。为了让他在塞外长期住下来，王爷就把一个蒙古族姑娘嫁给

---

① ［日］《锦热蒙地调查报告》上卷，伪满地籍整理局1937年版，第734页。
② ［日］《锦热蒙地调查报告》上卷，伪满地籍整理局1937年版，第738页。
③ ［日］及川三男：《热河蒙旗概要》，伪满洲热河省公署民政厅旗务科1936年版，第66、68页。
④ 汪国钧：《蒙古纪闻》，内蒙古人民出版社2006年版，第121—122页。
⑤ 汪国钧：《蒙古纪闻》，内蒙古人民出版社2006年版，第122页。

了他。他们的后人，有的是蒙古人，有的是汉人，还有一代人中出现了一个
"和硕金"，"和硕金营子"因此得名。①

罗布桑悫丹《蒙古风俗鉴》谈到喀喇沁境内汉人加入蒙古籍成为蒙古
人的原因时指出：过去汉人善于做买卖，成为蒙旗诺颜之专业买卖人。从而
风俗习惯也随了蒙古，依附于旗主，成为蒙古族；公主或格格在嫁给蒙古官
员时，其随从人员变为蒙古人的也不少；蒙古富户买来汉族儿女做佣人，久
而久之变为蒙古人。由于这三种原因而变成蒙古族的汉人，虽入蒙古籍，但
无蒙古姓氏，仍用汉姓。如张、汪、李、赵这些姓的人，原来都是汉族。清
朝建立后，由于蒙汉杂居，汉族变蒙古族者甚多。② 但档案记载却证明，这
些民人入蒙旗旗籍并非那么简单。无论是旗札萨克还是地方官，对移住民人
出民入旗或充当蒙旗阿勒巴图有很严格的限制。如建昌县所属民人李璞，在
哈喇浩特地方居住已有几代。乾隆三十八年（1773年），因其所住地方被水
淹没而携带家人来到建昌县喀喇沁旗四官营子地方居住。在喀喇沁札萨克多
罗贝勒扎拉丰阿旗四等塔布囊王吉勒家种地做工。后因种地无法维持生计，
托其亲戚王连岩为中间人，愿意当王吉勒的家奴。王吉勒给他起蒙古名为巴
彦，给其儿子起蒙古名为那彦泰。让他耕种自己在平泉州杨树沟的地亩，并
发给两份蒙古文证明。乾隆四十三年（1778年），李璞因容留抢劫犯人桐三
而被揭示。因李璞虽容留抢劫犯人，却没有一同抢劫，也没有分得赃物，因
此以容留三人以上犯人之例处以流放当兵。虽然没有李璞为王吉勒奴隶的合
同证明，但王吉勒已经给他拨给地亩，并起给蒙古名，就等于是他的家奴。
因此，将李璞之子李经才从王吉勒档中撤出，记入保甲档内，交给甲长严加
管束。③ 乾隆四十六年（1781年），以王吉勒身为塔布囊，私自容留不知根
底的内地民人李璞，给予地亩，起给蒙古名，并容留犯人桐三为名，罚畜
一九。④

这些已入蒙旗旗籍开始蒙古化的一部分汉人，促进了该地区农业化发展

---

① 沙万川：《蒙汉一家"汪"》，《宁城文史资料选辑》第3辑，中国人民政治协商会议宁城县委
员会文史资料委员会编1989年版，第94页。
② 罗布桑悫丹：《蒙古风俗鉴》，内蒙古人民出版社1981年版，第41—42页。
③ 内蒙古档案馆喀喇沁右旗蒙古文档案，505—1—142。
④ 内蒙古档案馆喀喇沁右旗蒙古文档案，505—1—143。

的进程。但是从进入卓索图盟地区的汉人全体规模来看，蒙古化的汉人在移住汉人全体中所占比例是微不足道的。而更多的汉人是在自己移住地区形成一种集团，形成自己的群体，用这种方法能够在更广的范围内确立自己活动的舞台。

三、移民开垦后喀喇沁蒙古人生产生活方式的变化

清代前期，内地农民在塞外开垦种植，蒙古地区垦殖区域由南向北推进，逐渐扩大，形成了一部分农业和半农业区。在东部内蒙古最早形成农业半农业区的是喀喇沁三旗地方。其中喀喇沁左旗和喀喇沁中旗等地在乾隆年间就已基本成为了农业区。在这个发展变化过程中，喀喇沁蒙古人的生产生活方式都发生了很大的变化。

（一）喀喇沁蒙古人生产方式的变化

农垦以前，喀喇沁地区游牧畜牧业是当地的基本生产生活方式。但因喀喇沁地区是蒙古族聚居而又邻近中原的地区，很早就受到内地的影响，农耕历史相当长，只是由于不断遭到战乱破坏，旋兴旋覆。明中叶，喀喇沁蒙古人移牧于此，该地一度成为牧业区，但是曾经有过的农耕并未完全消失，仍然有许多汉人前往经商、做工或耕种土地，甚至有些蒙古人也学会了农耕。[①] 喀喇沁蒙古人的农业接触以及自康熙朝以来的招民开垦打开了这一地区移民开垦的先河。而喀喇沁地区移民开垦的进一步发展和蒙汉杂居局面的形成，加快了喀喇沁蒙古人由牧向农的社会转型的步伐。随着移入汉民的增多和牧场地的日益被开垦，作为蒙古牧民重要生产资料的牧场益狭，迫使部分牧民弃地逃亡，而越来越多的蒙古人不得不放弃传统的畜牧业，改营自己并不熟悉的农业，致使喀喇沁蒙古人中的农业经营者也不断增多。到乾隆初年时，喀喇沁蒙古人中已经出现了"以耕种为生"的局面。[②]

在游牧时代，旗下蒙古人可以在旗内自由地游牧。但在牧场农耕化和土地私有化的过程中，蒙古人中间分配以农耕为主的生计地。向未将特定的土

---

① 王玉海：《清代喀喇沁的农业发展和土地关系》，马汝珩、马大正：《清代边疆开发研究》，中国社会科学出版社1990年版，第190页。

② 内蒙古档案馆喀喇沁右旗蒙古文档案，505—1—10。

地置于自己管理下的一般蒙古人通过转营农业，将一定面积的土地置于自己名下，作为农地来使用。清朝和蒙旗方面为了保护旗下蒙古人生计，从外仓地划出一定面积的土地拨给他们维持生计和应付阿勒巴，是为普通蒙古人的私有地。乾隆初年，喀喇沁左旗对旗下蒙古人的农耕地的分拨方法是根据"各该承领者的社会阶级，或其家族员数的规格使他们承领到一定亩数的土地。即并不是每个人任意自由地开垦其自己选定的，或者是自古以来占据支配的牧场，耕种用益，其中肯定会有将其统制规律化的标准法则在起作用"。① 在喀喇沁左旗，生计地是按照箭丁的人数进行分配的。凡18岁以上的男子每人分地40亩。而在喀喇沁中旗则不分男女，凡18岁以上者均可分得20亩土地。② 分地时，本旗官吏要造册登记，在土地记录簿上写清姓名、土地面积及四至。生计地不能世袭使用，每三年要经过一次调整，即在蒙旗比丁之时，根据每户人口的增减情况，人口增加者，要追分土地，人口减少者，则按减少人数撤回地亩。在绝家之时，把土地全行撤回，归入外仓地来充公。

《锦热蒙地调查报告》所收录的喀喇沁左旗乾隆二十四年（1759年）、五十九年（1794年）以及嘉庆十二年（1807年）的箭丁福分地拨给方面的文书也是反映乾隆年间喀喇沁地区土地分领状态的绝好的资料：

（1）乾隆二十四年（1759年），喀喇沁左旗扎兰朝好拉、章京胡塔拉等遵照令饬将保代营子村亏小壮丁地亩分给增多户档册：

> 委员扎兰朝好拉、章京胡塔拉、笔帖式道尔吉、明嘎图等奉令查得前扎兰保代之五村差丁全体因诵念甘珠经，两次拨出地亩在乌力雅存套海、粮系二十四石、地之四至东至河沿顺流，北至昭德巴圆珠尔等四十亩地之边，南至蛮子门前小道，西至小界到丹达里那木胡尔等二十亩许地边为界，又在阳辛套海、粮二十石，地之四至东至水泉子，西至大道，南至奇那克地，北至昭德巴地，又在汤头，粮三十石，地界由沟口以上，东至山边，西至山边，南至岭边以内分界，五村蒙众拨归庙宇者

---

① ［日］天海谦三郎：《旧热河蒙地开垦资料二则》，满铁调查局1943年版，第92页。
② ［日］及川三男：《热河蒙旗概要》，伪满洲热河省公署民政厅旗务科1936年版，第7页。

在那苏台，粮三十石，其他在沟门以上东至山根分界，南至岭根以下，西至山根，将以上拨归甘珠尔经及庙宇等地交与原经管之博什户乌勒吉图朝 恩图拉 巴来 哨拉彤丹达里 阿雅图 优木齐默等矣。此外所有亏小差丁地酌量拨给众差丁者如下：博什户依丹扎布在胡恩图阿给马太之六十亩、丹巴所遗合格勒之六十亩、茂斯珠所遗布拉套海之三十亩、班萨尔罗布桑所遗希古苏太之六十亩、梁三套海之二十亩、由根之布地内拨给二十亩、布彦图在那力特拨给保拉胡地二十亩、和德格尔坐落庙南敖斯海哨拉东之六十亩、和格勒二十亩、在好吉伦塔拉二十亩、色者卜在套高里呼刚嘎拉给巴十来之五十亩、布彦图在那里特给朝柏之三十亩、又朝柏之二十亩。色尔之卜在合格勒给玛图尔吉之六十亩，在合格勒希里给巴拉米特之五十亩。敖特巴在合格勒口给腊斯扎布之六十亩，又在合格勒希里给腊斯扎布之六十亩，格勒登在喀喇沟口给乌尔图之六十亩，又在胡吉伦塔拉乌尔图之十亩，巴仍在那里特坡上给班第之三十亩，又在胡吉伦塔拉给乌尔图之十亩。色力卜在合格勒给阿尤喜之六十亩，乌尔图之十亩，巴彦太在希古苏太给阿尤喜之四十亩，在合格勒给乌尔图之十亩，乾隆二十四年孟夏二十三日 。[1]

（2）乾隆五十九年（1794 年）孟冬月十九日，旗公署派员赴西五家子一带均拨地亩册：

计上等地：

第一份地箭丁毛来　长四百零八　宽二十四弓　计四十亩

第二份地箭丁爱音太　长四百零八　宽二十四弓　计四十亩

第三份地箭丁博什户白福　长四百零八　宽二十四弓　计四十亩

第四份地箭丁奥门图　长四百零八　宽二十四弓　计四十亩

第五份地博什户巴都尔　长四百零八　宽二十四弓　计四十亩

第六份地……

第六十九份地箭丁明嘎图　长三百一十弓　宽三十一弓　计四十亩

---

① ［日］《锦热蒙地调查报告》下卷，伪满地籍整理局 1937 年版，第 1429 页。

河北自西向东。①

（3）扎兰吉尔嘎拉图章京乐克丹乡老户下人等分别配给之档册：

    差员好毕图珠隆阿保木巴拉喜德勒格尔扎布巴图尔仓等奉令前往扎兰营子查得差户头二份子地共计七十五顷五十五亩三分，查原有旧户共七十一个而新增户于吉尔嘎拉图箭属十个，巴雅尔图箭属十四个，阿尔毕特卒箭属二个，统共新增户二十六个，新旧共该十七户，此外查顶戴有笔帖式九个，猎户五个，随从四个，因而将此所查头二份子地，公正分配，即拨与每差户得头份差地三十亩，二份差地二十亩，给扎兰吉尔嘎拉图笔帖式顶戴地三顷，给笔帖式章京蟒嘎拉笔帖式顶戴二顷五十亩，至如其他职衔素拉笔帖式等各一顷（闲散书记）。又依村中惯例，给猎户五人及官员职员等之随从四人各五十亩，传什户五名中拨给公中补助差使地一顷二十亩，对于年迈不能膺差之乡老及应行拨给养赡地喇嘛等均按三等拨给养赡地，又由札兰营子边界内新旧给豫村外之求赏地，并未调查登记，惟将新旧给豫本村僧俗求赏地，分别记于各人名下一并制册上呈，嘉庆十二年三月初五日。②

    文书（1）表明，到乾隆初叶，喀喇沁左旗福分地的分配已相当广泛地进行，并且是在旗公署绝对管理下进行的。箭丁对其分得的地亩没有任何的处分权，他们所有的只是对自己一代的福分地上的耕种收益权而已。在清代的喀喇沁三旗，箭丁死亡或移住后，将其名从箭丁簿上消除的同时，撤回其原有的福分地，将地重新分配给新箭丁或收回旗仓充公。该档册内分给箭丁的地亩亩数不清。文书（2）为喀喇沁左旗乾隆年间福分地分配档。其分配生计地的原因不清楚。梅伦拉喜扎布、扎兰察拉布道尔吉、啊要尔布尼亚等奉旗署令，前往西五家子一带查拨地亩，查计该地自窟窿山村中所有地之西由此向西河南大道以上至山根，将此间所有之地逐为堪丈拨给。分配率为每

---

① ［日］《锦热蒙地调查报告》下卷，伪满地籍整理局 1937 年版，第 1429—1430 页。

② ［日］《锦热蒙地调查报告》下卷，伪满地籍整理局 1937 年版，第 1430 页。

箭丁分得上则地四十亩。文书（3）为嘉庆年间喀喇沁左旗差役地的分配情况档。但其中也包含着喇嘛等养赡地的分配内容。一般差户各分得头份子地（即上则地）三十亩二分，二份子地（即中则地）二十亩，计五十亩二分。扎兰分得顶戴地三顷，章京分得顶戴地二顷五十亩，素拉笔帖式（闲散书记）分得一顷，猎户及随从分得五十亩，领催分得二十四亩。而且，此类差役地当时也完全处于旗公署管理之下。

这些足以说明，喀喇沁左、中两旗蒙古牧民已经开始由牧民向自耕农转化。蒙古文档案中乾隆年间喀喇沁三旗旗内拨给蒙古人地亩的记载也很多。乾隆三十六年（1771 年），喀喇沁右旗内的塔布囊与阿勒巴图等奏报地亩缺乏之事，旗衙门要查清缺少地亩者给予地亩。[①] 尤其是从下层蒙古人的贫困化日益严重的乾隆末年开始，在清朝政府的干涉下，旗衙门对土地进行了一次整理，蒙汉分离，汉人退地退田。在倒出空地的基础上，形成了第二次占地。第二次占地时札萨克以恩赏地的形式将土地分给以前无地的蒙古人。[②]

在咸丰、同治年间，喀喇沁三旗的农业有了进一步的发展。并且，大部分蒙古牧民已经掌握了一定的农耕技术，成为耕垦为业的农民。二十世纪初年的丰富的资料记载证明了这一点。光绪三十二年（1906 年）日本人町田咲吉在其《蒙古喀喇沁部农业调查报告》中也写道："喀喇沁现在已完全失去了自古以来的畜牧特色，已被耕作农业代替"。[③]

到清朝末年，北部的巴林等地，尤其是兴安岭以北地区还是牧畜兴旺，牧草丰饶，家畜种类繁多，甚至有的地方还没有农业经营，与此相比，包括喀喇沁在内的东蒙古南部地区"农业经营已很兴盛"，[④] 到处可以看到耕种者。在喀喇沁右旗，人们"靠农耕来维持生计，已无能够经营牧畜的荒地，因此像他旗一样经营牧畜来维持生业已经很难了"。[⑤]

蒙古人的由牧转农是一个渐进的过程。一般来说，这一过程大体经过了定居经营畜牧业、半农半牧、农耕这样的三个阶段。对于蒙古人生产方式与

---

① 内蒙古档案馆喀喇沁右旗蒙古文档案，505—1—111。
② ［日］《锦热蒙地调查报告》上卷，伪满地籍整理局 1937 年版，第 182—183 页。
③ ［日］町田咲吉：《蒙古喀喇沁部农业调查报告》，1905 年。
④ ［日］鸟居君子：《从土俗学角度观看蒙古民族》，东京大镫阁藏 1927 年版，第 997 页。
⑤ ［日］及川三男：《热河蒙旗概要》，伪满洲热河省公署民政厅旗务科 1936 年版，第 46 页。

生活面貌的转变，日本学者田村英男指出，"这种转化绝不是一朝一夕就能完成的。对于贵族、台吉来说这只是一个收取样式的变化而已，而一般蒙古人对农业生产的摄取恐怕是个异常困难的过程"。① 在牧地的丧失和贵族的土地掠夺的同时，一般旗民逃亡他旗的现象更加严重。伴随农业的发展而来的就是农耕的扩展和牧区的缩小问题。面对农田挤占草场，牧群失去牧场的情况下，部分蒙古人无奈选择了务农。而部分不肯放弃畜牧的牧民，则赶着牧群被迫流落到汉人不愿意去的那些土地贫瘠、雨水不调的北部干旱地区。

关于蒙古人的农业或他们对农业经营的态度和看法等问题，曾在东部内蒙古各旗进行过实地调查的鸟居夫妇称，"蒙古人在经营牧畜或者说畜牧业很兴旺的时候，他们认为开垦土地经营农业会使土地荒废，所以很讨厌经营农业的"，即使是南部蒙古人"也是以牧畜为本位的。他们讨厌将土地变为田地，因此他们一开始所开垦种植的只是选择那些对牧畜不适的土地当作田地"，"因此田地的形状会有很多奇怪的形状。这就是蒙古人农业的初步状态。其收获法也非常拙劣，只有在喀喇沁附近还要种植各种各样的蔬菜瓜果等，而在其北部蒙古除了蒙古米之外蔬菜之类的什么也不种植。他们不知道种植方法，并且比起蒙古米的种植很麻烦，因此不种植"。② 而且蒙古人爱惜牧草的习惯仍没有改变，"在兴安岭以北的地方称将土地荒废，但绝对没有挖掘牧草的事情，在这边也一样，其耕种的土地尽量选择那些牧草长不好的地方来耕种"。③

除此之外，在转营农业以及与汉商交易的过程中，喀喇沁蒙古人的交换意识与商业贸易意识均有所增强。在喀喇沁蒙古人中形成了专门以商业为生的商人队伍。档案中零散地记载着自乾隆初年开始的一些喀喇沁蒙古人的贸易活动。他们持着过路印票，前往贸易之地进行贸易。其前往贸易的地方有翁牛特、巴林、克什克腾、乌珠穆沁、浩齐特、阿巴噶、苏尼特、乌梁海、达理岗爱、巴尔虎、布里亚特，以及商都、多伦诺尔、张家口等地。④ 如乾

---

① ［日］田村英男：《蒙古社会构成基本单位苏木》，《满铁调查月报》22—2。

② ［日］鸟居君子：《从土俗学角度观看蒙古民族》，东京大镫阁藏 1927 年版，第 1022—1023 页。

③ ［日］鸟居君子：《从土俗学角度观看蒙古民族》，东京大镫阁藏 1927 年版，第 1022—1023 页。

④ 内蒙古档案馆喀喇沁右旗蒙古文档案，505—1—10。

隆初年喀喇沁札萨克杜楞郡王文内称：

> 我旗侍卫巴鲁呼尔、苏木章京朋苏克、拉萨力等为首的三十八人前往翁牛特、巴林、克什克腾、乌珠穆沁、浩齐特、阿巴噶、苏尼特、乌梁海、巴尔虎、布里雅特等地进行贸易。①

> 我旗图萨图苏木萨玛克丹、查仁巴拉、朋苏克苏木照日格图等十人前往多伦诺尔、张家口等地进行贸易，为此给予执照。②

> 我旗三十九人前往浩齐特、乌珠穆沁、巴林、阿巴噶、乌梁海、达里岗爱等地进行贸易，为此给予执照。③

在清朝末年，鸟居夫妇在蒙古地区进行调查时发现，在克什克腾、扎鲁特左旗等地有喀喇沁蒙古人在开商铺、卖高粱酒和烟草。从东乌珠穆沁旗到扎鲁特旗的路上一些村落内还有喀喇沁蒙古人在卖酒和烟草等。据当地蒙古人称他们的高粱酒中还掺着很多水。④ 直到 20 世纪初，喀喇沁蒙古人仍"善营商业，常巡历各旗及喇嘛寺中，售卖佛像佛具及日用必需品，并往来西藏"，他们的经商范围已相当大，俨若蒙旗里的"山西人"。⑤ 这些说明，移民开垦较早的喀喇沁蒙古人中还形成了专门经营商业贸易的商队。

移住汉民的定居和村落化带动了该地区蒙古人的村落化进程。布仁赛音在谈到东部内蒙古地区农耕蒙古人村落社会的形成与发展时指出，"汉人在蒙古人离去的牧地上形成独立的汉人社会的同时，其一部分直接移住到蒙古人居住地域内，融入到蒙古人社会里，促进蒙古人社会的汉化进程。在蒙古人与汉人之间这种活跃的移住活动的结果，大约 19 世纪末叶开始，在内蒙古东部地区相继诞生了以蒙古人为中心的农耕蒙古人村落"，到 20 世纪中叶时，"这种蒙古人村落社会扩展到兴安岭东南麓更广的范围，形成了与传统

---

① 内蒙古档案馆喀喇沁右旗蒙古文档案，505—1—10。
② 内蒙古档案馆喀喇沁右旗蒙古文档案，505—1—10。
③ 内蒙古档案馆喀喇沁右旗蒙古文档案，505—1—18。
④ ［日］鸟居君子：《从土俗学角度观看蒙古民族》，东京大镫阁藏 1927 年版，第 483 页；［日］鸟居龙藏：《蒙古旅行》，东京博文馆 1911 年版，第 514 页。
⑤ 闫天灵：《汉族移民与近代内蒙古社会变迁研究》，民族出版社 2001 年版，第 288、311 页。

的游牧社会相异的农耕蒙古人村落社会"，东部内蒙古"农耕蒙古人村落社会是直接受到汉族农耕社会的影响而形成的"。[1]

随着喀喇沁蒙古人中农业经营者的增多，蒙古人的定居范围也不断扩大。原有的游牧移动的艾里逐渐转化为村落聚落的艾里，促进了喀喇沁地区蒙古人农耕村落社会的发展。早在雍正十一年（1733年），清廷下令让喀喇沁右旗准备军用骆驼时，该旗就以这里的蒙古人已过着种地盖房的生活为由拒绝出力。[2] 到乾隆初年时这里的农耕蒙古人村落社会有了进一步的发展。在喀喇沁左旗，"所属蒙古人中的大多数，早就进入农业经济的阶段，自发地转业为农耕，不仅到处形成了定居的蒙古聚落，而且还杂居在移入的汉佃村屯内"。[3] 在喀喇沁中旗道光年间的档案中能够看到很多旗内蒙古人聚居的村落名，如三十家子（γučin ger）、呼和乌孙伊玛图（küke usun imatu）、呼第朝木艾里（küdi čomo-yin ail）、哈布齐勒（qabčil）、达来部鲁克（dalai-yin bülüg）、道克图尔艾里（doγtur-un ail）、巴彦太等几个部鲁克艾里（bayantai jerge-yin kedün bülüg ail）；[4] 德布很艾里（debken ail）、伊图罕七家子（ituqan doluγan ger）、八家子（naiman ger）、东二十家子（jegün qorin ger）、章京艾里（janggin ail）[5] 等。

但是喀喇沁三旗农耕蒙古人村落社会与华北地区以及其他内地密集型的村落社会相比，具有散落型的特点。在清朝末年，蒙古人的艾里即村落仍二三家或十二三家为一村。即使是大的村落也只不过是二三十家为一村。[6]

（二）喀喇沁蒙古人生活习俗的变化

在社会史研究的"三板块"结构中，即社会结构、社会生活、社会职能或社会结构、社会生活、社会意识，社会生活是最富于动态性，变动最为迅捷的。当社会处于巨大变革的时期，其社会习俗与风尚也会随之发生变

---

① 布仁赛音：《近现代蒙古人农耕村落社会的形成》（日文），风间书房2003年版，第2、3、15页。

② 内蒙古档案馆喀喇沁右旗蒙古文档案，505—1—35。

③ ［日］天海谦三郎：《旧热河蒙地开垦资料二则》，满铁调查局1943年版，第88页。

④ 内蒙古档案馆喀喇沁中旗蒙古文档案，504—7—3389。

⑤ 内蒙古档案馆喀喇沁中旗蒙古文档案，504—7—3614。

⑥ ［日］鸟居君子：《从土俗学角度观看蒙古民族》，东京大镫阁藏1927年版，第1025页。

化。因此揭示人们日常生活、生活方式的深刻变化在社会变迁史研究中有重要的意义。清代东部内蒙古的移民开垦和蒙汉杂居局面的形成以及蒙古人农业经营者的增多和农耕村落社会的发展等促进了蒙古人生活习俗的发展变化。

作为东蒙古最南端的喀喇沁蒙古人社会中这种变化来得更早。早在清朝中叶就已经开始发生改变。随着内地汉民源源不断地涌入以及开垦面积的迅速扩大，其居住方式从蒙古包到汉式百姓房屋的转变过程也比较快。定居是移民开垦以后蒙古人的社会和生态发生变化的一个重要标志。与以往的蒙古包生活时代和北部尚未农耕化的地区相比，喀喇沁蒙古人的住居生活开始发生了变化。由于受定居民族的影响及适应新的生产、生活方式的需要，相当多的蒙古人开始由帐幕向筑房定居过渡。清朝建立后，蒙古旗地房屋大量发展。尤其是，满族皇帝的公主下嫁到蒙古王公后，凡有公主的旗分都用砖瓦石头等建造房屋，叫做呼和格日。另外，由于藏传佛教的盛行，各旗都建有很多庙宇，起名为呼和格日（青房）或呼和苏么（青庙）。这些房屋叫做呼和格日、保斯敖格日、摆星格日、伊和格日等。到清朝末年时，凡内地汉人移住较多的蒙古地方，其蒙汉所住房屋样子等已无多少差别了。凡农耕地方的房屋居住已经为汉族风格，而尚不知农耕的蒙古地方仍为旧俗，逐水草游牧，居住在移动的蒙古包里。①

在 20 世纪初年的东蒙古，从翁牛特属乌丹城北四五里处开始仍为完全的蒙古风景，几乎看不到汉式房屋。② 在阿鲁科尔沁乌力吉木伦河沿岸地区、扎鲁特霍林河沿岸地区以及奈曼老哈河沿岸地区，已经定居经营畜牧业并兼营小规模漫撒子农业的蒙古人很多都居住在一种外观相似的蒙古包式圆形草屋里。③ 与此相比，喀喇沁地区房屋"完全为内地风格。是用砖土制成的极为粗糙的房屋，而纯蒙古风格的房屋一户也没有了"。④ 当时的喀喇沁三旗蒙古人的房屋"尽是汉式风格。富裕人家用砖瓦筑房屋居住，普通人

①　罗布桑悫丹：《蒙古风俗鉴》，内蒙古人民出版社 1981 年版，第 22 页。

②　［日］鸟居君子：《从土俗学角度观看蒙古民族》，东京大镫阁藏 1927 年版，第 74 页。

③　［日］鸟居君子：《从土俗学角度观看蒙古民族》，东京大镫阁藏 1927 年版，第 672、506、500、683、685 页。

④　［日］鸟居龙藏：《蒙古旅行》，东京博文馆 1911 年版。

家筑土房居住。不分贫富，屋内都用火炕取暖"。① 到清朝末年时，喀喇沁等地几乎完全没有了游牧的蒙古牧民，作为居住方式的蒙古包也不存在了。这里的蒙古人习俗"已与汉民不甚相远"。② 与此相比，至离边墙稍远的各旗，因为很多都是蒙汉自成团体，各住一区，"每岁除租谷交涉以外，不相往来"，因此他们当中受内地汉民生活习惯的影响相对小些。因此，喀喇沁蒙古人被其他地区蒙古人称作"irgendei"，即"内地风格"。③

波兹德涅耶夫对几乎全已定居的巴林右旗蒙古人由游牧生活转向定居生活进行观察时指出，"没有一个巴林人是从毡篷直接过渡到汉式土房子的。当毡篷破损时，从事农业的巴林人已经不用新毡来加以更新了，而是在木架子周围造一道芦苇篱笆，用泥抹住。这样，他就有了土房子了。只不过形状像帐篷，天窗和门仍然是毡做的。在过渡的第二阶段，巴林人已不做木架，即作为帐篷的基础和骨架的可移动的格子，而是牢固的木桩，用钉子将横檩牢牢地钉在木桩上。房子这时仍保留其原先的帐篷圆形，不过此种帐篷的不动骨架的四围已围上芦苇篱笆，抹上泥，有时还用石灰刷白。在第三阶段，巴林人盖的已纯粹是汉式土房子，有炕和炉子，总之与平常汉人住所毫无区别"。④ 这是东蒙古蒙汉杂居地带至少有的三种居住类型，即移动式蒙古包——固定式蒙古包——土房子。

此外，喀喇沁蒙古人的饮食结构也发生了变化，逐渐形成了以谷物和蔬菜为主的饮食结构，与游牧地区仍以传统的肉食和奶制品为主的饮食习惯已有很大差异。清末的卓索图盟地区，居民的生计主要靠农业，畜牧业只占副业地位。鸟居夫妇的记载证明，到清朝末年时包括喀喇沁等地在内的南部蒙古和其他北部蒙古在饮食结构方面已有了很大的不同，"喀喇沁地区食物以中国米、蒙古米、小米为主。副食有白菜、葱、豌豆、萝卜等各种蔬菜。这里盛行吃猪肉。也吃牛肉、马肉、羊肉、山羊肉、鹿肉、鸡肉、鸡蛋。还吃野鸡肉，也做奶酪、黄油。但因牛羊甚少，所以已不盛行制作奶食品"，

---

① ［日］鸟居龙藏：《蒙古旅行》东京博文馆 1911 年版，第 5 页。

② 姚锡光：《筹蒙刍议》。

③ ［日］鸟居君子：《从土俗学角度观看蒙古民族》，东京大镫阁藏 1927 年版，第 36 页。

④ ［俄］波兹德涅耶夫：《蒙古及蒙古人》第 2 卷，刘汉明等译，内蒙古人民出版社 1983 年版，第 428 页。

"这里的蒙古人也多吃面条和馒头。喜欢饮酒和吸烟"。① 当时的喀喇沁王贡桑诺尔布所办学堂里的学生们的午饭是"将小米与蔬菜一同用猪油煮的杂炊"。② 汪国钧《蒙古纪闻》记载，学堂学生每日饭食为小米、咸菜、菠菜、豆腐、煎汤，每星期吃面一次，五、八月节及孔子祭丁日吃白面馒头一次。③ 与此相比，在其他东部内蒙古地区，"牧畜很兴旺。牛、马、羊、山羊、骆驼、奶子等很丰富。不养猪和鸡"。葱、萝卜、白菜等都是"从汉人那里用高价买来"。④

罗布桑悫丹《蒙古风俗鉴》也记载，"清朝建立后，令汉人移入蒙古地方耕种。从此蒙古地方开始盛行各种粮食和豆类。凡种地的地方，五谷杂粮俱全。而无地亩的蒙古地方，仍以茶食与炒米，荞面为主食。副食以牛羊肉为主。没有其他蔬菜。种地的地方，副食丰富，而盛产青菜。果类有梨、桃等"，"从喀喇沁旗的老哈河以南至长城为止的地方盛产五谷、瓜果。有棉花、棉子、桃、梨、杏、枣、葡萄等。此外没有别的水果。青菜类有葱、韭菜、蒜、白菜（čaɣan nab či）、萝卜、绿叶菜（noɣuɣan nab či）、土豆（ündüsün öndege）、水瓜（usun ɣua）类等。蔬菜瓜果产量最多的是喀喇沁南半部地区。其他蒙古地方不盛产青菜类"。⑤ 此外，还开始酿制白酒，称为"烧锅"。

除了居住、饮食之外，喀喇沁等地蒙古人的衣着、日常用具、器皿及其婚礼习俗等都开始受到了内地汉民的影响。⑥ 蒙古人的服饰潢河以南"完全为内地风格。头发是满洲风格的"。与此相比，翁牛特以北地方"纯属蒙古风格"⑦。过乌丹城前往东翁牛特旗的路上，完全为蒙古风景，"汉式房屋一所也见不到"，路上到处都可以看到牛马群或羊群、骆驼群，"穿着皮袄的蒙古人，戴着毛帽子，穿着长靴子，腰部还挂着小刀，筷子袋、火镰

① ［日］鸟居君子：《从土俗学角度观看蒙古民族》，东京大镫阁藏 1927 年版，第 31 页。

② ［日］鸟居君子：《从土俗学角度观看蒙古民族》，东京大镫阁藏 1927 年版，第 36 页。

③ 汪国钧：《蒙古纪闻》，内蒙古人民出版社 2006 年，第 102 页。

④ ［日］鸟居君子：《从土俗学角度观看蒙古民族》，东京大镫阁藏 1927 年版，第 1018 页。

⑤ 罗布桑悫丹：《蒙古风俗鉴》，内蒙古人民出版社 1981 年版，第 108 页。

⑥ 罗布桑悫丹：《蒙古风俗鉴》，内蒙古人民出版社 1981 年版，第 23、31、71 页。

⑦ ［日］鸟居君子：《从土俗学角度观看蒙古民族》，东京大镫阁藏 1927 年版，第 1050 页。

袋和烟袋"。①

第三节　科尔沁右翼后旗历史诸问题

　　蒙旗蒙古族社会历史变迁是清代以来蒙古史研究的重要课题，也是研究内蒙古地方史的重要内容之一。20 世纪，国内外清代蒙古史和内蒙古近现代史研究取得了令人瞩目的成绩。但从区域社会史的角度研究内蒙古各个盟旗社会历史变迁的研究尚未深入，值得深入系统研究的问题还有很多。蒙古族在经历了明、清两朝之后，整个社会历史状况发生了巨大变化。尤其是蒙古各部逐步被爱新国及清朝征服后，清朝对蒙政策变化多端，加上到了近代，国内与国外局势的影响，导致蒙古族的生存环境、生产生活方式，甚至人口结构、阶级组织都发生了质的变化。这些变化反映到蒙古各部和地区，又显现出不同的特点。所以，对清代以后的蒙古各部及盟旗发展变迁进行系统深入的研究，对宏观上把握蒙古族社会历史发展规律，微观上深入了解蒙古地区社会历史变化有重要的理论价值和现实意义。

　　科尔沁右翼后旗是清代哲里木盟十旗之一，地处哲里木盟北部偏西。旗札萨克祖为哈布图哈萨尔第十四世孙奎蒙克塔斯哈喇次子诺扪达喇。清崇德元年（1636 年），喇嘛什希被封为札萨克镇国公，清朝将其所属部众编为一旗，隶哲里木盟。该旗札萨克历任 14 代，旗建制持续 316 年，直到 1952 年撤销该旗。虽然科尔沁右翼后旗已经被撤销，但作为最初设置的清代科尔沁部六旗之一，它是清代和民国年间哲里木盟的重要组成部分。清末放垦之后，该旗也成为内蒙古地区农牧交错地带的一部分，形成了独特的半农半牧区域社会文化。研究该旗社会历史变迁，对于我们深入系统了解清代哲里木盟蒙古族，乃至近代内蒙古地区蒙古族社会变迁的历程都有重要的学术价值。

一、科尔沁右翼后旗历史概貌

（一）诺扪达喇家族与科尔沁右翼后旗的建立

16 世纪中叶，蒙古大汗打来孙率所部察哈尔南迁至西拉木伦河流域之

---

　　①　［日］鸟居君子：《从土俗学角度观看蒙古民族》，东京大镫阁藏 1927 年版，第 74 页。

际，哈萨尔第十四世孙奎蒙克塔斯哈喇率所属科尔沁万户部分部众，自额尔古纳河、鄂嫩河流域南迁至嫩江流域，"因同族有阿鲁科尔沁，号嫩科尔沁，以自别"①。据清人记载，奎蒙克塔斯哈喇是科尔沁部的中兴之主。《金轮千辐》中也描述道"奎蒙克塔斯哈喇（一系）占据了科尔沁十旗"②。奎蒙克塔斯哈喇有子二，长博第达喇，次诺扪达喇。博第达喇子九③，为清代哲里木盟十旗之九旗祖；诺扪达喇子一，为清代哲里木盟科尔沁右翼后旗之祖。虽然诺扪达喇后裔在清代哲里木盟十旗的政治地位并不高，但其子哲格尔德和孙图美卫征都是明末清初科尔沁部著名的首领之一。

16 世纪中后期，由于科尔沁部僻处东北腹地，与明朝缺乏频繁接触，所以无论是在蒙文或汉文史料中有关科尔沁部历史活动的记载都很罕见。即使是这样，我们仍然能够从有限的史料、有限的记载中获得一些重要的信息。

哲格尔德：《万历武功录·土蛮列传》中有记载说，隆庆四年（1570年）冬，"速巴亥、委正、抄花、好儿趁、者儿得聚羊场河，与土蛮未合，相攻杀。顷之，好儿趁与土蛮讲和，并皆索者儿忒及逞加奴、养加奴，以为有如者儿忒亦讲和，则请以大举入汉塞。而会拿木大、小把都儿亦聚兵，声欲略前屯。于是，土蛮中分房，以其半大索者儿忒，以其半纠合拿木大，皆入塞"④。这里的速巴亥、委正、抄花为内喀尔喀五部祖虎喇哈赤诸子；"好儿趁"是指博第达喇长子扯赤肯统领的嫩科尔沁主部；"者儿得（忒）"就是诺扪达喇子哲格尔得，在此指他所统领的嫩科尔沁部的一部分。从记述上看，隆庆四年（1570 年）嫩科尔沁部似乎在图们汗直接控制之外。因此，图们汗掠夺明边，不得不争取包括者儿得等统领的嫩科尔沁部，以加强自己

---

① 张穆：《蒙古游牧记》卷1，同治祁氏刊本。

② 达哩麻·固什：《金轮千辐》（蒙古文版），乔吉校注，内蒙古人民出版社1987年版，第278页。

③ 达哩麻·固什：《金轮千辐》（蒙古文版），乔吉校注，内蒙古人民出版社1987年版，第279页。书中所记博第达喇九子分别为："伊克哈屯（大夫人）吉格仑有扯扯肯巴土儿、那木赛都拉勒、兀把赛诺颜三子；巴嘎哈屯（小夫人）有温岱、好图葛尔、陶都哈喇拜兴三子；巴仑格仑哈屯（西屋夫人）吉鲁根有额勒济格昭哩克图一子；折衮格仑哈屯（东屋夫人）哈喇尼顿有奈那呼色钦楚胡尔、阿敏巴嘎诺颜九子"。

④ 瞿九思：《万历武功录》卷10，《土蛮列传上》。

的攻势。可见当时嫩科尔沁部的势力极为强大。也可以看出，图们汗和布延彻辰汗时期，已述奎蒙克之孙者儿得与扯赤肯一样，是嫩科尔沁部首领之一。到万历初年，者儿得又经常与布延彻辰台吉和喀尔喀部诸头目一同，"传箭入我开原、庆云市，索大赏，知封贡终不可得，而入寇又亡当于汉故也"①。其后，"者儿得"一名在汉籍中似乎销声匿迹，代之而出现的是其子土门儿。

关于土门儿，明人记载多称他为福余卫夷。张鼐：《辽夷略》载："福余卫之夷今弱矣……先是，夷酋生三子：长往四儿、次撒巾、三锦只卜阿。往四儿故而有子恍惚太。其恍惚太之子曰把剌奈、曰卜敖。而约兵千余骑也。撒巾故而有子，生卜而炭，亦拥兵千骑焉。锦只卜阿故，而有子主儿者阿，故，生一子，曰土门儿，约兵三千余骑"②。冯瑷《开原图说》也载有《福余卫夷恍惚太等二营枝派图》③：

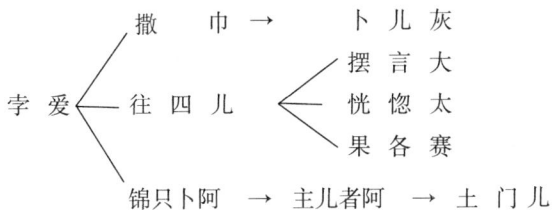

```
              撒　巾  →    卜 儿 灰
                          摆 言 大
孛 爱 ←  往 四 儿 ←       恍 惚 太
                          果 各 赛
    锦只卜阿  →  主儿者阿  →  土 门 儿
```

而王鸣鹤：《登坛必究》所载《福余卫夷酋宗派》却是："初代斩斤生二代小四生二子，三代长子把当亥生四代脱磕（顺东扯赤肯），三代次子额尔德尼生二子，四代长子伯得捏，四代次子准不赖（俱顺东者儿得）。初代孛爱生三子，二代长子往四儿，生二子，三代长子摆言大，三代次子果各赛。二代次子撒巾，生二子，三代长子石堵肯，三代次子卜儿炭。二代三子锦只卜阿，生三代主儿者阿（俱顺东已故兀班妻）"④。从《登坛必究》所载的记述中我们可以看到福余卫部众并非只孛爱一支，还有斩斤一支。且孛爱一支归顺了内喀尔喀之兀班妻；斩斤一支归顺了嫩科尔沁部的扯赤肯和者

---

①　瞿九思：《万历武功录》卷13，《暖兔拱兔列传》。
②　［日］和田清：《明代蒙古史论集》下册，商务印书馆1984年版，第518页。
③　冯瑷：《开原图说》卷下，玄览堂丛书本。
④　王鸣鹤：《登坛必究》卷23。

儿得。值得注意的是，往四儿生二子中无恍惚太；主儿者阿之后也没有记土门儿。事实上，在扯赤肯和者儿得统治时期，福余卫部分部众已归顺了嫩科尔沁部。而明人没有及时了解到当时的历史变化，只凭位于开原、铁岭西北之嫩江流域原是福余卫驻牧地，就把后来的嫩科尔沁部首领错误地记成了福余卫夷酋了。

《金轮千辐》所载，奎蒙克塔斯哈喇世系："博第达喇卓尔郭勒大妃济格仑有扯赤肯巴图儿、那木赛、乌巴什奥特根三子……长子扯赤肯巴图儿有占赤瓮阿歹虎喇赤……五子"，"奎蒙克塔斯哈喇次子诺扪达喇噶勒济库诺颜有子哲格尔德诺颜，其子图美卫征……"① 继扯赤肯和者儿得之后，嫩科尔沁部分别由瓮阿歹（即明人所记恍惚太）和图美（即明人所记土门儿）掌控，并"万历初年为开、铁西北患者独此二酋"②。16 世纪 80 年代末以后，由于内喀尔喀五部的夹击，恍惚太、土门儿失去了开、铁西北之牧地，而"避居混同江。离开原边外千余里，其久不赴新安关领市赏，积弱不振之故也"③，混同江即松花江。自此之后，嫩科尔沁部与爱新国努尔哈赤的关系愈来愈密切了。

16 世纪中后期开始，建州女真努尔哈赤的势力逐渐强大起来，并开始统一女真各部，于天命元年（1616 年）建立了爱新国，史称后金。在此过程中，与女真相邻的嫩科尔沁部对于努尔哈赤具有强大的吸引力。为了争取嫩科尔沁部，努尔哈赤采取了政治联姻、经济诱惑等手段。而为了抵御蒙古察哈尔林丹汗的侵袭，直到天命九年（1624 年），嫩科尔沁部首领奥巴才终于决定与爱新国结成军事联盟。

在林丹汗看来，嫩科尔沁部与爱新国联盟，不仅削弱了蒙古，同时还使自己增加了一个与爱新国比肩而立的敌人，因而是绝对不能容忍的。天命十年（1625 年）冬，察哈尔林丹汗在和平争取无效的情况下，组织进攻，并首先围攻了奥巴所居格勒珠儿根城。在此战役中，"达尔汉台吉弃扎赉特、

---

① 达哩麻·固什：《金轮千辐》（蒙古文版），乔吉校注，内蒙古人民出版社 1987 年版，第 278、294 页。
② 冯瑗：《开原图说》卷下，玄览堂丛书本。
③ 张鼐：《辽夷略》，玄览堂丛书本，第 26 页。

锡伯、萨哈尔察东去"①，图美与布塔齐协助奥巴坚守城池。林丹汗久攻不克，又听说后金已派援兵，恐腹背受敌，遂撤退。

爱新国天命十一年（1626 年），图美随奥巴到爱新国。努尔哈赤因"察哈尔兵至时，其兄弟属下人皆遁去，独奥巴烘台吉奋力抗战，故号为土谢图汗，兄土梅号代达尔汉，弟布塔齐号札萨克图杜棱，贺尔禾代号青卓礼克图"②。这个奥巴就是翁阿歹长子，土梅是哲格尔德子图美，布塔齐是奥巴弟，贺尔禾代是博第达喇第九子阿敏之子。天聪二年（1628 年），皇太极为征察哈尔，在给土谢图汗奥巴的信中说道："土谢图汗。代达尔汉，札萨克杜棱。卓礼克图洪台吉。布达习礼。满珠习礼。六旗。往征察哈尔汗"③。天聪三年（1629 年）十月，皇太极伐明，"蒙古科尔沁国土谢图额驸奥巴、图美……二十三贝勒以兵来会……于是令奥巴、图美坐于右，孔果尔坐于左，诸贝勒以次傍坐，设大宴宴之"④。从以上记载我们可以断定，直到 17 世纪 20 年代末，图美卫征一直是仅次于恍惚太长子土谢图汗奥巴的嫩科尔沁部第二大首领。

天聪六年（1632 年），皇太极组织爱新国、蒙古联军远征林丹汗，科尔沁部奥巴、图美等随征。就在这一年，科尔沁部两大首领奥巴与图美先后去世。此次出征给林丹汗以致命的打击，使察哈尔部众溃散，逃往后金。林丹汗也在困窘中于天聪八年（1634 年）死于青海大草滩。察哈尔林丹汗的败亡，预示着漠南蒙古全境被置于爱新国的势力范围之内。

爱新国天聪十年（1636 年）四月，漠南蒙古 16 部 49 名封建主同满、汉臣僚一道齐聚盛京（今沈阳），尊皇太极为"宽温仁圣皇帝"。科尔沁部参加者有：土谢图济农巴达礼、札萨克图杜棱布塔齐、卓礼克图台吉吴克善、秉图贝勒洪果尔、达尔汉巴图鲁满朱习礼、喇嘛斯（什）希、木寨、伊勒都齐栋果尔。皇太极接受尊号，并分叙外藩蒙古诸贝勒军功，封科尔沁国

① 《满文老档》，天命十年十月二十八日条。
② 齐木德道尔吉、巴根那：《清朝太祖太宗世祖朝实录蒙古史史料抄》，内蒙古大学出版社 2001 年版，第 91 页。
③ 李保文整理：《17 世纪前半期蒙古文文书档案》（1600—1650 年），内蒙古少儿出版社 1997 年版，第 68 页。
④ 齐木德道尔吉、巴根那：《清朝太祖太宗世祖朝实录蒙古史史料抄》，内蒙古大学出版社 2001 年版，第 147 页。

巴达礼为和硕土谢图亲王，吴克善为和硕卓礼克图亲王，布塔齐为多罗札萨克图郡王，满珠习礼为多罗巴图鲁郡王，洪果尔为秉图王，喇嘛什希为镇国公。巴达礼即奥巴长子；吴克善即博第达喇次子那木赛之曾孙；布塔齐即奥巴弟；满珠习礼即吴克善幼弟；洪果尔即那木赛幼子；喇嘛什希即图美长子。

同年编旗设札萨克，"诏科尔沁部设札萨克五，曰巴达礼，曰满珠习礼，曰布达齐，曰洪果尔，曰喇嘛什希"①，分别为科尔沁右翼中旗（土谢图王旗）；科尔沁左翼中旗（达尔汉旗）；科尔沁右翼前旗（札萨克图旗）；科尔沁左翼前旗（冰图王旗）；科尔沁右翼后旗（镇国公旗）。由此，科尔沁六旗中的五旗已经设立（科尔沁左翼后旗是顺治三年设的札萨克）。

虽然，诺扪达喇子哲格尔德和孙图美卫征最初在嫩科尔沁部享有较高的政治地位，但其家族势力终究不能与博第达喇九子家族相比。所以，在科尔沁部完全归附清朝后，诺扪达喇家族的政治地位远不如博第达喇家族。在哲里木盟十旗中，博第达喇后裔占据了其中的九旗，而图美长子喇嘛什希只被封为镇国公，所辖部众被编为科尔沁右翼后旗。在哲里木盟十旗当中，该旗政治地位最低，属于末旗。《奎蒙克塔斯哈喇家谱》把科尔沁右翼后旗列为哲里木盟十旗中的末旗，就说明了这一史实。而且，直至清亡，科尔沁右翼后旗的政治地位也没有改变。

有关清代科尔沁右翼后旗诺扪达喇家族札萨克传袭，《外藩蒙古回部王公表传》记载了从第一任札萨克喇嘛什希到第八任札萨克萨木丕勒扎木素的继任年代以及他们的主要事迹，时间跨度从崇德元年到乾隆末年。而卢伯航《西科后旗志》第一章第二节中专列"王公系统"，对有清一代科尔沁右翼后旗札萨克传袭的整个过程作了系统的叙述。其乾隆以前的札萨克传袭与《表传》记载基本相同，可贵的是其记载的嘉庆以后的札萨克传袭。根据《清实录》等清代官方史书，崇德二年（1637年），喇嘛什希随承政尼堪由朝鲜进征瓦尔喀，至吉木海，败平壤巡抚，安州总兵。三年（1638年），从征明，自义州进围中后所。六年（1641年），随睿郡王多尔衮围锦州，败明总督洪承畴援兵②。顺治四年（1647年）喇嘛什希卒，其长子色棱初袭其

---

① 祁韵士：《钦定外藩蒙古回部王公表传》卷37。
② 祁韵士：《钦定外藩蒙古回部王公表传》卷20。

札萨克镇国公爵。顺治十八年（1661 年）色棱卒，长子都什辖尔袭，康熙三十六年（1697 年）卒；长子图努玛勒袭①，雍正三年（1725 年）卒；长子喇嘛扎布袭，乾隆十九年（1754 年）卒；三子布延德勒格尔袭②，乾隆二十年（1755 年）以罪削爵；从子敏珠尔多尔济袭，乾隆三十三年（1768 年）卒；长子萨木丕勒扎木素袭③。嘉庆七年（1802 年）萨木丕勒扎木素卒，长子色旺道尔济袭，复帮办哲里木盟务，晋京供职，赏戴花翎及乾清门行走，道光十二年（1832 年）病发辞官，咸丰四年（1854 年）卒。因长、次子均早夭，以三子乌勒吉济尔噶勒袭④，赏戴花翎及乾清门行走衔，叙勋七级，道光二十一年（1841 年）卒⑤；长子特古斯壁礼克图袭，赏戴花翎及乾清门行走，衔加三级，光绪十三年（1887 年）卒⑥，长子拉喜敏珠尔袭。拉喜敏珠尔公"屡驻京师，赏戴双眼花翎，御前行走，衔又赏穿花貂马褂，串朝马加紫缰，于冬季复赏乘水船，恩礼可谓厚矣"。民国六年（1917 年）九月五日卒。⑦

　　民国元年（1912 年），拉喜敏珠尔参与札萨克图郡王乌泰"投外蒙独立"叛乱，事败后逃到库伦。奉天省统领衙门于当年 11 月份晋封四等台吉

---

　　① 根据科尔沁右翼后旗札萨克衙门档案所列系谱和《金轮千辐》，图努玛勒应当是都什辖尔次子。长子为阿尔森达赖。

　　② 第六代札萨克布延德勒格尔，《西科后旗志》称是喇嘛扎布长子；《表传》称是三子。《奎蒙克塔斯哈喇诺颜家谱》中继第六代札萨克的是乌尔济布，为喇嘛扎布长子。这里因主要以《表传》所列之札萨克为依据，故采用了"第三子"之说。

　　③ 祁韵士：《钦定外藩蒙古回部王公表传》卷 1。

　　④ 第十代及以后的札萨克，《东三省政略·附图》中的《哲里木盟十旗爵秩世系表》和《内蒙古史志资料选编》第 1 辑（上册）第 124 页载："九次袭多布沁旺丹，色旺多尔济长子。道光十四年袭，二十年卒。十次袭乌勒济济尔噶勒，多布沁旺丹弟。道光二十一年袭。卒年无。十一次袭特古斯毕里克图，乌勒济济尔噶勒子。同治十一年袭，光绪十四年二月卒。十二次袭喇什敏珠尔，光绪十五年袭"。《选编》中记载的世系与《志》中记载的有很大出入，孰对孰错还很难断定。但特古斯毕里克图公"光绪十四年卒"这一说应该得到支持，因为《科尔沁右翼后旗札萨克衙门档案》中卷号为 169 的一道喇嘛度牒，正是该公光绪十四年颁发的。所以，至少光绪十四年之前，特古斯毕里克图还在位是可以肯定的。

　　⑤ 科尔沁右翼后旗札萨克衙门档案中卷号为 136 的一道喇嘛度牒是咸丰元年该公颁发的。可见札萨克镇国公乌勒吉济尔噶勒的卒年并不是道光二十一年。

　　⑥ 科尔沁右翼后旗札萨克衙门档案中卷号为 169 的一道喇嘛度牒是札萨克镇国公特古斯壁礼克图光绪十四年颁发的。

　　⑦ 巴彦那木尔、卢伯航：《西科后旗志》第 1 章《王公系统》，内蒙古图书馆藏手抄本。

乌思呼布彦为辅国公，第二年又封为镇国公，加贝子衔，① 由其管理科尔沁右翼后旗札萨克衙门事。民国十年（1921 年），哲里木盟盟长郭尔罗斯后旗札萨克和硕亲王呈请蒙藏事务局："因科尔沁右翼后旗札萨克镇国公拉喜敏珠尔病故，无嗣，请由养子巴彦那木尔袭其爵。"② 巴彦那木尔民国十年（1921 年）袭爵，三十年（1941 年）卒。

将以上所述科尔沁右翼后旗札萨克镇国公沿袭情况归纳列为系谱：

> 代达尔汉图美卫征诺颜长子札萨克镇国公喇嘛什希莫尔根诺颜—喇嘛什希长子札萨克镇国公色棱—色棱长子札萨克镇国公都什辖尔—都什辖尔次子札萨克镇国公图努玛勒—图努玛勒长子札萨克镇国公喇嘛扎布—喇嘛扎布三子札萨克镇国公布延德勒格尔—布延德勒格尔从子札萨克镇国公敏珠尔多尔济—敏珠尔多尔济长子札萨克镇国公萨木丕勒扎木素—萨木丕勒扎木素长子赏戴花翎及乾清门行走札萨克镇国公色旺道尔济—色旺道尔济三子赏戴花翎及乾清门行走衔叙勋七级札萨克镇国公乌勒吉济尔噶勒—乌勒吉济尔噶勒长子赏戴花翎及乾清门行走衔加三级札萨克镇国公特古斯壁礼克图—特古斯壁礼克图长子赏戴双眼花翎御前行走札萨克镇国公拉喜敏珠尔—札萨克镇国公乌思呼布彦—拉喜敏珠尔养子札萨克镇国公巴彦那木尔。③

此外，《奎蒙克塔斯哈喇诺颜家谱》④ 中也有科尔沁右翼后旗札萨克系谱：

> 代达尔汉图美卫征诺颜长子札萨克镇国公喇嘛什希莫尔根诺颜—喇嘛什希莫尔根诺颜长子札萨克镇国公色棱—色棱长子札萨克镇国公都什辖尔—都什辖尔次子札萨克镇国公图努玛勒—图努玛勒长子札萨克镇国

---

① 《蒙回藏汗王公札萨克衔名表》，蒙藏院封叙科编印中华民国六年十月。
② 内蒙古档案馆档案，502—1—1363。
③ 世系表根据《科尔沁右翼后旗札萨克衙门档案》；《西科后旗志》；答哩麻·固什：《金轮千辐》（蒙古文版），乔吉校注，内蒙古人民出版社 1987 年版。
④ 胡日查、长命：《科尔沁蒙古史略》，民族出版社 2001 年版，第 444 页。

公喇嘛扎布—喇嘛扎布长子札萨克公乌尔济扎布—乌尔济扎布长子札萨克镇国公敏珠尔多尔济—敏珠尔多尔济长子札萨克镇国公萨木丕勒扎木素—萨木丕勒扎木素长子镇国公色旺道尔济—色旺道尔济三子乾清门行走札萨克镇国公乌勒吉济尔噶勒—乌勒吉济尔噶勒长子乾清门行走札萨克镇国公特古斯壁礼克图—特古斯壁礼克图后裔札萨克镇国公拉喜敏珠尔理第十旗。

"九一八"事变后，哲里木盟成为伪满洲国的组成部分。1932 年 3 月，伪满洲国取消了哲里木盟名称及建制，成立兴安南分省。科尔沁右翼后旗也被划归到兴安南省，称为西科后旗。同年，蒙古王公制度被取消，改札萨克为旗长。①

1952 年 2 月，新中国撤销了科尔沁右翼后旗，其行政区域分别并入科尔沁右翼前旗和扎赉特旗。

（二）晚清以来科尔沁右翼后旗苏木、努图克及村落的变迁

科尔沁右翼后旗，俗称镇国公旗或苏鄂公旗，位于哲里木盟最北端偏西，由东南向西北斜亘，西北部是兴安岭余脉构成的起伏山地，从中部到东南部是平原地带，洮尔河由旗西北向东南屈曲横流。② 旗界为东至查巴尔太山，南至拜格台陀博，西至博达尔罕山，北至庆哈山。东南至排鄂博噶，西南至鄂落逊温都尔，东北至爱起禄山，西北至特墨根山。③ 东邻札赉特旗，南界郭尔罗斯前旗，西抵札萨克图旗，北界索伦。札萨克驻额木图坡，在喜峰口东北一千四百五十里。

据《满文老档》记载，崇德元年（1636 年）该旗有 1 800 户，633 箭丁，清朝将它编为 36 个牛录。其中喇嘛什希统辖下有 8 个牛录，而卫征统辖的却有 28 个。④ 在相关史料中，并没有此卫征的详细记载。据蒙文文献记载，这个"卫征"就是图美次子布达习礼。是年，图美卫征长子喇嘛什

① 《兴安盟志》上卷，《大事记》，内蒙古人民出版社 1997 年版，第 26 页。
② 周清澍：《内蒙古历史地理》，内蒙古大学出版社 1993 年版，第 134 页。
③ 张穆：《蒙古游牧记》卷 1，同治祁氏刊本。
④ 《满文老档》，崇德元年十一月条。

希被封为旗札萨克时，作为次子的布达习礼袭其父图美的"卫征"之衔，成了旗协理台吉（蒙古语图萨拉格齐台吉）。①《金轮千辐》和《科尔沁右翼后旗札萨克衙门档案》所记载的系谱中称布达习礼后裔为"图萨拉格齐"，就暗证了这一点。

清朝以150户编为一佐领后，科尔沁右翼后旗36个牛录被编为16个佐（苏木）。按清廷每四至六个苏木设1名扎兰章京（也称扎兰或参领）的制度，该旗共设4名。每四个苏木的牧地又形成一个努图克，每个扎兰分管一个。四个努图克中旗镇国公喇嘛什希家族与其弟布达习礼家族各拥有两份，但不知是如何分界划归的。

清代蒙旗社会基层组织中出现的"努图克"，是某一王公台吉所属领地，对于他们的属民——蒙古族牧民来说，是赖以生存的牧地。也可以说"努图克"是旗以下，苏木之上又一级地方行政单位，其范围与扎兰管辖区域相同。因此，扎兰章京又被称为"努图克因（的）扎兰"。直到民国年间，科尔沁右翼后旗依然保留着"四个努图克、四个扎兰"。②

民国四年（1915年）科尔沁右翼后旗四个努图克名称及扎兰、苏木章京名

努图克名称	扎兰章京名	苏木章京名
那顺宝音努图克	喜迪	热格巴尼玛
		阿尔达喜迪
		图扣巴雅尔
		土木比乌柔布
布呼宝音图努图克	达赖	喜尼因尼根
		陶克套呼
		那孙巴图
		齐木德旺布
色伯格扎布努图克	那木吉勒	威实
		布呼巴达拉呼
		热达那
		德力格

① 胡日查、长命：《科尔沁蒙古史略》，民族出版社2001年版，第291页。
② 内蒙古档案馆档案科尔沁右翼后旗档案，502—1—1515。

（续表）

努图克名称	扎兰章京名	苏木章京名
达赖格日勒图努图克	德力格尔	根敦帕拉吉德
		赛音乌尤图
		巴彦和勒
		巴彦朝克图

资料来源：《科尔沁右翼后旗札萨克衙门档案》，卷号 735。

上表中那顺宝音努图克和布呼宝音图努图克属于喇嘛什希家族后裔；色伯格扎布努图克和达赖格日勒图努图克属于布达习礼家族后裔。每个努图克的称谓就是以当时拥有它的王公或台吉命名的。如，达赖格日勒图的职爵是四等台吉衔加一级的管旗章京。[①] 虽然目前无法证明这四个努图克主人的世系，但他们或是镇国公喇嘛什稀的后裔，或是图萨拉格齐台吉布达习礼的后裔是肯定的。

此时的四个努图克范围已经发生了变化。因为清末放垦后，科尔沁右翼后旗东南部水草丰美地段先后被划归安广和镇东二县，而二县所占面积几乎是该旗总面积的一半。因此，原有的努图克界必然要遭到分割。关于放垦后的各努图克分界，从《西科后旗志》中所附的《西科后旗区域图》中可以了解到大体情况。

随着该旗由牧转农，努图克上形成了大大小小的村落。村落的形成逐渐改变着努图克的牧地性质，大片努图克相继成为耕地。但由于流入科尔沁右翼后旗开垦的几乎全是蒙古族农民，该旗还是蒙古族聚居地，因此努图克制度并没有受到根本性动摇。本旗原住旗民依然称为"努图克因（的）阿拉特（人民）"，是各努图克王公、台吉的属民。各村落或是单独设有一个"达鲁嘎"，或是三五个村落设一个"达鲁嘎"，专门管理来旗垦种的外来农户，其总管权在旗公府。

---

① 内蒙古档案馆档案科尔沁右翼后旗档案，502—1—1682。

内蒙古档案馆档案中出现的科尔沁右翼后旗村落名称

村落名称	档案中出现的年份	村落名称	档案中出现的年份
喜拉森爱勒	民国二年	胡拉古尔爱勒	民国四年
巴嘎扎达苏	民国二年	宝地因扎拉嘎	民国四年
伊合扎达苏	民国二年	合勒哈达爱勒	民国四年
毛西改爱勒	民国二年	一合他奔毛都爱勒	民国四年
哈达爱勒	民国二年	马尼图爱勒	民国四年
乌尔德格爱勒	民国二年	乌里雅苏台爱勒	民国四年
哈比尔嘎爱勒	民国二年	巴嘎他奔毛都爱勒	民国四年
那林合日爱勒	民国二年	西如嘎爱勒	民国四年
达民爱勒	民国二年	灰图乌达因扎拉嘎爱勒	民国四年
额尔格图爱勒	民国二年	窑洪西雅尔	民国四年
新爱勒	民国二年	色古第因扎拉嘎爱勒	民国四年
阿桂图爱勒	民国二年	灰图西如嘎爱勒	民国四年
海鲁图爱勒	民国二年	阿拉坦套布齐爱勒	民国四年
好仁格尔爱勒	民国二年	嘎海图爱勒	民国四年
豪沁好日雅	民国二年	脑海洪西雅尔爱勒	民国四年
代合图爱勒	民国二年	哈拉嘎台爱勒	民国四年
塔奔毛都爱勒	民国二年	灰图古尔班格尔	民国四年
宝日好苏爱勒	民国二年	乌达因扎拉嘎爱勒	民国四年
好日雅爱勒	民国二年	德伯因多伯	民国四年
苏布日嘎爱勒	民国二年	吉尔古甘格尔	民国五年
木雅爱勒（乌雅）	民国二年	扎尼因哈布齐勒	民国五年
宝竞爱勒	民国二年	喜都尔古宝勒格爱勒	民国五年
查干好树爱勒	民国二年	巴嘎塔尔根扎拉嘎爱勒	民国五年
阿都爱勒	民国二年	布都因扎拉嘎爱勒	民国五年
好塔图扎拉嘎爱勒	民国二年	敖包爱勒	民国六年
好坦扎拉嘎爱勒	民国二年	跑不了多伯爱勒	民国八年
额木那图哈达爱勒	民国三年	巴润吉尔古甘格尔	民国九年
灰图哈达爱勒	民国三年	垂因多伯	民国九年
比鲁图洪西雅尔爱勒	民国三年	巴润古尔班格尔	民国十一年
楚达拉包鲁嘎爱勒	民国三年	折衷古尔班格尔	民国十一年

（续表）

村落名称	档案中出现的年份	村落名称	档案中出现的年份
吉如和爱勒	民国三年	宝都勒台爱勒	民国十二年
苏金爱勒	民国三年	德奔多伯	民国十四年
额木那图好坦扎拉嘎	民国四年	巴颜吉拉嘎爱勒	民国十四年
灰图好坦扎拉嘎	民国四年		

资料来源：科尔沁右翼后旗札萨克衙门档案，卷号561、619、728、815、947、949、997、1217、1336、1489、1573、1648、1651。

　　民国二年（1913年）左右，科尔沁右翼后旗有26个村落。到民国十年（1921年）左右，村落数量增为至少36个。[①] 到民国十四年（1925年），科尔沁右翼后旗先后形成的村落有66个。这些村落大部分保留到了民国末年，有的甚至原封不动地保留到了现在。

　　科尔沁右翼后旗的努图克、佐领制度一直保持到20世纪20年代末。到了伪满时期，蒙古王公制度被取消，随之蒙古地区旗以下地方行政单位也发生了变化。原有的"佐领"制度已不复存在，代而起的是努图克、嘎查和爱勒。虽然仍旧称为"××努图克"，但此时的"努图克"已不再是旗民理解的"牧地"，而是演变为旗以下地方行政单位"区"。科尔沁右翼后旗被改称"西科后旗"，所辖四个区分别为"第一努图克"、"第二努图克"、"第三努图克"、"第四努图克"。每个努图克都有自己的公所，分别是"察尔森"、"前二十家子"、"额尔格图"和"新爱勒"。1946年兴安盟成立时，该旗延续伪满时期的四个区，只是称谓改为"察尔森"、"好仁"、"额尔格图"、"图牧吉"。"察尔森"和"额尔格图"两个地名一直没有变动；"好仁"是《档案》中的好仁格尔爱勒，《志》中的前二十家子；"图牧吉"在《档案》和《志》中都被称为新爱勒，不知何时改称"图牧吉"的。1952年科尔沁右翼后旗旗建制被撤销后，该旗所辖的察尔森、好仁、额尔格图三个努图克划归科尔沁右翼前旗，图牧吉努图克划归扎赉特旗。

[①]　内蒙古档案馆档案科尔沁右翼后旗档案，502—1—728。

伪满时期科尔沁右翼后旗各努图克所属村落名称表

努图克	嘎查	所属村落名称	档案所对应的名称
第一努图克	第一嘎查	察尔森	喜拉森
		福顺屯	
	第二嘎查	西巴达嘎	
		东巴达嘎	
		窑洪稍	窑洪西雅尔
		五棵树	塔奔毛都
		胡家窑	
		新庙	
		前沙拉嘎	西如嘎
	第三嘎查	后沙拉嘎	灰图西如嘎
		苏金扎拉嘎	
		合勒哈达	合勒哈达
		关家窑	
		胡拉嘎尔	胡拉古尔
	第四嘎查	好坦营子	
		哈丹苏	
		三家子	古尔班格尔
		海力图	海鲁图
		宝地扎拉嘎	布都因扎拉嘎
		好坦扎拉嘎	好坦扎拉嘎
		阿尔拉屯	
第二努图克	第一嘎查	前二十家子	好仁格尔爱勒
	第二嘎查	后二十家子	
		乌兰楚鲁	
		哈尔甘台	
		索伦他来	
	第三嘎查	毛西改扎拉嘎	毛西改扎拉嘎
		代合营子	代合图爱勒
		金山屯	
		查干嘎查	
	第四嘎查	宝地扎拉嘎	宝地因扎拉嘎
		阿桂屯	阿桂图爱勒
	第五嘎查	乌拉斯台	乌里雅苏台
		嘎海图	嘎海图

（续表）

努图克	嘎查	所属村落名称	档案所对应的名称
第三努图克	第一嘎查	额尔格图	额尔格图
	第二嘎查	哈达营子	哈达爱勒
		道尔吉窝堡	
		五家子	
第四努图克	第一嘎查	乌雅站	木雅
		五间房	
		苏格营子	苏金爱勒
	第二嘎查	六家子	吉如干格尔爱勒
		一家子	
		喇嘛仓	
	第三嘎查	新爱里	新爱勒
		德伯窝堡	德伯因多伯
		却窝堡	垂因多伯
		小扎子	巴嘎扎达苏
	第四嘎查	达民招	达民爱勒
		靠山屯	跑不了多伯
		德宝窝堡	德奔多伯

资料来源：巴彦那木尔、卢伯航：《西科后旗志》，第三章第九节《村落户口》，内蒙古图书馆藏手抄本。

二、清末放垦与旗人口结构变化

（一）清末科尔沁右翼后旗的放垦与安广、镇东二县的设立

清朝初期治理蒙古地区最主要的政策就是"封禁"。自顺治、康熙朝就对沿长城边口颁行限制流民出边的禁令。至乾隆朝，有关禁令演化成法律条文，《蒙古律例》、《大清会典事例》、《理藩院则例》等清代法律典籍中随处可见。但是，"禁令"禁而不止，大量内地流民涌入蒙古地区，开垦种植。于是，蒙古地区逐渐形成了农业或半农业地区。

哲里木盟各札萨克中，最早开垦的是科尔沁左翼三旗和东部的郭尔罗斯前旗。乾隆四十九年（1784年），盛京将军永玮等奏："宾图王旗（科尔沁左翼前旗）界内所留民人近铁岭者，达尔罕王旗（科尔沁左翼中旗）所留民人近开原者，即交铁岭县、开原县治之"。[①] 可见当时这两个旗已有不少

---

① 《清史稿》卷518，《藩部一》。

内地民人垦种。嘉庆七年（1802 年），博多勒噶台王旗（科尔沁左翼后旗）招民垦种。四年间垦民已达 4 万余，清廷不得不划界限制，并设昌图厅理事通判进行管理。嘉庆四年（1799 年），经吉林将军秀林和哲里木盟盟长拉旺奉旨查实，郭尔罗斯前旗已垦熟地 265 648 亩，有垦民 2 330 户。嘉庆五年（1800 年），清廷又划定该旗东西 230 里，南北 180 里的地界"招民垦种"，并设长春厅理事通判管理界内民人。以后，垦民不断增多，开垦范围也由南向北不断扩大，到光绪十七年（1891 年），就连北端的札萨克图王旗也容留土默特、喀喇沁蒙民垦种洮儿河夹心地带了。至清末官放蒙地之前，哲里木盟十旗都有不同程度的私招私垦蒙地现象，尤其最先招垦的宾图王旗和博王旗已开垦殆尽。

光绪二十八年（1902 年），清廷正式批准山西巡抚岑春煊关于开垦蒙地的奏请，清末全面放垦蒙地拉开序幕。清末放垦分西蒙、东蒙两部分。东蒙放垦的重点是哲里木盟，放垦区主要集中在北部的科尔沁右翼三旗、扎赉特旗、杜尔伯特旗和郭尔罗斯后旗。其中，科尔沁右翼三旗是放垦最晚的。[①]

对于科尔沁右翼后旗札萨克来说，由于该旗在哲里木盟十旗中政治地位最低，因此，一方面想通过放垦，以所得荒价贿赂清廷，希图得到宠赉；另一方面，时任该旗札萨克镇国公的拉喜敏珠尔因中年无子，信喇嘛言，欲将府第迁往洮儿河北之北山。但建造新公府不善经理，匠人、商人从中渔利，宫室还没有竣工已糜款上万，负债累累。所以，也想通过放垦填补亏空。因此，清末官放时科尔沁右翼后旗"独能破除锢闭之见，为诸旗冠"，[②] 放垦过程相当顺利。

光绪三十年（1904 年），科尔沁右翼后旗正式施行官放。由盛京将军督办，派花翎候补道张心田为镇国公旗蒙荒行局总办，从七月份开始勘放，至来年十一月份全部放竣。先是出放洮儿河以南宽、长各百里的荒地，但因"地多沙碱，土脉硗瘠"，[③] 所以又添放此荒北段至洮儿河南岸宽 100 里、长 30 里的荒地。丈量方法仿照札萨克图旗丈放荒地成案，以"二百八十八弓

① 《镇东县志》卷 2，《荒务》，1927 年铅印本。
② 徐世昌：《东三省政略》卷 2，《蒙务上·蒙旗篇》。
③ 巴彦那木尔、卢伯航：《西科后旗志》第 3 章，《土地制度》，内蒙古图书馆藏手抄本。

为一亩"。① 此次出放共得上、中、下三等生荒 222 991.2 垧（此数据是除去不堪耕种地 177 485.35 垧后得出的生荒数），上、中、下三等熟地 18 467.5 垧，共计 241 458.7 垧。② 其中包括台吉壮丁住界、庐墓和蒙旗酌留祭地、佛寺、鄂博各项留界地 42 680.01 垧；官留义地土坑 245.06 垧，共 42 925.07 垧无租地。"垧"是东北一带习惯用的土地面积单位，又作"日"、"天"，"骡马行速，两犁成陇者，一日可耕十亩，故称十亩为一日"，③ 蒙语称 örlüge。

在此次放垦中就丈得熟地 18 467.5 垧，证明该旗在官放以前就有民户垦种。从相关资料可知，早在光绪十五六年间，科尔沁右翼后旗就有私招私垦现象，到光绪三十四年（1908 年），这些私垦户所垦熟地已达 58 000 余垧。④ 王公所招垦户称红户，台吉、壮丁、揽头所招垦户称为黑户。官放后，允许这些民户在交齐荒价后继续垦种外，还可以换领更多生荒。

荒地放竣之际，光绪三十一年（1905 年）八月，拟于荒段适中之解家窝堡地方设县治，"其地旧为辽之安广军，即名安广县"，⑤ 隶属洮南府。安广县，在奉天省治北一千一百里，洮南府东一百六十里。东至六家子屯，五十里与黑龙江大赉厅界；南至哈拉海坨子，三十里接郭尔罗斯公蒙旗；西至讷合屯，五十里与洮南府接壤；北至洮儿河，沿接本旗（镇国公旗）未放荒界。面积 11 141 平方里。⑥ 初县境分为八乡，即正东、东南、正南、西南、正西、西北、正北、东北乡，共有 191 个村屯。⑦ 后改为五乡。光绪三十三年（1907 年）编审户口为 1 344 户、男女共 10 397 口。⑧

光绪三十年（1904 年）以来，科尔沁右翼后旗由于修建公府及喇嘛庙，耗费繁多，亏银六万两。本旗印军济克吉特加卜赴洮南贷款时，为荒务局总办毛祖谟闻悉，以先贷给 15 000 两为诱饵，与之商量丈放洮儿河北荒地。

① 徐世昌：《东三省政略》卷7，《财政·附奉天省垦务》。
② 张文喜：《蒙荒案卷》，吉林文史出版社 1990 年，第 84 页。
③ 《奉天通志》卷 113，《实业一·农业》，《东北文史丛书》本。
④ 《扎赉特旗西科后旗放垦蒙荒调查报告书》第 29 编，《镇东县》。
⑤ 徐世昌：《东三省政略》卷6，《民政·奉天省附件》。
⑥ 《奉天通志》卷 66，《疆域八》，《东北文史丛书》本。
⑦ 徐世昌《东三省政略》称 141 个村屯，但实际数为 191 个。
⑧ 徐世昌：《东三省政略》卷6，《民政·奉天省》。

在需款窘迫的情况下，便答应放垦洮儿河北沿长 60 里，西至札萨克图旗界，东至扎赉特旗界的荒地。于光绪三十四年（1908 年）六月开始绳丈，历时五个月，共丈得生熟地 4 328 方，编为恭、宽、信、敏、惠五段，分上、中、下三等。①

恭、宽、信、敏、惠五段荒地之详情

字　别	荒段位置	等　则	面积（方）
恭	乃拉海里	上	492
	哈拉套保	中	228.5
	抱好屯	下	754.5
宽	麻子豪沁	上	322.5
	新爱里	中	150
	利顺昭	下	427.5
信	胡立台	上	270
	好来抱马吐	中	150
	太平庄	下	472.5
敏	混沌庙	上	120
	抱马吉	中	150
	少拉古鲁	下	360
惠	板金屯	上	215
	哈拉火烧	中	150
	毛改吐	下	65

资料来源：《镇东县志》卷 2，《荒务·田亩》。

此段荒地放竣后，于宣统元年（1909 年）九月在南叉干挠设治局，宣统二年（1910 年）三月正式改为县署，"因其居蒙古科尔沁右翼后旗镇国公封地之东部，故设治后定为镇东县"，② 隶属洮南府。东与黑龙江之大赉县接壤；南与安广县接壤；西与洮安接壤；北与黑龙江之泰来接壤。南北纵距

---

① 《镇东县志》卷 2，《荒务》，1927 年铅印本。
② 《镇东县志》卷 1，《地理》，1927 年铅印本。

约 110 里，东西横距约 170 里，面积 18 700 平方里（《镇东县志》称 12 000 平方里）。① 设治之初县境分为五乡，即城厢、东南、西南、东北、西北五乡，辖村 141 个。民国六年（1917 年）改划为五个区。宣统三年统计户数为 1 631 户，人口为 20 300 口。②

宣统元年（1909 年），镇国公旗因毗连恭、宽、信、敏、惠五段荒地之迤北荒地平衍膏腴，且距旗较远，所以想续放。于是，便与洮南知府兼荒务局总办孙葆缙商妥，续放南与原放之荒毗连，北至本旗乌鸦站，东北至扎赉特旗界，西南至本旗留界接札萨克图王旗界的荒地。此次出放共得毛荒 2 500 余方，一律为下等荒地，编为新字段。

宣统三年（1911 年），镇国公旗仍然因修造公府及喇嘛庙亏款，且旧账难偿，遂咨请愿出放西南至札萨克图旗界，东南至新字段，东北至乌鸦站留界地，西北至本旗马鞍山，东西宽 57 里，南北长 54 里的荒段。丈得荒地 2 525 方，亦作为下等荒，编为明字段。此荒由洮南商庆升号及金州户、孟敖起等三股承领。所得荒价悉归镇国公旗，以清理旧欠。

以上所放新字段和明字段两片荒地，因邻近镇东县，所以其行政权归镇东县管辖。

从光绪三十年至宣统三年（1904—1911 年）间，科尔沁右翼后旗先后四次放垦，共放生熟地 839 829.05 垧。荒价按上等荒每垧 4.4 两、中等荒每垧 2.4 两、下等荒每垧 1.4 两收取，得荒价银 97 万余两库平银。所得地价均以一半归国库，一半归蒙旗劈分。蒙旗所得荒价，"归该蒙旗自公以下暨台吉、壮丁、庙仓人等按数均匀分给"。③ 具体分配办法是，"以五成归札萨克，以二成五归台（吉）壮（丁），以二成五归庙仓"。④ 地租由新设之安、镇二县荒务行局征收。所征地租缴国库四成，蒙旗得六成，照"自辟荒价例匀分"。⑤

---

① 《奉天通志》卷 66，《疆域八》，《东北文史丛书》本。
② 徐世昌：《东三省政略》卷 6，《民政·奉天省附件》。
③ 张文喜：《蒙荒案卷》，吉林文史出版社 1990 年版，第 89 页。
④ 徐世昌：《东三省政略》卷 2，《蒙务下·筹蒙篇》。
⑤ 徐世昌：《东三省政略》卷 2，《蒙务下·筹蒙篇》。

科尔沁右翼后旗与安、镇二县地租分配比率表

年　代	纳租定例（每垧）	分配办法	分配比率（%）
光绪三十年至宣统元年	中钱 660 文	国库 240 文	36.4
		蒙旗 420 文	63.6
民国四年至九年	小洋 2 角	国库 0.073 角	36.4
		蒙旗 0.127 角	63.6

资料来源：《东三省政略》卷 2，《蒙务下·筹蒙篇》之《附哲里木盟蒙旗官局丈放荒地一览表》；科尔沁右翼后旗札萨克衙门档案，卷号 784、940、1286。

在放垦洮儿河南岸（即安广县）和北岸（即镇东县）荒地时，以户为单位，分别划给原住之旗民生计地二方。关于此情，《档案》中称："前，于河（指洮儿河）南（北）放荒之际，给我旗努图克每户各二方地，作为永远的生计"。[①]"方"，蒙民或直接称为"fangsa"，或译为"dörbelji"，也是东北一带惯用的土地面积单位，1 方为 45 垧。旗民称生计地为"erüke-yin rajar"，意为"户地"。[②] 户地作为该旗己产不准私典盗卖，不交地价，但地租照缴。

清末放垦后，在哲里木盟形成了以洮南府为中心的又一大农业区。清廷在这里设治，以管理垦地及满汉商民。科尔沁右翼后旗开垦区上设的安广、镇东二县就是这个农业区的重要组成部分。但实际情况是，设治后的十几年里，由于地势偏远，以及连年的兵荒马乱、天灾人祸等原因，或是无人承领所开荒地，或是垦区之人民逃散，民不聊生，以致时人慨叹"惜哉，膏壤几同石田"。[③] 民国四年（1915 年），安广县纳租新开及旧有耕地加起来只有 4 万余垧，[④] 占所放垦地的 10.4% 左右。而镇东县"所垦尚不及百分之三"，[⑤] 无奈之下，镇东县定了"催垦简章"，以加速放垦过程。

清末官放蒙地，是清廷在面临外国列强提出的巨额赔款的压力下，打着"固边防"、"实边圉"的幌子，以强行掠夺的方式，以牺牲蒙古族传统的畜牧业经济为代价，在蒙古地区推行的最主要的"新政"。但实际上是"地放

① 内蒙古档案馆档案科尔沁右翼后旗档案，502—1—475、569。
② 内蒙古档案馆档案科尔沁右翼后旗档案，502—1—475。
③ 王士仁：《哲盟实剂》第 5 章，《未垦之原因》，哲里木盟文化处 1987 年版。
④ 内蒙古档案馆档案科尔沁右翼后旗档案，502—1—686。
⑤ 《镇东县志》卷 2，《荒务》，1927 年铅印本。

而边未实"，① 此间的主要活动是放地收价，其直接动机就是筹措庚子赔款，缓解清廷财政危机。

清末大规模放垦后，"凡水草利便之区，悉为稼穑丰盈之地，牧场既蹙，畜养又复无方"，② 蒙古族牧民的生存环境及生产条件遭到了极大的破坏。所放之地，对于那些耕种者来说是"荒"，但对于以游牧为生的蒙古族牧民来说却是优良牧场。科尔沁右翼后旗官放前面积约为七万平方里，官放后锐减为四万多平方里。而且所放之地，是沿洮儿河之南岸和北岸的平坦肥沃的土地。因为该旗地貌特征是，中部以北多为山地，中部以南多为平地。因此，所放地片悉为该旗最好的牧场。放垦后，清廷直接在此设治，招民垦种，不但使蒙旗失去了土地所有权，而且由于蒙民不善种植，从而招汉民垦种，甚至抵押，"久之则反客为主，汉民视土地为己有"，③ 而蒙古族牧民或被迫远徙至山陵、沙地、碱滩等土壤贫瘠之地区，或弃牧务农。

（二）旗人口结构变化

崇德元年（1636年），清朝初设科尔沁右翼后旗时有1 800户，633名箭丁，并被编为36个牛录。后又被编为16个苏木，设4名扎兰分管。虽然直至清亡，乃至民国时期，该旗苏木和扎兰数并没有改变，但由于在民国元年（1912年）的动乱中，旗旧有档册大部分都被烧毁，故其长达200多年的户数、人口状况都无从稽考了。然而，有一点是可以肯定的，那就是随着科尔沁右翼后旗的放垦，内地汉人及外盟旗蒙民不断涌入，致使本旗人口无论从数量上来说，还是从地域来源和构成上来说都有了全新的变化。

有关调查科尔沁右翼后旗人口及箭丁人数的资料，现在已经很难找到。《科尔沁右翼后旗札萨克衙门档案》中，有一些这方面的记录。虽然遗存下来的卷数不多，或是记载也并不完整，但对了解和研究该旗人口状况提供了十分珍贵的资料。

据不完全统计，宣统二年（1910年），该旗四个苏木的人口为204户，1 019口，平均每户人家有4.99口。其中最多的一个苏木有86户，457口；

①　闫天灵：《汉族移民与近代内蒙古社会变迁研究》，民族出版社2004年版，第36页。
②　《奉天通志》卷120，《实业八·牧畜》，《东北文史丛书》本。
③　《奉天通志》卷97，《礼俗一·风俗》，《东北文史丛书》本。

最少的苏木有 30 户，130 口。① 如果按每个苏木有 50 户，每户有 5 口来算，该旗 16 个苏木就应该有 800 户，4 000 口。这与崇德元年（1636 年）统计的 1 800 户有很大差距。然而，据民国六年（1917 年）调查，本旗旗民只有 2 230 口。② 也许，这与在民国初年的动乱中旗民逃散有关。

关于箭丁和站丁人数，民国十二年（1923 年）农历七月十日比丁时统计的数目为，承担赋役的箭丁 359 人，新出生的箭丁 50 人，③ 合计 409 人。站丁 67 人。④ 同年统计的哈日雅图人数为四个扎兰合计 240 人。其中，镇国公所属一个扎兰及以下的哈日雅图人数为 80 人；其余各台吉所属三个扎兰及以下的哈日雅图人数分别为 60 人。

民国十二年（1923 年）统计的旗札萨克公及台吉的哈日雅图人数

所属王公或台吉	哈日雅图人数		
	扎兰章京名	苏木章京名	共计
札萨克公巴彦那木尔属下	赛音乌勒根	阿尔毕吉呼	20
		乌日图	20
		甘珠尔扎布	20
		齐木德宁布	20
札萨克公及各等台吉属下	达赖	不详	15
		不详	15
		不详	15
		不详	15
各等台吉属下	德力格尔	巴拉丹	15
		布仁巴雅尔	15
		图拉格齐	15
		色棱那德木德	15
	那木吉勒	色仍那德木德	15
		巴拉吉	15
		森格卡尔布	15
		塔宾台	15

资料来源：科尔沁右翼后旗札萨克衙门档案，卷号 1716。

---

① 内蒙古档案馆档案科尔沁右翼后旗档案，502—1—202。
② 闫天灵：《汉族移民与近代内蒙古社会变迁研究》，民族出版社 2004 年版，第 29 页。
③ 内蒙古档案馆档案科尔沁右翼后旗档案，502—1—1533。
④ 内蒙古档案馆档案科尔沁右翼后旗档案，502—1—1535。

从以上统计的结果我们可以看到，清末和民国年间，该旗的户口人口与箭丁人数，都不及清初统计的数据。这当然与自清初以来战事的频仍和疾病灾害等有关，但更主要的是与清朝对蒙古地区采取的"家有三丁，则度其一为喇嘛，五丁则致其二"[①] 的宗教措施有关。

直到宣统末年，该旗依然以游牧为主，还没有形成规模村落，或者可以说，至少没有大规模地形成定居村落。因为宣统二年（1910 年）统计人口时，并没有出现村落的名称，而是标明该户所居之地貌。如，"居于额尔和木图坡的扎兰章京萨尔来一户中……"；"居于温格图阿噜的台吉和西格布仁一户中……"等等。即使有固定居住地，也并不以村称谓，而是称"努图克"。如，"额尔格图努图克"、"宝竟努图克"、"宝达图敖来努图克"等等。[②] 然而仅仅过了两三年，该旗已经有了相当规模的村落。民国二年（1913 年），镇国公旗至少有村落 26 个。[③]

民国二年（1913 年）科尔沁右翼后旗各村落名称及户数、人口状况

村落名称	户 数	人 口	村落名称	户 数	人 口
喜拉森爱勒	10	69	好日雅爱勒	10	65
额尔格图爱勒	31	165	苏布尔嘎爱勒	3	23
豪沁好日雅	1	7	木（乌）雅爱勒	8	38
新爱勒	10	68	宝竟爱勒	6	44
哈旦爱勒	64	394	查干好树爱勒	3	28
代合图爱勒	13	91	阿都爱勒	1	7
好坦扎拉嘎爱勒	18	91	巴嘎扎达苏爱勒	13	98
阿桂图爱勒	6	40	伊合扎达苏爱勒	17	150
塔奔毛都爱勒	2	12	哈比尔嘎爱勒	5	59
海鲁图爱勒	20	125	达民爱勒	6	43
宝日好苏爱勒	4	33	那林合日爱勒	16	141
乌尔德格爱勒	41	256	毛吉盖爱勒	4	24

---

① 徐世昌：《东三省政略》卷 2，《蒙务上·蒙旗篇》。
② 内蒙古档案馆档案科尔沁右翼后旗档案，502—1—567。
③ 内蒙古档案馆档案科尔沁右翼后旗档案，502—1—815。

（续表）

村落名称	户 数	人 口	村落名称	户 数	人 口
好仁格尔爱勒	20	106	好塔图扎拉嘎爱勒	4	53
合计	240	1457	合计	96	773

资料来源：科尔沁右翼后旗札萨克衙门档案，卷号815。

村落的形成当然与农垦的发展有关。自清末放垦后，外旗民人等纷纷涌入科尔沁右翼后旗未开放地进行垦种，本旗王公、台吉及壮丁也为了更大的经济利益情愿招垦。从上表中可以发现，拥有 10 户以上的村落，其位置或靠本旗农垦比较发达的东南部，或坐落于益于农业的洮儿河沿岸。26 个村落合计有 336 户，2 230 口，说明民国初年，该旗已有近一半的旗民投入到了农垦的行业。

科尔沁右翼后旗私放私垦之前，几乎没有汉人或外旗旗民的成分。光绪十五年（1889 年），镇国公府招来汉人 30 户进行开垦。至清末官放之际，"陆续来者共有四百余家"。[①]

官放后，垦区由南向北不断延伸，来该旗垦种土地的汉人及外盟旗蒙人也不断增多。归纳其分布特点，汉人主要流入先前开放的安广、镇东二县；外盟旗蒙人主要集中在本旗未开放之境内。

安广县设治之初，境内人口约有500 户，4 000 余人，其中蒙人约 1 000人。[②] 这些蒙人应该大部分都是开垦后被划入该县的原住旗民。经过六七年的招垦，安广县的村屯及户数都有了显著的增加。

宣统三年（1911 年）安广县所辖各乡村屯及户数、人口状况

乡 别	中乡（即城区）	东南乡	西南乡	西北乡	东北乡	合 计
村屯数	54	51	19	31	71	226
户数	449	685	530	270	1 142	3 076
男口	1 911	3 263	2 164	1 489	5 061	13 888

---

① 《安广县乡土志》，《历史》，吉林图书馆 1960 年版。

② 《扎赉特旗西科后旗放垦蒙荒调查报告书》第 30 编，《安广县》，兴安局地籍整理局 1940 年版，第 70 页。

（续表）

乡　别	中乡（即城区）	东南乡	西南乡	西北乡	东北乡	合　计
女口	1 676	2 589	1 584	1 220	3 977	11 046
合计	3 587	5 852	3 748	2 709	9 038	24 934

资料来源：《安广县乡土志·户口》。

镇东县设治之初，也是蒙汉杂居。虽然被划入本县的原住旗民具体有多少不得而知，但"以蒙民为多，汉人移来者为数极少"。[1] 然而，到了宣统三年（1911 年），人户猛增为 1 631 户，20 300 口。

由于民国元年（1912 年）的动乱，"蒙人举族北遁，为之一空"，[2] 来安、镇二县垦种的汉民也几乎尽数迁徙逃散。直至动乱平息以后，朝阳等地的蒙人和吉林、辽宁以及河北、山东等地的汉人才渐渐徙来。[3] 即使如此，民国四年（1915 年），安广县只有人家 41 户，250 人。[4] 到了民国二十四年（1935 年），情况就大不相同，安广县总人口已达到 86 498 人，其中蒙古族人口仅 959 人，[5] 占 1% 左右。镇东县，民国十五年（1926 年）有 3 405 户，25 743 口，其中蒙古族人口约占 10%。[6] 此时，安、镇二县的蒙古族人口已不仅限于原住旗民了，更多的是外旗蒙民。

流入科尔沁右翼后旗未开放之境内开垦的人户，除有极少一部分汉人外，大部分是外盟旗蒙古族农民。从地域来源和祖籍上讲，来自卓索图、昭乌达二盟者居多。这些地区开放较早，土地早已被汉民充斥，大部分原住旗民或被迫北迁，或破产流离。他们纷纷涌向哲里木盟各旗，或以押契的方式租种土地，或以纳租的方式佃种土地，或成为藤青人。我们可以从科尔沁右翼后旗札萨克衙门档案遗留下来的卷宗中，粗略地统计一下相关数据。

---

[1] 《镇东县志》卷 4，《民族》，1927 年铅印本。
[2] 《镇东县志》卷 4，《民族》，1927 年铅印本。
[3] 《镇东县志》卷 4，《民族》，1927 年铅印本。
[4] 东亚同文会调查编纂部：《东部蒙古》第 11 章，《都市》，1915 年 10 月 10 日发行。
[5] 《扎赉特旗西科后旗放垦蒙荒调查报告书》第 30 编，《安广县》，兴安局地籍整理局 1940 年版，第 71 页。
[6] 《镇东县志》卷 4，《民族户口》，1927 年铅印本。

民国年间流入科尔沁右翼后旗租种土地人（户）口状况

（祖籍）　年代　人（户）数	民国三年（1914 年）	民国八年（1919 年）	民国十一年（1922 年）	民国十四年（1925 年）
喀喇沁	85（7）	200（28）	180（26）	211（27）
土默特	176（22）	307（45）	300（45）	311（39）
敖汉		66（10）	66（9）	66（7）
奈曼		16（2）	9（1）	
巴林		10（1）		
满官嗔	34（5）	157（22）	121（17）	173（22）
翁牛特	50（2）		7（1）	11（2）
冰图王	55（5）	25（3）	23（2）	27（3）
博王	11（1）	38（7）	18（3）	4（1）
达尔汉王		6（1）		6（1）
扎鲁特		5（1）	4（1）	
长春锡伯	13（2）	21（3）	14（2）	30（3）
苏鲁克旗	9（1）	9（1）	9（1）	9（1）
乌珠穆沁		7（1）	13（1）	
库伦旗		5（1）		
察哈尔		7（1）	7（1）	
山西			12（1）	6（1）
合计	436（46）	879（127）	783（111）	854（107）

资料来源：科尔沁右翼后旗札萨克衙门档案，卷号 561、1217、1489、728、1651。其中，卷 561 为民国三年全旗境内押契荒和佃种户统计结果；卷 1217 和 1489 分别为民国八年和十一年旗东部押契荒和佃种户统计结果；卷 728 和 1651 为民国十四年旗东部押契荒和佃种户的不完全统计结果。

民国年间科尔沁右翼后旗外来耪青人（户）口状况

年代	民国八年（1919 年）	民国十一年（1922 年）	民国十四年（1925 年）
耪青人（户）数	430（91）	534（115）	586（124）

资料来源：科尔沁右翼后旗札萨克衙门档案，卷号 1217、1489、1648、1651。其中，卷 1217 和 1489 分别是民国八年和民国十一年东部押契荒户和佃种户的耪青人户统计结果；1648 是民国十四年北部耪青人户统计结果；1651 是民国十四年东部押契荒户的耪青人户统计结果。

从上表中我们可以看到，民国八年（1919 年），外来蒙古农民人口比五年前至少增加了一倍。此后，随着社会状况的相对好转和该旗积极招垦，外来人口越来越多，地域来源也越来越广了。民国二十三年（1934 年）前后，该旗汉族人口达到了 387 人；蒙古族人口达 7 530 人。其中，在蒙古族人口中，从事农业的有 2 616 人，从事牧业的只有 12 人，另有 4 900 人从事"其他业"。[①]务农人口大部分是外来蒙古农民，而从事"其他业"的人口则多是本旗旗民。他们既不精心务农，也不安心从牧，因为本旗地旷人稀，"招民垦种，坐享其成"足以让其过上暖衣饱食的日子。

为了使来旗垦种的蒙民能够有恒产，长期定居于此，而且不使本旗旗民养成不劳而获的骄奢之习，广招垦户，发展农业，旗公署于民国 23 年（1934 年）底召开地方政务会议，决定《有押契地之佃户今后待遇案》和《旗民所招佃户垦出之土地双方平分案》两项决议。《案》中决定："押契款概不退还，作为烂价而将所垦之地平分之。以一半归旗，一半拨给该押契户，永为己业，同时并视为已入旗籍"；"自现在论，凡从前来旗垦地之蒙人一律认为旗民，其所垦之土地与地主平分，各自管业"。[②]由此，凡来科尔沁右翼后旗垦种的外来旗民都入了本旗旗籍，我们从后来研究者的调查数据中再也无法分清原住旗民与外来旗民了。

总之，放垦后外盟旗蒙人及汉人的大量涌入，不仅使科尔沁右翼后旗的人口数量发生了变化，还使人口的地域来源、民族结构都发生了变化，同时也加快了本旗由牧转农的进程。

三、寺庙与喇嘛状况分析

（一）寺庙与喇嘛状况

藏传佛教自 16 世纪中后期再度传入蒙古地区以后，逐渐普及，到 17 世纪中叶已成为蒙古全民族信奉的宗教。清朝建立后，对藏传佛教更是倍加扶植，使它在蒙古地区达到了全盛阶段，拥有了崇高的地位。但是经过第一次鸦片战争以后，清朝的国势一落千丈，尤其到了清末，随着清朝政府对蒙古

---

① 巴彦那木尔、卢伯航：《西科后旗志》第 3 章，《村落户口》，内蒙古图书馆藏手抄本。
② 巴彦那木尔、卢伯航：《西科后旗志》第 3 章，《土地制度》，内蒙古图书馆藏手抄本。

政策的彻底转变，佛教的地位迅速下降，甚至出现了衰落的趋势。然而，它对蒙古族的政治、经济、文化、思想等各个方面都产生了深远的影响。因此，在研究蒙古地区的社会历史时，佛教是不容忽视的一个基本因素。

清朝乾隆和嘉庆年间，佛教在蒙古地区达到了鼎盛时期。当时，蒙古各地寺庙林立，僧众遍布。19 世纪，仅内蒙古地区就有寺庙 1 200 多座。其中，"科尔沁境内大小寺庙甚多"。①

偏居哲里木盟西北隅的科尔沁右翼后旗，因为种种原因，建立的寺庙并没有其他旗那么多，也没有什么著名的寺庙。根据科尔沁右翼后旗札萨克衙门档案的记载，该旗"自古以来就有五座庙"。② 这五座都是旗建寺庙。旗民分别将它们称为：和硕苏莫（qosiɣun süme）、公因苏莫（güng-yin süme）、黑帝苏莫（keyid süme）、灰图苏莫（qoyitu süme）、乌日德恩苏莫（ürdegen süme）。③ 其中，旗公有一座，四个努图克各有一座。

由于在民国元年（1912 年）的动乱中，该旗五座庙中有三座被烧毁，两座被破坏④，因此，关于各庙的题名、建立年代、努图克所属以及清时期的喇嘛人数等等情况，遗留下来的资料很少。虽然《西科后旗志》中记载了一些相关情况，但已是民国后期的情况，而且记述并不详细，失误之处也不少。

《西科后旗志》中所列各寺庙名称、地址及建立年代、通俗称谓

寺庙名称	努图克别	所处位置	建立年代	通俗称谓
特古斯巴雅斯古郎图庙	第一努图克	巴达嘎	康熙年间	新庙
阿桂庙	第二努图克	阿桂屯	同	（未记）
好睦新宝地萨地巴庙	第三努图克	额尔格图	同	混沌庙
乌雅站庙	第四努图克	乌雅站	同	伯彦查干黑帝庙
关帝庙	第四努图克	苏格营子	不详	老爷庙

资料来源：《西科后旗志》第三章第四节《文教·喇嘛》。

---

① 益西巴勒丹：《宝贝念珠》（汉译），民族出版社 1989 年版，第 67 页。
② 内蒙古档案馆档案科尔沁右翼后旗档案，502—1—415。
③ 内蒙古档案馆档案科尔沁右翼后旗档案，502—1—427。
④ 内蒙古档案馆档案科尔沁右翼后旗档案，502—1—415。

和硕苏莫　是本旗王公贵族和阿勒巴图旗民共同供奉的最大的一座庙。它就是《志》中所称的"特古斯巴雅斯古郎图庙"。从其名称分析，该庙很可能是清康熙帝赐匾的。它最初位于本旗南端，洮儿河南岸，旧公府东北。放垦后，在这里设安广县时，该庙也被划入安广县地理范围内。来这里垦种的汉民将它称为"新庙"。民国元年（1912年），该庙被烧毁。[①] 民国三年（1914年）重建时另选地址，将其迁到了新公府所在地察尔森附近。

黑帝苏莫　建于清康熙四十二年（1703年）八月。[②] 位于洮儿河北岸，是布呼宝音图努图克庙。放垦后，被划入镇东县境内。在民国元年（1912年）的动乱中，它免于被毁[③]。该庙应该就是《志》中所提到的"伯彦查干黑帝庙"。《志》中将伯彦查干黑帝庙说成是乌雅站庙的俗称是不准确的。由于到了民国以后，对开垦的蒙古地区采取的一系列措施，使旗县分治更为明朗。在这种情形下，镇国公旗在其所属努图克上重建了黑帝庙，而努图克蒙民因其新建住址为阿桂屯，从此改称为"阿桂庙"了。

灰图苏莫　汉民称为混沌庙或浑春庙，建于清道光年间。[④] 它就是《志》中所称好睦新宝地萨地巴庙，是色伯格扎布努图克庙。放垦后，被划入镇东县境内。民国元年（1912年）被毁，后来重建在额尔格图爱里。

乌雅站庙　因为位于本旗东南部的驿站附近，所以旗民称为乌日德恩苏莫。它是达赖格日勒图努图克庙。

公因苏莫　旗民所称的公因苏莫，也称诺颜苏莫，属于那顺宝彦努图克。

民国元年（1912年），科尔沁右翼后旗的五座庙遭到了不同程度的破坏，相关的档案资料也丢失被毁。因此，清末民初以前的各庙喇嘛人数具体有多少已无法统计。动乱平息后，旗札萨克临时建了一座小庙，将四处逃散的喇嘛们收留在这里。当时统计的喇嘛有122名。其中因没有处所有24名喇嘛寄居在扎赉特旗寺庙。[⑤] 随着寺庙的重建和修复，逃散的喇嘛们也陆续回到本庙。

①　内蒙古档案馆档案科尔沁右翼后旗档案，502—1—974。
②　《镇东县志》卷5，《宗教》，1927年铅印本。
③　内蒙古档案馆档案科尔沁右翼后旗档案，502—1—498。
④　《镇东县志》卷5，《宗教》，1927年铅印本。
⑤　内蒙古档案馆档案科尔沁右翼后旗档案，502—1—427。

清末民国初年间科尔沁右翼后旗各庙喇嘛人数状况

（单位：人）

年代＼寺庙	和硕苏莫	公因苏莫	黑帝苏莫	灰图苏莫	乌日德恩苏莫
宣统三年			达喇嘛1		
			喇嘛14	喇嘛10	
			沙比16	沙比10	
民国四年	达喇嘛1	达喇嘛1		达喇嘛1	
	喇嘛77	喇嘛49		喇嘛9	
	沙比41	沙比30		沙比11	
民国八年		达喇嘛1			
		喇嘛29			
		沙比31			
民国十二年	达喇嘛1		达喇嘛1	达喇嘛1	
	喇嘛39		喇嘛14	喇嘛9	
	沙比41		沙比16	沙比11	
民国二十四年左右	葛根1		住持1	住持1	住持1
	喇嘛37		喇嘛17	喇嘛5	喇嘛5
	沙比40		沙比17	沙比9	沙比5

资料来源：科尔沁右翼后旗札萨克衙门档案，卷号567、696、703、1539、1682、1683；《西科后旗志》第三章第四节《文教·喇嘛》。

上表中呈现的数据都是各庙中领得度牒的喇嘛。清朝一方面采取扶持黄教的政策，另一方面又严禁私建寺院，扩充喇嘛，以防蒙古牧民大量出家逃避当差服役。因此规定，蒙古人出家为僧，必须先造册报理藩院，领得清朝颁发的度牒。只有领得度牒，才能成为"合法"的在册喇嘛。科尔沁右翼后旗札萨克衙门档案中保留有道光、咸丰、同治和光绪四朝所发的喇嘛度牒。度牒上用满、蒙、汉三种文字印有喇嘛禁条，其主要内容是："不得容留没有入册的喇嘛；如有想出家为喇嘛的台吉，必须造册送理藩院，想领出家印信者即发给度牒。未领印信擅自出家者（指台吉），罚盟长三个月俸禄，札萨克一年俸禄，图萨拉格齐台吉二九牲畜；没有领得印信擅自为喇嘛者，勒令其还俗"。[①] 同时，将领得度牒喇嘛的姓名、年龄写在度牒上，有

---

① 内蒙古档案馆档案科尔沁右翼后旗档案，502—1—129、130、133、135、136、163、164、168、169、176。

的还注明喇嘛的相貌特征。如"科尔沁札萨克镇国公乌勒吉济尔噶勒旗的班第恩和，十三岁，黄脸，高个"；"科尔沁札萨克公特古斯壁礼克图旗的班第乔吉桑，十二岁"等等。

五座庙中职位最高的喇嘛为达喇嘛，可拥有沙比 2 人。其下有苏拉大喇嘛、温札德、德木齐、格斯贵等，属于上级喇嘛，可拥有沙比 1 人。下级喇嘛有果尼尔、敖姆布、班第等。还有一些没有具体职位的一般喇嘛。上层喇嘛因为有支配寺庙财产的权力，所以也会出现贪污现象。如，黑帝庙大喇嘛索德那木就因侵吞庙地地租而被告。① 甚至有喇嘛盗卖庙地，中饱私囊。② 下级喇嘛和沙比负担寺庙的劳役、贡纳，对本寺庙有绝对的供养义务。

《西科后旗志》中说，新庙（即和硕庙）的住持是位葛根喇嘛，但并没有记述该葛根的详细情况。《档案》中虽然也没有直接出现有关该葛根的信息，但却有一些与他相关的记载。"民国六年（1917 年），因葛根从娘家回来而准备驿站花 114 千 100 文钱"；③ "民国九年（1920 年），给葛根仓买一年所需的用品花钱 105 元"。④ 更重要的是，民国十六年（1927 年）比丁时留下的记录中提到："额尔德尼葛根属下的沙比额日有 65 名"。⑤ 由此可知，本旗旗庙的住持喇嘛被称为额尔德尼葛根喇嘛，而且其属下有沙比黑徒65 名。

除了以上提到的喇嘛外，本旗还有驻北京雍和宫喇嘛若干和驻多伦诺尔汇宗寺、善因寺喇嘛各一名。⑥

直到民国十四年（1925 年）、十五年（1926 年）间，科尔沁右翼后旗各寺庙的香火还颇盛。"蒙古笃信喇嘛，户口未经调查，无从知其确数"。⑦ 但是，随着清末民初政局的不稳定，尤其是放垦该旗蒙地后，汉民增多，蒙古人民的生活日益贫困化，该旗黄教也走向颓废阶段。

---

① 内蒙古档案馆档案科尔沁右翼后旗档案，502—1—445。
② 内蒙古档案馆档案科尔沁右翼后旗档案，502—1—498。
③ 内蒙古档案馆档案科尔沁右翼后旗档案，502—1—979。
④ 内蒙古档案馆档案科尔沁右翼后旗档案，502—1—1286。
⑤ 内蒙古档案馆档案科尔沁右翼后旗档案，502—1—1680。
⑥ 内蒙古档案馆档案科尔沁右翼后旗档案，502—1—74、1320。
⑦ 《安广县乡土志》，《宗教》，吉林图书馆 1960 年版。

（二）庙会及寺庙经济状况

科尔沁右翼后旗的和硕庙是本旗王公贵族和旗民们共同供奉的最大的寺庙。每年它都要定期举办一些宗教活动和仪式。正月除了要祭神，从初七至十五日还要跳鬼；四月初一至十五日，举办玛尼会；六月初六至十四日，举办萨莫布拉伊罗勒大法会；① 七月十五日，诵东西达经；十月十五日和二十五日两天，诵明恩朱拉经；冬至日，诵尼黎嘎经二日；十二月三十日，举办扎布萨拉会一日。②

在这些宗教活动中，六月份举办的萨莫布拉伊罗勒大法会是传统的、全旗性的庙会。其实是查干萨莫布拉、伊罗勒（祈愿）两大法会相继举行。根据《档案》的记载，举办时间在每年的农历夏季末月，即六月份。日程安排一般是初六至初八为查干萨莫布拉法会，初十开始举行伊罗勒法会，先后为期九天。③

在庙会举办的半个月前，旗札萨克公会向本旗四个努图克台吉、扎兰，驿站章京、昆都发出通告，准备庙会上所需人员和各种物品，并要求除班第，其余人等准时在和硕庙集合，不得延误。庙会期间喇嘛们膳用的牛、羊、粮等由旗公府预备。努图克扎兰需准备奶油、奶豆腐和供庙仓使唤的人员，还有射箭、摔跤、赛马用的工具等。

到了法会举办的那一天，全旗老少僧俗都会齐聚和硕庙。对于他们来讲，大法会不仅仅是礼佛还愿，更像是参加盛大的节日。因为法会期间不但举行宗教仪式，还会进行热闹的蒙古族传统体育项目射箭、摔跤和赛马等。萨莫布拉伊罗勒大法会是科尔沁右翼后旗和硕庙每年都定期举办的规模最大的宗教活动。

除了萨莫布拉伊罗勒大法会外，正月跳鬼也是一年当中比较大的宗教活动，蒙语称查木会。届时，"官民齐集，喇嘛扮演各般鬼怪，奇装异服，名为驱鬼。乃大会也"。④

---

① 内蒙古档案馆档案科尔沁右翼后旗档案，502—1—1148。
② 巴彦那木尔、卢伯航：《西科后旗志》第 3 章，《文教》，内蒙古图书馆藏手抄本。
③ 内蒙古档案馆档案科尔沁右翼后旗档案，502—1—689、1507、1653。
④ 巴彦那木尔、卢伯航：《西科后旗志》第 3 章，《文教》，内蒙古图书馆藏手抄本。

关于科尔沁右翼后旗各庙举办的宗教活动，没有更为详细的记载。因此，对这些活动举办期间的日程安排、各种仪式、所诵经典、喇嘛动态、信徒状况等都无法进行一一阐述了。

"黄教在相当长的时间长盛不衰，显示了蒙古地区的寺院拥有雄厚的经济基础"。① 因为喇嘛沙比免除世俗社会的一切差役，故如果没有一定的经济基础和来源，这一群体的生活用度将无法保障。

因为科尔沁右翼后旗五座庙属于旗庙或努图克庙，所以没有官府的拨款或赏赐，主要靠寺庙的土地收入、旗公府的扶持和学徒、信徒的供奉。

清末放垦时，科尔沁右翼后旗划给蒙民生计地的同时，也给各庙划出了数量不等的庙地（或叫香火地）。各寺庙一般都直接租给农民垦种，按一定的地率收取地租。如，民国七、八年（1918、1919年），新庙有已垦熟地975.472垧。民国十五年（1926年），垦地增为2 957.51垧，招100户垦种。按当时每垧地0.2元的租率，新庙一年的地租收入就有近600元。黑帝庙有香火地9方（合405垧）。其中，民国三年（1914）时，已开垦的熟地有118.7垧。除了庙地地租收入，还有旗公府从各押契荒户所缴地租和猪肉中分给各庙的收入。如，民国五年（1916年），分给各庙的北部押契荒户所缴粮租和猪肉分别有64石和153.9斤。民国六年（1917年），分给各庙仓喇嘛的粮食共74.5石，猪肉200.5斤。② 土地地租收入是各庙主要的经济来源。

根据《西科后旗志》中调查的各庙财产，民国二十七年（1938年）左右和硕庙有房间70土地315垧；黑帝庙有房间16；灰图庙有房间13土地11垧；乌雅站庙有房间6土地32垧；关帝庙有房间8土地5垧。③ 虽然远不如前，但各庙依然有其一定的经济收入。

旗公府的拨款主要来自本旗地租收入和各努图克扎兰分摊。这里分为以下几项：补助救济；寺庙维修费；宗教活动拨款。民国元年（1912年）的

---

① 乌云毕力格、成崇德、张永江：《蒙古民族通史》第4卷，内蒙古大学出版社2002年版，第376页。

② 内蒙古档案馆档案科尔沁右翼后旗档案，502—1—997。

③ 巴彦那木尔、卢伯航：《西科后旗志》第3章，《文教》，内蒙古图书馆藏手抄本。

动乱中，该旗喇嘛们无庙可归，穷困潦倒。旗公府先后补助各庙上级和下级喇嘛600千文钱和60多元。但各等喇嘛所得具体数额不详。本旗驻雍和宫和多伦诺尔庙喇嘛们的伙食费、厨师工钱及服装费由各努图克扎兰出，也属于旗财政拨款。平时寺庙的修缮，旗公府也会拨款。如民国八年（1919年）修建庙院、抹庙墙的人力用钱17.5元。一年一度举办的庙会期间的供品、喇嘛们的饮食、各种赏钱等都由旗公府解决。如，民国八年（1919年）举办庙会时，以上各种开销用钱270.7元，粮5石。民国九年（1920年）的庙会费用则达到了500元。① 像玛尼会、正月祭神、扎布萨拉会等宗教活动中，旗公府都会出钱粮。如在民国八年（1919年）的扎布萨拉会中用钱14元；民国九年（1920年）的玛尼会中用钱40元，都是从旗公府所收地租中出的。

因为藏传佛教是蒙古全民信奉的宗教，所以从某种程度上来说也是全民供养的宗教。喇嘛们的衣食住行无一不靠信徒们的供给。所以，这项收入是临时的，也是无法统计的。民国二十七年（1938年）左右，科尔沁右翼后旗五座庙共有喇嘛87人，其中只有5名喇嘛的全年衣服费和饮食费完全由家里供给，有22名喇嘛的家里给一半或更少的衣食费用。其余喇嘛的费用或是政府拨款，或是信徒施舍。有的信徒甚至专供一个喇嘛，每年施舍定额的钱财。如乌雅站庙达喇嘛永吉德得到的定额施舍为10元；灰图庙达喇嘛曹德巴得到50元；阿桂庙达喇嘛得到40元。② 而政府拨款也是来自广大劳动人民创造的财富。

沙比纳尔是寺庙最主要的劳动力，他们不但要承担寺庙的杂役，还要向寺庙和上级喇嘛供奉银钱或牲畜。民国十二年（1923年），喇嘛的年俸为4元，其中2元就由沙比供奉。③ 沙比的劳动无形当中给寺庙创造了财富。

除此之外，该旗葛根喇嘛还有私人仓，称葛根仓，和供自己役使的沙比。每年旗公府花一定数量的银钱为葛根仓买必需品。葛根出行，驿站要为他提供吃、住、行上的方便。每年的旗庙会或其他宗教活动中，旗公府都要

---

① 内蒙古档案馆档案科尔沁右翼后旗档案，502—1—1286。
② 巴彦那木尔、卢伯航：《西科后旗志》第3章，《文教》，内蒙古图书馆藏手抄本。
③ 内蒙古档案馆档案科尔沁右翼后旗档案，502—1—1545。

为葛根准备专门的膳食。如民国八年（1919 年）的庙会中，为葛根准备的膳用猪肉共计 899 斤，还有油等，共花费 148.75 元；民国九年（1920 年）准备膳羊两只，花费 16 元。[①]

喇嘛阶层不参加生产劳动，却靠土地收益、旗政府扶持、信徒沙比的供奉与劳动为各个寺庙积累了大量的财富，并以此寄生于蒙古社会之中，支撑着各个寺庙。寺庙经济的存在和膨胀，成为广大蒙古族民众普遍贫困化的重要原因之一。

综上所述，科尔沁右翼后旗，俗称镇国公旗或苏鄂公旗，是哲里木盟十旗中最早建立的旗分之一。但由于只有该旗札萨克祖先为奎蒙克塔斯哈喇次子诺扪达喇一系，所以其政治地位在十旗中是最低的，属于末旗。该旗从崇德元年建旗至旗建制被取消，经历了 316 年，传袭了 14 代札萨克。第 13 代札萨克乌思呼伯彦虽然世系不明，但其在民国二年（1913 年）由奉天省统领衙门封为札萨克镇国公，加贝子衔，从民国元年（1912 年）到十年（1921 年）掌科尔沁右翼后旗札萨克衙门事却是事实。

苏鄂公旗地处哲里木盟西北。崇德元年（1936 年）有 1 800 户，36 个牛录，编为 16 个佐。每 4 个佐的牧地形成一个努图克，分别设 4 名扎兰管辖。因此，该旗自建立起就有"四个努图克，四个扎兰"。旗札萨克喇嘛什希和其弟旗图萨拉格齐台吉布达习礼各拥有两个努图克。直到民国末年，该旗仍然保留着"四个努图克，四个扎兰"制度。随着清末放垦，努图克上形成的村落不断增多，使努图克牧地的意义发生了变化，渐渐成了管辖旗里生活的农、牧民的地方行政单位"区"。

清末放垦，不仅使该旗四个努图克发生了变化，也使该旗人口结构发生了巨大变化。放垦之前，该旗几乎没有外来人口。放垦后，在开放区新设治的安广、镇东二县的人口逐年增多，垦区由南向北延伸，本旗未开放地也逐渐成为农业区。与安广、镇东二县的外来人口多为吉林、辽沈、直鲁等地的汉人为主有所区别，流入本旗未开放地的几乎全是外盟旗之蒙古农民。其中，以南部卓索图、昭乌达二盟的喀喇沁、土默特、满官嗔、敖汉、奈曼、翁牛特和哲里木盟早期开垦的冰图、博王二旗等地人居多，间有察哈尔和乌

---

① 内蒙古档案馆档案科尔沁右翼后旗档案，502—1—1148。

珠穆沁人。到后来，外盟旗的人口甚至占了本旗全部蒙古族人口的一半以上。因此，清末放垦使科尔沁右翼后旗的人口结构、数量都有了实质性的变化。而外来人口的增多也加快了该旗由牧转农的速度。

第四节　清代绥远地区的社会

绥远地区相当于今天内蒙古自治区的中西部，长期以来，这里是蒙古族的游牧地。清王朝建立以后，在这里实行"蒙汉分治"的民族隔离政策，对这一地区加以封禁。但是，沿长城一线的民众在生计压力下自发地向"口外"流动一直没有停止过。早在清初，清政府就适应当时的需要，开始在这一地区设置州县，进行治理。鸦片战争后，在内地人满为患的背景下，内外交困中的清王朝被迫放宽了"民人"出口的限制，光绪末年以来，在放垦蒙荒、移民实边政策实行过程中，这一地区得到了大规模的开垦。由于历史发展本身的情况，也由于史料记载所决定，清代绥远地区社会的变化在1840年以后才明显起来。

一、清代绥远地区的行政沿革及人口演变

明代，长城以北的广袤地带由史称"北元"的蒙古族封建割据势力占据。著名的蒙古族首领阿拉坦汗于明万历年间在土默川平原建立了一座城池，蒙古名字叫"库库和屯"，意为"青色的城市"，明王朝赐名为"归化城"。[①] 在清王朝建立的过程中，蒙古族封建贵族立下了汗马功劳。清王朝建立后，一方面视蒙古族封建贵族及其统辖的兵力为重要的统治基础，另一方面，从维护、巩固满族封建统治集团的利益出发，对内蒙古地区加强控制，实行严厉的"蒙、汉分治"的封禁政策。由于自明代以来内地民众的大量涌入，考虑到实际情况，在清初清政府即开始在沿长城一线的蒙古地界内设置州县，管理汉民事务。

（一）清代绥远地区的行政沿革

清初厅县的设置和蒙汉分治　明代以来，以归化城为中心的土默川平原

---

① 胡钟达：《呼和浩特旧城（归化）建城年代初探》，《内蒙古大学学报》1959年第1期。

的农业即有很大的发展。清王朝建立后，因应这一实际情况，在绥远地区实行"蒙汉分治"的政策，设立了一些管理垦区汉民事务及解决蒙汉间纠纷的机构，这就是我们通常所说的口外五厅（七厅）①，即归化城厅、萨拉齐厅、丰镇厅、清水河厅、托克托厅、宁远厅、和林格尔厅。

清代一般惯例，厅的长官同知、通判加理事、抚民衔的，掌管所辖境内的一切地方行政。抚民与理事也是有区别的，其区别在于理事衔主要强调在司法上的管理，抚民衔则意味着对当地民众的正式编立"民籍"，② 由司法上的管理改为兼有司法及行政上的管辖，绥远地区所设"厅"的这一转变过程是在光绪年间完成的。它的完成表明那些在清前期被视为是违禁私垦的民户成为朝廷正式予以承认的编户齐民，这种改变意味着清廷对绥远地区统治的加强。

清代前期在绥远地区的设治是基于流入这一地区的汉民日益增多的现实。设立的厅县主要是管理汉民的。厅县与蒙旗的关系，基本上是旗管蒙人，厅县管汉人，厅县所任用的官吏也多是满蒙官员。如丰镇厅在乾隆二十一年（1756 年）即"定为旗缺"。③ 清廷还一度推行严格的蒙汉隔离措施，严禁蒙汉人民相互容留、杂居，甚至要蒙古部落内所有的汉人，汉人村内所有蒙民，各将彼此附近的地亩照数调换，分别集中居住，不得混杂。④ 在司法管理权限方面，如果是蒙古族之间的纠纷，由蒙旗自行审理，如果是汉民之间的司法问题，由厅县官员审理，如果是蒙民与汉民的民事纠纷，则由地方官与蒙旗会同审理。"与民讼，地方官会听之"。⑤ 乾隆二年（1737 年），清政府将右卫将军移设于绥远地区，改称绥远城将军，主持驻防地区的蒙古军政事务，另设置归化城副都统二员（乾隆二十八年裁副都统一员），掌管归化城土默特二旗军政事务。绥远城将军对乌兰察布盟六旗和伊克昭盟七旗

① 口外五厅是指最初隶属于归绥道的归化城、萨拉齐、托克托、清水河、和林格尔五厅。七厅是指在五厅的基础上再加上曾分别隶于大同府、朔平府的丰镇厅和宁远厅。口外七厅设置及其沿革可参见《山西通志》（光绪）卷 30，府州厅县考及《皇朝文献通考》卷 273，"舆地考"。

② 《清德宗实录》卷 178，光绪十年二月丙寅条。

③ （光绪）《山西通志》卷 30，《府州厅县考》。

④ （光绪）《大清会典事例》卷 978，《理藩院·户丁》。

⑤ （光绪）《大清会典》卷 63。

有监督责任，乌兰察布盟包括四子部落旗、喀尔喀右翼旗、茂明安旗、乌拉特前、中、后三旗共六个旗，伊克昭盟包括鄂尔多斯左翼前、中、后三旗、鄂尔多斯右翼前、中、后三旗及鄂尔多斯右翼前末旗，共七个旗。① 将军对蒙旗的监督作用主要表现"在于军事上的管辖统治，通常对于一般行政却不加太多的干涉"。② 我们所讲的绥远地区实际上即是指绥远将军管辖、监督的地区。

清政府在绥远地区采取的"蒙汉分治"政策从其理念上来讲，是为了防止蒙汉人民的互相接触，从而互相学习，对其统治形成威胁。这种理念的具体体现之一即是清初以来在绥远地区的行政设置。清初以来在这一地区设置的归绥道及其所属的厅县（前述的口外七厅），隶属于山西省，主要管理以各种方式来绥远地区垦荒的汉族农民的有关事宜；绥远城将军、归化城副都统监督和直辖各蒙旗，蒙旗内部有程度不同的自主权，管理蒙民事务，直隶于理藩院。

清末以来设治范围的扩大　乾、嘉以降，清政府在绥远地区的行政区划没有大的变化。自嘉、道以来，以清王朝为代表的封建专制制度日益腐败，政治黑暗，国防空虚，财政拮据。用龚自珍的话说就是"自京师始，概乎四方，大抵富户变贫户，贫户变饿者。四民之首，奔走下贱。各省大局，岌岌乎皆不可以支日月，奚暇问年岁？"③ 道光二十年（1840 年）鸦片战争后，清王朝的统治陷入了内外交困的局面中，战争中的军费、对外战争中的巨额赔款、太平天国等农民起义的打击，所有这一切都使清王朝的统治发生了空前的危机。19 世纪 70 年代开始的边疆危机是清政府统治虚弱的集中表现。内外交困中的清政府从 19 世纪 80 年代开始，为解决日益严重的财政危机，同时也为了遏制有关帝国主义国家对中国边疆的蚕食，把注意力逐渐移向边疆。在"移民实边"、"放垦蒙荒"的口号下，对绥远地区的行政区划也作了进一步的调整。从光绪朝开始，将绥远地区原有的厅由理事厅改为抚民厅的同时，并陆续新设置了一些厅县。我们将清末以来绥远地区新设

---

① 周清澍：《内蒙古历史地理》，内蒙古大学出版社 1993 年版，第 197—206 页。

② ［日］田山茂：《清代蒙古社会制度》，商务印书馆 1987 年版，第 120 页。

③ 《龚自珍全集》上册，中华书局 1959 年版，第 106 页。

的厅县列表如下。

清末绥远地区厅县设置一览表

厅县名	设治年份	治　所	备　注
兴和厅	1902	二道河	析丰镇厅而设，置抚民同知，加理事衔，隶于归绥道
陶林厅	1902	科布尔	析宁远厅而设，置抚民同知，加理事衔，隶于归绥道
武川厅	1902	翁滚城	析归化城厅而设，置抚民同知，加理事衔，隶于归绥道
五原厅	1902	大佘太	析萨拉齐厅而设，置抚民通判，加理事衔，隶于归绥道
东胜厅	1907	板素壕	置抚民通判，加理事衔，"就垦界划疆而理"，隶于归绥道。

薛智平：《清代内蒙古地区设治述评》，《内蒙古垦务研究》，内蒙古人民出版社1990年，又《清高宗实录》，光绪二十八年十月壬辰。

清末以来绥远地区的设治有如下特点。

其一，它是清初以来绥远地区长期开发的自然结果。在清代的前中期，虽然清政府一直对内蒙古地区采取封禁措施，但是，内地州县尤其是长城沿线一带的农民在生计的压力下，不断冲破禁令到绥远地区谋生，经过清代前、中期的开垦，土默特、察哈尔蒙古及伊克昭盟南部地区都有了大片的农业区。如归化城土默特地区，据乾隆八年（1743年）的统计，两旗蒙古族民众共有土地75 048顷，其中牧地只占14 268顷。[1] 大片土地的开垦和大量移民的迁入是相对应的，有专家估计，在同治朝之前，仅迁入鄂尔多斯地区（不包括河套地区）的移民就不低于20万人。[2] 正是适应这一实际情况，光绪年间清政府将绥远地区的七个厅分别由理事厅改为抚民厅，以加强对所属汉民的治理。同时对这些厅县的权限也进行了调整，改变了清前期有关会审的规定，对于诉讼案件，地方官（厅官）可以直接审理，从而使地方官通过治理人民达到治理地面的效果。随着地方官权限的调整，也部分地取得

---

[1] 《清高宗实录》卷198，乾隆八年八月壬子条。

[2] 王卫东：《鄂尔多斯地区近代移民研究》，《中国边疆史地研究》2000年第4期。

了对蒙民的治理权——与汉民交错居住的部分蒙民。另一个大的变化是这些厅县的长官人选不再像清前期那样着意强调由满蒙官员担任，所有这些都意味着蒙古王公特权的被逐渐剥夺。

其二，它是光绪末年以来大量放垦蒙荒的直接后果。光绪二十七年（1901 年），山西巡抚岑春煊奏准开放山西沿边一带包括乌兰察布盟、伊克昭盟、归化城土默特、察哈尔蒙古的蒙荒，至此，清廷改变了沿袭 200 多年的禁垦政策。宣统二年（1910 年），又废止了针对蒙旗的所有封禁政策，[1] 从而开始了对蒙荒的全面开垦。清末的开垦蒙荒是在内地人满为患、边疆地区发生危机的背景下开始的。清末以来，北部边疆的危机主要表现为日、俄帝国主义对内蒙古地区的觊觎以及部分蒙古封建王公的离心倾向。因此，清末的开垦蒙荒是在"移民实边"的旗帜下进行的。设治，以及通过设治进而招徕内地民人以充实边地，设立有关的机构以办理对外交涉、监视蒙古王公，这些措施都是作为实边的主要手段来实施的。"边地之建置重在防外，故必有官吏然后可以系人民，有人民而后可以辟地利，有地得而后可以固边防"，[2] 这是清末以来一般筹边者的典型看法。同时，这一时期厅县的设立实际上也是对长期以来民间私垦的一种承认。基于这种情况，清末以来的设治最明显之处即是强调直接统治。清代后期，府厅州县即开始任用汉族官吏，清末设治更规定"凡设治地方，所有关涉旗蒙与民人互控案件，悉归该管地方官直接审理，……旗员蒙员概不得干预"[3]。不仅如此，在经济上，清末的放垦是以蒙古王公报效的名目进行的，所以，清王朝通过开垦蒙荒又把蒙旗的部分土地收益权收归国有，实际上是对蒙古王公的一种经济上的剥夺。

光绪三十三年（1907 年），奉天、吉林、黑龙江改为行省官制，与此同时，内蒙古改省之议经给事中左绍佐与两广总督岑春煊奏请也被提到议事日

---

① 《理藩部奏预备宪政援案酌将旧例择要变通折》，宣统二年八月十六日，转引自《内蒙古垦务研究》，第 70 页。

② 廷杰：《奏为热河新开蒙旗地方亟宜添改州县等缺以资治理而固边防折》，光绪三十三年四月三十日，转引自《内蒙古垦务研究》，第 73 页。

③ 《东三省督抚奏为酌拟江省添设民官增改道府厅县办法折》，光绪三十四年五月十二日，转引自《内蒙古垦务研究》，第 74 页。

程。时任绥远垦务督办、绥远城将军的贻谷对设省的意见具有代表性，他特别指出了现存的省旗分治体制的缺陷："省吏管地方而蒙旗不受其约束，将军统蒙旗而地方不受其指挥。每当交涉两难之时……往往厅署不能自主其应理之事，旗署不能自制其受治之人，责无所专，词有可诿……讼案无结时，盗案无获期，命案无信谳"。① 贻谷的奏折实际上讲了两方面的情况，一方面，经过长期的开垦，绥远地区的蒙汉杂居已成为现实，作为统治者在实施管理时要充分考虑到这一点。另一方面，旗省分治的局面在清末的形势下也不利于边疆的巩固和对外交涉，从而给帝国主义的侵略提供了可乘之机。在此，改省和设治实际上是在同一个意义上的。

当然，清末在绥远地区的设治也明显地具有巩固清王朝在这一地区统治的目的，虽然这一目的没有达到，但其影响是十分深远的，它对于这一地区的经济分布格局、民族分布格局的形成都起了相当的作用。同时它也促进了这一地区蒙汉民族间的文化交流。

（二）清代绥远地区的人口

人口是指在一定历史时期中一定地域内人的数量的总和。人口不仅是社会物质生活和精神生活的基本条件之一，而且还是社会生产的基础和主体。对于清代绥远地区人口的研究由于缺乏相关的史料，尤其是清前期的史料，我们只能以近代绥远地区零星的人口资料来说明这一问题。

绥远地区人口数量的演变 绥远地区的人口主要是由汉、蒙、满等民族组成的。清政府在绥远地区实行的是"蒙汉分治"的民族隔离政策，对绥远地区的人口统计是通过不同渠道进行的，而且由于绥远地区地处边疆，清政府的统治相对薄弱，同时，这一地区人口统计的结果对清政府的财政收入也无关紧要，因此，有关人口的统计资料十分短少且不成系统。

蒙古族人口。蒙古族人口在清代的发展受多种因素的影响。清王朝统一全国后，在内蒙古地区实行蒙旗制度，同时又在蒙古族中大力推行藏传佛教，作为在精神上控制蒙古族的工具。藏传佛教最盛时，在整个内蒙古地区

---

① 《绥远城将军贻谷奏为遵议绥远建省以固边卫谨条拟大概办法折》，光绪三十三年八月六日，转引自《内蒙古垦务研究》，第74页。

有藏传佛召庙940座，喇嘛12.8万人，占蒙古族总人口的10%。① 据乾隆年间的统计数字，绥远地区的蒙古族人口，包括乌、伊两盟、归化城土默特旗共289 500人，如果再考虑察哈尔八旗中属于绥远地区的人口，那么传统所说的绥远地区的蒙古族人口当在30万人左右。② 按同样的计算方法，根据宣统年间民政部的户口调查统计数字，得出的绥远地区的蒙古族人口的数字比乾隆年间略有下降，其总数约为248 979人。③ 据有关专家研究，进入民国以后，内蒙古地区的蒙古族人口有所增长，但具体到绥远地区则呈下降趋势。据1937年的统计数字，绥远省蒙旗有人口195 435人，加上和绥远地区有关的察哈尔右翼诸旗，总人口当在20万人左右。④

　　这样看来，就现有的资料，很难对绥远地区的蒙古族人口数有一个准确的说法，且不说这些统计数字有时还是互相矛盾的。根据有限的史料，我们估计近代以来绥远地区的蒙古族人口总数大致当在20万至30万人之间。

　　汉族人口。在有关绥远地区的人口数字中，汉族人口的数字是最不好把握的。光绪朝之前，有关绥远地区汉族人口统计的系统数字基本没有，只能根据有关的资料和研究成果进行大致的推算。

　　汉族在绥远地区人口的增长是和绥远地区的土地开垦、农业发展紧密相联系的。汉族移民最初大规模地到达绥远地区当在明代。已如前述，清王朝建立后，随着全国政局的稳定，绥远地区逐步得到了开垦，这一过程实际上就是绥远地区汉族人口增加的过程。但是在整个清代的前中期，汉族农民在绥远地区的居住基本上是“非法”的，所以也就谈不上有什么系统的统计数字了。对于清代前中期绥远地区的汉族人口数字我们现在还无法做出准确的估计。清政府对绥远地区汉族人口的系统统计是在光绪年间才有的。光绪十年（1884年），清政府将口外七厅先后改为抚民厅，编制户口。对于光绪十年左右绥远地区汉族的人口数，根据有关的资料推断如下。据光绪朝所修

　　① 天纯：《内蒙古黄教调查记》，第93页。此数字系清末民初的调查，转引自王镇：《中国蒙古族人口》，内蒙古大学出版社1997年版，第47页。
　　② （乾隆）《大清会典》卷744。
　　③ 梁方仲：《中国历代户口、田地、田赋统计》，甲表86。这其中包括绥远城驻防人口11 947人，这一数字没有将察哈尔右翼蒙古的人口计算在内，上海人民出版社1980年版，第268页。
　　④ 《禹贡杂志》卷7，《绥远人口》，转引自《中国蒙古族人口》，第54页。

《山西通志》载，口外七厅在光绪九年（1883 年）所隶村庄数如下：

绥远地区各厅所隶村庄数一览表

厅 名	所隶村庄数（个）
归化城厅	312
萨拉齐厅	202
丰镇厅	312
清水河厅	209
托克托厅	211
宁远厅	99
和林格尔厅	228

从表中可以看出，各厅所属的村庄数是差不多的。在光绪九年（1883年）有确切人口统计的只有丰镇和宁远两厅，分别是 28 375 户、151 875 口和 50 761 户、181 444 口。在当时的情况下，各厅所隶村庄的人口数相差也不会太多。考虑到各种因素，姑且做一个大致的推算，即以这两厅的平均人口数为准，那么口外七厅的汉族总人口当是 1 940 312 口。[①] 对于这个数字，还需要考虑这一时期在绥远地区大量存在的流动人口和在各蒙旗境内私垦的民户，尤其是季节性的流动人口，这部分人口的准确数字我们无法做精确的估计，但从有关的史料来看其数量当是相当大的。如此，再加上绥远地区蒙古族的人口，在光绪年间，绥远地区的总人口当在 200 万以上。

对于绥远地区人口的数字，梁方仲先生在其《中国历代人口、田地、田赋统计》一书中将有关的资料归入了山西省，我们很难从梁先生的有关统计中看出绥远地区人口的数量。必须强调的是，由于前文中所述的绥远地区的状况，绥远地区人口数量一直是处于变化之中的，尤其是近代以来已在人口中占多数的汉族人口。根据有关的资料，可以得出一个大致的结论：清末至民国初年以来绥远地区的总人口在 200 万以上，这一时期，绥远地区的

[①] 据（光绪）《山西通志》卷30，《府州厅县考》，卷65，《田赋略》列表并推算。具体算法为 (151875/312+181444/99 年) ÷2× (村庄总数)。

人口总数还在不断的增长之中，所以到 20 世纪 30 年代，在许多文献中就有了"绥远地区 300 万人民"这一提法。①

人口的诸种结构　人口的诸种结构包括人口的年龄结构、性别结构、职业结构等，它是人口社会素质的主要内容。人口素质包含两方面的内容，一方面是指人口的个体素质，如人口的健康状况、寿命、人口个体的道德观等；另一方面是指作为社会总体的人口的素质。不同个体的素质组合成社会，形成统一的社会人口素质。社会人口素质的内容是个体人口素质诸方面的扩展，但社会人口素质又不是个体人口素质诸方面的简单延伸，而是在高一级层次上的扩展。社会人口素质既依赖于每个社会成员个体素质的高低，也依靠不同素质个体人口的构成比例。实际上个体人口素质和社会人口素质是互相联系的两个方面，我们在社会生活中是无法将其截然分开的。作为社会人口素质的主要内容，人口的诸种结构对于社会的影响是相当大的，它和社会经济的发展、社会风俗的变化都有密切的联系，这我们在下文的叙述中将陆续言及。

性别结构。所谓的性别结构是指两性在人口总数中所占的比例。人类由两性自身繁殖的特性决定了人类社会的性别结构是大致保持平衡状态的。有关的统计表明，处于正常状态下的人类社会的性别比例是男略多于女，其数值一般在 103—107 之间。②

绥远地区由于其特殊的社会环境，在人口性别比例上形成了自己的特点。由于历史的原因和各民族所处社会环境的不同，绥远地区蒙古族、汉族在人口性别结构上又形成了各自的特色，下面就分别来看这一问题。

对于蒙古族人口的性别结构，据宣统年间清政府的调查数字列成下表：

---

① 周颂尧：《绥灾视察记》，绥远赈务会印 1929 年版。

② 我们一般把一个社会中男性人口与女性人口的比例称为性别比例。人口学的有关理论认为：一个正常社会的出生婴儿为男略多于女，性别比例一般在 103 至 107 之间（即男女比例在 103：100—107：100 之间）属于正常，高于这一数字的男女性别比例称为高性别比例，反之则称为低性别比例。参见陈剑：《人口素质概论》，辽宁人民出版社 1988 年版，第 34 页。

蒙古族人口的性别比例

盟旗名	总人口（人）	男	女	性别比例
归化城土默特	30 683	15 171	15 512	97.80
乌兰察布盟	32 561	16 097	16 464	97.77
伊克昭盟	171 669	84 880	86 789	97.80

资料来源：梁方仲：《中国历代人口、田地、田赋统计》，甲表86 的有关数字制成，上海人民出版社 1980 年版，第268 页。

从表中可以看出，绥远地区蒙古族人口的性别比例普遍处于低水平。造成这种情况的原因是复杂的，其中一个重要的原因是清代喇嘛教在内蒙古地区的恶性发展。前文已述及，清代至民国以来，喇嘛的总人数一般占到蒙古族人口数的10% 左右，在藏传佛教最盛时，几乎每个蒙古族家庭都有男子出家当喇嘛，而上表中关于蒙古族人口的统计数字是不包括喇嘛的。大量的成年男子脱离生产去当喇嘛，不仅严重影响了蒙古族社会的畜牧业生产、人口的再生产，而且也造成了整个社会男女性别比例的失调。

清代绥远地区汉族人口的性别比例与蒙古族正好相反，是属于高性别比例。这方面系统的统计资料我们现在还没有见到，仅有一些零星的统计可供参考。我们可以看下表所列数字。

归绥县历年人口性别比例一览表[1]

年　　份	人口数（男）	人口数（女）	性别比例
1907	65 109	36 268	179.52
1912	150 917	91 989	164.06
1915	151 492	92 812	163.22

---

[1]　1933 年绥远省政府的统计数字中各县局人口的性别比例为158.73（据绥远省政府民国二十二年编印《绥远概况》提供的有关数字计算而得）。同时，临河县1927、1928、1929 年的人口性别比例分别是162.22、154.37 和153.33，这和归绥县的统计数字基本一致。（吕咸修、王文墀：《临河县志》卷上，户口。民国二十年修）。另，1928 年国民政府内政部对人口性别比例的统计数字：包头为188.41、呼和浩特为223.56、太原为282.77、张家口为277.47（《民国十七年各省户口调查统计报告》，转引自张利民：《近代华北城市人口发展及其不平衡性》，载《近代史研究》1998 年第1 期）。这与我们前述的统计数字有出入，具体原因待考。我们倾向于归绥县的统计数字。

（续表）

年　份	人口数（男）	人口数（女）	性别比例
1918	153 241	93 878	163. 23
1921	153 971	94 973	162. 12
1924	154 792	96 799	159. 91

从表中可以看出，这一时期归绥县的人口性别比例是很高的。据有关专家研究，1912 年全国人口的平均性别比例为 121.7，1949 年为 109.7，[①] 归绥县与之相比明显偏高。归绥、包头都是当时绥远地区的重要市镇，社会秩序相对比较稳定，生活安定，一般来讲，比起其他厅县来人口的性别比例应该低一些。对于近代以来绥远地区汉族人口的高性别比例，我们还可以根据一些史料来进行推断。根据之一是，从清初以来相当长的一段时间内清政府对"出口"的汉族贫民及其他人员是严禁携带家眷的，"种地之民人，……不准带领妻子前往"。[②] 这一规定直到清末才废除。在这一政策的限制下，近代绥远地区存在有大量的所谓"雁行"及"跑青牛犋"，[③] 许多内地民众来绥时不携带家眷，从而直接造成绥远地区汉族人口的高性别比例。根据之二是，近代以来在绥远地区大量存在的流动人口，他们大都是只身来绥佣工，又大多是季节性的，"直隶、河南、山东等处来绥者，并无家室，春来冬归，以佣工为事，渠工占其多数……每年所挣工银，易以骡驹马匹，由草地遄回。"[④] 关于这部分人的情况我们在下文中将有分析。根据之三是，从清初一直到近代以来，内地来绥的民众是以贫苦农民为主的，当时绥远地区的生存环境又极为艰苦，故而当时来绥谋生者有家眷者也为数不多。

这样，当时在绥远地区已占多数的汉族人口的高性别比例对于人口的再

---

① 胡焕庸：《中国人口地理》，华东师大出版社 1984 年版，第 144 页。
② 金志章：《口北三厅志》，《地舆、附录》，《大清会典》卷 67。对于这一规定的实际执行程度，我们尚需作进一步考察。
③ "雁行"及"跑青牛犋"在有关绥远的史料中经常出现。"雁行"取其春来秋往之意。"跑青牛犋"是指一些内地的农民在河套地区的耕作方式：即不固定其耕作地点，每年更换一个地方，秋收后也全部回到原籍。
④ 周颂尧：《绥远河套治要》第 23 章，《风俗》。这里所讲的是 20 世纪 20 年代的情况。

生产也有很大的影响。近代以来绥远地区的人口增长主要是由于移民的因素，这一点我们在前文已有所涉及。同时人口的高性别比例还影响到社会风俗，对此，周颂尧先生曾就河套地区的情况写道："人口男多女少，娶妇成家，实属不易。因娶一妇，所索聘金，谓之财礼，需数甚钜。……女则在家毫无教育，又不事女红，不过从事于牧养，多不知廉耻为何物，以致苟合者居多。一般劳动家，只图一时之欢，所以一女而共数男，父母贪图微利，亦置之不问，风俗恶劣，良由于此。"①

文化教育结构。绥远地区地处边疆，文化教育一直处于不发达的境况，直到光绪十年各厅才陆续建立了厅学。在这之前，移民来此的汉族学子要想参加科举考试必须回原籍。满族、蒙古族虽然有参加考试的机会，但如果将其放到整个绥远地区的人口背景下来看，其所占比例极小。近代以来绥远地区能够受教育者局限于极少数人，而且其所受教育是极肤浅的，大多数仅以能够识字为限。关于绥远地区人口文化水平的情况限于史料我们无法作精确的统计，我们可以从清代这一地区科举取中的情况来看这一问题。

清代绥远地区科举考试取中情况一览表

功名等级（类别）	历年取中人数
文生（包括五页）	207（其中拔贡、杂科等25人）
武生	37
举人	34
进士	5
总计	283

资料来源：根据《绥远通志稿》卷41，《教育》整理而成，内蒙古人民出版社2007年版。

据《绥远通志稿》提供的资料来看，在34名举人中（取中年限自道光年间至光绪年间），属于非旗籍的民人只有8人，而这8人中的4人还是属于丰镇厅的同一家族。旗籍（包括蒙古族）在清代的政治体制中有许多特权，故而他们有较多被取中的机会。对于广大民众来说，受教育的机会几乎

---

① 周颂尧：《绥远河套治要》第23章，《风俗》。作者在这里所言可能言过其实，但毕竟也反映了一定的现实情况。

没有，有条件受良好教育的仅限于一些特殊的大家族（如丰镇的王姓家族）。① 光绪十年（1884 年），清廷批准在绥远地区设置厅学和学额，从此，绥远地区的民众才不用返回原籍参加科举考试。从光绪十三年（1887 年）开始到光绪三十一年（1905 年）共取中文生 245 人，其中属于旗籍的有 20 人。旗籍生员是根据嘉庆四年（1799 年）议定的"外省驻防文武童生，于五六名内取进一名，就本地附近应试"的规则进行的。② 值得我们注意的是从光绪三十一年（1905 年）开始，绥远地区的蒙古族也参加了普通文生的考试，是年五原厅、萨拉齐厅分别取中了巴文峒和奎杰两名蒙古族文生，当时清政府已开始举办新式教育，二人遂往"太原肄业，学为师范"。③ 绥远地区的蒙古族本来和满族驻防八旗一样有自己单独的学校（如前述旗籍的特定学额及为满、蒙子弟设立的翻译学额等），并且按规定蒙古族是严格禁止学习汉文的。蒙古族参加普通文生考试，一方面表明清政府的有关规定已成为具文，另一方面我们也可以从中看出清末以来绥远地区民众受教育面的扩大及蒙汉民族间文化交流上的深入。

从上述的有关数字中我们可以看出，绥远地区的受教育者在总人口中所占的比例是极其有限的。④ 在清政府的传统教育体制中，科举制度既是人才选拔制度又是教育制度。科举取中名额是可以在一定程度上反映一个地区民众的文化知识结构的。当然，除科举取中者以外，像私塾教育等初等教育也应考虑在内。但从有关资料来看，绥远地区的私塾教育也是十分有限的。

清末以来，绥远地区也举办了一些近代化的教育事业，但由于种种原因，在绥远地区教育近代化的过程中，遇到了许多问题，⑤ 就整体情况来看，在整个近代，即使以受教育的最低标准——识字来看，绥远地区受教育者也不是很多。绥远地区人口文化教育水平的偏低，严重地影响了其近代化

---

① 关于这一家族的详细情况，《绥远通志稿》中没有详细言及，有关的史料尚有待于进一步发掘。

② 绥远通志馆：《绥远通志稿》卷 41，《教育》，20 世纪 30 年代稿本。

③ 绥远通志馆：《绥远通志稿》卷 41，《教育》，20 世纪 30 年代稿本。

④ 还有一个现象需要我们注意：《绥远通志稿》所统计的举人的取中年限开始于道光年间，而对文生的统计则开始于光绪 13 年。在这之前，已如我们在文中所述，即使是已在绥远地区定居的学子要参加科举考试也要回到原籍。但合理的推断应是：其考中者不会多于光绪年间设学额以后的数字。

⑤ 牛敬忠：《绥远地区教育近代化初论》，《内蒙古大学学报》1997 年第 5 期；牛敬忠：《近代绥远地区的社会变迁》相关章节，内蒙古大学出版社 2001 年版。

的进程，我们知道，在一个文盲占大多数的社会中，近代文明之花是很难生根、发展的。

人口的年龄结构因为缺乏有关的统计资料我们无法详细讨论，但依据上述有关的情况推测，我们可以大致知道，近代以来绥远地区的人口主要是由移民组成的，而且包括许多流动人口，这样绥远地区的人口在年龄结构上当是年轻型的人口。

中国社会传统的职业结构是士、农、工、商，这一情况在近代的绥远地区也照样适用。如归绥县"第一区多商户，二、三、四区多农田"。① 绥远地区人口是以农、牧业人口为主的，如果纯以人口的数量来说，清中叶以来农业人口已占绝对多数。在我们前述的绥远地区的人口中，汉族移民主要是从事农业生产的，在开垦较早的地区，像归化城土默特等地，许多蒙古族也放弃了传统的畜牧业转而从事农业生产，这我们可以在许多史料中看到。

二、清代绥远地区的物质生活与精神生活

物质生活与精神生活是社会生活的两个组成部分，一方面，它们的变迁有赖于整个社会经济领域的变动和社会生产力的发展，同时，社会生活领域的变化对社会经济和生产力的发展也有一定的影响。另一方面，精神生活的变迁又以物质生活的变迁为基础。社会的变迁只有在落实到这两个层面上后，作为一般的社会成员才能感受到。换言之，经济、政治生活的变革只有在引起社会物质、精神生活的变化后，尤其是社会公众精神生活领域的变迁，才可以说是比较彻底的社会革命。

（一）清代绥远地区的物质生活

我们所说的物质生活，简言之即是指人们日常生活中的衣、食、住、行、用等内容，它是人类社会生活的基础。正如恩格斯所讲的："人们首先必须吃、喝、住、穿，然后才能从事政治、科学、艺术、宗教等等。"② 清代绥远地区地处塞外，受自然条件、地理环境等因素的影响，再加上农业生

---

① 郑裕孚：《归绥县志》，《产业志·农业》，1934 年铅印本。
② 恩格斯：《在马克思墓前的讲话》，《马克思恩格斯选集》第 3 卷，人民出版社 1972 年版，第 574 页。

产的历史相对要短，表现在物质生活方面，即是整体上物质生活资料的单调与贫乏。这种状况与内地比较起来显得更为突出。

蒙古族的物质生活与风俗　蒙古族在长期的游牧生活中形成了其独特的物质生活方式，有清以来，这种生活方式一直延续到近代前期并没有多大变化，但在各部落、各地区之间存在着不同程度的差别。

衣着方面，蒙古王公贵族由于接受满清王朝的封爵任官，一般穿清朝的官服，包括红缨帽、马褂、补服等。平时着蒙古袍或满洲贵族的便服。普通蒙古人穿蒙古袍，以红、绿绸缎做腰带，头戴皮帽或毡帽，腰悬小刀、烟袋等物，系佛像，手持念珠。妇女宽服大袖。男女均穿长短皮制或布制的蒙古靴，不论男女均备有无面的老羊皮皮袄。农业区、部分半农半牧区的普通蒙古人多穿布料的长袍，束布带，有的和当地的汉族农民一样，着"短打扮"。

饮食方面，从事畜牧业的蒙古人，和过去一样，多以牛、羊肉及乳制品为主食，辅以谷物和蔬菜。从事农业的蒙古人以谷物蔬菜为主食，辅以肉食，或经常吃谷物蔬菜，很少吃肉食。饮食的丰俭因贫富、地区不同而有所不同。《归绥县志》引述一蒙古族平民的话讲到了这种情况："食肉唯总管各官及富室能之，我等穷蒙，但逢节杀一羊而已。杀羊亦必数户选为主，分而食之"，[1]"麦粉、蔬菜则为王公富家多食之，平民则用以享贵客也"。[2]蒙古人多喜饮酒，也喜欢饮茶。清中叶以来，饮茶成为蒙古族的普遍习惯，不分贫富，茶叶是日常生活的必需品。"砖茶珍如货币，贫富皆饮之，二三日不得，辄叹己福薄。"蒙古族饮茶的方式也是很特别的，"切为片，碎末投于沸汤，调之乳盐，而后饮之，若和黄油，味更美。客至饷之，为异常优待，一饮尽数大碗，或数十大碗"。[3]除砖茶外几乎不用其他茶叶，这种习

---

① 郑裕孚：《归绥县志》，《民族志·种族》，1933 年铅印本。

② 韩梅圃：《绥远省河套调查记》第九篇，《蒙旗及风俗》，绥远省民众教育馆 1934 年版。

③ 《蒙古志》，光绪三十三年上海中国图书公司铅印本。引自丁世良：《中国地方志民俗资料汇编》（华北卷），书目文献出版社 1989 年版，第 726 页。

俗影响所及，就连绥远地区的汉族也形成了如是的习惯。①

居住方面，清代以来，蒙古王公贵族的府第既有装饰陈设都很华丽的蒙古包，也有结构壮观的汉式宫殿建筑。"至乌、伊两盟各旗之王公，多有建筑府第者"。② 普通蒙古民众的主要住所还是蒙古包，这是适应蒙古族游牧生活而形成的。"蒙人逐水草而群居，夏趋草木繁盛之水边，冬则避居于高山之阳，因游牧生活之不定，故无固定房屋之建设"。因此，一直到清末，"除长城附近，蒙汉杂处之地，稍有筑屋室者外，余尚尽为帐幕"。③ 至于蒙古包的式样，与今天我们所见的没有多大区别，只是在质料上有所不同而已。在半农半牧区，随着人们开始定居，出现了土木结构的蒙古包，即圆形的土墙屋，屋中间有一柱，上盖草顶，开有窗户，室内有半圆形的土炕。在开垦较早地区的蒙古人，由于定居已久，逐渐习惯于居住汉式平房，常见的有二间到三间，有院落，院内可收藏车辆杂物等。房屋门窗均向南开，东西有厢房。

需要强调的是，清朝末期，一方面，绥远地区地处塞外边疆，地理位置僻远，物质生活的各方面条件都比较简陋。另一方面，随着绥远地区的大规模开垦，移民数量的增加，与内地省份的联系也日渐紧密，蒙古族的物质生活也不断受到外来因素的影响。从而形成了这一时期绥远地区蒙古族物质生活的一些特点。这些特点我们可以从以下两个方面来看。

其一，受汉族物质生活方式的影响日深。从我们接触的史料来看，清末这种影响是非常普遍存在的。这和清代以来绥远地区土地的大面积开垦和由此而形成的民族居住格局是联系在一起的。在萨拉齐县，"自乾隆起设治编户，汉族始多……迄今二百余年，城乡皆遍，且蒙汉杂处，感情既洽……兹按居民户籍而论，汉族约占全县人口百分之九七"。④ 汉族物质生活的影响是在这样两个前提下进行的。首先，由于土地的大面积被开垦，牧场越来越

①　［俄］波兹德涅耶夫：《蒙古及蒙古人》第 2 卷，刘汉明等译，内蒙古人民出版社 1983 年版，第 92 页。这种现象在今天的内蒙古自治区也可以得到印证。今天，奶茶已成为内蒙古自治区蒙汉各族人民普遍喜爱的饮品。

②　《绥蒙辑要》，1936 年铅印本。

③　《蒙旗概观》，天津百城书店石印本 1937 年版。

④　张树培：《萨拉齐县志》卷 4，《民族》，民国年间铅印本。

小，作为蒙古族传统食品的肉、奶食的来源不断受到限制，有的地方逐渐趋于断绝，从而被迫放弃原有的物质生活方式。其次，作为一个在整体上处于先进地位的汉族文化，蒙古族在接受这种文化影响的同时，也不可能拒绝其饮食文化。在内蒙古西部地区，最早发生这种现象的是自然条件有利于农业的土默川平原和河套地区。"察哈尔、归化城之蒙民，因迩来移民之增进，渐次同化于汉族（指衣着方面），与内地无异"。① 在饮食方面也是如此。"蒙古游牧为生，初多肉食，近以汉民北耕，亦甘食五谷"，② 在饮食方面，农耕文化对蒙古族物质生活影响的层次显得十分清晰，"在开垦之地方，与汉民同，用乳及其制品者极少。邻近于开垦之地方，以粟为常食，牛乳及羊肉、兽肉则杂用之。……牛乳，除开垦地外，均甚丰富"。③ 同时这种影响也是在大的农耕文化的氛围中进行的，"察哈尔、归化城之住民，近来开拓进步，渐有杂粮之交易，且与市场接近，故食粟者亦渐次增加"。④ 可以说，上述两种因素在这一过程中是缺一不可的。

其二，蒙古族的物质生活保留了其自身的特色。在蒙、汉民族的文化交流中，我们上文所说的影响是双向的，在物质生活方式上也是如此。蒙古族的物质生活方式是在长期的游牧经济生产过程中形成的，不可能在短时间内就改变，而且，作为一种优秀民族文化的一部分，也有其闪光的方面，有其适应于当地的环境而合理的一面。因而，在近代与汉族文化的交流过程中，蒙古族的物质文化生活以其独特的方式保留了自身的特点，而且对绥远地区汉族的物质生活方式也发生了影响。史载绥远地区的汉族"饮食衣服，渐染蒙部习俗，以糜谷、麦面、牛乳、羊肉为大宗，喜饮砖茶，水烟以羊腿为烟袋，成丁以上之人，大率手携一支，冬季著羊皮"，东胜"棉衣与他处不同，内多絮以羊毛，而少用棉花"。⑤ 在这里，我们可以明显地看出蒙古族的影响和地区特色。综合史料的情况来看，最早接受汉族物质生活方式影响

---

① 《内蒙古纪要》，民国五年铅印本。
② 高赓恩：《土默特旗志》，光绪三十四年刻本。
③ 《绥蒙辑要》，1936 年铅印本。
④ 《内蒙古纪要》，民国五年铅印本。
⑤ 绥远通志馆：《绥远通志稿》卷50，《民族》，20 世纪 30 年代稿本。我们从史料的前后文来看，这里讲的显然不是一般民众的情况，而是较富裕者的生活状况。

的是开垦较早地方的蒙古族上层，一般蒙古族群众限于经济条件、对外接触范围，所受影响要晚一些。蒙古族物质生活方式对汉族的影响，除我们在前文中述及者外，我们还可以从今天的有关情形来推断。在今天的内蒙古自治区，蒙古族传统的饮食方式：奶茶、手把肉等已为各族、各阶层民众普遍接受而成为大家一致认同的饮食方式。

绥远地区汉族的物质生活及习俗　清末以来，随着绥远地区的大规模开垦，这一地区的汉族人口急剧增长。由于这一地区的汉族人口主要来自山西、陕西省的沿边地区以及河北、山东等省，因而在物质生活的内容和习俗方面明显地带有这些省份，尤其是山西、陕西省的影响。具体来说，可以从以下几个方面来看。

衣着方面。总的来说，绥远地区民众的衣着是十分俭朴的。城乡普通民间一般都是布质短衣，男子春、夏、秋三季以白、蓝色为主，冬天则以白茬之羊皮衣御寒。女子不着裙，衣饰尚红、绿色，所用布料较男子为细。在19世纪90年代之前，无论城乡、贫富，其衣料的质地多为山西、河北的土布。清末民初以来，随着洋货的大量涌入，城乡之间、贫富之间在衣料的质地上区别也越来越大，同时，机织布开始大量地进入老百姓的生活。"在城市者，服尚华丽，而衣绸缎呢绒等服装，仅少数高贵者。通常者皆服洋花布、国市布等。在乡村者殆皆夏则粗布，冬则老羊皮之类"。[①] 衣服的样式，下层民众多为"短打扮"，即上衣为有大襟之棉袄，下为裤。官吏、社会上层则以传统的长袍马褂为主导样式。对于清末绥远地区衣饰方面的变动，我们不宜作过高的估计，同时也很难对这种变动作准确的描述（尤其是涉及变动的具体时间时），即使是变动比较明显的城镇也是这样。我们从有关资料可以看出，19世纪末20世纪初，绥远地区的民众在服饰上呈现出两个特点，其一为单调性。这种单调性既表现在衣着的样式、颜色等方面，也表现在服饰的质料方面。对于广大民众来说，受经济条件的限制，绥远地区又地处塞外边疆，普通民众的穿着仍是以土布为主，"夏天做单衣时穿白布，到

---

① 樊库：《绥远省各县乡村调查纪实》，《兴和县》，绥远省民众教育馆1934年版。

换夹衣和棉衣时，就要染成蓝色和黑色，少数有钱者染点市布就是很好的衣服了"。① 其二为开始出现多样性的趋势。这种趋势到辛亥革命后，随着时代的进步、交通的发展而愈益明显，这在衣饰的质料、样式、颜色等方面都有所表现。

装饰品在绥远地区不多见。一般农村男子夏秋多以毛巾、布片包头，有条件的戴瓜皮小帽，冬则普遍以皮帽御寒。妇女的装饰品主要是鲜花和刺绣，在城乡的富裕者中，耳环、戒指、手镯也时有所见，多为银质，镀金或金质较少。在这方面我们可以看到绥远地区质朴、实用的特点。

饮食方面，可将其分为平常饮食与节庆饮食。平常人家一日三餐以谷米、糜米、莜面、土豆等为主，白面次之。对于贫苦人家来说，白面只有在招待贵客及重大节日时才食用，肉食更是富裕者的食物，一般贫民是无缘一尝的。节日喜庆食物在绥远地区各地略有不同，但大致为自产的牛、羊、猪肉制成，如武川县普通人家婚丧宴席有四盘或六碟、六碗者，丰镇县乡农宴客多用三盘或四盘。绅商大户在节庆或宴客时有所谓的"四四"、"六六""八八"等讲究。一般民众则很少有宴客的机会，节庆食物以油炸糕、杂烩菜为上品。赵国鼎先生的有关回忆也为我们证实了这一问题："每日清晨是稀粥炒面，中午是莜、荞、豆面轮换吃的所谓'三条腿饭'。每月初一、十五吃一顿肉烩菜、白面馍头。晚间仍是稀粥和三杂面的发面卷子。这也是当时归化城普通人家和一般小买卖字号的家常便饭。家用的酱、醋、咸菜和过春节时所需的黄酒，全由家中妇女们腌制"。② 在民众的日常饮食方面，还应该注意绥远地区内部的差异性，如五原民众的日常饮食是：早酸稠粥，午糜米干饭，佐以米汤，晚糜米稀饭。造成这种差异的因素除地区间的物产不同外，移民的来源也是一个重要因素。河套各县民众多来自陕、冀，而归、萨、和、托、清等厅县民众多来自山西省，这种差异也影响到民众的饮食习俗。③

---

① 贾海山：《萨县的染工业》，政协包头市委员会编：《包头文史资料选编》第 2 辑，包头政协文史资料研究委员会办公室 1980 年版。

② 赵国鼎口述，刘映元整理：《世远堂旧话》，《内蒙古文史资料》第 31 辑，1988 年。赵先生回忆的是他自己家庭的饮食情况，可供我们参考。

③ 绥远通志馆：《绥远通志稿》卷 50，《民族》，20 世纪 30 年代稿本。

居住方面，城乡差别不大。除城镇的"官署"外，民居多为"一出水"之土木或泥草结构的房屋，内筑土炕，"以泥土为墙，椽檩盖顶，覆以泥皮，间有住砖瓦房者，甚属少数。"[1] 乡村房屋矮小，采光极差。房屋前低后高，前面只有4—5尺高，"室内陈设，视家之贫富。富者置有被褥，贫者一无所有。普通住宅，窗户极少"。[2] 有些地方，像清水河、凉城、兴和等县的部分地区，因土质较好，有依山挖窑洞居住者。在清末以来绥远地区得到大规模开垦前，民众的居住条件更为简陋，有挖一半地穴、上盖以草的半地下住所。另外在绥远地区还有一种窑房，是因缺乏木材而纯用土坯筑成的（这种窑房在今天的内蒙古自治区西部仍可以看到）。有关绥远地区农村的居住条件我们还可以参考俄国学者波兹德涅耶夫的有关记述。[3]

（二）精神生活与信仰习俗

精神生活是相对于物质生活而言的，它是指人类社会实践过程中人们对精神文明的全部创造和享受活动。具体地说，它又可分为两大类，一是以社会意识形态诸形式为主要内容，包括艺术、道德、政治、法律思想、宗教、哲学等方面；一是以社会风俗时尚形式为主要内容，包括风俗、民间信仰、社会心理与思潮及各种文化娱乐等方面，而其中又以各种信仰为主要内容。我们在本节中所着重探讨的是以信仰为主要内容的民风民俗。精神生活的变迁，一方面受制于物质生活方式的变化，另一方面，它又取决于整个社会生产方式、社会生产力的发展水平。精神生活的变迁是一个民族、一个地区社会变迁的重要标志之一。在一定程度讲，一个地区、一个民族乃至一个国家的社会变迁，如果在精神生活领域没有大的变化，这样的社会变迁即是不彻底的。我们可以从下列几方面来看近代绥远地区民众的精神生活。

蒙古族的精神生活及其信仰　清代以来，绥远地区蒙古族的精神生活及信仰可以从以下几方面来看。

婚丧习俗。清代以来，绥远地区蒙古族的婚姻礼俗基本上是传统型的，"蒙人多蹈早婚之弊，十六岁以上之男子无不有妻，惟妇人比于男子通长

---

[1]　樊库：《绥远省各县乡村调查纪实》，《归绥县》，绥远省民众教育馆1934年版。
[2]　绥远省民众教育馆编：《绥远省分县调查概要》，《归绥县》，1934年铅印本。
[3]　［俄］波兹德涅耶夫：《蒙古及蒙古人》第2卷，刘汉明等译，内蒙古人民出版社1983年版。

二、三岁或四、五岁"。① 绥远地区的蒙古族社会中盛行早婚，这在许多资料中都有记载，"女子由二、三岁至四五岁时，即须定婚，十六岁以上未成婚者极少"。② 婚姻礼仪方面，一般也是通过媒妁之言，聘礼视家庭贫富而定，"通常为马二头、牛二头、羊二十头为最"。迎娶的过程大致是这样："及婚约既成，女父与其近亲访于男家，入室礼佛，佛前供羊头、乳、绢布等物，旋由男家设宴款待。至诹吉合卺之辰，由喇嘛选定。男家父母于近傍为设小屋。是日，由新郎家派人迎迓新妇。迎者至新妇家门前以俟，新妇戚友均立户前作圆形，恰如拒新妇出发之状。新妇出户乘马，绕宅三回之后，乃导使疾驱新郎家（帐或包）。近邻及双方戚友均来与宴，并赠新妇以物。事毕，先见翁姑，礼拜佛像，喇嘛读经，新妇拜灶。新郎父母答亲戚礼，新郎亦集小屋中，对新妇亲戚一同礼拜。由是而设盛宴，有继续至七、八日者，并有乐工奏乐"。③

　　从有关的资料分析来看，蒙古族的婚姻礼俗有如下特点：其一，受藏传佛教的影响较深。我们可以看出，无论是日期的选定还是在具体婚礼过程中都有喇嘛的参与。结婚的吉日是由喇嘛选定的，在婚礼的过程中既有藏传佛诵经的程序，也有礼佛的仪式，这些都表现了明清以来喇嘛教在蒙古族中的深厚影响。其二，受封建礼教的束缚要小一些。和绥远地区汉族的有关习俗相比较，蒙古族的婚姻习俗受儒家思想的影响要小一些。一方面，我们从其过程可以看出，蒙古族的婚礼比起汉族的繁文缛节来要简化得多。更为主要的是，受长期游牧生活的影响，蒙古族的婚姻习俗中"自由"的成分要多一些。"其结婚之始，亦有经过恋爱之过程者，俟彼此相许，始告父母，或倩冰人而聘订"。④ 这种"自由"的成分同时也表现在有关男女在婚姻中的地位和离婚习俗上。"'离婚'，无何等形式，如因不和等而发生离婚之意时，将妻送还，告以离婚之旨，通告两亲；妻有离婚之意时，亦同，但须将

---

① 《内蒙古纪要》，《中国地方志民俗资料汇编》（华北卷），书目文献出版社 1989 年版，第 729 页。

② 《最新蒙古鉴》，《中国地方志民俗资料汇编》（华北卷），书目文献出版社 1989 年版，第 726 页。

③ 《内蒙古纪要》，《中国地方志民俗资料汇编》（华北卷），书目文献出版社 1989 年版，第 729 页。

④ 《蒙旗概观》，《中国地方志民俗资料汇编》（华北卷），书目文献出版社 1989 年版，第 727 页。

男家所赠之礼返还一半，或一部分。如斯既经离婚，则男女皆得随意与他人再婚，从此自由主张，父母不再过问。"① "大率男子有室后，或有外缘，妇人不得容喙"。② "有夫之妇，如与别一男子同居，其本夫亦不介意"。③ 由此可以看出，在蒙古族中，女子与男子有基本相同的离婚权，离婚再嫁更和汉族的传统习俗相去甚远，在日常生活中男女之防也相对较松弛。对此时人曾有这样的评论："蒙俗详于上下，略于内外，男女之嫌，不知避忌。平时嬉笑戏谑，履舄交错，恬不为怪。甚至兄妻其奴、弟妻其嫂者，时所恒有，故无孤愤之男，无终寡之女"。④ 这种风俗的形成和蒙古族长期以来在婚姻方面保留了较多的原始性不无关系。

　　清代绥远地区蒙古族的丧葬可分为三种形式。一为土葬，方式与汉族传统的土葬基本相同，主要标志为棺木和坟垄。这种方式主要实行于沿长城一线蒙汉杂居地区的蒙古族中，如土默特地区和伊克昭盟的南部、察哈尔地区，另外蒙古族的王公贵族实行土葬的要多一些。一为火葬，主要是王公贵族、上层喇嘛及其他有钱之家实行。其方式为：人死之后，首先要请喇嘛诵经，然后将尸体附以荼毗，用火焚烧，将骨灰送入喇嘛寺内捣碎，与面粉等混合制成饼形，或存于喇嘛寺中，或送到五台山安葬。这种丧葬方式要花费大量的钱物，所以一般民众是不采取这一方式的。一为野葬，这是蒙古族自远古以来就采取的传统的丧葬方式，明清以来这一方式也加入了藏传佛教的内容。具体是这样的："将亲尸咘经后，弃之于野，或置之于深山谷中，以任狐、狼、野鸟之啄食；倘逾三日，其尸未食，则谓不详，便即敦请喇嘛，诵经追忏，必至鸟兽食尽而后已。"⑤ 野葬（有的文献上称为天葬、风葬等）是历史上北方民族普遍采用过的一种丧葬方式，蒙古族也是如此。

　　其他礼俗及有关信仰。清代以来，蒙古族的许多礼俗都保留了浓厚的传

---

①　《绥蒙辑要》，《中国地方志民俗资料汇编》（华北卷），书目文献出版社 1989 年版，第 735 页。

②　《内蒙古纪要》，《中国地方志民俗资料汇编》（华北卷），书目文献出版社 1989 年版，第 729 页。

③　绥远省民众教育馆：《绥远省分县调查概要》，《包头县》，1934 年铅印本。

④　《临河县志》，《中国地方志民俗资料汇编》（华北卷），书目文献出版社 1989 年版，第 766 页。

⑤　《蒙旗概观》，《中国地方志民俗资料汇编》（华北卷），书目文献出版社 1989 年版，第 728 页。

统性，如相见及待客之礼，一般互相见面时，要先互呈鼻烟壶，然后再敬以旱烟。造访别人的蒙古包，不能直接骑马走近蒙古包，"于未下马以前，必先呼其家人，嘱以视犬；家人出应，客乃下马，将马系于定所，然后由家人引至门口，置马鞭于此处。入门，向左方就座，出鼻烟壶，下左肩而献之主人，主人亦出烟壶荐客，互相嗅之，各以套语寒暄"。① 之后，主人要对客人热情相待，用茶、奶食等蒙古族传统的食品招待客人。客人告辞时，主人要送出门外，并目送客人上马而去。这些礼俗今天仍在变通的基础上在内蒙古自治区的蒙古族中沿用。在有关相见的礼俗中，蒙古族保留了相当浓厚的封建等级色彩。平民、一般官员在会见蒙古族王公贵族时都有繁琐的礼节规定，如"在室外时，若遇王公及其他长上，则仅避道下马，而表礼敬，苟无要事，待其通过，方乘马而去"②，如此的规定旨在严格封建的等级秩序，在一般民众中强调封建等级观念。

在有关的风俗中最具蒙古族特色的是对鄂博的祭祀。对鄂博的信仰在蒙古族中有悠久的历史。"所谓鄂博者，即垒碎石，或杂柴、牛马骨为堆，位于山岭或大道，蒙人即以为神祇所凭，敬之甚虔。故遇有疾病、求福等事，辄唯鄂博是求；寻常旅行，偶过其侧，亦必跪祷，且必垒石其上而后去"，③这种习俗在今天的蒙古族中仍然存在。祭祀鄂博一般由蒙旗长官主持，喇嘛在祭祀中是主角，具体仪式在各蒙旗小有差别。祭祀日期一般是春秋两季，也有临时因某种需要或祈求而祭鄂博的。"每当大祀鄂博之期，喇嘛先期提法器，诵经卷，宰羊以其皮及头、角、蹄、尾蒙鄂博顶，树以长竿，缀小布帜书藏文经咒于其上，再于其下蒙哈达一方，粮食五种，白银数钱，以示降神之意。事毕，蒙旗长官则率兵民跪伏鄂博前，听喇嘛念经，合词祈祷，久而后已。"④ 祭祀鄂博的同时一般伴有蒙古族传统的体育活动如赛马、摔跤、布鲁等。这些都是极具蒙古族特色的民间体育项目，如摔跤"举行之际，身服小衫，足穿长皮靴，由东西各一人登场相扑，只以能倒对手者为

---

① 《绥蒙辑要》，《中国地方志民俗资料汇编》（华北卷），书目文献出版社 1989 年版，第 737 页。
② 《绥蒙辑要》，《中国地方志民俗资料汇编》（华北卷），书目文献出版社 1989 年版，第 738 页。
③ 《绥蒙辑要》，《中国地方志民俗资料汇编》（华北卷），书目文献出版社 1989 年版，第 737 页。
④ 《绥蒙辑要》，《中国地方志民俗资料汇编》（华北卷），书目文献出版社 1989 年版，第 737 页。

胜。……每逢祭鄂博等日，尤盛行之；本旗之王公士官亲为阅看，胜者授赏，以为常例"。① 这些蒙古族优秀的民族体育项目一直保留下来，成为今天内蒙古各族人民喜闻乐见的体育娱乐形式。近代以来祭鄂博及有关的活动在绥远地区诸蒙旗是普遍举行的，但在个别地方则有流于形式的现象，"至归化，六月十三日在吴公坝'祭脑包'，例由副都统委参领代祭，无布库、跑马诸戏，视为具文。"②

纵观清代以来蒙古族的精神生活和有关的风俗习惯，具有如下的特点。其一，藏传佛教在蒙古族的精神生活中占有相当的位置。明清以来，特别是清代以来，由于清王朝的提倡、利用，藏传佛教在绥远地区（实际上是整个内蒙古地区）得到了恶性的发展，这些我们在前文已有所述及，其重要表现即是藏传佛教信仰几乎占据了蒙古族精神生活的全部，在蒙古族民众中形成了深厚的基础。我们可以看到，无论是蒙古族的婚丧礼仪还是其他风俗习惯都可以看到藏传佛教影响的影子。清代中后期，绥远地区的社会环境有了很大的变化，基督教势力早在道光年间即逐渐进入绥远地区。随着土地的进一步开垦，汉族移民的增加，汉族传统的迷信信仰也大量地涌入，但从有关的史料来看，这些信仰形式虽然对蒙古族的各种习俗有一定的影响，但蒙古族传统精神生活的基础并没有被动摇。其二，在清代的社会环境中，蒙古族和各兄弟民族、尤其是与汉族的交流日渐频繁，从而在有关的精神生活和民俗信仰上互相影响、相互吸收，这种文化上的交流在今天仍在继续，它是历史发展的规律，是不以人的意志为转移的。随着绥远地区土地的开垦，在相当多的地区形成了蒙汉杂居的格局。虽然清王朝对这一现象的出现采取了一些阻挠的措施，但历史的发展并没有按照统治者的意愿进行。正是这种格局的出现为蒙古族和汉族、满族等兄弟民族的文化交流提供了条件。对此姚锡光于光绪末年是这样记述的："已开垦旗分之中又当分为两段，近边墙各旗开辟最早，蒙汉杂处，蒙民习俗已与汉民不甚相远，汉语固无不通，而读汉书识汉字者间有其人，是为蒙汉杂居之旗分。至离边墙稍远各旗，蒙汉自

① 《绥蒙辑要》，《中国地方志民俗资料汇编》（华北卷），书目文献出版社1989年版，第741页。
② 郑裕孚：《归绥县志》，《中国地方志民俗资料汇编》（华北卷），书目文献出版社1989年版，第758页。

成团体，各住一区，每岁除租谷交涉以外不相往来，其中通汉语者尚不乏人，而识汉字者千不得一矣"。① 姚氏所说的两种情况的分界线大致为阴山山脉（在绥远境内称为大青山——作者注），在大青山之南，即姚氏所说的第一种情况，"其蒙古起居已与汉人相同，所差异者婚嫁与服制。甚至全为汉语而不知蒙语矣"。② 在大青山后刚开始开垦的地区则属于他所讲的第二种情况，在第二种情况中，蒙汉族人民还处于各自的小聚居状态，但土地也已大面积开垦。这种情况在许多史料中可以得到印证。"今归化土默特，半与绥远城连姻，又与汉人杂居，其婚丧强半学京旗，或学汉人，不尽蒙其国俗矣"。③ 这种民族间的交流是多方面的，"蒙人之岁时节日，概仿汉人，阴历正月之外，三月三日、五月五日、七月十五日、八月十五日、九月九日，称为'五部'而休业。"④ 在这里虽然还有蒙古族畜牧业生产的痕迹，但我们可以明显地看出汉族民俗的影响。即使是在长期游牧生活中养成的一些习惯在近代以来的环境中也有了很大的变化，传统的蒙古族"妇人骑术，亦毫不异于男子"，但到清中后期，"东南开拓之地，则渐次柔弱，妇人殆无乘马者；若在喀拉沁、土默特地方，多控驴，置小鞍，男子执鞭而随其后"，⑤ 这已是一幅典型的汉族夫妇出行的图卷了。由于受汉族民间信仰的影响，蒙古族传统的藏传佛教信仰也受到了冲击。1892年，俄国学者阿·马·波兹德涅耶夫曾有这样的记载，"尽管人们对伊克召非常崇敬，但这座召内的设施并不十分完善，所有好的东西都是年代久远的，而近年来，这座召可以说是日趋破落。召里的喇嘛说，这是由于当地的土默特人受汉人的影响，完全忘记了圣庙，对宗教越来越不虔诚了……大约在十五年前，他们曾把伊克召的外墙修饰了一下，画上佛陀生活中一些生动的场面。这些画都取材于汉文的佛陀传记，因此都具有纯粹的中国风格；这些图画的说明用的也

---

① 姚锡光：《筹蒙刍议》卷下，《蒙古教育条议》。
② 周颂尧：《绥灾视察记》。
③ 郑裕孚：《归绥县志》，《中国地方志民俗资料汇编》（华北卷），书目文献出版社1989年版，第758页。
④ 《绥蒙辑要》，《中国地方志民俗资料汇编》（华北卷），书目文献出版社1989年版，第738页。
⑤ 《内蒙古纪要》，《中国地方志民俗资料汇编》，书目文献出版社1989年版，第735页。

是汉文，作画的也是汉人画匠。"① 由此可以看到，作为蒙古族信仰核心的藏传佛教也已受到了汉族信仰的影响。当然，蒙古族在接受这种影响的同时也保留了自身的特色。如《归绥县志》所载蒙古族的婚礼，在接受了汉族的拜灶、新妇乘车等内容的同时，保留了蒙古族的特色：新郎腰佩弓矢、娶亲队伍的相互追逐、献哈达等。② 再如萨拉齐县蒙古族的婚俗，"分新旧两点，与汉人杂处城镇者，因濡染汉族婚礼，多仿汉俗，谓之新礼。草原山居者仍本古制，谓之旧礼"，"至于蒙人旧制婚礼，虽在本县草原地带亦鲜睹，迨皆趋向时俗，脱去废例矣"。③ 同时，我们认为，民族间在文化、风俗习惯上的影响是双向的。在共同生活的过程中，蒙古族的风俗习惯、乃至精神信仰也部分地为汉族及其他兄弟民族所接受，民国时期包头县汉族仍"遇有疾病发展，即延请喇嘛祷禳，或赴大仙庙问卜"④。包头县第一区的哈善沟门乡，"村南有用砖筑成高不及五尺之砖窑，乡民谓之为'色气'，不知系何年建筑，内堆蒙经多本，亦已残破不完。乡民于每年五月间，烧香礼拜，借以祈福"。⑤

汉族的信仰习俗与精神生活　清末以来，绥远地区汉族人口有了很大的增长。由于绥远地区的汉族主要来自邻近的山西、陕西、河北等省份，因而各地民众的精神生活状态和风俗习惯又有一定的差异。我们从下列几方面来看绥远地区汉族的信仰习俗与精神生活。

婚丧民俗。婚丧习俗是民俗的重要组成部分，也是民众精神生活、信仰内容的重要体现之一。绥远地区的婚丧习俗大致如下。

绥远地区的男女婚龄普遍较早，男子平均婚龄大致在 15—23 岁之间，女子平均婚龄小于男子，约在 15.5—21 岁之间。⑥ 个别地方有更早者。武

---

① ［俄］波兹德涅耶夫：《蒙古及蒙古人》第 2 卷，刘汉明等译，内蒙古人民出版社 1983 年版，第 73 页。按：波氏在这里所讲的是位于今呼和浩特市的大召的情况。我们必须注意的是，波氏写作的立场是错误的，他别有用心地把清政府在内蒙古地区所采取的措施全部称做是"中国的"，实际上暴露了当时的沙皇俄国对内蒙古地区的领土野心，这是我们必须清楚的。

② 郑裕孚：《归绥县志》，《中国地方志民俗资料汇编》（华北卷），书目文献出版社 1989 年版，第 753 页。

③ 张树培：《萨拉齐县志》卷 11，《礼俗》。

④ 樊库：《绥远省分县调查概要》，《包头县》，绥远省教育会馆 1934 年版。

⑤ 樊库：《绥远省各县乡村调查纪实》，《包头县》，绥远省教育会馆 1934 年版。

⑥ 此数字系作者据《绥远通志稿》卷 50，《民族》（汉）中的有关资料综合得出。

川县"习向早婚，男女十三四岁结婚者，为数不少"，清水河县"女子皆早嫁，男皆早婚，十四五岁已有抱子者"。①

婚姻方式仍然遵从传统的"父母之命、媒妁之言"，买卖婚姻盛行，彩礼的数目视当事人的贫富及其他情况而定，自数十元至百数十元不等，外加给女方的首饰、衣物等。

婚姻程序在各县之间以及城乡、贫富之间有一定的差别，但大致不外以下几个阶段：作合、下定、下茶、迎娶、拜人、回门等。纵观绥远地区的婚礼，我们可以发现，尽管其程序复杂，但主要是由两方面内容组成的。其一为民间信仰的因素，其中又包含两层内容，一是以迷信为主的民间信仰，如作合时的"对命"、择吉日、放儿女等。二是一些迷信的内容在历史发展的过程中失去了其神秘色彩，以俗信的形式存在于婚礼之中，如婚礼礼品的成双成对。无论是迷信的内容还是俗信的内容，我们从中都可以看到普通民众对美好生活的向往和追求。其二为社会的因素。新郎、新娘通过婚礼组成新的家庭。婚礼的许多程序即是将这个新的家庭成员引介给对方家族并得到其承认，拜人、回门的许多礼仪都起着这个作用。在婚礼进行过程中，男女双方都要对对方子女的贤与不肖进行调查，"但此类调查难得真相"，原因在于一般民众在这个问题上坚持"宁拆一座庙、不破一门亲"的观念，这种观念是中国传统社会长期以来受儒家思想的影响而形成的②。凡此种种，都是婚姻礼仪社会性的表现。

正常的婚姻形态之外，绥远地区还存在一些特殊的婚姻形态：

抢婚。男女双方定亲后，男家因特殊原因无力迎娶或女方有悔婚之意，男方便组织人力将新娘掠夺而归。

孝状。男女双方定立婚约后，进入婚龄阶段，此时如适逢男之父母病故，家中无人照料。变通办法是：将新妇迎娶入门后，易吉服为丧服，然后料理丧事。

子母婆媳。这种婚姻形态是指丧妻者续娶孀妇，孀妇带有幼子或女，与

---

① 参见《绥远省分县调查概要》，武川县、清水河县。生活于民国年间的老人谈到当时有这样的民间语言："男人十五夺父志"，意即男子15岁即为人父。这也从一个侧面说明了这一点。

② 牛敬忠：《从民谣看儒家文化对传统社会的影响》，《内蒙古师大学报》1999年第6期。

自己的女或子年龄相仿，经双方家长同意，小定为夫妻，待成年后圆房，这实际上是一种变相的童养媳风俗。

另外，童养婚、一门继两嗣、招女婿、娶"活人妻"等也个别地存在着。

丧葬礼俗一般也一仍旧制，包括病革、停尸、入棺、成服、报丧、开吊、念经、过七、货冥物、出殡、圆坟等程序，内容主要包括迷信和生者对死者的追念两方面的内容。

岁时节日的民俗。岁时节日的民俗包含内容极其广泛，它既是一个民族、一个地区民众物质文化生活的充分展示，同时又是民众精神信仰活动的主要表现形式之一。清代绥远地区的岁时节日民俗也是如此。为方便叙述起见，我们将清代以来绥远地区民间的岁时节日列表如下。

清代绥远地区汉族节日一览表

节日名称	主要活动
正月初一（年）	接神，祭祖先，拜父母、亲朋，垒旺火
正月初二	接财神
正月初五（破五）	送穷
正月初八	祀七星，布施各庙祭星钱
正月初十（十指日）	传说老鼠娶亲
正月十五日（元宵节）	灯，焰火，秧歌
正月十六	男女相率出游
正月二十、二十五日	祀仓神，以柴灰在院中画仓，并书"五谷丰登"字样，以期农业丰收。
二月初二日	龙灯，九曲灯阵，吃春饼，"龙抬头"的几种仪式。
惊蛰	食梨、黄米糕以驱灾病
清明	插柳枝，民间掏井，用面制作"寒燕儿"
三月初三	乏子女者于是日开窗"放儿女"
四月初八	妇女多至奶奶庙焚香祈祷
五月初五（端午节）	食粽子，儿童挂五色线
五月十三日	祀关帝（关帝诞辰，一说关公单刀赴会日）
六月初六	曝书晒衣

（续表）

节日名称	主要活动
七月初七日	幼女始学针黹
七月十五	上坟烧纸钱等，挂花纸（以五色线作水纹形或长条形悬于禾稼之上，以祝丰收），托克托县于是日晚在黄河岸边延僧作盂兰盆会
八月初三	祀灶神以时食（灶神诞辰），城市盛行，乡村次之
八月十五	月饼，瓜果，团圆饭，祭祀月神
九月初九	城乡食糕，城市民众有登高之举
冬至	商民领"平安牲"，农家也过冬至
十一月初一	炒食麻、豆等坚果，谓之"咬鬼"
十二月初八（腊八）	食腊八粥（融冰水作粥，日未出而食），佐以素菜
十二月二十三	祭灶
十二月三十	商户正午上供，民户傍晚安神、守岁

资料来源：此表系作者根据所阅资料综合制成。

从表中可以看出，清代绥远地区汉族的节日仍然是以传统型为主，将其内容和内地诸州县（尤其是华北诸省）相比较没有大的差别，只是在个别地方（如托克托县的祭黄河）加入了地方性的色彩①。

信仰的民俗。正如我们在前文中讲到过的，民俗事象中普遍地存在着信仰成分，包括我们前文中涉及到的属于物质生活范围的衣食住等。我们这里所讲的信仰民俗专门指近代以来支配民众精神生活、体现为具体的信仰仪式的民俗事象。绥远地区汉族的民俗信仰是十分驳杂的，充分体现了中国传统民间信仰的多样性、功利性。在俄国学者波兹德涅耶夫于1892年，对绥远地区考察后（波氏考察是沿着今凉城县、丰镇、集宁等地进行的）所写的日记中我们可以看到大量的各种各样神庙的记载。"大仙庙望衡对宇，坐享万户香花，龙王祠画栋雕盈，迷信风水"②是对这一现象的形象描述。在日常生活中，对人们精神生活影响最深的是龙王、关帝、观音、财神诸神。唱

---

① 丁世良、赵放：《中国地方志民俗资料汇编》（华北卷）的有关记载，书目文献出版社1989年版。

② 王文墀：《临河县志》卷中，《风俗》，1931年铅印本。

戏酬神既是民众的信仰形式，同时也是民众的主要娱乐形式之一。以归绥县为例，"辛亥革命之前，城内各行社及四郊村镇均有酬神演剧之习。夏秋两季，殆无虚日，或为大戏，或为秧歌。大戏有两种，皆梆子戏，演于城市者，名字号班。另有一种演于乡村者，角色较低，俗谓之跑营子班。秧歌纯属田家口味，口白用本地口语，取材亦多通俗故事，乐器与大戏略同，惟多一笛。农人平日工作，喜歌此调。酬神时也多农民自行扮演，完全为土戏性质"。① 在这里我们可以看出，娱乐与信仰是非常紧密地结合在一起的，并且与民众的日常生活相结合，有时简直就是一种自娱自乐的形式。

清代绥远地区民众的娱乐活动，"家庭以纸牌为偶尔消遣之具，社会以演剧为终年娱乐之场，此固各县所同"。② 除此之外，还有一些极具民族和地区特色的娱乐方式，如笃固尔（归绥、托克托县儿童以羊蹄中锁骨为戏）、打毛蛋（托克托县）、小曲（归绥，又称蒙古曲儿，实则歌词内容并无蒙古情事）、泅水渠中、捞鱼泽畔（五原）、骑马赛跑、放鹰捕兔等。③

清代绥远地区汉族精神生活的特征 清代以来，作为边远地区的绥远，民众的精神生活也呈现出其自身的特征，这些特征既有来自精神生活内容本身的方面，同时又与绥远地区地处塞外、文化落后分不开。当然，绥远地区民众精神生活也受全国政治、经济形势的影响、制约。我们可从下列几方面来看。

其一，精神生活的极度贫乏。绥远地区民众精神生活的贫乏是十分明显的，表现之一即是前述各地的酬神唱戏。酬神唱戏既是老百姓信仰的表现，同时也是其娱乐的主要方式之一。乡村民众除年节期间有一定的闲暇时间娱乐外，其余时间大都为生计所迫而奔忙，每年的酬神唱戏，为他们提供了会亲访友、观看剧目、参加赌博的机会。物质生活和精神生活的极度贫乏，又加剧了民众迷信的程度。在生计的压力下，民众精神信仰无所寄托，鬼神信仰仍然占主导地位，"居民迷信特深，几家家祀大仙，祈福求医，悉此一

---

① 绥远通志馆：《绥远通志稿》卷50，《民族》，20世纪30年代稿本。
② 绥远通志馆：《绥远通志稿》卷50，《民族》，20世纪30年代稿本。
③ 据推测：从娱乐方式的名称、内容上可以看出其与北方民族的游牧生活有关或受其影响。在没有明确文字记载的情况下，我们也只能如此。另：河套地区灌溉渠道发达，故尔有如是的娱乐方式。文中所列的一些娱乐方式如打毛蛋、笃固儿是儿童游戏。

神。语云'除了大仙没神了'"。①

其二，在传承中的发展及发展的不平衡性。传承性是民俗的主要特征之一。包括民间信仰在内的民俗是一种世代相传的文化现象，在发展过程中有其相对的稳定性，良风美俗以其合理性得到民众的认可而代代相传，同时，恶风陋俗也因其具有强大的保守、习惯势力而沿袭下来。我们从前述可以看到，清代以来，绥远地区无论是消费方面的民俗，还是信仰的民俗及各种社会民俗，基本上都是传统型的，尤其是在广大农村，岁时节日是传统型的，这种情况清末民初以来也变化不大，"过阳历年时，……民间狃于故习，尚未注意"，② 信仰是传统型的，衣、食、住也无多大变化。

从另一方面来看，在清末民初的社会大转型时期，绥远地区民众的精神生活、民风民俗等各方面还是有变动的。由于历史形成的原因，这种变动呈极不平衡的状态。具体来说，主要表现为城乡之间的不平衡和贫富之间的不平衡，表现在以下两个方面。

首先是一些恶俗开始消失。在这方面表现最明显的是缠足的变化。清末民初以来，妇女缠足虽然还大量地存在，但其走向消失的趋势已十分明显。一份典型的材料显示，"十岁以下之女童为天足，成年女子尽数缠足"，③ 也就是说，如果以传统缠足从3—5岁开始，那么可以推断，大约在20世纪20年代中期，绥远地区的妇女缠足便开始停止了。作为过渡，出现了所谓的"改组派"，民间又称为"解放脚"，即"内缠裹脚布，外套罗袜"④ 的形式。这是传统缠足的变异，缠的程度已不如前。当然，在变化过程中也有反复。我们在史料中也可以看到这样的记载："七八令之女孩，仍多将两足裹如粽子形式，中年妇女间有名为放足者，亦即所谓改组派之流。"⑤

此外，有些地方的唱戏酬神日渐减少，甚至不再举行；婚礼改跪拜而鞠躬，仪礼从简；丧礼改孝布而素花等，都可以看做是恶俗的逐渐革除。

其次是旧的习俗开始有所变革或出现了变革的趋势。1840年以来，随

---

① 韩梅圃：《绥远省河套调查记》，《河套礼俗》，绥远省民众教育馆1934年版。
② 绥远通志馆：《绥远通志稿》卷50，《民族》，20世纪30年代稿本。
③ 樊库：《绥远省各县乡村调查纪实·归绥县》，绥远省民众教育馆1934年版。
④ 樊库：《绥远省各县乡村调查纪实·丰镇县》，绥远省民众教育馆1934年版。
⑤ 樊库：《绥远省各县乡村调查纪实·丰镇县》，绥远县民众教育馆1934年版。

着和外界接触的增多，作为边远地区的绥远的社会风气也在起着变化。尽管这种变化是缓慢的、局部的，但还是在悄悄地进行着。以婚俗为例，虽然旧式包办买卖婚姻仍然占据着统治地位，但一些有识之士已开始改革，"新式之家，尚有征求子女同意者"。① 丧葬方面，"近年城市亲族尚仍旧贯，友谊则以臂纱素花代之……自民间破除迷信之说行，而治丧者每不以诵经礼佛故事铺张为丧事局面之轻重"。② 这种变革在民俗的各个方面都可以看到。

再次，鲜明的移民社会特征。已如前述，在绥远地区各县的开垦过程中，外省的移民是主导力量，来此垦殖的多为晋、冀、陕、甘等省的贫民。初开之时，移民多不定居，有所谓"雁行"、"跑青牛犋"之称。移民社会特征除各县在一般风俗上的区别外，突出地表现在下列两点上。

其一是对祖宗的祭祀。祖宗崇拜是中国人传统的信仰形式。在华南、华北等宗族势力强大的地区，聚族而居的宗族往往建有祠堂，遇年节、重大事件都要进行祭祀。在祭祀祖先这一点上，绥远风俗略同。绥远地区民众祖宗崇拜的标志一为木主（外罩以龛），一为画轴（俗谓之"容"），供所多在堂屋或静室。年节时到墓所请"容"，归而启龛露主，或悬"容"于壁，以跪拜礼及麦面作之供品、干果祭祀，然后再送"容"至墓地。绥远各地很少有规模宏大的祠堂。这一现象可以认为是典型的移民社会特征。移民离开原籍，漂泊外地，加以绥远地区严酷的自然环境，以及土地贫瘠等因素的影响，致使移民谋生不易，尤其是很难形成大的聚族而居。据史料载，清末以来，绥远地区民众在死后多归葬原籍，这种习惯直到民国初年才有所改观。鉴于这种情况，所以，绥远地区"聚族会祭之事少见焉"。③

其二是男女之防较为松弛。移民离开原籍，在新辟地共同组成一个新的社会，因而传统的伦理道德对他们的约束力相对要小，再加上新辟地存在的高性别比例，这些都是男女之防较为松弛的原因所在，所谓的"阿侬不怕周郎顾，高卷车帘懒下钩"，④ "女子殊乏贞操观念"。⑤ 归绥县新庄乡"一

① 绥远民众教育馆：《绥远省分县调查概要》，《清水河县》，1934 年铅印本。
② 绥远通志馆：《绥远通志稿》卷 50，《民族》，20 世纪 30 年代稿本。
③ 绥远通志馆：《绥远通志稿》卷 50，《民族》，20 世纪 30 年代稿本。
④ 王文墀：《临河县志》卷下，《杂记·风俗》，1931 年铅印本。
⑤ 韩梅圃：《绥远省河套调查记》，《河套礼俗》，绥远省民众教育馆 1934 年版。

般青年男子，饱暖思淫欲，成群掠艳以为常事，青年闺秀，难免为之引诱"。① 河套地区有一句俗谚谓："河套，河套，来人便套住了"，② 即是指土地贱易为生、大烟及男女关系三个因素。以此为基础，绥远地区民众对于寡妇再嫁也没有传统社会那样的歧视观念，"不重头婚重二婚，孤鸾身价值黄金"，③ "年轻寡妇改嫁，求资益奢"，④ 如此等等，都反映了典型的移民社会特征。

另外，这一时期的史料还多有这样的记载：绥远各地，尤其是"后山"各县（大青山后的地区），民风朴实，远客入门辄留宿、留饭，不计资费。这种风俗的形成也和移民社会有联系。

三、清代绥远地区的社会问题

所谓的社会问题，在这里我们主要是指危及整个社会生存的社会性越轨行为。社会学理论认为，"人的社会性行为，可以说是顺应其地位、角色的行为和人格性地脱离这种行为方式的两个方面，以独特的方式相结合。"⑤ 当人的行为严重脱离社会公认的行为准则并危及整个社会的生存时，即是我们所说的社会问题。我们必须注意的是，作为社会问题，有两个重要的特征。其一，这种行为是社会性的，也即是说，单个人或少数人的行为，即使是对社会造成很大的危害，也不能算是社会问题。其二，这种社会行为所造成的后果是恶性的，严重的话可能危及整个社会的现存秩序。清代以来，作为边疆地区的绥远，其社会问题既有与内地相同的方面，同时又有其自身的特点。

（一）清代绥远地区的灾荒及其救治

理论上讲，由于人类征服自然、改造自然的能力总是有限的，所以在任何历史时期，自然灾害都是不可避免的。但是在不同的社会条件下自然灾害所造成的社会后果又是截然不同的。一个社会的存在必然以其一定的调节、

① 樊库：《绥远省各县乡村调查纪实》，《归绥县》绥远省民众教育馆 1934 年。
② 韩梅圃：《绥远省河套调查记》，《河套礼俗》。
③ 王文墀：《临河县志》卷下，《杂记·风俗》。
④ 韩梅圃：《绥远省河套调查记》，《河套礼俗》。
⑤ ［日］横山宁夫：《社会学概论》，毛良鸿等译，上海译文出版社 1983 年版，第 224 页。

控制功能为前提，其中即包括对于自然灾害给社会造成后果的调节和控制。我们讲的灾荒正是从这个意义上考虑的。灾荒，即由灾及荒，邓云特（邓拓）先生在其《中国救荒史》中给灾荒所下的定义可供我们参考。"所谓灾荒者，乃以人与人社会关系之失调为基调，而引起人对于自然条件控制之失败所招致之物质生活上之损害与破坏也"。①

清代绥远地区严重的灾荒 清代绥远地区的灾荒是十分严重的。从造成灾荒的自然灾害的种类来看，包括旱、水、霜、雹、雪、虫、疫、风、震等，尤其以旱、水、霜灾为甚。据包庆德博士研究表明，清代 268 年间内蒙古地区灾害分类统计如下图：

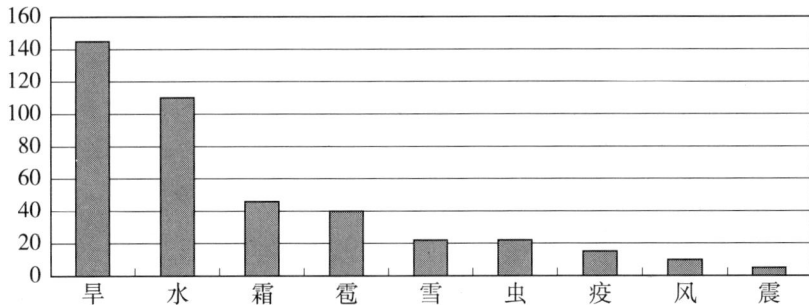

资料来源：包庆德：《清代内蒙古地区灾荒研究》（博士论文），内蒙古大学，2004年4月，第51页。

旱、水灾害是清代内蒙古地区发生频率最高的灾害类型，其中又以旱灾为甚。有清一代，归化城、丰镇厅旱灾各达 35 次，萨拉齐、清水河、和林格尔、托克托、宁远等厅，均超过 20 次以上。清末最后的 36 年中，内蒙地区发生旱灾 25 次，平均每 1.44 年发生一次。

由于史料的原因，我们对清前期绥远地区旱灾的状况无法进行详细的描述。晚清以来在绥远地区造成严重后果的旱灾有两次，我们将这两次旱灾分述于下：

第一次是在光绪初年。光绪初年，华北地区发生大的旱灾，重灾区在山西省。关于这次旱灾的情况，已有许多论述。这次旱灾以持续时间长、灾区

———————

① 邓云特：《中国救荒史》，上海书店 1984 年版，第 3 页。

面积大、灾荒程度严重而引起今天研究灾荒史的有关专家的注意①。这次旱灾也波及绥远地区。从光绪三年（1877 年）开始，和林格尔、萨拉齐、清水河、托克托厅先后遭受旱灾的侵袭。旱灾一直持续到光绪四年（1878年）。有关史料表明，绥远地区的旱灾和山西省比较起来要轻得多。山西省的大旱是从光绪二年（1876 年）开始的。光绪三年（1877 年）九月，山西巡抚曾国荃在奏折中还提及往归化、包头等地采买粮食。②"其口外各厅亦均亢旱，委员踏勘，他厅俱未成灾，惟清郡（指清水河厅）僻处边隅，田亩俱系山坡，一经受旱，收成失望，而民食为艰矣"。③ 受灾不重的绥远地区也参与了赈灾，"归化城商民捐马 600 匹"作为赈灾资金。④"光绪三四年间，山西大旱，邑及各厅岁尚稔，米粮南运赈抚"。⑤

第二次是光绪十八年至十九年（1892—1893 年）。这次灾荒实际开始于光绪十七年（1891 年）。光绪十七年（1891 年）口外各厅即歉收，接连而来的是普遍的干旱，光绪十八年（1892 年）秋又遭冻灾，几乎颗粒无收。这一年，山西全省 62 个州厅县受灾，以"北路"及"口外"为重，"口外则以丰镇厅为最重，归化、宁远次之，萨拉齐、托克托、和林格尔、清水河又次之"。⑥ 是年，蒙旗地方也发生大面积的旱灾，阿拉善、伊克昭盟的王公先后上奏清廷，报告灾况。⑦ 光绪十九年（1893 年），归、清、萨、和等厅又先后受雹、水、旱、霜、碱、冻等灾，"承上年祲后，民力拮据"。⑧ 从相关史料我们可以看出，这次旱灾对绥远地区来说是全局性的灾荒，而且持续时间长、受灾程度严重。这次灾荒所造成的社会后果，"与光绪三四年大

———————

　　① 乔志强：《中国近代社会史》第 7 章，人民出版社 1991 年版。

　　② （光绪）《山西通志》卷 82，《荒政记》，中华书局点校本 1990 年版。

　　③ 文秀等：《新修清水河厅志》卷 17，《祥异》，台湾影印《中国方志丛书》本。

　　④ 刘鸿逵等：《归化城厅志》卷 6，《济恤》，光绪年间抄本。

　　⑤ 郑裕孚：《归绥县志·经政志》，1934 年铅印本。

　　⑥ 朱批档，光绪十九年二月十七日张煦折，转引自《近代中国灾荒纪年》，湖南教育出版社 1990 年版，第 566 页。

　　⑦ 邢弈尘：《清季蒙古实录》（下），内蒙古社会科学院蒙古史研究所 1981 年版，第 173 页。

　　⑧ 录副档，山西巡抚张煦折，转引自《近代中国灾荒纪年》，湖南教育出版社 1990 年版，第 576 页。

略相同"。①

　　除旱灾外，绥远地区其他灾害也频繁发生，乾隆三年（1738 年）归化城地方阴雨连绵，黄河泛滥，民间庐舍尽被冲淹；十八年（1753 年），归化城等四厅被霜或旱；五十三年（1788 年），绥远城被旱被霜成灾；咸丰六年（1856 年），托、归、萨三厅，普岱、萨拉齐至托县水深三尺，赈一月口粮。光绪二十年（1894 年）至光绪二十三年（1897 年），相关史籍中连续四年都有绥远地区遭受各种灾荒的记载。光绪二十六年（1900 年），口外各厅又"雨迟霜早"。光绪三十年（1904 年）至光绪三十二年（1906 年），绥远地区连年大旱。光绪三十二年（1906 年）夏，河套地区发生蝗灾，"蝗虫聚众之多，有厚至三四寸、七八寸者，长宽至数里至二十余里不等，弥望无际，人难插足。所至唯罂粟、麻、豆不食。其余各种田禾，一经阑入，茎叶无遗"。这一时期，乌兰察布盟、伊克昭盟也不断遭受灾害的侵袭，乌盟的四子王旗、达尔罕旗"近年迭遭旱灾，年光不收，自去年（指宣统二年，1910 年）九月即泽落大雪"，伊盟的部分蒙旗也连遭旱灾、雪灾，"以致牲畜被雪掩埋倒毙者十居七八"。② 灾荒给绥远地区造成的危害可以从如下几个方面来看。

　　其一，人口的大量死亡和流离。灾荒最直接的后果就是粮食的短缺和粮价的上涨，由此造成了人口的大量死亡和流离，尤其是大面积的、持续时间长的灾荒。灾区人口始而有存粮接济，继则挖食草根、树皮，甚至于发生人相食的现象。长期的缺粮、饥饿使灾民的身体素质大幅下降，减弱了其抵御疾病的能力，灾后的疬疫流行以及塞外的严寒也时时威胁着灾民的生命。在这种情况下，灾民或转死沟壑，或卖儿鬻女，或走上到处流亡的道路，造成"所到之处饿殍盈野，村落成墟……有力之家，初尚能以糠秕果腹，继则草根树皮均已掘食殆尽，朝不保暮，岌岌可危，每村饿毙日十数人。……饥民

---

　　① 朱批档，光绪十九年三月初七日李鸿章折，转引自《近代中国灾荒纪年》，湖南教育出版社 1990 年版，第 566 页。
　　② 光绪二十六年九月二十四日锡良折，光绪三十二年七月五日贻谷折，宣统三年八月十三日、九月八日垄岫折，转引自《中国近代灾荒纪年》，湖南教育出版社 1990 年版。

率皆鹄面鸠形，仅余残喘，竟有易子析骸之惨"① 的局面。灾荒所造成的粮食短缺是十分惊人的。

灾荒还造成社会秩序的动荡不安。广大灾民在走投无路的境况下，往往铤而走险，以吃大户、抢粮的方式谋求生存。光绪十八年（1892年），大余太"饥民聚众千余，由落籍之豪民郭殿阳率领，围大户杨在山宅索粮。宅多自卫枪，欲击之以示威，众大哗，几酿巨变"。② 同时，大量流民的存在也给社会秩序的稳定带来威胁，光绪二十六年（1900年），绥远地区大旱，"归属大成号麦田熟，数十余顷，远近饥民麇集地畔，男呼女应，一时拔取尽净"。③ 而且，我们在史料中还常常可以看到这样的记载，"常有抢粮之事，然其中有实饥饿难忍而抢者，有并非饥民而藉名乘势率领多人执械而抢者"。④ 对于随处存在的灾民，如果控驭不得法，则极易威胁整个社会秩序的稳定，这在中国历史上是常见的。

其二，土地的大量荒芜和对农业生产的极大破坏。前文已述及，经过清代、特别是清末的大规模开垦，绥远地区已成为重要农业区。灾荒的最直接后果就是土地的大量荒芜和农业生产的破坏。由于人口大量流亡，牲畜大量被宰杀，灾荒过后，农业生产的恢复受到很大制约。灾荒还直接造成耕地的毁坏。绥远地区的自然灾害以水、旱灾害为多，其中的水灾除河套地区外又多半是由山洪造成的。突然而致的山洪成片地毁坏农田，这样被毁坏的农田往往是不可恢复的，这是由绥远地区的自然条件造成的。光绪二十年（1894年），山西巡抚张煦在其奏折中提到的灾后荒地，仅归化、宁远、和林格尔三厅即有4 179.82顷，而当时三厅的有主熟地总共才3 839.5顷，也就是说，抛荒的土地已超过耕地总面积的一半。⑤ 清水河厅在乾隆初年有熟地13 426亩，历嘉、道、咸等朝共报废地8 550多顷，占其总数的60%多。⑥ "嗣因所垦熟地或被风刮，或被水冲，是以口内招徕之民弃地逃回原

---

① 朱批档，光绪十九年三月初七日李鸿章折，转引自《近代中国灾荒纪年》，湖南教育出版社1990年版，第566页。

② 绥远通志馆：《绥远通志稿》卷65，《灾异》，20世纪30年代稿本。

③ 绥远通志馆：《绥远通志稿》卷65，《灾异》，20世纪30年代稿本。

④ 刘鸿逵、徐树景、沈潜等：《归化城厅志》卷6，《济恤》，光绪年间抄本。

⑤ 邢奕尘：《清季蒙古实录》（下），内蒙古社会科学院蒙古史研究所1981年版，第256页。

⑥ 文秀、卢梦兰等：《新修清水河厅志》卷13，《田赋》，台湾影印《中国方志丛书》本。

籍者实繁有徒"。① 我们从有关文献中还可以看到十分具体的例子：清水河厅属的韭菜庄，其村旁有一深沟，嘉庆年间距村尚有十余里，"及至道光岁月，水势浩泼，平地尽皆崩颓，逼临村庄，街衢几于倾覆"。② 这种现象对于今天生活于内蒙古西部地区农村的人来说也是屡见不鲜的。由此我们可以得出结论，明清以来，特别是清末民初以来，对绥远地区大规模的无序开垦、砍伐，严重地破坏了这一地区的生态环境和植被，在发展农业的同时，也为这一地区灾荒的形成留下了隐患。

严重的灾荒还造成土地兼并的加重和地权的集中。灾荒年月，贫苦农民在食不果腹、衣不蔽体的境况下，被迫出卖耕地。地主、官僚、军人、高利贷者、商业资本乘机以极低的价格收买土地。清中后期以来，绥远地区灾后"农地所有权的移转，大部分是集中在政府官吏手里"。③ 地权的集中又反过来影响农业生产的发展，从而降低了农民的抗灾能力。

灾荒的成因及救治　对有关史料进行分析，我们发现，造成绥远地区灾荒的原因是十分复杂的。我们仅以近代为例对绥远地区灾荒的成因做如下分析。

其一，自然条件方面的原因。绥远地处塞外高原，气候属于温带大陆性干旱—半干旱型，气温低无霜期短，降雨量少，除河套地区外，可资利用的天然水资源几乎没有，土地的肥沃程度也无法与内地相比，这些都是发展农业的不利因素。对此，咸丰初年归绥道钟秀曾有这样的概括："口外则沙漠之区，绝无沃土。各厅唯绥远所管之浑津河庄头地粮尚可年清年款。其余如清、和两厅，山坡硗确，屡报荒。萨托濒临黄河，时虞水患。归化粮地极多，皆远在山后，苦寒之地，春末开冻，秋初阴霜。统年燠少寒多，禾稼难以涨发……劳于耕作而薄于收成，故各厅虽有征银征粟之殊，类皆完纳维艰"。④ 清末以来的大规模开垦是在内地人满为患的背景下，清政府以"移民实边"的方式进行的。无序的开垦严重地破坏了原有的植被，造成的水土流失使原本就恶劣的自然条件进一步恶化，这是造成严重灾荒的重要

---

① 文秀、卢梦兰等：《新修清水河厅志》卷14，《户口》，台湾影印《中国方志丛书》本。
② 文秀、卢梦兰等：《新修清水河厅志》卷20，《艺文》，台湾影印《中国方志丛书》本。
③ 吴文晖：《灾荒下中国农村人口与经济之动态》，《中山文化教育馆季刊》4卷1期。
④ 刘鸿逵等：《归化城厅志》卷3，《职官》，光绪年间抄本。

原因。

其二，社会原因。综合起来看，造成近代绥远地区灾荒的社会原因可以从以下几方面来看。

首先是水利工程的不完善。绥远地区的水资源除黄河外，还有一些河流是可资利用的，如大、小黑河，清水河等。一方面，这一时期绥远地区的开垦还处于草创阶段，受资金、技术等因素的困扰，更为重要的是近代以来不断恶化的社会环境，如政治上的动荡、经济上的凋敝等，使这些资源得不到充分利用，即使有利用也至为简陋。据史料载，归绥县"有田十顷而兼有水田两顷者全县六户而已"。在这些水利设施中，有相当一部分水渠是依赖山洪作为水源的，这就更增加了其不确定性，沿河各县常因水源而发生争执。[①] 即使是水利条件较好、灌溉比较发达的河套地区，灌溉面积在近代也是逐年减少的，据有关调查，"即以达旗永租地而论，只光绪三十三年灌地至三千一百余顷，至光绪三十四年则只灌地二千五百余顷，宣统元二两年灌地且不及二千顷。"[②] 造成这种现象的主要原因是社会因素。清末，清政府在河套地区设置了水利局管理放水，"局中的吏役常常作额外的需索，不肯纳贿的就不给水，逼得人不能种，河套里的良田又变成沙碛了"。[③] 所谓的"自垦务局成立后，以官力压迫商民，土地水渠尽收为局有，办理腐败，水利多半废弛；虽有水渠之设，实无水渠之用"。[④] 另一方面，由于种种原因，河套地区还常常发生"河水泛滥，近岸民舍田地多被毁伤"[⑤] 的情况。翻检史料，给我们的印象是：由于水利设施的缺乏或不完善，造成了绥远地区无雨则旱、有雨则涝的局面。

其次，人口激增。清代以来，人口激增，从清初大约 6 000 万到清末猛增到大约 4 亿，在中国传统的农业生产方式下，彻底冲破了社会供养的能力。在这种情况下，为生活所迫的贫苦农民纷纷向人口相对稀少的边疆地区迁徙。康雍乾以来，由于临近直隶、山东、河南等省连年灾荒，涌向绥远地

---

① 郑裕孚：《归绥县志》，《建置志·产业志》，1934 年铅印本。

② 《中国近代农业史资料》第 1 辑，三联书店 1957 年版，第 848 页。

③ 顾颉刚：《王同春开发河套记》，《中国近代农业史资料》第 1 辑，第 848 页。

④ 《调查口外十二县农林报告书》，《中国近代农业史资料》第 2 辑，第 663 页。

⑤ 《五原厅志稿》上卷，《建置志》，江苏广陵古籍刻印社影印 1982 年版。

区的流民便逐年上升。另外，随着汉民的大量涌入，蒙地开始逐渐开垦，特别是清末放垦蒙地政策，进一步鼓励了内地汉民向绥远地区的迁徙。外籍人口的迁入，一方面促动了绥远地区农牧业特别是农业的发展，同时也加大了绥远地区土地的人口承载力，更多的土地被开垦，破坏了大量植被，使本区草原生态环境变得脆弱，加剧了自然灾害发生的频度和深度。

在中国传统社会中，救治灾荒的功能主要是由政府来承担的，清代社会仍然如此。清代绥远地区救灾措施主要有：

首先是备荒措施方面。仓储是传统社会中备荒的重要措施，绥远地区由于地处边外，设治较晚，在这方面的建设是很少的。常平仓在救治灾荒方面的应急作用是相当明显的。① 我们翻检史料发现，归化城厅、清水河厅、丰镇厅均设有常平仓，但其规模极小，光绪十八年（1892 年），归化城厅、丰镇厅的仓储分别有 5 000 石和 16 000 石，② 而清水河厅的仓谷已于咸丰十年（1860 年）"碾运宁夏等处充饷无存，至今尚未买补"。③ 这样的仓储规模根本无法与内地州县相比，在救治灾荒中起不到应急的作用。即使是这样规模的备荒仓储在实际运作中也得不到保证。近代以来，由于清政府财政拮据，加之各级官吏的因循苟且，常平仓谷的亏空成为普遍现象，绥远地区也是如此。道光十七年（1837 年），张集馨任朔平知府，查出所属宁远厅通判锡纶亏空仓谷 4 万多石。继任的通判外号"齐搂儿"，目不识丁，专以钻营取巧为能，在萨拉齐厅任上被山西巡抚升寅参革，继而经多方周旋，复任宁远厅通判，"旧过不悛，性情凶暴"。上任后，视常平仓为其侵蚀之渊薮，将本应征收米谷入仓的制度改折征银，以方便其挪用，使常平仓失去了备荒的作用。常平仓的盈亏在一定程度上取决于州县（厅）官的廉洁与否，但整体来看，常平仓的亏空是近代以来清政府政治上腐败的产物，是和封建专制制度相联系的。锡纶的亏空仓谷即是如此，他接任时，前任即亏空 2 万余石，"上年（1836 年）飞蝗入境，省府大小委员，络绎查办，供张需索，支用浩繁，加以托付非人，积累日重"，又累计亏空 2 万余石。张集馨在奉命查抄

---

① 牛敬忠：《清代常平仓、社仓的社会功能》，《内蒙古大学学报》1991 年第 1 期。
② 刘鸿逵等：《归化城厅志》卷 6，《济恤》，光绪年间抄本。
③ 文秀等：《新修清水河厅志》卷 9，《仓储》，台湾影印《中国方志丛书》本。

其家产时，见其"门户萧条，孤寡号泣……所抄衣物，并属破烂，估值无几"。① 最后此案只得由有关官员摊赔了结。很明显，绥远地区常平仓的这种现状是无法满足备荒需要的。在预防灾荒方面，中国传统社会中还有一些行之有效的措施，如内地各州县普遍设立的社仓、义仓，作为地方性的粮食储备。社仓、义仓是一种针对地方性偏灾的自救措施，在实际施行中是起着相当的作用的。② 同样的原因，一直到近代，这些设施在绥远地区还没有建立，当然也就谈不上在救治灾荒中起作用了。

另外，清代以来绥远地区开垦过程中形成的土地所有权观念也影响到民间自发的积储，从而减弱了民众抵御自然灾害的能力。光绪十八年（1892年），署归化城同知在一份报告中提到了这一问题："归化之粮，全恃大青山后，数十年皆系丰年……无如口外种地者非土著，蒙古地又只准租种，不得置买。如不准种，即须拆屋而徙。且人工甚贵，谷价又贱，除租银工费外无所余。以至年年丰收，愚民决不计荒年之苦，视粮石为不甚爱惜之物，故知盖藏者百无一二"。由此我们可以看出，对于清代以来绥远的私垦农民来说，虽然在实际生活中对土地存在着形同于买卖的典押，但在他们的观念中，地权的不确定（在法律上的地权）影响到了他们在农业生产经营上的观念。③ 中国传统农业社会中"耕三余一"的积储备荒思想并没有深入人心。近代以来，大青山后广袤的地域相对来说一直是地广人稀，是绥远地区粮食的重要来源之一，所谓的"川熟不能护山，山熟才能护川"。同一份报告提供的资料显示，这一时期大青山后地区每年向归化城输送粮食30万石，"去年（指光绪十七年，1891年）五月望后始降雨，八月初即降霜，故进口只十一二万。城中粮店十二家，每年所进仅敷一年粜卖。去年所入较往年已少大半。有力之家鉴于歉收粮贵，已多预定。目下粮店所囤者皆有主之粮，无主者每家不过一二十石，……若五月底无雨，则颗粒无进，其空虚更不可思议"。④ 在传统的农业社会中，由于科技、交通不发达，积储之于备荒、尤其是区域性的灾荒还是有相当的作用的。在积储空虚的情况下，一遇灾

① 张集馨：《道咸宦海见闻录》，中华书局1981年版，第30—44页。
② 牛敬忠：《清代常平仓、社仓的社会功能》，《内蒙古大学学报》1991年第1期。
③ 参见牛敬忠：《近代绥远地区的社会变迁》相关章节，内蒙古大学出版社2001年版。
④ 刘鸿逵等：《归化城厅志》卷6，《济恤》，光绪年间抄本。

荒，便会出现囤积居奇、粮价上涨的局面，进一步发展就会造成严重的社会后果。

其次，临灾救治措施。中国传统社会的救灾功能是相当完备的。已如前述，这一完备的救灾功能是由政府来履行的。在长期的实践中，中国传统社会形成了一套比较完整的救治灾荒的做法。对于程度较轻的灾荒，政府一般通过蠲缓田赋、平粜等措施以缓解灾情。一旦发生严重的灾荒，政府必须采取一系列的救济措施，包括发放口粮、散发银米、施放衣物等，以救民于水火之中。在光绪十八年（1892 年）的大旱中，山西巡抚派候补知府锡良在绥远地区设局赈恤，对 132 933 名灾民散放粮食 25 575 石，银 10 114 两，另外还有制钱若干。① 对于这些数字的真实性今天我们无法考察其真伪，即使相信其全部是真实的，考虑到灾荒延续的时间之长，以灾民的数字与这些救济物资相比的话，也是真正的杯水车薪。如果再加上其他因素的影响，如经手官员的上下其手，以及在流通渠道上的损失，如奸商的囤积居奇所造成的人为的粮价上涨等，政府临灾救济措施的效果是可以想见的。我们在史料中可以看到大量有关个人义举的记载，如《丰镇厅新志》中的周奉先、张玉、许元科等，他们在灾荒年月尽其所有赈济乡邻。② 但是，任何个人的力量在大面积、长时间的灾荒面前是微不足道的。近代以来各级政府救灾功能的减弱还表现在基督教传教士对救灾的介入上。在有关的史料中我们可以看到，绥远地区许多人信奉基督教都是从荒年接受教会救济开始的。宣统二年（1910 年），固阳县"又遭荒歉，德明善司铎大施赈济，感化奉教者有 240 多人"③。从另一角度来看，政府救灾功能的减弱也是清代以来绥远地区灾荒严重的原因之一。

清代以来绥远地区的灾荒是十分频繁的，其所造成的社会后果也是相当严重的。出现这种情况的原因应该说是复杂的，既有自然的因素，也有社会的因素。由于清代、特别是清末以来对绥远地区大规模的无序开垦，在一定程度上实现了"移民实边"目的的同时，也严重地破坏了这里的生态环境，

---

① 郑裕孚：《归绥县志》，《经政志·赈恤》，1934 年铅印本。
② 德溥：《丰镇厅新志》卷 7，《人物》，1916 年铅印本。
③ 《天主教绥远教区传教简史》下，内蒙古大学图书馆藏抄本，第 79 页。

从而为灾荒的发生留下了隐患。但是，从对有关史料的分析来看，我们认为，灾荒之所以发生并造成严重的社会后果，主要原因还是社会原因。清中叶以来，内外交困中的清政府由于其政治上的腐败、经济上的凋敝、财政上的罗掘殆尽，其对于社会的控制、整合能力日渐丧失，对绥远这一边远地区更是无暇顾及。一句话，灾荒的发生及其后果的造成主要原因是社会性的。

（二）鸦片的泛滥

鸦片问题在近代始终是困扰中国社会的严重社会问题之一。19 世纪 30 年代以来，为了打开中国市场的大门，为了平衡在对华贸易中巨大的逆差，以英国为首的西方列强开始大量向中国境内输入鸦片，中国近代史即是以鸦片问题作为导火索的鸦片战争开始的。第二次鸦片战争之后，在鸦片进口合法化的同时，国内的鸦片种植也日益泛滥。围绕鸦片的吸食、贩运、种植，产生了一系列的社会问题。绥远地区作为边远地区，1840 年以来也为鸦片问题所困扰。鸦片自进入中国以来，开始主要是在东南沿海一带肆虐，随着 19 世纪六七十年代国内鸦片种植面积的扩大，国产鸦片逐渐成为鸦片的主要来源，鸦片的危害也随着向内地和边疆地区扩展。作为边远地区的西南、西北地区先后成为国内鸦片的主产地。绥远地区界邻国内鸦片主产地之一的陕、甘、宁地区，再加上天高皇帝远的地理位置和独特的社会环境，清末至民国以来，绥远地区逐渐成为国内有名的鸦片种植、贩运地区之一。

鸦片的开始出现和泛滥成灾 从有关资料来看，在鸦片战争前后，鸦片问题已遍布中国各地，南起广州，北至当时清王朝的统治重心北京，东起海滨，西至新疆各部都已发现鸦片。但迄今为止我们还没有发现这一时期有关绥远地区鸦片的直接记载。从对相关资料的分析来看，绥远地区的鸦片当是从内地由南到北逐渐传入的。道光二十九年（1849 年）九月山西巡抚杨国桢在一份奏折中称，山西省的鸦片是由直隶、河南、陕西等"外省贩运入境"。开始的贩运是小批量的，能够消费得起的主要是社会上层，这是鸦片在山西省境内出现的开始。鸦片在山西省泛滥并成为社会问题主要源于国产鸦片，包括从省外运入的和省境内种植的鸦片。直到光绪末年，在山西省境内尚没有洋烟的销售。[①] 鸦片在山西省最初出现于通都大邑、城镇，随着贩

运量及本地鸦片产量的增加，才逐渐向偏僻地区传播。山西巡抚杨国桢在同一份奏折中讲述当时的情形"不特偏僻州县犯者绝少，即通都大邑破获者亦属寥寥"说明了这一点。①

迄今为止，我们还没有发现鸦片在绥远地区传播过程的有关详细史料，因此也无法来描述这一过程。我们通观相关的历史记载，可以肯定的是，鸦片在绥远地区大量出现并引起有关当局的注意，从而有明确的时间记录是在光绪初年。光绪初年，华北地区发生旱灾，山西省是重灾区。在救治灾荒和有关的善后工作过程中，当局才切实地注意到了鸦片的种植问题。经过清代长期的开垦，绥远地区这时已成为山西省的重要产粮区，但在开垦的过程中，鸦片的种植也随之扩大，到光绪初年，绥远地区的鸦片种植已到了十分惊人的地步。光绪四年（1878年）正月，时任山西巡抚的曾国荃在一份奏折中指出，"省北大朔代忻及归化七厅，向来产粮尚多，每年秋后，粮贩自北而南委输……由包头一路循河而下直达蒲绛。近则罂粟盛行，北路沃野千里，强半皆种此物，畎亩农夫吸烟者十之七八，民间既少存粮，采买立虞米贵"。② 在这里，曾国荃特别提及了属于绥远地区的"归化七厅"。我们对其所涉及的具体数字需要作进一步的考察，但从行文中可以看出当时绥远地区的鸦片种植已是有相当的规模了。而这种规模的形成，我们可以推断，绝不是一朝一夕之事。

一般认为，鸦片的种植不会影响正项粮食的产量，但这是就全国的情况而言的，在中国粮食的主产区如苏、浙、湘、鄂等省，由于气候的原因，并不适宜种植鸦片，从而也不会影响主要粮食作物的生产。但在绥远地区则不同。在这里，鸦片的生长季节和粮食作物正好冲突，故而鸦片的大面积种植必然影响粮食的产量。

1840年以来，随着清政府统治危机的加深，特别是财政上的捉襟见肘的状况，在鸦片问题上采取"以征为禁"的政策，实际上即是对鸦片种植取放纵态度，这样就使鸦片的种植日益猖獗，我们可以从山西省鸦片厘金的

---

① 《军机处录副奏折》，引自马模贞主编：《中国禁毒史资料》，天津人民出版社1998年版，第213页。

② 萧荣爵：《曾忠襄公全集》第1册，台湾成文出版社，第733—737页。

征收情况来分析这一问题。山西省的厘金是从咸丰九年（1859 年）开始征收的，当时每年征收数额在十二、三万两。光绪十二年（1886 年），山西巡抚刚毅奏准清廷，开始在省境内加抽鸦片厘金，经过数次提高税率，每年的厘金收入达到二十一二万两，也就是说，仅鸦片厘税一项每年即比其他货物的厘税多大约十万两。光绪二十一年（1895 年），经新任山西巡抚胡聘之的大力整顿，"认真查勘，逐渐加增"，使鸦片厘税的收入"较创办之始所增不止一倍"，① 达到年收入 30 余万两。② 鸦片厘税收入的增加，一方面是税率的提高，另一方面，鸦片种植面积的扩大也是一个重要因素。据有关统计，光绪二十四年（1898 年），"归化一百六十一村，共种土药四千八百八十五亩一分"。③ 这仅仅是对归化城一厅的统计数字。光绪十八年（1892 年），俄国学者阿·马·波兹德涅耶夫受沙俄政府的资助在内蒙古地区考察，当时，归绥周围的几个县（厅）都已有了鸦片的种植，据波氏所接触的一位老人讲，"山西人染上吸鸦片的习惯最多不过是四十年到五十年前的事，而这里开始种植鸦片却只有二十五年到三十年的历史。从那时以来，山西人无论是吸鸦片的还是种鸦片的都增加了许多。……当地人种鸦片用的都是最好的地……全山西消耗的鸦片几乎都是当地熬制的。只有有钱的人还是吸外国的和广东的鸦片"。④ 波氏所讲的情况进一步印证了我们前文的叙述。根据史料的情况，我们大致可以断定，绥远地区的鸦片种植开始出现于咸丰、同治年间，⑤"晋省自同治年间已多栽种"，经过十几年的发展，到光绪初年已是"全省百有十余属，几无不种之区"的局面。⑥ 清末以来，绥远地区的鸦片产地主要在土默川平原。光绪三十一年（1905 年）姚锡光在其《筹

① 朱寿朋：《光绪朝东华录》第 4 册，《何枢关于山西厘税的奏折》，中华书局 1984 年版，第4486—4488 页。

② 《清朝续文献通考》卷 52，《征榷》24，《山西巡抚宝棻奏禁种土药输情形》，浙江古籍出版社1998 年，第 8067 页。

③ 李文治：《中国近代农业史资料》第 1 辑，三联书店 1957 年版，第 463 页。

④ ［俄］波兹德涅耶夫：《蒙古及蒙古人》第 2 卷，刘汉明等译，内蒙古人民出版社 1983 年版，第 146—147 页。

⑤ 牛玉军：《近代绥远地区的鸦片烟祸》，内蒙古大学 2007 年硕士论文。

⑥ 李文治：《中国近代农业史资料》第 1 辑，《晋抚宝棻奏禁种土药折》，三联书店 1957 年版，第904 页。

蒙刍议》中提出，在内蒙古地区建立行省的经费应以乌珠穆沁盐税、察哈尔大道商货税及土默特土药地亩税为大宗，因为"土默特土药出产甚旺"。① 当时，种植鸦片的不仅有来这里开垦的汉族农民，土默特旗的蒙古族及绥远驻防的八旗兵丁也有种植鸦片者。时人曾估计"蒙种居十之二三，民种居十之七八"。由于土默特蒙古族种地不纳税，故而影响了清政府在这里的鸦片厘金收入，不仅如此，对于汉族农民所种鸦片，"一经官查，蒙人辄挺出冒认，抗税免征，互为狼狈"，因此，光绪三十一年（1905年），绥远将军贻谷上奏清廷，将绥远地区汉族农民、土默特蒙古、八旗兵丁所种鸦片烟亩一体征税，收入作为土默特旗练兵兴学的经费，这一建议得到清廷的批准。②

伴随鸦片种植而来的是大量的吸食。光绪朝以来，绥远地区吸食鸦片的人数虽然没有准确的数字，但其为数当不在少，表现之一是随处可见的烟馆。1892年，波兹德涅耶夫在从北京到归化城的考察途中路经隆盛庄。隆盛庄是当时绥远地区比较重要的商业市镇，波氏发现，这里除了相当发达的零售商业外，"还有几家大烟馆"，③ 这些大烟馆很明显是为过往的客商提供服务的。当然吸食鸦片者不仅仅限于商人，从相对数量上看最多的还是普通的劳动者。光绪三十年（1904年），天津《大公报》载，"晋省土药出产甚多，男人之吸烟者几居十之五，女人之吸烟者几居十之三。吸者半属苦力之人，故晋地虽贫瘠，工价甚昂，缘工人每日所入除衣食外尚需筹烟资也。"④ 光绪三十年九月绥远将军贻谷所奏绥远驻防八旗的情形也大致如此，"八旗二十佐，二千马甲，七百步甲，六十三员弁，察其真无嗜好者，不过十之二三"。⑤ 由此可见清末以来绥远地区吸食鸦片的严重程度。

鸦片泛滥的原因　鸦片是一种毒品，已如前述，其对于人体的危害是相当严重的，时人对此也是十分清楚的。鸦片之所以流毒如此之广，原因是十

---

① 姚锡光：《筹蒙刍议》卷上，《实边条议》。
② 《东方杂志》第2卷第8期。
③ ［俄］波兹德涅耶夫：《蒙古及蒙古人》第2卷，刘汉明等译，内蒙古人民出版社1983年版，第44页。
④ 马模贞：《中国禁毒史资料》，天津人民出版社1998年版，第273页。
⑤ 朱寿朋：《光绪朝东华录》第5册，中华书局1984年版，第5230页。

分复杂的，造成鸦片在绥远地区泛滥的原因应从鸦片本身和当时绥远地区的社会状况来看。

鸦片又名阿片，是从尚未成熟的罂粟果中取出的乳状液体，经干燥而变成的淡黄色或棕色固体。鸦片是一种毒品，对人体具有刺激、兴奋作用，经常吸食会成瘾。同时鸦片又具有药用功能，医学上用之做镇痛、止咳、止泻剂，对于在农村中广为流行的肌肉劳损、关节炎、肠胃病等，鸦片具有明显的缓解作用。近代中国社会中医疗条件差，受过正规训练的医生不多，医疗费用昂贵，许多人吸食鸦片正是由治疗疾病开始的。光绪二十三年（1897年），来自全国各地的100多名传教士医生的调查证实了这一点。[①] 从鸦片的特性来看，由于其对人体具有刺激、兴奋的作用，本身对一些人即有吸引力。近代以来，闭关锁国的封建社会被打破后，自康、雍时期就养成的社会上骄奢淫逸的生活风气更行加剧，"南俗多侈，民习惰游，其经营居积之计，常若有畏劳喜逸之心"。[②] 近代以来，整个社会从上到下，精神上空虚无聊、毫无振作之气；生活上及时行乐，追求感官刺激，成为半封建、半殖民地文化的一个显著特征。在这样一种社会中，作为一种麻醉品的鸦片为时人所青睐是在情理之中的。

从社会学的角度来看，种植、贩卖、吸食鸦片是一种社会性离轨行为。近代以来，历届政府在绥远地区实施的社会控制措施——无论是外部的强制性控制还是内部的自我控制都不是很成功的。

已如前述，清代以来，特别是清末以来，伴随着绥远地区的开垦，清政府在绥远地区的统治也在加强，原有厅由理事而抚民、新的厅（县）的设立等。但相对而言，清政府对绥远地区社会的强制性控制还是比较松弛的。之所以这样讲，一方面是由于绥远地区幅员辽阔、人烟相对来说稀少，当时绥远地区的厅所管辖的地面是相当大的，为了弥补这一缺陷，已如前述，清末民初以来在绥远地区不断地从原有的厅（县）中析出新的厅（县）。即使如此，我们从清末以来有关地方官在查赈、放赈过程中的报告也可以看出，地旷人稀、统治力量薄弱还是绥远地区存在的严重问题。另一方面，绥远地

① 王树槐：《鸦片毒害——光绪23年问卷调查分析》，台湾中央研究院《近代史所集刊》第9期。
② 李文治：《中国近代农业史资料》第1辑，三联书店1958年版，第903页。

区的土地制度在清末实际上是"双轨制"：在原设治的口外七厅，土地的最后管辖权是由隶属于山西省的各厅（县）行使的，无论是来此垦荒的个体农民还是相对占有土地比较多的"地主"，都要向清政府缴纳赋税。但蒙旗范围土地的管辖权却不在此列。绥远地区有相当一部分土地是属于这一类的，清末以来随着各蒙旗王公私自放垦土地规模的扩大，此类现象更为严重。从理论上讲，这些土地的最后所有权、管辖权也都属于封建国家，但实际上的管辖权却是由各蒙旗掌握的，无论是放垦（私垦）还是收取地租，甚至于出售，蒙旗王公都有相当大的自主权，地方厅（县）是无权干涉的，正如前述的蒙旗人员出面干涉地方官查禁鸦片种植、收取相关赋税的情形一样。在中国传统的封建体制中，强制性控制的最主要形式、同时也是最有效的形式就是对于土地的管辖权。由于上述的原因，我们认为，清代以来，清政府对绥远地区的强制性控制是比较松弛的。在非强制性控制方面，由于绥远地区的居民在当时主要是由移民组成的，而移民社会中有许多不确定因素，这些因素造成了对社会本身非强制性控制（一定程度上也包括强制性控制）的减弱。具体到清代的绥远地区来说，此类因素是很多的，如文化的不发达，使儒家的伦理道德观念对民众的约束力比在内地的传统社会中要小得多，而移民的流动性又加剧了这种状况，这些都是造成清代以来绥远地区社会控制措施效力不大的原因。

清末以来，由国内、国际的有识之士和基督教传教士等共同掀起了禁烟的舆论高潮。在国内外舆论的压力下，清政府和其后的历届北洋政府在禁烟方面都采取了一些措施。但是，由于这时作为社会问题的鸦片问题已到了积重难返的地步，而且已不仅仅是一个纯粹的道德问题了，它已经成为一个牵涉到包括社会经济等各方面的社会问题。因此，有关禁烟的舆论并没有对鸦片泛滥形成强大的压力，纵观全国的情况是如此，在绥远地区也是如此。具体来说，在绥远地区又可以分为两种情形。

在社会上层，已如前述，清末以来，吸食鸦片已成为一种时尚，成为相当多的社会上层人士相互应酬、交往的一种方式。吸食鸦片及所用器具的等级在一定程度上代表着各人的身份、地位。再加上鸦片给他们带来的实际利益，因此禁烟最先遇到的就是统治阶级内部的反对。1915年，屠义源受命到托克托县禁烟，他首先召集地方士绅和乡村负责人开会，虽经其谆谆告诚，舌敝唇焦，但结局仍是"一推再推"，"观望者多"。①

就处于社会下层的广大农民等劳动者来说，吸食鸦片也已成为一种风气，当时河套地区流传着这样一句俗谚"河套河套，来人便套住了"。② 俗谚中所讲的将人"套住"的因素中即有一项是鸦片，③ 在这里我们可以看出，吸食鸦片在河套地区已成为一种时尚。尽管如此，但没有任何史料表明吸食鸦片在下层社会是一种荣誉。相反，吸食鸦片在下层社会被视为恶嗜，在日常生活中是要受到道德舆论的谴责的。我们访问那个时代生活在社会下层的一些老人，提起吸食鸦片，无不嗤之以鼻。另外，吸食鸦片者被冠之以"烟鬼"的称号也说明了这一问题。④ 凉城县在民国年间流传有抽烟十不好歌，兹引述如下：

> 一不好，初吃鸦片最兴高，那是我的罪头来到了。
> 二不好，面黄皮瘦精神少，那是我抽得瘾大了。
> 三不好，妻打子骂心不恼，那是我自觉理短了。
> 四不好，二老爹娘下世早，那是叫我气死了。
> 五不好，身穿一件破小袄，那是我躺烟磨破了。
> 六不好，手提裤子当铺跑，那是我的家产变卖了。
> 七不好，亲朋见了躲着跑，那是叫我骗怕了。
> 八不好，手拉棍子怀抱瓢，那是我落到乞讨了。
> 九不好，初起床来往厕所跑，那是我得了烟后痢了。
> 十不好，一张芦席三道腰，那是我抽烟的最末了。⑤

这首民谣从经济、家庭、社会伦理等各方面对吸食鸦片进行了谴责，形象地道出了民众对吸食鸦片的否定心态。据史料记载，"河套百姓吸食鸦片

---

① 屠义源：《绥远政坛见闻琐记》，《内蒙古文史资料》第31辑，1988年版，第11页。
② 韩梅圃：《绥远省河套调查记》，绥远省民众教育馆1934年版。
③ 另两个因素为"易谋生、男女关系随便"。
④ 赵国鼎口述、刘映元整理：《世远堂旧话》，《内蒙古文史资料》第31辑，1988年版，第69页。
⑤ 绥远通志馆：《绥远通志稿》卷50，《民族》（汉），20世纪30年代稿本。

之风，最早始于富户人家".① 一般处于社会下层的劳动群众，一年辛苦所得无几，如再染此恶嗜，极易造成倾家荡产的结果。因此，吸食鸦片在下层社会受到舆论的谴责也是可以理解的。但是，这种源自社会下层的道德力量并没有起多大的作用。之所以这样，原因应该是多方面的，但基本原因应该是：在半封建、半殖民地社会中，农民的道德意识是受统治阶级伦理思想体系支配的。既然吸食鸦片在上层社会整个来说并没有被视为道德沦丧，而是恰恰相反，吸食鸦片在一定程度上是作为身份、地位的象征，那么，出自农民道德意识的些微力量只能作为正义的呼声存在，而不能对整个社会的鸦片泛滥起到遏制的作用。

　　清末至民国，鸦片既然作为一个社会问题存在，就必然有其社会原因，而不能仅从道德的角度去作解释。鸦片泛滥的另一个原因是由于政治上的动乱所造成的经济凋敝、金融混乱。作为一种奢侈性消费品，由于市场需求量大，又由于鸦片自身所具有的特点（如重量轻、本身所凝结的价值大等），使鸦片在社会生活中具备了货币的某些特征，在社会经济生活中起着相当的作用。

　　首先是鸦片的价值尺度和支付手段。从我们所掌握的资料来看，清末民初以来，鸦片在某些场合具备货币的价值尺度和支付手段的功能，尤其是在一些奢侈性消费中。更有甚者，学生交纳学费也以烟土作为代用品。临河县的私塾每个学生"每年学费由三元至十元，……多以粮食、大烟作抵".② 由此我们可以看到，在社会生活中，鸦片一方面作为一种价值尺度，对人们的社会性劳动作出标价，另一方面也作为支付手段而发挥功能。

　　其次是鸦片的贮藏职能。金融混乱，物价飞涨，鸦片遂被一些人当做财富，贮藏起来。这我们可以从民国以来的土匪抢劫案中看出。在我们接触到的大量史料中都可以看到，土匪在抢劫过程中，都将鸦片作为重要的财富来看待，而且，被抢者也是如是认为的。清末以来，在达官显贵们的相互交往中，常将大宗烟土作为礼品互相赠送，在这里我们可以认为，鸦片是作为财富的象征的。

---

① 苏希贤：《旧社会河套鸦片烟毒之害》，《巴彦淖尔文史资料》第 11 辑，第 281 页。
② 韩梅圃：《绥远省河套调查记》，绥远省民众教育馆 1934 年版。

上述所讲，只是说明鸦片在这一时期具备了货币的某些特征，在一些特定场合作为一种通货而存在，它没有也不可能完全代替货币。鸦片的大量存在为其具备货币的某些职能提供了条件，但另一个不容忽视的事实是，由于鸦片具备了货币的某些功能，从另一角度更加刺激了鸦片的种植、贩运，对鸦片的泛滥起了推波助澜的作用。

第五节　汉族移民与鄂尔多斯社会变迁

伊克昭盟鄂尔多斯地区位于黄河和长城之间。据嘉庆重修《一统志》记载，鄂尔多斯"在归化城西二百八十五里河套内，东至归化城土默特界，西至喀尔喀界，南至陕西长城界，北至乌拉特界，东西北三面皆临黄河，自山西偏头关至甘肃宁夏边外，延长二千里有奇，至京师一千一百里。"① 15世纪中后期，掌管成吉思汗灵帐八白室的蒙古人众迁居黄河套内，从此本地区逐渐形成独特的地域社会和人文景观。明末清初的一个时期，曾受过汉式农业的影响，但从整个地域的社会经济结构来看，农业的规模微不足道，也未引起大的社会变动。

鄂尔多斯形成大规模农牧交错地带是从清中叶开始的。当时内地寄民②开始进入鄂尔多斯地区，此地逐渐从以前较单一的游牧社会转变成为蒙汉杂居、农牧交错的地域社会，人文景观也随之改变了。

一、移民

（一）"雁行"人与农耕的开端

明中期以降，蒙古南下，对明朝构成威胁，为此朝野上下对是否"复套"展开长时间的争论，留下很多有关鄂尔多斯地区的文献。魏焕的《巡边总论》写道：河套或鄂尔多斯"元末为王保保所据，国初追逐之，筑东胜等城，屯兵戍守。正统间，失东胜城，退守黄河套中膏腴之地，令民屯种

---

① 《大清一统志》卷 543。
② 在本书中，将尚未定居的外来民称之为"寄民"，叫定居后的外来民为"移民"，但有时也出现难以区分的现象，参看《绥远通志稿》卷 26，《保甲团防》。

以省边粮，厥后，易守河之役为巡河，易巡河之役为哨探。然犹打水烧荒，而兵势不绝，故势家犹得耕牧，而各自为守。后此役渐废，至成化七年（1471年），虏遂入套抢掠，然犹不敢住牧。八年榆林修筑东西中三路墙堑，宁夏修筑河东边墙，遂弃河守墙，加以清屯田、革兼并，势家散而小户不能耕。至弘治十三年（1500年），虏酋火筛大举踏冰入套住牧，以后不绝，河套遂失。"① 入住河套的蒙古部是管理成吉思汗灵帐八白室的部众，后逐渐形成鄂尔多斯部②。这很好地勾勒了明代对鄂尔多斯地区的统治与农业经济发展间的关系。明初在其地推行军屯③，退守黄河之后，"势家"仍能耕牧。但到成化年间"弃河守墙"后，"势家散而小户不能耕至，"从此农业在鄂尔多斯地区经济中的比例受到削弱，取而代之的是蒙古的游牧性畜牧业经济。"河套地方千里，虏数万入居其中，趁逐水草，四散畜牧。"④ 表明了当时蒙古人所从事的畜牧业经济的基本状况。从这以后直到清初，虽有过小规模的农牧业交错，但畜牧业的主导地位未受到过威胁。

据清末所立河套《重修诸神庙并开渠筑堤碑》记载："俺答议和，河套世为百姓耕种，世宗命总兵移镇榆林，边外尽入蒙古矣。百姓春种秋归，谓之'雁行'。"⑤ 显示明末或16世纪晚期也曾有内地人民到鄂尔多斯地区从事"春种秋归"的"雁行"农业。明隆庆末年，从鄂尔多斯"归人供说虏中国之人居半"，竟至"套中不能容住"⑥。显示明晚期鄂尔多斯地区出现过一次相当规模的移民高潮和农业发展。我们知道在明末，与鄂尔多斯毗邻的土默特地区有大量的汉人从事农耕，这次移民潮或许是发生在鄂尔多斯与土默特交界地区。明季萧大亨也记述内蒙古西部地区农业发展状况，说"可观诸夷耕种，与我塞下不甚相远。其耕具有牛，有犁。其种子有麦，有谷，有豆，有黍。此等传来已久，非始于近日。"⑦ 但在明清鼎革之际较长

---

① 魏焕：《巡边总论》，《明经世文编》卷250。
② 蒙古语Ordos，明代译做"阿儿秃斯"、"斡耳笃思"等，意为"诸宫殿"。
③ 魏焕：《巡边总论》载"国初军皆有田，养军之费尽出于田"。
④ 魏焕：《巡边总论》，《明经世文编》卷250。
⑤ 《重修诸神庙并开渠筑堤碑》，《禹贡》第6卷第5期。
⑥ 曾铣：《复套条议》，《明经世文编》卷240；王崇古：《确议封贡事宜疏》，《明经世文编》卷317。
⑦ 萧大亨：《北虏风俗》。

一段时间，有关内蒙古西部农业发展的记载似乎从文献中消失了。可能是朝代交替的不稳定局面，使尚属脆弱的农业发生了中断。

顺治年间鄂尔多斯部归附清朝，随后设札萨克，逐渐建立盟旗制度。清廷刚开始把鄂尔多斯部分为六旗，乾隆朝初期又增设一旗，七旗合称伊克昭盟。

康熙三十五年（1696 年），皇帝谕理藩院，"鄂尔多斯多罗贝勒松阿喇布奏请于察罕托灰以外地方准其部人捕猎耕种，著如所请行。"① 可见这时鄂尔多斯右翼中旗（俗称鄂托克旗）地方已有农业。但这里指的可能是蒙古人独特的"满撒子"式农业，其特点为"惟藉天不藉人，春种秋敛，广种薄收"，② 而非汉式农业。研究蒙古地区经济时有必要分清蒙古人和民人从事的两种农业方式。

清代鄂尔多斯地区汉式农业的出现，可见史料中最早的是在康熙三十六年（1697 年）。本年春天，忙于征讨噶尔丹的康熙皇帝亲临陕甘和鄂尔多斯地区，当时：

> 鄂尔多斯贝勒松阿喇布奏，向准臣等于横城贸易，今乞于定边、花马池、平罗城三处，令诸蒙古就近贸易。又边外车林他拉、苏海阿噜等处，乞发边内汉人，与蒙古人一同耕种。上命大学士、户部及理藩院会同议奏。寻议复，应俱如所请，令贝勒松阿喇布等及地方官各自约束其人，勿致争斗。得旨，依议，日后倘有争斗，蒙古欺凌汉人之事，即令停止。③

道光《榆林府志》指出，"此即开垦之始也。"④ 史料表明，这年蒙旗方面的请求被允准，口内民人开始进入鄂尔多斯地区垦殖。虽然谈不上几许规模，但确已开始。垦殖地域在车林他拉、苏海阿噜等地，即清初所设陕

---

① 《清圣祖实录》卷178，康熙三十五年十一月甲寅朔条。
② 萧大亨：《北虏风俗》。
③ 《清圣祖实录》卷181，康熙三十六年三月壬子朔条。
④ （道光）《榆林府志》卷3，《建置志·附边界》。

西、山西两省各县边墙口外直北禁留地五十里①内。所谓禁留地，是清廷为防止蒙古人和民人接触而划设的汉地与鄂尔多斯之界，也是清朝所推行"中外疆域不可混同"②政策的具体表现之一。

此次开禁，说明清廷根据形势的发展（征讨准噶尔需要更多军粮），适当调整对蒙政策，也证明鄂尔多斯汉式农业是从康熙朝开始的。

边内民人进入鄂尔多斯地区耕种，最初是一种"雁行"状态，即"春至秋归，谓之雁行"，还没有形成定居点。"此雁行之俗，在明季已然，尚不始于清初。惟在未正式开放垦禁以前，有客肌［寄］之民人，无土著之汉族焉。至清乾隆间，私垦令除，秦、晋沿边州县移垦之民遂日众。汉种蒙地，蒙取汉租，互相资以为生，渐由客籍而成土著。年久繁息，而民人生齿之繁，遂远非蒙族所可及。民人之初至塞外也，最先为察哈尔、土默特两部，迨后渐及于伊克昭盟各旗，而乌兰察布盟各旗则较后焉。民人至乾隆时而繁盛。"③这说明，在明末已有"雁行"往来、从事农业的民人。但史料描述的是以土默特为中心的内蒙古西部地区，这时以鄂尔多斯为中心的汉式农业的发展规模还并不大。据此也可以印证，明清交替之际中断了的鄂尔多斯地区"雁行"农业，到康熙朝中期又重新开始。

（二）白界地与黑界地

鄂尔多斯七旗内，杭锦旗（即鄂尔多斯右翼后旗）、达拉特旗（即鄂尔多斯左翼后旗）两旗，远居后套④，不与内地相毗邻。其余五旗，均与山、陕沿边州县接壤。西：鄂托克（即鄂尔多斯右翼中旗），与宁夏平罗、定边接壤；乌审（即鄂尔多斯右翼前旗），与靖边、怀远、榆林、神木接壤；札萨克（即后建的鄂尔多斯右翼前末旗），与神木接壤。东：郡王（即鄂尔多斯左翼中旗），与神木、府谷接壤；准格尔（即鄂尔多斯左翼前旗），与府谷、河曲、偏关接壤。

清初，在陕、晋北部与准格尔、郡王、札萨克、乌审、鄂托克等鄂尔多

---

① （道光）《榆林府志》卷3，《建置志·附边界》。
② 王致云：《神木县志》卷3，《建置志》。
③ 绥远通志馆：《绥远通志稿》卷73，《民族·汉族》，20世纪30年代稿本。
④ 前套、后套的形成与黄河在19世纪的改道有关，因此严格意义上从其时开始才可称后套。本书为表述地望之便，在此使用后套一词。

斯南部五旗间划设"界地"，"于各县边墙口外直北禁留地五十里"作为蒙、汉之界，既不许汉耕，也不许蒙牧，形成一长条形的隔离带①。

道光《神木县志》（卷3《建置上·边维》）载：康熙二十一年（1682年），鄂尔多斯贝勒达尔②因蒙游牧处"蔓生药草，不宜牲畜，奏请于近边四十里之外空闲地方暂借游牧，奉旨谕允。"此事《清圣祖朝实录》也有记载，但所记年代不同。《清圣祖实录》载，康熙二十二年（1683年）三月：

> 甲子，理藩院议覆多罗贝勒松阿喇布游牧地方狭小，应令于定边界外暂行游牧。上问大学士，此事尔等云何。明珠奏曰，臣等之意，若此地暂予游牧，将来撤还，彼必谓久许游牧，又何撤为。如此，则日后似有未便。上曰，理藩院甚为含糊，并未详加揆度。著遣该衙门堂官一员，详阅地方情形来。③

> 己巳，议政王大臣等会议，奉差阅勘定边等处理藩院侍郎阿喇尼奏称，多罗贝勒松阿喇布所请暂给游牧边外苏海阿噜诸地，离定边兴武营等边，或五六十里，或百里不等，并非边内耕种之地等语。应如松阿喇布所请，暂给游牧。从之。④

达尔应为达尔扎，是当时乌审旗札萨克。松阿喇布为当时鄂托克旗札萨克。因乌、鄂两旗地处鄂尔多斯南部紧挨着陕西省，两旗的札萨克一起提出在近边地方游牧的要求，而后经清廷讨论允许。但被允许放牧的地段并非清初指定的禁留地部分。

到康熙三十六年（1697年），朝廷才允许开垦鄂尔多斯与陕西、山西交接地区的"禁留地五十里"的部分地段。白界地就是在开垦禁留地的基础上形成的。黑界，亦称牌界，"谓不耕之地，其色黑也。"⑤ 与此相应，耕种过的土地是白色的，所以，沿长城开垦过的地叫作白界地。白界地在南，靠

① 王致云：《神木县志》卷3，《建置志·边维》，台湾成文出版社1970年影印本。
② 此处漏一字，全名实为达尔扎，额琳沁从子。
③ 《清圣祖朝实录》卷108，康熙二十二年三月甲子条。
④ 《清圣祖实录》卷110，康熙二十二年闰六月己巳条。
⑤ 王致云：《神木县志》卷3，《建置志·边维》，台湾成文出版社1970年影印本。

内地农耕区；黑界地在北，靠鄂尔多斯游牧区。白、黑界地合起来就是原来的禁留地。

从康熙三十六年（1697 年）得到清廷允许之后，在民人开垦的基础上，白界地逐渐形成，并从此也一直不被包括在封禁之列。可见，封禁政策的有效地理范围是白界地之外的地域。随着"雁行"活动的北进、开垦地的不断拓展，白界地也在不断展界。"迨（康熙）五十八年（1719 年），贝勒达锡拉卜坦①，以民人种地，若不立定界址，恐致侵占游牧等情，申请因特命侍郎拉都浑，前来榆林等处踏勘。得各县口外地土，即于五十里界外，有沙者以三十里立界；无沙者以二十里立界，准令民人租种。其租项，按牛一犋，征粟一石，草四束，折银五钱四分，给与蒙古属下养赡。嗣于雍正八年（1730 年），经理藩院尚书特古特条奏，五十里禁留之地，蒙古何得收租？议令征收粮草，归地方官贮仓。十年间，遇蒙古地方荒旱，蒙特恩，将所收粮草仍给蒙古养赡，并照旧界给租。"② "乾隆八年（1743 年），各旗贝子等，以民人种地越出界外，游牧窄狭等情，呈报理藩院，行文川陕总督，饬司核议，复奏。蒙钦差理藩院尚书班第大学士公、川陕总督庆复，前诣榆林，会同各札萨克等定议：于旧界外再展二三十里，仍以五十里为定界。此外不准占耕游牧，并令民人分别新旧界给租。其旧界照前议外，新界按牛一犋，再加糜五斗，银五钱。"③ 从康熙三十六年（1697 年）开始开垦，通过康熙五十八年（1719 年）、乾隆八年（1743 年）两次勘定可耕地的界限，原先五十里宽的"禁留地"基本被允许开垦，从而导致农业的不断北进和白界地面积的扩大化。晚清和民国时期流传下来的地图资料也为我们展示了当时白界地形成、演变的历史过程。例如，郡王旗通过清康熙、雍正、光绪三朝，札萨克旗通过乾隆、道光、光绪三朝的展界，垦地已有相当面积的增加。④

---

①　当时的鄂托克旗札萨克。

②　王致云：《神木县志》卷 3，《建置志上》，台湾成文出版社 1970 年影印本，准噶尔旗札节彦克衙门档案，001—1A001—3—22。

③　王致云：《神木县志》卷 3，《建置志上》。当时的方志将在此情况下形成的农垦称为"中外和耕"。《靖边县志稿》卷 4，《杂志》。台湾成文出版社 1970 年影印本。

④　潘复：《调查河套报告书》，台湾京华书局 1923 年版。

白界地有"雁行"民人暂时居住，也叫伙盘地。道光年间的《神木县志》记载：

> 伙盘：民人出口种地，定例春出冬归，暂时伙聚盘居，因以为名。按，神木东至永兴堡边墙外，郡王旗之青阳路湾、张明沟、水窖沟、东木瓜山、大榆树梁，与府谷县交界；西至高家堡双墩儿边墙外，西偏五胜旗之桑树湾、巴子梁、臭柏掌沙梁、色令井子，与榆林县交界。分四路、四堡、八甲、三十二牌、三百五十伙盘。而凡边墙以北，牌界以南地土，即皆谓之伙盘，犹内地之村庄也。①

准格尔旗"南境白界地亩，横二百余里，纵四五十里不等。"② 而且不仅在准格尔旗或与神木县接壤的几个旗有白界地或伙盘地，与陕西省的定边、靖边、怀远、榆林、府谷接壤的鄂尔多斯的鄂托克、乌审、郡王、札萨克等旗都有白界地或伙盘地。从道光年间的"河套全图"③ 中可以发现，当时整个鄂尔多斯地区的伙盘地自东至西约一千二百里。因此，王卫东仅据《神木县志》称："所谓白界地，亦称牌子地或牌界地，是康熙年间清政府对鄂尔多斯刚刚解除封禁不久，内地农民越过长城，在准格尔旗境内开垦耕种的土地，长约二百里，宽四五十里，地域在黑界地以内"④ 的说法是不正确的。

白界地的所有权是属于蒙旗方面的。从乾隆年间（1736—1796年）的具体情况来看，有旗仓所有的，有札萨克等官吏所有的，也有旗丁所有的土地。乾隆四十一年（1776年），札萨克旗赛音毕力克苏木兵丁巴彦胡有五十里牌界（Tabin-u γajar-un jisiy-a，或 Tabin-u kelkiy-e-yin γajar）内土地十六犋（Anjisu），被乌审旗协理丹金、和色贵、栋罗布等强占，给民人租种，以侵夺地租。⑤ 这种属于旗丁的土地，很可能是被作为户口地分给他们的。

---

① 王致云：《神木县志》卷3，《建置志上·附边界》，台湾成文出版社1970年影印本。
② 伪蒙古联合自治政府地政总署：《前绥远垦务总局资料——伊克昭盟·准格尔旗》1940年版，第63页。
③ 王致云：《神木县志》，《图说·河套全图》，台湾成文出版社1970年影印本。
④ 王卫东：《鄂尔多斯地区近代移民研究》，《中国边疆史地研究》，2000年第4期。
⑤ 内蒙古档案馆准格尔旗札萨克衙门档案，001—1A001—423—14。

至晚清时，白界地因"开垦年代早，由准格尔旗征收很低的租银，是处于永租状态。转让给予中国农民占有、耕种的权利。"已"成为完全熟地"。①

关于黑界地，最早文献记载亦出自《神木县志》：

> 黑界，即牌界，谓不耕之地，其色黑也。定议五十里立界，即于五十里地边，或三里或五里垒彻石堆以限之。此外即系蒙古游牧地方。神木牌界东至郡王旗犍牛河西、什板尔泰沟东南大榆树梁；西历扎萨克台吉旗，至五胜旗臭柏掌沙梁迤西巴子梁，共二百五十余里。②

（乾隆）《榆林府志》亦称："又定例五十里立界垒砌石堆以限之，谓之黑界，……界内准民人租种，界外为蒙古游牧之所。"③ 黑界地是禁留地被允许开垦后在白界地北面宽度不尽相同的、新的蒙汉分界带。也许正因如此，《神木县志》等内地地方志把白、黑界地都称为牌界地。究其原因，与其说方志编纂者不明了这些历史地理概念，还不如说这些历史地理概念本身也有并不十分清楚的一面。多数后人也未能将它们分得太清楚。通过观察发现，其实开垦当初这两块地在概念和实际上都分得很清楚。与白界地一样，鄂尔多斯南部五旗（除达拉特、杭锦外）都有黑界地。清代和民国年间的地图多数都未能反映黑界地，笔者认为，在（道光）《神木县志》的"河套全图"和（道光）《怀远县志》的怀远五堡口外牛犋伙盘图中所画紧靠伙盘图的细长条带反映的就是黑界地④。

当初黑界地的开垦是不被允许的，但随着时间的推移，也不断被蒙汉民众所开垦。乾隆末年的档案记载准格尔旗："本旗管牌界地乌巴什、布达怙等报曰，我等管辖黑界地喀喇河梁地，有府谷县民李把子（档案中的民人名字均为引者音译，下同）用两犁开垦。劝阻之，他曰：'台吉敦多布以三十两银

---

① 伪蒙古联合自治政府地政总署：《前绥远垦务总局资料——伊克昭盟准格尔旗垦务资料》1940年版，第45—46页。

② 王致云：《神木县志》卷3，《建置志上·附边界》，台湾成文出版社1970年影印本。

③ （乾隆）《榆林府志》卷3，《疆界·附边界》，台湾成文出版社1970年影印本。

④ 苏其炤等：（道光）《陕西怀远县志》，1928年铅印本。

出租.'问台吉敦多布，曰：'乾隆五十三年（1788 年）与民人李把子伴种①，因（旗）衙门告至前理事司员处，断为不得耕种而封地.'"② 由此可以看出，虽然有朝廷的禁令，但开垦在本地区从未中断过。两年多后，驻神木理事司员查看准格尔旗牌界地后说："尔旗乌日图湾等地，蒙人为得利与民人合种，而分不清牌界内外."③ 说的就是黑界地被开垦的情况。

随着开垦的推进，作为游牧地与可耕地分界线的黑界地也模糊了起来。现在看到的准格尔旗札萨克衙门档册，记载了道光年间又一次严行"封禁"时的情况。当时神木理事司员或同知处与准格尔旗衙门之间来往的文书表明如下两点：第一，根据准格尔方面说，以前"绝无划定黑界之［事］"，④黑界地作为蒙汉民经济生活的界限是自然形成的。第二，根据理事司员和同知处说法，道光年间（1821—1851 年），准格尔旗方面立过"十里宽，或十一二里宽，或十五里宽"⑤ 黑界地牌或鄂博。但从当时的开垦情况推测，黑界地已经起不到分界带之作用了。到道光二十一年（1841 年）时，已有民人在黑界地里盖房居住。⑥ 可见开垦速度之快。

黑界地的所有权也是属于旗方的。其具体所有权和使用权状况，举前引敦多布台吉开垦地亩的档案为例，这块黑界地是由他来支配的，也许是分给他的户口地。另外，黑界地里也有分配给寺庙，让它征收地租的，如"黑牌子（即黑界地的别称）地内，乌达齐庙、布尔噶图阿贵昭、乌巴什老爷昭、和雅尔乌苏庙、四台庙，前经每该旗各昭庙附近，有赏给零星粮地，以备呈献香灯，供应众僧斋用等项在案."⑦ 清末时，黑界地共有庙地三处：

---

① 在传统小农经济中，两人以上农民为补充各自劳动之不足而形成的一种协力、合作经营单位。这种农业制度先在华北地区较普遍，后随着移民的进入也在东北、内蒙古等地流行开来。有关"伴种"研究，参见今堀诚二《农村合伙诸形态》（《中国封建社会构成》，日本学术振兴会刊，1978 年）。

② 内蒙古档案馆准格尔旗札彦克衙门档案，001—1A002—146—19。

③ 内蒙古档案馆准格尔旗札彦克衙门档案，001—1A002—820—4。

④ 《道光十四年往来文书档册》19b—21a（道光十四年三月十日）。

⑤ 《鄂尔多斯札萨克旗贝子察克多尔色棱、协理台吉等致延榆绥道员榆林府知府书》，《道光十九年档册》（五月十日）42b。

⑥ "民人李横梭子开垦二亩来地，又在（黑）界地盖房居住，……此等民人以黑界地为始，沿种地之边扩地而耕，……"［《札萨克贝子致遵命驻神木处理蒙汉交涉案理事司员衙门书》道光二十一年闰三月初二，511（全宗号）—1（目录号）—15（案卷号）上 25b—26a］。

⑦ 伪蒙古联合自治政府地政总署：《前绥远垦务总局资料——伊克昭盟准格尔旗垦务资料》1940 年版，内蒙古图书馆藏。

乌达齐昭有净地三顷九十二亩，和雅尔乌苏昭有净地一顷五十一亩零，乌巴什老爷昭有净地五顷三十四亩二分。① 除此之外，还有旗札萨克衙门直接掌握的土地，等等。

（三）移民人口估算

移民（或寄民）数量的估算可以使我们更加深入地了解移民规模及其对鄂尔多斯地区社会的影响程度。但因资料不足，难以确切把握鄂尔多斯地区各个时期移民的人口数量，只能根据片段史料作一些推测。

鄂尔多斯地区移民（寄民）的主要迁出地是与其接壤的陕西省榆林府的神木、府谷、怀远、榆林四县和定边、靖边二县及山西省的偏关、河曲二县。估算鄂尔多斯地区移民人口数量，关注点主要集中在以上八个县。

乾隆元年（1736 年）时，"榆林、神木等处边口越种蒙古余闲地约三四千顷，岁得粮十万石。"② 这三四十万亩的土地起码需要几万人以上的农民来耕作。③ 乾隆四十八年（1783 年）编纂的《府谷县志》记述本县所租口外准格尔、郡王两旗蒙地及其有关的伙盘处，其数字分别为 2 226 牛犋④和449 处。按每牛犋地 270 亩计算，2 226 牛犋应为 601 020 亩，这数字与前面的榆林、神木等县的数字相比，可知乾隆后期寄民潮的迅猛推进。依零散的数据推测，乾隆后期至道光初年寄民人口数量与鄂尔多斯地区蒙古族人口，数量上可能已经差不多。尤其在准、郡二旗，汉族移民人口数量已超过该二旗的蒙古族。

道光十年（1830 年），绥远城将军升寅奏报伊克昭盟情况，说："兹闻各札萨克贝勒、贝子、公以及台吉、官员、平人各将草场任意私放，以至口内民人希冀渔利，接踵而至，日聚日多。"⑤ 道光十九年（1839 年）长城边外的村庄，神木县 587 个，府谷县 441 个，怀远县 479 个，合计 1 507 个；

---

① 伪蒙古联合自治政府地政总署：《前绥远垦务总局资料——伊克昭盟准格尔旗垦务资料》54，1940 年版，内蒙古图书馆藏。

② 《清高宗实录》，乾隆元年三月丁巳条。

③ 内蒙古档案馆准格尔旗札节彦克衙门档案，001—1A001—322，记载也可作旁证。

④ 王致云：《神木县志》，《建置上·牛犋》，台湾成文出版社 1970 年影印本。

⑤ 中国第一历史档案馆档案，4—322—1。转引自祁美琴：《伊克昭盟的蒙地开垦》，《内蒙古近代史论丛》第 4 辑，内蒙古大学出版社 1991 年版。

同时这三个县边内的村庄只有 1 926 个，二者相差无多。① 神木县四乡 678 村，总人口为 88 881 ②，以此算出的每村平均人口为 131。那么，边外 1 507 村人口应为 197 417。这种估算方法不一定稳妥，因为这是在假设边外与边内村庄人口规模大体等同的情况下得出的。但是，要是加上榆、定、靖、偏、河五县的人口，总数不会低于 20 万。这时移民人口已超出当地蒙古族的人口总量。

嘉庆十年（1805 年）至道光三年（1823 年），道光三年（1823 年）至十九年（1839 年）这两个阶段，榆林、神木和怀远三县都呈现人口增长率下降的趋势，当时本地区没有大的自然灾害，因此这也从另一个角度表明了这些县民众"雁行"活动的规模或迁出数量的庞大。

嘉庆至道光朝榆林府沿边各县人口数量及年增长率

年　代	榆林县		神木县		怀远县		府谷县	
	口数	增长率‰	口数	增长率‰	口数	增长率‰	口数	增长率‰
嘉庆十年	96 512	4.0	109 277	12.3	92 212	3.3	85 414	6.0
道光三年	101 283	2.7	109 908	0.3	97 653	3.2	140 036	27.8
道光十九年	103 140	1.1	113 717	2.1	89 031	−5.8	204 357	23.9

资料来源：《榆林府志》卷 22《食货志·户口》。

同治年间回民事变爆发，鄂尔多斯及其邻近地区受到很大冲击。河曲县"同治七年（1868 年），河西地方夏冬两次惨遭兵燹，居民寥落。"③ 战争后，神木县县城及高家堡两处"存者十之一二，其余存仅十之五六。"④ 鄂尔多斯地区蒙古族人口与汉族移民人口，在回民事变后均呈现低谷。至光绪二十五年（1899 年），靖边县五堡一镇共种边外蒙地 56 491 垧（每垧为 3—5 亩），居民仅 1 359 户，男女老少 8 372 口⑤。到了清末民初，移民人口才逐渐恢复到回民事变以前的数量：榆、神、府、靖、定、横（怀）六县口

---

① （道光）《榆林府志》卷 22，《食货志·户口》，台湾影印成文出版社 1970 年版。
② 据王致云：《神木县志》，《置志·户口》算出。
③ （同治）《河曲县志》卷 6，《艺文类》。
④ 王致云：《神木县志》卷 2，《户口》。
⑤ （光绪）《靖边县志稿》卷 1，《户口志·各堡租种蒙地亩数租银及花名户口》。

外共有 1 942 村，居民 16 100 余户。① 再加上偏关和河曲两县的移民人口，应达到 10 万—15 万。

民国时期，政府继续推行鼓励向内蒙古移民的政策，包括鄂尔多斯在内，内蒙古地区移民数量连年大幅度增加。到 20 世纪三四十年代，除了个别旗（鄂托克、乌审），鄂尔多斯每个旗里的汉族移民已接近或超过当地蒙古族人口，有些旗的移民人口已达到该旗蒙古族的两倍或两倍以上（见下表）。

20 世纪 40 年代伊克昭盟各旗人口

	札萨克	乌 审	鄂托克	杭 锦	郡 王	准格尔	达拉特	合 计
蒙古族	1 916	9 600	16 000	9 110	4 500	30 880	10 200	82 206
汉族	1 330	400	8 000	5 000	8 000	69 090	40 000	131 820
合计	3 246	10 000	24 000	14 110	12 500	99 970	50 200	214 026

资料来源：《伊克昭盟概况》。

此表采纳《伊克昭盟概况》的数字。其他还有几种关于移民人口的统计数字，彼此相差很大。② 但从整个鄂尔多斯地区的情况来看，汉族移民远远超过了当地蒙古族人口，在这方面各种统计得出的结论是一致的。

二、地域社会的村落化

随着"雁行"规模的扩大，寄民逐渐与当地蒙旗环境相适应，而他们与内地迁出地的联系也进一步脱钩，随之而来的就是移民在蒙旗的定居化过程。

（一）定居与村落化

20 世纪 30 年代在文献和田野调查基础上写成的《绥远通志稿》叙述其过程为：

---

① 张鹏一：《河套图志》，1917 年山草堂铅印本。

② 1933 年绥远省教育馆调查得出伊克昭盟蒙古族人口总数为 92 700，1942 年蒙旗自治指导长官公署调查人口数量为 82 206，与《绥远通志稿》记述的同时代的数字 201 473 相比，相差太大。

　　本省在清初时代，内地汉人出口务农或经商者，始而春来秋归，继则稍稍落户。当时统称之为寄民，户口漫无稽考。后以开地渐广，寄民稍多，雍正年间，始有编甲之法。合十户为一牌，设一牌长。合十牌为一甲，设一甲长。彼时村户零散，多为联合数小村庄，始可编为一甲。①

　　可见，从绥远全省的角度来看，到雍正年间为止，寄民虽"稍多"，但村落的规模非常小。然而，这种情况指的不是鄂尔多斯地区（包括后来的河套）的状况，而是主要指土默特地区（后来的口外五厅地区）。因为，前者的定居进程不如后者那么快。那么具体到鄂尔多斯地区情况又是如何呢？

　　有一种观点认为，商人在移民过程中扮演了"领头羊"的作用。② 嘉庆十一年（1806 年），准格尔旗方面就有报道，除挖煤处多数民人带妻儿来住外，又胡都根额赫地方住有清水河民和同一河处的董三、董余种兄弟两人带妻儿，在包尔哈苏台河住，卖酒。又有哈喇吉台等地住有人还开店铺。③ 这种小商人或农商兼营者在初期移民活动中的活跃情况前节也提到过。其实，在此之前的乾隆晚期（18 世纪末）也有部分汉人定居的信息。乾隆四十一年（1776 年）札萨克旗方就控告（乌审旗）贝子沙克都尔扎布等侵占至他们旗查罕脑儿地方，收取十余年间的民人盖房屋、做买卖、熬碱的税课。上述资料都支持前面提到的观点。从康熙年间开始以较快速度发展的鄂尔多斯的寄民潮，经过雍、乾、嘉时期的发展（虽有封禁政策），到道光年间，已经有一部分移民定居下来了。（他们）"……（在准格尔旗）从嘉庆二十年（1815 年）开始……侵占这两块十二犋［蒙］旗人之地，开垦至今，共占二十八犋地，不缴纳地租，不分（收获），借口旗中有负债，而盖砖庙、园子，灌溉种地。"④ 鄂尔多斯地区移民定居点最初形成的位置是在白界地及其附近地方。

　　① 绥远通志馆：《绥远通志稿》卷 26，《保甲团防》，20 世纪 30 年代稿本。
　　② 持此种观点者有：蒙思明：《河套农垦水利开发的沿革》，《禹贡》第 6 卷，第 5 期；闫天灵：《汉族移民与近代内蒙古社会变迁研究》，民族出版社 2004 年版，第 16 页。
　　③ 内蒙古档案馆准格尔旗札节彦克衙门档案，001—1A001—518。
　　④ 内蒙古档案馆准格尔旗札节彦克衙门档案，511—1—20。

考察定居的过程时，从"带妻儿"、"建房屋"等资料入手是比较有效的方法。布仁赛音研究内蒙古东部地区村落的形成过程时，特别注重 tobu。他主要关注的 Langbu-yin tobu 村是从 1919 年建的小 tobu 发展起来的，村名也是取于开拓者 Langbu 的名字。蒙古语 Tobu 的意思在汉语里以"窝堡"、"窝卜"、"套布"或"窑"来表示。① "窝堡"是移民刚来蒙地时居住的简易房屋，从财力等各种条件来看，初来者住"窝堡"有它的必然性和无奈性。我们也从准格尔旗档案中发现类似"窝堡"的 tariyan-u baišing（意为农舍）的提法。② 提到的"农舍"是由河曲县寄民居住的，从这些寄民十月末（农历）还没有回内地的情况，可以推测这种住"农舍"者已经开始有定居的打算了。道光二十年（1840 年）时神木县在伙盘地里有五百八十七村，府谷有四百四十一村，这个数目与两个县在内地的村庄数目相比，相差不多，可见伙盘地里已经形成了具有相当规模的村落。到清末时，在白界地能开垦的地方几乎都形成了汉人移民定居点。移民的下一个定居点以可灌溉的黄河沿边地区为主要目标。

道光时（1821—1850 年），"由于在后套地方开通渠道，实行灌溉农业，对于缺雨地带的农业发展贡献很大，更促使春来秋去的季节性农民定居下来。"③ 准格尔旗"河套地中国农民的定居化是清末咸丰、同治间渐渐达成的。……当时进出此地的农民首先盖'窑子'，接着盖半穴居式的土屋于河套地。于是，随着农民的定居化进程，从窑子演变成了聚集的村落，而'窑子'就转化为地名了。河套到处形成以开拓者的名字冠名的村落。叫党三的开拓者最初建半穴式窑子定居的地方被称为党三窑子。王家窑子所在地方被称为王家窑子"。④ 对于干旱地区的村落化来说，灌溉起着非常重要的作用。民国人描述河套地区："前路渐渐逼近河套，两旁田土，北有山泉，南有渠利，腴沃无可比拟。有村落处，且多树木阡陌连接，沟渠纵横，农人架牛犁地，从事春耕。距村较远之地，地面作鱼鳞状，蔓草荒烟，似已耕而

---

① 布仁赛音：《近现代蒙古人农耕村落社会的形成》（日文），风间书房 2003 年版，第 159 页。
② 内蒙古档案馆准格尔旗札节彦克衙门档案，001—1A002—146—25。
③ ［日］田山茂：《清代蒙古社会制度》，潘世宪译，商务印书馆 1987 年版，第 283 页。
④ ［日］安斋库治：《蒙疆土地分割所有制的一个类型——伊克昭盟准格尔旗河套地区的土地关系特性》，南满洲铁道株式会社调查部 1942 年版，第 8—9 页。

复废。车行数十里，望之犹浩浩弗尽，作弃地利，良可惜也。"①

其实，不只是农耕具有相对优势的内蒙古西部河套地区，就是在整个华北地区，自然环境对农业经济方式的影响也难辨祸福，更不用提离黄河较远的鄂尔多斯地区了。天气严寒，冬季漫长，加之缺乏雨水，不利于经营农业等自然条件，成为阻碍农民定居的重要因素，这也是事实。因此，可以说："清代内蒙古的历史是发生农村的过程，农村荒废和繁荣的过程，即表现为纯培育。这种培养过程给农业和农村的社会集团的变化，模型似的、很有趣地提供实例。"②

对定居化的缓慢性和反复性，在后期的资料中也有反映：

(1)（鄂尔多斯）右翼四旗蒙人，自种地者寥寥无几，要以雇汉人耕种佃与汉人耕种为最普遍，此种佃农或雇农，因无土地权，不作久居之想，春来秋去，又因伊克昭盟土地含有沙性，须行轮种，汉佃今年在此，又不知明年移在何处，加之各旗对汉人抽收建造房屋税，而房屋建好后，每年又须纳地皮租，因之蒙地汉民，不愿建屋久住，演成一种游农性质之特别景象。③

(2)住在蒙地的汉人，虽然不是逐水草而居，以从事牧畜生涯，可是他们的流动性也很厉害，今年在蒙地居住，下年就会搬入粮地（即已报垦之土地）。移动的时候，往往用一辆"汉板车"，将女人、孩子和简单的用物，一并载上迁到安定的、肥沃的土地去耕种。④

这是20世纪前期大部分鄂尔多斯地区已实现村落化过程后的情况。从中可窥知定居、村落化过程的艰难性和当地的特点。

如上所述，移民的定居必须具备多方条件，有自然因素，也有社会因

---

① 陈庚雅：《西北视察记》，甘肃人民出版社2002年版，第41页。
② ［日］今堀诚二：《中国封建社会的构造》，日本学术振兴会刊1978年版，第795页。
③ 《伊克昭盟右翼四旗调查报告书》，蒙戴委员会调查室1941年版。
④ 庞善守：《伊克昭盟达拉特旗蒙民的乡村生活》，《东方杂志》第32卷第12号。

素。其中土地权的实际拥有或永租权的获得起着决定性的作用。① 正因如此，道光之前的定居，或被蒙旗方面破坏，或没有稳定性。19 世纪后半期，通过蒙、汉间长期的磨合和移民永租权的获得，再加上朝廷默认汉人势力的扩张，移民才在鄂尔多斯地区较稳定地定居下来。札萨克旗阿当亥口等地，"租给民人耕种。其中扣波尔图（地方）有喷泉、树木之一小部分地，封为禁留地。而（近期）民人等为崇拜，在泉旁建庙，每年从九月初七到十三日，唱戏玩耍，各县贸易人等会集，买各种物品。蒙人来卖马、牛。近几年，神木、榆林民人等聚合，私自收税，又向我们蒙古人收取银宝。"② 随着移民的定居，他们也把内地的民间文化生活带到蒙古地方来了。从汉人在蒙地收税的事实中推测，汉人势力在蒙地的扩张已到了相当规模。汉移民聚集的地方也成了蒙汉两族的交易场所，尤其是社会信仰活动的举行体现了移民地区文化的初步形成。

日本学者今堀诚二在其研究内蒙古城镇、村落结构的名著《中国封建社会的构造》中，通过对"行会"等社会团体的考察，详细研究了清朝和民国时期在内蒙古汉人势力的形成过程。在前套，达拉特旗八大地商③的活动非常活跃，他们来到旗地，以金融家的面孔出现，借款给札萨克。札萨克等还不起借款时，地商即以土地代钱。开发之初，地商们为了支配买下的土地、水和牧场，组织"社"，采取了团体行动，达拉特旗地商们以八大地商为中心组织了关帝社，还雇用了二十名武装兵，以对抗蒙古人的封建支配。④

村社还以从故乡移来的寺庙作为联系点，常常举行赞守护神的盛大祭典。⑤ 在村庙，举行的盛大祭典中也包括演剧中所体现的对神的"贡献"。祭典在农忙期每月一回，也意味着得到了农休。在呼和浩特附近的白塔，有正月元宵节、二月五道会、三月真武会、四月奶奶会、五月单刀会（关

---

① ［日］安斋库治：《蒙疆土地分割所有制的一个类型——伊克昭盟准格尔旗河套地区的土地关系特性》，南满洲铁道株式会社调查部 1942 年版，第 8—10 页。

② 内蒙古档案馆准格尔旗札节彦克衙门档案，511—1—73124b—125a。

③ 铁山博：《清代蒙古的地商经济》，《东洋史研究》53—3。

④ ［日］今堀诚二：《中国封建社会的构造》，日本学术振兴会刊 1978 年版，第 792、802—803 页。

⑤ ［日］今堀诚二：《中国封建社会的构造》，日本学术振兴会刊 1978 年版，第 803 页。

帝）、六月龙王会等。① 前引档案反映的"从九月初七到十三日"举行的集会很可能属于这种祭祀活动。这方面的资料不只一次地在史料中得到反映。道光九年（1829年）时，"本旗（指准格尔旗）台吉色如布来报，东素海站章京衮初克、昆都衮格儿私自将本站大喇嘛窑子地租给民人种地外，（让他们）建庙戏台，唱戏。"旗里官员去查，确有其事，已三天唱戏，有男女二百二十来人，已"永久定居"了。② 这些情况表明，移民聚集地区的文化氛围已初步形成，定居趋势已进一步稳固。

在社地缘、同业、同乡、同教等被认为是促进其结合的社会纽带。"绥远的忻州营、祁县营、朔州窑、浑源窑等地以山西省北部州县名为村名的居多。如同前述，城墙村内是河曲人，它邻近的什力邓村内则以崞县、定县出身者居多，可见村落的同乡关系是普遍的。由此把出身地的风俗习惯也带到移住地来，……但是，随着往（蒙地）里再移住，同乡性就更加薄弱。"③

民国人写道："相传包头在清代，一片沙漠，人烟稀少，集五家或十家为一村，居民多为蒙人，纯以游牧为生活。"同治年间筑包头土城，周十九里，原为萨拉齐县之一镇，民国十二年（1923年）成立设治局，民国十五年（1926年）改设县治。地当黄河北岸八里，平绥路终点，水陆两便，平、津、陕、甘、内、外蒙古之货物，皆聚散于此，在军事上、商业上成为极重要的地方。④ 从自然村到政府行政机构设治局、县治的逐渐设立，从另一角度来看也是定居及其规模的扩大化过程。鄂尔多斯前套地区在清末民初设立东胜县的情况也与此类似。

20世纪初，到鄂尔多斯的英国人德·莱斯顿也看到了鄂尔多斯农耕定居的状况，他写道："我们继续西行，沿途经过一些中等大小的河流。这里的村庄绝对不能叫做沙漠。因为我们沿途经过的许多小山谷里都铺展着田地、村舍和正在太阳下晒干的粮食。鄂尔多斯地区人口众多、土地肥沃，农民们的劳动也能获得丰收硕果。"但他接着又写道："这里的农民全都是汉

---

① ［日］今堀诚二：《中国封建社会的构造》，日本学术振兴会刊1978年版，第811页。

② 内蒙古档案馆准格尔旗札萨克衙门档案，A008—1001—7109。

③ ［日］今堀诚二：《中国封建社会的构造》，日本学术振兴会刊1978年版，第803页。

④ 陈庚雅：《西北视察记》，甘肃人民出版社2002年版，第47、42页。

人。"① 在鄂尔多斯近代村落社会的形成过程中，汉族移民确实扮演了主角。这可能与当初蒙古游牧社会在地域上的松散结构有关。因为，游牧社会时期蒙古人居住的"艾力"间距离较远，占的地盘也较大。人数上占优势的汉移民很容易就占有了游牧地，或把原住民纳入他们的文化圈里，为建立新村落打下基础。

移民的定居、村落化过程也带动了整个农牧交错地带蒙古人的村落化。农民的进出和牧地的开垦，伴随着农业生产的发展，给以游牧为基础的蒙古人的生活和经济带来了决定性的影响。"一部分蒙古人适应新发展起来的经济制度，或在其经济中摄取农业生产的新元素，或站在新来中国农民之上，将自己转化成为收租的地主。但是，大多数蒙古人未能容易地完成这种过程的转变。……从道光到同治，嫌忌开垦的多数（准格尔）旗民向鄂托克旗，杭锦旗逃亡。"② 因此，引发了一场持续的蒙人移民活动，他们从农业"饱满"区向牧业占主导地位的蒙旗转移。到 20 世纪前期时，"后套一带原是达拉特旗和杭锦旗的地，但自放垦以后，像那样沃野千里的地方，竟看不到多少土著的蒙人了。伊克昭盟南界陕北，本以长城为界，可是现在沿边向北百余里或几十里之内都是农耕之地，已经看不着一个蒙人影子了。在垦地较少的旗中，乌审旗、鄂托克旗、杭锦旗内有着不少的侨居蒙民，他们多是札萨克旗、郡王旗、准格尔旗的牧人，因为旗地放垦，无法游牧，竟远徙迁居。"③ 因此，在游牧为主的地区仍然以蒙古人为主体的"艾力"村为主，而农耕区则以汉人为主体形成了新的村落。

虽然部分蒙古人移民到他旗，但毕竟还有一部分蒙古人留下成为新形成村落的成员。蒙、汉人从此成了邻居。④ 清廷方面早就有防止蒙、汉杂居局面形成的法律规定，但终究还是成为具文。

村落的规模既与该地区的经济结构、人口密度、地域大小有关，也与自然环境、耕田面积、单位产量有关。以汉移民为主体形成的村落的规模，到 20 世纪 30 年代还是很小的。清水河县与准格尔旗隔黄河而居，它的"村

① ［英］莱斯顿：《从北京到锡金》，王启龙、冯玲译，西藏人民出版社 2003 年版，第 26 页。
② ［日］安斋库治：《分割所有制》，西藏人民出版社 2003 年版，第 18 页。
③ 张乐轩：《伊克昭盟志》，边疆通信社 1939 年版。
④ 内蒙古档案馆准格尔旗札节彦克衙门档案，511—1—1071a—72b。

庄，除四乡总计二百九村而外，其零星无定名者，尚有一百七十七处，共三百八十六处。或五六十里见一村，或一里数村，一村仅两三家居住，并无士绅富户，商贾亦寥寥。"① 达拉特旗"蒙民居住的地，大概沿高亢之区，在各'召庙'附近，筑屋散处，三五为邻，没有百户，或七八十户的村落，也没有十多口的人家，都是些小家庭组织。"② 这种状况与边内地区的几十户、几百户、上千户为一个村的规模无法比拟。

三、经济生活与商贸情形

清代鄂尔多斯的农业虽然从康熙中期就开始了，但发展速度较缓慢。即使经过四十多年的发展，到乾隆四年（1739 年），准格尔旗仅有"地名曰锡喇尔吉，雨泽调顺则有收成，否则无收成可言。"③ 锡喇尔吉属于白界地内地，除此之外，当时在准格尔旗还没有农业。可见当初农业是在沿长城地带开始发展的。

据档案，乾隆二十几年时，郡王、准格尔、札萨克三旗已发展到"从来以耕地为生计"的阶段，资料没有说明这种农业到底是蒙古人自己耕种的还是租给移民的。从后来的情况看，蒙古人出租民人耕种的可能性大些。但后来发展成为鄂尔多斯农业最发达区之一的达拉特旗，这时还没有"开垦之地"，农业发展到鄂尔多斯北部地区则是乾隆末年的事情。

从开垦土地的数量或面积来看，乾隆三十七年（1772 年），郡王旗"边外种地中，给本王公等分给一千犋外，分给下等人等有一千来犋，其租银有一千余两，租糜有八千斗。"④ 以每犋 270 亩计算，2 千犋应为 54 万亩。这个数字显示了郡王旗农业发展之快和当时耕地面积的扩展之大。有关准格尔旗的开垦情况，档案也有记载：

（1）嘉庆十八（1813 年）、十九年商议……，开垦之牧场共有七

① 绥远通志馆：《绥远通志稿》卷 26，《保甲团防》，20 世纪 30 年代稿本。
② 庞善守：《伊克昭盟达拉特旗蒙民的乡村生活》，《东方杂志》第 32 卷第 12 号。
③ 内蒙古档案馆准格尔旗札萨克衙门档案，511—1—1。
④ 内蒙古档案馆准格尔旗札萨克衙门档案，511—1—1（上）。

百三十三犋：黄河道老特、六板升等（地）有六十犋，旧枯列延、阿迪斯枯列延等地四十犋，察哈尔、察罕套海等地五十犋，布日嘎孙湾、翁吉湾等地四十犋，察罕巴尔哈孙湾十犋，额莫勒湾等地三十犋，伊孙木头等地四十犋，二包都克（包栋）等地三十犋，和格折梁等地六十犋，朱素河等地四十犋，和牙乌素等地五十犋，布连河等地四十九犋，敖萨连河、曼哈土等地四十犋，察罕鄂博梁、诺尔木河等地二十犋，塔拉河口等地十一犋，布日塔克图伊如勒、玛南塔拉十犋，小胡什、巴岱梁、察罕河等地三十二犋，什日噶河、布哈图河、和牙乌素等地八十犋。[1]

（2）如今本旗八参领下四十二苏木蒙人，自力耕种的土地有：浑吉、乌拉孙河、鄂博梁等地，敖萨连、曼哈图、苏吉河等地人共开六十七犋，在衮格日吉河、碱河、塔拉河、白塔梁、达日栋鄂博梁、苏里土鄂博梁、齿伦河、巴彦特胡木等地，当地住民共开九十犋，在胡秀河、扎木河、胡查梁、察罕鄂博梁等地，各地人等共开地九十犋，在奈日胡河、道布河、古儿额黑、查黑儿等地，当地人共开六十犋，在胡鲁图额黑、什日嘎额黑、和牙乌素、阿鲁布日都等地，当地居民共开九十五犋，在布哈乌勒荷、什贵土苏图、巴哈格楚等地，当地居民共开八十犋，在和牙额勒苏台、朱苏河、胡拉阿吉日嘎额黑、树林额黑等地，西召仓、与喇嘛和当地人等共开九十犋，在甘查牌、杜尔奔牌、格楚、阿吉日玛等地，该二参领梁等地居民共开七十犋，在三宝石梁、赫古仍、扎日格额勒苏台、昆德林等地，居民共开七十二犋，宝日勒德日苏、乌力吉土查罕塔拉、哈玛拉吉、胡朱拉台、乌兰套拉垓，属贝子仓，与当地居民共开七十五犋，在东西两个希勒德苏察罕布拉克、柴达木额黑等地，高勒召仓与黄河、纳林梁、乃曼布日都等地居民共开一百五犋，……胡日嘎齐坡、七窑子等地……此共一千六百一十八犋开垦地，而本旗地西南面有山、林、沟河，东南面又有河、沟，东北面黄河溢出成泥潭，北面荒漠大，视开垦闲地者，……一般一面开垦而另一面停

---

① 道光四年（1824 年）闰七月二十六日，A005—9001—235—23。

垦，很难确定开垦地亩有多少，……①

档（1）所说耕地七百三十三犋是蒙古人租给移民的土地犋数。而档（2）说的是四十二苏木蒙古人自力耕种的土地犋数，但不可信，恐怕这些耕地的大部分也是出租的。因为蒙古人学会汉式农业是较晚的事情，当时还是以吃租为主。由于受地理知识所限，尚难确定档案里地名的具体位置，但从档（2）最后一句可以推断大概的地理位置，即主要为各河川沿边土地。

鄂尔多斯中部和东南部的郡王旗、准格尔旗到18世纪末19世纪初已存在较有规模的农业。据《清实录》载，乾隆元年（1736年），榆林、神木等处边口"越种蒙古余闲套地约三四千顷，岁得粮十万石。"② 而看郡王旗和准格尔旗的开垦地亩不止上述数目。与清末的开垦相比，在贻谷督垦的六年里，准格尔旗开地才有近1 600顷③。因此评价清末放垦蒙地时，不能太夸大其规模，应看具体地点的具体情况。例如就准格尔旗来说，农业到19世纪初已形成相当规模，这从清末官垦时期在准格尔等旗找不到大面积可垦之地的事实中可观察到。但已开垦的地中蒙古人自己耕种多少就很难说了。

"在前清时，全绥土地之开辟，始于清康、雍，而盛于乾、嘉，逮光绪季年，又有放垦之地，而从前包租遂亦归公而起征年租矣。"④ 这种描述也基本符合鄂尔多斯地区农业发展概况，但也有例外，"安北原为达拉特旗及乌拉特三公旗地，清道、咸年间，晋之河曲、保德，陕之府谷、神木等处民人始来开垦耕种。"⑤ 鄂尔多斯的农业是从南部开始，最后在东部和河套地区形成了较有规模的农业区。

经济的影响并非是单向的，在蒙地的蒙人经营汉式农业的同时，蒙地的民人也根据迁入地的情况对自己的经济生活作了些调整。"昔年，初出口外种地者，一岁辛勤收粮，除去工本，易钱无几。惟地阔人稀，草滩所在皆是，辄以养羊为副业，冀得余资，以充家计，以耕田而兼牧业，殆当时农村

---

① 道光四年八月二日，A005—10001—235。
② 《清高宗实录》卷15，乾隆元年三月丁巳条。
③ 白拉都格其等：《蒙古民族通史》第5卷，内蒙古大学出版社2002年版，第131页。
④ 绥远通志馆：《绥远通志稿》卷42，《农业》，20世纪30年代稿本。
⑤ 绥远通志馆：《绥远通志稿》卷42，《农业》，20世纪30年代稿本。

最为普遍之风气也。"① 蒙人从事农业，民人从事牧业已成为农牧交错地带的一个风景。

在鄂尔多斯地区不只有农牧业经济。随着移民开垦，商业活动也逐渐活跃。

禹贡学会的蒙思明曾对后套开发举出三个由来，即由菜园、渔户和商人开始。"南流（黄河）北流（五加河）中间一块地方，在明朝前半季，尚有汉人居住，到明朝末年，这地方为蒙古人所有，他们就驱逐汉人，把这地方封闭为牧场。不过包头到宁夏的河运并未断绝，沿途仍有不少汉人，经营蒙古贸易。……那时蒙古人恐怕汉人破坏他们的牧场，不许汉人耕种。不过汉人在此经商，对蒙古人皆有税贡，同时蒙古人也需要食粮的供给，因此乃准许汉人在所居附近种地。"② 那么前套地区的情况如何呢？《绥远通志稿》记载明末鄂尔多斯地区的商业概况时写道："至明嘉靖三十年（1551 年），以大同总兵仇鸾之请，许俺答贡马互市。越年罢之。隆庆四年（1570 年），俺答通好明廷，复开马市。自是五、六年，蒙汉往来交易，边境以安。而在隆庆五年之秋，万历三十年（1602 年）之春，皆特许河套诸部通贡互市。"③

明代的"马市"、"边市"均在明边关，到清朝后，虽有"1696 年，康熙征噶尔丹后，废除了明朝的'马市'"④ 之说，但因此断定清初蒙汉之间的贸易亦停止，是不可信的。据道光朝《神木县志》载："边地食茶与他省异。茶产于楚南，安北商人配引，由襄阳府验明截角，运赴榆林，引销榆属五州县，及鄂尔多斯六旗。其茶色黄而梗叶粗大，用水熬煎，以调乳酪，以拌黍糜，食之易饱，故边人仰赖与谷食等。按边茶自顺治十年（1653 年），额引一千道，一引配茶一百斤，余茶十五斤，茶篓五斤。茶不及引，谓之畸零，另给由帖。每引征课银三两九钱。神木分领二百道，由县招商承引办课。"⑤ 茶很早以来就成为蒙古人不可缺少的饮品，但因茶的出产主要在南方汉地，需要商人运到蒙地做交易。从上述记载来看，虽规模并不大，清初

---

① 绥远通志馆：《绥远通志稿》卷 42，《农业》，20 世纪 30 年代稿本
② 蒙思明：《河套农垦水利开发的沿革》，《禹贡》第 6 卷第 5 期。
③ 绥远通志馆：《绥远通志稿》卷 49（上），《商业》，20 世纪 30 年代稿本。
④ 《旅蒙商大盛魁》，《政协内蒙古文史资料》第 12 辑，1984 年版，第 2 页。
⑤ 王致云：《神木县志》卷 4，《建置志下》，台湾成文出版社 1970 年影印本。

蒙、汉间茶叶贸易似乎一直延续着。

明代的"马市"、"边市"是在当时社会政治环境下形成的一种贸易方式。到清代，这些边内、外的地区统属于一个国家，"马市"、"边市"失去了其存在的条件。取而代之的是清代的"旅蒙商"。

"旅蒙商"是清代蒙古地区商业的主要形式。"蒙古向以游牧为生，不事商农，所有商业均腹地汉经营之。由附近城市办货，运至蒙境，随游牧而转移，夏去冬归，无一定之设置。以茶、粗细洋布、米面等货物易蒙人之牲畜、皮张，返回售卖。"① 由于蒙地的特殊情况，到草地从事商业的民人也相应改变其经营方式，规模相对较小，"各旗游行商人，运货入境，牵驴驱车无定。其较小者，多为肩挑。"② 以肩挑货物走售蒙古各游牧点和村落间的买卖人，蒙古人称作"丹门庆"（damnaɣurčin），直译为"挑担者"，意为货郎。鄂尔多斯地区这种货郎的商贸方式是在清朝与卫拉特准噶尔部战争期间发展起来的，正因有了这种贸易形式，"马市"就失去了存在的价值。"他们对于蒙古的嗜好及其日用所需要的物品，知之极详。出发时将各种商品载于牛车或用牲畜驮载，三五人一帮，自带食料、炊具、帐幕等物，一直向蒙古地方前进。他们多是小商贩出身，积多年的经验，巧于蒙古语言，又通晓蒙古的风俗人情。沿途都有他们结纳的知己，将至目的地时，即宿于知己之家，展开帐幕，陈列货品，招徕主顾。他们把蒙人所需要的物品带到蒙地，回来又把蒙地出产的皮毛或牲畜带回，反复买卖，往往转手即可获利数倍。"③ 这就是最初蒙地贸易的图景。

蒙古的商业发展并不是一帆风顺的。清廷方面制定法律，把蒙古的商业活动纳入管辖。道光朝《理藩院则例》规定："凡蒙古人等贸易，禀明札萨克王公等并管旗章京、副章京，拟一章京为首领，令十人合伙而行，"否则将受处罚。④ 对汉商的规定有："商人等出外贸易，由察哈尔都统、绥远城将军、多伦诺尔同知衙门领取部票。该衙门给发部票时，将该商姓名及货物

---

① 绥远省政府编印：《绥远概况》第14编，《乌伊两盟概况》，1933年铅印本。
② 绥远通志馆：《绥远通志稿》卷49（下），《商业》，20世纪30年代稿本。
③ 《鄂尔多斯史志研究文稿》第6册，1985年版。
④ 《钦定理藩院则例》卷34，《边禁》。

数目、所往地方、启程日期，另缮清单粘贴票尾，钤印发给。"① 只要他们的商业活动在领部票的情况下，在限定的路线、限定的时间内进行是被允许的。"蒙古官员失察商民偷渡出口者，降一级。无级可降，折罚二九牲畜，存公备赏。"② 商民的活动必须在允许范围之内。

资料表明，清代鄂尔多斯地区的商业活动从未中断。随移民逐渐定居，清朝处心积虑制定的法律往往不起作用。准格尔旗札萨克衙门档案记载如下：

（1）河曲县民赵倡弘报曰，小人在准格尔旗胡鲁素台地方做买卖。③

（2）今刘小胡尔报言，蒙人哈巴仓，与民人乔尔合伙开木铺于边外清水河奥露乌素口。小人每日之工（赶车运木头）钱为三十钱。④

（3）今征收本旗牌界地内租银、租米之达庆台吉衮楚克报称，小人等征收内，河曲县管辖乌日图套海民人周照亚、周全、寇吉望等开兴瓦永、兴欣元、兴泰台三铺，已定租钱逞凶拖延。又有跟从他们者多人，亦不给旧定每觔三两银一石米之租钱。⑤

（4）管本旗三十里牌界内事务之喇嘛日嘎波报称，我遵命征收租钱内，府谷县所属巴尔哈孙地方的体泰兴? 馆、同升店、老景店、粮铺、永卓店、华和店、和益永油馆、宗田兴油馆、缸馆、河波阔烟铺、永辉店等民人各开油馆、缸馆、店铺，不缴纳租钱，……不知春来冬归之例，……⑥

上述档案属四个不同时期，从中可以了解到：第一，这些店铺都在牌界地内。第二，牌界地内的店铺也必须向蒙旗缴纳租钱。首先，在牌界地内形

① 《钦定理藩院则例》卷34，《边禁》。
② 《钦定理藩院则例》卷34，《边禁》。
③ 内蒙古档案馆准格尔旗札萨克衙门档案，001—1A002—820—17。
④ 内蒙古档案馆准格尔旗札萨克衙门档案，001—1A003—280—31。
⑤ 内蒙古档案馆准格尔旗札萨克衙门档案，A005—8001—251—21。
⑥ 内蒙古档案馆准格尔旗札萨克衙门档案，A006—1001—2148—128。

成店铺式的商业方式是不足为奇的，因为那里是最早向民人开放的地区。还有，档（4）说明有些商家不从"春来冬归之例"，已定居下来了。从上述店铺的经营范围来讲，木铺、粮铺、油馆、缸馆、烟馆等农牧民日常所需的店铺占多数。边客们在蒙地年深日久，渐有积蓄，或在王府附近，或在大召庙跟前，建筑几间土屋，作久居之计。他们多是一面经商，一面经营土地。这表明了移民的多种经营和商业经济向蒙旗政治、经济、文化中心靠拢的情况。

各旗亦有到附近城镇自办货物者，每年一二次。如乌兰察布盟之达尔罕、四子王旗在归化城，东西中公和茂明安等旗在包头，伊克昭盟之达拉特、郡王旗亦在包头，准格尔旗在托克托、河曲县，札萨克、杭锦旗在榆林、神木，乌审旗亦在榆林，鄂托克旗在宁夏（银川）。"横城等三市外，尚有靖边县口外之宁条梁、榆林府城、神木县城，并山西归化城、托克托城等处，并得各就近交易。宁夏三市口惟石嘴通蒙古最多，哈尔哈、土尔古忒、乌拉忒等部皆赴口通市。"① 这种情况的出现进一步说明清朝管理政策的宽松，和当地各种商业在明代"边市"的基础上发展的实际状态。

自康熙朝以来，地方长期安定，百业渐行发达。"因接壤关系，经商于鄂尔多斯者多为晋陕籍人。其时贩运货物，经过杀虎口，缴纳关税后，至归化城等五厅境内，行销无阻。入乾隆后，客民日多，商货激增，征税事繁，二十六年设归化城关以征榷之。商人贩运杂货出口，陆路有和林格尔通晋大道，水路则西包头、萨拉齐、托克托三处，皆滨临黄河，由河路来此程途较近。当时西包头虽属萨厅一镇，以水路要衢，地当西境，出入各货，输运尤便。自昔归化城而外，商务以包头为最繁盛，归、包二处，实为西口商业之中心，非各厅镇所能比较。"②

各旗游行商人，运货入境，牵驴驱车无定。其较小者，多为肩挑，除鄂托克旗有大规模商号外，余多为薄资小商。此外在准格尔之西召、纳林、沙圪堵，达拉特之阿什全林庙，郡王旗之桃黎庙、哀金哈涝，札萨克之公泊尔，各有盛大之市集。蒙境商业，未能普及，故市集之举，较各县尤为需要。③

---

① 张金城：《宁夏府志》卷2，《地理（一）边界》，嘉庆三年刊本。
② 绥远通志馆：《绥远通志稿》卷49，《商业》，20世纪30年代稿本。
③ 绥远通志馆：《绥远通志稿》卷49，《商业》，20世纪30年代稿本。

四、社会组织

(一) 理事司员与蒙民交涉案件的处理

鄂尔多斯部刚归附清朝的时代，内地寄民较有规模的"雁行"活动还没有开始，从而也不存在蒙民交涉案件。当时的《蒙古例》只针对蒙旗内部蒙古人之间发生的案件有规定："如蒙人有诉讼案件，须先报该札萨克。倘有不公，告知盟长处。如盟长审断不公，原被告将札萨克、盟长处如何审断之情明确写送院以控告。"院指理藩院。蒙古地方的案件就是按着这个程序办理的，① 并延续到近代。《绥远通志稿》中记有详细的执行办法："乌伊两盟各旗，在本旗所属境内发生讼争事件，均在旗务公署办理，即札萨克之治所也。属下蒙人轻微事件，诉经该管苏目（亦译苏木）之官长，酌予处理，稍重要者，即送旗务公署，由管旗章京秉承札萨克之意旨审讯处断，亦有不服旗署断案而上诉于盟长者。"② 苏木、旗、盟三级审理，判决诉讼案件，是蒙旗长期的司法制度。

随着民人进入蒙地，使包括词讼案件在内的蒙旗事务复杂化了，这种变化必然导致蒙旗从前制度的调整或派生出新的体制。康熙中期开始的寄民潮改变了鄂尔多斯沿长城地带的面貌，盟旗制度的管理方式也明显不适应新的情况。为此，朝廷设置了新的机构——理事司员（蒙古文写为 Sayintur-a yin sayid 或 juryan-u janggi 亦称为理事官、部员或部郎等），管理蒙古与民人交涉事务。③ 关于理事司员的设置，《清会典事例》记载：

> （康熙）四十七年（1708 年）④ 题准，宁夏有城守都司一人，管辖把总二人，兵丁五百名，并无应办之事，裁去都司，改设理事官，即令在都司衙门驻扎。铸给办理蒙古内地人民等字样关防。凡沿边地方蒙古事件，均令会同该札萨克完结，不能完结者报院。其原有兵丁五百名，

---

① 内蒙古档案馆准格尔旗札萨克衙门档案，334b—336b。
② 绥远通志馆：《绥远通志稿》卷 63，《司法》，20 世纪 30 年代稿本。
③ （光绪）《清会典事例》卷 976，《理藩院·设官》。
④ （道光）《榆林府志》。

拨出三百名属二把总管辖，仍令照常守御。其余二百名，听理事官酌量编为书吏快役。此改设理事官，于各部院满洲旗员及本院（指理藩院）蒙古旗员内，保举引见补授。定为三年更代。六十一年（1722 年）①复准，瑚坦和硕至中卫沿边鄂尔多斯六旗，原设办理蒙古内地事务官二人，会同该札萨克办理完结，均驻扎宁夏，如关系神木、榆林等处蒙古事务，遥办恐致迟误，将理事官二员分驻宁夏一人、神木一人。②

前期历代宁夏、神木理事司员设置如下表所示：

历代宁夏理事司员

人　名	族　别	初任年代
六智	满洲旗人	乾隆三年（1738 年）
巴兰泰	蒙古旗人	乾隆九年（1744 年）
占泰	满洲旗人	乾隆十二年（1747 年）
海常	蒙古旗人	乾隆十五年（1750 年）
储尔汗	蒙古旗人	乾隆十八年（1753 年）
积兰泰	蒙古旗人	乾隆二十年（1755 年）
兆坚	满洲旗人	乾隆二十三年（1758 年）
对泰	满洲旗人	乾隆二十六年（1761 年）
三常	满洲旗人	乾隆二十八年（1763 年）
成德	蒙古旗人	乾隆三十年（1765 年）
保亮	满洲旗人	乾隆三十三年（1768 年）
福宁	满洲旗人	乾隆三十五年（1770 年）
巴阳阿	满洲旗人	乾隆三十七年（1772 年）
玉柱	蒙古旗人	乾隆四十年（1775 年）
扎尔炳阿	满洲旗人	乾隆四十一年（1776 年）
珠隆阿	蒙古旗人	乾隆四十五年（1780 年）

资料来源：《乾隆宁夏府志》卷十"职官"（二）。设立宁夏理事司员，自康熙四十八年（应为四十七年）始，而乾隆三年（1738 年）地震，册籍焚毁，无由稽查，故自乾隆三年始。

---

① 王致云：《神木县志》，台湾成文出版社 1970 年影印本。
② （光绪）《清会典事例》卷 976，《理藩院·设官》。

历代神木理事司员

人　名	原官名和世职	初任年代
常明	户部员外郎	雍正元年（1723年）
戴通	理藩院员外郎	雍正九年（1731年）
七十五	礼部郎中	雍正十二年（1734年）
巴查尔	理藩院员外郎	雍正十三年（1735年）
多德	理藩院郎中	乾隆六年（1741年）
常兴	理藩院员外郎	乾隆十二年（1747年）
唐喀禄	理藩院员外郎	乾隆十四年（1749年）
增禄	理藩院员外郎、世袭佐领	乾隆十七年（1752年）
迈拉逊	理藩院员外郎、世袭骑都尉	乾隆二十年（1755年）
普福	理藩院员外郎兼佐领	乾隆二十三年（1758年）；二十九年（1764年）再任；四十七年（1782年）又任
那苏图	理藩院员外郎	乾隆二十六年（1761年）
定福	理藩院郎中	乾隆三十二年（1767年）
巴达尔虎	理藩院员主事	乾隆三十五年（1770年）
七十九	理藩院员主事	乾隆三十八年（1773年）
和明阿	理藩院员外郎	乾隆四十一年（1776年）
荣德	理藩院员外郎	乾隆四十四年（1779年）
堆齐	理藩院员外郎	乾隆四十九年（1784年）
伊拉齐	理藩院员外郎	乾隆五十三年（1788年）
巴拜	理藩院员外郎	乾隆五十六年（1791年）
永信	理藩院员外郎	乾隆五十九年（1793年）
常泰	理藩院员外郎	嘉庆二年（1797年）
宝昌	理藩院堂主事	嘉庆五年（1800年）
蒿英	理藩院堂主事	嘉庆五年（1800年）
噶勒彬	理藩院堂主事	嘉庆八年（1803年）
福珠隆阿	理藩院堂主事	嘉庆十一年（1806年）
德宁阿	理藩院员外郎	嘉庆十五年（1810年）

（续表）

人　名	原官名和世职	初任年代
尼克通阿	理藩院员外郎	嘉庆十八年（1813 年）
穆阿尔布彦	理藩院员外郎	嘉庆二十一年（1816 年）
福成	理藩院员外郎（前堂主事福珠隆阿改名）	嘉庆二十四年（1819 年）
札勒杭阿	理藩院员外郎	道光二年（1822 年）
恒福	理藩院员外郎	道光五年（1825 年）
成祥	理藩院员外郎	道光十一年（1831 年）
明昆	理藩院额外主事	道光十一年（1831 年）
松阿礼	理藩院员外郎	道光十二年（1832 年）
塔尔尼善	理藩院郎中	道光十五年（1835 年）
双福	理藩院员外郎	道光十八年（1838 年）
德福	理藩院郎中	道光二十一年（1841 年）

资料来源：（道光）《神木县志》卷5，《人物志》（上）。

当初办理蒙古内地事务时"均令会同该札萨克完结"，这与设置理事同知之后的司法程序有所不同。另一方面，康熙四十七年（1708 年）在宁夏设置理事司员，六十一年（1722 年）又"将理事官二员，分驻宁夏一人，神木一人"，也显示前述贝勒松阿拉布奏准宁夏靠边的鄂尔多斯地区开垦以来，寄民从河套的西南部开始向东发展的轨迹及其速度之快。在这段时间内，寄民的主要活动范围是伙盘地或白界地，因此，选择靠近伙盘地的长城内府县治所驻扎理事司员是妥当的。

据《大清会典事例》规定，朝廷确实先在宁夏后在神木各派理事司员一人，"于各部院满洲旗员及本院（指理藩院）蒙古旗员内，保举引见补授，定为三年更代。"但也有连任和再任的。最初设置神木理事司员，"管理鄂尔多斯六旗蒙古、民人事务"；宁夏理事司员，管理这六旗之外的鄂托克旗蒙古民人间事务和阿拉善一旗蒙古民人间事务。

理事司员的设立，对调解与缓和初期寄民与蒙古人之间发生的冲突起了非常重要的作用。然而，这并不意味着问题的最终解决。"……蒙人事务原由部员处理，而民人事务则由地方官管辖，如有民人拖延地租等事，地方官以部员非专管上司为由不出力追缴，致蒙人多为无奈。"① 因权限问题，理事司员处理蒙民交涉案件时遇到困难。还有，边外地旷人稀，与内地村庄情况不同，如有斗殴盗劫案，该管官很难查到真相。因此，乾隆八年（1743年）奉命前去议定鄂尔多斯农牧分界线的尚书班第与署四川、陕西总督庆复向清廷提出建议，在理事司员的基础上再设立三处理事同知官，以专管与开垦之事有关的蒙古、民人交涉事件②："如有轻微事件，即由同知审断上报部郎、道员完结。重大事件者与部郎、道员会同处决。现因在神木、宁夏各有同知一人，即行兼管。因延安府所属安边堡在神木、宁夏之间，在安边设立同知一员。""现神木、延安同知均为汉官，对蒙古事务不熟"，"应依别处理事同知例，放旗员为妥当。"③ 被采纳。

乾隆二十九年（1764年）清廷规定："陕西、甘肃两省交涉蒙古案件，在延榆绥道所属境内者，会同神木部员办理；在宁夏道所属境内者，会同宁夏部员办理；在山西保德州、河曲县等处地方者，仍呈报神木部员，会同雁平道员办理；鄂尔多斯蒙古民人案件，均照例会同两处部员办理。"④ 这里所谓各道、州、县等"所属境"应为鄂尔多斯南部白界地。因为在此居住伙盘的人是从上述地方迁移过来的，受它们管辖。从上述规定可知，审断这些人的词讼案件时，需道、州、县方面会同两处部员办理。

按制度，办理蒙、民交涉案件的审理程序是蒙旗先应将案件报到神木理事司员衙门，由理事司员衙门"转交与地方官，依例（与蒙旗会同）审理。"蒙旗不得给厅县衙门去文报送案件。⑤ 但直接报送的违规行为在文献中屡有所见。在交涉案件的办理过程中，理事司员扮演着理藩院派出机构的角色，代理理藩院行使权力。

后来，这种情况由于清廷几次的司法调整而得到初步明确，即办理蒙、民交涉案件的程序应是：鄂尔多斯蒙旗里有交涉事件，需先报神木等处理事

---

① 内蒙古档案馆准格尔旗札萨克衙门档案，001—1A001—322。
② （道光）《榆林府志》卷3，《疆界·附边界》，《中国地方志集成》本。
③ 内蒙古档案馆准格尔旗札萨克衙门档案，001—1A001—322。
④ 《钦定理藩院则例》卷43，《审断》。
⑤ 内蒙古档案馆准格尔旗札萨克衙门档案，001—1A003—280—37。

司员衙门，司员衙门又以转交与地方官依例与蒙旗会同审理。① 一般案件由理事司员、道员处完结，遇重大案件，则上报理藩院或巡抚衙门。审理案件时，司员衙门也不能直接派衙役传讯涉及各种案件的蒙古人。"蒙古案件，将原被告送到盟长处审理。蒙古、民人交涉案件，按例致该盟长文书以传有关人员，不能随意遣衙役来抓捕，……"②

随着蒙地厅县数量的增加和势力的扩张，情况更加复杂。在交涉案件的审理当中，两处司员仍然扮演着从前的角色，但更多的厅县参与审理过程。

理事司员与理事同知或厅县的权力有时也是重复的，比如，《大清会典事例》规定："神木理事司员所属鄂尔多斯六旗与该处同知，间年一次巡查，将各旗有无新招民人私开地亩报院。"③ 理事同知与理事司员一同成了清朝封禁政策的主要执行者。在办理有些蒙、民交涉案件当中，理事司员和厅县参与断案的事实也表明了这种权限重叠和不明情况的存在。这可从蒙旗衙门档案中得到充分的印证。

（二）乡长、总甲与牌头

《大清会典事例》记载：

> 乾隆十三年（1748 年）议准，蒙古地方民人寄居者日益繁多，贤愚难辨，应责成该处驻扎司员及该同知同判，各将所属民人逐一稽考数目，择其善良者立为乡长、总甲、牌头，专司稽查。遇有踪迹可疑之人，报官究治，递回原籍。该司员同知同判每年于春秋二季，将所属民人姓名造成册档，并饬取具乡长、总甲、牌头各无容留匪类甘结存案。此内有作奸犯科之人，视其所犯轻重，将乡长等分别治罪，其托名佣工之外来民人一概逐回。如实系亲戚骨肉依赖为生者，即取具容留之人甘结，后有过犯，一并治罪。④

其实，在此之前，鄂尔多斯地区已预备推行总甲、牌头制。乾隆八年

---

① 内蒙古档案馆准格尔旗札萨克衙门档案，511—1—2001—1A002—820—19。
② 内蒙古档案馆准格尔旗札萨克衙门档案，334b—336b。
③ （光绪）《清会典事例》卷978，《理藩院》。
④ （光绪）《清会典事例》卷978，《理藩院》。

（1743 年），理藩院尚书班第、总督庆复前去鄂尔多斯议定农牧分界线时，上报朝廷批准的几个建议之一就是关于设置总甲、牌头方面的，档案记载如下：

> 边外，种地民人中本地人约占六七分，外来者约占三四分，而良莠不齐，应立为总甲、牌头，专司稽查。责成该处官员，各将所属民人逐一稽考，择其善良者，每堡立牌头四员、总甲一员。遇有拖延地租、偷砍树木、毁坏坟墓和鄂博、争斗盗劫等案件及逃亡等事由不清者，由总甲、牌头上报，如牌头瞒报或牌头等过犯而总甲瞒报者，分别治罪该总甲、牌头。又立案上报该管官员，以备稽查。官员过犯者，上员已查出后即上报，视其所犯轻重记过。查验：出边种地民人日益繁多，如不设总甲、牌头似不能稽查，每堡设总甲一员、牌头四员。在翁金（onggin）之间居住者也一并稽查，设总甲、牌头。遇有民人中作奸犯科之人，牌头瞒报而总甲隐瞒者、总甲不出首或我等官员（指部郎、地方官等）拖延不上报者，查出后惩处和记过等事从班第等奏。该总督责成地方官择其善良者立为总甲、牌头。①

关于总甲、牌头设立的年代，《绥远通志稿》载："雍正年间（1723—1735 年），始有编甲之法。合十户为一牌，设一牌长。合十牌为一甲，设一甲长。"② 对比前两种文献所述乾隆八年（1743 年）和十三年（1748 年），在此之前的雍正年间就有在内蒙古西部地区设立总甲、牌头制之事。但是，雍正年间所设总甲、牌头管辖归绥道所属各厅境内之事务，在鄂尔多斯寄民居住区设总甲、牌头，应为乾隆八年（1743 年）班第、庆复上奏以后的事情了。

从上述记载还可以总结出以下几点：第一，总甲、牌头和乡长③等机构

---

① 内蒙古档案馆准格尔旗札萨克衙门档案，001—1A001—322。
② 绥远通志馆：《绥远通志稿》卷 26，《保甲团防》，20 世纪 30 年代稿本。
③ 每一个乡都有头领叫"乡长"，在市镇叫"镇长"，在村庄叫"村长"或"庄头"。《福惠全书》卷 2、卷 21，转引自瞿同祖：《清代地方政府》，范忠信、晏锋译，法律出版社 2003 年版，第 7 页。

由上至下为：同知、同判—乡长—总甲—牌头。从道光《榆林府志》中记有"村"、"乡"来看，这种管理寄民或移民的机构并不是一成不变的，而是随着地区和年代的变化时有增减调整。第二，设置的目的和职权范围是，"遇有拖延地租、偷砍树木、毁坏坟墓和鄂博、争斗盗劫等案件及逃亡等事不清者由总甲、牌头上报。"还规定总甲、牌头等瞒报者负连带责任。总的来说，设总甲、牌头是为了"专司稽查"种地民人。第三，关于设置的地域范围，当然，设总牌是为了"专司伙盘"①，即管辖白界地内暂居民人。但也有疑点，如上述"在 onggin 之间居住者也一并稽查，设总甲、牌头。"是进一步阐述伙盘地的管辖还是说在沿长城内地也设置总甲，因没有更多的资料，不好作定论。

清初，朝廷在内地基层推行里甲、保甲制，"以里甲纳正赋，保甲编烟户，承徭役。"② 但是，到后来"康熙'滋生人丁永不加赋'、雍正'摊丁入地'以后，人丁编审不再受到官方重视，直至乾隆年间停止编审，使里甲编组无从维持，加之田赋（即地丁钱粮）总额基本固定，里社遂逐渐废弛。与此同时，由于赋役制度变化引起人丁户口失控带来的社会动荡，使清廷提高了对保甲的重视，他们以强化保甲、推广保甲的做法重新加强其在基层社会的统治，造成了'唯保甲是赖'的局面。"③ 里甲制失去了存在的价值，保甲制越发得到依赖。在此背景下，在塞外开垦地区也推行了保甲制，如上述归化城土默特和昭乌达、卓索图盟等地区。其实，在鄂尔多斯南部地区为"专司伙盘"而实行的总甲、牌头制也是保甲制的一种形式。但由于特殊地区特殊状况，鄂尔多斯的总甲、牌头制表现出其自身的特点。"暂聚伙盘者，均有内地住居，编入户口册，故于公事无误，而奸宄亦难溷迹，措置颇为妥协。"④ 因伙盘处民人"均有内地住居，编入户口册"，而保甲的"编烟户，承徭役"的作用在总甲、牌头身上很少得到体现。从而使鄂尔多斯地区的总甲、牌头制是与内地的保甲制不同的方式开始发展起来的。

---

①　王致云：《神木县志》卷4，《建置下》，台湾成文出版社1970年影印本。
②　王致云：《神木县志》卷4，《建置下》，台湾成文出版社1970年影印本。
③　张研：《清代中后期中国基层社会组织的纵横依赖与相互联系》，《清史研究》2000年第2期。
④　王致云：《神木县志》卷4，《建置下》，台湾成文出版社1970年影印本。

当初班第、庆复等人奏请设立时，总甲、牌头的职责是遇有拖延地租、偷砍树木、毁坏坟墓和鄂博、争斗盗劫等案件及逃亡等事不清者由总甲、牌头上报。各种文献记载也证明了总甲、牌头的确是努力完成各项职责。因此，《榆林府志》的编修者夸张地说："一切事件由是而事有专责，中外民人永无纷争滋扰之弊矣。"① 但不断发生的蒙古人和民人之间各种案件本身就驳斥了这种说法。

乾隆四十八年（1783 年）修的《府谷县志》有一段关于本县伙盘地较详细的描述：

> 五堡口（黄甫川、清水口、木瓜口、孤山口、镇关口）外共租蒙古地计牛二千二百二十六犋，每年共租银三千八百六十六两四钱五分，共租糜一千九百七十一石一斗一升二合。此项地土租种时蒙古地主皆立档子与民人收执，每年收租，地主自来伙盘，种地民人同该管总甲：牌头亲交。秋间各总甲仍将种地民人姓名、牛犋、租银、租糜数目开载明确，到县投递考核，造申赍本道府理事厅、既驻扎神木理藩院部郎各衙门，以备查考。②

总甲、牌头以基层管理者的身份参与蒙旗与民人之间的有关租地相关事宜，如民人的姓名、牛犋、地租的数目上报县衙门等。在处理越界种地的过程中，他们也扮演着最基层执行者的角色。随着形势发展，总甲、牌头的职责也有变化。他们不仅参与勘定黑、白界地鄂博的增堆，③ 有时也代表白界地内寄民参与有些旗内的土地纠纷案的办理。乾隆三十年（1765 年），郡王旗札萨克车凌多尔济与公衮查布多尔济之间发生的土地纠纷案件就是由神木部郎普福、盟长等会商本旗管农垦事务蒙古章京们和内地总甲、牌头等协同办理完成的。④ 可见因总甲、牌头代表寄民方面，不可忽视。

---

① （道光）《榆林府志》卷3，《中国地方志集成》本。
② （乾隆）《府谷县志》卷2，《田赋》。
③ 内蒙古档案馆准格尔旗札萨克衙门档案，511—1—12。
④ 内蒙古档案馆准格尔旗札萨克衙门档案，001—1 A001—322—20。

准格尔旗札萨克衙门档记载一个案件：

> 鄂尔多斯札萨克贝子色旺喇什等人致神木理事蒙汉交涉事务部郎
> 文，相验已死民人尸体之由，本旗班第岱苏木西尔曼妻报称，我夫西尔
> 曼与府谷县民华木匠相约伴种。今秋九月初六日，华木匠三子言西尔曼
> 不予伴种而打之。本人告到边墙总甲衙门，总甲衙门遣衙役三人，来传
> 唤华木匠三子时，本月十二日，华木匠在西尔曼旧房处吊死。……①

在此案件中，审理和遣衙役传唤被告的机构都是总甲衙门（有无官衙
须进一步考证），可见总甲作为"管辖百户"者，在包括死伤案件在内的案
件审理过程中，实际上是最低级的审理机构。

（三）达庆（Daɣačing）、达玛拉（Daɣamal）与达拉古（Daruɣ-a）

白界地被允许开垦后，从法律上来说，所有权仍属于蒙旗。因此，从清
代到民国，寄民或移民都须向蒙旗缴纳一定数额的地租。这也是蒙旗方面愿
意开垦土地的主要原因之一。18 世纪末，与府县所属总甲、牌头制相对应，
蒙旗方面出现了达庆、达拉古制，办理从寄民那里收取地租等事宜。后来随
着移民在鄂尔多斯地区普遍定居，达庆、达拉古制也发生很大变化。这里对
这种制度的具体职能、创设和形成的年代、历史上的作用及员额等问题进行
探讨。

首先，关于创设与名称的定型。《伊克昭盟左翼三旗调查报告书》
记述：

> 左翼三旗以其接近晋陕各县之故，境内汉人远较其他盟旗为多，蒙
> 汉杂居，事务增繁，故另设有管理移民之官，专负稽查汉人及征采军粮
> 之责。郡王旗名之为甲头，准格尔旗名之为打钦（即达庆），达拉特旗
> 名之为局长。官员额数各旗不等，视汉之分布情形而定。其下每人并辖
> 有达尔古（即达拉古）三人或四人。此种设施实为其他盟旗所无也。②

---

①　内蒙古档案馆准格尔旗札萨克衙门档案，001—1A002—146—18。
②　国民政府蒙藏委员会调查室：《伊克昭盟左翼三旗调查报告书》，蒙藏委员会调查室 1941 年。

从上述资料看，第一，设管理移民之官是为"专负稽查汉人及征采军粮之责"。第二，在伊克昭盟各旗的名称不同。第三，"官员额数各旗不等，"每达庆（或甲头、局长）辖有达尔古三—四人。这给追溯达庆、达拉古制提供了线索，不过这份史料记载的是制度设立后期的情况，与前期情况并不符合。蒙旗专管稽查与民人交涉的官员，称为达庆。除准格尔旗，左翼的达拉特旗、[①] 右翼后旗当初也称这种官为达庆，其他旗的情况还没有发现资料。因此，"只在准格尔旗设置的达庆·达拉古制"[②] 的说法是不准确的。

内蒙古东部的情况尚不清楚。从目前掌握的资料来看，除鄂尔多斯之外，在阿拉善也有这方面的官员，称为"边官"。道光九年（1829 年），阿拉善方面还专门发布"各边官所辖地名及其执掌事务（规定）"。[③]

20 世纪 40 年代，田村英男写专文探讨准格尔旗河套地的达庆、达拉古制，对达庆、达拉古的起因和时间写道：

> 顺治六年（1649 年）设置的苏木组织，随着移民进入和蒙地的开垦、蒙古人的定居化，逐渐丧失其政治性机能。取而代之的是，汉人进入而行政的复杂化和作为管理汉农民的政治组织，于道光六年（1826 年）在准格尔旗创设达庆·达拉古制。[④]

在此提到道光六年（1826 年）为达庆、达拉古制的创设年代。不知其依据。就目前所见资料知其不妥。准格尔旗档案里最早出现"达庆"名称的年代是嘉庆二年（1797 年）。[⑤] 那么在此之前，蒙旗方面又由谁来管理与寄民的交涉事务呢？乾隆三十年（1765 年），在郡王旗曾与"内地总甲、牌头"一起出现"管旗农垦的蒙古章京等"字样，准格尔旗札萨克衙门档案

---

① 据资料，达拉特旗有"百户达庆（jaγun [-u] daγačing）"称谓（光绪二十四年档册，511—1—80 [一] 56b—57a）。

② [日] 田村英男：《蒙古社会构成的基础单位苏木》，《满铁调查月报》第 22 卷第 2 号。

③ 全国人民代表大会民族委员会办公室编译：《内蒙古自治区巴彦淖尔盟阿拉善旗清代单行法规及民刑案件判例摘译》，1958 年版，第 5 页。

④ [日] 田村英男：《蒙古社会构成的基础单位苏木》，《满铁调查月报》第 22 卷第 2 号。

⑤ 内蒙古档案馆准格尔旗札萨克衙门档案，001—1 A003—121。

里也频繁出现"达玛拉"（daγamal）这种字：

> 鄂尔多斯札萨克贝子色旺喇什（从 1777 年到 1812 年的准格尔旗札
> 萨克）等文，致河曲县知县衙门。本旗达玛拉玛尼卜默、乌尔图那孙
> 等来报曰，河曲县属民赵静客之二子每年应缴一两五钱、七斗二升粮。
> 从乾隆四十七年（1782 年）以来计有十年的额数十五两、七十二斗粮
> 未曾给缴。①

除此之外，有关"达玛拉"的记载还在多处出现。"达玛拉"是从较早
的时代的承旨官名称传袭下来的。鄂尔多斯成吉思汗陵守护者达尔扈特的最
高长官为"吉农（jinong）"，下有正达尔哈一人，副达尔哈（即达拉古）一
人，自行选举，由吉农任命，执行达尔扈特全部政务。下辖大达噶木拉
（即大达玛拉，大承旨官）六人，属小达噶木拉（小承旨官）十八人，其
下再属他达（公役）若干名，分司各户。② 除鄂尔多斯之外，蒙旗借用原
来的"达玛拉"官称冠以旗内管理地租事宜的官员，在阿拉善等地也出
现过。

嘉庆三年（1798 年），准格尔旗有承管旗西边的达玛拉梅林总岱、台吉
吉格木德多尔济、台吉喇什、台吉西喇布佳木苏、参领赞照、章京巴研查罕
等职，管辖奥兰宝力克和巴尔哈孙以西到郡王旗边界牌子之地，办理与寄民
交涉事务。③ 在郡王旗，称管理寄民交涉事务的官员分别作"百户达玛拉
（jaγun-u daγamal）"、"五十户达玛拉（tabin-u daγamal）"，而在达拉特旗用
"百户长（jaγun-u daruγ-a）"和"五十户长（tabin-u daruγ-a）"④ 命名这类
名称；准格尔旗则称其为"百户达庆（jaγun-u daγačing）"等。⑤

从"管旗农垦的蒙古章京"、"达玛拉"到"达庆"的演变过程，大致
能了解"达庆"的名称和职责形成的情况。而"其下每人并辖有达尔古三

---

① 内蒙古档案馆准格尔旗札萨克衙门档案，511—1—2001—1A002—728—10。
② 张乐轩：《伊克昭盟志》，边疆通信社 1939 年版，第 383 页。
③ 内蒙古档案馆准格尔旗札萨克衙门档案，001—1A003—17。
④ 内蒙古档案馆准格尔旗札萨克衙门档案，511—1—14。
⑤ 内蒙古档案馆准格尔旗札萨克衙门档案，511—1—8。

人或四人"，联系起来看，与总甲、牌头制有相似之处。可推测，蒙旗内部的达庆、达拉古制是相应汉地的总甲、牌头制而创设，逐渐向专职化发展的。它创设的年代也应比上述的嘉庆二年（1797 年）要更早。

日本学者田村英男说，"达庆是从蒙古语 dagacilmoi［daγačilamoi］（掌管——田村英男）而来的，达拉古是蒙古语 taroga［daruγa］。达庆·达拉古全部是蒙古人，村长几乎全是汉人。"① 档案还有 "盐湖达庆（［dabusun］naγur-un daγačing）"②、"护山达庆（aγula-yin daγačing）"③ 和大达庆（yeke daγačing）、小达庆（baγa daγačing）④ 等，分别专管盐湖、山林等处事务，也证明了这种解释的合理性。"达玛拉" 职司比达庆广，后只把管理寄民或移民事务的官吏称为 "达庆"，使其从达玛拉分离出来。达庆是旗里委派承办移民（或寄民）事务的官吏，达拉古（daruγ-a）是 "长官" 的意思。

达庆、达拉古在旗内的位置如下：

贝勒王爷—协理台吉—达庆·笔帖式—达拉古·笔帖式

并且，"达庆·达拉古是人格好、见识高、善于统御民众的蒙古人，由王爷任命。"⑤

第二，职责与作用。有关达庆、达拉古的职责，田村英男写到："主要是对进出定居的汉人农民的政治性管理，尤其是以收取（地租、赋税等）为主。对原住蒙古人不加以任何政治的、行政的约束。"⑥ 处理寄民与蒙古人交涉事件，总甲、牌头和达庆、达拉古都要参加。但达庆、达拉古的主要工作还是征收租税。档案资料显示，蒙旗如下几种租税也通过达庆征收：（1）地租。从寄民到移民，只要租蒙旗的土地，就有义务缴纳地租。初期的地租都有明确规定，每恗应缴纳多少现金和粮食。清中期，地租是鄂尔多斯左翼各蒙旗等农业化较早几个旗的租税的核心，也是这些旗财政收入的主

---

① ［日］田村英男：《蒙古社会构成的基础单位苏木》，《满铁调查月报》第 22 卷第 2 号。
② 内蒙古档案馆准格尔旗札萨克衙门档案，511—1—14 下。
③ 内蒙古档案馆准格尔旗札萨克衙门档案，511—1—3 上。
④ 内蒙古档案馆准格尔旗札萨克衙门档案，511—1—14 下。
⑤ ［日］田村英男：《蒙古社会构成的基础单位苏木》，《满铁调查月报》第 22 卷第 2 号。
⑥ ［日］田村英男：《蒙古社会构成的基础单位苏木》，《满铁调查月报》第 22 卷第 2 号。

要来源。（2）地皮钱。移民定居时用蒙旗的地皮盖房屋时，缴纳一定的地皮钱。（3）商铺税。这种税钱主要针对商人。档案里很多资料记载达庆等去白界地征收商铺税的事，但有时连续几年也收不到钱。水草银也是当初从在蒙旗从事畜牧业（或专门或兼营）的民人那里征收。征收"看田费"，表明移民在有些蒙旗里的普遍定居化。因为，民人在白界地里居住时，蒙旗没有征收此种费用，当时很可能是农民自己在看田。有关兵丁的费用，从同治年间的回民事变开始，鄂尔多斯派出兵丁的费用由蒙旗、移民和附近县厅分摊；保安队费用的供应成为准格尔旗的租税体系的核心，这与当地治安的继续恶化有关。

五、苏木及旗制的演变

原来满洲人的牛录是出师、行猎时，由族党、屯塞参加的兵丁编组的一种军人团体组织，后来发展成了以150人组成的八旗基层组织的军事、行政单位，且分给一定数额的土地。崇德元年（1636年），清廷开始在蒙古的科尔沁、察哈尔调查户口编立牛录。在内蒙古西部，"历康熙、雍正、乾隆诸朝，渐编定旗制，授以世爵，计山后六旗为乌兰察布盟，河套七旗为伊克昭盟。"① 鄂尔多斯的苏木具体在何时建立，文献中没有明确的记载。根据上述"渐编定旗制"推断，鄂尔多斯地区设立苏木可能也是逐渐实现的。因为，"为了巩固旗的基础，在编旗的同时，有时在编旗以前，编立了牛录（即苏木）制。"苏木制与旗制的设立是分不开的。②

鄂尔多斯的状况与日本学者冈洋树所研究的喀尔喀蒙古的旗制不同，鄂尔多斯地区较认真地执行了清朝法定的旗制。例如，从乾隆三十九年（1774年）到乾隆四十一年（1776年）间，有乌审旗和札萨克旗因人口繁殖而分别增建三个和一个苏木的几份档案记载：第一，鄂尔多斯的苏木是按一百五十丁为标准设立的，但也有一百丁、一百八十丁甚至二百余丁为一苏

---

① 绥远通志馆：《绥远通志稿》卷1，《省疆域沿革》，20世纪30年代稿。

② ［日］田山茂：《清代蒙古社会制度》，潘世宪译，商务印书馆1987年版，第115页。

木的情况①；第二，在鄂尔多斯，乌审和札萨克两旗分别增建三个和一个滋生苏木②后，分别拥有四十二和十三苏木，从此终清未变。而其余五旗的苏木数量似乎是没有变化；第三，理藩院来文，因乌审札萨克沙克都尔扎布"一直瞒报二苏木"一事而受到处罚③，可见当时旗制的推行是得到较严厉的法律保障；第四，乾隆时期（即十八世纪中后期）是鄂尔多斯旗制（包括苏木）的定型时期。此后没有发现类似上述档案记载的内容也可以作为旁证。

构成苏木的基本要素有人口和政治、军事功能及地域范围等。如把乾隆时期的苏木视为较定型化、规范化的机构，那么，从那时起到 20 世纪初的近二百年的历史过程中，苏木制又有怎样的变化呢？此问题应从多视角去观察，首先从苏木的几个构成要素的演变入手探讨。

（一）丁数的减少

清代伊克昭盟和各札萨克衙门的档案中保留下了鄂尔多斯各旗历年比丁册，其中准格尔旗历年的比丁尤为完整，清中后期各朝比丁情况如下表所示：

清代准格尔旗历年比丁

类别＼年代	乾隆五十六年（1791 年）	嘉庆八年（1803 年）	嘉庆二十四年（1819 年）	道光七年（1827 年）	同治十年（1871 年）	光绪九年（1883 年）	光绪十七年（1891 年）
苏木数	42	42	42	42	42	42	42
协理	三等台吉1人、四等台吉1人	三等台吉1人、记名协理三等台吉一人	四等台吉2人	三等台吉1人、四等台吉1人	1等台吉1人、记名四等台吉1人	2人	2人

① 内蒙古档案馆准格尔旗札萨克衙门档案，511—1—1001—1。
② 内蒙古档案馆准格尔旗札萨克衙门档案，511—1—1001—1。
③ 内蒙古档案馆准格尔旗札萨克衙门档案，511—1—1001—1。

（续表）

年代 类别	乾隆五十六年 （1791 年）	嘉庆八年 （1803 年）	嘉庆二十四年 （1819 年）	道光七年 （1827 年）	同治十年 （1871 年）	光绪九年 （1883 年）	光绪十七年 （1891 年）
台吉	头等台吉 2 人、二等台吉 10 人、三等台吉 7 人、四等台吉 129 人	头等台吉 2 人、二等台吉 12 人、三等台吉 10 人、四等台吉 137 人	头等台吉 1 人、二等台吉 6 人、三等台吉 11 人、四等台吉 108 人	头等台吉 1 人、二等台吉 4 人、三等台吉 9 人、四等台吉 153 人	头等台吉 1 人、二等台吉 7 人、三等台吉 5 人、四等台吉 82 人	头等台吉 1 人、二等台吉 10 人、三等台吉 5 人、四等台吉 110 人	头等台吉 2 人、二等台吉 10 人、三等台吉 8 人、四等台吉 99 人
管旗章京	1 人	1 人	1 人	四等台吉 1 人	四等台吉 1 人	1 人	1 人
梅林章京	2 人	2 人	四等台吉梅林章京 1 人、哈喇出梅林章京 1 人	哈喇出 2 人	四等台吉 2 人	2 人	2 人
参领	8 人	8 人	哈喇出参领 7 人	四等台吉 2 人、哈喇出 6 人	四等台吉 1 人、哈喇出 7 人	8 人	8 人
佐领	42 人	42 人	42 人	42 人	42 人	42 人	42 人
昆都、拨什库	42 人	42 人	42 人	42 人	42 人	42 人	42 人
兵丁	6223 人	6319 人	5895 人	6259 人	2983 人	3053 人	3178 人
随丁	664 人	733 人	542 人	738 人	497 人	594 人	577 人
扣波特	94 人	77 人	48 人	48 人	6 人	14 人	15 人

资料来源：相关年代的准格尔旗札萨克衙门档案。

　　一方面因"前清时所立（比丁）册子，有依例编造苏木兵丁名额之事。"[1] 另一方面也存在每苏木丁数不齐（如上述资料记载有 100—150 兵丁的苏木）之事。但是，准格尔旗的兵丁人数从乾隆、嘉庆年间的六千多，下降到同治年间不到一半的数字，也能反映出苏木兵丁人数急剧减少的基本

---

[1]　《呼和浩特史蒙古文献资料汇编》第 1 辑，内蒙古文化出版社 1988 年版，第 265—266 页。

概况。

同治年间，回民事变爆发。因急需兵丁，对兵丁核查也趋严格。所以，同治年间开始的兵丁数可以说较符合实际数量。据同治二年（1863 年）准格尔旗方面的记载，派去四百兵丁后已没有兵丁可派。① 这不仅仅是因为蒙旗方面不愿出兵，也表明了准格尔旗确实没有那么多兵丁的事实。尤其是与回民事变军的战斗后期，因死伤等原因比丁册里登记的 2 983 人，也远远超出可参战之兵丁人数。在回民事变军与包括伊克昭盟蒙兵在内的清军战斗中，"伊克昭盟各旗先后派出的蒙兵总人数已接近二千人。"② 据《王公表传》载清初伊克昭盟兵丁情况，"康熙五十四年（1715 年），诏简兵二千，从大军防御策妄阿喇布坦。""雍正十年（1732 年），以调赴固尔班赛堪兵三千，不堪用者五百，又中途逃归四百余，为将军达尔济所劾，论王贝勒贝子等罪，各降爵，寻以次子复。"③ 可见，全伊克昭盟能出动的兵力也就是二千人左右。但这个数字应以从雍正十年（1732 年）到同治年间的 130 年左右的时间中，伊克昭盟人口没有增加为前提才得以成立。兵丁数量一百多年不变的状况本身也反映了清后期对苏木制不够重视或其机构松散的一面。

20 世纪 30 年代，贺扬灵根据苏木数量以每苏木 150 丁算出各旗丁数，再在此基础上得出清初伊克昭盟总人口数为 206 500 人。④ 这种以兵丁人数为基础算出总人口数量的做法得不到学界的认可。但我们可以从救灾时上报人数推测伊克昭盟人口的基本数字。伊克昭盟地区，"康熙五十五年（1716 年），所部歉收，遣官往赈，凡七千九百余户，三万一千余丁。"⑤ 乾隆二十二年（1757 年）伊克昭盟受灾更加严重。杭锦旗 35 苏木⑥中，难以糊口者，大小人口有万余⑦。贝勒栋啰布扎木素旗（鄂托克）23 苏木困苦之人，大口 7 879 人、小口 9 785 人。已故王扎木扬旗（郡王）17 苏木贫苦者有大口

① 内蒙古档案馆准格尔旗札萨克衙门档案，511—1—3387。
② 苏德：《陕甘回民事变期间的伊克昭盟》，《内蒙古师范大学学报》1998 年第 5 期。
③ 包文汉等：《蒙古回部王公表传》卷 43，内蒙古大学出版社 2008 年版。
④ 贺扬灵：《察绥蒙民经济的解剖》，商务印书馆 1935 年版，第 9 页。
⑤ 包文汉等：《蒙古回部王公表传》卷 43，内蒙古大学出版社 2008 年版。
⑥ 同治年间祁氏刊本《蒙古游牧记》记为 36 苏木。
⑦ 16 岁以上为大口，14 岁以下为小口。

4300 人、小口 5200 人。贝子纳木扎勒色凌旗（达拉特）40 苏木中实属无力糊口者，有大小口 16050 人。贝子纳木扎勒多尔济旗（准格尔）未能糊口者有大小口 18 000 人。札萨克衮布喇什旗（札萨克）12 苏木内难以糊口者有 3 苏木之大口 650 人、小口 810 人共 1 460 人。① 这些受灾严重的人口共有 72 674 人。其中不含未受灾人口。鄂托克旗苏木共有 84 个，而在此只提了 23 个受灾的苏木。乌审旗 42 苏木由于未受灾而不见上记。按上述 169 苏木总人口计算，每苏木平均人口应为 430 人。那么，乌审和杭锦没有列出的 103 苏木人口也有 44 000 人左右，总人口应近 12 万人，这是清中期（18 世纪中、后期）较可信的伊克昭盟总人口的数字。由是，贺扬灵得出的清初伊克昭盟人口数字偏高。但有一点是清楚的，和民国时期的伊克昭盟蒙古人总数 93 133 ②人相比，在二百年左右的时间中人口减少了近 3 万。贺扬灵从宗教、病害、灾乱、同化等方面分析人口减少的原因，可参见其文。

清政府镇压回民事变长达十年之久，战乱给伊克昭盟各旗带来了前所未有的灾难和影响。战争、饥饿和疾病使伊克昭盟各旗人口急剧下降。如鄂托克旗"八十三个苏木之台吉、章京、阿拉巴图人等，或出征打仗，受伤致死；或遇回匪被害致死；或无处藏身，冻饿致死。以致各苏木之一半人口损失殆尽"。③ 人口相对减少又有其他原因，"从道光到同治，嫌忌开垦的多数旗（指准格尔旗）民往鄂托克旗、杭锦旗逃亡。逃亡旗民的急剧增多，其结果是作为旗军事组织单位的苏木成员减少，从而显著地弱化苏木的军事、政治势力，……"④ 这种盟内外旗间人口的流动也是晚清一个普遍现象。这种流动的主要原因是经济方面的。

苏木兵丁额数不足的情况是较普遍的。清末到过内蒙古西部的俄国人波兹德涅耶夫也有这方面的考查："杜尔本厚和特旗（四子王旗，属于乌兰察盟）人通常都把自己称为杜尔伯特人。他们的旗由二十个苏木——即作战

---

① 有关鄂尔多斯地区受灾情况的档案（残），乾隆二十二年十月二十六日，511—1—1。

② 贺扬灵：《察绥蒙民经济的解剖》，商务印书馆 1935 年版，第 15 页。

③ 苏德：《清政府镇压西北回民事变对伊克昭盟的影响》，《内蒙古师范大学学报》（蒙古文）1996 年第 4 期。

④ ［日］安斋库治：《蒙疆土地分割所有制的一个类型——伊克昭盟准格尔旗河套地区的土地关系特性》，南满洲铁道株式会社调查部 1942 年版，第 16 页。

骑兵连组成。不过这些苏木的披甲兵人数却远远不足，根本就没有一个苏木的披甲兵人数达到应有的一百五十人；有的苏木连一百户披甲兵及家属都不到，只有很少的苏木是超过一百二三十户的。因此四子王旗的杜尔伯特兵丁总数应为两千户或稍多一些。"① 20 世纪初，比利时神父田清波笔下的伊克昭盟各旗苏木情况是："现在哪个苏木也似乎没有一百五十人以上家族群。在有些旗，苏木已成为空虚文化的事情也是既知事实。这样的苏木被称为qoki sumun，即失去属民的苏木。"② 可见包括兵丁在内的苏木人口数量的减少至何等地步。

（二）管辖地域的缩小

清初伊始，虽说法律规定对已垦区施行的是"属人主义"，但随着移民定居所占土地面积的扩大，人与地已难以分开，尤其是对以农业为主要职业的移民管理更强调人与土地的关系。鄂尔多斯地区移民管理也显现出了它独特的一面，即到了较晚才出现境内设治，在此之前实行的是境外管理模式。

刚开始管辖伊克昭盟境内汉民的机构是沿长城一带的内地府县、驻神木和宁夏的部员或后来在归化城土默特境内设置的厅县。至清末，神木部员被废，神木同知代替它行使蒙、汉交涉事件的办理，这就意味着县方权力的进一步膨胀和其对蒙旗内政干涉的加强。伊克昭盟境内最早设治是在杭锦、达拉特和乌兰察布盟乌拉特三公等旗地设五原厅和在郡王、准格尔、札萨克等旗地设东胜厅。民国时期，升旧厅为县，又设立了临河县和沃野设治局等新管理机构，都在伊克昭盟境内。

随着厅县的设置，蒙旗和苏木所管辖地域范围的缩小是必然的。清末官垦时期是蒙旗失去土地速度较快的时期。郡札两旗之间，办垦以来，民户日繁，又会同陕抚奏请添设东胜厅。"新设五厅（兴和、陶林、武川、五原、东胜）公费，或于押荒动支，或取诸丰宁新岁租，共计垦务拨直察晋绥之款三十余万两。至于渠工开支，未请库款，仅截留西垦押荒，押荒未畅收，

---

① ［俄］波兹德涅耶夫：《蒙古及蒙古人》第 2 卷，刘汉明等译，内蒙古人民出版社 1983 年版，第 183 页。

② ［比］田清波著，村上正二译：《有关鄂尔多斯蒙古的民俗资料》，《蒙古研究》，日本蒙古学会1985 年版，第 1657 页。

全赖公司垫款。各项经费，均就地筹款，事成即国家之利，若必以解款于部始为有益国帑，然则公司出款十四万金，赎回赔教地二千余顷，隶入版图，为晋疆辟地百余里，为每岁增赋数千金，而公家并无所费；且添设新厅治五处，升科地五六万顷，押荒之外，岁有恒租。"①

20世纪30年代编的《伊克昭盟志》中也反映了这种状况。札萨克"旗下报垦地方的农民，除南部早已归属榆林、神木外，均为东胜县属。"② 郡王旗"报垦的地已划入东胜县管辖，该旗的属地缩小三分之二，东胜便是以郡旗为中心设立的。"③ 而准格尔旗的情况在地租上得到反映，"准格尔旗全境都已放垦，故收入以地租为大宗。地租可分两种：一种为报垦地，已划入县界的地租，名曰岁租，每年秋日派人前往收取。此等地方多划入东胜、萨县、府谷、神木及河曲等县。又一种为旗政府自己放垦地所收的地租。"④ 随着厅县的设置，蒙旗和苏木所管地域范围也不同程度地减小。

（三）军事职能的逐渐丧失

回民事变时，伊克昭盟兵丁的低下素质完全暴露了出来。同治二年（1863年），伊克昭盟派去1 500名蒙古兵准备参战，而陕甘总督所派官员视察蒙古兵后发现，这1 500名蒙兵中"年老体弱者，手中无兵器者，骑乘之驼马瘦弱者甚多"。⑤ 战斗中多数兵丁死伤，一方面说明对方的强大，另一方面也暴露出清代蒙古会盟时检查兵丁的不严格，从而导致蒙旗兵丁战斗力的下降。回民军大举进攻时，守边蒙兵节节败退，溃不成军。蒙旗兵丁发挥不出昔日强势的战斗力。

尤其是到清末民初，社会治安恶化，地方安全保障迫在眉睫，而全面衰弱的苏木制也无法履行保卫国家、家乡的职责，取而代之的是各旗自建的保安队之类的武装。民国二十年（1931年），国民政府发布了《蒙旗保安队编制大纲》，征兵制变成志愿制，从而取消了苏木的军事机能。⑥

---

① 贻谷：《蒙垦陈诉续供》，《中国近代农业史资料》，第837—838页。
② 张乐轩：《伊克昭盟志》，边疆通信社1939年版。
③ 张乐轩：《伊克昭盟志》，边疆通信社1939年版，第333页。
④ 张乐轩：《伊克昭盟志》，边疆通信社1939年版，第340页。
⑤ 内蒙古档案馆准格尔旗札萨克衙门档案，511—1—34。
⑥ 《蒙旗保安队编制大纲》，蒙藏委员会编：《修订蒙藏委员会法规汇编》。

（四）政治功能的衰退

汉人进入蒙地引起的开垦及牧地缩小，不只对土地关系，还对蒙古社会结构产生了影响，即在畜牧经济转换成农业经济的过程中，不可避免地要出现社会政治机构的变革。随着汉人的逐渐增加，从前的苏木组织已无法适应对汉人的行政管理，以游牧经济为基础的苏木组织的政治功能逐渐被以农业经济为基础的定居性的达庆—达拉古制所代替。[①] 而蒙古人的定居化，则促使作为人的组织的苏木制全面崩溃。[②]

旗制也好，苏木制也好，都是以人为主要管理对象设置的。旗和苏木的比丁、征赋税，都是以人丁数为中心，而土地并不占主要地位。有清一代，各旗的蒙古人在旗之间或在苏木之间混居现象也是较普遍的。但无论居住在哪里，苏木兵丁始终属于一个固定的苏木和旗。开垦使土地的重要性逐渐提高，其在旗生活中逐渐占据主要地位。达庆—达拉古制就是以土地为主要管理对象建立起来的。刚开始，达庆—达拉古制只管辖白界地内寄民地租征收而设置的，是附属于旗制的一个补充性的制度。但是，随着移民的普遍定居化，情况发生了变化，与苏木章京相比，达庆—达拉古的地位更加重要，这也许是因为他们从移民那里征收的地租对盟旗收入来说是至关重要的。

20 世纪 30 年代，已经以农业为主的准格尔旗，"旗政府对旗内蒙民的管理仍旧，即仍为旧日扎兰制（指旗、苏木制）。但旗下的汉人农民则共划为十三排，每排设蒙人达庆一人，每达庆属达尔古四人。这种地方组织为伊克昭盟各旗中所无，因是种组织较旧日的扎兰制完善，一般蒙人也多愿加入，而不拘旧日的形式了。全旗十三排分里七排（旗之南部），由东协理治理；外六排（旗之北部）由西协理奇凤鸣治理，各不相扰。自凤鸣亲伪畏罪自杀之后，外七（应为六）排也被统一了。"[③] 达庆制逐渐代替苏木制或扎兰制，对部分蒙古人也开始实行了管辖权。准格尔旗的 13 个达庆分成里 7 排和外 6 排。里 7 排可能是以旗南部的白界地为管辖范围，而外 6 排可能是以原来（清末前）不允许开垦的旗丁牧场地为管辖范围。

---

① ［日］田村英男：《蒙古社会构成的基础单位苏木》，《满铁调查月报》第 22 卷第 2 号。
② ［日］田村英男：《蒙古社会构成的基础单位苏木》，《满铁调查月报》第 22 卷第 2 号。
③ 张乐轩：《伊克昭盟志》，边疆通信社 1939 年版。

20 世纪 40 年代，准噶尔旗 13 个达庆的管辖地域，如下表所示：

20 世纪 40 年代准噶尔旗达庆管辖地域

达庆番号	达庆管辖地域
第一达庆	党三窑子等河套地（河南七宝窑子达尔古牌亦归其管辖）
第二达庆	大路、城坡、十二连城一带
第三达庆	东孔兑附近一带
第四达庆	以老山沟为中心的大路、东孔兑、布尔陶亥乡的一部分
第五达庆	魏家峁、黑岱沟一带
第六达庆	纳林一带
第七达庆	海子塔一带
第八达庆	暖水一带
第九达庆	五字湾一带
第十达庆	大路峁一带
第十一达庆	羊市塔、川掌一带
第十二达庆	西召一带
第十三达庆	乌兰哈达一带

资料来源：《血雨腥风的年代——准格尔史料专辑》，第 178 页。

就准噶尔旗河套地来说，有达庆 2 人，1 人是掌管台站地的达庆，另一人是掌管除台站地以外的一般民地的达庆。前者拥有达拉古 2 人，管理 6 个村。后者拥有达拉古 7 人，管 36 个村。达庆、达拉古全部是蒙古人，村长几乎全是汉人。[①]

达庆—达拉古制和扎兰、苏木制的并存，给旗政的权力行使带来了诸多不便。20 世纪 30 年代，有些旗政府主动采取措施，改变这种状况。在达拉特旗，"旗政府的组织形式虽仍旧，但康王（康达多尔济，当时任旗长）这次回旗曾谋改为委员制。东西协理一死一去，并未设置，原因是康王有意打破协理非台吉不得充任的旧制。现在旗政府移在柴磴办公，由保安司令马锡伯吐尔代理。旗政已多恢复，并且把旗下的蒙汉民众一同编成保甲，推行地

---

① ［日］田村英男：《蒙古社会构成的基础单位苏木》，《满铁调查月报》第 22 卷第 2 号。

方自治。这不能不说是一个新措施。旗政府自动编制保甲，并且蒙汉不分，以此为嚆矢。"① 这表明了达庆制和苏木制并存，逐渐被合二为一的行政组织所代替的事实。

在杭锦旗，道光朝以后租地汉民人数日增，"因参领、佐领只可管理蒙民，不便兼管地界，为此在后套属地设三个巴格区，称东、中、西巴格（参领级），管理巴格区内的土地租放、垦种、灌溉和收租税等与汉民有关事务。"② "每个巴格委达庆官一人，达庆助理一人，管理巴格地内蒙民事务。"③ 随着开垦地的扩大而设立了巴嘎制。志书记载的不一致，表明了新设的巴嘎制从只管辖与汉人有关的事务到兼管蒙古人事务的变化过程，这也与准格尔旗的情况相似。20 世纪中期，阿拉善旗的情况也许更能说明巴嘎制的"属地主义"倾向：

> 巴嘎是旗的基层行政组织，相当于现在的乡，它有管辖地域的实际区划。巴嘎之官为"巴嘎达木勒"，俗称"边官"，管辖所属巴嘎内的一切居民，包括苏木阿尔得、非苏木阿尔得和台吉在内，因为无论苏木阿尔得、非苏木阿尔得和台吉都散居于各个巴嘎里。巴嘎达木勒除管理一般行政事宜外，还要处理民、刑诉讼案件，有进行裁判和鞭笞之权。④

巴嘎有权管辖"所属巴嘎内的一切居民——包括苏木阿尔得、非苏木阿尔得和台吉在内"。因此，也有权管辖外来的移民。

到近代，内蒙古东部地区也出现了类似达庆、达拉古制的一种地方制度，即屯达与牌头。"屯达即乡长，其职权为处理一乡内之琐碎事务，其地位处于领催与十家长之间。其下设有牌头，牌头专司一村之细小事务，其地位与十家长相似。屯达与牌头亦皆不以官吏待遇之。屯达与牌头之设置法律

---

① 张乐轩：《伊克昭盟志》，边疆通信社 1939 年版，第 346 页。
② 《杭锦旗志》，内蒙古人民出版社 1994 年版，第 51—52 页。
③ 《杭锦旗志》，内蒙古人民出版社 1994 年版，第 214 页。
④ 《蒙古族社会历史调查》，内蒙古人民出版社 1986 年版，第 148 页。

上并无明文规定，其设置之地域亦只限于东部蒙古农业区内定居之地，若夫游牧区内，则因无村或屯之存在，故不设置屯达与牌头。"① 札奇斯钦在此文中没有说明屯达与牌头制实行的是"属人主义"还是"属地主义"，也没有说明屯达与排头是否管辖汉民事务。因此，对屯达、牌头这一问题的研究还可深入下去。

从以上情况可以发现，在苏木、旗制的崩溃过程中，整个农牧交错地域出现了多种新的社会制度。

虽说苏木制处在衰退的过程中，但并未全面失去其功能。达庆—达拉古制出现后，军事性的事项依然是通过苏木组织来实行的。民国二十年（1931 年）颁布《蒙旗保安队编制大纲》后，保安队兵员的招募等也是通过参领、苏木章京来实行的。② 从蒙古人那里征收赋税也是通过苏木来执行的，虽说征税的方式从清初的牲畜税为主变为地租税。但是，"旗制的变更、崩溃的原因，决不能完全求之于蒙古人职业的变动、喇嘛教的弊病和汉民族的侵入等，还应该注意到清朝对蒙古政策的改变——中央统治的强化，使蒙古内地化，游牧经济内在的生产关系的矛盾，生产力低下等，还需注意到蒙古民族精神的一面。"③

在新旧体制的交替过程中，达庆等新崛起的权力实体的管辖范围不断得到加强，但是，靠它们还很难保持社会的稳定秩序，因此，清末民初，在鄂尔多斯的社会中呈现出了不稳定局面，与此同时，盟旗方面也为建立新秩序作种种努力，宣统二年（1910 年）新修的定例和 1918 年制定的有关县审判衙门的规章都属于此类文件。④

另外，旗、苏木制的变更、崩溃的过程在伊克昭盟七旗也是不尽相同的。尤其是依然以牧业主的乌审、鄂托克等旗的变更过程相对缓慢。而东部地区的以农业为主要生产方式的几个旗的变更速度较快，其中尤其是准格尔旗的变更更具有典型意义。

---

① 札奇斯钦：《近代蒙古之地方政治制度》，《蒙古史论丛》，学海出版社 1980 年版。
② ［日］田村英男：《蒙古社会构成的基础单位苏木》，《满铁调查月报》第 22 卷第 2 号。
③ ［日］田山茂：《清代蒙古社会制度》，潘世宪译，商务印书馆 1987 年版，第 127 页。
④ 《呼和浩特史蒙古文献资料汇编》第 1 辑，内蒙古文化出版社 1988 年版，第 289—315 页。

当然，苏木的政治功能包括一般行政、人事、租税和服役、司法事项等。在此仅以行政方面的变化为主探讨其政治功能的衰退状况。其实，其他方面也有或多或少的变化，在此不详谈，将在相关章节里论述。

六、土地关系

清代，鄂尔多斯农牧交错带蒙、汉关系的焦点是土地问题。汉人租蒙地、蒙人吃汉租在这一地区社会生活中占有非常重要的位置。随着农业在部分地区的经济结构中逐渐起主导作用时，尤其是实现定居化后，汉人对土地的要求比"春来秋归"的"雁行"阶段更加强烈。另一方面，蒙人的牧场逐渐缩小，又不谙农耕，他们维持生活的方式主要是吃租，土地的数量和质量决定着他们的生活状况。土地关系在蒙旗社会中逐渐突出起来。其中，尤其以围绕土地所有权而引发的诸问题非常引人注目。

（一）旗社会中的土地地位

"在清朝确立旗制之前，蒙古土地是由鄂托克、爱马克等占有和支配的，土地供这些团体成员共同利用。这样的土地占有方式无疑具有总有性质。"① 日本学者田山茂是这样解释总有权问题的："所谓总有权是所有权在质的方面分属于单一体的团体总体和构成这个团体的各成员；成员的份额依身份而定；成员无分割财产请求权，份额也不得转让。处分权归整个团体所有，管理也要服从全体利益。因此，总有权是单一总合体与多数成员的有机结合，总有团体并非纯粹的抑制法人，是靠成员来支持的现实的综合人。"②

清初建旗后，旗的土地关系又是怎样的呢？我们还没有详细的资料来说明。贻谷说："乌兰察布及伊克昭盟，在名义上绥远将军虽有统驭之权，其固有的传统体制即内部结构，却并没有因清廷的统治即外部影响而发生本质的变化。伊、乌两盟这种半独立地位，在土地领有权上，也为清廷所承认。察哈尔蒙旗在名义上就得到土地领有权，拨给他们的牧地，称为'官荒空闲地'。但是，在乌兰察布、伊克昭两盟，则无论名义上和实质上清廷都承

---

① ［日］田山茂：《清代蒙古社会制度》，潘世宪译，商务印书馆 1987 年版，第 166 页。
② ［日］田山茂：《清代蒙古社会制度》，潘世宪译，商务印书馆 1987 年版，第 159 页。

认他们的土地领有权。"① 这里所说的领有权不过是蒙旗王公、札萨克等的实际占有权罢了。从鄂尔多斯封爵、建旗后近百年才划定旗界的现象中可窥见由于清朝控制不严而产生的所谓"半独立"状态的存在。乾隆四年（1739年）、五年（1740年）划定旗界也并非单纯是为了完善旗制而作出的举措，同时也表明农业在鄂尔多斯得到初步发展后土地的关系紧张状态已开始出现。换言之，定旗界是农耕发展的结果。这是因为在游牧社会中没有必要有严格的地界。

北元时期的鄂托克、爱马克也好，后来的旗也好，都是以人为基本单位组建起来的。而清代旗的编佐、征赋都是以人丁为基础的。这与内地以土地的数量、质量为基础，结合人丁来设置的制度不同。蒙旗的土地是牧场，上一个牧地被使用殆尽，使用者便自由地移动到其他牧场，牧场随着人和牲畜的移动而移动，不受土地所有制度所支配。移动的权利比居住的权力更重要。② 清代建旗定界后，旗的边界虽说相对固定，但这种以人为基础而建立起来的旗的特征一直延续到很晚。与之相反，内地州县首先有固定的地界，人处于附属地位。因而"蒙地的土地制度环境与内地几乎完全不同，汉农业是固定的小农经营，制度上要求个人所有制，土地是以私有权为主的；蒙地却是以占有权为主，土地主要是供游牧民放牧使用，蒙地的札萨克享有领有权，但札萨克并不直接占有土地的放牧权，放牧权实际上公有，放牧区无私人占有的概念。汉农业的扩展必然会使蒙旗的土地制度发生改变，在各种社会或政治力量的作用下，最终形成了一种多样形态的土地权利结构。"③

随着土地总有权的解体，土地，即能种庄稼的地在蒙旗社会中的地位越发显得重要。其具体表现是：

第一，蒙旗间及旗与厅县间的土地纠纷案件的增加。在前面提到的鄂尔多斯七旗定界原因也属此例。准格尔旗与达拉特、土默特旗，乌审旗、郡王

---

① 贻谷：《蒙垦陈诉供状》，《中国近代农业史资料》第1辑，三联书店1958年版，第816—817页。

② ［美］欧文·拉铁摩尔：《蒙古草原史之展开》，［日］蒙古善邻协会：《内陆亚细亚》第1辑，生活社1942年版。

③ 王建革：《清代蒙地的占有权、耕种权与蒙汉关系》，《中国经济社会史研究》2003年第3期。

旗与札萨克旗，① 杭锦与达拉特之间的土地纠纷之所以长期没有得到解决，究其矛盾的根源，无外乎与土地在旗生活中的地位提升有直接关系。但具体的原因是多方面的，比如准格尔旗与郡王旗的土地纠纷，就是因为定旗界时有一部分属于郡王旗的人丁住到准格尔旗阿扎尔玛地方而引起的。而准格尔与归化城土默特的土地纠纷则与黄河改道有关。乾隆五十七年（1792 年），因黄河换河道而引发土默特和准格尔二旗对新形成的河套地的所有权问题发生纠纷。②

第二，旗与驿站间的土地纠纷。清初，准格尔旗分给栋素海驿站的土地是周围四十里的面积，后来随着旗、驿站人口的增长和移民进入占地，旗与驿站间的土地纠纷日益突出。一直到清末官垦时还是一个纠缠不清的问题。

第三，蒙人之间和蒙、汉之间的土地纠纷。以牲畜数量为划分贫富标准的社会转变成以耕地条件来划分贫富的社会时，因土地所有权不清而引发了很多社会问题。蒙旗内蒙人间和蒙、汉间的土地纠纷是从清中期一直到当代的社会矛盾之一。

第四，土地兼并的加强。土地所有权的模糊、土地私有权的不发达而引发的混乱，给土地兼并和集中提供了方便。"蒙古台吉、官员、喇嘛，皆称殷实。……此等殷实之人，每倚恃己力，将旗下公地令民人开垦，有自数十顷至数百顷之多占据取租者，是以无力蒙古，愈至困穷"。③ 土地在旗生活中的地位提升还表现在土地遗产的增多。例如，同治五年（1866 年），准格尔旗台吉拉布克和其儿子布喇死后留下的遗产有两处家园外，还有地杨家塔拉的二段一犋、阿谷勒扎古尔台的二犋、察罕阿谷勒扎古尔的三十坰、格日阿谷勒扎古尔的三十坰、沿扎木河边的三犋、布尔敦梁的三千文钱的地、独瓦赛音的一犋、胡吉拉土源库克陶鲁盖的二犋、噶拉仓种的三十坰、满堆故居处的二犋等多处土地。后来根据习惯法把这些财产分给拉布克的遗孀和他弟弟家的人分配继承了。本例当中没有提到死者留下来的牲畜数目④，由此可见，土地在部分蒙古人家产中所占比例处于绝对上风的地位。

---

① 内蒙古档案馆准格尔旗札萨克衙门档案，511—1—3001—1A003—13。
② 内蒙古档案馆准格尔旗札萨克衙门档案，001—1A002—415—15。
③ （光绪）《清会典事例》卷 979，《理藩院·耕牧》。
④ 内蒙古档案馆准格尔旗札萨克衙门档案，511—1—3935a—b。

资料记载表明，从同治年间到光绪初期的二三十年间，准格尔旗经过了土地的再分配过程。这与农业的发展和土地所有权的发展直接有关。

（二）分割所有制

游牧经济占主导时期，蒙古的牧场即土地是总有的。但是，随着农耕的发展、土地地位的提升，尤其是封建特权阶层的加入，蒙地出现了土地的分割所有权。从这个意义上说，蒙地所有权经历了从总有制到分割所有制的发展过程。在以往的蒙地所有权研究中，蒙地所有权中存在的结构性权利问题依然较模糊。

田山茂在"旗地的封建分与"一节中，从全蒙古的角度探讨了生计地、富分地、差使地、仓租地和官地等问题。① 安斋库治则从地域的角度，将20世纪40年代的蒙地土地关系（主要以内蒙古西部地区为考查对象）划分为三大类型，即第一是"总有制"地域。在维持游牧业的锡林郭勒、乌兰察布等地区占支配地位；第二是"分割所有制"地域。在移民进出较频繁、农业相对发达的察哈尔南部、土默特全域和乌兰察布的一部分地区占支配地位；第三地域是所谓"单一所有制"的失去蒙古地主土地所有权的察哈尔南部等地区。其中，他又将分割所有制分成察哈尔王公牧场型、土默特户口地型、河套永租型三大类型。在准格尔旗河套地，不光是土地，农民也依然处于蒙古封建贵族的支配下。农民的土地保有是在位于所有和借地中间的过渡形态——永租状态中凝固着，农民没有国家发给的承认其土地所有的部照。② 在那里没有一片共有的牧地，全部的土地被开垦殆尽，汉族农民称这种现象为"有地有主"，没有所有者、没有收租者的土地全然不复存在。河套地土地私有基本上是通过两个途径发展起来的：其一，随着汉农民的进出和其定居而发展起来的现实的土地所有，即永租权的发展及其巩固；其二，特权的、世袭的蒙古贵族寄生地主所有。换言之，特权的、世袭的蒙古贵族的寄生地主土地所有权也可以叫"上级所有权"，汉农民的永租权也可以叫

---

① ［日］田山茂：《清代蒙古社会制度》，潘世宪译，商务印书馆1987年版，第172—179页。

② ［日］安斋库治：《蒙疆土地分割所有制之一个类型——伊克昭盟准格尔旗河套地区的土地关系特性》，南满洲铁道株式会社调查部1942年版，第2—4页。

"下级所有权"。① 王建革从蒙汉关系的角度去研究蒙地所有权时，把上述两种土地权利分别叫做占有权和耕种权。把上层占有权分成内仓地、外仓地等，下层占有权包括户口地等。山田武彦将未开放蒙地分成王爷隶属地（内仓地）、旗公署隶属地（外仓地）、闲散王公私有地、台吉塔布囊等贵族私有地、恩赏地、庙地、驿站地几种。② 而《绥远通志稿》把准格尔旗的土地粗略地分成六种，"一为放垦之黑界地，二为永租之牌界地，三为旗地，四为王府地，五为召庙地，六为蒙民户口地。"③ 在前人的研究基础上，笔者结合鄂尔多斯准格尔旗具体状况去探讨分割所有制的具体内容。

内仓地 是王府隶属土地，包括札萨克收租地和牛犋④管理的土地。由牛犋管理的土地称为官牛犋。其收入用于王府的费用。在一般情况下，札萨克随意指定旗内一块地为内仓地，因此，这种地与下面所述的外仓地或旗公署隶属地难以区分。内仓地不是一成不变的，而是随着札萨克的意志自由变更，尤其是札萨克的儿子们分家时，常常为补充土地而从旗公署隶属地中划过来一部分归内仓地。据张家口经济调查所1940年9月到1941年4月间进行的调查来看，在准格尔旗河套地属于内仓地的土地有三百顷左右。内仓地以前被称为大赏地或大商地，有时也叫艺晖堂地，蒙古人叫"大仓地"。该河套内仓地的收租地分散在边家圪卜、柳林滩、上十四分子、下十四分子、树圪梁、圪洞堰、广和圪旦、上迭具营、西恼包、上白青等多处。⑤ 所谓收租地是让予汉人永租权而只收地租的土地。内仓地的另一种形式——牛犋地分布在柳林滩、高龙渡口两个地方。牛犋地是没有让予汉人永租权而札萨克实际所有的、设牛犋由佃农耕种的土地。收租地里实行着"许退不许推"的永租规则。

外仓地 也叫旗公署隶属地。是旗衙门直接所有并收租的土地。在准格

---

① ［日］安斋库治：《蒙疆土地分割所有制的一个类型——伊克昭盟准格尔旗河套地区的土地关系特性》，南满洲铁道株式会社调查部1942年版，第6—7页。

② ［日］山田武彦、关谷阳一：《蒙疆农业经济论》，日光书院1944年版，第300—303页。

③ 绥远通志馆：《绥远通志稿》卷43，《农业》，20世纪30年代稿本。

④ 在此意为"农场"（安斋库治：《蒙疆土地分割所有制的一个类型——伊克昭盟准格尔旗河套地区的土地关系特性》，第29页）。

⑤ ［日］安斋库治：《蒙疆土地分割所有制的一个类型——伊克昭盟准格尔旗河套地区的土地关系特性》，南满洲铁道株式会社调查部1942年版。

尔旗，将外仓地分成王爷收租地和公署收租地，作为政治机关的旗衙门有自己的收租地。但是，旗公署地决不是共有的土地，只是旗公署所有的收租地。准格尔旗衙门所有的土地分成吃租地和包股地。前者为永租给汉民而只收地租的土地。后者则是以包股的形态佃给农民的土地。前者的所在地、户名在公署地租实账上有记录，然而其地亩数、地租钱多少不清。包股地在旗公署包股账中能找到其所在方位、地亩数、佃农名、佃钱的具体情况。

协理台吉等的私有地　准噶尔旗和一般蒙旗一样，设东、西协理各一人，辅佐札萨克管辖旗内的政治、军事事务。这个职位的被选对象必须是台吉。他们凭借着血统和世俗的特权，成为札萨克以外较有权势条件来兼并土地的贵族。从20世纪前期准噶尔旗河套地的情况来看，东协理大汉台吉那森达赖隶属的地名是福德堂，并从这块地里征租。福德堂地有三种，即牛犋地、吃租地和伴种地。那森达赖是在东协理丹丕尔后接任这个职务的，之后的三十多年在准噶尔旗权倾一世。1914年在他的努力下从托克托厅收回翟林窑子地方的收租权。1933年那森达赖被另一位权势人物奇寿山袭击而失去政治生命，但福德堂地作为他的遗产被其后裔所继承。

西协理的地虽称为西官府地，但20世纪30年代已成了西协理私有土地了。准噶尔旗河套地的西官府地可以细分为万荣堂地和万贺堂地。万贺堂地是大汉台吉那森达赖死后，帮助东协理奇文英打倒当时掌握准格尔旗支配权的奇寿山而重建准噶尔旗秩序的台吉奇密格那尔布（奇凤明）的堂名。后成为他的继承者奇子义的堂名。万荣堂是奇密格那尔布的兄奇林格台吉的堂名。万荣堂地后成为他长子西协理奇子祥所有的土地。西官府地从所有的形态和收租的不同分为牛犋地、吃租地和包股地三种。

准噶尔旗河套还有一种地叫万和堂地，是原来达庆捣独户的堂名，因1934年捣独户子拉格什反对奇文英、奇凤明组织的旗公署而被剥夺其收租权，这块地也被兼并到西官府地中。但是，拉格什的户口地依然保留。①

从清末准噶尔旗报垦情况来看，已故三品台吉拉苏伦多尔济妻爱新觉罗

---

① ［日］安斋库治：《蒙疆土地分割所有制的一个类型——伊克昭盟准格尔旗河套地区的土地关系特性》，南满洲铁道株式会社调查部1942年版，第41—37页；［日］山田武彦、关谷阳二：《蒙疆农业经济论》，第301—311页。

氏报柳清梁地二千顷，① 可见这块地不属于旗公地，是她个人所有的私有性质的土地。光绪十四年（1888 年），准格尔旗档册里也发现三品台吉拉苏伦多尔济属地 16 处地共收 770 千文钱的记录，② 可见其土地之多，也能感觉到土地兼并活动的激烈程度。其实，在准噶尔旗很早就有土地兼并活动，档案记载："查原协理三等台吉色旺仓如卜前在职时，抢占旗下民的生计地（aju törülge-yin γajar），使他们失去生计。"③ 其结果肯定是有些人拥有几千顷的土地，而另一部分人就落到无地可种的地步。这也是农耕社会的一般规律。

庙地　蒙古的寺庙就像欧洲中世纪的寺院、修道院一样拥有庞大的土地。据清末"放垦蒙地"时期的记载：

> 准噶尔旗黑界地内召庙四处，查乌巴什老爷召地一段，正地一十六顷三十九亩六分，除不堪耕种地一十一顷零五亩三分八厘，净地五顷三十四亩二分二厘，东至姚姓，西至碾槽沟，南至叶林沟，北至召梁。乌达齐庙地一段，正地七十一亩，除不堪耕种地一亩，净地七十亩，东至李六，西至沟，南至张姓，北至官道。又地一段，正地二十六亩八分，除不堪耕种地八分，净地二十六亩，东至沟，西至沟，南至沟，北至大道。又地一段，正地三顷一十一亩八分，除不堪耕种地二十七亩八分，净地二顷八十四亩，东至沟，西至庙沟，南至张姓，北至张七十一。又地一段，正地二顷零五亩七分，除不堪耕种地八十五亩七分，净地一顷二十亩，东至史家沟，西至庙沟，南至萧姓，北至李姓。和雅尔乌苏庙正地一段，一顷五十一亩三分，无除，东至天沟，西至沟，南至全姓界，北至沟。布尔噶图阿贵召地一段，正地一顷九十五亩三分，无除，东至沟，西至本主，南至沟，北至沟。又地一段，正地一顷五十亩，无除，东至本主，西至沟，南至本主，北至沟。又地一段，正地三十六亩三分，无除，东至本主，西至沟，南至庙后，北至本主。又地一段，正

---

① 《准格尔旗垦务资料》整理番号 27。
② 内蒙古档案馆准格尔旗札萨克衙门档案，511—1—69182a—188b。
③ 内蒙古档案馆准格尔旗札萨克衙门档案，511—1—4。

地五顷三十七亩一分，除庙址地一顷五十亩，净地三顷八十七亩一分，东至沟，西至路，南至山坡，北至沟。①

计河套川地约三千余顷内有杀虎口驿传道管辖台站地一千余顷，又有广觉寺、小召、新召地一千顷有零，又有将军窑子、三盛元、泉子、兴义炉四处洋堂地三百余顷，又有该旗蒙兵户口地数百顷。② 可见召庙地占全河套地的三分之一多，从整个准格尔旗来说，属于寺庙的土地也肯定是较可观的。因信仰关系蒙旗衙门和蒙古人把属于它（他）们的土地献给寺庙作为香火地。乾隆三十六年（1771 年），因准格尔旗西召仓地少，给两锒地。③ 还有一种现象是有庙地的地方不一定就有其所有权的寺庙存在。准格尔旗河套地虽有三处庙地，但只有小召是本地庙，另外两所庙只是在那里有庙地而庙在别处。这种现象的突出例子是五台乔尔吉庙所属土地。"五台山在蒙古人心目中的地位，就像耶路撒冷之于犹太教徒、麦加之于穆罕默德的信徒那样至圣且高。在整个蒙古地区，以及不管在华北哪个地方遇到蒙古人，总会听到他们频频提及'五台山'这三个字。"④ "蒙人皈依（佛教）者有神圣不可侵犯之势，磕头之礼不远千里而往，每年之朝五台山，有资者无缺焉。"⑤ "山西五台山，蒙人之稍有财产者无不朝之，耗银巨万亦所不惜。"⑥ 正因如此，蒙古人也不惜供奉土地给五台山的寺庙。在准格尔旗，台吉、喇嘛等给五台乔尔吉庙供奉的香火地的地租共有 117 千文，租米有 7 石，此外还有伴种地两块。⑦ 在此虽然没有提到具体的土地亩数，但不难推测应是不少的数目。寺庙从这些土地里征收地租，用来维持寺庙各种宗教活动的正常运行，寺庙也成了蒙旗的寄生地主之一。

---

① 《准格尔旗垦务资料》整理番号 77。

② 《准格尔旗垦务资料》整理番号 7。

③ 内蒙古档案馆准格尔旗札萨克衙门档案，511—1—6。

④ James. Gilmour. 1888；*Among the Mongolos*. London；the Religious Tract Society. pp. 159—161. 转引自闫天灵：《塞外移民与近代内蒙古社会变迁研究》，南京大学博士论文，2002 年，第 86 页。

⑤ 周晋栋：《绥远游记》，《内蒙古史志资料选编》第 2 辑，第 208 页。

⑥ 白眉初：《中华民国省区全志》第 2 卷，《山西省志》，第 154 页，转引自《塞外移民与近代内蒙古的社会变迁研究》，第 86 页。

⑦ 内蒙古档案馆准格尔旗札萨克衙门档案，511—1—5462a—63a。

恩赏地　（qaγučinšangšir-a γajar）这是札萨克对于旗或札萨克有功劳的人赏给的土地。还有一些为国受伤而终身残废者也给予恩赏地，作为养赡。原则上记功而发给保证其永远营业的执照。准格尔旗确实存在这种地，但有时也被别人侵占。道光三年（1823 年）准格尔旗的几个台吉和达拉古们控告驿站属民来抢占他们的恩赏地。在土地私有化的过程中，恩赏地的所有权是得到旗方面相对的保护。道光二十年（1840 年）有个叫吉尼格的人因灾害从准噶尔旗移住到乌兰察布盟乌拉特中公旗，死后，他的儿子土门德力根于光绪五年（1879 年）和母亲回准格尔旗重新找回已被汉人耕种的恩赏地。①

户口地　也叫生计地。据《晋政辑要》记载："卷查土默特官兵，均悉自备当差。乾隆八年奉旨赏给土默特二旗人等户口地亩。"② 每口以一顷为率，以为常业。清廷把户口地拨给蒙丁，目的只是使他们得有"养赡之资"，从而造成蒙丁有可能为清朝出征打仗的物质条件。③ 准格尔旗的户口地第一次分配是在康熙年间进行的。一直到嘉庆年间，准格尔旗的土地分配环境还是比较宽松的，嘉庆三年（1798 年），有人从协理那里请求得到耕地三犋多的情况④充分证明了这一点。

康熙年间分配的户口地或生计地可能是以官马数目为根据分配的。因为准噶尔旗的官马都有养马地，不知什么原因有些丁户就没有官马及养马地。尤其是到道光、同治年间，因国内外战争的需要，伊克昭盟备出官马的事被提到日程上来。多年来因为农垦的发展，准噶尔等旗很难完成搜齐军马的任务，因此，有些人就拿土地来换马。⑤ 这种养马地也许是为养旗披甲们所骑的马而分配的土地。所以有些人以土地来换取官马来养，是一种多得土地的办法。第一次分地的情况文献鲜有记载，只能结合后来的记载推测至此。

---

① 内蒙古档案馆准格尔旗札萨克衙门档案，511—1—6343b—44a。
② 转引自［日］安斋库治：《清末土默特的土地整理》，内蒙古大学蒙古史研究室编印：《蒙古史研究参考资料》第 7 辑，1963 年版。
③ 黄时鉴：《清代包头地区土地问题上的租与典》，《蒙古史论文选集》第 3 辑，呼和浩特市蒙古语文历史学会编印 1983 年版，第 181—299 页。
④ 内蒙古档案馆准格尔旗札萨克衙门档案，511—1—3。
⑤ 内蒙古档案馆准格尔旗札萨克衙门档案，511—1—3246b—47a。

准噶尔旗第二次分配户口地是同治年间的事情①。据准格尔旗同治八年（1869 年）的档案载：

> 扎兰章京堂古特曼达哈等呈衙门，报之由，小人等遵旨查勘分给大乌兰布鲁克以西章京洪格尔台、扎兰奥德斯尔、那木扎勒等人五份地，陶斯罕踏拉以东有地一段二顷四亩，分给章京楞湖五十一亩，那木扎勒五十一亩，章京洪格尔台五十一亩，扎兰奥德斯尔五十一亩。陶斯罕踏拉一段地，给章京洪格尔台、扎兰奥德斯尔、章京冷湖、那木扎尔等每人分长四百庹、宽一百一十庹，每份一顷八十三亩。分海拉孙素西毛湖儿踏拉等地一段分五份，巴尔布四顷，章京洪格尔台二顷六十六亩，章京奥德斯尔二顷六十六亩，章京冷湖二顷六十六亩，那木扎尔二顷六十六亩。上报如此分给之事宜。②

该档案记载和其他同治元年（1862 年）以后的多件档案③记载也证明了第二次户口地分配说法的基本正确。上述档案与同治五年（1866 年）的档案记载④对比可知"生计地"与"户口地"是同一概念。户口地分配的主要目的是为保证军马的饲养，"为镇压回民叛乱，奖赏将士的功劳而进行"的说法，此项政策应是以抑制旗下披甲的逃亡，武装他们为目的而进行的。⑤ 可以把户口地分成台吉户口地和百姓户口地两种。大部分户口地也是蒙人长年租给汉人的永租地。

除上述土地之外，准噶尔旗沿黄河出新地或台吉无嗣时收归其地为旗公地，作以后用于官或分给资产少的旗民。⑥ 这块旗公地可以称为遗留的总有制。但这种总有制的存续时间也不会太长。还有旗衙门给管旗章京等蒙员分给的当职田、驿站地等分割所有制的土地。"河套的西官府地、福德堂地

---

① ［日］山田武彦、关谷阳二：《蒙疆农业经济论》，日光书院 1944 年版，第 310 页。

② 内蒙古档案馆准格尔旗札萨克衙门档案，511—1—4770a—b。

③ 内蒙古档案馆准格尔旗札萨克衙门档案，511—1—3246b—47a。

④ 内蒙古档案馆准格尔旗札萨克衙门档案，511—1—3935a—b。

⑤ ［日］安斋库治：《蒙疆土地分割所有制的一个类型——伊克昭盟准格尔旗河套地区的土地关系特性》，南满洲铁道株式会社调查部 1942 年版，第 22—23 页。

⑥ 内蒙古档案馆准噶尔旗札萨克衙门档案，511—1—59101a。

等，也是属于职田性质的土地，因地区不同，名称也各不相同。这种生计地（户口地）、福分地、差使地，因世袭使用、收益结果恰如世袭职田一样，具有排他的私有性了，这样就给蒙古人造成土地的私有观念。"①

（三）（租佃关系与）永租制

随着移民的逐渐定居，在内蒙古出现了较普遍的永租制，基本上保证了汉农民的土地需求。内蒙古东部地区的"白楂地"、"报领地"和"兑倒地"都属于永租地。② 准噶尔旗河套地的特点之一是，与庞大的汉族大众的现实上的土地所有相对立的是蒙古王公、台吉、喇嘛寺等的土地特权性的世袭所有，两者间有着巩固的收租关系。

准格尔旗河套地的私有制基本上是通过两种形式发展起来的，即蒙古贵族的寄生地主所有制（或上级所有权）和汉农移民及其定居而形成的现实上的所有权或永租权（或下级所有权）的巩固。③ 全准噶尔旗的情况也是基本如此。在这种土地所有权的转换过程中普通旗民也把自己分到的户口地的永租权让渡给了汉农民。

永租权，不只是有长年租借的意思，其内容也有"与绝卖一样"的意义。据当地说法是"死"。除了王爷地的一部分外"许退不许夺"。永租权者返还土地是自由的，而绝对不许永租地的地主夺回永租权。从而使河套地农民的土地有较严格的保障。④ 汉族农民拥有的不是市民法意义上的现代土地所有权，他们持有的现实权利不过是位于借地和所有之间的永租权而已。现实中推行生产和现实土地所有者是汉农民。然而，他们依然给名义上的土地所有者即寄生化的蒙古地主交纳地租，得不到他们的认可不能自由处理土地。⑤

---

① ［日］田山茂：《清代蒙古的社会制度》，潘世宪译，商务印书馆1987年版，第176—177页。

② 有关内蒙古东部地区的永租制或永佃制，参见王玉海：《发展与变革清代内蒙古东部曲游向农的转型》，内蒙古大学出版社2000年版，第44—51页。

③ ［日］安斋库治：《蒙疆土地分割所有制的一个类型——伊克昭盟准格尔旗河套地区的土地关系特性》，南满洲铁道株式会社调查部1942年版，第6—7页。

④ ［日］安斋库治：《蒙疆土地分割所有制的一个类型——伊克昭盟准格尔旗河套地区的土地关系特性》，南满洲铁道株式会社调查部1942年版，第13页。

⑤ ［日］安斋库治：《蒙疆土地分割所有制的一个类型——伊克昭盟准格尔旗河套地区的土地关系特性》，南满洲铁道株式会社调查部1942年版，第7页。

汉族手里的永租权是在长期的历史进程中逐渐形成的，它的形成也应具备诸多条件。首要条件是定居。咸丰、同治时期，由于准格尔旗河套地方的自然条件适于农耕，进出于此地的开拓者们开始定居下来，随着开垦也获得了土地的永租权。1940 年左右在河套地，汉农民获得永租权的土地大概有 2 897 顷，其面积在全河套地约占 90% 之多。① 可见永租之发展和汉族农民实际占有土地的比例之大。

但是，开垦当初双方没有契约书，汉民只是给蒙古人交付租银，继续耕作，权利关系非常不确定。汉民为得到蒙古人的欢心有时会给蒙古人送一些作为"办地人情"的茶、布等。1940 年左右，保尔坦窑子李三狗丑接受采访时谈："同治十年（1871 年）左右我们一家从河曲移住到本地。当初和蒙人打个招呼就开了荒，没必要缴押荒、地价之类的东西。作为人情送茶、酒等，或有时候请客就可以了。"② 准格尔旗河套地区的永租有两种形态：其一是基于荒地开垦上的永租即开垦永租；其二是交付对价而成立的永租即买得永租。③ 上述通过"办地人情"等手段获得的永租权属于前一种形态。

在时间上，开垦永租比买得永租早。买得永租是在一定的货币经济发展的基础上实现的。

一般说，买得永租的获得要通过地商这个中介人。地商或户总可以说是地主，也可以说是土地的经纪商人。这个阶层随着蒙地私垦的发展，站在蒙旗与实际开垦者中间，发挥着地主商人高利贷的机能。他们向蒙旗缴纳一定数额的地租，占有庞大的土地，自行设立地局，将土地转卖或转租给新来的农民。此外，在这些地商那里，有些还拥有武器，并驱使内地逃来的罪犯流氓等，擅自杀人放火。④ 地商的兴旺有其产生与发展的社会温

---

① ［日］安斋库治：《蒙疆土地分割所有制的一个类型——伊克昭盟准格尔旗河套地区的土地关系特性》，南满洲铁道株式会社调查部 1942 年版，第 7 页。

② ［日］安斋库治：《蒙疆土地分割所有制的一个类型——伊克昭盟准格尔旗河套地区的土地关系特性》，南满洲铁道株式会社调查部 1942 年版，第 10—11 页。

③ ［日］安斋库治：《蒙疆土地分割所有制的一个类型——伊克昭盟准格尔旗河套地区的土地关系特性》，南满洲铁道株式会社调查部 1942 年版，第 9 页。

④ ［日］安斋库治：《清末绥远的开垦》，《满铁调查月报》18 卷 12 号。

床。当初，蒙古贵族们拥有大片的土地，梦想一次性出租，地商就是适应这种需要而产生的。但各地的情况不同，地商的活跃程度也不同。在河套地区地商活动就比较活跃，相对而言，前套（指黄河套内地区）的鄂尔多斯则差一些。

此外，清末官垦时期也出现了新的一种永租。这种永租是从垦务局通过缴纳押荒和岁租的方式获得的。准格尔旗黑界地就是通过这种官放的形式永租出去的。有关具体情况在下节详述。

其实，在准噶尔旗河套地区形成永租形态之前，包括准噶尔旗白界地在内的鄂尔多斯白界地带早就形成了永租制。白界地或牌界地因开垦年代早，准格尔旗征收极低的地租，大概是处在永租的形态，把占有、耕种的权利让给汉农民。"查该旗（指准格尔旗）南境白界地亩，横二百里，纵四五十里不等，自康熙年间，招内地民人租种，由该旗收租，为数甚微，当时每银一两折钱八百文，至今不易其数，岁租之轻，实各处所无。"①

清末民初，准噶尔旗河套地区除了特例外都缔结了契约文书。在契约书上，以中见人、公同人、知见人、中保人、知中人、同中人的名义，写入2名至4名，或有时7名保证人的名字，大多数情况下蒙汉双方都有人担当保证人，也有保证人皆汉人的情况。契约文字用汉文。② 租地契文基本上包括如下的内容：一、租地双方名称；二、租地的四至和亩数（很大一部分契文没有写明亩数）；三、押地钱和每年地租的数目以及地租的收纳规定；四、租地双方的承诺。下面是一份永租契约书：

> 立出租地约人玻璃，今因银钱紧急，将自准噶尔旗党三窑子村田姓房后豪菱户口地一块，东至大路，西至田姓，南至田姓，北至赵姓，四至分明，共地四十亩上下。情愿出租与田占普名下。永远耕栽种开耕敞止。同人言明。每年作租钱一千二百文正。两出情愿。永无返悔。日后

---

① 伪蒙古联合自治政府地政总署：《前绥远垦务总局资料——伊克昭盟准格尔旗》，1940年版，第45—46页。

② ［日］安斋库治：《蒙疆土地分割所有制的一个类型——伊克昭盟准格尔旗河套地区的土地关系特性》，南满洲铁道株式会社调查部1942年版，第11页。

倘有蒙古民人争夺者，有地主玻璃一面承当。恐后无凭，专立合同约为证。知见人：董锦魁、薛治明、贾金山。①

永租约也称为长租约，"蒙古地禁止出卖，多用此约，其实即卖约之变相，本地有称长租为卖约者，实原于此。"② 永租约中特别值得注意的是：（1）早期的开垦地券内只写入几块地，不标明面积；（2）大多数契约书里没有写入永租的对价。在地券内，开垦而获得的土地中没有一个写入地价的，而从其他农民那里让渡过来的，即被推地的永租地都记有地价、推地价。③ "最早的永租权只是不退地的租地契约而已，欠租时蒙古一方就撤销永佃权。"④ 这句话只说明了当初情况的一个方面，其实另一方面，蒙旗在征租金或租米等物质利益的驱动下，比较愿意找承领永租的人，租出去后也不想轻易地撤销契约。

如前所述，永租没有年限，即与绝卖是同等的。不允许地主回赎，是"许退不许夺"的。永租人在得不到地主的同意下，有权抛弃永租权，但地主没有权利剥夺永租人的借地权。蒙古地主不能出售、出典永租地。但可以出售和出典收租权，即卖租及典租。然而吃租权的出售和出典必须是在蒙古人之间进行。蒙古地主虽把收租权出售和出典，也不影响借地人持有的租权，佃户把地租交给新获得收租权的蒙古地主即可。获得租权的借地人可以把他的永租地传给后人，也可以让渡给别人，即"推地"。允许用来担保和借贷。"推地"是为防止土地自由移动而设立的特殊制度。按照从土默特引进而制度化的过约制度，推地时必须定过约合同，以支付过约钱来得到蒙古地主的承认。我们来看一份过租约：

　　　　立租地约人白艮达赖，今因银钱差时紧急，将臌铺窑子村东地一

────────────

① ［日］安斋库治：《蒙疆土地分割所有制的一个类型——伊克昭盟准格尔旗河套地区的土地关系特性》，南满洲铁道株式会社调查部1942年版，附属资料白契第一号。

② 绥远通志馆：《绥远通志稿》卷63，《司法》，20世纪30年代稿本。

③ ［日］安斋库治：《蒙疆土地分割所有制的一个类型——伊克昭盟准格尔旗河套地区的土地关系特性》，南满洲铁道株式会社调查部1942年版，第10—11页。

④ 王建革：《清代蒙古的占有权、耕种权与蒙汉关系》，《中国社会经济史研究》2003年第3期。

块，系地东西畛，计地七十六亩，开列四至，东至濮尔报，南角李海秃，南至毛扣、李高换，西至读占尔盘头，北至濮尔报，四至分明。又村东北地一块，系地东西畛，计地一顷二十五亩，开列四至，东至濮尔报，南至濮尔报，西至大路，北角盘头，北至薛姓盘头，四至分明。情愿出租与单和尚名下永远耕种承业。同人言明。现使换过租钱一十二千文整，其钱当交不欠。日后倘有蒙民人争夺者，有白艮达赖一面承当。恐口无凭，立合同过约为证用。中见人：张二喜、三成子、赵仁，代笔：打古色近、金守仁、濮尔报。大清宣统三年九月十一日。①

一般的过约钱是地租钱的三倍至五倍。这种制度虽能防止蒙古人收租权的丧失，但另一方面，将土地拴在封建约束之下，而阻止了其自由的移动。②

王公地的一部分对于拥有永租权的农民来说依然执行"许退不许推"的惯例。所以，王公的永租地有两种类型：（1）许退不许夺的永租地；（2）许退不许推的永租地。永租的特点是借地人有权自由地利用永租地获益，耕种、做牧场、建房屋、设仓库，或休耕，都由借地人处置。但唯不能当墓地。这种禁止是很早以来传承下来的一种习惯之一。当初也是为了防止汉人的定居而设定的规矩。作为借地人的汉农民，向蒙古地主缴纳地租即可。但对札萨克王公、达庆、旗公署等还须缴纳王爷草料、水草银、对达庆负担差使费等。③

伴随着永租权的佃户权利和义务是：权利，一、对蒙地的使用收益权；二、权利的永久性；三、可以解除执照；四、可以根据执照上的规定转移耕种权。义务，一、纳租（地价和地租钱）；二、无权任意处置土地；三、不

---

① ［日］安斋库治：《蒙疆土地分割所有制的一个类型——伊克昭盟准格尔旗河套地区的土地关系特性》，南满洲铁道株式会社调查部 1942 年版，第 24—25 页；第 66 页附属资料白契第十一号。
② ［日］安斋库治：《蒙疆土地分割所有制的一个类型——伊克昭盟准格尔旗河套地区的土地关系特性》，南满洲铁道株式会社调查部 1942 年版，第 45—47 页。
③ ［日］安斋库治：《蒙疆土地分割所有制的一个类型——伊克昭盟准格尔旗河套地区的土地关系特性》，南满洲铁道株式会社调查部 1942 年版，第 13—17 页。

能让有害风俗者及邪教徒居住。①

（四）官垦与蒙旗土地占有权的削弱

清末以前，清政府对蒙旗的土地具有最高所有权（或占有权），也一直比较慎重地对待蒙旗的土地问题。清中期，吉林将军秀林奏请征收郭尔罗斯旗开垦地的地租时，曾受到嘉庆帝的申斥，当时政府还没有收纳蒙地的部分地租或押租钱的现象。②"民之佃种者纳王租，而无国课。每地一垧岁纳地租东销二吊三百文。"③ 来蒙地耕种者直接给蒙旗缴纳地租，无需给国家交地租。蒙古各地地租不同，乾隆八年（1743 年）重定农牧界线时，鄂尔多斯"（白）界地内者照旧租（康熙五十八年定为'准令民人租种每牛一犋准蒙古征粟一石草四束折银五钱四分'。）不加，其界外者每牛一犋除旧租糜子一石银一两之外，再加糜子五斗银五钱。"④ 界内外的地租虽不同，但地租的直接征收者都是蒙旗。这种情况一直延续到清末。

清末，在内忧外患的大背景下，尤其是在《辛丑条约》缔结之后，清政府无力偿还巨额赔款，开始实行所谓的"新政"。在蒙旗主要推行"放垦蒙地"政策，改变其一贯的做法，直接干预蒙旗内政，其结果严重影响了蒙旗的土地占有权。

过去，学术界对清末新政时期的"放垦蒙地"政策的制定和实施情况也有较深入的研究。本文在此主要从官垦的角度去探讨其对蒙旗土地占有权的影响及官垦最后失败的原因。另外，笔者认为，民国年间的官垦也是清末"新政"时期官垦的延续。因此，讨论官垦时一并加以考察。

光绪二十八年（1902 年），山西巡抚经岑春煊条议扩充蒙边，清廷派贻谷为垦务大臣，督办蒙旗垦务。贻谷抵绥远城设立了垦务大臣行辕和督办蒙旗垦务总局，又陆续于丰镇、张家口、包头等地分设察哈尔右翼的丰宁垦务局、察哈尔左翼垦务总局和西盟垦务总局。⑤

---

① ［日］山田武彦、关谷阳一：《蒙疆的农业经济论》，日光书院 1944 年版，第 304—305 页。

② 《仁宗睿皇帝圣训》，嘉庆五年五月上谕。

③ 《怀德县志》，《田赋》，1929 年铅印本。

④ （道光）《榆林府志》卷 3，《中国地方志集成》本。

⑤ 白拉都格其、金海、赛航：《蒙古民族通史》第 5 卷（上），内蒙古大学出版社 2002 年版，第 129 页。

通过清中、后期的私垦发展，到清末官垦时，鄂尔多斯地区可供开垦的土地已不多。右翼四旗除了已开垦殆尽的杭锦旗河套段和白界地外，受地理、气候的限制，很难再找到新的可垦地。相对而言，左翼三旗虽说较适合经营农业，但可垦地也已不多。这是清末开垦终究效果甚微的客观原因。分析主观原因，则是由于官方的"刚性介入"、措施不当而引起蒙旗方面一致反对。

设立垦务局后，贻谷采取了具体的措施。"河套杭锦地，自报垦时即给以价，同于收买。官府即以其地转卖之民间；上地每顷值银百二十两，中地七、八十两，下地二十两，每年纳官租水银六两；旱地平均约值四十元，年租二元。达拉特地已垦者约二千余顷，皆归官有，每年代征蒙租一万五千两，每顷转租于地商，须银十五两，再由地商分租于花户，租复倍之；转租频繁，田功尽废；花户春集秋散，不事力田，而官府代征蒙租，又任意刻剥，不能以时应付。"官方垦务局加入开垦，或代替地商，或居于地商上。破坏了在民间形成的开垦方式，同时又加几倍、几十倍多于以前形成的地租钱，加重了汉农民的负担。引起了众多汉族地户的不满。官垦措施的不当也破坏了农业生产，至"花户（即地户）春集秋散，不事力田"。伊克昭盟的抗垦运动当中不断听到汉族地户的名字就是这个原因。垦务局的"代征蒙租"行为也引起了蒙古人的不满。"故蒙民对于官办垦务，皆上下一心，抵死顽抗；而对于农民直接租约，则欢迎之。官府虽多方禁止，然私相授受，在所难免。"①

在长期的开垦过程中，鄂尔多斯地区形成了几个群体，即蒙古方面的普通地主（意为土地的主人，与阶级观念上的地主不同。）和王公札萨克为中心的蒙旗掌权集团；汉族方面有普通佃农和地商两大集团。这四个群体围绕土地开垦形成了比较固定的社会模式。土地从王公、地商传到地户中间，或从普通地主手里直接传到佃农手中。又以地租的形式返回到前面的群体手中。特别是随着移民定居和永租制的发生、巩固，这种关系和模式更加巩固。光绪三十一年（1905年），垦务官员为查勘准格尔旗地"令刘司事赴仓

---

① "咨议王承朴条陈"，《农商公报》第106期，《中国近代农业史资料》第2辑，三联书店1957年版，第663—664页。

房梁一带，行抵该处地户张姓家，声称，非有蒙古到场，不能查勘。刘司事再三开导，该地户非特违抗不遵，且将随兵殴打，"后酿成打人致死一案。① 说明了上述关系的巩固和新建的垦务局得不到当地人信任的状况。突然出现的官方垦务粗暴地加入到这种固定的社会关系当中时，传统的模式被打破。再加上垦务局介入方法不当，必然遭到这些群体的普遍反对。

官垦首先引起了蒙旗王公们的不满。贻谷的开垦刚开始就遭到了乌兰察布、伊克昭两盟王公的反对。因为，官垦触及了蒙古王公私垦的既得利益。② 当时任伊克昭盟长、杭锦旗札萨克的阿尔宾巴雅尔因带头反垦而被贻谷奏请撤销了盟长职务。贻谷镇压伊克昭盟抗垦时，光绪三十二年（1906年），捕杀准格尔旗抗垦首领、东协理丹丕尔是在官垦时期发生的最大的案件。后来这件事也成为贻谷被弹劾撤职的主要原因。

在长期的垦务实践中，地商阶层已成为鄂尔多斯地区的势力派。他们有资金、才能和经验。而垦务大臣则采取了基于私垦的渠道管理归属国家的方针，把各地商管理的渠道移管了起来。包头垦务局总办姚学镜乃以利诱该处地商王同春，首先报效中和、义和、永和、恒和四渠，赏银三万一千两。据王同春供称：并未实得此数。该处地户知渠道必为官所有，不得已陆续报出。贻谷谕委员勘收，估费赏发，均照原价按三成发给，不得过四成。③ 顾颉刚的《王同春开发河套记》中形象地描述了这段历史：

> 但是办垦务的官员们发财的机会到了。他们叫王同春来，斥责道："你私垦蒙地是有大罪的，杀人也是有大罪的，两罪并发，你有几个头？这不是害了自己不够还害子孙吗？听我们的话，你具一个甘结，我们替你销案！"说罢，拿出一张纸来，叫他画押。王同春是不识字的，不知道上边写的是什么；迫不得已，打上了一个手印。这一打，他的田就去掉了无数！④

① 伪蒙古联合自治政府地政总署：《准格尔旗垦务资料》38，1940 年版。

② ［日］安斋库治：《清末绥远的开垦》，《满铁调查月报》第 19 卷第 1 号，第 23 页。

③ 贻谷：《蒙垦续供》，《中国近代农业史资料》第 1 辑，三联书店 1957 年版，第 821 页。

④ 顾颉刚：《王同春开发河套记》，《中国近代农业史资料》第 1 辑，三联书店 1957 年版，第 821 页。

就这样垦务局得罪了王同春，王同春也就不听从垦务局的。垦务局安排他管理修渠时，他就采取不合作的态度，故意没修好渠，最后让垦务局的计划泡汤。

因垦务局的加入，地主们也失去了征收地租的权利。贺扬灵分析说："过去私租耕种，范围较小，蒙民尚不怎样反对，就是反对，而蒙官以利益所在，还是继续的租放，一自垦由官放，蒙民与蒙官竟勾成一个战线，认为垦由蒙放，倒不丧失其主权和利益；若由官放，不特（仅）土地丧失，并将影响到蒙旗王公的统治。"① 后来弹劾贻谷时，鹿传霖解释蒙汉反对官垦情形说："朝廷开放蒙地，乃恤蒙以实边，非攘地以图利也。即顾名思义，乃垦荒非垦熟也。而贻谷视为谋利之道，于蒙古报地，则多益求多；于地户征租，则该益加刻。取游牧之地而垦之，而蒙民怨矣；夺垦熟之地卖之，而汉民怨矣。"② 因官垦时开垦的不仅有荒地，也有熟地。当然，由垦务局开放的有新土地，但大部分是原来的私垦地而引人注目。③ 蒙民反对官垦不但是因为失去土地（可耕地）占有权的问题，还因为随着耕地面积的扩大，可用做牧场的土地越来越少，威胁到蒙民的生计。

地户们的怨气就更大："垦局将下地改名中地，中地改名上地，花户之受累，已不堪言。更有甚者，每顷以百亩为数，委员不识地理，所丈之地，每顷不过七八十亩地已虚矣。所以押荒已累，而又加以岁租之重，万民实难为生。"因此，他们提出要求："……恳祈，恩施格外，倘蒙庇护万民，能将岁租原归旗下经收，万民莫不喜悦。"④

光绪三十一年（1905年），包头垦务局为出租准格尔旗黑界地遵贻谷札饬出示各村地户文称："为此示仰该处原租地户及愿认垦人等知悉，尔等如愿仅先承种，迅即赴局挂号认领，掣给实收，听候丈放，依限呈缴荒银再行换给印照，此后永远为业，子孙相承，再无侵夺之患，至旧开熟地，本局格

---

① 贺扬灵：《察绥蒙民经济的解剖》，商务印书馆1935年版，第121页。
② 贻谷："蒙垦陈诉供状"，附鹿传霖、绍英："奏为查明垦务大臣被参各款谨分别轻重据实胪陈并保荐贤员办理善后事宜以绥蒙藩而收实效折"，《中国近代农业史资料》，三联书店1957年版，第820页。
③ ［日］安斋库治：《清末绥远的开垦》，《满铁调查月报》第19卷第1号，第59页。
④ 伪蒙古联合自治政府地政总署：《准格尔旗垦务资料》，1940年版，第112页。

外体恤。仍先尽原租之户承垦，如无力呈缴押荒，或不愿承种者，由局另行招垦。无得观望迁延，自误本业，其各遵照，毋违特示。光绪三十一年二月初三日。"① 其结果，虽然在很短的几个月时间内垦务局把土地重租出去了，但问题也就随之而来了。光绪三十二年（1906 年）就有报道说："查准噶尔旗黑界地亩，计自（光绪三十二年）二月间开丈，至七月底，一律丈竣，共得净地一千六百余顷，惟时有随丈随放者，有原户观望于前，丈地后与新户相争者，有一地而数人分领，仍求划分复丈，或领地而希图减价，一时未能骤定者，纠纷滋蔓，讼案亦多。"② 但是，贻谷依然没有吸取教训，光绪三十三年（1907 年）又主张："凡地经民人租典，虽曾出过价值，尚非永业。此后蒙古永不赎地，应饬令民人补交地价，以作经费。户口之地，酌提二成发给蒙古原主，用示体恤。"③

鹿传霖揭发贻谷的罪行时分析蒙、汉反垦原因说："垦局即欲多收地价，亦应先尽原佃承耕。而垦员贪利恃强，必尽逐原佃而转卖之，以图厚利，遂致蒙汉交愤，聚众抗官，丹丕尔之狱由此。乌审全旗，至今聚众抗垦，亦由此。垦员自知夺地之非，佯指黑界恶地与之。以荒易熟，民不肯迁，又设分年闭地之法，未迁则征原佃之租。俟其既迁，坐得上腴之价。"④ 鹿传霖把准格尔旗丹丕尔和乌审旗反垦运动的发生原因都归结为垦务局的措施不当或掠夺式经营。丹丕尔的反垦虽有保护自己利益的一面，但得到众人的支持不能不说反垦已成为一种社会普遍现象，其中垦务局应当负最大的责任。

官垦期间不仅发生过大规模的武装抗垦事件，还发生过多次的小规模冲突，也发生过合法的抗垦斗争。"杭锦旗巴噶地的一次抗垦运动是由都格尔扎布和莫力更梅林领导的。纠纷发生后，垦务局人员同蒙旗方面进行了谈判。可问题非但没有解决，敌对情绪反而越来越严重。陈驮羔家集合了二三

---

① 伪蒙古联合自治政府地政总署：《准格尔旗垦务资料》23，1940 年版。

② 伪蒙古联合自治政府地政总署：《准格尔旗垦务资料》62，1940 年版。

③ 贻谷：《绥远奏议》，《近代中国史料丛刊》续编，第 11 辑，第 103 册，文海出版社。

④ 贻谷："蒙垦陈诉供状"，附鹿传霖、绍英："奏为查明垦务大臣被参各款谨分别轻重据实胪陈并保荐贤员办理善后事宜以绥蒙藩而收实效折"，《中国近代农业史资料》第 1 辑，三联书店 1957 年版，第 820 页。

十人，马格尔台吉家也集合了百余人，一致要求收回户口地，并声称要求得不到满足将袭击垦务局。"① 运动当中不仅有上下各阶层，蒙、汉两族都有参加。这充分说明了垦务局措施失当，直接导致官府未能适应当地的各群体的利益而招一致反对。

贻谷领导的垦务局，以各种手段给予蒙旗压力，想方设法推行其放垦蒙地政策。在准格尔旗，垦务局以赔教款为由，迫使旗方让出更多的土地占有权，报垦更多的土地。"伊克昭准格尔旗，庚子教案赔恤银二万九千两，亦经议以翟林窑子喝布尔河头等六村已垦之熟地三百顷作抵。兹贻将军以该村地户承种已久势难骤令迁移，已派洋务委员斌太守等约同教士、蒙员商定将所抵地亩归官垦务局，筹给现银了结前案。"② 虽说垦务局先垫款偿还了准格尔旗的赔款，但后来的几年中以此为由开垦准格尔旗土地，最后还是放垦了黑界地。光绪三十三年（1907年）十一月，办理准格尔旗垦务分局的直隶候补知府姚世仪呈书说："筹款清还宪亦知蒙旗窘况，未能自措，必须向汉蒙地户收取也。各户零星，按户去筹，断非十余日所能即集，又以河套川地近年归公收租民户，已不认蒙旗为主。……"对此贻谷批示道："自应准如所请，将归公收租之河套川地，仍交还该旗，候饬托克托厅遵照办理，惟至来年三月，倘该旗不能交清欠款，仍将河套地收回归官。"③ 这种措施明显是针对蒙旗的土地占有权而来的。

本来鄂托克旗受自然条件的限制，很少有能耕种的土地，但在垦务局的压力下不得不报垦。光绪二十九年（1903年），鄂旗开始报旗南边熟地一段，因距绥远太远，饬令另报，复又将在旗东北的游牧地报垦。遂即委派许尚洁、博勒合恩，带兵五名，帐房三顶，乘马七匹，驮马二匹，乌拉齐五名，前往验收。报垦地内沙石山坡不能耕种的，也有一半。况四无居民，水利难兴，将来勘丈的时候，招垦不易。④

光绪二十九年（1903年）冬，杭锦旗贝子阿尔宾巴雅尔在西盟垦务局

① 梁冰：《伊克昭盟的土地开垦》，内蒙古大学出版社1991年版，第117页。
② 《中国近代农业史资料》第1辑，三联书店1957年版，第237—238页。
③ 伪蒙古联合自治政府地政总署：《准格尔旗垦务资料》88，1940年版。
④ 周普熙：《鄂托克富源调查记》，《中国近代农业史资料》第1辑，三联书店1957年版，第841页。

总办知府姚学镜及绥远城协领文哲浑劝说之下，同意开垦杭盖东区（又名东巴噶、中巴噶）。这个地区是过去曾经一度同意开垦过的。杭锦旗贝子提出了下列条件，即押荒对分，并由此扣除几成渠道费，即将岁租的一半报效国家。垦务大臣同意这个提案，光绪三十一年（1905 年）二月规定以二成押荒充当改修渠道的费用，其余对分，蒙五官五，岁租也由蒙旗与国家对分。但不像达拉特旗那样采取永租地的形式，而是征收押荒，像察哈尔蒙旗及王公马场那样，把部照发给农民，固定其所有权。①

而郡王旗报地，归秦归晋疆界难分。据郡王旗垦务分局帮办岳钟麟函称："郡旗报垦之地，现已丈放过半，不久即可告竣，领地之户，自应填给部照，以资遵守，惟查所领部照内有某某道属字样必须填注明确，但郡旗报地附于秦晋两边，广漠无垠，又向属旗地归秦归晋无一定界限，必分清疆界，然后应隶某道始能照填……"而贻谷的回答是，"究之地属蒙旗，人皆私垦，从未闻有一定界限，非地之有版图者可比，今虽报垦，而地未放完，于划界分疆一事，尚无暇及此，而放过之地又须随时发给部照，以昭信守，此时如必拘定某地隶于某道，而界限有所难分，照内更难填列，卑府拟将照内所开归某道所属字样，暂付阙如，俟垦务告竣，疆界划清后，再行补填，庶可两全，是否有当理合具文详请宪台核示……"②

放垦后遇到分界问题的不仅是郡王一个旗，准格尔旗黑界地的归属同样也成了问题，但关于这个问题出台的规定比较快："拟以古城河分界，仁义两段隶晋，礼智信段隶秦，以清疆界，而便征收。"③但是，"古城旧系府谷，自应仍归陕属，该守等禀请划分义字段地各情，尚属妥允，即著如拟办理，以清交界，并仰候札饬山西河曲县遵照，至于原界有以南北大路分界之说，蒙旗以路分界者甚多，界限究属不清，何如以河分界，形势天然，且义字段已将古城一隅划出归陕，亦不尽属山西，界关两省疆理，仰仍照前议办理，以后庶免轇轕，此伞图存。"④最后准格尔旗垦务分局与陕西方面会晤协

① ［日］安斋库治：《清末绥远的开垦》（下），《满铁调查月报》19 卷 1 号。
② 伪蒙古联合自治政府地政总署：《准格尔旗垦务资料》56，1940 年版。
③ 伪蒙古联合自治政府地政总署：《准格尔旗垦务资料》86，1940 年版。
④ 伪蒙古联合自治政府地政总署：《准格尔旗垦务资料》89，1940 年版。

商清理边界，其情况有文反映："……至于界址按照札饬事理，古城原隶陕西，仍应归陕，自古城迤西，则以古城河分疆，河南属陕，河北属晋，古城东北，则以小好赖沟分界，沟北属晋，沟南属陕，卑职与杨令映霄，会商明悉，分派甲头，遇有词讼，各有专司两省界限划清，毋许混淆。"[①] 官垦时期，一边新设厅治，一边旧有的垦地划归附近省份。"各项经费，均就地筹款，事成即国家之利，若必以解款于部始为有益国帑，然则公司出款十四万金，赎回赔教地二千余顷，隶入版图，为晋疆辟地百余里，为每岁增赋数千金，而公家并无所费；且添设新厅治五处，升科地五六万顷，押荒之外，岁有恒租；至达拉特之三七永租，岁得六七万两，且每岁必增，亦岂无毫末之益也。"[②]

　　另外，蒙旗征收地租的权利也被剥夺。准格尔旗黄河畔翟林窑子地放垦后，其地租由托克托厅征收，黑界地的地租由河曲县衙门征收。为此准格尔旗方面屡次提出要求收回征租权。宣统元年（1909年）的呈文中说："……现今卑旗旗小，别无进项，债负实大，诸般拮据，困苦已极，恳恩将本旗黄河畔翟林窑子等处地，发交回本旗外，并将南边黑牌子地，每年应收租银，近年以来，河曲县衙门征收，似以将此确情，再行具实呈明，恳请钦差大臣将军电鉴，逾格赐恩，将此租银，以及翟林窑子等处地，一并发交回本旗施行。"[③] 但终清一代还是没有实现收回征租权的愿望。

　　有关押荒银和岁租的分配，官垦筹备的光绪二十八年（1902年）七月垦务局有文："为出示晓谕事，照得本大臣奉旨督办乌兰察布、伊克昭两盟及察哈尔左右两翼垦务，查察哈尔八旗之地，与古之郡县无异，乌伊十三旗之地，与古之封建无异，情形本有不同，办理亦须分别。本大臣现经奏明，察哈尔右翼各地，每亩征押荒银三钱，以二钱充饷，下余一钱，以六成作局用，四成归蒙古。其常年租银，除王公报效马场拨给地主私租厘外，余悉归入正课，此察哈尔办法，以其地系郡县，租非该旗所应得，然犹于筹给押荒之外，为之定业田留牧场。矧在乌伊两盟地，为封建之地，前已示，将所征押

　　① 伪蒙古联合自治政府地政总署：《准格尔旗垦务资料》91、100，1940年版。
　　② 贻谷："蒙垦陈诉供状"，谨将查办复奏被参各款分晰条对呈请查核，《中国近代农业史资料》第1辑，三联书店1957年版，第838页。
　　③ 伪蒙古联合自治政府地政总署：《准格尔旗垦务资料》105，1940年版。

荒，归尔蒙旗一半，其当年租银，则尽数全归蒙旗。是乌兰察布、伊克昭两盟蒙古应得押荒岁租，较之察哈尔蒙古所得款项，极为优厚，此系奏奉谕旨久行之案，绝非更易，本大臣自当钦遵办理，以示本朝优待蒙藩之恩意。"①其中定了两条原则：第一，乌兰察布、伊克昭两盟的情况与察哈尔不同；第二，在两盟所征押荒，归蒙旗一半，其当年租银，则尽数全归蒙旗。

后来具体定开垦章程时，分为水地办法、旱地办法和永租地办法，旱地办法又分为乌审、札萨克、郡王三旗类型；鄂托克旗类型；准格尔旗类型三种。② 办法、类型不同，押荒银和岁租的分法也不同。就准格尔旗报垦集中的黑界地来说，定为押荒银的三成当做垦务局的经费，余额由国家和蒙旗平分。岁租的二成当做蒙旗将来的建设费留下，剩下的八成拨给蒙旗，即定为"二成归公，八成归旗"。但是，实行当中准格尔旗没有按规定收到如数的押荒银。岁租的征收也遇到了很大困难。从准格尔旗应交赔教款二万七千两而终清没有交清的情况可以推测到，准格尔旗实际收到的押荒银和岁租并不多。③ "放出土地，蒙古王公应得之押荒（荒地售出地价如一万，蒙古王公可得押荒三千五百元）及蒙租（纳与蒙古王公之地租），均由垦务局转交，此开垦条例所规定也。惟因时局关系，此项押荒蒙租，概被该地当局挪用于军费行政费。据垦务局最近报告，挪用额已达三十余万元。蒙古王公催收不获，大为懊悔。"④

光绪三十四年（1908 年），贻谷被弹劾而撤职，后任几名绥远城将军虽也继续推行官垦政策，但因种种原因成效不大。

从清末到民国初期的官垦，虽说从伊克昭盟征收了数目不少的押荒银等，但距其所预期的目标⑤还是有很大的差距，从这个意义及总体社会效果

---

① ［日］安斋库治：《清末绥远的开垦》，《满铁调查月报》第 19 卷第 1 号，附片第 3。
② ［日］安斋库治：《清末绥远的开垦》，《满铁调查月报》第 19 卷第 1 号，附片第 3。
③ 伪蒙古联合自治政府地政总署：《前绥远垦务总局资料——伊克昭盟准格尔旗》，解说，"押荒岁租的分割和黑界地的归属"，1940 年版。
④ 《中国近代农业史资料》第 2 辑，三联书店 1957 年版，第 665 页。
⑤ 岑春煊在奏折中讲："查晋边西北乌兰察布、伊克昭两盟蒙古十三旗，地方旷衍，甲于朔陲。……以各旗幅员计之，广袤不下三四千里。若垦之三四，当可得田数十万顷……今以鄂尔多斯近晋各旗论之，即放一半，亦可得三四倍……"岑春煊奏折，光绪二十七年十一月二十六日（朱批），转引自黄时鉴：《论清末清政府对内蒙古的"移民实边"政策》。

上看官垦是失败的。

（五）土地所有制的转移

内蒙古进入近代社会时，地主的上级所有权或通过革命或以赔偿的方式渐次被废除，从而使下级所有权被解放而转化为自由的所有权。但是，内蒙古的情况有它的特殊性。外来的移民与本地蒙古人之间的土地所有权的变化经历了比较特殊的过程，尤其是因原住蒙古人对于土地的私有观念不强而使这个过程更加复杂化。

虽说伊克昭盟是较早移民进入的地区，从康熙年间算起来也有二百年的历史，但一直到清末土地所有权的民间占有形式的变化依然是缓慢的。清代通过两次划分户口地来保留旗民的生计地，是以国家介入的方式延缓了移民得到土地占有权的进程。这种方式的加入无疑对蒙旗是有利的。但这种方式也有它的局限性，它不可能完全中断土地私有化和占有权的转移过程。鄂尔多斯地区汉族移民就是通过永租权的方式获得土地的实际占有权的。

清中后期一直以过约制度防止失去蒙地占有权。但在长期的历史过程中形成的情况，使保护蒙旗的土地占有权存在着很大的困难。尤其是农业较早获得发展的归化城土默特地区，这种土地的使用权到实际占有权的转移得到更快速的发展。清末官垦时，土默特地区的土地问题已提到日程上来。土默特参领们在光绪三十年（1904年）二月提出，他们要求整理已经开垦的、并且通过租、押、典等等关系为民人耕种的土地。这是清末土默特地区开垦已到一定限度的自然结果。要求整理土地的目的是为了确保他们对土地的原有权利和征收地租的权利。[①] 这个举动另一方面也表明了想官垦必须先弄清楚土地权问题的官方动机。土默特地区的土地整理，"是牺牲土地的实际占有者——汉人来强制进行的。限制蒙古官兵的回赎权，巩固汉族农民的管业权的政策，具有保护汉族农民不致因回赎而失掉土地和免除由之而来的封建剥削的一面。但是，为了取得这种保护，汉族农民却不得不交纳地价、加价，尽管他们向蒙古官兵交纳过与地价几乎完全相同的典价、压价，对于这种剥削的加剧，归化城一带的农民似乎没有表示什么反抗，但萨拉齐地方的

---

① ［日］安斋库治：《清末土默特的土地整理》，内蒙古大学蒙古史研究室编印：《蒙古史研究参考资料》第7辑，1963年版。

农民却以群众性的反抗运动进行了抗议。农民减轻了应征的地价，垦务大臣贻谷则被加以此罪状之一而被查办大臣鹿传霖揭发，并成为他丧失政治生命的内部因素之一。"① 清末整理土地的基本方针是，把蒙古人寄生地主所拥有的、收取微不足道的收租权的土地，转让给实际上握有管理权的汉人佃户。② 贻谷被免职后，宣统年间在那些对限制回赎权抱有不安和不满的土默特官兵中间，出现了回赎原有地的积极尝试，以致在蒙、汉之间频繁发生了回赎土地的纷争。③

鄂尔多斯的农业发展进程没有土默特那么快，到清末为止大部分永租地的占有权还较牢固地掌握在蒙古人手里。但这并不是说蒙古人没有失去其实际土地占有权。其实，实际土地占有权早已有转移的例子。在荒价的基础上，农民获得了永佃权，往往就相当于获得了所有权。无论是旗衙门、王公、贵族，还是贫民将自己的占地卖给汉人，都是卖了耕种权，保留了占有权，但这种占有权的利益与以前相比就大大地减少了。④

"绥区土地系蒙古原产，迨后汉人渐多，由蒙人手中租典垦种之地，历年既久，遂以取得永佃权转典转卖，随意处分，蒙人不得干预，惟无论移转何人，均须按年向蒙人纳租若干（即地谱钱）。为蒙人特有之权利。"⑤ 可见整个绥远地区永佃权的转典和转卖还是比较普遍的现象。但到较晚期还是蒙方的土地占有权得到移民方面的承认。"民人租种蒙地，每年出钱若干，谓之地谱，设令蒙地主累世相传，不知其地之所在，则只按年凭账吃租，并不问其地有无变迁及移转何人，故有蒙古吃租认租不认地之说。"⑥ 同治六年（1867 年），准格尔旗的巴图孟克先把生计地的一块租给汉人。到同治七年（1868 年），反过来他从那个汉人处求得土地二顷而种鸦片。⑦ 这种情况的

---

① ［日］安斋库治：《清末土默特的土地整理》，内蒙古大学蒙古史研究室编印：《蒙古史研究参考资料》第 7 辑，1963 年版。

② ［日］田山茂：《清代蒙古社会制度》，商务印书馆 1987 年版，第 189 页。

③ ［日］安斋库治：《清末土默特的土地整理》，内蒙古大学蒙古史研究室编印：《蒙古史研究参考资料》第 7 辑，1963 年版。

④ 王建革：《清代蒙地的占有权、耕种权与蒙汉关系》，《中国社会经济史研究》2003 年第 3 期。

⑤ 绥远通志馆：《绥远通志稿》卷 63，《司法》，20 世纪 30 年代稿本。

⑥ 绥远通志馆：《绥远通志稿》卷 63，《司法》，20 世纪 30 年代稿本。

⑦ 内蒙古档案馆准格尔旗札萨克衙门档案，511—1—4791b—92a。

出现表明了因种种原因蒙古人对土地的占有权已非常有限了。其中一个重要原因就是因负债问题而无法挽回地权的问题普遍存在。如，光绪元年（1875年），准格尔旗管旗章京木都尔湖想把其弟占用的五十五垧土地要回，但因其弟欠债与汉人，而以十年为期用地租来还债，期间不许要回土地（户口地）。①

陈赓雅在其著《西北视察记》里指出的20世纪30年代杭锦旗租地办法有：（一）直向王府请求租耕。（二）有人介绍。（三）荒山旷野，亦可先行垦种，有人追究，迅送小礼，徐图纳租，即可了事。（四）借地造屋，无论一间或若干间……②可见汉族获得土地使用权的方法不光是通过永租的方式。贺扬灵把汉农民获得的租权叫做租借权，他分析道：

> 过去汉人取得蒙民土地的租借权不外两种方法：一是向押荒局或垦务局承准报领，经派员勘丈后，即按等则核价，俟缴清价款后，即准自由垦殖。蒙人只求分得蒙款及征得岁租而已，至于什么人耕种，他是不问的；于是承租人又可以转替于他人，如此由甲到乙，由乙到丙，久之蒙人的土地所有权渐渐的丧失了。清末贻谷督垦，令限于两个月内由蒙民备价赎回；若逾期不赎，即发归汉人永远管业，因此蒙古的被垦土地，大部分因蒙民不能短期赎回，转为汉人所有了。此外还有几种原因，会使蒙古人丧失其土地所有权；一是过去蒙古人租地给汉人，在那个时代的银价是很低贱的，每亩所收租钱有的只有三四十文，现在货币价格高涨，有些汉人仍照原租价交付。二是垦务局有时不征求蒙旗同意，任意丈卖或不认明旗界，漫行丈放，因此引起旗署与垦局，蒙人与新领户的纷争，有些地方蒙古人的土地权就在这种漫丈的纷争下被断送了；更有垦务人员利用蒙古人无知，随意丈放土地，有时一里地放至四五里之境，待蒙人觉醒过来，租放的契约已签订划押了。③

---

① 内蒙古档案馆准格尔旗札萨克衙门档案，511—1—55。
② 陈赓雅：《西北视察记》，甘肃人民出版社2002年版，第57页。
③ 贺扬灵：《察绥蒙民经济的解剖》，商务印书馆1935年版，第108—110页。

上述几种情况确有其事，尤其是清末官垦时期推行剥夺蒙人土地赎回权的措施使蒙旗丧失了不少土地。因土地所有权的解决方法不当引起了后来的蒙汉间不断的土地纠纷。

白界地就存在地租低下的问题，准格尔旗的白界地"招内地民人租种，由该旗收租，为数甚微，当时每银一两，折钱八百文，至今不易其数，岁租之轻实各处所无，狡黠民户尚多拖欠不交，且地无定数，等则不分，民无印据，真伪莫辨，焚错无纪，久应清理，……民人互相售卖，相沿日久……。"[1]因白界地地租低廉、长期互相转卖之事，土地所有权非常模糊。不仅是准格尔旗，可能整个鄂尔多斯白界地的蒙旗占有权在清末以前已有明显的衰弱倾向。尤其是通过清末官垦的干预，蒙旗丧失了此地收租等权益。

不足为奇的是，蒙古人寄生化的同时，收租权也渐渐丧失。属于准格尔旗而从来就由汉族农民进出发展永租关系、蒙古人寄生化突出发展的黑界地，也如绥远垦务局保存资料所记——早在清末开放时已相当程度地丧失了收租权。只有在河套地的收租权还牢固地被蒙古人掌握着。[2]

因土地所有权及收租权的丧失而威胁到旗生活的正常运行，引起了部分头脑清醒的权威人士的注意，他们采取措施，尽量保护蒙旗的上述权利。准格尔旗的那逊达赖就是其中之一。在他的策划下，1914 年，从托克托厅那里收回河套地的一部翟林窑子的收租权。他还为收回黑界地的收租权费了不少脑筋，并为确保蒙古人的收租权而出台了一系列禁令：禁止给汉人出售收租权，尤其禁止意味着土地转移的"出卖"形式，强制性地定为永租时必须用"出租"的形式。这一系列政策确实保住了蒙古人的收租权。[3] 官垦时达拉特旗不愿转让土地所有权、收租权，即将管理渠道的权利转让给国家来保留蒙旗土地所有权和收租权，[4] 也是不得已的办法之一。也许是准、达两旗的措施非常妥当，1930 年陈赓雅调查河套五原地区时，一个汉族老翁告

① 伪蒙古联合自治政府地政总署：《准格尔垦务资料》63，1940 年版。

② ［日］安斋库治：《蒙疆土地分割所有制的一个类型——伊克昭盟准格尔旗河套地区的土地关系特性》，南满洲铁道株式会社调查部 1942 年版，第 24 页。

③ ［日］安斋库治：《蒙疆土地分割所有制的一个类型——伊克昭盟准格尔旗河套地区的土地关系特性》，南满洲铁道株式会社调查部 1942 年版，第 24—25 页。

④ ［日］安斋库治：《清末绥远的开垦》，《满铁调查月报》第 19 卷第 1 号。

草地农业情形时还承认蒙古的土地权，其言如下："草地主权，原归蒙古。民人（亦称庄稼人）到此业农，须向王爷租耕。租地面积，不计顷亩，乃以地物为标识，即如东自那匹梁子（即山岭），西至这个疙瘩，南自那条阱沟，北达这棵矮树是也。附近数百里内之垦地，均先有大地户，直向达拉［特］（旗）王爷，志领大块，不知其为若干顷亩，惟只言明每年租钱为若干千文。……"①

在围绕土地所有权的权利斗争中，蒙汉人都有了自己的策略。蒙古人的策略是巩固占有权利益，侵占耕种权利益。汉人的策略是巩固耕种权权利，尽可能地侵占占有权。另外，当社会黑恶势力抬头时，本来按市场规律运作的事情也完全取决于蒙汉之间的势力较量。社会混乱使有的人"无价而得地，或银地之两空。"② 因国家权力加入不当和社会自控能力的弱小，鄂尔多斯地区的土地权问题很长一段时期内一直是社会问题，给社会的稳定和发展带来了很多负面的影响。

20世纪30年代，锡林郭勒盟苏尼特右旗德穆楚克栋鲁普王在百灵庙自治会议的演说中就有一段话："满清时代，颇顾念蒙古……自革命后，情形日劣，向来给予吾人之款项，现已停付，同时侵占土地，仍旧进行，中国官吏并封锁吾人领域，将吾蒙土地无代价的划分与华人。"③ 乌兰察布盟盟长云端王楚克王与黄绍竑部长交谈时也说："内蒙原有蒙人土地，当初放地给汉民开垦时，自为租地性质，蒙人仍有土地所有权，近年来汉人开垦区域，常不愿供给蒙兵草料或岁租，是蒙古之土地收益权，亦丧失殆尽矣！"④ 不能把这些话简单地仅仅理解为王公们发出的呼吁，围绕土地所有权而产生的矛盾已成为社会矛盾的焦点之一，时势要求政府尽早出台有效政策来解决问题。

七、习俗信仰

蒙汉杂居、农牧交错地带形成后，对鄂尔多斯社会生活产生了深层次的

---

① 陈赓雅：《西北视察记》，甘肃人民出版社2002年版，第54页。
② 王建革：《清代蒙地的占有权、耕种权与蒙汉关系》，《中国社会经济史研究》2003年第3期。
③ 贺扬灵：《察绥蒙民经济的解剖》，商务印书馆1935年版，第107页。
④ 贺扬灵：《察绥蒙民经济的解剖》，商务印书馆1935年版，第110页。

影响。本章主要通过考察日常生活习俗、抗灾救济及债务、贫困等问题，具体探讨农牧交错带的民间社会变迁趋势、多民族文化成分的发展等，以便更加深入地了解农牧交错地域生活、文化的状况及其内在的变化轨迹。近代鄂尔多斯的社会变化并非都是在农业的冲击下形成的，其实，其变化的内在的和外在的推动力是多方面的。但是，我们在此主要讨论与汉族接触后该地域生活面貌的变化情况。

到 20 世纪时，鄂尔多斯地区已成为农牧交错带，虽说各旗农业化程度不同，但移民的进入已经具备了从近距离影响蒙古社会的条件。蒙古族的日常生活从衣食住行到信仰层面都发生了较大的变化，经济文化生活也朝着多样化的方向发展。鄂尔多斯蒙古族的风俗当中虽依然有其故有的东西，如成吉思汗祭祀、零星萨满教信仰的存在等，尤其是在衣食住行中很多原有的风俗习惯在农业化后也保存了下来。但是，与移民文化整合后形成的新地域生活和以往相比仍有不同的面貌呈现在世人面前。

（一）日常习俗

在文化的变迁中，衣食住行等日常生活的变化快且明显。在第一章的叙述中，我们也发现，汉族移民刚进入蒙地时还是遵从“入乡随俗”的习惯，起蒙古名字、娶蒙妇为妻的现象也较普遍。但后来清廷施以种种限制性政策规定，对蒙、汉文化相互影响的过程起了延缓的作用。嘉庆二十年（1815年）清帝谕：“近年蒙古染汉民恶习，竟有建造房屋演听戏曲等事，此已失其旧俗，兹又习邪教，尤属非是，著交理藩院通饬内外诸札萨克部落，各将所属蒙古等妥为管束，俾各遵循旧俗，仍留心严查，倘有游民习学邪教，即拿获报院治罪。奉旨，嗣后蒙古人只准以满洲、蒙古字义命名，不许取用汉人字义。”① 在此主要体现了清廷对所谓“邪教”的担心，怕汉族地区的“邪教”传到蒙古地方后酿成更大的社会问题。一直到清朝中晚期，朝廷始终限制蒙古人接受汉文化。但是，随着蒙古地方汉族移民数量的增加以及农牧交错带的形成，政府所不愿看到的变化或多或少地在悄然发生着。

乌兰察布、伊克昭两盟和归化城土默特地区的汉族移民，“其初大都来自山西，尤以晋北各州县为繁，惟绥西五原、临河、安北各县局，则颇多陕

---

① 《清会典事例》卷993。

西、河北两省籍者，其他各县几全为晋民。"① 移民的一大特点是把原驻地的很多风俗习惯带到移入地方。在地方志中记载晚清归绥地区的情况："又谓各厅村庄，其名之稍存古昔者，十无二三，余皆蒙古俗语，佶屈聱牙，借音成文，无一定字义，其俗之朴野，可知矣。钟观察上晋抚禀，口外五方杂处，客民强悍成俗，细微事故，辄起讼端，归厅同知方龙光禀，春末开冻，秋初陨霜，燠少寒多，禾稼难以长发，每年稼只一季，每亩丰收不过数斗，地或歇年而不种，人或秋归而少出。燕、晋、秦、陇，喇嘛、蒙、回无不有。寄民多内地人，故其时节伏腊皆从原籍风俗。"② 移民带来的风俗和当地蒙古人风俗接触后产生了新的地方风俗，细观察起来其情况与以前都不太一样。清末河套地区汉族，"民间交易多以货物抵换，尚存布粟相易之古风，饮食衣服，渐染蒙部习俗，以糜谷、麦面、牛乳、羊肉、粗布为大宗。喜欢砖茶，水烟以羊腿骨为烟袋。……居屋以土筑者为上，砖瓦素不经见，贫者多野处，以柳木为椽，覆以茅茨，形如茅庵，卑陋湫隘，无异穴居。"③ 可见其风俗中已开始接纳部分蒙古族的风俗习惯。"汉民之移住者，与蒙人混设村落，从事农牧。此等汉民，其移住之初，多为独身，后娶蒙妇生子，故有类似蒙古人，而风俗习惯殆与汉人无异者。其完全之蒙古人，亦有受汉人之同化，而全失其本来习尚者。"④ 但是，从整体上看，蒙汉两族全方位接受对方风俗习惯的还属少数。与内地和游牧状态下的蒙古社会不同的新的地域文化习俗逐渐形成。

汉族移民与当地蒙古族双方的互相影响还体现在住房上，清末民初，"在很多的地方（指鄂尔多斯），尤其是在中国边境（指内地汉族聚住的地方）附近的蒙古人也住在固定的房屋里。他们弃帐幕（指蒙古包）而居也许是因为受到中国文化（指汉族文化）的影响，从游牧民到定居民，其理由之一是冬季固定房屋较帐幕暖和。此外，在此地带贫穷人家放弃帐幕生活比较彻底，富裕的人则较多在固定房屋旁边建一两个帐幕，以备凉爽地度过

① 绥远通志馆：《绥远通志稿》卷73，《民族·汉族》，20世纪30年代稿本。
② 张曾：（咸丰）《归绥识稿》，光绪年间刻本。
③ 俞家骥：《五原厅志稿》，1982年江苏广陵古籍刻印社影印本。
④ 绥远省政府：《绥远概况》第14编，《乌伊两盟概况》，1933年铅印本。

夏天。"① 上述是20世纪初鄂尔多斯地区的情况。稍后，河套附近的包头：
"复有固定之蒙古包，周围多以砖砌成，上以苇草制幕，移动困难，坚固则
远过于普通之蒙古包，惟寺院内或兼事耕种之蒙古人有之。"② 行记里记载
了旅行者当时亲眼目睹的河套地区情况是："蒙人居住，蒙古包（蒙语称哥
勒）外，尚有所谓'板升'（亦蒙古语），建筑一如土屋，此乃仿自汉室，
居者恒为较有之家，且不欲擅移他处者。"③

　　19世纪末，俄国人阿·马·波兹德涅耶夫在他的行记里详细记载了内
蒙古东部地区部分巴林人从游牧过渡到定居的三个阶段：

　　　　毫无疑问，如果在这个谷地停留上两三周，就可以详细了解巴林人
从游牧生活转向定居生活的情景。巴林右翼旗人几乎全已定居（指波
兹德涅耶夫看到的那部分巴林人——引者），但有意思的是没有一个巴
林人是从毡篷（蒙古包）直接过渡到汉式土房子的。他们是这样过渡
的：当毡篷破损时，从事农业的巴林人已经不用新毡来加以更新了，而
是在木架子周围造一道芦苇篱笆，用泥抹住。这样，他就有了土房子
了，只不过形状像帐篷，天窗和门仍然是毡做的。……在过渡的第二阶
段，巴林人已不做木架，即作为帐篷的基础和骨架的可移动的格子，而
是牢固的木桩，用钉子将横檩牢牢地钉在木桩上。房子这时仍保留其原
先的帐篷圆形，不过此种帐篷的不动骨架的四围已围上芦苇篱笆，抹上
泥，有时还用石灰刷白。……在第三阶段，巴林人盖的已纯粹是汉式土
房子，有炕和炉子，总之与平常汉人住所毫无区别。④

　　波氏所说的这三种过渡阶段当然是较有典型意义的，但各地蒙旗情况也
不尽相同。20世纪30年代，伊克昭盟地居套中，水草较其他蒙古地方丰富
一点，这里虽有蒙古包，但移动时少。现时又以地多垦殖，渐趋农耕，已不

① ［比］田清波：《有关鄂尔多斯蒙古的民俗资料》，《蒙古研究》1985年第16期。
② 绥远省民众教育馆：《绥远省分县调查概要》，《包头县》，1934年铅印本。
③ 陈赓雅：《西北视察记》，甘肃人民出版社2002年版，第60页。
④ ［俄］波兹德涅耶夫：《蒙古及蒙古人》第2卷，刘汉明等译，内蒙古人民出版社1983年版，
第428—429页。

需要移动的居屋——蒙古包了，故伊克昭盟东部是一个蒙古包也看不见了。现在伊克昭盟的居室可分为蒙古包、土屋、窑洞、王府、召庙五种。材料说明：一、蒙古人弃蒙古包的原因是"地多垦殖，渐趋农耕，已不需要移动的居屋"。二、从地理分布上看，大体可以说，伊克昭盟东部准格尔、达拉特、郡王等地方不多见蒙古包，而伊克昭盟西部的乌审、鄂托克、杭锦等旗的蒙古人主要还是住在蒙古包。三、伊克昭盟的居室有五种。"准格尔旗境内蒙人，均系筑屋或掘上窑而居，全境已无蒙古毡包，其建筑木料，多为榆柳，产自本旗，均短小，无大材，木价每间约为六、七元至十余元。室中均有土炕，炉火通其下。除极富者外，均无被褥，夜间和衣而卧，以袍代被，尚存蒙俗。"可见在准格尔旗蒙古人中已筑有汉式土房或黄土高原上的窑屋式房屋。"郡王旗境内蒙人住所，平房占十分之八，土窑及蒙古毡包各占十分之一。""杭锦旗东南接近东胜县界，地多开垦，故其住所多为房屋，余则为毡包，约计各占半数也。"[①] 至于达拉特旗内蒙民的住宿，都筑有土房，所谓"该力"（即蒙古包）者，已经不多见了。[②]

当然，因社会地位不同、贫富差距而导致蒙古人住房条件也不同。河套临河附近，"王公均有住宅，普通蒙人均在蒙古包，间有土屋，名曰'板身'。然院内仍置包，示不忘本也。"[③] 20 世纪初，英国人德·莱斯顿看到准格尔旗王府后评价道："准格尔宫殿尽管很简单，但与我们后来拜访过的那些贫穷、狭小的地区相比，它还算得上是一处奇迹。"[④] 他描述当时准格尔旗王府的情况是："几年前，准格尔宫殿还在另外一个地方。可能由于放牧条件逐渐恶化，在位的王公才把宝座迁移到这一块平原上。我们刚到达一个比较高耸的山峰顶端，就立刻看见了几座几乎完全置于沙漠之上的建筑物，看起来极其壮观。宫殿就位于这些建筑群中间。宫殿四周围绕着十八英尺高的城墙，有两个入口，南面的一个径直通向皇族建筑群。这些建筑物只是由一幢巨大的汉族式房屋组成，是那种很受汉人喜爱的建筑式样。房屋有

---

① 绥远通志馆：《绥远通志稿》卷 74，《民族·蒙族》，20 世纪 30 年代稿本。
② 庞善守：《伊克昭盟达拉特旗蒙民的乡村生活》，《东方杂志》第 32 卷 12 号。
③ 王文墀：《临河县志》卷中，《纪略》，1931 年铅印本。
④ ［英］莱斯顿：《从北京到锡金》，西藏人民出版社 2003 年版，第 25 页。

三个中心庭院，都雕刻着木制窗户，窗户上安装着小方块纸片，而不是玻璃块。墙和庭院都是用砖块砌成的，这赋予整个居住群非常舒适的感觉。不远处有旗子和经幡——上面写着祷告祝辞的布片，标志着那里寺院的存在。重要的场合，譬如牲畜疾病、干旱或是皇帝自己在北京的宫廷不顺遂等，王子就在这里祭祀。……宫殿内的其中一个庭院是一些装饰性的水池和喷泉，这在鄂尔多斯着实是一种真正的奢侈行为。"① 从当时留下来的相片和莱斯顿所用的"奇迹"、"奢侈行为"等词句中，可以了解到准格尔旗王府的豪华程度，但我们在下一节就能知道本旗糟糕的财政状况。

20世纪30年代，"伊克昭盟各旗境内，汉人住居既多，交往亦繁，然蒙人对于蒙语，一如乌兰察布盟各旗，保存甚力，蒙人相谈，概不用汉语，盖恐致蒙语之生疏也。今惟达拉特、准格尔、郡王、札萨克旗能解汉语者较多，若杭、鄂、乌诸旗则甚少，以蒙汉交际间，蒙人仍须操蒙语，其限制甚严。如达拉特旗蒙人，能操纯熟之汉语者，几占十分之七，其余亦能作简略之谈话。但蒙人相见仍操蒙语，其他各旗，更加知矣。又如准、札、郡诸旗，蒙汉终日相处，而蒙操蒙语，汉操汉语，截然不紊。"② 其中伊克昭盟东部几旗的蒙古人能说汉语的占大多数，但"蒙人相见仍操蒙语"，说明蒙古语还是当时伊克昭盟蒙古人主要的日常交流语言。

我们从当时的行记中也可了解到伊克昭盟风俗的一些情况："柴磴护路队，所派护送骑兵安宝子，亦下马共话。安系蒙人，能操汉语，惟不识字。父名安苦布鲁，曾任营长，兄安生南木，现充伍长，与安同营。安结婚仅两月，询以'迎亲时曾送女家财礼若干？'据答：'蒙人婚礼，一如汉人，称家有无，殊不一致。予则曾送牛、马各二头，羊八只，旗袍料十件（内分机布六件，斜纹布四件），喜银八十元，新妇帽一顶，购价十元。新妇帽蒙称［多衣麻拉］，为新妇平生所最重视之装饰，贵族富室，上嵌珠玉，价达千元。岳父所赠者，为男帽二顶，衣、鞋、汗巾各四件。'"③ 这是农业化发展较快的河套地区蒙古族的情况。新形成的大部分风俗习惯是和以前不同

---

① ［英］莱斯顿：《从北京到锡金》，西藏人民出版社2003年版，第23—24页。
② 绥远通志馆：《绥远通志稿》卷74，《民族·蒙族》，20世纪30年代稿本。
③ 陈赓雅：《西北视察记》，甘肃人民出版社2002年版，第56页。

的，尤其是蒙古人从事农业或受到汉移民影响后，部分风俗与汉族相似但还是保留了些自己的东西。

《绥远通志稿》的编纂者们在文献和田野调查的基础上对伊克昭盟的风俗作了较详尽的记述，其中准格尔旗"男子衣服与汉人同，多为短衣，稍富者始著长袍，束腰带；女则均穿长袍，外加紫红色坎肩。旗境四界，与各县毗连，境内居住汉人亦多，蒙民渐染汉风，饮食居处婚丧嫁娶多效汉人，非独男子衣饰为然也。本省蒙旗，与汉俗接近者，首为土默特，其次则准格尔旗也。"① 准格尔旗在伊克昭盟是受汉族风俗习惯影响最大的旗，但仍保留着女穿长袍等原有习俗。

饮食方面，"伊克昭盟各旗购运食料，不外宁夏、榆林、后套、包头各地。有时亦因价低昂，或舍近者求诸远。近年，准、扎、郡诸旗，渐由牧而入农，故多数皆能自食其力，米面无待外购。其他各旗尚未能一道同风也。"② "蒙民食料之中，以肉食为上品，以炒米为便饭，而以'三九砖茶'（按绥西民间饮用之茶，都是砖茶，砖茶里牌号有'二四'及'三九'两种。二四茶虽较好，蒙人却不喜饮用，喜饮用的是三九茶）为不可一日或离的饮料，早起喝茶吃炒米，晚上又是喝茶吃炒米，只有午餐是吃面或糜米饭的。米面的做法，完全和附近的汉人一样，这当然是仿效而来。……"③ 饮食结构的多样化，不只是与农业化程度有关，也与商业贸易的发展息息相关。尤其是蒙古人普遍以砖茶这种比较特殊的商品为主要饮料是与内地的商业发展有关的。后来喝砖茶的文化习俗也影响了汉族移民的生活饮食结构，发展成了伊克昭盟当地的一种地域性文化的组成部分。"伊克昭盟准格尔旗境内各沟，多水泉，取水极易。平时饮白开水、砖茶，养牛羊者则入乳汁茶，加盐少许，此为最上之饮料。普通一日三餐，冬季昼短，则多不用晚餐。早、午多食小米稠粥，午间或食荞面、莜面，晚食小米稀粥，已与汉人无异。"④ 而"乌审旗饮食情形与各旗同。境内有掘地五、六尺即可得水处，

---

① 绥远通志馆：《绥远通志稿》卷74，《民族·蒙族》，20世纪30年代稿本。
② 绥远通志馆：《绥远通志稿》卷74，《民族·蒙族》，20世纪30年代稿本。
③ 庞善守：《伊克昭盟达拉特旗蒙民的乡村生活》，《东方杂志》第32卷12号。
④ 绥远通志馆：《绥远通志稿》卷74，《民族·蒙族》，20世纪30年代稿本。

每日早、午均熬砖茶泡炒米，或加乳食面饼，于晚间食稠粥，多有加牛羊肉于粥中和食之。或食荞面，并有食大米和白面者，惟极少耳。"在汉族移民的影响下，随着植物性食物的加入，蒙古族传统的以肉食为主的饮食习惯发生了很大的变化。反之，移民也从当地人那里学到了喝砖茶之类的饮食习惯。

蒙古人的节日习俗也发生了变化。"蒙人之岁时季节，概仿汉人，阴历正月之外，三月三日、五月五日、七月十五日、八月十五日、九月九日，称为'五部'而休业。其他，如择日而扫除包之内外，请喇嘛念经，行祖先之祭奠，或鄂博之祭日，则部落人民于野外团集，欢娱终日为常。"① 这描述的可能是归化城土默特蒙古族的情况。其中不少节日是从汉族那里舶过来的。尤其是近代蒙古族节日的固定化受汉族影响很大。本节二要说的祭灶神活动就是其明证之一。这种情况与 16 世纪末萧大亨所记相比就能看出其明显的变化。萧氏记载当时鄂尔多斯附近蒙古族风俗时写道："其（指蒙古——引者）俗无历，以明时，惟记月之十二圆缺为岁，记日之三十出没为月。然每月必以初一、初十、十五为上吉也。是日也，出行则皆利，刑罚尽弛。其余若上元、中秋、端午、重九、除夕、元旦之节，尽懵然不知，庆贺不举矣。"② 可见蒙古族节日习俗的变迁与清代以来和汉族的接触直接有关。"准格尔旗订婚无年龄之限制，女子结婚，多在十五至二十岁之间，男则少长，命相八字，多请汉人推算，订婚亦烦媒妁，并由两方家长相会，互递哈达，不用婚帖。……迎娶时，男骑马佩弓箭，偕宾相携哈达、五叉礼物，先一日至女家，次日，女亦骑马偕亲宾携哈达、五叉礼物，与夫同归。"③

丧礼习俗方面，"准格尔旗人死后，先请喇嘛至家诵经，通知亲戚开吊致祭。数十年前，多由喇嘛就其死期以决定火葬或野葬，近年亦效汉人之棺殓埋葬，葬毕仍请喇嘛至墓前诵经。"④

---

① 《绥蒙辑要》，转引自《中国地方志民俗资料汇编（华北卷）》，北京图书馆出版社 1997 年版，第 738 页。

② 萧大亨：《北虏风俗》。

③ 绥远通志馆：《绥远通志稿》卷 74，《民族·蒙族》，20 世纪 30 年代稿本。

④ 绥远通志馆：《绥远通志稿》卷 74，《民族·蒙族》，20 世纪 30 年代稿本。

在准格尔旗还形成了非常有地方特色的蛮汉调。蛮汉调，是准格尔旗群众文艺的"特产"，是蒙、汉劳动人民在生产和生活的交往中，在文化艺术方面的相互融合中，产生的一种新民歌。它拥有数十种曲调和无数首歌词，是这两部分的合称。蛮汉调在准格尔旗极为流行，19世纪末以来，越来越盛。它是汉民以晋陕地区的"信天游"、"山歌"和"二人台"的民间艺术为根基，不断学习蒙古传统曲调，并填词演唱，出现的一曲多词、一词多曲的特殊表现形式。不仅以汉语演唱，蒙汉人民有时用蒙、汉语交错演唱。

（二）祭灶神

蒙古族很早以来就崇拜和敬仰太阳、火等自然物。这种火神崇拜也有其发生、发展的历史过程。"他们（指蒙古人）还声称，太阳是太阴的生母，因为后者是从前者那里获得光芒的。大而言之，他们认为火可以涤除一切罪孽。所以，当异邦之使臣、国王或某些其他什么显赫人物到达他们之中时，外来者及其所携礼品则必须以两堆火中穿过，其目的是以此得以火净，以防他们可能会从事魔法，带来毒素或某种妖孽。"[1] 蒙古人还崇拜和敬仰太阳、月亮、火和水，甚至还包括土地。[2]

蒙古人因崇拜火也形成了有关火的禁忌，"拿小刀插入火中，或拿小刀以任何方式去接触火，或用小刀到大锅里取肉，或在火旁拿斧子砍东西，这些都被认为是罪恶，因为他们相信，如果做了这些事，火就会被砍头。"[3]

蒙元时期，蒙古人的幼子被称为"额毡"（意为"家主"、"主人"），又因幼子是炉灶的守护者，所以也称为"斡惕赤斤"（otčikin，即"灶君"），即炉灶和帐幕的主人，在家族里幼子的位置较高，这从另一角度证明了火在蒙古人生活中的重要性。蒙古人幼子在家族中的地位与其作为灶炉的守护者而继承父母主要家产有关。蒙古的这种习俗一直保留了下来。明萧大亨《北虏风俗》："夷人（指蒙古人）分析家产，大都厚于长子及幼子，如人有四子，伯与季各得其二，仲与叔各得其一，……"[4]

---

① 耿升、何高济译：《柏郎嘉宾蒙古行纪·鲁布鲁克东行纪》，中华书局1985年版，第35页。
② 耿升、何高泽译：《柏郎嘉宾蒙古行纪·鲁布鲁克东行纪》，中华书局1985年版，第33页。
③ ［英］道森：《出使蒙古记》，中国社会科学出版社1983年版，第11页。
④ 萧大亨：《北虏风俗》，中华书局1985年版。

但是，蒙古人对火的崇拜却没有留下有固定的日期作为祭火或灶时间的记载。蒙元时期草原民族到中原地区后，宫廷里的节日活动向汉族方面靠拢了不少。如，元代："神御殿，旧称影堂。所奉祖宗御容，皆纹绮局织锦为之。其祭之日，常祭每月初一日、初八日、十五日、二十三日、节祭元日，清明，蕤宾，重阳，冬至，忌辰。"① 但这种祖先崇拜似乎和火的崇拜无关。后来明代有关蒙古的记载中也没有提到蒙古人崇火习俗。

今天，我们既已知道了蒙古所有各部对火的赞歌，又通过比较和不固执于偶然的效果便可以说明使用同一些文学口头禅和结构中的同样成分，并且可以证明最早就存在有某种在数世纪之前诞生的共同雏形。除了这种对火的崇拜仪式之外，在比较有限的宗教活动范围内和不同的地方，每年要数次召请火神，春天召请火神以为骆驼祝福，在夏至的奠酒祭中，为准备过冬而烹制肉类食品时，尤其是在部分婚礼中也要召请火神。② 但是有一种情况是明显的，即近代以来蒙古人的祭灶神活动越来越集中到腊月二十三或二十四日两天举行。从祭灶神时的赞火词中我们可以看到蒙、汉、藏三族祭灶神（或火神）仪式相结合的三位一体的情况。

首先，喇嘛教的传入对蒙古族的信仰生活带来了显著的影响。在喇嘛教的影响下以及在与蒙古巫教的纠纷关系中，火神的形象也发生了变化，它变成了腾格里火神和火王。在静修者们对神的宗教表现形式的看法问题上，火神与佛教的规定相似，神秘的音节"罗摩"（Ram）从此之后变成了腾格里火神的起源。③ 但藏族祭灶的固定日期是藏历十二月三十日。因此，可以排除近代蒙古的祭灶神日期是从藏族那里接受过来的可能性。

近代蒙古的祭灶神有家祭、公祭之分。民国二十一年（1932 年）冬，绥远通志馆采访员至鄂托克旗境时，"值残冬，亲见鄂旗公署祭灶情形，其日期亦为腊月二十四日，是日下午三时举行。其将祭也，先去灶上之锅，于灶之四角，各积沙一堆，焚香燃柏叶于其上，沙堆旁供有稠粥数盘，为米酪枣合做而成者，粥面各置酥油数斤；灶内燃沙蒿；灶前横陈三桌，上供糖

---

① 《元史》志 26，祭祀四《宗庙》（下）。
② 海西希：《蒙古的宗教》，天津古籍出版社 1989 年版，第 445—446 页。
③ 海西希：《蒙古的宗教》，天津古籍出版社 1989 年版，第 449 页。

水、茶、酒各一杯，羊油一勺，煮熟羊胸肉骨数块，柏叶数枝，分置两盘中，上蒙哈达，燃酥油灯盏。旗署中值班事官等，跪桌前，频频叩首，并频加柴、油、粥内诸物于火中，中一人喃喃诵经，需时约二十分钟。后以米粥少许，涂于柱间、门顶各处，此灶祭毕，再祭别灶。凡常炊饭之灶，均需以同法祭之。肃恭将事，礼至重也。至一月四日亦祭灶，惟不若腊月二十四日之隆重耳。蒙地谓正月祭灶，为迎灶焉。"① 这是蒙旗方面主持的公祭，而普通蒙古人的祭祀就属于家祭。到 19 世纪晚期这种习俗已在内蒙古的大部分地区普及了。

从火神崇拜到灶神崇拜与蒙古族的定居生活有关。乌审旗蒙地祭灶多于二十四日，据谓昔时因有夫为公家服役，至二十三日未能归家，乃于次日归家后补祭之，相沿年久，因以成俗。② 其实，二十三日、二十四日祭灶神，都与汉族习俗有关，我们知道华北地区的汉族有在这两天祭灶神之习俗。我国民间祭灶风俗，甚为普遍。自唐宋以来，诸家记载为腊月二十四日，《绥远通志稿》解释说："俗呼腊月二十四日，为年四夜，是夜送灶，是二十四日祭灶，至清仍未改也。今各蒙旗官民，皆于二十四日致祭，正合古俗。惟在蒙地传闻，则谓昔年二十三日公祭，无暇，遂改次日家祭，后成通俗。究传说之足征信耶，抑蒙人沿袭古俗而然也，今不可确知矣。"③ 因此，可以断定近代蒙古族的祭灶神时间为腊月二十三日或二十四日的习俗是从汉族那里舶过来的。还有一种情况也可作旁证，我们知道，受汉族影响较小的北部蒙古地区"火祭仅仅是在每年最后一个月的二十九日举行，而且完全是由女子来承担。"④ 但是，腊月二十三、二十四日的祭灶神活动中，家长和他的儿子们等男人是主角。祭灶神必吃稠粥的习俗更能说明这种习俗与汉族中广泛传播的灶神性格（多嘴等）有关。

虽说蒙古人接受汉族的祭灶神日期，但这并不表明蒙古人全盘接受了汉族的祭灶神习俗的全部内容。在很多方面尤其是在祭灶神的详细仪式中还是

---

① 绥远通志馆：《绥远通志稿》卷 74，《民族·蒙族》，20 世纪 30 年代稿本。
② 绥远通志馆：《绥远通志稿》卷 74，《民族·蒙族》，20 世纪 30 年代稿本。
③ 绥远通志馆：《绥远通志稿》卷 74，《民族·蒙族》，20 世纪 30 年代稿本。
④ 海西希：《蒙古的宗教》，天津古籍出版社 1989 年版，第 412 页。

保留了自己的特色。如，人们用游牧业经济所能提供的最佳产品来祭祀火神：黄色奶油、已融化的奶油、头部带有黄斑的白绵羊的胸骨、已宰杀动物皮内的一层薄油、羊脾骨要用丝绸条包裹，所以这一部分祭祀又叫做"脱衣"。①

更为重要的是，灶神的形象和祭灶神活动在蒙、汉两族的文化生活中有不同的表现。汉族灶神传说中出现了贪官、浪子、懒汉等灶神形象，这些无不包含民众对灶神的否定和讽刺。从汉族和少数民族祭祀灶神来看，汉族祭灶的祭品稀少、粗略，基本上没有荤食，其祭祀过程单一，祭词诙谐幽默而又包含强烈的嘲弄讽刺色彩，而包括蒙古族在内的少数民族祭灶的祭品丰富，荤素兼备，祭祀过程复杂，其祭祀步骤有严格规定，并设有种种禁忌，人们对灶神态度是庄重严肃的。② 与过年相等，蒙古族设祭情形，较汉族尤为珍重。③

在清代统一国家的领域内，作为主流的汉文化，其人口、生产和生活方式及矛盾等诸多因素向边疆地区输送。在18—20世纪的两个多世纪内，边疆地区逐渐形成汉与蒙、回、满、藏等文化的交错、重叠的地带。内蒙古的鄂尔多斯地区就属于这样的情形。

（三）移民与成吉思汗崇拜

按照蒙古民族的传统习俗，成吉思汗（1162—1227年）的崇拜及祭祀活动，可能从他去世的时候就开始了。1246年，罗马教皇使者意大利人约翰·普兰诺·加宾尼到过当时的大蒙古国首都哈刺和林。据其记载"他们（指蒙古人）并且为第一皇帝（指成吉思汗）做一个偶像，他们把这个偶像放在一辆车子里，这辆车子则放在一座帐幕前面的敬礼偶像的地方，像我们在现今皇帝的宫廷前面看到的那样"。④ 可见，当时蒙古人就有为成吉思汗做偶像放在车里祭祀的习俗。

汉文正史《元史》记，"其祖宗祭享之礼，割牲、奠马湩，以蒙古巫祝

①　海西希：《蒙古的宗教》，天津古籍出版社1989年版，第454页。
②　林继富：《汉族少数民族灶神信仰比较研究》，《民俗研究》1997年第1期。
③　绥远通志馆：《绥远通志稿》卷74，《民族·蒙族》，20世纪30年代稿本。
④　［英］道森：《出使蒙古记》，中国社会科学出版社1983年版，第10页。

致辞，盖国俗也。"① 可以推测当时的祖先崇拜活动是在巫师的指导下进行的。忽必烈当皇帝后，"（中统）四年（1263 年）三月癸卯，诏建太庙于燕京。"随着蒙古国的政治中心南移和与中原的接触频繁，也逐渐引入中原地区的习俗。"至元元年（1264 年）冬十月，奉安神主于太庙，初定太庙七室之制。"又过近两年后制定出太庙八室之制，"（至元）三年（1266 年）秋九月，始作八室神主，设祔室。冬十月，太庙成。丞相安童、伯颜言：'祖宗世数、尊谥庙号、配享功臣、增祀四世、各庙神主、七祀神位、法服祭器等事，皆宜以时定。'乃命平章政事赵璧等集议，制尊谥庙号，定为八室。"其八室分别为："烈祖神元皇帝、皇曾祖妣宣懿皇后第一室，太祖圣武皇帝、皇祖妣光献皇后第二室，太宗英文皇帝、皇伯妣昭慈皇后第三室，皇伯尤赤、皇伯妣别土出迷失第四室，皇伯考察哈带、皇伯妣也速伦第五室，皇考睿宗景襄皇帝、皇妣庄圣皇后第六室，定宗简平皇帝、钦淑皇后第七室，宪宗桓肃皇帝、贞节皇后第八室。"但这"八室"与后世的"八白室"有没有直接关系，还很难确定，只能推测有一定的联系。因为到泰定元年（1324 年）"五月戊戌，祔显宗、英宗凡十室。"元朝太庙制从"八室"变成"十室"。《元史》也有记载有关太庙的祭祀活动，（至元）"四年（1267年）二月，初定一岁十二月荐新时物。"（至元）"六年（1269 年）冬，时享毕，十二月，命国师僧荐佛事于太庙七昼夜，始造木质金表牌位十有六，设大榻金椅奉安祔室前，为太庙荐佛事之始。"表现出元朝作为多种文化整合的国家性格。②

至于北元时期状况，从断断续续的记载中发现成吉思汗崇拜也没有被打断过。随着蒙古的北退和南进，成吉思汗祭祀在政治生活中起着不可忽视的作用。最后，随着鄂尔多斯部南下入住河套。

清代至民国年间，成吉思汗陵（ejen qoruɣ-a，即"伊金霍洛"）位于郡王旗境内察无噶沟与胡涂亥濠之间。东北距郡王旗王府四十里，东南距札萨克旗王府三十里。"'伊金霍洛'即君主陵园的意思。"从此，人们常把祭祀成吉思汗的伊金霍洛当成成吉思汗的陵墓，把祀堂和葬地混为一谈。更有甚

① 《元史》志 23，《祭祀一》。
② 《元史》志 23，《祭祀一》。

者，有的人还认定伊金霍洛一带就是史书所记蒙元诸皇帝埋葬地起辇谷。成吉思汗八白室是从漠北迁来河套地区的，最早也不会早于 15 世纪末，八白室里并没有成吉思汗的骨殖。① 据民国年间的记述，其墓式与历代帝陵有着极有趣的不同，是古今中外所少见的，既没有冢陵，也没有享典，只是一个复式的蒙古包，高约一丈五尺，内中可容纳百余人，包的上面有铜制的顶子，从远处可以看到闪耀的光辉。包门向南开，高三尺，宽二尺余。门是两扇，挂有帘子。打起帘子，启门可入。里面全是黄绸子做的壁，没有旁的装饰。在第一包和第二包接连的地方安有缎帘，缎帘之内就安置着成吉思汗的灵椁。第二包中有着红黄的绸壁，成吉思汗夫人的灵椁安置其中。成陵是一个长方形的银棺，长三尺三寸，宽一尺五寸，高约一尺四寸，外面镂有蔷薇花纹，用铜锁锁着。谁如果打开银棺窃看，定遭神谴，牺牲牛马，蒙古人都这么相信着。早期的情况不怎么明朗，到清中期时在位于郡王旗的并不是"八白室"了，"八白室"已经散落在鄂尔多斯的各旗。但八白室的主体部分——成吉思汗的白室一直坐落在郡王旗境内。

长期以来，对成吉思汗崇拜的功能表现在多方面。在入主中原的元朝统治者看来，对成吉思汗的祭祀意味着其统治的合法性和权威性。对于失去中原地区统治的北元统治者，祭祀成吉思汗的八白室更有独特的政治含义。皇位的继承仪式一般都在八白室前举行，以努力博得蒙古人普遍的威望。普通人认为成吉思汗赐予那些进行祭祀的人以"成就"，也就是得以排斥所有的反对势力、疾病和魔鬼、越轨行为和冲突反目，增加幸运和昌盛、智慧和力量的"魔力"。②

随着时代的变迁，成吉思汗崇拜的含义和功能也发生变化。清朝的统治对成吉思汗崇拜带来了较多变化。清代，"承办祭祀之达尔哈特（darqad，或译达尔扈特）五百户。每年共出银五百两，以供修理、祭祀之用。此项人户，不得作为该王等所属，于该盟内择贤能札萨克一员，专司经理，以资弹压，缺出时，由该盟长将阖盟札萨克名次胪列报院，由院缮单具奏请

---

① 亦邻真：《起辇谷和古连勒古》，《亦邻真蒙古学文集》，内蒙古人民出版社 2001 年版。
② ［德］海西希：《蒙古的宗教》，天津古籍出版社 1989 年版，第 437 页。

旨。"① 清朝中央政府虽然承认成吉思汗崇拜的"合法性",但此时的成吉思汗崇拜作为全蒙古人行为的意义更加减弱了。

在边内州县,神木县离成吉思汗陵最近。陵处于移民最早接触的蒙旗区域。因周边地区农业化较早,移民也或多或少参与成陵的祭祀活动。在这样的社会背景下逐渐形成鄂尔多斯近代的区域文化。文化因素中宗教信仰的变化是相对缓慢的。但到19世纪晚期鄂尔多斯地区原来的信仰状况也发生了微妙的变化。其中"神圣"的成吉思汗崇拜也不例外。近代成吉思汗的祭日,每月初一有月祭,四季有季祭,但最大的祭日为养祭。养祭的日期为夏历三月二十一日,俗名"三月会"。有一种"血祭"的祭祀活动特别能说明问题。活动在阴历十月五日辰时开始,祭祀中只可以蒙古族的男性参加。祭祀活动结尾时,杀死代表"不吉利"的黑山羊。这时候参加者的兴奋点达到最高潮。多数达尔扈特人认为,"血祭"是为防止民人进入鄂尔多斯而举行的活动。② 在移民冲击下屡屡退缩的鄂尔多斯蒙古人企图借着成吉思汗崇拜"打败"对方。这种仪式表达了蒙古、民人关系恶化的一面和蒙古方面的愿望。

光绪年间发生了有关鄂尔多斯成吉思汗陵园的两件事情。光绪四年(1878年),达尔扈特人达鲁噶呼户克(köküge,或译斋仓、再桑,即司仪)色楞栋罗布等人到伊克昭盟盟长处告发达尔扈特人另一个管理者再桑(jaisang,即副司理)散丕勒诺尔布违背旧惯,"让汉人进入成吉思汗白室(čomčoγ)内跪拜;再桑拉旺多尔济故意盖造板升(baišing,即土房)居住。"③ 在长年的祭祀活动中,成吉思汗崇拜形成很多禁忌习惯。民人向成吉思汗跪拜和达尔扈特人居住土房为习惯所不许。这份控告书中也表明达尔扈特管理者也不能擅自移地方祭祀成吉思汗。因咸丰三年(1853年)达尔扈特再桑毕力衮达赖等不和伊克昭盟各札萨克及台吉贵族商量而擅自从原祭祀处移走成吉思汗崇拜组成部分之一的黑苏力锭(qara sülde),而被控告。按照控告者的说法,如违背这些禁忌则导致"各札萨克、台吉及全体蒙古

---

① 《钦定理藩院则例》卷6,《设官》。
② 杨海英:《成吉思汗祭祀的政治构造》,《亚细亚》第10号,1995年版。
③ 编辑整理小组:《成吉思汗八白室》,内蒙古文化出版社1998年版,第317页。

人运气（kei mori）的不佳，好功（sain-u üre）越薄，灾难越多而减少生计所需的牲畜和庄稼收获，"① 灾难重重。

伊克昭盟盟长接到控告文后，下令达尔扈特人再桑拉旺多尔济"真如盖造了板升就立即毁掉它，在成吉思汗园陵附近居住的达尔扈特人等不得盖造土房居住。"② 但是，拉旺多尔济等解释盖造土房是因为回民暴动。散丕勒诺尔布说，虽有民人跪拜之事，但只是让他进入外帐（γadan-a-yin čomč oγ）而没有让他进入内帐（dotun-a-yin čomčoγ）。③ 事情的结局是，盟长再次来文，根据咸丰四年（1854 年）理藩院指令，以后不让民人进入帐内跪拜，但还是允许在大院内跪拜。如达尔扈特人内有盖造土房居住者，将其和拉旺多尔济的板升一起毁坏，以后不得盖造土房居住。④ 这些都是为防止达尔扈特染上民人习俗和保护成吉思汗陵园祭祀的传统神圣性采取的措施。因为在很长一段历史时期内，蒙古人的心目中成吉思汗是祖先崇拜的最高对象之一，得到特别保护也是很自然的事情。

到清末，事情发生了变化，蒙古人最神圣的崇拜对象也为移民所崇拜，这就是属于偶像误读、互换现象。蒙旗方面的措施对移民接近成吉思汗陵园和达尔扈特人接受民人习俗起了延缓作用。从中可以了解到，在民族文化中信仰层面转变的缓慢性。

清代蒙古人的成吉思汗崇拜虽然祭祀圈缩小了，但作为全体蒙古人崇拜对象的性质一直未变。移民对成吉思汗崇拜的偶像误读现象表明了蒙、汉两种文化圈重叠已延伸到信仰的层次。

第六节　清代蒙旗奏放后套牧地及其社会适应

清代开始的内蒙古地区的蒙旗草场开垦，对清代以来内蒙古地区的蒙古社会、历史变迁产生了深远影响。蒙旗地的开垦，直接导致了蒙古地区经济

---

① 编辑整理小组：《成吉思汗八白室》，内蒙古文化出版社 1989 年版，第 317—318 页。
② 编辑整理小组：《成吉思汗八白室》，内蒙古文化出版社 1989 年版，第 320 页。
③ 编辑整理小组：《成吉思汗八白室》，内蒙古文化出版社 1989 年版，第 320—321 页。
④ 编辑整理小组：《成吉思汗八白室》，内蒙古文化出版社 1989 年版，第 322—323 页。

结构的变化，原来的纯牧业经济，逐步向牧业、农业交错结构转变；经济结构的变化，又带来了蒙古地区社会结构的变化，原来几乎单一的牧人社会，逐渐向牧人与内地农民共生的社会结构转变；经济与社会结构的变化，进而又带来了蒙古地区行政管理体制方面的变化，内地的行管体制被逐步移植到蒙古地区，使蒙古地区出现了蒙旗与内地县治共存的二元政治结构。经济、社会、政治结构的变化，是清代蒙古地区发生的根本性变化，而蒙地开垦具有决定性意义。

清代内蒙古地区蒙地的开垦，以清末官放为期限可分为前后两个阶段。前一阶段，如果从顺治朝开始算起到清末官放为止，在时间上则经过了两个半世纪之多。这时期，清廷在蒙古地区的盟旗制度得到了全面建立，而且作为这一制度的保障，清廷对边外蒙古实行了全面的封禁政策。然而就是在这个阶段，基本奠定了清代蒙地开垦的基础。后一阶段的官放，实际是清末政治社会背景下在前一阶段开垦基础上由官方统一放垦。

纵观清代蒙地开垦的过程，作为主导开垦的社会因素其主导角色曾发生过三次明显的转变。如在前一阶段，大约至光绪朝中期前后，蒙旗在旗地开垦方面的主导作用是十分明显的。从这个时期旗地开垦的形式上看，既包含蒙旗旗民与内地民人的私招私垦、局部地区的官方开垦（如归化城土默特地区的官垦），也包含蒙旗经奏请允准后的招民开垦。但是，蒙旗在这个时期旗地开垦中的主导作用是不言而喻的。以清代后套地区为例，自乾隆朝中期至光绪朝初期，旗地被大范围开垦都与蒙旗的奏请开垦有密切关系。另外，在盟旗制度和封禁政策背景下，蒙旗，特别是内札萨克旗对旗地及其旗民拥有传统意义上的管辖和所有权，如果蒙旗不愿意，旗地也不可能被大量开垦。但是到光绪朝中期前后，旗地开垦的主导角色开始发生明显变化。一是，一些地商实力大增，已经具备了从财政上对部分旗札萨克以及蒙古王公贵族实施控制的能力；二是，随着招垦的扩大，内地农民数量的大量增加、旗内草场以及旗民的生产生活区域被农田及村社不断分割、蒙旗人口不断减少等，蒙古地方社会结构开始发生明显变化，蒙旗的主导地位开始动摇；三是，随着清末国内外政治形势的变化，清政府开始调整对蒙政策，蒙旗逐渐失去了对清廷的依靠。这些因素，在客观上为地商和内地民人主导蒙旗土地开垦提供了条件。但是，这个时期延续并不长。不久，清政府迫于内外压力实行"新政"，内蒙古中西部地区的旗地放垦权利完全被清政府所控制。不过，官方放垦的时间则更短。比较可知，蒙旗在清代内蒙古地区旗地开垦方面所发挥的关键性作用是不容忽视的，其中蒙旗通过奏请而招民开垦旗地带来的影响更是深远的。因为清廷允准蒙旗招民开垦，实际意味着内地民人进入蒙地的合法化。

后套地处内蒙古中西部腹地，清代其绝大部分地区是鄂尔多斯右翼后旗（杭锦旗）和左翼后旗（达拉特旗）的游牧地，另有阿拉善旗和乌拉特部领有后套西端和沿狼山阴山南麓的小部分地区。后套是随清前期流经该地区的黄河河道变迁而形成的一个地理区域。黄河流经这里自古歧为南、北二河，而且一直以北河为径流。清前期，这里发生了南河变经流的河道变迁过程。随着河道的变迁，不仅形成了后套地理区域，同时使后套地区具备了引黄河水灌溉后套内土地的水利条件。无独有偶，就在黄河河道发生改道变迁的同时，领有后套内牧地的阿拉善旗、达拉特旗先后通过奏请招垦了旗内领地，接着于光绪初年，杭锦旗也通过奏请招垦了旗内后套领地。阿拉善旗、达拉特旗、杭锦旗的奏垦，对清代后套地区的全面开垦产生了决定性影响。

清代进入后套地区开垦的内地民人，主要来自西南和东南两个方向。来自西南方向的主要是甘、宁地区的民人，来自东南方向的主要是山、陕边内民人。这些民人一般都是踏着几代前人的开垦足迹进入后套地区开垦的。也就是说，最早跨过边墙进入蒙地的民人，起初并不知晓有个后套地区适宜于农业开垦，后来人们对后套的了解，一般是在几代人前仆后继由边内逐渐向蒙古腹地开垦的基础上认识的。当然也不能完全排除旅蒙商人发挥的信息传递作用。需要指出的是，民人一旦到达了后套地区，这里便成了他们永久性的归宿，而蒙旗的奏放恰恰又为他们进入蒙地提供了合法外衣。所以，研究清代后套地区的开垦历史，不仅对于了解清代内蒙古西部地区的农业开垦史会提供基本的线索，而且对深入研究清代内蒙古西部地区的蒙古社会及历史变迁也将产生积极作用。

一、清代领有后套地区的各蒙旗及其临界关系

清代领有后套地区的蒙旗是：杭锦旗、达拉特旗、乌拉特部（即乌拉特三公旗，主要是前旗和中旗）和阿拉善旗。

清代鄂尔多斯杭锦旗和达拉特旗，不仅是后套区域内绝大部分游牧地的领有者，而且领有整个黄河（南河）南岸从磴口县稍南的黄河边至乌拉山西山嘴之间的牧地。所以，清代杭、达两旗领有的后套地区，乃是后套发生自然和社会变迁的核心地区。除上述两旗以外，另有乌拉特部住牧于后套以北、以东的乌拉山、阴山、狼山一带地区，在后套地区内领有乌拉山西北麓、阴山狼山南麓沿黄河（北河）的条状地带。乌拉特部领有的后套地区，虽然分布距离长，但集中程度低，可耕地数量有限。所以在清代后套地区社会变迁过程中产生的影响并不大，具有从属性质。此外还有阿拉善旗，驻牧于后套西部贺兰山迤北的地区，在后套地区内领有其西部一隅。阿拉善旗领有的后套地区，虽然区域面积不大，但是具有以下显著特点：一是领地集中程度高。大致是今天巴彦淖尔市磴口县巴彦高勒镇、补隆淖、四坝至狼居胥山口一线西南地区，这个地区东与鄂尔多斯杭锦旗隔河相邻。二是这一带地区自古以来就拥有非常优越的水利条件，清代前期亦如此。清代后套地区最早经过奏请而集中开垦的地区就在这里。三是这个地区正是黄河流经后套地区的上游地区，是自古以来向黄河北河供水的源头地段。入清以来，由于这一段黄河河道受西南而来的乌兰布和沙漠的东侵挤压而不断向东迁移，最终导致了北河断流，南河成为黄河径流。所以可以说，清代这一带地区的自然以及社会变迁，对整个后套地区的社会变迁产生过不可替代的独特影响。

（一）乌拉特部与阿拉善、杭锦、达拉特旗

乌拉特（史籍记载中有乌拉特、乌拉忒、吴喇忒、吴拉忒等不同译写，当今官方文书中写作乌拉特）部蒙古族，系元太祖成吉思汗弟哈布图哈撒儿的后裔，原属科尔沁部的一个分支。16世纪30年代始，哈布图哈撒儿十五世孙布尔海领该支自为一部，驻牧于呼伦贝尔及其以北一带，始有乌拉特部之称。[①] 布尔海有五子：长赖噶，次布扬武，次阿尔萨瑚，次布噜图，次巴尔塞。后分乌喇特为三。赖噶孙鄂木布，巴尔塞次子哈尼斯青台吉之孙色棱及第五子哈尼泰冰图台吉之子图巴，分领其众，统号阿噜蒙古。[②]

17世纪初，乌拉特部仍驻牧于呼伦贝尔及其以北地区，所以与爱新国

① 胡日查、长命：《科尔沁蒙古史略》（蒙古文），民族出版社2001年版，第162页。
② 包文汉，奇朝克图整理：《蒙古回部王公表传》第1辑，第304页。

建立联系较阿鲁科尔沁、四子部等要晚些。天聪六年（1632年），皇太极向乌拉特等部派出了使节，天聪七年（1633年），乌拉特部三支率属谒见天聪皇帝，并献驼马，与爱新国正式建立关系。天聪八年，随从爱新国大军征察哈尔余部及明，由哈喇鄂博入得胜堡，略大同，克堡三、台一。嗣征朝鲜、喀尔喀，及明锦州、松山、蓟州，皆以兵从。崇德元年（1636年）四月，包括乌拉特部图们的蒙古16部49名封建主，同满汉臣僚一道会聚盛京（今沈阳），共尊皇太极为"博格达·彻辰汗"，皇太极成为蒙古大汗正统的继承者并改国号为"大清"。自此，乌拉特部正式被纳入清朝统治体制。①

崇德元年（1636年）十一月，清政府在归附的蒙古各部中开始清理户籍、编立牛录的工作。当时乌拉特部三支共1895户，被编为37牛录。但是尚未被编立旗分。不过，他们已经开始逐渐由呼伦贝尔牧地向南迁徙，并参加清朝政府大军作战，屡建战功。顺治五年（1648年），清政府正式把乌拉特部编为三旗。② 图巴掌后旗，为札萨克镇国公；鄂木布子谔班掌前旗，为札萨克镇国公；色棱子巴克巴海掌中旗，为札萨克辅国公，均世袭罔替。③

乌拉特部被编立三旗之后，也没有立即西迁。顺治六年（1649年），清政府为防御喀尔喀各部南犯，遂令乌拉特部三旗迁牧于河套以北一带。④ 是年秋，乌拉特三旗方由科尔沁分族西迁，从呼伦贝尔的呼布图奈曼查干、图门乌力吉启程，于顺治九年（1652年）抵达所赐牧地。⑤ 牧地当今乌拉山、阴山、狼山一带。东接茂明安旗，南隔黄河与鄂尔多斯部达拉特旗、杭锦旗相邻，西南与阿拉善旗、杭锦旗相邻，北与喀尔喀蒙古交界。乌拉特部与四子部、喀尔喀右翼、茂明安，四部同会于一盟，称乌兰察布盟。三旗中，乌拉特中旗佐领六人，前旗佐领十二人，后旗佐领六人。⑥

乌拉特部虽被编立三旗，但三旗始终没有明确划分旗界，同牧一处，治

① 胡日查、长命：《科尔沁蒙古史略》（蒙古文），民族出版社2001年版，第164—166页。
② 胡日查、长命：《科尔沁蒙古史略》（蒙古文），民族出版社2001年版，第169页。
③ 周清澍：《内蒙古历史地理》，内蒙古大学出版社1994年版，第199页。
④ 胡日查、长命：《科尔沁蒙古史略》（蒙古文），民族出版社2001年版，第170页。
⑤ 《乌喇特中旗志》，内蒙古人民出版社1994年版，第146页。
⑥ 《大清会典事例》卷976，《理藩院·设官·内蒙古部落官制》。

所设在乌拉山前的铁柱谷（蒙古名曰"哈达玛尔"，亦称哈德门口子）。三旗分别镇守关隘：乌拉特中旗，镇守哈德门口子；乌拉特后旗，镇守昆都仑、五当沟；乌拉特前旗镇守穆纳和硕（西山嘴）。

有清一代，乌拉特部南以黄河为界与鄂尔多斯达拉特旗和杭锦旗隔河而居，西南部与阿拉善旗和杭锦旗在后套内也以黄河（乾隆朝以前的黄河河道）为界。

有关以上各旗在后套地区内临界关系的建立问题，可从下面两份档案资料中略见一斑。清乾隆五十年（1785年），阿拉善旗在致乌拉特部的一份蒙古文函件中载："雍正十年，喀尔喀部札萨克图汗格埒克延丕勒、公仝穆格等，因惧怕敌人，奏请要求在我旗地借牧时，奉上命，理藩院侍郎那音泰，将我旗东部的自哈鲁纳沿呼和淖尔、黄河直至哈布塔日嘎沙梁的牧地划予驻牧。乾隆元年，札萨克图汗迁回之后，我旗牧民遂返回原牧地游牧，也已有多年。然而，乾隆三十四年，乌拉特公贡嘎喇布坦等，却开始挤占我旗东部的这些地区……。（乾隆五十年初夏月初八）。"[1] 另有一份由阿拉善旗致杭锦旗贝子的函件载："雍正十一年，奉上命，理藩院侍郎那音泰，前来划分喀尔喀、乌拉特、鄂尔多斯和我们四旗边界时……。（嘉庆十九年仲春月二十四）。"[2] 这就是说，以上各部、旗于雍正十一年（1733年），就已经明确划定了相互间在后套内的边界。这是指后套内的西北部边界，即清代杭锦旗、阿拉善旗、乌拉特部三部旗的交界地带。乌拉特部与杭锦旗的交界地段，是从呼和淖尔向东北至阿喇戈毛仁阿玛（Alaγmori-yin Ama）；从阿喇戈毛仁阿玛至乌兰哈吞阿玛（Ulaγan qatun-u Ama）之间是乌拉特部与达拉特旗在后套内的交界地段。由此可见，清代乌拉特部在后套地区的部界很长。有清一代，上述各旗之间边界纠纷多有发生。但是，因清代乌拉特部的后套内领地，分布在后套地区的边缘地带，具有分散延伸距离长、可耕面积少且集中程度低等特点，这些地区土地的开垦对清代后套地区社会变迁产生的影响并不大。

---

① 阿拉善左旗档案馆蒙古文档案，101—3—107—20。
② 阿拉善左旗档案馆蒙古文档案，101—4—87—27。

（二）杭锦旗与达拉特旗

清代杭锦旗和达拉特旗同属鄂尔多斯部，是同会盟于伊克昭盟内的两个旗。称鄂尔多斯右翼后旗和左翼后旗。两旗接边而居，牧地地处鄂尔多斯部北西，是清代后套牧地的主要领有者。

明嘉靖年间，达延汗之孙麦力艮（衮必里克墨尔根）袭其父济农位，占据河套地区，号所部为鄂尔多斯（明译袄儿都司），是蒙古右翼三万户之一。明末，附属于察哈尔林丹汗。天聪八年（1634年）林丹汗败亡后，诸台吉陆续归依爱新国，至崇德初，尽入于清。① 清初，因与明朝的战争以及入关后征伐李自成残部等军事行动的需要，清廷命鄂尔多斯部济农收集部落，在原地游牧，以配合清军行动。顺治六年至七年（1649—1650年），清廷将鄂尔多斯部编为6个札萨克旗：即鄂尔多斯左翼中旗（俗称郡王旗）、鄂尔多斯右翼中旗（俗称鄂托克旗）、鄂尔多斯右翼后旗（俗称杭锦旗）、鄂尔多斯左翼后旗（俗称达拉特旗）、鄂尔多斯右翼前旗（俗称乌审旗）、鄂尔多斯左翼前旗（俗称准格尔旗），并封授爵职。鄂尔多斯右翼后旗札萨克固山贝子，先是顺治六年，封额璘臣从子小札木素为札萨克镇国公，诏世袭罔替，康熙三十七年（1698年），都棱袭爵期间晋固山贝子；鄂尔多斯左翼后旗，顺治七年，额璘臣从弟沙克札始封固山贝子，诏世袭罔替，任鄂尔多斯左翼后旗札萨克。② 左翼后旗驻巴尔哈逊湖，右翼后旗驻鄂尔吉虎淖尔。③ 雍正九年（1731年），额璘臣从曾孙定咱喇什，因"叙屡次从军斩馘功，晋一等台吉，乾隆元年，议族属繁，增旗一，授札萨克"。④ 称鄂尔多斯右翼前末旗（俗称札萨克旗）。至此，鄂尔多斯部被析分为七个札萨克旗，直至清末没有变化。

杭锦旗 清代鄂尔多斯七旗中，杭锦旗驻牧于七旗最西北部，即河套内最西北部地区，西南与鄂托克旗，南与乌审旗、郡王旗，东及东北与达拉特旗相邻。黄河曾绕流旗西北部，隔河以西与阿拉善旗相邻，以北与乌拉特部

① 周清澍：《内蒙古历史地理》，内蒙古大学出版社1994年版，第201页。

② 《大清会典事例》卷968，《理藩院·封爵》。

③ 张穆：《蒙古游牧记》卷6，《内蒙古伊克昭盟游牧所在·鄂尔多斯部》，同治年间祁氏刊本。

④ 张穆：《蒙古游牧记》卷6，同治年间祁氏刊本，第19页。

交界。大致以库布齐沙漠为分界线，旗被分割为南北两半部。其中南半部多沙地（沙地占40%以上）、丘陵，地势较高；北半部地势较低且相对平缓，河流纵横，今巴彦淖尔市河套地区（即后套）内的乌拉特前旗和五原县的部分地区，整个临河县地和杭锦后旗地，以及蹬口县的东北部，都是清代杭锦旗的北半部领地，几乎是今天的半个后套地区。清代杭锦旗36个苏木中有22个苏木驻牧于后套地区。足见清代后套地区在杭锦旗经济社会生活中的重要地位。

"杭锦"一词，源出突厥语，文献中不同时期的读音被写作"康里（Qangli）"、"杭林（Qanglin）"、"杭斤（Qanggin）"等，实为同一名称。杭锦也是一个古部族名称，最早大约出现于9世纪前后的文献记载中，曾有"杭力格（Qanglig）"、"杭力（Qangli）"、"杭林（Qanglin）"等写法。《元史》中首次被写作"杭锦（Qanggin）"，是古突厥部的一支。"杭"在突厥语中是"车"之意，杭锦意为"使车者"。元朝时属色目人，曾以杭锦人为主被组成"康礼卫"。[①] 虽然在很长的历史时期内与蒙古等民族交融，但是杭锦这一部族名称还是被保留了下来。明时该部归鄂尔多斯万户滚必力格莫日根济农三子卫达尔玛统领。顺治六年（1649年），卫达尔玛第四代孙小札木素被清廷封为鄂尔多斯右翼后旗札萨克，鄂尔多斯右翼后旗旗名随部名，称杭锦旗，佐领三十六。

清代杭锦旗历届札萨克袭爵职情况：顺治六年（1649年），封额璘臣从子小札木素为札萨克镇国公，诏世袭罔替；康熙九年（1670年），长子索诺木袭；十一年（1672年），长子都棱袭，三十七年（1698年）晋固山贝子；四十六年（1707年），长子色棱喇什袭；五十一年（1712年），都棱次子伦布袭；五十六年（1717年），都棱三子色棱纳木札勒袭，又以长子齐旺班珠尔袭；雍正十一年（1733年），降辅国公，寻诏复贝子；乾隆十九年（1754年），晋多罗贝勒；三十七年（1772年），孙喇什达尔济袭固山贝子；四十九年（1784年），诏世袭罔替；嘉庆十一年（1806年），长子拉什札木素袭；十七年（1812年），叔拉什丕尔袭；十八年（1813年），弟端多布色楞袭；道光二十一年（1841年），子静米特多布札勒袭；咸丰七年（1857

---

① 《亦邻真蒙古学文集》，内蒙古人民出版社2001年版，第185—187页。

年），弟巴图莽鼐袭；光绪六年（1880 年），嗣子阿尔宾巴雅尔袭。① 清代
杭锦旗札萨克中先后有齐旺班珠尔、喇什达尔济、端多布色楞、阿尔宾巴雅
尔四位札萨克担任过盟长，并在清代鄂尔多斯历史发展中产生过重要影响。

达拉特旗 清代达拉特旗，驻牧于鄂尔多斯东北部。其东北部的北东一
带，隔黄河与土默特右翼以及乌拉特部相邻。其中在黄河北岸的土默特右翼
地上，很早就设治了萨拉齐厅，后又兴起了包头镇，加上土默特地开垦较早
等因素，这些对清代达拉特旗社会变迁产生了较大影响。旗的南部与左翼前
旗、左翼中旗相邻，旗地自东南至西北均与杭锦旗接边，北部与乌拉特部隔
河而居。达拉特旗的整体地形如"葫芦"状，一半在黄河（故"南河"）
以南地区，一半在黄河以北的后套地区，后来习惯称"前山地"和"后套
地"。清代达拉特旗的后套内领地，地处后套内北及北东地区，北部及东部
均至黄河（故"北河"）。旗境内除东南部有一道沙梁和东北部有一块沙地
外，境内河流较多，黄河两岸平坦而开阔，佐领 42。

旗内历届札萨克袭爵情况：顺治七年（1650 年），额璘臣从弟沙克札始
封札萨克固山贝子，诏世袭罔替；十四年（1657 年），长子固鲁斯希布袭；
康熙十九年（1680 年），晋多罗贝勒；四十三年（1704 年），五子喇什札木
素袭固山贝子；五十二年（1713 年），长子纳木札勒色棱袭；乾隆二十六年
（1761 年），次子拉旺巴勒丹色棱袭；三十年（1765 年），弟丹巴达尔济袭；
五十四年（1789 年），长子永咙多尔济袭；道光八年（1828 年），子达什多
尔济袭；咸丰六年（1856 年），子散济密都布袭。②

清代杭、达两旗在后套地区内有近百公里的共同边界线。两旗在后套内
的边界，最西北部是从黄河（北河）上的阿喇戈毛仁阿玛（Alaɣ morin-u
ama）开始的。两旗边界走向，自西北至东南，是从阿喇戈毛仁阿玛，经过
秀登萨莱（Šiüdeng sarai）、敖塔其因拜星（Otači-yin bayišing）、格隆金巴因
苏默（Gelüng jimba-yin süme）、琅胡（Longqu）、萨哈拉（Saqal）、塔拉脉
（Talamai）、苏亥图（Suqaitu）、乌拉笋阿木（Ulasun-i ama）、慕日格穆
（Mürgümü）、阿拉塔因札木（Alta-yin jam）、泥车滚陶亥（Ničügün taoqui）、

---

① 《大清会典事例》卷 968，《理藩院·封爵·内札萨克二》。
② 《大清会典事例》卷 968，《理藩院·封爵·内札萨克二》。

呼日业（Küriye）、乌兰哈通阿木（Ulaγan qatun-u ama）、布戈岱（Bügdei）、锡日巴嘎岱（Širbaγadai）的一段，总体上是西北—东南走向。锡日巴嘎岱在西山嘴地方黄河的南岸，再向南是杭锦旗与达拉特旗在河南地区的边界。以此边界为界线，达拉特旗地处东北半部，杭锦旗地处西南半部。清代杭、达两旗领有后套内的绝大部分牧地。

（三）阿拉善旗与杭锦旗

阿拉善，即贺兰山。贺兰一词为突厥语词，与蒙古语"阿喇克"（Alaγ）同义。"善"，即汉语词"山"的音译汉写。所以，阿拉善即贺兰山，或蒙古人也称"阿喇克山"（Alaγ aγula）。[1] 清人高士奇于康熙三十六年（1697 年），随康熙帝第三次亲征噶尔丹曾途经贺兰山，留下如下记载："贺兰山在宁夏城西六十里，东迎河套，西通西域，南障朔方，北引沙漠，延亘五百余里，高出云表，雪霜凝积，山上多青白草，望之如驳马。《志》曰：夷人呼驳马为贺兰，故名。"[2] "驳"即蒙古语"有斑的"、即"阿喇克"（Alaγ）之意。

阿拉善蒙古，即为和硕特蒙古之一支，和硕特乃厄鲁特蒙古四大部之一，其部族首领是成吉思汗弟哈布图哈撒尔后裔。阿拉善蒙古原并不驻牧阿拉善山阴。康熙十六年（1677 年），准噶尔台吉噶尔丹袭杀鄂齐尔图汗，其堂房兄弟和罗理（青海顾实汗之孙，号巴图尔额尔克济农）收集余部，曾避居于近边地带，并在鄂尔多斯、毛明安、吴喇忒、宁夏等处进行劫掠。对此，清廷并没有发兵剿灭，而是"轸念鄂齐尔图汗历世职贡，诚敬奔走，是以宽宥其罪。"巴图尔额尔克济农等亦愿依附清廷为生，并"屡疏奏请敕印。"[3]

康熙二十四年（1685 年）和罗理奏："臣等欲环居阿喇克山（即阿拉善山或贺兰山——笔者）阴，遏寇盗，靖边疆。令部众从此地而北，当喀尔喀台吉毕玛里吉哩谛牧地，由噶尔拜瀚海、额济纳河、姑喇奈河、雅布赖

---

① 《亦邻真蒙古学文集》，内蒙古人民出版社 2001 年版，第 183 页。

② 高士奇：《扈从纪程》，转引自杨建新：《古西行记选注》，宁夏人民出版社 1987 年版，第 322 页。

③ 《大清圣祖仁皇帝实录》（三）卷 123，康熙二十四年十一月癸酉条。

山、巴颜努鲁、喀尔占、布尔古特、洪果尔鄂隆以内，东倚喀尔喀丹津喇嘛牧地，西极高河居之。"① 康熙二十五年（1686 年），理藩院侍郎拉笃祜等，奉旨出宁夏阿喇克山，向巴图尔额尔克济农宣读谕旨，并谓巴图尔额尔克济农曰，"尔所请喀尔占布尔古忒、空郭尔俄垅、巴颜努鲁、雅布赖、噶尔拜瀚海等地方，给汝游牧外，自宁夏所属玉泉营以西，罗萨喀喇山嘴后，至贺兰山阴一带，布尔哈苏台之口，又自西宁所属倭波岭塞口以北，奴浑努鲁山后，甘州所属镇番塞口以北，沿陶阑泰、萨喇春济、雷浑希里等地，西向至厄济纳河，俱以离边六十里为界。随与巴图尔济农属下达尔汉噶卜楚喇嘛波克寨桑及提督孙思克标下游击李本善等，划地为界而记之。"② 这是清廷最早为巴图尔额尔克济农指定牧地，贺兰山阴一带成为该部的游牧区域。移居该地的和硕特蒙古从此也就有了"贺兰山厄鲁特"或阿拉善厄鲁特之称谓。三十六年，和罗理又请按内札萨克 49 旗之例编旗，清廷允之，被封为札萨克多罗贝勒，职爵世袭，遂有了阿拉善厄鲁特旗之称谓。

据上述可知，阿拉善旗在清康熙年间的牧地范围，当在贺兰山迤西北、黄河以西的地区。但据上引档案资料，当时清廷并没有明确阿拉善旗的东部边界，更没有提及阿拉善旗东部以黄河为界之事。当时，虽早有鄂尔多斯部游牧于河套地区，但是清廷也没有明确他们的具体边界。驻牧于河套地区西北部沿河地区的是，鄂尔多斯右翼中旗和右翼后旗。阿拉善旗与鄂尔多斯部之间明确划定边界，是在雍正十一年（1733 年）至乾隆五年（1740 年）之间。关于此事，除上引阿拉善旗档案中有记载外，藏于内蒙古鄂尔多斯市档案馆的一份蒙古文档案（汉译）也做了如下记载：

> 据厄鲁特部档案，该部于雍正十一年，奉上命以黄河为界，厄鲁特游牧于黄河以北。另据鄂尔多斯部档案，该部也奉上命，于乾隆五年界以黄河。道光元年季春月。③

---

① 《清史稿》卷 520，《藩部三·阿拉善》。
② 《大清圣祖仁皇帝实录》（三）卷 128，康熙二十五年十一月癸巳条。
③ 鄂尔多斯市档案馆蒙古文档案，57—1—182—7。

《清宣宗实录》中也记载了这件事情。文载：

> 河东杭锦旗贝子端多布色楞与河西阿拉善王玛哈巴拉争执地界，……经该督查明两旗档案，载雍正十一年及乾隆五年，钦奉谕旨，俱以黄河为界。①

直至雍、乾之际，黄河流经后套西部地区仍歧为东、西两派，当时因东派已经成为径流，所以阿拉善旗与鄂尔多斯杭锦旗之间以东派为界划定了共同边界。这样，清代阿拉善旗就领有了后套西端水利条件较好的部分地区。

二、阿拉善旗奏开后套内牧地及影响

如前文所述，雍、乾之际杭锦旗与阿拉善旗以当时流经后套西端的黄河为界划定了两旗旗界，两旗正式有了边界并开始隔河而居，阿拉善旗在河的西侧，杭锦旗在河的东侧。当时作为两旗界河的黄河所流经的位置，在今磴口县境内。此外，在这条河以西还有一条黄河支流（原黄河正流）并行北流，这两条河就是文献、图志中记载的黄河流经该段的东、西两派。从两旗以东派作为界河的情况看，此时东派已经成为黄河该段的径流，而西派正在逐渐淤废之中。不过因为有两条河流南北向流经这里，所以造就了这一带良好的水利灌溉条件。大约从乾隆朝中期开始，这一带发生了影响两旗关系变化的两件大事。一件事来自主观方面，即阿拉善旗开始奏开界河以西的套内领地，拉开了清代后套地集中奏请开垦的序幕；一件事来自客观方面，即作为两旗界河的东派河流继续改道东移，使两旗之间的自然边界开始发生动摇。之后，由于阿方不断扩大开垦、河道继续向东移动等缘故，最终引发了杭、阿两旗在嘉庆朝时期的激烈的界地之争。加之，阿拉善旗奏开之后套内领地集中程度较高，这些就对后来达拉特旗和杭锦旗奏开后套内领地、乃至清代后套地区的全面开垦产生了重要影响。

（一）阿拉善旗奏开后套内牧地

清代杭锦旗和阿拉善旗交界的今巴彦淖尔市磴口县境内，因黄河流经这

---

① 《大清宣宗成皇帝实录》（二）卷50，道光三年三月庚午条。

里后分两支北流而造就了这里优越的水利灌溉条件，所以适宜于牧放又非常适宜于发展农业。大约在乾隆朝中期，阿拉善旗以所谓"公主菜园地"（应为"郡主菜园地"）的名义奏请开垦了旗内这块领地，成为清代后套地区最早集中开垦的地区。

关于清代阿拉善旗奏开后套内领地之事，当地百姓中有传说，《绥远通志稿》中也有"公主欲治菜园地"① 的记载。但记载极为简单，只是大致可以了解阿拉善旗奏开后套内领地的时间和缘由，找不到任何史实根据。而嘉庆朝时期阿拉善旗和杭锦旗之间曾经发生过长达十余年的激烈的界地纠纷，现保存于阿拉善左旗和鄂尔多斯市档案馆的反映当时阿拉善旗和杭锦旗情况的蒙古文档案，为了解当时阿拉善旗奏开后套内领地的时间及缘由等，提供了基本的史实根据。下面作摘要介绍并做简要分析。

第一件：嘉庆十二年，阿拉善旗在致杭锦旗的一份函件载，"所谓开垦耕种之事，不过是一直以来，经过钦命驻宁夏办理蒙民事务之各官员同意并报请理藩院允准，于沿黄河北岸河湾之处开垦耕种的旧有耕地，垦种已有许多年，这些都记录在案。"（嘉庆十二年初夏月二十一）②

第二件：阿拉善旗在状告杭锦旗的函件中称，"据查，厄鲁特旗自乾隆二十六年就已开始招民开垦。"③ 又称，"据查，厄鲁特所开之农地已经有五十余年，黄河改流他道也是四十多年前的事情，杭锦旗收取水草和渠口费也有十来年的时间……"④

第三件：阿拉善旗人又称，"到嘉庆二十年时，经原陕甘总督□上奏，允准开垦七百三十五顷土地，年收四千余两租银，以养格格之随从及家人……"⑤

以上"第二件"、"第三件"文件残断不全，已看不到具体年代。但是内容所反映的正是此时两旗争夺土地的事情，而且其中的一份档案本身就是

---

① 绥远通志馆：《绥远通志稿》，《采访录》，20 世纪 30 年代稿本。

② 鄂尔多斯市档案馆蒙古文档案，57—1—138—1。

③ 鄂尔多斯市档案馆蒙古文档案，57—1—242—12。

④ 鄂尔多斯市档案馆蒙古文档案，57—1—242—7。

⑤ 鄂尔多斯市档案馆蒙古文档案，57—1—242—12。

阿拉善旗札萨克亲王玛哈巴拉指责杭锦旗札萨克贝子端多布色楞①的文件，两人的名字也都出现在文件中。此外，"杭锦旗收取水草和渠口费也有十来年的时间"，指的是阿拉善旗于嘉庆九年（1804 年）前②从杭锦旗境内开挖乌拉壕后给杭锦旗交纳的水草渠口费。所以可以肯定，文件反映的内容一定是嘉庆二十年前后的事情。

另外，分析以上材料可知，阿拉善旗人所说的从乾隆二十六年（1761年）奏开旗内后套领地的时间，大致是准确的。一方面，以上"第二件"第二条史料中所记载的"厄鲁特所开之农地已经有五十余年"，从时间上推大致是在乾隆中期，所以与"第二件"第一条史料中所载"乾隆二十六年奏开"的事实基本相符。另一方面，乾隆十五年（1750 年），阿宝之子罗卜藏多尔济尚郡主，授多罗额驸，乾隆三十年（1765 年），晋封为和硕亲王。③ 若将此同《绥远通志稿》中记载的"公主欲治菜园地"以及以上"第三件"中载"以养格格之随从及家人……"的内容结合进行分析，也符合上文提到的年代。

根据以上资料，把清代阿拉善旗奏开后套内领地的时间，确定在乾隆三十年之前是妥当的。既然奏开旗地的理由是为了"养活格格之随从及家人"，那么旗地开垦就一定不是短期行为。阿拉善旗奏开旗内后套地，在清代后套及其周边蒙旗的旗地开垦史上是从未有过的事情。在反映当时情况的文献资料中，虽然也有其他蒙旗奏请招民开垦旗地的记载，但一般都是在遭受自然灾害等情况下的临时性开垦，大都不会超过五年时间。

关于阿拉善旗奏开的土地数量问题。据以上材料"第三件"所载内容，到嘉庆二十年时，经原陕甘总督□上奏，允准开垦的地亩就已经达到了七百三十五顷，年收四千余两租银。至道光十九年（1839 年）时，阿拉善旗的垦熟之地从嘉庆二十年（1815 年）允准开垦的七百三十五顷，已增加到了

---

① 玛哈巴拉任札萨克时间：嘉庆十年至道光十一年；端多布色楞任札萨克时间：嘉庆十八年至道光二十年。两旗的边界争端主要集中在嘉庆十八年至道光三年之间。至道光三年（1823 年），在清廷的干预下，两旗的此次界地纠纷基本得到解决。

② 鄂尔多斯市档案馆蒙古文档案，57—1—175—6。

③ 周清澍：《内蒙古历史地理》，内蒙古大学出版社 1994 年版，第 207 页。

"一千一百九十顷六十七亩"。① 虽然，尚不知初期允准开垦的土地面积是多少，但是根据以上资料可知：（1）阿拉善旗招垦旗地的时间没有限制。（2）旗地开垦在不断扩大，而且集中程度高。

（二）阿拉善旗奏开后套内领地的影响

乾、嘉时期是黄河后套段发生急剧变迁的时期，由于乌兰布和沙漠北端不断向东推进，导致了该段河道自西向东南的迁移过程。这种变迁对以上两旗的直接影响，就是作为界河的改变。加上阿拉善旗随河道变迁而不断扩展开垦，这就留下了清代杭、阿两旗在后套西部地区因边界问题、开垦问题引发的一段特殊历史。当时除阿拉善旗以外，后套其他地区还尚未奏准开垦。所以，阿拉善旗奏开后套西部地区，对后套其他地区的逐步放垦以及对该地区旗民土地意识的改变产生了深远影响。以下略述阿拉善旗招垦后套内领地对杭锦旗产生的影响。

大约在嘉庆十二年（1807 年）前，杭锦旗在致阿拉善厄鲁特旗的函件中称：

> （嘉庆年间）我旗驻边地之绰尔济扎木素报告说，就于厄鲁特、乌喇特和我们杭锦旗交界之界河黄河②的西侧、古日班宿亥之东边地方，因民人李世贵等在此垦种而给我旗属民的牧放造成困难一事，曾报告驻磴口办理边界事务之官员，同时转告贵旗王诺彦。王诺彦派公诺彦毁耕地、驱民人之后，边地属民我们始得安宁的牧放环境。可是，今年又有邢掌柜的等民人来到这里，他们不仅在泊乐因乌兰冒都、得日松胡舒、哈喇宿亥等地开田种地，还在三旗界河的黄河上截流筑了坝。之后，我旗派往开垦之地实地查看的台吉官员报告说，在古日班宿亥地的黄河东侧，民人已经开垦的地有四块……有十几套犁锹三十多人。③

---

① 《大清会典事例》卷 978，《理藩院·户丁·稽查种地民人》。

② 此处"黄河"，在蒙古文档案中写做"乌兰哈吞"（ulaɣan qatun）。杭锦旗人向称黄河为"哈吞"（qatun）、"哈吞高勒"（qatun ɣoul）或"乌兰哈吞"（ulaɣan qatun），都指黄河，并非用于区分三种不同的河流。

③ 手抄蒙古文档案：《伊盟水利水土保持资料汇编》（清代—民国），第 002 辑，总登记号 53311—6 页。见鄂尔多斯市档案馆藏蒙古文档案，57—1—138—1。

根据以上记载，晚至嘉庆十二年（1807 年）时，作为杭、阿两旗界河的黄河上已经可以筑坝截水，不仅如此，于阿拉善旗种地的民人已经在界河黄河的东侧开垦了四块土地。如果按一张犁犋耕地三项计算，四块地约有三十顷左右。对于杭锦旗的函件（嘉庆十二年初夏月二十一日），阿拉善旗人在回复中称：

> 据记载，奏请划定我旗领地边界时，是以大黄河水为界限的，这在用满洲、蒙古文记载的我旗边界档案中是一清二楚的。然而，贵旗在来函中却说，我旗在黄河北岸的乌兰哈吞上筑了坝，拦截河水种了地，并以此为借口查我们，这是与法不符的。所谓开垦耕种之事，不过是一直以来，经过钦命驻宁夏办理蒙民事务之各官员同意并报请理藩院允准，于沿黄河北岸河湾之处开垦耕种的旧有耕地，垦种已有许多年，这些都记录在案。至于说以乌兰哈吞河水为两旗边界一事，载于何处我们不清楚。[①]

比较以上杭锦旗的"函件"和阿拉善旗的"回复"，首先，"回复"中所载的"大黄河水"（yeke qatun-u γoul-un usun）和"在黄河北岸的乌兰哈吞上筑了坝"之意，在"函件"中并没有反映，或者说杭锦旗人并没有这样讲。显然这只是阿拉善旗人的说法。在这里阿拉善旗人把杭锦旗人所说的乌兰哈吞与黄河说成了两条不同的河流，意思是黄河的西侧[②]另有一条叫乌兰哈吞的河流。实际杭锦旗人所说的乌兰哈吞，就是指作为两旗界河的黄河。根据档案内容，这一点没有疑义。其次，从"回复"中可知，阿拉善旗开垦旗地确实已经有许多年，而且是经过报请理藩院批准开垦的。不过阿拉善旗人只是说他们所耕种的是"旧有耕地"，对"函件"中提到的在河东新开的四块地之事没有予以反驳。这似乎证明了，黄河已经改流到了新开四

---

① 鄂尔多斯市档案馆藏蒙古文档案，57—1—138—1。
② 古代蒙古人用来表示方向的前、后、左、右，与汉文化中的东、南、西、北并不完全相符。古代蒙古人以太阳升起的方向为前方或正方向，所以西北方就是他们所说的后方，现一般译为"北"。文中杭锦旗人称"西侧"，阿拉善人称"北岸"，实则都指黄河西北一侧。

块地以东的地方。第三，"函件"中明确提到了阿拉善旗种地之民人在两旗界河上筑坝之事，"回复"并没有否认筑坝之事，只是说两旗之界河应当是"大哈吞"而非"乌兰哈吞"。

之后，于嘉庆十五年（1810 年）初夏月初八，杭锦旗再次致函阿拉善旗称：

> 据我旗……属民报告，沿黄河北岸阿拉善领地内种地之民人，在厄鲁特和鄂尔多斯两部之界河黄河上筑坝、引水种田已有多年，已使故黄河河道变得模糊不清……。今年季春月，更有哈喇浩特之民人查干夫，带领二百余名民人深入我旗地肆意开垦，我旗地方官员前去劝阻时，他们说这是王诺彦的吩咐，根本不予理睬。……另，虽然我们两旗的界河故黄河的大水已经改流他道，原河道只有少量流水，但是若如此放任在贵旗种地之民人于河道上肆意筑坝截水，一旦界河不复存在，就难免引发蒙、民之间的冲突，事关要紧。所以希望，或者王、贝子我们亲自前往会晤，明界立碑、裁断是非，或者委派旗下之得力官员一同前往解决。总之，会晤之时间、地点均由王您决定并在决定后告知我方。①

前文中称，嘉庆十二年（1807 年）只有三十几个人十几张犁耙的开垦队伍越过故黄河耕种，至嘉庆十五年（1810 年）时已经有二百余人的开垦队伍跨河进入杭锦旗地耕种。由于故黄河已流水无多，加上种地民人层层筑坝，部分河道淤断，种地民人很容易把开垦扩展到河的彼岸。另外，在客观上沿黄河开垦更容易引水溉田。

到嘉庆十八年（1813 年）时，两旗之间的界地之争更具体到了则布盖②以南的叫做哈尔霍呢图（Qara qonitu）和锡呵尔图邦槛（Šikirtu bongqan）两块相连的地带。③ 这两块土地之争整整延续了十年的时间，至

---

① 手抄蒙古文档案：《伊盟水利水土保持资料汇编》（清代—民国），第 002 辑，第 41—45 页。

② 此地有黄河支流叫则布盖河，乌拉壕水与该河汇流后一同流入库克淖尔。

③ "锡呵尔图邦槛"地名现在仍在沿用，而且包括文中的"则布盖"、"哈尔霍呢图"，都在今蹬口县的四坝西北一带。

道光三年（1823 年）经清廷授命的那彦成的裁定，最终划给了阿拉善旗。①

清代阿拉善旗与杭锦旗是邻旗，阿拉善所开之地又在与杭锦旗的临界地带，甚至开到了杭锦旗境内。这不会不对杭锦旗产生影响。

如嘉庆十八年（1813 年）初夏月初一杭锦旗致阿拉善旗的一份函件②载：

> 是年初春月二十日，……公诺彦③派哈番雅玛拉岱告知我旗说，如果要心平气和地谈我们两旗交界之地哈尔霍呢图问题的话，就请派官员来，我们两旗一块来确定边界，堆立标识。于是我方派出了管旗章京彭素戈拉希等人。据他们的来报：在锡呵尔图邦槛等垦区，我旗绰尔济来报说，于王诺彦地种地之民人，不仅在界河上筑坝使河道变得模糊不清，而且听说我们（据文意，指绰尔济本人等——笔者）要放垦土地的消息后，便同黑城子三星观铺子的蒙名叫查干夫的李喜梅商定，每年交税费麦子、豆子、糜子三百斗，每石各类庄稼再抽九九升糜子租地耕种，并签订书面文件。我本人得到了三十一两银子，八十多斗糜子和豆子，二百斤面，六块砖茶。听过绰尔济的报告后，我们又奉命见过两位公诺彦并问及此事。公吩咐说，你旗之梅林扎木扬、绰尔济扎木素等说过，要把自哈尔霍呢图庙后至哲泊格河的地段给我们并画了地图。如果按此解决则可以谈，若不按此则没有什么可谈的。

由上可知，前文中所说的查干夫等 200 余人越过界河进入杭锦旗地开垦，是与杭锦旗人绰尔济札木素等私下收取钱粮放垦旗地有关。阿拉善旗所开之地在后套西端，东与杭锦旗相邻，再东是达拉特旗地。清代内地民人一旦被允许进入某旗地开垦，他们就很容易私下进入相邻的其他旗地。杭锦旗和达拉特旗在清代领有后套内腹地，自嘉庆朝开始该两旗地内就出现了私放

---

① 《清宣宗实录》卷 50，道光三年三月庚午条；《清宣宗实录》卷 53，道光三年六月甲辰条。

② 手抄蒙古文档案：《伊克昭盟水利水土保持资料汇编》（清代—民国），第 002 辑，第 91—116 页。

③ 根据文意，阿拉善旗后套内开垦之事是由"公诺彦"负责。清代阿拉善旗有闲散公两人。一受封于康熙三十七年，从乾隆三十二年至道光三年袭爵者名叫多尔济色布腾；一受封于雍正九年，嘉庆二年至十九年袭爵者是莽噶拉。此处之"公"指的是哪一位，尚不清楚。

私垦现象屡禁不止的情况，这与阿拉善旗奏开旗内后套领地不无关系。

三、达旗奏垦后套领地，清代后套地开垦的扩大

清代达拉特旗在后套地区内的领地，分布在后套的中北部和东部，其北、东部都界以黄河故道，即汉文献中的"北河"。道光八年（1828年）达拉特旗正式呈上招民开垦后套内领地的请求，道光九年（1829年）获得恩准。不过，达拉特旗通过此次奏请开垦的后套内领地，并不是达拉特旗在后套内的全部领地，只是后套领地内的中北部地区。达拉特人称这个地区为"柴吉宝日塔拉"。达旗奏准开垦后套内旗地时，黄河后套段南、北二河已经完成了支径位置的变换过程，南河已经成为黄河径流。南河变径流，为达旗奏开之地的全面开垦客观上提供了水利方面的便利，使这一地区的全面开垦成为可能。

达旗奏请招民开垦柴吉宝日塔拉地，是清代经清廷允准在后套腹地进行的首次规模最大的开垦活动，其显著特点：一是在奏垦区域的全范围内、即在整个柴吉宝日塔拉地范围内开垦；二是招民开垦。此柴吉宝日塔拉地，西、西南、南及东南部一线都与杭锦旗地相邻，北东部，则与该旗未奏开之地连接。因为是招民开垦，所以要进入柴吉宝日塔拉地谋生的内地民人几乎都要经过杭锦旗地。这就意味着内地民人经过杭锦旗地进入达旗奏开之地开垦谋生的合法化。从此，内地民人源源不断涌入套内，使垦殖不断增加，最终促进了后套地区由单一的游牧经济状态向农、牧业结合型经济结构状态的转化，进而导致了后套内社会结构的变化。这在执行"封禁政策"时期的后套地区，无疑是一次影响重大的社会变革。

（一）达拉特旗奏开柴吉宝日塔拉地

道光八年（1828年）三月二十七，达拉特旗札萨克贝子永咙多尔济（Yongrungdorji）去世，其子达什多尔济（Dašidorji）袭爵并任札萨克。但是，达什多尔济正式行使札萨克权力，在是年十月初一日。[①] 就在达什多尔济袭爵并等待行使札萨克之职期间，代理札萨克之职的达什多尔济的叔叔占

---

① 手抄蒙古文档案：《伊盟水利水土保持资料汇编》（清代—民国），第003辑，第123—127页。达拉特旗札萨克贝子达什多尔济致盟长的函件。

楚布道尔济，以札萨克名义（亦即在达什多尔济不知道的情况下）向理藩院呈报了奏请开垦旗内柴吉宝日塔拉地的请求书。达什多尔济在正式行使札萨克之职的当月，即在道光八年（1828 年）十月初四，接到了理藩院以文件形式转达达拉特旗的奏准开垦通知。① 从文献内容看，达拉特旗奏请的经过是：先由旗衙门把奏垦请求书呈报盟府、驻神木办理蒙、民事务衙门，以上二衙门又以同样内容上报理藩院，理藩院最后奏请皇上恩准。达拉特旗于道光九年（1829 年）正式招垦所请旗地。

下面是保存于鄂尔多斯市档案馆的有关达拉特旗奏请开垦旗地的两份蒙古文档案摘译：

理藩院转奏皇上的有关达旗奏开旗地的奏文：

> 伊克昭盟鄂尔多斯札萨克贝子达什多尔济旗所报文中称，我旗有四十个苏木，旗民之生计全依赖牧放的四类牲畜，从来就没有公共积蓄。每年修缮庙宇、购补军备马驼和兵器等物之费用，会盟、比丁时所需之费用等，都是从民人那里借贷，再由旗内相关台吉官员那里征集偿还的。近年因牲畜遭灾、公务又不敢怠慢，于是欠民人之银两已经达到十一万七千四百余两，无法还债的蒙古人已到了穷途末路的地步。我旗没有任何由土地产出的东西，只是在旗西北之柴吉宝日塔拉庙至西部之沙勒达瓦庙的范围内，约有一千六百多牛犋的可耕田地。过去蒙古人曾经筑坝修渠引黄河水耕种，后由于无力继续筑坝修渠而使之荒废。这块地内没有常住居民，亦不适宜牧放。故，请求招附近居住之民人，来教蒙古人耕种，经过十余年蒙古人学会之后，再由蒙古人自行耕种；收获之粮食用于公务、偿债以及接济穷苦蒙古人维持生计。这是全旗旗民上报的请求书，属盟盟长索达那木喇布斋根顿、驻神木办事之理藩院章京也曾递上了同样内容的请求。据查，乾隆五十七年，乌喇特三公旗所请招民开垦荒废之旗地五年，以抵偿债务，得到皇上允准；嘉庆八年，乌喇特札萨克公巴图敖其尔旗，请求招民开垦荒废之旗地五年，以补偿筑坝民人之损失，得到允准；嘉庆十八年，乌喇特札萨克公道尔济帕拉玛旗

---

① 手抄蒙古文档案：《伊盟水利水土保持资料汇编》（清代—民国），第 003 辑，第 128 页。

因遭灾无法偿还债务，请求将自垦之地招民开垦五年，以偿债务，得到允准。这些都记录在案。今伊克昭盟鄂尔多斯札萨克贝子达什道尔济旗，因牲畜遭灾、损失严重、牧民窘困而请求将旗内柴吉宝日塔拉的荒废之地招民以教蒙古人开垦，这与过去乌喇特旗为抵偿债务而招民开垦旗内荒废之地并无两样。谨奏请皇上恩准，此地可否于来年招民开垦，以用于公务度支、接济蒙人生计、抵偿债务，迨至蒙古人可以自种以后，即由蒙古人自种，不得使民人占据。若照所请，待接到圣旨后，臣等即致书于所属盟长、驻神木理藩院章京、归绥道员，对所涉蒙民严加管理，不滋事端。道光八年初冬月十九日。①

协理占楚布道尔济等，于达什多尔济尚未正式行使札萨克职权之前，呈报理藩院的招民开垦请求（即达旗原奏文）：

据记载，于道光六年，前任副盟长札萨克贝子永呲多尔济等呈报的函件中称，我旗四十个苏木的旗民全赖四类牲畜为生，从来就没有公共积蓄。每年修缮庙宇、比丁所需公务费用，都是从民人那里借贷使用后再由旗内相关台吉官员那里征集偿还的。近年因四类牲畜遭灾倒毙严重，公务又不能怠慢，旗民因不能偿还所欠民人银子十一万七千四百多两而到了穷途末路的地步。我旗向无从土地产出的东西，只有旗西北部名叫柴吉宝日塔拉的一块空地。其北至故黄河，南至格隆津巴庙，东至拉僧庙，西至沙拉达瓦庙，其中有约一千六百多牛犋的农地。过去曾围堰修渠，引黄河水耕种。后因无力继续围堰筑堤而使之撂荒。此地无常驻居民，且非适宜之牧场。故请求，将此地指给从前耕种之民人，以教蒙民耕种。经过十余年蒙民能够耕种后，即由蒙民自己耕种。所收粮食变卖后，将用于公务度支、赈济贫民事项。称这是全旗旗民的请求。此请求，经属盟盟长贝勒索达那木喇布斋根顿、驻神木办事之理藩院章京耿福等审阅报理藩院后，理藩院答复称：该地于何年撂荒缺乏证据，招民开垦亦有违律法，故不可照此进行。这些都记录在案。据查，属旗内

---

① 手抄蒙古文档案：《伊盟水利水土保持资料汇编》（清代—民国），第003辑，第128—136页。

确实没有该地于何年撂荒的记载，向旗内长者老人询问时，只有八十八岁高龄的森格老人称：从前辈那里听说，于康熙四十一年曾围堰耕种……四十二、三年，因洪水漫溢而撂荒。时下，旗内台吉众旗民纷纷来报说，因生计困难，不用说去履行紧要之公务，就连基本生计也已经难以维持了。协理我们岂敢让旗民四处逃散！故请求理藩院明鉴，可否照属盟盟长贝勒索达那木喇布斋根顿和驻神木办事之理藩院章京耿福等处审阅上报的旗之所请，拯救众旗民。①

以上奏文，提供了了解当时达拉特旗状况的一些基本线索。

1. 达拉特旗在旗内从来就没有公共积蓄，一切公务度支都向民人借贷。

2. 晚至道光朝初期，达拉特旗一切公务度支已经采取先从民人那里借贷然后从旗民中征集偿还的办法。

3. 至道光八年（1828 年）时，旗内欠民人的债款已经达到了 117 400 余两。

4. 近年因遭受严重自然灾害，牲畜倒毙，所欠民人债务已经到了无法偿还的地步。

5. 通过招民开垦旗内部分牧地，以其收获来偿还债务、履行公务、补给生活。

6. 请求奏开的牧地范围：请求奏开的牧地叫"柴吉宝日塔拉"，其四至"北至故黄河，南至格隆津巴庙，东至拉僧庙，西至沙拉达瓦庙"，面积约为 1 600 多牛犋的土地。

7. 这块土地原来就有旗内牧民在耕种，此次奏垦绝不是长期放予内地民人耕种，而是用十余年的时间向民人学习耕种，之后收回由旗民自己耕种。

（二）达拉特旗奏开之地的范围与面积

关于奏请开垦的柴吉宝日塔拉地的四至范围，前引理藩院转奏文中只是载"旗西北之柴吉宝日塔拉庙西至沙拉达瓦庙的范围"，而在达拉特旗原奏文中载，请求报垦的柴吉宝日塔拉地的四至是："北至故黄河，南至格隆津巴庙，东至拉僧庙，西至沙拉达瓦庙"的区域。这块地域在今天的行政地

---

① 手抄蒙古文档案：《伊盟水利水土保持资料汇编》（清代—民国），第 003 辑，第 141—147 页。

图上，大致东至五原县的塔尔湖、海子堰、邬家地一线以西，西至临河县的狼山、古城乡一线以东，北至乌加河，南至今黄河以北距离不等的地区。当时在此域范围内，"约有一千六百多牛犋的可耕田地"。若按一副牛犋耕田三顷地计算，当时的耕地应该有 4 800 顷之多。

另据前文，达拉特旗奏请开垦旗地之事，是在达什多尔济处理父亲丧事并进京谒见皇上领旨继袭札萨克贝子爵职期间，其叔父占楚布道尔济背着他以札萨克名义上报请旨的。达什多尔济对叔父的做法极为不满，曾向盟长处申诉过事情的原委。据记载，在占楚布道尔济申请招垦旗地的同时，旗内出现了大量招民放垦旗地的现象。这在达什多尔济正式袭任札萨克贝子爵职之后，一切都暴露了出来。

据达什道尔济于道光九年（1829 年）季春月致盟长和副盟长的函件，旗内诸多台吉阿拉巴图等（据笔者查，文中所列申诉者有 110 多人）联名前来申诉说：

> 自去年三月以来，因协理占楚布道尔济指使属下官员和属民招民开垦，旗内其他部分台吉属民也仿效招民开垦旗地，致使广大旗民现已无法继续在属旗内居住和以牧放为数不多的牲畜来为生了。对于此，属旗札萨克贝子达什多尔济我本人是不能隐瞒或自主决断的。但是，若另差派官员前往调查，又恐有疏漏。所以，札萨克贝子达什道尔济我本人，决定亲往诸台吉旗民所诉之协理占楚布道尔济和其他台吉官员旗民招垦之地进行实地查看。结果，在去年上报理藩院奏准开垦的柴吉宝日塔拉地以外的属旗众蒙古放牧的主要草场和众蒙古将随夏、冬季节倒场游牧要去的草场上，招去新开地者和在地上标界立牌准备开垦的民人已达几百人，全旗地内已是一派开垦的景象。贝子达什多尔济我只是一时还无法核定现在所开地亩之确切数目，但是可以肯定旗内十有八之草场已经被垦。

> 又载：在前任札萨克贝子时期，协理占楚布道尔济就曾几次招民开垦旗地，但招徕之民人咸被前任札萨克贝子驱赶出境。道光九年季春月二十九日①

---

①　手抄蒙古文档案：《伊盟水利水土保持资料汇编》（清代—民国），第003辑，第171—173页。

那么，当时达旗除奏准开垦的柴吉宝日塔拉地以外，私下招民开垦的土地又有多少呢？达什多尔济将旗内出现大量招民开垦的情况和他本人亲自查看的结果报告盟长、副盟长后，盟长即差派梅林特穆尔、梅林端多布等前往达旗进行了核查。不久，盟长和副盟长将所查之情况和处理意见联名上报了理藩院。报告中就达旗开垦的情况称：

> 据查，达旗境内有种地之民人二百六十六伙，计有犁耥五百九十四副。如果按他们所说的一张犁可耕三顷地计算，则耕地一千七百八十顷。①

如果加上前述经奏准开垦的耕地 4 800 顷，达旗当时公开和私开的土地就达 6 580 顷；如果再按一副犁耥 3 人计算，开垦这些土地就需要近 6 280 多人。由此可以窥见，达旗奏垦柴吉宝日塔拉地对于清代后套地区由游牧区域向农耕区域转变方面将会产生的影响。

（三）汉文史料及著述对达旗奏开旗地的记述

有关河套开垦的汉文文献和研究著述中，对于道光八年（1828 年）达旗奏垦旗地一事都给予了高度重视。目前关于河套地开垦的研究中，几乎无一例外地会提到道光八年（1828 年）奉特旨开放一事。诸如《四大股碑记》、《绥远通志稿》和《禹贡》半月刊、陈耳东《河套灌区水利简史》等碑记、志书和研究著述中，对此都有不同程度的记述。以《四大股碑记》为例，载："道光八年，奉特旨开放，缠金招商耕种，达赖杭盖②亦将河套节次开垦。"③ 意思是说，道光八年（1828 年），达拉特旗和杭锦旗，"奉特旨"先后招垦了后套内领地。上述二旗领有清代后套地区内的绝大部分土地，言两旗地节次开垦，就等于说后套地先后全面开垦。也就是说，清代后套地区的开垦，是从道光八年开始的。由此可见有关文献和著述对达拉特旗

---

① 手抄蒙古文档案：《伊盟水利水土保持资料汇编》（清代—民国），第 003 辑，第 107 页。
② "达赖杭盖"，是当地汉族民人对达拉特旗和杭锦旗的简称。
③ 五原"四大股"碑记，全称：《重修诸神庙并开渠筑堤碑》，光绪二十八年立。侯仁之转录。转引自《禹贡》半月刊第 6 卷第 5 期，侯仁之：《旅程日记》，第 176 页。

奏开旗内后套地及其在清代后套地开垦史上的地位和影响的关注。关于道光朝之前后套地区的开垦情况，也有如下记述。陈耳东在《河套灌区水利简史》中写到："在康乾时期，或在清朝中期以前，就河套地区来说，……小规模的垦荒种地和小范围的开发水利是始终存在的。"①《绥远通志稿·水利卷》中也载：此时，"水渠之利未能大兴"。比较可知，汉文献著述对道光八年下"特旨"开放缠金地在清代后套地开垦史上的作用及影响是给予高度重视的。

但是，以上记述存在不妥之处。首先，《四大股碑记》中载，"达赖杭盖亦将河套②节次开垦"的说法不够确切。达拉特旗于道光八年奏请开垦了后套内领地，但只是旗内位于后套中北部的"柴吉宝日塔拉"地区，其领地的东半部并不在奏请开垦的范围之内；杭锦旗后套领地不仅没有随达拉特旗的奏放而立即招垦，反而在整个道光朝时期内实行了严格的"查禁"。直到光绪二年（1876年），杭锦旗的奏垦请求才得到允准，旗地才开始招民开垦。其次，上列著述几乎都把达拉特旗早期招垦旗地的原因归结为以下两点：一是民人与达拉特旗"郡王交善"③；一说"道光皇帝被迫对某些政策作了调整。其中直接影响河套水利开发的是道光八年（1828年）下特旨，修改康熙以前的禁令，准许开放缠金地（临河以北以西的地方），招商垦种。"④ 总之，对皇帝"下特旨"和民人与达拉特旗"郡王交善"在促成达旗地开垦上的作用给予了高度重视，而对达拉特旗奏请开垦一事，则只字未提。这显然过分强调了开垦而忽视了旗民的态度，不利于全面了解清代后套地开垦的真实原因，更不利于全面把握清代后套地区放垦和社会变迁的脉络。再次，陈文中"准许开放缠金地（临河以北以西的地方）"一句表述不准确。当时的"缠金地"在今临河城的迤北东地区，而包括临河城和城正北至"白脑包"一线以西的地区均属杭锦旗领地，全部属于"封禁"地区。也就是说，当时临河迤西北是杭锦旗地，并不在达拉特旗的开垦范围之内。

---

① 陈耳东：《河套灌区水利简史》，水利电力出版社1988年版，第45页。

② 这里"河套"指的是后套，并不是明朝人所说的河套。

③ 《绥远通志稿》中有关民人与达拉特旗"郡王交善"的说法是错误的。因为达拉特旗是贝子旗，郡王旗是清代鄂尔多斯部中的另外一个旗。达拉特旗在道光八年之前，是贝子永咙多尔济任札萨克时期。

④ 陈耳东：《河套灌区水利简史》，水利电力出版社1988年版，第47、49页。

把这些地区笼统称之为缠金地，是到了民国之后的事情。《禹贡》中就有王同春"侨寓绥宁交界之缠金"① 的记载，这是因为 1928 年国民党政府将阿拉善旗划归了新成立的宁夏省后，这一带地区开始与宁夏省相邻的缘故。

另外，有必要对"缠金"和"柴吉宝日塔拉"这一地名，做进一步的考证说明。"柴吉宝日塔拉"，是以前引文中的"柴吉宝日塔拉庙"、即清代蒙古人称之为"柴吉因希图根"（Čayiji-yin Šitügen）的寺庙名称命名的地名。其地在今临河市城迤北的"古城乡"境内。该寺庙名称很可能是因当地的古城要塞而命名的。蒙古语中把军事要塞叫做"柴吉"（Čayiji），这与乌喇特中旗之"川井"（Čonji），是蒙古语，指古代"烽燧"的意思类同。此古城（即要塞）距临河城东北九十里，距五加河南岸十余里，地处高家油房地方。"周围千余丈……垣厚两丈许，土坚而白，若间灰石。光绪三十一年……就地开渠，城当永济大渠稍，路穿城开渠凿地八尺许发现古式盔一具……土人呼其城为杨家营，俗传宋将杨业兵为北胡败，息兵于此，因城之然，枕河屯兵……"② 古城北抵二郎山口有二、三十里，左宗棠部镇压回军起义后，留金运昌将兵五千戍守狼山口子就屯兵于这个地方，当时汉文献中已经写作"缠金"。道光朝时期，这座古城位置就在达拉特旗"柴吉宝日塔拉"地范围内。今狼山口子山前台地上曾立着一块大石头，上刻有金运昌碑文，记载了屯兵之事和当时周围的情景。碑文曰："总统五千兵，纵横万里路；荡平金积堡，调防紫径驻；忽迄重九日，登高于此处；只有蒙古包，不见村和树。"（同治壬申旰江金运昌）③。不过，金运昌把屯军之地写作"紫径"。《临河县志》也载："迨至同治初季，西师剿匪凯旋大兵就食永济渠（初名缠金渠），列垒百里析声相闻，各大商竭力输将，络绎不绝。不过三年，悉索敝赋，搜括殆尽。"④《临河县志》以"大兵就食永济渠"即缠金渠，隐含了金运昌的屯军之地。当代的地方性文献中也有错误抄录情况。

　　① 张维华：《王同春生平事迹访问记》，《禹贡》半月刊第 6 卷第 5 期。
　　② 王文墀：《临河县志》，《卷下·杂记·古跻门》，1931 年铅印本。王文墀本人曾到该古城进行过实地考察。
　　③ 这块石头碑，现立于乌拉特后旗山前的搭拉盖口子处的一个蒙餐馆院内，外面用玻璃罩保护，字迹仍清晰可辨。笔者曾两度前往考察。
　　④ 王文墀：《临河县志》卷中，《水利沿革利病纪略·论永济渠沿革及利病》。

如《乌喇特中旗志》中抄录的上述碑文："总统五千兵，纵横万里路，踏平金积堡，调防扎经驻。忽逢重九日，登高于此处，只见蒙古包，不见村和树"①（同治壬申，金运昌）。对照原碑文，其中存在不少抄写错误，特别是把碑文中的"紫径"又写成了"扎经"。考察这些地名，从道光朝时期达拉特旗的"柴吉"（Čyiji）或"柴金"（Čayijin），到同治朝时期文献中写做"缠金"，而碑文则写作"紫径"，《乌喇特旗志》则又写做"扎经"等情况，可以断定，汉写中出现不同写法，正好证明该地名原本就不是汉语地名，而是蒙语地名的汉文译写。对此，苏希贤在《王同春——河套水利开发的杰出人才》一文中明确写到："永济渠原名'缠金渠'，是以蒙古地名取名……"，② 所论甚是。道光八年（1828 年）达旗上报理藩院奏请招民开垦柴吉以南、以东的地区，并把报垦地的范围总称为"柴吉宝日塔拉"。"宝日塔拉"亦即"平原"之意。因为，该地是继后套西端阿拉善垦区之后后套中部奏准开垦范围最大的地区，所以"柴吉"地名便在民人中广泛传开，后来在汉语中取其谐音写做"缠金"。

对缠金地名称谓做不同解释者，最早出自王同春的儿子王乐愚在追忆其父事迹中的一段话：即"永济原名缠井。先是有郑姓者，在刚目河下流，开渠一段。光绪初年，复由祥泰魁、协成、杨姓、李姓等十二家，自刚目河上流向北开渠五十里，共费银十万两。以在其地掘井得蟾，故名蟾井，后复为缠金。"③ 陈耳东在《河套灌区水利简史》一文注释中写到："缠金渠是因地以得名。缠金原为临河以西以北地名，按《中国历史地图集》标定的位置，约在今新华、狼山中间一带，正是永济渠所流经之处。其实在清朝，整个临河以西的地方都叫缠金。据说甘肃等地汉人初到此处时，掘井汲水，见有绿色蛤蟆和疥蛤蟆浮于水，他们呼蛤蟆为蟾，故呼其村落为蟾井。……后为取佳意，遂将蝉井转为缠金，从此地名叫缠金……"④ 首先，据前文，"缠金"来源于"蟾井"的说法，显然是错误的。因为"缠金"一词，在

---

① 《乌喇特中旗志》，内蒙古人民出版社 1994 年版，第 789 页。
② 《王同春与河套水利》，载《内蒙古文史资料》第 36 辑，1989 年，第 53 页。
③ 《禹贡》半月刊第 6 卷第 5 期，《王同春生平事迹访问记》，第 129 页。
④ 陈耳东：《河套灌区水利简史》，水利电力出版社 1988 年版，第 49 页。

同治朝时期的文献中已经出现。所以，王乐愚"光绪初年掘井得蟾，故名蟾井，后复为缠金"的说法显然错误。其次，陈文中"缠金原为临河以西以北地名"的说法，在方位表述上有误。因为今临河整个以西地区及以北的部分地区，在清代一直是杭锦旗的领地，当时并不叫缠金地，也不在达拉特旗柴吉宝日塔拉范围之内。上说显然不得要领。

（四）达旗奏开旗地与杭、达两旗关系的变化

清代达、杭两旗在后套地区拥有100余公里的共同边界，早在达旗奏开柴吉地之前，两旗之间的界地纠纷就已经开始。这次达旗奏开的柴吉地，又正好处于杭锦旗套内领地西、西南、南、东南几面的包围之中，所以柴吉地的奏垦进一步加剧了两旗的界地纠纷，进而导致了杭、达两旗之间新的旗际关系的形成。此外，达旗之柴吉地开垦采取的是招垦方式，清代进入达旗柴吉地的内地民人主要来自两个方向。一是西南方向，主要是甘宁民人；二是东南方向，主要为晋陕民人，无论来自哪个方向上的民人，要想进入达旗的柴吉地区都必须经过杭锦旗领地。这样就构成了杭锦旗与民人之间的新的关系。再者，当时的杭锦旗地仍然是被"封禁"的纯游牧地区，地域广阔、人烟稀少、查禁困难，这就使查禁与私垦之间的矛盾表现得比较突出。

如前所述，清代杭、达两旗在后套地区内有100余公里的共同边界。乾隆五年（1740年）鄂尔多斯七旗划界时确定的两旗后套地内的边界走向是：

> 至黄河的阿喇戈毛仁阿木，我旗与贝子纳木札勒色棱的旗接壤；由此再往南，秀登、萨莱、敖陶其因拜星，再，格隆津巴因苏默、琅胡，再，萨哈拉、塔喇脉、苏亥图、乌拉孙内阿木、慕日格穆、阿拉塔因扎木、泥车滚陶亥，再，呼日业、乌兰哈吞阿木、布戈岱，再，锡日巴嘎岱……至此，我旗与贝子纳木札勒色棱旗接壤相居。[①]

但另据《杭锦旗志》中有关两旗边界的一段记载，似乎在嘉庆朝时期两旗边界曾经过重新确认。本人未查到其原文，以下是《杭锦旗志》中所

---

① 鄂尔多斯市档案馆蒙古文档案，57—1—49—4。

载内容之摘抄：

> 以下为塔来伊克木独、塔布格阿日勒、其格木仁［车跟穆仁］阿
> 木、伊克比业河口、乌格木尔敖包、呼和淖尔、格日斯格、阿喇戈毛仁
> 阿木，以上和贝子永仁道尔计［永咙多尔济］旗相接；以下依次至秀
> 登、萨来、哈日布特、乌特齐拜升、格隆京巴庙、浪胡北、萨格勒、塔
> 勒麦、苏亥图、乌拉孙、木日格目、其格目仁、诺木图陶亥、呼热、乌
> 拉孙阿玛、奎苏、布格退、希日巴岱胡舒、查干额日格、其龙呼都格、
> 都日本呼德格、呼和布日都、苏亥图、格德日格、布日嘎苏太、达尔汗
> 喇嘛庙、哈来郭勒、扎日格呼舒、巴音敖包、阿布德日特格，以上各处
> 与贝子永咙多尔济旗（达拉特旗）；郡王什当巴拜旗（伊金霍洛旗一
> 部）接壤。嘉庆七年昆春二十日。①

为了比较，暂把乾隆朝时期的称做“前文”，把嘉庆朝时期的称做“后
文”。“前文”是鄂尔多斯七旗于乾隆五年（1740 年）划界时，杭锦旗与达
拉特旗沿两旗边界标定的地名，地理位置上大致为西北—东南走向。这也是
两旗之间最早标定的旗界地名并绘制有地图。另外，这条边界线及其沿界地
名，是在当时的伊克昭盟盟长杭锦旗札萨克贝子齐旺班珠尔和达拉特旗札萨
克贝子纳木札勒色棱的亲自参与下确定的，在清代有关文献中也没有看到两
旗间有重新划定旗界的情况。所以尚可以肯定，虽然所标的各地名之间距离
长且各段长短不一，但仍不失为是确定两旗边界的基础。后文，据材料下面
的落款，是为嘉庆朝时期所确认。比较前、后两文，两旗之间自乾隆朝以来
的边界走向及其沿边界所标定的基本地名没有大的变化，“后文”只是沿边
界增加或变更了一些地名。但仔细对前后两文进行比较并结合当时的有关记
载，发现“后文”中存在错误和笔误。下面将后文中的错误部分和新增部
分列于下：

“后文”中称：“以下为塔来伊克木独、塔布格阿日勒、其格木仁［车
跟穆仁］阿木、伊克比业河口、乌格木尔敖包、呼和淖尔……以上和贝子

---

① 杭锦旗志编纂委员会：《杭锦旗志》，《附录一》，内蒙古人民出版社 1994 年版，第 783 页。

永仁道尔计［永咙多尔济］旗相接"。此句无疑是错误的。因为自乾隆五年鄂尔多斯各旗之间正式划定旗界后，自"塔来伊克木独"至"库克淖尔"一线，是杭锦旗和阿拉善厄鲁特旗的接壤地带；由"库克淖尔"［呼和淖尔］往东到"阿喇戈毛仁阿木"，杭锦旗与乌拉特部接壤；从"阿喇戈毛仁阿木"开始，杭锦旗才与达拉特旗接壤。此外，后文中，在"呼和淖尔——阿喇戈毛仁阿木"之间新加了"格日斯格"地名；在"萨来——乌特齐拜升"之间增加了"哈日布特"（此地名在原地图中标有）地名；"木日格目——呼热"之间新增加了"其格目仁［车跟穆仁］、诺木图陶亥"，去掉了前文中的"阿拉塔因扎木、泥车滚陶亥"（此两地名在原图中标有，是以界堆名称出现的，据道光朝时期的史料，此两地已没于水中）地名。另，"其格目仁［车跟穆仁］"是为河道名称，即黄河后套地区汉文中古"南河"的蒙古语称谓。此名称至少在康熙朝时期就存在，写作"车根穆冷"。再，以上四个地名直到道光朝时期的蒙古文档案中仍在沿用。在"呼热——布格退"之间增加了"乌拉孙阿玛、奎苏"。但是，其中的"乌拉孙阿玛"，很可能是前文中"乌兰哈吞阿木"的笔误。因为后者应当在今西山嘴地方、即古"北河"与"南河"出后套口的汇流处。直至道光朝时期当地仍沿用"乌兰哈吞阿木"地名。"乌拉孙阿玛"地名，当在今新安镇以北、五原县黄努如①以东的地带。另外，后文中的"永仁道尔计"和"永咙多尔济"，指的是同一个人，即为乾隆五十四年（1789 年）至道光八年（1828 年）袭爵并任札萨克职的达拉特旗札萨克贝子，前文中所说的纳木札勒色棱的后代。根据以上的比较，前文中标定的两旗边界走向基本没有改变，后文只是根据变化增减了部分地名。但是后文中存在的错误和笔误是明显的。

杭、达两旗界地纠纷的由来　如前文所述，达拉特旗于道光八年正式奏垦旗地之前，旗内就已经存在旗民私下招民开垦的情况。这种情况，在嘉庆朝时期的文献中已初见端倪。嘉庆十四年（1809 年），杭锦旗在致达拉特旗的一份函件中，就写到：

---

① 另有写作"黄恼楼"者。是蒙古语 Quwa niruyun。

在涉及我们两旗边界要紧的、被称为第一源头①的乌兰哈吞阿木地方，盟长和诺彦们亲自前往会晤并且共同堆包立界，这是前不久的事情，绝非是两旗依各自意志所为之事。然而，现在贵衙门却提出了双方应毁掉已经确立的界堆之一的乌兰哈吞阿木封堆之要求，这是完全不合情理的，我们贝子和诸协理无法接受。②

嘉庆十七年（1812 年），杭锦旗在致伊克昭盟盟长贝勒的回复函中进一步称：

据查，关于杭锦、达拉两旗争界一事，于嘉庆十四年，前任盟长贝子、乾清门行走之盟长札萨克多罗贝勒诺彦、札萨克贝子占巴啦道尔吉等共同会晤，就达拉、杭锦两旗交界的自锡日巴嘎岱因和硕至格隆津巴因苏默的十五个源头一线的地界，按照乾隆五年原定边界立封堆，明确了两旗边界，并取证据上报了理藩院。③

由上可知，在嘉庆十四年（1809 年）前，杭、达两旗之间就已经发生了边界纠纷，这也是有关杭、达两旗之间争夺界地的最早记载。两旗重新确立界标的会晤，是在事关两旗边界要紧的作为"第一源头"的"乌兰哈吞阿木"地方举行的。目的是重新确立两旗沿十五源头一线的界标，以解决界地纠纷。尽管尚不知引起边界纠纷的原因是什么，但是，从纠纷内容可以大致推断，因越界游牧而引起界地纠纷的可能性不大。一是，还没有看到两旗之间因越界游牧而引起纠纷的任何记载。二是，根据以上材料中达拉特旗只是提出要毁掉作为第一源头的界堆的情况看，也不可能是因为游牧需要的缘故。因为根据清代鄂尔多斯七旗地图上所标的位置，这个"乌兰哈吞阿木"就在西山嘴地方黄河西南岸的杭、达、乌拉特西公旗三旗边界交会处，

---

① 蒙古文写做 Nigen ekitü ɣajar。据清代鄂尔多斯七旗绘制的地图，该地名就在今乌拉特前旗西山嘴地方，由此开始至"格隆津巴庙"共有十五个源头（蒙古文写作 Arban tabun ekitü ɣajar），其地域范围大致就在今乌拉特前旗的后套地区。
② 手抄蒙古文档案：《伊盟水利水土保持资料汇编》（清代—民国），第 002 辑，第 37 页。
③ 手抄蒙古文档案：《伊盟水利水土保持资料汇编》（清代—民国），第 002 辑，第 87 页。

即三旗边界相距最近且地域最为狭窄的河口地段，并非是适宜游牧之区。反之，这一区域正好是晋、陕民人沿黄河进入后套地区的必经之地或通道。

此外，另有一则事实可能对了解杭、达两旗早期界地纠纷的原因有所帮助。在黄河以南地区，杭锦旗不仅东与达拉特旗接壤，而且杭、达两旗又共同南与郡王旗相邻。嘉庆十八年（1813 年）的文献中，就有郡王旗的拉希"动用十几付牛犋肆意开垦"杭锦旗地的记载。① 很可能，达旗靠近乌兰哈吞阿木的河南地区，在嘉庆朝时期就已经有了农业开垦情况。因为这一带是清代达拉特旗最适宜进行开垦耕种的地区，土默特地方种地之民人很容易沿河来到这里。

进入道光朝之后，文献中便出现了有关达拉特旗台吉等招民开垦杭锦旗地的记载，而且正是在上述"十五源头"一线地区。以下是道光五年（1825 年）杭锦旗致达拉特旗的部分函件内容摘要：

> 据我旗章京占布啦自述，……贵旗一等台吉班登，伙同民人肆意开垦我旗土地时，曾以十斗糜子利诱我旗下人章京占布拉立以字据，进而引起了纠纷。班登是爵职一等台吉的臣民，竟敢违反圣上的禁令，招民开垦我旗旗地，破坏两旗兄弟情义。为根绝此类事情再度发生，我们两旗应当派出大员予以查办，劝阻种地之民人。
>
> 又载：我们两旗交界的十五源头一线所立封堆，因年久失修，雨水冲刷而已经破败不堪。双方差专员整修堆标，可避免两旗旗民日后再滋事端。有关此事的再三请求都记录在案，然而至今未见回复，故再度行文告知。收悉后恳请副盟长贝子诺彦明鉴，并待就以上两事的会晤时间、地点的决定日期到来之后，我旗即差大员前往，以一同驱逐种地民人，整修堆包。道光五年季春月十七日。②

不久，杭锦旗再次致函达拉特旗：

---

① 手抄蒙古文档案：《伊盟水利水土保持资料汇编》（清代—民国），第 002 辑，第 91 页。
② 手抄蒙古文档案：《伊盟水利水土保持资料汇编》（清代—民国），第 002 辑，第 219—222 页。

我旗内二等台吉拉什扎布等台吉官员们纷纷申诉冤屈……。据查，关于杭、达两旗争界一事，于嘉庆十四年，我贝子旗之前任贝子拉什扎木素在世时，前任盟长贝子诺彦、乾清门行走之盟长贝勒诺彦、札萨克贝子丹巴达尔济①等会晤，就我们两旗交界的自锡日巴嘎岱因和硕至格隆津巴因苏默的十五源头一线地界，根据乾隆五年原定图纸逐一堆包立界，并取证据报理藩院，已得解决。但因年久失修，堆标已变得模糊。为此，我方曾多次告知贵方，并一直在等待双方派官员整修堆标的答复。在这种情况下，贵旗闲散管旗台吉班迪、台吉班登、台吉塔木楚格、梅林道尔济色仁、章京巴仁等，都是有职之人，竟然招徕内地之流民拓开我旗界地。这不仅破坏了我们兄弟般的情义，更有甚者，不顾圣上所定之律法，当属旗官员二等台吉拉什扎布等前往劝阻时，台吉塔木楚格却指使保德州之民人黄氏等，对台吉拉什扎布大打出手，抢夺并扔掉了其职官帽。同时，对达鲁噶宝日耗尼也大打出手，几致其随行阿里亚于死地并扯断了其辫子。可见，这是鄙视我们札萨克贝子和诸协理，有意破坏众属民的草场。……为解决上述班登等招民种地事和整修边界沿十五源头一线的堆标，我方提出于是年仲夏月初一日，在两旗交界的苏亥图等地方，将当事人和作为证据抓来的三匹马交予双方所差之协理官员，并按所约之时间、地点会晤，共同依法决断。道光五年初夏月十七日。②

由以上函件内容推知，发生在嘉庆年间的杭、达两旗之间的界地纠纷很可能就是因旗地开垦引起的。如果以上推断正确，说明清代后套地东段的私下招民开垦从嘉庆末年至道光初年就已经开始，这在时间上要晚于后套西端阿拉善旗地的开垦，也表明后套地区第二阶段开垦的序幕从这个时期已经拉开。不过，数量不会多。

下面需要对以上手抄档案文件上所标的年代做专门的说明：以上所引的档案文件，来自手抄的蒙古文档案辑。其中的每一份档案文件开头部位都立

---

① 此处内容有误。嘉庆十四年达拉特旗札萨克贝子应当是"永咙多尔济"，而非"丹巴达尔济"。
② 手抄蒙古文档案：《伊盟水利水土保持资料汇编》（清代—民国），第002辑，第223—229页。

有标题，标题内大都注明了文件的主要内容和撰写时间，而且都用蒙、汉两种文字对照写成。这些显然是在抄写时加上去的，汉文题目是从蒙古文题目翻译过去的。另外，档案文件的落款处也注明了时间，没有汉译，这应当是抄写的原档时间。问题是，以上所引道光五年手抄蒙古文档案的汉文标题中的时间和档案落款中的时间出现了较大的错位情况。即档案的行文中和落款处都写作"道光五年"，而在档案辑的汉文目录和文件开头部位的汉文题目中则都写做"道光十五年"。经核对，用蒙古文所写的纪年日期是正确的，汉文中的错误是译写错误。其中一例也可旁证。如，汉译文标题中写作"道光十五年"的一份手抄档案内容中，记载着"副盟长贝子永咙多尔济"当时的行为。据前文所述，达拉特旗札萨克贝子副盟长永咙多尔济，在道光八年就已经去世。他当时的行为应当是在道光八年以前，蒙古文落款所载道光五年当是准确的。

杭、达两旗间新的界地纠纷 如前所述，达拉特旗奏请开垦的柴吉宝日塔拉地，其西、西南、南、东南等方向上都与杭锦旗地相邻，而这些杭锦旗地当时均属"封禁"的游牧地区，内地民人要进入达拉特旗之柴吉地区，必须要经过杭锦旗地。另外，清代黄河（原"南河"）后套段两岸地区，即东起西山嘴西至磴口县巴彦高勒一线黄河南北的沿岸地区，几乎全部属于杭锦旗牧地，有较好的水利条件。所以，达旗奏开柴吉地之后，便引发了一系列与杭锦旗有关的利益矛盾。综观这些矛盾，都与以各种形式私下开垦杭锦旗地有密切关系。至道光朝中期时，已经可以看出这类开垦情况主要表现为以下类型：即达拉特旗王公贵族等私下招民越界开垦杭锦旗地；在达旗种地之民人私自越界开垦杭锦旗地；其他民人在杭锦旗地肆意开垦等等。

道光朝时期，达、杭两旗在后套地区的边界纠纷主要集中在两个方向：一是东南段，即与达拉特旗奏开的柴吉宝日塔拉地东南部相邻的西山嘴迤西迤北的杭锦旗领地；一是西段，即与达拉特旗奏开之柴吉宝日塔拉地西及西南部相邻的杭锦旗领地。这些地区都是清廷禁止招民开垦的杭锦旗牧地。

达旗台吉等招民越旗界开垦杭锦旗东南段地区：杭锦旗台吉巴图敖其尔等，遵照盟长贝勒衙门和驻神木理事司员衙门的指示，查看旗地被民人开垦的情况后报告说：

沿旗界呼日业敖包，经乌兰哈吞阿木到恢素、布戈岱、补达日甘图因锡勒……等地进行查看，在我杭锦旗境内所种之地有：沙嘎达尔淖尔地方，民人喜疤子伙同达旗台吉巴雅儿在耕种；两个乌兰淖尔地方，民人杨回回、王洁等伙同达旗台吉赛音朝格图等耕种；痕道图呼木地方，民人伊琪子伙同台吉赛音朝格图耕种；呼和陶劳盖地方，仍由民人杨回回耕种；葡淖尔地方的一块地，民人付刚子伙同台吉赛音朝格图耕种；锡日巴噶代音阿噜地方，民人杨回回裴杭哈、王氏等伙同台吉赛音朝格图耕种……

又据二等台吉拉希扎布等的报告："下人们根据指示，同我旗管理边境的台吉官员们一道查看我旗种地的情况时了解到，民人梁先生、司党子、谷英子等，以三百千文从达旗台吉巴雅尔、巴尔道、宝音德力格尔、陶日亥等手里购得我旗潘补隆①地的耕种权"；另，"民人潘路新从台吉宝音德力格尔手中购得我旗旧哈吞河槽中一块地的耕种权"；另，"民人以一百五十千文从达旗巴雅儿等手中购得我旗呼希业、哈日陶劳盖、吉日玛岱等三块土地的耕种权"；另有名叫"付朝呼尔的民人，抢种了我旗宝岱塔拉、陶赖图、得木齐因壕吐古尔等三块土地"；另，"杭、达两旗交界之穆日古木敖包以南的吉格孟图呼木地方一块地被民人盛华耕种"；另，"特鲁忒因额勒素地有达旗台吉秦思与蒙古人耕种过的旧茬，再往前的车根穆仁哈吞河槽地、碱湾地等，有叫云耀的民人在耕种"；另，"杭、达两旗交界之车根穆仁的脑木图套亥敖包西南的旧黄河湾上的一块土地，民人周春国在耕种，由此再往南的格勒特黑因色格尔一块地，有民人毛桃子耕种过的旧茬和房舍"；另，"杭、达两旗交界的呼日业因敖包东北之诺痕苏亥一块地，民人秀娃子从达

---

① 这个地名在蒙古文档案中有多种写法。有写作"Paja bulung"即"扒查补隆"者，也有文写作"Pan bulung"即"潘补隆"者，还有写作"Piyan bulung"即"翩补隆"者，杨盘龙在状告司党子的文中则写作"Baja"即"耙子"等等（见手抄蒙古文档案：《伊盟水利水土保持资料汇编》（清代—民国），第005辑，第123、130、165、260页）。一个地名在同一蒙古文档案中出现多种不同写法，只能说明该地名原本不是蒙语地名。另外，根据文中的记载，该地大致在今乌拉特前旗新安镇、即扒子补隆地方，清代杭锦旗与达拉特旗的交界地带。关于其含义，《巴彦淖尔盟志》、《内蒙古自治区地名志》载，"扒子补隆"，系蒙语意为"有官职之人居住过的地方"。也有说，是汉语地名，是因此地用柳条编制笆子有名而得此名称。总之还有待做进一步考证。

旗台吉宝因德力格尔那里获得耕种权……"。①

另据报告称：

> 查以往的案卷，载于嘉庆十四年上报的系列材料中的穆日格木、脑木图套亥、阿拉塔因札木、尼楚衮套亥、呼日业、乌兰哈吞阿木、恢素、布戈岱、锡日巴嘎岱因和硕等地是两旗界地，道光二十四年，就因台吉赛因朝格图、丹谆等伙同回回杨公、柴明等在我旗乌兰淖尔等地垦荒种地，我方派专人抓捕了柴明，并将民人抢种之事以及过去越我旗界开垦沙戈杜尔淖尔等地之事一同上报过驻神木衙门。然而时至今仲秋月初九日，驻神木衙门仍来函要求两旗明确旗界并上报。为此我们曾多次向副盟长达拉特贝子旗衙门提出过明界要求，虽经努力于今年春季双方始得一次会晤，但是地界问题并没有处理完结。达旗台吉巴雅儿、秦思、巴尔道、宝音德力格尔、杜日等台吉庶民，不仅将我旗潘补隆等地肆意放予民人耕种，收取钱财，而且为内地之不法的回回、侉侉们施以庇护。如"民人司党子、周华等明目张胆地打伤我方派出例行检查的兵丁奥巴萨木罕、奥巴、查干陶伊格、巴雅拉戈、巴宝、脑亥夫、美尼七人，强行耕种"；另，"在我旗锡日巴嘎岱因阿噜的奥日和呼淖尔、葡淖尔等地，达旗台吉赛音朝格图伙同民人回回杨氏等，招募不法民人八十余人，手持铁刃器，打伤查地之兵丁沙戈杜尔、贺希格图、道尔济、宝日拉岱、吉德东巴、巴苏济、宝音贺希格、拉稀、脑日布、巴尔登、特古斯、特古斯朝格图、扎拉拜、彭素格、札兰皮隆、赛音巴雅儿、色菪扎布等，抢种土地。道光二十六年初冬月十三日。"②

再据杭锦旗于道光二十六年（1846 年）致达旗的一份函件：

> 我旗苏布日嘎因塔拉等地，副盟长贝子诺彦旗下的台吉们，为了利益，无视两旗边界肆意招民越界开垦，……所招之民人因土地是四大台

---

① 手抄蒙古文档案：《伊盟水利水土保持资料汇编》（清代—民国），第 005 辑，第 160—169 页。
② 手抄蒙古文档案：《伊盟水利水土保持资料汇编》（清代—民国），第 005 辑，第 160—182 页。

吉指授的，所以根本不听两旗派去的官员的劝阻，……更有甚者，集中众多侉子、回子，手持铁刃器，每每围攻、殴打甚至伤害查地之蒙古官员和兵丁，所以谁还敢前往检查……道光二十六年仲夏月初六日。①

道光二十七年（1847 年）杭锦旗再次致函盟长和驻神木理事司员衙门，要求会同解决达旗台吉等招民开垦杭旗地事称：

> 副盟长达拉特贝子旗的巴尔杜、赛音朝格图等台吉们，越两旗边界招司党子、谷银子、杨回回等众多民人开垦我旗属民牧地，我旗民苦不堪言，曾屡屡上报……然而，民人却有恃无恐，不断持器械打伤我旗丁民，继续霸占耕种。道光二十七年仲夏月二十四日。②

以上是达、杭两旗在后套地内东南界地一带的纠纷情况。总体上看，至道光朝后期时，达拉特旗台吉等招民或伙同民人在后套地内东南部与杭锦旗交界地带的私垦情况，有加剧的趋势。

达旗奏垦区内之民人私下越界开垦杭锦旗西北地区：在西北段，私开杭锦旗地者主要是在达旗奏垦的柴吉宝日塔拉地内种地之民人。随着奏垦区域内土地开垦的扩展，则出现了达旗种地民人私自偷开杭锦旗土地的情况。过去达、杭两旗的边界是在游牧基础上划定的，主要以自然地貌特点为标识，并不细致。此外，为保障牧放一定数量的牲畜所需的草场，牧民们自古以来就实行"分散居住"③。这就为民人私开旗地提供了可乘之机。道光十八年（1838 年），杭锦旗在致达旗约定时间、地点，共同审理达旗种地民人越杭锦旗界开垦事宜函中称：

① 手抄蒙古文档案：《伊盟水利水土保持资料汇编》（清代—民国），第 004 辑，第 171—176 页。

② 手抄蒙古文档案：《伊盟水利水土保持资料汇编》（清代—民国），第 007 辑，第 1—5 页。

③ 手抄蒙古文档案：《伊盟水利水土保持资料汇编》（清代—民国），第 007 辑，第 1—5 页。

今年四月十六日，我旗台吉哈卜塔盖……等报，过去就达旗种地之民人于我旗之哈布塔日嘎地方每年向我旗一边推进耕种一事，两旗衙门已明确旗界堆立封堆，并交由下人我们看守至今。现在达旗种地之民人二柱子、付瞎子等，再度于我旗哈布塔日嘎湾一带地方推进耕种、砍伐树木，还从流经道劳哈喇占等地的花陶劳盖哈吞①上筑坝，使小召②险遭水灾。下人们虽经劝阻，但却不能制止，遂报上事情原委。道光十八年仲夏月十六日。③

又据杭锦旗方面报称：

达拉特贝子旗府于道光十六年初秋月二十日报来的对旗内私下招民开垦的旗民和在旗内种地又私垦杭锦旗地的民人的处理结果中写到，台吉班登等即使再不知道旗界位置，也应当知晓两旗交界之事。不慎越界开垦也是不应该的，应当按照有关律法每人鞭四十，以儆效尤，严加管制。台吉毛额默根是成心越界开垦，应当严惩，只是已经因病去世，故不予追究。回回依希道尔计、汉人三娃子……等确因不知而所为，已经按规定将多耕之土地撂荒，故亦不必追究。这些都记录在案。然而，今年我旗属民来报，回回依希道尔计的合伙者毛仁陶劳盖等不法民人，再度强行推开我旗之淖日格图地方，盟长贝子我本人和驻神木办事大臣在前往萨哈勒庙的途中到这些边界地带查看时，淖日格图地方的不少土地已被民人开垦。大臣亲自前往查看并吩咐失地之旗民，抓捕民人提取了口供。可是，现在我旗箭丁吉日嘎拉来报，下人我们于淖日格图因敖包往前、葛德日格因塔拉、桃高日格因阿噜等地查看时，民人仍在耕种。达拉特、杭锦嘎查会的庶民我们虽然再三劝说这是杭锦旗的土地，然而他们不仅不停下反而在我旗地增建房舍，甚至粗暴地让我们滚开。还

---

① 是由黄河古"南河"通向"北河"的一条天然支流，是今临河县城以西黄济渠之前身。晚至道光朝初期的档案文献中就有记载。

② 今临河市城北小召一带。

③ 手抄蒙古文档案：《伊盟水利水土保持资料汇编》（清代—民国），第004辑，第3—4页。

说，我唯一的马匹在其所耕地周围觅食时，突然发现马的腿部肌肉被刺穿，想必一定是这个凶暴民人所为。另据同旗内僧人札木扬来报，我因家境穷困，借看管民人哈喇塔尔闹木图的牛和班禅召吉萨之牛，靠奶食而为生。今仲夏月，在我旗闹日格图地方种地之达旗的蒙古名叫毛仁陶劳盖的民人，忽然称牛吃了庄稼，赶走了我所看管的民人闹木图的两头牛，……后又先后赶走了我所看管的班禅召吉萨的一头乳牛和同旗内僧人金巴的一头乳牛。向民人索要时，其弟巴音孟和便说，甭说吃牛，还要吃你，你赶快滚开此地。

又说：

去年，达旗种地之民人回回依希道尔计就以达旗台吉巴拉登指开之地为由开垦我旗土地，后双方派大员将巴拉登等抓捕并交予所属旗衙门处理，告诫民人并堆包明界，此事结了。今年，不法民人再度耕种我旗丰美的牧场，劝阻不听，大臣大人过问也不畏惧……道光十七年季夏月初六日。① 直到道光二十六年台吉萨日拉戈地方仍报告说："属旗边境之哈布塔日嘎因敖包等地，民人朱瞎子耕种一块地。道光二十六年初冬月十三日。"②

其他不法民人私开杭锦旗地：清代，今乌拉特前旗后套地区的绝大部分土地属杭锦旗领属。另据前述，杭锦旗后套地分布于达拉特旗柴吉宝日塔拉地的西、西南、南、东南一带，从西南部经过阿拉善旗垦区前来的甘、宁一带的民人和从东南部经过准噶尔旗、达拉特旗以及西山嘴一带前来之晋、陕民人，要进入柴吉宝日塔拉地，都必须经过杭锦旗旗地；杭锦旗的这些地区又具备良好的水利灌溉条件，人烟稀少，缺乏管理，这就为民人的私垦提供了可乘之机。

道光年间民人私下入杭锦旗地垦种的情况中，最突出的要说杨盘龙、高

---

① 手抄蒙古文档案：《伊盟水利水土保持资料汇编》（清代—民国），第007辑，第193—205页。
② 手抄蒙古文档案：《伊盟水利水土保持资料汇编》（清代—民国），第005辑，第160—182页。

顺郎等民人的抢种事件。道光十六年（1836年），杭锦旗在再次要求严惩抢种旗地之杨盘龙、高顺朗等民人事由中称：

> 据查，旗内从无积蓄存款，一切公务所需费用均向民人借贷。十三年之后（即道光十三年——引者），民人得知我旗欲请求招民开垦旗地的消息之后，便要求各种公务借贷事项必须先指定土地方可借予。因公务不敢怠慢，又缺乏费用，于是副盟长贝子、协理等我们在一个时期，便通过指给民人部分土地的办法借得银两。但是在向民人出具的合同中明确写到：此土地待皇上恩准开垦之后方可耕种，若未被获准，[①] 这些借款则由旗内另行筹措偿还。因奏请放垦之事未能恩准，故至此，通过旗内摊派和另行转借，欠民人的部分借款已经偿还，这些都记录在案。然而出乎所料，于去年，手持合同书的高顺朗、杨盘龙等倚仗其实力，利欲熏心，强行垦种了我旗土地。我们将此事上报了官府衙门。虽然官府衙门作出了上缴所持证书、拆毁所建房舍、填埋沟渠、驱回内地不得再行出边耕种的判决，但是高顺朗、杨盘龙等，不仅没有将所收获之小麦等粮食上缴充公，还违背判决，不交出证书，不拆毁房舍、填埋沟渠，并于今春再度强行耕种。

之后，在旗内持证或不持证之民人纷纷仿效高、杨二人的做法，抢种旗地的现象愈演愈烈。旗札萨克贝子、协理等也多次上报官府，强烈要求捉拿高、杨等人。

> 然而自去年，官府就派出了把总、拔什库等前往捉拿，但时至今日只抓到了杨盘龙的一个弟弟，并以其弟代替哥认罪了事。其中有什么不可告人之事，贝子、协理我们也不得而知。由于去年对高、杨等人的处罚不力，所以他们才胆大妄为变本加厉地于今年春天再度强行开垦。由

---

① 因连年的自然灾害，在公务度支无法维持的情况下，杭锦旗于道光十三年（1833年），上奏并提出了短期内招民开垦部分旗地以抵偿债务的请求。但道光十四年（1834年）清廷答复，不予开垦。所以，实际没有开垦。

此可知，高顺朗、杨盘龙就是使众蒙古苦恼和遭受牵连的罪魁祸首。若不捉拿严惩并将其所收获之麦子等粮食收缴归公，其余孽等还会于来年继续耕种。……这是副盟长贝子、协理我们无论如何也不能接受的。道光十六年初冬月初八日。①

另据，杭锦旗于道光十八年（1838年）报神木理事司员衙门的函：

今年季春月二十六日，杨盘龙的舅父李昌、李九等招募多人准备开垦。马超等前去劝阻，他们不听，臣府衙门派把总与我旗协理等一同前往抓捕时，李昌……等为首的四十多人手持木棒、铁器将把总、协理等团团围住，拒捕并准备滋事。这些都已上报理事司员衙门。盟长、协理我们同萨拉齐通判正在准备审理这些不法民人开地事之际，我旗札兰毕日嘎、沙嘎多尔扎布等来报说，今季春月偶然看到杨盘龙同另三位民人一起来到了去年耕种过的土地。下人我们悄悄向居住于周围的人们询问时，称三位民人中的一位是神木县的衙役高氏，另两位姓氏不明。又称：杨盘龙是屡屡触犯法律抢种旗地的罪人……理应严惩，以儆他人。于十五、十六、十七年，杨盘龙伙同众多民人耕种我旗土地已有三年。每年所获之租银粮米，全都中饱私囊，无一上缴。道光十八年季夏月初十日。②

杨盘龙私垦之地，就在今乌拉特前旗西山嘴黄河以北地区。在整个道光年间，杨盘龙私垦之事一直没有得到彻底的解决，杨盘龙本人也始终没有绳之以法。道光二十六年，杨盘龙反状告杭锦旗称："他本人原来触犯法律而耕种的杭锦旗包岱塔拉、扒子和哈喇陶劳盖等地，查干呼布格图县［府谷县］民人司党子等于去年秋季开渠浇地，今春招募一百十几名年轻力壮的农民开垦耕种，旗里既没有驱赶也没有上报。"杭锦旗方面则称：据查，从前"蒙人私下将属旗内恢图额勒素一带土地租予民人耕种一事，已经依

---

① 手抄蒙古文档案：《伊盟水利水土保持资料汇编》（清代—民国），第007辑，第80—89页。
② 手抄蒙古文档案：《伊盟水利水土保持资料汇编》（清代—民国），第004辑，第9—10页。

法查办并经理藩院严行禁止。但去年秋，民人司党子等于包岱塔拉地方开挖渠道，又于今春招众民人耕种……"。对此，已"立即……上报。道光二十六年初秋月初七日。"① 就是说，杨盘龙之后又有名叫司党子的民人私垦。

关于高顺朗等私开杭锦旗地的情况，杭锦旗致驻神木理事司员衙门的一份报告中称："虽然高顺朗等被神木理事司员衙门所关押，但其合伙的众民人现又重新筑坝引水浇灌旧茬地，正在准备于来年再行耕种。另据属旗章嘉庙②喇嘛等报，虽然过去在我们庙西肆意抢种旗地的白噶拉柱已被衙门拘押，但其合伙的宝迪等众多不法民人现在又在靠近属庙的车根木仁哈吞上筑一大坝，引水浇灌旧茬地，准备来年尽早耕种。结果大水漫溢，属庙险遭水祸。道光十六年仲冬月初十日。"③ 就是说，高顺朗及其同伙的私垦地区是在今临河城以北一带。

除上述二人外，据文献资料，道光中期杭锦旗后套地区还曾出现过民人成群结伙居住、开垦的情况。杭锦旗于道光十七年（1837 年）报驻神木理事司员衙门的函件中有这样一段记载："我旗管理黄河套地之达承台吉哈卜塔盖、梅林嘎拉赞色仁等来报，初冬月初，看到众多陌生民人来到我旗黄河套地肆意放水浇地，我们急忙前去劝阻，民人们却不予理睬继续浇灌，已经灌毕的土地有几块。另外，在我旗黄河套地伙居和流窜之民人更多，我们虽屡屡驱赶，民人们却依然伙居不走，甚至从仲冬月初开始准备柴草、制作犁犋。这些民人若不被驱赶，来春抢种则在所难免。……希望理事司员能在民人开种之前亲赴我旗严加查办，以绝旗地滋事之祸根。道光十七年初春月初四日"④。

道光八年达拉特旗奏请招民开垦后套内领地，是继阿拉善旗奏垦后套西部地区之后在清代后套腹地出现的规模最大的一次开垦活动。此次奏垦，并没有按照达旗奏垦请求书中所说的"十余年内，蒙古人可以自己耕种之后，则完全由蒙古人自己耕种"的保证去做。不仅如此，还使民人的开垦拓展

---

① 手抄蒙古文档案：《伊盟水利水土保持资料汇编》（清代—民国），第 005 辑，第 130—135 页。
② 章嘉庙，在今临河市城东北角的地方，旧 110 国道旁。当地人叫张家庙，其旧址有部分恢复。
③ 手抄蒙古文档案：《伊盟水利水土保持资料汇编》（清代—民国），第 004 辑，第 90—93 页。
④ 手抄蒙古文档案：《伊盟水利水土保持资料汇编》（清代—民国），第 004 辑，第 95—97 页。

影响到了相邻的杭锦旗境内。可以说，（一）旗地开垦是导致清代达、杭两旗界地纠纷的产生和旗际关系变化的根本原因。（二）自道光朝中期开始，以达旗奏开柴吉地区为契机，后套地区出现了有清以来规模最大的开垦现象，其基本特点是：以旗奏准招民开垦和各种各样的私下开垦混杂为一体，情况较为复杂。（三）达旗奏开柴吉地的结果，无论使杭、达两旗之间的关系，还是两旗同内地民人之间的关系，都变成了两旗经常性的对外关系，进而根本动摇了有清以来后套地区在游牧基础上的"传统"的社会关系及其结构。

（五）达旗奏垦旗地与清廷的私垦管制

随着达拉特旗地的招垦，至道光朝中期时，清廷不仅加强了对以达拉特旗为主的鄂尔多斯各旗私垦情况的管制，而且管制的总的政策倾向，也发生了明显的变化。防止私垦特别是防止越界私垦，开始变为管制的重点。但是，从管制的实际效果看，虽然在当时对于旗民的私下招垦有一定的抑制作用，但总体上并没有使私垦现象得到有效控制。

清廷私垦管制的加强 达旗奏开柴吉宝日塔拉地之后，随着进入套内民人数量的增多、禁垦区域私开现象的加剧，进入道光朝中期时，清廷加强了对鄂尔多斯各旗私垦情况的管制。其中对达拉特旗的检查明显加强。如，道光十七年（1837年），驻神木办理蒙民事务理事司员和伊克昭盟盟长共同呈报理藩院的一份函件中写到：

> 据查，理藩院于道光十五年就明确指示，每年由盟长、札萨克贝子会同萨拉齐通判一起，共同前往达拉特旗地查看是否有私招、私垦情况，并将情况及解决结果报院。道光十七年季秋月初六日。①

由绥远城将军府转发的理藩院再行议定之事中也规定：

> 每年于四月初一日前的耕种之始，伊克昭盟盟长需带领所属札萨克，与萨拉齐通判一起赴达拉特旗并深入旗内所属各地查看。若有私下

---

① 手抄蒙古文档案：《伊盟水利水土保持资料汇编》·（清代—民国），第006辑，第265页。

耕种者，即刻抓捕并交予萨拉齐衙门严加惩处，以儆效尤，同时将情况报将军和驻神木大臣府衙；无私下耕种者，盟长处也要出具保证书报将军府和驻神木大臣府衙，然后转报理藩院。道光十七年季夏月初一日。①

再据转发的驻神木理事司员衙门的一份函件：

以相同的内容转发至达拉特、准格尔、郡王、札萨克、乌审旗衙门……，收到后，请按文件内容要求，从速查看属旗地内有无蒙古人私下招民越界开垦之事。若有，必须严办并迅速将情况上报。道光十九年夏末月初二日。②

另外，对达拉特旗私垦情况的处罚也是较严厉的。如，道光十七年（1837 年），驻神木理事司员和盟长联合发函指示达旗贝子，要求尽快处理后上报事由中称："据查，理藩院已经指示，尽快将台吉毛脑亥等的罢免处理结果报院"，现在驻神木理事司员和盟长我们正在审查处理此事。"由台吉贬为庶民的日德那巴泽尔"（达旗前任协理台吉占楚布道尔济之子）应列入被审查范围。"台吉毛脑亥、旗长巴岱、台吉宝日等已经去世，故不必追究。其他，台吉衮巴图、巴拉登道尔计、那仁特古斯，庶民朱勒扎嘎、唐古忒旺扎拉、憲巴拉桑、森济巴拉桑、哈拉占巴仁，被罢免协理之职的查干夫、台吉拉都呼、台吉呼鲁古尔以及来函中已判决之明珠尔等十二人，理应以肆意招民开垦草场罪论处并报院。故联印致函达拉特旗贝子，……尽快依律法治罪并上报。道光十七年初秋月二十三日。"③ 不久于是年仲秋月，伊盟盟长再次催促达拉特旗贝子称：此事（即前文中要求处理之事）"交代贝子办理已有两年，却始终未有结果上报。道光十七年仲秋月二十二日。"④

① 手抄蒙古文档案：《伊盟水利水土保持资料汇编》（清代—民国），第 006 辑，第 137—138 页。
② 手抄蒙古文档案：《伊盟水利水土保持资料汇编》（清代—民国），第 003 辑，第 241—242 页。
③ 手抄蒙古文档案：《伊盟水利水土保持资料汇编》（清代—民国），第 006 辑，第 171—176 页。
④ 手抄蒙古文档案：《伊盟水利水土保持资料汇编》（清代—民国），第 006 辑，第 201 页。

因对旗民管束不严，对招民开垦旗地之事查办不力，驻神木理事司员和盟长等，在上报理藩院的联合审查并定罪处理意见中写到："札萨克贝子达什多尔济被罚三九牲畜，交公存放，备奖励用。道光十七年季秋月初六日。"①

以上的规定和处罚都是直接针对达拉特旗的，这显然与达旗奏开柴吉地之后的旗地私放、私垦情况增多有密切关系。达旗的部分台吉被提出罢免，就连札萨克贝子也被治罪，由此可知清廷对奏垦后的达拉特旗的关注和对后套地区私放私垦问题的重视。

从政策倾向上看，道光年间清廷不仅对鄂尔多斯各旗私放、私垦问题的管制明显加强，管制的重点也发生了一些变化。如清廷于嘉庆十三年（1808年）定，"神木理事司员，所属鄂尔多斯六旗，与该处同知，间年一次巡查，将各旗有无新招民人私垦地亩报院。"② 据前引蒙古文档案，道光十五年（1835年）时理藩院就明确指示，"每年由盟长、札萨克贝子会同萨拉齐通判一起共同前往……"，不久，又定"每年于四月初一日前的耕种之始，伊克昭盟盟长需带领所属札萨克，与萨拉齐通判一起……"。从嘉庆朝后期规定的"间年一次巡查"，至道光朝中期改为"每年"一次，而且是于每年"四月初一日前的耕种之始"厉行检查，由此可以看出清廷在管制程度上的变化。

另据《大清会典事例》载："原定，外藩蒙古越境游牧者，王罚马十匹，札萨克，贝勒，贝子，公七匹，台吉五匹，庶人罚牛一头。""雍正五年议准，越自己所分疆界肆行游牧者，王、贝勒，贝子，公，台吉等，无论管旗不管旗，皆罚俸一年，无俸之台吉及庶人犯者，仍照例罚取牲畜。"很明显，以上规定重点是针对"越境游牧"行为而制定的。但至道光十九年（1839年）时则规定："各旗封禁牧场，各于界址处挖立封堆，造具印册存案。该札萨克每岁亲查一次，加结报院。如有私开侵占者，照例治罪。"③可见，道光十九年（1839年）要求每岁一查的重点，已经不再是越界游牧问题，而是"私开侵占"问题。这种由防止"越境游牧"向防止越境"私

---

① 手抄蒙古文档案：《伊盟水利水土保持资料汇编》（清代—民国），第006辑，第263页。
② 《大清会典事例》卷978，《理藩院·户丁》。
③ 《大清会典事例》卷979，《理藩院·耕牧》。

开侵占"的变化，不难看出清廷对蒙旗政策的某些改变，进而也可窥见道光朝中期时各旗之间越境私垦的程度及影响。

清廷私垦管制实效　从道光朝中期开始，清廷加强了对私放、私开旗地现象的行政管制力度，这对肆意开垦旗地现象确实起到了一定的抑制作用。但是从管制过程中的一些实际情况看，也普遍存在有禁不止、有令不行的情况。这些可以从以下材料中略见一斑。

据绥远城将军府印务梅林章京衙门致伊克昭盟盟长的函：

> 过去因达拉特贝子旗境内民人肆意耕种屡滋事端，经钦命梅林章京等审断，奏明永远不得再行开垦。然而，仍有民人继续开垦并滋人命案件。为此，属将军府制定了于每年春季共同检查属旗界地的法规并上报理藩院。理藩院再议后下达至伊克昭盟盟长，要求在每年春季开种之前带领萨拉齐通判等，在属旗集中后一同到下面检查，若有肆意招民或肆意开垦之情况，则严惩不贷。但是据上报的情况看，自前年以来至今仍有一些地区还没有检查。

又，自每年于春季开种之前到属旗界地检查之规定制定至今，年年都没有按规定日期共同例行检查，而总是找各种借口推诿怠慢，致使民人屡屡返回再行耕种，这无疑是错误的。道光十八年（1838 年）初夏月十二日。[①] 这种情况直至道光朝末期仍没有多少改变。道光二十八年，（1848 年）杭锦旗致盟长贝勒衙门要求明断并严肃处理的函件中称：据查，

> 达旗台吉官布色仁，因向民人放垦我旗黄河套地一事，去年经盟长、驻神木理事司员和我们一同审查，已将其交属旗衙门拘押并令其不得再行耕种。可是今年，官布色仁与原招之民人却仍在原开我旗之地开渠种地。道光二十八年季夏月二十二日。[②]

---

① 手抄蒙古文档案：《伊盟水利水土保持资料汇编》（清代—民国），第 005 辑，第 18—23 页。
② 手抄蒙古文档案：《伊盟水利水土保持资料汇编》（清代—民国），第 007 辑，第 58—61 页。

草原地域广阔，负责查禁民人私垦的各机构连每年一次的例行检查都不能贯彻，所谓要查禁，其结果也就可想而知了。

另如前文提到的肆意开垦旗地的杨盘龙之事，就始终没有得到处理。非但如此，杨盘龙被抓获并遣返回所属的县衙后，竟然会在同知衙门的衙役陪同下继续潜入套内"视察"其同伙们的垦种情况；虽然杨盘龙本人不出面耕种，但其舅父李昌等却招募更多的民人继续耕种，而且对旗民的劝阻不仅不理睬，还聚众围攻例行检查和劝阻的旗民。蒙旗对于进入蒙地的民人是不具有管辖权的，即使有违法行为者也只能上报上级机关并请求和等待处理。所以，民人对蒙旗完全可以不予理睬。如果对民人具有管辖权的县衙也采取包庇、纵容态度的话，民人自然会更有恃无恐地进入蒙地，使查禁工作难于落实。

再据道光二十年（1840 年）驻神木理事司员衙门致伊克昭盟盟长的函件：

> 去年仲秋月，大臣我本人出边查看旗地情况来到达拉特旗时，查出属旗喇嘛丹毕尼玛将属庙哈希拉克因苏默一带土地放予众民人耕种的情况。经核查，这个丹毕尼玛是于十八年因肆意放垦旗地而解送萨拉齐厅关押的院部要求从严处罚的犯人，怎么会于十九年重返旗地继续开垦呢？

经审问，丹毕尼玛供认：

> 道光十八年春，小人因生计困难便向众民人私放了旗地。是年闰四月，被萨拉齐厅、盟长等例行检查时查出后，我师徒四人便被押送至萨拉齐厅看管。时，我们向衙役李泰提出了交纳"赎金"的释放请求，于是我们就被从"后门"放了出来。到十九年春，因我们还是不能交出"赎金"，于是就伙同衙役们一道私开了旗地，所供绝无谎言。

再对衙役李泰等六名种地民人审问时，对喇嘛丹毕尼玛的供词都"供认不讳。道光二十年仲夏月初八日。"[1]

由上可知，道光年间清廷虽然加大了对鄂尔多斯蒙旗地私垦问题的管制力度，管制重心也有所改变，但是负责执行的各管理机构对工作的懈怠还是明显可见的，有关蒙旗和边内管辖民人的县衙也有意无意有放纵倾向。这些就使清政府的禁垦指令很难得到有效落实。

总括以上内容，达旗奏开柴吉地对清代后套社会变迁带来的影响是深远的。这不只是说达旗招垦的后套内领地面积广阔，更主要的是它在清代后套地开垦史上产生了转折性影响；它为内地民人、地商全面了解后套、进入后套，开垦耕种后套内旗地铺平了道路，也促使了后套统一地域概念的形成；它使后套内单一的游牧经济向半农半牧经济转化，为最终的农耕化奠定了基础；它使各旗之间的封闭状态向旗与上级机关、旗与旗、旗与民人的多元关系格局转化；它对清廷政策重心的转移起到了一定的促进作用；它最终不能不会对旗民传统意识的改变产生重要影响。总之，达拉特旗奏放后套内旗地，对清代后套地区的社会结构、社会关系变化，对旗民观念的改变，乃至对清代整个后套地区社会变迁产生的深远影响是不容忽视的。

四、杭锦旗奏开后套内领地，后套地全面开垦

杭锦旗、达拉特旗、阿拉善旗，是清代后套地区土地的三大领有者，其中达、杭两旗领有整个后套内的东部、中部和中西部，占地面积最大。如前所述，早在乾隆朝中期阿拉善旗就奏请招放了旗内后套领地，道光九年（1829年），达拉特旗正式招垦旗后套内领地的中北部地区。至此，后套地区只有杭锦旗领地和达拉特旗所属套内东部地区，仍处于封禁状态之下。光绪二年（1876年），杭锦旗再次奏请招垦后套内领地获得恩准，[2] 随之达拉特旗后套内的东部地区也自然弛禁，整个后套地区进入了由所属各旗全面招放开垦的阶段。后套地区的社会生活、结构等，在土地开垦的推动下开始发生重大的变迁。

---

① 手抄蒙古文档案：《伊盟水利水土保持资料汇编》（清代—民国），第002辑，第290—299页。

② 道光十三年（1833年），杭锦旗因连年的自然灾害，曾上奏请求短期内招垦后套内属地，但未得到批准。

与此同时，自杭锦旗于道光十三年（1833 年）呈上第一份奏垦请求，到光绪二年（1876 年）再次奏请招垦获得恩准，岁月已经过去了 40 多年并经历了道、咸、同三个朝代。其间，杭锦旗经受了道光朝时期的连年的自然灾害和债务压力，不久又遭受了同治年间的战乱滋扰；杭锦旗民还承受了在封禁政策下、在邻旗已经招放旗地的情况下为保障旗地不被私下开垦的沉重压力。

（一）杭锦旗奏垦阿拉腾陶劳盖包岱塔拉

道光十三年（1833 年），杭锦旗曾呈递过第一份奏垦旗地请求，但是未能获得清廷的允准。时隔 40 余年当杭锦旗再次呈上奏垦请求时，光绪二年（1876 年），他们的奏垦请求获得了恩准。旗民称所开之地为"阿拉腾陶劳盖包岱塔拉（Altan toloɣai bodai tal-a）"。其四至范围是："西界阿拉善旗地，北界乌拉特旗地，东界达拉特贝子旗地，南至流经我旗之黄河北岸的地区，民人就是在这个范围内耕种"。① 可见，这个"阿拉腾陶劳盖包岱塔拉"，指的实际就是当时杭锦旗全部的后套内领地。但是，杭锦旗并没有像达拉特旗那样全面放垦奏请之地，而是在整个后套领地内划出了四至明确的十几块地区，分别租与不同地户并签订租地契约，只允许民人在此范围内耕种。另外，所有租地契约，全部分别用蒙、汉两种文字对照写成。

下面转录其中的一份汉文租地文约原文。

立开放杭锦旗新地文约人兵部军功合少加圪尔气吟啃特伦木，今将本旗兰甲把庙新地一块情愿放与白仲德、刘步元开荒耕种。于同治五年将黄河北牧养牲畜草场之地，本旗台几事官百姓私放私种之地②至今。本旗奉正副蒙长③、神木部院、萨拉齐二府会文禀明，甘肃回匪是逆扰乱蒙地，众民流离于河北冻饿饥寒苦不堪言，亦不能完差。本旗万出无奈，禀明六大部，奉旨将本旗黄河北地呵塔讨劳亥保带特拉④之地出放

---

① 鄂尔多斯市档案馆蒙古文档案，57—2—800—6。

② 此处"之地"，应指前文所言"黄河北牧养牲畜草场之地"。

③ 此处"蒙长"，应为"盟长"。

④ "呵塔讨劳亥保带特拉"，即蒙古文文约中"阿拉腾陶劳盖包岱塔拉"（Alatan toloɣoi buɣudayi-yin tal-a）。

商民耕种，以度难民、依养本旗百姓度用。应所放之地长宽短窄其内，应能种之地多寡，放与商民白仲德、刘步元兰甲把庙①新地一块耕种。每年每顷地租银玖两，长年秋后清付不许欠少。随地借贷银柒拾两整，所执前约俱同说合人交给本旗。如商民在②有单张片纸文纸约，以为故纸无用。其中之地南至毛驴兔秃力亥沿至补拉兔秃力亥，西至那力瞒恼包沿至他力兔秃力亥沿至速亥兔恼包③，北至打拉④交界沿至黄恼劳⑤西交界，东至什拉秃力亥沿至打力赶秃力亥沿河甬子丁至白家坝，四至分明，五年之后便换新约照旧耕种，无有说词。众商民地内不许耕种洋烟，商人碾磨尖牛骟马无有水草，另开油房烧柴，椽子、红柳条子、竹机⑥、马莲⑦、牧养牲畜、绒毛、烟洞⑧，商民所办之地内有水浇河内不准入船打鱼取包，本旗定例收钱。如有会审之事、丈地之时，米面料肉，一切案种地多寡均摊地内。庙宇禅朝神地东西十里、南北十里地内，一切神树、敖包、蒙人坟墓地内柴草，不许砍割，不许商民烧砖盖庙、立公中、栽树，唱戏、窝娼赌博亦盖不准。又，卖艺人不准入地。如有不遵

---

① 即蒙古文文约第（14年）行中之 rabjimba-yin Süm-e。据民国时期绘制的"塔布渠图"，该庙约在塔布渠南距离今乌拉特前旗西小召不远的地方。据年长者回忆，也大致在今黄河以北的这一带地区，现已不存在。

② 此处"在"，应为"再"。

③ 即蒙古文文约第（15年）行中之 Suqayitu-yin Oboγ-a，是清代杭锦旗与达拉特旗之间的在后套内东北部的一处边界界标。

④ "打拉"，即达拉特旗的地方汉语称谓。

⑤ 即蒙古文文约第（15年）行中之 quwa niruγun。是清代杭锦旗与达拉特旗之间后套地内东北部交界地带的一块梁地名称，在乾隆五年绘制的鄂尔多斯七旗地图中标有该地名，在现代地图中仍标有，地处今五原县城东南。

⑥ 蒙古文为 Deresü。《汉语大词典》载："箕，草名。徐珂：《清稗类钞·植物·河套植物》：又有所谓箕者，亦丛生草类也，茎干挺出，性坚韧，可制为草帽及蚊扇扫帚诸物。"《河套新编·河套农林调查记》载："白茨艻蒿柴酥油草，皆套地之特产。白茨艻质坚如竹木，渠工堤坝多取材于此。艻高三四尺，织为帘子，用于门窗，较竹制者尤为美观。……《字汇正字通》无二字，盖土语也。《康熙字典》曾艻字，注曰：野艻草，治痞满，而字未增。查艻苗柔软，幼时可制纸及草帽辫之类。"（《河套新编》七，全国图书馆文献缩微复制中心出版1991年版，第250页。）也有写作"艽"、"枳"者。以下写"竹机"。

⑦ 蒙古语为 Čakildaγ。汉文写作"马莲"或"马兰"。多年生草本植物，根茎粗，叶子条形，花蓝紫色。

⑧ 即蒙古文文约（20年）中的 γal γolomta，汉文"灶火"之意。这里是指，只要新起炉灶，就要定例收取税费。

之人，禀明地方官某蒙员，在有蒙汉争论夺地者，有地方官甲浪①密七口，如有大事，地方官禀本旗衙门知道，不许花费银钱了事。约内所有事件，蒙员商民大众议定，事后商民从河开渠寻水路上下通行。至此之后各执各约，尚有合少加各尔气②印信为凭。

清光绪二年五月拾叁日

中见人：傅义立

陈培荣 立③

将这份汉文"文约"与蒙文"文约"进行比较并归纳其内容：

1. "文约"中杭锦旗租放的这块土地，在黄河以北今乌拉特前旗后套内旗地西半部与五原县交界的一带地区。大致范围，南起西小召一带，西至喜娃圪卜以东，北至黄努如一带，东至北圪都、西讨高以西的地区。

2. 比较以上蒙、汉文"文约"，汉文中"五年之后便换新约照旧耕种，无有说词"一句，其内容意思同蒙古文中的意思表达有出入。蒙古文拉丁转写为："Ene-kü kereg-ün ger-e bicig γajar-yi tabun jiltü quriyan qalaqu-yi qamtuber γarγaan……"，译成汉语，其意是："此文约及土地，每至五年收回并变更"。可见，（1）每至五年时收回的不仅是"文约"，还包括"土地"在内。（2）蒙古文中特别写上了"变更"二字。这显然并不是只变换新约而让原租者"照旧耕种"，而是每至五年重新决定租放事宜。

3. 汉文中"商人碾磨尖牛骟马无有水草……"一句，蒙古文中写到："属旗地内，除民人所立之碾磨、全部用于耕种田地之尖牛骟马之外，……本旗定例收钱"。汉文表述不清。

4. 从"甘肃回匪是逆扰乱蒙地，众民流离于河北冻饿饥寒苦不堪言"一句看，首先，奏垦旗地与"甘肃回匪是逆扰乱"有关；其次，因"回匪是逆扰乱"，从河南（黄河南）有不少旗民逃到了河北（黄河北）的后套地区。

---

① 即札兰，蒙古语 jalan。

② 即管旗章京（蒙古语 qošiγu jakiruγči）。

③ 鄂尔多斯市档案馆蒙古文档案，57—2—550—7。

5. 对进入蒙地之汉民的行为做了明确的限定。

6. 对蒙汉民之间发生争论夺地事情的处理程序也做了具体规定。

杭锦旗奏开后套内领地之后，整个后套地区内"垦禁"政策的执行事实上已经终止。前尚未奏准的达拉特旗东部地区，现因杭锦旗地的奏垦而实际上全面弛禁。后套地区进入了全范围放垦的时期。

（二）王同春与后套东部地区的全面开垦

清代杭锦旗后套内领地，地处后套的中西部、整个沿黄河北岸地区以及东南部地区，既是内地民人进入后套腹地的必经之地，又扼后套地区从黄河上开渠引水的水源地区，地理位置十分重要。杭锦旗奏开后套内领地，既全面打开了内地民人进入后套的大门，为地商利用逃难之民人在后套地区进行水利开发和开垦耕种创造了条件，又使地商从流经杭锦旗境内的黄河上开渠引水成为可能。杭锦旗奏开后套内领地，也大大刺激了地商和内地民人进入后套地区开垦耕种的欲望。所以，杭锦旗奏开后套内领地，不仅明显地加快了后套地的开垦速度，同时也刺激了地商对后套内土地的集中。

杭锦旗奏垦之前的后套东部地区　如前所述，至杭锦旗奏开后套内领地之前，以达拉特旗奏开的后套内"柴吉宝日塔拉"地和阿拉善旗奏开的后套西部领地为两个中心的后套西半部地区，除夹于阿拉善旗和达拉特旗之间的杭锦旗地外，早已被招民开垦。加上教会控制的一些土地，后套西部的可开之地基本上被开垦。以杭锦旗地为主的整个后套南部、东南部地区以及东部的达拉特旗部分未奏开之地内，虽然自道光朝以来就存在少量的私放、私垦情况，但是直至杭锦旗正式奏准开垦之前，这些地区内的开垦情况还只是处于萌发阶段。这种情况可以从《王同春生平事迹访问记》①中窥见一斑。

同治三年（1864年），王同春13岁，来到磴口。当时，此地属阿拉善旗地，早已开垦，"时附近居民，有凿渠引水以溉田者，先生喜之，遂为人修凿渠沟，督察水利。"后，因殴伤一人逃至西山嘴子，即今乌拉特前旗之西山嘴一带。当时该地区的状况是："后套之地未辟，所生者唯红柳芨芨，荆榛遍野，人迹罕至。河流沿岸，多为蒙人游牧之区，而汉人来套不过千人，率皆从事于蒙古贸易，对于垦田种植，虽略通晓，然非所注意。"之后

---

① 张维华：《王同春生平事迹访问记》，载《禹贡》半月刊，第6卷第5期。

一段时间，王同春曾"侨寓绥宁交界之缠金"①，看到的是，"工人修渠灌田，憬然如触宿好，于是殚心渠工，孜孜讲求，不遗余力"。因为缠金地区，达拉特旗早在道光九年（1829 年）就已经正式招民开垦，所以可知至光绪朝时，这里的农业以及农业种植技术已经有了相当程度的发展。当时有"经营蒙商商号万德源者②，居后套久，渐知开渠垦田，先生投其家，为之凿渠筑坝，以在宁夏（指前述磴口一带——笔者）所得经验，施于此。"

以上说明，晚至杭锦旗奏放后套内领地之前，整个后套的东半部及南部一带地区，总体上还是"荆榛遍野，人迹罕至"的游牧地区。

杭锦旗奏开后套内领地之后，这里的农业迅速发展起来。其发展特点是：以渠道工程为先锋，土地开垦随其后，渠挖到哪里，地就开到哪里；从地域范围上看，主要集中在后套东半部的杭锦旗奏开的地区和达拉特旗尚未奏开的后套东部领地；开垦的形式，主要以地商招领旗地后再租放的方式为主。在这方面，地商王同春极具代表性。

王同春及其后套地开垦　王同春，字浚川，原籍直隶顺德府邢台县人。据其家人记述，王氏生于清咸丰二年（1852 年），③ 卒于 1925 年。13 岁来到后套，投宿到磴口的族叔家。时，附近居民有凿渠引水溉田者，王氏对此颇有兴趣，便从人凿修渠道学习水利。15 岁时，因殴伤一人而不能立足磴口，遂逃至西山嘴子一带。不久投靠万德源商号的张振达。张某久居后套，渐知开渠耕田，王氏遂以在磴口等地所学水利知识为其修渠筑坝，深得张某信赖。④ 由此开始了其在后套地区的发迹生涯。以下简要介绍王同春在后套地区的开渠、垦地情况。

同治、光绪朝时期，清廷因内忧外患，"封禁"政策开始大大松弛。同治六年（1867 年），万德源商号之商人张振达，就于后套地区东南部的杭锦

---

① 缠金，即为达拉特旗奏放之柴吉宝日塔拉地。因《王同春生平事迹访问记》发表于民国二十五年（1935 年），此时阿拉善旗已归新设置之宁夏省管辖，原缠金地区已经变成了绥远省与宁夏省的交界地带，所以会有"绥宁交界"这样的表述。

② 万德源，也有文写作"万德元"，商号名。见《王同春与河套水利》，载《内蒙古文史资料》第 36 辑，第 18 页；《禹贡》半月刊，第 6 卷第 5 期，《后套天然河略图》、《五临安三县渠道略图》）。

③ 陈耳东：《河套灌区水利简史》，水利电力出版社 1988 年版，写作"清咸丰元年（1851 年）生"。

④ 张维华：《王同春生平事迹访问记》，载《禹贡》半月刊，第 6 卷第 5 期。

旗境内开挖了短辫子壕渠，即后来的通济渠；同治十一年（1872 年），有郑和、侯毛骡等人开挖了杭、达两旗交界一带的长胜渠，即后来的长济渠。①当时王同春参加了前一条渠道的开挖工作并担任渠头，详细标定并指导了后一条渠道的开挖工作，从而积累了丰富的在后套地区兴修水利的经验。光绪二年（1876 年），杭锦旗奏准招垦旗内后套内领地，这为王同春在后套地区开渠扩地创造了千载难逢的机遇。时，王同春 25 岁，正是体魄强健、如日中天的年华，加上他在后套地区闯荡十余年对蒙地情况的了解、还有他悉心学习、研究、参与渠工水利等所累积的经验，这些大大激发了王氏在后套地区独立发展的欲望。

光绪七年（1881 年），王氏租得杭、达两旗交界处的三合庙［沙花庙］（即"沙胡尔苏默"）膳召地若干顷，开始自立门户。但是因引水问题与当地的地商郭氏发生争执，遂于光绪八年（1882 年）在郭氏使用之渠北另凿新渠，引黄河水通本巴图河以溉田。后一直延修至隆兴长（今五原县城地）并迤其东北通入五加河。该渠即为后套东部有名的义和渠，直至今日仍在使用。王氏在隆兴长"起筑房屋，以为经理之中心。其他各地，则分设牛犋，以便耕种。"②

继光绪八年开挖义和渠后，王氏于光绪十七年（1891 年），集资开挖了永和渠，即后来的沙河渠（在五原县城西），历时四年完成，共投资工程银万余两；光绪十八年（1892 年），王氏又购得刚目河正北至协成字号一段的渠地，并前后集资银 12 万余两正式开挖中和渠，又名天吉太渠，即后来的丰济渠（在今临河市、五原县分界一带），历时八年完成。这样，在后套地区至光绪末年开挖完成的八大干渠，几乎都有王氏的不同程度的参与。具体讲，完全由王同春设计、施工、独资完成的渠道有义和、沙河、丰济三条干渠；集资合作完成的渠道有刚济渠和新皂火渠；王同春参与并指导完成的渠道有永济、通济、长济、塔布等渠道。③ 其中，义和、沙河、丰济、新皂火、通济、长济、塔布等干渠，都集中在丰济渠以东的后套地区的整个东半

　　① 陈耳东：《河套灌区水利简史》，水利电力出版社 1988 年版，第 50 页。
　　② 陈耳东：《河套灌区水利简史》，水利电力出版社 1988 年版，第 123 页。
　　③ 《王同春与河套水利》，载《内蒙古文史资料》第 36 辑，第 2—3 页。

部，王同春的垦区、耕地也集中在这一带地区。

自同治六年（1867 年）至光绪二十九年（1903 年），王同春在后套地区开挖大小渠道 270 余条，垦殖荒地 27 000 余顷，熟地 8 600 余顷，组建公中①28 处，牛犋 70 多个；另有耕牛 1 000 余头，骡马 1 700 余匹，羊 122 000 余只，场牛 2 100 头；每年收获粮食 230 000 余石。②而清末官放后套地时期，后套八大干渠，"原定浇杭达乌三旗地一万余顷，查最盛之时，只光绪三十三年，浇七千余顷，其余皆在五六千顷。……民国五年，全区只浇五千顷，六年减至四千顷，七年又减至三千五百顷……"③ "就全区论之，……盖后套可耕之地，实有五万顷。"④ 再据国民政府蒙藏委员会的调查，杭锦旗全旗（即包括黄河南北地区）有马 30 000 匹；牛 30 000 头；羊 200 000 只；驼 10 000 头，合计 27 万头只。⑤王同春只是当时后套地区地商中的代表之一，他的渠、地控制范围主要在丰济渠以东的后套东半部地区。在这样一个范围内，他开垦了整个后套地区可耕地的几乎一半，拥有牲畜头数也接近杭锦旗全旗牲畜头数的一半。不难看出，王同春在当时后套东半部地区的实力和影响。另外，以隆兴长为中心集镇，各牛犋为基本村落的农业村落格局也大致形成。

总之，自乾隆朝至光绪朝，经过蒙旗先后三次的奏放，到光绪朝后期时后套地区已经由纯牧业区域逐渐变成了农牧业结合的区域，而且农业种植的增长势头迅猛，基本奠定了农业经济的主导地位。地区经济形态和经营方式的变化，农业村落的建设和汉、蒙农牧民杂处状态的形成等，证明后套地区到光绪朝后期时已经发生了重大的社会变迁。农业开垦是导致这种变迁的基本因素。

五、旗民的招垦选择与适应

清政府在"众建以分其势"的政策体制下，在蒙古地区编立旗分、划

---

① 《王同春与河套水利》，载《内蒙古文史资料》第 36 辑，第 27 页。
② 《王同春与河套水利》，载《内蒙古文史资料》第 36 辑，第 36—37 页。
③ 《河套新编》5，《河套历代渠工考》198。
④ 《河套新编》6，《河套垦务调查记》238。
⑤ 《伊盟右翼四旗调查报告书》，载《伊克昭文史资料》第 5 辑，第 152 页。

分旗界，实行分而治之的统治，使蒙古诸部以旗为基本单位固定下来，有了稳定的生产生活区域。但是，因为一切牧放活动只能在旗的范围内进行，加上清廷对边外地区实行严格的封禁政策，所以就使旗与旗之间和旗与外界的自主交流被禁止，导致了蒙古族在政治上的分离和社会生活上的相互隔绝状态。这又给蒙旗的发展、尤其是旗民的社会生活带来了很大的不便。

清朝统治下的鄂尔多斯部，牧业经营活动仍保留了其传统的游牧经济特点，不过分旗划界后，各旗的游牧经济活动被严格限定在了所划定的旗界范围之内。游牧经济，自古以来就对自然生态及环境的依赖程度很高，这对于生活在多旱少雨、自然灾害频繁发生的鄂尔多斯地区的各蒙旗来讲，客观上决定了他们的生存将始终伴随克服自然灾害的斗争。再由于清政府对边外实行严格的"封禁政策"，几乎隔绝了旗与旗、旗与外界的联系，这就决定了各旗只有依靠自身的力量求发展、图生存。在这种情况下，对于清代蒙旗经济发展来讲，只有两条道路可以选择：一条是继续维持传统的单一游牧经济的缓慢发展道路，这条道路主要靠自然调节，旗民承受自然灾害的打击最大；一条是尝试走以游牧为主兼营农业的多种经营形式结合的发展道路，这条道路在当时对于旗民来讲是最现实的道路，它可以增强旗民克服自然灾害的能力，所以不仅可以减轻遭受灾害的风险程度，还可以补给生活。

在清朝统治时期，各旗要使单一的游牧经济发展水平以旗为单位有所提高，并想通过游牧经济的发展来使自己的生活有所改善，几乎是不可能的事情。其主要原因：首先，草场对牲畜的承载是有限的，在这一前提下若不提高生产率，就很难使生产的绝对量有所增长；其次，间歇性或连续性的自然灾害，不断地将他们历尽艰辛养育并累积起来的生存依靠——牲畜，或者部分毁灭、或者毁灭殆尽，要使牲畜头数长期保持增长状态，几乎做不到。

为了厉行公务、应付灾害、维持生计，旗民开始选择向进入蒙地的内地商人借贷。由于生产没有扩大，经济没有增长，借贷事实上等于进一步加重了生产和生活负担。当自然灾害再次到来时，旗民面临的已经不止是克服灾荒的问题，而是偿还债务和克服灾荒的双重压力。在灾害连年发生、债务又无法偿还的情况下，旗民则普遍选择了租放旗内牧地资源以克服困难的途径。

清代各旗旗民面临的普遍问题还是生存问题，生存问题中最要紧的仍然是获得食物的问题，其中粮食是不可或缺的食物资源之一。获得粮食的途径有三条：一是自己种植；一是招民种植；一是从边内通过易货贸易形式获得。清代前期，鄂尔多斯各旗获取粮食主要采取后一种途径。之后，先后采取了从边内招民开垦以解决粮食的途径。究其原因：一是从边内获取粮食存在许多困难和不便；二是蒙古旗民世代从事于游牧业生产，本身不谙农耕；三是当时边内有大量的农业剩余劳动力可供选择，他们也有到草原谋生的强烈愿望。生存的需要和当时的主客观条件，使蒙古旗民选择了招民开垦，并使这种选择变成了现实。

招放旗地对于清代蒙旗来讲只是生存选择的开始，如何适应这种变化才是蒙旗面临的真正难点。蒙旗选择招垦旗内牧地，实际隐含着两种可能的结果。一是以蒙旗的意志引导变化，走以牧为主兼营农业多种经营的经济发展道路，以改变在盟旗制度下蒙旗在经济方面的被动状况；二是不能有效地控制招民开垦，使招垦逐渐变成草场的滥垦，最终使旗民的生计变得更加困难。从清代蒙旗奏垦后套内领地的情况看，虽也不乏像杭锦旗那样在招垦的同时采取许多积极适应措施的蒙旗，但是蒙旗的招垦最终没能避免失控的结局。究其原因，除蒙旗本身在主观上普遍准备不足以外，另有两个客观因素起到了决定性作用。其一是晚清国内外政治形势的变化以及清政府对蒙态度的变化；其二是内地民人进入蒙地人数的急剧增加和蒙旗人口的锐减、地商势力增强等，使蒙旗控制能力大大下降。

（一）蒙旗的招垦选择

蒙旗的粮食问题 清政府在蒙古地方编旗划界并实行"封禁政策"之后，蒙旗如何获得粮食，便成了一个非常现实的问题。因为旗民除自己食用之外，清政府规定旗民还需向王公、台吉缴纳一定的米赋。如，顺治初年定，蒙古王公、台吉等每年征收所属，"有二羊者，取米六锅，有一羊者，取米一锅。"（《大清会典事例》卷980，《理藩院·赋税》）。《光绪大清会典》卷64《理藩院·徭赋》规定："有二牛者取米六锅，有一牛者取米三锅。"说明光绪朝时米赋还有增加。清政府是重视蒙古地方经济发展的，对于蒙古地方粮食问题的解决，清廷主要是想通过"劝垦助耕"①的办法来解

---

① 陈华：《清代区域社会经济研究》，中国人民大学出版社1996年版，第218页。

决。如清康熙帝谕出边教养蒙古的原内阁学士时讲："蒙古地方多旱少雨，宜教之引河水灌田。朕巡幸所至，见张家口、保安、古北口及宁夏等地方，皆凿沟洫，引水入田，水旱无虞。朕于宁夏等地方，取能引水者数人，遣至尔所。朕适北巡，见敖汉、奈曼等处田地甚佳，百谷可种。"同时又说："蒙古地方既已耕种，不可牧马，非数十年，草不复茂，尔等酌量耕种，其草佳者，应多留之。"① 实际上，清政府对旗民在旗地内适度耕种是给予鼓励并支持的。

但是，蒙古人自己耕种的情况在清代内蒙古东部地区可能出现较早而且开展较广泛，而清代鄂尔多斯地区旗民自己耕种的情况，则很少见于记载。嘉庆十八年（1813 年），杭锦旗在致郡王旗的一份函件中写到："在我旗边界地内贵旗的拉希动用十几张犁耕种一事，我衙门报贵衙门后及时得到了处理……初春月二十一。"② 另，与郡王旗相邻的准格尔旗，在报盟长处的函中称："我旗之旗民靠农业维持生计已多年，今年旗民在农田上虽竭尽了全力，但因干旱和至季夏月十四日虽下了雨但还未待复苏时初秋月又出现了霜冻，庄稼所收全无。道光十九年季秋月十五日。"③ 这些可能说的是蒙古人自己耕种的情况。若依上文，至道光朝中期时，准格尔旗蒙古人的自耕农业已经有了相当发展。相比之下，杭锦旗人则多次上报称："旗内蒙古人从不自己种田，也不允许民人进入旗内种田。嘉庆十五年初秋月十八日。"④ 似乎自己不种田是一种光荣。旗民自己不种田，也不允许民人进入旗内种田，那么旗民如何获得粮食呢？杭锦旗在致宁夏府衙的函件中称："旗内从来不种地，只靠购买街市上的米为生。嘉庆十五年仲秋月十九日。"⑤ 那么，从街市上购买粮食的情况又如何呢？

康熙帝谕出边前往教养蒙古的原内阁学士黄茂时说："敖汉、奈曼等处田地甚佳，百谷可种"，并称："如种谷多获，则兴安等处不能耕之人，就

① 《清圣祖实录》卷 191，康熙三十七年十二月丁巳条。
② 手抄蒙古文档案：《伊盟水利水土保持资料汇编》（清代—民国），第 002 辑，第 90 页。
③ 手抄蒙古文档案：《伊盟水利水土保持资料汇编》（清代—民国），第 003 辑，第 15 页。
④ 手抄蒙古文档案：《伊盟水利水土保持资料汇编》（清代—民国），第 002 辑，第 55 页。
⑤ 手抄蒙古文档案：《伊盟水利水土保持资料汇编》（清代—民国），第 002 辑，第 57 页。

近贸易贩籴，均有裨益，不需入边买内地粮米，而米价不至腾贵也。"① 乾隆皇帝在有关蒙古人到边口购买粮食的朱批中也写到："如果完全查禁远道来买粮的蒙古人，不利于固远。但若放任驮运，又会影响民人的口粮。择其适度，今后蒙古人购买粮食，只允许以物易粮，不许用银两购买。蒙古人只需糜米、青稞和燕麦三类，民人只需以此三类粮食与蒙古人交换。乾隆十年。"② 由此看来，旗民也不是可以从内地随意买到粮食的。清廷对蒙旗实行"劝垦助耕"，无疑是要各旗通过自己耕种来解决吃粮问题，使各旗在畜牧业经济的基础上适度发展农业经济。但也有防止各旗纷纷从内地购买粮食而导致内地粮食价格的腾贵，进而引发社会问题的一面。清廷的限制措施，对那些自己不耕种而从边口购买粮食的旗来讲，是十分不利的事情。道光十七年（1837 年），就因杭锦旗旗民从横城堡购买粮食受查禁而盟长处专门致函驻宁夏理事官衙进行过交涉。函载："据查，鄂尔多斯蒙古王、贝勒、贝子、台吉、庶民等，向来都是选择距自己游牧地较近的街市购买粮食，以供所需，从未有查禁之事。"如果查禁，"尤其会使鄂托克、杭锦两旗之蒙古民众，因粮源断绝而无以为生。道光十七年仲春月二十五。"③ 道光朝中期，后套内杭锦等旗正遇连年性自然灾荒，此时查禁其购买粮食，对杭锦等旗无疑是雪上加霜。这也在客观上对招垦旗地起了直接的促进作用。

嘉道时期的自然灾害 蒙古地方多旱少雨，自然灾害频繁发生，一旦遇到连年性的灾害，牲畜倒毙殆尽，牧民将无以为生。这就是为什么旗民需要内地商人和内地民人到蒙旗耕种的根本原因，这也是在单一游牧经济条件下旗民生存选择的需要。这些在前述达拉特旗、杭锦旗的奏垦请求中都有反映。道光八年（1828 年），达拉特旗在致盟长和驻神木理事司员衙门的请求奏垦旗地的报告中就写到："近来，几类牲畜受灾严重，公务又不敢怠慢，所欠民人债银已达十一万七千四百余两，蒙人已经到了山穷水尽的地步。旗内向无由土地产出的东西，只在旗西北有自柴吉宝日塔拉庙西至沙拉达瓦庙的一块地，其间约有一千六百余牛犋的耕地。……所收谷物销售后，用于公

---

① 《清圣祖实录》卷 191，康熙三十七年十二月丁巳条。
② 鄂尔多斯档案馆蒙古文档案，57—1—56—17。
③ 手抄蒙古文档案：《伊盟水利水土保持资料汇编》（清代—民国），第 007 辑，第 117—122 页。

务度支、偿还债务以及接济贫苦牧民。"① 杭锦旗于道光十七年（1837 年）
致神木理事司员的函件中也有如下记载："我旗内从无存款，一切公务度支
向从庶民那里尽其所能征集使用。近些年来，因旗民穷困潦倒，自救都困
难，遂开始从民人那里借贷使用。道光十三年，贝子、协理我们因旗内连年
遭受灾害，旗民生计艰难，无力应支公务、偿还债务，遂将放垦旗内灰吐额
勒素（qoyitu elesü）一块地以所得租银救济旗民、偿还债务的想法，呈递前
任理事司员和贝勒诺彦，并请求转递理藩院……"但是，"光绪十四年，理
藩院在回复中指示不准开垦。道光十七年仲春月二十九。"②

　　嘉庆朝时期杭锦旗曾发生两次较严重的自然灾害，进入道光朝以后灾害
进一步频繁发生，迨至道光朝中期时则发展成了连年性的自然灾害，杭锦旗
传统的游牧经济遭受到了沉重打击。下面是有关灾情的记载，汉译于下：

（1）嘉庆十二年（1807 年），杭锦旗在致盟长处的函中写到：

　　　　旗内从不种田，只赖哈日莽鼐之盐接济生计。嘉庆十一年夏三月至
　　秋月间，因多雨，不仅盐湖积水过多而没有产盐，野生可食物也所生无
　　多。冬月至春月之间又下了大雪，全旗台吉庶民的四类牲畜因风雪灾害
　　而遭受了严重损失，旗民变得非常困难。照律法，作为贝子我本人以及
　　下属协理、官员和旗内所有有能力的喇嘛、台吉庶民等，托扶灾民三千
　　一百三十七人……。嘉庆十二年初夏月二十八。③

（2）嘉庆十五年（1810 年），杭锦旗至驻宁夏理事司员衙门函中称：

　　　　今年我旗地无雨，干旱严重，野生可食物不生，牲畜倒毙，蒙人生
　　计困难。仲秋月十九。④

接着于嘉庆十六年（1811 年）报盟府称：

---

① 手抄蒙古文档案：《伊盟水利水土保持资料汇编》（清代—民国），第 003 辑，第 131 页。
② 手抄蒙古文档案：《伊盟水利水土保持资料汇编》（清代—民国），第 007 辑，第 125—129 页。
③ 手抄蒙古文档案：《伊盟水利水土保持资料汇编》（清代—民国），第 002 辑，第 17—19 页。
④ 手抄蒙古文档案：《伊盟水利水土保持资料汇编》（清代—民国），第 002 辑，第 57 页。

嘉庆十六年仲春月，旗地风雪肆起，四类牲畜严重倒毙，牧民本来所剩牲畜无多，这下又将本畜损失殆尽，穷困到了极点。又加上整年雨量甚少，野生可食物不生，致使受托扶的牧民达到了五千五百三十八人。①

这是连续两年受灾的情况，受托扶的人数多。

（3）道光五年（1825 年），杭锦旗在致驻神木衙门和盟长处函中称：

自去冬至现在，旗内遭受严重灾害，各类本畜已损失殆尽。季秋月二十。②

（4）据杭锦旗致驻神木理事司员衙门的函：

道光十三年，贝子协理我们因旗内连年受灾，旗民窘迫，无力承担因公务而所借债务……。道光十七年仲春月二十九。③

又称：

由于旗民无力偿还债务，报驻神木理事官后，于道光十六年招集我们双方并作出了分期偿还的指示。但自当年偿还部分后又是连年的旱灾，旗民已经到了无以为生的地步……。④

后又称：

准备于十八年偿还，可是去年灾情更为严重。……筹集少量偿还

---

① 手抄蒙古文档案：《伊盟水利水土保持资料汇编》（清代—民国），第 002 辑，第 79 页。
② 手抄蒙古文档案：《伊盟水利水土保持资料汇编》（清代—民国），第 002 辑，第 251 页。
③ 手抄蒙古文档案：《伊盟水利水土保持资料汇编》（清代—民国），第 007 辑，第 125 页。
④ 手抄蒙古文档案：《伊盟水利水土保持资料汇编》（清代—民国），第 004 辑，第 71 页。

后，民人同意于今年偿还。道光十九年仲夏月初三。①

然而

今年自入春至季夏月又滴雨未下，……属民因无以为生，已经开始四处逃散。②

另外

道光二十三年③，道光二十四年④，又都报告说遭遇了旱灾。道光朝时期的连年自然灾害，显然是杭锦旗提出招垦旗地的直接原因之一。

道光朝时期的债务累积与债务危机　如前所述，道光八年（1828 年）达拉特旗披露的旗内所欠民人的债务是："十一万七千四百余两"银子。117 400 余两银子是一个什么概念呢？嘉庆十三年（1808 年），民、蒙买卖关系中有一条数字：20 只绵羊，2 只羊羔，5 只山羊，3 只羊羔，另 1 匹马，3 头乳牛，4 头牛犊，共折银 55 两。⑤ 总共 38 头只牲畜，平均每只值银 1.4 两多。另外，根据国民政府蒙藏委员会调查室于民国二十五年（1936 年）调查编写的《报告书》，伊克昭盟右翼四旗的牲畜数量为：

杭锦旗	马 30 000	牛 30 000	羊 200 000	驼 10 000
鄂托克旗	马 50 000	牛 50 000	羊 400 000	驼 5 000
乌审旗	马 18 000	牛 20 000	羊 120 000	驼 10 000
札萨克旗	马 3 000	牛 3 000	羊 20 000	驼 100

资料来源：引自《伊克昭文史资料》第五辑，1990 年版，第 153 页。

① 手抄蒙古文档案：《伊盟水利水土保持资料汇编》（清代—民国），第 004 辑，第 55 页。
② 手抄蒙古文档案：《伊盟水利水土保持资料汇编》（清代—民国），第 004 辑，第 59 页。
③ 手抄蒙古文档案：《伊盟水利水土保持资料汇编》（清代—民国），第 004 辑，第 135 页。
④ 手抄蒙古文档案：《伊盟水利水土保持资料汇编》（清代—民国），第 004 辑，第 207 页。
⑤ 手抄蒙古文档案：《伊盟水利水土保持资料汇编》（清代—民国），第 002 辑，第 25 页。

杭锦旗当时拥有牲畜头数为 270 000 头只。再据以上统计，杭锦旗当时的蒙古人口总计约 9 000 人。如果按每户 5 口计算，是 1 800 户。这样，当时杭锦旗每户平均拥有牲畜数为 150 头只。道光朝时期，杭锦旗的人口数可能要比民国时期多一些，但是户均牲畜数量可能不会有太大差别。如果按当时每牧户平均牧养大小牲畜 150 头只，每头只平均 1.4 两银计算，117 400 两银子将购得 83 000 头只牲畜，这将是 553 个牧户的全部牲畜数，将涉及 2 765 口人的生计问题。何况，当时正是受灾年份，到底有多少牲畜无法估计。此外这还仅仅是旗内用于公务支出的借款数，不包括牧民个人及家庭的借支情况。再看另一组数字：在当时一般认为，一张犁耕地 3 顷，每顷地（指蒙地）租银 6 两。① 依此计算，117 400 两银子将可租得近 2 万顷（约 13 万公顷）的可耕地。即使在清末放垦高峰时期，所放垦的后套地也没有达到 1 万顷。由上可知，当时达拉特旗的窘迫与无奈。达拉特旗的情况即此，那么杭锦旗的情况又如何呢?

首先，道光十七年（1837 年），杭锦旗上报神木衙门所欠民人债款情况:②

（1）欠曹阿尤喜等 26 人债款：本金 66 567 千 397 文；利息 51 886 千 990 文；无息款 18 606 千 850 文；往欠款 3 118 千 620 文。

本金、利息、无息款合计：140 179 千 827 文。（原统计数为 139 579 千 827 文）

欠债银：本息合计：3 487.948 两。

另抵大牲畜：79 头。

（2）欠刘庆兆等四人债款额：本金 10 366 千 137 文；利息 4 482 千 745 文。

合计：14 848 千 882 文。

欠本银：1 560 两；息银 1 123.2 两。

合计：2 683.2 两。

前两项中各类合计：制钱 155 028 千 709 文。

---

① 手抄蒙古文档案:《伊盟水利水土保持资料汇编》（清代—民国），第 003 辑，第 107 页。
② 手抄蒙古文档案:《伊盟水利水土保持资料汇编》（清代—民国），第 007 辑，第 101—110 页。

银 6 171.148 两。

大牲畜 79 头。

如果按当时的"法定价格每两银换一千文"计算，（参见《清代蒙古社会制度》288 页）6 171.148 两银，换算为制钱是 6 171 千 148 文，大牲畜每头按 3 两银计算，79 头大牲畜值银 237 两，换算为制钱是 237 千文。这样，当时杭锦旗欠民人债款数（仅依据以上数字）额是 161 535 千 857 文，折银 16 万两。就是说，十年后的杭锦旗的情况比十年前的达拉特旗的情况更糟。

另外，我们注意到，尽管连年受灾，杭锦旗仍抵偿了相当数量的借款。据杭锦旗于道光二十年（1840 年）致驻神木衙门的函，至道光二十年（1840 年）止已偿还民人的三十六项债务总额是：

制钱 93 721 千 322 文；银 5 211 两；大牲畜 47 头。[①] 如果仍按上述方法换算和计算，总计：99 073 千 322 文。就是说，在连年灾荒的情况下，至道光二十年（1840 年），杭锦旗仍偿还民人债务近 10 万两。说明当时的杭锦旗确实承受了巨大的困苦和压力。之后，借款数量和欠款额较前大大减少。如道光二十三年（1843 年），杭锦旗上报神木衙门的所欠民人债务情况函（闰初秋月初一）中载：欠民人韩林林等 15 人债款：本金 3 298 千 800 文；利息 705 千 812 文；无息款 2 197 千 600 文。合计：6 102 千 212 文。还不足前面一项借款的数额。

连年性的灾害，不仅使旗民遭受了毁灭性打击，同时也使蒙旗与内地商人之间的债务关系陷入了严重危机。其具体表现是，一方面旗民无力偿还所欠债务，出现连年拖欠的情况；另一方面是旗民在面临灾荒损失和债务压力的双重打击下，无法再从民人那里得到借贷。债务关系陷入停滞状态。

这类拖欠情况不只是在杭锦旗，同时期在准格尔旗和达拉特旗也出现过。如前文所述，准格尔旗于道光五年所借民人款，除于道光十六年（1836 年）后作少量偿还外，直至道光二十年（1840 年）仍没有还清。虽然经绥远城将军裁定、驻神木理事官及盟长处多次催交，但终因"旗内属

---

① 手抄蒙古文档案：《伊盟水利水土保持资料汇编》（清代—民国），第 004 辑，第 71—86 页。

民穷困潦倒，无力偿还而被拖欠。"① 如前所述，道光八年（1828 年）达拉特旗就是因为"几类牲畜受灾严重……所欠民人银两已达十一万七千四百两，蒙民为偿还债务已经到了穷途末路的地步"，无奈提出了招放旗地的请求。

杭锦旗在嘉庆朝中后期虽然遭受过两次严重的自然灾害，但却并没有拖欠民人的债款。如于嘉庆十一年（1806 年）遭受灾害后，于嘉庆十二年（1807 年）仍然依照驻神木理事司员衙门的指示，如数偿还了民人李兴康一期债银"一千八百八十七两"。② 嘉庆十五年（1810 年）虽然又遭受了更严重的自然灾害，但于是年冬，仍然偿还了李兴康剩余的"一千八百八十七两一钱八分六厘"③ 银子。但至道光朝初期时，开始出现拖欠债务情况。杭锦旗于道光五年致驻神木理事司员衙门和盟长贝子处的函称：本应按规定偿还，"只因去冬至现在灾情严重，旗民仅有的本畜已损失殆尽，本期应交送之大牲畜实无处筹措。故，请求官府衙门根据旗民面临的实际困难，可否将由本年度应偿还的大牲畜，分成几年期，待旗民本畜孳生恢复之后一同交付。"④ 道光六年称：关于应在一年内交付武生韩武文的大牲畜，"去冬交付了九千四百五十五两银的大牲畜，现缺三千七百二十两银的大牲畜由债权民人和达承等正在筹措，能否筹到，将另行文报告。"⑤ 也就是说，去年应该还清的债务在今年内能否还清，仍是一个未知数。道光十三年（1833 年）后情况变得更加严重。因连年的自然灾害，牲畜得不到一个完整的恢复周期，所以出现了"道光十五年（1835 年）欠众民人债务甚多"的局面。之后，进入了民人追缴债务的高峰时期。仅道光十七年（1837 年）一年内，由驻神木衙门等下达的催交债款令就有几十份之多。⑥ 道光十九年（1839 年），杭锦旗在致神木同知衙门的函中写到："……这些所欠期款，贝子协理我们欲从民人那里借贷偿还，然而近两年来因遭灾旗内所欠民人款项分文

---

① 手抄蒙古文档案：《伊盟水利水土保持资料汇编》（清代—民国），第 002 辑，第 281—289 页。
② 手抄蒙古文档案：《伊盟水利水土保持资料汇编》（清代—民国），第 002 辑，第 29 页。
③ 手抄蒙古文档案：《伊盟水利水土保持资料汇编》（清代—民国），第 002 辑，第 67 页。
④ 手抄蒙古文档案：《伊盟水利水土保持资料汇编》（清代—民国），第 002 辑，第 251—252 页。
⑤ 手抄蒙古文档案：《伊盟水利水土保持资料汇编》（清代—民国），第 002 辑，第 265 页。
⑥ 手抄蒙古文档案：《伊盟水利水土保持资料汇编》（清代—民国），第 002 辑，第 135—139 页。

未付，所以追要欠款的民人很多，却没有任何人再借款给我们。"① 这样，灾荒使蒙旗与民人之间的借贷关系陷于瘫痪。至道光朝后期，即大致于道光二十四年（1844 年）之后，牧业经济虽有恢复的迹象，但蒙旗与民人之间的借贷数量较道光朝初、中期，却大大减少。

由于债务累积无法偿还，于是民人债权人提出了以租种蒙旗土地以其收入抵偿债务的要求，蒙旗迫于窘困也先后呈上了奏垦请求。可知，债务累积也是蒙旗提出奏垦请求的重要原因。

蒙旗与内地商人的借贷利率　蒙古文档案中反映出的清代旗民与民人之间的债务关系，多是由债务官司形式体现的，还未接触到旗民与民人之间所签订的具体借据。所以，不知道旗民与民人之间进行借贷时对还款方式、期限、责任、保障等是如何规定的。官司中反映出的一般都是没有具体还款期限的民人催要债款及债务纠纷等问题。好像民人根本就不担心所放债款的收回问题。因为这是另外一个问题，所以在此不多赘述。除此之外所能看到的，就是高低不等的利息率。据有关资料，蒙旗与民人之间似乎在遵循一种"最高利率"标准，即利率最高不得超过的标准，至于每一笔借款的利率是如何确定的，却不得而知。债务财政，是旗内窘迫、度支不能自助情况下的产物，解决的是眼前的需要。但借贷是要付出利息的，经常性的借贷关系必然会进一步加重旗内的债务压力。所以，利率对于实行债务财政的蒙旗讲，是事关生计的大问题。以下就此略作分析和探讨。

几份材料列举：

（1）嘉庆朝时期，杭锦旗贝子因与民人之间的债务纠纷，曾致函要求驻神木理事司员衙门加强管教民人。这份函件结尾部分似乎有错误，可能是抄写者的错误，没有年代。但是从文件内容看，是杭锦旗札萨克贝子喇什达尔济从嘉庆七年（1802 年）开始借的款，纠纷出现在喇什达尔济之子喇什札木素时期。因为喇什达尔济于嘉庆十一年（1806 年）去世，其子于是年袭爵并任札萨克，所以大致可以推断出，文中所反映的是嘉庆七年（1802年）至嘉庆十二年（1807 年）之间的事情。内容汉译如下：

---

① 手抄蒙古文档案：《伊盟水利水土保持资料汇编》（清代—民国），第 004 辑，第 60 页。

　　我旗内自嘉庆七年以来，陆续向边内民人宝迪因扎木素、扎木萨等所借款银之本息，于是朝十年，贝子我父亲、即作为原盟长的贝子诺彦亲自与民人结算，将本息已准备足数的部分银两偿还了民人之外，将本息尚未准备足数的部分欠银分成十份，又将其中的三份，不分本息偿还了一部分。其余的部分，经共同协商约定，按足数的本息分十年还清。但是，现在宝迪因扎木素却专程赶来说，十年时所结算的只是借款的利息部分，而不是本银，又称所借银两必须在一年之内全部还清。此等无理取闹之民……理应报贵衙门，给予管教……

　　另将该文后所附之债务偿还情况列表于下：

借款年月	借款数额	还款数额	
嘉庆八年季夏月借	本银 270 两	还本息银 477 两 9 钱 8 分（还清）	还款时间：嘉庆十年季夏月后至是年季秋月
嘉庆八年初秋月借	本银 150 两	还本息银 271 两 5 钱（还清）	
嘉庆八年季秋月借	本银 600 两	还本息 996 两（还清）	
嘉庆八年季冬月借	本银 5 000 两	还本息 1 630 两 6 钱 5 分	
嘉庆九年仲春月借	本银 500 两	还本息 218 两	
嘉庆九年季秋月借	本银 174 两	还本息 64 两 4 钱 2 分	

资料来源：根据手抄蒙古文档案：《伊盟水利水土保持资料汇编》（清代—民国）第 002 辑，总登记号 53317—11 内容制表。

　　从表中已经还清的三项债务情况看，借贷时间是两年，利息率：第一笔款的利率是 77%；第二笔款的利率是 80%；第三笔款的利率是 66%。其中两笔借款时间都是两年，利率不同。三笔借款的平均利率是 74%。这是杭锦旗札萨克所举的一笔债务情况。

　　（2）有关揭发民人放贷者向蒙民超收利息事。文件主要内容汉译如下：

　　报神木衙门，请求公平处理事由。今年仲秋月二十八日，我旗台吉锡日巴扎木素、恩和吉日嘎拉等报来的文中称……章京西泊格尔借本金三十六千文，却偿还了九十七千文。按常理，每借本金一，利息是不应该超过一的。然而，奸民却欺压蒙民，索要利息不仅大大超过了本金……道光二十六年季秋月初三。①

该文中没有涉及还款期限问题，只是说民人所收利息数额不应该超过其本金数额。另据盟长贝勒衙门指示郡王旗偿还所欠民人债务的函称：该旗前任所借、并立借据写明由旗内偿还的"一百千文借款，理应以本、息相等的数额分年偿还二百千文。今年初冬月中旬还一百千文，翌年仲夏月中旬再还一百千文……道光二十四年季秋月二十三日。"② 这是由盟长处指示，要求按百分之百的利率还债。看来，当时的蒙旗与民人之间在习惯上默认和遵循着一种利息率不超过百分之百的利率标准，蒙旗与民人之间就是在不超过百分之百的利率范围内，协商确定每一笔贷款的利率标准的。一般地讲，贷款利息率都是比较高的，通常会在70%以上。如道光十七年（1837年）杭锦旗所欠民人债务，本金66 567千397文，而利息则为51 886千990文，利率达78%。

但是也有例外。杭锦旗的贷款中也有"无息贷款18 006千850文"③的记载。也有民人免息的情况。道光十七年（1837年），债权人魏兆对旗内所欠2 767千文，就同意免去全部利息，只还本金。④ 但是，高达70%以上的贷款利率，无疑大大加重了蒙旗的债务负担。

总之，生存需要是导致蒙旗相继奏放旗内牧地的根本原因，灾荒、债务等涉及旗民生计紧要的诸因素是促使蒙旗奏放旗内牧地的直接原因；内地商人为获取超额利润、内地民人为了生存而都强烈希望到蒙旗地开垦或谋生，从客观上有力地促成了蒙旗地的招垦。

（二）蒙旗的社会适应

如前所述，在灾荒、债务以及战乱滋扰的背景下，达、杭两旗先后招放了后套内的领地，传统的以旗为单位的牧业经济运作方式遇到了严峻挑战，后套地区内一种新的经济结构——即半农半牧经济结构和社会关系逐渐形成

---

① 手抄蒙古文档案：《伊盟水利水土保持资料汇编》（清代—民国），第004辑，第213—214页。
② 手抄蒙古文档案：《伊盟水利水土保持资料汇编》（清代—民国），第006辑，第48—49页。
③ 手抄蒙古文档案：《伊盟水利水土保持资料汇编》（清代—民国），第007辑，第101页。
④ 手抄蒙古文档案：《伊盟水利水土保持资料汇编》（清代—民国），第007辑，第113页。

和确立。必须指出的是，在这个变化过程中旗民传统的游牧经济意识发生了许多新的变化，而且这些变化在旗民的资源意识和所采取的管理措施中都有明显的体现。

一般地讲，旗民的资源和旗地意识的产生和确立，是同编立旗分、划定旗界以及清廷实行"封禁"政策密切相关的。因为编立旗分、划定旗界以及实行"封禁"政策的结果，才使编立为各旗的蒙古人逐步树立起了旗民、旗地意识。当然，在编立各旗之初，旗民的这种意识还只是处于一种不自觉状态下的自然意识。从阿拉善旗奏开套内旗地开始，后套地区一种建立在自然意识基础之上的维护旗整体利益的自觉意识即自为意识逐渐树立起来。旗民意识开始从不自觉向自觉、从自然状态逐渐向自为状态转化。早在嘉庆朝初期，因黄河改道，流经杭锦旗境内的原南河成为黄河径流之后，阿拉善旗要求从黄河上开挖引水渠道以浇灌其耕地时，杭锦旗就是在要求阿拉善旗每年缴纳 50 两银子的条件下才允许的；在后来的杭锦旗与阿拉善旗之间的界地之争、杭锦旗与达拉特旗之间的越界开垦和反越界开垦的斗争中，这种自为意识都得到了充分的体现。到光绪朝初期杭锦旗奏开旗地后，这种自为意识进一步体现在旗管理制度、管理体制上，逐步形成了一种自觉管理意识和自觉管理行为。

1. 杭锦旗对旗地的招垦管理

土地资源管理　　从上引杭锦旗同内地民人订立的租地文约中可知：首先，杭锦旗并没有盲目地将后套内奏请允准开垦的旗地一概放与民人任意开垦，而是由旗内选择十几块可耕之地，明确其四至后，分别租予不同民人并分别订立契约而"放垦"的。这就可以保证在后套领地内旗牧业经济的正常运行，这也说明旗民对放垦后可能产生的后果是有一定思想准备的。其次，杭锦旗在与民人的租地文约中明确规定："文约及土地，每至五年收回并变更"。这就为杭锦旗在日后根据具体情况对旗地开垦作出调整，确立了法律依据。在后来的招垦实践中，杭锦旗人确实是依据这一规定去做的。根据以上杭锦旗人的思路和做法可知，杭锦旗人奏放旗地的初衷并不只是为了获得租税，其中探索在牧业经济基础上辅助发展农业经济以补给生活的考虑也是明显的。

土地以外的资源管理　　杭锦旗除在旗地招垦方面采取了上述措施之外，

在有关其他资源的管理方面，上述"租地文约"中还规定："除民人所立之碾磨、全部用于耕种田地之尖［犍］牛骟马之外，另开油房、烧柴、椽子、红柳条子、竹机、马莲、牧养牲畜、绒毛、烟洞……本旗定例收钱。"可见，杭锦旗已经在考虑综合管理和利用资源。这样做既可增加收入，又可起到限制过度滥采乱伐和保护资源的作用。民国时期的一份调查报告中就写到，因"各旗对汉人抽收建造房屋税，而房屋建好后，每年又须纳地皮租，因之蒙地汉民，不愿建屋久住，演成一种游农性质之特别景象。"[①] 下面摘录汉译部分相关资料：

（1）杭锦旗有关收缴税费的文件一份：

> 交付嘎查会之沁巴图等，台吉孟和等，章京巴图查干等，台吉巴图宝乐德等，札兰玛希等，台吉哈拉占等，章京哈拉占等，章京额尔登达赖等，章京巴杜尔等，章京赛音巴雅尔等，昆都森济宝乐德等，台吉巴森等，台吉图门、巴图敖其尔、札兰巴拉布等，台吉萨那玛勒等，昆都巴达日胡等，梅林达承哈达等，章京图门等，台吉巴尔布等，台吉栋都戈等，台吉图门乌乐济等，章京乌力吉布仁等收缴准备事由：每年向收购属旗内黄河南北地区自然生长之红柳、河柳等枯柴，椽子、条子、竹机、苇子、□□、制作筏子的材料、甘草、签条[②]等的购买者收取税费，向手工艺者收取工具税，向春来秋往种地民人收取牧放牲畜之水草费，还有向民人收取立灶税、绒毛费、买卖税、开挖渠道以浇灌他旗土地之水费等，这些已成定例。今下此文，尔等收到后应于各自所管区域内认真收缴，并准备好转交专门派出的官员。此外，对准备砍伐柴草的民人，尔等仅于仲冬月初一至来年仲春月初一之间放伐，同时要晓谕各方，一切都按规定办理，不得有违。光绪二十一年仲春月二十五。[③]

---

① 《伊盟右翼四旗调查报告书》，《伊克昭文史资料》第 5 辑，第 155 页。
② 蒙古文写作 Sabay。当地一般选用适当粗细的有一定长度的红柳条条做成，多用于土法加工羊毛等毛类物品。因为羊毛等物在使用前若不进行初步加工难于利用。一般方法是，用签条不断抽打，这样既可去掉毛物中的尘土，又能使毛物变得蓬松，便于使用。所以当地人也称其为"抽毛条子"。
③ 手抄蒙古文档案：《伊盟水利水土保持资料汇编》（清代—民国），第 008 辑，第 15—17 页。

　　由此可知，杭锦旗收缴上述诸类税费的工作，是于每年春二月底开始下文布置的。另外，对砍伐柴草的时间也作了明确规定。

　　（2）光绪三十年（1904年），杭锦旗从套地内收取的税费账目：

　　　　嘎查会之管旗哈达、梅林巴杜尔、悫扎布、陶布济、茂巴苏等所收取的阿拉善种地民人采伐的四百八十车烧柴之税，共二十八千七十文；民人朱花子、韩六、韩毅、金鲤子等的马牛二十七头（四）之税费，共五千四百文；民人刘喜儿采伐的四万根签条之费，共三千文；还有以上各方交来之茶七十四块整零一方。

　　　　嘎查会之台吉图布兴巴雅尔、札兰召纳森、齐木德等所收缴的乌拉特地种地民人采伐的一百二十车烧柴之税费，共七千二百文；另交来茶十四块整。

　　　　嘎查会之札兰巴拉吉尼玛、敖其尔、尼玛、敖巴、图门德力格尔等所收缴的乌拉特地种地民人采伐的三十八车烧柴之税费，共二千二百八十文；民人二栓子、秦凤川等的骆驼九、马牛七、驴一、绵羊十五只之税费，七千文；交来之茶十八块整零半块；民人同义堂之买卖税，银五两；买卖税，茶三块。

　　　　嘎查会之台吉巴尔布、章京巴雅尔泰、昆都朝克图布仁、额尔和穆朝克、巴黑拉达戈、巴杜尔、丹木巴等收缴的章京工匠普日布扎布、工匠丹木林扎布、工匠松瑞、查干冒都内工匠那旺等的工具税，茶八块整零半块；民人玺氏的马驴五匹之税，一千文；民人刘喜儿采伐的五万支红柳签条之税费，二千五百文；以上交来茶，七整块。

　　　　嘎查会之札兰杜嘎日扎布、乌力吉布仁、齐鲁、巴杜尔、巴图等所收取的民人韩礼换之牧畜水草费，茶一块整；民人裴拉牧畜水草费，银三两；交来茶九块整。

　　　　嘎查会之台吉梅林图门乌力吉、章京沙那木、达鲁嘎日达纳、巴拉道尔吉等所收缴的阿拉善、乌拉特地种地民人的三百三十车烧柴之税费，十九千八百文；民人乌兰达赖的立灶税三千文；民人辛泰五的十头骆驼之税，四千文；以上交来之茶，五十三块整零半块。

　　　　嘎查会之札兰章京伊希巴拉珠尔、章京敖巴、章京那木盖、萨日胡奈、巴杜尔、巴匝尔、毕力格图等所收缴的章京工匠敖巴、鄂托克旗之昆都工匠古如旺楚格、工匠丹达尔等的工具税，茶七块整零半块。阿拉善地民人从哈日苏海地采伐之三十七车烧柴之税费，二千二百五十文；交来茶四整块零半块。

嘎查会之台吉巴杜尔、章京阿扎尔、章京瑭古德、查干沙等所收缴的工匠达木林、工匠栋噶尔等的工具税，茶四块；民人哈日尼顿的立灶税，茶一块整。光绪三十年收入账簿。①

其他管理 进入光绪朝后，随着旗地招垦和与民人交往的经常化，旗府的各项管理不仅得到了加强，而且逐步成熟起来。

①对进入旗地内之民人的管理。本来旗对进入旗地之民人是不具有管辖权的，但是租放旗地之后，旗民便利用与众民人所签订的租地契约，对民人在旗地内的行为做了规定和限制。如：

> 众商民地内不许耕种洋烟，除租地商民所立之碾磨、众商民耕地所用之尖［犍］牛骗马外，另开油房用地、烧柴、橡子、条子、红柳、竹机、马莲、牧养牲畜之水草、绒毛和所立炉灶等项的税费，一律按照定例派专人收缴。……属地内庙宇禅召、神地周围五里内之土地不得开垦破坏，地内一切神树、敖包、蒙人坟墓地内柴草不准砍割。烧砖、盖庙、立公中、栽树和唱戏、扭秧歌、卖艺、赌博、为死者立棺墓、窝娼等严行禁止。农场内之民人，可祭敬天、地之神、河流之主。属地之内蒙、民之间如有一般琐事争斗，禀明地区达承加浪［札兰］什拉口裁断；如有大事，经由地区达承禀明本旗衙门知道，不许花费银钱了事。不准截流属旗内其他地区灌溉用水之渠道。光绪二年四月二十四日。②

②从任命特古斯淖尔管理者的角度看杭锦旗的管理。光绪二十一年（1895年），正式任命侍卫笔帖式为"特古斯淖尔地方笔帖式"，并要他

① 鄂尔多斯市档案馆蒙古文档案，57—2—1060—12。
② 鄂尔多斯市档案馆蒙古文档案，57—2—549—11。

"协助记写淖尔地方柜缮上的账簿"。① 光绪二十三年（1897年），特古斯淖尔原达承台吉梅林布斯去世后，正式任命札兰德木齐玛那巴达日为淖尔地方达承，并授与梅林职，负责"淖尔地方的一切事务"。② 因玛那巴达日被任命为淖尔地方达承后德木齐岗位出现了员缺，遂任命"特古斯淖尔原管库札兰宝音德力格尔"为"淖尔地方德木齐，并要他负责淖尔地方柜缮上的所有事务"③。由以上资料可知，光绪年间，杭锦旗在特古斯淖尔碱湖设置的管理岗位，主要有淖尔地方达承（梅林职），淖尔地方德木齐，淖尔地方笔帖式，还有管库（或保管）等，而且管理权限都十分明确。还有，所有官员都经旗衙门正式任命，管理权限明确。另有文记载，因"协理台吉图门乌力吉本人全身心投入碱湖的开发，为贫苦台吉庶民的生计和公务度支做出了突出贡献"，所以为鼓励后人，经盟长批准"每年拨给其子碱土五船，以资鼓励"。④

③旗财政意识之萌芽。据盟长致杭锦旗札萨克的函件："属旗内官员全身心投入特古斯淖尔碱土开发事业，并以此来保障穷苦台吉庶民的生计和公务度支问题，确实值得赞扬和肯定。但是，只考虑了眼前的需要，而缺乏应对可能发生的灾荒和军事急需的长远准备。"因而指示旗长，"必须从每年的碱款中拿出银二百两作为储备金，旗府设专门的官员负责保管，并由旗长本人掌握钥匙。今后发生重大灾情需要救济或有军事急需时，由旗内共同动用，一般公务或处理一般事务不得使用。"⑤ 清代蒙旗向无旗内积蓄，因此无财政可言。一切公务度支，起初是完全从旗民中直接征集而使用，随着内地商人可以进入蒙地之后，便开始采取先从民人那里借用，然后从旗民中征集偿还的办法。但是，旗内仍不作任何积蓄。现在考虑从收入中抽出一部分储蓄起来，以便用于公务支出和应急，这无疑是确立旗财政的雏形。

由上可知，旗民的资源与管理意识，是入清以来旗民整体旗意识基础上的产物，是一种进步。它体现了旗民在综合、有序地利用和保护资源方面的

---

① 手抄蒙古文档案：《伊盟水利水土保持资料汇编》（清代—民国），第008辑，第21页。
② 手抄蒙古文档案：《伊盟水利水土保持资料汇编》（清代—民国），第008辑，第45页。
③ 手抄蒙古文档案：《伊盟水利水土保持资料汇编》（清代—民国），第008辑，第47页。
④ 手抄蒙古文档案：《伊盟水利水土保持资料汇编》（清代—民国），第008辑，第42—44页。
⑤ 手抄蒙古文档案：《伊盟水利水土保持资料汇编》（清代—民国），第008辑，第118—120页。

朴素的环境意识，某种程度上也反映了旗民在旗牧业经济基础上适度发展旗农业的初衷。特别是，这些意识都是以同民人签订的租地契约形式体现出来的，这不能不说，旗民在奏垦旗地之前对招垦之事就有过一定的思考并形成了较为成熟的认识。这种体现在思想意识方面的新的变化，无疑是有清以来蒙旗在灾荒、债务、战乱背景下争取生存和谋求发展过程中所积累起来的宝贵财富，是研究清代蒙旗社会变迁和后套地区社会变迁中不容忽视的重要内容。

2. 杭锦旗行政管理机构的职能拓展

清代杭锦旗与鄂尔多斯其他各旗相同，实行旗政府和苏木两级行政管理体制。但是随着旗地开垦带来的新的管理地区的出现和管理内容的扩大，旗内相应出现了一些新的管理机构，管理职能也有了新的拓展。以下是关于出现在清代中后期杭锦旗后套地区的新的管理机构及其管理职能的简要考述。

达承 "达承"，蒙古文：dayačang 或 dayačing，根据文意理解，蒙古语意应为"承担者"或"主持者"，是旗衙门指派管理或完成某一项事务的负责人。可以由现任官员、台吉等担任，但不是正式的行政官职。

根据有关资料，从乾隆年间的记载中就能看到其某些线索。如一份杭锦旗致盟长的函件中写到："关于道太淖尔之碱，自乾隆年间理藩院严行交代禁止开采后，我方即指定专户移住于所属道太淖尔周围进行守护……"① 嘉庆十六年（1811 年），杭锦旗在致乌拉特旗的函中也称："我旗台吉扎尔古其扬扎布报告说，鄂尔多斯、乌拉特我们两旗的边界地带，包头民人刘汉子准备耕种。我们双方的承担边务的官员正在劝阻，然……"② 这些"专户"和"承担边务的官员"等，可能就是后来"达承"的前身。

根据杭锦旗蒙古文档案资料，最早出现"达承"名称是在道光朝初期的文献中，而且后来陆续出现了承担旗内不同工作事项的达承。道光六年（1826 年）杭锦旗致驻神木理事司员衙门的函件载："……余欠的三千七百二十两银的大牲畜，照先前一样，仍派出债权民人和达承等一同前往征

---

① 手抄蒙古文档案：《伊盟水利水土保持资料汇编》（清代—民国），第 008 辑，第 72 页。
② 手抄蒙古文档案：《伊盟水利水土保持资料汇编》（清代—民国），第 002 辑，第 70—71 页。

集……道光六年季春月二十三。"① 这里，达承是一个负责征缴债务的角色。

道光十六年（1836年），神木同知衙门致杭锦旗的函件载，"……收到后，请贵旗根据函件内容，即刻派出土地达承等，同我方派出之人员一道前往属旗地域巡查，将是否有蒙人私下招民种地的情况上报。道光十六年仲冬月初二。"② 道光十六年（1836年）杭锦旗致驻神木理事司员衙门的函件载："我旗管理黄河套地的达承台吉哈布塔盖、梅林嘎拉藏色仁等报告说，今初冬月上旬，一伙民人来到我旗黄河套地到处放水浇地，下人我们前往劝阻，民人却不予理睬。"③ 道光十七年（1837年），杭锦旗致驻神木衙门的函件载："在马西敖包附近种地之达拉特旗民人黄氏、刘氏，于我旗淖日各图以东的松布尔河上开挖了两道水渠。报告贵衙门后，做出了填埋渠道的处理决定。于是盟长我方便指示属地官员达承等……。"④ 由上可知，晚至道光朝中期前后，杭锦旗已经在旗内黄河套地内设置了管理土地"达承"。

道光二十六年（1846年），榆林地区盐商状告杭锦旗管理盐池达承后，驻神木衙门发函杭锦旗，要求尽快将"被告杭锦旗副达承台吉恩和吉日嘎拉……"等官员送交神木衙门。还说"据查，管理盐池之达承都是由属旗之协理台吉任命的……"⑤ 据以上记载可知，管理盐池也是由专门达承负责的，而且须经旗协理台吉任命；另外管理盐池之达承台吉恩和吉日嘎拉只是副达承，言外之意还有主要负责者。这个主要负责者或许就是旗协理台吉本人，不然驻神木衙门怎么会点他的名呢？因为盐在当时是杭锦旗除牲畜之外的最重要的经济来源，所以由旗内主要官员负责也是情理之中的事情。

另据同治二年（1863年）杭锦旗的一份有关边界管理的档案文件："……为此，我方于穆黑扎达盖到哈日亚图陶劳盖的五个界堆上分别设置了达承，并交由管理原来的十一个界堆之台吉巴雅尔泰总负责，此外再向北至查干淖尔的六个界堆也同样分别设置了达承，交由台吉图布兴吉日嘎拉总的

---

① 手抄蒙古文档案：《伊盟水利水土保持资料汇编》（清代—民国），第002辑，第265页。
② 手抄蒙古文档案：《伊盟水利水土保持资料汇编》（清代—民国），第002辑，第204—205页。
③ 手抄蒙古文档案：《伊盟水利水土保持资料汇编》（清代—民国），第002辑，第213—214页。
④ 手抄蒙古文档案：《伊盟水利水土保持资料汇编》（清代—民国），第007辑，第209—210页。
⑤ 手抄蒙古文档案：《伊盟水利水土保持资料汇编》（清代—民国），第005辑，第155页。

负责。"① 看来，晚至同治朝时期，杭锦旗在边界的某些地段，每一个界堆上都设有达承，几个界堆的达承又由一位台吉达承总负责。在这里，达承是每个界堆的看管者。

再据杭锦旗于光绪二十三年（1897 年）任命管理特古斯淖尔碱湖达承的文："交特古斯淖尔之札兰德木齐玛那巴达日事由：因台吉梅林达承布斯过世出现员缺，今特指派你为特古斯淖尔达承并授梅林职。见书后，遵所吩咐速来旗府领命就任……。"② 可知，碱湖也设有达承，而且是由梅林级台吉来出任。

据以上资料，达承所负责的事项一般都是旗各级行政管理部门管辖范围之外的事情，属于旗新出现的事项。随着同内地民人等接触交往的增加，自道光朝以后这些事项有不断增多的趋势。由此出现了负责各种各样事项的达承。达承在称呼上虽没有区别，管理的事项却有大有小；承担不同事项达承的职爵也有高有低。如前所述，管理盐湖的是台吉，但职务却是副达承；管理碱湖的达承原为札兰德木齐，在被任命为管理碱湖达承的同时便授予了梅林职；管理边界方面，在某些地段一个封堆就设置一名守护达承，文献中也不提他们的职爵。可见，达承不是一个行政职务，只是管理某一事项的负责者或承担者；管理者职别的大小，由所管理事项的重要程度决定。

嘎查会　"嘎查会"，蒙古文写作 γačaγ-a küi—hüi。据《蒙古语词典》的解释：嘎查会"旧指村落或诺图嘎（Nutuγ）"。当今，嘎查是我国蒙古族聚居地区苏木或乡镇以下的一级组织。据笔者掌握的资料，嘎查会并不是蒙旗固有的社会组织名称，"嘎查"一词大概也不是原蒙古语词汇。嘎查会接近于清代顺治年间开始实行的以十户为一牌的"十家牌法"或以十户为一甲的"总甲制及里甲制"。《满语词典》中有"嘎栅"（即 gašan）一词，解释为"村、乡村、村里"。由此推之，嘎查会很可能是蒙旗借用满语"嘎栅"名称和清初开始设置的"牌、甲"组织形式组成的管理组织，"嘎查"当来源于满语的 gašan"噶栅"，义为"村落"。

但是需要说明的是，与当今我国在蒙古族聚居区所实行的"嘎查"相

---

① 鄂尔多斯市档案馆藏蒙古文档案，57—1—308—5。
② 手抄蒙古文档案：《伊盟水利水土保持资料汇编》（清代—民国），第 008 辑，第 45 页。

比较，清代蒙旗设立的"嘎查会"，还只是承担旗里下达的某项管理任务的牧民组织而已，并不具有行政职能。但随着发展，其职能也有一些变化。

道光十七年（1837 年），杭锦旗在致驻神木理事司员衙门的函中称："我旗壮丁吉日嘎拉来报说，对于在淖日各图因敖包向前、格德日戈因塔拉、陶告日戈因阿如等地肆意抢种之事，达拉特、杭锦嘎查会之下人我们再三劝阻说这是杭锦旗地，但是他们还是不停下来……"① 光绪十三年（1887 年），杭锦旗致郡王旗的函件载："我旗驻守锡日巴嘎岱往前至哈巴其格宝拉戈边境之嘎查会的台吉属民报告说，近些年，郡王、达拉特两旗种地民人，竟然跨边境进入我旗内腹地砍伐柴草等……上前劝阻不仅不理会，反而……"②

由上可知，嘎查会是组织起来管理边界的牧民小组，杭锦旗和达拉特旗在边界两侧双方都设有嘎查会；杭锦旗在与郡王旗的交界一带也设有嘎查会。如前文所述，从嘉庆朝末期至道光朝初期起，杭、达两旗之间就出现了争界矛盾，特别是道光九年（1829 年），达拉特旗招放柴吉宝日塔拉地之后，因民人抢种旗地、旗民招民越界开垦旗地而引起的两旗边界纠纷进一步尖锐起来，进而引起了两旗的重视。嘎查会很可能就是这种背景下的产物。

到光绪朝中期，杭锦旗嘎查会建设仍有加强的迹象。如光绪二十年（1894 年），杭锦旗仍在设置嘎查会。见杭锦旗文："交台吉尼玛、台吉朝乐蒙、台吉喇嘛僧格尔德、章京丹木林、昆都巴达日胡、玛哈巴日太、滚古日扎布、童米德、苏米亚、松儒布、冒瑙亥、尼玛、喇嘛苏勒木、喇嘛劳瑞、喇嘛丹达日、喇嘛阿尤希等照办令：现令你们组成嘎查会，守护从穆日格木因敖包至脑木齐套亥因敖包的边界。收到此令后，照吩咐守护好管域内杭、达两旗之间的地界，两侧均不准耕种。同时要协同达拉特旗之嘎查会，每年修整封堆，不得有误。"③

另据记载，至光绪朝末期时，杭锦旗嘎查会除看守边界以外还负起了收缴当地税费的任务，而且是在杭锦旗与阿拉善旗、乌拉特旗的交界地区。档

---

① 手抄蒙古文档案：《伊盟水利水土保持资料汇编》（清代—民国），第 007 辑，第 198 页。

② 手抄蒙古文档案：《伊盟水利水土保持资料汇编》（清代—民国），第 008 辑，第 79—80 页。

③ 手抄蒙古文档案：《伊盟水利水土保持资料汇编》（清代—民国），第 008 辑，第 9—10 页。

案史料载：

> 光绪三十年秋，管旗达承乌力吉巴图、台吉梅林札尔固齐笔帖式额尔敦巴特尔、台吉梅林额尔敦巴图、台吉梅林图门乌力吉等我们，依照吩咐，将各努图嘎嘎查的台吉官员庶民们按规定分别收缴准备好的、有关砍伐属旗内西巴嘎地和黄河以南的一个阿嘎查地内自然生长的红柳、枯柴、椽子、条子、竹机、马莲等税费，春来秋往的民人所放养牲畜的水草费，民人起立炉灶税和买卖税，工匠的工具税等，一并收回统一上交，并另立账目分别做了记载。①

说明杭锦旗在西北边界地带也设置了嘎查会组织，其职责除守护边界之外还收取沿边一带除土地税以外的其他牧地资源的税费。

由上可知，起初设置嘎查会的直接目的就是为了看守边界地带；他们把沿边地区一定地段的苏木、牧户组织起来赋予其专门看守边界之责，并组成若干管理小组，任命专人负责；嘎查会组织晚至光绪朝中后期仍有加强。但是，到光绪朝末期时，随着进入旗地民人的增多和旗内管理的加强，嘎查会在负责看守边界的同时又承担起了收取边界地带民人牧放牲畜、割取柴草等的税费之责。

关于杭锦旗嘎查会，《杭锦旗志》中有如下记载："光绪二十四年（1898 年），全旗设 32 个嘎查会。其职责为处理邻里纠纷；宣谕衙门政令；收取各种摊派等。然而与参领、佐领职权重迭，政出多门，引起纠葛。光绪三十四年多数取消。保留的少数嘎查会，职责缩小为勘查旗界，更新界堆。"② 根据前面所引的档案资料，《杭锦旗志》里的一些内容显然需要纠正。首先，杭锦旗嘎查会并非设置于光绪二十四年（1898 年），因为至迟于道光朝中期，档案中已经有了有关嘎查会的记载。其次，嘎查会的基本职责并不在于"处理邻里纠纷"，而是看守边界，更新界堆。到光绪朝后期又负起了收取边界一带税费职责。第三，关于拆撤嘎查会的看法也值得商榷。

①　鄂尔多斯市档案馆蒙古文档案，57—2—1060—12。
②　杭锦旗志编纂委员会：《杭锦旗志》，内蒙古人民出版社 1994 年版，第 52 页。

"职权重叠"的情况是存在的，有关"政出多门"，还未看到有关的资料。各嘎查会内都有任现职的台吉或官员参加，嘎查会的负责人都是由旗衙门直接任命的，嘎查会也直接向旗衙门负责。说"政出多门"恐怕不是主要原因。后来拆撤嘎查会的主要原因，可能与清末官方放垦旗地有关。因为，放垦后原来沿边的一些嘎查会管辖的地区，现在已经成了官方放垦的区域，牧民已经被迫迁往非垦地区，原来的嘎查会当然会失去原有的功能。

巴嘎　清代杭锦旗在后套地区设有三个巴嘎（baγ）区，当地蒙古人称之为 qangqa-yin γurban baγ。杭锦旗三巴嘎区设置的确切时间虽然还不能确定，但是一定是在光绪年间。迄今笔者见到的最早记载杭锦旗三嘎事务的文献是，光绪八年（1882年）的一份蒙古文档案资料。下面摘要汉译如下：

> 光绪八年关于偿还益兴德民人期款，特派拔什库特穆尔从农业款中筹措事由：西巴嘎，民人杨氏银七十五两，大贵银三十两，宋氏银五十两、另糜子十五斗，贾氏银八两五钱、另制钱一千文；中巴嘎，魏扬银一百零五两、另制钱三千文，天得源银二百五十两、另制钱五千文，土默特等银二十七两五钱，莫瑞哈拉银七两五钱，刘三银三十两、另十五斗糜子，还有去年的银十六两七钱……天吉泰银十两，二毛银四两，寅子银四两，刘秀子制钱八十一千文，倡子银十一两，天得源去年款银二十五两；东巴嘎，阿鬴夫人制钱二百一十千文。即赴以上地户处，在巴嘎官员、拔什库，嘎查会官员、庶民的协助下全数收缴并直接交还益兴德民人，为再派官员前往结算提供方便，不得有误。特为此，使持账册和令牌。八年季秋月三十。①

巴嘎是杭锦旗于光绪年间设置于其后套属地内的区域性管理机构，类似于当今的开发区及区管委会，黄河以南的地区内没有这样的设置。巴嘎是随杭锦旗后套属地的招垦以及管理需要而产生的，并非一级行政机构。《杭锦旗志》载：旗衙门为了扩大财税来源，"于光绪元年请准理藩院正式放垦部分河套地。此后租地汉民人数日增。因参领、佐领只可管理蒙民，不便兼管

---

①　鄂尔多斯市档案馆蒙古文档案，57—2—637—16。

地界，为此在后套属地设 3 个巴格区，称东、中、西巴格（参领级），管理巴格区内的土地租放、垦种、灌溉和收租税等与汉民有关事务。"①《杭锦旗志》中关于杭锦旗巴嘎产生的背景、大致时间以及其基本职责的记载基本上是准确的。不过"兼管地界"，这还不是设置巴嘎的主要目的。因为管理地界的主要职责是由专门设置的"嘎查会"负责的，如前文所述早在道光朝中期的文献中就已经有了嘎查会的记载，而且嘎查会的这种职能一直发挥到光绪末年。光绪二年（1876 年），杭锦旗奏开旗地后，招垦之地遍布了套内整个区域。为了便于对整个后套地区开垦经济的管理，这才将旗内后套地划分成了三个管理区，即巴嘎区。巴嘎设置之后，在收缴税费方面确实同嘎查会的这种职能有重叠的情况，不过嘎查会的守边职能直到清末没有改变。

巴嘎的负责人，叫巴嘎因达承（Baγ-un daγačang—daγačing），札兰级。管辖区域内包含的苏木数量没有统一定数，有多有少。杭锦旗后套属地内共有 22 个苏木，三个巴嘎区划分的依据是什么，东、中、西三巴嘎区域内分别包含几个苏木等，尚不清楚。据老人讲，巴嘎因达承下有阿嘎查（Aγča），地方上汉语叫"边官"，直接受巴嘎因达承指使，具体做分管巴嘎区内垦区收取税费等工作。

另据有关研究，巴嘎机构不仅在鄂尔多斯杭锦旗，在清末的外蒙古也曾有设置，而且还发展成为一级行政机构。田山茂《清代蒙古社会制度》中写到："到清末，巴嘎作为一种社会集团广泛出现于外蒙古。"另引迈斯机的一段话说："巴嘎是构成旗的小区，是在一定地区内游牧的帐幕集团，一般由五、六十户组成。其首领称达鲁嘎，执行行政事务，特别是收税和分派徭役等。"革命后巴嘎成为介于苏木和阿尔班之间的行政单位，由三十至百户组成。②

综上所述，杭锦旗奏开旗地，是在阿拉善旗奏放后套西部地区、达拉特奏放后套中北部地区之后进行的，如果以阿拉善旗奏开旗地的时间即以乾隆朝中期计算的话，那么到杭锦旗奏开旗地时，中间已经过了 100 多年；此外，从地理位置上看，杭锦旗的后套中西部地区恰又处于阿拉善旗与达拉特

---

① 杭锦旗志编纂委员会：《杭锦旗志》，内蒙古人民出版社 1994 年版，第 51 页。
② ［日］田山茂：《清代蒙古社会制度》，潘世宪译，商务印书馆 1987 年版，第 155—156 页。

旗的中间地带，因此杭锦旗受上述两旗在套地内招垦的影响是深远的。但是，这种影响绝不只在于旗民了解到招垦旗地能够获得地租，而更重要的在于旗民对这种新变化的认识与适应。依据以上杭锦旗奏开旗地的过程，可以概括为以下几点：（一）杭锦旗对招垦旗地是有充分思想准备的。（二）在招放旗地时杭锦旗已经考虑到了开垦与牧放之间的矛盾，对此在与民人之间的租地契约中有明确体现。（三）杭锦旗对综合有序地利用旗地内的其他各类资源，也有相应的规定，其中包含着朴素的在新的情况下如何来保护资源与环境的思想。（四）随着与邻旗联系的增多和旗地招垦，杭锦旗在原两级行政管理体制的基础上，创设了新的管理职位（如达承）和管理机构，这些职位、机构的设置，对保障契约和各类规定的有效执行，对民人在开垦区域内行为的约束，发挥了积极而且重要的作用。

招放旗地对于清代蒙旗来讲是一个全新的课题，能否适应这种变化，对于蒙旗民众来讲是一次严峻的考验。杭锦旗招垦旗地过程，集中反映了旗民在思想观念和行为方面能够与时俱进的民族个性，体现了旗民积极的态度和应对新变化的能力。

3. 杭锦旗的闲地努力

据前述，杭锦旗在租地文约中明确写有"此文约及土地，每至五年一变更"的条款。根据此项条款，杭锦旗人每至五年对其所租放之地是否继续租放以及如何租放，都保有重新作出决定的权利。那么这项条款的实施情况如何呢？

光绪十六年（1890年），杭锦旗与在其后套三巴噶地内种地之三十六名商人、地户签订了一份续种旗地协约。协约用蒙、汉两种文字对照写成。将汉文约抄录于下：

> 立凭据约人三八组地户等：天顺泰、贾春芳、甄桃、天德元、魏凤山、万和公、刘双来、合和元、仁成西、王增祥、杨芸厚、常兴堂、曹四喜、郭四、□锦泰、和合源、公惠成、张正达、罗迎喜、史老虎、乔丑楞、公久长、姚才子、万顺长、天和长、公旺长、夏根山、复源成、成顺长、万合成、阜恒兴、公益源、李开山、李达元、万泰公、郭敏修，今杭锦旗贝爷，因闲地启衅，地户等恩之贝爷多种几年。今同三旗

马队袁大人，神木城官府，萨拉齐三班差人说明，光绪十七年起种，十八年为止，至七月十五日为满。空口无凭，立约为证。满年之日，合少自闭渠口，与地户无涉。

光绪十六年七月二十二日　立①

从以上内容中"今杭锦旗贝爷，因闭地起衅……"可知，杭锦旗曾于光绪十六年（1890年）前按照租地契约中的规定，曾采取过闭地举措，并因此而引发了民、蒙之间的事端。于是，杭锦旗三巴嘎地种地之民人，在当时的神木城府、大同第三骑兵队指挥官袁大人、萨拉齐衙役等的支持帮助下，便提出了重新立约多种两年的请求。这说明，商人、地户们对光绪二年（1876年）"租地契约"中的"文约及土地，每至五年收回并变更"的规定，是知晓的，也是承认的。

按照新定之"续约"，两年之后——即到光绪十八年（1892年）七月，由旗内自闭旗地，民人当"无有说辞"。但是根据光绪十九年（1893年）杭锦旗呈报盟长处的回复函件，所续垦之地至光绪十八年（1892年）之后仍然没能关闭。下面是回复函件的蒙古文汉译内容：

这类耕种之事，自奏准开垦以来，因民人与蒙古人之间不可调和之争端日益增多，所以过去曾分别报告要求恢复牧场并重新交由属民游牧是真实无疑的。另，关于将所开之地撂荒恢复为牧场之事，种地民人将此报告了萨拉齐同知和大同总兵骑兵队官员后，他们以地方官名义提出农民失去了土地、年景又不好，因而坚决要求继续耕种，所以我们也没能够单方面关闭所耕之地。②

杭锦旗奏准招垦后套内旗地，表明清廷在后套地区"禁垦"政策的实施已经终结，招垦权利已经掌握到了旗的控制之下。另外，如上所述，杭锦旗并没有任意放垦旗地，而是采取了有条件放垦，杭锦旗掌握着招垦的主动

① 鄂尔多斯市档案馆蒙古文档案，57—2—757—12。
② 鄂尔多斯市档案馆蒙古文档案，57—2—800—6。

权。但尽管如此，闭地则仍然没有获得成功。等到光绪朝中期之后，闭地在事实上已经成为不可能。

4. 套内旗民的武力抗垦斗争

清代阿拉善旗、达拉特旗、杭锦旗后套领地的开垦，采取的都是招民开垦的办法。这种招民开垦，本质上还不是蒙古人经营农业，旗民把土地放给民人耕种以获得租税，这是招垦的基本特点。由于后套地区具有良好的农业开垦条件，所以进入谋生的民人接踵而至，民人越聚越众，草地被越开越广，昔日的草原中建立起了星星点点的村社，昔日是自然条件相对好的牧场现在变成了农区，游牧变得越来越不方便。结果，招民开垦变成了草原农耕化的序幕。因为这并不是旗民愿意看到的结果，于是随着开垦的迅速扩大，爆发抗垦斗争也就在所难免了。

在民人数量日益增多，草地日趋缩小、旗民传统生计受到威胁的情况下，套内杭、达两旗旗民于光绪九年（1883年），联合掀起了抗垦斗争。斗争发生在今乌拉特前旗西山嘴迤西与北、五原县城东与南的地区。当时地商王同春正在这一带地区刚刚发迹。他于光绪七年（1881年）在杭、达两旗交界地带的沙花庙独自租得膳召地并开始耕种，不久又经过杭锦旗地开挖义和渠，渠梢抵达当时属达拉特旗地的今五原县城，即隆兴长，开始沿新开渠道耕种并在隆兴长建立起了经理中心。[①] 地商肆意修渠开垦是引起旗民抗垦的直接原因。王乐愚在追忆其父王同春事迹的回忆录中谈到了这件事情。他说：

> 光绪九年，有达拉旗台吉秦四（琴斯Čins——引者）者，鉴于汉人来者日众，草原渐辟，将有碍于蒙人牧畜，遂联合达拉杭斤诸旗三四百人，共起驱逐汉人。……蒙人之势既胜，汉人咸惴惴不安，相继离去。西山嘴子为汉人逃回故乡必经之路，蒙人据守其地，过者辄杀，汉人死者无算。陆路既阻，难民更谋从河上逃，时有船二艘，上载妇孺五六百人，顺流东行，将至西山嘴子，复为蒙人发觉，击翻船只，船上人无幸免者。先生睹此情状，知非联合团结，不能自卫，遂……集壮士百二十

---

① 张维华：《王同春生平事迹访问记》，《禹贡》半月刊，第6卷第5期。

人，共谋抵抗，而先生任指挥之责。时蒙人集者渐众，至六七百人，黄河北岸之地，东西长二百里，南北宽二十里，悉为所据。……先生知非以计歼之不可，乃于公益社厚积酒肉米麦，社外则以草薪作垣，高至数尺，蒙人至，佯作逃状，虚庐以待。蒙人性贪，见贮聚酒肉甚多，争取饮食，未几各大醉。入夜，先生遣壮士围袭……先生令壮士纵火，所积草薪俱焚，蒙人惊惶失措，遂大败。是役也，……蒙人死者十一，被擒获者三十人，先生取蒙人尸，俱投之河，灭其踪。①

琴斯是达拉特旗在西山嘴地区的一名台吉，这一带是杭、达两旗的交界地带。光绪九年（1883 年），琴斯领导了杭、达两旗这一带旗民的联合抗垦斗争。从斗争的性质看，一没有针对王公贵族，二没有针对清政府，而是直接针对地商和垦地民人、反对过度开垦这一带旗地的斗争；从组织方面看，完全属于民间自发的斗争。因为只是为限制民人过度开垦而进行的斗争，所以看不到任何像"独贵龙"运动那样的"严密"的组织。这完全是一场蒙古旗民为维护自己的基本生计而进行的生存斗争。

这场斗争中，王同春始终是被追杀的主要对象。在旗民的反抗斗争和追捕压力下，王同春被迫于"光绪十三年（1887 年）"暂时回到了河北邢台的老家。但是王氏一直在派人监视琴斯的行踪。"光绪十五年（1889年）"②，王同春获得琴斯的确切行踪之后，潜入后套抓获了琴斯。之后抗垦斗争停了下来。王乐愚在描述这段情景时说："秦四［琴斯］果率众走，数年之祸乱始息。"之后，"先生对蒙人恩威并施，自秦四［琴斯］失败后，蒙人对先生愈怀畏惧，不敢有敌视意。……先生入各旗境，蒙人率跪叩迎送，礼甚隆重。"③ 这就是说，到光绪朝后期时，在后套东部地区已经不存在什么可耕不可耕地一说了，只要王同春愿意，就可以开垦。斗争的结果也表明，至少从光绪朝中期开始，鄂尔多斯后套地区的蒙古旗民依靠自身力量维护自己生存方式的能力已大大减弱。

---

① 张维华：《王同春生平事迹访问记》，《禹贡》半月刊，第 6 卷第 5 期。
② 《王同春与河套水利》，《内蒙古文史资料》第 36 辑，第 20 页。
③ 张维华：《王同春生平事迹访问记》，《禹贡》半月刊，第 6 卷第 5 期。

（三）蒙旗闭地限垦努力失败的主要原因

晚清后套东部地区民人数量的急增与垦殖的扩大 武力抗垦最终失败，根据租地契约闭地又不成，其主要原因究竟何在？据前引王乐愚追忆其父与蒙旗民斗争的一段材料，当时船上载有逃难之"妇孺五六百人"。既然在当时的后套地区东部逃难的妇孺就有五六百人，青壮年男士就一定不会是王同春所率领的"百二十人"。因为在当时内地民人到套内耕种仍然以"雁行"方式为主，妇孺不应当很多。另据张维华《王同春生平事迹访问记》载："光绪十七年，后套水利已渐发展，先生谋凿修沙河渠，以广垦殖。时西北大旱，晋、冀、察、绥及陕北等省区，连年歉收，饥民转徙流离，无地可归。后套以水利关系，岁收较丰，以是难民来者麇集。即就集聚于今隆兴长南四大股庙一地论之，为数已有四万五千之众，其他流徙各地者，尚不能尽数。"先生遂"发仓施赈"。"三月后，天气已暖，先生督令灾民凿修沙河渠，及义和渠东北梢，数月始成。"① 仅四大股庙一带就聚集了民众 4.5 万余人，可见当时进入整个后套地区的内地民人远不止这些。另据国民政府蒙藏委员会调查室的调查报告，当时杭锦旗有汉族民人 2 万余人，达拉特旗有汉族民人约 6 万余口。② 民人的大量涌入，又促使后套地区渠垦事业的迅速扩大。这些灾民，依靠在王同春那样的大地商周围，逐渐由逃荒者变成了旗地的"主人"，形成了一个巨大的地方势力。如《伊克昭盟志》载："他们（地商——笔者）在蒙旗既系商人，又系地主——为蒙旗经济的实际掌握者。富有商号均为王公们的债权人。如郡王旗的天成号曾因清政府欠债数万，强迫着旗政府放地偿还，结果旗政府放出仍被他租去，债务也未还清，迄今该商号依然是王爷的债权人。……他们自己筑有塞堡，置有枪械，以防兵匪，旗下的政令决不能施及他们……"③ 梁冰在《伊克昭盟的土地开垦》一书中说："王同春向蒙旗借（应为租）地，在契约上强制写租期一万年。蒙旗不同意，便用武力把蒙人赶走。"④ 由上可知，至光绪朝中期时，后套

---

① 张维华：《王同春生平事迹访问记》，《禹贡》半月刊，第 6 卷第 5 期。

② 《伊盟右翼四旗调查报告书》，《伊克昭文史资料》第 5 辑，第 148 页；《伊盟左翼三旗调查报告书》，载《伊克昭文史资料》第 3 辑，第 195 页。

③ 伊克昭盟地方志编纂委员会：《鄂尔多斯史志研究文稿》第 6 册，1986 年，263 页。

④ 梁冰：《伊克昭盟土地的开垦》，内蒙古大学出版社 1991 年版，第 52 页。

地区已经聚集了大量的内地民人，地商已经实际控制了后套地区的开垦权利，形成了强有力的地方势力，旗民要闭地，实际上已经不可能。

晚清蒙旗人口的锐减　与后套地区内地民人数量迅速增长的情况相比，旗民绝对人口数量与清初时期相比却大大减少了。

关于清代各旗的人口数量问题是一个非常复杂的问题。日本学者田山茂《清代蒙古社会制度》一书中说："关于旗设立当时的户口数，因统计少，无从推断，但遵守一百五十丁的原则，似乎困难很多。"因此，"当推测清初旗的户口数目时，以一苏木一百五十户为基础不能求得正确的数目。用这种算法得到的人口数目来讨论蒙古人口问题，或以此为基础进而讨论经济上、军事上的各种问题，应该说很危险。"①　田氏一语，反映了清代在蒙旗人口统计方面的实际不足和推断清代各旗人口数量方面的难度。但是，根据史料中反映出的相关现象和相应数字，特别是灾后反映出来的人口数字等，对不同时期旗民人口变化作大致的推断，是可以做到的，也会对研究有一定参考价值。

据《杭锦旗志》载："清朝初，杭锦旗有 2.7 万人。其中成丁 5 400 人。"②　该数据的依据尚不清楚，但是 2.7 万的总人数，一定是以 5400 的成丁数乘以每成丁户 5 口人计算出来的。这也是估算清代蒙旗丁口数量的一般方法。该《志》又载："清乾隆五十二年（1787 年）全旗贵族男丁 227 人，占全旗在册成丁 3%。"③　如果依此为基数计算，当时杭锦旗应有成丁 7 566 人。若再按一个成丁户 5 口人计算，全旗人口总数当是 37 833 人，多出清朝初期人口数一万余人。如果这些数字可靠的话，说明乾隆朝时期蒙旗人口确实出现过增长高峰。另外，关于清初杭锦旗的成丁与人口数字，哈斯巴根博士根据档案材料统计得出的清代乾、嘉时期准格尔旗的兵丁数字，可以作为参照。据该统计，乾隆朝时期准格尔旗兵丁数 6 223 人，④ 嘉庆朝时期几乎没有改变。清代准格尔旗共有 42 个苏木，如以兵丁数 6 223 人作为基数

---

①　［日］田山茂：《清代蒙古社会制度》，潘世宪译，商务印书馆 1987 年版，第 122 页。

②　杭锦旗志编纂委员会：《杭锦旗志》，内蒙古人民出版社 1994 年版，第 125 页。

③　杭锦旗志编纂委员会：《杭锦旗志》，内蒙古人民出版社 1994 年版，第 148 页。

④　哈斯巴根：《十八——二十世纪前期鄂尔多斯农牧交错区域研究》，内蒙古大学 2005 年博士学位论文，第 57 页。

计算，每苏木约有兵丁数 148 人，稍差于清政府规定的每苏木 150 兵丁数目。如果杭锦旗也按每苏木兵丁数 148 人估算，36 个苏木的兵丁总数应当为 5 328 人，总人口数为 26 640 人。这个数字与《杭锦旗志》中所列的清初杭锦旗的人口数字相近。下面主要从一些事件与旗人口的关系角度，推断旗人口变化的大致趋势。

关于灾害、债务与旗人口的关系 早在康熙朝时期，就有鄂尔多斯地方因灾害而将旗民卖与其他旗的记载。康熙五十一年（1712 年），康熙帝谕理藩院："闻鄂尔多斯地方，连年大雪，饥馑洊臻。将人口卖与四十九旗，并喀尔喀者甚多。可速差官查问，送还本籍。务使各遂生业，以副朕体恤外藩至意。寻理藩院遵谕议复，应选遣司官，至蒙古各旗王、贝勒、贝子、公、台吉等处，查明鄂尔多斯人口数目，送还本处。"① 乾隆二十二年（1757年），伊克昭盟受灾严重，杭锦旗 35 苏木中，难以糊口者，大小人口有万余。② 嘉庆十二年（1807 年），杭锦旗在致盟长处的函中写到："嘉庆十一年夏三月至秋月间，因多雨，不仅盐湖积水过多而没有产盐，野生可食之物也所生无多。冬月至春月之间又下大雪，全旗台吉庶民的四类牲畜因风雪灾害而遭受了严重损失，旗民变得非常困难。照律法，作为贝子我本人以及下属协理、官员和旗内所有有能力的喇嘛、台吉庶民等托扶灾民三千一百三十七人……嘉庆十二年初夏月二十八。"③ 嘉庆十五年（1810 年），杭锦旗再致函驻宁夏理事司员衙门称："今年我旗地无雨，干旱严重，野生可食之物不生，牲畜倒毙，蒙人生计困难。仲秋月十九。"④ 接着于嘉庆十六年（1811 年）报盟府称："嘉庆十六年仲春月，旗地风雪肆起，四类牲畜严重倒毙，牧民本来所剩牲畜无多，这下又将本畜损失殆尽，穷困到了极点。又加上整年雨量甚少，野生可食之物不生，致使受托扶的牧民达到了五千五百三十八人。"⑤ 进入道光朝以后，因自然灾害连年发生和债务压力，文献中此类记载多了起来。如道光十八年（1838 年）的一份档案载："我旗民贡朝

---

① 《清圣祖实录》卷 252，康熙五十一年十二月庚申条。
② 内蒙古档案馆档案，511—1—1。
③ 手抄蒙古文档案：《伊盟水利水土保持资料汇编》（清代—民国），第 002 辑，第 17—19 页。
④ 手抄蒙古文档案：《伊盟水利水土保持资料汇编》（清代—民国），第 002 辑，第 57 页。
⑤ 手抄蒙古文档案：《伊盟水利水土保持资料汇编》（清代—民国），第 002 辑，第 79 页。

克巴啦桑，一向依靠拥有的少量牲畜向民人借款维持生计。近年因灾本畜损失殆尽无力偿还债务……而又担心给别人增添负担，遂离家出走，至今未归。道光十八年仲秋月初六。"① 另又载："近年因少雨干旱……台吉、庶民的少量本畜均已倒毙。现在甭说支应公务，已经到了不能自救立命的地步，庶民逃亡者甚多。道光十八年仲秋月。"② 道光二十年（1840 年）的一份档案载：派人去传唤"札巴如乐及其夫人达尔喀时，不在家里。向周围的人们打问时，说因遭年景无法生活而出走，至今未归。道光二十年季冬月初八。"③ 道光二十二年（1842 年）一份档案载："旗内台吉、喇嘛、庶民等众多旗民所养的牲畜，因受灾而已经全部倒毙。旗民竞相四处逃散。道光二十二年仲冬月初四。"④ 另外，有关因不能偿还债务而变得穷困潦倒的记载也很多。列几例于下：台吉锡塔尔倾其全部家产还债的情况，据差人来报，"台吉敦济提供住包一个，台吉锡塔尔拿出自己所住的包一个，另有驼一，乳牛二，两岁牛犊一，总共两个包，四头大畜。嘉庆十三年（1808 年）仲春月二十三。"⑤ 但是，民人没有接受。嘉庆十四年（1809 年），"台吉锡塔尔又向亲族内的台吉、属内阿拉巴图那里求得驼二，马二，大小牛十九，绵羊山羊共二十一，四十四块茶，六块布，一双靴子，另有一件用具……嘉庆十四年（1809 年）季冬月十二。"⑥ 道光十九年（1839 年），仍然有因为没钱，提出"用茶、布、牲畜等还债是否可以"这样的请求上报。⑦ 由上可知，在嘉、道时期，连台吉都有因债务而倾家荡产、甚至无家可归者，一般平民可能遭遇更惨。因灾荒和债务而流落他乡或一去不复返者一定不会是少数。

关于战乱与旗人口的关系　咸丰朝时期，是清廷全力征剿太平军和捻军起义的时期。战争急需要兵丁、银两和驼马。《清文宗实录》中多处记载了

---

① 手抄蒙古文档案：《伊盟水利水土保持资料汇编》（清代—民国），第 004 辑，第 22—25 页。
② 手抄蒙古文档案：《伊盟水利水土保持资料汇编》（清代—民国），第 004 辑，第 29 页。
③ 手抄蒙古文档案：《伊盟水利水土保持资料汇编》（清代—民国），第 004 辑，第 101 页。
④ 手抄蒙古文档案：《伊盟水利水土保持资料汇编》（清代—民国），第 004 辑，第 123 页。
⑤ 手抄蒙古文档案：《伊盟水利水土保持资料汇编》（清代—民国），第 002 辑，第 31 页。
⑥ 手抄蒙古文档案：《伊盟水利水土保持资料汇编》（清代—民国），第 002 辑，第 39 页。
⑦ 手抄蒙古文档案：《伊盟水利水土保持资料汇编》（清代—民国），第 007 辑，第 69 页。

喀尔喀部各旗、科尔沁部各旗、察哈尔各旗甚至土默特部等捐银、献马的情况，从察哈尔部等征调兵丁的情况。但是却没有看到鄂尔多斯部各旗捐输情况的记载。咸丰十年，曾从乌、伊两盟征过兵马，但据皇帝谕军机大臣等文，"乌兰察布盟六旗官兵马匹大半瘦弱，不堪骑乘。现因积雪未消，无处牧放……其伊克昭盟七旗官兵军装、器械，多不适用，着成凯等督饬带兵各官，赶紧认真修理。马匹驼只亦多疲瘦，并令在大青山后牧场妥为牧放。至该两盟兵丁，素以游牧为业，技艺生疏，不晓纪律，并着成凯等督饬训练，务令马上枪箭习熟。"① 不久，据绥远城将军成凯等奏："……全行撤回，由各游牧随时习围操演，不准偷安……"② 从"官兵军装、器械，多不适用"的情况看，他们不制备军服、不整修兵器可能已经有很长的时间；从"技艺生疏、不晓纪律"，可以看出他们已经有较长时间不进行军事训练了。再加上驼马不堪使用等，完全反映了杭锦旗等鄂尔多斯各旗尚未从道光朝以来的灾荒中得到恢复的衰败境况。

同治年间，西北回族民众造反，对鄂尔多斯各旗的人口变化产生了重大影响。其影响构成大致有三方面：一是清廷直接从鄂尔多斯各旗征调兵力参加征讨。据苏德毕力格的研究，在镇压回军期间，清廷从鄂尔多斯各旗先后征调的兵力约达 3 000 人，正式参加征战者约有 2 000 人上下。其中的不少人死于战场。另外，战争期间，蒙旗出征官兵的"应需军器、驼马、帐房均自行筹备；所有倒毙驼马、损坏兵器、破烂皮衣，亦须随时摊办补齐"。这不仅造成了壮丁的损折，也带来了新的物资消耗。二是驿路台站运递任务。同治三年（1864 年）回军起义烽火蔓延至新疆后，"清朝通往新疆的军政文报，正式改行张家口出边经漠北西达外蒙古的驿路台站。又在内蒙古西部增设台站，由绥远城将军等督饬各蒙旗备办驼马转运、护送北路清军所需粮秣军饷。"同治二年（1863 年），仅为从归绥将一批清军火器运往陕西定边，就从各旗征调了 200 多峰骆驼。四年（1865 年），从归化城至磴口新设 13 个粮饷转运台站，每站所需几十名站丁和上百峰骆驼均由各蒙旗分摊。从包头经鄂尔多斯至花马池新设 12 个临时驿站，所需马匹、兵丁亦由伊盟

---

① 《清文宗实录》卷 314，咸丰十年润三月己未条。
② 《清文宗实录》卷 336，咸丰十年十一月乙巳条。

各旗承担。三是除回军进入旗地的焚烧抢劫外，"清军官兵也是战乱兵灾的祸源之一。"在杭锦旗、乌审旗，"年老体弱者藏匿于沟壑，年富力强者远走他乡，"但仍有不少人因冻饿死于旷野。杭锦旗"因连年战乱和灾害，旗民生计维艰，远走他乡者十有四五。"① 可见，在同治朝时期又有许多旗民因战乱而逃亡，或因战争和战乱而死亡。

另，鄂尔多斯市档案馆藏的一份蒙古文档案（残断，没有年月，似晚清或民国时期杭锦旗人口簿之一部分），提供了当时杭锦旗三个苏木的全部人名、职务及总人口数字：按顺序，第一个苏木，前半部分内容残断，"共一百八十四口人，三十二户"；第二个苏木，是"札兰级章京阿拉坦格日勒苏木"之人口："共一百一十三口人，十八户"；第三个苏木，是"札兰级章京沙日喇岱苏木"之人口："共一百一十六口人，二十二户"。② 三个苏木平均24户，138口人。另据，国民党政府蒙藏委员会调查室于民国二十五（1936年）所做的调查，杭锦旗"蒙人人口——该旗共有三十六苏木，每苏木至多辖户百余，其次则五六十户，或二三十户，平均每苏木辖有蒙户约五十户，若以三十六苏木计算，则全旗共有蒙户一千八百户。……蒙人家庭有六七口者绝少，普通家庭不过四五口而已。兹以每户五口估计，则一千八百户共有蒙人九千口左右。……杭锦旗九千人中，共有头二三四等台吉者一百三十一人，旗内蒙人，多半分住于该旗中部，即沿该旗境内黄河以南和东南一带，因上述各处，多系沙梁，只宜牧畜，不宜耕种，故蒙户亦多聚积于此。其余如黄河以北及旗境四周，地多已开垦，则汉人稠密，蒙人杂居其间者，为数寥寥。"③ 1939年《伊克昭盟志·杭锦旗》也载："人口，蒙人一千七百二十二户，八千六百口"。④ 以上《调查报告》与《伊克昭盟志》的记载基本相近，大致反映了晚清以来杭锦旗的人口状况。另外，哈斯巴根博士根据档案资料，就清代准格尔旗人口变化做的统计表中：准格尔旗兵丁

---

① 白拉都格其、金海、赛航：《蒙古民族通史》第5卷（上），内蒙古大学出版社2002年版，第48—53页。

② 鄂尔多斯市档案馆蒙古文档案，57—2—1058—1。

③ 《伊盟右翼四旗调查报告书》，载《伊克昭文史资料》第5辑，1990年版，第145页。

④ 《伊克昭盟志》，载伊克昭盟地方志编纂委员会：《鄂尔多斯史志研究文稿》第6期，1985年，第372页。

数，乾隆朝时期有 6 223 人，至光绪十七年（1891 年）时降到了 3 178
人，① 减少了一半。说明，至光绪朝时，蒙旗人口减少的情况不仅在杭锦
旗，鄂尔多斯其他旗也有类似情况。

再据田山茂，就清代东南蒙古各旗初创时期与清末、民国初期的户口数
所作的比较：②

旗　名	崇德元年（1636 年）	宣统年间（1909 年）
敖汉旗	1 300 户	411 户
奈曼旗	1 210 户	362 户
巴林右旗	620 户	237 户
巴林左旗	880 户	155 户
扎鲁特旗	1 980 户	310 户（左、右合计）
四子部落	2 194 户	410 户
阿噜科尔沁	—	437 户
翁牛特左旗	1 300 户	130 户
翁牛特右旗	1 830 户	129 户
喀喇沁左旗	1 826 户	177 户
喀喇沁右旗	5 286 户	170 户
土默特二旗	2 101 户	333 户（中）
		1 365 户（左）
		235 户（右）

从以上数字可知，清初至清末之间各旗户口减少的情况是十分惊人的，
一部分旗，户口数的减少幅度甚至超过了十倍。说明内蒙古各旗于清初至清
末之间的人口变化总态势不相近。

清代杭锦旗 36 个苏木中，有 22 个苏木在后套地区。随着后套地开垦的
不断扩大，牧民逐步被迫迁出，使套地内每个苏木的人口开始减少；加上全
旗总人口的大量减少，到清末时已经不足一万人的情况下，后套地区的旗民

① 哈斯巴根：《十八——二十世纪前期鄂尔多斯农牧交错区域研究》，内蒙古大学 2005 年博士学
位论文，第 57 页。

② ［日］田山茂：《清代蒙古社会制度》，潘世宪译，商务印书馆 1987 年版，第 123—124 页。

人口显然更少了。一方面是农业人口的急速膨胀，一方面是牧业人口的锐减，限垦已经不可能，闭地更无法做到。

清政府的弛禁态度及影响　"鸦片战争以后，蒙古民族的社会状况和内外形势也同全国一样发生了重大变化。长期以来的羁縻抚绥、分割统治和喇嘛教盛行，加上旅蒙汉商的高利盘剥，侵华列强的经济掠夺，导致王公腐朽、人民穷困，坚毅勇武的民族精神日趋颓废，政治、经济、文化和传统强悍武力全面衰颓。"[1] 这是清政府弛禁并准备筹蒙改制的基本历史背景和前提。这种改变的核心，就是彻底改变对蒙政策，"易游牧为农耕"，[2] 把蒙古纳入与内地统一的体制之下。放垦蒙旗地是达到这一目的关键的一步。如东三省总督徐世昌曾奏称："今欲经营蒙古……必以殖民为入手，而殖民尤以垦荒为始基"，并认为这是"今日筹边殖民之至计"。[3]

这些动议首先从沿边大吏中间反映出来，进而影响到清政府政策的转变。光绪八年（1882 年），张之洞就呈上了放垦蒙地以筹饷练兵、加强国防的《详筹边计折》[4]。光绪十二年（1886 年），山西巡抚刚毅呈上了《筹议晋省口外屯垦情形折》，提出了在后套地区兴办屯田的建议。称："缠金之地是为山西之边疆，议兴办屯田之事，理应由臣我方酌断。缠金，即柴吉，在黄河以北的外套地，是伊克昭盟属达拉特、杭锦两旗之边地。其四至，西至大河，东与乌拉特交界，北至黄河故道，南至现在的黄河。光绪十四年季冬月十二。"[5] 刚毅的奏折得到了清廷的重视，旨令有关部、署进一步详议。这是关于全面放垦后套地区的奏折。接着又有胡聘之的《屯垦晋边折》，同样受到了清廷的极大关注。只是因为旗民的反对而暂停下来。之后还有岑春煊、赵尔巽等人的开垦蒙旗地奏章。清末历任山西巡抚，都曾呈奏开垦蒙旗地奏章。他们迫切要求奏放蒙旗地的直接目的，是"维时局艰难，度支竭

---

[1]　白拉都格其、金海、赛航：《蒙古民族通史》第 5 卷（上），内蒙古大学出版社 2002 年版，第 120—121 页。

[2]　姚锡光：《筹蒙刍议》（上），《实边条议》。

[3]　徐世昌：《会同三省巡抚覆奏三省内蒙垦务情形并预筹办法折》，《东三省政略·蒙务下·筹蒙篇》。

[4]　《张文襄公全集》卷 2，《奏议》。

[5]　鄂尔多斯市档案馆蒙古文档案，57—2—727—8。这是一份伊克昭盟盟长处，遵照圣旨，将刚毅的奏折译成蒙古文，下转达拉特、杭锦两旗传阅的文件。刚毅原奏时间是，光绪十二年三月二十一日。

蹶，兵费赔款之巨……"等造成的财政上的需要。近边鄂尔多斯各旗，幅员"广袤不下三四千里，若垦十之三四，可得田数十万顷……即放一半可得三四倍。"① 由于清廷的暧昧态度，沿边各省大吏的积极倡导，官方允许内地民人进入蒙旗地开垦的大门事实上已经被打开，蒙旗已经不能向实行严格封禁政策时期那样，在维持传统生计和旗地利益方面能得到清政府的有力支持。

种植业和游牧业，是人类最早实现社会分工的两大生产活动类型。经过分工后的发展，种植业和游牧业逐渐适应周围的自然环境特点。在沿中国的黄河至长江；印度的印度河至恒河；西亚、中亚由安那托利亚至波斯、阿富汗；在欧洲，由地中海沿岸至波罗的海之南；由不列颠至乌克兰，逐渐构成了一个绵亘于亚欧大陆两端之间、偏南的长弧形的农耕地带。这一地带雨量充沛、温暖，适宜农耕。与这个农耕地带相邻的偏北地区，东起西伯利亚，经过中国的东北、蒙古、中亚、咸海里海之北、高加索、南俄罗斯，直至欧洲东境，横亘于亚欧大陆的居中地带，构成了一个游牧地带。这里雨量较少，地域广阔，冬季长而寒冷，较适宜游牧。② 两种不同地带的形成，既为自然环境特点所造就，同时也是人类生存选择的结果。

这两种人类最古老的生产活动方式，数万年来、特别是几千年来，既有自身内部的发展进步，又有相互互动式的促进，是古代社会最基本的物质生产基础。但是进入近代，随着18—19世纪欧美工业革命的相继完成，传统的种植业和游牧业，无论哪一方都已不可能承担起发展新生产力的重任，都必然地成为工业文明的"改造"对象。工业文明并不是要消灭农业和畜牧业，恰恰相反，是要发展现代化的农业和畜牧业。而根据晚清中国的农业扩张论，如姚锡光所言："游牧生涯，断无持久幸存之理"，"恐不出五十年，游牧之风，将绝景地球之上"。③ 显然，传统的农业扩张论的实质是要彻底消灭游牧业。所以，传统的农业文明不可能承担起完成传统游牧业经济现代化改造的任务。

---

① 内蒙古大学蒙古史研究室：《蒙古史研究参考资料》第6期，第4页。
② 马世力：《世界经济史》，高等教育出版社2004年版，第40页。
③ 姚锡光：《筹蒙刍议》（上），《实边条议》。

　　清末，由于传统农业扩张论逐渐占据了主导地位，受其影响，人们忽视了对蒙旗在招垦旗地过程中为适应新的社会生活而出现的进步的关注；清政府对蒙政策态度的转变，最终中断了蒙旗内部正在尝试的发展道路。在今天看来，清末的农业扩张，对中国北部自然生态环境恶化带来的后续影响是深刻的，对中国畜牧业经济的现代化改造造成的危害及历史教训，也是应当认真总结的。

　　另外，是关于清末蒙旗地招垦的原因和蒙旗地过度放垦问题。关于招垦原因，前文已有阐述。从杭、达两旗招垦后套旗地的原因看，主要是因为自然灾害和债务压力恶性循环导致的生存需要所致。在招垦过程中，因为旗民是传统意义上的旗土地所有者，所以旗是招垦旗地的主体或矛盾的主要方面。从招垦旗地过程中的客体即大量的内地普通民人角度讲，他们不惜付出生命代价，不远千里、跋山涉水来到草地谋生，也是由于生活所迫和生存需要。沿边内地降雨量少，可耕地缺乏，加上农业耕种环境恶劣，一旦遭遇重大自然灾害，由于求生的欲望，民众就会大量涌向邻近的边外草原谋生。这就成为蒙旗招垦旗地的劳动力来源。没有这一条，招垦就不可能实现。在古代社会，对于广大的普通百姓来讲，获取基本的食物和物质保障以维持基本生计，一直是其根本的生产活动目的所在。他们的一切非常举措，总是和他们的生存需要紧密联系在一起。所以，不能把清代蒙旗招垦旗地的原因，一般地归结为是某种利益欲望所趋，或者说蒙旗只是为了获得租赋而所为。当然，在招垦旗地过程中确实存在追逐私利的一面，这是导致旗地无节制过度开垦的主要因素之一。一方面是蒙旗内的部分王公贵族，他们利用其地位和权势、利用旗民因灾荒而不得已招垦部分旗地的需要，肆意招放旗地，以损害广大旗民的基本生存权利来换取满足自己奢侈无度的生活需要；另一方面是地商勾结部分王公贵族权势，利用因灾荒而到草地谋生的广大民众这一廉价劳动力，以追逐更大的土地利益。这是典型的利益驱使行为。但是，这与招垦旗地的初衷是根本不同的。由于存在以上认识上的混乱，就使人们忽视了蒙旗在招垦旗地、选择与社会适应过程中，对传统的单一游牧经济经营方式的变革所作出的努力和有益经验的关注。

　　总之，从蒙旗的角度研究清代社会历史变迁问题，仍然有许多事情可做。这项工作，对于当前进行的草原生态建设与保护、草原畜牧业的改造

与发展，以至社会主义新牧区建设蓝图的实现，无疑会提供有益的历史
见解。

第七节　喀尔喀右翼旗社会变迁

喀尔喀右翼旗为清代乌兰察布盟札萨克旗之一，清代汉文文献通常称之
为"喀尔喀右翼部"或"喀尔喀右翼达尔罕贝勒旗"。顺治十年(1653 年)，
喀尔喀中路台吉本塔尔因与本部土谢图汗有隙，率所属千余户自漠北归依清
朝，被编为一旗。到康熙三年（1664 年），又有喀尔喀西路台吉衮布伊勒登
率部归依清朝，被安置在喜峰口外。为了二者区别，把该旗称为喀尔喀右翼
旗。初封本塔尔为札萨克和硕达尔罕亲王，职爵世袭。至其孙詹达固密时降
袭多罗达尔罕贝勒。直到民国年间，因世达尔罕贝勒号，因此又称达尔罕贝
勒旗。喀尔喀右翼旗（部）自归附清朝开始一直驻牧于大青山西北，旗地
东接四子部落旗（现四子王旗），南接归化城土默特旗，西与茂明安旗交
界，北和喀尔喀土谢图汗部接壤，大体相当于今乌兰察布盟达尔罕茂明安联
合旗东部和武川县一部分。自从顺治十年（1653 年）归附清朝至公元 1953
年同茂明安旗合并为达尔罕茂明安联合旗为止，经历了三百年的沧桑历史变
迁。由于文献史料疏少，清朝至民国年间该旗社会历史问题尚未得到深入
研究。

内蒙古档案馆藏有大量清代至民国年间喀尔喀右翼旗档案，该档案对研
究清代至民国年间该旗社会历史提供了第一手资料。而且，这部分档案还未
得到充分利用。充分利用内蒙古档案馆藏喀尔喀右翼旗札萨克衙门蒙古文档
案，深入研究该旗社会历史问题，对清代、民国年间乌兰察布盟地方史研究
乃至清代蒙古史、内蒙古近现代史研究有重要的学术价值和现实意义。

一、喀尔喀右翼旗边界、旗政、人口与阶层

（一）喀尔喀右翼旗游牧边界

清朝统治者为了牢牢统治蒙古地区，实行"众建以分其势"，大力推行
"盟旗制度"。盟旗制度最显著的特点之一就是"严格划分旗界，不得随意
越界游牧"。清代蒙古地区旗与旗之间有严格的边界划分。详细划分喀尔喀

右翼旗边界是在乾隆年间。最初本塔尔率部由漠北迁至塔尔浑河流域时，其游牧范围，尚未具体划分。因此，在百余年的历史过程中，与邻近各旗常发生边界纠纷和冲突。为避免边界纠葛，乾隆四十年（1775年），该旗札萨克多罗达尔罕贝勒勒旺多尔吉向理藩院提出明确指定牧地边界，并存案以备查考。衙门进一步实地勘明当年顺治帝赐予本塔尔部牧地，重新下达追述边界线书，并附有地图。① 目前，当年划分边界的文书及地图已遗失，无从查考。《嘉庆重修一统志》、《蒙古游牧记》、《钦定外藩蒙古回部王公表传》《钦定大清会典事例》等清代各种文献只大体记载："喀尔喀右翼部位于张家口外西北方，至京师一千一百三十里，东西一百二十里，南北一百三十里。东四子部落，西茂明安，南归化城土默特，北瀚海"等，② 未标出具体位置。要详细了解喀尔喀右翼旗边界具体方位，只依靠清代文献资料是不够的。有关喀尔喀右翼旗边界方位，《达茂文史资料》中提到："喀尔喀右翼旗牧地边界和管辖范围，北至喀尔喀莫日根王旗卓索图山一棵树，查日红格尔界；西至茂明安旗和乌拉特三公旗交接处阿布日勒陶吉斯、德日苏图陶海界；南至归化城土默特格楚敖包、哈土玛勒河、陶思图敖包界；东至四子部落乌力敖包、白夹花界。"③ 然而，文中未标出处。《呼和浩特史蒙古文献资料汇编》一书中的一份光绪十一年（1885年）修复土默特旗与达尔罕旗边界敖包事宜的公文中虽提到了部分修复边界敖包事宜，但并没有记载敖包的具体名称及方位。④

详细记载喀尔喀右翼旗边界方位的是喀尔喀右翼旗札萨克衙门档案中有关喀尔喀右翼旗衙门与邻近各旗间解决边界纠纷和修复边界敖包事宜的各种公文。这些相关文书中记载了喀尔喀右翼旗与邻近各旗间边界方位及名称。下面主要依据这些公文内容，分析喀尔喀右翼旗与邻近各旗间的具体边界方位。

1. 喀尔喀右翼旗与归化城土默特旗的边界　有关喀尔喀右翼旗与归化

---

① 《乌兰察布文史资料》第11辑，乌盟政协文史资料研究委员会：《乌兰察布史略》，1997年版，第126页。

② 张穆：《蒙古游牧记》卷5，同治祁氏刊本；《嘉庆重修一统志》卷543，嘉庆年间刊本。

③ 达茂旗政协文史资料编辑委员会：《达茂旗文史资料》第1辑，1997年版，第8页。

④ 金峰：《呼和浩特史蒙古文献资料汇编》第1辑，内蒙古大学印刷厂，第413页。

城土默特旗的边界，《蒙古游牧记》记载："南至哈达满勒河源。七十里接归化城土默特界。"①《达茂文史资料》中提到："南至归化城土默特，和楚敖包、哈土玛勒河、陶思图敖包界。"②

有清一代蒙旗划分边界时，在旗界缺乏明显的地标处，设立敖包（鄂博）以标志旗界，③ 蒙古人称其为"黑勒音敖包"（汉译为边界敖包）或"黑吉噶尔音敖包"（汉译为疆域敖包）。每隔一段时间，各旗在边界指定地点约定会集，并修复这些"敖包"。喀尔喀右翼旗札萨克衙门档案中的一份有关喀尔喀右翼旗与土默特旗之间修复旗界敖包事宜的公文充分反映了上述情况。该文书中记录了当年喀尔喀右翼旗与土默特旗边界处堆立的二十二座敖包的具体名称，这二十二个敖包就是当年喀尔喀右翼旗与土默特旗间划分边界的详细方位。

该文书内容如下：

　　　　归化城都统衙门司所派官员楚伊金苏荣、乾清门行走乌兰察布盟副盟长喀尔喀札萨克多罗达尔罕贝勒加一爵云端旺楚克、四等协理台吉加一爵衮布道尔吉、协理四等台吉加一爵栋日布等处所派领催巴雅尔呈报，兹依据交代，在约定之日，宣统三年秋中月二十日，于三旗交接处指定地点和楚敖包会同（跟土默特旗所派人员一同）查看后，所修建事宜。道光十二年八月，钦差大臣松（指松筠）所指定后呈报的：定每年八月堆石加高修复（边界敖包），请永杜争端之事。照此修建的边界敖包，经（我们）仔细查看：原定之土默特、达尔罕贝勒、茂明安三旗交界的敖包一，名为和楚敖包。此处开始向东北方向立温都尔敖包一（蒙语意为高大的敖包），哈刺图温都尔山顶立有旧敖包一，德日斯图山顶所建新敖包一，德日斯图、茂盖图（两处）之间新建敖包一，茂盖图旧敖包一，茂盖图至呼什野朝鲁间新敖包一，呼什野朝鲁敖包一，乌兰托罗海之顶新立敖包一，乌兰托罗海、色齐之间新敖包一，同

①　张穆：《蒙古游牧记》卷5，同治祁氏刊本。
②　达茂旗政协文史资料编辑委员会：《达茂旗文史资料》第1辑，1997年版，第8页。
③　《钦定大清会典事例》卷979，嘉庆二十三年序刊本。

时又新加敖包一，色齐旧敖包一，齐拉贡浩日颜新敖包一，茂顿敖包地旧敖包一，哈达玛勒河源处碑石一，巴勒德顺胡娃顶所建新敖包一，苏吉处旧敖包一，布很图处旧敖包一，哈拉敖包处旧敖包一，古日奔宝如高处所建新敖包一，浩勒宝处旧敖包一，喀尔喀达尔罕贝勒、四子、土默特三旗交界处套思图山顶旧敖包一，上述共新旧二十二座敖包全部加高过，丝毫没有纠葛。因此呈报，此次两旗会同所修旗界敖包事宜，请录入各自所辖之地档册中，备日后查考，共同签字呈报。宣统三年秋中月二十日。①

可以看出，当年喀尔喀右翼旗与土默特旗边界的最西段为和楚敖包，最东段为套思图山敖包，两座敖包之间另有二十座敖包，即温都尔敖包、哈刺图温都尔山顶旧敖包、德日思图山顶新敖包、德日思图、茂盖图（两处）之间新立敖包、茂盖图旧敖包、茂盖图至呼什野朝鲁间新敖包、呼什野朝鲁敖包、乌兰托罗海之顶敖包、乌兰托罗海、色齐之间敖包、新敖包、色齐旧敖包、齐拉贡浩日颜新敖包、茂顿敖包地旧敖包、哈达玛勒河源处石碑、巴勒德顺花顶新敖包、苏吉处旧敖包、布很图处旧敖包、哈拉敖包处旧敖包、古日奔宝如高处新敖包、浩勒宝处旧敖包在内的共二十二座敖包。档案显示，宣统三年修复的二旗间边界敖包是根据道光十二年勘察后最终指定的边界线。

2. 喀尔喀右翼旗与茂明安旗、乌拉特旗边界　有关喀尔喀右翼旗与茂明安旗边界方位，《蒙古游牧记》记载："西至乌阑呼图克。五十五里接茂明安界。"《达茂文史资料》中提到："西至茂明安旗和乌拉特三公旗交接处阿布日勒陶吉斯、德日苏图陶海界。"喀尔喀右翼旗札萨克衙门档案中有关解决茂明安旗与达尔罕旗间发生旗界纠纷事宜的一份公文记载了乾隆年间明确划分两旗边界的部分内容。现将公文相关内容抄录如下：

茂明安札萨克头等台吉、军功加二级、记一级朝克巴达拉呼及协理台吉等书，寄临时代理喀尔喀札萨克多罗达尔罕贝勒索德那木多尔吉札

----

① 内蒙古档案馆档案，527—10—56。

萨克之印协理台吉阿木古楞之回文。查看刚从贵处送达之文书，前任盟长公王宫格拉布坦把我们两旗边界中心定为德日苏图套海、额日贺尼克之源的乌兰呼都克、呼吉尔恩格尔西路为直线至敖依木乌兰和硕之事，已在乾隆四十七年制定，彼此已认可。贵旗认定后送至我处之盖章公文中也有详细记载。……次年四十八年（乾隆）根据大衙门（指理藩院）交代，把各札萨克领地四周名称方位明确记载地方图，并盖章后上交过。道光九年右卫城官员、归绥道等处解决喀尔喀达尔罕贝勒、土默特两旗间边界纠纷一事时，因彼两旗地图有出入，而利用过四子王旗、我茂明安二旗之地图和文书等事宜，在档案和图册中都有明确记载。……因此把我旗境内的农户驱逐是不合事理的，为此致信。咸丰七年七月初一日①。

该文书反映了乾隆四十七年（1782 年）曾明确将喀尔喀右翼旗与茂明安旗之间的边界中心定为德日苏图套海、额日贺尼克之源乌兰呼都克、呼吉尔恩格尔西路为直线至敖依木乌兰和硕。可以看出，旗西南段的土默特、达尔罕贝勒、茂明安三旗交界处为和楚敖包，西北段的茂明安旗和乌拉特三公旗交接处阿布日勒陶吉斯定为喀尔喀右翼旗与茂明安旗边界的最南段和最北段。而二旗从南向北的边界应是南至喀尔喀右翼、茂明安及土默特三旗交接处和楚敖包以北经德日苏图套海、额日贺尼克之源乌兰呼都克、呼吉尔恩格尔西路为直线至敖依木乌兰和硕、终至北端喀尔喀右翼、茂明安、乌拉特三旗交接处阿布日勒陶吉斯。

该旗西北与乌拉特旗交界。《蒙古游牧记》记载："（喀尔喀右翼部）西北至塔起尔克图鄂博。六十里接乌拉特界"又载："（乌拉特部）东北至苏朗。百四十五里接喀尔喀右翼界。"苏朗，又是喀尔喀右翼旗与喀尔喀蒙古的边界，故该处应当是喀尔喀右翼、乌拉特、喀尔喀莫日根王旗交接地。文献和档案均未明确记载该旗与乌拉特旗的详细边界，喀尔喀右翼旗与乌拉特旗间的边界大致为西北方从茂明安旗和乌拉特三公旗交接处阿布日勒陶古素、经塔和勒噶图敖包（塔起尔克图鄂博）至苏朗（又苏楞）。1946 年《乌兰察布盟喀尔喀右翼调查报告》中载"自西沙巴格台鄂博西南向至阿保

---

① 　内蒙古档案馆档案，527—1—5。

润陶古素鄂博与乌拉特中旗为界。"① 西沙巴格台鄂博系苏朗山敖包。

3. 喀尔喀右翼旗与喀尔喀莫日根王旗的边界　关于喀尔喀右翼旗与喀尔喀莫日根王旗的边界，《蒙古游牧记》记载："北至岳索山。六十里接土谢图汗部左翼中旗界。"内蒙古档案馆藏喀尔喀右翼旗札萨克衙门档案中一份乾隆四十七年（1782 年）春中月二十六日，喀尔喀罕山盟齐布格扎布旗寄往喀尔喀右翼旗有关解决边界纠纷事宜的文书较为详细记载了喀尔喀右翼旗与喀尔喀莫日根王旗之间边界划分情况。其原文内容为：

> 罕山盟副盟长喀尔喀札萨克多罗郡王齐布格扎布之旗协理台吉及官员之书，寄乌兰察布盟喀尔喀札萨克多罗达尔罕贝勒齐布登那木吉勒及协理台吉等的回文。前不久，贵处所发之文称："承蒙皇上恩典，彼此划分你我二旗边界时，从古至今，确定齐日洪格尔敖包、苏楞内侧胡布德勒等处为界的契约还在，我旗几个牧户驻牧于杭吉之地今您处为何纳入自己的边界。据调查，从过去以来接交驿站物资和运送乌里雅苏台军营之五十万两银任务时，有关运送事宜的文书中把珠苏一棵树等地称两旗边界。不仅如此，曾有运送（驿站物资）时越过珠苏等地后，让对方交纳超额费之事。此地真的属于你们旗的话，为何以往到今，在所有驿站事宜交接时，把珠苏之地定为两旗边界，并把所有驿站运送事务交接在此地呢？不仅如此，雍正十三年喀尔喀与乌拉特间发生边界纠纷，臣佟吉对此案调解时，我前任官员把珠苏之地称两旗边界，并把所有"阿拉巴"在此处交接的事宜已禀报臣佟吉，并转交理藩院录档，此档还保存着。为何今日称珠苏杭吉等地为彼所属。此事已引起理藩院及我盟方面之高度关注，并要求立即调查。因此，急速发函。收信后，请把珠苏等地之归属问题交代清楚。我处会把回复之内容，禀报给理藩院及盟长。特此致书。"我们认为，彼方前任贝勒勒旺多尔吉与臣佟吉制定之所有阿拉巴交接在苏楞一棵树、珠苏一棵树等地，后臣佟吉报院（理藩院）之书，你我二处确有。但，后也曾有，在格日木呼尔等地交接之事，这些只为顺利完成圣上之重要公务而采取的措施而已，并不是

① 蒙藏委员会：《乌兰察布盟喀尔喀右翼调查报告》，1946 年，第 40 页。

制定边界，这怎能说是你们的（地方），此事应另当别论。以往制定的边界是苏楞内侧胡布德勒、洪格尔敖包、查罕额日格、洽尔等地，我们无法改变此规定。特此致书。乾隆四十七年春中月二十六日①。

据该份文书内容，早期制定的喀尔喀右翼旗与喀尔喀莫日根王旗的边界是苏楞内侧胡布德勒、洪格尔敖包、查罕额日格、洽尔等地。后来在乾隆年间，就珠苏、杭吉等地的归属问题发生过纠纷，但对此次纠纷的最终解决，档案中没有记载。解决此次纠纷事宜的文书早已遗失（该旗乾隆时期的档案，现只存三份，大部分已失）。但据光绪三十三年（1907年）所画"乌兰察布盟副盟长喀尔喀右翼札萨克多罗达尔罕贝勒云端旺楚克旗图"中标出的珠苏山一棵树为该旗与喀尔喀土谢图汗爱玛克（盟）（莫日根）王旗边界的情况看，乾隆四十七年（1782年）所发生的珠苏、杭吉等地归属问题纠纷以珠苏山一棵树为两旗边界，得以了结。该图中还示有该旗东北的洽尔敖包定为喀尔喀右翼、四子部落与喀尔喀（莫日根）王三旗交界。因此，喀尔喀右翼旗与喀尔喀莫日根王旗的边界应以苏楞内侧胡布德勒、珠苏山一棵树、洪格尔敖包、查罕额日格为界，最终至洽尔敖包。

4. 喀尔喀右翼旗与四子王旗边界 关于喀尔喀右翼旗与四子王旗边界，《蒙古游牧记》记载："东至额古日图华六十五里接四子部落界"。目前，档案中没有该二旗边界划分记载。据光绪三十三年（1907年）"乌兰察布盟副盟长喀尔喀右翼札萨克多罗达尔罕贝勒云端旺楚克旗图"中标有的喀尔喀右翼旗与四子部落边界为：南段喀尔喀右翼、土默特、四子部落三旗交界处套思图敖包往北经白图花、鄂古日图花到喀尔喀右翼、四子部落与喀尔喀莫日根王三旗交界处洽尔敖包（该图原稿盖有札萨克之印）。民国三十五年（1946年）蒙藏委员会的《乌兰察布盟喀尔喀右翼调查报告》中记载"喀尔喀右翼旗自察尔山西拉莫胡尔鄂博起东北折东南向经额古若图花、白土花（白土托罗盖）查干依如格勒图鄂博至陶素图鄂博等处与四子部落旗交界"。②

---

① 内蒙古档案馆档案，527—1—2。
② 蒙藏委员会：《乌兰察布盟喀尔喀右翼调查报告》，1946年，第40页。

（二）喀尔喀右翼旗旗政

1. 喀尔喀右翼旗世袭官制　札萨克旗是清朝国家行政体制当中蒙古地区的基本军事、行政单位，同时也是清朝皇帝赐给旗内各级蒙古封建主的世袭领地。札萨克及王公是旗内最主要的封建主，他们的世袭统治形成了独特的札萨克王公承袭制度。札萨克及王公承袭制度是清朝对内外蒙古实行的主要行政官制，也是清代蒙古政治制度的主要表现。从清朝建立至新中国成立以前的将近三百年间，这种统治制度在蒙古地区发挥了极为重要的作用。喀尔喀右翼旗历史上王公制度也同样占有非常重要的地位。最初，本塔尔带领千余户喀尔喀部众归附清朝时，顺治帝极为重视该事件，按照清王室的则例，由理藩院根据他们原来地位的高低，对清廷效忠程度和功劳大小，分别授予官爵、俸银、俸缎，以满足上层封建主们的奢华需求和荣耀感。首先，将率部归附的首领本塔尔诏封为札萨克和硕达尔罕亲王，赐给印章，以资统辖。对其余随从亲贵们也分别给予了爵赏。衮布（本塔尔侄子）封为多罗卓哩克图郡王，大弟本巴什希封为固山贝子，三弟扎木素封为镇国公，[①] 上述四人爵位全部世袭罔替，从而形成了喀尔喀右翼旗历史上"一旗四爵"制，这也标志着喀尔喀右翼旗王公制的初步形成。同时，还根据蒙古族尊重黄金家族的习惯，对于出自成吉思汗家族的该旗贵族巴伯、什尔虎等均按一、二、三、四等台吉的等级分别授予世爵。他们虽无定俸，但在政治上各自享受执政台吉和闲散台吉的特权，并按其爵位的高低，领有一定数量的阿拉巴图（人丁）。这种封建王公贵族世袭制一直延续到封建制度灭亡为止，伴随了喀尔喀右翼旗大部分历史时期。

喀尔喀右翼旗王公世袭制的核心是权力最大、爵位最高的札萨克多罗达尔罕贝勒家族统治。在喀尔喀右翼旗将近三百年的漫长历史中，札萨克多罗达尔罕贝勒家族一直统治着喀尔喀右翼旗。根据《钦定蒙古回部王公表传》、《清史稿》中相关记载，并结合档案记载得出的喀尔喀右翼旗札萨克多罗达尔罕贝勒世袭情况如下：

---

① 齐木德道尔吉、巴根那：《清朝太祖太宗世祖朝实录蒙古史史料抄》，内蒙古大学出版社2001年版，第788页。

喀尔喀右翼旗札萨克多罗达尔罕贝勒世袭情况表

世袭次数	袭位者姓名	封 号	与传位者的关系	世袭年月	在位年数
初封	本塔尔	札萨克和硕达尔罕亲王	初封	顺治十年（1653年）初封	16 年
初袭	诺乃	札萨克和硕达尔罕亲王	本塔尔第四子	康熙九年（1670年）	17 年
二次袭	詹达固密	札萨克多罗达尔罕贝勒（康熙四十七年降袭）	诺乃第八子	康熙四十七年（1708 年）降袭多罗达尔罕贝勒	20 年
三次袭	拉旺多尔吉	札萨克多罗达尔罕贝勒	詹达固密长子	雍正七年（1729年）	52 年
四次袭	策布登纳木吉勒	札萨克多罗达尔罕贝勒	拉旺多尔吉长子	乾隆四十六年（1781 年）	18 年
五次袭	忠济勒车林	札萨克多罗达尔罕贝勒	策布登纳木吉勒长子	嘉庆五年（1800年）	22 年
六次袭	贡楚克绰丕克勒	札萨克多罗达尔罕贝勒	忠济勒车林长子	道光二年（1822年）	2 年
七次袭	策温都布吉	札萨克多罗达尔罕贝勒	贡楚克绰丕克勒长子	道光四年（1824年）	20 年
八次袭	索特那木多尔吉	札萨克多罗达尔罕贝勒	策温都布吉长子	道光二十四年（1844年）	19 年
九次袭	贡森	札萨克多罗达尔罕贝勒	索特那木多尔吉从兄弟	同治二年（1863年）	17 年
十次袭	车林道尔吉	札萨克多罗达尔罕贝勒	贡森长子	光绪六年（1880年）	10 年
十一次袭	云端旺楚克	札萨克多罗达尔罕贝勒、民国元年（1912 年）晋封郡王、四年晋亲王衔	车林道尔吉胞弟	光绪十六年（1890年）	40 年
十二次袭	更登扎布	札萨克多罗达尔罕贝勒	云端旺楚克胞弟	民国十九年（1930年）	4 年
十三次袭	策思德巴拉吉尔	札萨克多罗达尔罕贝勒	更登扎布亲族、台吉策布登独生子	民国二十四年（1935年）	12 年

需要补充的是，上述《钦定蒙古回部王公表传》等文献均未记载达尔罕贝勒何时理政情况。理政是指王公亲自执政、管理公务。达尔罕贝勒家族是喀尔喀右翼旗最高统治者，旗札萨克都由该家族成员出任，因而当时称该家族为札萨克多罗达尔罕贝勒家族。喀尔喀右翼旗札萨克衙门档案中一份名为《喀尔喀右翼旗达尔罕贝勒、卓里克图贝勒、镇国公等第八次以下世袭情况书》的册子详细记载了第九任（第八次袭）札萨克多罗达尔罕贝勒索特那木多尔吉至第十二任（十一次袭）云端旺楚克的历代札萨克多罗达尔罕贝勒的理政具体年代，分别是：第九任札萨克索特那木多尔吉咸丰五年（1879年）开始理政；第十任札萨克贡森同治六年（1867年）理政；第十一任札萨克车林道尔吉光绪十年（1884年）理政；第十二任札萨克云端旺楚克光绪十六年（1890年）理政。① 其他十位札萨克理政年代，有待考证。

喀尔喀右翼旗其他闲散王公中卓里克图郡王衮布后代共传袭了十三代，贝子本巴什希后代共传袭了十一代，镇国公扎木素后代共传袭了十三代。

2. 喀尔喀右翼旗和硕衙门的行政官职　喀尔喀右翼旗和硕衙门的行政官职分别为札萨克一人，东协理台吉一人，西协理台吉一人，管旗章京（俗称总管）一人，副管旗章京（亦称副总管）一人，东梅林一人，西梅林一人，扎兰二人。

札萨克总揽全旗政务，并监督所属官吏。战时带领兵丁应诏出征。该旗札萨克设有自己的王府，专门管理自己的家产及私人生活。协理台吉，简称协理，蒙语为图萨拉克齐，俗称塔玛更诺颜，有东、西协理之分，也有掌印、管旗协理之分，皆系辅佐札萨克的上层官员，兼受札萨克之命，佐理一切旗务。若札萨克外出、病重、年幼不能自理旗务时，协理台吉可代行其职，总揽全旗政务（该旗档案中，常出现协理代管旗印，管理旗务的情况）。协理台吉的选补只限定在闲散王公和一等台吉中有名望者充任。协理首先由札萨克推荐给盟长，盟长申报给理藩院（民国时期申报蒙藏院），待核准后方可任职。协理之下，设有管旗章京，蒙语为扎贺拉格齐，是旗衙门中掌实权者。管旗章京受札萨克与东西两协理之命，总理旗务，对下属官吏负有直接监督指挥之责。副管旗章京，系辅助管旗章京办理旗务。东西梅

① 内蒙古档案馆档案，527—6—27。

林，辅佐管旗章京，监督指挥札兰之责。札兰，分印务札兰、管旗札兰。清初，蒙古札萨克旗官制中，札兰原为办理政务和军务。到清末民国初，蒙古地方军事废弛，札兰多办理地方事务。他们受管旗章京和梅林之命，督促佐领办理地方事务。札兰作为旗衙门下级官吏，对办理地方事务的苏木章京（佐领）有直接督饬的权力。故为和硕衙门内的承启官职。喀尔喀右翼旗札兰有二人，分正副职。宣统元年（1909 年）秋月，喀尔喀右翼旗衙门主要官员联名上书理藩院的抗垦书中载有喀尔喀右翼旗主要官员名单，该名单具体反映了当时喀尔喀右翼旗官职状况。该文书记载以下官员名单：

> 乾清门行走副盟长喀尔喀札萨克多罗达尔罕贝勒加一爵云端旺楚克、协理台吉加一爵衮布道尔吉、帮办旗务之协理台吉加一爵敦日布、管旗章京台吉瓦齐尔巴图、副管旗章京（arogsan——引者注）色拉得尔、梅林章京瓦齐日巴达拉呼、副梅林章京宝音达莱、札兰章京桑德里格尔、副札兰章京台吉云木扎布、还有苏木章京额日德尼朝克图、苏木章京巴勒登桑宝、苏木章京忠斯格、苏木章京齐布格扎布等。①

在管旗札兰之下，派有总管机关财务的衙门章京一名，专管文书档案的司仪一名外，还配备笔帖式（文秘）、达哈拉（通信员）若干名。②

王府是特殊机构，是旗札萨克诺颜的私人府邸。王府有自己整套的管理和组织机构。王府的主要职位有排生达、哈番、包衣达等。排生达，满语，意为管家，是王府内的最高职官。其权力同管旗章京相似（二品顶戴）。他主管王府内的礼仪、财务及札萨克诺颜的一切府邸事宜。其次为哈番（满语的音译），亦写为哈板，隶属于排生达，管理王府饮食、乘骑以及王府的佛事等，该旗王府设有二名。包依达，满语，意为保管员，隶属排生达，负责管理王府、骑乘、车辆、服饰等事宜。哈番、包衣达是从旗壮丁中挑选精干者充当的，他们在王府为札萨克诺颜当差。此外，王府内还有若干护卫

---

① 内蒙古档案馆档案，527—9—50。
② 乌兰察布盟政协文史委员会：《乌兰察布史略》，《乌兰察布文史资料》第 11 辑，1997 年版，第 130、146 页。

兵，他们都是王府内的勤务者，期限一般为一个月或数月。

除郡王、贝勒、贝子、镇国公四个世袭封建领主得岁俸外，其他在职官员们都属于当差性质，由衙门和诺颜仓供给伙食，别无其他特殊待遇和补贴。

3. 社会基层组织——苏木、爱玛克　苏木是清代蒙古地区社会基层组织，是旗衙门下属机构。清代蒙旗制度规定，每150名壮丁编一佐（蒙语称苏木），清代文献记载喀尔喀右翼旗有四个佐。[①] 据喀尔喀右翼旗札萨克衙门档案，这四个佐领分别是高勒苏木（意为中心苏木）、台吉苏木、鄂木讷苏木（意为南苏木又称公苏木）、哲衮苏木（意为东苏木）。清代和民国年间该旗四个苏木建制未曾变动。

苏木组织机构有苏木章京（佐领）一人，负责管理各自苏木的日常工作，是苏木这一基层组织的最高官员。其次有昆都（骁骑校），亦称副苏木章京，在参领或苏木章京属下管理庶务。主要职责是征税等。昆都下有伯什户，意为领催，相当于七品顶戴，从旗壮丁中选派。该旗大苏木有四名，小苏木有三名。苏木也设有一名或几名笔帖式，为公务服务。此外还有达鲁噶，亦称十户长，每十户设一达鲁噶，达鲁噶人数由各苏木所辖人口户数决定。十户长制度在喀尔喀右翼旗历史上曾发挥过一定的社会安定作用，但到了中后期这一制度逐渐淡化，1919 年之前（有几任札萨克执政期）曾一度废止，1919 年，蒙藏院重新恢复了这一制度。[②]

喀尔喀右翼旗社会基层组织中除苏木外还有爱马克的基层组织。

清朝在盟与旗之间设部，称为爱玛克。清代喇嘛旗中，将活佛呼图克图驻锡寺院之周围的特殊区域，也称爱马克。14、15 世纪，蒙古千户制被鄂托克、爱马克所取代。到了清代，爱马克这一社会组织被札萨克旗所取代，仅喇嘛旗及西北蒙古的部分地方，还残留着这种团体。[③] 而喀尔喀右翼旗社会基层组织爱马克类似于"巴嘎"。田山茂的《清代蒙古社会制度》一书中提到："巴嘎，在现代蒙古语里，有束、包、捆、军队的一队或一群人及一

---

① 张穆：《蒙古游牧记》卷5，同治祁氏刊本。
② 内蒙古档案馆档案，527—12—64。
③ ［日］田山茂：《清代蒙古社会制度》，潘世宪译，商务印书馆1987年版，第153、155、147页。

堆包等意。到清末，巴嘎作为一种社会集团广泛出现于外蒙古。至于巴嘎成为行政单位的始末及其组织等，均不详。"田山茂同时沿袭了迈斯基先生的说法："巴嘎是构成旗的小区，是在一定地区内游牧的帐幕集团，一般由五六十户组成。其首领称达鲁嘎，执行行政事务，特别是收税和分派徭役。"①从档案记载看，苏木与爱马克常常并列出现，并各自承担旗衙门下达的各种赋税、义务，互不统辖。苏木与爱马克，其行政职能略似，唯苏木的组织略大于爱马克。爱马克的内部官职有昆都一人，昆都是爱马克的最高管理者，如同苏木章京。其他还有伯什户二人、达拉噶一人、达哈拉一人、笔帖式二人。②纳古单夫《乌兰察布盟达尔罕旗辑要》一文提道："达尔罕旗苏木与爱马克，其行政性质略似，唯苏木的组织，较爱马克为大，苏木的主要事官，为苏木章京，其次是昆都；而爱马克的主要事官则为昆都。"③据档案内容分析，爱马克没有军事职能，属众不服兵役，宗教性质较强。

　　《达茂旗文史资料》中还提到："清廷在蒙古地区实行盟旗制度之后，于乾隆四年（1739年）奉圣旨在四子部落境内会盟编旗，该部改编为四个苏木（佐）和两个爱马克——中心苏木、台吉苏木、东苏木、公苏木和巴噜爱马克（意为西爱马克）、荷（噶）尔爱马克，使该部成为内札萨克旗之一。"④喀尔喀右翼旗札萨克衙门档案中有关"衙门司"下发所属各苏木、爱马克之文书中常记载："从四个苏木、两个爱马克收取一年的值班官吏干粮及白银等……"⑤并载有两个爱马克名称"北爱玛克"和"西爱马克"。而《乌兰察布史略》一书中提到："喀尔喀右翼旗和硕衙门之下有三个爱马克，即：西爱马克、台吉爱马克、噶尔爱马克。"⑥《乌兰察布盟达尔罕旗辑要》一文提到"本旗苏木之外，另设有爱马克，其数目有三：西爱马克、

　　① ［日］田山茂：《清代蒙古社会制度》，潘世宪译，商务印书馆1987年版，第153、155、147页。
　　② 乌兰察布盟政协文史委员会：《乌兰察布文史资料》第3辑，第178页。
　　③ 内蒙古社会科学院历史研究所：《蒙古史文稿》第4期，1984年版，第224页。
　　④ 内蒙古社会科学院历史研究所：《达茂旗文史资料》第1辑，1997年版，第18页。
　　⑤ 内蒙古档案馆档案，527—11—58。
　　⑥ 乌兰察布盟政协文史委员会：《乌兰察布史略》，《乌兰察布文史资料》第11辑，1997年版，第130、146页。

台吉爱马克、噶尔爱马克。"① 但民国二十三年（1934 年）旗衙门下发中心苏木的一份公文（当时，抄录保存的喀尔喀右翼旗札萨克衙门下发所属苏木的公文，都以中心苏木为底册）却载：

> 发丧事宜，今年五月二日，札萨克郡王归天，因此全旗官吏及民众、僧徒举行哀悼仪式，……特此通报。同时通报东苏木、南苏木、台吉苏木、噶尔爱玛克、台吉爱玛克、喀拉沁爱玛克、西爱马克。②

从该文内容看，民国二十三年（1934 年）喀尔喀右翼旗已有了四个爱玛克。因此，喀尔喀右翼旗爱马克数有较大变动。从上述记载可以分析，乾隆年间喀尔喀右翼旗曾有两个爱玛克，后增一台吉爱马克，台吉爱玛克形成年代不详，档案中有时称台吉爱马克为台吉达鲁嘎（汉译为台吉长之意）。有关喀喇沁爱马克的形成，《达茂旗文史资料》提到：原喀尔喀北路驿站在该旗境内的第十一站（吉司洪格尔站）站丁民户，随驿站撤离而废止，民国七年（1918 年）相继回原籍喀尔喀右翼旗后，旗札萨克专门新建一个基层行政组织，称喀喇沁爱马克。③ 喀尔喀右翼旗四个爱马克建制始于民国七年（1918 年）。

4. 喀尔喀右翼旗旗务　据档案记载，喀尔喀右翼旗衙门全年要事有三项，即管理旗界、税收、清查户口。④ 当然，还有其他事务，如处理刑事案件，主持举办社会娱乐活动（如举办那达慕大会、祭敖包）等多项工作。

喀尔喀右翼旗旗衙门和王府的大小官吏到职办公均实行轮班制，喀尔喀右翼旗和硕衙门轮班制一般情况下一年分三班轮流到旗衙门办公，公务繁忙时也有分六班轮流办公的情况。⑤ 据档案记载，民国二十三年（1934 年）

---

① 乌兰察布盟政协文史委员会：《乌兰察布史略》，《乌兰察布文史资料》第 11 辑，1997 年版，第 130、146 页。

② 内蒙古档案馆档案，527—48—212。

③ 内蒙古社会科学院历史研究所：《达茂旗文史资料》第 4 辑，2002 年版，第 38 页。

④ 转引自《乌兰察布盟达尔罕旗辑要》一文，《蒙古史文稿》第 4 期，内蒙古社会科学院历史研究所，1984 年版，第 228、229 页。

⑤ 内蒙古档案馆档案，527—54—225。

喀尔喀右翼旗旗衙门官吏轮班安排如下：

轮班名称	入班人员名称
四个头月班	卓里格图贝子冻日布那木吉勒、协理台吉色仁都勒玛、达尔罕札和如格齐那顺瓦其尔、头等台吉齐布登、梅林章京腊希色林、札兰卓格德尔、台吉宁日布道布卓尔、头等侍卫兼昆都图门巴雅尔、头等侍卫图都布那木吉勒、梯里格巴勒仓、孟和套高、副侍卫扎木素、堪丕拉、查格德尔苏荣、仁沁忠乃、拉德纳、色林道尔吉等
四个中月班	贝子衔镇国公诺日布桑布、头等台吉桑布、管旗章京道尔吉扎布、副管旗章京仁沁道尔吉、副梅林章京阿迪雅、梅林朝伦、副札兰章京兼苏木章京色叶仁钦、札兰衮布、头等侍卫兼昆都诺日布色楞、头等侍卫隆日布拉希、那木吉勒车温、副侍卫乌力吉吉日格拉、丹巴道尔吉、巴布、阿木喀、图布登等
四个末月班	贝子协理希拉布道尔吉、管旗章京朝克德力格尔、总管图布登巴勒、二等台吉都格尔扎布、梅林达木林桑布、排生达乌力吉、台吉达日噶色叶阿迪雅、台吉仁钦扎木苏、头等侍卫比里衮巴布、阿迪雅、比都日雅、衮布车德、昆都兼副侍卫绰特巴仁、副侍卫绰依登扎布、图都布、沙毕笔帖式特木尔、扎木仓等

喀尔喀右翼旗旗衙门每年举行几次重要会议，如每年农历 12 月 19 日举行大会，在会上讨论和总结一年中的工作情况，后又举行仪式，封存旗衙门公章停止办公，这叫"封印会议"。每年农历 1 月 19 日，因年节已过，旗衙门开始办公，因此又举行仪式，把封存的印章拿出，开始办理公务，会上共商上年未解决的遗留问题和当即决定上半年的政务事宜，这种仪式叫"开印会议"。上述两个仪式每年都要举行一次，从不间断，而且都由旗札萨克亲自主持。此外，还有一个重要会议是每年农历六月中旬举行的"六月楚古拉"聚会，即六月大会。这次会议规模较大，除旗衙门主要官员均来参加以外，各苏木、爱马克的章京、昆都等大小官员都要参加。会议由旗札萨克诺颜主持，对于旗内一切事务有最高表决权。会上协商和审定全年的赋税定额，征收贡赋，管理旗界，清查户口等各种全旗性的政务事宜。

5. 旗财政 《乌兰察布盟达尔罕旗辑要》提到："达尔罕旗（喀尔喀右翼旗）无专管财政的机关，凡对民间所有征发或摊派，率由衙门领时派人经理，该旗札兰，即为兼管理财务的职官，而札兰又为旗政府的官吏，故旗政府即无异全旗的收支机关。"喀尔喀右翼旗虽无专管财政的机关，但旗

"衙门仓"和王府"大仓"实际上行使着财政机关职能。

旗"衙门仓"是全旗最主要的收支机构。衙门仓负责向各苏木、爱玛克摊派公务费用，发放公务人员费用及其他公务费用等。我们可以根据档案中相关记载，大体了解当时喀尔喀右翼旗衙门仓的部分情形。

民国年间的喀尔喀右翼旗"衙门仓账目"中的几份名为"衙门值班官吏干粮及一年所有支出账目"中的收支状况如下：

衙门仓物品收支账目情况简表

档案案卷号	年份	摊派给苏木、爱玛克的物品	旧账余留物品数量	新购入物品数量	储备总量	支出总量	年终余额
58 卷	1912 年 7 月至 1913 年 7 月	白面 1 000 斤、米 100 斗、砖茶 30 块	米 256 斗 3 升、面 762 斤、砖茶 58.5 块、麻油 194 斤	面 2 127 斤、砖茶 48 块、麻油 18 斤	米 356 斗 3 升、面 40 134 斤、砖茶 136.5 块、麻油 212 斤	米 176 斗 9 升、砖茶 76 块、面 2 588 斤、麻油 113.5 斤	米 179 斗 4 升、砖茶 60.5 块、面 1 346 斤、麻油 98.5 升
88 卷	1929 年 7 月至 1930 年 7 月	白面 1 000 斤、米 100 斗、砖茶 30 块	米 68 斗 8 升、面 250 斤、砖茶 32.5 块、麻油 13 斤	米 100 斗、面 1 680 斤、砖茶 39 块、麻油 126 斤	米 298 斗 8 升、面 2 930 斤、砖茶 101.5 块、麻油 139.5 斤	米 207 斗 5 升、面 2 500 斤、砖茶 69 块、麻油 104 斤	米 91 斗 3 升、面 430 斤、砖茶 32.5 块、麻油 35 斤 88 卷
90 卷	1930 年 7 月至 1931 年 7 月	白面 1 000 斤、米 100 斗、砖茶 30 块	米 103 斗 3 升、面 500 斤、砖茶 32.5 块、麻油 35 斤	米 100 斗、面 2 300 斤、砖茶 25 块、麻油 195 斤	米 303 斗 3 升、面 3 800 斤、砖茶 87.5 块、麻油 230 斤	米 201 斗 5 升、面 2 756 斤、砖茶 73 块半、麻油 166 斤	米 113 斗 8 升、面 1 124 斤、砖茶 14 块、麻油 64 斤 90 卷

衙门仓银两、钱币收支账目情况简表

案卷号	年份	旧账余额	新收取数量	总额	债务额	总余额
58 卷	1912 年 7 月至 1913 年 7 月	白银 856 两 8 钱 2 分	白银 223 两 8 钱	白银 1 080 两 6 钱 2 分、纸钱 617 800 块	纸钱 168 700 块	白银 884 两 7 钱 8 分、纸钱 449 100 块

（续表）

案卷号	年份	旧账余额	新收取数量	总额	债务额	总余额
88 卷	1929 年 7 月至 1930 年 7 月	白银 623 两 6 钱 4 分 5 厘	白银 1 123 两 9 钱	白银 1 747 两 厘 5 钱 4 分 5 厘、纸钱 1 003 600 块	白银 425 两 6 钱 2 分、纸钱 127 300 块	白银 1 342 两 9 钱 2 分 5 厘、纸钱 876 300 块
90 卷	1930 年 7 月至 1931 年 7 月	白银 1 342 两 9 钱 2 分 5 厘、		银圆 2 563 块 2 毛 6、白银 406 两 2 钱 4 分、纸钱 1 304 300 块	银圆 865 圆 7 毛	银圆 1 697 圆 5 毛 6、银 406 两 2 钱 4 分、纸钱 947 550 块

衙门仓五种牲畜头数情况简表

案卷号与调查年份	马	骆驼	牛	羊（包括山羊和绵羊）	总头数
76 卷、乙丑年（1925）五月	20	10	64	811	905
81 卷、丙寅年（1926）九月	31	13	68	747	859
89 卷、庚午年（1930）	119	25	62	911	1 117
99 卷、甲戌年（1934）四月	130	42	104	815	1 091

　　喀尔喀右翼旗衙门仓还有地租收入（分升科地租、未升科地租，开垦土地后的部分收入）、旅蒙商领票税等。其中，民国以后升科地租岁入二千元，未升科地租岁入七百元，旅蒙商领票税岁入六百元。[①]

　　王府"大仓"也属于收支机关之一，因旗内民人和商号上缴之水草银，全归王府大仓征收。这些收入用做札萨克私人花销，主要有"招待费"、"活动费"、"王公私人用度"等。王府大仓有排生达（俗称总管）负责管理。民国年间的《乌兰察布盟喀尔喀右翼旗调查报告》一书[②]中有一份王府一年收入概况一览表，该表原文如下：

---

① 蒙藏委员会：《乌兰察布盟喀尔喀右翼调查报告》，1946 年，第 46 页。

② 蒙藏委员会：《乌兰察布盟喀尔喀右翼调查报告》，1946 年，第 46 页。

王府一年收入表

收入项别	岁入数目（两）	
百灵庙地租、水草银	2 000、300	王府收入内不包括"保商"征收
总收入	2 300	

此外，该旗还有"保商"四家，他们可抽取骆驼税（驼捐）。四家"保商"是指该旗贝子、公、东、西协理。"保商"银有时达到五千元，不过该部分收入全归上述四家支配，不属于旗财政收入。

严格意义上讲，不应把王府"大仓"收支纳入旗财政范围，但过去喀尔喀右翼旗衙门与王府，虽然在财政上有公私用度的区别，不过因旗内收支不够，有临时摊派一项中旗衙门和王府同时享有此等权利。王府虽不是摊派的主体，但有时也实行此权利。此外，札萨克王爷是旗最高统治者，其很多活动同样带有旗公务性质。因此，本文把王府"大仓"部分收入纳入旗财政范畴。

民国年间本旗财政收入以地租一项为最多。过去以银计算，年达三千余两，次为水草捐银千两，其他收入约为千余两，故每年收入总计为五千余两。[①]

民国年间，旗署支出主要有，官府差役费（即伙食费）、旗保安队兵饷以及购买物资（公务所用）费三种。其中，伙食费每年大约两千五百元、保安队兵饷五百余元、购买费一千五百元左右。旗署每年收入为三千三百元，而支出竟四千五百元。这空缺需用民间摊派来补充。王府支出约有招待费、活动费、王公私人用度等三种。[②] 当时王府比较注重节约，王府收支较为平衡。

（三）喀尔喀右翼旗人口与阶层

1. 喀尔喀右翼旗人口　有关清代喀尔喀右翼旗人口总数，缺乏确切的统计资料。顺治十年（1653 年），本塔尔带领千余户属众归附清朝时，该旗

---

① 蒙藏委员会：《乌兰察布盟喀尔喀右翼调查报告》，1946 年，第 46 页。
② 蒙藏委员会：《乌兰察布盟概况》第 1 册 3 卷，第 39 页，内蒙古大学蒙古学学院近现代史研究所资料室藏本。

人口不过数千人。对当时喀尔喀右翼部落人口《清实录》记载为："甲子，喀尔喀部落土谢图汗下贲塔尔、衮布、奔巴世希、扎穆苏等四台吉率所属一千七十户来归"。① 其后近三百年的历史过程中该旗人口状况又如何呢？《乌兰察布盟达尔罕旗辑要》提到："本旗户口为数无多。计约公苏木有户八十、中苏木二百余、台吉苏木六十、嘎尔苏木一百余，此外西爱玛克有户五十、台吉爱玛克一百余、嘎尔爱马克九十，综计全旗户口，最高限度亦不过八百户左右，每户人口至多不过四五人，因蒙古人家庭，均系一子承祧，即多子户，亦必皈依喇嘛庙，只留一子在家度其俗人生活，或从事牲畜；旗内蒙古户多女者……兹以全旗八百户计算，每户平均五口，合计约全旗人口四千余口，又旗内各大小十二召庙，至少有喇嘛一千五百人，则全旗人口，总计亦不过五千五百人，内男性约占全人口十分之六，妇女及幼儿占十分之四。"② 上述户口数是根据云王执政时期的户数统计材料得出的，大约是清末年间的数字。据以上数字，喀尔喀右翼旗人口在建立初期至清朝几乎没有增长，而喀尔喀右翼旗四个苏木建制始终没有变动也从侧面印证了人口无大增幅和减少的情况。

但是，到了民国年间，喀尔喀右翼旗人口有了较大幅度的增长。有关民国年间该旗人口数字，档案史料记载较多。《绥远通志稿》记载："全旗四苏木、二巴嘎，共计户三千三百六十，口一万三千。苏木和巴嘎平均户五百六十。口二千一百六十七弱，每户平均口数三。"③ 贺杨灵《察绥蒙民经济解剖》记载："达尔罕旗四千零六十户，二万零三百人（绥远省政府民国二十二年）"，④《边事研究》中提到："喀尔喀右翼旗户数四千零六十人口数二万零三百人。"⑤ 谭惕吾《内蒙古之今昔》称："蒙民人口约二万余（此

① 齐木德道尔吉、巴根那：《清朝太祖太宗世祖朝实录蒙古史史料抄》，内蒙古大学出版社 2001 年版。

② 《乌兰察布盟达尔罕旗辑要》，《蒙古史文稿》第 4 期，内蒙古社会科学院历史研究所 1984 年版，第 228 页。

③ 绥远通志馆：《绥远通志稿》卷 19，《户口》，20 世纪 30 年代稿本。

④ 《乌兰察布盟达尔罕旗辑要》，《蒙古史文稿》第 4 期，内蒙古社会科学院历史研究所 1984 年版，第 229 页。

⑤ 《乌兰察布盟达尔罕旗辑要》，《蒙古史文稿》第 4 期，内蒙古社会科学院历史研究所 1984 年版，第 229 页。

系根据绥远省教育会民国二十二年十月统计数)"。① 该旗档案（民国十九年绥远省政府调查）记载："有人口三万。"② 从《绥远通志稿》的一万三千人，到民国二十二年（1933 年）的两万零三百人或民国十九年的三万人，数字虽不十分确切，但它能够反映该旗人口有了非常大的增幅。

　　民国年间，喀尔喀右翼旗人口大幅增长并不表示本旗蒙古族人口的自然增长率。喀尔喀右翼旗人口大幅增长的主要原因是清末大规模"放垦蒙地"导致了大量汉族移民涌入喀尔喀右翼旗境内，本旗蒙古族人口则无大幅增长。《绥蒙辑要》载："该旗人口蒙人确数四千五百余口，喇嘛二千六百余人"，③ 这是该旗原居民（旗民）人口的大体数目。更确切的数据在档案中的人口统计册中。但因各种原因该旗原人口统计册未能完整保存下来，目前保存的该旗札萨克衙门全宗档案中只保存着四份。据 1948 年和 1949 年的该旗第二、三、四苏木人口登记册，1948 年春，该旗第二苏木人口数为 781口。④ 民国三十八年（1949 年）第三苏木人口数为 653 口⑤。当时，该旗蒙民被划分为四个苏木，按每个苏木 700 口计算，有 2 800 余口，再加四个爱马克（该旗当时已有四个爱马克，爱马克人数虽没苏木人口多，但相差无几）人口数，喀尔喀右翼旗苏木爱马克总人口不过四五千人左右。当时，喀尔喀右翼旗绝大部分蒙古族居民主要集中在苏木和爱玛克，这就说明该旗蒙民不过四五千人而已。人口达到上万或数万口的统计是包括了移居该旗的汉族移民人口数。《绥远通志稿》记载的"苏木和巴嘎（指爱马克）平均户为五百六十。口二千一百六十七弱，每户平均口数三"是指该旗蒙古族人口的统计数字，而一万三千人的总数中包括了汉族移民人口数。1946 年，蒙藏委员会所编《乌兰察布盟喀尔喀右翼旗调查报告》中载"本旗蒙人号

---

　　① 《乌兰察布盟达尔罕旗辑要》，《蒙古史文稿》第 4 期，内蒙古社会科学院历史研究所 1984 年版，第 229 页。

　　② 《乌兰察布盟达尔罕旗辑要》，《蒙古史文稿》第 4 期，内蒙古社会科学院历史研究所 1984 年版，第 229 页。

　　③ 《乌兰察布盟达尔罕旗辑要》，《蒙古史文稿》第 4 期，内蒙古社会科学院历史研究所 1984 年版，第 229 页。

　　④ 内蒙古档案馆档案，527—33—162。

　　⑤ 内蒙古档案馆档案，527—37—174。

称三万之家。但据实际调查结果得户口一千三百二十八，男女人口四千七百六十三。"① 该记载正确反映了该旗蒙古族人口数。

2. 喀尔喀右翼旗阶层 喀尔喀右翼旗阶层状况是清代蒙古地区封建阶级关系的缩影，从其大体情况分析，清朝至民国年间没有质的变化。

晚清以来的喀尔喀右翼旗社会阶层可大体分为上层统治阶层和下层劳动民众。上层阶级中包括封建王公贵族（贵族指台吉）和黄教上层；下层劳动民众包括阿勒巴图、哈木济勒嘎（又称随丁）及沙比那尔（又称庙丁）以及最底层的家奴。本文主要依据档案记载，探讨该旗社会阶层的基本状况及其相互关系。

1923年及1927年的两份该旗巴吉尔章京，对苏木内的贝子、公、台吉们所属领催、哈木济勒嘎（又称随丁）及箭丁数的登记册反映了社会阶层的一般状况。1927年登记册记载：

> 呈文，章京桑吉巴勒仓苏木有旗协理贝子西拉布多尔吉之哈木济勒嘎列队长孟克巴雅尔、哈番陶古瓦、三等合雅那顺吉日噶拉、其拉衮扎布、巴特尔、哈木济勒嘎壮丁罗布桑西拉布、胡很玛、班登、那木吉勒热罗玛、措热哥等共十丁，新增孟克乌力吉、布迪亚。贝子街镇国公诺日布桑布之哈木济勒嘎五等哈番色楞旺吉勒、六等哈番达瓦、三等合雅恩克特布新、图德布那木吉勒、拉布坦、哈木济勒嘎壮丁达希车凌、罗布桑衮楚克、达沁道尔吉、车凌、道布登、措登扎措、索德那木、布日敖很、冻日布、萨贺雅、布日敖很、索那木、瓦其尔……等二十四丁，新增占楚布……等十五人。二等台吉图古瓦之哈木济勒嘎松岱扎布、那楚克道尔吉二丁，协理四等台吉色凌多罗玛之哈木济勒嘎衮布……四人，三等台吉亘佩尔之哈木济勒嘎乌日金一丁，四等台吉拉布坦之哈木济勒嘎扎木沁敖德斯尔……等四人，四等台吉恩克巴雅尔之哈木济勒嘎……等三人，四等台吉乌力吉德力格尔之哈木济勒嘎……等四人，四等台吉胡日察比力格图之哈木济勒嘎……等二人，四等台吉满都巴雅尔

① 蒙藏委员会：《乌兰察布盟喀尔喀右翼旗调查报告》，第45页，1946年，内蒙古大学蒙古学学院近现代史研究所资料室藏本。

之哈木济勒嘎……等二人，四等台吉乌力吉巴雅尔之哈木济勒嘎……等
三人，四等台吉齐布格扎布之哈木济勒嘎……等四人，四等台吉索德那
木道尔吉之哈木济勒嘎……等四人、新增……等三人，四等台吉衮仓之
哈木济勒嘎一人，四等台吉格力哥拉布吉之哈木济勒嘎一人……（以
下十名四等台吉和一名三等台吉都无哈木济勒嘎，因此省略）贝子衔
镇国公诺日布桑布之阿拉巴图苏木章京桑杰巴拉仓、巴嘎伯什户恩克巴
雅尔、十户长乌力吉阿木尔、丹巴道尔吉、查罕、宝音那顺、拉西扎
布、箭丁巴拉吉尔、绰依金……等二十八人，协理四等台吉色凌多罗玛
之阿拉巴图箭丁衷岱一人，二等台吉图古瓦之阿拉巴图十户长敖德嘎日
瓦一人，四等台吉乌力吉德力格尔之阿拉巴图转达达力玛西里一人，本
苏木有旗协理贝子一人、贝子衔镇国公一人、帮办旗务协理台吉一人、
二等台吉一缺、三等台吉一缺、四等台吉二十一人中有七缺、苏木章京
一、传达一、巴嘎伯什户四、十户长六、领催、哈木济拉嘎六十九、新
增十九、箭丁三十一，无隐瞒错漏之哈木济勒嘎及箭丁。……民国十六
年秋初月十五①。

1923 年该苏木有旗协理贝子一人、贝子衔镇国公一、二等台吉一、三
等台吉二缺、四等台吉二十二（其中空缺六人）、梅林章京一、管旗章京
一、苏木章京一、传达一、巴嘎伯什户四、十户长六、领催、哈木济拉嘎八
十二、新增九人、箭丁三十。②

从上引登记册内容看，喀尔喀右翼旗封建阶层状况到民国年间也没有大
的改变，旧的阶层关系仍然保持。在清代该旗苏木人口登记册尚未完整保存
的情况下，该份登记册对了解过去该旗阶级状况的梗概，提供了宝贵的
线索。

登记册中的阿勒巴图为王公贵族属民，可以拥有一定数量的财产，并担
负兵役、劳役和贡赋义务。阿勒巴图包括苏木的箭丁和寺庙的庙丁、度牒
丁。但该登记册中的阿勒巴图只指苏木的箭丁。清代组建苏木的基础是箭丁

---

① 内蒙古档案馆档案，527—15—82。
② 内蒙古档案馆档案，527—13—71。

数，札萨克蒙古地区以一百五十名箭丁为标准组建一个苏木建制。从该登记册内容看，当年喀尔喀右翼旗苏木箭丁人数远没有达到规定的数目。登记册同时反映了苏木箭丁隶属于不同的王公和台吉名下。哈木济勒嘎（随丁）是从箭丁中抽出的配属王公或佐领以上官员的随从人员。分随人箭丁和随缺箭丁两种。前者是王公贵族私人役使的，为主人终身服役并世代相承。后者仅在主人（管旗章京、参领、佐领）在职期间服役，主人解职时仍退回原属旗佐，恢复其箭丁身份。从登记册内容分析，该苏木哈木济勒嘎人数最多，占总户数的一半以上。虽说台吉们都有自己的哈木济勒嘎，但登记册反映的情况充分表明，当年该旗有相当数量的台吉无哈木济勒嘎（随丁）。

起初，喀尔喀右翼旗清查户口时，有将旗民、台吉、喇嘛分别清查的传统，但同时也有以苏木、爱马克为单位，分类明确划分所属关系，得出详细数字的传统。如每年各苏木专门向旗衙门呈报红格子册，即登记台吉户及其所属"哈里亚图"（属民）的名册。

以往书籍中没有喀尔喀右翼旗台吉户总数的确切记载。《乌兰察布盟达尔罕旗辑要》提到："在调查中最后一任梅伦朝鲁先生谈，全旗约有几十户，其中东苏木最多，约四十户。"① 该旗1914年的登记册中记载："中国三年（这里指民国三年）冬末月初五日，梅林台吉达日嘎衮桑调查所属爱马克官吏及台吉户口的登记册，本爱马克台吉户为七十二户、三百二十九口，继承台吉户的民人为九户、三十口。"1919年章京吉亚图苏木丁册中记载："该苏木梅林章京一、苏木章京一、昆都一、二等台吉一、三等台吉六、四等台吉八十户、巴嘎伯什户四、哈木济勒嘎一百零三、十户长四、箭丁三十七，共二百三十八人。"1919年秋末月初三日，章京任琴道尔吉苏木丁册中记载：该苏木头等台吉三、协理三等台吉一缺、四等台吉四十九（其中缺二十）、哈木吉勒嘎（随丁）共一百二十七人、新增三十四人、箭丁五十四人，此外管旗章京一、副梅林章京一、副扎楞章京一、苏木章京一、传达一、巴嘎伯什户三、十户长十四人。②

① 《乌兰察布盟达尔罕旗辑要》，《蒙古文稿》第4期，内蒙古社会科学院历史研究所1984年版，第228页。

② 内蒙古档案馆档案，527—12—66。

还有，1923 年，秋章京达木凌桑宝昆都布格勒等人对盟长喀尔喀札萨克亲王衔多罗达尔罕郡王（指该旗札萨克云端旺楚克王爷）所属阿勒巴图、哈木济勒嘎及各台吉户数阿勒巴图、哈木济勒嘎数的登记册中载：

> 盟长喀尔喀札萨克亲王衔多罗达尔罕郡王的阿勒巴图即箭丁一百一十八，哈木济勒嘎三十六、（üsüburi ere）一、十户长十二，四等台吉瓦其尔之阿勒巴图苏木章京达木凌桑宝苏木、协理四等台吉（一缺）、头等台吉二（其中一缺）、四等台吉十五（二缺），苏木章京一、传达一、伯什户四、十户长十二。①

从上引档册记录我们可以详细了解到部分苏木及爱马克台吉户数及其等级。关于该旗台吉总数，宣统元年（1909 年）的统计册为我们提供了最为可靠而详细的答案，该登记册中记载的全旗台吉总数为：

> 头等台吉七、二等台吉五、三等台吉四、四等台吉一百三十八名，其中包括协理台吉二，管旗章京一，副札兰章京一，缺额台吉二十九，因犯罪贬为普通人者一。②

这充分说明了当时喀尔喀右翼旗台吉名额是一百五十四人，实际台吉人数为一百二十四名。据清末喀尔喀右翼旗总户数最高限额八百户的数字计算，台吉户数已占据了全旗六分之一强。这也充分表明了台吉是上层统治阶级中人数最多的群体。

家奴是当时社会最底层的群体，但喀尔喀右翼旗历史上家奴人数似乎不多，有关记载较少。1953 年，对原达尔罕旗东苏木的社会情况调查材料中写到："在调查过程中，问到的真正的包勒极少。我们只是在察罕敖包访问到一个名叫波音德勒何的包勒。据波音德勒何谈：贝子家的'包勒'有数人，来源大概是无依无靠的孩童，或者外来的人被逼迫，或者生活无着请求

---

① 内蒙古档案馆档案，527—13—72。
② 内蒙古档案馆档案，527—10—54。

收容，因此当上包勒的。他们都是终身劳动，不能随意离开主人。他们受贝子的管家‘排生达’管理，主要是用打骂的手段来强迫他们劳动。”该调查中还称：“包勒（奴隶）的人数不多，他们是牧奴阶级的最下层。”①

谈到喀尔喀右翼旗阶层关系时，不能忽略喇嘛阶层。因为，在蒙古宗教阶层中，同样存在着壁垒森严的封建等级制度。有清一代，黄教的兴盛使蒙古社会中形成了一个数量庞大的僧侣集团——喇嘛。

喇嘛阶层大体分为黄教上层喇嘛和下层的广大沙毕纳尔两大部分。但因该旗当时寺庙喇嘛等级和职务较繁杂，在有关寺庙和喇嘛方面的档案极少的情况下，详细了解喀尔喀右翼旗黄教阶层的具体状况难度很大，我们只能从该旗最大的寺庙“百灵庙”的部分情况做简单分析。“广福寺”（即“百灵庙”）僧侣的组织健全，等级分明，分工细致，戒律森严。从锡热喇嘛、大喇嘛到服劳役的岗尼尔共有十九个等级的职务。在达尔罕贝勒的监督下，朝克沁的锡热喇嘛权威最大，其次是各拉桑的执事喇嘛，各殿的沙毕都服从他们的指派。锡热喇嘛为各寺的最高统治者。大喇嘛系锡热喇嘛的辅佐者。他们是最具代表性的黄教上层人士，他们享有各种特权，无偿占有下级喇嘛和庙丁（沙毕纳尔）的劳动，支配寺庙财产。他们与王公贵族有着难以割舍的联系，双方共同结合成为封建统治阶级。下层的广大沙毕纳尔（又称庙丁），包括寺庙的庙丁、度牒丁和寺庙的属民。他们虽然不服兵役、劳役，不交纳实物税，但对所属寺庙负有供养的义务。

二、喀尔喀右翼旗寺庙与喇嘛状况分析

（一）喀尔喀右翼旗寺庙与喇嘛概况

众所周知，清朝时期黄教在蒙古地区空前发展，对蒙古地区的社会政治、经济、文化等各个领域都产生过巨大影响。国内外蒙古史学界对清代蒙古地区黄教的发展状况进行了较为深入的研究，并获得了丰硕的成果。但对蒙古各札萨克旗寺庙与喇嘛状况的研究尚未深入。就清代喀尔喀右翼旗寺庙与喇嘛方面的研究而言，除了地方史志资料中发表过几篇回忆录以外，利用档案史料研究该问题的论文尚未问世。深入研究喀尔喀右翼旗社会历史问

---

① 达茂旗政协文史资料编辑委员会：《达茂文史资料》第 4 辑，2002 年版，第 129 页。

题，离不开研究该旗寺庙与喇嘛状况。

16 世纪中后期，黄教在漠南蒙古地区广泛传播之时，刚形成不久的喀尔喀右翼中黄教也广泛地传播开了。据确切记载，诺乃亲王率先皈依了黄教。诺乃亲王于康熙三十六年（1697 年）亲往五台山拜佛朝圣，请经卷，并赴多伦诺尔、归化城等地同活佛喇嘛、高僧共商建庙事宜。同时派员到西藏、青海、山西、大库伦等地考察，观访庙宇建筑式样，筹储建筑材料，请来能工巧匠，为建庙做了细致的准备后，大兴土木，建起"广福寺"主殿。[①] 诺乃亲王此次修建了喀尔喀右翼旗历史上规模最大，在漠南蒙古地区享有盛名的著名寺院"百灵庙"（后人的称谓，原名"广福寺"）的主殿，该大雄宝殿建成于康熙四十二年（1703 年）。[②] 从此，开创了"黄教大兴，召庙林立"的开端。康熙四十二年（1703 年）至 1952 年的大约 240 多年间，该旗先后修建大小召庙十三座。其中百灵庙是该旗境内建立最早、规模最大的寺庙。塔巴毛多庙建立时间最晚，于 1952 年（猪年）由蒙古人民共和国逃来的部分喇嘛所建。[③] 喀尔喀右翼旗历史上所建的十三座寺庙概况列表如下：

喀尔喀右翼旗寺庙简况表

汉文庙名	蒙古庙名	建庙年代	毁坏或现存	庙　址	僧徒数	原所属地
广福寺（即百灵庙）	宝延巴德日古拉格齐苏莫	康熙四十二年（1703 年）	部分现存	现达茂旗百灵庙镇	449 人	旗属
永庆寺	孟克巴雅斯古朗图苏莫	康熙四十六年（1707 年）	"文革"中被毁	原庙址赛音呼都克乡、新庙址巴音敖包苏木第四噶查	126 人	西爱玛克
法安寺	夏辛阿木古朗图苏莫	乾隆三十年（1765 年）建成	"文革"中被毁	现查干敖包苏木	度牒 35、最多 150 余人	东苏木管辖

---

① 达茂旗政协文史资料编辑委员会：《达茂文史资料》（蒙文版）第 1 辑，1988 年版，第 194 页。
② 达茂旗喇嘛事务委员会：《广福寺烛光史》，第 17 页。
③ 达茂旗政协文史资料编辑委员会：《达茂文史资料》第 4 辑，2002 年版，第 180 页。

（续表）

汉文庙名	蒙古庙名	建庙年代	毁坏或现存	庙 址	僧徒数	原所属地
吉庆寺	也和乌力吉图巴雅斯古朗图苏莫	同治五年（1866年）	光绪三十三年（1907年）毁于匪患	现额日登敖包苏木额日登敖包噶查	不详	东贝子私家庙
普庆寺	特古斯巴雅斯古朗图诺穆音呼日都苏莫（又成满都拉庙）	咸丰三年（1853年）	"文革"中被毁	现满都拉苏木	最多时150人	噶尔爱玛克
西查干哈达庙	也和诺木音呼日都依德勒格热古鲁格齐苏莫	嘉庆十二年（1807年）	"文革"中被毁	现满都拉苏木	喇嘛85人	噶尔爱玛克
吉存寺	乌力吉胡都格敖日西呼苏莫（又称噶顺庙）	乾隆二十九年（1764年）	"文革"中被毁	现巴音敖包苏木	70余人	台吉苏木管辖
东查干哈达庙	乌力吉图诺木音苏莫	咸丰五年（1855年）	"文革"中被毁	现巴音塔拉苏木	喇嘛90人	东苏木管辖
宣经寺	乌力吉图德格都音诺木依德勒格热古鲁格齐苏莫（又称哈西雅图庙）	光绪九年（1883年）	"文革"中被毁	现都楞敖包苏木乌兰察布噶查	最多时五六十人	镇国公衮楚克达瓦所建
塔本茂都庙	塔本茂敦苏莫	1948年初建、1952年完工	"文革"中被毁	现查干哈达苏木那仁宝力高噶查	20余人	外蒙来的14户人家所属
不详	噶尔音噶顺苏莫	不详	民国十七年（1928年）解散	现巴音塔拉苏木北	不详	喀拉沁驿站站户所属
吉木斯泰庙	吉木斯泰会（小庙）	同治十一年（1872年）	民国三十一年（1942年）并入百灵庙		喇嘛15人	西爱玛克所属
巴彦花庙	巴音花会或夏辛德勒格日呼鲁格齐会（小庙）	同治七年（1868年）	"文革"中被毁	现乌兰忽洞牧场	喇嘛18人	台吉苏木7户人家所建

说明：该表格内容主要依据了喀尔喀右翼旗札萨克衙门档案及《绥远通志稿》、《乌兰察布寺庙》等地方史志资料。

黄教发展鼎盛时期，"全旗有 2 600 多喇嘛。本旗四大寺庙中，百灵庙有 1 300 多人，哈沙图庙 400 多人，台喇嘛庙 400 人，察汗哈达庙 200 人。这些喇嘛的人数约占全旗人口的三分之一左右，到解放前全旗尚有喇嘛约600 多个"。①

（二）百灵庙喇嘛度牒与僧徒数

喀尔喀右翼旗所建的十三座寺庙中，三座曾获得清朝皇帝亲赐庙名、匾额。该三座寺分别为"百灵庙"（即"广福寺"又称"巴图哈拉噶庙"）、"梵安寺"（俗称台喇嘛庙）和"永庆寺"（又称"齐那尔图庙"）。其中"广福寺"建造时间最早、规模最大。"广福寺先后共建八座殿堂，分五大学部（拉桑），即朝克沁拉桑、却伊拉拉桑、卓德巴拉桑、满巴拉桑、多音科尔拉桑。百灵庙牲畜数最多时达到 50 000 头，一时全喀尔喀右翼半数以上牧户为该寺放牧。"②

关于百灵庙喇嘛僧徒数，《蒙藏新志》记载："全旗有 2 600 多喇嘛。本旗四大寺庙中，百灵庙有 1 300 多人。"③《乌兰察布寺院》提到："广福寺喇嘛数曾一度达到了 1 226 名，这是 1876 年的数据。1940 年恢复宗教活动后徒众达到了 700 余人。"④　《乌兰察布史略》中提到："清光绪二年（1876 年）仅广福寺（百灵庙）就有喇嘛 1 226 名，到民国三十四年（1945年），在庙喇嘛才减少到 500 多名。"⑤　《喀尔喀右翼旗寺庙》一文写到："巴土哈拉噶地方的百灵庙，皇帝指定的喇嘛数为 180 人。"⑥《百灵庙及其宗教活动》一文提到："乾隆皇帝曾批准该庙编制为 150 个度牒（即 150 个喇嘛），300 个沙毕，共 450 个僧侣。到光绪年间（1876 年），该庙喇嘛增至 1 226 名。"⑦ 还有《百灵庙》一书中载："1740 年，多任巴阿布甘云端

①　达茂旗政协文史资料编辑委员会：《达茂文史资料》第 4 辑，2002 年版，第 180 页。

②　满都麦等：《乌兰察布寺院》，内蒙古文化出版社 1996 年版，第 309、305、319 页。

③　达茂旗政协文史资料编辑委员会：《达茂文史资料》第 4 辑，2002 年版，第 180 页。

④　满都麦等：《乌兰察布寺院》，内蒙古文化出版社 1996 年版，第 309、305、319 页。

⑤　乌兰察布盟政协文史委员会：《乌兰察布史略》，《乌兰察布文史资料》第 11 辑，1997 年版，第 130、146 页。

⑥　乌兰察布盟政协文史办：《乌兰察布文史资料》（蒙文版）第 2 辑，第 189 页。

⑦　达茂旗政协文史资料编辑委员会：《达茂文史资料》第 1 辑，1997 年版，第 43、（蒙文版）第 202 页。

主持建造卓得巴拉桑和曼巴拉桑后呈告乾隆后，乾隆皇帝颁给该寺150个喇嘛度牒"①。有关百灵庙喇嘛僧徒数记载虽不少，但就像田山茂先生所说："一般都承认蒙古的喇嘛人数众多，但很少是根据正确统计的。"② 上述数字都没交代数据引自何处，记载过于笼统，不可完全凭信。

喀尔喀右翼札萨克衙门档案中一份"广福寺大喇嘛对全体喇嘛僧徒数目的登记册"详细记载了百灵庙喇嘛僧徒数。该登记册原文为：

（一九四六年六月）、管理广福寺全体喇嘛班第之首席喇嘛拉布赞巴（喇嘛学问号）柴东罗布奉命仔细查看各德木齐（负责管理喇嘛僧徒的上层喇嘛）档册基础上编制的一份庙内诵皇帝万寿安康经文之全体格隆班弟度牒颁发年至本年度数详细分类老档。（盖有旗衙门公章）钦赐广福寺家谱，首席喇嘛拉布赞巴柴东罗布之沙比拉布赞巴根登尼玛、阿仁巴衮楚克索德巴、玛任巴里格西德尼玛、阿仁巴俊赖扎措，德木齐罗布桑吉格木德管理下，持光绪三十年度牒之拉德纳之根登措达拉十八岁、今年六十二岁，其扎日查拉呼沙比达巴拉依扎措、衮楚克扑日赖（以下省略）……八名德木齐（管家）管理下的度牒共一百一十一，其中包括本寺遗失之度牒。伊克珠日干（指理藩院）分别颁发之诵皇帝万寿安康经文格隆、班第度牒为一百一十一（指度牒喇嘛数）、其敖如依呼里也呼沙比（候补班弟）一百一十名、扎日查拉胡沙比（佣徒）二百二十二名，共四百四十九名。首席喇嘛拉布赞巴柴东罗布、大格思贵拉布赞巴措里德木巴拉珠尔、小格思贵拉布赞巴根登尼玛等带领八名德木齐（管家）一同详细查看后呈报。……③

---

① 巴图等：《百灵庙》，内蒙古人民出版社1997年版，第8页。
② ［日］田山茂：《清代蒙古社会制度》，潘世宪译，商务印书馆1987年版，第153、155、147页。
③ 内蒙古档案馆档案，527—24—129。

广福寺八名德木齐管辖下的度牒喇嘛、敖日依呼里也呼沙比 （候补喇嘛）、扎日查拉胡沙比（佣徒）名称表

得木齐罗布桑吉格木德管辖下的度牒喇嘛、敖日依呼里也呼沙比（候补喇嘛）、扎日查拉呼沙比（佣徒）名单					
颁发度牒年代	度牒原名	候补喇嘛名称	候补喇嘛年龄	颁发度牒年限加候补喇嘛年龄	扎日查拉呼沙比（佣徒）名单
光绪三十年	拉德那	根登措丹	18	62	达巴赖嘉措、衮楚克扑日赖
道光二十七年	道尔吉达尔	西拉布桑宝	24	124	罗布桑丹丕尔、扎木延索德布
光绪三十四年	西拉布扎措	西拉布扎措	16	55	丹真措里德木、措里德木
道光二十七	冻日布	阿卡任巴根登道尔吉	24	124	根登嘉措
道光二十七年	卓格道尔	丹真青日布	20	121	衮楚克凯布真、普日赖
道光二十七年	丹真	阿卡任巴阿布干忠赖	21	121	罗布桑衮楚克、衮楚克那木吉勒
咸丰七年	多格丹真	萨木腾嘉措	17	107	罗布桑吉格木德、罗布桑依格西德
咸丰七年	衮楚克朋斯格	拉布真巴措里德木尼玛	16	106	衮楚克拉布斋、丹巴嘉措
咸丰七年	那旺罗布桑	拉西嘉措	19	109	丹真嘉措、衮楚克嘉木延
咸丰七年	衮楚克	阿卡任巴拉西嘉措	14	104	阿旺敖得斯尔、措尼嘉措
咸丰七年	巴勒登嘉措	索得那木嘉措	17	107	巴勒丹、扎木延嘉措
咸丰七年	衮格金巴	措里德木敖得斯尔	14	104	丹真嘉措、衮楚克忠奈
同治三年	衮楚克嘉措	罗赖嘉措	19	102	楞赖尼玛、丹比
同治三年	那旺西拉布	巴勒丹敖得斯尔	18	101	西拉布道尔吉、丹巴嘉措

（续表）

颁发度牒年代	度牒原名	候补喇嘛名称	候补喇嘛年龄	颁发度牒年限加候补喇嘛年龄	扎日查拉呼沙比（佣徒）名单
同治三年	衮格丹丕尔	根登罗桑	20	102	丹真敖得斯尔、敖其尔
同治三年	衮楚克西拉布	衮楚克丹真	18	101	忒桑嘉措、罗木措克尼玛
咸丰五年	丹得尔	萨木腾嘉措	13	105	衮楚克、索米亚
咸丰五年	扎木延	西得日布嘉措	14	105	金巴嘉措、那楚克
光绪十二年	莫拉木嘉措	措木楚克嘉措	18	80	衮楚克那木吉勒、衮楚克丹真
光绪十三年	扎木沁拉布斋	阿仁巴萨木腾嘉措	18	76	衮楚克敖得斯尔、衮楚克吐布登
光绪三十二年	桑日布	根登嘉措	16	85	云端嘉措、衮楚克凯日布
道光二十七年	尼玛	拉布真巴冻日布嘉措	19	119	衮楚克根登、衮楚克措里德木
道光二十七年	丹丕尔	拉布真巴噶勒桑西拉布	24	124	扎勒桑尼玛、衮楚克措木培尔
道光二十七年	丹得尔	格斯贵拉布真巴金巴嘉措	21	121	丹得尔尼玛、罗布桑德木齐格
道光二十七年	那旺敖得斯尔	达日巴嘉措	19	119	章措布敖得斯尔、措依嘉措
同治七年	衮楚克柴木丕尔	忠奈尼玛	18	97	罗布桑拉布斯尔、措里登衮楚克
咸丰七年	萨木腾	阿仁巴忠赖嘉措	19	109	敖得斯尔嘉措、忠赖
得木齐西拉布嘉措管辖下的度牒喇嘛、候补喇嘛、扎日查拉呼沙比（佣徒）名单					
道光二十七年	吐布登	拉西嘉措	20	120	扎木巴拉尼玛、衮楚克拉布丹
道光二十七年	衮格丹佩尔	西拉布嘉措	21	121	衮楚克凯布金、衮楚克根登
咸丰五年	桑杰	章齐布金巴	15	107	衮楚克朴日赖、乌图那顺

颁发度牒年代	度牒原名	候补喇嘛名称	候补喇嘛年龄	颁发度牒年限加候补喇嘛年龄	扎日查拉呼沙比（佣徒）名单
咸丰五年	达巴亥	巴拉登尼玛	15	107	衮楚克措依日格、卓里得木丹真
咸丰七年	卓木丕尔	拉布真巴拉西色楞	15	105	桑杰嘉措、冻依德
咸丰七年	卓依达尔	阿卡仍巴衮楚克索得巴	17	107	衮楚克云端、衮楚克罗桑
同治三年	根登	卓里得木措里格	19	102	桑杰嘉措、措得巴楞
同治七年	图布登	西拉布尼玛	19	98	敖得斯尔嘉措、车林道尔吉
同治七年	噶勒桑	阿仁巴忠赖嘉措	19	98	罗布桑尼玛、扎勒桑敖得斯尔
同治七年	罗布桑措达拉	金巴嘉措	18	97	忠赖尼玛、巴图孟克
同治九年	朴日格赖	奥木吉得金巴敖得斯尔	18	105	绰里登嘉措、索得那木嘉措
道光二十七年	衮楚克尼玛	阿仁巴莫拉木嘉措	19	120	衮楚克拉布斋、巴拉登敖得斯尔
光绪三十二年	西拉布嘉措	绰里登根丕尔	18	71	罗布桑扎木延、巴拉吉尔
道光二十七年	根登丹得尔	拉布真巴扎木巴拉嘉措	21	121	绰里得木尼玛、根登日布
咸丰五年	奈登	阿仁巴莫桑杰嘉措	15	106	罗布桑忠奈、罗布桑嘉措
咸丰七年	绰里德木	里格西得尼玛	18	108	扎木延绰里得木、绰里得木朋斯格
咸丰七年	桑杰	衮布嘉措	19	105	根登绰克丕勒、西拉布尼玛
咸丰七年	桑杰	西拉布多格米德	15	109	金巴尼玛、西拉布嘉措
同治七年	那木凯	玛仁巴丹真嘉措	18	97	衮楚克绰依金、绰依金

（续表）

颁发度牒年代	度牒原名	候补喇嘛名称	候补喇嘛年龄	颁发度牒年限加候补喇嘛年龄	扎日查拉呼沙比（佣徒）名单
同治九年	扎木苏	绰里德木措达拉	18	95	罗布桑根丕尔、达木林
同治十二年	罗布桑扎木延	拉瓦嘉措	17	91	罗布桑敖日布、查干道尔吉
道光二十七年	那旺拉西	西拉布嘉措	19	119	衮楚克青日布、桑宝
道光二十七年	扎木苏	拉布真巴西拉布嘉措	26	126	衮楚克扎木巴拉、图布登嘉措
得木齐绰里登拉布斋管辖下的度牒喇嘛、候补喇嘛、扎日查拉呼沙比（佣徒）名单					
光绪三十年	丹真巴拉登	玛任巴绰日格	18	59	吉格木得嘉措、图布登拉布斋
道光二十七年	那木吉勒	绰里得木拉布斋	23	123	罗布斯勒尼玛、扎勒桑
道光二十七年	噶尔丹	阿任巴阿旺绰里德木	21	121	扎木巴拉尼玛、丹得尔尼玛
道光二十七年	罗赖	拉西巴勒丹	23	123	罗赖尼玛、丹巴日勒尼玛
咸丰五年	希日布	阿旺敖德斯尔	18	103	绰里格尼玛、丹真尼玛
咸丰五年	萨木腾	绰里得木嘉措	15	107	扎木延尼玛、噶勒桑
咸丰七年	云端	根登朋思格	14	104	罗索勒尼玛、巴勒丹
咸丰七年	那旺拉布坦	绰里得木桑宝	16	106	绰依尼玛、噶勒桑巴勒吉尔
同治七年	德木其格	阿任巴罗布桑	18	97	绰里得木嘉措、噶勒桑扎任丕勒
同治十二年	衮楚克敖德斯尔	丹真绰日布	16	90	噶勒桑达赖、噶勒桑达日吉
光绪三十二年	噶勒桑嘉措	衮楚克尼玛	14	48	罗布桑桑宝、拉哥瓦桑宝

（续表）

颁发度牒年代	度牒原名	候补喇嘛名称	候补喇嘛年龄	颁发度牒年限加候补喇嘛年龄	扎日查拉呼沙比（佣徒）名单
同治七年	扎勒桑	图布登达赖	18	97	噶勒桑拉布吉尔、丹真朴勒金
同治七年	扎木巴勒	绰里登桑宝	19	98	丹巴、丹真
光绪十二年	衮楚克达日吉	敖得斯日嘉措	18	98	达日吉、朝克吉勒桑
得木齐根登敦日布管辖下的度牒喇嘛、候补喇嘛、扎日查拉呼沙比（佣徒）名单					
光绪十五年	索得那木	绰依登嘉措	18	76	扎木沁巴勒丹、绰里得木敖德斯尔
光绪三十二年	扎木苏	金巴巴勒丹	16	57	衮楚克道布登、扎木曾敖德斯尔
光绪三十二年	衮楚克车林	拉布吉	14	55	金巴敖得斯尔、根登敦日布
同治九年	忠岱	格里格巴拉桑	18	95	金巴凯日布、根登嘉措
得木齐绰里德木敦日布管辖下的度牒喇嘛、候补喇嘛、扎日查拉呼沙比（佣徒）名单					
光绪十一年	桑吉敦	吉得	16	79	根登嘉措、衮楚克尼玛
光绪十一年	绰里德木	拉布真巴噶勒桑扎木延	18	80	绰里得木敦日布、桑宝
光绪十一年	里格西德嘉措	拉布真巴陶布斋嘉措	17	79	敖日布敖德斯尔、绰里得木巴勒桑
得木齐吉格木德桑宝管辖下的度牒喇嘛、候补喇嘛、扎日查拉呼沙比（佣徒）名单					
光绪十九年	云端	绰里德木	18	72	拉和瓦桑宝、巴勒登敖德斯尔
光绪十四年	衮楚克西日布	拉布真巴衮楚克绰里德木	15	74	罗布桑宁日布、罗布桑绰依金
光绪十七年	罗布桑达巴凯	拉布真巴林日布嘎巴真	20	76	青日布丹真、噶勒桑西日布
同治十二年	拉西敦日布	衮楚克巴勒桑	19	92	根登嘉措、罗布桑忠奈

（续表）

颁发度牒年代	度牒原名	候补喇嘛名称	候补喇嘛年龄	颁发度牒年限加候补喇嘛年龄	扎日查拉呼沙比（佣徒）名单
咸丰七年	依西桑宝	吉格木得嘉措	18	108	扎木延西日布、西日布尼玛
光绪十三年	衮楚克巴拉桑	扎木延林真	18	71	罗布桑绰依金、丹巴
得木齐朋斯格嘉措管辖下的度牒喇嘛、候补喇嘛、扎日查拉呼沙比（佣徒）名单					
乾隆四十八年	罗布桑达日吉	敖德斯尔尼玛	17	164	绰里德木敖德斯尔、罗布桑绰里德木
以下部分为早年遗失度牒名单					
得木齐罗布桑吉格木德管辖下度牒喇嘛、候补喇嘛、扎日查拉呼沙比（佣徒）名单（遗失部分）					
光绪十二年	衮楚克丹真	西拉布绰依达拉	60	110	
同治七年	巴勒吉尔	阿任巴索达那木	20	92	
道光二十七年	西德巴	依西嘉措	23	88	
得木齐西日布嘉措管辖下的度牒喇嘛、代替喇嘛、扎日查拉呼沙比（佣徒）名单（遗失部分）					
同治二十年	绰依木丕勒	阿旺金巴	18	102	
道光二十七年	萨木腾	扎木巴拉嘉措	21	121	
以下部分为1936年10月10日遗失之度牒名单					
得木齐罗布桑吉格木德管辖下度牒喇嘛、候补喇嘛、扎日查拉呼沙比（佣徒）名单（遗失部分）					
光绪三十一年	衮楚克索得巴	绰里德木嘉措	35	81	
光绪三十一年	衮楚克巴拉丹	依西嘉措	38	81	
道光二十七年	西拉布宏格	阿旺桑宝	19	119	
道光二十七年	朝克巴拉	绰里得木图布敦	21	121	
咸丰五年	达噶巴丹真	衮楚克嘉措	13	105	
咸丰五年	巴勒丹	拉布真巴绰里德木巴拉吉尔	13	105	

（续表）

颁发度牒年代	度牒原名	候补喇嘛名称	候补喇嘛年龄	颁发度牒年限加候补喇嘛年龄	扎日查拉呼沙比（佣徒）名单
同治七年	阿旺扎木巴拉	松日布嘉措	19	98	
光绪三十四年	罗赖嘉措	绰木巴拉嘉措	15	54	
道光二十七年	巴拉登嘉措	阿旺忠奈	21	121	
同治七年	丹真	阿旺金巴	19	98	
同治九年	绰木丕尔	绰里得木嘉措	18	95	
得木齐西拉布嘉措管辖下的度牒喇嘛、候补喇嘛、扎日查拉呼沙比（佣徒）名单（遗失部分）					
道光二十七年	衮楚克绰木巴拉	罗布桑绰木巴拉	24	124	
道光二十七年	阿旺扎木巴拉	丹真扑勒金	21	121	
道光二十七年	西拉布尼玛	阿旺扎木巴拉	23	123	
咸丰五年	德木齐格	忠赖嘉措	18	97	
光绪十一年	西拉布嘉措	绰依嘉措	19	79	
道光二十七年	西都布	罗布桑尼玛	23	123	
得木齐绰里德木拉布斋管辖下度牒喇嘛、候补喇嘛、扎日查拉呼沙比（佣徒）名单（遗失部分）					
同治十二年	衮楚克敖德斯尔	阿任巴忠赖嘉措	22	91	
得木齐根登敦日布管辖下的度牒喇嘛、候补喇嘛、扎日查拉呼沙比（佣徒）名单（遗失部分）					
光绪十一年	那玛昆	拉布真巴绰里德木	19	81	
得木齐吉格木德桑宝管辖下的度牒喇嘛、候补喇嘛、扎日查拉呼沙比（佣徒）名单（遗失部分）					
道光二十七年	绰依金	绰里德木敖德斯尔	26	126	
以下为1942年至1946年五年间遗失部分（度牒）					
得木齐罗布桑吉格木德管辖下度牒喇嘛、候补喇嘛、扎日查拉呼沙比（佣徒）名单（遗失部分）					

（续表）

颁发度牒年代	度牒原名	候补喇嘛名称	候补喇嘛年龄	颁发度牒年限加候补喇嘛年龄	扎日查拉呼沙比（佣徒）名单
道光二十七年	那木亥扎木巴拉	根登	19	119	
得木齐西拉布嘉措管辖下度牒喇嘛、候补喇嘛、扎日查拉呼沙比（佣徒）名单（遗失部分）					
道光二十七年	衮楚克丹达尔	拉布真巴绰里德木敖德斯尔	19	121	
道光二十七年	那木亥拉布丹	金巴嘉措	25	125	
同治九年	绰日格	里格日布尼玛	19	96	
同治九年	达日吉	扎木延	19	96	
得木齐绰里德木拉布斋管辖下度牒喇嘛、候补喇嘛、扎日查拉呼沙比（佣徒）名单（遗失部分）					
光绪三十二年	曼任巴金吉嘉措	罗布桑尼玛	15	54	
道光二十七年	巴拉丹	绰里德木拉布斋	21	91	
得木齐根登敦日布管辖之遗失度牒					
光绪三十四年	罗桑嘉措	阿任巴绰里德木	17	54	

说明：①该表全部内容引自内蒙古档案馆档案全宗527、案卷号为129的登记册。②度牒是喇嘛的身份证，不因持有人变动而更改。③表中总岁数为颁发度牒年数及代替喇嘛年龄总数。

据该登记册内容分析，百灵庙喇嘛僧徒规定人数最多时（光绪三十四年最多），有度牒喇嘛111名，候补班弟111名，佣徒220名，共计449名。清代百灵庙111个喇嘛度牒中乾隆四十八年度牒有1、道光二十七年度牒有32、咸丰五年度牒有11、咸丰七年度牒有15、同治三年度牒有5、同治七年度牒有11、同治九年度牒有6、同治十二年度牒有4、光绪十一年度牒有5、光绪十二年度牒有3、光绪十三年度牒有2、光绪十四年度牒有1、光绪十七年度牒有1、光绪十九年度牒有1、光绪三十年度牒有2、光绪三十二年度牒有6、光绪三十一年度牒有2、光绪三十四年度牒有3。据有关乾隆皇帝曾颁发给百灵庙150或180个喇嘛度牒的记载，百灵庙历史上度牒喇嘛远没达到乾隆皇帝规定之数。百灵庙喇嘛度牒数直到光绪三十四年才达到了111名。

清朝时期，对寺庙喇嘛人数有严格规定，不得随意招收喇嘛僧徒，不得随意留住外地无籍喇嘛僧徒。《理藩院则例》中规定："蒙古地方，除领有札付度牒，册籍有名之格隆、班弟外，遇有游食无籍之喇嘛，立即驱逐，不准容留。违者，照私将家奴充当班弟例办理。"[①] 据广福寺喇嘛度牒及沙比登记册记载，清代及民国年间，广福寺规定喇嘛班弟数没超过450名。

百灵庙作为喀尔喀右翼旗最大、最有影响力的寺庙，每年全旗各寺喇嘛们聚集该寺参加盛大的庙会，庙会期间喇嘛徒众人数有时达到上千人。1934年的一份档案记载："今年在本旗广福寺举行冻西古日玛尼诵经会，按历来有通告全旗喇嘛僧徒来参加的规定，今五月初二日会集，各苏木、爱马克章京、昆都请务必传达此事。"[②]

据此分析，百灵庙历史上喇嘛人数曾达到上千人只是参加庙会的僧徒数。

《百灵庙及其宗教活动》一文提到，乾隆皇帝曾批准该庙编制为150个度牒（即150个喇嘛），300个沙比，共450个僧侣。[③] 该记载有误，据百灵庙喇嘛登记册记载，每个度牒下有一名代替班弟和两个沙比（佣徒），共四个名额。

（三）关于永庆寺重建年代以及喇嘛度牒与僧徒数

该寺建于康熙四十六年（1707年），由喀尔喀右翼旗第四代卓里克图贝子巴特玛旺吉拉主持修建。康熙皇帝赐名"永庆寺"（蒙语称"孟克巴雅思呼郎图苏莫"），该寺系喀尔喀右翼旗境内的三大寺之一。本寺原属该旗西爱玛克管辖。解放前夕，有庙群大畜200余头、小畜3 000余只。原喀尔喀

---

① 《钦定理藩院则例》，《喇嘛事例》，道光六年（1826年）刊本。
② 内蒙古档案馆档案，527—54—225。
③ 达茂旗政协文史资料编辑委员会：《达茂文史资料》第1辑，1997年，第43页。

右翼牧民又称该寺为"其那日图庙"，因该寺位于其那日图地方而得名。称永庆寺为"其那尔图庙"是在民国年间。据1926年档案记载，原寺在1913年的战乱中被彻底毁坏，后迁至别处重建。① 此次重建地为其那尔图地方。民国十五年旗府根据"永庆寺"喇嘛的乞求，将旧庙所在牧地也划给了"永庆寺"，做了香火地。②《乌兰察布寺庙》一书提到，光绪末年永庆寺被土匪劫毁后，三世依拉古克三呼图克图迁至其那尔图地方重建。③ 该记载有误，永庆寺被毁及重建年代都在民国年间。永庆寺搬迁后重建的年代，据档案分析，应在1913年至1926年间。

《乌兰察布史略》一书中提到："永庆寺定额喇嘛为四十五名，庙内常住喇嘛沙比二十余、举行大型诵经活动时，喇嘛班弟最多到过一百五十名。"④ 但喀尔喀右翼旗档案中该寺历年喇嘛班弟数登记册内容中没有定额喇嘛四十五名的记载。据喀尔喀右翼旗札萨克衙门档案中"永庆寺"历年（咸丰、同治、光绪年间）喇嘛班弟数统计册内容列表如下：

永庆寺历年喇嘛班弟登记数

档案卷数	4	11	14	23
统计年代	咸丰六年（1856年）	同治十一年（1872年）	光绪元年（1875年）	光绪十六年（1890年）
首席喇嘛	1	1	1	1
候补喇嘛	1	1	1	1
沙比	4	4	4	2
度牒喇嘛	30	30	30	30
候补班弟	30	30	30	30
佣徒	60	60	60	60
应有总数	126	126	126	126

---

① 内蒙古档案馆档案，527—43—192。

② 内蒙古档案馆档案，527—43—192。

③ 满都麦等：《乌兰察布寺院》，内蒙古文化出版社1996年版，第347页。

④ 乌兰察布盟政协文史研究委员会：《乌兰察布史略》，《乌兰察布文史资料》第11辑，1997年，第152页。

（续表）

档案卷数	4	11	14	23
实际总数	126	126	126	94（比原规定数少了32名）

可见，清代永庆寺喇嘛班弟规定数额为特日衮喇嘛（首席喇嘛）1名、候补喇嘛1人及其沙比4名、度牒喇嘛30、其候补班弟30、佣徒60、喇嘛班弟和佣徒总数为126名。到光绪十六年，有庙内实际喇嘛班弟数比规定数减少的现象。

档案记载表明，清朝时期拥有喇嘛度牒的寺庙有分类登记庙内喇嘛僧徒数目及年龄的传统，同时还有登记度牒颁发日期的独特方法。档案中有关永庆寺喇嘛度牒及僧徒数的统计册较多，这些宝贵的资料对研究喀尔喀右翼旗寺庙及喇嘛问题有重要的史料价值。兹将其中年代最早的一份登记册内容列表如下：

咸丰六年（1856年）六月十七日，永庆寺达喇嘛莫日根绰尔吉罗布桑措里德木调查属下度牒沙比，原发度牒姓名及岁数登记册

首席喇嘛（特日衮喇嘛）绰依木吉尔、候补喇嘛（敦日拉呼喇嘛）丹巴扎木楚克、佣徒（扎日其拉呼班弟）扎木齐勒敦日布、敖德斯尔、绰依真、萨木腾			
度牒喇嘛名称	岁数	候补班弟名称	岁数	佣徒（扎日齐拉呼昆）
巴勒桑（夏布楞）	88	罗布桑敦日布	18	衮楚克噶拉桑、卢都布
凯德布	89	罗布桑达尔吉	16	孟克、衮楚克达西
达瓦西拉布	87	阿旺丹得尔	14	丹巴邻真
桑宝	93	萨木腾	18	敦日布
罗布斯尼玛	90	衮楚克达瓦	21	那旺那木登、衮楚克丹真
扎木萨（苏）	63	丹真达噶巴	15	衮楚克尼玛、丹真
绰依金	89	敖斯尔	15	丹真达尔吉、那木吉勒色楞
罗布桑西拉布（阿任巴）	90	衮楚克丹真	14	衮楚克、丹丕尔
达克瓦	88	衮楚克丹德尔	15	桑宝、林楚克
罗布斯尼玛	89	衮楚克	18	金巴、西德布

（续表）

度牒喇嘛名称	岁数	候补班弟名称	岁数	佣徒（扎日齐拉呼昆）
索德那木	62	衮楚克巴拉登	30	绰罗木、衮格敖斯尔
丹巴	62	衮楚克丹真	22	绰依桑宝、那旺扎木苏
赞布丹真	88	凯德布	15	西拉布、拉西
拉布丹	91	绰里德木	22	索得布、丹丕拉
噶勒桑	87	衮楚克巴拉丹	15	丹真那木吉勒、那旺
罗布桑达尔吉	61	鲁图布	18	罗布桑、那旺丹真
达噶巴林顺	88	扎木巴拉	14	那旺敦日布、达日吉
罗布桑西拉布	61	衮楚克尼玛	15	索德那木达尔吉、衮楚克尼玛
绰里德木	62	衮楚克丹达尔	20	索德布、衮楚克丹达尔
那旺扎拉仓	75	诺日布	18	丹真凯日布、那旺萨木腾
绰依木吉尔	90	罗布桑敖德斯尔	21	准岱、衮桑
拉布吉	65	衮楚克丹得尔	18	丹得尔、桑宝
桑宝	68	扎木苏	20	罗布桑、赞巴拉
那旺	87	衮楚克绰依木丕拉	20	那旺（字不清）、罗布僧桑宝
索德那木	66	衮楚克达瓦	18	巴拉丹、金巴
扎木巴拉	100	桑斋巴拉登	18	扎拉仓、扎木延绰依日格
丹真（字不清）	100	那旺丹真	15	桑斋巴拉登、丹真达尔吉
德木齐克达噶瓦	90	根登	18	绰里登扎木苏、根登敦日布
莫拉木	107	绰里德木	20	敦日布巴拉仓、扎木察道尔吉
达尔吉	69	衮楚克绰依木丕拉（拉布真巴）	15	衮楚克青日布、衮楚克绰里德木

说明：①据历年永庆寺度牒喇嘛名称分析，度牒喇嘛名称不改变。②该表中候补班弟同广福寺喇嘛登记册的候补喇嘛。③扎日查拉呼昆有时也称扎日查拉呼沙比、班弟等。

永庆寺历年喇嘛班弟登记册尾部载有："除此以外，本寺无超额喇嘛班弟及无籍喇嘛。也无把他人家奴及王公、台吉属民、壮丁纳入庙内，这些人因生病而当喇嘛。"据记载分析，当时永庆寺内确无无籍喇嘛。喇嘛僧徒数常年较为稳定。

三、清末喀尔喀右翼旗遭受的社会灾难

清朝末年，在朝廷日趋腐败，内忧外患，政局动荡，经济崩溃的危机面

前，清朝政府为了维持其专制统治，在蒙古地区推行所谓的"新政"，从而带来了许多新的社会问题。受到这一政策的影响，纯游牧生活为主的喀尔喀右翼旗社会形态发生了局部变化。其主要内容就是"移民实边、开垦蒙地"。清廷从内地召集大批汉民，进入蒙旗领地，盲目地开垦大量肥沃的草原。清政府通过征收大量垦银以筹措军饷，补贴国库亏空。"开垦蒙地"政策虽然带给清廷一定的收入，但给蒙旗造成了无法弥补的损失。越来越多的牧民失去了赖以生存的广袤草场，牧地日益缩小，生活日趋艰难。"移民实边、开垦蒙地"对喀尔喀右翼旗社会也产生过恶劣影响，而这种现象集中表现在大规模开垦与抗垦斗争中。

早在乾隆末年，喀尔喀右翼旗境内曾出现过开垦现象。但始终未能形成规模。私自开垦也遭到过坚决打击。如，乾隆末年，内地遭受旱灾，连年歉收，灾民日众，清政府逐步放松了内地汉人进入蒙地的限制，允许灾民往蒙古地方谋生。之后，山西等邻近地区灾民得到蒙古人的默许，偷偷移居本旗南界，垦殖小块土地谋生的情形时有出现。从此，有了零散聚居的庄户人家，但官方尚未准许放垦种地。到同治年间，本旗台吉玛希巴图为首的个别特权者为获取租地之利，阴谋篡权，不顾民众利益，在本旗南界地带擅自划出一片牧场，私自接受逃荒农民开垦土地，独吞租银，遭到执政贝勒和民众的强烈反对。主犯玛希巴图被判处死刑后，一段时期内再未出现私自开垦草场事件。[①]

喀尔喀右翼旗大规模开垦是从清光绪末年开始的。光绪二十八年（1902年）正月五日，清廷正式批准山西巡抚岑春煊开垦蒙地的奏请，任命兵部左侍郎贻谷为"督办蒙旗垦务大臣"，前往西蒙视察，拉开了清末全面、大规模放垦的序幕。贻谷在绥远城设立督办蒙旗垦务总局，他本人亲自坐镇绥远城主持乌、伊二盟（乌兰察布、伊克昭盟）及察哈尔左右翼垦务事宜。

草场是牧民赖以生存的根本，失去草场就意味着生存危机。千百年来"逐水草而牧"的牧民都有深刻体会，喀尔喀右翼旗抗垦斗争有力地证明了这一点。贻谷原本准备从乌盟乌拉特旗的三呼湾地方取得突破，但遭到了乌

---

① 乌兰察布盟政协文史委员会：《乌兰察布史略》，《乌兰察布文史资料》第11辑，1997年版，第140页；达茂旗政协文史资料编辑委员会：《达茂文史资料》第1辑，1997年版，第23页。

盟各旗的强烈反对，后把矛头指向了察哈尔，至于在察哈尔放垦的速度较快的原因跟察哈尔是清廷直辖地有关，无需蒙旗同意，可单方面决定开垦，因而放垦较为顺利。[①] 抗垦最激烈的地区之一要属乌兰察布盟。当时乌兰察布盟所辖六札萨克旗之一的喀尔喀右翼旗在这场"放垦蒙地"斗争中态度是坚决的。喀尔喀右翼旗札萨克衙门档案中，保存了有关原乌兰察布盟六札萨克旗联合上书理藩院的抗垦书。书中记载：

> 收取达尔罕贝勒旗境内古日巴拉吉、都日布勒吉、巴拉贺亚等地熟田田租作为阿尔泰路军台费用一事，早在光绪十三年十二月初五日由盟长公王衮僧冻日布和副盟长勒旺诺日布联名上书过理藩院和绥远城将军衙门，档册中有记载。如今，本旗四苏木数千口蒙民之官吏、台吉、众民游牧地中丝毫没有多余开垦之地。[②]

光绪二十八年（1902 年），清政府在内蒙古西部地区大规模开垦计划遭到了各蒙旗王公上层和牧民的极端愤怒和坚决抵制。当年九月，清政府以乌兰察布、伊克昭两盟盟长阻挠垦务，命理藩院严饬该二盟盟长遵令放垦。此后，在贻谷的多次劝导和理藩院威逼利诱，武装镇压等压力之下，光绪二十九年（1903 年）西部各蒙旗开始逐步放垦。但是，担任乌兰察布盟副盟长的喀尔喀右翼旗札萨克多罗达尔罕贝勒云端旺楚克与盟长四子部落旗札萨克多罗达尔罕卓理克图郡王勒旺诺日布为首的其他五旗王公札萨克一同，坚决抗旨联名反对，直到光绪三十二年（1906 年）未报垦寸土，而屡次遭到理藩院的严饬和恐吓。光绪三十二年（1906 年）六月二十五日，在肃亲王的严饬逼迫下，才勉强呈报开垦地界，办理垦务事宜。

办理垦务事宜意味着大量草场退化和蒙旗权力的遗失。喀尔喀右翼旗王公上层和牧民虽坚决抵制"放垦"，但最终难逃失去部分优良草场的厄运。该旗南部卓克苏拉塔地方宽和长各十五余里的"六合荣"和"公义成"两处地，被丈放、开垦。此次喀尔喀右翼旗共放垦九百九十七顷七十九亩六

---

① 闫天灵：《汉族移民与近代内蒙古社会变迁研究》，民族出版社 2004 年版，第 31 页。

② 内蒙古档案馆档案，527—7—37。

分。这也是官方在喀尔喀右翼旗开垦的先例，有了这次开垦经历之后，到民国时期更肆无忌惮，大规模地开垦该旗游牧地域。到清末，喀尔喀右翼旗的垦地面积已经达到相当的规模。《乌兰察布盟喀尔喀右翼旗调查报告》中记载："本旗旧垦地在旗之南境南北间约十余里，东西长达五、六十里，光绪三十二年报垦，由垦务第二局丈放，而今已垦卓克苏拉塔地九百九十余顷，其余或未垦或垦放未经升科，现皆属于武川县①辖境。"

不顾蒙古地区各阶层人民的普遍反对，强行开垦蒙旗土地，搜刮巨额押荒银这一做法，引起了农牧纠纷，激化了民族矛盾，使当时的社会秩序愈加混乱。清朝统治阶级的充实边防的幻想不但没能实现，反而使危机四伏，蒙众自发的抗垦斗争此起彼伏，时局动荡。正当"辟地千里，垦务大兴"之时，清政府为了平息蒙众愤怒，在不得已的情况下，于光绪三十四年（1908年）四月，以"败坏边局、欺蒙巧取、蒙民怒恨"为由，将贻谷及其主要官员撤职查办。此后一段时间内"放垦"暂时有所收敛。

清末民初，官方开垦蒙旗土地时，一再承诺给蒙旗带来"租银"收入。但后来这一承诺也未能兑现。起初，承诺放垦地押荒银半归朝廷，半归蒙旗，租银全部归蒙旗的规定也没能在喀尔喀右翼旗执行。如档案记载：

> 放垦地押荒银半归朝廷，半归蒙旗，租银全部归蒙旗这一承诺也并没有全部兑现，喀尔喀右翼旗南部卓克苏拉塔地方宽长各十五里余的"六合荣"和"公义成"两处放垦地报垦后押荒银虽大部分已收，但年租金过了二十几年分文未得。②

上述记载充分反映了开垦地并未给喀尔喀右翼旗真正带来什么经济收益。

---

① 光绪二十九年，清廷在土默特旗和喀尔喀右翼旗间划出武川厅，民国初年改为武川县。
② 内蒙古档案馆档案，527—43—192。

第八节 清代呼和浩特地区社会救济

社会救济属于社会保障体系的重要内容，是社会保障要实现的最低纲领和目标。社会救济的基本特征就是济贫救灾。贫困问题是困扰国家经济发展、社会进步的重大社会问题之一。而完善的社会保障措施，是消除贫困、缓解社会矛盾、保证国家稳定与发展的物质基础。清代呼和浩特地区社会救济，无论是从其救助项目，还是从其化解危机、维护稳定的功效与目的看，都与今天的社会保障制度有其特有的连贯性，而且也是一脉相承的。

一、清代呼和浩特地区贫民灾民状况

社会学中，贫困是指在物质资源方面处于匮乏或受剥夺的一种状况，其典型特征是不能满足基本生活需求，即个人或家庭不能维持最低生活水平。在不同的社会发展阶段，人类社会一直被不同层次、不同程度的贫困所困扰。中国封建社会的最后一个王朝清王朝统治下的呼和浩特地区也不例外。在文献资料中经常提到的归化城土默特贫苦蒙古或穷苦蒙古，是清朝对土默特蒙古的特殊政策以及土默特地区社会经济转型、土地占有方式变更的产物。他们的贫困是根据其所拥有的地亩数量的多寡为标准划分的。因为不论是游牧还是农耕，百姓依赖的是土地，尤其是清朝按每兵五顷的标准，划拨了土地之后，土地也就成了生活贫富的标尺。所以，当时的贫苦蒙古是指根本无田无畜者或人口众而地亩少以及无地者而言的。据史料记载，乾隆八年（1743 年）"土默特两旗蒙古共四万三千五百五十九口。原有地亩牧场及典出田地共七万五千四十八顷有奇。此内去年查出实无地亩之蒙古二千八百十二口。人多地少之蒙古二千一百五十六口。……再去年各佐领未经报出今经查出有田三二十亩以上一顷以下不等之蒙古二万二千一百四口"，[①] 无地或有地不足一顷的占总人口的 63%。特别是从乾隆中期后情况进一步恶化，甚至出现了无依无靠的鳏寡孤独者，其人数最多时 303 人，最少也有 100 人以上。土地的日益集中、水冲沙压地、碱坏地的增多以及连年的自然灾害，

---

① 《清高宗实录》卷98，乾隆八年八月辛亥条。

导致灾民的大量出现。如呼和浩特地区受灾人数从乾隆二年（1737 年）的 800 余名，乾隆三十八年（1773 年）的 3 142 名，到光绪十八年（1892 年）的 13 万名和十九年（1893 年）的 50 万名。

清代土默川地区的贫民、灾民的大量出现，究其原因首先与朝廷垦殖政策不无关系。从 18 世纪以后，在清廷垦殖政策的推动下，土默川地区农耕规模逐渐扩大直至农业完全替代畜牧业，于是以畜牧射猎为业的土默川蒙古被迫由牧转农，由此土默川境内纵横九百余里，田陌相望。但是由于不熟练于农事，缺乏技术和经验，广种薄收，蒙民穷困日甚一日。其次，他们具有双重身份，即兵丁兼农（牧）民，主要精力投入到应付各种官差上。这些原先的畜牧业者，在当时官差紧急，无暇耕作的情况下，很自然地把土地租佃给民人"以租自养"。而毫无租佃经验、丈量地亩传统的蒙古人，与民人所签订的地契，四至不清、性质不明、年限不定，加上蒙古人只求分得蒙款及征得岁租，于是土地由甲到乙，由乙到丙，久而久之蒙古人的土地所有权，渐渐丧失。在官无俸，兵无饷的情况下又失去了"每兵一名，给地五顷"的养赡之资，最后落魄为贫苦蒙古或鳏寡孤独者的行列。其三，频繁的自然灾害又加重了贫困化程度。连年的旱、水、雪灾使本不富裕的土默特蒙古的生计更加艰难。到光绪十八年（1892 年），"绥属大饥，至冬灾愈惨，少妇处女，鬻之不能易斗米，饿殍枕藉，与日俱增"。① 其四，宗教的影响。土默特蒙古"上自王公，下至贱民，皆甚信喇嘛教。一家男子三人，必有一人为僧"。② 这不仅影响了劳动力资源，而且使人口锐减。由于热衷于佛事，已成为养赡之资的土地都可以典当出去，没有了畜群，没有了土地，生活变得穷困潦倒。在上述诸因素的综合作用下，土默特"蒙民困穷日甚一日。种族零落。庐帐萧条。台吉而上。才足自存。兵丁之属。衣食多缺。"③ 社会成员之间贫困化现象与日俱增。

二、济贫救灾的社会救济措施

对土默川地区原住民的日见贫困以及客居者的增多、战争与自然灾害的

---

① 绥远通志馆：《绥远通志稿》卷 93，《人物·义行》，20 世纪 30 年代稿本。
② 绥远通志馆：《绥远通志稿》卷 74，《民族·蒙古》，20 世纪 30 年代稿本。
③ 绥远通志馆：《绥远通志稿》卷 74，《民族·蒙古》，20 世纪 30 年代稿本。

频繁，使朝廷"若不筹划经久之计，恐将来穷蹙日甚，殊费周章"。从而采取了一系列扶弱济贫的社会救济措施，有力地矫治了社会两极分化的严峻局势，缓和了社会矛盾，稳定了统治秩序。

（一）建立完善的仓储制度

针对所面临的生存危机，有足够的粮食储备即有完善的仓储制度是最及时、最直接的救济措施。仓储制度是指政府为调节粮价、备荒赈恤而设置的粮仓，它是中国传统的社会保障体系的重要组成部分。清代从京师到各直省都有粮仓。从省会至府、州、县俱建立了常平仓，或兼设裕备仓。乡村则设社仓，市镇设义仓，实现了常平仓的地方化和社仓（义仓）的民间化，并形成了制度。土默川地区自"雍正三年，贮谷归化城土拉库，"① 而常平仓在五厅（归化城厅、萨拉齐厅、和林格尔厅、托克托厅、清水河厅）皆有。归化城常平仓建于乾隆二十八年（1763 年），在城隍庙侧内有六廒，系按丰歉平粜及供给农民之需。归化城常平仓额定储谷 3 万多仓石，但由于连年的灾害而粮食歉收，各年份的储谷量不一。据乾隆年间（1736—1795 年）的记载，最多时储谷 10 万仓石米，少时有 1 000 多仓石。截止到光绪二十二年（1896 年）储谷 23 597 石 8 斗余。从光绪二十六年（1900 年）赈灾发放后无存，即未再积储。萨拉齐厅常平仓，内设六廒，额储谷 3 万石，光绪三十二年（1906 年）即无储谷。和林格尔厅常平仓，额谷 3 万石，光绪二十六年（1900 年）赈抚动用后无存。托克托厅常平仓，有仓廒若干储谷 10 万石，至光绪三十二年（1906 年）只留 2 767 余石。清水河厅在乾隆二十七年（1762 年）设常平仓一处，有廒口七所，额储谷 30 560 石，咸丰十年（1860 年）后无存。上述常平仓谷米以政府购买为主，辅以捐纳、摊征和动用库银采买等方式为主要来源。除常平仓外，归化城义仓在三贤庙储谷 1 212 石 8 斗，光绪十八年（1892 年）灾荒赈济后无存。清水河厅义仓附常平仓内，有二廒，光绪年间曾募集斗谷 10 528 石 6 斗。和林格尔厅义仓额谷三万石，光绪二十六年（1900 年）赈抚后无存。义仓米谷来源于百姓，以义租形式缴纳或由商捐。如光绪十八年（1892 年）本地收到捐款银一万零一百四十九两七钱四分四厘等。各仓储谷数量的多寡与当时的粮食产量、

---

① 《清史稿》卷 120，《食货二·赋役仓库》。

耕种面积、赋税负担、灾害发生的频率等有直接关系。

　　除了仓储制度这样长期的救济措施外，还有更直接的诸如赈济、平粜和出借等手段，为社会弱势群体提供了最低生活保障，有效地缓解了灾害造成的贫困。赈济是指将银、米直接发给灾民，以帮助他们维持生命，渡过难关的一种无偿救助。赈粮数量根据受灾人数，一般大人每日每口六合、小孩每日每口三合计，若仓米不够可米折银。如乾隆元年（1736 年）十二月土默特二旗受灾赈粮 4 430 仓石；光绪十八年（1892 年）赈粮 23 928 仓石，赈银 10 114 两、制钱 6 023 吊；光绪十九年（1893 年）赈市钱 8 383 串等。平粜是指国家在丰年购进粮食，在灾年出售粮食，使粮价只在一定范围内涨落平粜。如咸丰四年（1855 年）五月，和林格尔等三厅受灾，米价增贵，发仓平粜。借贷是社会保障机构在灾荒后或逢青黄不接时用常平仓及社仓仓谷、库银等物借贷给灾民，并要求灾民按规定时间连本带息偿还的一种救助方式。如"乾隆三十七年归化城八十三村蒙古等地，被水成灾，在六分以上，请计其人口，借给粟米，限二年照数交纳"。①

　　仓储之外的临时性赈灾活动称为散赈，散赈除了政府行为以外还有私人义举。私人义举为主的散赈中富户代养及捐赠是见效最快、最具特色的一种。富户代养以贫户与富户间建立暂时的互相帮助关系，富户为贫户提供最低生活保障，帮助他们渡过难关。这种关系一般发生在同一个旗或牛录，代养者一般都是有牲畜者，包括贝子、公、台吉、喇嘛等。代养时间没有具体规定，一旦贫户生活条件好转就不再代养。如乾隆二年（1737 年），乌兰察布盟副盟长、喀尔喀朵罗达尔罕贝勒拉旺多尔济等呈文：本旗台吉、披甲、附丁内，无畜贫困者有八百余人。"自此八百余名户口内，抽出一百名口，由我、贝子、公、台吉等兼养"。② 被代养的人口一般都为富户劳动，它与以工代赈不同，他们之间多数存在着所属关系。如乾隆五十二年（1787 年）十一月，土默特公索诺木旺津由于遇旱雪灾，"愿照札萨克旗之例，预借十年公俸，以养活本属奴仆"。③ 因为富户代养是个人行为，加上受灾致贫人

---

①　王轩：《山西通志》卷 82，中华书局 1990 年版。

②　呼和浩特市土默特左旗档案馆档案，80—26—2。

③　呼和浩特市土默特左旗档案馆档案，80—25—217。

数较多，有时使收养者也变得难以负担，最后还是官方救济。如雍正十二年（1734 年），鄂尔多斯贝子罗布藏之旗，共四十二牛录受灾，本旗有畜人收养近一年，但由于连年的灾害，使"收养彼等之有畜人等亦致劳苦"，[①] 请求开军需仓赈济。富户代养虽有其局限性，但它更直接、更有针对性地实施了救助，比较适合居住分散的广大牧区，并从一定程度上减轻了地方政府的救济压力。

（二）蠲免赋税

蠲免是指朝廷将应向人民征收的赋税减少以至免除，即为遇灾时免除钱粮赋税，这是清代又一项重要的社会保障措施。蠲免有恩蠲（国家庆典、皇帝巡幸、用兵等而实行的蠲免）和灾蠲两种，灾蠲又分为灾荒蠲免、拖欠蠲免（缓征）、普行蠲免等，其中以灾害蠲免为最重要。清代呼和浩特地区由于济贫救灾任务重，从而灾蠲也比较多见。据不完全统计，乾隆五年到五十五年（1740—1790 年）共蠲免 12 次；嘉庆二年（1797 年）1 次；道光年间（1821—1850 年）2 次、缓征 1 次；咸丰年间（1851—1861 年）9 次、缓征 2 次；同治年间（1862—1874 年）4 次、缓征 4 次；光绪年间（1875—1908 年）2 次等。清代朝廷的税收收入主要来自于田赋，但若是灾后仍以原额征赋，必定进一步加重贫困。虽然在不同年份因为受灾面和朝廷财力的限制，蠲免的额度均有所变动，但旗民遇灾贫穷时，免征或者缓征税赋，减轻了负担，促进了灾后重建以及生产力的迅速恢复，达到了扶弱济贫的目的。

（三）分配土地

无论是游牧还是农耕的年代，土地是人们赖以生存的根本。起初清廷为了让土默特兵丁自备当差，出征打仗，在康熙年间"每兵一名，给地五顷"。由于"先前并未按各自之份划分。于是有力之人随意占据，无力之人丝毫不得，实属不平"。[②] 从而导致无地者 6.4%，人多地少之蒙古 4.9%，有田三二十亩以上一顷以下不等之蒙古 50.7%，田地多余之人 37.8%。这表明土默特地区土地集中和贫富两极分化现象非常明显。显然对此朝廷不会等闲视之。乾隆八年（1743 年），朝廷对土默特地区耕地进行一次整顿，为

---

① 呼和浩特市土默特左旗档案馆档案，80—26—1。

② 呼和浩特市土默特左旗档案馆档案，80—24—28。

无地少地之蒙古重新分配土地。这次分配的土地来源于田地多余之人的土地
（42 800 顷有奇，内酌情匀出 5 000 顷）和典出地亩，分给土默特两翼蒙古、
喇嘛、沙比纳尔等共 22 104 口。分配标准是有二三十亩以上一顷以下者不
论外，按每口以一顷为律，分给实无地亩（将匀出之 5 000 顷按人口分给）
及人多地少之蒙古（将年满撤出之地亩均匀分给），作为永业。此项工作从
乾隆八年（1743 年）开始到乾隆十四年（1749 年）十月基本分配完毕，并
改变土默特耕地"无档册可稽"之习惯，命"臣吉党阿等将各牛录、各寺
喇嘛沙比纳尔之耕地实数、贫穷蒙古等之人口实数查明，分别办理，造册具
报户部、理藩院注册"。① 这就是所谓的"穷苦蒙古地"。从其称谓上也可看
出，它是为解决土默特蒙古的穷困而采取的一项措施。但由于当差紧急、生
计所迫等原因，土默特蒙古不顾"严加传谕蒙古、民人，嗣后永禁典卖地
亩，若有私行典卖者，将卖主买主俱从重治罪，地亩入官"② 的规定，继续
出典户口地亩。此次分配土地并未扭转土默特蒙古贫困化趋势。

　　第二次分配土地分为三次进行。第一次是乾隆三十五年（1770 年），清
查草场地亩，"将偷开的草场地撤回，分给土默特两旗穷苦蒙古永远为产"。
第二次是乾隆三十八年（1773 年），"将撤出之典押地亩 1 139.685 顷，依
少地沙比纳尔、二旗家境贫寒、少地人等住地远近，按每户三两租银计，平
均分给"。③ 鉴于乾隆八年（1743 年）的土地分配效果，这次只是把地租分
给穷苦蒙古，而不是分配土地，即这些土地只是名义上属于贫苦蒙古。第三
次是嘉庆五年（1800 年），"牧场地亩租息分给穷苦蒙古，开垦牧场地亩共
计 1 604 顷 51 亩 4 分 5 厘，每年共征租银 2 847 两 6 厘，所征租银赏给土默
特之穷苦蒙古，共计 900 名，每名核计 3 两 1 钱 6 分 3 厘 3 毫，其余不及一
分之三分六厘银，即增给末名造册报院核销，此内遇有逃亡者，仍给伊家养
赡家口，无家口者，另拣贫苦蒙古赏给，其未经垦过之牧场，永行严禁开

---

① 呼和浩特市土默特左旗档案馆档案，80—24—28。
② 呼和浩特市土默特左旗档案馆档案，80—24—28。
③ 土默特左旗编委会：《土默特志》上卷，《土地与垦殖志》，内蒙古人民出版社 1997 年版，第
148 页。

垦"。① 无论是采取直接分配土地还是分给租银的方式，对于土默特蒙古来讲，不管自己经营与否，有了土地就有一定的生活保障，有了租银就可以安心的当差；而对于朝廷来讲，土默特蒙古穷困潦倒，不仅社会不可能稳定，更重要的是还关系到土默特兵丁能否为朝廷出征、当差。

（四）建立养济院、济生院、育婴院

鳏寡孤独，老而无妻者谓之鳏，老而无夫者谓之寡，少而无父者谓之孤，老而无子者谓之独。他们是社会弱势群体，对其生存权利的保障，历来被视为政府的责任。清代的养济院是由官方出资兴建的，收养鳏寡孤独穷人的社会保障机构。清代呼和浩特地区的养济院始建于乾隆元年（1736年）停于民国十九年（1931年）。是由当时"归化城都统丹津、同知永垣遵奉谕旨，在归化城西龙王庙路南设立"，② 把旧巴总官房三十余间改造而成，百名为额，每人每日一仓升口粮，一年三百五十余石米、一匹布，从每年九月至次年二月止，日给大炭三斤。所需费用出自牲畜税内拨银二三百两，也有地方乐善好施者的捐助。由归化城同知、通判选派乡耆经管。虽然始建时定额一百人，但老、病、穷民数不仅仅是一百名为限。如"光绪十年（1884年）九月，养济院三千人，应领煤九千斤"③ 等。由于收养人数较多，所以养济院一直处于超额开支状态。养济院有指定的管理者，其每个月供养乞丐米数、布匹、大炭等必须按规定发放，私自变更是违法的。据乾隆五年（1741年），对"应给养济院贫困人等之布匹私自更换得给柴薪情形之都统、副都统等由院参奏，皆罚俸六月"。④

在社会弱势群体和不幸人群中有一个特殊的人群即弃婴。在清光绪三年（1878年），归绥道阿克达春由地方捐款、罚款一万五千余两创办了济生院、育婴院等。济生院每年霜降前三日开放，收留名额为五百名，每日每人给小米二合。谷雨前一日放出，令各谋生业。直到民国十九年（1931年）停止收养。育婴院设在道署西坡，五原、托克托、武川、和林格尔各有一处，均

① 高赓恩：《土默特旗志》卷4，《法守》，《民族古籍与蒙古文化》总第1—2期，呼和浩特市民族事务委员会2001年版，第263页。
② 绥远通志馆：《绥远通志稿》卷93，《养育》，20世纪30年代稿本。
③ 呼和浩特市土默特左旗档案馆档案，80—26—9。
④ 呼和浩特市土默特左旗档案馆档案，80—26—117。

为私立。其中萨拉齐育婴堂由瑞典传教士创办，历年收养女婴 1 068 口。

（五）赏赐

赏赐也是清朝政府对土默川地区鳏寡孤独者所实施的社会保障措施之一。赏赐来源于官府没收的私典土地抽出后，租给他人耕种所获租银。如"乾隆三十七年正月十八日，准理藩院咨文内开，据署山西巡抚朱贵奏称，前分给土默特无地贫苦蒙古之永业田内，贫苦蒙古人等已陆续典地共一百九十八顷六十八亩。……将原典之地一百九十八顷六十八亩抽出，租给他人耕种，所得租银三百一十八两一钱三分五厘，从中，土默特二旗各甲喇牛录查核具保，实有鳏寡孤独共二百六十四人，每人一两二钱计，共赏给银三百一十六两八钱"。① 赏赐按人均平分，一般银每人一两二钱计，剩余存入旗库，从乾隆到光绪年间标准基本没变。但由于鳏寡孤独者人数及租银数量的变化，所赏赐的银两也多少不一。如"乾隆三十八年两旗鳏寡孤独为二百六十四人，每人一两二钱"；② "乾隆三十九年两旗鳏寡孤独共三百零三人，每人一两一钱四分"；③ "嘉庆十八年两旗各甲佐鳏寡孤独一百三十二人，每人分赏银二两二钱八分三厘七毫"；④ 光绪十三年（1887 年）照例"赏给鳏寡孤独共二百二十六名，赏银一两二钱六分九厘七毫"⑤ 等。赏赐制度以其较固定的租银为土默特贫困蒙古带来了最低生活保障。

（六）漏泽园制度

漏泽园也叫义园，是一个使贫困无依和在外无家可归者死后得以安葬的公共墓地。清代在呼和浩特地区的义园有两类，一类为兵丁义园，一类为客死者义园。兵丁义园设立于乾隆五年（1740 年）。⑥ 由于各处驻防官兵，为京城派遣之人，病故后将尸体逐年送往京城，并无安葬在外之例。但若病故者多，起运不及，亦暂葬彼处⑦，将绥远城东北门外（即四王庄）未耕荒田

---

① 呼和浩特市土默特左旗档案馆档案，80—24—59。
② 呼和浩特市土默特左旗档案馆档案，80—26—63。
③ 呼和浩特市土默特左旗档案馆档案，80—26—74。
④ 呼和浩特市土默特左旗档案馆档案，80—30—147。
⑤ 呼和浩特市土默特左旗档案馆档案，80—6—2624。
⑥ 佟靖仁：《绥远城驻防志》，《坟地》，呼和浩特史新城区地方志编写组 1984 年版，第 27 页。
⑦ 呼和浩特市土默特左旗档案馆档案，80—24—3。

二十九块二十一顷九十亩地，丈量给满蒙汉军八旗①驻防官兵，设立驻防官兵义园。

随着土默川地区人口流动，客居之人愈来愈多，无业游民冻馁之死者也增多，从而无地掩埋。于是一些商民捐资创筑义园，收存无槥尸骸。最早的漏泽园始建于道光中期，由商民中的好心人出钱雇工堆人，异置梦楼当（即孤魂滩），到清明节由三贤庙乡耆同保长，雇工挖掘总坑火化掩埋。后来改革了积尸火化风俗，凡遇有贫民倒毙，随时报验，领棺抬埋。这样净化周围的空气，防止秽气熏蒸，疠疫流行。清代土默川地区的义园：归绥县有义园三处；萨拉齐县有义园两处；托克托县有义园一处；清水河县有义园一处。②

（七）以工代赈

以工代赈也是清朝在土默川地区实施的一种社会保障措施，清代的以工代赈主要用于灾后的工程修复，集中在农田水利建设方面的工程上。以工代赈既可使灾民免除饥馑，又能利用民力兴办工程，是扶贫济困与工程建设的有机结合。呼和浩特地区的以工代赈的资料留存不多。如"乾隆十年（1745年），秋旱。修大同等八县城垣代赈"；③ "高宗乾隆十一年（1746年）口外各厅饥。是年修大同八县城垣。代赈归化城就食贫民。"④ 以工代赈以救济为手段，合理使用贫困地区的壮劳力，既可以使贫困者通过劳动获取生存保障，也可以使贫困者掌握一定的劳动技能，消除将来产生贫困的根本因素。

---

① 呼和浩特市土默特左旗档案馆档案，80—24—5。
② 绥远通志馆：《绥远通志稿》，卷33，《义园》，20世纪30年代稿本。
③ 绥远通志馆：《绥远通志稿》，卷66，《赈务》，20世纪30年代稿本。
④ 绥远通志馆：《绥远通志稿》，卷29，《异灾》，20世纪30年代稿本。

第 十 七 章

财政经济贸易与工矿各业

第一节　清代的归化城土默特财政

一、康雍乾时期的土默特财政

财政管理体制，亦称"财政体制"，是国家为实现其职能，凭借政权的力量强制参与社会产品的分配和再分配的一种特殊的分配关系。[①] 一定时期一个国家的财政体制是当时该国经济管理体制的重要组成部分，受该国经济状况的制约，并贯穿整个财政收支活动的全过程。其实质是国家财权在中央与各级地方政权之间如何划分的问题。清朝实行的是由最高统治者亲自裁决，通过户部及各省各级行政机构加以贯彻的高度集权的财务管理体制。

（一）财政管理机构

归化城土默特两翼内属旗的特殊性，决定了土默特地区财政不像一般蒙古盟旗拥有起码的自治权，一切由户部、理藩院直接统辖下的绥远城将军衙门、归化城都统（副都统）衙门、归绥道衙门分掌管理。

清朝对归化城土默特的财政管理机构，在中央主要由理藩院和户部掌管。理藩院即原蒙古衙门，始建于天聪末年（1635 年），崇德三年（1638 年）更名为理藩院，为清廷处理蒙古诸部事务，从事立法、监督管理的专

---

①　周育民：《晚清财政与社会变迁》，上海人民出版社 2000 年版，第 22 页。

责机构。下属旗籍，王会、典属、柔远、深远、理刑六司和满汉档房、司务厅、当月处、蒙古处、内外馆、银库等有关机构。户部则掌管天下户口田土之籍和一切经费出入的统理。土默特地方未设专职，但其管理机构比较庞杂：由绥远城将军衙门、归化城都统（副都统）衙门或土默特旗务衙门以及山西巡抚管辖下的诸厅组成。

归化城都统衙门　归化城都统衙门是清朝在该地区设立最早的行政机构。崇德元年（1636 年）归化城编为二旗，设左右翼都统各一人。康熙三十三年（1694 年），归化城土默特二旗增设副都统二人。乾隆十三年（1748年），清廷裁撤左右翼副都统各一人，每翼各留一人。乾隆二十六年（1761年）裁归化城都统（左翼）一人。乾隆二十八年（1763 年），复裁归化城都统（右翼）一人。令土默特二旗归绥远城将军兼辖，唯设副都统二人，一驻绥远城、一驻归化城。[①] 土默特正都统府坐落于北门内向南，人称丹府，从丹府迤南而向西者为副都统府。两翼六十佐领下共设参领兼佐领十二员，佐领四十八员、骁骑校六十员。参领十二员，每参领管五佐领，各给关防[②]一颗。在设旗之初，由于两翼民族成分相对单一，政治、经济和军务比较单纯，由两翼都统衙门管理即可。但是随着经济类型的逐步丰富、耕地面积的日趋扩大、移民人数的不断增多以及社会形态复杂化的情况下，于雍正十三年（1735 年），在库库和屯（归化城）北门内路东设置了旗务衙署，并开署办公。[③]

旗务衙门兵、户两司及操演营各额设一名翼长（兵司翼长也称左司翼长，户司翼长称右司翼长），由十二参领中的德高望重者担任翼长之职，各给关防。凡是两翼比丁、操演、官渡、巡查、卡伦、缉捕等都由兵司管。

土默特两翼的财政管理工作主要是由户司实施并完成。户司翼长直接办

①　贻谷：《绥远志》卷 4，《官制考》，《民族古籍与蒙古文化》总第 1—2 期，呼和浩特市民族事务委员会 2001 年版，第 90 页。

②　关防，印信的一种，长方形，始于明初。清制，正规职官用方形官印，称"印"；临时派遣的官员用长方形的官印，称"关防"。"印"用朱红印，"关防"用紫红色水，一般也称"紫花大印"。

③　高赓恩：《土默特旗志》卷 9，《官职考》，《民族古籍与蒙古文化》总第 1—2 期，呼和浩特市民族事务委员会 2001 年版，第 271 页。

理两翼财政事务，并于年终向理藩院或户部奏报核销。

人丁与户口的管理是土默特两翼户司的重要职责之一，成为朝廷对土默特地区的控制和保证兵役来源、旗界管理以及进行财政税收的保障。户司对辖境内人户的管理主要通过三年一次的比丁来进行。[①] 核查时户司配合兵司将满、蒙、汉人，旧汉人和新汉人等的三代作细致清点，详载原额、新增额、开除、实在数字，逐户造册，签佐领、骁骑校、领催等之名，画押作保，一式两份，一份存于本旗，一份送往理藩院。普查户籍时，针对人户的不同情况进行不同的造册。包括兵丁中专门统计幼甲[②]名单和退甲者名单;[③]以各厅所属驻地管辖牛录人丁、乡里户数;[④] 所管参领、佐领属下以村为单位的统计;[⑤] 外旗住本地者[⑥]及买卖人口事宜的管理;[⑦] 旗内所属人户的婚姻登记、村名的更改[⑧]等的详细情况。

户司也对两翼田土加以管理。首先由户司翼长、牛录章京、候选牛录章京、十户长等参加，[⑨] 对各佐领下各村的现有耕地进行了一次整理，这是土默特有史以来的第一次田土登记，也是最早的田土造册存档。这次的田土核查从户主姓名、人口，每一块地的使用类型、年限，与哪里人发生何种土地关系，典、租地的收益形式，土地等级等进行详细清查，其起止时间为雍正二年（1724 年）至乾隆八年（1743 年）。[⑩] 同时，户司每年春季垦荒之时（一般在五月份），都派员巡查管辖内民众的耕作，会勘边界，严惩越界垦荒者。[⑪] 并应理藩院之命不时严加巡查砍伐禁区树木者。管理驻

---

① 呼和浩特市土默特左旗档案馆档案，80—23—125。
② 呼和浩特市土默特左旗档案馆档案，80—23—52。
③ 呼和浩特市土默特左旗档案馆档案，80—23—128。
④ 呼和浩特市土默特左旗档案馆档案，80—25—366。
⑤ 呼和浩特市土默特左旗档案馆档案，80—41—22。
⑥ 呼和浩特市土默特左旗档案馆档案，80—39—1。
⑦ 呼和浩特市土默特左旗档案馆档案，80—25—72。
⑧ 呼和浩特市土默特左旗档案馆档案，80—24—93。
⑨ 呼和浩特市土默特左旗档案馆档案，80—24—10。
⑩ 呼和浩特市土默特左旗档案馆所藏清代土默特两翼原拨户口地亩草场清册标注的最早清查地亩年份为雍正十年。但详读档案资料可见，被清查的最早时间应为雍正二年（1724 年），而不是雍正十年（1732 年）。
⑪ 呼和浩特市土默特左旗档案馆档案，80—24—18。

防官兵坟地，据归化城户司案呈：乾隆五年（1740 年）五月十六日，接准绥远城建威将军处咨称，将绥远城东北门外未耕荒田 29 块 21 顷 90 亩地丈量指给作为满、蒙、汉军八旗兵丁之坟墓。① 收归公有之绝户地，还要为土地纠纷案提供佐证。

户司分掌财政收支。户司翼长（即关防参领）直接承办两翼粮库、银库等的财政事务。户司征管的地租收入包括大粮官地、② 哈尔吉勒等十五道沟地、③ 粞田地租、④ 六成地租⑤以及各年份陆续入官的各类土地等。还对各类发当发商生息银两⑥进行发放与征收；对归化城等地官房铺面以及民人所建房屋等征收租课和⑦征管牲畜交易税以及煤税收入。⑧

户司掌管的财政支出项目主要有行政经费、军政经费、驿站经费、廪膳膏火及科场经费，旗设学堂教官及学生应得饭食钱、民政费、工程费等。

土默特旗务衙门作为管理土默特两翼各种军政机构和两翼财政的主要管理机构，为本地区经济社会的平稳发展发挥了重要的作用。

绥远城将军衙门 归化城作为"京畿之锁钥，晋垣之襟带，乌、伊诸盟之屏蔽，库科乌诸城之门户"，⑨ 具有重要的战略地位。因而康熙三十二年（1693 年）五月，归化城初设将军，总管官兵整饬训练，⑩ 驻归化城。后由于喀尔喀札萨克图汗部的威胁以及准噶尔部的征击，一时提升了归化城的军事地位。但归化城城小壕狭，势难御敌，遂将屯兵积粮的重地

---

① 详见呼和浩特市土默特左旗档案馆档案，80—24—17。

② 自乾隆二年至乾隆末年，陆续在土默特境内开垦闲旷膏腴之地共八处作为大粮官地，饬交地方征粮，以备军食。

③ 十五道沟地是由于大粮地所收租赋繁重，农民逃亡到大青山哈尔吉勒等十五道沟私垦地亩，由地方官员与都统衙门所派官员一同前往征税并管理，拨充绥远城满营兵粮。

④ 呼和浩特市土默特左旗档案馆档案，80—2—183。

⑤ 六成地，是黄河河道变迁涸出的土地，由光绪年间升科，所收地租用于训练土默特兵丁。

⑥ 生息银是清代政府信用的一种形式，主要以取利为目的贷放，其本银谓之"生息银两"。清末土默特地区的生息银两主要包括发当和发商两种，息银作为公用开支。

⑦ 呼和浩特市土默特左旗档案馆档案，80—24—41。

⑧ 张曾：《古丰识略》卷 40，《物部·税课》，民国戊寅五月。

⑨ 高赓恩：《土默特旗志》卷 4，《法守》。《民族古籍与蒙古族文化》总第 1—2 期，呼和浩特市民族事务委员会 2001 年版，第 243 页。

⑩ 王先谦：《东华录》，康熙五十一。

转到归化城东南二百四十里的右玉，设一品建威将军统辖。又出于军事、政治及经济目的考虑，雍正十三年（1735 年），清廷派员到归化城勘查地形，选择了距城东北五里地的四王庄南面的一片坡地作为建城基地。然而由于雍正帝晏驾，修建准备工作中断。至乾隆元年（1736 年）四月，总理事务王大臣议，稽查归化城军需工科掌印给事中永泰条奏，归化旧城修整完固，于城东门外紧接旧城筑一新城，新旧两城，搭盖营房，连于犄角，声势相援，便于呼应。① 得到乾隆帝的批准，选定于乾隆二年（1737 年）二月初七日破土动工。绥远城于乾隆四年（1739 年）六月二十六日竣工。新城建成后原驻在山西右玉的大部分八旗兵移来驻防。② 首任移住的右卫将军王常，系于乾隆二年（1737 年）三月到任，③ 自乾隆七年（1742 年）后，历任将军统称为绥远城将军，乾隆三十一年（1766 年），奉旨兼管归化城土默特事务，成为本地区最高军政长官。

绥远城将军衙门下设左右二司，左司职掌吏、刑、兵部之事，右司掌管户（田赋收支）、礼、工。右司掌管的收入项包括经征浑津、黑河原垦地租银，浑津、黑河庄头 13 户一年应征米石，大青山后厂地租银，大青山后四旗空闲牧地租银，土默特牧地地租等，共 9 725 顷 39 亩 1 分 1 厘。还要征收房租、地基、菜园租银等 4 517 两有奇。④ 支出项包括修缮八旗官员衙署及兵丁房屋；发放派往乌里雅苏台官兵半俸、盐菜；发放将军、官员春秋二季俸银和米石；发放印房公费等项银两。

乾隆四年（1739 年），置绥远城理事粮饷同知厅，支放绥远城驻防八旗官兵粮饷，故也叫粮饷厅。粮饷厅同时兼管蒙古旗民的一切命盗案件以及会审相验之责。⑤

归绥兵备道衙门 从 17 世纪开始，随着内地汉民的不断涌入以及驻

---

① 《清高宗实录》卷 16，乾隆元年四月甲戌条。

② 金启孮、佟靖仁：《呼和浩特的兴建和发展》，《呼和浩特史料》第 1 集，内蒙古新华印刷厂，第 218 页。

③ 佟靖仁：《绥远城驻防志》，《历任将军名讳》，呼和浩特市新城区地方志编写领导小组翻印 1984 年版，第 6 页。

④ 贻谷：《绥远志》卷 5（上），《经政略》，《民族古籍与蒙古文化》总第 1—2 期，呼和浩特市民族事务委员会 2001 年版，第 133 页。

⑤ 土默特左旗编委会：《土默特志》上卷，内蒙古人民出版社 1997 年版，第 420 页。

军等原因，原本纯粹使用蒙古文蒙古语的土默特都统衙门，在长期管理这些工匠、农商，颇有应接不暇之虞。于是土默特左翼都统丹津等疏请，雍正元年（1723 年），始置归化城理事同知衙门，俗称二府衙门，位于归化城外西南，① 专管汉民事务，隶山西大同府，雍正七年（1729 年）改属山西朔平府。乾隆元年（1736 年）增设协理、通判。一驻归化城，一驻昆都仑。同时增设清水河、托克托、和林格尔三个协理通判。乾隆四年（1739 年），增设萨拉齐、善岱二协理通判。乾隆六年（1741 年），设"山西总理旗民蒙古事务分巡归绥兵备道兼管归化城等处税驿"（清代山西有四个道，济宁道、河东道、雁门道、归绥兵备道），即归绥兵备道，隶属于山西巡抚管辖。原设归化城同知、二协理通判以及萨拉齐等地五协理通判由归绥道管辖。乾隆二十五年（1760 年），把善岱并入萨拉齐，归、萨、和、托、清改为理事厅。光绪十年（1884 年），设两个抚民理事同知（包括原已改的萨拉齐抚民理事同知和新改的归化城抚民理事同知），四个抚民通判（改清水河、托克托、和林格尔理事通判，丰镇厅和宁远厅改属归绥道管辖），形成口外七厅。光绪二十九年（1903 年），增设武川、兴和、五原、陶林厅，三十年（1904 年）增设东胜厅，至此归绥道辖内便有了十二厅。

　　归绥兵备道道府官员有责任对辖区农业收成进行统计;② 按时征解地租银、押荒银及生息银两；及时查核灾情并进行施救；督察核转所属各厅的一切刑名、钱谷及丈量开垦旗庄牧地、仓廒积贮、官兵俸饷、解征草束、③ 运送军需以及蒙汉佃田租息、修筑工程等项。④

　　总之，清代归化城土默特两翼财政管理机构的设置具有如下特点：

朝廷高度重视地方财政的掌控　清廷在本地区先后设立三种不同级别的财政管理机构，各有自己的管辖范围和收支监控机制。但一些重大财政问题还要三大机构会同作出最终决策。同时，突出满族统治者的利益。归

---

　　① 黄丽生：《由军事征掠到城市贸易：内蒙古归绥的社会经济变迁》，国立台湾师范大学历史研究所印行 1996 年版，第 334 页。

　　② 呼和浩特市土默特左旗档案馆档案，80—7—8。

　　③ 马草以十五斤为一束。

　　④ 土默特左旗编委会：《土默特志》上卷，内蒙古人民出版社 1997 年版，第 547 页。

化城土默特地区所设三种机构，论品级将军是清廷派驻绥远地区的最高军政长官，正一品，归化城副都统是从一品，主要管理土默特蒙民事务。归绥兵备道的道台，是管理各厅汉民事务和指挥绿营兵。[①] 但无论是哪一级别的官员，多数是满族人。绥远城自康熙三十二年（1693年）至宣统二年（1910年）止，历任将军以及从康熙三十三年（1694年）至宣统元年（1909年）止，历任归化城副都统中近90%是满族人。这充分显示了清廷直接管辖内属旗的特点。

中央政府不仅分享部分财权，甚至直接参与地方财政分配 如牲畜记档税，起初由土默特人直接管理和征收，后来由朝廷所派理藩院章京专门管理，最后把牲畜记档税列为国家正项收入。

副都统衙门与将军、道厅衙门之间的关系复杂 绥远城将军直隶于朝廷，是代表朝廷在归化城土默特地区进行统治的最高军政长官，其权限远在土默特两翼和道厅之上。归化城副都统受将军节制，而道厅隶属于山西巡抚，与土默特两翼互不相属。但作为当地管理机构，也有相互担当的一面。重大民事、刑事案件必须会审，[②] 同时道厅还代替土默特两翼催收有关赋税。[③] 该地区发生灾情由厅查核，对灾害指数进行估算，与旗员共同出借当地仓储的粮谷，造入仓粮奏销册内并知照绥远城将军。[④]

由上述特点可知，清代归化城土默特地区的财政管理机构是高度中央集权的，机构设置的重点是为了严密监控地方财政，以达到既保证统治者的利益，又不使地方财政陷入危机的目的。

（二）财政管理制度

财政管理制度是指国家为规范财政分配关系，在财政收支管理活动方面制定的法令、条例和施行办法的总称。它是指导和制约财政分配活动的依据和准则。归化城土默特财政体系随着它的多元政治体系而形成内地与

---

① 荣祥、荣赓麟：《土默特沿革》（征求意见稿），内蒙古土默特左旗文化局编辑1981年版，第285页。

② 高赓恩：《土默特旗志》卷7，《政典考》，《民族古籍与蒙古文化》，总第1—2期，呼和浩特市民族事务委员会2001年版，第48页。

③ 郑裕孚：《归绥县志》，《经政志·赋役》，1931年铅印本。

④ 呼和浩特市土默特左旗档案馆档案，80—6—64。

外藩以及内属诸旗之间不同的地区财政体系。它是由奏销制度为核心的田赋征收、考成、库仓、交代等一系列财政管理制度来实现其财政运作。

钱粮奏销制度 亦称"四柱清册"或"四柱奏销册"，是地方政府及其有关部门按"四柱"格式会计记账之用的会计报告表册，以此达到朝廷对各省财政收支预决算实行有效监控。关于归化城土默特地区的奏销案，最早的文献记载为，"雍正六年（1728年）议准，归化城征收贸易马畜税银，自康熙五十四年（1715年）经议政大臣议复，令归化三站每季买马十五匹，备用军需。俟告竣之时将用过税银核实报销。计自康熙五十五年（1716年）至雍正二年（1724年）共买过马三百有七匹，共用过银两千二百七十八两有奇，合算相符，准予题销"。① 此后至终清之世未变。当时的钱粮奏销册的编制和报送程序是：各省布政使司于规定期限前，令所属机关先造奏销草册②呈送，由布政使司核造总册，分别起运、存留、拨用、余剩各款，送该省督抚（或将军）复核后，送达户部。③ 并按照"四柱"格式申报理藩院或户部（兵部），理藩院或户部（兵部）核对无误后，发回照造。

同时，为了保证奏销制度的执行以及财政预算、决算的按时进行，对延缓奏销时间之官员进行处罚。如"凡年终报部核销事宜应当预先核计，务赶十一月内报文到部，毋致延缓。如以顺便至十二月底，具文到部者，务将该承办之官提参"。④ 从而保证了赋税的按时完纳，一定程度上杜绝了延缓、拖欠、累加税款的现象。综上所述，不难看出，在土默特财政管理制度中奏销制度具有其完备性和规范性，已显现出其"预算"色彩，并体现了清廷对土默特地区财政收支的控制程度。

田赋征收制度 亦称"上下忙"，即一年两度忙于催征地丁钱粮。由于各省气候条件、地理环境不同，上忙、下忙的时期也各不相同，其中"奉天、直隶、山东、山西、河南、安徽、江西、浙江、湖南、甘肃、广

---

① （光绪）《大清会典实例》卷988，《理藩院·赋税》。
② （光绪）《大清会典事例》卷177，《户部·田赋·奏销》记载，为了钱粮支出安排的便利起见，要求各省在正式奏销前，"先造草册一本"。
③ 呼和浩特市土默特左旗档案馆档案，80—27—320。
④ 呼和浩特市土默特左旗档案馆档案，80—6—355。

西各省，每年由二月初至五月末为上忙，由八月初至十二月末为下忙。但暇月之六、七、正月三个月中，人民之愿纳税者，予以便利"。①

按照规定，田赋征收官员在春播和秋成时，对田禾实在收成分数进行查核，据实造报，具文申送。② 若"官员造报各项文册，遗漏重开，数目舛错，或多开少报，遗漏职名者，罚俸三月。该管官未经查出，据册转报者，罚俸一月"。③ 当局不仅要求对收成分数采取官民甘结的方式，而且把田赋的征收与地方官员的升、停、罚、降等密切联系，形成了严格的考核制度。当然因水、旱等灾害而粮食连年歉收，若令当年尽获尽交，则蒙古等受苦，乃分为二份，"交纳二年所欠，着一年作为一半"④ 的情况也有，从而田赋考成制度遇非常之年则难以落实。但足以证明，朝廷对田赋收入的重视程度。

库仓制度　库为存储征解备支钱两、物资的处所。本地区库即旗库（银库）；仓即粮仓，内分常平仓、义仓等。"银库所储银两项有房地租银、煤炭税银、以备春秋祭祀、将军〔副〕都统廉俸、官学膏（奖）〔火〕及修补军械、操演公费、缮书、铺司台站差使工食、一切赏恤之用。膏（奖）〔火〕、操演变而学费矣。其他源流待给，尚可问诸管钥之司乎"。⑤ 可见，当初库仓储存物资很丰富。

归化城土默特旗务衙门银库事务在乾隆二十七年（1762 年）前由"交该司翼长、章京等兼管"⑥ 外，还包括缮书及看守各员参与管理。⑦ 户司对两翼收入与支出各项钱文，逐项咨文银库，对每一项银两入库、出库均要严格按照规定动支，并对库存银两的余裕与不足及时移文上报，催取应入库之所欠银两，保障各项支给要务。⑧ 若掌管不利就会层层追究责

①　吴兆莘：《中国税制史》第 2 辑下册，上海书店 1984 年版，第 28 页。
②　呼和浩特市土默特左旗档案馆档案，80—7—2。
③　（光绪）《大清会典事例》卷 177，《户部·田赋·奏销》。
④　呼和浩特市土默特左旗档案馆档案，80—30—25。
⑤　高赓恩：《土默特旗志》卷 4，《守法》，《民族古籍与蒙古文化》总第 1—2 期，呼和浩特市民族事务委员会 2001 年版，第 243 页。
⑥　呼和浩特市土默特左旗档案馆档案，80—25—120。
⑦　呼和浩特市土默特左旗档案馆档案，80—6—185。
⑧　呼和浩特市土默特左旗档案馆档案，80—26—114。

任，进行处罚。

清代前期归化城土默特财政收支的基本内容，所有出入款项由征收者交予户司，经户司缮稿或核实后，交到银库，银库管理者对完纳者出具接收凭证，对欠交者或与原额有出入者等，由库咨文户司，户司核实后报院或催征。所有银两收支至年终由户司会同管库官员，详细核算呈报。这样使所有账目有凭有据，既保障了财政收支管理的完整性，又杜绝了管理混乱而财源流失的弊端，也为报送地方奏销清册提供最原始、翔实的数据。库仓管理的专门化和收支管理的严谨化，从现金流动上有效地控制了财政运行的过程。

当时归化城土默特地区粮仓①有严格的出纳、稽核制度，即所储官粮征收入库时，户司委派佐领、骁骑校等官员监督缴纳；要翔实记录粮仓中的旧管、新收米、粮之数；本年由仓支用、借给米、粮之数；现实余存仓之米、粮之数等分造清册交予旗务衙门，由归化城都统（或副都统）亲自复行核查，若相符，将司呈之分造清册一并交付骁骑校等呈送大院（理藩院）和户部，照例销算。② 同时，每年吐故纳新（或出旧入新）、存七支三（因怕受潮发霉对所储粮谷留仓七份，以备使用，支出三份借给众人），催征所借给粮米和移文所储存粮谷的动用情况、存储状况，是否增加储备等项进行告知。这种库仓制度是建立在没有财政后备基础之上，基本适应了应对临时性调度、赈济的需要。

交代制度 为了保证钱粮管理的真实性以及避免库存银粮隐匿亏空的弊端，设立了交代制度。对此，规定："各省藩司库银屡以亏空见告。应于每年奏销时该抚将新旧存库银两清查一次，如无亏空，于奏销本内保题。尚保题之内仍有查出亏空者，将巡抚照交鉴例治罪。又各州县官亏空钱粮，往往于去任之后，始得发觉。"③ 因此，规定接任和离任官员之间对管辖内库仓账册、现银以及财物进行交接，如有前任官员的账与实不

---

① ［俄］波兹德涅耶夫：《蒙古及蒙古人》第 2 卷，刘汉明等译，内蒙古人民出版社 1983 年版，第 115 页。

② 呼和浩特市土默特左旗档案馆档案，80—22—29。

③ 《清圣祖实录》卷 140，康熙二十八年三月戊子条。

符，就要分担追查的责任。在交代过程中若发现大量的库亏案件，上报户部，户部行文山西巡抚、绥远城将军、归化城副都统后，各派委员会同查明，将亏欠款项严饬勒限追补。若前任已故，由其家属设法弥补。① 这使以备非常之需的银粮有了保障，一定程度上杜绝了官员贪污挪用行为。

除上述制度之外，清廷的财政管理制度还包括解协饷制度。它是朝廷对全国财政资源进行控制和分配的中心环节，是实现全国财政收支平衡的主要手段。清代，归化城土默特相关资料中未见到解协饷项，其原因，首先是因为归化城土默特要满足当地驻军粮饷之需；其次是绥远城将军、归化城都统、副都统春秋两季官俸和养廉银以及本衙门各官员的俸外津贴，均由旗库给领。所以本地必须从岁入中保留相当数额来满足这些经费的需要。

清廷对归化城土默特地区财政资源的控制和分配是在高度中央集权的财务管理体系下，通过以上相互关联的各项制度的落实以及财权的层层分解、相互制约和朝廷直接干预当地财政，如收回对当地收入影响最大的牲畜记档税征收权，变为朝廷额定拨款；对煤炭税收进行三七分成等来实现的。

（三）财政收支

据现有文献史料，归化城土默特两翼在康熙朝以前未留下财政收支记录，"自康熙四十二年始有案可稽"，② 即该地区有了关于贸易马畜税的财政收支记载。而更翔实的记录始于雍正末年至乾隆初年。在此之前是以朝贡的形式向朝廷缴纳一定数额的土特产。"国初定，归化城土默特二旗，每年四季贡马百匹，缎百匹。顺治二年题准，归化城土默特二旗，四季贡马百六十三匹，免其贡缎。十四年题准，归化城土默特二旗，每年贡石青二千斤。"康熙"四十年，停止归化城土默特进贡石青"。③ "乾隆三十四年，停马贡。四十年停石青贡。"④ 就是说，到"乾隆三十四、四十等年，诏罢之，以恤

① "蒙古联合自治政府"巴彦塔拉盟公署：《蒙古联合自治政府巴彦塔拉盟史资料集成——土默特特别旗之部》（蒙、汉、满三种文）第1辑，1942年版，第336页。
② （光绪）《大清会典事例》卷980，《理藩院·赋税·归化城等处税银》。
③ （光绪）《大清会典事例》卷986，《理藩院·贡献·内札萨克贡物》。
④ 张穆：《蒙古游牧记》，同治年间祁氏刊本，第56页。

藩臣。无他贡"。① 然而，代替朝贡的则是更为繁重的各种赋税。

财政收入 财政收入是财政研究的重要内容之一。根据清代归化城土默特地区的赋税实际，可分为田赋、牲畜记档税、杂税、耗羡等几种。

田赋收入 田赋历来是各地财政收入的大宗，旧时对土地所征收之税称田赋，亦称地丁或钱粮。清代归化城土默特地区的田制比较复杂，有庄头地，公主地，代买米地等②的多种土地占有形式。所以，依其所有权划分为官田、民田等名目，并进行具体分析。

官田及其收入 官田是指不征赋而令纳租的田，③ 在各类官田中耤田、十五沟地、沙拉木楞地、聚宝庄地、六成地以及历年入官地，其收入属于土默特财政。

耤田地亦做藉田或祭祀田，位于先农坛周围之地亩，出租后每年由副都统衙门派员征收实物地租，卖粮得银（约三十两）存库，供先农坛祭品之费。该地区先农坛于"雍正五年（1727 年），经归化城都统丹津具奏奉旨于城东三里许建修……周围耤田，地五顷"④。其收支记录，据归化城副都统衙门档案"该都统来文称，于雍正六年（1728 年）起至十一年（1733 年）止，又以雍正十二年（1734 年）起至乾隆三年（1738 年）止，耤田之所收粮食及其卖出所得银差额很大，其中必有以中取利隐瞒之弊端"。⑤ 因此，耤田征收地租之最晚也应从雍正六年开始，并规定每五年汇总报理藩院核销。虽然定为年收租银 30 两，但由于自然气候条件等的影响，耤田地租收入远远低于额定数。如乾隆四年（1739 年）至乾隆十三年（1748 年）年均最高 3 两，最低 1 两 6 钱。⑥ 清末耤田地租收入有所增长，如光绪三十三年（1907 年）额征耤田地租 36.31 两，实征 33.8 两。⑦

---

① 高赓恩：《土默特旗志》卷 4，《守法》，《民族古籍与蒙古文化》总第 1—2 期，呼和浩特市民族事务委员会 2001 年版，第 242 页。

② 《土默特旗志》卷 4，《赋税附输田》，《民族古籍与蒙古文化》总第 1—2 期，呼和浩特市民族事务委员会 2000 年版。

③ ［日］田山茂：《清代蒙古社会制度》，商务印书馆 1987 年版。

④ 高赓恩：《土默特旗志》卷 6，《祀典附召庙》，《民族古籍与蒙古文化》总第 1—2 期，呼和浩特市民族事务委员会 2001 年版，第 254 页。

⑤ 呼和浩特市土默特左旗档案馆档案，80—25—51。

⑥ 呼和浩特市土默特左旗档案馆档案，80—25—51。

⑦ 呼和浩特市土默特左旗档案馆档案，80—6—887。

十五沟地地租即大青山十五沟地租。大青山十五沟指的是东哈尔吉勒沟、恩都喇嘛沟、查汉不浪沟、波尔克素泰（太）沟、色尔登沟、蜈蚣坝沟、东西猪儿沟、忽寨沟、克力库沟、水磨沟、豪赖沟、白石头沟、千树背沟、五道沟、乌兰图亥村、黑牛沟（含蒙清坝沟、东梨树沟）等十五沟。虽然朝廷早已颁布禁垦政策，但涌入土默特地区的民人不断增多。民人到沟壑地区进行私垦，不仅可以逃脱禁垦令，又可获垦种之利。然而自乾隆二十六年（1761年）开始，收取该地区私垦民人之地租。乾隆二十六年（1762年1月13日）十二月癸未，"户部议准山西巡抚鄂弼奏，大青山十五沟，垦熟地四百四十三顷七十五亩零。请每年编征粟米，拨充绥远城满营兵粮，从之"①。"乾隆二十六年（1761年）奏放大青山十五道沟官地四百四十三顷七十五亩，年征银一千三百余两"②。从此，收取十五道沟地租成为定例。在乾隆年间大青山十五沟官地1顷纳米2.9石，1石米折银1两基本保持未变。但种地面积却在三十年（1761—1792年）间减少了126.765亩，居民户数减少70户，人口减少268口。自乾隆三十七年（1772年）起，遵照绥远城将军诺隆奏定章程，十五沟地地租除了拨充绥远城满营官兵食米之外，还用于无地亩可种之纳音保等应交米160仓石的代买银两和旗务衙门杂项公费。由于历年报退荒芜，到清末十五沟承种地亩仅为168顷余。

翁衮岭③等处零星官地，包括翁衮岭北闲荒官地十七犋、翁衮岭北色尔腾等处私开地亩及拉嘛札布等名下入官地二十二犋、胡芦图地处农田五犁等。翁衮达坝（翁果达坝）或翁衮岭或吴公坝，包括与大青山十五沟地接壤连埝的水泉子等村民人承种之十七犋公田，即"雍正十三年（1735年）民种十七犋牛地一段。"④ 据查，从乾隆五年（1740年）始，由军机处、绥远城将军、归化城旗总管臣等上奏，将十七犁公田内每犁地租做三两收租，由归化城同知催解用于薪饷。⑤ 十七犋牛地的收租时间据归化城副都统衙门

---

① 《清高宗实录》卷651，乾隆二十六年十二月癸未条。

② 高赓恩：《土默特旗志》卷5，《赋役》，《民族古籍与蒙古文化》总第1—2期，呼和浩特市民族事务委员会2001年版，第252页。

③ 郑裕孚：《归绥县志》，《经政志·赋役》，1934年铅印本。

④ ［日］安斋库治：《清末绥远开垦》，《满铁调查月报》19—1。

⑤ 呼和浩特市土默特左旗档案馆档案，80—30—77。

档案，应是乾隆五年（1740 年），而不是《土默特志》之财政志所说的
1762 年即乾隆二十七年。① 十七犁或十七犋农田面积，据副都统衙门档案，
以三顷作为一犁，② 而有时二百亩为一犋。③ 以犁为单位似更贴切些。据现
有资料，从乾隆十年（1745 年）开始每年征租五十一两，直至清末基本
未变。关于十七犁农田即翁衮岭北十七犁农田的地租每亩只征一分，而接
壤连埂之十五沟地农田，每亩征租三分之原由，是因十五沟地种地民人呈
请退田不种者多，如若租银提高将来以致纷纷退地，反而不利于粮饷
所为。

翁衮岭北色尔腾等处私开地亩及拉麻札布等名下入官地二十二犋，从乾
隆三十七年（1772 年）起，每年征租银八十两，入于记档银两项下公用。④
胡芦图地处农田五犁，即"遵照台吉杜尔满上奏部署上交，在胡芦图地处
有农田五犁应交乾隆二十七年（1762 年）度租金，由和林格尔界同判处送
来银三十两"。⑤ 该时段官田收入共约 1 500 两，其中入于公费需用的约
600 两。

民田及其收入 土默特地区的民田主要包括蒙丁地、土默特蒙古户口
地、小粮地、鳏寡孤独地以及历年移民或私人开垦的农田。民田依据土地肥
瘠和产物丰歉分为三等九则，按不同等则以及自然、历史等原因收取不同的
租税。

蒙丁地系土默特蒙古户口地的前身。蒙丁地的划拨，文献资料中并没有
明确的记载。"顺治七年（1650 年）定，外藩蒙古，每十五丁，给地广一里，
纵二十里。"⑥ 矢野仁一怀疑此项记载的真实性，而田山茂认为它有一定的可
靠性，同时主张此种定例并不普遍，但至少在部分地方曾经实施过。⑦ 而土默

① 土默特左旗编委会：《土默特志》上卷，《财政志》，内蒙古人民出版社 1997 年版，第 600 页。
② 呼和浩特市土默特左旗档案馆档案，80—30—77。
③ 呼和浩特市土默特左旗档案馆档案，80—24—7。
④ 土默特左旗编委会：《土默特志》上卷，《财政志》，内蒙古人民出版社 1997 年版，第 599 页。
⑤ 呼和浩特市土默特左旗档案馆档案，80—24—41。
⑥ （光绪）《大清会典例》卷 979，《理藩院·耕种地亩》。
⑦ ［日］田山茂：《清代蒙古社会制度》，潘世宪译，商务印书馆 1987 年版，第 170—171 页。而
"蒙古联合自治政府"巴彦塔拉盟公署：《蒙古联合自治政府巴彦塔拉盟史资料集成——土默特特别旗之
部》第 1 辑，第 350 页记载："前经顺治康熙年间未曾拟拨饷糈。"

特两翼最早的土地划拨时间应在康熙年间，即在康熙三十一年（1692 年）设立外藩蒙古各驿站，接着划拨了庄头地、① 公主地②的同期或之后，在此之前的文献资料中未曾见到不同的地名称呼。

起初土默特兵丁依赖畜牧可当差并养赡家口，但由于牧场垦殖面积的扩大而导致畜牧草场的日渐缩小，直接影响了土默特兵丁出征打仗。在弁兵无俸饷，马皆自备的情况下，继续让土默特蒙丁出征打仗，就必须保证其能有起码的牧场，这是解决其后顾之忧的物质条件。因此，在大面积开垦牧场的同时，以"每兵一名，种地一（项）［顷］，官弁递增"的标准分配蒙丁地。③ 雍正十二年（1734 年），归化城土默特户司编制的原拨户口地亩清册就是这次蒙丁地的档册。④ 蒙丁所得户口地亩"如同驻防官兵钱粮"，朝廷发拨户口地的目的只是使他们得有"养赡之资"。但实际情况是蒙丁"因不谙播种，租典与民，跟牧收租，以资当差养赡者十之八九"，⑤"始则蒙与民私立约据，继则民与民私立约据，一地数约，一约数主，而蒙户年久迷失，既失其地，又失其租"。⑥ 加上蒙古人原来没有亩、垧、顷等面积单位的概念，乃不计顷亩，只记牛犋，一牛一犁，每年不论耕种多少，交租金白银三两。结果牧地日消，穷苦的蒙古牧民无地耕牧，有的已沦为赤贫。⑦ 以靠畜养家糊口的局面一去不复返，给当地产业结构和牧民生活带来了重大变化。这不仅涉及本地区的经济结构变更问题，同时已危及不善于经营农业的土默特蒙古的生计问题。

户口地即乾隆八年（1743 年）始，对土默特两翼无地少地之贫困人户所分配的地亩。乾隆七年（1742 年）山西巡抚喀尔吉善、归化城都统吉当阿等奏请："现查得二旗开垦田亩共十万顷。其中地多之户即可生存酌情通

---

① 乌仁其其格：《18—20 世纪初归化城土默特财政研究》，民族出版社 2008 年版，第 80 页。

② 康熙三十六年（1697 年），康熙皇帝把第六女和硕恪靖公主下嫁给土谢图汗部察珲多尔济汗的孙子敦多布多尔济郡王。清廷以"效纳"之名从土默特牧地内划出 483 顷 75 亩地作为公主的汤沐地。

③ 高赓恩：《土默特旗志》卷 9，《职官》，《民族古籍与蒙古文化》总第 1—2 期，呼和浩特市民族事务委员会 2001 年版，第 271 页。

④ 呼和浩特市土默特左旗档案馆档案，80—47—52。

⑤ 《钦差垦务大臣》全宗第 150 卷，《内蒙古史志资料选编》第 1 辑下册，第 191 页。

⑥ 《钦差垦务大臣》全宗第 150 卷，《内蒙古史志资料选编》第 1 辑下册，第 192 页。

⑦ 《钦差垦务大臣》全宗第 150 卷，《内蒙古史志资料选编》第 1 辑下册，第 192 页。

融抽出五千顷。今查报家口众多地亩匮乏难以生活及毫无地亩之贫困蒙古、沙比纳尔等共一千五百户，每户一口以上七八口以下不等，共四千余口，即将此项通融抽出地亩按口均分耕种，足以立业为生。其占有多余地亩之蒙古仍有九万五千顷地亩，于差使生计无所损失"。① 得到朝廷允准后，从乾隆八年（1743 年）开始对土默特两翼耕地进行整顿。这次分配的土地来源于田地多余之人的土地(42 800 顷有奇，内酌情拨出 4 633 顷 12 亩）和逐年收回的典出地亩，按人均一顷分给实无地亩（将拨出之 4 633 顷按人口分给）及人多地少之蒙古（将年满撤出之地亩均匀分给），作为永业。此项工作从乾隆八年（1743 年）开始，延续到乾隆十八年（1753 年）基本分配完毕，并改变土默特耕地"无档册可稽"之习惯，命"臣吉当阿等将各牛录、各寺喇嘛、沙比纳尔之耕地实数、贫穷蒙古等之人口实数查明，分别办理造册具报户部、理藩院注册"。② 因按人口均分的土地，故称"户口地"亦叫"穷苦蒙古地"。从其称谓上也可看出，它是解决土默特蒙古的穷困而采取的一项措施。但由于当差紧急、生计所迫等原因，土默特蒙古不顾"严加传谕蒙古民人，嗣后永禁典卖地亩，若有私行典卖者将卖主买主俱从重治罪地亩入官"③ 之规定，继续出典户口地亩，致使此次分配土地并未扭转土默特蒙古贫困化趋势。紧接着在乾隆年间又进行两次调整土地。一次是乾隆三十五年（1770 年）清查草场地亩，"将偷开的草场地撤回，分给土默特两旗穷苦蒙古永远为产"。一次是乾隆三十八年（1773 年），"将撤出之典押地亩一千一百三十九顷六亩八分五厘，依少地沙比纳尔、二旗家境贫寒、少地人等住地远近，按每户三两租银计，平均分给"。④ 鉴于乾隆八年（1743年）的土地分配效果，这次只是把地租分给穷苦蒙古，而不是分配土地，即这些土地只是名义上属于穷苦蒙古。

蒙丁地是按兵丁人数分配的土地，而户口地是按人口数平均分配的土地，是土默特土地制度的最基本形式。无论蒙丁地还是户口地都属于国家所

---

① 呼和浩特市土默特左旗档案馆档案，80—24—18。
② 呼和浩特市土默特左旗档案馆档案，80—24—28。
③ 呼和浩特市土默特左旗档案馆档案，80—24—28。
④ 土默特左旗编委会：《土默特志》上卷，《土地与垦殖志》，内蒙古人民出版社 1997 年版，第148 页。

有，兵丁及蒙古只有使用权，若出现绝户等情况，土地收回归公。

鳏寡孤独地是清代归化城土默特地区特有的土地所有制形式。在"乾隆三十七年（1772 年）正月十八日准，理藩院咨文内开，据署山西巡抚朱贵奏称，前分给土默特无地贫苦蒙古之永业田内，贫苦蒙古人等已陆续典出地共一百九十八顷六十八亩。……将原典之地一百九十八顷六十八亩，抽出租给他人耕种，所得租银三百一十八两一钱三分五厘，从中土默特二旗各甲喇、牛录查核具保，实有鳏寡孤独共二百六十四人。每人一两二钱计，共赏给银三百一十六两八钱"[1]。据此，土默特鳏寡孤独者的养赡起始于乾隆三十七年（1772 年），而不是乾隆四十二年（1777 年）[2]。鳏寡孤独者的耕种面积和租税收入是固定的，地租由土默特两翼自收一部分外，每年由各该厅代征，[3] 解交至归化城副都统衙门。按人均赏赐给鳏寡孤独人等，所剩银两如数存库，年终将鳏寡孤独蒙古人等的花名册、地亩数、银两数、剩余银数等造具清册与记档银两开销事宜一同报院，照例查核销算。鳏寡孤独地亩的固定化和鳏寡孤独者人数的动态性，决定了该项地租收入历年的剩余额与收入超出部分基本持平。在耕地面积因河水淹没、淤沙不可耕种等原因而不能保持土地收入稳定性[4]的情况下，不增加地租收入而又能满足鳏寡孤独者的养赡问题，唯一的办法就是以减少鳏寡孤独者人均所得银两来解决问题。其结果是鳏寡孤独者的实际养赡意义的淡化。

鳏寡孤独者的土地名义上是"赏给该处鳏寡孤独，作为养赡之资"，[5]但实际上是公有土地，[6] 只是收取租税分给蒙古。

买米地即小粮地。归化城土默特两翼六十二佐领，每佐领每年必须缴纳

①　呼和浩特市土默特左旗档案馆档案，80—24—59。

②　高赓恩：《土默特旗志》卷 4，《赋税附输田》，《民族古籍与蒙古文化》总第 1—2 期，呼和浩特市民族事务委员会 2001 年版，第 252 页。

③　归化厅同知经征鳏寡孤独地 58 顷 92 亩，每亩征银 2 厘 5 毫至四五六分及 1 钱 6 分不等，共征银 74 两 1 分 3 厘。详见郑裕孚：《归绥县志》，《经政志·赋役记》，1934 年铅印本。

④　呼和浩特市土默特左旗档案馆档案，80—26—74。

⑤　高赓恩：《土默特旗志》卷 7，《政典考》，《民族古籍与蒙古文化》总第 1—2 期，呼和浩特市民族事务委员会 2001 年版，第 264 页。

⑥　[日] 田山茂：《清代蒙古社会制度》，潘世宪译，商务印书馆 1987 年版，第 179 页。

米粮五十石，共额交米三千五十石①，存贮绥远城丰裕仓，以充驻防官兵口粮之糈。这是土默特蒙古获得恩赏土地之后，必须履行的义务。其起始时间未见明确记载，但应该是绥远城驻防的同时，即乾隆四年（1739 年）。但是由于穷苦蒙古人数的不断增多以及连年的自然灾害，使足额交出官粮越来越困难，粮仓额定粮米没有了保证。② 此后的乾隆六年（1741 年）、九年（1744 年）、十二年（1747 年）、十四年（1749 年）、十八年（1753 年）等年份都有不同程度的欠交粮米。虽然有些年份绥远城仓粮米储量达 10 万余石，足够两年之兵米需要，但是其他官粮来源也出现不足。于是，乾隆三十六年（1771 年），绥远城将军诺伦、副都统伯成等奏称：将土默特两旗所种二千七百三十三顷六十六亩的田地内，抽出一千五百九十三顷九十八亩地，交付该同知，将每年所得租银三千五百两，照数完纳，买米交库。经理藩院议复，可种地亩二千七百三十三顷六十亩，择其靠近蒙古之地亩，匀给无地沙比纳尔、土默特二旗众蒙古及家境贫寒少地人等，以为永业。其余地亩，令其缴纳租银，买足蒙古等每年缴纳米石之额，饬缴地方官员收租缴旗库，将众蒙古每年应缴米石，替之买齐完纳。③ 这是把土默特蒙古应缴地租，以更加有保障的形式租出，收取货币地租，由归化城同知处催征送旗务衙门，替土默特蒙古买米缴库。此项替众蒙古购买缴纳米粮之地亩皆在归、萨、和、托、清五厅之中，由五厅催征，按时价购米缴仓。其征租银两自乾隆三十七年（1772 年）以来，由归化城厅征收二年，但因地亩散在各厅，各厅所属草场地亩距归化城有一百四五十里到二百八九十里不等的距离，对征收官员及地户都不便，于是从乾隆三十九年（1774 年）开始，令将新放土默特草场地亩租银就近各归各厅征收，解缴归化城厅，备解都统大人衙门查收。而且苏波罗盖村私垦草场地亩租银一百两四钱，换给包图村民人张海等原代土默特蒙古交粮之地亩，被黄河水淹没地三百八十六顷四十四亩，原征租银七百八十八两。……换给哈郎贵等沟地二百九十三顷四亩，共征租银八

---

① 土默特两翼共 62 佐领，应共交 3 100 石，喇嘛札布因功封头等台吉后，清廷准其所请，停所属佐领应交仓米，用于该佐所需，两翼实交 3 050 石。

② 呼和浩特市土默特左旗档案馆档案，80—30—25。

③ 呼和浩特市土默特左旗档案馆档案，80—30—97。

百两六钱。① 前后两项差额之租银十八两亦列入买米之项。三项共银三千六百二十二两，均用于替土默特蒙古等买米交仓。到乾隆四十二年（1777年），停止土默特官员采买，并仓廒饬交归化城厅采买并管理，② 接纳归化城同知所收租银，按时价仅以三千六百二十二两银计，尽皆买米入仓。

代买米地是从土默特蒙古户口地变更而来的，其所有权属于朝廷，③ 种地人等只有使用权。

土默特地区民田收入共约 4 000 两，用于鳏寡孤独者的养赡以及购买绥远城官兵口米。

牲畜记档税 亦称交易记档税。交易记档税是清代归化城土默特两翼主要财政收入之一。清代土默特地区商业贸易自康雍年间萌芽，乾隆年间繁盛，其中交易记档税是归化城土默特地区最早开征的交易税种。"归化城地处有四种买卖牲畜登记，是专为检查防贩盗卖，为此蒙古人遵照年久。"④ 其征税自康熙四十二年（1703 年）始有案可稽。主要交易对象是马、牛、骡、驴及绵羊、山羊。由土默特户司所派员记档管理，每价银一两抽制钱八文，所征收记档钱文，交储土默特旗库，以资公费，按年报理藩院核销。自康熙五十五年（1716 年）至雍正二年（1724 年），共买过马三百有七匹，共收过银二千二百七十八两有奇。⑤ 当时的归化城四项牲畜交易已比较规范，不同牲畜所收的税率也不同。骆驼每峰征制钱九十五文；马、牛、骡、驴每畜收制钱十九文；绵羊、山羊每只收制钱五文，年征税额较丰富。从交易情况看，12 月至 1 月处于交易淡季，春节过后交易开始爬升，2 月和 6 月有个小高峰，4、5 月为农忙季节，交易量低，7、8、9、10 月份交易达到最高峰，从 11 月开始回落。⑥ 当时的牲畜价格情况看，骆驼一峰白银十九两，马、骡、驴一头匹白银九两五钱至七两四钱，牛一头七两八钱，绵羊、山羊

① 呼和浩特市土默特左旗档案馆档案，80—2—498。

② 呼和浩特市土默特左旗档案馆档案，80—6—89。

③ ［日］田山茂：《清代蒙古社会制度》，潘世宪译，商务印书馆 1987 年版，第 178 页。

④ 呼和浩特市土默特左旗档案馆档案，80—30—65。本文中交易记档税仅指四项牲畜交易所得税，不包括档案文献中所记载的记档钱文项：交易房屋、土地、人口等所得税。

⑤ （光绪）《大清会典事例》卷 980，《理藩院·赋税》。

⑥ 乌仁其其格：《18 世纪呼和浩特地区牲畜记档税》，《内蒙古社会科学》2007 年第 1 期。

一只九钱九分。① 据资料，归化城等地牲畜交易额呈逐年上升态势，如雍正十二年（1734 年）十一月起至十三年（1735 年）十月止，连同闰四月，归化城等地征收买卖牲畜记档银共 3 074 两；② 乾隆十年（1745 年）十一月至乾隆十一年（1746 年）十月止，连同闰三月，归化城等地征收买卖牲畜记档银共白银 4 949 两；③ 除此之外，还有公用、军用驼、马不征税。倘若清代前期记档税项下的买卖人口税，房屋、土地税，查获赌博者所得钱文，④ 查出私买牲畜者所得银两⑤等都包括进来的话，记档项税收入就更加可观了。

　　于是乾隆二十六年（1761 年），将原本土默特派员抽收的记档税，作为朝廷正额，统归杀虎口监督统辖，统一兼收牲畜税。所有经由此四处的驼马牛羊除进口外，若绕道趋赴他省售卖者，亦应一例征税。各项牲畜，每价银一两征制钱八文，归入正项收入。⑥ 至乾隆三十一年（1766 年），在归化城设立总局⑦以外，又在归化城与城之东西南北⑧设四个栅口，牛桥、马桥牲畜税局和毕克齐、察素齐、萨拉齐、托克托、和林格尔等分税局⑨，进一步扩大了税源。并在同年十月，由土默特副都统吉福条奏，蒙古各札萨克赶牲畜来城，杀虎口差人记档收税，但不通蒙古语言，遇有盗卖，无从稽查。于是朝廷派理藩院章京一员，驻归化城，管理牲畜记档税事务。⑩ 这样绥远城、归化城、和林格尔、托克托、萨拉齐、西包头、昆都仑、八十家子等处均设局抽收牲畜税钱。⑪ 乾隆三十四年（1769 年）朝廷决定，归化城关税

---

① 也有康熙五十七年（1718 年）夏，驼一峰 15 两，马两匹 100 两的特殊情况。"蒙古联合自治政府"巴彦塔拉盟公署：《蒙古联合自治政府巴彦塔拉盟史资料集成——土默特特别旗之部》（蒙、汉、满三种文）第 1 辑，第 34 页。

② 呼和浩特市土默特左旗档案馆档案，80—25—1。

③ 呼和浩特市土默特左旗档案馆档案，80—30—27。

④ 呼和浩特市土默特左旗档案馆档案，80—30—5。

⑤ 呼和浩特市土默特左旗档案馆档案，80—30—51。

⑥ （光绪）《大清会典事例》卷 980，《理藩院·赋税》。

⑦ 呼和浩特市土默特左旗档案馆档案，80—6—59。

⑧ 归化城东路设昆都仑麦代尔协理通判、归化城西路设托克托协理通判、归化城南路设和林格尔协理通判、归化城西北路设萨拉齐协理通判，按月申缴所属地区的牲畜记档税钱文。

⑨ 张曾：《古丰识略》卷 49，《课税 3》。

⑩ 绥远通志馆：《绥远通志稿》卷 36，《关税》，20 世纪 30 年代稿本。

⑪ 绥远通志馆：《绥远通志稿》卷 36，《关税》，20 世纪 30 年代稿本。

由山西巡抚兼辖，委派道府一员专司其事，按部则收税。乾隆三十六年（1771年），"归绥道恭安准山西布政使蒋兆奎转咨归化关奏，派归绥道兼税务，收数多寡不等，现奏定以乾隆三十五年（1770年）收数定额为准。按年比较计，每年额征缴落地杂税银一万五千两，牲畜税九千串，此外作为盈余。"① 牲畜记档税收入及征收权收回之后，清廷决定，每年归化城都统公费并兵丁操练演盘费银七千两，由所征牲畜税钱易银拨给，不敷由归绥道垫廉凑发。②

随着归化关税收体系的逐步完善，其税收量也有了较大的提高。如"乾隆三十四年（1769年）四月十三日起至次年四月十二日止，一年期内共收过牲畜税钱九千一百三十七千六百一十文，"③ 按时价平均每两银折钱850文，共 10 750 两 1 钱 2 分 9 厘。但土默特两翼，从牲畜记档项下定额拨得银仍旧 7 000 两，终清未变。

杂赋 亦称"杂征"、"杂税"，是对正税以外的其他税收的总称。杂赋或杂税，在清代财政收入分类中，包括课、租、税三种。

课，据《清律·户律·课程》注："课者，税务之钱。"④ 课包括矿课、盐课、茶课等。

矿课亦称"矿税"，是指政府对矿业开采所征收的税。清代归化城土默特地区的矿课主要为煤炭租税。关于煤矿税收入另文概述。⑤

盐课是指以盐为征收对象，从量定额征收的一种税。清代归化城地区民众食盐的主要来源为土盐。河西东素海台境内有第一段广袤十五六里至三里不等，地脉硗瘠不宜耕种，该处穷民扫土煮盐安有盐锅数十名……萨境兼辖前后鄂博德为卤乡，蒙汉人扫碱熬制形如粉，味淡且苦，乡民多食用，名为土化盐。⑥ 但是土盐质地欠佳，产地分散，不便管理，档案资料中只有禁止

---

①　高赓恩：《归绥道志》卷19，《杂税·盐法附》，内蒙古大学图书馆藏手抄本。
②　绥远通志馆：《绥远通志稿》卷36，《关税》，20世纪30年代稿本。
③　张曾：《古丰识略》卷40，《物部·税课》。
④　《财经大辞典》（下），中国财政经济出版社1990年版，第2030页。
⑤　乌仁其其格：《清代大青山各沟煤矿矿业概述》，《蒙古史研究》第9辑，内蒙古大学出版社2006年版。
⑥　高赓恩：《归绥道志》卷19，《杂税·盐法附》，内蒙古大学图书馆藏手抄本。

民人熬制土盐的记录，未见税收有关情况记载。

　　茶课是旧时对茶叶征收的一种产销税。土默特蒙古不论贫富皆喜欢砖茶，以砖茶通用，而且在当地砖茶毫无异于货币。① 砖茶有"二七"、"三九"（每片都是 2 公斤）、"二四"（每片 3.25 公斤）、"三六"（每片 1.5 公斤）四种不同规格。② 此外有一种被称为"千两茶"的"砖茶"。此种茶亦称木墩茶，即被压制成木墩状的茶，分一百两装和一千两装两种，百两装的叫"百两"茶，千两装的叫"千两"茶，此茶亦曾作为货币流行于内蒙古各地。清代归化城地区的砖茶消费主要以"二四"茶为主。"就在最多不过十年以前（即约 1883 年）这种砖茶在归化城的销量竟达四万箱。"③ 清代"盛京、直隶、河南、山东、山西、福建、广东、广西均不颁引，故无课。唯茶商到境，由经过关口输税，或略收落地税，附关税造销，或汇入杂税报部。此嘉庆前行茶事例也。""同治七年（1868 年），议准归化城商人贩茶至恰克图，假道俄边，前赴西洋各国通商，请领部照，比照张家口减半，令交银二十五两，每票不得过万二千斤。"④ 归化城土默特档案资料中，仅见到归化城作为与鄂尔多斯、乌里雅苏台、科布多茶叶行销的中转站，而未见征收茶课之信息。

　　租，即出租官房所征之租。如归化城、翁衮岭等处官房及入官铺面房等，均出赁民间，按年收取租银。土默特两翼在归化城征收房租最晚应在雍正十三年（1735 年），⑤ 是属于土默特正项收入，每年由户司派官二员征收，其应征、实征数必须报理藩院、户部核销，租户、铺户有报退、关闭者，也必须缮稿报院。⑥ 所出租的房屋包括归化城内外、翁衮岭等处、部分个人所献房屋，租住者的主要用途为做买卖、开饭庄、居住等。归化城地方

---

① 绥远通志馆：《绥远通志稿》卷 71，《民族·蒙族》，20 世纪 30 年代稿本。

② "二七"、"三九"砖茶销往西北各地，以包头为集散地，统称"西口茶"；"二四"、"三六"青砖茶销往内蒙古，并出口蒙古、俄罗斯等地，以张家口为集散地，称"东口茶"。

③ ［俄］波兹德涅耶夫：《蒙古及蒙古人》第 2 卷，刘汉明等译，内蒙古人民出版社 1983 年版，第 93 页。

④ 《清史稿》卷 124，《食货五·钱法·茶法·矿政》。

⑤ 土默特左旗编纂委员会：《土默特志》上卷，《财政志》，内蒙古人民出版社 1997 年版，第 596 页。

⑥ 呼和浩特市土默特左旗档案馆档案，80—25—120。

官房铺面租银，每月由管理库务官员征收记明。翁衮岭等地官房铺面租银，每年由户司派官二员征收。在房铺内有关、开者，由库员移文户司陈明月日后，由户司核实，依照旧例缮稿报院。据归化城副都统衙门档案，乾隆元年（1736 年）至五十九年（1794 年）的土默特两翼房租征收情况统计如下：

乾隆年间归化城土默特房租征收情况统计表

（单位：房/间，银/两）

年份	房铺位置	房铺间数	月计银两数	年共收租金	合计
乾隆元年（1736 年）	归化城、察玛哈克等地			487.158	487.158
乾隆五年（1740 年）	官署周围	官房铺 24 间		106.8	106.8
乾隆十年十一月至十一年十月（1745—1746 年）	归化城、翁衮岭等处			609.255	609.255
乾隆十一年（1746 年）	归化城等地	官房 23 间	8.4	109.2 补征去年房租 18.1	609.15
	归化城南门瓮城内	官房 5 间	2	26	
	归化城南门瓮城外	12 间	13.5	175.5	
	固鲁格之妻所献房	50 间	10.7	142.91	
	城南墙根处	临街店铺 22 间		95.5	
	翁衮岭北	民人私建房屋 492 间		41.895	
乾隆十三年十一月至十四年七月（1748—1749 年）	归化城南门瓮城内外	17 间	15.5	9 个月房租 139.5	139.5
乾隆十四年四至六月（1749 年）				3 个月房租 52.2 每月加收 800 钱	55.2
乾隆十四年八至十月（1749 年）	归化城南门瓮城内外	17 间	15.5	3 个月征房租 46.5	46.5

（续表）

年份	房铺位置	房铺间数	月计银两数	年共收租金	合计
乾隆十四年七月（1749年）	学校周围	官房35处，102间		17.4	17.4
乾隆十六年十月（1751年）	归化城、翁衮岭等处			571.945	571.945
乾隆二十七年（1762年）	归化城等处	官房27间	7.1	92.3	463.6
	归化城南门瓮城内	5间	2	26	
	归化城南门瓮城圈外	10间	11.3	146.9	
	固鲁格之妻所献房	46间	7.2	91.91	
	归化城南门城墙根处	店铺21间	8.15	105.95	
乾隆三十八年二月（1773年）	学校周围	官房铺167间		19.175	19.175
乾隆四十九年五月（1784年）	旗属附近	官店铺148间		45.27	45.27
乾隆五十八年十一月至五十九年十月（1793—1794年）	翁衮岭等处				685.175

资料来源：呼和浩特市土默特左旗档案馆：汉文财经类6目录、满文财政类钱粮项25目录、赋税项30目录等档案。

　　据乾隆年间的不完全统计，最好年份的房租收入为685两。房租收入的增减与房屋的地理位置、经济发展、社会稳定、人口流动等有着直接关系。

　　税，包括当税、牙税、契税、落地税等。当铺亦叫"典当"、"当店"、"押店"，当铺是以收取不动产作抵押进行放款的高利贷机构。当课税系当铺营业税，由当帖而生。清初顺治九年（1652年），制定当和铺税例，各当铺每年课银五两。康熙三年（1664年）规定当铺征税则例依等级每年征收银五两、四两、三两、二两五钱。雍正六年（1728年）始规定，当铺营业必须向政府领取准许营业的执照，即"当帖"并按年交税。在康熙年间，归化城土默特

"有恒升当，称盛一时"，在北门外牛桥。[1] 而据现有档案资料，归化城土默特地区最早在雍正十三年（1735 年）十月，由民人顾巡昌从归化城同知衙门领取开当铺执照，于本地开设长龙号当铺，[2] 起征当课税也是雍正十三年。[3] 当课的税率规定"征收归化城地方当铺税银，大当[4]每年税银各十二两，小当每年税银各六两，入于记档银两项下公用"，[5] 由归、萨、和、托、清五厅征收，再由归化城厅汇总转解归化城副都统衙门充作该衙门公费。本地当铺发展较快，从乾隆初年的 52 座发展到乾隆五十二年（1787 年）的 206 座，并分布在城乡村庄。乾隆年间土默特两翼当铺行的发展情况如下表。

乾隆年间归化城土默特各地当铺情况统计表

（单位：铺/座，银/两）

时　间	各厅当铺分布								全年总课税银两数	大小当铺数及当铺规模
	归化城	绥远城	各村庄	和林格尔	萨拉齐	托克托	清水河	合计		
乾隆四年（1739年）								74	456	其中大当铺2
乾隆五年（1740年）								74	456	大2、小72
乾隆十年（1745年）								79	486	大2 小77
乾隆十一年（1746 年）								82	498	大1 小81
乾隆十六年（1751 年）									756	
乾隆十八年（1753 年）								168	252	

---

① 土默特左旗编纂委员会：《土默特志》上卷，内蒙古人民出版社 1997 年版，第 313 页。

② 呼和浩特市土默特左旗档案馆档案，80—28—7。

③ 呼和浩特市土默特左旗档案馆档案，80—25—2。

④ 据清代归化城副都统衙门档案，归化城土默特两翼当铺经营规模看，有大当铺和小当铺之分。但是，以什么样的标准划分，从档案资料中很难得出结论。其分类应与经营者的资金规模，经营范围等有关。至清末，本地当铺行征收的当课税每座均六两，说明当铺规模普遍为小当铺。

⑤ （光绪）《理藩院则例》卷12，《征赋》。

（续表）

时　间	各厅当铺分布							合计	全年总课税银两数	大小当铺数及当铺规模
	归化城	绥远城	各村庄	和林格尔	萨拉齐	托克托	清水河			
乾隆二十七年（1762年）								148	888	
乾隆三十五年（1770年）	24	9	34	31	31	11	21	161	966	全部小当铺
乾隆四十三年（1778年）	22	9	39	29	37	12	26	174	1 044	
乾隆五十年（1785年）								179	1 074	全部小当铺
乾隆五十二年（1787年）	66	10		34	52	15	22	198	1 118	全部小当铺
乾隆五十六年（1791年）	78			33	56	18	21	206	1 236	全部小当铺
乾隆五十七年（1792年）	22	10		31	34	17	18	197	1 182	全部小当铺
乾隆六十年（1795年）									1 122	

资料来源：呼和浩特市土默特左旗档案馆：汉文财经类6目录、满文财政类钱粮项25目录、贸易项28目录、赋税项30目录档案。

　　整个乾隆年间当铺税率稳定不变，而当铺收入却有增长的趋势，即从乾隆初年的312两增加到乾隆六十年（1795年）的约1 200两。当铺经营者以民人为主，资本少。如长龙号的顾巡昌雍正十三年（1735年）十月开业，至乾隆三年（1738年）七月停业，停业之原因是本色银不多。就是说典当来源和店铺支付能力发生矛盾。这说明，一方面居民生活穷困，为维持生存连农具都典当，另一方面，当铺架银少，规模小。整个乾隆年间的当铺除了开始时的两个大当铺之外，均为小当铺。至于大小当铺之别实为多大，未见记载。当铺经营以金银首饰、珠宝古玩等贵重物品外，更多的是农具犁杖、锄头等日常生产生活用品。

　　落地税系商人购得货物到店发买时征收的税。其征收无统一税法，由地方官员随时酌收。落地税在乾隆二十六年（1761年）前不在归化城收税之列。乾隆二十六年（1761年），户部议准："归化城商民辐辏之处，所有烟油酒三项及皮张杂货等物，俱应归入落地税内，照例征税。"① 为征收落地杂税，在归化城设总局一所，并于东西南北栅栏四处②，坐商按铺、行商按驮为单位征税。铺面分上中两个级别，上户年纳银 5 两，中户年纳银 2 两 5 钱。落地税收税规则以物价之低昂定税则之轻重。据理藩院则例，价贱之货以成驮、成篓、成担、成箱起税，价贵之货以每匹、每条、每斤、每件起税。自数钱至数分、数厘不等，其银数在五分以上者，虽物仅一件，重至一斤，亦当输税。若每项银数不过分、厘者，似应于则例内积算成。总至五分以上之数，按定则抽纳，庶乡民零星日用等物，不致纷扰，如一二匹布、两三包烟。其具体货物数不及驮者，亦照杀虎口则例，按驮烧酒、胡麻油，每驮收税八分，芝麻油每驮收税一钱二分，每驴一头可载油酒一百二十斤之数，酌斤征收。落地税只在人烟凑集、贸易众多且官员易于稽查的市镇征收，在乡村、无卖面油烟酒之处、面止二百斤，油酒各止五十斤，烟止二十斤者一概实行免税。③ 落地税由归化厅征解，无定例。每年归化厅油酒课银二十七两五钱。

清初严禁铁器出口，以防私制武器。乾隆二十六年（1761 年），户部议准，杀虎口监督期成额奏，除废铁、铁料有碍打造军器而仍为禁止之例外，准许携带农器及民间日用器物出口。铁器抽税之则与烟酒油杂货同。商人领路票时写明姓名、年龄、体貌以及所携带物品名色、件数，该商持票赴各关口，由各关官员验明放行，如有贩往他处售卖者亦于出栅时按则抽税。

牙税是中国古代和近代市场中为买卖双方介绍交易、评定商品质量、价格，并抽取佣金的居间行商。清代，官府于城中衢市、山场集镇、舟车所辖、货物所聚之地，择民授之以帖，以为牙侩。牙侩受帖必须纳帖费，同时还要按年（或月，或季）缴纳常年税。清雍正十一年（1733 年）始行额定牙帖制度，并规定只能推贴顶补。经营牙行者（如米行、鲜货牙行、田地房产之经营者）从官府领取营业凭照，名为牙帖，官府每年按帖缴纳税银

---

① 高赓恩：《土默特旗志》卷 7，《政典考》，《民族古籍与蒙古文化》总第 1—2 期，呼和浩特市民族事务委员会 2001 年版，第 264 页。

② 所设四处栅栏，南栅系杀虎口孔道，北栅通山后部落喀尔喀各札萨克等处，东栅通察哈尔蒙古八旗，西栅通乌拉特鄂尔多斯地方。

③ 张曾：《古丰识略》卷 40，《物部·税课》。

称牙税。牙帖有额数，初由地方给发，雍正十一年（1733 年），令各省核定牙帖额数，报部存案，不许随意增添。当时归化城土默特当局所发营业凭证比较简单，由请票者呈文，另一人具保，经衙门审核签有"准投充仍取的保领票承充可也"字样即可。① 后又改为由户部颁给，收入亦命解部。牙帖分上中下三等，上则一两二钱至一两四钱，中则九钱，下则六钱，每五年发给新帖一次。② 当时土默特牙帖共二十一张，每张岁纳课银一两二钱，共银二十五两二钱；③ 萨拉齐厅牙帖上则七张，征银八两四钱；清水河厅牙帖上则三张，征银三两六钱；托克托城厅牙贴上则八张，征银九两六钱；和林格尔厅牙帖上则五张，征银六两，④ 按年解缴山西布政使司衙门，用济军需。

契税是对土地、房屋等不动产的典当、买卖契约所课的税。未税之契称"白契"，税过者在契纸上盖有红印，称"红契"。清初只课买契，不课典契。后逐渐课及典契。归化城土默特契税方面的资料比较少，乾隆朝能见到少量文献，如房屋一处、地一块，征收制钱九百五十文等。⑤

清代的税关，史称为"榷关"或"关榷"，榷关又因据税收来源，分为内地关税和国境关税。清代内地关税就是境内各关卡的商品所征收的关税，即通常所说的常关税。归化城、杀虎口等关都属于常关。乾隆二十六年（1761 年）在归化增设归化关，设役稽查，是为归化设关征税之始。所收银两由山西藩库征解，上缴户部。

另外还有耗羡。耗羡亦称"火耗"或"羡馀"，属于附加税。"地丁之米粮，许以银钱折纳，故其以银完纳时，银色良否有差等；不良之银征收后溶解改铸时，有减量之虞。故于正款之外，带缴小数，备补熔铸知之损失，谓之火耗。"⑥ 火耗由地方官员自行支配。归化城土默特地区耗羡，自乾隆十三年（1748 年）起，地粮银每两加耗五分，共银六百九十五两四钱八分

---

① 呼和浩特市土默特左旗档案馆档案，80—2—494。
② 吴兆莘：《中国税制史》第 2 辑下册，上海书店 1984 年版，第 113 页。
③ 郑裕孚：《归绥县志》，《经政志·赋役》，1934 年铅印本。
④ 《晋政纪要》卷 11，《户制·杂赋一·当税》。
⑤ 呼和浩特市土默特左旗档案馆档案，80—30—27。按当时的银钱时价为一两银折价八百五十文计，房屋一处（座）、地一块，税银为一两一钱一分余。
⑥ 吴兆莘：《中国税制史》第 2 辑下册，上海书店 1984 年版，第 38—39 页。

二厘三毫。① 到乾隆中期，归化城土默特历年耗羡征收额已达到一定数量。如乾隆二十八年（1763 年），归、萨、和、清四厅建盖常平仓所需料估工价银共 29 998 两余，② 说明当地耗羡银两的征收已有较长的时间并有一定积累。到乾隆二十二年（1757 年）起至五十四年（1789 年）止，开垦折色五分，加耗银一两一钱六分。③ 耗羡从一定程度上缓解了地方财政现金流动紧张局面，地方也得到了一定的收入充实办公经费。

总之，乾隆年间归化城土默特两翼有关财政收入各项档案的梳理和分析可知，乾隆时期归化城土默特每年应征财政收入在 1 万两上下。

财政支出　归化城土默特地区财政支出项目比较紊乱。仅乾隆年间的支出项名目就概括为：行政经费、军政经费、驿站经费、抚恤赈济经费、寺院香灯及喇嘛盘费、工程费等，不仅名目繁多，而且专款专用。

行政经费是衙署按例支取的各项"公费"及各种名目的公务用项等开支。包括以下两项：

将军、都统、副都统春秋两季官俸和养廉银以及本衙门各官员的俸外津贴，均由旗库支领。④ 即给绥远城将军一员，每年四季养廉银 586.26 两，每年俸银 180 两；给归化城副都统一员，每年养廉银 600 两；给归化城副都统一员，每年春秋二季二品俸银 150 两，均按月给发。⑤ 绥远城将军、⑥ 归化城都统、副都统随从之饷银，由记档项下，按月给发。归化城等处笔帖式的养廉银由记档银两项下支给。

旗务衙门各项办公费。旗务衙门户兵二司、印房、收文处，每月应给心红纸张银六两四钱，全年共需银 78.6 两；⑦ 祭礼费 80 两；⑧ 据监禁之犯人进出增减用银，主要是燃烧费每月需 1—3 钱等，均从记档项下支领。除上

---

① 高赓恩：《归绥道志》卷 18，《田赋》，内蒙古大学图书馆藏手抄本。
② 呼和浩特市土默特左旗档案馆档案，80—2—56。
③ 高赓恩：《归绥道志》卷 18，《田赋》，内蒙古大学图书馆藏手抄本。
④ 绥远通志馆：《绥远通志稿》卷 84，《职官上》，20 世纪 30 年代稿本。
⑤ 呼和浩特市土默特左旗档案馆档案，80—45—17。
⑥ 呼和浩特市土默特左旗档案馆档案，80—30—30。
⑦ 呼和浩特市土默特左旗档案馆档案，80—30—5。
⑧ 乾隆时期祭礼费，主要指致祭先农坛和致祭孔子庙。雍正二年（1724 年），由土默特都统丹津奏立孔子庙，座落于归化城南门外，也叫南文庙或蒙古庙。每年春秋二季祭祀先师孔子，祭礼需银不得超过 80 两。此系遵照雍正十三年八月间尚书通智咨报大部核定来咨拨给。

述经常性开支外，还有迎送巡查游牧大臣、① 朝廷钦差以及其他大员的临时性开支。② 行政经常性开支合计约 4 500 余两银。

军政经费即兵饷，是清代归化城土默特财政支出中的大项。具体包括：土默特两旗公务效力官兵赏钱，从煤税钱文内提出 500 千文，年底赏给旗务衙门官兵。另乾隆三十四年（1769 年）开始，从煤窑所得钱文内，每年扣留 200 千文，以备远差官兵之盘费。③ 煤炭租税收入中，专项使用的 700 千文之外，其余钱文易银存贮归化城副都统衙门，以备修理军器之用。④

还有春秋二季操演土默特兵，每季 30 日，计兵 1 000 名，每名每日给盘费银各 5 分，共需银 3 000 两；⑤ 每年春秋二季操演鸟枪，应需火药等项银 299.76 两。⑥ 以上二项均由记档项下支开。清廷于乾隆年间规定，归化城买卖牲畜税，每年拨银 7 000 两定为土默特常年公费，其中公费银 4 000 两，操演兵饷 3 000 两。⑦ 而每年的军政经费开支约银 3 300 余两，加上制钱约 700 千文，已超支 1 000 两左右。

驿站经费是朝廷为了维持其行政、军事命令以及各种文书的传递所需开支。归化城地区自乾隆二年（1737 年）开始于附近村庄各设一铺，每铺为 3 人，首铺为 4 人，应设铺共 53 个，需用 168 人。⑧ 各厅所额设 168 名送公文递役，每年应得盘费银 1 008 两，遵照乾隆二年议定，由记档项下支领。至乾隆三十三年（1768 年），归化城等处五厅额设送公文人役减为 159 名，每四季共给盘费银 954 两，均由记档项下支领。递役所用牛马等，遇有倒毙也需买补牛马价银。还有车马费，如押送盗犯进京租驴银八两、⑨ 驿舍租银以及过往官员兵役人等的廪给口粮等项，相加共约 1 500 两。

———————————

①　呼和浩特市土默特左旗档案馆档案，80—2—196。

②　呼和浩特市土默特左旗档案馆档案，80—2—120；土默特左旗编纂委员会：《土默特志》上卷，《军事志》，内蒙古人民出版社 1997 年版，第 508 页。

③　呼和浩特市土默特左旗档案馆档案，80—6—61。

④　高赓恩：《土默特旗志》卷 4，《政典考》，《民族古籍与蒙古文化》总第 1—2 期，呼和浩特市民族事务委员会 2001 年版，第 589 页。

⑤　呼和浩特市土默特左旗档案馆档案，80—25—238。

⑥　呼和浩特市土默特左旗档案馆档案，80—45—17。

⑦　呼和浩特市土默特左旗档案馆档案，80—6—597。

⑧　呼和浩特市土默特左旗档案馆档案，80—28—2。

⑨　呼和浩特市土默特左旗档案馆档案，80—30—5。

清代土默特地区对本地鳏寡孤独者进行养赡的养济院用银年 300 两左右。①

寺院香灯及喇嘛盘费。乾隆元年（1736 年）九月间，由绥远城将军咨报大部核定，驻扎多伦诺尔②之土默特诵经喇嘛 4 名，每名每年应给盘费银 48 两，共支给 192 两；③ 从乾隆二十年（1755 年）开始，每年果比托里布拉克地方仁佑寺④支香灯、供献银 50 两，该寺大喇嘛每月应给盘费银 2 两，其僧徒 6 名，每名每月应给盘费银各 5 钱，诵经喇嘛 20 名，每名每月应给盘费银各 1 两，共 350 两，均由记档项下支领，并年给米 79 仓石 4 斗 7 升 2 合 5 勺。⑤ 乾隆三十七年（1772 年），据绥远城将军诺隆奏定章程，由哈尔吉勒等十五沟地，每年应征地租内先行奏留 73 两 9 钱 8 分 1 毫 8 丝 8 忽，散给阿噜板申村桑扎布佐领下纳音保、甘珠尔墨尔根诺们罕喇嘛等租银及桑扎布班弟敦鲁布等三佐领下无地兵丁，又丹扎布佐领下台吉章珠尔等四户人等代买仓米银两⑥等（用银约 600 两左右）。

工程费是包括用于坛庙、城垣、府第、公廨、仓厂、营房的营造和修缮等支出。雍正十三年（1735 年）八月间尚书通智咨报大部核定，每年修缮旗署各处房屋、庙宇用银，每宗不得过三十两。由于房屋的质量以及自然等原因，维修费远不止 30 两，如乾隆二十七年（1762 年），养济院修房银 99 两余。

总之，当时的财政支出除军费和米粮消费外，归化城土默特两翼常年开支在 9 000 两左右。

（四）赋税征收形式

征收形式是指财政收入的征收。从物质形式上看，税收缴纳的形式是指

---

① 乌仁其其格：《清代呼和浩特地区社会救济初探》，《内蒙古大学学报》2007 年第 3 期。

② 呼和浩特市土默特左旗档案馆档案，80—2—375。

③ 呼和浩特市土默特左旗档案馆档案，80—30—27。

④ 即托里布拉克召，也叫慈荫寺，在外喀尔喀托里布拉克。雍正十年（1732 年），雍正帝命果毕大臣由理藩院投资，派使臣监督建成，雍正十一年赐寺名仁佑寺。从乾隆二十年（1755 年）开始，清廷规定每年由土默特两翼派大喇嘛 1 名、徒弟 6 名、诵经喇嘛 20 名前往该寺念经，每年给香灯供品、僧徒常年盘费等项银三百四十余两等，由土默特两翼旗库支给。

⑤ 呼和浩特市土默特左旗档案馆档案，80—45—17。

⑥ 呼和浩特市土默特左旗档案馆档案，80—6—785。

以实物为核算单位还是以货币为核算单位。在清代归化城土默特财政征收形式中劳役、实物和货币三种形式均存在。田赋以实物、货币并征，除了军米等仍征本色外，其余一律折银征收，其他税种均以银钱为核算单位。仅就田赋征收结构看，归化城厅田赋征收分银、米二项，而且折色大于本色。有些地亩仅征银，而有些银、米并征。田赋的本、折征收情况，是根据民政和驻军的需要而定的。但不管怎样，清代归化城赋税结构是以征银为主，本色钱粮为辅，从而使货币币值变动与赋税征收关系的掌握就变得尤为重要。

大致说，乾隆初期物价较低，中期物价开始上涨，后期有所回落。当物价较低时，货币升值，应及时减少货币形式的赋税额，以免加重纳税人的负担；而当物价上涨，货币贬值时，应调高赋税额度，否则所征赋税收入就会价值上低于赋税原额，对财政收支的平衡带来压力。这种银两制的货币财政，与其货币制度有密切关系。当时的货币财政以银钱平行本位制度，大额交易用银，小额交易用钱。银钱的比价名义上是制钱 1 000 文值银 1 两，但实际上银钱无固定比价，而钱价又易下跌。由于银钱质量不一，从而制钱的比价也不尽相同，就在归、萨、和、托、清五厅之间银钱的比价就不相同。如同一个时间段一两银的折价，归化城 790 文，萨拉齐、昆都伦 820 文，托克托城 800 文，和林格尔 760 文。这种银钱比价的混乱状况，直接阻碍了地区间的商品流通以及统一市场的形成，不利于当地经济的发展。但康雍乾时期的文献资料中我们很难看到，通过货币币值的变动因素来解决财政收支平衡的事例。好在康雍乾时期归化城土默特财政收支平衡，且有裕余。

康雍乾时期的归化城土默特财政，正经历实物财政向货币财政的转变，但这种转变是不彻底的。因为当时的经济发展水平还不可能实现纯粹的货币财政，更何况一定的实物赋税可以保证朝廷对所需粮食等的需要，如官员俸米、驻军米粮、济贫救灾物资等都需要一定量的实物赋税；劳役赋税可以满足朝廷所需的物资和劳务。如各种名目的徭役每月计有 500 余人，每年大约 6 000 多人次。同时众蒙古和各大召庙还承担着提供物资的差派。① 总之，以货币为主的财政税收体系，克服了劳役、实物、货币三种核算管理体系的分散与繁琐，为统一的财政核算管理体系的形成奠定了基础。

---

① 呼和浩特市土默特左旗档案馆档案，80—2—135。

（五）财政收支的平衡

财政收入与支出的均衡状况，显示一个国家、一个地区经济社会的发展，体现出其财政秩序的稳定程度。康雍乾时期的土默特财政在"量入为出"的基本原则或财政范式下，财政支出一直在财政收入的额度内活动，严格按照朝廷规定运作，没有任意改动或增加支出项，并进行严加审核，从而为清代土默特两翼财政收支规模的稳定奠定了基础。由于资料的限制，很难再现和了解康、雍两朝的土默特财政收支规模，现仅从乾隆朝有关年份的财政收支中去了解土默特两翼财政演变的大致情况。

土默特两翼财政收入经过康、雍两朝到乾隆朝收支基本相抵，并有余裕。如自康熙四十二年（1703 年）至雍正五年（1727 年）共收过银 20 254 两有奇。除买马用过银 2 274 两外，应实存银 17 975 两有奇。① 在二十五年间仅牲畜税一项就年均 810 余两，盈余银年均 719 两。到雍正十三年（1735 年）总收入为 7 707 两，总支出只占总收入的 23.6%，至乾隆朝收入逐年上升，土默特财政进入鼎盛时期。其财政状况，集中体现在库存银两的增加上。如果康熙四十二年（1703 年）至雍正五年（1727 年）的积存库银年均 719 两为常量，雍正十二年（1734 年）的积存库银已增至 2 166 两，雍正十三年（1735 年）8 052 两。至乾隆十年（1745 年）降至 4 633 两，但乾隆十一年（1746 年）又增至 6 054 两，十六年（1751 年）达到 9 551 两，十七年（1752 年）突破 11 985 两，此后又开始下滑。以乾隆二十六年（1761 年）为界限，本年积存库银 6 530 两，二十七年（1762 年）5 838 两，至乾隆五十八年（1793 年）减至 1 144 两，五十九年（1794 年）为 69 两，已徘徊在财政赤字的边缘。

在财政收入逐年递增的情况下，库存银却日益减少，究其原因，主要为收入增长缓慢且不稳定。从正常的财政收支关系看，财政收入是财政支出的前提条件，财政收入必须等于或大于财政支出。这尤其适合于专款专用的清代土默特财政。但是，从乾隆中期开始，随着土地的开垦以及移民的不断涌入，不仅土默特蒙古可用之土地面积日渐减少，而且行政管理等费用也大大增加，超支是当然的。如乾隆二十六年（1761 年），衙署办公等杂费支出比

---

① （光绪）《大清会典事例》卷 980，《理藩院·赋税·归化城等处税银》。

雍正十三年（1735 年）增加了 70.6%，俸禄及盘费支出增加 71.4%。若额定专款专用的情况下支出仍然攀升，其结果就会出现入不敷出。如每年征收记档牲畜税时，记档官员的饭食银近 200 千文，在记档处一年用钱近 140 千文，余钱约 60 千文，因办公、祭祀、捕送逃犯的管理等，故每年增银 40、50 两方足。① 结果额定专款与实际支出间的矛盾变得日益突出。如乾隆十八年（1753 年），养济院开支比额定开支超 87 两，同年养济院修房银超支 69 两有余。还有一些额定开支项下没有的支出，如乾隆四十一年（1776 年），绥远城将军衙门内所雇歌手、仪仗人员等用银 288 两。② 临时性支出的增多必然导致积存余额的减少，至乾隆五十九年（1794 年）实存库银只剩 69 两，③ 成为康、雍、乾时期财政年度中余额最少之一年，也为以后的财政支绌埋下了伏笔。

二、嘉庆至同治朝的土默特财政

鸦片战争前后近 80 年的时间段，清朝经历了嘉庆、道光、咸丰、同治四个朝代。清朝逐步变为积贫积弱的半殖民地半封建王朝，从一个盛极一时的中央王朝，经历康、雍、乾时期的兴盛期，进入了衰退期。与此相对应，清代的嘉庆、道光两朝，也是归化城土默特财政由盛而衰的转折点，自咸丰、同治朝以后，财政已运转不灵，陷入困境。本文主要讨论出现这一转折点的表象、原因以及归化城土默特两翼为挽救财政危机所采取的补救措施等问题。

（一）财政收入规模

清代归化城土默特地区财政经历康、雍、乾时期的鼎盛，到 19 世纪初开始出现财政收入滞胀甚至减少，财政支出增多或膨胀的局面，成为归化城土默特地区财政由盛而衰的转折期，这一点集中反映在财政收入的规模上。财政收入规模是指财政收入的总体水平，是衡量一个地区财力的重要标志。

嘉庆至同治朝，土默特两翼财政收支无论从内容还是规模上与康、雍、

---

① 呼和浩特市土默特左旗档案馆档案，80—25—26。
② 呼和浩特市土默特左旗档案馆档案，80—25—185。
③ 呼和浩特市土默特左旗档案馆档案，80—25—223。

乾时期相比有了很大的变化。从收支内容上看，清代财政收支奏销册分正项银两奏销册——《归化城土默特旗库存储记档正项银两旧管新收动用实存数目清册》和杂项银两奏销册——《归化城土默特旗库存储补修军器钱文动用实存数目清册》；《归化城旗库存储煤税钱文所收需用数目报销清册》；《归化城旗库所收哈尔吉勒等十五沟地租银两收支数目清册》；《归化城旗库存储九千两息银所收需用数目清册》；《减平项档册》；《减成项档册》；《归化城旗库存储新台项所收需用数目清册》；《归化城旗库存储一万两息银所收需用数目清册》；《归化城旗库存储两万两息银所收需用数目清册》等分项造册。

正杂二项银两奏销册，均以四柱式奏销册为多见。综合嘉庆至同治朝的土默特档案资料，道光十七年是归化城土默特两翼财政史上的转折点。① 为此，以该年份为界线对嘉、道、咸、同各朝财政收支进行分析。

根据现有档案资料，对嘉庆至同治年间各年份的财政余额情况统计如下：

归化城土默特嘉庆二年至同治十一年财政余额统计表

（单位：两）

年 份	实存余额	结余率	年 份	实存余额	结余率
嘉庆二年（1797 年）	1292		咸丰九年（1859 年）	1133	
嘉庆三年（1798 年）	804	7.96%	咸丰十年（1860 年）	1841	23.8%
嘉庆九年（1804 年）	2417		咸丰十一年（1861 年）	2795	35%
嘉庆十年（1805 年）	1756	15.4%	同治元年（1862 年）	2979	
嘉庆十四年（1809 年）	1935	14.6%	同治二年（1863 年）	4233	
嘉庆十七年（1812 年）	1228		同治三年（1864 年）	6178	46.6%
嘉庆十八年（1813 年）	179	1.5%	同治六年（1867 年）	677	
嘉庆二十年（1815 年）	3269		同治七年（1868 年）	665	4.8%

① 乌仁其其格：《18—20 世纪初归化城土默特财政研究》，民族出版社 2008 年版，第 167—173 页。

（续表）

年　份	实存余额	结余率	年　份	实存余额	结余率
嘉庆二十一年（1816年）	1569	19%	同治八年（1869年）	230	
道光十年（1830年）	1964	18%	同治九年（1870年）	10	0.11%
道光十一年（1831年）	2344		同治十年（1871年）	806	
道光十六年（1836年）	3185		同治十一年（1872年）	473	5.7%
道光十七年（1837年）	3626	34.9%			

资料来源：呼和浩特市土默特旗档案馆：汉文财经类6目录、满文簿册类45目录、满文财政类钱粮项25目录、赋税项30目录等档案。

　　根据上表可知，此时的旗务各衙门库存余额根本无法与雍正十二年（1734年）实存银8 053两和乾隆十六年（1751年）的9 551两相比，而且同治十一年（1872年），旗务衙门库存比嘉庆二年（1863年）下降了63.4%。土默特财政结余是常年年终滚存的结余，说明当地财政状况正在逐渐下滑。由于档案资料的破损、散失，不能完整地再现当时库存银两的实际情况，但是，库存银两的大幅度下降是可以肯定的。究其原因，与财政收入和支出变化有关。假设各年份财政收入基本均衡，结余额的多少就与财政支出的增减有关，如果财政支出一定，那么结余额就是财政收入的增幅所致。财政结余额只能反映财政收支的平衡情况，并不是说结余额越多越好。因为，结余额过多，一方面能够保守求稳，但是会导致财力、物力、人力得不到充分利用，不利于经济社会的发展。一般来讲，结余以占财政总收入的3%左右为度。① 这一时期土默特财政结余率适中的年份比较少，多数年份结余率比较高，成为清代归化城土默特两翼社会公共事业发展缓慢的重要原因。

　　那么，财政结余是否用于补发欠款呢？仅据咸丰元年至同治元年（1851—1862年）档案资料，② 拖欠款项是由新征收入款来补发的，是否结余银两来补发欠款，由于缺少资料，已无法知晓。但是，从其他年份的情况

---

① 侯岩：《财政学》，内蒙古人民出版社1992年版，第394页。
② 呼和浩特市土默特左旗档案馆档案，80—45—95。

看，结余银两在新一个财政年度的收入解到之前基本未动。因为，上一年的财政收支奏销多数是在当年十月底报部核销，下一年的财政收入又在当年十月底开始陆续解到，所以新旧收入衔接紧密，财政余额的多寡在这期间作用不大。但是道光十七年（1837年）的档案①显示，道光十六年（1836年）度的奏销册是当年十月底报部核销，新一年的财政收入于十七年二月开始陆续解到。那么，新旧交替期间所发生的临时性开支中是否动用结余银两，也无法证实。

更重要的是，上一年的财政预算年度结余，直接关系到下一年度财政支出。因为历年财政结余能够形成财政后备力量，即财政后备。财政后备是指建立一定的财政储备，保障财政收支平衡而设置的基金。其目的是在发展的过程中遇到难以预见的比例失调以及弥补自然灾害、战争等突发事件的特殊需要。财政后备按其形态可分为实物形态的后备和货币形态的后备。这里指的是货币形态的后备。清代归化城土默特两翼的财政后备，实际上就是旗务衙门的银库和粮库存储的物资。在当年新收收入与当年支出出现逆差时，财政余额或财政后备金起到平衡财政收支的作用。

归化城土默特嘉庆三年至同治十一年财政收支差额统计表

（单位：两）

年　份	本年新收与本年动支差额	年　份	本年新收与本年动支差额
嘉庆三年（1798年）	−487	道光十七年（1837年）	+441
嘉庆十年（1805年）	−731	咸丰十年（1860年）	+709
嘉庆十四年（1809年）	−1778	咸丰十一年（1861年）	−955
嘉庆十八年（1813年）	−1049	同治三年（1864年）	+1946
嘉庆二十一年（1816年）	−1800	同治七年（1868年）	+5501
嘉庆二十二年（1817年）	+2315	同治九年（1870年）	−220

---

① 呼和浩特市土默特左旗档案馆档案，80—45—23。

（续表）

年　份	本年新收与本年动支差额	年　份	本年新收与本年动支差额
道光十年（1830 年）	+381	同治十一年（1872年）	−333

资料来源：呼和浩特市土默特左旗档案馆：汉文财经类 6 目录、满文簿册类 45 目录、满文财政类钱粮项 25 目录、赋税项 30 目录等档案。

　　在统计到的十四个年度中，当年财政收入满足当年财政支出的只有六年，其余八年都出现支出大于收入的现象。此时如果没有充足的财政结余，就会出现财政赤字。因此，也可以说财政结余是财政收支平衡的最后一道防线。

　　道光十七年（1837 年）的四柱清册①，翔实地再现了土默特两翼常年财政收入各项。其中新收各项收入由嘉、道以前即有之旧有收入和嘉庆以及之后新增收入两部分组成。

　　旧有收入中，当课税一直是土默特财政收入的重要组成部分。鸦片战争前后的当课税，以道光十七年为分界，嘉庆至道光十七年前当课银变化不大，其后出现急剧下降。在能够统计到的嘉庆十年至同治十一年的 11 个年份中，道光十七年（1837 年）是当课税最多的一年，之前的六年年均 1 258 两，之后的四年年均 824 两。当课银在土默特财政收入中的比重由嘉庆十年（1805 年）的 10% 和道光十七年（1837 年）的 14% 下降到同治八年（1869 年）的 9%。这也从一个侧面反映社会的不稳定以及经济不景气的现实。

　　旧有收入中各种官房铺面租银占一定比重。而从嘉庆朝之后官房租银出现不同程度的减少。据嘉庆至同治年间归化城土默特官房房租统计可知②，嘉庆十八（1813 年）年至同治十一年（1872 年），归化城官房铺面税额日渐减少，各年份与理藩院在嘉庆二十二年（1817 年）额定的"翁衮岭北荒地、归化城城根等处房屋铺面及马甲固鲁格之妻呈进之铺面房，每年征租银

---

　　①　呼和浩特市土默特左旗档案馆档案，80—45—23。
　　②　乌仁其其格：《18—20 世纪初归化城土默特财政研究》，民族出版社 2008 年版，第 178 页。

五百七十余两"① 有很大的出入，而且从嘉庆至同治朝已下降了 46.2%。土默特蒙古互相契卖房院、铺子、地基税银数目不多，即嘉庆二十一至二十二年（1816—1817 年），土默特蒙古互卖房屋一处，交易银 750 两，共收税钱 6 000 文，遵照定例每银一两应收税钱 8 文，一两合银 1 200 文，共收税银 5 两；② 道光十至十一年（1830—1831 年），土默特蒙古互卖房屋五处，税银 12 两有余；③ 道光十六至十七年（1836—1837 年），土默特蒙古互卖房屋十一处，税银 9 两有余；④ 同治六年至七年（1867—1868 年），土默特蒙古互卖房屋四处，税银 1.4 两有余；⑤ 同治八年至九年（1869—1870 年），土默特蒙古互卖房屋三处，税银 1.7 两有余。⑥ 此项税银的多寡与土默特蒙古相互间出售与购买房屋地基需要、房屋地基的地理位置以及当时的银钱比价有直接关系。如有的房屋仅一处售价就 750 两，而有的十一处房屋售价才 1 890 两；⑦ 银钱比价嘉庆二十二年（1817 年），一两合银 1 200 文，同治十一年（1872 年），一两合银 2 000 文。⑧

道光十七年（1837 年）档案中的零星入官地租银，是被正法者及绝户者的户口地亩，查明入官所收租银，地亩不多且租额较小，在其后多年未发生变化。

一定的杂项银两收入是旗民的养赡、官兵盘费以及器械和训练、台站卡伦管理等费用的基本保障。杂项收入中的地租，乾隆年间就已有的地租收入之外，嘉庆、道光、咸丰、同治年间陆续升科的沙拉穆楞茂诺尔十八村地租⑨和聚宝庄二十七村地租⑩两大项。沙拉穆楞十八村地额征

---

① （光绪）《大清会典事例》卷 980，《理藩院·赋税·归化城等处税银》。
② 呼和浩特市土默特左旗档案馆档案，80—46—432。
③ 呼和浩特市土默特左旗档案馆档案，80—45—22。
④ 呼和浩特市土默特左旗档案馆档案，80—45—23。
⑤ 呼和浩特市土默特左旗档案馆档案，80—6—125。
⑥ 呼和浩特市土默特左旗档案馆档案，80—6—127。
⑦ 呼和浩特市土默特左旗档案馆档案，80—46—432；呼和浩特市土默特左旗档案馆档案，80—45—23。
⑧ 呼和浩特市土默特左旗档案馆档案，80—46—432；80—6—128。
⑨ 《清文宗实录》卷 297，咸丰九年十月中癸丑条。
⑩ 呼和浩特市土默特左旗档案馆档案，80—5—182。

地租银同治十三年（1874 年）比道光二十九年（1849 年）下降了 18.1%。① 聚宝庄二十七村地地租银，咸丰九年（1859 年）比道光年间下降 40.2%。②

　　杂项收入中的另一大宗就是煤税钱文。煤税收入自乾隆年间已定例为三七分成，其收入水平的高低是本旗财政盈亏的关键要素之一。因为收入大宗中的牲畜记档税等从乾隆中期后已有定额，实际交易量与税收收入增减基本无关联，而煤税收入则不同，是按比例提成，销售量大则税收收入也多。随着人口的增多、传统燃料的紧缺以及煤炭开采技术的提高和开采规模的扩大，道路运输条件的改善等，促使煤炭需求量和供应量的同步增长，其结果应是煤税收入的逐年递增。从归化城土默特嘉庆至同治年间的全年煤税收入情况看，道光二十七年（1847 年）、同治五年（1866 年）和同治十一年（1872 年）均出现滞涨现象，似出现某种程度上的煤税定额。从煤炭销售价格的角度观察，乾隆初年煤炭价格为每斤 1 厘 7 毫到 3 厘 6 毫，乾隆中期后涨到 3 厘 5 毫，到嘉庆年间已涨到 4 厘 8 毫，咸丰、同治年间涨到 1 分 3 厘。在煤炭价格上涨的情况下，煤税收入的增长不明显或下降，与煤炭产量、需求量不无关系。同时，煤税收入是以制钱形式征收后折合成银两存库，这里很明显的是银钱比价的波动，成为影响煤税收入的重要原因。假设道光二十七年至二十八年的银钱比价与道光二十九年相同，即 1 两银折合制钱 1 300 文计算，当年的煤税七成款应 1 156 两；同治四年 1 两银折合制钱 1 350 文，当年的煤税七成款应 1 114 两；同治九年 1 两银折合制钱 1 623 文，同治十至十一年，1 两银折合制钱 1 623 文，当年的七成款应 922 两。由于煤炭收入的滞涨和银钱比价的波动，土默特煤税收入出现滞涨或下滑，从而直接影响了土默特两翼财政收入的增长。

　　据档案资料，当时民人私开煤窑，既不缴煤税，且售价便宜，一定程度上影响了土默特煤炭销量及煤税收入的增长。③ 同时，也应看到当时的煤税

---

　　① "蒙古联合自治政府" 巴彦塔拉盟公署：《蒙古联合自治政府巴彦塔拉盟史资料集成——土默特特别旗之部》（蒙、汉、满三种文）第 1 辑，1942 年版，第 309 页。

　　② 呼和浩特市土默特左旗档案馆档案，80—5—182。

　　③ 呼和浩特市土默特左旗档案馆档案，80—46—18。

收入，既要保证煤窑管理者的工食银，又要上缴旗库，如果煤炭销售遇到困难，要使管理工作正常运行，必须先满足管理者的盘费之后才能上缴煤税，那么煤税收入的提高就很难保证。

嘉庆朝以后的新增收入中，包括驼价一万两生息银、二万两生息银、九千两生息银等杂项收入及其相关情况，在后续内容中详谈，在此省略。

总之，无论是当年的新收各项还是旧管新收各项总量均有所上升，但增幅变化不明显。现将该时间段归化城土默特两翼岁入总额列图如下。

归化城土默特嘉庆三年至同治十一年收入图

（单位：两）

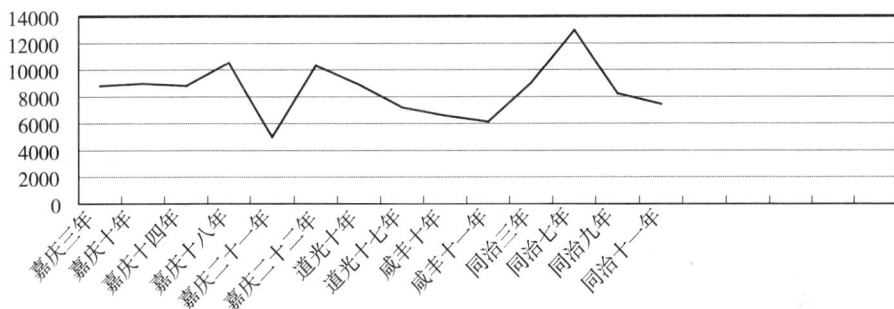

资料来源：呼和浩特市土默特左旗档案馆：汉文财经类 6 目录、满文户司来文行文类 46 目录、其他册簿类 45 目录、财政类钱粮项 25 目录、赋税项 30 目录等档案。

图表显示，在长达近八十年的时间里，土默特财政收入规模多数年份在 8 000—10 000 两上下波动，有些年份收入仅等于上述收入规模的一半。与其经历的时间段相比，财政收入发展水平可谓缓慢，且涨幅不定。其中从当年新征收入的情况看，嘉庆十八年（1813 年）、二十二年（1817 年）和同治七年（1868 年）出现三次高峰期，仅新征收入就超出 1 万两，而其他年份中一半年份的新征收入不到 8 000 两。从各年份总收入差距看，这一时间段最后一年比最早一年下降了 18.4%，总收入最少的年份比总收入最多年份相差 41.6%。

但凡总收入少的年份，由归化城监督税务归绥道衙门陆续领来之银就不足额，即不足于定例的 7 000 两。如道光十七年（1837 年）为 5 000 两；同治十一年（1872 年）为 1 500 两等，事后是否又解到牲畜记档税银则尚未见有记录。

（二）财政支出规模

"量入为出"是清代所恪守的财政原则，正常的财政支出必须在财政收入的额度内安排、协调。财政支出不能任意变动，即使增加支出，也要严格审核，以保证收支平衡。而归化城土默特地区财政实际情况是，收入水平下降的情况下，支出却在增长。

从嘉庆、道光、咸丰、同治年间支出各项中，仅就对有变化的支出各项分析如下：首先，旗务公费银两支出有所增加。按照雍正十三年（1735 年）的定例，归化城兵户两司、印房事务所一年的纸笔等项银共76.8 两，而后因不敷需用，自道光二十八年（1848 年）一年共增加 62.4 两，这样年额定纸笔等项银共计 139.2 两。① 其次，仓谷是为保障副都统大人俸米及托里布拉克喇嘛、养济院孤贫口粮所设。采买粮谷因受粮谷时价的影响，所需银两也多寡不一。乾隆三十七年（1772 年）时，定制采买谷价银 3 500 两，而嘉庆十八年（1813 年）时的每仓石市价银二两三钱，采买谷 2 000 仓石共需银 4 600 两；② 同治九年（1870 年）采买谷价银 5 620 两；至同治十三年（1874 年）因旗库无款可筹，经奏明议准，令归绥道暂由每年九月所征第九个月杂税项下借动应用并令每年另提银 1 500 两。③ 假设同治九年和同治十三年谷价相同，那么同治十三年所需采买谷价银就增加到 7 000 两以上。第三，随着内地民人的大量流入，使土默特蒙古社会风俗发生变化，接收汉文化的程度明显加快，从而也增加了一些开支。到咸丰六年（1856 年）正月间，本处遵照礼部奏案咨报户部核覆，每年春秋二季并五月十三日致祭关圣帝君并添祭崇圣祠祭品银共 63.9 两；④ 又咸丰七年（1857 年）正月，本处遵照礼部奏案咨报户部核覆，春秋二季并二月初三日致祭文昌帝君祭品银共

---

① 呼和浩特市土默特左旗档案馆档案，80—45—95。
② 呼和浩特市土默特左旗档案馆档案，80—6—98。
③ 呼和浩特市土默特左旗档案馆档案，80—6—629。
④ 高赓恩：《土默特旗志》卷 6，《祀典附召庙》，《民族古籍与蒙古文化》总第 1—2 期，呼和浩特市民族事务委员会 2001 年版，第 255 页。

63.9 两，① 两项多支出 127.8 两。且同治九年（1870 年）三月，"关圣文昌帝君祭品银两因不敷需用，每次添给银五两，共给过六次祭品银三十两"。② 这样祭祀费用比乾隆朝增加了近一倍。

嘉庆后岁出的增加，主要是由于新增款项使然。军费开支即是变化较大者，尤其是军费开支中的例外开支增加最明显。清代在交通要道或险要之地段均设置戍守瞭望的卡伦，而且卡伦数量随着时间和防范的需要在发生着变化。土默特地区的卡伦乾隆十九年（1754 年）共有 11 处，至嘉庆十九年（1814 年）增加 4 处，嘉庆二十二年（1817 年）增加 4 处，道光十二年（1832 年）增加 6 处等。随着卡伦的增多，巡防官兵人数也在增加。巡防官兵盘费银是煤税项下支给，而煤税收入滞涨或增长缓慢，使每年奖赏土默特奋勉官兵的津贴也随之减少。乾隆三十五年（1770 年），受奖励之效力官兵等共 150 名，嘉庆朝以后至同治年间增加到 304 员，而奖赏数目仍为 500 千文。③ 除此之外，从煤税钱文内遵照前任绥远城将军伯虎亮奏定章程，支给远差官员、缮书、披甲共 110 员名，共支给过盘费银 198 400 文。④ 这是同治六年（1867 年）的支出情况，其他年份的情况也大致相同。还有每月派往各处巡查贼盗、地界、修复鄂博官员，三项全年支给盘费银共计 4 578 两。还有拨给监生 120 两。⑤

从嘉庆末年以后，归化城土默特地区常项财政支出出现不足，⑥ 而养廉银、盘费银、工食银、军器项等拖欠，年限跨度为五年。⑦

这种情况，我们还从个别年份的财政支出中可以得到印证。以下是嘉庆至同治年间的财政支出情况表。

---

① 呼和浩特市土默特左旗档案馆档案，80—6—125。
② 呼和浩特市土默特左旗档案馆档案，80—6—128。
③ 呼和浩特市土默特左旗档案馆档案，80—6—121。
④ 呼和浩特市土默特左旗档案馆档案，80—6—121。
⑤ 呼和浩特市土默特左旗档案馆档案，80—6—128。
⑥ 呼和浩特市土默特左旗档案馆档案，80—26—114。
⑦ 呼和浩特市土默特左旗档案馆档案，80—45—95。

归化城土默特嘉庆三年至同治十一年财政支出总量变化表

（单位：两）

年　份	岁　出	年　份	岁　出
嘉庆三年（1798 年）	9 293	道光十七年（1837 年）	6 751
嘉庆十年（1805 年）	9 692	咸丰十年（1860 年）	5 873
嘉庆十四年（1809 年）	11 278	咸丰十一年（1861 年）	5 167
嘉庆十八年（1813 年）	11 579	同治三年（1864 年）	7 070
嘉庆二十一年（1816 年）	6 788	同治七年（1868 年）	7 453
嘉庆二十二年（1817 年）	8 000 *	同治九年（1870 年）	8 459
道光十年（1830 年）	8 508	同治十一年（1872 年）	7 768

资料来源：呼和浩特市土默特左旗档案馆：汉文财经类 6 目录、满文户司来文行文类 46 目录、其他册簿类 45 目录、满文财政类钱粮项 25 目录、赋税项 30 目录等档案。

* 这一年的支出项在档案资料中残缺，据历年的支出估计为 8 000 两。

从表中可以看出，统计到的 14 个年份平均支出在 8 000 两以上，与前一时间段比变化不大，但财政支出在总收入中所占比重却逐年增高。嘉庆九年（1804 年）的支出占当年财政收入的85.2%，而同治十一年（1872 年）则占当年财政收入的94.3%，两项比较同治十一年的支出比嘉庆九年增加了19.9%。

（三）财政窘迫的原因

清代归化城土默特地区财政收入，从绝对数上看，呈不断扩大之势，但从收支关系上看，嘉庆以后，由于财政支出的同时扩张，使其收入规模又相对显绌。财政收入规模的大小以及增长速度的快慢，并不是孤立的现象，既有财政政策自身的原因，也与经济结构的变化、物价、银钱比价等诸因素有关，是鸦片战争前后社会旧病新疾的综合反映。

定额化财政　我们知道，财政收入是财政支出的源泉，但是定额化的财政并未随着时间的推移和地方各项经常性开支的增加而得到调整。清朝伊始便确立了定额化的收支原则。这一原则的缺陷是，财政收入表现出明显的定额化特点，[①] 而财政支出则不包括临时性的军费、赈灾等一些重要支出，于是定额化的收入与动态化的支出之间产生了矛盾。早在乾隆五十年（1793

---

① 何平：《清代赋税政策研究：1644—1840》，中国社会科学出版社 1998 年版，第 108 页。

年）时，旗署银库所存公费银两已不敷使用，[①] 从此入不敷出的现象一直延续到清末。这说明，朝廷财政管理权的高度集中和地方财政权的弱小，是造成土默特财政收支不平衡的政策原因。

自然灾害和战争使社会经济残破凋敝，百姓生计困窘艰难。经常性的赈济措施使收入规模很难扩大。仅就能够统计到的本地区自然灾害以及赈济列表看到，遇有灾害年份不仅当年的额赋上缴不了，以前所欠之款更无望追交，只好豁免。如若灾害继续，缓征部分也很难完纳。这样遇灾之年，定额化收入没有保障，但各项支出不会减少却会增长。因此，自然灾害不仅破坏了经济的正常发展，也限制了百姓的贡赋能力，同时又增加了防灾、赈济的开支。

税源流失、征收严重短缺　这一时期造成收入减少的主要原因是有一定灵活性的煤税、房屋铺面租课的征收严重短缺。拖欠税款导致旗库奇绌，一切办公处处为难。因此，为补足办公经费就要增加税率，其结果窑主收入会减少，劳动者受剥削程度会加深，生活更加艰难。地租的征解也遇到同样的问题。[②]

当课银两欠解情况也较严重。其中归化城翁衮岭迤北迤西两路及可可以力更等处官地民人建盖房屋铺面中，历年共有 46 间房屋长期无人租住，[③] 房租流失率达到 36.2%。不仅是当课银两欠解，生息银两等也同样欠解而出现多次催征，[④] 而这种延缓"殊属玩延……"[⑤] 在税收征收各款已有定限时间的情况下，一再拖欠，不仅影响专款专用，影响按时报部核销，更使旗务衙门的实际工作无法正常运行，财政制度的常规执行也受到阻碍。

经济结构与价格因素　清代归化城土默特两翼经济主要以农业和畜牧业为主，尤其清中叶以后，农业在当地经济中占有举足轻重的地位。农业的发展在自然经济条件下，主要依靠扩大规模即耕地面积的扩大来增加农业收入。清中期以后，土默特人在有限的耕地上种植的已不是一般的农作物，而

---

① 呼和浩特市土默特左旗档案馆档案，80—25—214。
② 张曾：《归绥识略》卷16，《地部·田赋》。
③ 呼和浩特市土默特左旗档案馆档案，80—6—125；80—45—23。
④ 呼和浩特市土默特左旗档案馆档案，80—6—96。
⑤ 呼和浩特市土默特左旗档案馆档案，80—6—101。

是罂粟，这使得正在转型中的农业经济结构受到极大的破坏，经济与社会双重弊病同时发作。归化城土默特地区至少从同治四年（1865 年）以前，就已开始种植罂粟。① 到同治七年（1868 年）时，种植罂粟已有一定规模并开始征收税款，就近抵充兵饷。罂粟种植面积日渐扩大，并几乎都是当地熬制，价钱每两售价为六七百文，接近当时一斗谷的价格。罂粟的种植使大片粮地变成烟地，虽然在货币地租占主导地位的当时，种植罂粟也可以缴纳税款。但是，鸦片之伤生废业，害民命而伤民风。②

建立在银两制度上的土默特财政，极容易受到银钱比价波动的影响。清代中期以后，归化城土默特地区银钱比价起伏不定，对财政带来了负面影响。由于银价高涨，钱价就跌落，人民的赋税负担就会加重。清代的币制是银、钱兼用，以银为本，以钱为末。这两种货币有各自不同的使用范围，一般情况下，国家（或地方）财政收入、官员俸禄、兵饷、商人大笔交易多使用白银，而民间零星交易则使用铜钱（即制钱）。官府征收赋税时，一般都是按照当时的银钱时价征收制钱，到办理奏销时，再兑换成银两解交旗库。归化城土默特煤税钱文是受银钱比价最大的一项。煤税钱文的实际征收是按月上缴，而每年收支银两数目清册限定于次年报户部、理藩院核销，在征收与支出直至奏销期间银钱比价往往都会有变动。③ 这样，若征收时银价高，则百姓所缴赋税额就多，负担重，相反，则负担轻。另一方面，收税官员为了避免奏销时银价上涨，钱价下跌所造成的损失，一般都浮收，这实际上同样也增加了赋税负担。

清初改折征银时，是以当时的时价为改折的依据。从银价变动角度看，归化城地区在道光至咸丰朝银价上升较快，这对土默特财政产生重大影响。当时的银钱比价从道光十一年（1831 年）至咸丰元年（1851 年）短短的 20 年间净增 960 文，使一直银价较低的土默特已与全国基本一致。咸丰元年以后，银价虽然有所下降，但都在 1 600 文以上波动，与乾隆年间的每 1 两银合制钱 800 文相比，已增长了一倍。造成这一时期银价大幅度上涨的主要原

---

① 呼和浩特市土默特左旗档案馆档案，80—2—258。
② 呼和浩特市土默特左旗档案馆档案，80—2—258。
③ 呼和浩特市土默特左旗档案馆档案，80—6—119；80—6—120。

因，周育民先生认为是"在鸦片战争后，银钱比价扩大至一倍以上，与白银外流相比，任何其他的因素，如需银增加、钱质降低等，都是次要因素。"[1]　银贵钱贱使百姓"以谷易钱，以钱易银，赴官交纳"，[2]　银钱比价扩大一倍，税额也无形中增加一倍。从而历年积欠的税款，也随着银钱比价的扩大而增加。库存银两以及欠解各款都说明了这一事实。[3]　银贵钱贱的结果，使地方财政不能全额收缴税款，无法按时报部核销，所收款项存放于旗库，有的挪垫他用，地方财政与中央财政的关系出现脱节。当然，造成税额积欠严重，除了银贵钱贱外，物价变动也是很重要的一个原因。

我们知道，物价是会变动的，如果按照某一时期的物价为基础，额定税收的话，物价不稳定自然对税收带来影响。因为，定额化的税收不能及时反映物价的实际变动，缺乏随物价涨落相应升降的弹性，从而对百姓的实际负担能力造成影响。清朝的赋税定额中，各种农产品的折色是以顺治年间的时价为标准的。我们无法知道顺治年间归化城土默特地区的每石粮改折白银为多少，但是知道山西阳曲县，顺治年间每石粮折价最高达1两9钱余。[4]　在一贯遵循原额赋税的清代，若物价上涨，百姓负担就加重，物价跌落，则负担就减轻。同时，在多数税额为额定的情况下，货币税额与物价变动就有着密切的关系。鸦片战争前后归化城土默特地区物价大致显现态势为：嘉庆时期物价平稳，道光年间起物价逐渐上升，咸丰朝物价急剧上升，至同治年间又开始平减的局面。

由于物价涨幅不定，因而也直接影响了归化厅兼管的采买仓谷价银的支出。碾放副都统大人俸米及托里布拉克喇嘛徒众、养济院孤贫各口粮之谷石，每年秋后米价平减之时采买。原归化城仓所存粟谷用完之后，动用记档银两由土默特官员照市价额储两千仓石，储谷总量不变，但是随着米价的变化，采买所用银两数目出现涨落不定的局面。如乾隆四十八年（1783年），

①　周育民：《晚清财政与社会变迁》，上海人民出版社2000年版，第82页。

②　《中国近代货币史资料》第1辑上册，中华书局1964年版，第118—120页。

③　呼和浩特市土默特左旗档案馆档案，80—26—114；80—45—95。

④　（道光）《阳曲县志》卷7，转引自何平：《清代赋税政策研究：1644—1840》，中国社会科学出版社1998年版，第83页。

采买谷价银 2 900 两①，而到同治九年（1870 年），采买仓谷价银增长至 5 620 两。可见，从道光年间物价开始上涨的情况下，如果不及时调整税额，将对土默特财政收入造成很大的冲击。但事实上，地方政府或朝廷并未正视物价因素对财政收入的影响，其解决财政平衡的办法，仍旧以拓宽税源以及捐纳等形式，并未把货币及物价的调适当成财政收入稳定的影响因素。

除此之外，还有严重的自然灾害、官吏的贪污腐化、社会的不稳定，最终使土默特财政陷入窘境。

（四）补救措施

面对鸦片战争前后归化城土默特地区财政窘迫状况，当局采取了一系列补救措施。但因只注重眼前利益，以就财政解财政，而对国家机器的职能、财政制度的弊端等本质性的问题未能进行通盘考虑，从而决定了地方当局采取的财政措施的不彻底性以及财政整顿的失效。

扩大税源 在相对定额化的收入与大量临时性的开支产生矛盾的时候，筹饷之策集中在开源与节流两个方面。开源主要通过加赋增税、生息增银等手段增加收入，弥补经常性收入的不足，以期平衡收支。

增加新的税种，扩大税源是弥补入不敷出的最简单且最有效的方法。增加的税种包括地租税、商品税、发当发商生息银等项。

地租收入的增减实际上是开垦与荒废的直接结果。在归化城土默特财政收入中土地税占的比重并不是很大，但对当地财政的影响却是不言而喻的。这一时期新增的地租收入主要有沙拉穆楞、聚宝庄等地地租。道光末年入官的地亩有：道光二十九年（1849 年）升科的大青山后沙拉穆楞等十八村地 592.114 顷，每亩征租银三分一厘八丝，共额征租银 1 840.291 两；② 道光三十年（1850 年），认垦的大青山后聚宝庄等二十七村地租 1 159.114 顷，每亩租银三分一厘八丝，额征租银 3 602.5763 两。③ 沙拉穆楞、聚宝庄等地地租由归化城厅催征，解送副都统衙门。每年按例提银 300 两奖赏旗员，其余分给延寿寺、土默特公、台吉以及山后四佐领下人等。新增加的地租收

---

① 呼和浩特市土默特左旗档案馆档案，80—6—78。
② 《清文宗实录》卷 297，咸丰九年十月中癸丑条。
③ 郑裕孚：《归绥县志》，《经政志·赋役》，1934 年铅印本。

入，主要用于补贴公费和分给喇嘛蒙古以做香火养赡之资。我们可以看到，由于财政收入吃紧，当局加强了对土地的监督与管理，同时还提高了亩征租银，每亩所征租银由乾隆末年的二分一厘五毫增加至道光年间的每亩三分一厘八丝。

嘉庆以后的内忧外患，使地方财政日趋枯竭。为了扩大财政来源，新的生财之道生息银应运而生。生息银是清代政府信用的一种形式，主要以取利为目的贷放，其本银谓之"生息银两"。当时的信用机构中，最早、最古老的应是典当行。典当业按其规模大小和取赎期限的长短分为典、当、质、按、押五种，一般来说"典"的规模比较大，本金丰富，放款期限长、数量大，收受抵押品价值昂贵。典当或当铺因利大，资本积累容易，往往利用生息银两。归化城土默特两翼的生息银两分发商生息和发当生息两种。

本地发商生息起始于嘉庆四年（1799 年），是年奉旨将乾隆二十三年（1758 年）所备兵驼 500 只，以每只变价 20 两，共获银 10000 两，[①] 由归绥道交当铺商民经营。每月每两生息一分，每月息银 100 两，此项银两每年共计 1 200 两（有闰之年 1 300 两），按四季解交归化城副都统衙门，用做公用开支。当时本地领到生息银的当铺共有 60 座，每座应领银 166.666 两共应领银 10000 两。[②] 所生息银用于差派巡查地界、修复鄂博官兵盘费；备办台站经费；土默特远差官兵盘费；拨补旗务衙门杂项公费；土默特旗务衙门办事行走官员、缮书以及奋勉差务官兵奖赏，年用赏银约在 1 700 两。[③] 10 000 两生息银贷放时间没有具体规定，从其后的实际情况看，应该属于长期放贷性质。当局硬性置入资金属于存入当铺的存款，比起当时典当物公定月利 2% 少，属于底额贷款，对发展典当业是个促进。

嘉庆十九年（1814 年）十一月，归化城旗库存储土默特两翼驼只变价银 10000 两所生息银并煤窑收获钱文易存银，此二项银两内拨银 20 000 两，奏交前任归绥道松富，按月一分生息，每月息银 200 两。所收息银支给派往

---

①　高赓恩：《土默特旗志》卷7，《政典考》，《民族古籍与蒙古文化》总第 1—2 期，呼和浩特市民族事务委员会 2001 年版，第 263 页。

②　呼和浩特市土默特左旗档案馆档案，80—6—95。

③　呼和浩特市土默特左旗档案馆档案，80—6—132。

山后色尔腾等处巡查贼盗官员盘费，全年约 2 400 两。①

嘉庆二十四年（1819 年）三月，归化城旗库存储土默特两翼驼只变价所收息银并补修军器项内拨出银 9 000 两，据奏定章程，交给前任归绥道博贵按月一分生息，每月息银 90 两。所生息银支给派往山后翁衮特克库特依、商民通行大路特日木图、查汗库特力等三处巡查贼盗官员，全年支给盘费银 1 080 两。②

以上三项生息银两，朝廷严格规定用于备办乌里雅苏台等处公务、迎送官兵驿站盘费及山后卡伦巡缉官兵盘费，不得挪作他用。清代的生息银两就发商生息而言，基本上是低利贷款，也可以说是政府对商人的存款。在商人需要资金时，收到这种存款是有利于经营，但若不需要资金时却会成为负担。

节省开支　地方公费的缺乏，必须由地方官员解决。减平、减成支放是归化城土默特地区节省开支、解决财政不足的办法之一。

自道光二十四年（1844 年）开始，在房租项下支放减成银，减成额为不到二成，约计应减平银 50 余两，③ 所收银两按季解缴。咸丰四年（1854 年）十月，归化城本处按照户部酌定章程，扩大了减成银两的征收范围，核减副都统春秋二季二品俸银，表文纸张银等项，均要坐口三成，共 130 余两，比原先增加了一倍以上。至咸丰五年（1855 年）二月间，本处按照户部酌定章程，进一步扩大减成银两的征收范围，从托里布拉克仁佑寺大喇嘛、僧徒、诵经喇嘛等盘费银和驻扎多伦诺尔诵经喇嘛盘费银内坐口二成，④ 约 100 两。咸丰六年（1856 年），清廷又以体恤官员为名，要求户部依照京官增给俸银章程，酌增各省官俸，武职三品以上酌增一成以九成拨给。包括绥远城将军四季养廉银，副都统四季养廉银，遵照部文坐口一成，共约 120 两。历次减成率 1. 8 成、3 成、2 成，即 18%、30%、20%，这样减成银两的总量约 400 两，逐渐成了一笔不小的收入。从各年份的减成银两征收情况看，年均约在 250 余两至 350 余两之间。其主要用途为借拨正项银

---

①　呼和浩特市土默特左旗档案馆档案，80—6—124。
②　呼和浩特市土默特左旗档案馆档案，80—6—122。
③　呼和浩特市土默特左旗档案馆档案，80—6—562。
④　呼和浩特市土默特左旗档案馆档案，80—6—132。

两的不足或军需应用上。①

在坐扣减成银两的基础上，还要减平放银即对所有文武职官的养廉以及一切由旗库领项，均改用拟照京内减平支放。② 减平银的支放范围比减成银要大，包括绥远城将军四季养廉银到 9000 两息银、10000 两息银、20000 两息银等。但是坐扣比率只有 16.6% 至 10%，各年份所收减平银基本在 140 两左右，并按年解缴山西藩库。

从正项银两分出不同支出，坐扣一、二、三成，所得之银两用于脚价、军需等，再把所支出银坐扣减成。这样，实际上每项支出都要减成，财政支出比原先减少了一、二、三成不等，从而降低了支出，节省了公费需用。但历年扣存减成、减平银内又以钱易银，时估长落不定。

机构的庞杂是支出膨胀的另一个重要原因。最初归化城等处五厅，从乾隆二年（1737 年）开始额设递役 168 名，每年支给盘费银 1 008 两；至乾隆三十三年（1768 年）减为 159 名，支给盘费银 954 两；再咸丰四年（1854 年）正月间减少到 63 名，每年支给盘费银 378 两。③ 仅此一项就节约支出 576 两。

嘉庆五年（1801 年）六月内准兵部咨，将军跟随名额由原来的 30 名减为 10 名，副都统由原来的 20 名减为 6 名，比原先节约支出 204 两银。

加强管理　加强财政收支管理，是保证地方官吏施政严谨、廉洁以及保障财政收支平衡的基础。由于催征官员的不作为，不仅使得额税不能及时完纳，而且积欠越来越多。就同治年间的情况看，同治二年（1863 年），解到可可以力更咸丰十年（1860 年）地基租银 40.56 两；④ 同治十二年（1873 年）新收归化厅解到同治六、七年可可以力更地基租银 77.17 两；⑤ 同治十三年（1874 年）归厅解到同治八年（1869 年）可可以力更欠解地基租银 50 两。⑥ 催缴回来的都是三至五年前的租银。更有甚者，前任既有亏短，后任

---

① 呼和浩特市土默特左旗档案馆档案，80—45—95。
② 呼和浩特市土默特左旗档案馆档案，80—6—562。
③ 呼和浩特市土默特左旗档案馆档案，80—45—95。
④ 呼和浩特市土默特左旗档案馆档案，80—6—117。
⑤ 呼和浩特市土默特左旗档案馆档案，80—6—132。
⑥ 呼和浩特市土默特左旗档案馆档案，80—6—133。

征解税银时很难立时查出，造成税额悬空。① 土默特旗务衙门针对各级官吏欠解税款的现象，根据情节曾采取过不同程度的惩治措施。如"相应请将该牛录耽搁半年交付地租之佐领达尔玛隆、骁骑校旺丹等记过一年，停止于应升之缺进名以示警戒。该佐领下领催六名各惩鞭八十，并未严行催交之该参领塞令纳木吉勒记过半年以示警戒"。② 在惩治的同时还要求获罪官员带罪完纳拖欠款项。对于屡催不缴租银之民人，由领催持催征票据征租，把抗租者锁拘带到衙门，以凭追缴租银。

财政整顿的效果　在扩大税源的过程中，当课银与各项入官地亩地租应征收入为 5 506.773 两。如果不考虑自然灾害、土地风化、盐碱化、租税负担过重等原因，这部分收入已经是本旗财政总收入较高年份的一半左右，可以说对改善财政状况起到非常积极的作用。但实际情况却不尽如人意。有记录的该时段最后一年的当课银及各项入官地租实征收入共 3 724.731 两，比应征额减少了 32.4%。而地亩租额过高是耕地扩大，但收效甚微的主要原因。

那么，为减少支出所节约的银两，其情况又是怎样呢？原有需用支出减少，却增加新的支出项目，即新台项银③，也就等于把用于一项支出的费用，用在了两项支出上，结果只有领用者的收入减少了。

我们知道，道光以后，归化城土默特逐渐减少拨给官兵的奖赏银两，即"每月由煤税内提出八百千文作为军器修补费用"。④ 这就是原有费用不变的情况下，出现新项目所应对的措施。

生息银两所得收入因用于驿站等官兵盘费，不得挪作他用，实际上与其财政收支之间的关系并不大。

从绝对数额上看，财政收入的规模确实在不断扩张。土默特财政是在嘉庆末年开始出现下滑的，经过整顿，同治年间出现短暂的回升，同治三年（1864 年）和七年（1868 年）可以说是鸦片战争前后 80 年中的极盛期，至

---

① 呼和浩特市土默特左旗档案馆档案，80—6—111。

② 呼和浩特市土默特左旗档案馆档案，80—30—143。

③ 呼和浩特市土默特左旗档案馆档案，80—6—132。

④ 《土默特抽取煤税章程》，转引自《土默特文史资料》第 3 辑，土左旗政协文史资料研究会 1988 年版，第 126 页。

少从绝对数上有了扩张。但是若从其收支关系上看，支绌现象仍旧存在，同治六至十一年五年的财政余额加起来不足 3 000 两。甚至同治九年（1870年）库存余额仅为 10 两，已经到了财政赤字的边缘。

就是说，本次财政整顿措施实效性不大，只是应付暂时的财政问题，并没有实现长期的财政收支平衡，也不可能实现收支平衡的目的。因为，定额化财政的缺陷是弹性不足，相对固定的收入难以应付特殊情况下的非常项开支。并且非常项开支的范围较广，数额庞大，导致财政支出的扩张速度远远超过了财政收入增加的速度，清政府不健全的收支制度本身最终也使自己陷入财政危机的泥潭。

我们可以根据财政收支结构和规模，对这一时期的财政状况作一个总结。从嘉庆后的土默特财政收入结构上看，除了赋税、牲畜记档税、落地税等农业、畜牧业、商业方面的收入之外，还有了金融业的完全以获取利息为目的的生息银两。近 5 000 两的息银如果就用在公用开支上，对土默特财政来讲是个巨大的支撑，但是该项收入的专款专用使其失去了应有的作用。就其财政结构的变化对财政收支平衡的作用如何，有一点可以肯定的是，土默特地区经济正向着近代化方向发展。

三、清末的土默特财政

清代归化城土默特财政，经过其鼎盛的康、雍、乾时期以及嘉、道后的困窘直至清末即光绪、宣统年间，出现了很大的变化。尽管在进行着积极的挽救措施，但终究没能摆脱财政危机。本文着重探讨，清末土默特两翼进行的财政整顿以及整顿之后的现状、成因等问题，以期对清末土默特两翼财政得出总体的认识。

（一）清末土默特财政规模的扩张

这里系统梳理清末土默特两翼财政规模和财政结构的基础上，对收支规模的变化、财政结构变动的趋势进行分析，以探寻其发展脉络。土默特财政从光绪朝开始，进入了一个重大变化时期，其中财政规模上的变化尤为明显。

财政收入规模的扩张　针对财政日益窘迫的现状，当局采取了扩大财政规模的方式，使得财政规模与前一个时期相比有了明显的扩张。财政规模的扩张包括收入量的扩张和支出额的增加两个方面。光绪、宣统两朝前一时段，财政上的明显变化就是收支规模的扩大。鸦片战争前后土默特财政收入仅为 8 000 两左右，而到光绪年间增加了近两倍多，有些年份已接近三倍。

光绪、宣统时期归化城土默特财政收支规模表

（单位：两）

年　份	岁　入	岁　出	结　余
光绪七年（1881 年）			2 788
光绪八年（1882 年）	13 093	11 035	2 058
光绪九年（1883 年）	13 265	8 374	4 890
光绪十年（1884 年）	16 089	12 491	3 598
光绪十三年（1887 年）			7 372
光绪十七年（1891 年）	15 639		8 267
光绪十八年（1892 年）	17 476	7 015	10 461
光绪二十一年（1895 年）	22 058	9 123	12 935
光绪二十二年（1896 年）	24 653	6 982	15 076
光绪二十三年（1897 年）		6 184	18 469
光绪二十八年（1902 年）	23 164	16 408	6 756
光绪二十九年（1903 年）	23 163	11 513	11 650
光绪三十年（1904 年）	7 537		
光绪三十一年（1905 年）	18 010	17 956	54
宣统元年（1909 年）	20 095	6 090	14 005
宣统二年（1910 年）	43 954	45 046	-1 092

资料来源：呼和浩特市土默特左旗档案馆：财经类 6 目录、满文财政类钱粮项 25 目录、赋税项 30 目录等档案。

　　令人困惑的是，在王朝统治走向没落，社会矛盾日益加深的情况下，土默特财政收入竟然还能迅速扩张。究其原因，主要应是清末新政大气候下，朝廷采取的筹款措施所致。因为，道光以后的财政补救措施成效不大，仍旧徘徊在财政赤字的边缘，所以至清末进一步加大了财政筹款的力度，采取了一系列的措施。

提高了作为土默财政收入大宗的煤税税率。随着道路运输条件的改善，运煤车辆的载重量从原先的每车一套不过能载八担之多，增加到车户一套足能运载至十五六担之多。光绪三十一年（1905年）开始煤税税率，每车一套定收制钱50文，每驼一只定收制钱20文，每骡一头定收制钱18文，每驴一个定收制钱10文，所有清、托二厅属之喇嘛湾等处水面地方，以船运炭者亦按载炭1 000斤，比素日再加炭税制钱20文。① 这样税率也增长到36%。同时加强对收税官员以及纳税民户的管理与惩治力度，"勿得短欠，倘有不晓之徒抗为不遵，准该税委员径交地方衙门严行惩办。如收税员弁于定额外勒取亦准民户禀控，一体惩治处理"，② 从而使煤税收入年均达1 913 093文，比嘉、道、咸、同时期有了明显的提高。③

马克思在《中国革命和欧洲革命》一文中曾指出：鸦片战争失败以后，清廷被迫付给英国赔款，财政困窘，"旧税捐更重更难负担，此外又加了新税捐"。④ 光绪、宣统年间归化城土默特新增加的税种就比较多。

六成地租。六成地是黄河河道变迁涸出的土地，西起包头以南的黄河南岸，东接准格尔旗占地。该地从乾隆年间开始，因黄河改道南北淘澄，致使黄河两岸的土默特和达拉特旗多次争执，一直未能彻底解决。咸丰六年（1856年），黄河河道南移，在土默特境内涸出之地甚多，两旗为此争地涉讼至理藩院，直到光绪十二年（1886年）四月，经察哈尔都统绍祺查办土默特、达拉特两旗争界案，进行裁断明确分割。依四六划分，其迤北六成段归土默特，地972.8里。⑤ 六成地原为土默特蒙古户口地、公共游牧地和召庙香火地，经钦差大臣绍祺裁断后奏请丈放，每亩押荒银上地一钱、中地九分、下地八分。每亩官租银上地一分四厘，中地和下地一分三厘。由萨拉齐厅征租，用于训练土默特精壮蒙丁。自光绪十二年（1886年）开始征租，每年额征正耗租银4 160.876两。⑥ 但并不是每年都能足额

---

① 呼和浩特市土默特左旗档案馆档案，80—6—547。
② 呼和浩特市土默特左旗档案馆档案，80—6—547。
③ 呼和浩特市土默特左旗档案馆档案，80—6—222；80—6—290，80—6—386。
④ 《马克思恩格斯选集》第2卷，人民出版社1972年版，第3页。
⑤ 呼和浩特市土默特左旗档案馆档案，80—2—558。
⑥ 呼和浩特市土默特左旗档案馆档案，80—6—633。

征收。据资料显示，萨厅解到光绪二十七年（1901 年）份六成地租银
2 886.15795 两；光绪二十八年（1902 年），萨厅解到二十七年份六成地租
银 1 050 两。①

从光绪十三年（1887 年）开始陆续升科，征收正、耗银的六成地共
3 063.246 顷，其中上地共 362.952 顷，中地共 761.434 顷，下地共
1 938.86 顷。上地亩征租银 1 分 4 厘，中、下地亩征租银 1 分 3 厘。

仅仅过几年至光绪十七年（1891 年）时，土默特六成地租已不敷练兵。
绥远城将军克等奏请仍作蒙古当差官兵津贴，得到让归绥道粮饷同知，对现
在库储历年土默特六成地租正耗银两并押荒一款共银若干两，用其发商生息
的谕旨。光绪十七年（1891 年）七月，归绥道遵查，萨拉齐厅原解土默特
六成地押荒银共 20 793.36 两，系原解萨拉齐厅市平较库平，② 每百两短银
一两。当时经绥远城将军批令，将押荒银的短平银两由库存平租耗银 3 000
余两内补足。这样共筹足 30 000 两银，自光绪十八年（1892 年）正月初一
日起，由归、萨、丰、宁、托五厅发散给各该城当商，按月一分生息，应征
息银一律征收库平，五厅应按年、按季解缴土默特旗库收存，变通作为津贴
和官兵当差之需。兹后每积至 10 000 两即发商生息。岁入息银为 10 680
两，这样六成项岁入共银 14 840.8763 两。光绪三十三年（1907 年）时，
两翼生息项发商生息本银 128 000 两，内六成官地押荒息本银就达 89 000
两之多，有力地促进了财政收入的增加。随着六成地各种租耗息银的征收，
该项支出不仅有了保障，而且有余裕。

六成项收入到清末已成为土默特两翼仅次于煤税的主要财政收入。土默
特财政收入是增加了，同时也为当商们带来了沉重的负担。因此，在光绪二
十二年（1896 年）时，各厅当商等纷纷呈称，口外当商委系本小利微，向
与内地当商不同，设有不予诚恐受累，恳请改发别商的请求。政府税收负担
已转嫁到百姓头上。

---

① 呼和浩特市土默特左旗档案馆档案，80—6—473。
② 库平亦叫"库平两""库平银"。清康熙时制定。政府征收租税和出纳银两所用之衡量标准。中
央政府的库平与各地方的库平之间有差别。光绪三十三年（1908 年）清政府农工商部和度支部拟定划一
度量衡制度，规定库平 1 两等于 37.301 克，为权衡单位。清代土默特地区秤银两主要用国库与湖南的衡
量器，这里所说的"库平银"即以国库衡器为衡量标准。

新增捐税。包括窑厘税、洋药税、烟厘、买契税、印花税等项。

煤税收入是土默特两翼财政收入中为数不多的能自主的项目，因此，当局为了提高财政收入，在税率已提高的基础上，于光绪三十三年（1907 年）四月，作出规定，取消蒙古山主收吃山租的常规，矿山权收归旗所有，再提抽三成煤厘银（即按买煤价的十分之三抽取租税）。① 据资料，窑厘年征收额为 9 000 余两，② 将所收银两作为补助一切新政之需，即将其分成三份：一份作各处公费，一份做学堂经费，一份存储、专做推广矿务，请领部照之需要。

厘金税。时值清末，在无法提升租税收入实绩的情况下，土药也成为筹款大宗。清末"土默特土药出产甚旺"，③ 到光绪二十四年（1898 年）时，"归化一百六十一村，共种土药四千八百八十五亩一分"，④ 土药播种范围和面积都发展到了一定规模。于是光绪三十一年（1905 年），绥远城将军贻谷上奏朝廷，将绥远地区汉族农民、土默特蒙古、八旗兵丁所种鸦片烟亩一体征税，每水地一亩收亩捐满钱一吊 215 文，旱地一亩收亩捐满钱一吊文。⑤ 收入作为土默特旗练兵兴学的经费，这一建议得到清廷的批准。⑥ 土药税即对内地产鸦片所课之税。光绪三十三年（1907 年）所征收的土药统捐，已达到 684.57 两。

烟厘一般年份都在 1 000 至 2 000 两之间。光绪三十一年（1905 年）至三十四年（1908 年）五月底止，烟厘项实存银 2 125.346 两；钱 174 千文；光绪三十四年六月，烟厘项实存银 1 320 两。仅归厅光绪三十三年份（1907 年）的烟厘银就 584.57 两。⑦

---

① 呼和浩特市土默特左旗档案馆档案，80—2—657。

② 呼和浩特市土默特左旗档案馆档案，80—6—673。

③ 姚锡光：《筹蒙刍议》卷上，《议四漠南北通筹》。

④ 《晋省鸦片》，载《农学报》第 48 卷，光绪二十四年九月下，转引自李文治：《中国近代农业史资料》第 1 辑，三联书店 1957 年，第 463 页。

⑤ 呼和浩特市土默特左旗档案馆档案，80—5—475。

⑥ 《东方杂志》第 2 年第 8 期，《财政》，第 146—147 页。

⑦ 呼和浩特市土默特左旗档案馆档案，80—6—891。

除了窑厘和烟厘之外，清末归化城地区还征收烟、酒、斗秤等各种课捐。[1]

药商坐票课银，也称洋药税即向药商或药行征收的税。光绪十二年（1886 年），归化城共有药行 12 座，每座由官府发座票一张，每张岁纳税课银 24 两，共银 288 两，解缴山西筹饷局。[2]

印花税是清末朝廷借鉴外国税制而实施的第一个西方近代税种，是指对因商事、产权等行为书立或使用的凭证所征课的一种税，由于它采取在凭证上粘贴印花税票的形式完成纳税义务而得名。光绪二十二年（1896 年）御史陈璧奏请新设印花税，以救财政之困难，二十五年（1899 年）出使大臣伍廷芳再次奏请实施。光绪三十三年（1907 年）禁止鸦片之议起，预测国家收入将会减少，度支部虽制定印花税则十五条，办法章程十二条并通令各省，由于种种原因直至宣统元年（1909 年）正月，全国才一律开始施行。但各省奏请延期，最终还是未能实施。本地区关于印花税的具体征收未见记载，只是在光绪二十三年（1897 年）时为收土药税告知印帖印花之事，"出大人两次过印花费钱十钱文"。[3] 具体到 1912 年十月，国民政府才公布了印花税法 13 条，1913 年全国各地开始推行。

在增加税率，扩张税源还不能满足筹款之需的情况下，又采取预征部分额税的方法，即在当课对象未实现之前先期课征税课。清廷于光绪十三年（1887 年），因黄河在郑州决堤，户部提出筹备河工赈款六条办法之一，即预缴二十年当课及汇号捐银免领部贴。当商与官府的合作也已不是第一次，当商需要资金时官府分拨本银，发当生息过，现在官府有难，当商也应为朝廷分忧。

归化城地区有记载的预征二十年当课银，是从光绪十四年（1888 年）开始的，"光绪十四年奉文每当铺一座，预支二十年课银一百二十两，报解在案"[4]。至光绪十七年（1891 年），收齐归化城等五厅所属小当铺七十八

① 乌仁其其格：《18—20 世纪初归化城土默特财政研究》，民族出版社 2008 年版，第 241—242 页。

② 郑裕孚：《归绥县志》，《经政志·赋役》，1934 年铅印本。

③ 呼和浩特市土默特左旗档案馆档案，80—6—1167。

④ 沈潜：《归化城厅志》卷 7，《关税》，光绪年间抄本。

座，按每当铺每年应征课银六两，应征二十年当课银 9 360 两。① 朝廷下令为填补国库空虚而从地方上预征当课，而归化城每年应征当课，本息作为本衙门每年公费之正项开销。后户部以当课额税太轻为由，奏请自"光绪二十三年，奉文每当铺一座加征课银五十两"。② 自光绪二十四年（1898 年）起各当铺每年按 25 两纳课，扣除原先预征之税，每年实缴 19 两。但各厅征收时间先后不一致，萨拉齐厅至光绪二十九年（1903 年）时还不清楚以何年为始，是否每座按 25 两征收，从前预完之税能否扣除等情。③ 说明当时税收管理的混乱以及筹款工作进展状况的艰难程度。加征当课至预征二十年期限已到，开始全额缴纳。此时，当商所缴当课税已超过开征时的三倍多，若二十年期满全额缴纳，当商的负担就会更重。作为补偿，经咨山西巡抚转饬，归绥道就近由杂税项下按照每年所征当课银数，每年筹拨银 400 余两，归入正项作为开销，但远不及当课银两收入本身。据档案资料，光绪二十八年（1902 年），征收当课银 3 494 两；④ 光绪三十三年（1907 年）当课 1 295 两；⑤ 宣统元年（1909 年）2 015 两；⑥ 宣统二年（1910 年）1 623 两。⑦ 当课相对的增加了，但当铺的经营已遇到前所未有的困难，当铺数量日见减少。

通过上述一系列筹款措施，归化城土默特年财政收入已增加到近 20 000 两，当然也常有不能足额征收等问题。

财政支出规模的急剧膨胀　收入扩张的同时支出各项也迅速膨胀。从光绪年间的土默特财政收支规模表可知，光绪八年（1882 年）至宣统二年（1910 年）的二十八年间，财政支出平均在 10 000 两上下波动，有些年份接近 20 000 两，如下列图表所示。

财政支出规模，从光绪九年（1883 年）的 8 374 两至光绪三十一年（1905 年）的 17 956 两和宣统二年（1910 年）的 45 046 两，分别比光绪九

---

① 呼和浩特市土默特左旗档案馆档案，80—6—790。
② 沈潜：《归化城厅志》卷 7，《关税》，光绪年间抄本。
③ 呼和浩特市土默特左旗档案馆档案，80—6—500。
④ 呼和浩特市土默特左旗档案馆档案，80—6—501。
⑤ 呼和浩特市土默特左旗档案馆档案，80—6—603。
⑥ 呼和浩特市土默特左旗档案馆档案，80—6—942。
⑦ 呼和浩特市土默特左旗档案馆档案，80—6—1154。

年增长了 2.14 倍和 5.4 倍。财政支出的急剧膨胀之因，从收支关系上看，如果收入增加的同时原有支出各项没有变化，只能从新增加的支出项上寻找原因。据档案资料，至光绪二十九年（1903 年）为止，正项银两收支四柱清册的记档方式与以前各时期并无两样。然而，支出的增长主要集中在军费、学堂、洋务等"新政"各项之上。

光绪八年至宣统二年归化城土默特财政支出图

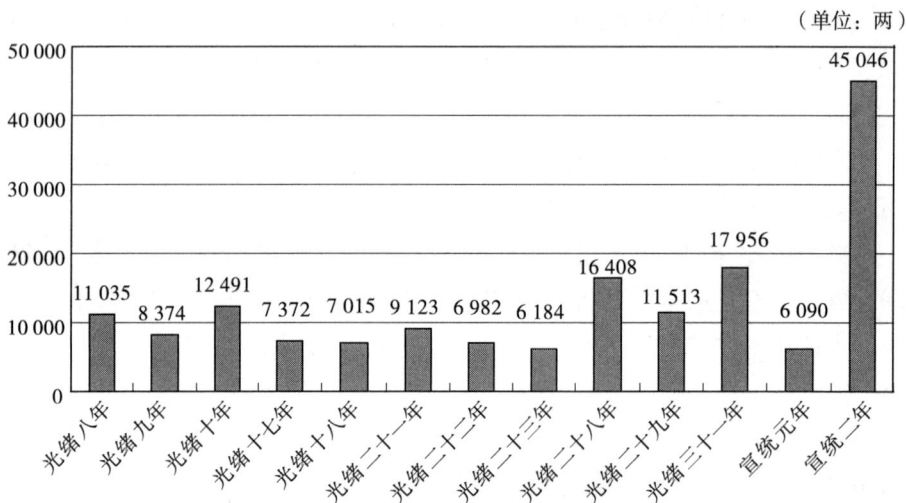

（单位：两）

资料来源：呼和浩特市土默特左旗档案馆：汉文财经类 6 目录、满文财政类钱粮项 25 目录、赋税项 30 目录等档案。

从光绪二十七年（1901 年）到光绪三十一年（1905 年），清政府连续颁布了一系列"新政"上谕，而创建新军是清政府"新政"的主要内容之一。清末归化城土默特两翼之兵制已形同虚设，取消编练而设立了土默特巡警营、常备军和陆军。光绪十年（1884 年），山西巡抚张之洞奏准，口外归化城等七厅添设捕盗营，至光绪二十八年（1902 年）改为巡警营。由六成项下每月支给巡防营官兵口分银 1 050 两。①

光绪二十六年（1900 年），绥远城将军永德、归化城副都统奎成奏准，

_____

①　呼和浩特市土默特左旗档案馆档案，80—6—472。

由土默特两翼壮丁内挑选精壮蒙兵三百名，编为巡防队，拣选参佐等官集中训练。其津贴、口分等款，由六成地租项下筹备，光绪二十九年（1903年），改巡防队为常备军，仅七个多月的口俸银就 7 770 两。①

光绪三十二年（1906 年），绥远城将军贻谷仿照北洋陆军建制，把绥远城驻防八旗满兵编为陆军步兵第一营，由六成项以及关税项下支给其饷项和军费。陆军军饷项公费 15 000—18 000 余两。②

办学堂、办洋务等也是"新政"的重要内容。土默特地区于光绪二十七年（1901 年）创建绥远武备学堂，由六成项下筹拨；光绪二十九年（1903 年）创办陆军小学堂，由正项巡警盘费银内筹拨；③ 光绪三十二年（1906 年）始创土默特蒙小学堂，由正项巡警盘费银内筹拨；④ 光绪三十三年（1907 年）建土默特高等小学堂，经费由补修军器项、巡警余额、煤税等项下支领；⑤ 光绪三十四年（1908 年）建立土默特第一、第二初等小学堂；光绪三十三年（1907 年）成立土默特第三初等小学堂（即半日初级小学堂）等。在短短几年间，土默特地区各类学校经费支出就达年近万两。虽然有的学堂仅存在两年，但是对于土默特蒙古族文化或文明的发展与进步应该说利大于弊。

19 世纪 60 年代至 90 年代，洋务派在全国各地掀起了"师夷长技以自强"的改良运动即洋务运动。此时的归化城土默特也从减成银项下拨出款项，作为办理洋务费用。光绪二十八年（1902 年）二月至七月，每月为洋务局支给办公薪水银 250 两，并从减成银项下支给办理洋务官员盘费银 2 000 两。⑥ 同时，鸦片战争以后，天主教和基督新教开始在归化城地区活动，于萨拉齐等地租买土地、建村耕种、抢地杀人。在义和团"灭洋保清"思想的推动下，土默特当地居民与教会间的矛盾变得更加激烈，为此旗务衙门在萨拉齐、和林格尔、托克托等地派佐领一人保护教堂，由正项

---

① 呼和浩特市土默特左旗档案馆档案，80—6—1181。
② 呼和浩特市土默特左旗档案馆档案，80—6—603；80—6—942。
③ 呼和浩特市土默特左旗档案馆档案，80—6—594。
④ 呼和浩特市土默特左旗档案馆档案，80—6—593。
⑤ 呼和浩特市土默特左旗档案馆档案，80—6—942。
⑥ 呼和浩特市土默特左旗档案馆档案，80—6—489。

银及驼价生息银内每月各拨给盘费银 24 两；① 再从正项公费银内拨出 230 两为洋人送礼。② 仅这两项使光绪二十八年（1902 年）的支出又增加了 1 000 余两。

清末杂费（典礼性费用）的支出，名目繁多、数量也比较大。其中除汉书工食银、会审官兵盘费银、巡查卡伦官兵盘费银、禁洋烟官兵盘费银等的少量费用之外，其余基本属于典礼费。③ 类似的费用看来是每年都出现赤字，上一年 142 740 文，第二年 200 983 文，并有逐年增加的趋势。

此外，还出现了荫监俸银、图书馆阅报社经费等名目繁杂的费用。

总之，这一时期土默特财政，从原来的"量入而出"变为"以出定入"，筹款的各种措施远远跟不上日益膨胀的财政支出。

（二）清末土默特财政结构

财政结构，是指财政分配内部的各种要素的构成和比例关系。这里主要包括财政收入结构和财政支出结构两个方面的内容。

清末土默特财政收入结构的变动 财政收入结构，是指财政收入的组成要素以及相互间的关系。财政收入结构反映的是财政收入的基本组成要素及各类收入在财政收入总额中所占的比例与相互关系。一定时期的财政收入结构既是经济结构的集中反映，又是制约经济结构变量的因素。光绪二十九年（1903 年）之前，土默特财政收入有 23 项之多，但是各项收入没有归类，类别不清。

光绪二十九年（1903 年）之后，有了比较规范的财政收支归类和财政统计年表。如光绪三十三年（1907 年）的财政统计年表④中，收入被分类为内销正、杂各款和外销各款两大项。年收入中的内销正杂各款是进入奏销册的各项收入，包括经常项和临时项两部分。经常项内的旗地租课、杂税基本上属于原有收入各项；而间杂各款中的六项收入是到清末新增加的收入部分。临时项只包括土药捐一项。内销正、杂各款均以四柱格式的形式造册报送户部、理藩院注销。也就是让朝廷定制审核通过的部分。

---

① 呼和浩特市土默特左旗档案馆档案，80—6—489。

② 呼和浩特市土默特左旗档案馆档案，80—6—473。

③ 呼和浩特市土默特左旗档案馆档案，80—6—762。

④ 呼和浩特市土默特左旗档案馆档案，80—6—887。

根据度支部范式和本旗所有之款项，光绪三十三年（1907 年）的财政收入各款的额征、升垦、蠲豁、减缓、实征、续征、代征、未完以及出处等都有详细交代，并有备考。① 我们把岁入各项分为传统收入与新增收入两项，以便于对其结构进行考察。

传统收入是指清末土默特两翼实施"新政"筹款以前的岁入各项。包括旗地租课中六成项以外的正、杂各款共 11 项。下面我们对乾隆朝至宣统朝个别年份的传统收入额进行实证分析，以了解其结构变化。

旗地租课各项之翁衮岭地租包括：翁衮岭北十七犋牛地征租，自乾隆朝至清末均为 51 两；翁衮岭迤北、迤西两路及可可以力更等处官地，民人建盖房屋铺面之地基银 50 至 77 两；光绪末年收入稍高一些，到宣统元年（1909 年）和二年（1910 年）共约 110 两，该项地租收入基本在 110 至 130 两之间浮动。赈恤鳏寡孤独地租银，乾隆年间约 318 两余；光绪年间约 280 两余；宣统年间约 260 两余，此项租银一直在 310 至 260 余两之间浮动。聚宝庄地租银，道光年间额征租银 3 602 两；咸丰年间征租银 2 154 两；光绪年间征租银 2 000 余两至 1 000 余两不等；宣统年间征收 300 余两，收入额直线下降。房课，乾隆年间征银 500 余两；同治年间 300 余两；到光绪末宣统初年时仅 90 余两。耤田地租，自乾隆年间的年 30 两直至清末；沙拉穆楞等地地租银，道光年间额征租银 1 840 两，到光绪年间实征 500 余两。总之，清末土默特旗地租课，未见增加反而已大幅度减少。

土默特岁收杂税中的牲畜记档税是额定的 7 000 两，清后期因公费银两支绌，定例多拨 1 000 至 1 500 两。当课银两在课税一定的情况下，其增减与当铺数量的多寡有了直接的关系。自乾隆年间始征课税至嘉庆年间，已有当课 1 000 余两，清末通过增加课税接近为 2 000 两。煤炭租税，从乾隆年间的七成款即年 1 500 串到光绪年间的（税率增加后）2 500 串以及窑厘银年 5 527 两。发当、发商生息银两由嘉庆年间的 20 000 两、10 000 两、9 000 两之外，到光绪年间的六成官地押荒息本银 89 000 两。各项生息银从嘉庆时的 4 000 多两增加到清末的 15 000 两。减成、减平银两基本没有变化。那么，经过传统收入的分析可知，清末的传统收入基本上等同于其前期

---

① 呼和浩特市土默特左旗档案馆档案，80—6—887。

的收入。

　　财政收入结构的变化主要体现在新增各项收入中。六成地地租、生息银和各项抽捐则是"新政"以后的收入，可以从一个重要的侧面反映出清末财政收入结构的变化。

归化城土默特两翼光绪三十三年份内销正杂各款岁入结构表

（单位：两）

合计	临时		经常项																	
	共计	土药统捐	共计	间杂各项				杂税				旗地租课								
				比重	减平	减成	生息	比重	当课	牲畜记档税	煤炭租税	比重	合计	耤田地租	房课	聚宝庄地租	独地租	赈恤鳏寡孤	地租 翁衮岭等处	六成地租
银 33 058 2 148 660 文 合银 34 251	684	蒙众亩捐 684	银 32 373 2 148 660 文 两 84" 钱	47%	217	334	15 249	33%	1 295	8 500	2 148 660 文 合 1 193 制钱	20%	6 823	33	91	300	261		113	6 025

资料来源：呼和浩特市土默特左旗档案馆：汉文财经类6目录603号件档案。

　　从上述表中可知，长期以来土默特财政收入以牲畜记档税为最大，煤税收入次之，但到清末旗地租课收入比重逐渐上升，以生息银为主的商业金融性收入比重也迅速提高。尤其值得一提的是，在两翼租课收入中新增加的六成地租的比重已占到88.31%。说明，清末财政收入的提高与大量开垦土地有着密切关系，也显现出土默特两翼社会经济中农业所占比重的提升。

　　生息银两的发放为本小利微的归化城土默特商人带来了一定的负担，在本地执行起来也遇到了一些阻力。内地发商发当生息，有的开商铺或当铺，有的买田招佃，而本地未见此类记载。关于生息银两制度问题，早在乾隆七年（1742年），大学士等奉旨进行过讨论。议定生息银两不得以息做本，利率"约以一分为准，不得过一分五厘，着为例。如违例将息做本，并私取重利者，将该管官指参"。① 但清末的局势已打破原有的规章，在当商数量

---

　　① 《清高宗实录》卷164，乾隆七年四月壬寅条。

日趋减少的情况下，接二连三地发拨生息，实让当商备受牵累。但对本地区财政收入的提高却起到了推动作用。它不仅占间杂收入的96.39%，而且占整个经常项收入的47%。清末土默特地区商业金融的发展，为土默特财政收入的持续增长打下了良好的基础。

外销各款是不入奏销册的收入，就是浮于报销之外的部分，所以叫做外销各款。也就是说这部分款项，旗务衙门可以自行支配。

外销各款包括试办加增煤税项、抽收燃烧项、抽捐布施项、文庙地谱项、斗秤捐项等五项组成。试办加增煤税是因煤税短额无补兼以新政款项支绌，即报明试办加增煤税，以资贴补煤税短额及筹办新政之需。燃烧项由各煤炭税局抽收，以资将军、（副）都统衙门并旗务衙门各司处所应需燃烧之费。布施项系由本旗各官员所抽之捐，以资本旗召庙常年之经费。文庙地谱项即文庙周围之地基租给民户占用所征收地谱，以资蒙小学堂纸笔之费。斗秤捐项是由本旗蒙众枭籴油酒粮粟所抽之捐，以资本旗半日学堂所常年之经费。以上五项收入的征收情况见下表。

清末归化城土默特两翼外销收入统计表

（单位：钱、两）

年份 \ 款目	试办加增煤税项	抽收燃烧项	抽捐布施项	文庙地谱项	斗秤捐项	合计
光绪三十三年（1907年）	钱 324 078	钱 1 309 950	钱 350	钱 2 570 798		钱 2 408 948
宣统元年（1909年）	钱 767 024	钱 2 161 500	钱 175 000	钱 204 010	银 271.27	银 271.27 钱 3 317 534
宣统二年（1910年）	钱 893 242	钱 1934 458	钱 175 000	钱 196 800	银 4 400.53	银 4 400.53 钱 3 199 500

资料来源：呼和浩特市土默特左旗档案馆：汉文财经类6目录602号件、1154号件、887号件档案。

从外销各项收入看，光绪三十三年（1907年）至宣统二年（1910年）的三年间，除了抽捐布施项外的其他各项收入都在增长，并有逐年提高的趋势。这说明，土默特旗务衙门开始拥有一定的财权和流动资金，为贴补财政缺口有了相应的保障。

总之，土默特财政收入结构的变动说明，土默特地区经济结构正在发生着变化，农业和商业性收入比重不断上升，土默特经济的近代化态势越来越明显。

　　清末土默特财政支出结构的变动　财政支出结构是指财政资金的用途、使用方向、比例构成及其相互关系。清末土默特财政支出与其以前相比，总支出数与支出结构均有了较大的变化。财政总支出的变化情况我们在前面已经探讨过，那么，清末财政支出结构变化又如何呢？据光绪八年（1882年）各项支出清册看，归化城土默特旗库存储记档正项银两支出项包括养廉俸禄银、公费银、赈恤费、典礼费、军政费、杂项等，支出依据是同治朝以前的定例。有变化的是支出量增加了，自光绪七年（1881年）十一月起至光绪八年（1882年）十月底止、统共需用过银11 035两余。①之后一直到光绪二十九年（1903年）为止，支出总量扩大，但支出结构上的变化不明显。

　　财政支出结构上的变化是从光绪二十九年（1903年），编练"新军"时开始的。这时的财政支出项已增加到十八款，它是收入支出项的综合反映。光绪二十九年（1903年）后财政支出亦与收入一样分为内销正、杂各款岁出和外销各款岁出。内销正、杂各款岁出包括经常项和临时项。经常项包括起解各项、俸廉薪公、典礼费、教育费、军政费、藩政费、赈恤费、杂支各款、杂款各项共九项；临时项包括杂款项。②

　　起解各项即解缴部库的减平银，是从土默特两翼各项公费银两内按照定例核减六分平之款。这笔款是从土默特财政收入中支出之各项所扣，属于节流性质，但节省下来解缴藩库。

　　俸廉薪公是由支给将军衙门、副都统衙门、各司官兵俸食以及监生俸银组成。在俸廉薪公支出中，除了养廉银支出之外，俸银、津贴和公费银开支均在逐年增加。就公费银每月使用情况看，将军衙门每月公费银8.33两，年约100两，有闰之年108两有余。副都统衙门每月公费银25两，③ 年约300两，有闰之年325两。津贴的分配使用情况，将军衙门和副都统衙门统

---

①　呼和浩特市土默特左旗档案馆档案，80—6—222。
②　呼和浩特市土默特左旗档案馆档案，80—6—887。
③　呼和浩特市土默特左旗档案馆档案，80—6—592。

共需银约 3 000 两，有闰之年约 3 600 两。而光绪三十四年（1908 年）、宣统元年（1909 年）、宣统二年（1910 年）等三年年均津贴银 3 333 两，① 均超过平常之年津贴用项。

军政费是本旗财政支出之大项，包括递役工食、备台费、补修军械、陆军饷项公费、远差盘费。副都统马乾是遵照奏定章程，按绥远城将军十五匹马之草豆发给，但光绪年间没有明确记载。宣统年间开始，冬春各一半拨给，并呈逐年增加的趋势。② 陆军饷项是本旗所练的陆军之官兵薪饷盘费，包括六成地租项下动支的陆军营费用和陆军学堂费用两大项组成。补修军械是补修陆军军械，其费用与定例相同。递役工食，自定例以来固定未变。备台费主要是本旗备办西北各路乌、科等处台站费之外，还有迎送大人盘费、赴京呈送报销册盘费、解送减平银盘费、会查旗界鄂博③盘费、旗务衙门官兵的奖赏等项，其中台站费逐渐增多，而远差官兵盘费在减少。④

教育费中包括了各种学堂经费以及图书阅报等支出。光绪三十三年（1907 年）教育经费银 3 205 两、钱 600 吊；宣统元年（1909 年）为银 3 922 两、钱 950 317 文，宣统二年（1910 年）为银 3 668 两、钱 950 317 文。如果按照光绪三十二年的时价每银一两合制钱 1 123 文折算，三年的需用银两共 3 739 两、4 768 两和 4 514 两，年均用银 4 300 余两。⑤

在各类学堂中陆军小学堂的费用支出逐年提高，其他在减少，图书馆阅报社仅有经费，蒙小学堂至光绪三十四年（1908 年）已停办，相比之下军事教育比较被重视。

藩政费，本旗有驻扎托里布拉克仁佑寺、多伦诺尔汇宗善因等寺诵经喇嘛。每年由本旗承领盘费银两，从正项银下动支，年支出约在 492 两至 600 两之间浮动。

---

① 呼和浩特市土默特左旗档案馆档案，80—6—887。

② 呼和浩特市土默特左旗档案馆档案，80—6—942；80—6—1154。

③ 清末归化城副都统衙门管辖沿边鄂博：东北与四子王旗连接地方 32 堆，正北与达尔汗贝勒旗连接地方 22 堆，西北与茂明安连接地方 7 堆，正西与东公旗界联地方 1 堆，共 125 堆。

④ 呼和浩特市土默特左旗档案馆档案，80—6—887；80—6—942；80—6—1154。

⑤ 呼和浩特市土默特左旗档案馆档案，80—6—887；80—6—942；80—6—1154。

典礼费包括致祭孔子、致祭文昌、致祭关帝、托里布拉克仁佑寺供品费、致祭先农坛，除致祭先农坛的费用由耤田项下支出外，其他均由正项银两下支出，历年的支出额约 330 两至 350 两上下。

赈恤费由赈恤鳏寡孤独贫民、赈恤养济院贫民两项组成，由鳏寡孤独地租银以及正项银两下动支，总支出约在 570 两至 630 两之间。这是按定例赈恤部分，临时需要赈恤的支出份额更大。

在自然灾害频仍发生的清末土默特地区，严格按照定例运行的财政体制下，为了应对临时大规模的赈恤必须有足够的财政后备。其中包括为及时弥补自然灾害等突发事件的特殊需要之实物形态的后备以及货币形态的后备，而且还应该是长期性的后备。清末土默特地区，档案资料账面上可以看到历年财政有一定的结余，并有一定规模实物形态的后备，但长期后备的应对能力还是有限。缺乏的不仅是长期有效的货币形态的后备，而且实物形态的后备也已濒临枯竭。①

杂支各款中包括年底奖赏钱、管窑官饭食银、采买谷价银、窑厘公费银、旗务衙门公费银等。

在岁出杂支各款中，年底奖赏和旗务衙门公费在减少，而管窑官员饭食银支出在增加，这与各沟分局抽收窑厘款之司员经费等有关。都统大人俸米并托里布拉克喇嘛、养济院孤贫各口粮原额 2 000 仓石未变。② 但是其中的采买谷价所需运脚折耗、杂费等项费用增加幅度较快。该项费用在光绪八年（1882 年）时 4 335.2 两；光绪十二年（1886 年）时，共合银 4 346 两；光绪二十八年（1902 年）时，价银 4 429.1 两；但到宣统二年（1910 年）时，突然增加至 8 450 两有余。在都统大人俸米及托里布拉克诵经喇嘛口粮一定的情况下，究其支出增加之因，一是需要赈恤的孤贫人口急剧上升；二是粮食价格涨幅较快所致。

临时项包括临时需用的军政费、教育费、工程修理费等。临时性支出一般年份需用 500 两至 600 两，从正项银两项和生息项下动支。到宣统年间临时性支出有明显增长的迹象。临时教育费即时政讲习所，是将军、副都统会

---

① 绥远通志馆：《绥远通志稿》卷 31，《仓储》，20 世纪 30 年代稿本。
② 呼和浩特市土默特左旗档案馆档案，80—2—322。

奏设立，归绥时政讲习所经费 600 两，结果该年份临时支出增加到近 3 000 两。①

归化城土默特光绪三十三年份内销正杂各款岁出结构表

（单位：两、钱文）

杂款		杂支各款				赈恤			藩政费			军政费						教育费			典礼	俸廉薪公					起解各项	
比重	杂费	修理费	比重	管窑官饭食	年底奖赏	比重	养济院贫民费	鳏寡孤独贫民费	比重	多伦诺尔召费	托里布拉克召费	比重	递役工食	备台费	补修军械	陆军饷项公费	远差盘费	比重	津贴	经费	各坛庙祭品	比重	公费	津贴	养廉	俸银	比重	减平
1.9%	87两7钱1分	418两2钱8分	7.3%	钱644 598文（358两）	银289两2钱6分''、钱2 303 398文（1279两）	2.2%	312两8钱4分	261两9钱3分	1.8%	192两	300两	64.6%	378两	891两6分	钱200吊（111两）	15 060两8钱	银231两9钱6分''、钱358 800文（99两）	3.67%	银626两5钱、钱600吊	158两4钱	300两3钱8分。占1.15%	合4 976两4钱3分'' 19.0%	595两1钱7分	3 000两	1 186两2钱6分	195两	0.10%	27两8钱2分

合计：银 24 798 两 3 钱 7 分；钱 2 303 398 文（一两合制钱 1 800 文，共合银 1 279 两 6 655 文）= 26 078 两 3 分 5 厘

资料来源：呼和浩特市土默特左旗档案馆：汉文财经类 6 目录 603 号件档案。

从上列表中可看出，清末归化城土默特各项财政支出结构中，占比重最大的是军政费，而且有逐年扩大的趋势。说明财政支出总量的扩张与军政费的提高有直接关系。清末的军费支出与清代前期的军费支出相比，无论从支出数额还是从支出结构上都发生了很大的变化，其目的都是为了维护封建统

---

① 呼和浩特市土默特左旗档案馆档案，80—6—1154。

治。当然建立陆军，创立陆军学堂，购置洋枪、洋炮，对于经过帝国主义列强的侵略，背负着丧权辱国条约下的沉重债务负担的国人，在支出政策导向上具有"自强"的意味是肯定的。至于巨额的军费支出所带来的沉重负担，对已处于崩溃边缘的清朝及其各级地方政府来讲，军事救国反而加速了覆灭，这也是事实。

（三）清末土默特财政问题

清末，朝廷与地方之间以存留、起运为标志的中央财政与地方财政的划分，已是名存实亡。归化城土默特地区也出现了奏销制度之外的外销各款收入。地方财政收支的失控、税制的弊端、封建专制政体的制约日渐凸显，使财政问题比以往任何时候都显得复杂和沉重。

财政收入的失控　到了清末在日渐衰败的朝廷政治经济氛围中，土默特财政收入的失控显得越发突出。其主要表现，一是地方财政各项赋税延欠频仍、积年渐久；二是浮收现象的存在。

财政收入不能完纳现象由来已久，但清末的情况更为严重，不仅短欠的税种多，而且延宕时间长。其中欠解比较严重的有地租银两，尤为突出的是沙拉穆楞、聚宝庄地租银。自光绪十四年（1888 年）至十九年（1893 年），沙拉穆楞地租最低年份所交额占应交额的 1.25%，最高年份也只有应交额的 28.26%；聚宝庄地租最低年份所交额占应交额的 4.77%，最高年份占应交额的 46.10%。① 之后的光绪二十二年（1896 年），又积欠银 16 618.9 952 两。② 光绪二十四年（1898 年）起至二十七年（1901 年），再积欠 4 825.2 357 两，与以前积欠共计 22 312.88 两，像滚雪球，愈欠愈多，最多时年欠租率达应缴额的 87.02%。这种状况一直持续到清朝覆灭。地租银两的长期积欠与地租率的高低、社会生产条件的好坏、耕种者的生产生活状况等有密切联系。如果受上述条件的限制，地租银两不能完纳，那么完全依赖散给地租银两来维持生计的延寿寺喇嘛和土默特公、台吉等的生活状况会变得愈加困窘，整个社会的贫困化局势也会加重。

不仅是作为喇嘛蒙古生活来源的地租银两积欠严重，而且土默特两翼公

① 呼和浩特市土默特左旗档案馆档案，80—6—794。
② 呼和浩特市土默特左旗档案馆档案，80—6—822。

费来源之大宗煤炭租税也积欠日久。如派往哈莫尔等各沟征收窑税之官员应缴库之税钱，又解送之将军、大臣之煤窑钱，此数年以来，派出收税各员，未缴全应缴官钱，彼此效尤，官钱积欠共 700 余千文。① 其后亏欠现象仍旧。② 欠交煤税钱文中，很大一部分是管窑官员的故去而无法征收。那么，这里就有管理上，上一任与下一任官员之间如何结交的问题。而其他欠解主要是"每月照例延期，咨催数次，但该员等如欠平常之债，毫不畏惧"③ 所致。在清末军费支出异常膨胀的情况下，长期积欠税款势必影响正常支出，引起浮收甚至挪用等连锁反应。

应收额征银两不能完纳，而浮收现象却应运而生。其中土默特地区比较多见的浮收项目是减平银两。光绪十一年，各项减平账共浮收 128.478 两，④ 光绪十四年（1888 年），浮收 104.1 366 两。⑤ 同时，我们也看到，光绪二十八年（1902 年）的军器项下查库内存现 2 104 吊文，又外柜内存现满钱 186 吊 970 文。⑥ 减平项是起解藩库之银两，浮冒多收之后，银两分存于内柜和外柜，应该说内柜之银两属于收税者或该部门之自由支配之款。在档案中浮收各款均用汉字书写款项，银两用苏州码子书写，唯独浮字用满文（fu）书写。浮收已记入账簿，说明浮收现象当时是比较普遍存在并已成为不成文之规则。有意思的是将军、副都统俸廉也是减平项，但并不见有浮收，这说明浮收现象是征税官员的行为，并没有制度上的依据。

终端之革新与萌芽中的近代化　土默特地区有清以来最大的一次，也是最后一次财政改革于清末展开。这次改革可以说是延续近二百年财政的第一次比较全面的改革，又是很不彻底的一次改革。它是以财政体制与制度、税课、币制管理等为内容进行的。

从上而下的财政体制与制度改革。土默特地区也依中央进行改制，施行

---

①　呼和浩特市土默特左旗档案馆档案，80—27—318。

②　呼和浩特市土默特左旗档案馆档案，80—6—634。

③　呼和浩特市土默特左旗档案馆档案，80—27—334。

④　呼和浩特市土默特左旗档案馆档案，80—6—204。

⑤　呼和浩特市土默特左旗档案馆档案，80—6—251。

⑥　呼和浩特市土默特左旗档案馆档案，80—6—501。周育民先生提到江苏有内柜、外柜之名时指出这是浮费的一种表现。他说由于清代税制的特点和吏治的腐败，要从根本上取消浮费是不可能的。详见周育民：《晚清财政与社会变迁》，上海人民出版社 2000 年版，第 259 页。

分科局办事制。于光绪二十年（1894 年），设立租税总局，局署设于萨拉齐镇，主要负责征管辖境内的煤炭租税以及六成地租事宜，停止了长期以来由户司翼长兼管煤税事务的惯例。光绪二十三年（1897 年）改定新章，于归化城总税局下辖四栅口、牛桥、马桥及毕克齐镇、察素齐镇、可可以力更镇、萨拉齐镇、西包头镇等地各设九个杂畜税局。

光绪三十四年（1908 年）设立窑厘总局，① 由兵、户两司关防参领为首专管抽收煤炭厘银事。宣统二年（1910 年）时已将管理土默特旗库事务署改称为财政科，② 此时也有了度支局、宪政筹备处，③ 分掌土默特财政事务。资政院分管远差官兵盘费以及备台费等项，④ 但户、兵二司仍继续存在，说明体制上的改革之目标的不明确以及不彻底性。由于财政体制改革相关资料的缺乏，故只能简约叙述。

奏销制度是朝廷对地方财政进行控制，保证国家收支的重要措施。有清以来贯彻的是年款年清，按照一个财政年度进行核销。到清末为了保证额征税款的足额解缴，根据不同地方的实际情况灵活掌握，对新增款项的奏销时间进行了调整。⑤ 同时，改变了过去的年款年清、按季奏报等规定，除了传统的正项银、鳏寡孤独地租银等项外，多数税种都限定次年咨报户部、理藩院。奏销时间的宽限，一是有利于完纳额征，二是节约了按项造册送解带来的经费支出，也有利于纳税户足额缴税，对确保财政收入有一定的积极作用。

会计科目的调整和预、决算制度。当时国内外形势的变化，促使财政收支结构的演变，进而导致财政会计科目的调整。根据度支部的分类方式以及土默特地区的财政项目，⑥ 把所有收支分为内销与外销两大项，内销的岁入岁出又分为经常项和临时项。经常项下保留主要收支科目，临时项下主要包括抽捐类项目。这样针对不同科目，设立不同的征管方式，使会计科目有了

---

① 呼和浩特市土默特左旗档案馆档案，80—6—966。
② 呼和浩特市土默特左旗档案馆档案，80—6—731；80—6—956。
③ 呼和浩特市土默特左旗档案馆档案，80—6—747。
④ 呼和浩特市土默特左旗档案馆档案，80—6—970。
⑤ 呼和浩特市土默特左旗档案馆档案，80—6—222。
⑥ 呼和浩特市土默特左旗档案馆档案，80—6—603。

准确的归类，为税课清查提供便利，并可以根据实际进行有效监督。同时分类管理之后，各类收支的出入账更加明细，各项账簿记载的每一项出入款均由都统、户司旗库参领、户司关防参领、帮办旗库参领等的亲笔签名。一些专款由该处逐日记载，每一项出入款均由管理者和参与者亲笔签字。① 账面记录更加详细，责任更加明确，已显现出财政管理上的近代化迹象。

根据清廷所设清理财政局要求，各省将光绪三十四年（1908年）各项收支存储银两确数，按款调查编造详细报告册，② 要求各项款目皆有年初有预算，年末有决算。如宣统二年（1910年）山西巡抚咨催上报新旧陆军经费预算；③ 资政院核定乌里雅苏台宣统三年（1911年）岁入岁出预算表；④ 户司土默特旗试办宣统四年（1912年）预算报告总册⑤等。当时已认识到清理、调整财政的重要性，应说是个进步。但是，除了中国财政散漫，非钧考整齐之原因之外，"它只是根据旧式会计学原理作了有限的调整，无法适应近代国家财政管理矛盾，也没有承认地方财政客观存在的实施"⑥，是个不彻底的财政改革。

对本地区币制进行整顿。清代归化城地区流通中的货币有两种，即钱、银。关于银钱的折价各厅不一致的情况在前面已谈过，在此，仅就钱在流通中也与其他地方完全不一致的情况进行简述。乾隆、嘉庆时，归化城的钱以八十抵一百，以后递减，到光绪初年已减到十八抵百，而且其他各厅均使用足钱，唯归化城惯用短陌钱。钱数的不一致，使街市不通，兵民交困。针对归化城地区钱法紊乱的情形，光绪六年（1880年），前任山西巡抚曾批定以五五抵百，至光绪十七年（1891年），绥远城将军克蒙额再一次出示晓谕，钱法仍按照光绪六年（1880年）的规定，并立碑文于三贤庙。但到光绪二十三年（1897年）钱价又一次跌落，以三十文抵一百，到光绪二十四年（1898年）甚至以二十八文抵一百。而且，当时市面上流通的钱币尽为鱼眼

---

① 呼和浩特市土默特左旗档案馆档案，80—6—563。
② 呼和浩特市土默特左旗档案馆档案，80—6—588。
③ 呼和浩特市土默特左旗档案馆档案，80—6—670。
④ 呼和浩特市土默特左旗档案馆档案，80—6—970。
⑤ 呼和浩特市土默特左旗档案馆档案，80—6—968。
⑥ 周育民：《晚清财政与社会变迁》，上海人民出版社2000年版，第253页。

砂钱，大钱几乎绝迹，往往数十吊现钱可以一斗筲提之。

同时，私铸钱币之风屡禁不止。光绪十四年（1888年），对归化城地区的私自铸造货币进行过一次大的整顿，经十五社以及外十五行乡耆、三元成等商定，在三贤庙乡耆办公所内公立严禁私铸砂钱的碑记。然而光绪二十年（1894年），私铸钱再次流行。其中归化城厅所属毕克齐镇所行使之钱与他处特异，以六八抵百，且每百个大钱四十文，砂钱就有二十文。[①] 光绪三十一年（1905年），归化城抚民理事同知陈寿葛再次强调每现钱百文内，只准搭附旧钱体质稍轻者二十文。[②] 此后钱法有所改善，至光绪三十二年（1906年）的资料中见有使九十钱的记录。[③] 针对归化城地区粟、钱买空卖空之风日灼的实际，自光绪十七年（1891年）"克将军严整钱法，后叠经官商会议，银钱皆酌定利率。无论钱货盘一概遵例禁止"。币制、钱法的整顿，有利于归化城地区商业贸易的发展，疏通了各厅之间的物资交流，促进了近代金融业的发展。

有清以来，实行高度中央集权的财政管理制度，通过定额化赋税以及严格的解运奏销制度，严密监控着地方财政，将军、都统等地方权威没有相对独立的财权。尤其像土默特这样内属旗，财政自主权完全被剥夺。表现一，清代在土默特土地上开垦过名目繁多的耕地，但土地收益均属于朝廷、个人和军队。表现二，对属于土默特主要财政收入的山租煤税、牲畜税、生息银两和少量官田、铺面等收入也严加干预。对煤炭收入定例三七分成，之后又规定每年从七成税银中拨出500吊用于远差官兵的奖赏；拨出800吊作为年底奖赏；煤税收入余银中纳出9 000两进行生息。哪怕是一两银子的收入朝廷都有严格的规定。财政权的高度集中，是为了保障国家机器的正常运转，消除了地方势力膨胀的隐患。但另一方面，一是让地方失去了财政上的自主权，使得地方当局为了本地财政的正常运转，采取消极态度，而朝廷又对地方财政不完全了解，以行政命令统一调度，已失去了依据。二是地方财政失去自由支配能力，限制了地方经济与社会各项事业的发展。清末土默特地区

---

① 绥远通志馆：《绥远通志稿》卷38，《金融》，20世纪30年代稿本。
② 呼和浩特市土默特左旗档案馆档案，80—6—528。
③ 呼和浩特市土默特左旗档案馆档案，80—6—578。

出现的浮收、外柜、外销等的产生，从客观上说明了财权已由中央集中转为部分下移的事实。但地方财权的有限性还是显而易见的，如宣统元年（1909 年）的外销收入仅为银 271.27 两、钱 3 317 534 文，只能补贴衙门、寺庙经费等，很难再有所建树。

第二节　清代内蒙古的畜牧业

一、清朝的畜牧业经济政策

畜牧业自然经济是清代蒙古社会生产的主要部门。牲畜在牧业经济中既是生产资料，又是生活资料，是社会物质财富的主要体现。蒙民过着饥食其肉，渴饮其酪，寒衣其皮，驰驱资其用，无一不取自于牲畜的游牧生活。

划分牧地，设旗编佐是在原蒙古大小封建领主所辖鄂托克和爱马克基础上划分的区域行政组织，是清朝在蒙古地区推行的盟旗制度之基础。其划分之目的主观上在于"众建以分其势"，客观上成为清廷对蒙古地区实行的管理牧业的重要措施。

早在天聪八年（1634 年），爱新国划分已归附的邻近蒙古各部与满洲八旗之间的牧地，核定各部落户口。巴林、奈曼、翁牛特、敖汉、四子部落、阿噜科尔沁、扎鲁特等蒙古部落，分定的户口多则 2 400 余户，少则 800 户，各部落合计有 25 000 余户。蒙古各部与满洲八旗有了牧地界限，并规定若有越此界者，视以侵犯之罪，至于往来驻牧，务彼会齐，同时移动，不许参差。① 自崇德元年（1636 年）开始，清朝在外藩蒙古地区各部编设佐领（苏木），设立札萨克旗，至康熙九年（1670 年），在漠南地区共设立 49 个外藩札萨克旗，对率领所部归顺的蒙古王公，或安置所部故地，或赐予新地安居，大致划分各旗牧地四界。顺治七年（1650 年）规定，外藩蒙古"每十有五丁，给地广一里，纵二十里"。② 另外，清朝在内属蒙古察哈尔、归化城土默特以及呼伦贝尔等地区同样编设佐领（苏木），设立总管旗或牧

---

① 《满文老档》，天聪八年八月戊辰，中华书局 1990 年版。
② （康熙）《大清会典》，《丁册》。

厂，境内蒙民皆有编籍，牧地也经朝廷划定划分各旗牧地。旗界一般以山顶、湖泊、河川或鄂博为界限。清制，旗与旗之间划定牧场，各旗蒙民在划定的牧地内游牧，不得越界放牧、畋猎，也不能随意离开所属旗分。"凡内外札萨克王公贝勒贝子公、台吉、塔布囊，越入他人地界者，罚俸半年，其不管旗之王公、贝勒、贝子、公、台吉、塔布囊及蒙古官员、平人，均罚一九牲畜，仍责令移回本界。但有侵占情形，加一等科罪"。① 对越自己所分地界肆行游牧者"王罚马百匹；札萨克、贝勒、贝子、公七十匹；台吉五十匹；庶人犯者，本人及家产皆罚取，赏给见证人"。当然，对于因灾荒影响牧场的特殊情况，清朝也有规定："有因本旗地方无草，欲移相近旗分以及卡伦内者，于七月内来请，由院委官踏勘，勘实准行"，"若所居地方生草茂盛，甚于所请之处者，将妄请之札萨克议处"。② 然而，有些蒙旗的旗界，如乌拉特三旗之间，直到 19 世纪后半期尚有明显的界定，旗民时而越界游牧为正常现象。

划分牧地之举一定程度上避免了长期以来蒙古各部之间的牧场纠纷，但造成了各旗只能在旗界以内牧放牲畜，不能远距离、大范围自由转场，易于导致过度放牧，造成草场退化，有碍牧场植被的恢复或牲畜之繁衍，尤其每当遇到灾荒之年反而限制了牲畜的避灾之余地，阻碍了蒙古传统游牧业的正常发展。

赈济养赡是清政府扶持蒙古畜牧业的重要政策之一。蒙古地区遇到自然灾害时，清政府调拨大量的米粮、皮裘、茶叶、牲畜、布帛、毡房、银两给予救济，使蒙民度过饥荒，达到畜牧业经济的恢复和发展。康熙五十四年（1715 年），内札萨克蒙古乌兰察布盟、锡林郭勒盟各旗遭重大风雪灾害袭击，牲畜大量死亡。清廷遣理藩院官员前往察视灾情，派八旗官驮运送粮米，对饥民散给两月口粮救济外，对阿巴噶和阿巴哈纳尔二旗的穷苦牧丁，"自十岁以上，每口给乳牛一头，母羊三只，其无畜台吉，每口给乳牛一头，母羊五只"，并从户部调拨帑银十万两，作为购买牲畜价银，分别赏赐该旗牧丁和贫困台吉。雍正年间，内札萨克蒙古喀喇沁、翁牛特、苏尼特、

---

① 《钦定理藩院则例》卷 53，《违禁》。
② （光绪）《大清会典事例》卷 979，《理藩院·耕牧》。

阿巴噶、阿巴哈纳尔、科尔沁等旗连年饥荒，清廷每次都派官员查明情况、调拨牲畜、粮食、银两给以赈济。如雍正二年（1724 年），苏尼特等旗受灾，政府根据无牲畜之家的人口情况，拨帑银二万两赈济。① 雍正十一年（1733 年），乌拉特旗雪大风寒，人马冻馁倒毙较多，理藩院按大人人口发给救济粮食，达 72 401 石。② 据统计，雍正元年至十三年（1723—1735年），赈济内札萨克蒙古十五次。其中雍正三年至五年间，达斡尔、鄂温克族等地发生瘟病，马匹等牲畜死亡严重，"著动户部帑银五千两，交总管、副都统与将军共同商酌，养育索伦穷苦之人，及赏给效力兵丁"③。乾隆元年至六年（1736—1741 年），又赈济内札萨克等共十四次。④

除了赈济灾害之外，清朝还对贫苦蒙古人等实行养赡制。在灾荒之年，清廷派官员查明贫乏无畜之蒙民，给予养赡赈恤。顺治初年规定："蒙古如遇灾荒，令附于该札萨克及各旗富户、喇嘛人等，设法养赡。如仍不敷，该会内人等共出牛羊，协济养赡，仍将协济被灾人口数目，造册送院。倘连岁饥馑，该内会力乏不能养济，著盟长会同札萨克等，一同具报到院，由院请旨，遣官查勘，发帑赈济。""赈济后，该札萨克王等仍不能养助属下，又至穷困者，即将穷困之户撤出，给与该会内贤能札萨克等养赡。"⑤ 康熙三十年（1691 年），曾遣官分五路前往蒙古各旗、佐属下的贫困户，严行晓谕各旗札萨克王、贝勒、贝子、公、台吉等，"今先察明贫乏之户，著本旗札萨克及富户、喇嘛等抚养，不足则各旗公助牛羊。每贫台吉，给牛三头，羊十五只；每贫人，给牛二头，羊十只。令其孳育，用作生理"。"嗣后均择水草佳处游牧，轻役减税，务求永远营生之道。"⑥

重罚偷盗牲畜犯罪也是清廷维护蒙古地区畜牧业生产秩序的重要措施之一。17 世纪上半叶，漠南蒙古各部先后归附清朝统治后，清廷为了扩充战

---

① 《清世宗实录》卷 18，雍正二年四月戊申条。

② 《清世宗实录》卷 130，雍正十一年四月甲戌条。

③ 《理藩院则例》，乾隆朝内府抄本。

④ 乌云毕力格、成崇德、张永江：《蒙古民族通史》第 4 卷，内蒙古大学出版社 1998 年版，第211 页。

⑤ 《理藩院则例》，乾隆朝内府抄本。

⑥ （光绪）《大清会典事例》卷 991，《理藩·优恤》。

备马匹之需，就制定了严惩隐匿盗马贼的法律。顺治初年规定：蒙民丢失牲畜过三日，需向附近札萨克禀明缉捕盗贼，若不禀明缉捕，每头牲畜罚羊一只；有冒认失亡牲畜者，罚三九；错认者，罚一九；因无失主隐匿者，罚一九；收骑遗失的牲畜者，罚一五。为了保护丢失畜群不受损害，又规定，对遗失的牲畜，过路行人"勿得擅取，取者以盗论"。对收留牧养他人牲畜者予以一定奖励。如规定"为人收留失羊，过一宿者，二十以下准取一羊，多则每二十取一，给予收留人"。① 与此相反，在蒙古地方有盗窃牲畜，"贼已发觉，王等不行拿解致疏脱者，以窝盗论"。有"窝隐盗贼者，王罚九九，札萨克、贝勒、贝子、公罚七九，台吉罚五九，台吉为盗者，罚七九"。康熙四年（1665 年）又规定："外藩蒙古各旗，佐领下有为盗者，该佐领罚二九，骁骑校罚一九，领催罚七头，十家长鞭一百、罚一九"。各旗佐领下有二次为盗者，"佐领罚二九，骁骑校罚一九，均革职。催领鞭一百、罚一九，革役、十家长鞭一百，籍其家。"② 期间，内蒙古地区一度出现"盗贼屏迹，四十八旗，各获生理，风俗稍醇"的安定局面。但是，自康熙末年随着内地移民流入蒙古地区，大一统国家背景下的边疆与内地交往的增多，一些不法汉民和蒙民不放牧，不务农，并相互纠合，偷盗牲畜，滋扰牧场，对内蒙古地区畜牧业经济造成极大的破坏。清政府严厉惩治偷盗牲畜者，不论流窜到蒙地的移民还是当地之蒙民，照现定律例治罪。雍正二年（1724 年），颁令"请严捕积盗，以裕畜牧"。雍正十三年（1735 年）又定："官兵驻扎边外，原为防卫蒙古而设"，如有"偷盗蒙古马匹者，一经审讯确定，即本地正法。"乾隆五年（1740 年）定："嗣后口外偷盗牲畜，若系三人或三人以上者，以起意一人照为首例论绞，余俱照为从例，发附近旗下为奴。③"乾隆七年（1742 年），《蒙古律例》修订后，针对偷盗牲畜，滋扰蒙民放牧事件频繁发生，规定：偷窃牲畜之罪，要较内地加重，如偷十匹以上，首犯拟绞监候；六匹至九匹，发云南、贵州、两广烟瘴地方；三匹至五匹，发湖广、福建、江西、浙江、江南等处；一二匹发山东、河南等处，充

---

① 《理藩院则例》，《盗贼》，乾隆朝内府抄本。
② 《理藩院则例》，《盗贼》，乾隆朝内府抄本。
③ （光绪）《大清会典事例》卷933，《工部·桥道》。

当苦差充军。清政府实施的这些法令，不仅加强了对蒙古各旗札萨克王公、佐领等官吏的行政管理，而且有效地维护了畜牧业生产秩序。

"违禁开垦"，限制内地汉族农民私入蒙地垦种是清朝对蒙实行的封禁政策的重要内容，也是清朝推行的保护牧场的重要措施之一。清朝推行的"违禁开垦"条例主要有：不准内地农民私入蒙地垦种；不准内地民人携眷进入蒙古地区，不得在蒙地盖屋造房不得定居；严禁私垦牧地；严禁私自采伐树木；封禁各处矿藏，禁止私自开采等。康熙七年（1668年），鉴于招民垦荒成效不著，反而产生很多社会弊端，清廷决定废除《辽东招民开垦首官例》，实行出关之汉民要到有关衙署领取印票，记档验放的制度。乾隆十四年（1749年），出台了更严厉的禁垦令，宣布："喀喇沁、土默特、敖汉、翁牛特等旗以及察哈尔八旗，嗣后将容留民人居住、增垦地方严行禁止。"[①]为了落实禁令，令理藩院选派司官二人，会同地方官对蒙古进行巡查。规定，若蒙古官员再有违禁之事发生，札萨克则"照隐匿逃人例，罚俸一年；管旗章京以下之官员，则处以罚牲畜、革职或鞭一百等处罚；其容留居住开垦地亩典种之人，亦鞭一百，罚三九"，"其开垦地亩及典种之民人，交该地方官从重治罪，递回原籍"。乾隆三十七年（1772年）又定"口内居住旗民人等，不准出边在蒙古地方开垦地亩，违者照例治罪"。[②]嘉庆、道光年间，清廷又重申有关禁垦令，对流入郭尔罗斯地区的移民提出"一民不准容留，一亩不准开垦"。嘉庆十一年（1806年）又规定：蒙古札萨克、王、贝勒以下王公等，私行招聚民人开垦地亩，一人至十人者，罚俸一年，失察之盟长等罚俸一年，招聚十一人至五十人开垦，分别罚俸二年、三年、四年、五年，五十人以上者，革职不准开复。无俸协理台吉、塔布囊、闲散台吉、塔布囊等，根据其招聚人的多寡，罚牲畜不等。道光四年（1824年）颁令："嗣后一人不准复招，一亩不准添置"。其后又规定凡王公等将封禁牧场、私令民人耕种者，照私募开垦田亩例，分别曾否得受押荒银钱，各加一等治罪。[③]上述这些禁垦令在某种程度上延缓了蒙地之农耕化进度，对避

---

①《清高宗实录》卷348，乾隆十四年九月丁未条。

②《大清会典事例》卷979，《理藩院·耕牧》。

③《清宣宗实录》卷65，道光四年二月丙午条。

免内地汉民盲目流入蒙地，滥垦牧场起到了积极的作用，也对清代内蒙古地区畜牧业经济的发展产生了积极的影响。

二、畜牧业的恢复和发展

清朝在蒙古地区推行划分牧地，设旗编佐，严禁蒙古各部跨旗迁徙或游牧后，历史上的蒙古族同族集体远距离游牧基本结束，而在旗内较小的范围里游牧成为清代蒙古畜牧业生产方式的重要特点之一。

清代蒙古传统畜牧业中，驼、马、牛、羊、山羊仍是主要的饲养牲畜。其中，牛主要饲养于山区，马、羊饲养于戈壁和草地交错地带，戈壁地带则以饲养驼、羊为主。羊对游牧民来说最为重要，其数量在五种牲畜中也是最多。马主要用于行驶或运输，牛的主要用途在于饮食肉品或用于运输。一般情况下，驼为最贵，每峰驼值18—30两，接下来才是马，每匹值8—12两，牛8—10两，羊1两，山羊5钱。

清代蒙古传统畜牧业仍处在自然的控制之下，生产水平落后。但是牧民在生产实践中逐步积累生产经验，生产技术和管理有所改进，有些地区打井、搭棚、筑圈、冬贮牧草。每当遇到灾荒之年，为避免灾害带来的更大损失，广大蒙古牧民时而越界避灾游牧。呼伦贝尔陈巴尔虎、新巴尔虎各旗蒙民每当遇到雪灾，可远距离游牧到外喀尔喀车臣汗部或乌珠穆沁旗一带。而避灾之另一种方法则是每当雪暴发生时，帐包下方围车辆拴住牛，置马于其旁后寻羊，并以此保证畜群在雪暴中停留而不失散。牧民还特别注意草场的四季利用，如根据季节或草种，放牧畜种。牧民在长期的生产生活中还总结出将可能发生灾荒或丰收的吉兆。如灾荒之年的凶兆是暖秋季开始下冷雨雪，风向偏东，冬季屡下大雪，天空多出彩虹；水草丰美之年的吉兆则是风向偏西，秋冬天空带有红圈，下雪迟缓等。饲养牲畜方面，除冬贮牧草之外，冬季还储备熟大麦、豆子、骨汤、碱等喂养牲畜。至于消瘦之畜，早放之前食之搅拌黄油之好酒。19世纪，牧民经过长期的观察，在水草丰美的牧场找到挖井之点，每当冬天可用之。

总之，蒙古地区逐水草游牧的生产方式没有根本改变。随着牧区商业的出现和发展，畜产品有了加工和销售，这都促进了畜牧业的发展。另外，清朝在保证其赋税收入的前提下，对各级官吏和王公贵族的横征暴敛加以限制，或在内札萨克蒙古地区设仓贮米石，遇天灾时予以赈济，或严禁开垦牧场等措施客观上也有利于畜牧业生产的发展。

经过蒙旗蒙民的辛勤劳作，康熙中叶以后内札萨克蒙古地区的畜牧业经济基本恢复，各盟旗拥有的牲畜数量大增。蒙古草原驼、马、牛、羊遍满山谷，在草地行走七八天，口外牲畜沿途络绎不绝。康熙三十五年（1696年）"近边口，于沿途见蒙古生计，阿霸垓、苏尼特等旗骆驼皆健，马匹较少，牛羊饶裕"，而鄂尔多斯地区"牲畜蕃盛，较它蒙古殷富"。① 察哈尔牧场牧养的马牛驼羊总数约有300余万头。② 17世纪末18世纪中叶，内札萨克蒙古地区的牲畜数量稳步增长，盟旗蒙民可以"带有无鞍马驼，成群牛羊"进口贸易。雍正十年（1732年），清廷在内札萨克蒙古地区采马匹10万，羊40万，山羊10万。乾隆十九年（1754年），又在内札萨克六盟采马6万，羊20万，驼5 000。内札萨克各盟旗除牧放各自的牲畜外，还协助管理官方牧场，牧放马驼。乾隆四十八年（1783年），锡林郭勒盟所属十旗协助牧放大凌河牧场的马匹，三年内增加了二成。乾隆五十八年（1793年），科尔沁、喀喇沁、土默特、锡林郭勒盟牛马繁衍孳生数千，清廷将额余马匹赏给各旗。乾隆二十四年（1759年）阿拉善和硕特旗捐献给清军的羊一次有5 000头，③ 道光十年（1830年）捐献给清军的转运物资备用之骆驼2 000头，④ 光绪元年（1875年）至光绪四年（1878年），为清军在阿拉善和硕特旗备办的骆驼有7 064峰。⑤ 道光三十年（1850年），阿拉善和硕特旗调查该旗牲畜数量的账目上显示，仅王府拥有的苏鲁克牲畜多达18 000余只。其中包括骆驼12 890峰，马3 351匹，牛1 583头。⑥ 清朝末年，锡林郭勒盟、乌兰察布盟十三旗，有各类大小牲畜总头数共计1 603 730只，其中蒙古王公及上层喇嘛等封建贵族拥有牲畜数为873 195只，占牲畜总头数的51%；寺庙拥有牲畜总头数192 000只，占牲畜总头数的12%；蒙古

① 张穆：《蒙古游牧记》卷6，同治年间祁氏刊本。
② 金志章：《口北三厅志》卷6，《考牧志》，台湾影印《中国方志丛书》本。
③ 阿拉善左旗档案馆档案，101—3—10。
④ 阿拉善左旗档案馆档案，101—5—188。
⑤ 阿拉善左旗档案馆档案，101—8—9、46、11。
⑥ 阿拉善左旗档案馆档案，咸丰元年五月初二日谕令。

阿拉巴图阶层拥有牲畜总头数 601 535 只，占牲畜总头数的 37%。①

清代漠南蒙古地区的官牧场也有较大的发展。康熙年间，口外马厂牲畜数量马有 10 万匹，牛 6 万头，羊 20 余万只。② 雍正初年，太仆寺左右翼牧厂有马 4 万匹。乾隆十九年（1754 年），庆丰司三旗牧场有羊 21 500 余只，达里冈爱牧场有羊 83 200 余只。乾隆二十五年（1760 年），商都达布逊诺尔、达里冈爱牧场内，有马驼总计 128 000 余匹，牛 30 900 余头，羊 349 800 余只。

三、苏鲁克制与阿寅勒经营方式

苏鲁克，意为畜群，有富户苏鲁克、边商苏鲁克、皇室苏鲁克、官属苏鲁克、庙仓苏鲁克、蒙古王公贵族和上层僧侣私属苏鲁克之分。苏鲁克制本是封建领主征用劳役的一种形式，即将自己的畜群交与属民牧放。放牧者可以役使牲畜，甚至还可得到一些畜产品。后因牧主占有大量牲畜，自己的劳动力无法牧羊，牧主遂将畜群贷给贫困的牧户寄养。有清一代，苏鲁克制体现了由富裕的牧户、清朝皇室或寺院、商号、蒙古王公贵族和上层僧侣和个体的贫困之牧户游牧形式中分化而出的一种新的畜牧业生产关系。这种制度由畜群占有者和劳动蒙民双方构成，前者为放苏鲁克一方，可称为苏鲁克主，后者为接苏鲁克一方，称为"苏鲁克户"或"看护苏鲁克者"③。这是一种特殊的雇佣关系，其剥削形式类似农业地区的租佃关系。双方租佃条件一般为牲畜除因天灾疾病等正常原因死亡之外，其他损失概由接苏鲁克户赔补，孳生仔畜归牧主即苏鲁克主所有，牧户要向牧主交毡子、皮张、黄油、奶制品等；牧户只能得到很少的一点仔畜和畜产品、可少量剪羊毛、挤奶子等；一般情况下，牧户可以自由役使牲畜。苏鲁克制在文献上出现，最早记载于顺治四年（1648 年）的东土默特地区。④ 清朝皇室是最大的放苏鲁克者，诸如养息木牧厂是清皇室之苏鲁克，其放牧者蒙民为清廷放牧牛羊。苏鲁克制的形成和发展，对蒙古地区畜牧业的发展有一定的作用。它虽然是有

---

① 卢明辉：《清代北部边疆民族经济发展史》，黑龙江教育出版社 1994 年版，第 32 页。

② 《清朝文献通考》卷 193，《兵考》。

③ 《呼和浩特史蒙古文献资料汇编》第 4 辑，内蒙古文化出版社 1988 年版，第 427 页。

④ 《彰武县志》卷 2，《政治志》，1933 年铅印本。

畜者和无畜者双方建立的剥削性质的租佃关系，但对双方多少有利，无畜或少畜者，可以获得一部分仔畜，接苏鲁克一方对仔畜的部分所有权，一定程度上改善了接方的经济生活条件，对放苏鲁克一方，也能增加牲畜的总头数。

在畜牧业生产关系中，苏鲁克这种特殊的雇佣关系典型表现在边商苏鲁克和庙仓苏鲁克的寄养形式里。

边商苏鲁克，亦称买卖苏鲁克。康熙年间开始内地商人趁战事涌入蒙古地区后，针对蒙民一般"不用银钱，最喜中国黑茶、蓝梭布，往往牵牛、羊、马、驼来做交易"之特点，从蒙民那里收购牲畜及畜产品，再贩卖各种日常生活用品，从中获取高额利润。久而久之，一些汉商逐渐在蒙古地区居住下来，并设立诸多商号、店铺、住宅和仓库，作为收取畜产，供应蒙民货物的固定据点。汉商经商或放高利贷索债而廉价得到的大量幼畜、仔畜，并非全部运回内地，而是以苏鲁克形式贷给当地牧民饲养，或用倒租之方法，贷给蒙古原主牧养，订立契约，待牲畜成年膘满肉肥时再出售，以便获取牲畜增殖部分的利润。"初不将去，仍留原主牧养，比三四年，牛已为长大，然后驱入内地，可售价四五十两。蒙人弃数十倍之利，反以寄养于家，可食牛乳为得计"① 便证明边商苏鲁克的经营形式。至光绪三十二年（1906年）左右，科尔沁左翼中旗境内仍有十四家商号，拥有牲畜达 34 000 余头。② 这些商号仍以预托苏鲁克的形式获取牲畜增殖部分的利润。边商与接苏鲁克一方的契约条件是仔畜归苏鲁克主，但饲养较好的接苏鲁克户可得到对部分仔畜的所有权；死亡牲畜归苏鲁克主的损失，不许赔偿，畜皮交回；接苏鲁克户可自由役使犍牛；畜产物（奶制品、牛粪）皆归接苏鲁克户。③

庙仓苏鲁克和上层僧侣苏鲁克在蒙古地区更为普遍。此类苏鲁克一般分布于寺庙所属牧场（划归寺庙之禁地）或施主所在之蒙旗境内。一般情况下，蒙古社会各阶层向呼图克图、活佛或寺院各吉萨（仓）施舍的牲畜首先成为寺院畜牧业生产的基本生产资料——苏鲁克，寺院管事喇嘛德木齐、

---

① 徐世昌：《东三省政略》卷 2，《蒙务》。
② ［日］大渡政能：《关于东部蒙古地区苏鲁克事业》，《满铁调查月报》第 21 卷 11 号。
③ ［日］大渡政能：《关于东部蒙古地区苏鲁克事业》，《满铁调查月报》第 21 卷 11 号。

尼尔巴等把这些施舍得来的牛、马、羊、骆驼等牲畜分给寺院所属沙毕纳尔放牧。光绪九年（1883年），地处大青山以北席力图呼图克图牧场居住的黑徒达尔玛一人放牧的牲畜中有22头牛，一群羊。[①] 而这些黑徒（沙毕纳尔）放牧牲畜的自然繁殖及畜产品的大部分归所属呼图克图、活佛或寺院各吉萨，沙毕纳尔仅仅食用牲畜的乳汁和绒毛而维持生活。五当召庙仓苏鲁克及该寺住持洞科尔班第达呼图克图所属苏鲁克主要分布于五当召附近牧场及施主所在邻近喀尔喀右翼旗、茂明安旗、四子部落旗和乌拉特三旗境内。五当召所属沙毕纳尔居住在该召周围的牧场境内，义务放牧各庙仓所属牲畜，档案中又称他们为"看管苏鲁克者"或"保管牲畜者"。这些沙毕纳尔放牧的苏鲁克之自然繁殖归寺院，而他们只能可以使用奶食和绒毛。但是，各地区庙仓苏鲁克和上层僧侣苏鲁克的租佃或剥削形式有所不同。阿巴嘎右旗展旦召与无畜牧户之间议定的苏鲁克契约条件是牲畜头数分别为900头牛，60峰骆驼，1 000只羊以上苏鲁克，牛增加在30%以上的头数，归接苏鲁克户所有，羊生双羔可拥有一只羊羔，部分幼驼可归接苏鲁克户所有；牛死亡后须将牛皮交回庙里，以作证明，免除赔偿；遭狼害或被盗，不许赔偿；接苏鲁克户可自由挤奶食用，役使骆驼；羊毛归接苏鲁克户，驼毛须交到庙里；庙里每年检查牲畜头数。[②] 这种雇佣关系在各类苏鲁克形式中，剥削程度属最轻，对接苏鲁克的贫困牧户更为有利。

清朝在蒙古地区推行划分牧地，设旗编佐，严禁蒙古各部跨旗迁徙或游牧后，蒙古传统畜牧业中实行的逐水草而同族集体远距离游牧的"古列延"经营方式基本结束，而在旗界内较小范围里游牧的"阿寅勒"成为清代内蒙古畜牧业经济的主要经营方式。"阿寅勒"意为牧户。它是从"古列延"经营方式中分离出来的一家一户或少数几个牧户（浩特）在一起屯营，在某一公共牧地上放牧的有一定数量，且规模较小的牲畜的个体经营方式。自16世纪中叶起，蒙古传统畜牧业经济中，"阿寅勒"经营方式逐渐代替了"古列延"经营方式。尤其是到了19世纪，"大多数蒙古人的牧业畜已没有从前那样的规模了。牲畜的数量到处在减少，大规模的远距离的移牧成了极

---

① 《呼和浩特市蒙古文献资料》第3辑，内蒙古文化出版社1988年版，第203页。

② ［日］大渡政能：《关于东部蒙古地区苏鲁克事业》，《满铁调查月报》第21卷11号。

为少见的现象，通常是以个别家庭或以二三家组成的小团体——独立牧户（阿寅勒），在一块不大的地面上游牧"。[①]

"阿寅勒"畜牧业经营方式有以下几个特点。一、阿寅勒个体游牧生产，是在旗界范围以内，制定的牧场区域放牧或移牧。不再进行以部落的集体远距离的迁徙游牧，使畜牧业生产能够在相对稳定的环境中休养生息；二、以个体家庭或阿寅勒、浩特为单位进行单独放牧，不再是同一部族成员的集体游牧，使每个阿拉巴图牧户，在有限的生产范围内，首先取得所必需生产资料，从而使每个牧户有能力摆脱对集体游牧经济的依赖性；三、在固定的牧地范围内，从事个体家庭的阿寅勒游牧，有利于改善生产技术和经营管理，对促进畜牧业生产的发展，开创了有利的条件。

"阿寅勒"畜牧业经营方式具体表现在"或一二或二三散居，时常携带毡房，寻觅水草牧放牲畜，不能永居一处。"[②] 每个牧户家庭几乎每个季节都要在不同的草场进行放牧，每个家庭大致拥有二到三个"营地"以供游牧时使用，这种游动放牧，即所谓的走"敖特尔"。营地的种类以季节划分，有春营地、夏营地、秋营地和冬营地。其中夏营地和冬营地多为固定的营地，春营地和秋营地多不固定，移动频繁。一般情况下，每年三四月间，牧户便开始赶着畜群到春营地，此时春草萌生，畜群追逐嫩草而往往走得很远，牧民往往随畜群迁徙放牧；到五六月间，牧户便赶着畜群由春营地向夏营地转移，此时青草已经长起，降水相对丰盈，因此在夏营地移动的次数较少；八九月间，草场渐渐枯黄，牧户便将畜群转移到秋营地，经过一个短暂的过渡期，约在九十月间，便转到冬营地，冬营地一般选择在有足够的水源、附近草场草质较好的丘陵或山脉地带。牧民对牲畜的牧放，完全采取粗放式的经营方式，白天将畜群趋至草场放牧，傍晚将畜群收回，安置在蒙古包附近任其休息；羊每隔二三日饮水一次，需每天有人看管，骆驼与马则可任意撒放野外，听其自息自食。

---

① 〔俄〕符拉基米尔佐夫：《蒙古社会制度史》，刘荣焌译，中国社会科学出版社1980年版，第296页。

② 阿拉善左旗档案馆档案，101—9—19。

四、官牧厂与畜牧业

官牧厂是清代内蒙古地区特有的畜牧业经济形态，而官牧厂的设置又与清初军事活动有直接的联系。清朝初期，满清统治者虽然入主中原，建立了对全国的统治，但是大一统的政治局面尚未完成。清廷需要强大的军事力量，以完成统一或镇压各种反清起义的任务。因此，满清统治者承袭历代北方民族政权的做法，格外重视马政，认为"马政之得失，首视乎牧场。"①另外，清朝治理天下，要借助于蒙古的政治、军事力量，满蒙贵族联盟要想长期稳定发展，就应不损害蒙古王公的经济利益，而设立牧场，牧放牲畜，军队及宫廷所使用的牛、羊、马、驼均由官办牧厂提供，减轻了蒙古的经济负担，有利于蒙古地区畜牧业经济的恢复和发展。

有清一代，清政府和皇室在蒙古地区设置的官牧厂大多分布于内蒙古地区，如独石口外上都御马厂、张家口外礼部牧厂、太仆寺和左右翼八旗牧厂、达里冈爱牧厂、达布逊诺尔牧厂以及大凌河内务府牧厂、右卫八旗牧厂、绥远八旗马厂等等。"马厂，本牧放官马地，归旗员掌管，旷野平原，几无界止"。②此外还有满洲贵族的私牧厂，仅察哈尔右翼地方就有庄亲王等十多处王公牧地，牧放王公私有畜群。官牧厂占地面积辽阔，水草丰盛，如大青山麓迤北的绥远八旗牧厂和归化城南部右卫八旗里河牧厂等，所占地面积皆广达百余里以上。官牧厂专为军队牧放乘骑军马和役畜，以及满洲王公贵族私有牲畜，在官牧厂内严禁蒙民牧放或役营居住。

清朝在内蒙古地区设置的牧厂，按其隶属关系大体分为两大系统，即太仆寺所属牧厂和内务府所属牧厂。

太仆寺牧厂的前身是顺治年间的兵部大库口外设种马厂。康熙九年（1670年），大库口外设种马厂改属太仆寺，设察哈尔左右翼牧厂。牧厂的主要任务是繁殖和训练马匹，当军事上或运输上需用时，便挑选出来送去差用。太仆寺牧厂只牧放马驼，不饲养牛羊，牧厂内分左、右翼。太仆寺左翼牧厂位于喀敦尼敦井（今内蒙古锡林郭勒盟太仆寺旗南部），东西140里，

---

① 《清朝文献通考》卷193，《兵考》。
② 张廷骧：《不远复斋见闻杂录》卷1。

南北 150 里。太仆寺右翼牧厂位于齐齐尔罕河（今内蒙古乌兰察布盟丰镇县北），东西 150 里，南北 60 里。

太仆寺左右翼牧厂内设统辖两翼牧厂总管一人，由察哈尔副都统兼理，两翼各设总管一人，正四品；各设骒马群翼领一人，骟马群翼领一人，正六品；各设骒马群协领四人，骟马群协领一人，八品；每群设牧长，牧副各一人；骒马群每群设牧丁十人放牧，骟马群每群设牧丁十二人放牧。两翼共设副官一人，正五品；各设防御一人，正五品；共设骁骑校三人，护军校八人，护军三百一十四人。除统辖总管外，太仆寺左右翼其他官兵、牧丁均为察哈尔蒙古人。

太仆寺左右翼牧厂各翼养骒马 80 群，骟马 16 群。清制，每群马不得超过 400 匹，两翼马群数目最多不能超过 40 000 匹。

内务府所属牧厂分为上驷院所属和庆丰司所属牧厂。

上驷院牧厂牧放马驼，不养牛羊。上驷院的马，专供御用和皇子们骑乘。上驷院牧厂分布在盛京大凌河、察哈尔商都达布逊诺尔和达里冈爱地方。

察哈尔商都达布逊诺尔牧厂（又称御马场）位于独石口东北 145 里处的博罗城，牧场东西 130 里，南北 197 里。有骒马 134 群，骟马 46 群，走马 1 群，驼 6 群。马群一群 200—500 匹，驼群一群 100—200 峰不等。商都达布逊诺尔牧厂设总管一人，副总管一人，蒙古笔帖式十人，效力笔帖式五人，协领六人，副协领十二人。每群设牧长、牧副各一人，牧丁七人，防御二人，骁骑校二人，护军校十二人，护军三百四十五人。

达里冈爱牧厂在多伦诺尔西北，察哈尔东北部，地处外札萨克喀尔喀蒙古。其牧务同属商都达布逊诺尔牧场总管统领。该牧场有骒马 60 群，走马 1 群，驼 16 群，乌梁海骒马 3 群，牲畜头数同商都牧厂。以上各种马群一群一般为 200—500 匹，驼 100—200 峰不等。以上各群同属上驷院总官、副总官管辖，另设协领一人，每群设牧长，牧副各一人，牧丁七人，防御一人，骁骑校一人，护军校三人，护军一百人。

庆丰司所属牧厂，专养牛、羊群，不牧养马驼。主要用于祭祀所需牲畜、飨赐、廪饩和御膳房的乳油、乳酒、乳品、公主嫁礼，武备院所需的羊毛、牛皮等。庆丰司所属牧厂分布在察哈尔八旗、达里冈崖（爱）和盛京边外养息木地方。

正黄旗牧厂位于穆逊特纳山，镶黄旗、正白旗牧厂位于布尔噶台，镶白旗牧厂位于布延阿海苏默，正红旗牧厂位于古尔班托罗海山，镶红旗牧厂在布林泉，正蓝旗牧场在扎哈苏台，镶蓝旗牧场在阿巴汉喀喇山口。依其驻牧方位，又分东西两翼。其中，镶蓝旗四旗牧厂在张家口北100里的控果罗鄂博冈处，东西140里，南北150里。正黄旗四旗牧厂在张家口西北200里的莫浑博罗山处，东西130里，南北250里。镶黄旗、正黄旗、正白旗三牧厂又合称上三旗牧厂。上三旗牧厂每一场有牛95群，羊180群。牛以120头为一群，共计三万余头。羊以400只为一群，二十一万六千只。

察哈尔八旗牧厂设总管一人，副总管一人，效力笔帖式二人。各旗的牛群协领一人，委署协领二人，每什群有什群长一人，领催二人，牧丁二十人。各旗的羊群协领一人，委署协领一人，每什群有什群长一人，领催二人，牧丁二十人。其总管兼管达里冈崖（爱）的羊群。

达里冈崖（爱）牧厂有羊110群，以500只为一群，有牛5群，以120头为一群，属商都达布逊诺尔牧厂总管兼辖，设协领一人，每群设牧长，牧副各一人，牧丁七人，防御一人，骁骑校一人，护军校三人，护军一百人。

养息木牧厂在盛京锦州府广宁县北210里，彰武台边门外，养息木河畔杜尔笔山，东西150里，南北250里。顺治初，为科尔沁左翼前旗地，后献为三陵牧养地，即养息木牧厂。牛羊各十群，后又增设马群。康熙年间又新增牛羊群各十群。牛每群50头，羊每群500只。养息木牧厂专养红牛、黑牛。

除太仆寺所属和内务府所属牧厂外，内蒙古地区还设有礼部牧厂（在张家口西北220里，查喜尔图插汉池处）、兵部牧厂（八旗兵牧厂）和诸王大臣的小牧厂。

清代内蒙古地区的官牧厂也有较大的发展。康熙年间，口外马厂牲畜数量马有10万匹，牛6万头，羊20余万只。[①] 雍正初年，太仆寺左右二翼牧厂有马4万匹。乾隆十九年（1754年），庆丰司三旗牧厂有羊21 500余只，达里冈爱牧厂有羊83 200余只。乾隆二十五年（1760年），商都达布逊诺尔、达里冈爱牧厂内，有马驼总计128 000余匹，牛30 900余头，羊

---

① 《清朝文献通考》卷193，《兵考》。

349 800 余只。其明年，达里冈爱牧场，除照额存留外，尚余羊 50 100 余只，马 2 967 匹，驼 508 峰。乾隆至嘉庆年间，太仆寺左右翼马群群数统计①如下：

年　代	骒　马	骟　马	共计（群）
乾隆二十六年	160	32	192
乾隆二十九年	94	16	110
乾隆三十一年	94	16	110
乾隆三十五年	94	22	116
乾隆三十八年	104	30	134
乾隆四十一年	108	30	138
乾隆四十四年	116	30	146
乾隆五十年	116	24	140
乾隆五十九年	120	26	146
乾隆嘉庆十八年	122	28	150
嘉庆十九年	98	20	118

上表数字显示，乾隆二十六年（1761 年）后的几年期间，清廷虽然裁减骒马 66 群，骟马 16 群，但到乾隆末年又有所增长。总之，清中叶官牧厂畜牧业非常繁荣，畜群数量相对稳定。

五、晚清时期畜牧业经济的衰颓

咸丰、同治朝以后，蒙古地区的畜牧业普遍出现日益衰颓之势。尤其是清朝末年，随着蒙古地区被卷入国内外商品贸易市场，尤其是内地汉族人口的大量涌入，土地的大面积开垦，内札萨克蒙古和八旗察哈尔地区的牧场面积大幅度萎缩，卓索图盟、昭乌达盟、哲里木盟、八旗察哈尔等地已变成半农半牧区，蒙古传统畜牧业面临空前的危机。察哈尔牧场牧养的马牛驼羊总

---

① 陈安丽：《清代太仆寺左右翼牧场初探》，《内蒙古大学学报》1988 年第 2 期。

数从康熙年间约有 300 余万头①降到 39 万 5 千头（只）。② 八旗察哈尔等地的蒙民被迫背井离乡，往北迁移到乌兰察布盟和锡林郭勒盟诸旗境内。哲里木盟十旗中，除了达尔罕旗（科尔沁左翼中旗）牛马羊三类牲畜总数计有 145 万头（只）以外，其他各旗牲畜头数大量减少。其中，博多勒噶台王旗（科尔沁左翼后旗）约有 30 万头（只），郭尔罗斯前旗约有 20 万头（只），札赉特、镇国公（科尔沁右翼后旗）、图什业图（科尔沁右翼中旗）诸旗分别有 8 万、7 万、5 万头（只），杜尔伯特、宾图（科尔沁左翼前旗）二旗牲畜共有 3 万余头（只），札萨克图（科尔沁右翼前旗）、郭尔罗斯后旗共计仅有 2 万余头（只）。③ 直至宣统年间，哲里木盟十旗牲畜头数进一步减少。宣统二年至三年间哲里木盟十旗牲畜头数④为：

旗　别	马（匹）	牛（头）	羊（只）	驼（头）	总　计
科尔沁左翼中达尔汉亲王旗	22 820	54 240	58 121	120	135 301
科尔沁左翼前宾图郡王旗	2 350	3 630	5 200		11 180
科尔沁左翼后旗	16 298	11 765	21 780	115	49 958
科尔沁右翼中图什业图亲王旗	6 816	9 535	14 565	91	31 007
科尔沁前翼前札萨克图郡王旗	10 100	20 050	51 200	42	81 392
科尔沁右翼后镇国公旗	6 000 余	11 000 余	30 000 余		47 000 余
札赉特旗	3 274	3 860	29 220		36 354
杜尔伯特旗	2 235	4 041	13 938		20 214
郭尔罗斯前旗	2 345	1 956	5 370		9 671
郭尔罗斯后旗	6 732	4 560	18 149		29 441

第三节　晚清农畜产品加工业

至 19 世纪中叶即清代前期以前，生活在内蒙古地区的蒙古人和沿边地

---

① 黄可润：《口北三厅志》卷 6，《考牧志》，台湾影印《中国方志丛书》本。

② 《蒙古鉴》卷 3，《实业》，1923 年铅印本。

③ 徐世昌：《东三省政略》卷 2，《蒙务》，宣统三年刊本。

④ 《哲里木盟十旗调查报告》，内蒙古图书馆编《内蒙古历史文献丛书》本，远方出版社 2007 年版，第 51、71、163、183、217、249、351、408、473、535 页。

区的汉族农民，其经济生产和生活方式，仍主要是自然经济状态。他们日常所需的吃、穿，生产和生活的必备器具，除个别种类须从内地输入，基本上由农牧民自己或农村、牧区的个体手工匠人加工制作（这里也包含蒙古札萨克王府和寺庙的手工匠人）。作为商品制作的畜产品和农产品的成规模加工，主要集中在城镇的各种手工作坊。

近代以来，随着内外商品市场的打通，农畜产商品率的提高，特别是大量汉民涌入之后，这里的市场需求也急剧扩大，使得内蒙古地区的各种商品加工有了迅速的发展。这种加工制造业的发展，"量"的方面主要体现在农畜产加工的数量、规模和集中产地（城镇）的增加和扩大，"质"的方面主要体现在加工技术的复杂和提高，产品种类的增加，专业分工的细化（如出现专门的碾房、烧锅、粉房等等），以及新的生产工具（机器）和经营方式的引进。归纳其特点，一是由于近代以来内蒙古地区社会经济发展仍较缓慢和落后，农畜产品的加工制造业仍主要是手工作坊。二是加工制造业仍主要集中在由军政体制、地方行政管辖建置形成的城镇。这些城镇，在内蒙古西部的绥远城将军统辖区，主要是原已形成，近代以来又有很大发展的归化城（这里包括绥远新城）、包头以及丰镇、萨拉齐等；在察哈尔都统辖区，由于最大的行政中心和工商业通衢是邻近的张家口，蒙古草原腹地只有多伦诺尔；在内蒙古东部热河都统所辖的卓索图、昭乌达盟地区，主要是原已形成的赤峰、朝阳、经棚、平泉等地，和清末形成的林西、小库伦等城；哲里木盟和呼伦贝尔地区，则主要是清末大规模放垦蒙地及中东铁路通车以来形成的洮南、郑家屯、农安、通辽和海拉尔、满洲里等城。

一、畜产品加工业

内蒙古地区的畜产品加工业，主要是畜皮和畜毛的加工，如畜皮经鞣制成皮革，再加工成皮革制品，或将带毛羊皮（白皮）直接加工制作成穿用品；畜毛则主要是加工织做为各种毡、毯、布制品。由于内蒙古东西绵长，各地的社会经济生活特点不尽相同，畜产加工品的贩路和消费用途存在差异，畜产加工业的经营、制作者也来自内地不同的省份，使得内蒙古东、西部各地畜产加工业的制作方法、产品种类及行业称谓也不尽相同、各有特点。

（一）归化城（呼和浩特）的畜产品加工业

鞣皮业　光绪十九年（1893 年），俄国著名旅行家、蒙古学学者波兹德涅耶夫来到内蒙古游历，曾详细考察了归化城的工商业状况。据他的记述，除了经销赶往内地的牲畜外，归化城本身每年购买和消费的羊不下 20 万只，牛近 4 万头。从这些牛羊身上剥下的皮几乎不往外运，而是就地在呼和浩特城北和城西的皮革厂（作坊）加工。当时，这种大小作坊共约 35 家。他参观了其中的三家作坊之后称，"所有这些工厂的鞣革槽都是在地面挖坑，用砖砌成的。皮上的毛用石灰去除，而不是用灰烬去除；为了使皮子柔软，在鞣制时放少量的面粉和碱（完全不用鞣料），然后把皮革放一段时间，等到碱从皮革里渗出来以后，皮革就变白了。呼和浩特制作的皮革只有白色和棕褐色的，这里根本看不到其他颜色的皮革。"[①]

按照波兹德涅耶夫的记述推算，当时归化城每年加工鞣制的牛皮，约近 4 万张。由于一些羊皮会被带毛加工成白皮制品，鞣制加工的羊皮则少于 20 万张。

白皮行　归化城的白皮行，早在清乾隆以前即已出现，经营者主要是山西交城、定襄等地人，后来又有山西大同人和河北人。白皮作坊一般于头一年夏秋间收购羊皮，次年春开始加工。按照习惯形成的行规，每年必须在阴历二月初二日开工。首先是洗皮，最初须经过十二道工序，即濛皮、用鞭杆打，竹板抽，剪刀剪，均反复三次，然后用小车推到城西的札达海河洗皮。谷雨节气（公历 4 月 20 日左右）以后，开始"安缸"，把洗好的皮子先用火硝熟 5 天，然后铲除肉渣，再用糜米稀粥泡 10 天至 17 天（根据气候决定）。捞出晒干、濛湿以后，再铲一次，才拿去上案裁缝制作成品。其产品主要是皮裤、皮袄、皮褥子、皮坎肩等。

约光绪二十六年（1900 年）以后，随着天津等地的洋行来到归化城，畜产销路进一步扩展，这里的白皮行进入了极盛时期。这一时期，归化城立字号的白皮作坊有 80 多家，三五人合伙的小皮坊不下 200 家，从事这一行生产的约有 4 000 多工人。其中，经营最久、规模最大、资金最盈实的老字

---

① ［俄］波兹德涅耶夫：《蒙古及蒙古人》第 2 卷，刘汉明等译，内蒙古人民出版社 1983 年版，第 99—100 页。

号，有山西交城人开设的晋盛显、永和盛，山西定襄人开设的三盛永、元盛祥，河北人开设的春永泰，大同人开设的德和永、聚和昌等。仅永和盛一家，每年购进加工的羊皮，即达 12 000 多张。此外，还有一个由两名河北人开办的"工艺局"，专门给洋行做山羊皮皮裤子，经常有 100 多名工人操作。但为时不久，因洋行不再订货而停办。

春永泰、德和永、聚和昌等专作山羊皮的作坊，后来又学会了制作粉皮，即用化学药品泡制的去毛的山羊皮板子，制成品有粉皮裤、粉皮坎肩等。归化城的粉皮板子，还远销北京、天津、上海等地，成为女式皮大衣的原料。①

黑皮行　归化城的黑皮行最早出现在清乾隆年间，其中又分专做蒙古靴用皮的黑行和专做车马挽具的"皮条杆上"即挽具行。其原料，主要是牛皮、马皮，也有少量用驼皮、驴皮。黑皮行的产品主要是制靴鞋用的股子皮，装饰蒙古靴的散子皮，也生产制造蒙古靴和股子皮的半成品。这些半成品又运往河北束鹿加工。束鹿县的辛集镇是中国北方皮革生产和集散中心，所以归化城的黑皮行多被束鹿人把持，经束鹿辛集镇再加工的皮革制品据说誉满全国，远销海外。"皮条杆上"即挽具行，主要生产各种车辆和农具上用的皮带、缰绳。

约至清朝末年，归化城的黑皮行有字号名称的有四五十家，其中设有门市的挽具行约有十几家。最老的黑皮坊是万春长，规模最大的是四合义。由于黑皮行设备简单，容易单干，三五人合伙的作坊数量更多。当时，从事黑皮生产的工人经常有 500 人左右，每年生产的黑皮产品达 6 万多张。②

蒙古靴业　归化城的蒙古靴制作业也久负盛名。蒙古皮靴通常是用牛皮或马皮制成。其原料皮，多从本地黑皮坊、红（蓝）皮坊购进。靴筒料称作花皮，皮面由人工制成花纹，刷上黑煤烟后再用发酵的羊油、牛油、植物油烤搓均匀，花纹、色泽经久不褪，但制作十分复杂。民国初当地开始生产

① 刘映元：《归化城皮毛行业的兴衰》，《呼和浩特文史资料》第 10 辑，呼和浩特市政协编印，1995 年版。

② 刘映元：《归化城皮毛行业的兴衰》，《呼和浩特文史资料》第 10 辑，呼和浩特市政协编印，1995 年版。

香牛皮后，才多改用香皮做靴筒料。靴底革，则是将皮原料于三伏天用桐油浸泡后纳制，所以经久耐磨。

归化城最早的蒙古靴作坊（字号），是清初康熙年间开业的永德魁。规模较大的元升永，是山西祁县人于道光六年（1826年）前后创办的。到1926年时，已有蒙古靴作坊十几家，从业人员每家多则40来人，少则五六人，共约300人。其中著名的"蒙靴七大号"为永德魁、元升永、义生泰、长义永、兴盛永、泰和德及元和德。元升永当时有从业人员50人左右，年产蒙古靴约5 000双。"七大号"都有门市和柜台，后面是作坊，常年生产、销售。有的字号门市不常开，主要靠雇用驼队成批向外发运，称作"暗房子买卖"。

归化城所产蒙古靴的式样，是按消费地区分类，各不完全相同的。如销往四子王旗一带的产品，男靴称点勒半，女靴叫五步元，童靴称八宝。销往达尔罕旗、茂明安旗一带的产品，男靴称将军式，女式为皂靴，童靴称一码三尖。销往阿拉善、额济纳旗一带的，通称纳木尔靴，又叫大搬尖。销往外蒙古库伦一带的靴子，肥而且大，也称将军式，又叫哈拉罕靴。各地的蒙古靴，形制虽然各有差异，大体样式毕竟基本相同，但是却并不相互穿用。如将销往四子王旗的蒙靴，拿到达茂旗去，是一双也卖不了的。

由于外蒙古地区是归化城蒙靴的重要销售市场，上述"七大号"均在库伦设有分号（门市部），自己雇用驼队把蒙古靴及其他物品运去销售，回来时再捎回皮张、药材等，扩大业务范围多盈利。其中，元升永派驻库伦的经营人员有十来名，包括掌柜一律不准带家眷，两年回家一次。①

毛毡业　归化城毡制品业据传也始于清朝康熙年间。清末，归化城有毡坊30多家，极盛时达到50多家。毡制品的生产作坊可分为两种类型或行当，一种以制作毡帽、毡靴为主，一种以制作毛毡、绒毡等民（家）用毡为主。

生产毡子、毡帽、毡靴所用的原料均系羊毛。有的作坊从本城皮毛店购进，有的则是派人到附近郊区、土默特旗及武川一带收购。春季称抓毛、茬毛、羔毛，秋季称剪秋毛、山羊绒。收购各种羊毛并不实际过秤，而是按成

---

① 新计照：《呼和浩特民族用品制造业梗概》，《呼和浩特文史资料》第7辑，1989年版。

羊、羔羊估计产毛重量后估价，称作"估羊"。

清代内蒙古和大西北的交通工具主要靠骆驼和马。归化城的各种旅蒙商号，贩运货物到外蒙古和宁夏、甘肃、新疆等地全靠骆驼驮运。所以，归化城的天元成等毡坊，还制作包毡（每块规格4.5尺宽、6.5尺长）和苫毡（每块4.3尺宽、7尺长），用于驮运怕潮湿物品时遮盖防雨。归化城一些主要驼商、货栈，往往每次就从天元成毡坊订购这种毛毡、苫毡大几百块。①

此外，清朝末期，归化城还出产被称为"马衣"的牛毛毡，主要用于长途驮运货物的包装。据波兹德涅耶夫记述，光绪十九年（1893年）的归化城共有制作马衣的家庭式作坊约二三十家，每家有几名至多10名帮工。制作马衣用的毛毡，原料是归化城皮革作坊制革时去除的牛毛，有时也掺一些驼毛和羊毛下脚料。马衣毛毡一般分为三等。最差的一种织得相当稀松，幅宽1尺1寸，制成5尺长的马衣，主要是销往张家口，供俄商或旅蒙商包装运往外蒙古和恰克图的茶叶。二等马衣毡幅宽1尺3寸，因为毡面上有10种不同的颜色，叫作十样锦，裁成各种尺寸，主要供本城的商户和家庭使用。一等马衣毡幅宽也是1尺3寸，织工最为紧密，全都染成深棕色，称为金镶玉。它被裁成6尺长，缝成3幅宽，主要是供包装驮运至西北、新疆地区的货物。一等马衣的产量较少，每年的销售量不超过1000条。②

制作马衣的家庭毡坊，把织好的单幅毛毡整幅出售给专门卖马衣的店铺，再由店铺裁、缝成各种规格出售。1893年时，归化城出售马衣的店铺主要有四家：义兴魁，年销售量约9000条；德盛长，年销量约3000条；永盛长，年销量约2000条；永长成，年销量也是2000条左右。其中，前三家主要和张家口客商做生意，永长成只在归化城做生意。据波兹德涅耶夫访谈记述，当时的归化城，由于毛的原料不足，加上制作马衣毡的匠人逐年大为减少，已很难制出更多的马衣了。③

---

①　新计照：《呼和浩特民族用品制造业梗概》，《呼和浩特文史资料》第7辑，1989年版。

②　[俄]波兹德涅耶夫：《蒙古及蒙古人》第2卷，刘汉明等译，内蒙古人民出版社1983年版，第100页。

③　[俄]波兹德涅耶夫：《蒙古及蒙古人》第2卷，刘汉明等译，内蒙古人民出版社1983年版，第100—101页。

（二）包头的畜产加工业

白皮房 是以羊皮为主要原料，熟皮和制作皮袄、皮裤、皮褥等成品的作坊，还制作少量的狐、狼、狗皮的皮衣或褥子。一般是春天泡皮，夏天制作，冬天出售。

包头的白皮房清前期已出现，乾隆年间就有了同行业社会组织（同业公会）威镇社每年农历三月十八日在关帝庙集会。

黑皮房 主要是以"大皮"即牛、马、驴、骆驼等畜皮为原料，鞣制加工为皮革的手工业作坊。包头最早的黑皮房，是清咸丰年间由山西祁县人张禄创办的。这些作坊的生产工具、设备，多数只拥有橡木架子、桨床之类极为粗杂的器具，或者以瓷缸代替灰窑。至于铜推板、玻璃推板，以及价值在 300 元以上的压皮器，则只有极少数经营者才能配备得起。其原料，牛皮约占 80%，其次是驴皮和马皮；进货途径，主要从城内皮庄或皮贩子那里购买，也有个别经营者直接到城外寻购。其产品市场，主要是包头附近及大青山、阴山以北地区。

制毡业 包头的制毡业也分为制毛毡（炕毡、蒙古包用毡等）的一般毡房和制作毡鞋（靴）、毡帽的作坊。据传，早在嘉庆年间，毡房即已有了自己的同业公会组织。咸丰四年（1854 年），包头本地的永盛旺、天庆西、锦和瑞、广盛源、三义和等 5 家毡房，还同山西的三家毡房（每年派专人来包头采办羊毛原料）合组成立了同业公会绒毛社。

毯子房 是专门制作地毯或毛单的作坊。用羊毛织成的二龙戏珠地毯，专供召庙使用。用牛毛纺制的毛单，供蒙古牧民遮雨和长途行路时包行李使用。包头城曾有毯子房二十二三家，1915 年营业额最高时达到 8 万元。

口袋房 是以青、白、黑各色山羊毛（又名嘴子毛）为原料，纺制成毛口袋和粮袋的作坊。此业兴盛时有大小作坊十余家，工人百余名，纺车50 台左右，使用原料二三十万斤，年营业额 7 万多元。

（三）萨拉齐的畜产加工业

萨拉齐镇，今包头市土默特右旗政府所在地。早在清初的乾隆二十五年（1760 年），即在这里设立了归化城以西的第一个厅治。直到包头城及其工商业兴起以前，以至 1923 年京绥铁路通车至包头之前，萨拉齐一直是内蒙古西部重要的工商业中心。

皮革业 萨拉齐的皮革业也主要分为两类，即以牛皮为主要原料制作皮靴和车马挽具的黑皮房，和以羊皮为主要原料制作皮衣、皮裤的白皮房。

萨拉齐最早的皮革业是开张于清道光末年的黑皮房"聚义兴"。除制作车马挽具、鞭梢绳套及其他农用小皮件之外，还附设靴铺。靴铺的产品主要是皮靴，分为头号水靴、二号水靴、三号旱靴，水靴均腰高至成人膝头，旱靴为半高腰。此外，还不定型地制作一些浅腰、无腰皮靴。咸丰年间，又出现了由崔姓兄弟分别经营的黑皮房双胜昌和双胜，其经营方法和制成品与聚义兴相同。光绪初年，白皮房福和顺开始崛起，购进羊皮进行鞣制，制成品有皮衣、皮裤、皮褥和皮大领、皮耳套等。

萨拉齐的黑皮房，原料以牛皮为主，占作坊全年收购量的70%以上，其次是驴、马、骆驼皮。白皮房的原料以羊皮为主，占全年收购量的90%，间或也有少量其他畜（兽）皮。原料进货途径，主要从本镇皮庄或皮贩子手中购买，有的也自己派人外出收购。其各种制成品，主要销售于本地和附近地区。

（四）多伦诺尔的畜产加工业

多伦诺尔，今多伦县政府所在地，位处内蒙古中部高原腹地，是联结外蒙古东部和长城边口、内蒙古东部和西部的重要交通枢纽。清初的雍正十年（1732年），即在这里设有张家口边外唯一的厅治。

清朝还斥巨资修建许多宏大寺庙，使其成为整个内蒙古地区地位最高的喇嘛教活佛章嘉呼图克图的驻地。所以，整个清代，多伦诺尔一直是内蒙古中部最大的商业和手工业中心。

多伦诺尔城内出售皮、毛、手工业制品的店铺主要集中在福胜街。由于这些店铺往往附设作坊，也即手工作坊同时设有门市部出售产品，所以这条街也称为作坊街。①

皮革业 多伦诺尔的皮革业也分为白皮行（铺）、黑皮行（铺），白皮行也是主要以羊皮为原料，加工制作皮衣等物，黑皮行有的只做鞣皮加工，有的兼制皮靴等成品。

---

① ［俄］波兹德涅耶夫：《蒙古及蒙古人》第2卷，刘汉明等译，内蒙古人民出版社1983年版，第338页。

清末的 1893 年，多伦诺尔的皮革作坊有 20 余家。民国初期，黑白皮铺约有 40 余家。其中专门鞣制牛皮的黑皮铺有 3 家，向其他制作皮靴等成品的当地作坊提供原料，或向张家口输出。生产皮靴的皮铺，其原料除了当地畜皮，还从张家口购进俄国皮革。每 10 张畜（牛）皮，可制作皮靴（蒙古长靴）40 双，年产量约 15 000 双以至 2 万双以上，均销售给草地蒙古人。白皮铺每年加工衣料羊皮约 1 万张以上，主要销售于附近地区的蒙古牧民和汉人。①

毛毡业 多伦诺尔的制毡业主要制作毛毡和用于包装长途驮运货物的马衣，后来也制作毡帽。其原料，主要来自当地皮铺制作皮革时去除的畜毛。1893 年时，有制作毛毡的铺子 20 家左右。② 据民国初年的资料，则只有 5家。民国初期，著名的毡房有德兴元、永成玉等字号。当时，以羊绒为原料的毛毡是当地名产，每年可产五六百张。年产毡帽可达 17 万顶，主要销往北京、天津等内地。

（五）内蒙古东部的畜产品加工业

这里的内蒙古东部，指的是清代内蒙古的哲里木、卓索图、昭乌达三盟地区。其手工业集中的城镇，除了清中叶即已形成的赤峰（乌兰哈达）、朝阳（三座塔）、平泉（八沟）、建昌（塔子沟，后改称凌源）及昌图等地之外，主要是清末大规模放垦蒙地后形成的洮南、郑家屯（辽源州、今双辽）、（小）库伦、林西、通辽等地。其畜产品加工业，也主要是皮革业和毡毯业，但其原料、加工方法和制成品，与内蒙古西部有明显差异，更多地反映了农业社会经济的特点。

皮革业 内蒙古东部的皮革业作坊，总称为皮铺，按照原料和加工品的不同，又分为细皮铺、熏皮铺、黑皮铺和白皮铺。

细皮铺主要是鞣（熟）制带毛皮，原料除了羊皮，还有狗皮、猫皮、狼皮、狐皮、水獭皮等等。鞣制方法为，用稀释的米面粉糊（小麦粉、糯

---

① ［俄］波兹德涅耶夫：《蒙古及蒙古人》第 2 卷，刘汉明等译，内蒙古人民出版社 1983 年版，第 338 页。

② ［俄］波兹德涅耶夫：《蒙古及蒙古人》第 2 卷，刘汉明等译，内蒙古人民出版社 1983 年版，第 338 页。

米粉或粳米粉）和硝石粉混浆，将毛皮浸泡于大缸内，时间为一周至三周。然后用铲刀铲削皮面的肉质、脂肪，用清水洗涤，再用铁篦将毛部梳理清净。

熏皮铺以牛皮为主原料，鞣制后为制作乌拉靴提供原料。其方法为，首先用石灰水浸泡，使毛和脂肪容易脱落。然后用刃器去除牛毛，用谷秸或杂草点燃后熏，再用刃器刮削皮面的肉质和脂肪。

黑皮铺主要鞣制马皮、驴骡皮及羊皮皮革，染成黑色、绿色，为制作皮靴及其他皮制品提供原料。其方法是，刮去毛和脂肪之后，在水中浸泡二三日，然后用硝石水在大锅里煮（约一小时余），煮完晾干后再涂以黑松脂、牛油等油脂。

白皮铺鞣制各种畜皮，加以漂白后为制作车马挽具等提供原料。其鞣制原料也主要是硝石。

除了鞣制毛皮、皮革的皮铺，还有专门加工制作乌拉鞋的乌拉铺，加工鞍鞯和马具的鞍鞯铺等手工作坊。鞍鞯铺用皮革制作的马具有皮鞭、皮辔、皮笼头、皮镫绳、皮肚带、皮花等等。[1]

至民国初期内蒙古东部各主要城镇的皮革加工业状况大略如下：

赤峰，有皮革作坊50余家，其中黑皮铺20家，白皮铺30家，鞍鞯铺3家，主要字号有广兴店、德发店、中兴店等。

乌丹，有皮铺2家，鞍鞯铺3家。

林西，有熟皮铺3家。

经棚（今克什克腾旗所在地），有皮铺3家。

平泉，有皮铺8家。

凌源，有皮铺4家。

洮南，有皮铺15家。

郑家屯，有大小皮铺80余家，其中规模较大的有4家。

通辽，有皮铺8家，鞍鞯铺6家。[2]

---

① ［日］《蒙古地志》中卷，富山房1919年版，第1084—1092页。

② ［日］《蒙古地志》下卷，富山房1919年版，第1109、1111、1124、1130、1138、1081、1048、925、916、944页。

毡毯业　内蒙古东部制作毡毯的手工作坊，一般称为毡子局或毯子局。

毡子局的原料，主要是羊毛、羊绒及杂羊毛、牛毛。制成品毛毡主要分为作为寝具铺盖的条毡和作为底褥的炕床毡。寝具用的一般是长约5尺5寸，幅宽2尺5寸，又称一条毡。炕床用毡长多为5尺5寸，幅宽1丈。条毡的原料主要是羊毛、羊绒，多为纯白色，质地较好。炕床毡则混加牛毛，呈深色，亦用做暖门帘，质地较差。此外，毡子局还用毛毡制作毡帽、毡靴等成品。

毯子局主要以皮铺制革时去除的牛毛为原料，经较细加工，先纺成丝线，然后用专门的织机制成毯子。织机主要有两种，其成品分为织工较细的绒子毯和一般毛毯。细毛毯一般幅宽2尺5寸至3尺，长1丈至1丈1尺，上面还可织上用各种染色丝绒织成的花草、禽兽以及人物图案。其中的白色线条，还多以原色白羊毛丝线织成。将整幅细毛毯裁断，可用于桌椅等器具的敷垫。一般毛毯则以原色牛毛丝线织成。成品一般幅宽1尺，长5尺；将其3条横缀在一起，称为一副，每个织工一天可织成2副。其用途，多为旅行者用于包裹行李，就寝时铺垫在褥子下面。①

至民国初期，内蒙古东部各主要城镇的毡毯业状况大略如下：

赤峰，较大的毡毯局有6家，每年织成毡毯大小共约1万张，大部分销售于赤峰以北地区。

乌丹，是历史悠久的著名毛毡产地。主要生产纯游牧地区蒙古包上的围毡，以及马鞍衬垫（毡鞯）。民国初期有8家毡毯局。

林西，有毡子局3家。

经棚，有毡子局3家（兴盛元、利盛长等字号），毯子局1家。

平泉，有毡子局5家。

洮南，有毡子局（铺）十余家。

郑家屯，有毡子局7家，毯子局3家。

通辽，有毡子铺1家。

---

① ［日］《蒙古地志》中卷，富山房1919年版，第1103—1110页。

库伦，有毡子局8家、毯子局2家。①

（六）海拉尔的屠宰业和洗毛业

整个清代，海拉尔一直是呼伦贝尔地区（当时不包括西布特哈，即兴安岭以东地区）的政治中心，驻有呼伦贝尔副都统（初为副都统衙总管）。但直到19世纪末，由于这一地区人口稀少，而且城内没有大型喇嘛教寺院，所以其商业、手工业还形不成规模。

光绪二十九年（1903年）东清铁路通车后，内地的行商和匠人进入海拉尔的逐渐增多。一些行商和匠人开始建立手工作坊，从事皮毛、制毡、鞍具等畜产品加工制作。作坊多为前店后厂的"连家铺子"，产品自产自销。光绪二十九年（1903年），第一家皮袄铺已太兴开业，有工匠3人，加工皮袄、皮裤，产品销往海拉尔及附近牧区。翌年5月，硝皮（鞣皮）铺万玉成开业，生产鞍具配套皮条。②

与此同时，也有日益增多的俄国商民来到海拉尔，经营畜产品加工等工商业。

屠宰业　屠宰场主要设在俄国铁路局控制的"路界"区内铁路以南的商住区。场内附设检疫所，每年冬季集中屠宰，产品（冻肉）主要销往俄国的西伯利亚和远东地区。其屠宰量，牛、羊、猪合计宣统二年（1910年）为44 210头（只），宣统三年（1911年）36 670头（只）。

羊毛洗涤业　主要利用海拉尔城东伊敏河的湍急水流洗涤。河边开设有5个较大的洗涤场。其洗涤设备，除了悬挂晾晒羊毛的架空绳索，主要是在河沿放置木筏，筏上置放大桶，筏前造设两列底部结网的木槽（以便河水流通）。洗涤方法为，将羊毛次第放入大桶和木槽反复洗涤、冲刷，期间再经洗工反复足踏，最后再用筛状容器在流水中冲净，然后晾晒。晾干后的羊毛，复按其质地分类，用专门的压榨器压成大块，捆包后运销。洗羊毛季节性很强，一般从6月中旬至9月末。期间各洗涤场共有洗工100人以上，其中多数是中国人（汉人）和朝鲜人，其次是俄国人。其年产量，1915年的

---

①　［日］《蒙古地志》下卷，富山房1919年版，第1118、1124—1127、1130、1138—1139、1081、932、916、944、1094页。

②　［日］《蒙古地志》下卷，富山房1919年版，第1181—1185页。

输出额为羊毛 28 000 普特，小（羔?）羊毛 1 457 普特，骆驼毛 302 普特。其销路，以前主要是经大连等口岸销往欧洲、美国。①

二、农产品加工业

这里所说清代内蒙古的农产品加工业，主要指的是粮食作物和油料作物的手工加工业。其加工作坊（多兼销售门市，即店铺），按具体行业分类，主要有加工米面的碾房、磨房；加工成品油的油房；加工淀粉粉条的粉房；酿制烧酒的，内蒙古东部称为烧锅，内蒙古西部称为缸房。缸房还多兼酿黄酒，附设制作糖或糖稀（浆）的糖房，制作酱、酱油、醋的酱园。由于同属农产品加工业，一些较大的作坊、店铺（字号），多以碾磨房兼设油房、缸房、粉房，或油房、缸房、粉房兼有碾房、磨房。

由于内蒙古西部（绥远地区）的粮油加工业主要是山西人始创经营，受到山西省传统工商业的行业分类影响，也统称为"六（陆）陈行"。"六陈行"的名称来历，一个说法是源自旧《三字经》上的"稻粮菽，麦黍稷，此六谷，人所食"，即 6 种主要粮食作物；另一个说法，是对 6 种粮油加工业即酿酒、榨油、碾米、磨面、熬糖、制粉的合称。②

（一）归绥的六陈行

归化城（呼和浩特旧城）的六陈行，是康熙中叶随着汉民增多与小型集市的出现而产生的。乾隆年间，碾房、磨房与面铺（专营出售粮食）统称为面行。碾房、磨房附带的缸房、油房，也酿榨白酒和胡（麻）油。至嘉庆年间，因商务的发展，碾、磨房与面铺分为两行，并专门组成了同业行会青龙社。道光年间，缸房、油房又从碾磨行（青龙社）分出，单独组成了油酒社但仍多由碾、磨房附带经营。清朝末期（光绪以后），随着内外市场开通，洋商西来，米面业迅速发展，新开张的碾磨房、缸房、油房及面铺达 100 余家。

其中，磨房和碾房一般都是终年昼夜加工。磨坊每班约可加工原料

---

① ［日］《蒙古地志》下卷，富山房 1919 年版，第 1181—1185 页。
② 贾汉卿：《归化城的六陈行》、李晋湘：《丰镇县城六陈行营业状况》，《内蒙古文史资料》第 39 辑，内蒙古政协 1990 年版。

（如莜麦）一石一斗（每石约原粮 300 斤）；碾房每班约可推谷子 15 石。据统计，清末宣统时期（1909—1911 年），归化城的六陈行每年加工的面粉约 250 万斤左右。

缸房多为六陈行附带经营。酿酒每烧锅一次，用高粱或豌豆及缸曲共约一石二斗，可得白酒 100 斤左右。

油房也多为碾磨房字号附带经营，其生产加工则有明显的季节性。每年秋季新粮（油料作物）上市之后，油房才昼夜开榨。其加工过程，分为炒、蒸、仓、榨几道工序。每开一榨，需用原料二石五斗，一榨可得植物油 200 余斤。一般至夏季即停业。

绥远城（呼和浩特新城）的六陈行，除专门的碾、磨房，多称缸房，也即以缸房立字号，（附）设有碾房、磨房、油房、烧锅及加工酿造醋、酱油、酱的作坊。有的酱园（制作和销售酱油、醋等副食品）字号，也附设碾房、磨房。①

清末至民国初期，绥远城的主要六陈行字号，按其位置分布，南街有义盛泉京酱园（后改称永盛泉，附设磨房、醋房等，酿制醋、酱、酱油）、敦义永缸房（兼设磨房、油房，制作加工米、面、油、酒）、碾子房（专门加工米面）、三义长缸房（兼设碾、磨、油、糖、酒、粉房）、福顺泰油酒缸房。北街有乾泰泉缸房（兼设碾、磨、油、酒房）、福义泉缸房，时兴昌缸房、聚裕永碾磨坊。东街有福盛永缸房、义盛永缸房、福义泉缸房、老缸房（绥远城内最大）及一家专门制作加工粉面（淀粉）和粉条的粉房。西街有西聚合堂缸房（兼油房、酒房、磨房），聚龙昌缸房、日盛茂缸房。②

（二）包头的六陈行

包头的六陈行，大约起始于清乾隆初期。由山西祁县乔家创设的经营粮油副食加工和销售（为主）的复盛公（初称广盛公），是被称为"先有复盛公，后有包头城"的最著名老字号。嘉庆年间广盛公改组为复盛公时（共投资白银 3 万两），仍以经营油、粮、米、面的六陈行为主。它后来又分衍出复盛全、复盛西、复盛油房等字号，均为乔家开设，统称为"复字号"。

---

① 贾汉卿：《归化城的六陈行》，《内蒙古文史资料》第 39 辑，内蒙古政协 1990 年版。
② 同田：《绥远城的老字号》，《呼和浩特文史资料》第 10 辑。

其业务经营面逐步扩大到包括各类手工、商业和金融（钱庄），但粮油副食加工一直是其主要经营业务。①

大约道光年间，随着包头传统工商业的逐渐繁荣，手工、商业经营者联合组成了各行业总的公会"大行"（清末和民初先后改称公行和商会）。"大行"之下，按照各字号（工商企业单位）的主要业务经营范围，又将各商业店铺（实多兼设加工作坊）按类别分为九行；将手工作坊（实多兼经销）按类别分为十六社。九行中，六陈行（又称粮油行）一般名列首位。十六社中，粉房、豆腐坊等属于清水社糖坊（房）属于仙翁合义社。②

至民国初包头的粮油加工业即六陈行的大体状况为：

碾房业 约有45家，主要有通和店、复盛西、大有魁、复兴久等。其设备，一般每家为大石碾一盘，木制风扇车一台。加工工序，通常一套用人工2人，役畜2头。加工的粮食以糜子、谷子为大宗，次为黍子、炒米。每一套（每日）加工糜子4石，谷子5石。以每家（作坊、店铺）每日平均加工用粮4.5石估算，45家每日共用粮202.5石，每月用粮6 000余石。以全年7个月加工估算，每年用粮约42 525石。

磨房业 约有43家。因多为碾、磨房兼营，主要字号与碾坊业相同。其设备，每家有一盘或几盘石磨，以及箩面柜、淘粮锅、扇车等。加工原料，以小麦为主，也时有莞（豌）豆、扁豆、大豆、大麦之类。一盘磨每日加工两套；有的一家每日加工四套，最多者有一日八套。加工用粮，一般平均每套7斗，由一人自淘自磨，需畜力两头（从淘洗、清砂至入磨需两日完成）。43家磨房中，每日加工4套的约15家，每家日用原料2.8石；其余28家皆为日加工一套，即日用原料粮1.4石。全年以加工11个月（节日除外）计算，加上饲养役畜用粮，每年共约需用粮26 400多石。

此外，还有22家专门加工莜面、荞面和豆面的小碾（磨）房（因这几种粮食不宜在大石磨加工）。其设备，每家只有一小盘石碾、石磨。每家平均每日加工两套，每套用粮6斗、畜力2头。以全年加工11个月推算，22家小碾坊共加工用粮约8 700余石。

---

① 高瑞新、刘静山：《包头的复字号》，《内蒙古文史资料》第1辑。

② 《包头工商业的九行十六社》，《包头文史资料选编》第4辑，包头市政协1983年版。

油坊　共有 35 家，主要字号有大有魁、广恒茂、复盛油房、义成永、复巨（聚）成等，每家有榨（加工设备）一至两套。其原料，有胡麻、麻子、黄芥子、杂芥子、大烟（罂粟）子等。每斗（约原粮 30 斤）出油率，胡麻为 8 斤，麻子 3.5 斤，黄芥子 6 斤，杂芥子 6 斤，大烟子 5.5 斤，平均每斗 6 斤。其生产加工，每套榨（每日）用人工 3 人，（石磨）畜力 2 头，加工原料 1.5 石，出油 90 斤。按照全年加工 10 个月估算，35 家油坊每年共需原料 2 万余石，出油 120 万余斤。

缸房（酒坊）　主要缸房有复盛西、通和店、恒兴长、公合兴等 22 家，有的是两套（设备）生产，有的是一套生产。其原料为高粱、豌豆、糜子、谷子及制曲用大麦等。每斗原料的出酒率，高粱为 8 斤，豌豆 7.5 斤，糜子 5 斤，谷子 11 斤。其生产加工，每套需 4 人，其中技工 1 人，辅助工 1 人；每套（每日）用料 2 石，出酒平均 166 斤。按照全年生产 9 个月估算，22 家缸房每年共需原粮 2 万余石，产酒 138 万余斤。

糖粉房　约有 15 家，主要有兴隆泉、德裕泉、傅盛明、德义永等。其加工原料和制成品，用豌豆、扁豆、绿豆、高粱、糜米等分别制作粉条、粉面（淀粉）和麻糖、黑稀糖（专供做糕点等的原料）。15 家糖粉房，每家以每日（一套）需用原料粮平均 1.5 石估算，全年加工 10 个月，共需用粮 7 420 余石。

其他粮食制成品副食加工业　约有 17 家（豆腐房、酱房等）。主要是用黄豆、黑豆、豆、小麦、大麦、豌豆及糜糠、谷糠等分别制作豆腐、豆腐干、豆腐皮、各种豆芽，及酱油、醋、酱等。每家日用粮三至五斗不等。以每家 5 斗估算，每日需用原料粮约 8.5 石，全年（以 11 个月计算）共需用粮 2 900 余石。①

（三）丰镇的六陈行

丰镇，是清代内蒙古西部农业化最早的地区之一，乾隆十五年（1750年）即在这里设立了厅治。因为它邻近山西长城边关，并地处山西至外蒙古的通商大道上，所以直到民国中期（1920 年代京绥铁路全线通车后）集宁的工商业兴起之前，一直是旧绥远东部最大的传统工商业城镇。其制成品

---

① 武生荣：《昔日的包头六陈行》，《包头史料荟要》第 6 辑，1982 年版。

销路很广，北至外蒙古，东至北京、天津，南至太原，以及邻近的晋北大同各地，均有丰镇的米、面、油、酒等出售。加工粮油制成品的六陈行，是其传统工商业的最主要部门之一。

按照粮油加工各业的专、兼营情况，丰镇的六陈行可分为 5 类：

一是以制酒的缸房为主，兼营油、碾、磨房。这种经营形式的铺坊字号，约占全六陈行的十之五、六，如东西广和德、宗和德、崇和德、天裕源等。其大部分人力、财力集中在烧酒上，其他的碾米、磨面、榨油，只是与酿酒配套或兼营性业务。制酒所出酒糟，除饲养本店的役用骡马和食用牛外，还大量出售给城内的车行、驮行和养猪民户作为饲料。

二是以油房为主，兼设碾房、磨房。这种经营形式的约有十几家，如天盛长、天合成、天元永等字号。榨油原料主要是胡麻。因为加工技艺精细讲究，油的味道纯正，所以被称为"口油"（即口外所产油）闻名、销售于晋北许多地区。

三是专门磨面的磨房，有纯兴昌、敬义长、世诚昌等七八家。其制作加工，每一套磨配有一名工人 3 匹骡马，可磨小麦 7 斗，出面 170 斤，麸皮 40 斤。其产品除了小麦面粉，还有莜麦面、荞麦面及豆面、米面等。这些专营磨房比其他兼营的磨房加工制作更为细致，产品也更为精细、白净。

四是专门熬糖、制粉的糖房兼粉房，有天保长、天意成、德兴永等六七家。除制作糖稀浆、粉条、淀粉等之外，还以糖糟、粉浆等作为饲料喂猪。每家铺房经常养猪上百口，作为配套业务赚取利润。

五是专门的碾房，有义记碾房等四五家。一般一盘大碾配 4 匹骡马、2 个人日夜二班加工，可碾出小米 2 000 斤。这种碾房在本城内不零售，专门批发销售给外地粮商。铁路通车后，北京、天津两地的粮商不断来丰镇购米，一笔生意往往就是二三十万斤。①

（四）内蒙古东部的粮油加工业

烧锅（酿酒业） 清末，酿酒业在整个内蒙古东部的农牧产品加工业中位居首位。不仅如此，就其投资数额、经营规模和产值，在所有传统工商

---

① 李晋湘：《丰镇县城六陈行营业状况》，《内蒙古文史资料》第 39 辑，内蒙古政协 1990 年版。

业中也可称为"霸主"。在内蒙古东部，烧锅之所以成为酿酒业的代名词，固然是由于其传统加工方法是用大锅蒸馏制作酒精度高的白烧酒，更是由于酿酒作坊所需整个配套工序、设备及人力、畜力较多，占地面积较大，而且其经营者（字号、店铺）往往是以酿酒为主，兼营其他加工业和销售业务。晚清以来内蒙古东部酿酒业极为发达的原因，一方面是由于边外气候、环境寒苦，不仅蒙古族牧民，急剧增加的汉族农民也多以喝酒为嗜好，拥有广大的烧酒消费人口（市场）。更主要是晚清大规模放垦蒙旗境内多属沿河流域的膏腴土地，使粮食产量大增，用于商品加工的余地很大，为酿酒业提供了丰富、充足的原料。

内蒙古东部酿酒业的另一个特点是，不仅集中在城镇，也分布于广阔的新开辟农业村屯。由于其占地面积、经营规模较大，再加上大规模放垦以来各种社会矛盾的加剧，政治局势动荡和社会秩序不安定，匪盗蜂起，使农区资金盈实的烧锅经营者为了生产和生活的安全，往往在烧锅周围筑起高大坚实的围墙，在围墙四角垒筑炮台，配备"炮手"武装，自成独立的村屯。许多以烧锅命名的村屯、地名，成为近代内蒙古东部人文地图上的独特景观。

内蒙古东部成规模的烧锅，其配套建筑、场所一般都有店铺、从业人员的炊房、食堂（经营者和工役分设），酿造工场（发酵室、蒸馏室等），制曲场（制曲室、酵菌培殖室、贮曲场等），碾磨房，驴马厩、水井（2至3口），贮糟槽和库房。每个烧锅的各种仓库，小则七八个，多可至20余个。其蒸馏用锅，一般直径四尺，深一尺至二尺。每口生铁锅，可用一二个月以至四五个月。用熟铁制成的质量较好的锅，可用四至五年。①

酿酒业的规模大小，以拥有蒸馏锅的多少为准。用一个蒸馏锅制作，称为一班，一般的烧锅店以二、三班为常见。以三班经营的烧锅，其固定资产约需2万多元。②

酿酒原料，主要是高粱，有的地方也掺以玉米。制曲原料，主要是大麦和小豆。在赤峰地区，由于高粱价格较高，往往并用谷子、玉米等；其制曲

①　［日］《蒙古地志》中卷，富山房1919年版，第1035—1038、1048页。

②　［日］《蒙古地志》中卷，富山房1919年版，第1035—1038、1048页。

原料，也多掺用荞麦、豆、玉米。[①]

据日本调查者于民国初期（1914 年之前）的估算，内蒙古东部一年的酿酒产量为：大抵一个烧锅店有 2 至 6 个蒸馏锅，每户（家）平均 4 个锅，一年约为 300 个工作日。一个锅每天可酿酒 250 至 300 斤，一户一年可酿酒 30 万至 36 万斤。按照共有 150 个烧锅计算，一年可产酒 4 500 万至 5 400 万斤。折算为钱，若时价 1 斤平均 10 钱，合计可达 450 万至 540 万元。这些烧酒不但供给当地和邻近各蒙旗，还运销东北各地及关内直隶（河北）、山东、河南等地。[②]

据日本《蒙古地志》的记述，民国初期（1919 年以前），内蒙古东部各主要城镇酿酒业的大体状况为：

赤峰，有烧锅 18 家，主要有复兴泉、裕德隆、泰普福等字号。年产烧酒共约 300 万斤，大部分销售于赤峰以北地区。

平泉，有烧锅 8 家，主要有义源长、协义长、义源和等字号。年产烧酒约 180 万斤以上。据说平泉所产八沟烧酒远近闻名，清前期热河北部地区的市场一直主要靠八沟烧酒。

林西，有烧锅 4 家。

凌源，有烧锅 8 家，主要有广泉隆、庆溥泉、魁盛号等。

朝阳，有烧锅 7 家，多兼营粮米杂货加工、销售。主要字号有信成店、公义店、成兴店等。每年用于酿酒的高粱约需七八千石。

洮南，有烧锅 3 家，即豫贞庆、庆升号、德兴合。其中有 2 家各有三班（即 3 个蒸馏锅），一家只有一班。豫贞庆兼设油房，德兴合兼售布匹、杂货。庆升号烧锅店主，还曾任洮南商会会长。

郑家屯，只有益源涌一家烧锅，年产量约 50 万斤。据说其烧锅少的原因，是水质差和缺少所需燃料。

昌图，有烧锅两家，即广泉成和富兴泉。每年外销烧酒约 80 万斤。

通辽，有烧锅 3 家，即庆源涌、天庆东、太古元，多兼营杂货铺和糖店。

---

① ［日］《蒙古地志》中卷，富山房 1919 年版，第 1035—1038、1048 页。
② ［日］《东部蒙古志》中卷，富山房 1919 年版，第 157—163 页。

农安，主要有两家烧锅。鸿盛源又称西烧锅，义顺合又称南烧锅，均兼设油房、磨房和杂货铺。年产烧酒中，约有 20 万斤销往伯都讷。[①]

油房（榨油业）　内蒙古东部榨油业（油房）的主要原料是大（黄）豆，其次是青豆，黑豆最次，产品称为豆油。其工序、设备为加工豆碴的碾（磨）房、蒸豆碴的锅房和榨子房。每套设备的加工作业称为一班，每班从业者 7 人，即班头一人，看碾一人、烧火（锅房）一人、打槌（榨房）2人、打杂工 2 人，配有骡马 4 匹（2 匹一组轮班）。每班作业，均需原料（大豆）4 石，可出油 145 斤。

内蒙古东部的榨油业，规模仅次于烧锅。较大的油房可拥有 10 个以至20 个作业班，一般油房多为四五班三四十人。而且专门的油房很少，多为各类商家（如烧锅、商铺）兼营。除了加工制作豆油，有的油房也以麻子、蓖麻子或芝麻为原料，榨制麻子油和香油，一般每 100 斤原料可出油 40 斤左右。[②]

据民国初资料，内蒙古东部主要城镇的榨油业状况大致如下：

赤峰，有油房 7 家。主要以麻子等为原料。年产大麻油约 80 万斤，小磨油约 40 万斤。产品除当地消费，主要销往北部地区，以至远销北京等地。

凌源，有油房 3 家。

昌图，有油房 12 家，主要有日新升、永昌和、福和泰等字号。每年产量，除当地消费，外销豆油约 150 万斤。

洮南，有油房 11 家，其中较大的有 5 家，即东兴福、德庆永、豫贞庆（以烧锅为主，兼营）、巨兴昌和广远庆。每家冬季分 2 班榨油，夏季只分 1班。每年用大豆 5 000 余石，产豆油 256 000 余斤、豆（粕）饼约 50 万块（每块约 28 斤重）。当地消费约占十分之六，其余销售于邻近的洮安、开通等新兴农区城乡。

郑家屯，共有油房约近 20 家，多为杂货铺、粮栈等兼营。如主兼营当铺、杂货的巨盛泰，主兼营当铺、杂货、大车店的丰聚栈，主营粮栈的议合

---

① ［日］《蒙古地志》下卷，富山房 1919 年版，第 1108—1117、1080—1084、1020、1050、1038—1040、925—926、916、891—893、944、979—981 页。

② ［日］《蒙古地志》中卷，富山房 1919 年版，第 1075—1081 页。

兴、广德源等。其中豆油房有 7 家，年产豆油约 35 万斤；麻油房十余家，年产量约 100 万斤。

通辽，有油房 5 家，主要有茂盛兴、四合油房，多兼营杂货或粮店等。

农安，其油房多为其他商行兼营。如以粮栈、杂货为主的广巨永、主营烧锅兼营杂货的鸿盛源，均兼设油房。年产豆油约 90 万斤，其中本地消费 60 万斤，销往长春的 30 万斤；销往长春的还有豆粕饼约 10 万块。

面粉加工业（磨房） 内蒙古东部比较成规模的粮米商品加工业，除了烧锅配设的碾、磨坊，主要是加工小麦粉和荞麦粉的磨房，而且也多由粮食铺、杂货铺等商行兼营。其制作加工分为班，每班一般由两名工人一匹骡马（或 2 头驴）组成，加工原粮约 5 斗（即近 150 斤）。较大的磨房可拥有十几班的设备和人力、畜力，一般的磨房多由 2 至 4 班组成。[①]

据民国初资料，内蒙古东部主要城镇的面粉加工业状况大体如下：

赤峰，有大小磨房 100 余家，主要有永兴成、三庆成、宝元亨等商号。除小麦、荞麦面粉，也加工莜麦面。年产约 450 万斤，其中一半销往外地。

林西，有大小磨房 25 家。年产小麦粉约 100 万斤，主要供应当地驻军。

经棚，有专门的磨房 11 家，以杂货铺兼营磨房的 13 家。前者主要有恒庆成等磨房，后者主要有合盛亿、复兴源、永泰盈等杂货铺。

凌源，有磨房 25 家。

洮南，有磨房 40 家。

农安，主要有以粮栈、杂货兼磨房的广巨永和以烧锅兼磨房的鸿盛源等字号。年产小麦粉约 130 万斤，除 90 万斤本地消费外，其余 40 万斤销往各蒙旗。[②]

粉房 内蒙古东部的粉房，主要是以豆类及高粱、玉米为原料加工成粉条，不仅在汉民聚居区，在蒙古人中也已有很大的消费市场。以绿豆、小豆加工的粉条为上等品，以高粱和玉米加工的质量较差。一般每 100 斤原料可

---

① ［日］《蒙古地志》中卷，富山房 1919 年版，第 1082—1084 页。

② ［日］《蒙古地志》下卷，富山房 1919 年版，第 1108—1117、1130—1133、1138—1139、1148、925、978—981 页。

出淀粉 80 斤。加工制作亦分为班，一般每班 4 人，3 天可制成淀粉 140 余斤，然后再加工成粉条。①

内蒙古东部的粉房业多集中于清末放垦以来形成的城镇，并且多由粮栈、烧锅和杂货店等兼营。如民国初洮南有十余家粉坊，都由粮栈、烧锅店兼营。农安的大粮栈广巨永、广升栈、广和成和大烧锅店鸿盛源、大杂货店万成福等都兼营粉坊。当时农安各粉房年产粉条可达 60 万斤，除本地消费 35 万斤外，其余 25 万斤均销售于邻近各蒙旗。此外，在刚刚兴起的城镇通辽也已有粉房 15 家。②

三、清末工艺局

光绪二十七年（1901 年），经历"庚子之变"的清政府，开始全面推行改制新政，倡办近代工商各业，是其主要内容之一。而由各级官府出面，兴办或倡办各种工艺局，则是其重要的具体措施之一。所谓工艺，指的是（城镇）社会各业中除官、商、兵之外的两种谋生之道，"一曰食力，西人所谓工也"，也即各种夫役、粗工（小工）；"一曰食技，西人所谓艺也"，也即各种手艺匠人。所谓工艺局，也就是从事各类商品加工制造的工厂（场）企业、公司。其资金来源和经营，可分官办、商办、官助商办三大类。具体名称，除工艺局之外，还有工场、制造所、传习所等名目，或径称工厂、公司。在清末新政的具体背景下，各种形式的工艺局（主要是轻纺工业和手工工艺制造业）曾一度广泛兴办于内地各省。③ 由于内蒙古地区的社会经济发展相对落后，加上地方行政管辖体制的特殊性，这种具有一定近代资本主义性质的工艺局，还属"凤毛麟角"，但毕竟具有明显的进步意义。

（一）归化城毛纺工艺局

光绪三十一年（1905 年），科举进士出身、思想比较开化的胡孚宸（湖

---

① ［日］《蒙古地志》中卷，富山房 1919 年版，第 1116—1119 页。

② 《满蒙交界地方经济调查资料》（三），第 216 页；［日］《蒙古地志》下卷，富山房 1919 年版，第 916、925、978—981、943 页。

③ 《中国近代手工业史资料》第 2 卷，中华书局 1962 年版，第 505—516 页。

北江夏人）出任归绥道（台）。他看到绥远地区绒毛资源丰富，就分别从绥远将军署、归化城副都统署和归绥道署各筹资 1 000 银两，在归化城创办了官商合办的工艺局。工艺局由道、厅官员任督办委员，招募、训练工徒 50 多人，专门从事织毛布（以牛毛或掺混羊毛、棉纺织加工）和染色等生产。由于它的产品比传统手工作坊的质量好、价格低，深受市场欢迎，销路很好，曾以"所制尤精"享誉山西全省。进入民国以后，由于历任督办委员经营不得法，使这家工厂日益衰落，至 1918 年终于停业。[①]

（二）建昌、多伦等地的工艺局

据清末直隶省的有关资料汇编，内蒙古中东部的热河、察哈尔都统辖区（地方府县均隶属直隶）的工艺局（传习工场）还有以下几家：

建昌县工织有限公司：光绪三十三年（1907 年）六月创办。由公款及绅商创办，招收自费或官费生徒。投入（开办）资金 1 800 银两，常年经费每年 800 银两。有艺徒 20 人，从事织、染等加工制造。

多伦（诺尔）厅工艺局：光绪三十年（1904 年）十月创办。投入资金 6 612 两。有工徒 18 人，从事毛毡生产。[②]

（三）喀喇沁右旗的综合工厂

清末新政期间，锐意改革图强、振兴民族的喀喇沁右旗札萨克郡王贡桑诺尔布，还出资在本旗兴办了综合工厂。为创办该厂，贡桑诺尔布曾选送恩和布林（汉名吴恩和）、特木（睦）格图（汉名汪睿昌）等 4 名本旗青年学子赴天津，在北洋工艺局的实习工厂（场）学习织布、染色，制造肥皂、洋蜡、粉笔以及电镀、照相等技术。这批青年学子学成归来后，即成为办厂的技术人员，招收许多本旗青年为学徒工，又专门聘请一位天津工匠为织地毯的老师傅。厂址设在王府以东的坯厂子村，内分织布、染色、造绒毡，制造肥皂、蜡烛、染料等诸多作坊。与此同时，贡王还筹资开设了名为"三义洋行"的百货商店，专门经销综合工厂的各种产品，兼售从京津等地进

---

① 市纺织局党史办：《呼和浩特毛纺织工业历史概况》（上），《呼和浩特史料》第 2 集，呼和浩特市党史办、地方志办编印 1983 年版；《中国近代手工业史资料》第 2 卷，中华书局 1962 年版，第 553 页。

② 《中国近代手工业史资料》第 2 卷，中华书局 1962 年版，第 528—530 页。

货的其他各种"洋广杂货"。综合工厂和百货商店的开办，使远至百里以外和邻近各旗、县的采购者络绎不绝于途，使当时的喀喇沁右旗王府有了远近闻名的"小北京"之称。

第四节　旅蒙商及其商贸活动

一、旅蒙商的形成与发展

（一）旅蒙商的概念与特征

旅蒙商又称旅蒙行商，或称边商。系指对晋、陕、冀、宁、京、津、唐、张、大商人北出塞外，或走西口，或闯关东，在漠南、漠北、东北等地区经商者的称谓。旅蒙商的名称，初以蒙古语"丹门庆"（一作"丹门沁"、"买卖沁"，汉译买卖人）出现并发展而成。买卖人是蒙古语中对经商者的统称，泛指专门从事商业的人们，如与只适用于牧民的"玛拉沁"和农民的"他日亚沁"相对称。买卖人并非旅蒙商，买卖人只是普通商人。旅蒙商作为名词出现，与蒙古语有很深的渊源，也与蒙古人有着千丝万缕的联系。旅蒙商以一定的区域作为活动范围，有一般商人所具有的共性。但与其他商相比，旅蒙商又别具特征，成为商的一个特殊体系。主要特征为：

其一，旅蒙商的主体主要是行商，商业行为发生地在蒙古地区。行商是坐商的对称，专指外出经营的流动商人。与其他行商不同，旅蒙商到蒙古地区，专门从事民族贸易。而其他行商，即使从事民族贸易，商业行为发生地不在蒙古地区，也不能称其为旅蒙商。

其二，旅蒙商是在民族贸易的基础上形成的。中国地域辽阔，自古以来由于自然的、民族的和传统习惯等方面的因素，形成不同的经济区域，不同经济区域生产的产品品种、类别、质量等有较大的差异，互通有无不但很有可能，而且显得非常必要。由于经济区域的不同，文化和传统方面的差异，尤其是在漫长的历史长河中，由于归属不同的政权以及中原王朝对于周边少数民族的控制能力的强弱不同，出现合乎买卖双方利益的特殊的民族贸易，即"互市"或"边境互市"、"和市"、"合市"、"通市"、"榷场"、"榷场贸易"等贸易形式。历史上，由官方组织的民族交往的形式主要有"和亲"、"贡赐"和"互市"等类型，而和亲与贡赐的政治色彩相对更浓厚，但透过政治色彩，依然能看出其经济方面的内涵。其中互市的经济色彩比较明显，也有鲜明的政治、军事、外交等方面的内容。因此，互市是游牧民族与内地农耕民族在官方主持下的一种特殊经济交往和沟通形式，旅蒙商与在民族贸易中由民间自发形成的以物易物的原始交易形式，它们之间存在着本质的区别。

其三，旅蒙商的活动范围遍及大漠南北，影响波及欧亚大陆。如300多年前，旅蒙商从南方采购茶叶汇集到归化城，然后以骆驼为运输工具，到达蒙古库伦、恰克图、科布多，或走多伦、经棚、赤峰等地，到达俄国贝加尔湖一带乃至圣彼得堡，开辟继中国丝绸之路后的又一条陆上国际商路，即历史上著名的"茶叶之路"。在这条活跃过三个世纪的国际商道上，旅蒙商人拉着骆驼，千里走沙漠，冒风雪，排险阻，绵延万里，最终把茶叶输往蒙古、俄国，继而扩展到欧洲。创造出一种全新的交换方式与贸易方式，让两种文明在草原上对话、对接。

旅蒙商，曾经为内蒙古地区乃至蒙古、俄罗斯等国家经济与文化的繁荣发展注入了活力，起到积极的促进作用，是特定历史时期经济发展的产物。其中如大盛魁是由晋商王相卿、张杰、史大学三人在归化城自发组建，后发展为跨行业、跨省份、跨国籍的大型商号，系旅蒙商诸多商号中之佼佼者。旅蒙商的商业行为，在某些方面有着欺诈与破坏性，由此产生的负面影响是不能回避的。特别是在清代，旅蒙商在草原上的经商过程中，通过各种手段获取的巨额利润，在世界经济史上也是罕见的。他们的经济行为在某种程度上是掠夺性的。

（二）旅蒙商的渊源

关于旅蒙商的渊源，其一，旅蒙商来源于历史上从事边疆贸易的商人，通称边商；其二，旅蒙商来源于清代有"旅蒙商"的正式称谓之后。如果按第二种解释，清代前到蒙地行商者，都不是真正意义的旅蒙商。但"边商"与"旅蒙商"有着密切的渊源关系。按照历史的记载，明代之前已有关于"边商"的记载，"旅蒙商"一词出现于清中叶后。由此，也可以说边商是旅蒙商的前身。除此之外，尚有其他解释。

中国北方的民族贸易形式及其历程，是一部旅蒙商的贸易史。

蒙古地区是游牧民族的发祥地之一，早在秦汉时期，即有强盛的匈奴帝国。为防御匈奴侵扰，秦始皇修筑长城，成为横亘南北的分水岭。尽管"迄至秦亡，长城以内，未当被寇祸"，但在自然和文化方面，人为地形成南北两个完全不同的世界，长城南北生态环境的差异，孕育着两种完全不同的文化及社会，而两种不同的文化和社会决定贸易必然存在。

最初蒙古地区与中原的贸易关系，可以概括为游牧政权与农耕政权之间的几个类型：1. 以武力流血的手段掠边，夺取物资；2. 以武力为后盾，要求物资输入；3. 凭靠战争的胜利，获得物资供应（或交换，下同）；4. 以结盟为手段，达到物资供应的目的；5. 因边防不固，致被掠夺；6. 在武力压迫下，以物资的供应换取和平；7. 以经济的手段达成控制的效果；8. 以物资供应，达成军事上保边的目的。严格地说，这些都不属于单纯的商业行为。"贸易方式"上依托双方军事力量的此消彼长，可分为赏赐、入贡、赠与、纳岁币、婚嫁、贸易、关市七种形式。北方游牧民族与中原农业民族间的和战贸易，经历秦、汉、隋、唐、宋、元六个朝代演替推进，如后汉"通交易于乌桓、北单于、鲜卑"，隋、唐与突厥、回鹘"缘边置市"、"以金帛市马"，宋与契丹"置通市以通有无"等，至明清两代大为改观，逐渐接近商贸交易的真谛。

在中国历史上，中原地区与蒙古地区的贸易由来已久，如马市以交换或收买马匹而名。这可以追溯到汉朝，边境地区所设关市的贸易项目，有牛、马。随后的唐、宋、元等朝代，皆有马市交易，明代承袭此项制度，于长城各口开设马市，马市贸易孕育着旅蒙商的形成——尽管这属于民间自觉地参与边塞贸易的行为。

永乐年间（1403—1424 年），明廷与蒙古兀良哈部在辽东互市。正统年间（1436—1449 年），明廷与蒙古在大同互市贸易。但受战争影响，时断时续。明中叶，漠南蒙古阿勒坦汗部强盛，因蒙民"嗜乳酪，不得茶，则困以病"，通过战争得以与明廷达成协议，开边互市，沿长城各镇东至宣大、西至延宁开放互市场所 13 处，蒙民以马匹及其他牲畜、皮毛等换取内地粮食、盐、茶、布帛、瓷器、农具、铁器等。边地互市出现繁荣景象。除每年官市外，又"许塞下民互市"，月市或小市，蒙汉人民可以自由贸易。据统计，万历六年至十年（1578—1582 年），张家口、大同、宁夏等地互市销售的梭布从 50 万匹增加到 100 万匹左右。阿勒坦汗所建的库库和屯（今呼和浩特市）成为漠南蒙古地的商业中心、交通枢纽，其商路东达张家口、北京、天津，南达山西大同、河北宣化，西南达陕西榆林、宁夏银川，北达哈拉和林、克鲁伦河。

明代，北疆边境地区贸易活动主要有两种形式：朝贡和互市。朝贡以政治上某种程度的臣服为前提，而且是单一方面即蒙古封建主对明廷的臣服，但同时对于明蒙双方的统治者来说，其经济目的仍很突出，也就是说朝贡是特定历史条件下特殊的经济交往方式；互市是比较明确而且能够照顾到农牧民实际需要的贸易活动。蒙汉人民交易不绝，民间互市促进长城南北的经济发展，刺激生产的积极性。故而这种形式带来蒙古地区的经济繁荣，农业和手工业有很大的发展。

（三）旅蒙商的产生

旅蒙商（边商）是随着边疆民族贸易关系的形成与发展而产生的，是民族贸易的产物，中原地区与边疆地区的和平关系是旅蒙商产生的前提。有民族贸易就有和平，没有民族贸易必有战争。从秦、汉以来长城内外经济、文化的分合发展可以看到，在这两个区域及两个社会之间，必然有某种贸易的存在，以体现其根本的经济共生关系。蒙古地区日常生活和生产中，所必需的许多物品，游牧经济自身不能解决，需要以牲畜、皮毛和土特产品换取内地生产的粮食、布帛、食盐、烟酒、糖茶和铁器。特别是在明代，经济上的需要把从事游牧的蒙古人与农耕的汉人结合在一个使帝国禁令不能完全割断的贸易体系中。土默特部首领阿勒坦汗与云中地区（长城以南）多年产生的战争与和平的行为，并非争夺中原的霸主地位，而是寻求经济的贸易往来。

中国北方游牧民族与南方农耕民族，由于游牧的移动性与农业的固定性的不同，铸成相互对立而又相互依存的两个社会模式。定居社会与游牧社会，农耕文化与草原文化，一方面长期并行发展，一方面又相互冲突与融合、交织，构成明代统一中国南北的全部历史。经过漫长而艰难的历程，真正平等互利的民族贸易出现了，这是因为清廷统一内外蒙古的缘故，"内边疆"的消失，使蒙古地区与中原"愿以所有，易其所无"，取长补短、互为依存的经济交流关系在和平环境下成为可能。由此可知，旅蒙商的产生必须具备两个条件：1. 中原与边疆具备和平条件；2. 贸易关系的迫切需要。简言之，就是必须有和平环境中的民族贸易往来。除此之外，形成覆盖蒙古草原的道路网络，也为旅蒙商的诞生创造交通条件。

明崇祯十年（1637 年），清朝皇太极派出由满洲贵族率领的 100 多名商人，携带各种商品赴草原边城归化联络蒙古王公贵族，试图开辟蒙古市场。康熙二十九年至三十六年（1690—1697 年），康熙皇帝平定噶尔丹之乱时，为解决庞大的军队给养，根据需要建立起随军服务贸易商队，即有山西商人随军进入蒙古草原，除运输军需外，兼与牧民贸易，有的还留居所到之地。人们便把这些在随军贸易的带动下，到蒙古高原地区从事民族贸易活动的内地商贾，称为旅蒙商。如前述晋人王相卿、张杰、史大学创办的大盛魁（前身系吉盛堂）即是一例。康熙帝曾为此颁布军令："至于随军贸易之人，固不可少，……准其贸易。"① 在随军贸易的过程中，商人也与沿途的蒙古人进行交易，用日常生活用品来换取牲畜及畜产品。乾隆二十年（1755年），乾隆帝允许为军营运粮的商人携带货物"由归化城运米往军营，毋庸禁止私带茶布，酌量驮载带往"。② 商贩们发现蒙古地区易物贸易利润很大，就暗地与蒙古人进行民间贸易。这些商贩"借名运粮"，有时甚至"货多粮少"，从第二渠道用所携带的砖茶和布匹与当地的蒙古人进行交换，"归则易赢马、裘"。清纳兰常安《行国风土记》载："塞上商贾，多宣化、大同、朔平三府人，甘劳瘁，耐风寒，以其沿边居处，素习土著故也。其筑城驻兵处，则建室集货。行营进剿，时也尾随前进。"③ 可见，旅蒙商深入蒙古草原为清军购买粮秣，运送辎重，甚得将士赞赏。于是，以晋商为主体的行商便进一步在蒙古和西北地区流动经商。

早期的清廷统治者，从维护其政治利益的角度出发，为满足蒙古上层对商品的需求，以达到笼络和控制蒙古诸部的目的，对于北部口外的蒙、汉贸易活动，基本采取鼓励和保护的政策，允许他们到新疆、张家口、归化城、多伦诺尔以及西宁等沿边城镇进行蒙、汉贸易，还可在蒙古伐木出售。商人

---

① 《清圣祖实录》卷 171，康熙三十五年二月丁未条。
② 《清圣祖实录》卷 481，乾隆二十年正月丙申条。
③ 谢国桢：《明代社会经济史料选编》中册，福建人民出版社 1980 年版。

由内地贩运蒙古封建王公贵族、寺庙喇嘛所需的生活用品乃至奢侈品，以及牧民所需的生产和生活用品，采取以物易物、折合现金、赊销等方式，进行交换，继将牧民的牲畜和畜产品收购销往内地，来回不空手地赚取高额利润，这种贸易活动适应蒙古地区与中原内地互通有无、发展经济交流的客观需要，为"旅蒙商"的产生创造着条件，并进一步得到发展。

（四）旅蒙商的发展

对于蒙古贸易，清廷逐渐认识到，放任旅蒙商自由贸易，又会使蒙古人觉醒，促进蒙古社会进步，动摇清廷的统治。为此，康熙后期对旅蒙商制定严格的贸易禁令，实行既利用又限制的政策，规定旅蒙商赴蒙贸易要向主管蒙古事务的理藩院，或向设在归化、察哈尔、多伦诺尔、库伦等地的将军、都统、参赞领取"票照"（一作部票、信票等），上写商人的姓名、经营商品名称、数量、经商地点、起讫时间（最长不得超过一年）；还规定不准携带家眷、娶妻立户、苫盖房屋、开设店铺，严禁输入铁锅、小铁器等金属物品（以防制造兵器），严禁放贷白银等。并指定只在长城沿边的喜峰口、古北口、独石口、张家口、杀虎口、归化城和西宁等地进行贸易。此外，旅蒙商还要课征多种税赋，包括支搭帐幕的地皮税、放牧的草地税、商品交易税、出入关卡税等，除棺材不征税，任何商品都要征税。清廷的禁令，造成蒙古地方商品的匮乏。蒙古王公贵族、牧民要求开禁的呼声越来越高。部分王公贵族借进京朝觐的机会，向清廷呈请增加商贾入蒙贸易。于是，清廷向旅蒙商赐予"票照"，有了对蒙古地区的商贸特权。从此之后，一批批旅蒙商携带各种货物，来到草原淘金。

清廷驻守蒙古各地的封疆大吏与大小官员，以及蒙古封建王公贵族、寺庙的上层喇嘛，都和旅蒙商有瓜葛且相互利用。旅蒙商送给他们许多好处，他们便暗中保护旅蒙商。王公贵族和上层喇嘛随意赊欠旅蒙商价格昂贵的奢侈品，发一纸命令就轻而易举地转嫁到牧民身上。这样，清廷所谓的贸易禁令虽然延续到道光年间，结果却是"禁者自禁，来者自来"，禁令在岁月中不断松弛。从18世纪后期到19世纪初，随着清廷对蒙古地区封禁政策的松弛，山海关、喜峰口、古北口、独石口、张家口、杀虎口、归化城和西宁等长城沿边的几个主要通道口，成为旅蒙商出入蒙地经商的重要通道。他们循着古代中原通往蒙古的驿站，逐渐由近及远。从事蒙古贸易的人以山西人为主，其余大多是河北、陕西等地商人。旅蒙商一般是从晋北的杀虎口开始"走西口"，或从张家口开始"走东口"。深入到漠北的喀尔喀、科布多乃至唐努乌梁海，以及西北边疆的古城、伊犁、塔尔巴哈台等厄鲁特蒙古地区。还有就是山东、河南、北京、天津等地的商人，闯关东到东三省至海拉尔、满洲里甚至贝加尔湖的伊尔库次克等地经商。

清廷统治蒙古地区的 200 多年里，旅蒙商人由少到多、队伍由小到大，一步步繁荣起来。成千上万的晋商、陕商、鲁商、冀商、京商走西口、走东口、闯关东，纷至沓来。旅蒙商的足迹遍布漠南、漠北和西北蒙古高原，他们带着内地生产的粮食、烟茶、布匹、器皿和生产工具，"以车载杂货，周游蒙境"，换取蒙地的牲畜、皮毛等畜产品以及珍贵的野兽裘皮、金沙、玉石、鹿茸、麝香和羚羊角等，再将这些收购品运回内地出售。来去不空，往返赢利。经过不断发展壮大，旅蒙商贩所设的具有固定性质的销售网点逐步扩大，于是"行商易为坐贾"，一些旅蒙商在蒙地建立起永久性商店。

随着旅蒙商的发展壮大，在漠南归化、多伦诺尔、包头以及赤峰、经棚、小库伦等地，逐渐形成商贾云集的商业城镇，在外蒙古的大库伦、科布多、乌里雅苏台、恰克图、伊尔库次克等也成为旅蒙商汇聚的商业城镇，大有"无晋不商、无晋不镇"的局势。以这些商业中心城镇为枢纽，形成成熟的沟通大漠南北的商路。据统计，当时的旅蒙商共活跃着 2 000 多家商铺，从业者达 40 多万人。他们甚至在库伦、恰克图、乌里雅苏台和科布多等地，建造宽敞的店铺、货栈和住宅，形成边地贸易的买卖城。

二、旅蒙商的贸易

晋、陕、冀等地旅蒙商在牧区原始的贸易形式，是以物易物。现代贸易，则普遍以一种媒介作讨价还价，如金钱。金钱以及后来的信用证、钞票等非实体金钱的出现，简化和促进着贸易。两方之间的贸易称为双边贸易，多于两方的则称为多边贸易。贸易出现的原因很多，由于劳动力的专门化，个体只会从事一个小范畴的工作，必须以贸易形式来获取生活的日用品。两个地区之间的贸易，往往是因为一地在生产某产品上有相对优势，如有较佳的技术、较易获取原材料等，而在交换中获取更多更大的利益，从而演绎更有价值的交换。

旅蒙商贸易，即旅蒙商所从事的具体商业活动。从严格意义上说，旅蒙商贸易是对传统边疆贸易的细化，但从广义上说，还包括正在形成中的贸易的具体化，即包括旅蒙商的国际贸易在内。先前的贸易行为，具体表现在不成规模的习惯和个别特例上，有的不系统，有的不明确或不完善，甚至不具有广泛性。因此，在旅蒙商发展成熟之后，往往难以找到确定的规则作为界定贸易的依据。因此，有必要进行旅蒙商贸易界定，以杜绝历史上存在的零散的、不明确和不完善的贸易行为混淆进来，使之成为特性化、系统化的商业。

（一）贸易路线

商道即贸易路线。旅蒙商贸易路线，大致有以下几条。

以张家口为出发点的有：

1. 张家口—贝子庙—库伦—恰克图或乌里雅苏台、科布多；

2. 张家口—多伦—贝子庙—北部各旗；

3. 张家口—四王子旗等。

以归化城为出发点的有：

1. 归化城—库伦—恰克图；

2. 归化城—乌里雅苏台—科布多—古城；

3. 归化城—向西横跨沙漠到新疆。

以包头为出发点的有：

1. 包头—库伦—恰克图；

2. 包头—新疆—乌里雅苏台—科布多；

3. 包头—甘肃—青海。

此外，还有从天津、北京、唐山、大连等地出发，途经赤峰、通辽，到达海拉尔等地的路线。

旅蒙商贸易有两种形式：一是所有在蒙古地区发生的国内贸易；二是经由蒙古地区进行的国际贸易。过去占大多数的旅蒙商作过第一种贸易的实践，规模上多为中小旅蒙商号。个别大旅蒙商号在第一种贸易形式发展壮大的基础上从事第二种贸易形式。因而在实际贸易中，旅蒙商的国内贸易、国际贸易常常混杂在一起，几项相互联系，截然分开是不可能的。例如，旅蒙商大盛魁商号，从总部归化城把生意一直做到蒙古、俄罗斯，它所从事的就是综合性贸易。

(二) 贸易的发展

清廷治理蒙地，不去修筑万里长城，取"慑之以兵威，怀之以德政"的策略，通过联姻结盟加以绥服制驭，在辽阔的北部疆域，虽不设边防，蒙古已为屏藩。清廷加强对蒙地（牧区）的开放和开发，康熙执政时，迁移山东、山西、直隶、陕西等省 10 多万人到蒙古地区垦荒，形成历史上一次大的移民潮，再加上源源不断流入的内地人，为日后遍及蒙地的民间贸易，创造更为有利的条件。如前述，早在清人入关前，"遣人来口市易，皆八家主之"。此八家，即为明清时期在张家口经商的"八大名商"，他们均为山西商人踵世边居，婚嫁随之。其中的范氏，明初即入蒙行商，历七代到范永斗，因市易边城而成巨富。康熙到乾隆 100 多年间，范氏几代的商业经营发展到兴盛时期。据许轼如未刊稿《旧管见闻》所云，范家在张家口所开的兴隆魁商号，光绪末年临倒闭时，其职员还多达 1 000 人左右，每天从外地进入张家口的皮张、药材、杂物、牛马等可售 1 000 两银子，其规模之大，可见一斑。

旅蒙商贸易的发展，带来其他商业的繁荣。当时，归化、包头、赤峰、多伦等地的茶庄、绸布庄、银楼、钱庄、皮毛行、货栈以及百货、日杂、饭馆、戏院等，都相继建立和发展起来，归化城仅回民从事的各行业达数百户。沈斌华在《内蒙古经济发展史札记》中说：靠近内蒙古西部地区的张家口，是旅蒙商的重要基地，那里对蒙地贸易的商号，包括支持旅蒙商的茶庄、烟店、绸布庄、钱庄等，在康熙年间只有十几家，到雍正年间增至 90 多家，乾隆末年增为 190 多家，嘉庆末年，增至 230 多家，咸丰末年，增至 300 多家，光绪末年，增至 530 多家。到民国 14—18 年旅蒙商的全盛时期，大一些的商号达 1 000 多家。[①] 再如晋商"汇通天下"的票号生意，几至"富可敌国"的程度。

旅蒙商在边疆贸易中发展壮大，商品流通量不断增长的结果，必然是商品市场的进一步扩大。市场扩大表现在两个方面：一是新兴城镇的大批出现；二是从事对蒙贸易的内地市场增多。新兴城镇的兴起，多数是因为农牧

---

① 沈斌华：《内蒙古经济发展史札记》，内蒙古人民出版社 1983 年版，第 164—165 页。

产品商品化的蒙垦设治的结果。内蒙古东部区有海拉尔、开鲁、赤峰、林西，以及陆续划归东三省的彰武、昌图、梨树、洮南、泰赉、阜新等40余座城镇；中西部有陶林、兴和、武川、和林、清水河、托克托、萨拉齐、包头、五原、定远营（今巴音浩特）等10余座城镇。一些建城较早的商业城镇张家口、归化城、库伦、乌里雅苏台、科布多等，商品流量更是大为增加。

赤峰，输出之货以小米、高粱、小麦、荞麦、杂豆、马骡、牛羊，以及皮革、毛绒、烟麻、土碱等类为大宗。输入之货以粗细布匹、茧绸、棉花、芦席、蓝靛及茶糖、药料、海味、火油、褡裢、洋线、胰皂、纸烟等为大宗。由营口、天津、北京运来的内地杂货，经此转售于乌丹、林西、经棚等县。并将上述地方所收购的蒙古土特产品运往京津、营口等地。该城"四面交通，街道宽敞，一衢七里，商店林立，俨然为天然商埠"。

包头，原是绥远西部的一个小镇，同治末年修筑内城。以后逐渐发展成为内蒙古西部地区水陆交通枢纽、东西物产的集散中心，以及河套、甘肃、宁夏、外蒙古皮毛的囤集之地。后套的牲畜、甘草及各种药材，临河、五原的粮食等，都经过这里转销内地，变成西北地区的重要商埠之一。外国资本和内地买办商人相继进入后，它的商业地位更趋重要。商人从这里采办各种日用百货，车载驼运到蒙古各地，换回羊毛、绒毛、驼毛及牲畜。1919年以前，运销杂货的总值每年可达白银30万两以上。"先有复盛公，后有包头城"，是旅蒙商贸易成就包头的一句佳话。复盛公是山西祁县乔姓之家的商号。乾隆初年，两个穷汉到内蒙古萨拉齐厅老营村谋生，先当伙计，后开小铺，移居包头之后，随盈利而买卖越做越大，先挂出广励公、复盛公的牌子，后派生出复盛西、复盛全、复盛油房、复盛菜园……等许多商号，由于均带一"复"字，故统称之"复"字号。经营项目除日杂百货外，又设有洗染铺、旅馆、当铺、钱庄、票号等等，还发行纸币。在包头首屈一指，在京包线上的大大小小城市，以及全国的重要城市如北京、南京、上海、西安、武汉、广州以及东北各大城市，均有它的分号店铺。全部资产折白银达1 000万两左右，清代中后期，其票号生意迅速发展，成为国内资金雄厚的金融商。

在新兴城镇出现的同时，原有的商业城镇得到迅速扩大。其中，张家口依然是蒙古地区最大的商业城镇，"北通内外蒙古各旗，西达宁夏、新疆等西北省区，是商贷运转总汇之地。康熙初年该城对蒙古贸易商店只有10余家，雍正时增至90余家，乾隆末期又增到190余家，而至嘉庆末年更增加到230余家"①。近代，商业贸易规模进一步扩大，咸丰末年又增至300余家，同治末期再增至350余家，光绪末年更增为530余家。其商品专赖货帮运销，东面转运至多伦诺尔，西面可运到归化城，北部远达库伦、乌里雅苏台、科布多一带。汇集而来的蒙古畜牧等产品，则由此转运至京津等地，以至海外。

归化城，是清廷设置的对蒙贸易中心之一，是全国各地商人同蒙古和西北地区进行贸易的一个重要贸易集散地，也是蒙古地区屈指可数的商业重镇。这里商务发达，商品繁多，商人每年都由此贩运砖茶、绸布、棉花、米面等物，分赴各蒙旗交易，换回驼马、牛羊、皮革、绒毛等畜产品。归化城也是沟通蒙古和西北地区同内地进行商业交往的重要渠道。从内地运来京广杂货、布匹、绸缎等，经此转销于甘肃、新疆及外蒙古地区。尔后将各地的土特产品，诸如皮毛、牲畜、葡萄干、药材等运回，销往北京、天津等地。随着旅蒙商号的增多，贸易范围的扩大，归化城发展成为著名的商业城市。这里居民稠密，行户众多，外地运来的货物先汇集该城囤积，然后陆续批发到各处售卖。正如清王循诗《归化城》云："穹庐易绝单于城，牧地犹称土默川。小部梨园同上国，千家闹市入丰年。"归化城俨然是塞外沿边商贸云集，百货流通，民族贸易兴旺发达的城市。当时山西人已占70％，大都以商业、手工业为生。他们行商的走向大多在西北部，向北可经库伦到恰克图及俄属各地；向西可到包头、宁夏、乌里雅苏台、科布多、乌鲁木齐、塔尔巴哈台等地。大多以驼队运货，运去绸布、茶烟、食糖等日用品，运回绒毛、皮货、牲畜等，还有新疆的特产白银、金砂、鹿茸、葡萄干等，大都在丰镇、包头、归化等地销售。

乾隆朝以后，归化城商业发展较快，位居塞外诸城榜首。声名显赫的大商号大盛魁、元盛德、天义德、义和敦等，年贸易额分别达500万—1000万两白银；另外，一善堂、三合永、庆中长、天裕德、大庆昌、永德魁、元

---

① 陶克涛：《内蒙古发展概述》，内蒙古人民出版社1957年版，第187页。

升永等商号的年贸易额也达 10 万—25 万两白银。在归化城还有 12 家专营运输拉脚的驼行，每年可出租骆驼 7 000—7 500 峰。驼队外运的主要货物是布匹、茶叶、杂货，换回驼、马、牛、羊和皮毛制品。马匹运往内地南方各省，羊群运往北京、河南、山西。各省在归化城设有收购站，北京的几家收购站每年从归化城收购 50 万只羊，归化城本地购买和消费的羊达 20 万只，牛 4 万头。① 归化城分别设 4 处税卡，其"南栅系杀虎口孔道；北栅通山后部落喀尔喀札萨克等处；东栅通察哈尔蒙古八旗；西栅通乌拉特、鄂尔多斯地方"。② 来自草原的蒙古商队，通过各处税卡栅栏进入归化城与汉商贸易。又有《清朝文献通考·征榷》载曰："内地商民持布币往者，轮蹄万计"。《口北三厅志·艺文志》说，蒙汉商人"番语侏离译不明，相看都用手传情"。可以看出，当时的商业贸易呈现出一片繁荣景象。

多伦诺尔，咸丰、同治年间，全城人口达 20 余万，商号 4 000 余家，手工作坊工人有 2 万余人。远至云贵的药商和上海、香港的马贩，都要到这里进行交易，是国内最大的牲畜和马市之一。每年六月中旬的庙会，吸引诸多的西藏喇嘛和内地商人，远近蒙汉各族人民也云集此处。在这里集散的农畜等产品，有的运销张家口，有部分皮张、毛类运往天津等地，而牛皮多运销东三省。经棚、赤峰、乌丹、围场等附近旗县的农产品及加工成品也由此转运到张家口售卖。粮食也占贸易大宗，输出之货以莜麦、小麦、杂豆、菜子、麻子、米面等居多。输入之货以棉布、烟酒、干果、铁器、蓝靛，以及茶糖、药材、瓷器、海味、胰皂等为大宗。③ 洋商也在此设庄，采购皮张、毛绒，计有 10 余家。成交额也很大，素有"斗金斗银"之说。东清铁路、京绥铁路修通后，多伦诺尔的商业地位受到严重影响，贸易额下降，商号减少到千余家。这些商家大都崛起于明清以来九边重镇的军需贸易上，发达于蒙汉贸易的巨额盈利中，终成国内首屈一指的金融票号商，形成与徽商齐名的区域性商业集团，除支配着整个黄河流域外，还远及东北、西北，甚至远

---

① ［俄］波兹德涅耶夫：《蒙古及蒙古人》第 2 卷，刘汉明等译，内蒙古人民出版社 1983 年版，第 99 页。

② 张曾：《古丰识略》，《税课》，抄本。

③ 卓宏谋：《蒙古鉴》，1923 年铅印本。

及日本、欧洲，经济实力十分雄厚。

在蒙古商业城镇发展的同时，同蒙古地区接壤的东北、华北等沿边地区的一些商业城市，对蒙贸易也日趋活跃。如北京地产货及绸缎、布匹等，经由古北口贩运到赤峰等地，换回蒙古的牲畜、皮毛、药材等土特产品，就地销售。边疆贸易的活跃，商品流通量的日益增加与市场的扩大，避免明代一度出现的由于互不通商，产品供应停止而爆发争夺产品的战争，一方面加强蒙古地区同内地的经济联系，另一方面也反映出旅蒙商贸易在其中发挥着重要作用，而代之以蒙汉民族进行和平贸易的新局面。

三、旅蒙商的经营方式

经营方式，就是企业在经营活动中所采取的方式和方法。1. 所有者和经营者相互关系的表现形式，比如企业所有权与经营权合一，所有权与经营权等；2. 经济单位经营的具体形式，指长年经营或季节经营，固定经营或流动经营等。按照定义分析，经营方式的种类可以分为：自产自销、代购代销、加工、批发、零售、运输、代理等。旅蒙商的经营方式，主要指旅蒙商在经营活动中所有者和经营者相互关系的表现形式，以及企业经营的具体形式。

（一）管理制度

人事管理　无论总号与分号，其内部人员设置的原则都是"因事设人"，绝不"因人设职"。每个商号一般从业人员在 10 人左右，其中大掌柜（经理）是决策人物；二掌柜处理日常事务，负责对外联络、安排业务接待；三掌柜（柜头）总管柜台业务；内事先生（管账先生）兼管文书、出纳及金银首饰等贵重物品的保管；柜员 2—4 人，经办具体业务事项；学徒 2 人，协助柜员打杂。

旅蒙商通常所立的"号"，下设有多处分号或分支机构，少则十来家，多则数十家，广泛分布于蒙古地区及国外。店铺丛生、经营种类繁多的庞大企业，要使之运行有序、高效，整体实力不断增强，需要一套成熟可行的经营管理模式。如一个大的商号或票号规模大多可达百人以上，其资本遍布全国各大商埠和城镇，而这些商号、票号互通互利，通过资源整合，整个企业形成有条不紊的管理系统，成功实现各自的集团化经营。号规方面创立有许多行之有效的管理制度，诸如经理负责制、学徒制、号规、休假制、账簿制、保密制等。即：1. 经理负责制 主要是实行量才录用、规范管理的严格制度。用请掌柜、写合约、定人股来规范财东和掌柜双方的权益和行为义务。经理（大掌柜）一经聘用，财东则委以全权，不干预号事，静候年终决算报告，真正做到了用人不疑，疑人不用。经理则做到受人之托，忠人之事，以忠义来答报知遇之恩。经理在任期内业务突出、有成绩者，则加股（人身股）加薪奖励。2. 学徒制 对店员、学徒要求十分严格，如对相貌、身高、家庭、文化、德才都有一定要求。入号后对其严格进行职业道德、工作技能培训。培训毕，经过严格考核后，量才使用。山西有谚称："十年寒窗考状元，十年学商倍加难。"由于要求严格，从而培育不少商业骨干人才。3. 休假制度 一般规定号内职工从掌柜起，均为三年或二年回家探亲一次（分号路远者，如东三省、蒙古、新疆等地为五年一次），称为班期。住家半年，往返旅杂费由号中供给。如遇婚丧等事，视情况予以补贴。号内包括掌柜在内，一律不准携带家眷。4. 票号的保密管理制度 总号与分号之间，不论指示、安排或请示、汇报，均用编号和记有日期的书信；写书信用暗语，重大机密派高级职员亲往口授；信汇有专用信封、信稿及格式规矩；行文采用密押，如 1—9 个数字用冀、兖、青、徐、扬、荆、豫、梁、雍九州名代替；年、月、日另有代码字。汇票采用先进的水印防伪技术。日升昌票号的大方印，他们一锯（分割）为三，大掌柜执二分之一，二掌柜、三掌柜各执四分之一，三块印同时捆绑盖章才算有效，防止个人独断专行。

其他还有：掌柜的可以定期不定期地进行查看，考察从业人员的能力和工作成绩。各分号之间，虽以结账盈亏定功过，但要具体分析，如本处获利，别的分号为受其利者，可以为功，如果只顾本处获利，不顾其他分号利益，甚至造成损害者，则另当别论。旅蒙商由总经理到分号经理，都是纪律严明，该奖者奖，该罚者罚，从而与雇员能同心同德。旅蒙商之所以常盛不衰数百年，一个十分重要的原因是制订并切实实行严密而完善的号规。旅蒙商有谚称："国有国法，家有家规，铺有铺则。"号规无疑是商号的根本大法，其制订得是否完善，是否切合实际，是否对发展有利，无疑与商号的命运息息相关。

大德通的号规上规定："凡事之首要，箴规为先。始不箴规，后头难齐。"作为统辖商号全局的法规，必须对商号的性质、人事、业务及福利待遇等重大事宜作出原则性的规范，使号内任何人都必须在号规的规定范围内活动。如能切实遵守明文规定可得到奖赏；如触犯，也应视其程度作出相应的处罚。无论经理、伙计、学徒，均须遵守号规，以使商号上下团结一致，勤奋进取，充满活力。除对雇员不断进行教育外，还在用人方面采用吐故纳新、有进有出的原则，才能拥有一支精明能干、廉洁奉公的员工队伍。吐故淘汰不称职者，纳新增加票号新的生命力。如果只进不出，滥竽充数者充斥其间，就不会拥有一支好的员工队伍，票号也必然招致失败。

资本管理 旅蒙商的商业活动多通过商号、票号进行。财东拥有所有权，一般不直接参与经营管理，而是委托总经理，授之以资金运用权、职员调配权、业务经营权，以充分发挥其才干，即所谓的所有权与经营权分离。总经理坐镇总号，除管理总号内部各项事务外，就是对各地分号进行宏观调控。旅蒙商商号、票号总号实为企业的权力中心，凡经总号集体研究，由总经理最后定夺的经营决策、业务方针、存放汇兑等各种规章以及人事管理制度，上至经理（包括分号老板，又称大掌柜，依次有二掌柜、三掌柜），下至伙计，必须不折不扣地遵行，不准有丝毫违背，否则，即以违反号规论处。

分号经理拥有所在商号的业务开拓权、资金运用权和人员管理权，但机构设置、资金调度、人事任免和赢利分配等重大权限均由总号控制。分号实际是总号根据经营种类或区域范围下设的从属部门，虽然年终或账期也须向总经理及财东汇报经营绩效，但衡量标准不仅仅是看其赢利多寡，更重要的是该分号对总号实力增强作出多大贡献。

在账簿制度方面，晋商商号、票号账簿是旧式簿记，但组织完备，登记详密。其账簿多至十几种，主要有万金账（东伙开办时合同、股利分配等）、流水账（借贷、汇款、杂支、汇费、利息，与各庄来往汇款）、老账（即流水分类记）、浮账（即活期存款）、汇兑账、存款账、放款账及各地往来总账、本埠往来总账等。

资金管理制度方面，资金由总号统一调度，分号按总号授权分工负责；账目实行日结、月报、年清制度。汇兑可以顺汇，也可逆汇，方便客户；汇费随行就市，可以"让点"；存款可以整存分取，本息可以在异地分号随用随取；每日店铺都要点检，多出来的银两一律没收，缺少的一律照赔。凡此种种，一整套管理制度近乎苛刻，但都能一丝不苟地严格执行，保障票号的规范运作和金融安全。

（二）经营形式

旅蒙商在蒙古地区从事商业经营，种类繁多。其中茶叶贸易是主要的经营活动之一，以经营茶叶为例，从中可以看到从采购、加工、运输、销售一体化的经营方式。商业资本向产业资本转移，促进国内茶叶的生产和国际贸易的发展。从18世纪下半叶到鸦片战争前，旅蒙商已基本控制蒙古地区市场，垄断蒙、俄贸易。如旅蒙商从事茶叶贸易活动，采用的是从茶叶采购、加工包装到运输销售的一体化经营方式。尽管茶商一般不参与茶叶生产，但经过授权将自己的品牌价值融入销售实现茶叶的价值，而且经其加工、包装给茶叶带来一定的附加值，因而这种经营方式有别于传统长途贩运中贱买贵卖、赚取差价的商品流通方式。通过产、供、运、销的产业链运作方式使商业资本与产业资本融合，是旅蒙商茶叶经营中的一大特色。

采购 采购工作不仅繁杂，而且数额巨大。例如，在茶叶采购环节中，旅蒙商与茶农、茶行的关系甚为密切。其收购茶叶主要采取以下两种形式：一是旅蒙商到当地购茶，先投至当地茶行，由茶行派人同旅蒙商一起看茶定价，茶行负有引导评价之责，并分别向茶农、茶商收取佣金；二是旅蒙商在茶叶产地开设分庄（或称子庄），由茶号派人进山直接购茶，议定价格后，送毛茶回茶号，经加工精制后制成砖茶或其他成茶出售。

湖南安化以黑茶、红茶闻名，旅蒙商在安化办茶方式略有不同：采办黑茶，是由旅蒙商到茶户家中收买，之后送回本号加工后制成砖茶或花卷，转销口外；采办红茶，则由茶号在当地开设子庄收购毛茶，随后送回茶号加工打包，运往汉口售与洋庄。在《祁县茶商大德诚文献》中记载有祁县旅蒙商在安化办茶过程：其一，"先要择点应用什物家具器皿以及簏器、木器，……再要择选（茶）行内先生、管楼、管厂、管行人等"；其二，要从色、味、形等方面辨别茶的真伪，"重条紧、色顺、纹直、沉重、味佳、外乌油色，内朱干色，必是安化正路茶"；其三，注重茶叶质量，绝不以次充好，申明"勿惜价，贪便宜岂有好货"。①

---

① 史若民、牛白琳：《平祁太经济社会史料与研究》，山西古籍出版社2002年版。

旅蒙商不仅在各茶区办茶，而且注重开拓新的茶区，为其采购开辟茶源。咸丰年间，因红茶需求旺盛，"晋皖茶商，往湘经商，该地为必经之路，见该地适于种茶，始指导土人，教以栽培及制造红绿茶之方法"[1]。很快，羊楼洞、羊楼司一带形成著名茶区，并成为晋帮茶商的定点采购基地。仅山西茶号王玉川、巨盛川到鄂南羊楼洞设庄制砖茶，每年就可生产砖茶近80万公斤，其后祁县乔氏设立的大德兴茶庄、榆次车辋村常氏开设的茶庄也纷纷在此地开发不毛，买山植茶，并鼓励和指导当地山民种茶，当地农民也因之温饱。至"光绪初年，茶叶贸易极盛，经营茶庄者，年有七八十家，……当时尚用土法制造，有砖茶厂十余家，统由山西帮经营"。

加工　由明至清，制造茶叶，习俗相沿。一般是由茶农随采随制，经过简单加工后，售于茶行或茶贩，再转运各地。侯至五口通商，茶叶出口大增，国际市场对茶叶的品质要求不一，茶商遂购得毛茶后再加以重制，经过精制包装之后再行销售，不仅使茶商获利，且市场需求旺盛，故此种茶叶加工方式在各茶区广为流行。[2]

茶叶加工工序十分繁复。旅蒙商多雇用当地人在其所办茶场中制茶，进行连续性生产。如从毛茶到产出成品，一般要经过踹、拣、焙、筛等多道工序，每道工序都有严格的规定。在茶叶出号前，还要对成茶进行包装。洋箱茶用锡罐或铅桶，外裱以板箱，平均每箱可装茶50—70斤不等，口庄茶由篓袋盛贮或"带篾包箱"。据《祁县大德诚茶商文献》记述，祁县茶商在安化设场制茶，场中以茶工人数最多，有拣工、筛工、踹工等区别。其工钱不等：茶场的黑茶每帮有踹手8人，每人工钱160文；掌冲打吊2人，每人工钱100文；帮踹人8名，每人工钱60文；筛工每日工钱120—140文。此外还有篾工、裱工、铅匠、锡匠等。可见当时茶场规模少则数10人，多则成百上千人。

在湖北省羊楼洞，旅蒙商设立临时办事处开设工厂，该地数千农民及其家族从事制造砖茶，"厂房率多宽敞，公事房、制造室、打包间应有尽有，

---

① 载啸洲：《湖北羊楼洞之茶叶》，《国际贸易导报》第5卷第5期。
② 程光、梅生：《儒商常家》，山西经济出版社2004年版，第31页。

最大者能容二千人"①。茶场的繁荣促进茶市的兴盛，湖南平江"茶市方殷，贫家妇女，相率入市拣茶……拣茶者不下 2 万人，塞巷填街，寅集酉散，喧嚣拥挤"。可见，茶商雇工制茶，一方面带动当地茶叶生产的发展，给当地茶农带来生计，另一方面也带动相关手工业的发展。

运输 清代旅蒙商经营茶叶主要是将茶叶运至恰克图与俄商贸易为主，同时兼营与蒙古、新疆等西北地区的茶叶贸易。他们从茶产地始，水陆兼程，贯穿数省，栉风沐雨，跋山涉水，奔波数千里方能抵晋，再行万里经恰克图输入俄国及欧洲腹地。

旅蒙商茶叶贸易按区域不同分为：对库伦、恰克图的北路贸易，赴新疆、伊犁、塔尔巴哈台的西路贸易，赴东北边陲与俄贸易及越界赴伊尔库茨克、涅尔琴斯克、圣彼得堡和莫斯科等地贸易。概括而言，其贸易路线为：北路由东西两口经库伦（大同至张家口经库伦，或从右玉经归化至库伦）再至恰克图；西路由归化出发经百灵庙至漠北赛尔乌苏、布彦图、乌里雅苏台、科布多再分别至塔尔巴哈台、古城及乌鲁木齐；东路（进入东北边陲）由张家口经多伦诺尔，通往漠南锡林郭勒、察哈尔、昭乌达、呼伦贝尔、漠北喀尔喀蒙古、车臣汗部、土谢图汗部。

旅蒙商在没有现代交通工具的条件下运输茶叶，遇水路，雇船装之，遇旱路，则赖马、牛或驼载之。若雇船，须船行至岸后再付讫运费，并另付运货上船及下船的小费；若雇车马，则脚价涨掉不等，有每千斤四五十两及十三四两不等之行情。旅蒙商在分别估算运费、比较高低后再行运输。陆路运输中旅蒙商多采取托运方式，其特点为：运输费用分两次付清，雇车驼时，先预付大部分费用，余者在到埠后再行给付；若延误货物到埠，车驼帮负责赔偿；凡途中所遇关卡，由茶商自行纳税。

山西祁县茶商运茶需经过赊旗镇，赊为陆路转运码头，百货皆聚，为确保按期到货，与当地承运商建立回票制度。如光绪二十三年，"合行公议发货日期新定章程：郭、汜……汝州、禹州马车脚价付九欠一，以十天为期，二十天见票，误期每车罚银八两；会镇马车限十六天送到，三十天见票，误

---

① 程光、梅生：《儒商常家》，山西经济出版社 2004 年版，第 31 页。

期每车罚银八两；汝州、禹州牛车每辆欠银三钱，限十二天送到，误期每车罚银二千。"① 上述运输方式较随行随雇，安全方便。

销售　旅蒙商在经营茶叶的各环节都投入大量资金，其中主要包括采购成本、加工成本、运输成本、货物保管成本及途中货物损失带来的成本等，即一分贸易，四倍资本。这些大量的先期投入和经营利润的实现都需要在茶叶销售这一阶段实现，因而销售环节尤为重要。

旅蒙商销茶共分两大类，即外销茶和内销茶。外销茶主要有红茶、砖茶、帽合茶等，"中国红茶、砖茶、帽合茶均为俄人所需，运销甚巨。此三种茶，湘鄂产居多，闽赣较少，向为晋商所运"②。此外，安徽建德所产之"千两朱兰茶，专由茶商由建德贩至河南十字店，……专贩与向走西疆之商，运至乌鲁木齐、塔尔巴哈台等处售卖"。③ 俄人不习此茶，再由俄商输往欧洲及其他国家。内销茶为砖茶、花卷、皮包茶等多个品种。汉口在清中晚期，一直是繁华的商业重镇，有九省通衢之称，也是砖茶制造、出口和红茶外销中心。晋帮茶商在汉口分为红茶、盒茶和卷茶三帮，协力经营红茶、三九砖茶、三六砖茶、二四砖茶、天尖贡茶、千两卷茶、合茶、皮包茶等茶货。

旅蒙商在茶叶销售中经历两个阶段：即垄断西北及对俄陆路茶叶贸易的茶叶卖方市场阶段和五口通商后外茶充斥茶市的茶叶买方市场阶段。在恰克图市场开通后，由于俄国及欧洲其他国家对茶叶的大量需求，使旅蒙商盈利空前。旅蒙商从陆路运至恰克图的茶叶销售额，由嘉庆五年（1800年）约280万卢布增至道光二十三年（1843年）的1 240万卢布，增长近5倍。俟至清末，茶叶出口区域扩大，茶埠增多，"厥后泰西诸国通商，茶务因之一变。其市场大者有三，曰汉口、曰上海、曰福州。汉口之茶，来自湖南、江西、安徽合本省所产，……其输至俄罗斯者皆砖茶也。上海之茶尤盛，自本省所产外，多有湖广、江西、安徽、浙江、福建诸茶。……此三市场外，又有广州、天津、芝罘三所，洋商亦麇集焉"④。

---

① 《茶人、两湖茶的过去和现在》，《中国茶》1953年第3期。
② 邢野、王新明：《旅蒙商通览》上册，内蒙古人民出版社2008年版，第646页。
③ 邢野、王新明：《旅蒙商通览》上册，内蒙古人民出版社2008年版，第646页。
④ 邢野、王新明：《旅蒙商通览》上册，内蒙古人民出版社2008年版，第646页。

综上所述，四个环节表明旅蒙商经营茶叶贸易，从采购原料加工包装，一直到长途运输批发零售，实现一体化的经营方式。旅蒙商由茶产地购茶到茶区设厂制茶的转变，表明商业资本向产业资本的转移，经历从间接控制到直接经营的发展过程，反映出商业资本对茶叶生产的控制、支配的进一步深化。

通过旅蒙商经营茶叶贸易的这四个环节，不难看到，旅蒙商的经营方式，囊括从原料采购、加工包装，一直到运输、销售四个环节，实现一体化经营。但是，旅蒙商的部分其他商品贸易中，有些不需要加工的环节。

（三）经营范围

行商　行商为商。

旅蒙商在多伦诺尔、归化城、库伦、乌里雅苏台、科布多、恰克图等地设有商号，这些地点是他们的固定性商业网点和集中活动的城镇。蒙古地区的日常生活和生产中所必需的粮食、布匹和铁器等，游牧经济自身并不能解决，需要以牲畜、皮毛和土特产换取内地生产的粮食、布帛、烟酒、糖茶和铁器。而旅蒙商经营范围上自百货，下至葱蒜，无所不包。他们把采自全国各地的货物集中在张家口、大同、归化城以及北京、天津、银川等地，把牧民生活中的必需品以及喜爱的民族服装及富有民族特色的铜器家具、佛像、哈达、皮靴、绸缎、金银首饰、珠宝、烟具、木碗、砖茶、红糖（民间称黑糖）、白糖、白酒、蒙古刀、马鞍具等运往牧区，再将从蒙古交换回来的牲畜、皮毛、药材以及各种土特产品集中运回，转贩全国各地。

旅蒙商在经营过程中，根据客户要求组织货源，严把质量关，以热情的服务，满足顾客的愿望。如蒙民以肉食为主，喜用砖茶，大盛魁便自设茶庄，加工三九砖茶。牧民喜欢用结实耐穿的斜纹布制衣，便大量购进。对于蒙民和喇嘛专用的物品，大盛魁则实行专门订货，绝不随意采购。如蒙靴、马鞍、木桶、木碗和喝奶茶使用的器皿以及寺庙喇嘛用品，都是选择技术精湛的工匠特别订制，从而保证商品品种齐全、质量过硬。

旅蒙商还精心研究蒙古人的生活习惯，尽力迎合消费者心理。牧民不长于算账，他们就把衣料和绸缎裁成不同尺寸的蒙古袍料，任蒙古人选购。蒙医治病习惯用72味、48味、36味、24味4种药包，大盛魁就将中药按此分包，药包上用蒙、汉、藏三种文字注明药名和效用。总之，不论什么商品，只要蒙古人需要，他们就经营。在销售方式上，旅蒙商了解到蒙古人手中没有大量现银，于是采取赊销的办法，到期也不收取现金，而以牧民的畜产品折价偿还。然后再将这些畜产品转运内地销售，获取双重商业利润。既然是赊销，自然要计利息，以商品赊销金额本金再加上利息，折合为牲畜或皮张若干，到期用实物还本付息，于是又获得一笔高利贷的利息收入。

走西营（赴新疆地区）的旅蒙商，有民人（汉商），也有回回、蒙古商人。回回多以养骆驼为业，归化城的回民有的养有一二百头骆驼，多的有300头以上，他们的主要职业是跑运输，专为去新疆的商人运送货物，自己一般不经营商业，给别人把日用生活品经河套、青海，运到伊犁和乌鲁木齐等地，换回貂皮、麝香等药材及土副产品，自己只赚取运费。在牧区购销商品，一般采取流动贸易方式，把商品送到蒙古包，送进户，送上门。他们都懂蒙语，通蒙俗，了解蒙民需要，有的牵上骆驼，有的赶上牛车，有的三五人一组，带上小型帐篷（不带帐篷的就串蒙古包，在牧民家住宿）。一些小旅蒙商也有单枪匹马、一人一车，带上货物去牧区贸易的。可见，小旅蒙商专搞零买零卖，不像大旅蒙商多数都搞赊销买卖，不做零售生意。他们全靠独家独户的力量，往往一人经营，有的一面从事商业，一面出租土地；有的自己有磨坊、粉坊等，把自己生产出来的产品卖给牧民，换回牲畜羊毛；有的春夏种地，秋冬出草地进行小量贸易活动；有的从事手工业，长年深入草地为牧民修理、制造各种生产、生活用品，换取实物报酬，然后带回城市出售。

张家口成为旅蒙商从事进出口贸易的重要枢纽，先在张家口完税，再运往库伦经办事大臣检验部票，发放护照，后运到恰克图出口。每年运往库伦、科布多与恰克图等地的砖茶达40万箱（每箱27块，每块2斤），折合3 240万斤茶叶；每年经张家口输往漠北各地销售的绸缎、布匹、茶、烟、糖等物品，计银2 083.1万两。由外蒙古各盟输入张家口转销中原地区的各种毛皮等畜产品、野兽裘皮、贵重药材等，约折银1 767.5万两。

旅蒙商采取春赊秋收为"留尾巴"的办法进行赊销。农民春季缺钱，急需整修农具时，商号尽量赊给以解燃眉之急，使其感激，但决不作价。秋季粮食收仓时，即派人收账，场上过斗，边收边装，到收得差不多时，故意留尾，来年再算。待第二年重新开张，老主顾的关系常年不变。对于新顾客，他们采取的又是另一种方法。大盛魁售货人员若发现对方怀疑商品质量，例如怀疑布鞋鞋底内用的是草纸，店员就当众用刀将鞋底砍为两段，借以宣传，扩大影响。以至于蒙古人购买商品，只认商标，不问价格，凡是大盛魁的商品绝不怀疑质量。

旅蒙商中等资本商号，大多居住在中小城镇，定期带上日用生活品"出拨子"深入牧区和牧民交换牲畜皮毛等畜牧土副产品。旅蒙商到牧区经商，基本上依靠驼马运输，从张家口到海拉尔，需要将近两个月时间，从归化到库伦（今乌兰巴托），需要将近三个月时间。清代后期，这类中等旅蒙商数量很多，"据《口北三厅志》载，像多伦诺尔这样的城镇竟有旅蒙商4 000户。当时丰镇地区从事这种贸易的汉族商人也为数不少，有的购置大量板车，把茶叶、生烟、白糖、绸缎等商品送到牧民的蒙古包里，换回牛马羊或皮毛。丰镇地区（主要是大塘街和隆盛庄两地）进行这种板车贸易的旅蒙商达到200多户，有的户拥有牛车100多辆。"① 雍正年间，海拉尔有八家比较大的旅蒙商，人称八大家（隆泰号、广泰号、晋兴号等），资金大都在千两以上，有的将近万两。他们主要依靠牛马把日用工业品和生活必需品运到鄂温克、鄂伦春等牧区去，把牲畜皮毛收购上来，销到区外。中等旅蒙商有的到区外去组织商品货源，有的则完全仰仗于大旅蒙商或者从三大号赊取商品。这类旅蒙商一般都在内蒙古草地范围内进行贸易，也有少部分去外蒙古贸易的，称做小外路。他们进行贸易的特点一般是既搞赊销又搞现货，在发运工业品和赶运牲畜的活动中，摸索出一套比较好的储运方法和赶运经验。

坐商 坐商为贾。

资本雄厚的旅蒙商坐商，机构庞大，人员众多，多以归化、包头、海拉尔、多伦诺尔、经棚、定远营等城镇，以及靠近内蒙古边缘地带的城市如张家口、大同、银川、西宁等地作为据点，雇用大批从业人员，携带商品深入草地和蒙古牧民交换牲畜产品。这种旅蒙商在草地上建有牧场，在全国许多地方设有行庄、联号，业务范围极其广泛，经营品种应有尽有。就连平时吃

---

① 郝俊：《丰镇的板车贸易》，邢野、王新民：《旅蒙商通览》上册，内蒙古人民出版社2008年版，第594页。

的饽饽，过年过节的饺子，旅蒙商也都大量制作，远销牧区和外蒙古。据说，大盛魁每年供应外蒙古的饺子用来做肉馅的绵羊达几千只之多。这类商号过去在归化城就有许多家，其中大盛魁、元盛魁、天义德资本最雄厚，大盛魁的资本据说达到白银 2 000 多万两，从业人员（包括工人）五六千，大小分号、联庄将近 20 个。设有茶庄、绸布庄、钱庄、票号，号称半个归化城。有庞大的运输队，仅跟随骆驼队的狗，最多养到 1 200 条。经营商品牲畜的主要基地召河羊、马场，最多时有羊 30 万只，马 2 万匹以上，骆驼 3 000 多峰，每年向内地赶运羊、马 20 万只（匹）左右。这些大旅蒙商基本垄断整个牧区和部分城镇市场的贸易活动。他们进行贸易的特点是先售货，后收账，采取赊销办法进行交换。

旅蒙商中还有以放印票账为主的商号，多在张家口、归化城设庄，派人持货旅行各地，沿途与王公官吏和富裕牧民交易，其主要业务是放债。放债方式或用货币，或用实物折成货币。其利率很高，两年债年利率为 50%，三年以上近 70%。放债条件虽苛刻，但很少有倒账现象。原因是蒙古上层人物欠债，都由牧民以向首领纳贡完税的方式来偿还。

旅蒙商进行城市集镇贸易，主要依靠店铺经营商号，分为以下四种：1. 商号兼营牲畜交易；2. 综合性经营商号；3. 单一经营商号；4. 股份合营商号。乾、嘉后，随着旅蒙贸易的兴旺发达，旅蒙商逐渐由一年一度往返，以驼队牛车载货游动经商，改为在蒙古各地开设固定性商业网点，他们"往来既久，渐与蒙人稔习，乃乞隙区支窝棚久而不去"，"迨至囊橐丰富，逐营田宅，畜牛马，易行商为坐贾"，[①] 成为永久性商号。诸如多伦诺尔、归化城、库伦、乌里雅苏台、科布多等地，都是旅蒙商集中活动的城镇。下表是旅蒙商在几个集镇的部分坐商统计。

集　镇	商号数	时　间	资料来源
归　化	面铺 140 座	乾隆四十一年（1776 年）	档案军机处录制
绥　远	面铺 80 座	乾隆四十一年	档案军机处录制

---

① 徐世昌：《东三省政略》卷 2，《蒙务下·纪实业》。

（续表）

集　镇	商号数	时　间	资料来源
库　伦	晋商 12 家	康熙年间	《内蒙地志》
恰克图	商店 60 余家	嘉庆年间	刑部档案
乌里雅苏台	铺房 1 000 余间	—	《乌里雅苏台志》
多伦诺尔	坐贾 1 000 余户	—	《蒙古志》卷三

各大商号在各贸易中心皆设分号，分号又设支店于各邑镇，支店之下又有分店遍于各草原盟旗及寺院。各支分店每夏均派人携带行幕移动经商。即使边远之地，也操于旅蒙商之手。他们用砖茶、红茶、绸缎、土布、曲沃烟、瓷器、酒、红糖、白糖及其他生活用品和五金杂货、鞍鞯等易回皮毛、药材，到内地出售。到民国以后，有些交易以金钱计算。大商号的周边有众多经营的中小商号，它们因无优厚资本，只能把收到的货物与大商号交易，或先从大商号进货，后以所收土产抵债，实际上也是大商号的支店。各城镇里开设各种行业店铺的旅蒙商，主要面向当地居民，资金虽胜过小商小贩，但不够雄厚。有些小商号设到很偏僻的地方，如武川县北 140 多里的召河，那里人烟稀少，也有一个旅蒙商开设的鸿记杂货店，经营布料杂货等，与当地蒙民易货。还有些坐商、游商兼顾，派人游串蒙古包，做零星买卖，其背后靠挂的仍是大商号的分、支店。

综上所述，旅蒙商主要有两种经营范围：一是行商，也称"出拨子"。每到春季开始出动，将蒙民需要的商品装在牛车或驼背上，以三四人或十几个人为一组，沿途不做零售，一般在王府或寺庙附近支帐挂牌，吸引当地蒙民来购买商品，并把交易所得的牲畜和畜产品运到边口或内地进行销售。二是坐商，即一些旅蒙商随着贸易额的增大，逐渐改变春入秋归的"雁行"贸易方式，开始在蒙古各地设固定商业网点，开设各种货栈。他们一面进行固定的交易活动，一面深入草原腹地流动经商，大漠南北乃至中俄边境地区甚至俄国境内都有旅蒙商活动的足迹。他们中有的人与清朝统治者和蒙古上层关系密切，利用权势的庇护，取得在蒙古牧区经营商业的特权，逐渐控制和垄断内地对塞外蒙古地区商品交易和金融市场。

（四）经营方法

旅蒙商的经营方法：1. 贱买贵卖　利用牧民因缺少生产、生活物资和对市场价格的不知情卖出高价。2. 赊销商品　畜牧业季节性强，牧民们在青黄不接的春季，旅蒙商把糜米、砖茶、生烟、白酒、白糖、布匹等商品赊给牧民，也不讲如何偿还，第二年索债时，要多少牧民就得给多少，并要付利息，利率最高达百分之四百。3. 利用牧民为其无偿放牧　将收购的牲畜打上商号的烙印，交给牧民无偿地放"苏鲁克"（畜群），到牲畜膘肥肉满时才收走。放牧期间牧民只能得到奶食、羊毛等。4. 私印"钱帖"（或钱票）。商号利用长期在牧民中所谓的"信用关系"私自印制"钱帖"充当货币流通，一般春季出帖年底收回，有的在其活动地区长期流通。其他还有放高利贷等。

四、旅蒙商的行帮

（一）行帮的形成

行帮，指同一行业的人为维护自己的利益而自愿结成的团体组织。按地域划分，旅蒙商行帮主要有西帮、京商和东北商人等。内蒙古东部地区的商业市场，为晋商、京商和东北地区的汉商所垄断，中西部市场则主要受晋商的支配。按行业划分，有皮毛商、布商、茶商、粮商、盐商、烟草商、铁业商、木材商、药材商、马贩等；或分作商帮、手工帮、苦力帮等。一些大的晋商、京商，除在北京、天津、张家口、归化城等大城市设有总号外，在各旗县重镇也设有分号、支店，每当牧业生产旺季，各商还要派出流动商队到畜群点或蒙古包进行买卖活动。

康、雍年间，晋商大盛魁由"人力合伙"小号"吉盛堂"做起，当时资本很少，进货不多。乾隆年间，该商号从组织制度、经营管理等方面大加整顿，与蒙古王公和清廷加强联系，通过各种方法取得巨额利润。从此，经营范围大为扩展，由一般商号走上垄断资本的道路。大盛魁的发迹，在旅蒙商中具有一定的代表性，它见证了蒙古地区商业行帮的发展壮大。

从库伦旅蒙商的资本构成看，据民国六年（1917 年）该地商会报告，按照资本的薄厚，可以划分三等（不包括小商店）。以东营西帮商号为例，共计 77 家，一等者 15 家，共合资本银 44.3 万两；二等者 18 家，共计资本银8.1万余两；三等者43家，共有资本银6.5万余两。上面开列资本数目，都是各商号初创时期的资本数。当初资本在5万两以上者，以后所营商业资本都已增值到三五十万两上下。

嘉庆时期，皮毛买卖行业虽有发展，但规模仍然很小，成交数额极其有限。即使是从事皮毛加工的小手工业者也大多不通过商业渠道购进原料，而是由各毡房派出工人，给附近牧民剪毛，然后将工抵毛，换回原料，或者是直接向牧民买进皮毛，大出大进的皮毛生意并不很多。如果有也是供应本地，很少外运。甚至连归化城这样大的皮毛市场，由附近各旗运入的皮毛，大部分就地消化，只有少量的羊毛运往邻近的晋北左云、浑源、右玉等地，皮张最远运至张家口、大同等地。随着时间的推移，到咸、同年间，经营皮毛业的收购商、批发商大量增加，促使该行业贸易活动范围进一步扩大。有几家大旅蒙商号，甚至派出商队到西北新疆地区，以至更远的俄国进行贸易。同治六年（1867年），大盛魁联合归化城商民，奏请"由恰克图假道与西洋通商"，清廷"依议"。从此，归化城的一些商号联合组成行帮，在中俄边界同俄商互市，并在新疆等西北地区同时开展贸易。而大盛魁则以自己的驼队独家深入俄国腹地进行国际贸易，其出口商品除茶叶外，主要是羊毛、牛皮、羊皮和各种野兽皮等。所办的进口货有哈喇、毕图绒、羽翎缎、羽毛纱、大绒、毛毯和俄国标布，也进口少量的呢子、哔叽、钟表和铜器等。这些进口商品，大都通过小号经销。蒙古地区私人商业直接派出贸易驼队，通过陆路到国外进行商务活动，这也是边疆民族地区行帮经商的一大特色。

道光二十年（1840年）前后，蒙古地区的商业组织形式，除大量的小商贩外，主要就是以行商和坐商组成的行帮。行帮经常往返于产销两地之间长途贩卖商品；或在固定地点（某城镇）设立商业网点，或由各地设立的分号来经营。在长期的相互支持经营中，自然而然地形成行帮。

如牙行帮，旅蒙商携带一定的资本或货物，到各产地推销商品，收购或换回农牧副产品，尔后再运到价高利厚的地方销售。在这种经销过程中，不少是以牙行为中介的。究其原因，主要是封建社会的商品生产是一种分散的小商品生产，旅蒙商面对的收购对象是个体小生产者，旅蒙商要在短期内直接收购大宗货物一时很难集聚，同时要将收购的商货很快推销出去也同样不易。因此，旅蒙商的购销活动必须依靠当地的牙行，牙行的收益又离不开旅蒙商的商业活动，两者关系密切。这种商业组织活动形式，促使牙行帮应运而生。但是，还有一种以特殊的形式经商的旅蒙行帮，同牙行帮几乎不发生任何关系，它的销售、运输、收购自成体系，无须中介沟通。在小手工业生产时代，进行大批量的商品运销购十分困难，为此，大行帮都有自己的小号组织货源，有自养的驼队运送货物，又通过放印票账推销商品，换回牲畜、畜产品和药材等土特产品，再运回内蒙各大商业城镇或内地。这种行帮贸易带有很大的季节性，商品流转也十分缓慢。

（二）行帮的发展

在地区贸易和民族贸易的推动下，商业行会组织得以发展壮大。

19 世纪初，北疆蒙古的广大地区仍是人烟稀少，除少数城镇有正式商号和部分零散小手工业者外，其余大多是小商小贩，流动四方，很难形成一个大的行会组织。中后期，随着新兴城镇的兴起，内地富商大贾纷纷出边，在各大城镇建立起商号与手工作坊。为维护行业的利益和协调彼此间的关系，各自组织起行会组织。如新兴城镇包头，同治年间从商业和手工业系统中分出九行、十六社。九行为钱行、当行、粮行、皮毛行、货店行、牲畜行、杂货行、蒙古行、六陈行（粮食加工业）；十六社是一种商业性的手工业组织，有毡帽社、绒毛社、靴鞋社、理发社、麻绳社、仙翁合义社（饮食业）、清水社（染房等）、金炉社（铁匠）、得胜社（肉铺）、栽绒社（毯社）、鲁班社（木匠）、恒山社（山货铺）、义和社（留人店）、成衣社、会仙社（画匠）、糖粉社。包头是西北和内外蒙古皮毛集散中心，与此相关的贸易行业如蒙古行、牲畜行、皮毛行、货店行等，作为民族地区特有的行业组织也得到突出发展，而这些行会互为依存又各有分工。

包头地区的蒙古行是专门同蒙古人做买卖的民族贸易行业，咸丰年间有德厚成等十多家蒙古行。到民国九年（1920 年）前，蒙古行商号发展到 40 余家，还有两三人合伙或单干的 100 余户；牲畜行是随蒙古行发展起来的新兴行业。为便于牲畜行出售牲畜、皮毛并方便外地买客，一些资金充盈的牲畜贩子，三五合伙，由行商变为坐商，成立字号，牲畜店便应运而生。咸丰年间，除原有的南北公义店外，又陆续开设复义厚等十余家牲畜店；皮毛行是专做皮张、毛类生意的中介行业。咸丰五年（1855 年），成立生皮社和绒毛社。咸丰六年，生皮社社规提到同行不抢买卖的原则，如有："凡遇买卖，许过谁家，只宜一手成全"，有伙过买卖，只宜伙做，不准偷奸取巧，"一家独做"，违者要"查伊买卖多寡，见十抽三，入社公用"。货店业也是蒙古地区的一个特殊行业，是经纪人、客栈、货栈三者合一的行业。外地毛商行大多住在当地毛店，也有的住货栈，所带货物也存卸栈内。栈柜受客商委托，或介绍于毛店、皮庄，或直接介绍给买主。成交后，酌情收取买卖双方佣金各1%，或收栈租。

属于中间商性质的大小批发商行、收购商行和经纪人，在当时的市场交易中占有重要的地位。不论在城镇、农牧区市场，大部分交易均为这些行帮所把持。他们对农牧民极尽欺诈剥削之能事，而大发其财。尤其是蒙汉贸易，实际上是一种不等价交换。他们采取低进高出、压等压价、扣斤压两、以次充好等手段欺哄农牧民，使农牧民蒙受无穷尽的盘剥。

（三）行帮的势力

旅蒙商通过行帮发展壮大，在蒙古地区贸易史上占有重要地位，特别是那些大旅蒙商，如大盛魁等，曾经一度依托行帮操纵城乡牧区市场，垄断内蒙古经济，对蒙古地区的政治和经济产生过重要的影响。

旅蒙商祁县渠氏家族，经营的长裕川茶庄和三晋源票号名扬天下。明初渠氏以走村串户的货郎挑起家，清初出塞外走西口，到包头等地经营菜园、粮油、茶叶，兼做绸布生意发迹。到乾隆、嘉庆年间，渠氏家族在包头增设长源川、长顺川两家大茶庄，从湖南、湖北等产茶地采办红茶、砖茶等，贩销于内外蒙古、青海、新疆等西北民族地区及俄国西伯利亚一带，据徐珂《清稗类钞》载："光绪年间，渠氏拥有资产已达三四百万银两。"①

雍正年间，祁县乔家堡的乔贵发跟随秦姓乡人走西口，流落塞外萨拉齐，在当铺做伙计，后到包头镇开草料铺，兼营豆腐、豆芽、切面等。乾隆初，受雇于晋商号，当驼倌，拉骆驼，为商家贩运货物，走草地做蒙古生意。嗣后，又在包头自家经营粮油加工作坊。咸丰年间，乔氏经营有方而发迹，开设广盛公、复盛公商号，后又设立复盛全、复盛西、复盛园等数家商号，经营绸缎、百货，与经营粮油、酿酒和钱庄等为一体。乔氏家族经过雍

_____

① 邢野、王新民：《旅蒙商通览》上册，内蒙古人民出版社2008年版，第580页。

正、乾隆、嘉庆、道光、咸丰、同治六朝的经营，几乎垄断包头并其地区的商业贸易和金融业，足见乔氏家族几代旅蒙商在包头发迹情况。

据陈篆《蒙事随笔》记载："库伦西帮（晋商）商号始于康熙年间，……（多聚于）西库伦、东营子两区，计山西商人一千六百三十四人，西帮商人，多为大宗批发营业者，其行栈多麇集于东营子与买卖城。"至此，旅蒙商开始在蒙古从事贸易，并以其不畏艰辛、吃苦耐劳、敢于冒险的精神著称于世。他们先在漠南蒙古各地经营，逐渐垄断贸易市场，其后发展到漠北蒙古各地，以及中俄边境的恰克图、尼布楚、伊尔库茨克等城镇，有些大商号还远赴俄罗斯的莫斯科、圣彼得堡等地贸易。以旅蒙商的主力军——晋商为例，最早是以商人朋合为帮组织形式出现的。早在明初，经营方式即有独资、贷金等。如代州振武卫杨近泉"幸借先人遗资，已乃挟数千金，装游贾江淮间"。[①] 夏县人裴绅、善治生，贷资与"蒲商某，假资贸易，被盗，惧不敢归。绅曰：'全躯足矣，资何足云'"。[②] 但在从事商业活动中，商业竞争是不可避免的，为在竞争中取得胜利，加强自身的力量，晋商内部的组合，从明中叶初步形成。其组织形式：一是行帮。二是朋合营利。三是伙计制。

乾隆年间，在外蒙古开设店铺经营的商号、手工业作坊达 4 000 余家，其中晋商的各种作坊有二千四五百家。晋商为维护其行帮经营利益，联络乡谊，建立起山西会馆。道光二年（1822 年）《重修山西会馆碑》载："担任会馆总经理的商号有太谷店、大盛魁、汇锦店、奎隆安等，其中纠首商贾有广和永、同义店、永总宁、恒盛昌、谦和魁、永顺升、复隆成等四十五家商号，这些商号都资本雄厚、脉络贯通，主要经营各类牲畜和畜产品贸易。"

（四）行帮的公益活动

一是每逢荒年，城镇商贾各行社要捐款捐物以救灾济民。如：

刘宇，其先山西盂县人。洪武初，徙户实边，遂隶尺籍，家于张家口堡。堡南有清水河，性湍悍，人病徙涉。宇父王己积己及族人军钱，谋建桥梁，未兴工而卒。宇旦夕思成父志，会宣府总兵梁公秀，亦谋建桥，而资未

---

① 王家屏：《复宿山房集》卷216。

② （光绪）《山西通志》卷142，中华书局1990年点校本。

有措。宇闻慨然曰："兹先人志也！"遂捐千金成之，今之通桥是也！

袁嘉盛，字宪宜，万全右卫人，其先自山西洪洞移居张家口。嘉盛富而能仁……夷商某来口贸易，拥资巨万，嘉盛与之相识。康熙中，用兵厄鲁特，道阻，商欲急归，乃以资十万寄嘉盛所，且约曰："倘公欲营运者，用此无妨，后三年我来，但以原数归我可也。"……后商死还之。[①]

二是每有战争或大军路经本埠时，筹备粮草以支军，其中不排除有自愿和被迫的成分。三是每逢年节都要酬神献戏，以求平安发财。赛社多在归化城、包头、赤峰、乌兰察布、巴彦淖尔等地农区举行，牧区无此习。赛社本是每年秋后举办的，多则延续到翌年农历正月，清代赛社多于秋后举办一两个月。后发展到从每年农历正月延续到十月。撰于清咸丰年间的《古丰识略》记载，今呼和浩特地区每年农历："正月初四、五、六日，太阳社在东棚街，三官社在小西街请戏班赛神献戏。继之，初七、八、九日，安静社在马莲滩，合义社在南茶房，通顺社在通顺街。初十、十一、二日，兴旺社在北茶房。十一、二、三日，义仙社在玉皇阁。十四、五、六日，平安灯社在城内。十五日，醇厚社在火神庙。十五、六、七日，平安社在崇福寺前，兴旺社在无量寺前，三官社在隆寿寺前。十九、二十、二十一日，兴旺、平安社在南柴火市。二十一、二、三日，平安社在宏庆寺前。二十四、五、六日，意诚社在崇福寺前。又是月有福庆驼社在北茶坊及城内驼桥赛神献戏。……其他许愿酬神、彩觞燕会不在此数。"一年之内，仅有农历十一、十二月不唱野台子戏，一方面也是因为气候太寒冷的缘故。赛社一事，多系行帮所为，是商文化的衍展。

（五）行帮的精神

行帮的精神，在旅蒙商的经营活动中发挥着重要作用。大大小小的行帮群体，用宗法社会的乡里之谊彼此团结在一起，用会馆的乡情维系和精神上崇奉关圣人（关公）的方式，增强相互间的了解，通过讲义气、讲相与、讲帮靠，协调商号间的关系，消除人际间的不和。行帮最终体现出华夏民族的团队精神，这种精神来源于家族间的孝悌和睦。祁县乔映霞主持家政时，

① 黄鉴晖：《山西移民逃民与山西商人的关系》，邢野、王新民：《旅蒙商通览》上册，内蒙古人民出版社 2008 年版，第 602 页。

把其兄弟集中在一起，让练有武艺的九弟先把一双筷子折断，接着又让其一次折九双筷子，结果折不断，乔映霞以此喻示众兄弟发扬团队精神，团结互助，各尽所能，共谋大业。

其次，行帮精神是经商活动中业务扩大与商业竞争的需要。随着旅蒙商活动区域和业务范围的扩大，商业竞争也愈来愈激烈，于是从家族到乡人间，逐渐形成同舟共济的群体；在亲缘集团的基础上，旅蒙商又逐渐发展为地缘组织。清后期，山西票号在国内80多个城市设立分号，形成汇通天下的汇兑网络，也是以乡人为主体形成的山西商人群体，其势力与作用一通天下，其精神支柱就是诚信、互助。

旅蒙商行帮精神在商业经营中的表现为：其一，从朋合营利到合伙经营。这是最初的群体合作形式。朋合营利就是一方出资，一方出力，有无相资，劳逸共济。而合伙经营是一个人出本，众伙而共商，也就是财东与伙计合作经营，它与朋合经营不同之处是，一个财东可有许多伙计，因此，如果计算一家字号的财产，只要数一数他家的雇员有多少，就能估计出该字号的规模大小。显然，伙计制比朋合制规模大，伙计制是在朋合制基础上发展起来的。这一制度就其规模组织而言，在中国商业史上史无前例。不过，无论朋合制或伙计制，尚是比较松散的商人群体。其二，按地区形成行帮。这一种形式是在朋合营利和伙计制基础上，以地域乡人为纽带组成的群体。旅蒙商在各地设立的会馆，就是这一地方行帮形成的重要标志。清代票号兴起，又形成平遥、祁县、太谷三大票行帮。其三，以联号制和股份制形成业缘群体组织。联号制是由一个大商号统管一些小商号，从而在商业经营活动中发挥企业的群体作用。股份制是旅蒙商在经营活动中创立的很有特色的一种劳资组织形式。股份制的实行，劳资双方均可获利，极大地调动全体员工的积极性，在商业企业经营中充分发挥群体作用。

五、旅蒙商的影响

历经500多年的兴衰历程，旅蒙商及其祖先在中国民族贸易史上写下凝重的一页。这既是一部成功的实施中国西部大开发的断代史，也是一部促进民族经济与文化发展的文明史。

首先，旅蒙商沟通内地与边疆地区的物资交流。清廷统治时期，牧民的牲畜和畜产品卖不出去，而迫切需要的生产生活日用品却极其匮乏。旅蒙商的出现，满足牧民生产生活的需求，对牧民的生存、生产的发展起到桥梁作用。

其次，旅蒙商的发展加强蒙汉各族的经济文化交流和相互了解。旅蒙商在商贸交流中学会蒙古语言，了解蒙古人民的风俗习惯和宗教信仰，学会饲养牲畜；同时将汉族文化也带到草原，不少旅蒙商把中原地区的酿酒、榨油、制碱、制革、制毡、制衣、烧砖等手工业技术带给蒙古人民，这无疑促进着牧区经济的发展，沟通了蒙汉人民之间、农牧之间、内地与边疆之间的交流与合作。

最后，旅蒙商的发迹，拓展蒙汉两地经济交流的通道，促进草原集镇的形成，先有商业，后有城镇。中国江南历史上就有"明代徽商及天下，无徽不镇"的说法，将其引申到地广人稀的长城以北大漠地区，或可释为"无商不镇"，"无晋不镇"的说法。诸如塞外著名几大名城归化、张家口、包头、多伦诺尔、赤峰、通辽就是在旅蒙商的发迹中逐渐繁荣起来的。其中归化城的商业店铺林立，手工业作坊遍及全城，大小戏园、饭馆应有尽有。

总之，旅蒙商在蒙古地区的商业贸易活动，使蒙古地区与内地的距离逐渐缩短，使内地农耕经济与草原游牧狩猎经济互为补充，相互促进，蒙古地区也因商业贸易的发展而得到进一步的开发和发展。但是，旅蒙商的剥削，也造成蒙古地区资金大量外流，制约着畜牧业经济的发展，是牧民生活走向贫困的原因之一，也让蒙古牧民对汉族商人产生了不信任感等负面影响。

（一）社会影响

经济方面的影响 蒙古族以畜牧为生，单一粗放的畜牧业经济占主导地位。生产的这种单一性决定他们对其他民族和其他地区各类物资需求的迫切性。清代"（蒙古）风俗随水草畜牧而转移，无城郭，常居耕田之业，以肉为饭，以酪为浆，无五谷菜蔬之属，衣皮革，处毡庐，凡中国茶叶则宝之，而金银非其好也"。① 蒙古的贸易活动，多为以物易物，"蒙古自昔未尝通货币，商业以是而困。然其以货易货，习以为常"。②

---

① 张鹏翮：《奉使俄罗斯日记》，《小方壶斋舆地丛钞》第3帙。
② 姚明辉：《蒙古志》卷3，光绪三十三年，中国图书公司铅印本。

　　清廷统一蒙古各部后，为蒙古族地区与内地进行商业贸易活动开创有利条件。蒙古族与内地的贸易活动主要通过通贡与官市两种形式。所谓通贡，即蒙古各封建主在值年班、朝觐或其他事情来京时，向清廷朝贡，贡品有牲畜、猎物和各种手工业品。清廷通过赏赐回赐以各种丝织品、棉织品、农产品、佛经、佛器、银钱等。通贡所得到的赏赐数量有限，因而，贡使一般都随带人数众多的商队，携带大量的畜产品和土特产品，以从事另一种通商活动。同时期，蒙古各部把边口作为与内地贸易的主要场所，主要的边口有张家口、古北口、杀虎口、八沟、塔子沟、三座塔、乌兰哈达、归化城、定边、花马池、东科尔沁、肃州、西宁等地。蒙古商队虽以来京师贸易为最主要目的，但因清朝对入京人数有所限制，所以于沿途或边口进行交易。当时蒙古商人多以马、牛、羊、驼和皮张为大宗，此外，还有皮毛、蘑菇、药材等，以换取生活必需品。

　　蒙古地区的集镇和集市贸易在蒙民中影响很大。初期的集镇贸易点如归化城、多伦诺尔、库伦、乌里雅苏台后来都发展成为商业城市，如归化城居民稠密，行户众多，一切外来货物先汇聚该城囤积，然后陆续分拨各处售卖。当时牲畜交易约有数处，其马市在绥远城，称为马桥；驼市在副都统署前，称驼桥；牛市在城北门外，称牛桥；羊市在北茶坊外，称羊桥；其屠宰牲畜，剥取皮革，就近硝熟，分大小皮货行，在城南门外十字街，俗称"皮十字"。

　　定期集市贸易，是蒙古地区的一种重要贸易形式。这种贸易是以寺庙和兵营为中心进行的定期交易活动，每逢集市之期，牧民和商人驱赶牲畜，驮载货物，不辞辛苦前来进行贸易。比较有名的集市、庙会有甘珠尔庙（呼伦贝尔）、大板（巴林右旗）、经棚喇嘛庙（克什克腾旗）、贝子庙（锡林郭勒盟）、准格尔庙（鄂尔多斯）、百灵庙（乌兰察布盟）、南寺（阿拉善旗）、额尔德尼昭（外蒙古）、丹噶尔寺（西宁口外）、王呼勒（外蒙古）等。

　　旅蒙商的贸易活动，是北方游牧经济与内地农耕经济相互补充，相互促进的桥梁和纽带，对双方经济的发展和社会的进步起到积极的促进作用。

　　第一，增强蒙古地区与内地经济文化联系，提高民众的生活质量。旅蒙商所输入的商品中，凡生产生活所需物品，丰富着人民的物质生活，饮中原美酒，用曲沃生烟，品江南名茶成为草原上各民族的时尚。输入内地的牛马等牲畜，为内地从事农耕和运输业提供大量的牛、马、驼力，还为国家提供战马和军需运输提供畜力，为内地发展工业、手工业提供牲畜、毛皮、裘皮和土特产品等原料。长期以来，蒙古地方马驼羊只皮张等货，运往内地销售者并使用者甚广，牲畜和畜产品的大量输入，牛羊肉已成为北方和内地许多人所喜食的肉类。通过贸易和商贾的往来，使草原游牧经济文化，与中原各族人民的生产和生活之间逐渐形成互相依赖，互为补充的密切关系。

第二，牧猎产品的商品化程度提高，人们的商品意识大大增强。首先，随着旅蒙商贸易的发展，牧民们的商品交换意识逐步增强。旅蒙商在牧区收购的商品不仅有马牛骆驼和贵重毛皮及畜产品，而且也收购马鬃、马尾、牛角、羊肠、蘑菇等。就连盛行于晋省妇女中罩头发的发络，也以能获取草原上的纯黑色或其他与自己发色相近的马尾为荣。从前被视为无用而被抛弃的产品，现在也成为可以出售或换取生活、生产所需的商品，激发牧民的商品价值意识，促进游牧经济向更深层次发展，增强重视社会财富的观念意识。蒙古地区畜牧业的商品化进程，促使大量的旅蒙商来到草原，形成商业、手工业、农业等多元化经济交错发展的经贸体系，对蒙古地区以畜牧业为主的单一经济结构产生重大的冲击。游牧经济开始从单一、粗犷的牧猎生产经营中分化出来，到城镇从事畜牧猎产品的加工业，从事运输业或旅店业、采捞盐业、经营采矿业、商业等。随着贸易发展，进一步加深蒙古游牧经济对商品经济的依赖，从而激发蒙古社会扩大畜牧业经济的再生产的主动性。

第三，随着蒙古地区商业贸易活动的发展，人们的货币意识得到加强。蒙古地区长期处于自然经济状态，商品经济不够发达，货币意识也很淡薄。在相当长的时期内，各民族之间，旅蒙商和俄国商人的贸易都是以物易物的贸易。最初以人们普通乐于接受的羊作为一般等价物，后来用中原地区的茶、布来代替，而货币作为价值尺度在蒙古地区广泛流通，从而促进商业贸易的发展。

清代，随着蒙古地区社会经济的发展和边疆开发活动的逐步深入，蒙古与周边地区和其他民族的商业贸易活动发生变化，主要表现在：1. 除蒙民内部的贸易活动外，与其他民族的贸易，尤其同中原内地汉民族的产品交换日益扩大，既有同清官方的贸易，也有民间的互换有无。2. 在蒙古地区出现内地旅蒙商。清中叶后，旅蒙商贸易扩展到蒙古草原的各个地方，其经营在蒙古地区具有举足轻重的地位。3. 由蒙俄民间贸易发展到恰克图互市，从而使中俄贸易发展到一个新的阶段。

交通方面的影响 旅蒙商对蒙古地区的交通也有所发展，主要表现在建立四通八达的台站。台站即驿站，因区域不同，可分为漠南蒙古、漠北蒙古和漠西蒙古三部分。清代最初在蒙古地区设置驿站，是因军事需要。大规模、长距离、固定的官方台站成为蒙古地区转运物资和传递军报的主要交通设置。

清廷统一中原后，康熙皇帝平定噶尔丹，并在漠南设五路驿站。其中，喜峰口驿路：自北京出喜峰口北行卓索图盟、昭乌达盟、哲里木盟至扎赉特旗哈达罕为终点；杀虎口驿路：自北京行经杀虎口至归化，分为西南至鄂尔多斯、西北至乌拉特三公旗的两条路线；古北口驿路：自北京出古北口，行经昭乌达盟至锡林郭勒盟乌珠穆沁左旗阿噜噶木尔为终点；独石口驿路：自北京出独石口经察哈尔、昭乌达盟至锡林郭勒盟浩济特旗胡鲁图为终点；张家口驿路：自北京西行经张家口、察哈尔右旗抵归化城。与此同时，清廷又设置自北京至外蒙古库伦（今乌兰巴托）、科布多、乌里雅苏台军台及中俄边境卡伦站道，黑龙江西北路军台及呼伦贝尔中俄边境卡伦站道。至雍正五年（1727年），各路台站已基本确定。漠北蒙古地区官设驿站，又称北路驿站，又名阿尔泰军台，主要线路有：由赛尔乌苏至库伦，由库伦至恰克图，由赛尔乌苏至乌里雅苏台。由乌里雅苏台至科布多。漠西蒙古地区的台站，称天山北路台站，主要包括：从巴里坤到乌鲁木齐，从乌鲁木齐到伊犁，从库尔喀喇乌苏到塔尔巴哈台。

清廷在蒙古地区设置台站的主要目的是宣传命令，通达文告。尤其当边疆用兵的紧张时期，台站不仅要传报公务，而且负有押送军饷、军械以及押解发遣人犯，护送投顺人员等任务。台站既是交通站，又是兵站。随着清朝统一多民族国家的发展与蒙古地区安定统一局面的出现，蒙古地区的台站不仅具有国防上的意义，而且成为边疆与内地物资交流和民众往来的重要交通设置。

蒙古部众商人，前往内地纳贡或贸易，大都通过驿道南行，沿途以台站为休息场所，而台站对其安全亦有捍卫之责任。内地商人到蒙古地区贸易，经多伦诺尔可以到漠南蒙古东部各盟旗及漠北车臣汗、土谢图汗部；经张家口可以到漠南蒙古北部、西部各盟旗及漠北蒙古各地；经归化城可以到漠南蒙古西部各盟旗、漠西蒙古伊犁、塔尔巴哈台和漠北蒙古。商路即是台站，商人沿驿道而行，沿途经商贩卖。清廷还根据需要调整驿道、台站，使整个北部、西北地区的台站相通连，形成四通八辟，星罗棋布的交通网。

蒙古地区的城镇，往往是各条驿道的中心，是交通台站的枢纽，如归化城、多伦、库伦、恰克图、乌里雅苏台、科布多、乌鲁木齐、伊犁、巴里坤等，都成为该地区政治、经济、文化、宗教的中心及交通枢纽。

教育方面的影响 随着人口的聚集，农业和商业活动的扩展，边地城镇的崛起，带动草原文化教育事业的发展。光绪年间，山西巡抚张之洞奏请清廷增加内蒙古西部的文武学额。在奏折中，张之洞力陈："（归化）七厅均无学额，各厅寄居民人多，有远至百余年及数十年者。现已生齿日繁，其中不乏俊秀之士，进身无路，未免向隅。改设抚民厅以后，自应设立学额。查归化厅户口繁衍，四民辐辏，弦涌日多，近年设有书院。最为口外繁盛之地，应设文武学额各四名，萨、丰两厅均设文武学额各二名。"① 朝廷重臣力奏皇帝，增加口外的文武学额，重视发展当地的文化教育。

另外，教育的发展还得益于移民中有一批文化名人，流迁到草原后，在当地设馆讲学，传播中原的先进文化。归化城有一著名儒生韩嘉会，他是山西"朔平府平鲁县恩贡生，因曾祖就馆兹土，遂家焉"。他在蒙地执教总计38年，教人子如己子，莫不望其上达，而恶其下流。所以门生中蒙古民人固多显贵。如韩嘉会这样在口外设馆讲学的文人学士还应有不少。还有传艺师傅、教书先生，练武把式，布道道士，传教僧人等，多有涉足塞外者，对传播技艺、培养人才起到积极进步的作用，推动边外教育的发展。

文化方面的影响 旅蒙商在经商同时，也在传播中原的文化，过去那种地方的和民族的闭关自守状态，被各民族的互相往来和各方面的互相依赖所替代。大量旅蒙商进入蒙古社会，他们在年轻的时候就学习蒙古语，有的商人还学习针灸。为长期在蒙古经营发展，一部分商人依蒙族、习蒙语、行蒙俗、入蒙籍、娶蒙妇，对蒙古人的思想、感情和文化有了进一步了解，交流

① 郑裕孚：《归绥县志》，《教育》，1934年铅印本。

进一步增强。这种交流有利于促进蒙古社会的发展。

旅蒙商向西北边地的渗透，扩大蒙、汉互市，开拓市场，促进草原地区的经济繁荣和边疆重镇的崛起，加快中原文化在草原的传播，并为各民族间的互相融合创造基本条件。有些地区，汉、蒙等族人民杂居一处，他们使用相同的语言，穿相近的服饰，从表面上已很难区分蒙古人与汉人。随着文化的交流与渗透导致蒙、汉民族生活习俗的演变。经过民众的辨认、筛选、认同，最后经多数人认同的，比较先进的精神、信仰、礼仪、风俗以及生活习惯就被保留下来。

移民数量的增多，必然会产生文化的延伸。旅蒙商不仅把新的生产方式、新的商品交易和经营模式带到草原上，而且随着他们的定居，他们原有的语言、信仰、饮食以及生活习俗，在与蒙古人的相互交往的过程中，逐渐趋同并发展成一种新的文化现象。由于移民中山、陕两省人居多，因此蒙古人承继的一些生活习俗自然以这两地的特征为主。嘉庆二十年（1815年），《大清会典·藩部》载："近来蒙古渐染汉民恶习，竟有建造房屋、演听戏曲等事。"这一记载表明，受移民影响，蒙古人已开始建造房屋以求居有定所；一个以唱蒙曲闻名的马背民族也开始演戏听戏，说明他们正在接受汉人的戏曲文化，许多蒙古族人士也投身于该项事业。

旅蒙商移民供奉财神的关帝庙，供奉祈福保佑一方百姓风调雨顺的龙王庙，很快也开始在草原兴建。归化城内，山西旅蒙商帮的祁县社、太谷社和宁武社在小东街最早兴建关帝庙，代州社在西口子修建龙王庙，冀籍旅蒙商的京都社在太管巷西南兴建三官庙。对于这一点，民国《归绥县志》载："邑民其先多晋产，亦多晋俗。"说明蒙古人的很多习俗都是由山西人带到归化城的。又，春节是汉人最隆重的节日，后来蒙古人在过年的时间、形式方面与汉人基本相同，也放鞭炮，贴对联，燃旺火。不同的是蒙古人有祭天、祭神、祭星、祭火、祭敖包等祭礼。后来受移民的影响，他们也在元宵节燃旺火，张灯彩，以元宵祭祖，并赴龙王庙焚香叩拜。寺庙在蒙地的兴建，表明汉人的文化和信仰在草原的传播，也表明汉族内聚性较强的乡村社会形态在形成。随着民族交往互动的频繁，有些蒙古人还仿照汉人姓氏把自己的姓氏按汉字的谐音简化，如宝日库、博尔吉特等简称姓包。还有些蒙古人甚至直接用汉字如张、王、李、赵等作为自己的姓氏。

　　旅蒙商贸易导致的蒙、汉族际交流，更多地体现在文化习俗领域，蒙、汉两族大量吸收对方的文化习惯，在语言、居住、饮食、婚葬、娱乐等多方面发生改变，一方面反映蒙、汉近距离交往的深入性，另一方面也反映民族文化交流的双向性和自愿性。随着汉族人口增加，使用语言的方向发生变化，学汉语、行汉俗趋于流行，整个地区汉族文化的影响越来越强。接触的汉族群体不同，所学的汉语方言也不同。如札萨克旗地近陕西神木县，故该地汉语音近陕之神木，对于本省（绥远省）语音，反不甚了解。察哈尔八旗的口音则分属山西、河北两省，泾渭分明。"察哈尔左翼张、独、多等属由直隶省开垦，则民人多操直隶之言语焉；察哈尔右翼丰、兴、凉、陶等属，由山西省开垦，则民人多操山西之言语焉。"① 在蒙汉人民长期相处、互相学习的基础上，产生一种特殊的地方语言，这就是蒙地汉语方言。这是以晋西北口音为基础的汉语，语汇读音和语法特点基本保留晋西北语言的特色。

　　根据对晋陕内蒙古毗连带民歌圈的田野考察，山西河曲山曲、陕北信天游与内蒙古中西部地区流行的爬山歌是相通的，根据割莜麦这一农活推断，《割莜麦》这首民歌的原生地当在塞外地区。如句里的蛤蟆戒指、银手镯镯等实际上是对塞外妇女首饰特征的生动描绘。汉族使用蒙语或蒙、汉语混用的现象俗称风搅雪也很普遍，如爬山调唱词有蒙古族惯用语，如"瞭不见脑包瞭山线，乌兰妹子在眼跟前"（脑包：蒙古语，即隆起的高地或用石块堆起的小山包；乌兰：红色的意思）等。这样不仅使民歌语言显得更为生动，而且也非常吻合塞外独特的民族风情。又如，受蒙古语的影响，晋北、陕北的村名多有蒙古语者，如陕西神木县的村名、地名有肯的令梁、阿齐图山、哈卜塔尔窑子、可可五素川、色令井子等，由此也可见证蒙、汉文化的交流与发展。又有长城两畔的伙盘地，史载："民人出口种地，定例春出冬归，暂时伙聚盘居，因以为名。按神木东至永兴堡边墙外，郡王旗之青阳路湾、张明沟、水窖沟、东木瓜山、大榆树梁，与府谷县交界；西至高家堡双墩儿边墙外，西偏五胜旗之桑树湾、巴子梁、臭柏掌沙梁、色令井子，与榆林县交界。分四路、四堡、八甲、三十二牌、三百五十伙盘。而凡边墙以

------

① 林传甲：《察哈尔乡土志》，《地学杂志》第 7 卷，1916 年，第 8 期。

北，牌界以南地土，即皆谓之伙盘，犹内地之村庄也。"① 由此可见蒙汉人民交往的广泛性。

内蒙古流传的剧种主要是北路梆子与二人台，这两种艺术形式都是山西地道的剧种和民间艺术。老百姓说，许多唱北路梆子的艺人，"生在忻州、代州，红在东西两口"。东口即河北的张家口，西口泛指杀虎口以西的长城各关口。可以说，山西移民在走口外的过程中，把他的文化也播撒在流迁的路途上以及迁入地。因而北路梆子在长城内外的河北、内蒙古以及陕西等地，都很受民众喜爱。

城镇建设方面的影响 在荒无人迹的蒙古高原，旅蒙商足迹所到之处出现许多新兴城镇。如漠南城镇多伦诺尔，原先是只有七个湖泊的地方。随着商业贸易的发展，乾隆年间，已有东西 4 里，南北长 7 里，居民鳞次栉比，屋庐望接，商号、各类手工业、酿造业作坊多达 4 000 余户，成为一座连接蒙古草原与内地的商业贸易重镇。清代发展起来的城市，在漠南蒙古比较有名的有归化城、多伦诺尔、热河、丰镇等，漠北有库伦、乌里雅苏台、科布多等。

清初，归化城已成为商品的重要集散地与储运站，西北各族部众及喀尔喀蒙古来往贡使，都要在归化城停留，清廷限定 200 人入京，其余都留在归化城或张家口贸易。到康熙中叶，"外番贸易者络绎于此，而中外之货亦毕集"，"货物齐全，商贾麇集"，"马驼甚多，其价亦贱"。乾隆二年（1737年），绥远城建成，城内建有衙署官房 3 083 间，土房 1 653 间，兵士土房 1 200 间，商业铺面房 1 530 间。绥远城建成后，迁入大批满洲、汉、回、蒙、藏、达斡尔人，随之兴建起与各民族宗教信仰和生活习俗相关的建筑物。规模宏大的藏传佛教召庙，林立于城内各处，到乾隆朝已建有大、小召庙 40 余座，当地流传着"七大召，八小召，七十二个绵绵召"的说法。这些召庙"殿宇雄伟，比拟佛国"，大的召庙僧人达数百名，小召也有几十人。归化城内的清真寺，按伊斯兰教的宗教要求，有大殿、讲经堂、淋浴室和望月楼等，位于呼和浩特旧城北门外的清真大寺就是康熙二十三年（1684 年）建立的，该寺外观宏伟，风格独特，至今仍旧保存完好。此外，

① 王致云：《神木县志》，成文出版社 1970 年影印本。

还兴建与汉族习俗相关的建筑物，如孔庙、神农坛、关帝庙、文昌庙等。

多伦诺尔城镇的兴建，是在康熙中叶"多伦会盟"之后。清廷敕建汇宗寺，吸引着周围的蒙古部众，多伦诺尔又是漠北、漠南东四盟蒙古等蒙古部众通往京师的交通要道，这些得天独厚的条件为城镇发展提供机会，商人渐多，"商务渐盛，居民亦众"。至康熙五十二年（1713年），已是"居民鳞比，屋庐望接，俨然一大都会也"。① 雍正八年（1730年），设多伦诺尔理事同知，雍正十年（1732年）设多伦诺尔厅，成为直隶口北三厅之一。康熙四十九年（1710年），多伦诺尔建成东西宽2里、南北长4里的买卖营。乾隆六年（1741年），又建新营，南北长1里，东西宽半里，有街道5条。城镇的建设促进多伦诺尔的商业发展，嘉道年间买卖最盛时约有3 000多家店铺。咸丰元年（1851年），在多伦诺尔从事蒙古贸易的商铺已达4 000户。汇宗寺与普因寺的修建，对多伦诺尔的城镇建设和商业发展起了促进作用。每年三月、七月庙会期间，蒙古各部王公和牧民从四面八方汇集而来，一方面参加庙会，另一方面从事交易活动。据载，光绪十四年（1888年）七月的一次庙会，商贾云集，马市如流，会期5天，参加庙会的竟达3万人之多。又据《蒙古志》载，"岁自蒙古进口，以千万计，有牛马羊猪骆驼等，而羊马驼尤多。秋冬间，市肆喧阗，街衢拥挤"，买卖十分兴隆。

除上述几个大城镇外，在蒙古地区还出现一些中小城镇。热河，它是随避暑山庄的营建而兴起的，主要街道有西大街的头道牌楼、二道牌楼、三道牌楼，这是热河的主要商业区或称买卖街。还修建二仙居街、旱河沿街、土地祠、皮袄街、马市街、草市街等。这些街市，热闹繁华。乾隆年间，买卖街"最称繁富"，"左右市廛，连亘十里"，"商贾辐辏，酒旗茶旌，辉映相望，里闾栉比，吹弹之声彻夜不休"，② 宛如内地的闹市。此外，漠南包头、丰镇、平泉州等城镇也先后兴建起来。

旅蒙商带动汉族移民零星分散出塞时，一般都是与蒙古族牧民住在一起，形成蒙汉杂居的村屯。《绥远通志稿》载："凡经属近诸旗地，已蔚为农牧并管、蒙汉共居之乡"。乾隆年间托克托城通判所属的三盖村，伙种蒙

---

① 《汇宗寺碑文》。
② 朴趾源：《燕岩集》卷5。

地的山西人，与蒙古族牧民住得非常近，以致在草垛场四周要挖一道很深的壕沟，阻挡牲畜进入。陕北边外地区，"毗连蒙疆，内地人民率多出境认垦，积久成习，渐推渐远，疆域既犬牙交错，住户亦蒙、汉杂处，此系边外特别情形"。① 随着移民的推进，汉族开始有独立分散的居住点，由于人口少，尚形不成连片分布。清末民初集中放垦时期，汉族垦区大幅延伸。蒙、汉杂居开始大规模出现，蒙古族与汉族村落的交错和同一村落里蒙汉杂居。如达拉特旗，虽然不少地方蒙汉杂处，比屋而居，可是就大多数人来说，还是蒙与蒙聚居，汉与汉聚居，这也是生活习惯使然。在农牧接壤区，蒙、汉分村居住，一般是为防止牲畜践踏庄稼，做到农牧相安无事。波兹德涅耶夫在归化城土默特看到三个这样的蒙、汉村，即沙梁尔、察罕板申和白塔。1919 年，日本人类学家鸟居龙藏在由洮南往郑家屯的途中，沿路看到"草地之中，蒙古人与汉人种植高粱、粟米等作物，牛马羊群游牧其间，是一片蒙汉杂居、农牧交错的景象"。②

从居住格局上看，蒙汉两族总体上是相对集中的，汉族主要分布在南部农区，蒙古族主要集中在北部牧区。"乌盟报垦地，尽在南部，北部仍是一片草原，因是蒙汉仍各分居，有民地草地之别"。③ 但在农业区内部和农牧交错地带，蒙、汉两族呈杂居分布。到中华人民共和国成立初，居住在纯牧区的蒙古族人口只占内蒙古蒙古族总人口的三分之一，绝大多数蒙古族是在半农半牧区与汉族居住在一起，这说明蒙、汉杂居规模很大。

蒙、汉交错杂居，缩短两族接触的距离，增加相互交往的渠道与频率，使交流更加直接、充分和全面。徐世昌在《东三省政略》中所说："蒙汉杂处，观感日深，由酬酢而渐通婚姻，因语言而兼习文字"。随着蒙、汉杂居的深入，最终出现族际通婚很自然。东蒙古东南部"满汉民移住之地方，则与蒙古人混设村落，从事农作颇盛，此等满汉民，其移住之初，多为独身"④，后娶蒙古妇人而生子女。在绥远，"蒙古地方，汉民之移住者，与蒙

①　张立德等：《陕绥划界纪要·榆林道尹呈省长文》，1919 年版。
②　[日] 鸟居龙藏：《满蒙古迹考》，陈念本译，商务印书馆 1933 年版。
③　边衡：《绥境蒙政会自治区域现状之检讨》，《边事研究》第 3 卷第 4 期。
④　[日] 松本隽：《东蒙风俗谈》，吴钦泰译，商务印书馆 1928 年版。

人混设村落，从事农牧。此等汉民，其移住之初，多为独身，后娶蒙妇生子，故有类似蒙古人，而风俗习惯殆与汉人无异者"。① 民国时期，鄂托克旗在城川编练的保安队第四营之第一连连长胡维成，"闻其祖固汉人之'随蒙古'者"，② 即胡维成的祖上娶蒙女为妻，加入蒙古籍，成为"随蒙古"。蒙、汉两族长期通婚杂居，亲近度愈来愈高。如此一来，口外之地一年成聚，二年成邑。通婚圈的扩大，远亲结合带来的优势突出，从而大大提高人口的生育质量，使人口得以优化。

六、旅蒙商的反思

（一）旅蒙商的成就与特色

明、清、民国时期，一代又一代旅蒙商人，在长城外辽阔的草原上，面对逐水草而居的游牧民族，以敢为人先的商业胆识，不畏艰辛的创业精神，万里行贾、勤俭经商。尤其在封建社会重牧轻商、重农抑商的经济环境中，建立起一种秩序井然、自由顺势的庞大经济模式，形成卓尔不群的自身文化特色，蕴涵广博的商业文化与商业文明。而且，在经商的过程中滋生具有一定的文化理念和素质与道德观念的精神产物。它是由物质文化产生的非物质文化，是一种宝贵的值得后人借鉴的文化遗产。

旅蒙商不畏艰辛，牵驼拉马，千里走沙漠，冒风雪，犯险阻，北越蒙疆，开辟踏勘出一条以山西、陕西、河北等地区为起点，贯穿蒙古戈壁大沙漠，到库伦，再至恰克图，进而深入俄境西伯利亚，又达欧洲腹地彼得堡、基辅的国际商路。这是继中国古代丝绸之路衰落后，在清代兴起的又一条陆上国际商路。山西商人到归化城、包头经商，杀虎口是必经之路。有民谣称"杀虎口，杀虎口，没有钱财难过口，不是丢钱财，就是刀砍头，过了虎口还心抖"。但是旅蒙晋商并不因此退缩，而是人越去越多，势如潮涌，还有一些商人，为防不测，自己练就一身好武功。

地域辽阔、物质富集、经济落后、民风淳朴的塞外草原，多少年来就是晋、陕、冀、宁、京、津、唐、张、大等地区众多商贾处心以跃跃欲试、趋

---

① ［日］安斋库治：《清末绥远的土地开垦》，内蒙古大学历史系蒙古史研究室译，1961 年版。
② 毅刚：《鄂托克旗城川天主教学巡礼》，《边政公论》第 1 卷第 2 期。

利便铤而走险的理想境地。最终，旅蒙商利用各种商业手段获取了巨额的利润。从积极与进步的方面讲，旅蒙商讲信义、求实效，特别是票号的创立，对边疆乃至全国经济的发展和社会的进步起到积极的促进作用。他们积累的"富可敌国"的财富，客观地讲，同时也滋润和促进着漠南漠北、关里关外的经济发展，促进了草原的文明与进步。且成效显著，功不可没。

（二）个别旅蒙商的欺诈行为

旅蒙商鏖战商场的精神动力，皆为利起，崇商重利是他们的人生选择。否则，他们绝对不会舍家撇业到草原上混饭吃。所谓"天下熙熙皆为利来，天下攘攘皆为利往，夫千乘之王、万家之侯、百室之君，尚忧患贫，而况匹夫编户之民乎。"另则，把商业作为一项终身崇高的事业来对待，是旅蒙商人经商取得成功的重要因素。

他们崇商重利的价值追求，再加上传统偏见和民族歧视心理作怪，导致一部分人把商人的本性发挥得淋漓尽致：投机钻营，囤积居奇，重利忘义，奸诈狠毒。为赚钱，可以不择手段，攀附达官权贵，勾结黑恶贼匪，欺诈诱骗，诋毁拆台，什么都能干得出来。多数旅蒙商很少回报当地，回报他人，他们暴富之后把所有钱财带回老家，为富不仁，生活糜烂，建豪宅，买土地，娶小妾，成为他们首要任务。多有旅蒙商后裔中的纨绔子弟，争风吃醋，寡廉鲜耻，为博红颜一笑，一掷千金。许多商人没有文化，他们总认为经商所赚的钱完全属于个人财产，既然流入我的钱柜，就是我的；只知道赚钱用于自己和家人享受，想不到社会上还是穷人多，富人少；发财，想不到服务社会，回报社会。正因为这些商人心中根本没有社会责任心，所以在他所经商的地区很少受到当地人的敬重。那供奉在神龛的手持青龙偃月刀，象征着诚信与忠义的关老爷塑像，不过是件摆设而已。清代黄宗羲把富豪和权贵的奢侈讽刺为"以奉我一人之淫乐"或"此我产业之化息也"后，又痛斥其为"天下之大害者"，诚不为过。

成吉思汗横征欧亚，最终建立起大元帝国。而明灭元之后，退居漠南、漠北的北元流亡政权并其游牧部落再次过起逐水草而生，几乎与中原文化隔绝的生活。蒙古族以畜牧为生，单一粗放的畜牧业经济占主导地位。生产的单一性决定他们对其他民族和其他地区各类物资需要的迫切性。蒙古的贸易活动，多为以物易物，落后的经济、封闭的文化、奇缺的工业，使他们的经济几乎陷于倒退的边缘。到了清代当他们看到中原迅速发展的经济与各种规格、款式、颜色的生活必需品与生产用品后，几乎目瞪口呆。在迅速发展的、强大的经济力量面前，游牧民族似乎表现得无所措，有些茫然。于是，他们用最真挚的热情迎接来自中原的商人，用在草原上牧养的牛、羊、马去换取自己的生产与生活用品。牧民对于商品的渴望与需求，以及对待远道而来的旅蒙商的热情与忠厚，感动了一批又一批、一代又一代的旅蒙商。正是这纯真、善良、热忱的民族心理与民族性格，感召了来自各地的旅蒙商，也使得旅蒙商的"诚"与"信"，拥有得以实施并发扬光大的土壤与市场。但也有许多旅蒙商把牧民这种诚与信看做是不开化，看做是愚，进而施展各种手段愚弄、戏弄、欺骗、讹诈之。

从利益上讲，凡商人从商的过程中不乏有欺诈、哄骗的行为，不乏对异地资源存在破坏性采掘的事例，不乏为获取更高利润而采取的不正当手段，乃至同行、同乡之间尔虞我诈、相互倾轧的事件。

在塞外偏远的农村牧区（包括半农半牧区），旅蒙商用5包钢针（缝衣服的针，每包10枚）和一盒彩线每盒6—10支，可从牧民那里换得一张羊皮。如果把这张羊皮运回，最少可在归化城大南街换取30包钢针或10盒彩线（扣除其成本及所有费用）；如果运到太原府，可换取60包钢针或20盒彩线。周而复始，把这60包钢针再运往牧区，换回羊皮后再倒腾几次，如此往返两三年，得到的可能就是几群羊、几十头牛。再如：一块约4斤装的砖茶，在牧区可换一只中等肥瘦的成羊，甚至换取两三只羊。而一只羊运往归化城后，扣除其本钱，可换五六块砖茶。如此买来卖去，不难测算出其中惊人的巨额利润。诚然，从民国年间上溯至清代、明代，那个时期民间的互市是"市场经济"，也可以说成是双方自愿，我有针和茶，你有牛马羊，换则换，不换拉倒，以物易物，谁也没抢谁的，是"姜太公钓鱼——愿者上钩"，"周瑜打黄盖——愿打愿挨"。但是，在偏僻落后、交通不便、工业生产极度落后的牧区，这种"仅此一家，别无分店"，"箍住山汉"的近乎掠夺的交易方式，似乎"手太黑了"！高勖《蒙汉贸易》载："蒙人质朴诚实，无浮习气，唯因文化落后。已往有少数边商，利用蒙人不知书识字之弱点，颇多欺哄蒙人，故意高抬物价，或在衡器上占其便宜，价值三四元物品，售与蒙人为七八元，蒙人不了解市价，受其愚弄。又为蒙人购回之货，多无账簿记载，单凭记忆，因此边商赊销之物账，竟年年前往收账，估计历年收回的货值超过其原本一两倍。"[1]

旅蒙商还将在牧区收购的羊、马、牛等打上商号的烙印，交给牧民放"苏鲁克"（畜群），到牧畜膘肥肉满时才收走。放牧期间牧民只能得到一些奶食、羊毛等。牧民辛勤劳动的剩余价值全部被旅蒙商剥夺掉了。这之中最大的一个秘密是，代替旅蒙商放苏鲁克的牧民，只知道索取本身所付出的体力劳动，这是很小的一部分报酬，却不知道索取作为生产资料的草场（草）所占有的较大份额的费用。牧民认为草场是公有的，上天赐予的，谁家的牛、羊、马都可以任意觅食。旅蒙商留给我来照看的畜群，只要不丢失，并按比例产下仔畜，就可以得到茶叶与布料，至于饲草则不属于我的份额。而旅蒙商恰恰看中了这一点并无偿地占有了这个份额。于是，第一年交给牧民100只羊，第二年则可得150只甚至更多的羊，付出的只是极少的一部分酬金，十几块砖茶足矣。

牧民爱喝酒，尤其好饮烈酒。每当牧民赶着羊群到庙会上与旅蒙商交易时，商家即以酒食待之。那些过惯近乎原始的公社化生活的牧民，还以为商家是无偿的热情款待呢！半斤二锅头下肚，牧民喝得高兴、欢喜之余做成以物易物的买卖。殊不知，其中究竟有多少欺瞒？在内蒙古西部的阿拉善盟民间有一个流传百年之久的故事：某牧民用肥羊换了旅蒙商的白酒，因天寒地冻，不小心打碎瓶子，结果掉在地上的是一个圆柱形的冰棒。那牧民很是惊奇地说："这个酒真厉害，瓶子碎了酒还这么结实！"这个故事，一方面反映出牧民的忠厚与无知，诚实得有些愚，甚至荒唐可笑；另一方面，个别旅蒙商的欺诈行为实在令人发指！众所周知烈酒即使在零下40度也不会结冰。阴山以北达尔罕、茂明安、四子王、苏尼特等部的牧民，那驮到归化城的三五十张皮子，最终只能喝一顿酒；三五匹马，只能换一极普通的镀铜的鼻烟壶的事不乏其例。

《明史·俺答列传》载："生锅破，百计图之，不得已至以皮贮水煮肉为食。"可见，五金百货用品在工业极度落后的牧区是急需品。阿勒坦汗之所以用武力手段胁迫明廷互市，多出于百姓之生计。他的臣民连煮肉熬茶的

---

[1]　邢野、王新民：《旅蒙商通览》上册，内蒙古人民出版社2008年版，第199页。

锅、吃饭的工具都没有，而是用皮子盛着水，下面用火烤着煮肉，他看在眼里，能不急吗？明廷不开市，他就只好率领骑兵去抢去打，管他是乔家、渠家、王家，管他是私人还是官家，掠来先用着。尽管野蛮，实是无奈之举。旅蒙商的一口铁锅就可以到牧区换回8—10只肥羊，甚至一匹马。而一峰骆驼一次可以从归化城驮到库伦40口锅（直径约50厘米，每口锅重约7—8斤），略加计算，不难看出从中又可以获取多么丰厚的利润。特别是在牧区遇上白灾或黑灾时，许多牧民把所剩无几的牛马羊全部抵押给旅蒙商，也换不回一年所需的生活用品。

（三）霸盘

霸盘生意，作为一种经营方法，实际就是经济领域的垄断行为，也可以说是垄断经济的雏形。

商业垄断是商业领域试图获取巨额利润的重要手段，说得更具体些就是欺行霸市，这种行为无论在资本主义国家还是在社会主义国家，都是被禁止的，且为业内人所不齿。一些国家与地区甚至把商业垄断行为明确写入法律法规中加以制止。如100多年前的包头晋商复盛公，得知并预测高粱紧缺，便提前将本地区的高粱（包括青苗）全部或大部分低价买回，实行高粱霸盘。待市场上高粱紧缺时高价抛出。由此造成独家经营、别无竞争的态势，以获取暴利。

山西北部山丘居多，土地贫瘠，不是粮食丰产区，但有具备储存粮食的绝好自然条件。地处黄土高原东部，黄土层深厚而密实，气候干燥，挖掘地窖非常便利。谷粟存入地窖后，"经久如新"。山西商人据此大获其利。明人谢肇淛在《五杂俎》中总结山西商人经营的行业中，就有"窖粟"致富者一类。三晋商家，常常窖封藏粟数百万石。及至开封之日，购粮者一拥而至，如赶集般热闹。但商家储粮，不是"备粮"、"备荒"，也不是调节市场，而是在丰年时低价把粮食买回窖藏，等灾年时高价抛出，以获取暴利。入清，山西商家多数利用地窖储藏资产；清后期，山西富商窖藏多为粮食兼银两，以此获利。古代重"积贮"，认为无积贮不足以备荒，无积贮不足以备战，只有"蓄积足"，才能"人乐其所"，才能"富安天下"。上述囤积粮食者，与之相比，悖忤甚远，可谓利欲熏心。

垄断与霸盘的结果，不仅严重地破坏商业经营的规则，扰乱市场秩序，干扰货币的正常流通，造成偷税漏税，同时也人为地割裂店铺之间的往来。欺行霸市，破坏商业的公平竞争，一度出现资本雄厚的大商号挤垮小商号甚至使其招致破产的悲剧，而那些破产、歇业的中小商号，好多都是霸盘旅蒙商的同乡、好友乃至亲戚，真实地上演着一幕幕"商场如战场，商场无父子"血淋淋的尔虞我诈你死我活的拼争场面。

（四）放高利贷

为追求高额利润，旅蒙商投机倒把，弄虚作假，坑害买主。在明清之际，有"放京债者，山西人居多，折扣最甚"，其放债利息"皆八分加一，又恐犯法，惟立券时，逼借钱人于券上虚写若干，如借十串，写作百串"的记载。高利贷资本，是一种古老的生息资本，是为榨取高额利息而放贷给他人使用的资本，其形式繁多，有印子钱、驴打滚、典当、放青苗等。清乾隆五十一年（1786年），河南连年歉收，山西等处富户，闻风赴豫，举利放债。近人卫聚贤统计：明末清初，铺4 695家，占全国当铺总数的百分之二十一。称山西首富亢百万就是一个资本雄厚的大典当商，清初发迹时只有不足1 000万元的资产，到清末光绪时其资产已到数千万银圆。

在漠北喀尔喀蒙古地区，旅蒙商大盛魁、天义德等曾以放高利贷而获得巨额利润。每当蒙古王公晋京值年班，呼图克图（活佛）进京朝觐，缴纳朝廷驻蒙古军队的维持费，王公子弟袭爵向乌里雅苏台将军赠贿，对博克多葛根（库伦寺院活佛哲布尊丹巴）献礼的时候，因蒙古各旗财政困难，没有足够的现洋可供流通使用，于是不得不求援于大盛魁或天义德等大商号。他们是有求必应，委派专人跟差，全程服务，贷给这些人必需金额的银钱，附加高利。以后拿家畜或其他副产品抵债收回。在外蒙古的140旗或沙毕（寺庙属众）之中，不曾负债于大盛魁的，仅有10—20旗左右。其他都是大盛魁的债务人。但有一点，这些王公、活佛等所欠的债务，又设法转嫁到牧民的身上。他们巧立名目，增加税收，以便偿还债务。有的牧民偿还完债务后一贫如洗，只好到王爷家去当奴隶，或出家当喇嘛。天义德对科布多管辖区内各旗，也有同样的情况。因此，当时蒙古人说：大盛魁从蒙古人那里攫取的财富，可以用50两的银元宝，从库伦铺成一条至北京（2 000余里）的路，此言不假。遗憾的是，这些元宝没有投入再生产，还没来得及"变现"运回老家修造宅院，就有一大部分因蒙古人民共和国成立而被收归国有。

（五）破坏性掠夺资源

甘草商 地方史志文献，特别是各地政协文史委编印的文史资料，具有相当的真实性、可信性，属于"三亲资料"：亲身经历、亲眼看见、亲耳所闻。这里举个实例：由山西省保德县政协编辑发行的《保德县文史资料·保德第一大财东杨家风云》一文中写道：

> 创业人杨怀祯原本家境贫寒，硬是靠"自强不息"的拼搏精神，白手起家而成大业。于他懂经营、善管理，草场规模迅速扩大，最多时雇用的劳工（掏草工、铡草工等）2 000 余人。杨家一般雇用的大多数是穷苦的本县（即保德县）老乡。掏草、铡草，春天走、冬天回，系典型的"雁行客"。春天出发走时支付 3 个月的安家费，用以安顿家中老小一年的生计。出口后利用挖甘草所得工钱偿还。当时杨家的草场最多有二三百名铡草工人，约 10 名掏草工配备 1 名铡草工，所以掏草工人就达 2 000 — 3 000 人。铡草是甘草加工的最后一道工序，即将所收下的草铡、剁整齐，分类包装，以便启用。甘草按粗细分类，粗者截面直径为 3 厘米左右，成捆的草一般都铡成 50—70 厘米长短，名目有天粉、奎粉、河草、通草、毛草、节子、圪垯头等。在杨家经营义成号的 80 余年间，每年从保德带出约 2 000 余人的掏草大军辛苦劳作，不仅延续人稠地窄、贫穷落后的"男人走口外、女人掏苦菜"的保德人雁行式走西口谋生的历史，而且从经济效益和社会效益看，是很可观的。由杨家带走的这支掏甘草的大军的收入，养育着保德约五分之一的人口，这是铁的事实。

杨家（并整个保德县甘草商）掏甘草的地点，是今内蒙古自治区鄂尔多斯市的准格尔旗、乌审旗、伊金霍洛旗、鄂托克前旗等地，也就是今毛乌素大沙漠的中南地段。所言的"草"，即甘草，系多年生草本植物，茎有毛，花紫色，荚果褐色。根有甜味，可入药，具有解毒排毒、清热祛火、补脾健脾以及调和的作用。甘草根有甜味和香味，可作烟草、酱油等产品的香料。素有"药王"之称。毛乌素的甘草系天然野生且多年生成的植物，这里光源好、水质好、空气好，土质适于甘草生长。在这块尚未开垦的处女地上，甘草的生长期达几年、几十年，直径最大者达4—6厘米，根须长达6—10米，其药理成分属于上品，为国内各大药店所称著。毛乌素沙漠属于干旱草原，可以说遍地都是野生的甘草。其他中草药材和草种也有生长，这里是一座天然的绿色资源宝库。又有《保德县文史资料·保德人走西口始末》载：

> 草场大多是资本家兴办的。一般规模比较大，工人三五百人不等，个别也有近千人的。也有合伙兴办的小场子，工人十几人至几十人不等。草场的设置，一般是设场人于农历正月十九日各旗开印之日赶到目的地，通过向王爷、各庙喇嘛拜年、送礼（砖茶、水烟、糖果、烧酒等）等手段，商订好包场范围，然后按产草的实际数量计算包价。一经许诺，再有人来请求包场就不能答应了。于是包场人便在指定区域内找一有水的地方搭起帐篷或茅庵便是柜房，作业半径一般在40里以内。柜上支付工人锅灶、铁锹、米面以及搭茅庵用的席子，然后在所掏的甘草中折价扣除。草场投入的资本多少不等，像西碾坊、广盛恒、义成远资本就雄厚，而仁和永在开张时只有1万元，后来逐渐增至10多万元。资本的主要用途是支付掏草工人的安家费用、购置掏草及加工甘草的工具、打捆的包装以及工人所需的生活日用品，同时经营杂货，大宗款项用于收购甘草。
>
> 草场的组织，一般是掌柜1名，俗称大头儿，负责全场事务，有的兼提秤。二掌柜1名，俗称二头儿，负责甘草质量与价格的评估。先生1名，负责来往账目。草头1—2名，负责提秤和收进甘草。保管1名（多是兼任），伙夫1名，打闹米面跑外的1名，铡草工若干名，负责铡草、分类、包装。掏草工和场主是一种不成定约的合同关系。掏草的都是穷苦男性，一来他们有掏草的技能和丰富的经验，和其他干同类活儿的人相比，可以动较少的土方，获得数量较多、质量较好的效益。二来他们对经营甘草的资本家有着依附关系，他们在出口时已经从资本家那里支取了安家费用，所以出口后也只好靠挖甘草偿还了。一般地讲，每个劳力一日能掏30—50斤左右湿草。但因地而异，在达拉特旗一个劳

动日至多掏草三四十斤，而在杭锦旗就能掏 80 多斤。无论一天掏多少草，都必须当日拿到草场出售。①

甘草生长在土地里，所谓"掏甘草"，就是要顺着甘草生长的方向与深度把甘草的根系掏出来。这就需要挖开草原地表，再向周边扩展，挖出来的土要堆放并压盖在原来的植被上，开挖多大面积破坏多大面积，覆盖多少破坏多少。于是，人为地形成对草原生态大规模的、大面积的破坏。掏挖 1 米长或 1 市斤的甘草，大约相应破坏 2 平方米的草场，一个人一天最少要掏挖 20 斤甘草才能维持生计，才值得"走西口"到塞外谋生。按《保德第一大财东杨家风云》文中所言，每天有 2 000 多人掏甘草，就要开挖 80 000 平方米原始草原。凡是掏挖过甘草根的地方，一二年之内即沙化，再不可能或极少能生长其他植物。如果每年挖 6 个月（保守时间），则一年之内破坏 1 280 平方公里草原，鄂尔多斯土地面积为 87 428 平方公里，这就是说，70 年之内，这 2 000 人就可以把鄂尔多斯土地表面全部挖遍、翻遍。何况，杨家掏草大军只是保德县一家或几家，尚不包括与鄂尔多斯相邻的河曲、府谷、神木、盐池等地人也有北上掏草者。

在内蒙古哪里有草，哪里就有保德人，比较集中的地方是包头市、固阳县、东胜市、临河市、乌喇特前旗、达拉特旗、杭锦旗等地。他们一般是春去秋回，后来大部分人便在内蒙古置产买地，定居下来。这些出口者，由从事农业劳动，逐渐转向从事以生产和经营中药材甘草为主的商品经营活动。他们艰难起步，诚信起家，成就一代又一代的保德商人。他们的发迹，几乎都是靠经营甘草起家，所以人称甘草头财主。除后面专门介绍的杨家、马家、王家外，还有一大批因走西口成就的保德商家。如马家滩张家，创业人张在兴，也是从走口外经营甘草起家。杭锦旗的甘草原为定襄人所垄断。张家咸丰年间介入，开办广盛恒草场，日益扩大，逐步取代定襄人的地位，杭锦旗成保德商人的活动范围。张家发大财后，在后套买地出租，并在包头、河口镇做买卖，成为一名地

---

① 《保德文史资料》第 2 辑，山西省保德县文史资料委员会编 2001 年版，第 181 页。

主兼资本家，后又和地方官吏勾结，独霸一方，人称本地朝廷。

前卢子沟卢家，发迹于民国年间，创业人卢凤梧，起先只做一点收购三五百斤甘草的小买卖，后逐步发展，在盐池县开设仁和永草场，赚大钱。后投资 20 万两白银在包头市开设仁和永百货店。同时还投资 8 万银元作为益民面粉厂的较大股东。王家滩人王科子，也是靠掏甘草经营甘草发家的。初出口时，只带着 10 匹土布作为货本，当年便赚回 40 匹，后逐渐发展，在包头市开设面粉厂。除以上这些人外，保德县靠走口外经营甘草发迹的商家还有 100 多户。在民国时期全县商家每年经营甘草可获利润 300 万两白银。[①]

自庚子赔款到 1949 年中华人民共和国成立之前，政局混乱，民不聊生，虽有"土地法"，也是一纸空文。有章而不循，加之清廷与国民政府多次放垦，招募口里人北出口外移民垦荒，自然怪不得走西口的人们，也怪不得保德巨富杨怀祯其人。莫不说杨怀祯其人等还要与北地之王爷计价包场签约，属于"合法经营"。虽然时过境迁，但总不能否认，那依靠开挖、破坏草原掏甘草成为巨富的旅蒙商，一方面用破坏长城外草原生态作为代价而成为巨富，另一方面也给长城内外的后人留下了因生态和植被破坏而带来的无限灾难。倘若真有在天之灵，也应受到责备与惩罚。否则，今天的鄂尔多斯市也不会成为沙漠占全市总面积 48.82% 的沙漠城市。那保德县乃至整个晋北地区也不会动辄就遭受无情的沙尘暴的袭击与困扰，贻患无穷。

发菜商 发菜有着特殊的生长习性，它贴着地皮生长，用手很难获取，只能用铁耙子搂，连草一道搂起，而后再把杂草拣出。清代末年及民国年间，乃至中华人民共和国成立后的五六十年代及 20 世纪末，甘肃、宁夏一带的农民成群结队涌入阿拉善草原搂发菜，甚至不远千里，长途跋涉到武川县、达尔罕、茂明安旗、四子王旗、苏尼特左旗、苏尼特右旗去搂取，由旅蒙商人收购并加工后，转手高价卖出。这些搂发菜的人，身后拖着 70—100 厘米宽的大铁耙，每个人在草原上拖着铁耙来回搂一天，至少要走 30 里地（15 000 米长），才能收获 100 克左右的发菜。

---

① 傅景英：《保德商人走过的辉煌历程》，《晋商保德精英》（内部资料），第 4 页。

（六）走私

明代，与蒙古牧民的贸易除规定时间、地点的官市、民市外，严禁内地商人与蒙民进行贸易。但是，走私活动十分猖獗。据明代任宣化总督的王崇古推断，仅大同墩哨驻军，三个军人中的粮银，有二人的成为私市货资，则大同墩哨军粮每月同牧民的交易额，至少有 3 000 银两，若以此银两购买布匹前往牧区交易，则有 2 万余梭布私贩到塞外，同时私贩进牛 3 000 头或羊万余只。明隆庆四年（1570 年），有山西榆次商人李孟阳等去蒙古走私马尾，时间长了，竟入住蒙古，并诱蒙古俺答军 8 000 人袭击明军事城堡。原来明嘉靖万历年以后，江南地区百姓使用鬃毛或马尾纺织巾、帽、绸巾的风气非常盛行，嘉靖以前只有生员与富有的人才戴鬃尾，到万历以来穿戴鬃巾为上层社会流行时尚，个个生员视鬃巾为必备品。乃至 20 世纪末，晋陕籍妇女还会用黑马尾自制绾头发的络络。而当时原料来源非常少，物以稀为贵，使商人铤而走险，私贩马尾等商品。由于走私者日众，一些商人逐渐定居蒙古地区，其集居地被当地蒙人称为"板升"，对板升的解释有多种，一说为"百姓"之谐音，一说为"堡子"。在板升中以山西人居多，他们在蒙古地区耕作，开发农牧手工业，同时参与私市，故明朝一直对板升居民作为剿灭对象，但力不能及，只能听之任之。

即便到明清政权更迭之后，山西仍然有八家做走私生意的旅蒙商从中渔利。这八家旅蒙商在与蒙古民族贸易的同时，与满清政权过往甚密，在明政府封锁满清政权的时候，仍然贸易不绝，实际上做的就是走私生意，中饱私囊，利及皇族。清政权一统天下之后，这八家受到满清皇族的特殊优待，以答谢雪中送炭之功。

入清后，山西旅蒙商参与走私贸易活动者仍然很多。雍正时期，虽然对旅蒙商人采取严厉限制政策，但因暴利所趋，走私更为猖獗。当时，清朝指定喜峰口、古北口、独石口、张家口、归化城、杀虎口和西宁等地为出入蒙地经商贸易孔道，并设卡对输入蒙地商品进行检查。还规定，凡赴内外蒙古进行贸易的商贾，必须持有"龙票"，并在指定的盟旗进行贸易；贩运的商品也有严格限制，除铸铁锅和日常生活金属器皿外，严禁将武器、铁等金属输入蒙地。但利润"高达百分之三百"的蒙古生意，仍然强烈地吸引着甘冒风险的山西旅蒙商，他们不顾清政府的禁律，利用驼队载着货物瞒天过海深入到蒙古地区进行贸易。清纳兰常安《行国风土记》载："塞上商贾，多宣化、大同、朔平三府人。甘功瘁、耐风寒，以其沿边居处，素习土蓄故也。其筑城驻兵处侧建室集资，行营进剿，亦尾随前进，虽锋刃旁舞，人马沸腾之际，未肯裹足，轻生而重利，其情乎！……是以收利盈千万亿，致富不赀。"[①]

　　清廷严禁私贩玉石，但旅蒙商仍发生过数起私贩玉石案。乾隆年间，归化城有一座旅蒙商开办的三义绸缎杂货铺，掌柜贾有库，山西右玉人，从清乾隆三十八年到乾隆四十三年（1773—1778 年），三义号在掌柜贾有库主持下，做过几次私贩玉石的大买卖。第一次是乾隆三十八年（1773 年），三义号用 1 万银两的货物兑换成玉石，私运到苏州贩卖；第二次是乾隆四十年（1775 年），贾有库派其侄子从新疆私贩玉石到苏州，获利 3 000 两银子；第三次是乾隆四十三年（1778 年），从新疆私贩玉石 550 斤，作价 7 150 两银子，卖给北京城古董商。就三义号的这三笔私贩玉石生意，毛利达 22 613 两银子。

　　（七）窑主与场主

　　煤窑的窑主，盐场、碱场、焦炭场的场主，他们多数是陕西、宁夏、甘肃的旅蒙商。他们就地取材，雇用陕甘宁民人进行劳作。走西口的人称之为下窑、背窑、捞盐、晒碱、炼焦。

　　下煤窑的民人身背大柳筐，头顶瓦斯灯，爬着进去，装满柳筐后爬着出来，每天从矿井中背出 2 000 斤左右煤炭。矿井内几乎无任何安全设施，矿工的身体健康、生命安全没有任何保障。而煤窑窑主，他们为谋取暴利，往往挑选富矿进行破坏性开采，挖掘内蒙古廉价的矿产资源，不惜矿工的鲜血换回白花花的银圆。盐场、碱场的场主，除上缴政府少许的赋税外，把成车的食盐、碱运往内地，从中渔利。而焦炭场的场主更是靠山吃山，选择位于煤窑旁的一片空地作为场址挖窑炼焦，转手把原煤加工成焦炭后以更高的价格卖出去。炼焦场区浓烟滚滚，对矿区乃至草原造成严重污染。

　　几百年来，旅蒙商采取官商勾结的手段，以很低的价格从蒙古王爷手中租用或购买矿山、盐池和碱场，将看不见、摸不到也无法估量的地下资源狂采乱挖，有利即挖，无利即走，专找富矿采掘，其他私挖盗采者也不乏其

　　① 邢野、王新民：《旅蒙商通览》上册，内蒙古人民出版社 2008 年版。

例。矿井遇有事故，拔腿就跑；即使冒顶砸死工人，10 块大洋就能了事，无人认领的死难矿工，挖坑掩埋就算完事。这些旅蒙商绞尽脑汁掠夺资源，中饱私囊，最终富甲自身。然而，他们留给阴山山脉与大草原的却是千疮百孔的恶劣环境和经过破坏性开采的矿藏资源。

（八）鸦片烟

游牧民族不种地，自然不会种植罂粟。当然，必须肯定的是，鸦片烟不是旅蒙商带来的，是第二次鸦片战争后传入的。只是把罂粟炮制成鸦片烟后，商人在其流通过程中渔利，从而促进鸦片烟的大量种植。及至庚子赔款以来，种植罂粟像决堤洪水一样冲击着内蒙古并绥远地区。塞外种植罂粟的农民，90% 以上是走西口出关的晋陕冀人；从中倒卖、交换鸦片的人，有90% 以上是晋陕冀京津张沈的小商贩与无业游民；而吸食鸦片的人，有90% 以上也是晋陕商贾、官僚、土匪等。旅蒙商贾中，多有此好者，俗话说"好这一口"，或以此招待相与。官僚、军阀、土匪以及艺人、妓女，还有老鸨、"爸爸"（妓院中管事的男人）也多有吸食者，从而导致鸦片的进一步泛滥。

（九）商家代收官税

嘉庆八年（1803 年），清廷诏令派驻外蒙古的将军、参赞、办事大臣和帮办大臣等官员，会同外蒙古各王公，严格检查旅蒙商经商票照，并严令每年彻底检查一次。在乌里雅苏台、库伦、科布多、恰克图以及在外蒙古其他各地进行贸易的旅蒙商，凡是不符合朝廷颁发的"龙票"的人数规定或无"龙票"去蒙古经商者，或所持票照过期者，被驱逐出围，限时返回原地。有的被罚款和没收货物。此时期，大盛魁不仅和清廷派驻外蒙古的军政大员、军队与王公贵族有关系，而且总经理还拥有朝廷二品大员职位。所以，大盛魁没有被驱逐。时由官方没收其他商号的货物，不便也不会作价处理，多廉价赊销给大盛魁，由大盛魁作价销售。还被委为代表朝廷征收蒙古地区（今蒙古国）过往商人税负的重任。让商人代表政府去征税，用蒙古人的谚语说，无异于让豺狼去看守羊群。可以看出，大盛魁为商，竭尽手段：白道黑道，天道地道，无道不去，无道不通。为走天道，重金买通清廷，凭借二品大员的称号，为行商驱散一切障碍，亦官亦商，更胜官商勾结一筹。为走黑道，唯一办法是鱼大吃虾，为清廷驱逐所谓无照经营者摇旗呐喊，大张旗鼓；或组成庞大的保商团，或豢养恶犬。他们可以把其他被逐商人的羽翼下的一切卵一网捞起，尽归己有。这种做法还会为他们的偷税漏税、转嫁税额创造更加便利的条件。

（十）旅蒙商的"诚"与"信"

诚信是立身之本，执政之本，也是旅蒙商的商道之本。从精神文明、制度文明两条线索梳理与归纳旅蒙商发展史，最终我们的目光落到"人"身上，这个人不是别人，而是内地的汉族商人，尤其是最能体现中华文化精神的商帮。他们的精神理念、思维模式、经营经验来自同一个文化系统中、同一片生存土壤上。而在中国历史上，古人称民人（汉人）以外，其他族均为胡人，通常是指中国北方以及西方的游牧民族，带有藐视的意义，指其为不文明，未开化的化外之民。汉人歧视胡人由来已久，"古者帝王乃生奇类，淳维、伯禹之苗裔，岂异类哉？反首衣皮，餐羶饮冲，而震惊中域，其来自远。天未悔祸，种落弥繁。其风俗险诐，性灵驰突，前史载之，亦已详备。"[1] 这是唐人写的文字，总结出千百年民人对胡人的总体态度。所谓"反首衣皮，餐羶饮冲"，"风俗险诐，性灵驰突"，无不表现汉人居高临下，不把胡人当作人格平等群体对待。古代民人得益于农业的稳定性，积累下丰富的物质财富和精神财富；而游牧民族则时聚时散，逐水草而居，缺乏财富乃至文化的积累。相较之下，游牧民族的文明显得原始，简陋。但恰恰是，这原始而简陋的文明却完好地保留了炎黄子孙诸多的传统文化与绿色文明。

旅蒙商本身是儒家文化的接受者，处世哲学是来自于儒学的，以及儒家经典中对于人与人之间关系的阐述及其提出的各种主张，因为商人的诚信归根结底是人际关系的反映，行商原则也是这个文化的反映。14世纪中叶到20世纪初，旅蒙商总是以为游牧民族一定在草原上聚敛了大量财富，而建立在这种民族心理上的交易和贸易活动，其动机自然不纯或不公正，其诚信必将大打折扣。龚自珍曾以"海内最富"四字来指称山西。咸丰初年山西晋中地区家产逾百万者多达数十家，时人估算其额过亿两，比清廷的国库库存量还多。而这些"海内最富"的商人，其中大多数为旅蒙商。那白花花的银圆后面昭示着的是羊、盐、茶，这三宗生意，又多与塞外的自然资源与

---

① 《晋书》卷101，《刘元海载记序》。

经济发展相关。

如前述，草原上一座座蒙古包与蒙古包背后散落在草原上的羊群、马群、牛群，像磁铁一样吸引旅蒙商。使得他们不远万里、不辞辛苦地到蒙古草原进行商贸活动，是因为滚滚财源吸引着他们。他们的生财之道概括起来有：

第一，贱买贵卖是旅蒙商攫取暴利的惯用手段。旅蒙商利用牧民逐水草而居的游牧生活，因缺少生产生活物资而对其的依赖性，对市场价格的不知情等，漫天要价。

第二，放高利贷是旅蒙商获巨额利润的又一剥削手段。一是赊销商品。畜牧业季节性强，牧民们在青黄不接的春季，旅蒙商把糜米、砖茶、生烟、白酒、白糖、布匹等商品赊给牧民，也不讲如何偿还。第二年索债时，要多少牧民就得给多少，并要付利息，利率最高达400％。二是发放给牧主、王爷的货币高利贷。

第三，利用牧民为其无偿放牧。

第四，私印"钱帖"（或钱票）是较大的旅蒙商追求巨额利润的手段。这些旅蒙商号利用长期在牧民中的"信用关系"，私印"钱帖"充当货币流通。一般春季出帖，年底收回，有的在其活动地区长期流通，严重干扰国家金融市场。

第五，开设钱庄，开办当铺等。

在旅蒙商贸易扩大的同时，也带来新问题。一方面，扩大经营满足当地蒙民日益增长的消费需要，而另一方面也加深对蒙民的经济剥削。旅蒙商获取的巨额利润是对蒙民的超经济剥削，造成蒙古地区的资源与资金大量外流，严重制约畜牧业经济的发展，成为牧民生活走向贫困的原因之一。这样，旅蒙商人与蒙古牧民及王公贵族、寺院喇嘛之间因利害冲突，诉讼案件日益增多。

尽管清廷对旅蒙商的活动进行种种限制，但是民族间互通有无、互相交往的趋势是禁止不了的。清廷"虽经查办饬禁，而蒙民仍复私行交易"，对旅蒙商的许多规定在蒙古地区并不能认真地贯彻执行。康熙三十年（1691年）多伦诺尔会盟时，到会的蒙古王公和喇嘛上层人物，一致向康熙帝要求放宽对内地旅蒙商人到塞外蒙古高原进行贸易活动的限制。这说明，蒙古牧民和王公贵族虽对旅蒙商的重利盘剥强烈不满，但对其沟通并发展民族经济联系所起的作用又有所依赖。

康熙中叶以后，清廷对进入草地的商人采取鼓励和保护的政策，发给他们部票（龙票），其上用满、蒙、汉三种文字写有保护商人生命财产的条文，同时还给部分商人封官授爵，尤其是赴蒙经商所获取的高额利润对他们具有很强的吸引力。蒙地交通闭塞，市场物资缺乏。旅蒙商利用地区差价，进行不等价交换，靠着以物易物的落后交换形式，获取相当丰厚的利润。在强烈发财欲望的驱使下，越来越多的商人相继来草地经商。旅蒙商人在登记领取部票时，必须注明人数、姓名、货物的品种和起程日期。在蒙地，须在当地盟旗札萨克衙门监督下进行贸易。旅蒙商人不准在蒙地建筑房屋，不准携眷定居，不准娶蒙古妇女为妻。清廷对旅蒙商携入蒙地的商品种类也有限制，商品中除粮食、布帛、茶叶、烟酒、生活用品、佛器、铸铁锅等外，严禁武器和铜铁等金属输入蒙地。凡违反清廷规定者，分别处以罚金，没收货物，逐出蒙地并严禁再进入蒙古经商，甚至依法治罪。

清代对旅蒙商贸易的种种规定，有限制其发展的一面，也有保护和鼓励其发展的一面。蒙古牧民和王公贵族对旅蒙商的贸易，虽憎恶其对蒙人的重利盘剥，但是，当发生清廷驱逐旅蒙商人时，在牧区却出现"蒙民仍复私行交易"① 的行为。道光年间，杜尔伯特盟长札萨克奏报："蒙民等数十年来服食已惯粮烟茶布日用所必需。今禁止，在蒙古有牲畜之家尚可往他处运贩，其穷苦之人，既无牲畜转运，而烟粮茶布皆为养命之源，一经断绝，益形坐困。"② 由此可见，蒙民对旅蒙商依赖之程度。

第五节　金属矿产开采

清代前期，不仅蒙古地区，内地各省的各种矿产资源，也不准商民随意开采、销售、加工牟利。直到咸丰二年（1852 年），清廷因镇压太平天国财政匮乏，为筹措军饷，诏告各省，弛解矿禁，允许并要求各省官办招商开采

---

① 《军机处录副奏折·民族事务》，那彦宝折。
② 《军机处录副奏折·民族事务》，那彦宝折。

金银诸矿。《清史稿·食货志》中罗列了一批当时开采的各地矿藏，其中可确知在内蒙古盟旗属境的即有：翁牛特右旗境内的红花沟金矿；列为"直隶"，但实仍属喀喇沁右旗境的偏（遍）山线、土槽子、锡蜡片银矿；喀喇沁中旗境内的长杭沟银矿；以及阿拉善旗境内的哈勒津、库察山银矿。①

光绪二十二年（1896 年），清廷再次下诏开办各地金银矿厂。《清史稿·食货志》中又列有当时次第开采的内蒙古敖汉旗境内撰山子（平泉州）、金厂沟（梁）（建昌县）金矿；翁牛特旗境内的红花沟、水泉沟、拐棒沟金矿，以及"蒙古"之贺连沟、大小槽碾沟等处金矿。②

宣统二年（1910 年），在热河都统诚勋汇报属境矿物开采情形的奏折中，开列了当时正在开采的各矿，其中属卓索图、昭乌达两盟各旗辖境的即有：赤峰州（翁牛特等旗境）煤矿 8 处；平泉州（喀喇沁右旗）金矿一处，煤矿 13 处；建昌县（敖汉等旗）金矿一处，煤矿 10 处；朝阳府（土默特右旗）金矿 4 处，煤矿 27 处；阜新县（土默特左旗）金矿 3 处，煤矿 12 处；建平县（喀喇沁等旗）金矿 8 处；承德（实喀喇沁右旗）之三山银矿等等。③

下面，仅据现有资料，将晚清内蒙古境内（包括虽设治已久但地权仍属蒙旗的地区）陆续开采的各金属矿厂择要分述。

一、金矿

（一）敖汉旗境内的撰山子、金厂沟梁等处金矿

早在道光二十年（1840 年）之前，来到敖汉旗一带的汉族移民或流民，已开始聚众采挖撰山子、金厂沟梁等处金矿。由于未获清朝官府许可，当时称为私采或盗采。咸丰十一年（1861 年），朝阳地区爆发各族民众反清起义，其主要首领李凤奎，即是金厂沟梁的挖金工。④ 光绪十七年（1891 年）冬，卓索图及昭乌达盟南部发生后果惨重的金丹道暴动，其道首杨悦春失败

① 《清史稿》卷124，《食货志·矿政》，参阅《清文宗实录》卷131、138、153、169、171、178、184。
② 《清史稿》卷124，《食货志·矿政》。
③ （台湾）《矿务档》第 1 册，中央研究院近代史研究所 1960 年版，第 722—726 页。
④ 王魁喜等：《近代东北史》，黑龙江人民出版社 1984 年版，第 76 页。

后即逃匿至金厂沟梁金矿的矿洞，被官军搜剿捕获。[1]

光绪十八年（1892年）初，著名洋务派官商（企业家）、候补道徐润，奉北洋大臣兼直隶总督李鸿章之命筹办建平（又作承平）金矿。同年春，徐润派矿师从建昌、平泉一带，也即敖汉旗南部一带，撰山子、霍家地等五处矿线（当时称矿场、矿区为线）采回矿苗样品，获知"周围数十里日出斗金，并非虚假。旧洞每处均尚可靠。"同年农历五月，正式成立矿局开始雇工开采，盛时招工多达4 000人。光绪十八年（1892年）冬，徐润亲往建平金矿巡查。在三十几天里逐一详细查勘了所属金厂沟梁、各力格、霍家地、长皋、热水等分局，及所属几十个矿点。[2]

由于金厂沟梁等处岩金矿石坚硬，矿局还聘请西洋矿师，购买抽水泵等外国机具，用"洋法"开采。为修筑矿厂、购入机器及职工聘用（一外国矿师聘金抵华工百人）等费用颇巨，期间又招集商股维持经营。

至光绪二十二年（1896年）末，该矿虽始见成效，但历年获利仅约8 500两。其后，因用"洋法""赔累甚巨"，只好仍改用土法。而一直采用土法的撰山子金矿，至宣统二年（1910年）时已"成效昭著"。[3]

（二）翁牛特旗境内的红花沟金矿

翁牛特右旗境内的红花沟金矿，所知有明确记载者，自咸丰二年（1852年）后开始官办招商开采。咸丰五年（1855年），热河都统柏葰拟订开采蒙古红花沟等处金矿章程，奏报清廷获得批准。其产品分成规则为，"每金一两作十成计算，五成归商人工本；以三成六分为正课，三分为耗金，一分为解费；余一成为阿拉巴图当差之资"。也即产值的一半归经办商，四成上缴官课（税），一成归蒙旗（"山分"）。[4] 此后直至光绪中叶、19世纪末，一直有人开采此矿，常年有采金工2 000人。光绪二十八年（1902年），承德府官员（州判）范家鸾又雇工400余人，在矿区的龙头山、洋棒子沟等处开井数十，扩大采金生产。至宣统二年（1910年），热河（卓

① 叶志超奏官军擒获教首杨悦春折，《清代档案史料丛编》第12辑，中华书局1987年版，第316—317页。

② 汪敬虞：《中国近代工业史资料》第1辑下册，科学出版社1957年版，第1146—1150页。

③ 汪敬虞：《中国近代工业史资料》第1辑下册，科学出版社1957年版，第1150页。

④ 《清史稿》第124卷，《食货志·矿政》。

索图、昭乌达盟）地区各官办金矿相继停采，但民间采金始终未间断。①

（三）喀喇沁右旗的金矿开采

喀喇沁右旗东北部鸡冠山一带金矿，早在清咸丰年以前，即有当地居民零散采挖。光绪十五年（1889 年）前后，曾有人在这里采金 9 年，获金 5 000 余两。光绪十七年（1891 年）金丹道之乱后，清朝官员前来赈济，曾动员当地居民采金自救。②

光绪二十七年（1901 年）清政府开始推行新政之后，该旗札萨克郡王贡桑诺尔布积极创办各项图强新政，筹资开采旗境各矿也成为其新政目标之一。光绪二十八年（1902 年），有逸信公司华商孙树勋、德商俾尔福，与喀喇沁右旗订立合同，开采全旗五金各矿。热河都统锡良以"全旗字样有违定章"，要求明确划定矿地界限，"不得包占全旗"。贡桑诺尔布遂划定鸡冠山周围二十里为矿区，再次呈请批准兴办，但至光绪三十年（1904 年）夏间尚未签订正式合同。③

光绪二十九年（1903 年），复有法国和兴洋行拟出十万元资金承办喀喇沁右旗矿产，被贡王拒绝。光绪三十年（1904 年），贡桑诺尔布又呈奏清廷，提出有荷兰商人白克耳愿为该旗承办机器，雇用外国技师（洋匠），拟以"华洋合办，股本各居其半"形式，开采该旗巴达尔胡川金矿。经清朝外务部、商部联合核查，以此前由逸信公司承办该旗矿务一事尚无结果，以恐生纠葛为由未予批准。④

约从光绪三十年（1904 年）开始，有逸信公司陈明轸等人在鸡冠山南偏道子沟，雇工 100 多人开采金矿，10 余年间采金约 3 000 多两。⑤

（四）平远公司承办开采的霍家地等处金矿

光绪二十八年（1902 年），有候选知县、华商王绍林，与英商伊德合办平远矿务公司，拟筹集股金 100 万两，开采平泉州境内（后属光绪二十九年（1903 年）新设建平县境）的霍家地、城子山、王家杖子，及赤峰县属境柴火

① 《赤峰市志》（中），内蒙古人民出版社 1996 年版，第 1013—1014 页。
② 《喀喇沁旗志》，内蒙古人民出版社 1998 年版，第 408 页。
③ 汪敬虞：《中国近代工业史资料》第 2 辑上册，中华书局 1962 年版，第 161 页。
④ 汪敬虞：《中国近代工业史资料》第 2 辑上册，中华书局 1962 年版，第 159—161 页。
⑤ 《喀喇沁旗志》，内蒙古人民出版社 1998 年版，第 408—409 页。

栏子，围场厅属境五台山、白山吐等六处金矿，并经热河都统色楞额呈奏清廷获得批准。但是，在此后的拟订正式合同并辗转呈请审批过程中，平远公司华商代表王绍林病故，改由华商孙世勖顶替，原报拟开采6处金矿，改为只开采建平属境的霍家地、城子山、王家杖子三矿。正式合同中还规定，此前已交课银，按照清政府改订的章程，抵作矿税（值百抽十），其出口之税，仍遵海关税则照章缴纳；同时，如霍家地等三矿遇有矿深见水不能施工，准禀明都统，在该三处准办界内，另寻他处开采。至宣统元年（1909年）春，此项合同正式获准签订。但直到宣统二年（1910年）夏，尚未开始开采。[①]

（五）阜新、朝阳境内的塔子沟等处金矿

清代的阜新、朝阳（后升府）二县，本属卓索图盟土默特左右二旗辖境。

光绪三十一年（1905年）二月，清政府在阜新县治以南的塔子沟设立官办金矿局，承办开采附近的上抬头沟、太平沟、新大堤沟等处金矿。因入不敷出，经营亏累，至光绪三十四年（1908年）均已停办。其中的太平沟金矿，曾雇工50人，经营两年多亏损约2万元。

清末民初，朝阳县（土默特右旗）境内的马胡子沟、山咀子、徐家北沟等处矿，也先后被开采。其中，徐家北沟矿由当地人自1894年开始开采，全盛时约有1 000名矿工，每日可采金约150克，至光绪三十四年（1908年）因亏损停采。朝阳县治以西的小塔子沟金矿，约同治九年（1870年）即开始开采。后因矿坑出水而中衰，残留的矿坑有30多个。[②]

（六）呼伦贝尔北部的奇乾河、吉拉林等处金矿

额尔古纳地区的采金业，始于咸丰十年（1860年）后俄人的越界淘采，初时产量很少。光绪八年（1882年）以后，发现奇乾河至漠河沿岸丰富矿苗，遂有大批俄人涌入淘采，很快达到万余人，仅4年即采砂金32万两。

光绪十至十二年（1884—1886年），清政府将越境俄人全部驱逐。光绪十四年（1888年），由北洋大臣李鸿章设立漠河金矿局招民工淘采，下辖奇乾河等金场，后来又增加吉拉林、乌玛河等金场。至光绪十八年（1892

① 《矿务档》第1册，台湾"中央"研究院中国近代史研究所1950年版，第712、715—724页。

② ［日］柏原孝久、滨田纯一：《蒙古地志》中卷，富山房1919年版，第711—728页。

年），各矿采金工已达 8 000 多人。奇乾河一带金场采金面积达 80 多平方公里，吉拉林开采面积也有 10 余平方公里。

光绪二十六年（1900 年）俄国出兵侵占东北后，额尔古纳河东岸金矿俱被俄人占据。俄政府投资成立采金公司，进行大规模勘探，并在吉拉林河新发现大面积砂金矿。至光绪三十三年（1907 年），仅吉拉林金矿即连续 7 年年产黄金 4 000 两左右，其余各矿年产共计 1.3 万余两。

光绪三十三年（1907 年），清政府收回各矿，奇乾河、吉拉林等矿场改由黑龙江省派官经管。奇乾河金矿又逐年发展，到宣统三年（1911 年）已达拥有 8 500 矿工的规模，年产砂金 12 300 两，人均采金 1.56 两。吉拉林金矿也有矿工约 150 人，年产金约 3 000 两。

1912 年，奇乾河金矿（当时又称西口子金矿）改由黑龙江省广信公司承包经营。适逢该矿鼎盛时期，当年即产金 1.6 万两，次年复达到 1.98 万两。吉拉林金矿在呼伦贝尔"独立"和"特别区域"时期，再度被俄人占据。1920 年收回后，也转归广信公司经营，当年产砂金近 1 300 两。①

采金业是近代额尔古纳地区从业劳动力最多、产值最高的基本产业，只是呈兴衰更替频繁，从业人口流徙无常状态。

二、铜矿和银矿

（一）平泉州境内的铜矿

咸丰二年（1852 年）清政府开放矿禁时，平泉州属铅铜子沟一带铜矿，既有官办招商开采。因为用土法开采，矿洞积水无法抽出，不久即停歇。

光绪七年（1881 年），为了给天津北洋机器局制造军械提供原料，北洋大臣兼直隶总督李鸿章奏准清廷，成立平泉铜矿总局，委派招商局官员、直隶候补道朱其诏主持经营，招商股开采。一年以后，铜矿总局先后募集股金计 12 万银两，从"西洋"购进抽水、起重、吹风等新式机器，采铜炼铜生产日渐进展。但至光绪九年（1883 年）初，因购买机器、水陆运输、购地建房及雇工等开销已用去 93 000 余两。所产净铜，除解运天津机器局十批、上海三批之外，尚存铜矿砂 120 万斤（可出净铜 24 万斤）。由于照旧法熔

---

① 《黑龙江志稿》卷 23，《财赋志·矿产》。

炼，出铜量较少，遂再次招募股金 12 万两，拟购进西方新式熔铜机器（熔炉），聘请洋技师督炼。光绪十年（1884 年），由朱其诏聘请的德国矿师德璀琳开始主持经营，新式发动机等机器也安设投产。光绪十三年（1887年），李鸿章又聘请美国著名矿师哲尔者前来平泉州铜矿等处查勘，并在他的监督下，开始用"最新方法开采提炼"。[①]

由于此矿积水较多，矿石较难提炼，"要炼成纯铜须经过复杂而费钱的手续"，而且雇外国技师聘金高昂（年金一万二三千两），外洋机器价格昂贵，使"洋法"采炼成本过高；加上当时社会动荡、地方不靖，常有盗匪抢劫，以及又历经光绪十七年（1891 年）冬的"金丹道"之乱，至光绪十八年（1892 年），该矿已"残破不堪"。[②]

（二）热河土槽子、遍山线等处银矿

清朝皇帝辟建避暑山庄的热河（承德）地区，本属蒙古喀喇沁等旗领地。开采这一地区的矿产，按照清朝规定，尚须向蒙旗缴纳分成利润（税课）和山分（地租—山租）。

咸丰二年（1852 年）清政府开放矿禁，遂有内地商人呈准热河都统，先后承办开采承德府治附近的土槽子、遍山线（亦曰烟筒山）及罗圈沟等处银铅矿（银铅共生矿，以采炼银矿为主）。按照当时采矿定章，土槽子、遍山线等处矿产，分由热河都统和热河道派员按月征收课银（然后分成给喀喇沁右旗）。至同治元年（1862 年），因该矿采挖日深，山洪秋水无法抽汲，加上资金（矿本）不足，遂行中辍。[③]

光绪七年（1881 年），有锦州人倪中兴呈准接办该矿。因采挖成本较高，"每银砂一斤只出银一两余，一岁之中亏本数万"。一年之后，开挖愈深，银苗愈大，"每银砂一斤可出纹银七八两。"但获利愈厚，"人尽争趋"、"各思染指"，愈难经营，倪中兴遂欲将银矿转让出售。光绪八年（1882年），买办李文耀通过招商局官员朱其诏，预存付资金 1 万两获得此矿经营权，即成立热河三山矿务局，开采遍山线、土槽子、罗圈沟等处银矿。次

---

① 汪敬虞：《中国近代工业史资料》第 1 辑下册，中华书局 1962 年版，第 670—674 页。
② 汪敬虞：《中国近代工业史资料》第 1 辑下册，中华书局 1962 年版，第 670—674 页。
③ 汪敬虞：《中国近代工业史资料》第 1 辑下册，中华书局 1962 年版，第 1135—1138 页。

年，又筹集资本银 20 万银两，并有著名洋务派商人唐廷枢也出资 20 万两，且另贴老股银 5 万两与其合办（唐不久即奉派出洋，实未兑现）。据李文耀称，"矿局初以土法开采，成绩卓然。嗣欲便利开采，乃订购机器，延聘富有经验之中国矿师，产额因而倍增。"①

光绪十二年（1886 年），李文耀因经营亏损，资金难筹，私回原籍不返。次年四月，李鸿章改令当时经营平泉州铜矿的朱其诏接手兼办（改为官办）。其后李鸿章又聘请美国矿师哲尔者前往查勘并监督采炼。至光绪十四年（1888 年），该矿常年雇西方矿师、炉司、医生等 15 人，其中哲尔者年薪一万二三千两，副矿师以下每月 300 两或每日 5 元不等，并且每人每月饭食费 25 元，及交通、住房等费用均由矿务局支付。同时，该矿已配备各种进口西洋机器，雇有矿工 200 人，兵勇（护矿）50 人。以上所有开矿经费，均由李鸿章"筹拨巨款"。②

至光绪十五年（1889 年），该矿开采逐渐旺盛，"计每吨矿石可取出白银五百两"。光绪十六年（1890 年），"每日开山炼矿工作者约共千人"。③至宣统二年（1910 年），仍称"成效昭著"。④ 当时该矿每年经热河道交喀喇沁右旗的山分（山租）为 200 银两，抽分（利润分成）为 110 两。⑤

第六节　清代大青山各沟煤矿业

呼和浩特地区在清代以煤作为主要燃料，官民用煤的生产地主要集中在大青山各沟一带⑥，有数以百计的大小煤矿。这些煤矿不仅为土默特地区带来了丰厚的租税收入，也成为当地土默特蒙古的经济命脉。

---

① 汪敬虞：《中国近代工业史资料》第 1 辑下册，中华书局 1962 年版，第 1135—1138 页。
② 汪敬虞：《中国近代工业史资料》第 1 辑下册，中华书局 1962 年版，第 691—696 页。
③ 孙毓棠：《中国近代工业史资料》第 1 辑下册，三联书店 1957 年版，第 691—696 页。
④ 《矿务档》第一册，台湾中央研究院中国近代史研究所 1950 年版，第 725 页。
⑤ 汪国钧：《蒙古纪闻》，赤峰市政协编印 1994 年版，第 39—40 页。
⑥ 大青山沟谷比较多，主要有五当沟、水涧沟、美岱沟、西白石头沟、完家沟、西沟、朱尔沟、黑牛沟、水墨沟、东白石头沟、忽寨沟、乌素图沟、坝口子沟、红沙口沟、哈拉沁沟、卯独沁沟、奎素沟、乌粱素沟、那只亥沟、陶卜齐沟、石人湾沟、石匣子沟等。

一、大青山各沟煤矿的开发

土默特"其薪樵之山及牧地旷土、煤炭山谷多可采，有大炭及蓝炭之分。境内大青山、哈莫尔、阿利莫图、喀喇乌克尔图四沟皆有税额，归本旗公费。"① 因此，"我们土默特蒙古历来就有开挖煤之习惯"②。这个"历来"据史料，"其设厂征课有关于国家岁计者，实始见于元史"至"清初陕、晋绅者，以抗清事败，名捕甚急，多絜家遁跻塞外。复虑无以资年，除事垦殖而外，则穴山寻煤以为业。万阀万绅，其最著者也。"③ 具体时间《绥远通志稿》卷九十四记载：前明广宁兵备道万有孚，于顺治三年（1646年），联结大同总兵姜瓖于偏头关举兵反清。是年，有孚兵败，携族人潜出塞，入大青山，息于产煤处，向蒙旗租地开采以维持生计，历年既久，聚族而居沟，所居即今之万家沟。这应是清代大青山地区采煤最早的记录。土默特地区原住民在逐水草而居的年代，"拾牲畜之粪，曝干燃烧，以代薪料。"④ 但由于外地人口大量流入以及畜牧业向农业的过渡，随之而来的就是土木砖瓦结构的房屋和城镇的兴起，"城周围无可捡之粪、可砍之树，致使蒙民买柴烧用，木价大涨，"⑤ 从而"种地民人刨柴根为燃料……刨到二尺至五尺深就能见煤出"。⑥ 可见"大青山一带的煤苗甚旺，比较有名的有：哈莫尔、阿利莫图、清水河、喀喇乌克尔图四处"。⑦

大青山各沟煤炭的大量采掘始于雍正年间。雍正二年（1724年）九月初八日，交乾清门二等侍卫阿必达转奏，得旨：应照彼等所请准挖，若收税则非好事，唯此煤窑断不可被民人霸占。从此，归化城土默特两旗派巴尔米特等二十人挖煤窑，共挖煤窑六座。查得，因建城驻军，来到之人比先前成倍增加，烧用甚缺，除先前所报之六窑外，现自煤山挖十六座窑共有二十二

---

① 呼和浩特市土默特左旗档案馆档案，80—27—78。
② 呼和浩特市土默特左旗档案馆档案，80—27—78。
③ 绥远通志馆：《绥远通志稿》卷44，《矿业》，20世纪30年代稿本。
④ 徐珂：《清稗类钞》第5册，《风俗类·蒙人起居》，中华书局1984年版。
⑤ 呼和浩特市土默特左旗档案馆档案，80—27—1。
⑥ 呼和浩特市土默特左旗档案馆档案，80—27—19。
⑦ 高赓恩：《归绥道志》卷22，《物产》，内蒙古大学图书馆藏手抄本。

煤窑出煤。后到乾隆三年（1738 年）十二月，清政府下令除哈莫尔等地开煤窑五座，珠勒固尔、两阿利莫图等三处开煤窑六座，大必车奇（毕克齐）等地开煤窑七座，翁衮岭北六岭沟开煤窑二座，鄂博图等地开煤窑二座，共二十二座煤窑外，将其余煤窑皆永远查封。……嗣后断勿私自多开煤窑。将此严加晓谕众民，贴出告示，永行禁止。①

那么，刚刚开挖十来年的煤窑，为什么就下禁矿令呢？其原因之一是有 22 座煤窑可满足满族官兵、蒙民烧用。其二土默特两旗均分挖煤之地，或由会挖之蒙古挖之或招民挖之，可随彼等之便，因此当地蒙民招用民人挖煤者甚多。而朝廷认为再多开煤窑，可集聚多人，以致生事，相互争利，恶乱之行，诉讼之案遂出，则非好事。这会危及统治秩序的安定，乃至动摇皇朝的统治。根据查开查封煤窑数目及地名册：乾隆四年（1739 年）二月，朝廷派人勘察，共封堵了民人私开的煤窑 109 座。② 从这些煤窑看，多数民人一人开一窑至四五窑，更甚者达二十一窑；开窑者有来自张家口、大同、太原等地域邻近的，也有江南、山东、江西等相距较远地区的民人；开窑者有的正在经营中，有的已无主荒弃、荒废（共 76 座）；有些民人则不顾蒙民之习俗，于众人供祭之济特库山附近海拉苏泰沟阿古依席图肯寺附近开挖煤窑，③ 所开挖的煤窑已遍布大青山各沟。

到乾隆五年（1740 年）十二月，因内地之煤仍照旧禁止，不准出关，故准归化城都统奏，将所禁八十余煤窑，俱准开挖，以便官兵、蒙古、民人之日用。④ 从此，开窑者逐渐增多，仅据乾隆年间的不完全统计，煤窑数量从乾隆八年（1743 年）的 46 座增至乾隆六十年（1795 年）的 229 座。至此清代土默特地区煤矿采掘业进入了新的发展阶段。

二、大青山各沟煤矿的管理

据乾隆八年（1743 年）元月，归化城副都统衙门公文内称："我府历年

---

① 呼和浩特市土默特左旗档案馆档案，80—27—1。
② 呼和浩特市土默特左旗档案馆档案，80—27—5。
③ 呼和浩特市土默特左旗档案馆档案，80—27—143。
④ 呼和浩特市土默特左旗档案馆档案，80—27—9。

立档记载中，没有煤窑这一项。……前任巡检都统也未检查立档。现在巡检衙门要查煤窑之事中，现必须弄清要查的主要项目后才进行详细检查"。①说明，土默特地区煤炭资源管理是从乾隆八年以后才逐渐完善起来的。当时煤矿开采，虽然可随蒙古等之便，但并不意味着随意开采。凡要"自愿挖掘煤窑者，由同知衙门把他们的姓名、年龄造册登记、上报工部，工部同意并转发给同知衙门，同知衙门把开煤窑者的姓名、年龄以及他们所开之……煤窑地点等，一并交由巡逻煤窑的参领"② 方能开窑。办理执照包括以下基本内容：

1. 开窑者姓名、籍贯、年龄、身材、面貌特征。如："王吉，太原县人，七十三岁，身躯端正，脸部紫色，小须；石景，榆次县人，四十六岁，身躯端正，黄脸，小须。"③

2. 煤窑所在地点，煤窑数目，煤窑范围即四至边界，出煤后的责任和义务。正如有关档案所载："小民拟在城南三百余里地区清水河属黑范毛沟地方开挖煤矿一座，待出煤后再请领卖煤营业执照并照章缴纳捐税"；④ "小民现准备在苏尔真沟喀拉托海地方，范围为百步内挖掘煤窑，挖出煤后再呈请领取正式采煤营业执照，照章缴纳捐税"⑤。

3. 拟开窑者需向所在地官府请示，由当地官府查清具保，上报同知衙门，同知衙门续报都统衙门，符合相关规定，且本人品行好，方可准其开挖。经查实不符合规定的，不准开挖。如"按原规定，相距百步以外者准许挖煤窑，假若相距百步以内者，就不准许开挖煤窑"；⑥ "与众人风水无妨才具保准挖"；⑦ 开窑者"系安分守己之人，非肇事之人"。⑧ 领有开挖煤窑执照，并挖出煤之后，将原领执照上缴，再申请盖有公章的正式卖煤营业执照（或卖煤之票），按规定缴税。

---

① 呼和浩特市土默特左旗档案馆档案，80—27—10。
② 呼和浩特市土默特左旗档案馆档案，80—27—13。
③ 呼和浩特市土默特左旗档案馆档案，80—27—19。
④ 呼和浩特市土默特左旗档案馆档案，80—27—196。
⑤ 呼和浩特市土默特左旗档案馆档案，80—27—226。
⑥ 呼和浩特市土默特左旗档案馆档案，80—27—71。
⑦ 呼和浩特市土默特左旗档案馆档案，80—27—143。
⑧ 呼和浩特市土默特左旗档案馆档案，80—27—142。

4. 开采后，有闭、歇、停业者，随时上报详情，经查验确实后，方准闭、歇、停业，窑照缴回注销。各窑户主故去或更换窑主要缴换新照；开采期限（一般为三个月）已过者要报官缴回执照或报官请求延期开挖时间。颁发采煤执照的权限，随着旗权及煤炭业的发展变化而不同。最初由土默特两翼翼长掌管，至乾隆八年（1743 年）开始由都统掌管，其后由绥远城将军掌管，最后由朝廷工部掌管，土默特蒙古之煤矿管理权最终被朝廷所剥夺。

煤矿的日常管理体系日渐成熟。首先建立了保护矿山资源的巡逻队。队伍最初由雍正二年（1724 年）的巴尔米特等 20 人扩大到乾隆三年（1738 年）包括朝达木巴、诺尔博等 62 人。这支在矿区由官府轮流派驻的蒙古巡逻官，无时无刻不进行轮流巡逻，保证煤矿外部环境秩序。"但山区相隔距离遥远力所不及，难免有不法之民私自开挖煤矿之事。……从开挖煤矿人中挑选诚实可靠之人为助手，发给地方乡村巡逻员证书，协助蒙古巡逻官从事巡逻事务"。① 若遇特殊情况，如盗匪猖獗时，归化城都统衙门还可以调饬察哈尔马队维持煤矿秩序。其次在各煤窑设立煤窑之长。从乾隆八年（1743 年）二月的情况看，管理煤窑的参领伊米的、从佐领降一级调用的老颜和巴什胡郎等 102 人是享受盘费银者，后至乾隆二十三年（1758 年）缩减为 51 人。煤窑管理者常住在矿井口公房里，执掌日常管理。包括巡查私自开挖者，一经发现没收煤窑，并赏给各衙门官员；② 治理抬价勒索、聚集滋事、偷税漏税者；侦缉土匪；处理突发事件；对废弃煤窑进行处理；逐日填注雇募工人姓名、年貌、籍贯并按季核查上报，年终造册呈报等职责。其三严惩违禁、违法者。对私自开窑民人"可打二十板，并封闭其私开之煤窑，没收其开窑执照"；③ 对煤窑事故者根据相关案例进行处理。如"参照法书中关于失火烧本人房院者，要打四十板，要是火蔓延至烧毁别人房者，要打五十板之规定"④ 酌情处理。由于每年管窑人员弄虚贪污情况实不少

---

① 呼和浩特市土默特左旗档案馆档案，80—27—116。

② 呼和浩特市土默特左旗档案馆档案，80—27—265。

③ 呼和浩特市土默特左旗档案馆档案，80—27—265。

④ 呼和浩特市土默特左旗档案馆档案，80—27—21。

见，对煤矿管理者也有严格的奖惩制度。如"各旗须经常轮流选派诚实官员去收税地点查访贪污行为"，① 对"多收款项，进行贿赂行为者，被发现后，当即由地方乡村巡逻员汇报蒙古巡逻官，并报管理煤矿官员，予以严厉处分。如巡逻官员与不法之徒私通关系共同作弊者，不论蒙汉官员均一律严加处分并罢免其官职，予以法办。"②

采矿执照、管理队伍以及相关措施的出现，说明了土默特地区矿业法规以及煤炭资源管理上的一大进步，体现了国家对矿产资源统一管理意识的初步形成。

三、大青山各沟煤矿的生产经营

清初，随着禁令的解除和煤炭需求量的增加，归化城土默特地区煤矿生产经营有了较快的发展。土默特产煤之地均在土默特蒙古游牧地方，"各厅辖境内所有煤矿为广大蒙民之财产"，③ "均系土默特蒙古之业，"④ 由两翼均分挖煤之地。从产煤之地的土地所有权形式看，多数为土默特两翼的公有产业，少数已拨给各佐蒙古作为户口地，收吃山租。因此，起初的开挖煤窑者也只限于土默特蒙古，他们可以自力找矿，雇用或招用汉人民工（挖煤熟手）开挖煤窑。所开煤窑数量由开始时的一人一窑，到后来的一人五窑⑤。不仅有各地民人被雇用参加采矿工作，甚至有大批内地民人在当地开煤窑。如乾隆十六年（1751 年），城东鄂博图地方、翁衮岭柳林沟、大阿利莫图沟等地，内地民人共挖 29 座煤窑。清朝最初所定的"惟此煤窑断不可被汉人霸占。若被汉人霸占，收取高价反致扰害蒙民"⑥ 的禁令显然已不起作用了。他们或直接申请执照或在"在蒙古人名下发给正式营业执照"获得开挖经营权。⑦

---

① 呼和浩特市土默特左旗档案馆档案，80—27—193。
② 呼和浩特市土默特左旗档案馆档案，80—27—116。
③ 呼和浩特市土默特左旗档案馆档案，80—27—136。
④ 呼和浩特市土默特左旗档案馆档案，80—27—135。
⑤ 呼和浩特市土默特左旗档案馆档案，80—27—38。
⑥ 呼和浩特市土默特左旗档案馆档案，80—23—868。
⑦ 呼和浩特市土默特左旗档案馆档案，80—27—184。

清代本地区煤窑的主要经营形式有官窑（起初"因公许开二十二个煤窑"）①和民窑两种形式，前者在数量和规模上都不敌后者。从投资形式看，有当地蒙古人出资雇民人开采的独资经营；有"出二十千钱作为本钱，言明将杜力图的旧窑房屋等物折成一分又半分，给高德福分窑巴总的一分，张尧分窑巴总的六厘，在存库分内外差使的五厘，言定总共四分又九厘"②的"分股合伙"；有"小民原在清水河菩萨沟地方曾招用内地人开挖煤矿一座，原由汉民乔江川建议和我商量，他出一部分力量，共同开采此矿，平分收入"③的合作经营；有"因无力招用民工开挖收租者，"④即租赁经营等形式。

据《绥远通志稿》记载：昔二百年来，从事煤业者，类有当地人民小本经营，土法探采，从未有厚集资力，做大规模之经营者。⑤采煤向来是一项最艰苦的工作，根据煤炭资源的埋藏深度不同，当地一般相应的采用矿井开采即一般煤井系斜洞（适合埋藏较深的有烟和无烟煤）和露天开采（适合埋藏较浅的泥炭或河炭）两种方式，土默特地区采煤业多属于前者。由于大青山各沟煤炭种类、品质、储藏深度、煤层厚度、地质状况等自然条件的差异性以及采煤多为地下采选，生产过程中的安全系数相对低，一经较大挫折，如发生透水、塌崩、失火之变，力难再举，事归停废，前踵后继，其结果产量、经济效益受到严重影响。

大青山各沟煤炭产量的不完全统计表

（单位：窑/座、煤炭/斤）

生产年份	煤窑总数（个）	不出煤原因及窑数	售煤窑数（个）	月售煤总量	平均每窑月售煤数
乾隆七年十二月	46	塌崩 8	38	1 395 500 斤	36 724 斤

---

① 呼和浩特市土默特左旗档案馆档案，80—27—3。
② 呼和浩特市土默特左旗档案馆档案，80—23—1165。
③ 呼和浩特市土默特左旗档案馆档案，80—23—961。
④ 呼和浩特市土默特左旗档案馆档案，80—23—1064。
⑤ 绥远通志馆：《绥远通志稿》卷44，《矿业》，20世纪30年代稿本。

（续表）

生产年份	煤窑总数（个）	不出煤原因及窑数	售煤窑数（个）	月售煤总量	平均每窑月售煤数
乾隆十一年十一月	74	出水 2、遇岩石 1、塌崩 25、失火 2	44	2 645 450 斤	60 124 斤
乾隆十五年十二月	77	出水 2 塌崩 31	44	2 152 500 斤	48 920 斤
乾隆十八年六月	96	塌崩 52	44	1 554 500 斤	35 329 斤
乾隆二十三年六月	110	塌崩 93	48	2 364 700 斤	49 265 斤
乾隆二十八年三月	214	塌崩 102	112	2 180 000 斤	19 464 斤
乾隆三十一年四月	157	待修 41	116	2 212 500 斤	19 073 斤
乾隆三十六年四月	95	塌崩 3、待修 65	95	8 390 车，14 986 驮，约 6 397 100 斤	67 338 斤
乾隆四十一年十一月	152	其他 57	95	14 011 车 20 988 驮，约 7 304 100 斤	76 885 斤
乾隆四十五年十二月	171	其他 73	98	13 525 车 24 579 驮，约 9 612 900 斤	98 091 斤
乾隆五十年六月	198	其他 132	66	3 255 车 4 724 驮，约 2 265 000 斤	34 318 斤
乾隆五十四年八月	185	其他 97	88	4 758 车 5 174 驮，约 3 095 900 斤	35 181 斤
乾隆六十年二月	229	其他 147	82	6 034 车 8 970 驮，约 4 155 500 斤	50 677 斤

资料来源：呼和浩特市土默特左旗档案馆：满文财政类矿务项 27 目录、汉文财经类 6 目录等档案。

据以上材料可知，自乾隆七年至乾隆六十年（1742—1795 年）间，大青山各沟煤炭业发展的很不平衡，其中从乾隆七年至乾隆三十一年（1742—1766 年）间处于缓慢增长阶段，收入差距仅 37 个百分点；乾隆三十一年至四十五年（1766—1780 年）间进入快速上升阶段，收入差距为 77 个百分点；乾隆四十五至五十年间（1780—1785 年）处于迅速下滑阶段，收入差距为 78 个百分点；乾隆五十年（1785 年）后开始略有回升。

煤炭业发展缓慢甚至下滑的原因是多方面的。勘探、采据、生产的原始性是煤窑不能正常出煤的重要原因。如乾隆十六年（1751 年）二月份共 80 座煤窑中不出煤的占 60%；乾隆十八年（1753 年）七月份共 97 座煤窑中不出煤的占 55%；乾隆二十三年（1758 年）七月份共 141 座煤窑中不出煤的占 65%；乾隆四十六年（1781 年）七月份共 163 座煤窑中不出煤的占 55%；乾隆五十年（1785 年）五月份共 198 座煤窑中不出煤的占 65%。据此，乾隆十六年至乾隆五十年（1751—1785 年）间，各煤窑不产煤率均占一半以上，这不仅是开挖之后不产煤的问题，而且还涉及自然环境被破坏等问题。所开挖之煤窑不出煤的原因之一，开挖者不具备煤矿勘探知识，只是"似可出煤、出煤的可能"甚至"根据蒙古挖煤规定"而申请执照进行开挖，结果是"自乾隆十年（1745 年）十二月至乾隆十五年（1750 年）十一月，陆续新开煤窑三十一座，因不出煤停挖之窑三十"[1]，开挖后无功而废弃的所谓的煤窑就占 96.7%。所以，乾隆年间（1736—1795 年）的近 120 份营业执照相关档案中有 25% 是申请注销执照的。其二，缺乏对煤矿安全的重视和防范。"煤矿以靠明火灯头火焰颜色及长短判断瓦斯量大小，敲帮问顶听声音判断顶板是否冒落，听水声看颜色判断是否有老塘水涌击的经验来判断事故发生的可能性。至于抗灾能力则全部掌握在'窑主'手中，生产安全没有保护。"[2] 而且小煤窑密集度高，几座煤窑间距只有百步之遥，且相互已挖通，一旦出事故就受连累。其三，生产条件差，劳动强度大。据记载：各窑皆用土法开采，斜洞以錾石梯，以备上下，石梯每级高约七寸。其窑厂组织设写账工人，把总一名……专任在窑洞内指导采矿，为全窑主要人物。又水头一名，水工数名，专任在窑洞内治水。……此外即为工人。入窑洞工作时，三人为一帮。一在内挖煤，其二人向外拖送，[3] 煤窑内"挖煤时，天寒风大，所以拣来几块木片在窑内无煤处生火抽烟，顿时瞌睡在火边熟睡"[4] 进而引起火灾。煤矿管理者虽然在矿

① 呼和浩特市土默特左旗档案馆档案，80—27—69。

② 内蒙古自治区煤炭志编委会：《中国煤炭志》（内蒙古卷）第 4 篇，煤炭工业出版社 1995 年版，第 6 页。

③ 绥远通志馆：《绥远通志稿》卷 44，《矿业》，20 世纪 30 年代稿本。

④ 呼和浩特市土默特左旗档案馆档案，80—27—21。

区大棚居住，但受条件限制灭火工具等一般由协理通判管理，在重大事故发生时不能及时采取措施。

本地煤炭生产的季节性、生产条件的简陋以及道路运输的落后性也是影响煤窑经济效益的一个因素。因为，当时生产技术条件的限制，挖煤者只能依靠自然的通风条件，所以各窑生产时间均集中在每年夏历八月初一日前后到次年五月初一日前后。下面是阿利莫图等沟（包括大阿利莫图、小阿利莫图、苏勒哲等沟）煤窑生产情况。

阿利莫图等沟煤窑生产情况图

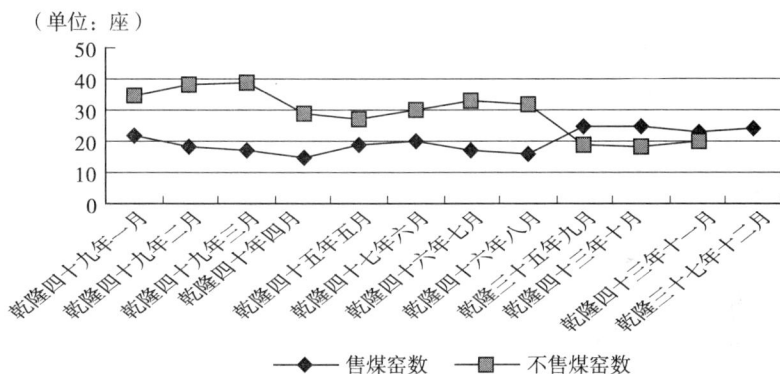

阿利莫图等沟煤窑收入情况图

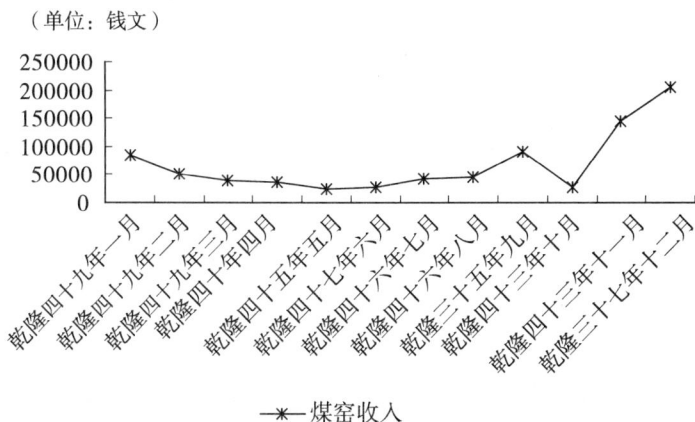

阿里莫图等沟煤窑产量情况图

单位：斤

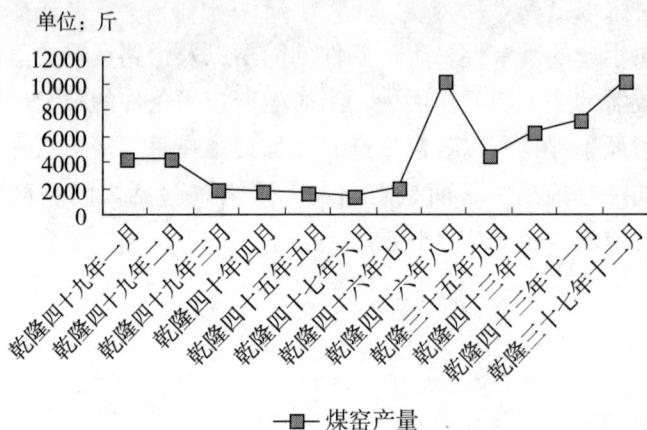

——■—— 煤窑产量

阿里莫图等沟月均售煤情况图

单位：斤

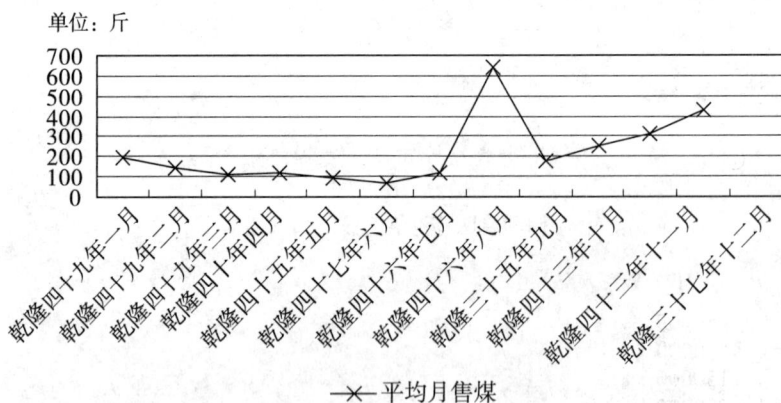

——✕—— 平均月售煤

资料来源：呼和浩特市土默特左旗档案馆：满文财政类矿务项 27 目录档案。

从售煤月份看，一月到四月售煤窑数数量逐渐减少，从五月份开始上升，到九月至十二月保持平稳态势；产量与收入以及平均销售量上看，从八月到一月是生产旺季，三月到七月是淡季。

另外，从业者的稳定性及生产技能也是提高经济效益的关键。本地开矿者包括闲散、参领、佐领、防御、前锋校、骁骑校、护军校、文书、窑长、披甲、领催、平民等。多数是兼职人员，不管是当地蒙古还是民人多数是在农闲季节挖煤，有的还"因开挖煤窑油水不大所以就擅离逃走"，① 从业者不稳定。井下开采，长期处于使用镐、锹、锤、錾等工具的手工作业阶段，产量没有保障且事故多。仅从乾隆十三年起至三十年（1748—1765 年）止，据管窑佐领伯、参领沙津札布，骁骑校旺楚克札布呈文称：他们所管辖内的74 座旧窑、两座新窑，共 76 座煤窑中，因失火而未卖煤的 1 座，因出水而未售煤的一座，因塌崩而未卖煤的 33 座，近半数处于停业状态。

道路运输条件差。当地煤炭运输方式分两种：一是陆路运输，一是水路运输。陆路运输是煤炭运输的主要方式，而陆路运输的一个关键性问题就是运输路段的修建与维护。在当时由于条件所限，官府不可能投入巨资修路，而一般个体煤炭业者也往往无能为力。陆路运煤主要以畜力为主的车拉、畜驮兼有人背。畜力有牛、驼、马、驴、骡等，畜力车分单套车、二套车，车辆装载量据运输条件而定。起初"惟因道路崎岖，每车一套不过能载八担（一担重约百斤）之多"②，到光绪年间"近年山路屡修平坦车户一套足能运载至十五六担之多"③，到民国年间普通单套车可装煤六七十担、二套车可装煤百担、牛车可装煤约 300 担，日行牛（车）50 里，马（车）六七十里。车户多属农家，以此为副业，随着车辆运输也有"朔州民，在大斗林庆（大斗林沁沟）修车生理"④，可见车运在煤炭运输中已有了较好发展。还有畜驮每骡可驮 200 斤，驴可驮一百三四十斤；也有专门背煤为生者（如乾隆十年扬大利、扬大志为大斗林沁沟窑主张兴背煤为生），每人日背 10 背左右，约 300 斤到 500 斤。土默特地区的水路运输，以黄河水面为主，每年通航季节由清明前后数日开河至冬至前十余日封河，至多为八个月。主要集中在清、托二厅属之喇嘛湾等处，每条船以 1 000 斤以上。由于贩运燃料可为常年生计，清代土默特地区出现了载用煤炭为业的"车骡驼户蒙汉诸色人等"⑤。燃料的流通也与交通运输业的发展有着相辅相成的关系。从土默特地区煤炭业的采掘与运营看，以本地区为主，很少运往外地。这一方面说明，当地居民

---

① 呼和浩特市土默特左旗档案馆档案，80—27—62。
② 呼和浩特市土默特左旗档案馆档案，80—6—547。
③ 呼和浩特市土默特左旗档案馆档案，80—6—2922。
④ 呼和浩特市土默特左旗档案馆档案，80—27—19。
⑤ 呼和浩特市土默特左旗档案馆档案，80—6—547。

以煤炭为燃料的居多；另一方面也说明，当地煤炭产量的有限性，除满足当地需求外余存不多以及交通运输不发达，无条件运销外地的实际情况。

总之，清代土默特地区的采煤业中占主体部分的民窑的发展虽投资少，但经营方式多样化；生产的目的为满足当地居民以及手工业做燃料；生产的规模小，仍是季节性生产，但已出现专业化的管理者及生产者；出现了拥有资本开办煤窑者与受雇者的雇佣关系。

随着煤炭业的发展，土默特地区燃料消费结构也发生了变化。从燃料的消费类型上看，可分为煤炭——矿物性能源和薪柴——植物性能源；从消费群体上可分为民间消费、官府消费；从燃料用途上看，生活燃料、工业性燃料，即少数煤矿煤炭可炼银、铁。在城市居民已无可捡之粪、可砍之树而买柴烧用，种地民人也早已刨柴根为燃料的情况下，煤炭的开采为当地居民提供了价格低廉、燃烧值又优于木柴、牛粪的生活燃料。据资料，归化城地区乾隆年间官府各处用煤情况统计如下：

归化城官府各处每月应交煤炭账分析表 （单位：斤）

部门	兵司	户司	稿房	银库	印房	文庙	将军前锋营	都统前锋营	巡捕营	文昌庙
大炭/斤	300	240	150	150	300	300	150	150	300	900/每年
煤/斤	300	240	240	150	240	240	300	240	300	900/每年

资料来源：呼和浩特市土默特左旗档案馆：满文财政类矿各项 27 目录 9 号件档案。

各处年消费大炭，即有烟煤、块炭 26 100 斤；煤即无烟煤 27 180 斤。虽然对此还缺乏更多的数据资料，但是可以印证：煤炭采掘业，缓解了薪炭资源短缺所带来的压力。同时，煤炭作为生活燃料在民间的广泛使用，引发了人们风俗习惯上的变化，并正在完成着近代城市燃料结构的转型。

四、大青山各沟煤税收支

煤炭租税是土默特两翼的主要租税收入之一，也是土默特蒙古主要的生计来源。最初朝廷认为其准开挖，"以便官兵蒙古民人之日用，……而收税则非好事"[1]。但到乾隆四年（1739 年）八月二十八日，归化城代理左翼旗大

---

[1] 呼和浩特市土默特左旗档案馆档案，80—27—9。

臣、副都统色图等呈报称："首先，由我两旗内开挖煤窑六处，煤价每百斤定为二十钱。其中十六钱支付民工班，所余四钱作为守卫煤窑旦巴等人之粮草、维修道路、桥梁之用。现又增加十六处煤窑，煤窑前后共为二十二处，年收入额为三百至四百贯"（旧时每一千个叫一贯，一贯千钱）①。这是本地区所征收的最早的煤炭租税记录。从其后每次煤炭收款情况看，煤价每百斤售价二十钱，从中收税每百斤四钱，将税钱之"十分之三分给了看守煤窑的官兵，十分之七奖给了尽职勤卖力的官兵"，②"以上情况经皇上圣鉴训示，于乾隆四年九月十二日指令各知县遵旨执行"③，即从此土默特煤炭租税按三七分成分别使用成为定例。随着煤窑开采规模的扩大，上缴入库的煤税收入也逐年增加。兹据归化城副都统衙门满文档案，部分年份煤税公款绘图如下：

乾隆年间归化城土默特煤税七成款图

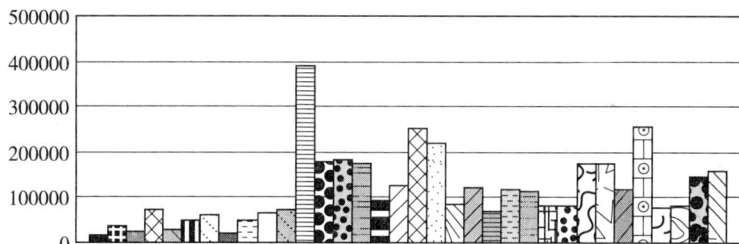

（单位：钱文）

七成款

■ 乾隆五年六月　⊞ 乾隆七年十二月　□ 乾隆八年一月　◨ 乾隆十一年十一月
▦ 乾隆十三年二月　⊡ 乾隆十四年十月　□ 乾隆十五年十二月　■ 乾隆十六年二月
□ 乾隆十八年八月　□ 乾隆二十三年七月　▦ 乾隆二十八年五月　▤ 乾隆三十四年十二月
◖ 乾隆三十六年四月　◉ 乾隆三十七年五月　▣ 乾隆三十八年一月　▬ 乾隆三十九年七月
◪ 乾隆四十年四月　▨ 乾隆四十一年十一月　◫ 乾隆四十三年十一月　▢ 乾隆四十五年五月
▨ 乾隆四十六年一月　▩ 乾隆四十七年六月　◩ 乾隆四十九年二月　▥ 乾隆五十年二月
▤ 乾隆五十三年七月　■ 乾隆五十四年八月　□ 乾隆五十六年十月　□ 乾隆五十七年十月
▨ 乾隆六十年二月　□ 嘉庆三年十二月　▧ 同治七年四月　▨ 光绪十二年三月
◪ 光绪十三年一月　□ 光绪十四年十月

资料来源：呼和浩特市土默特左旗档案馆：满文财政类矿各项 27 目录 9 号件档案。

---

① 呼和浩特市土默特左旗档案馆档案，80—27—193。
② 呼和浩特市土默特左旗档案馆档案，80—27—10。
③ 呼和浩特市土默特左旗档案馆档案，80—27—193。

据图表，在乾隆年间（1736—1795 年）上缴的煤税收入基本呈上升趋势，光绪年间（1875—1908 年）的税收增长缓慢。究其原因，与生产规模不无关系。如乾隆五年至乾隆十六年间（1740—1751 年）售煤煤窑数由 19 座增加到 48 座；由乾隆十八年（1753 年）的 47 座增加到乾隆三十四年（1769 年）的 122 座，即煤窑数量有增无减。光绪年间没有具体统计数字，但从所收收入上看假定煤炭售价不变的前提下，光绪十二年（1886 年）三月的煤炭收入为 117 364 钱、光绪十三年（1887 年）正月为 210 688 钱、光绪十四年（1888 年）十月为 224 744 钱等。基本与乾隆四十五年（1780 年）五月（81 窑）和乾隆五十六年（1791 年）十月（78 窑）的收入水平接近。其二，与清朝的煤炭售价与煤税征收规定有关。清廷允准开挖煤窑以来"按上级规定每百斤售价定为二十钱，并严加防止涨价出售"①，从中收税每百斤四钱，即 2% 的税率。当时每大车一套能（煤）载八担之多，是以每一套定收制钱 32 文、每小车（牛车）一套（或杂炭、碎煤）定收制钱 20 文、每驮畜定收制钱 4 钱文计。而随着道路交通运输等条件的改善，到光绪三十一年（1905 年）时，运炭载重量已提高到"车户一套足能运载至十五六担之多……由本年三月初一日起，增每车一套定收制钱五十文，每驼一头定收制钱二十文，每骡一头定收制钱一十八文，每驴一头定收制钱一十文。所有清托二厅属之喇嘛湾等处水面地方，以船运炭者亦按载炭一千斤，比素日再加炭税制钱二十文"②。车辆载重量提高了一倍，相比之下税收增长只有 36%，税收收入的增长受到影响。其三，煤税收入的高低与煤炭需求量成正比。土默特两翼人口在乾隆七年（1742 年）时共计 6 万余口，进入鼎盛时期，到光绪十九年（1893 年）两翼人口共计 17 580 口。虽然乡村居民的生活燃料还可以捡牛粪为辅，城镇居民早就没有了可捡之牛粪、可伐之林木，完全依靠煤炭。加上当地各级管理机构和养济院等在冬季均在用煤。光绪十年（1884 年）时，当地养济院的贫民每人每日给炭三斤为最低生活燃料，可见乾隆年间的煤炭需求量远远大于光绪年间，更何况乾隆中期居民生活水准高，购买力有保障。而光

---

① 呼和浩特市土默特左旗档案馆档案，80—27—193。
② 呼和浩特市土默特左旗档案馆档案，80—6—2922。

绪十年，每斤煤炭时价银四厘五毫四丝，与乾隆年间变化甚微；山路屡修是
比以前平坦了许多，但受人口、购买力诸因素影响，煤炭销售量少，税收收
入低。税收征收情况对税收收入也有影响。据档案资料，兹乾隆以后的各年
份欠税比较严重。如：嘉庆五年（1800 年）十月、十一月各处应缴七成款
共 371 358 钱内，尚欠款 148 900 所欠比率达 40%；嘉庆十八年（1813 年）
阿利莫图等各沟煤窑欠二月至八月应缴款 318 560 文；光绪九年（1883 年）
"数年以来，……官钱累欠共七百余千文"①；光绪十一年（1885 年）二月、
光绪十七年（1891 年）正月、二月、十一月、十二月派往各处之收税官员
应缴之税钱，累欠至共 336 737 文等。拖欠公款是因为：收税官员推托不
缴，且不以为事，如欠平常之债，毫不畏惧等不履行职责之因；收税官员数
次催征，但路远来去不方便之因；窑主逃、躲，拒不缴税之因；匪徒等抢掠
烧毁而受阻之因；管窑人员弄虚、贪污等，使"本旗派出各员分赴各税口，
往往收之不敷官额赔累甚重陆续补亏至今"②，导致旗库奇绌，一切办公处
处为难。

　　为了更好地保障煤税收入，制定了一整套比较完整的税收监管体系。朝
廷派官员总体监督，两翼派参领一员为煤矿总管，每处再派佐领、骁骑校、
前锋校、护军校等各一员驻扎，向窑长、窑主、窑户收税。各处收税官必须
按时缴、上报将军衙门，将军衙门必须把每年收支情况限定于次年咨报户
部、理藩院核销。煤窑征收钱文，每年仍照旧例，由户司缮稿，转交银库，
由库出具接收凭证。

　　煤炭租税收入是土默特两翼地方财政支出的主要来源。自乾隆四年
（1739 年），煤炭租税收入三七分成分别使用成为定例后，所上缴七成公款
的分配使用情况，据乾隆三十五年（1770 年）十月初二日的一份档案
资料③：

①　呼和浩特市土默特左旗档案馆档案，80—27—318。
②　呼和浩特市土默特左旗档案馆档案，80—6—2922。
③　呼和浩特市土默特左旗档案馆档案，80—6—2437。

奖赏归化城土默特旗务衙门官兵五百千文分配情况表

（单位：钱文）

七成公款共二千二百三十六千三十三文		
奖励效力官兵钱五百千文办理旗务章京笔帖式帮走兵丁及官差效力官兵人等内列为：	头等参领十二员每员钱九千九百八十五文，计钱一百一十九千八百二十文	共一百一十员赏钱百过五千
	佐领十二员，每员钱七千九百八十五文计钱九十五千八百二十文	
	骁骑校、护军校二员，每员钱五千九百三十五文计钱一十一千八百七十文	
	列为二等佐领四员，每员钱五千九百三十五文计钱二十三千七百四十文	
	骁骑校护军校二十八员每员钱三千九百五文计钱一百九十三百四十文	
	笔帖式六员每员钱一千八百八十六文计钱十一千三百一十六文	
	列为三等佐领二员每员钱三千九百五文计钱七千八百一十文	
	骁骑校护军校十三员每员钱一千九百五文计钱二十四千七百六十五文	
	列为头等帮走兵四十四名每名钱一千六百八文计钱七十千七百五十二文	
	列为二等帮走兵八名每名钱一千二百四文计钱九千六百三十二文	
	列为三等帮走兵丁十九名每名钱八百文计钱十五千二百文	
又备赏远差官兵钱二百千文		
实存钱一千五百三十六千三十三文		

资料来源：呼和浩特市土默特左旗档案馆：汉文财政类 6 目录、满文财政类矿务项 27 目录等档案。

光绪二十二年间的情况为：①

光绪十九年十二月至二十年止额征七分税钱一千五百四十二文	提出补修军器钱八百吊（一千文钱为一吊）	以上官缮披领共百十员各为等奖钱百吊
	头等参领十二员各赏钱一千九百八十七文，共计钱二十三千八百四十四文	
	头等佐领二十七员各赏钱一千六百四十七文，共计钱四十四千四百六十九文	
	二等佐领九员各赏钱一千五百四十七文，共计钱十三千九百二十三文	
	列入头等骁骑校云骑尉监生四等台吉六十一员各赏钱一千三百四十七文，共计钱八十八千九百二文	
	列入二等骁骑校云骑尉监生四等台吉十八员各赏钱一千二百四十七文，共计钱二十二千四百四十六文	
	列入三等骁骑校二员各赏钱一千一百四十八文，共计钱二千二百九十六文	
	列入头等笔帖式七员各赏钱一千一百四十七文，共计钱七千三百二十九文	
	列入头等委笔帖式十三员各赏钱九百四十七文，共计钱十二千三百一十一文	
	列入二等委笔帖式三员各赏钱八百四十八文，共计钱二千五百四十四文	
	列入头等缮书领催披甲三百二十九名各赏钱七百四十七文，共计钱二百四十五千七百六十三文	
	列入二等缮书三十九名各赏钱六百四十七文，共计钱二十五千二百三十三文	
	列入三等缮书二十名各赏钱五百四十七文，共计钱十千九百四十文	
	光绪二十年分远差官兵披甲缮书等共支给过盘费钱一百九十六千八百文	
以上提出拨补修军器项及奖赏官员缮书并远差官兵盘费等项统共用过钱一千四百九十六千八百文，现在实存钱一千二百二十六千四百四十二文		

---

① 呼和浩特市土默特左旗档案馆档案，80—6—2563；80—6—2753。

从清代乾隆和光绪年间的煤炭租税公费银的使用情况看，补修军器钱与土默特旗务衙门办事行走官员缮书以及奋勉差务官兵的支出没有变化，而光绪年间的官兵人数比乾隆年间增加72%，参与分配者的等级分的更详细，而分得的钱数减少。远差官兵的盘费乾隆年间多于光绪年间。至于煤税公费银支出项目则名目繁琐：有购买火药盘费、因公赴京差员盘费、随都统太太回京差员盘费、修复土默特与茂明安界鄂博差员盘费、修复土默特与达尔汉贝勒界鄂博差员盘费、修复土默特与四子部落界鄂博差员盘费、跟随将军进京差员盘费、会查可可以力更地基差员盘费、呈送奏销册籍差员盘费、请领宪书差员盘费、呈送减平银两差员盘费、护送多伦诺尔诵经喇嘛盘费、总查各卡伦差员盘费、呈送比丁册籍差员盘费等等。除此之外，将军衙门、副都统衙门以及各司处所燃烧费也由煤税项下支用。由于管理机构日益庞大，"一切办公处处为难，叠经十二参领公请……酌增煤炭税钱俾资办公"。[1] 到后期朝廷下令将煤税收入的一部分发商生息，以此补充公费银之不足。

第七节　内蒙古中东部的煤矿开采

一、呼伦贝尔地区的煤矿

（一）扎赉诺尔煤矿

扎赉诺尔煤矿位于中东铁路滨洲线扎赉诺尔车站以西。光绪二十五年（1899年），俄人在勘修中东铁路时发现。光绪二十八年（1902年）由中东铁路公司开采，产煤主要用于中东铁路机车用煤。开采方法仍主要是用手镐等笨重人力方式。

光绪二十九年（1903年），扎赉诺尔矿产煤1 600吨。光绪三十一年（1905年），扩展到4座矿井，并开始露天开采，年生产能力约15至16万吨。[2]

光绪三十二年（1906年），清朝政府开始谈判回收光绪二十六年（1900年）俄军侵占东北后所失各项利权。经哈尔滨铁路交涉局总办宋小濂与俄

---

① 呼和浩特市土默特左旗档案馆档案，80—27—78。

② 徐世昌：《东三省政略》卷1，《边务·呼伦贝尔篇》。

方铁路公司交涉，收回煤矿地权，议定商租合同，每煤千斤缴纳税银一钱二分，并在矿区设立了煤税局。①

至宣统元年（1909 年），扎赉诺尔煤矿共有煤洞（矿井、矿坑）14 个，分为明洞（露天）和暗洞（井下）。明洞出煤用人工，暗洞出煤用机械。除了因不慎点燃煤火未能扑灭而停采的 5 号矿、尚未开采的 3 个矿口及已采挖完毕者，当时正在开采的有 4 个矿。采煤工人 200 余名，既有中国人，也有俄国人，分为三班昼夜开采。光绪三十四年（1908 年）度（农历正月至十二月底）共产煤 2 亿斤即 10 万吨，中国煤税局收得税银 2 万余两。②

宣统二年（1910 年），铁路公司将煤矿租赁承包给俄国矿商经营。

（二）甘河煤矿

甘河煤矿位于嫩江支流甘河南岸，又称九峰山煤矿，即今鄂伦春自治旗东南部大杨树煤矿。

光绪三十年（1904 年），有猎人在九峰山发现矿苗。光绪三十二年（1906 年），署黑龙江将军程德全聘请中外矿师前往踏勘，得知该煤田煤质优良，储量丰富。程德全遂奏准清廷，拨出官款 20 万吊作为资本，委派官员前往兴办煤矿，雇矿工五六十人开始开采。光绪三十三年（1907 年）以后，经东三省总督徐世昌派员调查滞销原因，得知主要是由于山多水急，运道梗阻，脚价运费过高，即提出从煤窑修铁路通至嫩江口墨尔根（今黑龙江省嫩江县），购进轮船经嫩江运往齐齐哈尔，自可收效。至宣统元年（1909 年），经继任黑龙江巡抚（东北改行省制后，将军改巡抚）周树模会同继任东三省总督锡良奏准清政府，由黑龙江省广信公司借拨 20 万两，着手修路购轮。宣统二年（1910 年），购进浅水轮船两艘。1912 年春，九峰山至墨尔根（博尔气）嫩江口的马拉轻便铁路竣工，甘河煤矿的生产开始恢复和发展。当时每年外销原煤约 1.4 万吨，采煤工人最多时达 400 余人。③

（三）察汉敖拉煤矿

察汉敖拉煤矿位于满洲里西南、察汉敖拉卡伦以东。

---

① 徐世昌：《东三省政略》卷 1，《边务·呼伦贝尔篇》。
② 徐世昌：《东三省政略》卷 1，《边务·呼伦贝尔篇》。
③ 《黑龙江志稿》卷 23，《财赋志·矿产》。

光绪三十四年（1908 年），察汉敖拉卡官发现旱獭掘地洞所出之土含有煤质，遂命卡兵采探。挖至丈余见碎煤，至三丈余则有煤块重叠现出。[1] 同年冬，呼伦贝尔副都统宋小濂命该卡伦弁兵试办开采，嗣因时值寒冬、矿洞出水而暂停。宣统元年（1909 年）秋，署胪滨府知府张寿增到任后，与正在经营开采的矿商唐松年、卡弁王文兴协商，决定成立察汉敖拉煤矿有限公司，呈报黑龙江省正式立案发给执照开采，并于同年十月获得批准。由于唐松年等矿商资金不足，投入开采未及见成效即已亏赔，提出请官府出资改为官督商办。知府张寿增遂自行出面，拟招集商股资金羌洋 2 万元，商办经营煤矿公司，并于宣统二年（1910 年）二月呈报并获得东三省总督和黑龙江巡抚批准。

正当张寿增等人边筹资边试行开采时，俄办中东铁路公司及其属下的扎赉诺尔煤矿也想染指该矿。宣统二年（1910 年）三月间，中东铁路公司未经黑龙江当局许可，即派矿师随带俄兵和探矿设备前来矿区"查勘"，企图阻止华商开矿。为此俄国驻北京公使廓索维茨还出面照会清政府，以中俄《黑龙江铁路煤矿合同》［光绪三十三年（1907 年）签订］中规定的允许铁路公司在路界（两旁 30 里之内）内随意择地开矿，他人开矿须经铁路公司批准等条文为借口，企图攫夺察汉诺尔煤矿。经中国黑龙江省及胪滨府根据《煤矿合同》明文规定的路界内同样允许华商开矿，并委派官员亲往查勘，证明华商确实先已开采并已获地方当局批准，据理力争，俄方才不得不撤回勘矿人员。

俄国中东铁路公司攫夺察汉敖拉煤矿的企图虽未得逞，却使得华商资本畏于中俄纠葛而止步不前，原已入股并参与经营的华商也提出要抽撤股金。张寿增不得已，为维护主权、利权，转请黑龙江省署出资 5 000 元羌帖（银圆）官股，改由胪滨府出面经营煤矿，华商具体开采。据宣统二年（1910年）九月奉命前往察汉敖拉煤矿查勘的江省官员报告，该矿当时有原开、新开各两个矿井正在出煤，有矿工 20 余人，另有原开已停 4 个矿井。[2]

辛亥革命爆发后，呼伦贝尔民族上层在俄国支持下于 1912 年年初宣布"独立"（后改"自治"），该矿华商撤出，后由某意大利矿商经营开采。

---

① 《黑龙江志稿》卷 23，《财赋志·矿产》。
② 《矿务档》第 7 册，台湾中央研究院中国近代史研究所 1950 年版，第 4826—4843 页。

二、内蒙古中东部地区的煤矿

（一）喀喇沁右旗境内的煤矿

所知卓索图盟喀喇沁右旗境内最早开发的煤炭资源，是旗境东北部的五家煤矿（今属赤峰市元宝山区）。据说早在乾隆四十九年（1784 年），即有人开采煤窑，窑主 22 家，日产煤 90 吨左右。嘉庆二十一年（1816 年），有内地农民赵尉文携眷来到五家地方，以采挖煤炭为生。后来，因争夺矿区与人争斗致死。其家人进京告状，终于光绪十九年（1893 年）得到清政府发给的"龙票"（特许执照），取得了矿山经营权。当时，矿山分为前窑和后窑，有大小矿井 10 余眼。到 1912 年，煤矿生产进入全盛时期，日产煤 200 余吨，雇用矿工 2 000 多人。① 由于煤矿地权属喀喇沁右旗，清末民初时，该矿每年须向喀喇沁王府缴纳定额山租（山分银）400 两，折合制钱 1 800 吊，由热河都统署征收后转交该旗。②

喀喇沁右旗东北部的十大分煤矿（今古山煤矿，属赤峰市平庄镇），开采始于光绪二十七年（1901 年）秋，民国初期的经营者为邢福中，每年亦须向该旗王府缴纳山分银 400 两。③

该旗西北境还有小牛犀煤矿。光绪末期，喀喇沁王贡桑诺尔布将该矿开采权授予汪殿英。该矿规模较小，民国初期仅有矿工数人进行开采。④

（二）喀喇沁左旗境内的冰沟煤矿

冰沟煤矿位于卓索图盟喀喇沁左旗（今属辽宁省）公爷府以南，分布着许多矿区。约从 19 世纪末开始，即有人逐步开采。光绪三十二年（1906 年），天津人丁令得投入 50 万吊资金，购进一台抽水机，开挖广东窑及北岭窑等矿区，后因矿坑涌水严重，受到很大损失而中止。1912 年，凌源药王庙人张麟书，以资金 15 万吊获得经营开采权，不久亦因矿坑涌水而将经营

---

① 《赤峰市志》（上），内蒙古人民出版社 1996 年版，第 943 页；《喀喇沁旗志》，内蒙古人民出版社 1998 年版，第 404 页。

② 汪国钧：《蒙古纪闻》，内蒙古人民出版社 2006 年版，第 39 页。

③ ［日］《蒙古地志》中卷，富山房 1919 年版，第 766—767 页；汪国钧：《蒙古纪闻》，内蒙古人民出版社 2006 年版，第 39 页。

④ ［日］《蒙古地志》中卷，富山房 1919 年版，第 760—761 页。

权转让。

上湾子窑　约 19 世纪末，有王品三等 6 人合资投入 2 000 元开始开采。民国初期，开采的坑口有五六个，矿工有 10 组，年产量约 1 000 万斤，每年收益 2 000 元以上。

下湾子窑　约 19 世纪末，由凌源人栾荣玉联合另 5 人合资，设立营业公司开始开采。民国初期，开采的坑口有 6 个，雇用矿工 40 人，年产量约 500 万斤，每年收益约 4 000 元。

南台子窑　约 19 世纪末，由刘玉有、张连贵二人合资开采。民国初，上湾子窑经营者王品三亦投入资金，与刘玉有、张连贵组成义合成号煤窑，共有资本 1 800 元。本窑开采主要在冬季，雇有矿工 30 组 210 人。春夏两季因雨水多，只雇用 20 名左右矿工开采。年产量约 500 万斤。

冰沟煤矿的租税缴纳办法为：光绪三十二年（1906 年）规定，每年向热河都统署上缴税金 3 000 两（5 400 银元）。后来改为每生产销售 100 斤块煤，征收税金 6 钱，其中 5 钱上缴热河，1 钱交付蒙古王府；每 100 斤粉煤，征收 4 钱，其中 3 钱缴热河官署，1 钱交蒙古王府。

该矿煤炭质量优良，块煤约占三分之二，粉煤约占三分之一。民国初期，每年产煤共约 2 500 万斤，即 1.25 万吨，其中 40% 销售本地，60% 销售于附近的凌源、建昌、绥中等地。[①]

（三）土默特左旗境内的新邱煤田和孙家湾煤矿

卓索图盟土默特左旗境内的新邱煤矿，位于清末新设阜新县城以东，即今辽宁省阜新煤矿。

光绪二十四年（1898 年），当时在土默特右旗王府属下黑山沟煤窑担任矿工工头的朝阳县人徐某，在新邱一带老君庙下山沟中发现了经山洪冲刷后露出的矿苗。同年九月，徐某招雇矿工 100 人，开始在老君庙附近挖掘三个矿洞，开采煤炭。由于矿洞漏水严重，加上矿工佣金较高，造成经济亏空，遂停止开采。

光绪三十年（1904 年），新邱煤田的福增、宝成、隆兴、兴顺四个煤窑又相继被开采。光绪三十一年（1905 年）九月，烟台煤矿的英国技师前来

---

① ［日］《蒙古地志》中卷，富山房 1919 年版，第 769—777 页。

勘察煤田蕴藏状况。光绪三十三年（1907 年）五月，京奉（今京沈）铁路公司决定直接经营该矿，着手修造矿井和试采，并拟修筑矿区至京奉线厉家窝铺车站的铁路，以便煤炭外运。经营一年半之后，由于铁路公司与技师之间的意见不一致，亏累损失约 40 万元资金，停止营业。其后，煤田各矿区矿窑遂由各矿商分别经营开采。其中，清末已开采的主要有：

隆兴窑矿区福庆窑 光绪二十五年（1899 年）九月，由营口人王章封、腾捷田出资开采，投入资金 8 万元。民国初，经营权所有者为阜新人崔荣，有 3 个斜井、1 个竖井，矿工 130 人，日产煤 2 万斤。年产量约 1 200 万斤即 6 000 吨，块、粉煤各占一半。本窑还有最初从营口购进的一台抽水机。

恒元矿区恒元窑 投资经营者为黑山人张大荣。光绪三十一年（1905 年），英国技师前来查勘后开始开采。民国初期有矿井（坑口）6 个，深 5 至 7 丈，有矿工 8 组 96 人，年产煤约 600 万斤即 3 000 吨，块、粉煤各占一半。

（四）土默特右旗境内的北票煤田

卓索图盟土默特右旗境内的北票煤田（今属辽宁省），最早开采于清朝末年，民国初期逐步兴盛。其清末已开采的主要煤矿有三义栈、岳家沟。

三义栈煤矿 光绪十一年（1885 年），由山西人王某开始开采。其后，又有桃（姚？）某接手继续开采，后因矿井积水而废弃。民国初期（1918 年前后），由刘某等合资投入 3 000 吊，雇矿工 50 人重新开采，亦因排水困难而中止。

岳家沟煤矿 光绪三十一年（1905 年）开始开采，是当时朝阳县境内最大的煤矿。经营总办为阜新人丛燮，窑口有永聚窑、天兴窑、东兴窑。

（五）卓索图、昭乌达两盟境内的其他煤矿

元宝山煤矿 位于翁牛特右旗东部，今赤峰市元宝山区，是卓索图、昭乌达盟地区最早开发的煤炭资源。据传早在乾隆三十三年（1768 年），有山东铁匠李某，在元宝山龙头山山沟中发现裸露煤层。其后，由当地人王某招雇 50 余农民开始开采。咸丰五年（1855 年），李瀚臣在元宝山矿区投资开办锦元窑，成为清末卓昭两盟地区规模最大的煤矿。该矿资金总额 3.1 万银圆，最高年产量 2.4 万吨，产值 13.47 万银圆。民国初的 1913 年，由民国政府设立合资的煤局掌握开采权。

在元宝山（又称西元宝山）矿区以东，还有东元宝山煤矿（今大风水沟矿区），也是清末较大煤矿之一。

嘎岔煤矿　位于土默特右旗境内，朝阳县城东南凤凰山麓。属新邱（阜新）大煤田的地质延伸部分。清光绪末期，由刘某开始经营开采，下分福增窑、裕德窑、麒麟山等煤窑。

此外，敖汉旗境内还有宣统二年（1910 年）开始开采的小扎兰营子煤矿。民国初期的矿主为董某，投入资金 3 万吊。

翁牛特右旗西南部还有宣统二年（1910 年）冬由高某、冯某等 7 人合资开采井子沟煤矿。

第八节　盐碱与林木开采

一、盐碱开采

内蒙古高原分布着许多内陆河流、湖泊，有着极为丰富的盐碱资源。盐碱本为人们日常生活的必需品，它的采挖利用早已有之。近代以来，随着国内外局势的演变，内蒙古地区逐渐卷入商品的生产和流通市场，盐碱开采业也有迅速的发展，逐步转变为严格监管下的成规模生产和经营，有的还引进新式机器采用了近代生产方式。

（一）采盐业

乌珠穆沁草原的达布逊诺尔盐池　达布逊诺尔，蒙古语意为盐湖、盐池，位于清代锡林郭勒盟乌珠穆沁右旗和浩齐特左旗交界处（今属东乌珠穆沁旗境），蒙古人又称为额吉淖尔，即母亲湖。湖泊周长 30 余里，涨水期可达五六十里。湖面西北较宽较深，东南较窄、较浅，所以采盐主要在东南。湖水中的盐分主要靠日光热力曝晒结晶而成盐块、盐粒，盐块大者可达几尺见方。而且盐粒随采随出，今日采捞若干车，明日结成如故，可谓取之无尽。如果终岁不捞，亦不见溢。"盐色明洁，有若水晶，味之鲜美，远胜海盐"。①

达布逊诺尔盐池的采盐季节为每年旧历三月至九月。如遇阴雨连绵，则

---

① 姚锡光：《筹蒙刍议》。

产盐量减少。其采盐方法为，盐工（又称捞户）着皮裤或赤裸，以木斗入池中淘捞盐粒，或以铁铣、簸箕、筐。较大盐层、盐块，则须用斧头、镐头。然后，用木斗、筐，或手抬盐块，装入盐车。一般每人每天可采盐三至五车。运盐牛车，大车可载 8 石（每石 100 斤），小车可载三五百斤。较大盐块，整装堆垒于车，用绳索固定。装载盐粒，则在车上围以柳条笼，或用皮革袋、毡袋盛装、堆垒。

盐池属乌珠穆沁右旗和浩齐特左旗两旗所有，本旗人及寺院喇嘛可随意采挖、贩运，不缴任何税课。禁止外旗人采挖，采盐者（捞户）多为本旗缺少或没有牲畜的贫民。每至采盐季节，盐工即在湖边草地搭建蒙古包居住。清末民初，每年多时有六七十户近 200 人，少时有 20 余户。

两旗在盐池均派驻管池收税官员。凡前来拉运的贩盐者，包括外旗蒙古人和后来的汉民，均须缴纳税课。其税额为，清末时每车盐须缴官费银 3 钱（上缴旗札萨克），每 10 车须向管池官员缴纳“车轴”银 1 钱。银钱，也可用布匹、米面、砖茶、烧酒等粮食、日用品价抵缴纳。

其产量，盛时每日进出牛车六七百辆。据清末亲往查勘者估算，每年外销盐约达 20 万车，100 万石。

其销路，除锡林郭勒盟各旗外，北路至外蒙古库伦及其以东地区；东路、南路覆盖整个哲里木、昭乌达、卓索图三盟及其新、旧开垦设治也即汉民涌入地区，及燕北长城口外；西南路覆盖察哈尔地区、口北三厅，并经张家口销入口内。达布逊诺尔蒙盐的贩运销售，成为清代特别是清末，热河、察哈尔地区清朝地方当局厘税征收的重要来源。约至清末的光绪三十二年（1906 年），由于关内沿海海盐生产的迅速发展，和近代交通工具（如铁路）的出现，海盐开始涌出口外，内蒙古东南部沿边设治地区的市场多为海盐占据，达布逊诺尔蒙盐的销路也即产量始受到很大影响。[①]

阿拉善旗的盐业 内蒙古西陲的阿拉善额鲁特旗境内，在广袤的沙地上分布着许多盐池，天然盐资源十分丰富，是西北地区最著名的盐产地之一。

---

① 姚锡光：《筹蒙刍议》。

清代以来，旗境各大盐池均由当地蒙古人自行采捞消费，或运至邻近汉地换取粮食和日用杂货。近代以来，随着内地局势变化和与内地社会经济交流的日益频繁和密切，池盐私贩入口愈来愈多。由于盐的产销一直是中国封建王朝严格控制监管的"专营"产业，所以各大盐池先后由邻省官设盐务机构承租经营，产销量也随之大增。其销路，除邻近的宁夏、甘肃、陕西、绥远，东至山西北部，东南可至河南、湖北。

阿拉善盐池，一般湖面为盐盖，厚约数寸至一尺，含有碱沙及其他杂质，不宜食用，盐盖下有一层泥土，其下即为厚数尺不等的盐块、盐汁。其开采方法为，用铁钻将上层盐盖打开，凿成一长方形盐畦，清除上部混沙，再用钻将盐层打碎，用耙摆洗后用长柄勺或漏勺捞到池中晾晒，晒干即凝结成纯盐。采捞季节，多在春三月至五月，秋八月至十月。夏季雨水侵入，不便工作，冬季天寒地冻，难以采捞。其运销主要是骆驼驮运，每驮约重二三百斤。其成盐周期，每个盐畦坑洞采完后，池水逐渐重新溢满，几年后即重又成盐。①

清代阿拉善旗各大盐池的产销情况择要如下：

吉兰泰盐池 位于旗境东北部，距旗府所在地定远营（今巴彦浩特）200 余里，东距黄河磴口约 240 里。为该旗第一大盐池，属札萨克亲王私有。该池盐盖厚约一尺或七八寸不等，盐层深约七八尺至一丈。② 其规模化开采最早，乾隆元年（1736 年）年产量即有 7 000 吨以上。嘉庆十年（1805 年）年产量增至 1 万吨，光绪三十三年（1907 年）达到 3.5 万吨。③

光绪二十八年（1902 年），曾有包头官盐店与札萨克王府商妥承租开采。光绪三十年（1904 年），山西省晋北榷运局派员与王府签订承租合同，盐池改由晋北榷运局承租经营。每年向王府缴纳租银 3 000 两。1913 年，年租银增至 10 000 两。其后，由山西省署投资改为官督商运，因成效不好，几年后又将官本收回。1922 年，商户集股设立吉盐事务所，与旗王府签约运销。盐驮运至磴口，向晋北榷运局驻磴口税局完纳盐税，然后装船水运至

① 马成浩：《宁夏阿拉善旗各盐池概况》，《边疆通讯》1943 年第 1 卷第 8、9 期。
② 马成浩：《宁夏阿拉善旗各盐池概况》，《边疆通讯》1943 年第 1 卷第 8、9 期。
③ 《阿拉善左旗志》，内蒙古教育出版社 2000 年版，第 399 页。

包头，转销绥远和山西各地。①

察汉布鲁克盐池　又简称察汉（罕、汗）池。是阿拉善旗第二大盐池，位于旗境南部，东北距定远营 200 余里，南距宁夏中卫（长城边口）200 余里，距甘肃一条山（长城边口）约 300 里。所产之盐，质佳味美，色微青，故名青盐。咸丰八年（1858 年），为禁止蒙汉私人随意开采贩运，阿拉善旗府将盐池改为官办，雇工采捞，招汉商领帖（清政府颁发的执照）承销，议定每年向旗府缴纳租课银 1.6 万两。当时，年产量可达 20 万担以上。②

光绪三十二年（1906 年）七月，甘肃全省厘税总局与阿拉善旗（由札萨克亲王多罗特色楞的"预保"子即预定王位继承人贝子衔头等台吉塔旺布理甲拉出面代表）签订了承租察汉布鲁克盐池的合同。合同规定，每年须由蒙民驮盐共 6 万驮运交中卫和一条山督销局，厘税总局每年付给旗府租银一万两。如不足或超过 6 万驮，则按规定比例折扣或增加租银。旗府在盐池和中卫、一条山盐局均派驻官员督察，其"口粮"银依例由盐局付给。如再有蒙民私采私运者，一经查获，督销局即会同蒙旗所派官员将盐没收并处以罚银。合同还对蒙驮运至中卫、一条山的"脚价"银做了明确规定，并称"必须用公平付足色现银，不可以米面布匹等物作价付之；收盐必须用官秤收之，勿须有欺哄蒙人等情。"合同为期三年，期满可续订。③ 该盐池所销 6 万驮，按"中六条四，分冬七春三"驮运，即每年运交中卫局 3.6 万驮，运交一条山局 2.4 万驮。按每驮 200 斤估算，当时的年产销量为 12 万担即 1 200 万斤、6 000 吨左右。④

同湖盐池　又作通湖，位于察汉布鲁克盐池以南，南距宁夏中卫约 60 里。池盐色白，故又称白盐。

光绪三十四年（1908 年），甘肃全省统捐总局与阿拉善旗札萨克亲王之"预保子"塔旺布理甲拉签订合同，承租经销，年租银 500 两。

---

① 陈国钧：《西蒙阿拉善旗社会》，《阿拉善盟旗志史料》，阿拉善盟政协 1987 年版。

② 叶祖灏：《宁夏纪要》（节录），《阿拉善盟史志资料选编》第 3 辑，阿拉善盟地方志编委会 1988 年版，第 61—62 页。

③ 《阿拉善盐池租赁合同与图说》，《阿拉善盟史志资料选编》第 4 辑，阿拉善盟地方志编委会 1989 年版。

④ 叶祖灏：《宁夏纪要》（节录），《阿拉善盟史志资料选编》第 3 辑，阿拉善盟地方志编委会 1988 年版。

和屯盐池　位于定远营西北 200 余里。池盐色青微红，故名红盐。该池产盐颇丰，盐质优美，为阿拉善旗第三大著名盐池。

雅布赖盐池　位于阿拉善旗西南部（今属阿拉善右旗），南距甘肃民勤 200 余里。该池所产青盐，质味俱佳，产量亦甚丰富，并且全年均可采捞，为阿拉善旗第四著名盐池。

光绪三十四年（1908 年），甘肃全省统捐总局与该旗塔旺布理甲拉签订合同，将和屯池及雅布赖、昭化寺等共 8 处盐池一并承租经销，年租银合共 3 000 两。民国以后，此 8 处盐池复与察汉布鲁克、同湖盐池一起，由甘肃省花定榷运局承租，1925 年，复一同改由花定盐务收税局承租。

昭化寺盐池　又作昭化池，位于察汉布鲁克盐池东南，同湖盐池以北。所产盐色红，故有称红盐池，为阿拉善旗第五大产盐地。

内蒙古东北部的盐业　各大盐池的产销情况择要如下：

珠尔博特盐池　又作绰尔卜特达布苏泊，位于海拉尔西南 300 余里（约今新巴尔虎左旗境内）。盐湖周长约 10 里，形似三角。每年春夏之交，微雨初晴后，有风则盐现湖面。至农历七月末降霜后，即不再见盐。

20 世纪初中东铁路通车后，俄人即垂涎该盐池，曾一再提出要"代办"经营。光绪三十一年（1905 年），经呼伦贝尔副都统苏那穆策麟提出，由官府承办。凡采盐者均须"领票交课"，并由官署定价收购经销。采盐者每百斤缴课税制钱 75 文；买盐运销者每百斤纳捐税 150 文，任其外运、不再重征。光绪三十二年（1906 年）后，因日俄战争后日俄双方签订协约，海盐遂沿铁路进入呼伦贝尔地区市场。珠尔博特池盐因官府定价及运费过高，无法与海盐竞争，一度停止采捞。光绪三十四年（1908 年），海拉尔汉商张腾甲集资 6 000 元承包经营，恢复采捞。

因该池产盐粒细色白，俄人"最喜购买"。其盐运至海拉尔城，每百斤售价可至卢布一元二三角。清末，出盐时盐工约有 100 人左右，每人每日可采捞 400 斤。按每年春夏采捞 4 个月估算，年产量可达四五百万斤。

入民国后，该池产盐渐趋衰落。[①]

当那屯盐池　又作玛奈屯盐池、安达盐场，位于哲里木盟杜尔伯特旗

---

① 徐世昌：《东三省政略》卷 1，《边务·呼伦贝尔篇》。

（今属黑龙江省）东部。该池盐历来由本旗蒙古人自采自用。光绪三十二年（1906 年），在该旗大规模放垦过程中，由垦务局丈量出放，年产量可达三四十万斤。

（二）天然碱的开采和加工

鄂托克旗的天然碱开采　伊克昭盟鄂托克旗境内分布着许多碱水湖，天然碱资源极为丰富，晚清以来，持续得到开发利用，至今犹为内蒙古著名的化学工业原料生产基地。

察汗诺尔碱湖　位于旗札萨克府以东约 30 里（今该旗查汗淖尔苏木），西北距黄河边磴口约 240 里。清末光绪年间，宁夏商人郑万福向鄂托克旗承租了察汗淖尔、纳林淖尔碱湖，成立大兴碱业股份有限公司经营开采。其中，察汗淖尔年租金 3 000 元，年产碱量约 50 万公斤。后来，大兴公司又从旗府获得哈玛日格太（旗王府以东约 15 里）碱湖开采权。大兴公司的经营开采额，曾达到年产天然碱 175 万公斤即 1 750 吨，碱碇 104 万公斤即 1 040 吨，年获销售收入 4 万余元，纯利润约 17 000 元。[1]

纳林淖尔碱湖　位于旗府以东约 80 里，察汗淖尔东北约 50 里（今察汗淖尔苏木境内）。清末光绪年间，由宁夏商人郑万福的大兴碱业股份有限公司，将纳林淖尔与察汗淖尔碱湖一起承租开采。纳林淖尔年租金 1 000 元，年产碱约 5 万公斤。[2]

科左中旗的玻璃山碱场　玻璃山碱场位于哲里木盟科尔沁左翼中旗（俗称达尔罕旗）境内，西辽河东岸、玻璃山以西一带低洼地带，东距郑家屯（今吉林省双辽县）约 180 里左右，属该旗闲散温都尔郡王领地。碱场内有乃门塔拉、十家子、苏通、波拉嘎吐等大小碱泡数十个，分布在东西 30 余里、南北 140 里的地域内。区域内还有淡水池泡 30 余个，盛产鱼类。

约清末民初，郑家屯鱼碱公司从温都尔王承租了玻璃山碱场的碱泡、淡水池，经营采碱和捕鱼业。其中，碱场年租金 2 000 元。

碱场采碱主要在春秋二季，春季解冻后至雨季之前为前期，秋九月至结

　　① 刘治邦：《察汗淖尔碱矿的开采发展史》，《鄂托克旗文史资料》第 1 辑；《伊克昭盟志》第 3 册，现代出版社 1996 年版，第 108 页。
　　② 《鄂托克旗志》，现代出版社 1996 年版，第 385 页。

冰之前为后期。鱼碱公司在碱场开设 7 座碱锅，前期所采碱制成砖碱，后期
所采加工成面碱。1917 年，生产砖碱约 160 万斤即 800 吨，面碱约 300 万斤
即 1 500 吨。①

郭尔罗斯前旗的大布苏淖尔碱泡　大布苏淖尔碱泡位于哲里木盟郭尔罗
斯前旗西部，东距旗札萨克府（今吉林省前郭尔罗斯自治县哈拉毛都乡）
约 200 里，东南距长春 300 里，西北距清末新设洮南府治（今吉林省洮南
市）170 里。碱泡南北长 30 里，东西宽 15 里，周长约 80 里。其出碱季节
为，农历十一月至翌年一月严冬结冰期，水中的碱分涌出冰面凝固为结晶
体，出碱少时碱层约一寸左右，出碱多时（约五年一次）碱层厚至五六寸。
毗连碱泡地带，隆冬季节旱地亦结一层冰碱土。当地蒙古人将冰碱土煎熬滤
净，即成灰色碱料，以供饮食日用。

光绪三十二年（1906 年），北京董姓商人以同郭尔罗斯前旗札萨克辅国
公齐默特色木丕勒（汉名齐克庄）合资经营名义，筹集巨额资本成立了长
春天惠造碱实业公司，上报清朝农工商部注册立案，承租经营大布苏淖尔一
带碱的开采加工和土地开发。承租契约规定，每至冰碱出产年（即碱层五
六寸厚之年），向王府缴纳租金 20 块元宝（约合 1 000 银两）。公司开办之
初，主要经营土地垦殖。约于宣统元年（1909 年）、宣统二年（1910 年）
间，聘请化学专家，于隆冬时雇用工人一千数百名，修建 5 座碱锅，采取碱
土，以土法煎熬加工，结成碱料后装袋外运销售。每袋 220 斤，年产约 1 万
余袋。

其后，由于土法加工成本高，碱料质量差，难以同当时已入境畅销的英
美产品相竞争，天惠公司又购办大小机器，改建近代化工厂，以化学成分用
机器制造，使所产碱料由坚硬变为纯净，颜色由灰变白，产量及售价亦随之
大为增长。民国时期，盛时每年雇工 2 000 人，年产量达到 10 万余袋，即
1.1 万吨以上。②

碱的加工　晚清以降，散布于内蒙古各地的许多碱泡碱湖都得到开采利

---

① ［日］《蒙古地志》中卷，富山房 1919 年版，第 966—967、974—975 页。

② 彭泽益：《中国近代手工业史资料》第 2 卷，中华书局 1962 年版，第 388—389 页；［日］《蒙
古地志》中卷，富山房 1919 年版，第 966、971—973 页。

用和加工、外销。除上列各旗的较大碱泡开发之外，内蒙古东部地区较知名的还有：札赉特旗境大赉（今吉林省大安）以南的一处碱泡，有碱锅三座；泰来气（今黑龙江省泰来县）附近的一处碱泡，光绪末年有碱锅三座。杜尔伯特旗境内有碱泡约20处，相应的碱锅亦有20余处，其中较著名的是萨尔图（今黑龙江大庆市萨尔图区）、小蒿子碱场。

内蒙古地区的天然碱加工，除上述天惠公司等个别使用新式机器的近代性企业，仍是传统"土法"加工。在哲里木盟地区，土法加工又可分为蒙古人砖碱制法、汉人砖碱制法和面碱制法。

蒙古人的砖碱制造方法为，修一个四五尺深的壕渠，上面固定横放数条木棍，然后将盛碱料（碱土）的柳条制大笊篱置于其上，用水冲涮。随水冲走的碱土，再从壕渠中捞出放进笊篱中冲刷。如此反复冲涮三四次，使其成为浓厚的泥状，然后将其放入类似制造砖瓦的木模中，经晾晒固结成碱块，即砖碱。约100斤碱土，可制成七八块碱砖，每块约重五斤。这种方法制成的砖碱，呈黑褐色，因其主要使用于染房（染缸），也称为缸碱。

汉人制砖碱的方法较为复杂和"先进"，其质量也比蒙古人的砖碱优良。其制造作坊称为碱锅。每座（户）碱锅约有工人40至60人。采碱季节，工人们先至碱泡碱场扫集碱土，在碱场旁边堆成一座座约重一二千斤的碱土堆，然后用车运至碱锅旁。每个工人每天一般可采碱土数百斤，碱产（从碱泡中涌出）旺盛时可采1500斤。碱锅的制作场所（设备）和方法为，在露天修建一座长形火灶，其上依序排列置放3口大铁锅，每口铁锅直径4尺，深二尺五寸，厚一寸。火灶旁修建清洗池和贮池。先将碱土放入清洗池中，加水搅拌冲洗后存入贮池，再用长柄勺将贮池中积淀的碱渣捞至铁锅中煎熬。碱渣依序经第一、第二、第三口铁锅的煎熬搅拌，由充分溶解至水分完全挥发，成为泥状固体后捞出放入木模中，最后凝结成碱砖。按照这种方法制造碱砖，约30斤原料碱土可制成成品10斤。

制作面碱的也是汉人碱锅。其制造程序首先也是经过清洗池、贮池工序后放入大铁锅煎熬搅拌，只是煎熬次数增加到五至六次，即须五至六个大铁锅，使碱浆更为纯净浓厚。然后，将大铁锅中的碱浆放入数个直径2尺余、深八寸许的小铁锅，将小铁锅倾斜放在干燥地，使碱浆上部的稀薄部分流入干燥池。留在小铁锅中的浓浆，约三天后凝为结晶体，然后用温水将锅壁的黏着部分溶解，将碱坨块从锅中取出，即成为锅状的黄褐色精制面碱块。这种面碱块又称盒碱，将两块半圆球状盒碱扣合在一起，装入草袋中搬运外销。一块盒碱约60至90斤，合在一起的一对即重120至180斤。这种制作方法，每100斤碱土原料可制出盒碱40斤左右。每座碱锅，每日可制出40至50个盒碱，即约2 400至4 500斤面碱。[①]

二、林木采伐

内蒙古地区的林木资源，最主要集中于大兴安岭及其各个支脉。不过，除了荒漠、草甸，其他许多山岭、丘陵、平原，也曾分布着茂盛的森林。只是由于历代定居、农耕经济的断续开发，许多林木资源已采伐殆尽。到近代之前，除了大兴安岭腹地，其他地区已很少看到成片的森林。

（一）阴山山脉的林木采伐

清代以前，阴山山脉的大青山、穆纳山（乌拉山）等支脉，都曾生长着茂盛的林木。据明代史书记载，当时的大青山曾是"千里郁苍"，"厥草维夭，厥木维乔"，"彼中松柏连抱"，"林木不可胜用"。[②]

随着清初以来土默川地区的逐步开放，农耕定居经济生活的迅速发展，大青山区的林木开始被大规模采伐，以至成批向口里贩运。据雍正年间成书的《朔平府志》记载："笔写契（毕克齐）在归化城西七十里，北通碛口，大青山林木在此发卖，居民商贾有百十余家。当时并非仅止毕克齐一带有木材商，沿山其他地方也有。所伐木料主要是运往长城以南发卖。陆路主要通过杀虎口，水路则以毛岱（今土默特右旗境内）和湖滩和硕（河口，今托克托县境）为主要发运码头。从雍正到乾隆年间，清廷准予杀虎口关每年向商人发放照票100张，特许他们在大青山区伐木。这种照票直到乾隆二十二年（1757年）仍在发放。如乾隆二十三年六月，《理藩院札付归化城都统》文内称："为杀虎口商人出关伐木，本院于乾隆二十二年六月一日颁发钤印照票一百张，交付该监督。当收取地方官员印结，众商人互保甘结后发

---

① ［日］《蒙古地志》中卷，富山房1919年版，第975—981页。
② 《土默特志》上卷，《地理志》，内蒙古人民出版社1997年版，第41页。

放，准其出关伐木。""只准于大青山伐木，不准越界砍伐穆纳山之木。"①

大青山区林木采伐的另一个重要用途，是清朝官府为修筑绥远城等大兴土木，历史上曾有"绥远城工竣，大青山林尽"的说法。为修筑绥远城，初时曾分别从大青山、穆纳山大规模采伐林木，但实际建城所需，几乎全部伐自大青山。据乾隆初年建城将军王昌致工部的咨文中说，绥远城"工程用木，于大青山砍伐足够"。文中并称，"用木之项，城门楼、钟楼、大小衙署，众兵丁之房舍、仓房，计有房一万二三千间，需用大小木三十万根。"而与此同时，从穆纳山采伐的大批木料则一根也未用。对已采伐的多达20余万根的穆纳山木料，归化城都统却咨文工部，将其"饬交杀虎口监督，俟来年冰化之后，运至塞内作价"，出售入官。

自康熙三十五年（1696年）设置毛岱、湖滩和硕两个官渡以来，官船一直是用大青山木材建造的。到乾隆十年（1745年），大青山中已无建造官船的大口径木料。而用小型木料制作，因不堪应用破损很快。数年之后，归化城土默特旗户司只好申请前往穆纳山采伐长三丈二尺至三丈六尺的木料，用以建造官船。

由于掠夺性滥采滥伐，至乾隆三十年（1765年）左右，大青山的林木已被砍伐殆尽。据当时文献记载，一些来自边内的流民占据绥远城以东讨思浩附近山场，"伐木并刨取树根转卖"，甚而"不容蒙古人等进出，亦不容牧放牲畜。致蒙古人等需用草木，持价向民人买取。"伐了树木，还把树根刨掉，终使原本郁郁葱葱的大青山变成了童山秃岭。1765年以后，土默特旗务衙门虽曾张贴告示，严加禁止，但林木已尽，徒唤奈何。②

（二）索伦山祥裕木植公司

自光绪二十三年（1897年），俄国开始在呼伦贝尔地区勘修中东铁路之后，铁路沿线的大兴安岭林木即遭随意采伐。随着中东铁路的建成通车和黑龙江省的全面开放，内地商民也开始在沿边林区采伐，但却须向强占沿线林区的俄人申领票照。为了收回林木主权，黑龙江地方当局于光绪二十七年

---

① 于永发：《志之余》，远方出版社2001年版，第272—273页。

② 于永发：《志之余》，远方出版社2001年版，第271—273页。

（1901年）开始创设官办木植公司。[1]

大兴安岭支脉索伦山，位于西布特哈地区南部、哲里木盟西北部，方圆二千余里，"森林茂郁垂数千年，高十丈大数围之松木遍山皆是，而椽木桦木亦杂出其间。"伐木者入山采木，约分三路行销。北路销黑龙江省者十分之三，销外人（俄人）者十之七；东路销黑龙江省蒙汉地区各十分之五；而南路则全数销于科尔沁右翼诸旗。[2] 自光绪二十六年（1900年）哲里木盟北部各旗大规模放垦以后，对木材的需求迅速增长，遂有蒙旗人士起而借助官府支持兴办伐木事业。

光绪三十二年（1906年）十一月，寓居科尔沁右翼前旗（札萨克图旗）的原喀喇沁中旗梅林阜得胜，通过当时负责绰尔河流域放垦事宜的黑龙江省巡防中军统领、八旗佐领吉祥，呈报署黑龙江将军程德全获得批准，在绰尔河上游索伦山腹地成立黑龙江祥裕木植公司。祥裕木植公司当属官办招商性质，由阜得胜招集附近各旗蒙古人募得资金16 000银两（初称2万余两）。公司"总董"阜得胜既属黑龙江省派任，又称由股东推举，副董有拉西多尔济、白玉升等人。公司兴办之后，曾有由江省派专官督理之议，但迄未实际派任，只是在公司所在地随设木局征收木材经销税。[3]

祥裕木植公司创办之初，即制定章程、发放股票，由黑龙江省当局先后颁发图记和执照。其经营方式为，聘雇木把（工头）招募伐工进行采伐，雇请车马夫役负责外运，并招有佃户（均为蒙古人，当兼顾领荒垦种）。其所得利润，以二成"报效公中"即上缴省署，二成作为总董、副董及公司职员薪金（花红），其余六成按股金份额分给股东。

木植公司地处尚未垦辟的索伦山腹地。为使所伐木材外销开通运路，公司曾向其南路出口的科尔沁右翼前旗提出"借地修栈"，但遭到该旗札萨克郡王乌泰的"坚执不允"，并称要自备经费招雇人员，于洮儿河沿线开设店栈。由于外销运道迟迟不能开通，使木植公司的经营大受影响。据该公司光绪三十三年（1907年）四月结账统计，其花销包括开办之初的房屋家具，

[1]　《黑龙江志稿》卷22，《财赋志·森林》。
[2]　徐世昌：《东三省政略》卷2，《蒙务下·筹蒙篇》。
[3]　黑龙江编辑处：《蒙务编辑成案》，《祥裕木植公司》。

牲畜粮石及伐工薪金、雇车马夫役、日用伙食等杂费，开支总额已达 25 000 余银两。而所收销售木材款等不足 10 000 两，加上原集股金 16 000 两，至此已消耗殆尽。除已伐待销木料 12 万余根，账存现银仅剩 600 余两。①

为开通运路，木植公司通过黑龙江省和东三省总督一再向科右前旗乌泰施加压力，其间还"惊动"了清朝理藩部和哲里木盟长。直到光绪三十四年（1908 年）末，乌泰才"咨报"已在归流河沿线和洮儿河沿线修建完成 10 处栈店，并称已派定各栈经理人员（均为该旗蒙古人）。② 然而此时，已值内蒙古东部陶克陶、白音大赉领导的抗垦武装在官军追剿下躲进索伦山，在木植公司"窜扰盘踞、恣意取索"。其后不久，大概受到陶克陶抗垦案的牵连，阜得胜即"在江省因事被诛"，祥裕木植公司也随之衰辍。③

其后，阜得胜之子阜海（时任黑龙江省署官员）辞去官职，转而至索伦山南部洮儿河上游的哈海河口开办了哈海木局（木植公司）。

第九节　水陆交通与邮电通信

一、水运交通

（一）黄河水运交通

通航概况　"黄河上起兰州，下迄山西之河曲，均有舟楫之利。"即流经内蒙古境内的河段均可通航。黄河自宁夏石嘴山以北入境，蜿蜒至山西河曲出境，总长约 830 余公里。其中，从旧磴口（今阿拉善左旗巴彦木仁苏木）至托克托县河口全长约 595 公里（旧磴口至包头南海子 949 华里，南海子至托县河口 240 华里），均为沙质河底（称为沙河），河面较宽，船行无阻。从磴口上溯（至石嘴山 90 公里）及从河口以下（至河曲约 153 公里），均为石质河道，两岸多山，河面较窄，水深流急，船行常有险阻。④

---

① 黑龙江编辑处：《蒙务编辑成案》，《祥裕木植公司》。
② 黑龙江编辑处：《蒙务编辑成案》，《祥裕木植公司》。
③ 白拉都格其：《阜海与清末民初内蒙古东部政局变化》，《内蒙古大学学报》1997 年第 1 期。
④ 石蕴琮等：《内蒙古自治区地理》，内蒙古人民出版社 1989 年版，第 116 页。

内蒙古境内的黄河通航由来已久，汉代以降即史载不绝。清代以来，早在康熙年间，康熙皇帝在亲征准噶尔战争中，曾从"宁夏横城（堡）坐船，计二十一日，至湖滩河朔"，湖滩河朔即托克托县的河口。[①]

清中叶以后，随着归化城土默特地区的大规模垦殖和汉民的涌入，及河套地区农耕、水利的开始出现，黄河水运逐渐兴盛起来。当时，托克托县（厅）河口是内蒙古境内黄河沿岸的重要水陆码头。从黄河上游宁夏、阿拉善旗、鄂托克旗、河套等地运来的皮毛、盐碱、甘草、粮食等物品，从下游晋西北各县牵拉而上运来的木炭、石器、粗瓷、松柏木料及各种农副、土特产品，以及驮载车拉而来的张家口、京津地区的砖茶、绸缎、细瓷、洋广杂货等商品，均以河口为交易集散市场。至道光年间，河口已是盐、碱、甘草等大宗货物的囤积地。盐、碱的每年（集散）运量为百余船，价值白银10万余两，甘草的年运量四五百万斤，值银四五十万两。此外如来自清水河的粗瓷，河套的芨、红柳、鞭杆等特产，年运量亦约值5万两。[②]

道光三十年（1850年）夏，河口镇码头被黄河大水淹没。其后，其黄河水运商贸集散中心的地位逐渐被包头南海子码头（包括南海子、二里半、王大汉营子三个码头）所取代。

主要航运工具　黄河中流航运业最兴盛时期，主要航行工具可分为各种木船、皮筏、木筏（排）及一度出现的汽船。兹简略分述如下：

高帮木船船长四丈左右，宽约一丈五尺，深三尺。一般都用白杨木制成。这种船容易漂浮，吃水浅，适合黄河低水位的特点。高帮船主要往来于河口、包头（南海子）和宁夏之间。上水每日行40至50里，5人拖缆（拉纤），1人掌舵，遇急流则合数船人夫，轮流拖缆，至宁夏约需一个月。下水每日行约80里，至包头约需十八、九天。其载重量，上水可装洋广杂货20担（每担240斤），下水可装粮食80担或皮毛70担（一说上水可载重2万余斤，下水可载重三、四万斤）。每年约有100只（艘）运行。[③]

七站板船亦多用白杨木制作。船长4丈，宽约1丈8尺至2丈，深5

---

①　王龙耿：《包头黄河水运小史》，《包头史料荟要》第8辑，1983年版。

②　杨立中：《河口古镇之兴衰史迹》，《呼和浩特文史资料》第7辑。

③　《绥远概况》第2编，《交通·河运》，绥远省政府编印1933年版。

尺，载重 3 万余斤。也主要航行于宁夏、包头、河口之间。行船日期及装运货物，与高帮船相同。下水用船夫 5 人，上水用 7 人。上水载重，水小时可装 45 担，水大可装 30 担。下水时，皮毛可装 90 担，粮食可载 100 担。（一说上水可载重 2 万斤，下水可载重三、四万斤。）每年约有 1 000 只（艘）运行。

另有一种船长五丈，基本构造与七站板船一样的盐碱船。专运盐碱，可载货 300 余担。这种船数量不多。①

小五站船亦多用白杨木制成，但构造极简单，木料也较脆弱。船形与高帮船相同，船大小不等，多长约 2 丈左右。也运行于河口、包头、宁夏之间。载重量约 8 000 斤上下。这种船据说数量可达五六千艘。②

牛皮筏制作方法为，将整张牛皮密密缝合，浸入青油和盐水中，经数天后取出，吹气使鼓，将羊毛或驼毛塞入其中，形成皮囊，扎紧放入水中。每个皮囊，可装毛 200 余斤。然后将 120 个皮囊连为 1 筏，由 6 个人坐在上面驾驭，并可盛载少量其他货物，在河中任其自流。这种皮筏自西宁行至兰州以后，由于河道渐宽，改为合并 4 筏为 1 筏，也即几百个皮囊连成 1 筏，然后直行抵达包头。如果装载其他货物，则将缝合的皮囊吹成气球状，然后编连成筏，将货物载于筏上。

这种黄河中上游河道上特有的牛皮筏，都是单程下行航运的。每年约有 300 只从甘肃行抵包头。筏主将所载货物卸于包头之后，有的将牛皮在市场上出售，有的将空皮筏驮运西返。③

羊皮筏，用制作牛皮筏囊的方法将整羊皮加工成皮囊，吹成气球状，然后在其上用木材编制成筏，将货物载于筏上航行。因载重量的不同，每筏的羊皮气球数量也不等，多以 8 个或 12 个气球编为一筏。这种皮筏皮质脆薄，多用于短途运输或渡河使用。④

木排筏，黄河上游的青海、甘肃一带盛产黄松、白松。运货者将木料编

① 《绥远概况》第 2 编，《交通·河运》，绥远省政府编印 1933 年版。
② 《绥远概况》第 2 编，《交通·河运》，绥远省政府编印 1933 年版。
③ 《绥远概况》第 2 编，《交通·河运》，绥远省政府编印 1933 年版。
④ 《绥远概况》第 2 编，《交通·河运》，绥远省政府编印 1933 年版。

成木排，放流至兰州，然后在木排上承载货物或旅客，下行运抵包头。货物卸载出售，木排亦拆开出售。这也成为包头地区木材的一个货源。①

主要码头、渡口　主要有以下几处：

河口位于托克托县（厅）境内的河口，又名湖滩河朔（硕），不仅是黄河航运的重要码头，也是两岸摆渡通行的重要官渡口。

河口作为黄河中游航运枢纽和货物集散中心的地位，也促进了这里船运业的兴起。在其航运业兴盛的清代中后期，河口镇上仅双和店商号就拥有大船10只（艘），河口以南喇嘛湾的四和德商号拥有大船多达70余只（艘）。当时，沿河两岸各种船户共有大木船200余只（艘），河运工人1000余人。

清嘉庆十二年（1807年），清政府即在河口设有征税所，每年征课税银约六七万两。

河口官渡，由归化城土默特旗设官管辖，与上游的毛岱（后移至南海子）渡口并称内蒙古境内的两大官渡。官渡始设于康熙三十五年（1696年），由土默特旗委派防御一员，骁骑校一员，旗兵十五名，并置备官船两只，负责管理和摆渡。其职责为，负责递送公文折报，巡缉贼盗，盘查奸宄，稽查违禁货物等。对于过渡的商民及其牲畜、货物，收取一定数量的船费，以维持官渡官兵的薪俸和各项开支。如有结余之款，则须上缴旗署。②

南海子官渡康熙三十五年（1696年），清政府始设黄河中游官渡时，与河口官渡同时设立的是位于河口上游约80里的毛岱（今属土默特右旗）。同治十三年（1874年），托克托至包头河段的黄河干流改道，毛岱渡口脱离河道，遂将渡口改设于包头南部的南海子。其土默特旗常设官兵员额、渡船及职责，与河口官渡相同。光绪三十三年（1907年），南海子泊船岸口被河水冲刷坍塌，一度将官渡移至南海子以西十余里的王大汉营子。南海子渡口修复后，复迁回南海子。

（二）呼伦贝尔地区的水运交通

额尔古纳河航运　呼伦贝尔西北部与俄国交界的额尔古纳河，自上游阿巴该图至汇入黑龙江的额勒和哈达（今名恩和哈达）河口，全长约900公

---

① 《绥远概况》第2编，《交通·河运》，绥远省政府编印1933年版。
② 杨立中：《河口古镇之兴衰史迹》，《包头文史资料选编》第4辑，包头市政协编印1983年版。

里。阿巴该图至黑山头的 215 公里为上游，因河道宽、水浅，水流分散，无法通航。黑山头至吉拉林（室韦）的 257 公里为中游段，可通行小型船筏。吉拉林至河口的 428 公里为下游，可通行较大木船及汽船。其中，由黑山头至吉拉林以北的毕拉尔河卡伦每年夏秋间可通航 4 个月，毕拉尔河卡伦至河口每年可通航 5 个月左右。①

　　清代以来见于记载的最早航行记录，是咸丰元年（1851 年），呼伦贝尔蒙旗佐领敖拉·昌兴率兵巡防时，曾乘船从黑山头入额尔古纳河，航行至额勒和哈达河口入黑龙江，然后航抵瑗珲城。敖拉·昌兴一行 21 人，乘坐的是长六丈余、宽一丈余的桦皮船，还载有许多布匹、粮食、糖茶等物品。这种桦皮船是以大张的桦树皮用鳔胶黏合缝制而成，船底还套以轻木筏，是呼伦贝尔地区由来已久的航运工具。②

　　19 世纪末、20 世纪初，随着额尔古纳河沿岸采金业的兴起，开始有木帆船往来于吉拉林、奇乾及额勒和哈达河口以东的尼古河（距漠河金矿区仅 100 余里）之间。③

　　海拉尔河航运　光绪三十四年（1908 年），呼伦贝尔副都统宋小濂主持制造两只木船，装载粮食等货物，从海拉尔城北的海拉尔河出发，顺流而下，经阿巴该图驶入额尔古纳河，给沿岸各边防卡伦官兵运送给养。因河流湍急，木船逆流而上十分困难，以后再未照此航行。

　　呼伦贝尔地区的主要渡口　清朝末期，呼伦贝尔地区设有官渡 10 处。其中，设于海拉尔河上游支流特尼（克）河 1 处，海拉尔城南伊敏河 1 处，海拉尔城西北海拉尔河上 3 处（各间隔数十里、百余里），城北海拉尔河支流莫尔哈勒（又作莫勒格尔、墨尔根）河 1 处，从贝尔湖流出、汇入呼伦池（达赉湖）的乌尔逊河 1 处，从呼伦池流出、汇入额尔古纳河源的达兰鄂罗木河 1 处，额尔古纳河上游支流根河和特勒布尔河（又作得尔布尔河）各 1 处。这 10 处官渡均由呼伦贝尔副都统署派员管理，每个渡口设小渡船 1 只。

---

① 《呼伦贝尔盟志》（中），内蒙古文化出版社 1999 年版，第 1587 页。
② 《呼伦贝尔盟志》（中），内蒙古文化出版社 1999 年版，第 1587—1588、1591 页。
③ 《呼伦贝尔盟志》（中），内蒙古文化出版社 1999 年版，第 1591、1593 页。

海拉尔城西北 5 公里处的海拉尔河官渡，是出海拉尔城北行必经的重要通道。光绪二十六年（1900 年），俄军大举入侵占据海拉尔以后，这里由俄国人经营摆渡。光绪三十四年（1908 年）末，呼伦贝尔地方当局将俄人的两只渡船作价，收回官渡，改租给当地船户（汉民）经营。

二、清代内蒙古的台站、驿站、卡伦与鄂博

（一）台站、驿站

清代蒙古台站通名的产生与命名　早在 13 世纪蒙古窝阔台汗统治时期，蒙古地区就开始安设台站，其司驿人员叫做"站赤"。当时从漠北鄂尔坤河流域哈喇和林城到元朝京城大都（北京），由大都经过察合台汗国分别到钦察汗国和伊儿汗国等蒙古四大汗国之间，形成了连接欧亚两大洲的国际驿站道路。这对东西文化交流曾起过重要作用。洪武元年（1368 年），随着元朝在内地的统治灭亡和明朝的建立，那些国际驿站道路很快遭到了破坏。蒙古地区本身经过从 14 世纪到 17 世纪三百多年的封建割据和战乱，不用说是那些驿站道路，连在它们沿途安设的台站专名也多数从地图上消失了。清朝征服蒙古各部的过程中，主要是从康熙三十一年（1692 年）到乾隆二十年（1755 年）同准噶尔汗国作战期间，在蒙古地区陆续安设内蒙古五路驿站、外蒙古北路驿站、齐齐哈尔西北路台、新疆西路军台以及由呼伦贝尔额勒和哈达经过外蒙古恰克图、新疆塔尔巴噶台到伊犁的卡伦道路。它们总长 54 578 里，共设台站或卡伦 748 座。这些台、卡的绝大多数不仅安设在蒙古地区，并且几乎都有以蒙古语命名的专名。同时，它们的各种通名的产生与命名，同蒙古地区特点、民族特点以及蒙古台站本身的生产特点有着密切的关系。

台站是清代蒙古地区站道沿途分段负责通信和转运的交通基层单位。当时，在长城以内各省和盛京地区，把台站仍然叫做驿。长城以北吉林、黑龙江和内蒙古地区的驿，由于一般都为军事需要安设，称为站。站一词，是沿用元代术语"站"。清代满洲、蒙古语中的台，是汉语瞭望台，烽火台或墩台等的简称。清初的台，一般都安设于不同政权或部与部的边界处，因此通常都称为边台。边台相当于蒙古语中的卡伦。后来，卡伦一词在汉语、满洲语中被借用，并往往简称为卡或边卡。在外蒙古、呼伦贝尔和新疆地区，台无论是在汉语中，或者是在满洲语和蒙古语中都成为驿或站的同义词。因为，

这些地区的站差不多都是在原有边台的基础上增设的。然而，在习惯上把清代蒙古地区的驿、台、站合称为站或台站。由于台站主要为国防军事服务，有时也叫做军台或军站。清代，同驿职能相类似的还有塘和铺。塘根据安设地点，在北京与各省之间的叫做京塘，在省与省之间的叫做营塘。按清代一般规定，塘负责传送的是中央各部院同各省之间的普通慢件公文。而驿专门负责传送皇帝的谕旨或总督巡抚等高级文武官员的奏折等机要快件公文。但是，这不是绝对的。新疆有些地方的塘同样负责传送军台机要快件公文，因此把它们称为军塘。至于铺，职能和塘一样。它和塘的区别就在于本省及厅州县之间服务。在东北和内外蒙古地区不设塘和铺，无论是普通公文或者是机要公文都要靠台站来传送。除了塘和铺之外，又有巡逻、通信两用的卡伦，这种卡伦在蒙古地区一般都在国境线或地区之间的卡伦站道沿途安设。

清朝入关之初曾一度沿袭明制，通讯和运输两个部门相互分离，即驿站负责通信来往，专设递运所转运官府物资。后来，除了甘肃一带仍保留递运所组织之外，其他各省的转运全归驿站负责。蒙古地区的通信、运输两方面的任务，同样由台站来承担。在蒙古地区一直不存在递运所之类组织。至于清末蒙古地区安设的粮台同递运所也有所不同。它们多数是在原有台站的基础上，和蒙古乌拉制度结合而成的。

清代蒙古台站本身，首先区分为官设台站和苏木台站。这是根据它们拨款安设和经营单位的不同来区分的。东北大路、内蒙古五路驿站、外蒙古北路驿站和新疆西路军台，都是由清朝政府直接拨款安设，并且台站的财政、设备由国家统一负责管理。因此，把这些台站叫做官设台站。同时，在蒙古地区还有各盟旗本身安设的台站。在这类台站，一般都以佐领为单位进行安设。因此，把它们叫做苏木台站。苏木台站的财政、设备，由主办盟旗自行负责。苏木台站的安设，既是对官设台站的补充，又方便了蒙古各盟旗本身内部的交通运输。因此，从服务范围来讲，苏木台站同内地铺有些相似，不同的是铺的经费由国家统一拨给。苏木台站的安设，可以说是清代蒙古地区中央和地方在台站交通方面的分工协作。但是，这种分工协作不是绝对不变。随着全国政治、经济形势的变化，作为交通运输部门的官设台站和苏木台站是相互转化的。

蒙古地区不管是官设台站或者是苏木台站，对它们安设地点的确定，都需要符合两个方面的要求。第一，上下台站之间的距离要适中。第二，安设台站之处必须有水草。否则，不是台站负担失调，就是当人马通过时发生困难。按清初规定，一百里为一站，后改为八十里一站。这一规定，在蒙古地区往往是不容易照办的。特别是在蒙古戈壁大沙漠中，既然要选择有水草的地点，那么上下台站之间的距离就无法同以上规定完全一致。因此，在蒙古地区安设台站时把第一种要求只能作为参考，而第二种要求却成为主要依据。这一点，蒙古地区台站的安设和内地不同。安设内地驿站主要考虑的是上下站之间的距离，水草一般不成为问题。内地驿站往往带有几十里之称，而蒙古地区台站地名却往往带有布拉克（泉）或胡都克（井）。正由于这样，蒙古地区上下站之间距离的合理安排，既显得重要，又感到困难。想让台站发挥其应有职能，对上下台站之间的距离不得不采取措施加以调整。这样，在蒙古地区除了官设台站和苏木台站之外，又产生了正站（台）和腰站（台）的区别。腰站蒙古语叫"扎古尔玛克"（jaɣurmaɣ）或"哈必尔噶"（qabirɣ-a）。正站和腰站，是根据台站人员设备的多少来区分的。如果说正站是大站，那么腰站就是小站。腰站的安设，即是对正站人役设备的补充，又是对它们各自之间距离的调整。正站和腰站一般来讲在行政管理和业务方面都是统一的。在一定意义上可以说腰站是正站的派出单位。正由于这样，某些水草实在缺少的腰站仍以正站为基地，根据需要，由基地随时派出人马，又可以随时撤回。除了腰站之外，按人员设备多少来加以区分的还有转运处。转运处是特级站或中心站。通过台站转运来的各种物资，积存于转运处。凡安设转运处的地点，都要驻军防护。同时，根据需要库存物资可以由这一转运处重新转运到另一个转运处，也可以由转运处直接散发到使用地点。所以，腰站和转运处的安设必须服从需要和地形特点，然而每个站道的具体情况都有所不同。在东北地区诸路站道沿途水位都比较高，在那里几乎随时随地都有安设台站的良好条件。因此，在东北地区虽然还有大站和小站的区别，但同正站和腰站是不同的。东北地区大站和小站的命名，主要是为了把东北大路沿途台站同其他各支路所管台站加以区别。安设内蒙古五路驿站之初，主要是负责通信，当时安设的都是正站，没有腰站。后来，由于古北口驿站同由北京到热河的驿站成为并路，在它沿途共设腰站三座，而且其中两座上下紧靠着。杀虎口驿站，除了早期的和林格尔腰站到安设五路驿站时升格为正站之外，它同喜峰口、独石口驿站一样始终没有安设腰站。后来的张家口驿站和新疆西路军台有些段的情况却大不相同。西、北两路军台本身要经过水草缺乏的戈壁大沙漠。它们除了负有一般通信任务之外，还有从内地往外蒙古、新疆地区转运物资的重任。这样在戈壁沙漠中，载重车辆，特别是牛车按正站日行一百里是有困难的。因此，张家口驿站延伸到外蒙古地区之后，由于陆续增设腰站，各站之间平均距离最后减少到 59 里，而喜峰口驿站平均距离始终保持在 112 里。这就是经常所说的所谓蒙古地区 60 里一小站，120 里一大站。不过正站和腰站的区分到了清朝末年已成为有名无实。因此，当时为了适应不断加重的转运任务，腰站的人员设备也相应地不断增加，使正站和腰站之间的差别消失了。从这种意义上也可以说，腰站已转化成为正站。至于转运处，一般都是随着驿站道路沿途城镇的发展而自然形成，只有少数地方是由官府指定安设的。

清代蒙古地区每一座正台，除了它本身的固定地名之外，对它又按站道沿途所处地理位置顺序编号。一般来讲，从某一站道的起点站出发以后所到达的第一个站叫做头台，最后到达的站叫做底台。对从头台到底台之间各台，按它们前后顺序统一编号。如：头台、二台、三台。不过有几点需要说明。第一，以北京皇华驿作为始发站到长城以北的各路站道，由于它们长城内外各段安设的时间前后不同，整个站道的序号不是统一编的。以内蒙古五路驿站为例，它们虽然都从北京皇华驿开始，但编号从后接设的蒙古台站开始，而对以前安设的内地驿站一般不进行编号或者另行编号。相反，跨越内外蒙古地区的阿尔泰军台，从杀虎口移到张家口外以后，虽然区分为张家口、赛尔乌苏、乌里雅苏台驿站，但对其中张家口、赛尔乌苏两路驿站却进行统一编号。第二，当两路驿站相接时，如果被连接驿站的管理中心在连接驿站的底台，那么，连接驿站的底台接被连接驿站的头台。如果被连接驿站的管理中心不在连接驿站的底台而是在另一端，那么，两路驿站底台接底台。第三，随着台站的不断增设和腰站的升格，站道沿途各台顺序号也不断发生相应的变化。但是，每一个时期的台站顺序号都为当时的管理和使用单位提供了方便。按规定，上下台之间的距离尽量要求一致的。因此，台站的顺序号是起着里程碑的作用。

官设站道一旦安设确定，它所经过的路线及其沿途的台站一般是固定不变的。在清代蒙古地区最早过定居生活的要算是官设台站的站丁了。但不能说安设官设台站的地点都是永远固定不变的。随着气候季节的变化和游牧人口的迁移挪动，有些官设台站的安设地点也是发生变动的。例如：在江河渡口附近的台站，春季开河时安设而冬季封冻以后裁除。在游牧人口杂居地区的台站，夏季展卡时安设而冬季缩卡时裁除。在高山沼地沙漠地带的台站，按风雪雨水等自然条件的变化，随时都有选择有利地形安设挪动的可能。至于蒙古各旗本身苏木台站位置的变动，比起官设台站更为频繁。因为蒙古各盟旗王公台吉活佛们乘用的官设台站的地点虽然一般固定不变，但他们本身的游牧营地却是迁移不定的。他们在本旗境内的乘驿路线，是以某一官设台站为中心，然后随着他们驻牧地点的迁移而发生变化。由于路线发生变化，在它沿途安设的苏木台站的位置也发生相应的变动。这样，清代蒙古地区台站，按其安设季节的变化与否区分为常设台站和临时台站，又按其安设地点的变动与否区分为固定台站和流动台站。一般来讲，常设台站都是固定台站，而临时台站都是流动台站。这些临时的流动台站，随着各旗王公府和召庙的建立、城镇的形成和发展，农业人口的增加和定居生活范围的日益扩大，也不断地固定起来。

蒙古台站一词，起初是同内地驿站相对而产生的。从词意上理解，内地驿站显然是指长城以内的驿站。长城以内的驿站，人员一般都由汉人来组成，因此也叫做汉站。在长城以北，汉站的对称是蒙古台、回台和达斡尔台等。康熙二十年（1681年）平定"三藩之乱"以后，为了便于对蒙古遭灾地区进行赈济，在蒙古地区还没有安设蒙古台站以前，清朝就在长城各关口及其附近蒙古盟旗境内开始安设了一些驿站。这些驿站有的虽然安设在蒙古地区，但由于它们的服役人员主要从内地附近各省汉族农民中派来，把它们仍然叫做内地驿站或汉站。从此开始，在蒙古地区内地驿站一词的含义和原意根本不同了。不过随着蒙古台站的安设，加上语言、生活环境的改变，除了长城各口本身的内地驿站继续保留下来之外，在蒙古盟旗境内安设的内地驿站及其人员后来几乎全被蒙古族同化，然而也被称为蒙古驿站。热河、归化城和古城地区内地驿站的情况有所不同。这当然同这些地区汉族人口的迅速增加有关系。

在蒙古地区安设内地驿站之初，人员编制没有统一规定，然而在蒙古地区留下了佰拾户、八十户、六十户、四十户等早期驿站地名。在安设内蒙古五路驿站和外蒙古北路驿站的过程中，清朝对蒙古台站人员编制作出统一规定：正站为五十家，腰站为二十家。蒙古语五十家谓"塔宾格尔"（tabin ger），二十家谓"和林格尔"（qorin ger）。这样，它们后来不管蒙语汉语，也不管人员是否有增减，在内外蒙古地区都成了台站的同义词。并且在蒙古地区大量的五十家（塔宾格尔）、二十家（和林格尔）等蒙、汉地名，作为蒙古台站的代称一直保留到今日。

驿站交通的主要特点是：要求迅速、准确。特别是蒙古台站地处北部边疆，它们传递文报的快慢直接关系到清朝国防军政大事。因此，在这方面，清朝向蒙古台站提出的要求是极为严格的。为了使传报及时不误，不管任何时候什么情况都要求做到两点：第一，在台站拴马桩上必须拴有作好驰驿准备的驿马；第二，在台站所在地点必须有做好驰驿准备的差夫（乌拉齐 ulaγači）。蒙古语中台站的又一个同义词"乌尔特格"（örtege），可能由此产生。它的意思就是"事先做好准备的地方"。同时，在内蒙古东部科尔沁草原，拴马桩的蒙译词"乌雅"（uγaγ-a），满译词"哈岱罕"和乌拉齐及其满译词"塔哈尔"等，也可以被用来代替台站一词。除此之外，由于传报有缓急之别，对驰驿速度要求也不一样。台站传递有日行三百里、四百里、五百里和八百里之分。把它们概括称为飞递。专差驿递日行三百里以下，叫做马递。物资转运日行六十里，不属于驰驿范围。根据平时驰驿和转运速度的不同，有时蒙古台站又被称为克依斯呼（keiskü）、尼斯呼（niskü）或阿延沁（ayančin）等。克依斯呼、尼斯呼是飞递的蒙译词。阿延沁，汉意谓转运者。

这样，在清代蒙古地区，除了驿、站、台或驿站、台站等通名之外，它们的同义词又有：乌尔特格、五十家（塔宾格尔）、乌雅（哈岱罕）、乌拉齐（塔哈尔）、克依斯呼或尼斯呼等。从这些通用名词中进一步派生出蒙古台站、内地驿站、官设台站、苏木台站、常设台站、临时台站、固定台站、流动台站、蒙台、汉台、正台、腰站（二十家、扎古尔玛克、哈必尔噶）等。当这些通名及其派生名词被采用来作某一具体台站地名时，除了在它们前面加台站顺序号之外，按蒙古民族的古老习惯，又加前后左中右或东西南北中等方向词进一步加以区别。

　　清代内蒙古五路驿站　出于政治、军事上的原因，在清代长城内外诸路官设驿站中，东北满洲地区和内地汉族地区之间的驿站是最先恢复和安设起来的。接着，在蒙古地区和内地之间，起初主要是在长城各口及其附近陆续安设了汉站。这些汉站，是利用内地人力物力安设，因此也叫做内地驿站。东北地区各路驿站特别是长城各口及其附近内地驿站的安设，直接影响到处于交通要道而差务繁多的内蒙古各盟旗。为了便于应付各种差使，内蒙古地区不少旗在各自旗界内开始自发地安设起蒙古苏木台站。这些蒙古苏木台站一般都是在各旗原有负责支应乌拉的专门机构基础上发展起来的。然而在那些已经安设蒙古苏木台站的地方，蒙古乌拉制度逐步被蒙古驿站制度所代替。到康熙三十年（1691 年），康熙亲自到内蒙古地区参加多伦诺尔会盟以后，根据准噶尔战争的需要，作出了从蒙古地区到北京的五路贡道沿途也由清朝中央政府负责安设驿站的决定，并为此事同内蒙古有关各盟旗王公贵族进行商议。① 在清朝中央政府同内蒙古各旗共同商议的基础上，于康熙三十一年（1692 年）春，清朝内大臣阿尔迪和理藩院尚书班迪等人各自率领人员到内蒙古那些安设驿站的地方进行勘察。② 到当年夏天在不到三个月时间，他们很快向康熙提出了安设内蒙古五路驿站的具体方案。康熙计划把全部安设工作，用两年时间分两批陆续完成。根据计划，喜峰口、杀虎口两路驿站安设于康熙三十一年（1692 年）③ 而其余古北口、独石口、张家口三路驿站却安设于康熙三十二年（1693 年）。④ 当时，把这些安设的各路驿站，叫做口外五路驿站或边外五路驿站，简称为蒙古台站，有时也笼统叫做草地路。内蒙古五路驿站均以由蒙古各盟旗到北京所经过的长城关口命名。例如：从东到西喜峰口驿站、古北口驿站、独石口驿站、张家口驿站、杀虎口驿站等。

　　喜峰口⑤驿站，从北京到扎赉特旗哈岱罕站，是由清朝刑部尚书图纳负

---

　　① 《清圣祖实录》卷 153，康熙三十年冬十月丙申条。
　　② 《清圣祖实录》卷 154，康熙三十一年三月丙辰条。
　　③ 《清圣祖实录》卷 155，康熙三十一年夏五月甲申条。
　　④ 《清圣祖实录》卷 158，康熙三十二年二月庚辰条。
　　⑤ 蒙文称做 Bayasqulang qadatu qaɣalɣan。满文称做 Urgun qadangga jase。

责安设。① 这条驿站，从北京开始经过遵化到喜峰口，然后从喜峰口经过内蒙古东部三盟二十旗到达终点站。三盟是：卓索图盟、昭乌达盟和哲里木盟。二十旗是：喀喇沁右翼旗、喀喇沁中旗、喀喇沁左翼旗、土默特右翼旗、土默特左翼旗、喀尔喀左翼旗、敖汉旗、奈曼旗、扎鲁特左翼旗、扎鲁特右翼旗、科尔沁左翼后旗、科尔沁左翼中旗、科尔沁左翼前旗、科尔沁右翼中旗、郭尔罗斯后旗、郭尔罗斯前旗、科尔沁右翼前旗、科尔沁右翼后旗、扎赉特旗、杜尔伯特旗。② 此路从北京到喜峰口 410 里，从喜峰口到扎赉特旗 1 600 里，总长 2 010 余里。从北京到喜峰口设六驿，③ 从喜峰口到扎赉特旗，除了喜峰口、宽城两座汉站之外，设蒙古站浩沁塔宾格尔、克依斯呼、托郭图、伯尔克、黄郭图、沙尔诺尔、库库车勒、三音哈克、希讷郭勒、奎办布拉克、博罗额尔济、诺木齐、哈沙图、阿勒坦克勒苏特依、伸堆、哈岱罕十六站④，蒙、汉共十八站。喜峰口驿站，是清代由内蒙古东部各盟旗到北京的必经之路，也可以说是黑龙江大路的姊妹路线。

古北口⑤驿站，从北京到乌珠穆沁左翼旗，是由清朝内阁学士安布禄和侍读学士席密图二人负责安设⑥。这条驿站，从北京出发以后经过顺义、密云等县到古北口，然后从古北口经过昭乌达、锡林郭勒二盟九旗到达终点站。九旗是：翁牛特右翼旗、翁牛特左翼旗、扎鲁特左翼旗、扎鲁特右翼旗、巴林右翼旗、巴林左翼旗、阿噜科尔沁旗、乌珠穆沁右翼旗、乌珠穆沁左翼旗等⑦。此路从北京到古北口 140 里，从古北口到乌珠穆沁部 923 里，总长 1 163 里。除了从北京到古北口设三驿之外，从古北口到波赖村设汉站六，从波赖村到终点设蒙古站十，蒙、汉共十六站。

蒙古站从美耳沟正站开始，经过希哈正站、阿美沟腰站、卓索正站、陈图博腰站、赉散琥图克腰站、色拉木伦正站（巴林桥）、噶察克正站、海拉

① 《清圣祖实录》卷 155，康熙三十一年五月甲申条。

② 《嘉庆会典事例》卷 982，《理藩院·边务·驿站》。

③ 《小方壶舆斋地丛钞》再补编，第 1 帙，无名氏著：《驿站路程》。

④ 金峰：《清代内蒙古五路驿站》，《蒙古史论文集》第 3 辑，第 336 页。

⑤ 《钦定理藩院则例》（蒙文）卷 32，作 Moltosi-qaɣalɣan。《词林》，蒙文同，满文作 Moltasi—jase。

⑥ 《清圣祖实录》卷 158，康熙三十二年二月庚辰条。

⑦ 《嘉庆会典事例》卷 982，《理藩院·边务·驿站》。

察克正站到阿噜噶木尔正站，驿程为八百三十里。① 古北口站到鞍匠屯站以后同从北京到承德的驿站分道，一继续向北，一向东。

独石口②驿站，从北京到浩齐特部，是由清朝工部侍郎图尔宸和侍读学士喇锡负责安设，③ 这条驿站，从北京出发经过昌平州、居庸关、赤城县到独石口，然后从独石口经过察哈尔左翼和昭乌达、锡林郭勒二盟七旗到达终点站。所到达的七旗是：克什克腾旗、阿巴噶右翼旗、阿巴噶左翼旗、阿巴哈纳尔右翼旗、阿巴哈纳尔左翼旗、浩齐特右翼旗、浩齐特左翼旗等。④ 此路从北京到独石口 500 里，从独石口到浩齐特部 685 里，总长 1 185 里。除了从北京到独石口设八驿之外，又设独石口本身汉站一座和蒙古站六座。蒙古站的第一站奎腾布拉克，在察哈尔境内。其余均在内蒙古境内。在内蒙古境内的五座蒙古站是：第二站额楞、第三站额默根、第四站卓索图、第五站锡林郭勒、第六站胡鲁图。独石口驿站，在长城以内由赤城驿同去赵州之驿道分道⑤。同时，这条驿站在长城以北所经过的路线基本上同元代帖里干站道南段相符合的。不过清代由于阿尔泰路军台的安设，除了康熙三十五年（1696 年）康熙亲自统帅中路军经过此路到达克鲁伦河流域之外，后来清朝官方人员到外蒙古一般都不走这条路了。

张家口驿站是由清朝史部侍郎布彦图和侍读学士额赫礼两人负责安设的，⑥ 它从北京开始经过怀来县、宣化府到张家口，然后康熙三十二年（1693 年）安设之初从张家口到长城以北分两路，一路向西到归化城，又一路向西北到四子部。当初分道地点记载不清楚。此路从北京到张家口 430 里，从张家口到归化城 600 余里，从张家口到四子部 550 里。然后从北京经过张家口外到归化城总长 1 000 里，到四子部 960 里。从北京到张家口一段，由怀来县土木驿同独石口驿站分路。然后从土木驿到张家口设

---

① 金峰：《清代内蒙古五路驿站》，《蒙古史论文集》第 3 辑，第 337 页。
② 《钦定理藩院则例》（蒙文）卷 32，作 örügesün—qaɣalɣan。《词林》，蒙文作 örügesün-cilaɣunai-qaɣalɣ-a，满文作 Laran Wehei jase。
③ 《清圣祖实录》卷 158，康熙三十二年二月庚辰条。
④ 《嘉庆会典事例》卷 982，《理藩院·边务·驿站》。
⑤ 金峰：《清代内蒙古五路驿站》，《蒙古史论文集》第 3 辑，第 345 页。
⑥ 《清圣祖实录》卷 158，康熙三十二年二月庚辰条。

两驿。① 归化城一路除了张家口本身汉站一座之外，设察罕托罗海、叟吉、昭化、塔拉布拉克勤克俭、穆海图、和林格尔蒙古站六座②。经过归化城一路可以到达察哈尔右翼和归化城土默特等六旗之外，从北京到阿拉善额鲁特旗、额济纳土尔扈特旗的官方人员也都要经过这条驿站行走的。③

张家口驿站的另一条四子部一路，安设之初主要是到达内蒙古乌兰察布、锡林郭勒二盟的四子部落旗、苏尼特右翼旗、苏尼特左翼旗、喀尔喀右翼旗、茂明安旗等五旗。④ 后来，由于从张家口到外蒙古地区各路主要驿站的安设，特别是到雍正六年（1728年）由于准噶尔战争形势的变化，清朝政府下令裁撤了从张家口到归化城一路，将原来张家口驿站两路合并为一路⑤。四子部一路不仅成为张家口外唯一一条驿站，而且它从内蒙古境内延伸到外蒙古地区。这样延伸到外蒙古地区的张家口驿站，就成为清代著名的长达数千里的阿尔泰路军台的组成部分，即阿尔泰路军台的南段。合并以后，张家口驿站除了张家口本身汉站一座之外，设蒙古站二十三座，蒙、汉共二十四站⑥。其中蒙古站：在察哈尔境内安设的第一台察罕托罗海不动，另外设第二台布尔哈苏台、第三台哈留台、第四台鄂罗依琥图克、第五台奎苏图、第六台扎哈苏台、第七台盟垓、第八台察尔图、第九台庆岱等九站。在内蒙古境内设第十台乌兰哈达、第十一台奔巴图、第十二台锡哈达、第十三台布鲁图、第十四台鄂伦琥图克、第十五台察罕琥图克、第十六台锡喇穆楞、第十七台敖拉琥图克、第十八台吉斯黄郭尔等九站。下接外蒙古土谢图汗部境内五站。这样张家口驿站远远超过了原来只到内蒙古二盟数旗的范围。

杀虎口⑦驿站，从北京分别到乌拉特三公旗和鄂尔多斯地区。此路是由

---

① 《驿站路程》。
② 《嘉庆会典事例》卷982；《嘉庆重修一统志》卷534。
③ 《嘉庆会典事例》卷982，《理藩院·边务·驿站》。
④ 《嘉庆会典事例》卷982，《理藩院·边务·驿站》。
⑤ 《嘉庆会典事例》卷982，《理藩院·边务·驿站》。
⑥ 《钦定理藩院则例》卷31。
⑦ 蒙文《钦定理藩院则例》卷32，作 sürkei-qaγalγan。《词林》蒙文同，满文作 öurkei jase。

清朝内阁学士德珠负责安设的①。由于张家口、杀虎口地理位置东西并列，清代把张家口也叫东口，把杀虎口叫西口②。在内地与蒙古地区之间通过张家口和杀虎口两口行走往来，叫做走东口或走西口。杀虎口驿站始终分两路：从杀虎口向西北经过归化城到乌喇特三公旗为北路或东路；从归化城向西南到鄂尔多斯地区为西路。③北路经过归化城土默特左、右两旗境到达乌兰察布盟乌喇特前、中、后三旗共同驻地哈达马尔（铁柱台）④。西路从归化城到达伊克昭盟鄂尔多斯左翼前旗、左翼后旗、左翼中旗、右翼后旗、右翼前旗、右翼前末旗、右翼中旗七旗⑤。杀虎口驿站，从北京到杀虎口930里，从杀虎口到归化城210里，从归化城到乌拉特三公旗360里，从归化城到鄂尔多斯部终点站1 120里。从北京到绥远城1 145里，到乌拉特三公旗1 500里，到鄂尔多斯部2 410里。杀虎口外东、西两路长1 690里。⑥从北京到杀虎口设十四驿。⑦从杀虎口到归化城北路除了杀虎口本身汉站一座⑧之外，设八十家、二十家、沙尔沁、归化城蒙古站四座。从归化城到鄂尔多斯部西路设杜尔路、栋素海、吉克苏台、巴彦布拉克、阿噜乌尔图、巴尔素海、察罕扎达垓蒙古站七座。杀虎口东西两路蒙、汉共十二站。⑨同时，东、西两路，从萨勒沁站分道，一向东南到杀虎口，一向西南到鄂尔多斯部。除此之外，同准噶尔噶尔丹汗的战争过程中，清朝西路军是由归化城开往外蒙古地区的。因此，从归化城向北过大青山到外蒙古地区又安设了很多台站。这些台站也已经远远超出了内蒙古范围。

综上所述，清代内蒙古地区五路驿站合起来总长5 963里，共设71座台站。从北京经过这些驿站可以到达内蒙古所有盟和旗。这一点，以前任何

---

① 《清圣祖实录》卷155，康熙三十一年五月甲申条。
② 《乌里雅苏台志略》，《道里》。
③ 《嘉庆会典事例》卷982，《理藩院·边务·驿站》。
④ 《嘉庆重修一统志》卷542。
⑤ 《嘉庆会典事例》卷982，《理藩院·边务·驿站》。
⑥ 由北京分别到杀虎口、归化城、鄂尔多斯部终点站的里程，见《驿站路程》；由归化城到哈达马尔的里程，见《嘉庆重修一统志》卷542及《蒙古游牧记》卷6。
⑦ 金峰：《清代内蒙古五路驿站》，《蒙古史论文集》第3辑，第352页。
⑧ 《钦定理藩院则例》卷32，《杀虎口驿站》。
⑨ 《清圣祖实录》卷155，康熙三十一年五月甲申条。

朝代都是无法比拟的。

清代内蒙古东北部驿站　明崇祯十七年，清顺治元年（1644年）入关以后，清朝政府从北京到盛京1 460里之间，经过山海关、巨流河等地设24驿。由于清朝皇帝经常经过从北京到盛京之间的驿道行走，清代这条驿道又被称为御路。由于御路经过山海关，所以又叫做山海关驿道。山海关驿道是在清代内地与长城以北地区之间最先安设的一条驿道。

康熙二十二年（1683年）反击沙俄侵略的战争重新开始以后，清朝从吉林地区发往黑龙江流域的战船和大型运粮船仍旧利用松花江水路。同时，从内地运往前线的各种军用物资，经过山海关驿道陆运到巨流河驿，接着经过东辽河水路运到等色屯，然后利用蒙古乌拉车辆再由陆路运往伊通河同松花江水路连接，一直到黑龙江流域。① 因此，清代从内地到黑龙江地区交通中，水路是最先恢复起来的。

康熙二十二年（1683年）冬，清朝户部曾提出初步方案：从吉林乌拉到瑷珲之间让蒙古向导引路安设十座台站。从此，在黑龙江地区以清朝户部郎中包奇为首的、并由兵部、理藩院官员参加的大规模安设台站的准备工作开始了。② 到康熙二十四年（1685年）夏，经过一年半时间的详细勘察，清朝政府一方面最后作出决定：接吉林北路伯都讷站道，从茂兴经过墨尔根一直到瑷珲城安设十九座台站。③ 另一方面，由于经过黑龙江水路到沙俄侵略据点雅克萨过于绕远，清朝政府让蒙古、索伦官兵从墨尔根④到雅克萨之间安设军台。⑤ 雍正五年（1727年），在黑龙江和外蒙古地区安设卡伦的过程中，由于原来从古鲁到茂兴二站之间距离过长，清朝政府决定添设⑥这样接吉林北路伯都讷站到瑷珲城，经过郭罗斯后旗境内茂兴、⑦ 乌兰诺尔、古鲁等三站和杜尔伯特旗境内塔尔哈、⑧ 多奈两站，中途前后共设二十站。后

① 曹廷杰：《东北边防辑要》卷下。
② 《清圣祖实录》卷112，康熙二十二年冬十月乙丑条。
③ 西清：《黑龙江外记》卷2，光绪年间刻本。
④ "墨尔根"，蒙古语（mergen），善射之谓，满洲语同。
⑤ 《清圣祖实录》卷120，康熙二十四年夏四月乙未条。
⑥ 《黑龙江志稿》卷42。
⑦ 《嘉庆重修一统志》卷71、《黑龙江志稿》卷42："茂兴"，均作"默馨"。
⑧ 西清：《黑龙江外记》，光绪年间刻本。

来，黑龙江省会从瑷珲城搬到齐齐哈尔以后，按其管辖权，从伯都讷以北经过茂兴、乌兰诺尔、齐齐哈尔到宁年的 672 里之间的十站称为下站或南路站，① 而从宁年经过墨尔根到黑龙江城的 730 里之间的十站称为上站或北路站。② 吉林北路伯都讷站道渡过三江口。③ 就直接同黑龙江南路茂兴站连接。④

在黑龙江、外蒙古地区的主干站道和卡伦的安设工作基本结束以后，清朝政府把注意力主要集中到呼伦贝尔地区。雍正十年（1732 年），当清廷决定将整个呼伦贝尔地区归黑龙江将军管辖的同时，并立即着手编制呼伦贝尔索伦、达斡尔及陈巴尔虎左右两翼八旗。按当时规定：左翼以塔巴罕为总管，在集尔玛太地方驻军防备沙俄；右翼以布勒本察为总管，其主要任务是负责维护呼伦贝尔地区同喀尔喀之间的边界秩序。接着，清朝政府根据塔巴罕的要求，决定从齐齐哈尔到驻防地点集尔玛太 780 里之间，中途经过内兴安岭无人原始森林区⑤安设巡防、传递两用的十座台站。⑥ 从此开始，把这条站道称为黑龙江或齐齐哈尔西北路台，以别于齐齐哈尔南北或上下站道。⑦ 但是，时过不久由于气候寒冷无霜期短而不适合耕作，清朝政府根据蒙古官兵的提议和达斡尔农民的要求很快把驻防地点从集尔玛太移到海拉尔地方建城。由于这城离呼伦、贝尔两湖很近，命名为呼伦贝尔城。从此，呼伦贝尔一词就成为整个这一地区的总称。这样到乾隆元年（1736 年）时，由于路的延长和对各台之间距离的调整，清朝政府从齐齐哈尔到呼伦贝尔城的 890 里之间先后设台站共十七座。咸丰七年（1857 年），清朝政府为了传送中俄交涉公文，将当地卡伦中的三座改为台，并把它们移到呼伦贝尔城的库克多博卡伦之间。从库克多博卡伦向西渡额尔古纳河就进入沙俄萨拜喀尔省界。这样齐齐哈尔西北路台又延长 360 余里，总长达到 1 258

① 金峰：《清代内蒙古五路驿站》，《蒙古史论文集》第 3 辑。
② 金峰：《清代东北地区诸路站道》，《蒙古史论文集》第 3 辑。
③ 垄之钥：《后出寨录》。
④ 徐宗亮：《黑龙江述略》，光绪十七年（1891 年）刻本。
⑤ 徐宗亮：《黑龙江述略》，光绪十七年（1891 年）刻本。
⑥ 《黑龙江志稿》卷 42。
⑦ 《图说》。

里，中间前后共设台二十一座。① 这些西北路台，以齐齐哈尔城内卜奎②站作为起发站。然后，在齐齐哈尔界内设：七家、甘井子、那奇希三台。在布特哈界内设：木尔棍楚、和尼必喇昂阿、和尼必喇、西巴尔哈里、巴林、嘎尔乾哈达、延博霍托七台。在呼伦贝尔界内设：伊尔克特、库尔格特衣、们都克依、扎敦必喇雅克萨、喀勒和硕、扎拉木太、哈克鄂模、呼伦贝尔城、博霍托、依尔该图、新布拉格十一台，并接中俄边界处库克多博卡伦。③

呼伦贝尔中俄边界卡伦站道，是为了防止沙俄的入侵前后分两批安设的。这就是最早乾隆二十五年（1760 年）接外蒙古恰克图卡伦站道，则察罕乌拉开始到朱尔特依设十二座卡伦。④ 到光绪十年（1884 年）接朱尔特依继续向东北到额勒和哈达又增设五座卡伦。⑤ 以上由额勒和哈达卡伦经过齐齐哈尔西北路台终点台库克多博卡伦到同恰克图卡伦站道相连接的察罕乌拉卡伦，长 1 660 里。⑥ 共设十七座卡伦。这些卡伦由额勒和哈达卡伦⑦向西南经过伊穆河卡伦、温河卡伦、牛尔河卡伦、莫里勒克卡伦、珠尔特依卡伦、锡伯尔布拉克卡伦、巴延珠尔克卡伦、乌雨勒赫齐卡伦、巴雅斯呼郎温都尔卡伦、巴图鲁和硕卡伦、库克多博尔伦、额尔德尼托勒辉卡伦、蒙克西里卡伦、阿布垓图卡伦、苏克特依卡伦到察罕鄂拉卡伦。这样，呼伦贝尔中俄边境卡伦站道向西不仅同外蒙古恰克图卡伦站道相连接，而且由库克多博卡伦经过齐齐哈尔西北路台可以到达黑龙江省各地。如不走齐齐哈尔西北路台，由呼伦贝尔城到北京还有两条路。一条是：由呼伦贝尔城向西南渡喀尔喀河，经过外蒙古车臣汗部左翼前旗、内蒙古乌珠穆沁左右两旗、克什克腾旗、多伦诺尔，然后从古北口到北京。另一条是：由呼伦贝尔城向西南渡乌

① 自齐齐哈尔至呼伦贝尔城、自呼伦贝尔城至库克多博之里程，均见光绪二十三年（1897 年）呼伦贝尔都院衙门编著《呼伦贝尔概要》（1977 年新巴尔虎右旗贝尔公社巴拉沁老人赠给内蒙古大学图书馆的满文手抄本）。

② 西清：《黑龙江外记》卷 1，光绪年间刻本。

③ 巴岱、金峰、额尔德尼：《卫拉特史迹》，新疆人民出版社 1992 年版，第 130—215 页。

④ 巴岱、金峰、额尔德尼：《卫拉特史迹》，新疆人民出版社 1992 年版，第 130—215 页；何秋涛著：《朔方备乘》卷 10，《北缴喀伦考》。

⑤ 巴岱、金峰、额尔德尼：《卫拉特史迹》，新疆人民出版社 1992 年版，第 130—215 页。

⑥ 巴岱、金峰、额尔德尼：《卫拉特史迹》，新疆人民出版社 1992 年版，第 130—215 页。

⑦ 巴岱、金峰、额尔德尼：《卫拉特史迹》，新疆人民出版社 1992 年版，第 130—215 页。

尔散河，自贝尔湖西岸的布隆德尔苏入车臣汗部左翼中后旗境，经过乌珠穆沁右翼旗、浩齐特左翼旗、阿巴噶右翼旗、察哈尔王兰旗，然后从张家口到北京。①

雍正十三年（1735 年），清朝政府对齐齐哈尔西北路台进行调整的前夕，从齐齐哈尔经过南路站道到乌兰诺尔站。② 然后又从此向东到呼兰城设六台。③ 其中仍借郭尔罗斯后旗地界设博勒集合、察布齐勒、俄多勒图、布拉格四台。而其余两台，设在呼兰城境内，④ 后来，从呼兰城到巴彦苏苏又设两台。这样新添旧设总共七台，长 565 里。⑤ 由于此路从齐齐哈尔向东南安设，并同西北路台相对称，叫做东南路台。

由此可知，齐齐哈尔是随着黑龙江省会的迁移和西北、东南路台的安设，继瑷珲城成为整个黑龙江地区的水陆交通枢纽。在陆路方面，南北两路站和西北、东南两路站和西北、东南两路台、总长 3 225 里四十八站，⑥ 都会合在齐齐哈尔。在水路方面，从齐齐哈尔可以经过嫩江同松花江、黑龙江水路连接。然而经过水路向西南可以到达巨流河，向东北直达黑龙江入海口。陆路从齐齐哈尔经过黑龙江南路茂兴站道、吉林北呼伯都讷站道、盛京东北吉林驿道（吉林西路站道）和山海关驿路，可以到达清代京城北京。当时，这一从北京经过盛京、吉林到齐齐哈尔的长 3 317 里站道，⑦ 被总称为黑龙江大路，简称大站。除了大站之外，从齐齐哈尔到北京还有一条站道、两条商路。⑧ 这一条站道是：从齐齐哈尔向西 160 里同喜峰口站道终点站哈岱罕连接。由于这条站道经过蒙古科尔沁草原，被称为草地路。⑨ 由于走此路比大站近，加上蒙古站丁驰驿迅速，⑩ 清代由黑龙江地区到北京紧急

---

① 巴岱、金峰、额尔德尼：《卫拉特史迹》，新疆人民出版社 1992 年版，第 130—215 页。
② 金峰：《清代东北地区诸路站道》，《蒙古史论文集》第 3 辑，第 310—332 页。
③ 金峰：《清代东北地区诸路站道》，《蒙古史论文集》第 3 辑，第 310—332 页。
④ 金峰：《清代东北地区诸路站道》，《蒙古史论文集》第 3 辑，第 310—332 页。
⑤ 金峰：《清代东北地区诸路站道》，《蒙古史论文集》第 3 辑，第 310—332 页。
⑥ 《嘉庆重修一统志》卷 71。
⑦ 金峰：《清代东北地区诸路站道》，《蒙古史论文集》第 3 辑，第 310—332 页。
⑧ 西清：《黑龙江外记》卷 2，光绪年间刻本。
⑨ 清代叫做"草地路"的绝不限于喜峰口一路，凡是经过蒙古草地的道路，按其需要均可叫做草地路。
⑩ 金峰：《清代东北地区诸路站道》，《蒙古史论文集》第 3 辑，第 310—332 页。

军事国防奏折都经过它。而一般公文才通过大站传送。因此，大站又称为进本路，而喜峰口站道被叫做递折路。至于从北京到齐齐哈尔的两条商路，都经过盛京到法库门分路：一路经过蒙古科尔沁草原郑家屯等地到郭尔罗斯后旗境内茂兴同大站会合；① 又一路经过吉林省境内到伯都讷同大站会合，然后均可到达齐齐哈尔。由于大站和两条商路均经过盛京到达齐齐哈尔，当时按它们所经过的相互位置，把大站称为东路，把从法库门经过吉林境内一路称为中路，经过科尔沁草原一路称为北路。由于北路经过法库门，被称为八虎道。商队走八虎道，虽然近便而不像西部蒙古站道那样路途艰难，但它所受到的季节影响是很大的。②

综上所述，清代东北盛京、吉林和黑龙江地区各路站道，合起来总长9 807里，台站卡驿共142座。当时这些站道除了主要为国防军事服务之外，并同内蒙古东部地区和东北各少数民族的政治、经济生活有着密切的关系。其中齐齐哈尔南路站道经过内蒙古郭尔罗斯前后旗、杜尔伯特旗和当地所属额鲁特伊克明安旗；西北路台是专门安设在布特哈和呼伦贝尔境内；而东南路台主要是经过郭尔罗斯后旗。在蒙古民族中，呼伦贝尔地区的巴尔虎人及齐齐哈尔附近的伊克明安旗的额鲁特人，当他们同内地或附近地区来往时，都通过当地黑龙江地区各路站道。同时，清朝政府规定，凡是黑龙江大路直接经过或者从旁边通过的内蒙古各盟旗都不另设蒙古站道。它们需要同北京或附近地区往来时，均可以无偿使用黑龙江大路各站所设人役和设备。其中郭尔罗斯前后二旗、杜尔伯特旗可以从各自附近台站乘驿，而土默特、奈曼、喀尔喀左翼、科尔沁二郡王等六旗到附近山海关乘驿。③ 除此之外，清代居住在东北各地的满洲、鄂温克、鄂伦春、达斡尔、赫哲、锡伯等各少数民族也都通过东北地区各路站道同北京和内地联系。

清代内蒙古台站的管理机构 清代蒙古台站的各级管理机构中首先提到的是苏木台站内部组织机构及其各项规章制度。由于目前史料缺乏知道的很

---

① 西清：《黑龙江外记》卷2，光绪年间刻本。
② 徐宗亮：《黑龙江述略》，光绪十七年（1891年）刻本。
③ 《嘉庆会典事例》卷982，《理藩院·边务·驿站》。

少。至于清代长城以北蒙古地区官设台站机构的建立、官员的设置、人员的组成、各项制度的规定，既同内地各省驿站制度有相同之处，又有它本身的显著特点。驿站每一项制度的建立和改变，都必须经过清朝皇帝的同意和批准。这样就把清代历朝皇帝有关驿站的谕旨汇总起来，以法律形式在《大清会典事例》、《兵部则例》和《钦定理藩院则例》等法典中作为制度固定了下来。除了皇帝之外，其他任何人对驿站的各项规章制度只有执行的义务，没有私自改变的权力。这是由当时长城内外全国的大统一形势和清朝皇帝对全国土地的最高所有权所决定的。这同明代不同。至于清代长城内外驿站制度之间的差别，其原因应该从当时这些地区的民族特点和地区特点中去探索。

清代全国各地驿站和以往历代王朝一样，仍归中央王朝的兵部统一管辖。兵部对全国各地驿站的管理，是通过它的车驾清吏司。兵部车驾清吏司的主要职责之一，就是具体负责和处理全国各地驿站的日常事务。[①] 因此，在清代全国驿站交通方面，把兵部及其所属车驾清吏司可以看做是中央一级的最高管理机构。在地方，特别是在长城内外各地所建立的各级驿站管理机构相互之间却有很大的不同。在长城以内各省，清朝对驿站的行政管理一般都通过所在厅州县，有时也按东北盛京地区办法专设驿丞加以管理。同时，清朝把长城以内各省驿站的检查一律交给道府，并让当地按察使总负责[②]。因此在这方面，如果把长城以内各省道府厅州县看做是清朝兵部车驾清吏司的代办机构，那么，驿丞、按察使及其有关机构就是它本身直接派出的机关。简而言之，清代内地各省的驿站是由中央和地方各级政府联合检查管理的。这种检查管理制度显然是受了明代内地驿站制度的影响。

东北盛京地区的驿站属盛京兵部管辖。[③] 当地各驿的行政，由专设驿丞来负责。为了监督检查，设正、副台站监督两人。[④] 这种在兵部统一管辖之下，行政、检查两者分离的台站管理体制，是从爱新国时期延续下来的。它

---

① 《嘉庆会典事例》卷39，《兵部》。
② 《嘉庆会典事例》卷39，《兵部》。
③ 《嘉庆会典事例》卷40，《盛京兵部》
④ 《嘉庆会典事例》卷39，《兵部》。

对君主专制主义政权的加强曾起过促进作用。至于吉林、黑龙江地区的台站，它们的管理机构不仅同内地各省有很大不同，并且同盛京地区也有所区别。这就是：以上两地台站直接归当地将军管辖。① 因此，它们的国防、军事性能更为突出。以吉林地区台站为例，虽然照盛京地区也前后设台站监督两人，但他们不仅对有关台站有监督检查的职责，还有行政管理权。他们在吉林城内各设公所及其公务人员关防笔帖式、关防领催等，直接参与各路站道的行政管理。然而吉林地区台站监督没有像盛京地区那样正副的区别，而是各自分管若干站道——金珠鄂佛罗站监督分管吉林北路站道，乌拉额赫穆站监督分管吉林东、西两路站道。② 各路站道所属各个台站，一般都设笔帖式、领催各一人，处理台站有关各项事务。而个别小站不设笔帖式，由附近台站的笔帖式兼管。③ 这样，在吉林地区当地将军的统一管辖之下，形成了检查和行政统一的站道、台站两级管理机构。在黑龙江将军下负责台站事务的不叫驿站监督，而叫做驿站官。④ 当地上、下两路站道，分别由两名驿站官来管理。⑤ 因此，根据他们的权限，负责南路（下站）的叫做南路或下站驿站官，负责北路（上站）的叫做北路或上站驿站官。⑥ 南路或下站驿站官驻茂兴，管理由茂兴经过齐齐哈尔到宁年的十站。北路或上站驿站官驻墨尔根，管理由塔哈尔经过墨尔根到黑龙江城的十站。⑦ 黑龙江地区驿站官的职权范围同吉林驿站监督基本上是一样的。在驿站官下仍设负责有关站道的关防笔帖式、关防领催各一人。各站同样设笔帖式一人、领催一人。但是，在黑龙江地区各级台站管理机构中，台站一级笔帖式、领催的权力很小。他们虽然可以负责某一具体台站，但对台站内部较大事情的决定和处理也必须通过站道一级驿站官。这显然是他们原来的出身有直接关系。⑧ 而驿站官一职，由少数民族各部人均可担任。因此，黑龙江地区的驿站官这一官职，比

① 《嘉庆会典事例》卷39，《兵部》。
② 萨英额：《吉林外记》卷3，长白丛书点标本。
③ 萨英额：《吉林外记》卷3，长白丛书点标本。
④ 《嘉庆重修一统志》，《黑龙江》。
⑤ 西清：《黑龙江外记》卷3，光绪年间刻本。
⑥ 《黑龙江志稿》卷42。
⑦ 西清：《黑龙江外记》卷2，光绪年间刻本。
⑧ 西清：《黑龙江外记》卷3，光绪年间刻本。

起吉林的驿站监督更名副其实一些。后来，在黑龙江地区安设由齐齐哈尔到呼伦贝尔城的西北路台和上齐齐哈尔到呼兰城的东南路台。但是，在那里没有为此再增设驿站官，而由呼伦贝尔副都统兼管当地的西北路台，[①] 由南路驿站官兼管东南路台。[②] 同时，由于黑龙江地区地处边疆，又同沙俄接壤，对以上各路站道平时除了驿站官、副都统的监督检查之外，到一定年限还要从盛京派人和当地有关部门一起进行巡察。[③] 这样黑龙江地区台站的管理检查制度就更加严密了。

康熙二十二年（1683年）前后，在内蒙古境内于长城各口外不断安设汉站的过程中，每站都曾设领催二人管理台站事务。当时的领催，和黑龙江地区一样，一般是从"三藩之乱"中被俘的汉族下级官员中选拔充任。[④] 从康熙三十年（1691年）开始，在内蒙古地区接长城各口上汉站向各盟旗大规模安设蒙古台站。在这期间内蒙古地区，站道一级始终没有专职官员。各路的事务，由各口守备、把总等官员来兼管，[⑤] 或者从北京派官临时管理。[⑥] 到康熙三十一年（1692年）才正式规定，各路专设管驿蒙古员外郎一人、笔帖式二人，任期为八年；每蒙古站照吉林、黑龙江地区设领催一人。这样，路与路、站与站之间官吏的设置均作了统一。唯独古北口一路多设同知一人。另外，这时候的站道一级官员是由清朝各部、院派出，各站的领催由站丁中选拔。[⑦] 从此开始，清朝向蒙古地区各级驿站官吏陆续颁布有关禁令。[⑧] 这就为清代蒙古地区各级台站管理机构的建立打下了初步基础。

在安设外蒙古地区北路驿站的过程中，由于当时国内国际形势特殊，在那里一开始建立的各级台站机构就比内蒙古五路驿站复杂得多。最早是在康熙三十五年（1696年），康熙帝根据征讨准噶格尔噶尔丹汗的军事需要，首

---

①　徐宗亮：《黑龙江述略》："西路起齐齐哈尔……十七台，归呼伦贝尔付都统管辖。"又《黑龙江志稿》卷420。

②　徐宗亮：《黑龙江述略》，光绪十七年（1891年）刻本。

③　西清：《黑龙江外记》卷3，光绪年间刻本。

④　《清圣祖实录》卷113，康熙二十二年十一月丁丑条。

⑤　《嘉庆会典事例》卷98。

⑥　《清圣祖实录》卷155，康熙三十一年夏五月甲申条。

⑦　《钦定理藩院则例》卷32。

⑧　《嘉庆会典事例》卷982。

先对原有从到独石口之间各驿加以调整。在调整过程中，每驿照东北地区例设笔帖式一人，并把领催从内蒙古五路驿站的一人增到两人。以便同原有汉站统一。然后从独石口到克鲁伦河和从杀虎口到翁金河流域各驿，正站、腰站台设蒙古官一人，笔帖式一人，领催两人。当时，这些都是作为台站本身的专职官吏设置的。除此之外，还从中央和地方上拨派三种不同的人到台站参加协助。这就是：除了理藩院、兵部直接向正站各派官两人和向腰站各派官一人之外，允许每站可用废员两到三人，同时，根据实际需要让站道沿途蒙古各盟旗拨派适当官兵到台站协助防务和传报。不久，把台站本身的札萨克蒙古官或蒙古官这一笼统的官职改名为台站蒙古章京。理藩院，兵部的台站官员，由于都是从清朝各部、院及其各司派出，把他们通称为部员或司员。而所谓台站废员，都是内地犯罪官员被罢官后流放到长城以北边疆地区台站，不纳入正式官吏编制和级别的人笼统叫做外委人员，或者根据其具体职务称为台站委章京、台站委笔帖式，等等。这样，清代蒙古地区各级台站机构基本健全起来了。

在清代蒙古地区台站的各级管理机构中，无论是从行政管理或者是从业务经营方面讲，台站应该被看做是最基层单位。台站本身的章京、笔帖式和领催，是从行政、业务、财政等各个方面进行主持和管理这一基层单位的。在每一个台站，他们三者之间的具体分工：一般来讲，章京总理一切，笔帖式办理文书财会，领催负责防务或管理某一方面具体业务。因此，台站章京一职，在内蒙古地区喜峰口、古北口、独石口、杀虎口四路站道，除了古北口站道沿途腰站不设之外，其他凡是正站一律都要设置。张家口站道沿途各站，其中多数仍设章京一职之外，有的改设正、副参领，还有的以骁骑校代替章京。其结果张家口站道所属各站官吏的设置不仅同以上四路各站产生差别，而且它们各自之间也是不统一的。不过张家口站道所属各个台站之间所设参领、章京、骁骑校等大小官职虽然有差别，但他们具体应承的职责及权限范围却一样。参领、骁骑校等职，实际上是由章京一职派生出来的。同时，张家口站道所属各站，一直没有复设或多设同职官吏的。在这一点，它们同喜峰口、杀虎口两路却一致，同古北口，独石口两路又有所不同。这一系列特点的产生，一方面是由于张家口站道本身腰站不断地向正站转化所致，另一方面是由于受外蒙古地区台站管理机构的影响。外蒙古土谢图汗部境内赛尔乌苏站道，无论是从国防战略地位或者是从内地与外蒙古各地之间的经济、文化来往方面看，都处于十分重要地位。由赛尔乌苏向东南经过张家口可到达清朝京城北京，向东北经过外蒙古政治、经济、文化中心库伦可到达中俄边界恰克图城，向西北经过军事重镇乌里雅苏台、科布多由三路可达新疆地区。这就必然要引起清朝对赛尔乌苏站道的特别重视。因此，在清代蒙古地区各路台站中，赛尔乌苏站道的各级管理机构可算是最完善严密的了。它把台站一级章京一职就区分为参领、副参领、帮办章京、章京、委章京五种，然后根据不同需要向所属各台一一加以设置。但是，外蒙古地区乌里雅苏台南、北、西三路和库伦南、北两路所属各台，即当时所谓喀尔喀台站，只设委章京或协理台吉一人。由于内外蒙古地区的台站主要由章京或协理台吉主持，除了古北口站道、乌里雅苏台南路站道各站之外，其他各路台站一般都设有专职笔帖式。古北口站道和乌里雅苏台南路站道各站之所以设专职笔帖式，前者可能是同由北京到承德的站道成为并路的缘故。而后者所属各台章京却均为委职，这对清朝来讲全靠他们当然有些不放心。在那些设有专职笔帖式的台站，有关台站文书财会方面的事务不是由章京或领催兼任，就是由章京直接从站丁中选拔有文化的人担任。在这一点，内外蒙古地区台站同东北、新疆地区很不一样。在东北、新疆地区，台站一级笔帖式虽然直接受驿站官或驻防大臣们的①监督而权限很小，但他们毕竟还是主持某一具体台站，甚至个别有主持两座台站的。可是在内蒙古地区，在多数场合台站笔帖式却受所辖章京的任意摆布。同时，从另一方面也可以看出，内外蒙古地区的台站章京和东北、新疆地区的台站笔帖式，虽然在形式上他们都同样主持某一台站，但两者之间的权限却有很大的不同。至于台站一级领催一职，在内外蒙古地区除了乌里雅苏台西、北两路和库伦南、北两路共四路喀尔喀台站和新疆地区一样不设之外，其他各路台站却和东北地区一样始终是专设的。其中喜峰口、杀虎口、张家口、赛尔乌苏、乌里雅苏台南路等六路站道所属各台均设一人，独石口站道所属各台设两人。唯独古北口站道所属各站领催最多，即腰站设两人，正站设四人。这显然是因为古北口站道所属各台人员编制最多的缘故。除此之外，古北口站道所属各正站在章京和领

---

① 《嘉庆重修一统志》卷516，《新疆统部》。

催之间又设骁骑校一人，而张家口、赛尔乌苏站道所属有些站以骁骑校代替领催一职。在这种情况之下，把骁骑校可以看做是由领催一职派生出来的。他们之间的职位高低不同，而职权范围却是一样的。这样，概括起来讲清代蒙古地区的台站一级管理机构，共由参领、副参领、帮办章京、章京、云骑尉、委章京、骁骑校、笔帖式、领催等大小不同职位的官吏来组成。对这些台站一级官吏的任用，如果说在内蒙古地区一般来讲从台站所属站丁中选择，那么，在外蒙古地区不是由外委人员来充当，就是站蒙古贵族来担任。不过有必要指出的是，除了委章京一职之外，其他职务废员一般是没有资格充当的。特别是正、副参领必须由蒙古贵族来担任。这就是在当时蒙古地区通称的所谓管台台吉。① 设管台台吉，实际上是利用蒙古贵族监督台站，特别是通过他们监督那些在台站服役的废员。因此，在清代蒙古地区任台站官吏，特别是对那些废员来讲，绝不是什么荣誉，而只是寻找生活出路或者是立功赎罪的机会而已。正由于这样，在蒙古地区卡伦，不管什么职务，废员都是没有资格担任的。因为清代蒙古地区卡伦站道，一般都安设在国境线或地区之间的边界处，并且站道沿途的每一座卡伦都负有通讯和巡逻的双重任务。这种卡伦，无论是从国防上或者是从军事上看来，都比台站更为重要。安排每一座卡伦官吏，都要引起清朝统治者的高度重视，对被选人员进行反复考虑，以防意外事件的发生。按规定，在外蒙古地区卡伦的官吏，由清朝中央有关官员和地方蒙古各盟旗蒙古贵族中派出。当时，由中央派出的叫做卡伦侍卫。由地方派出的称为管卡台吉和管卡协理台吉。对准格尔作战期间，外蒙古地区每卡伦由侍卫一人负责。统一新疆地区以后，决定每侍卫一人兼管两卡伦。② 后来，改为每卡由蒙古台吉一人主持，同时由侍卫、协理台吉各一人协助合管三到四卡伦。③ 新疆塔尔巴噶台南、北两路卡伦站道所属各卡伦，每侍卫一人始终管理两卡伦，④ 并且不设管卡蒙古台吉。这显然是由于清朝同当地准噶尔封建主之间的关系恶化所造成的。呼伦贝尔中俄边

---

① 《乌里雅苏台志略》，台湾学生书局1967年版。
② 《清高宗实录》卷614，乾隆二十五年六月甲申条。
③ 《乌里雅苏台志略》，台湾学生书局1967年版。
④ 《事宜》《卡伦》。

境卡伦站道所属各卡伦的管理，在黑龙江将军的统一管辖之下，由呼伦贝尔副都统派出蒙古官兵负责，并且每月由当地巴尔虎总管、佐领各一人进行检查。[1] 至于卡伦官员的任期，除了外蒙古恰克图东、西卡伦之外，其余各卡伦官吏都是按一定期限轮换的。[2] 这一点，也和在台站长期任职的官吏不同。

随着清朝同准噶尔之间战争形势的变化，除了在外蒙古赛尔乌苏地方作为管理当地站道的理藩院司员、笔帖式仍旧保留下来之外，原来从兵部、理藩院向各站派去的官员都逐步撤回或者重新分配到其他有关部门去了。因此，外蒙古地区开始安设北路驿站之后，那里站道一级管理机构也基本上是照内蒙古五路驿站体制建立起来的。这样，在内外蒙古地区主干站道一级的管理机构中，管驿蒙古员外郎、笔帖式、随关防笔帖式等官员的设置基本一致起来了。[3] 他们的职权范围同黑龙江地区的驿站官及其关防笔帖式基本一样，对所属站道有行政管理、监督检查的双重任务。而外蒙古地区有些分支站道却作为喀尔喀台站，在当地将军、大臣们的统一管辖之下，由蒙古贵族阶级自行管理。[4] 不过在内外蒙古地区由清朝本身直接管理的各路站道，其站道一级官员的设置，无论是人数，或者是官员的任期、来源、民族成分，前后也都是有变化。除了张家口站道之外，其他各路的笔帖式都从原来的两人减少到一人，并且任期八年改为三年，[5] 没有特殊需要一般不允许延长。[6] 到康熙五十八年（1719 年），不仅把张家口一路的笔帖式也从两人减少到一人，而且为了民族语言文字方面的方便，把原来满洲笔帖式开始改为蒙古笔帖式。[7] 又到雍正四年（1726 年），把管驿蒙古员外郎从原来由清朝各部、院选出，一律改为由理藩院司官中统一补授。[8] 因此，有时把他们也叫做理藩院章京。接着，把杀虎口、独石口等路的满洲笔帖式也前后依照张家口一

---

① 呼伦贝尔都统衙门编：《呼伦贝尔概要》，光绪二十三年。

② 《乌里雅苏台志略》，台湾学生书局 1967 年版。

③ 《乌里雅苏台志略》，台湾学生书局 1967 年版。

④ 《乌里雅苏台志略》，台湾学生书局 1967 年版。

⑤ 《嘉庆会典事例》卷 982。

⑥ 《清德宗实录》卷 489，光绪二十七年十一月己巳条。

⑦ 《嘉庆会典事例》卷 982。

⑧ 《嘉庆会典事例》卷 982。

路改为蒙古笔帖式。① 这样，不仅是蒙古台站一级的实权由蒙古贵族或蒙古官史掌握，而且站道一级官员的任命也必须是蒙古人。这一制度，一直到同治十年（1871年）还被清朝坚持贯彻。② 因为，只有使蒙古各级各站机构民族化，清朝才能更好地利用蒙古台站为自己谋利益。

自从在外蒙古地区开始屯田以后，有关各路站道的负担日益加重。在这种情况下，康熙六十年（1721年）清朝考虑到完全靠台站蒙古官员管理蒙古台站有些困难。③ 因此，把外蒙古地区的各路站道决定当地驻防将军、大臣全面负责，并明确了他们的有关职责。④ 到乾隆五年（1740年），有人曾提出要求，将杀虎口站道归绥远城将军管辖。⑤ 在这前后，内蒙古地区其他各路站道的管辖也陆续都归当地将军、都统了。⑥ 这样不仅为阿尔泰军台那样跨越内外蒙古地区的数千里站道的管理创造了方便，更重要的是在蒙古各路站道之上形成了中央和地方双重管理的体制。蒙古地区驻防将军、都统、大臣们对蒙古各路站道的管理权限，起初同长城以内各省的按察使相似。后来，他们的管理权限逐步从检查监督扩大到行政业务方面。⑦ 同时，他们的权限范围在内外蒙古地区是有区别的。清朝原来在外蒙古地区有些分支站道不直接派官，而是通过蒙古台吉管理。到了这时，那些站道必然要成为当地驻防官员主要插手经营的对象。无论是在内蒙古或者是在外蒙古地区，他们都要分别统辖若干站道。⑧ 根据需要，由中央各部、院派去有关官员，以便在他们的统一管辖之下，同原有理藩院章京有蒙古各盟旗台吉一起处理有关台站行政管理、业务经营和财政设备诸方面的事务。⑨ 至于对台站检查，按规定由驻防官员和原有理藩院章京在一定期限之内交错进行。⑩ 但是，到同治十年（1871年）前后，由于以上管理体制日益遭受破坏，清朝决定把蒙

---

① 《嘉庆会典事例》卷982。
② 《清穆宗实录》卷310，同治十年五月辛卯条。
③ 《嘉庆会典事例》卷982。
④ 《嘉庆会典事例》卷982。
⑤ 佟靖仁校注：《绥远城驻防志》，内蒙古大学出版社1991年。
⑥ 《清宣宗实录》卷95，道光六年二月癸酉条。
⑦ 《清穆宗实录》卷350，同治十二年三月癸未条。
⑧ 《嘉庆会典事例》卷39。
⑨ 《大清一统志》卷532，《乌里雅苏台》。
⑩ 《嘉庆会典事例》卷982。

古各路站道的经营管理分段下放给当地蒙古各盟旗。① 结果蒙古台站的经营管理不仅丝毫没有得到改进，反而急剧加重了蒙古盟旗的负担，并加速了蒙古台站本身的破产。

清代，在蒙古地区各路站道服役的几乎都是蒙古劳动大众。然而按清朝一般管理体制，开始出面管理蒙古台站的就是理藩院。② 这一点，蒙古台站的中央一级管理机构，是同内地各省根本不一样。当时驿站交通主要为国防军事服务，蒙古各路站道基本上都是在同准噶尔的战争期间安设起来的。因此，对它们的安设和经营，除了理藩院之外，也有兵部的直接参加。③ 兵部对蒙古台站的管理和监督不仅着重点有所区别，而且在形式上前后也是有变化的。起初，理藩院对蒙古台站偏重经营管理，兵部主要是负责监督检查。④ 自从蒙古各路站道的官员改为由理藩院统一派出之后，无论是对蒙古台站的经营管理或者是监督检查，实际上都归理藩院单独负责了。当时，理藩院除了派出所属司员之外，把蒙古各路站道仍然按划分地区进行管理，对内蒙古和外蒙古各地台站的管理检查，分别由理藩院的旗籍清吏司⑤和典属清吏司⑥负责。这同它们对内蒙古和外蒙古各盟旗的行政管理是一致的。这样，虽然兵部作为全国各地驿站的最高管理机构，但在蒙古地区却由理藩院代替它的职权。

综上所述，蒙古台站的各级管理机构同当时当地各级行政管理机构基本上是一致的。这就是：按蒙古地区佐领的组织形式，设置了台站一级的章京、笔帖式、骁骑校、领催等官吏；把有关各旗若干佐领归某一参领管辖的办法，设置了区段一级的正、副参领；根据蒙古地区总管旗总管由中央拨派的规定，设置了站道一级的理藩院章京、笔帖式、随关防笔帖式等。同时，管理蒙古地区各路台站和各盟旗的中央一级的管理机构，即理藩院是统一的。因此，蒙古台站的各级管理机构，实际上是按蒙古盟、旗、佐领的形式

---

① 《清穆宗实录》卷320，同治十年九月丙午条。
② 《清圣祖实录》卷158，康熙三十二年庚辰条。
③ 《清圣祖实录》卷171，康熙二十五年二月壬辰条。
④ 据《清圣祖实录》卷264，从开始安设蒙古台站到康熙五十四年（1715年），检查蒙古台站"三十余次"都是由兵部负责的。
⑤ 《嘉庆会典事例》卷50，《理藩院》。
⑥ 《嘉庆会典事例》卷52，《理藩院》。

组织起来的。

（二）卡伦、鄂博

卡伦、鄂博制度作为清代蒙古地区的一项重要政治、军事制度，在清代蒙古历史上占有重要地位。蒙古地区地处北部边陲，连接长城各关口，清廷通过各口台站传递政令、军令，押解或押运军饷、火药、钱粮、器械、犯人及农具等，主要负责蒙古地区的军事通信和物资转运。而卡伦、鄂博则设于蒙古边境地区或各盟、部、旗之间，派兵丁巡防、驻守，负责执行国境的巡逻和警戒任务，或以此作为各盟、部、旗游牧地的分界，防范盗贼，维持治安。有清一代，由于内蒙古地区地处清朝北部、东北部和西北部边疆与内地之间的中间地带，台站、交通四通八达，卡伦、鄂博秩序井然，对清朝统治蒙古地区，乃至巩固大清北部边疆的防御起了重要作用。

卡伦　卡伦（qaraɣul）是蒙语音译，意为哨所或岗哨，满语中卡伦（karun）为其借词，意为"更番候望之所"，或称堠、哨，其实际功能主要在于边防哨所，即执行各种巡查、传递或征收等任务，并驻兵把守的据点。按其性质，清代卡伦可分为内地卡伦、边境卡伦。各地卡伦均设有卡伦章京或侍卫统领兵丁巡防、驻守。就边境卡伦而言，相邻两个卡伦之间又设鄂博一处，使相邻两个卡伦官兵不时从各自的卡伦至鄂博之间进行巡查。到鄂博后双方会哨，并汇报各自的情况，以便上报边情。地方军政官员也在不同的时间内，按规定的路线带兵巡查边境，视察卡伦官兵的驻守情况。

清代内蒙古地区卡伦始设于康熙初年。盛京、吉林地区与内蒙古东部各部之间的卡伦是沿着盛京边墙——柳条边设置的，卡伦走向是"东为崖口，西为济尔哈朗图，北为色堪达巴汉色钦等处，又西为库尔图罗海等处，又南为木垒喀喇沁等处，又南而西为珠尔噶岱等处，又南为海拉苏台等处，又南而东为巴伦格得依等处"，"老柳边在外，卡伦在内"。① 昭乌达盟翁牛特、敖汉、奈曼、喀尔喀左翼等部牧地均在此范围内。索伦、达斡尔等部驻地与哲里木盟杜尔伯特、郭尔罗斯等部游牧地之间的卡伦原设于哈达雅地方，与墨尔根村庄相近。康熙二十九年（1690年）移至席令吉齐山顶安设扎赉特三卡伦原靠近索伦游牧之处，后作调整。其中，将东卡伦移至柴河北山顶，

---

① 《钦定理藩院则例》，《录勋清吏司下》。

中卡伦移至伊罕克勒河山顶，西卡伦移至库如勒齐山顶。科尔沁三卡伦原在内地，因"与各处鸟远"，遂将东卡伦移至哈布齐河山顶，中卡伦移至纳哈拜扎尔汉山顶，西卡伦移至哈麻尔口北山顶。①

热河木兰围场属大清皇家猎苑，是清廷很早划定的禁区。围场周围先后设卡伦四十处，"规取高地为之，或于岗、或于阪、或于山川之隙随宜设置"。这些卡伦均以驻防八旗兵丁驻守，防止蒙汉人民出入围场，"盗伐木植，偷打牲畜"。②

内蒙古地区总管旗牧地周围也设卡伦守护。如呼和浩特土默特地区卡伦设于乾隆十九年（1754年），共设十一座。它是土默特与邻近诸蒙古旗之间的边界，有防范盗贼抢劫之功能。这些卡伦以翁衮达巴为中心，分东北—东南、东北—西南两条线分布。东北—东南线排序为翁滚达巴、哈喇沁、鄂奇特、乌里雅苏台、和林格尔；东北—西南线排序为翁滚达巴、珂乳库、特门库珠、嘎鲁第、苏勒哲、乌达、察罕鄂博。这些卡伦的大部分地处大青山峡谷中，每卡领催一名，兵丁五名，这些兵丁均自土默特二旗中抽调，每次值勤一个月，每年十一月由绥远城将军派出满族官员前往视察各卡伦的情况。③

雍正十二年（1734年），清朝在呼伦贝尔巴尔虎与外札萨克喀尔喀车臣汗牧地分界处初设十六座卡伦，这些卡伦是哈布齐海图、阿拉勒图、扎拉、布尔格尔、呼尔海图、哈西雅图、音沁、阿噜布拉克、默敦哈西雅图、扎木音呼都克、布隆德日素、乌兰杭噶、额布都克布拉克、锡林呼都克、诺木汗布日图、乌默黑布拉克等。道光二十七年（1847年）又增设三卡伦。即西拉沁、合热木图布拉克、西巴尔图布拉克。这些卡伦系内卡伦，其中，前十六座卡伦每卡伦派兵丁十名，两卡伦间派官员一名，后三座卡伦每卡伦派官员一名，兵丁十名。④

呼伦贝尔与布特哈之间的库鲁克、哲尔库来、根郭勒、鄂勒呼奴、博鲁、莫日勒格六座卡伦建于咸丰十年（1860年），这些卡伦虽系内卡伦，但

①　《盛京通志》卷52，商务印书馆2005年版。

②　《蒙古民族通史》第3卷，内蒙古大学出版社1993年版，第235页。

③　［俄］波兹德涅耶夫：《蒙古及蒙古人》第2卷，刘汉明等译，内蒙古人民出版社1983年版，第152—153页。

④　金峰等整理：《卫拉特史迹》，《呼伦贝尔概要》，内蒙古出版社1992年版，第151—154页。

其职责仍然是防止俄罗斯人越境，驻守兵丁由布特哈城派遣。①

此外，清朝在额尔古纳河沿岸设置了大批边境卡伦，并据其地理位置分为外卡伦和内卡伦，其职责均为执行国境的警戒和巡逻任务。其中，额尔古纳河东岸的外十二卡伦初设于雍正五年（1727 年）。其自东而西顺序为珠尔特依、西巴尔布喇克、巴延珠尔克、乌雨勒噶齐、巴雅斯呼朗图温都尔、巴图尔和硕、库克多布、额尔德尼托鲁盖、蒙克西里、阿巴垓图、苏克特依、察罕敖拉。光绪十年（1884 年），清朝为了禁止俄罗斯人越界采金等现象，在额尔古纳河下游沿岸又增设了莫里勒格、牛尔郭勒、温郭勒、伊木郭勒、额勒合哈达五处外卡伦。每卡伦设官员一名，兵丁三十名，每三个月轮换一次，并派总兵一名，佐领两名每月协助查核。② 这些兵丁来源于呼伦贝尔副都统（总管）所辖驻牧八旗，其职责主要是每日巡查，遇有越境俄罗斯偷盗牲畜者归总管呈报办理。③ 但由于外卡伦防守多有疏漏，时有发生俄罗斯人越界现象。雍正十一年（1733 年），根据黑龙江将军卓尔海等人的建议，在距外卡伦一至二百里的地方重设库勒都尔河、特尔么勒津河、特尼格、崇古林山沟、依拉盖图哈齐、西拉乌苏、萨勒奇图、温都尔鄂勒苏、翁衮、敖兰冈噶、布朗图、莫盖图、套鲁盖图、乌尔图布拉克等十五座内卡伦。④ 咸丰七年（1857 年），因内外卡伦之间的距离过远而"仍不足资联络"，"恐稽查难周"，⑤ 于是将以上内卡伦全部设在距离外卡伦三十至四十里处，以便协助外卡伦守边。其中，原十五座内卡中三座（包古图、依尔盖图、新布拉克）变为台站以外，其余均以新设置的地点而另起名。重新设置的十二座内卡伦是西巴尔阿玛、迈罕图、察勒齐阿玛、色格勒齐布拉克、郭尔毕布拉克、阿噜呼都克、锡林呼都克、奔巴诺尔、郭勒特格、阿尔山布拉克、乌噶拉吉布拉克、达西玛克布拉克。⑥

鄂博 鄂博又译敖包，为蒙古语，意为"堆"。鄂博在蒙古地区有祭祀鄂

① 金峰等整理：《卫拉特史迹》，《呼伦贝尔概要》，内蒙古出版社 1992 年版，第 151—154 页。

② 金峰等整理：《卫拉特史迹》，《呼伦贝尔概要》，内蒙古出版社 1992 年版，第 151—154 页。

③ 《盛京通志》卷 52，商务印书馆 2005 年版。

④ 金峰：《卫拉特史迹》，《呼伦贝尔概要》，内蒙古出版社 1992 年版，第 151—154 页。

⑤ 《黑龙江志稿》卷 32。

⑥ 金峰：《卫拉特史迹》，《呼伦贝尔概要》，内蒙古出版社 1992 年版，第 151—154 页。

博、路标鄂博、界标鄂博之别，与卡伦相对应的就是界标鄂博。但其功能与卡伦有所不同，它的目的和作用仅在于分明各种区域或疆域之间的界线或边界，并无其他功能。有清一代，内蒙古边境地区遍布着驻扎兵丁的镇守国境之卡伦以外，遍布着标志国界的鄂博。如呼伦贝尔境内的塔尔巴干塔呼山鄂博是在乾隆二十五年（1760年）划分中俄边界时堆起的。[1] 标有内蒙古各旗游牧界限的鄂博遍布在各旗交界处，"蒙古二十五部落、察哈尔牧场、八旗各如其境，以鄂博为防"。[2] 道光二十七年（1847年），清朝为了界定喀尔喀与巴尔虎游牧界限，先后堆起了十二座鄂博。[3] 土默特与鄂尔多斯之间因黄河频繁改道而多次发生边界纠纷，为了界定边界，双方自康熙年间起多次派遣官员堆起鄂博。[4] 道光五年（1825年）因四子王旗与察哈尔镶蓝旗之间游牧界限纠纷不断，双方派遣官员，在两旗交界处挖沟或堆起鄂博。[5] 光绪十一年（1885年），绥远城将军令相关旗札萨克衙门，重新修复了土默特与四子王旗、土默特与达尔罕贝勒旗、土默特与茂明安旗、土默特与乌拉特中旗边界鄂博。其中，土默特与茂明安旗之间的新旧边界鄂博共有七十座。[6] 另外，清代蒙古寺庙和呼图克图、活佛因拥有大片牧场，寺庙牧场与邻近各旗之间亦立鄂博界定边界。如乾隆三十五年（1770年），在五当召牧场与茂明安、四子王旗、乌拉特等旗交界处立鄂博六十九座，界定边界。[7]

三、清末铁路

清末，清政府于新政时期拟议的北部边疆的铁路建设计划多流于奏议筹划而未实施。除中东铁路之外，内蒙古地区的铁路主要是民国前期修筑的。由于内蒙古地域狭长，其铁道线路多属邻省铁路线的延伸，而相互并不贯

---

[1] 金峰：《卫拉特史迹》，《呼伦贝尔概要》，内蒙古出版社1992年版，第151—154页。
[2] 《清史稿》卷137，《兵八》。
[3] 金峰：《卫拉特史迹》，《呼伦贝尔概要》，内蒙古出版社1992年版，第151—154页。
[4] 《呼和浩特史蒙古文献资料汇编》第1辑，内蒙古文化出版社1989年版，第399页。
[5] 《呼和浩特史蒙古文献资料汇编》第1辑，内蒙古文化出版社1989年版，第407—410页。
[6] 《呼和浩特史蒙古文献资料汇编》第1辑，内蒙古文化出版社1989年版，第412—423页。
[7] 《呼和浩特史蒙古文献资料汇编》第1辑，内蒙古文化出版社1989年版，第396—398页。

通。按照分布地域，大体有呼伦贝尔和哲里木盟东北部的中东铁路滨洲线、内蒙古西部的京绥铁路，哲里木盟腹地的属于奉天省铁路网的四（平）洮（南）线和大（虎山）通（辽）线，以及部分铁路支线。

（一）清末铁路计划

沙皇俄国以中俄合办名义修筑经营纵横贯通整个东北（包括内蒙古东部）的中东铁路之后，日本又通过日俄战争的胜利，将中东铁路长春以南的"南满"线路攫为己有，整个东北的交通命脉尽为俄日控制。在清政府全面推行改制新政、筹划"经略"边疆、蒙古地区的背景下，为了维护国家主权和东北地区的政治经济权益，与日俄的侵略势力相抗衡，东北的军政大员遂开始筹划自建国有铁路。

光绪三十二年（1906年），黑龙江将军程德全首先上奏清廷，提议修筑自伯都讷（今吉林省扶余）"经行蒙地"至盛京（奉天，今沈阳）以西的新民，以与国有的京奉铁路接通。光绪三十三年（1907年）初，程德全又奏请修筑黑龙江省境内各条铁路，其中包括由哈尔滨以北的呼兰，西南经（跨）中东铁路对青山车站，经过郭尔罗斯后旗地至伯都讷的线路。同年，经清政府与新任东三省总督徐世昌等初步议定，决意修筑南起京奉线新民，北至齐齐哈尔（黑龙江省会），旨在贯通南北，并"专注蒙地"、"横穿哲里木中心"的干线铁路。为此，清政府还派出铁路工程师，以新民至法库为第一段，法库经辽源（今吉林省双辽，即郑家屯）至洮南为第二段，洮南经哲里木盟北部各旗至齐齐哈尔为第三段，进行了实地勘测。不久，新任东三省蒙务（局）督办朱启钤在实地考察各蒙旗之后，又提出改修锦齐铁路的计划。其南起点从新民改为邻近葫芦岛出海口的锦州。其线路，将仅经过哲里木一盟改为"开通全蒙"，"由昭乌达、卓索图以至哲里木，环绕三盟"，即由锦州取道朝阳、（小）库伦，而至洮南、齐齐哈尔。至锡良出任东三省总督宣统元年（1909年）之后，又制订了从齐齐哈尔向北修至瑷珲的计划，与原拟线路连接，总称为锦瑷铁路计划。锦瑷铁路计划可谓宏大，但由于修路经费难筹（曾接洽从英美贷款）和日本的极力干预阻挠，一直未能实施。[①]

---

① 徐曦：《东三省纪略》第9卷，《铁路纪略下》，商务印书馆1915年版。

清末新政时期的倡修铁路高潮中，中国政府自主修筑的第一条干线铁路就是修通至内蒙古边塞关口的京张铁路。光绪三十一年（1905 年），经直隶总督兼北洋大臣袁世凯奏准清廷，由著名铁路工程师詹天佑任京张铁路局会办（相当于副局长）兼总工程师，开始修筑自北京至张家口的铁路。宣统元年（1909 年）年九月，京张铁路建成，同年十月正式通车。

在京张铁路开工修建不久的光绪三十二年（1906 年），即有袁世凯及清朝御前大臣、内蒙古科尔沁辅国公博迪苏，奏请将京张铁路展修，纵贯察哈尔、锡林郭勒草原延伸至外蒙古库伦（今蒙古国乌兰巴托）。光绪三十三年（1907 年），又有清朝驻库伦办事大臣延祉，也奏请修筑张库铁路。由于张家口至库伦线路较长，且沿途均为人烟稀少的荒漠、草地，经济价值很小，所以从光绪三十三年（1907 年）起，又有陕甘总督及清朝邮传部等筹议将京张铁路展修至绥远（即今呼和浩特）、包头，以至进一步延伸，修筑远抵甘肃兰州、凉州（今武威）及乌鲁木齐、伊犁的西北铁路干线。按照这一计划，京张铁路通车后即继续修筑张家口至绥远的铁路。宣统三年（1911 年）初（农历庚戌年十二月），清朝资政院还议决修筑"蒙古铁路"三条，即张恰（克图）路、张锦（州）路和库（伦）伊（犁）路。其张锦路的计划线路为由张家口经多伦诺尔、赤峰、朝阳至锦州。宣统三年（1911 年）十一月，张绥铁路已修成并通车至山西境内的阳高，即因武昌起义爆发而停工。①

迄于清朝灭亡，邻接内蒙古地区的国有铁路，已修通的只有京奉、京张（延至阳高）两线。这两条铁路线上的新民、锦州、张家口、阳高等站，均为内蒙古与东北腹地和关内之间的重要商贸交通孔道。两条铁路的通车运营，为边塞内外的社会经济交流起到了明显的促进作用。

（二）中东铁路滨洲线

光绪二十二年（1896 年）六月，沙俄诱使清朝代表李鸿章签订了《中俄密约》，规定中俄合办修筑与俄国西伯利亚铁路相衔接的中国东省铁路（即中东铁路，又称东清铁路），并指定由中俄合办的华俄（道胜）银行具体承办经营。同年九月，中俄两国又签订《合办东省铁路公司合同章程》

---

① 金坦、徐文述：《中国铁路发展史》，中国铁道出版社 1986 年版，第 256—261 页。

（简称《公司合同》）及合办华俄道胜银行合同。同年十二月，俄国又以华俄道胜银行经办的铁路公司名义公布了《东省铁路公司章程》（简称《公司章程》）。据公司合同和公司章程的规定，实由俄国经营的铁路公司，取得了划占铁路沿线土地，随意开采矿产、林木资源，建造经营房屋建筑、工商企业和电线等特权，并实际攫取了铁路沿线地区的警察、司法、驻军以至地方行政管辖等特权，所谓铁路附属地实际成为俄国的租界地。[①]

中东铁路西起满洲里，中经齐齐哈尔（铁路站名昂昂溪，位于齐城以南）、哈尔滨，东至绥芬河；后来又增修从哈尔滨经长春、奉天（沈阳），南抵大连、旅顺的"南满"支线。其由满洲里至哈尔滨的西段，又称滨洲线，全长约935公里。铁路经过地区，除哈尔滨、齐齐哈尔两城附近，均为内蒙古的呼伦贝尔、西布特哈和哲里木盟北部杜尔伯特旗、郭尔罗斯后旗属境。其由西至东的满洲里、札赉诺尔、嵯岗、完工、海拉尔、哈克、扎罗木得、牙克石、免渡河、伊列克得等站点，在呼伦贝尔境内；博克图、雅鲁、巴林、扎兰屯、成吉思汗等站点，在西布特哈境内；齐齐哈尔（昂昂溪）以东的烟筒屯、喇嘛甸、萨尔图（今大庆）、安达、宋站、满沟（今肇东）等站点，在杜尔伯特旗和郭尔罗斯后旗境内。

光绪二十五年（1899年）春，中东铁路滨洲线从满洲里和哈尔滨两端同时开工修筑，光绪二十七年（1901年）一月在海拉尔接轨，光绪二十八年（1902年）一月正式通车。光绪二十九年（1903年）七月，中东铁路及其南满支路全线正式通车。但直到这时，由意大利人承包修建的博克图车站以西长达3 000余米的大兴安岭隧道尚未完工，列车须经由盘山便线通过。[②]

在滨洲线修筑和通车以后，俄国官商通过铁路公司，不仅夺占了呼伦贝尔地区的札赉诺尔煤矿等自然资源，大批俄商涌入沿线城镇经营农畜产加工等工商企业，还在各主要城镇的铁路附属地形成了不受中国政府管辖的独占城区。如在海拉尔老城以北，有以火车站为中心的铁道附属地（又称站界、路界），自成一个人口超过老城区的街区。铁道附属地内，除铁路工区、住

---

① 金埴、徐文述：《中国铁路发展史》，中国铁道出版社1986年版，第35—42、48—54页。

② 马里千：《中国铁路建筑编年简史》，中国铁道出版社1983年版，第7、10页。

宿区和商业区之外，设有俄国领事馆、华俄道胜银行支行、俄商屠宰场，实际行使地方行政管辖权的"自治会"，以及铁路守备队（护路军）兵营等，常住定居俄国人即达上千户、数千人。满洲里的铁道附属地，也设有"自治会"等机构和企事业；有人口上万人，其中以俄国人为主的欧洲人多达5000人。①

四、邮政、电报

中国历史上，古代的驿路和近代的邮政都是官办的。驿路是官办官用——官方军政设施，邮政则是官办"公用"——兼办军政业务的公共设施（事业）。由于近代内蒙古地方行政区划的特殊性，内蒙古各地的邮政设施、线路，主要是由各邻接（蒙汉分治下跨境）省级当局主持兴办，并且是与相关各省联为网络的。

近代中国全国性邮政的创设，始于光绪二十二年（1896年）。经过清政府专管部门和各省当局的逐步兴办，至辛亥革命之前，分布于全国各地的邮政网点已联为一体，"自是遍通全国，上下交受其利"。② 由于内蒙古地处僻远，其邮政网点的设立，主要是清末新政时期才分别开始的。

在内蒙古地区，还在国有邮政兴办之前，即已出现了由俄国人（利用不平等条约中规定的侵犯主权性条款）创办经营的近代邮政。同时直到清末，内蒙古的部分地区不定期存在着传统商办民信局，以及由驿路台站改建的官办文报局。

（一）俄国人经办的邮政事业

张库邮路　第二次鸦片战争期间，俄国先后诱胁清政府签订了《天津条约》（1858年）、《北京条约》（1860年）等不平等条约。根据《天津条约》，俄国获得了役使蒙古地区驿路台站的特殊权利。随着俄政府与驻华公使、俄中之间联系交往的日益增多，俄方经常超程和超负荷役使驿站交通，日渐成为蒙古驿丁的沉重负担，也不断引起中俄双方的纠纷、交涉。③ 于是

---

① ［日］《蒙古地志》下卷，富山房1919年版，第1179—1186页。
② 《清史稿》卷152，《交通志四·邮政》。
③ 白拉都格其等：《蒙古民族通史》第5卷上，内蒙古大学出版社2002年版，第21—22页。

《北京条约》签订不久，俄国方面又根据条约中允许俄商自雇夫役"另立行规"运送书信、货箱的规定，提出俄商要"自备资斧，以便建立台站"的要求。清政府虽然坚持认为条约中并无允许建立台站的规定，但却允许了俄商可以自雇驼马夫役、自由往来商路，事实上还是等于同意了俄方要求。①

同治二年（1863 年）六月，恰克图的俄国商人开始建立了中经库伦、张家口至北京、天津的定期邮政传送，并免费代递官方函件。其后，经俄东西伯利亚总督呈请沙皇政府批准，从同治四年（1865 年）年十月起改由官办，由国库每年补贴 19 300 卢布。同治九年（1870 年）三月，蒙古地区的俄办邮政又"被宣布为只是受到俄国政府保护的民办商业性企业"，但政府仍每年资助 17 600 卢布，作为邮务人员和委托承办人的薪金、报酬。②

在这条邮路上，俄国在库伦、张家口和北京、天津设立了 4 个邮政局。恰克图至库伦，主要委托（雇请）蒙古人承办递运；库伦至张家口，雇用蒙古人承担运递；张家口至天津则以汉人为伕役。邮件按轻重分别定期运递，重邮件用骆驼和骡车等（口里），并有 2 名哥萨克护送，轻邮件用马和驴骡。③

这条邮路，途经张库大道上的内蒙古察哈尔和锡林郭勒草原。最初，每月定期一次，单程 15 天，后来增加到每月 4 次，其中 3 次发轻件，1 次发重包裹。夏季发轻件每班行 8 天，冬季 9 天半，重件则需 20 天至 25 天，沿原驿路行驶。轻件由 2 名蒙古人骑马兼程，每 20 英里一站换马。④

中东铁路邮政　铁路是邮政业务最为便捷快速的传递工具之一。俄国自光绪二十三年（1897 年）开始修筑中东铁路，即同时开始在铁路沿线各站点、城镇设立邮局，经办邮政传递业务。在横贯内蒙古东北部的滨洲线上，最早设立邮局的是满洲里，光绪二十三年（1897 年）设。迄光绪三十三年（1907 年），海拉尔、博克图、扎兰屯等主要站点均已先后设立。至 1914年，中东铁路全线的所有车站，无论大小均已设立邮局（邮政业务点）。其

---

①　《清代中俄关系档案史料选编》第 3 编下册，第 1102—1106、1118—1127 页。

②　［俄］波兹德涅耶夫：《蒙古及蒙古人》第 1 卷，刘汉明等译，内蒙古人民出版 1989 年版，第 637—643 页。

③　［俄］普尔热瓦尔斯基：《蒙古与青海》，内蒙古教育出版社 1990 年蒙译本，第 2—3 页。

④　《内蒙古自治区志》，内蒙古人民出版社 2000 年版，第 125—126 页。

邮政业务，由铁路局及其员工经营管理。

光绪二十六年（1900 年），俄军大举入侵东北之后，为战争需要又在东北各地设立了许多军用战地邮局。战争结束后，各地的战地邮局于光绪二十九年（1903 年），均改设为民用邮局。光绪三十年（1904 年），日俄战争爆发以后，俄重又在东北各地设立战地邮局和随军流动邮局。战争结束以后，至光绪三十三年（1907 年），各战地邮局复改并为民用邮局。这期间，俄军在呼伦贝尔、西布特哈地区先后设立过满洲里、海拉尔、博克图、扎兰屯等战地邮局。

由俄国人经办的中东铁路沿线各邮局，当时又称为"客邮局"，主要服务对象是各类在华俄国侨民，承办俄人的信函、包裹、汇款等邮政业务。

1920 年 10 月，苏俄在中东铁路沿线的客邮局一律撤销，其邮政业务、火车运递，均由中国方面承接经营。①

（二）清末民信局、文报局

民信局　大约从明代开始，出现了专为民间递送信函的民信局。至清后期，这种民办传信机构逐渐从内地扩展到边远地区。当时，归化城设有三盛、三顺、永利三家民信局。三盛、三顺民信总局设在天津。三盛民信局还在内蒙古境内的多伦诺尔、丰镇、包头设有分店，包头同时还设有三顺民信局分号。

民信局在店内详列递送各地的具体地点，主要业务有寄递信函、包裹，承办汇款、银信（信票），出售《京报》印本等。其寄递信件种类，还包括加急、快递的火烧信、羽毛信等。其传送方法，主要是徒步脚夫。天津三顺民信局发往归化城的邮件，普通的 13 日到达，加急的 7 日可达。发递包头的徒步脚夫，普通需 15 日，急行可 8 日到达。

清末归化城、包头等地开始出现新式邮政之后，要求各地民信局须到邮局挂号登记，领取执据，被视为邮政代理机构而继续存在。如归化城、包头、丰镇、多伦诺尔的三盛民信局，即已至当地邮局挂号登记，领取执据，继续承办邮递业务。

宣统三年（1911 年），清朝邮传部颁令，未经邮局承认的民信局一律勒

---

① 《内蒙古自治区志》，内蒙古出版社 2000 年版，第 81—82 页。

令关闭。民国以后，北京政府公布《邮政条例》，邮政事业专由国家经营。至 1920 年，归化城和包头的最后两家民信局，也被关闭。①

文报局　由于传统驿路台站已不适应时代需求，清政府于光绪初期，在内地各主要都市通衢设立了专门递送官方军政函件的文报局。光绪三十二年（1906 年），东三省的奉天、吉林、齐齐哈尔也设立文报局，以取代原有驿路台站。光绪三十四年（1908 年），黑龙江省正式裁撤驿站交通（将站丁改归民籍），除铁路沿线由火车传递文报之外，在全省各地普遍设立了文报局。其中，奉天省设在哲里木盟或其邻接地区的有辽源、昌图、新民等文报分局。这些文报分局均兼理接递卓索图、昭乌达、哲里木三盟及锡埒图库伦喇嘛旗（即小库伦）等各旗之间往来的蒙文函件。黑龙江省设在内蒙古哲里木盟北部及西布特哈地区的文报分局有茂兴（杜尔伯特旗境内）、肇州（郭尔罗斯后旗境内）、大赉（札赉特旗境内）、布特哈等处。

民国初年，由于黑龙江省的邮政网点尚未普遍设立，文报局继续存在，并且在部分城镇出现了新设邮局与文报局并存的情况。1914 年 6 月，北京民国政府公布了军政函件统由邮政局寄递的章程。至 1915 年，黑龙江省各地包括西布特哈、哲里木盟北部境内的文报局，才逐步由邮政局取代（交接）完毕。②

（三）绥远地区的邮政

光绪二十八年（1902 年），山西省邮政机构（太原副邮务总局）在绥远地区首先开辟了从大同经左云、右玉出杀虎口，沿原有驿道抵达归绥的邮路，在归化城和绥远城分别设立了邮寄代办所。光绪二十九年（1903 年）秋，大同邮政分局开辟北出得胜口至丰镇的邮路，在丰镇设立了邮寄代办所。同年，归化城的邮寄代办所升级为邮政分局，成为内蒙古地区第一个邮政局。光绪三十一年（1905 年），清朝邮传部开通北京往张家口、大同至归化城的干线邮路，使内蒙古西部的邮务传递，与直隶、北京直接连接起来。光绪三十二年（1906 年），北京至归化城的邮路延伸至包头，全长 685 公里。徒步邮差自北京昼夜兼程，接办传递，至包头约需 7 天左右。

——————————

①　《内蒙古自治区志》，内蒙古出版社 2000 年版，第 69—70 页。
②　徐世昌：《东三省政略》卷 11，《实业·附东三省文报》。

从光绪三十年（1904 年）开始，绥远地区（包括当时属山西省辖境的察哈尔右翼地区）又陆续设立了萨拉齐、包头、宁远（1906 年）、和林格尔（1906 年）、托克托（1906 年）、隆盛庄（丰镇属境，1908 年）、二道河（兴和县治，1908 年）、陶林（今察右中旗所在地，1909 年）、大佘太（1911 年）等邮寄代办所。其中，随着北京干线邮路延伸至包头，包头的邮寄代办所于光绪三十一年（1905 年）升级为邮政分局，萨拉齐邮寄代办所也于宣统元年（1909 年）升级为邮政分局。邮政线路，也随着邮政分局、代办所的分布，延伸到大青山以北、河套地区，形成以归绥为中心的网络。

当时，一般邮寄代办所只承办函件业务，包括各种信函、报刊印刷品、商业契据等，只有邮（分）局才承办包裹业务。①

（四）察哈尔地区的邮政

光绪三十二年（1906 年），北京邮务总局开辟了宣化经龙门、赤城出独石口进入察哈尔草原抵多伦诺尔的步班邮路。光绪三十四年（1908 年），这条步班邮路改为马班邮路，并在多伦诺尔设立了邮寄代办所。

宣统元年（1909 年），清政府为开辟北京—张家口—库伦—承化寺（今新疆阿勒泰）—迪化（即乌鲁木齐）之间的万里边疆邮路，首先开通了张家口至库伦的马班邮路，并在途经的嘉卜寺（即化德）设立了邮寄代办所。这条邮路沿着原有张库驿路，全长 1 350 公里。轻件差马按 9 站更换，9 天内到达。重件每班有骆驼 12 峰，其中 8 峰驮邮件，2 峰邮差乘用，2 峰由护兵乘用。

（五）热河（昭乌达、卓索图盟）地区的邮政

热河北部蒙旗地区最早出现的近代邮政事业，是喀喇沁右旗札萨克郡王贡桑诺尔布在本旗创办的邮政。贡王从旗内选派精壮蒙古人 3 名，分为三班，徒步往返于北京和喀喇沁之间，递送邮件，并设邮政代办所等机构，派干员专司其事。其开办时间，当在光绪三十二年（1906 年）之前。光绪三十二年（1906 年）农历四月，清朝练兵处官员姚锡光随肃亲王善耆视察内蒙古东四盟，行至锡林郭勒盟乌珠穆沁右旗后写信给北京，即是雇蒙古人从

---

① 绥远通志馆：《绥远通志稿》卷 66，《邮电》，20 世纪 30 年代稿本。

驻地"专送喀喇沁，由其旗下邮局递京"的。[①] 同时可知，当时赤峰地区尚无其他邮政机构。

光绪三十二年（1906 年），直隶（省）邮区开辟围场至赤峰的邮路，在赤峰设立邮局，使赤峰的邮务递送可西经围场，南下承德抵达北京。光绪三十四年（1908 年），在喀喇沁（王府?）、美林沟（王府西南）等地设立邮寄代办所，使赤峰与喀喇沁右旗的自办邮政连接起来。同年，赤峰邮路向东南延伸至建平、朝阳，与热河东南部的邮政网络相联结。宣统元年（1909 年），赤峰邮路又向北延伸至乌丹，先后在全宁（即乌丹）、林西（1910 年）和开鲁（1910 年）设立邮寄代办所，使昭乌达盟北部两个新开垦地区也汇入邮政网络。

（六）奉天省辖哲里木盟地区的邮政

清代原属盛京将军兼摄统辖的哲里木盟科尔沁六旗，经过清末大规模放垦之后，其东南部已成为广设府县的汉民聚居区。清末新政时期，奉天当局大力推广邮政事业，除在偏远地区将驿路台站改为文报局以通各蒙旗官署文报，邮政网点已基本遍布于哲里木盟东南部新垦、设治地区。如光绪三十二年（1906 年），昌图始设邮政支局，次年改为二等邮政局，下辖 1 个二等局、3 个三等局、6 个邮寄代办所。光绪三十四年（1908 年），怀德设立二等邮政局，下辖 2 个三等局、6 个代办所。辽源（郑家屯）设二等邮政局，下辖 3 个三等局、3 个代办所。洮南设二等邮政局，下辖 2 个代办所。洮安（原称靖安，今白城市）设二等邮政局，下辖 3 个代办所。同年，梨树县、郭家店（南满铁路车站，四平以北）设二等邮政局，下辖 1 个二等局、2 个支局、2 个三等局、2 个代办所，从而与吉林省及南满铁道邮路接通。[②]

（七）黑龙江省辖境的邮政

清末，黑龙江省开始推广近代邮政之后，在内蒙古境内，首先于宣统元年（1909 年），在海拉尔和胪滨（满洲里）设立了与俄办中东铁路邮路并存的邮政局，邮件由中东铁路载运，中国邮政人员押送。海拉尔邮局还接收

---

① 姚锡光：《筹蒙刍议》卷下。
② 《哲里木盟志》（上），方志出版社 2000 年版，第 591 页。

承办附近各蒙旗邮件，用马车载运。①

（八）清末有线电报

内蒙古最早出现的有线电报线路，是全国性边疆干线电路。

光绪十五年（1889年），清政府架设开通了吉林省城（吉林将军驻地，今吉林市）经茂兴、齐齐哈尔、布特哈、墨尔根（今嫩江）、黑龙江城（瑷珲）北达黑河镇的有线电报。并且南经奉天（今沈阳）、天津，与北京接通。其中，中继站茂兴，时属哲里木盟杜尔伯特旗境，布特哈即今莫力达瓦旗所在地。光绪二十六年（1900年），俄军大举入侵东北，光绪三十年（1904年）至光绪三十一年（1905年）的日俄战争，曾使这条线路遭到毁坏，"电报杆线荡然无存"，光绪三十三年（1907年）以后又重新整修、恢复。②

光绪二十三年（1897年），清政府耗资60余万银两，历经二三年施工，架设开通了张家口至外蒙古库伦的有线电报，光绪二十五年（1899年），又延长至（当时）中俄边界俄国一侧的恰克图，从而使内外蒙古地区中经张家口与北京建立了电报联系。其在锡林郭勒草原上的中继站滂江，设有电报子局，有局长1人、电务员3人。③

光绪二十四年（1898年），俄国在修筑中东铁路的同时，沿线架设电报杆线。同年，在满洲里设立电报局，可与哈尔滨通报。光绪二十六年（1900年）在海拉尔设立战地邮电局，可与满洲里、哈尔滨通报。光绪三十年（1904年），因日俄战争爆发，俄国又紧急开通了胪滨（满洲里）至旅顺的第六线电报。同年，海拉尔车站与海拉尔城内接通了电报线路。

清末新政时期，各地方当局开始普遍兴办有线电报。在奉天省（光绪三十三年之前为盛京将军辖区）所辖哲里木盟地区，光绪三十二年（1906年），在昌图设立电报局；光绪三十四年（1908年），在洮南设立电报局，在辽源设立报房，开通了洮南—辽源—昌图至奉天（今沈阳）的电报联系。④在热河所辖昭乌达盟地区，光绪三十三年（1907年），在赤峰设立官

---

① 《呼伦贝尔志略》，《交通·邮电》。
② 徐世昌：《东三省政略》卷11，《实业·附东三省电政》。
③ 《清史稿》卷151，《交通三·电报》。
④ 徐世昌：《东三省政略》卷11，《实业·附东三省电政》。

电分局，开通了赤峰经围场至承德的电路。宣统元年（1909 年），这条电路又延伸至开鲁，在开鲁设立了官电子局。在绥远地区，宣统二年（1910年），架设开通了太原经大同至归化城的有线电报，在归化城设立了电报分局。①

同一时期，内蒙古喀喇沁右旗札萨克郡王贡桑诺尔布，还筹资自主创办了有线电报事业。他派人至围场接洽获准后，亲自督工，采伐附近各山松树，架设自本旗王府至围场县克勒沟长达 90 里的电杆线路，在王府设立电报收理处，开通了经围场至承德、北京的电报联系，"不复使人有边塞荒漠内外隔绝之叹"。②

---

① 《内蒙古自治区志·邮电志》，内蒙古人民出版社 2000 年版，第 82、303 页。
② 吴恩和、邢复礼：《贡桑诺尔布》，《内蒙古文史资料》第 1 辑。

第 十 八 章

清代内蒙古的宗教

第一节　康熙帝与多伦诺尔汇宗寺

汇宗寺，始建于康熙三十年（1691 年），原名多伦诺尔庙，位于内蒙古自治区锡林郭勒盟多伦县城的北面。汇宗寺建成后，在蒙藏地区颇具影响。

一、康熙帝敕建汇宗寺

汇宗寺的修建，缘起于多伦会盟。清初，我国北方的蒙古分为三大部，即漠南蒙古、漠北蒙古、漠西蒙古。康熙二十六年（1687 年），漠西厄鲁特蒙古准噶尔部的首领噶尔丹开始进攻漠北蒙古，第二年秋天，又迫使漠北喀尔喀蒙古札萨克图汗、土谢图汗、车臣汗三部数十万人迁入漠南蒙古地区。康熙三十年（1691 年）五月，康熙帝亲率上三旗和古北口绿营官兵溯滦河而上，在闪电河畔的多伦诺尔（蒙古语，意为七个湖泊），召集漠北喀尔喀蒙古贵族及漠南蒙古四十九旗王公，以赐宴的形势举行了会盟。康熙帝答应了喀尔喀贵族们"请照四十九旗一例编设"[①] 的要求，将喀尔喀蒙古编为三十四旗，旗下设参领、佐领，划分为左、中、右三路，建立了与漠南四十九旗相同的制度。关于多伦会盟的经过，康熙帝在给达赖喇嘛的谕中讲：

---

① 《清圣祖实录》卷 152，康熙三十年六月乙卯条。

喀尔喀土谢图汗、车臣汗，诸济农、诺颜、台吉决志入内，奏请效力者有之，奏请与四十九旗同列者亦有之，呼吁频仍不已。朕既已受而养之矣，若不自始至终永使得所，措置安定，必致散亡。是以刻日于本年四月，朕亲出大阅，喀尔喀之汗、济农、诺颜、台吉等皆执臣礼，跪而稽颡，谆请与四十九旗同列。朕设大宴厚赐之，照四十九旗编为旗队，给地安插。土谢图汗以其妄举兴戎，陈情请罪，朕发众喀尔喀议之，皆言加彼之罪，则于我众无光，朕是以宥免其罪，仍留土谢图汗，车臣汗之号。又念札萨克图汗被杀冤痛，属下裔民散亡可矜，授其亲弟策旺扎卜为和硕亲王，其余各分等级授以郡王、贝勒、贝子、公、台吉之衔，明其法度，昭其典章矣。尔喇嘛普济生灵，向以喀尔喀国破为忧，今已安措喀尔喀，使得其所，遣致尔喇嘛知之，尔喇嘛闻此必大欢喜也。①

康熙帝此谕，是对当时多伦会盟原因、经过及结果的高度概括。通过多伦会盟，清廷不仅加强了对喀尔喀蒙古的管理，孤立了噶尔丹势力，而且巩固了北部边疆，其影响是非常深远的。

多伦会盟期间，康熙帝答应了蒙古各部贵族"愿建寺以彰盛典"的要求，选择多伦诺尔这个"川原平衍，水泉清溢，去天闲刍牧之场甚近，而诸部在瀚海龙堆之东西北者，道里至此亦适相中"的地方，修建了在清代满文档案中称之为多伦诺尔庙的寺庙，即后来的汇宗寺，命令蒙古诸部各派一名喇嘛作为住持，康熙帝"或间岁一巡，诸部长于此会同述职"。康熙五十三年（1714年），即汇宗寺修建二十多年后，经过多次修缮改建，汇宗寺已是"殿宇廊庑，钟台鼓阁，日就新整，而居民鳞比，屋庐望接，俨然一大都会也。先是，寺未有额，兹特允寺僧之请，赐名曰'汇宗'，盖四十八家，家各一僧，佛法无二，统之一宗，归其有极。诸蒙古恪守侯度，奔走来同，犹江汉朝宗于海，其亦有宗之义也。"② 从以上所引《汇宗寺碑文》分析，康熙五十三年（1714年）时，汇宗寺已是殿宇廊庑、钟台鼓阁齐全，且

---

① 《亲征平定朔漠方略》卷10。
② 《汇宗寺碑文》。

整修一新，而且由于各部蒙古部众经常到汇宗寺拈香拜佛，其所在地多伦诺尔已是人口众多、房屋鳞次栉比的繁华市镇。而汇宗寺在建成初期，并无寺名，此时，汇宗寺的住持喇嘛等请求康熙帝赐给寺名，康熙帝遂赐名汇宗寺。

汇宗寺"共占地 18.4 公顷，坐北朝南，南北长近 500 米，东西宽 1 000 米，建有影壁、跳舞场、山门、钟鼓楼、天王殿、后殿，东西配殿、释迦佛殿、藏经楼等。主体殿两侧有 5 座官仓、11 座佛仓及当（档）子房等。大殿与北京护国寺相仿，楼两重，每层 63 间，为砖木结构，高 15 米。殿体前后包厦、殿顶覆以青蓝色琉璃瓦，滚龙脊，正脊上塑有风磨铜庙顶 1 个，密宗法轮金刚图 1 个，金羚羊 2 只，造型精致美观。它依山而建，主建筑物均在一条正南正北的中轴线上，两侧配以其他一些建筑，具有典型的清代中原建筑风格，整个建筑富丽堂皇。汇宗寺正殿曾在清咸丰年间被焚，后又集资照原样重建，只是殿顶换为青瓦。"①

二、康熙帝钦定汇宗寺的陈设布置

汇宗寺的主体建筑，系康熙帝动拨国库银十万两敕建，在康熙三十年（1691 年）动工。当时所修建筑并无雕梁画栋，油漆彩画，非常质朴。如果说汇宗寺修建之初，财力有限，拨给汇宗寺的工程费用仅限于土木工程的话，到康熙四十年（1701 年），由于政局逐步稳定，国力逐渐强盛，过去很多用于战争和武备的开支可以用在基础建设上。仅康熙四十年（1701 年）前后，除对紫禁城加以修缮外，修建的王府、园囿也有很多，当时的四贝勒（即后来的雍正帝胤禛）、八贝勒（即后来的廉亲王允禩）两人的府第，就是在原来驼馆的旧址上建起的一东一西、颇具规模的宅院。畅春园是康熙皇帝经常游憩并处理公务的地方，为了使皇太子允礽能在皇帝身边得到很好的教育，康熙帝下令在畅春园修建了专供皇太子读书学习的无逸斋，从建筑的设计、规制的确定及建材的调用，康熙帝都作了详细批示。南苑则是康熙皇帝行围狩猎、练兵习武的地方，此间也对南苑的新旧衙门、德寿寺、圆灵宫、大西天、道经场等进行了大规模的修缮。此外，在圆明园、潭柘寺等地也新修不少庙宇。从档案上可以知道，当时内务府用于日常维修的工匠就有

---

① 任月海等：《可爱的多伦》，锡林郭勒日报社 2000 年版，第 57 页。

1 971 人。由于有经济实力的支撑，在京城兴建各种建筑外，康熙中期，由于木兰行围的需要，开始在口外兴建行宫，同时兴工修建的行宫就达八处，而汇宗寺作为康熙帝"或间岁一巡"之地，此时也在原来的建筑工程基础上，开始进行油饰彩画，并加强陈设布置。

康熙三十九年（1700 年），内务府会同工部议奏称，"多伦诺尔地方所建庙宇，俟明年木料干燥，再行具奏油饰彩画，俟完工奏闻。其供佛之项，令何喇嘛住持之处，另行具奏请旨。等因奏入，奉旨：著依议。"① 这里面讲了三个问题，即一是要对汇宗寺进行油饰彩画；二是要增加供品陈设；三是要选择喇嘛做住持。其中第一个问题，内务府在康熙四十年初派郎中景珠前去多伦诺尔督工，从"四月初十日开始油饰彩画"，到六月时，"前面大殿、后殿，以及大门均已油饰彩画过半"②。整座庙宇的油漆工程原计划进行三个月，拟至七月初十日竣工，但因进度较快，提前于六月二十四日完工。汇宗寺油漆彩画工程，所用"桐油、飞金、五色药、绳、麻菇钉等项，均由部携往使用外，支给油饰彩画匠夫雇价银，及制作佛座、供桌、鼓缰等物之工匠雇价银，拉运铜锭之车辆雇价银，共一千五百余两。"③ 由于从北京带往物品不见有清单，所以工程总费用很难测算，也许随着清代档案的进一步发掘整理，会为我们解开这一历史之谜。

当油饰一新的汇宗寺展现在人们眼前时，康熙帝于当年七月二十八日亲临该庙拈香礼佛，巡游观赏之后，极有感触，对随行大臣等讲："朕于二十八日行抵多伦诺尔庙看得，所建雄浑坚固，砖瓦石料均属上乘，朕心甚悦。唯其中央供奉佛尊外，并无他物，略显空寂。著尔等照畅春园永宁寺所供之例，造办一份，因属野外，若用金银铜等制造，恐有意外，著尽数用木料细雕而成，刷以金漆。兹正值上漆时节，可从速造办，不误时节完工，俟朕回銮，阅看送至。"④ 内务府大臣等接奉此旨，当即回京开始调查北京西郊畅春园永宁寺供奉佛尊、法器情况。

① 中国第一历史档案馆：《内务府奏销档》117，原件系满文。
② 中国第一历史档案馆：《内务府奏销档》117，原件系满文。
③ 中国第一历史档案馆：《内务府上传档》5，原件系满文。
④ 中国第一历史档案馆：《内务府奏销档》117，原件系满文。

内务府经过调查，制定出方案："永宁寺正殿供奉金曼达一个，拟将此免去，现用木细雕造办上漆喷金，镶嵌少红石、硝子石、洋珠。其日月，则用水晶石制作。免去银七供，制作木刻七供一份。金把碗一只、银水碗十只，系用来盛水，若用木制，开裂毁坏，亦难逆料，相应造办铜把碗一只、铜水碗十只。免去铜镀金仙人十三，用木细雕而成。免去嵌银镀金瓷海螺三个及绿松子石、珊瑚、青金石之垫，用绢贴飞金，嵌少红石、硝子石而成。免去铜镀金花瓶一对，做木雕花瓶一对。免去铜花瓶六对，做木花瓶六对。免去银奔巴二个，做绢奔巴二个。免去银海灯一盏，做铜海灯一盏连罩。铜镀金蜡台一对，因用于点蜡，故仍用铜制，但不镀金。用玻璃珠串各种锦制做幡八个，平幡十一个，现免去玻璃珠。串琉璃而成。其花翎伞，既属野外，易于虫蛀，免于制作，可做贴飞金伞两把。免去银香盒一个，做成木香盒一个。其挂鼓一个、铜赤烛一份、香炉十个、钹三个、磬一个、大鼓一个、木刻八宝一份、香筒一个、花瓶一对、灵芝一对、珊瑚树二对。香几八个、供桌七张、照永宁寺供奉之例造办。两侧配殿六间，悬挂妆缎圆幡二十四个、平幡三十个，拟照永宁寺之例制作。免去铜花瓶六对，改为木刻花瓶。免去银七供四十二个，改做木七供。免去银水碗六十个，改做铜水碗。免去银海灯六个，改做铜海灯六个连罩。免去香盒二个。改做木刻盒二个。其铜蜡台二对、铜香炉八个、赤烛两份、磬二个、大鼓二个、挂鼓二个、照永宁寺之例制作。正殿既然供奉八宝、花瓶、灵芝、珊瑚树等项，配殿则免制作，造办供桌六张。放置磬之香几二个。后面正殿三间，加做缎欢门三个，平幡十八个、铜香炉四个。木刻花瓶三对、铜赤烛一对、木刻香盒一个，并制作铜海灯三盏连罩、铜银碗三十个、木刻七供二十一个、铜蜡台一对、磬一个、供桌三张、放置磬之香几一个。后面两侧配殿中间，制作悬挂缎欢门二个、平幡十二个、铜香炉二个、供桌二张、香几二个、木刻花瓶二对。"[1] 制作以上物件，经派广储司员外郎鄂索里、营造司员外郎华塞核计，广储司采购磬、琉璃、铜等，需用银 640 两，各种工匠雇价银为 1 100 两。营造司购进椴木、榆木、莎木等，需用银 350 两。所需飞金、药料等项，按其时价计，亦需用银 1 451 两，各种工匠的雇价银则为 1 891 两余。这样，

---

① 中国第一历史档案馆：《内务府奏销档》118，原件系满文。

统共需要用银 5 432 两余。其余的各色棉、妆缎、缎、金线、丝线等，直接由内库支取使用。内务府如此精细的估算结果，康熙帝看了之后，对器物的制作并未提出异议，只是觉得用银过多，要求内务府再行复核。

除了置办供器之外，康熙帝对汇宗寺佛像的供奉也非常关心。还是在康熙帝到汇宗寺礼佛当天，即六月二十八日，康熙帝给札萨克达喇嘛彭苏克格隆等颁降谕旨："多伦诺尔庙大殿供奉十八罗汉、四天王，著照永宁寺画像绘制悬挂，并印制甘珠尔经一套。其后殿、前后两侧配殿，应供何佛之处，著尔等议奏。"[1] 札萨克达喇嘛彭苏克格隆接奉谕旨，经过讨论，奏称："庙中大殿悬挂十八罗汉、四天王画像，遵旨照永宁寺画像绘制悬挂外，后殿三间，中正殿现存菩萨画像三幅，挂于后墙，画像过长，无法悬挂，可于金柱间以木板隔开油饰，用来悬挂菩萨像。再，大殿前两侧配殿，亦照永宁寺两侧配殿供奉佛像之例，在东配殿绘制鄂托齐（满文音译）佛像八张、普贤坛城、塔齐勒（满文音译）画像六张供奉；西配殿供奉多克西特（满文音译）画像九张、塔齐勒画像六张。后面两侧配殿，供奉印制之甘珠尔经。"[2] 内务府当即派员外郎马保住监绘佛像。马保住经与札萨克达喇嘛彭苏克格隆核计，所需要绘制的多伦诺尔庙大殿供奉罗汉画像 18 张、天王画像 4 张，东配殿供奉普贤坛城画像 1 张、鄂托齐佛画像 8 张、塔齐尔画像 6 张，西配殿供奉达克西特画像 9 张、塔齐勒画像 6 张，合共 52 张佛像，并印制甘珠尔经一套，需用妆缎、绫、绢、飞金、各色漆、药、椴木、莎木等，完全由内务府支取使用。另外，支给裁缝、画匠雇价银 991 两余，印制《甘珠尔经》各种工匠雇价银 923 两，统共用银 1 914 两余，完全由广善库支取。其余放置《甘珠尔经》之书柜、念经矮桌 54 张、金柱之间隔板刷漆等，则由工部办理。

核计结果奏报康熙帝后，康熙帝亦令再行复核，彭苏克格隆等不敢怠慢，又重新核计，奏称"先前系照永宁寺画像之例，按精细绘制核计。多伦诺尔庙位于蒙古草原地方，风大劲吹，相应较永宁寺佛像稍加粗制，画像曾计镶片金，片金系年久将掉色，相应不用，改镶蓝边，帘、幔原拟用绫，免绫皆为纺。原拟用红黄飞金七十三块、田大庆九斤十二两、松花石碌十一

---

① 中国第一历史档案馆：《内务府奏销档》117，原件系满文。

② 中国第一历史档案馆：《内务府奏销档》118，原件系满文。

斤六两、朱砂六斤八两、雄黄四斤十四两、淀粉十三斤、梅花青六斤八两、胭脂一百五十六块、广淀花四斤十四两、黄胆六斤八两、藤黄一斤十两、浙石一斤十两、纺顺三斤四两、石黄四斤十四两、广胶十六斤四两，兹拟用红黄飞金四十三块七百二十张、田大庆八斤二两、松花石碌九斤八两、朱砂五斤六两、雄黄四斤、淀粉十一斤、梅花青四斤十两、胭脂一百三十块、广淀花三斤十四两、黄胆四斤十两、藤黄一斤四两、浙石一斤四两、纺顺二斤四两、石黄四斤六两、广胶十三斤四两。先前计用工匠雇价银共九百九十一两一钱二分，现减银二百八十一两六钱。再夹《甘珠尔经》，上下用木板二百一十二块，每板掐三宝花三朵，兹拟于上下两板，免其五朵花，仅在上面板为一朵花，每板原拟漆九遍，现拟免其二遍，为七遍。原拟用宽木蒙黄妆缎，兹拟免黄妆缎，以高丽纸为衬，表面蒙以官庆纸。宽木板中间，盖佛之罩，原拟为三层，兹拟以黄缎为面、红绢为里，为一层。免刻制铜钩，改为光面。原拟用飞金十一块五百四十张，兹拟为八块三百六十张。原拟用粘生漆一百七十二斤七两，兹拟为一百五十九斤四两。原拟用推广漆四十七斤十一两二钱，兹拟为四十二斤七两四钱。原拟用龙爪漆三十三斤二两，现拟用三十一斤十两。原拟用土子灰八十斤，现拟用七十斤。原计工匠雇价银为九百二十三两六分，现减银一百二十八两二钱。原拟画佛像、印甘珠尔经两处之各种工匠雇价银为一千九百一十四两一钱八分，现经复核共减雇价钱四百零九两四钱。此外各项，仍照前奏造办。"① 康熙帝同意了这一方案，并交代既然动用广善库钱粮造办，相应由和硕亲王福全不时加以巡查。

汇宗寺所要陈设的佛像、供器、经文，经过历时半年的绘制造办，在康熙四十一年（1702 年）初全部完成，总共备办佛像 55 张。其中 52 张系新绘，3 张系中正殿原存，《甘珠尔经》106 函，以及挂佛幔子、圆幡 32 个、平幡 71 个、欢门 5 个、脑幡 144 个、吊关牌子 48 串、磬 4 个、钹 3 对、奔巴 2 个、海螺 3 个、海灯 10 盏、铜碗 100 只、把碗 10 只、香炉 24 只、蜡台 4 对、大鼓 3 个、挂鼓 3 个、供桌 20 张、幡杆 14 根、八宝 8 个、大花瓶 6 个、小花瓶 40 个、珊瑚树 4 棵、灵芝 2 棵、曼达 1 个等。运送这些物品，共需用轿夫 170 人，车 36 辆。"自京城至独石口，所需轿夫由沿途地方官调

---

① 中国第一历史档案馆：《内务府奏销档》118，原件系满文。

用，车辆由兵部驿车内调用，口北地方，并无驿站人等，相应用督造此等物件之官员等节省银两雇备车辆、轿夫送往。"① 同时派内务府闲散大臣一员、披甲十名随行料理。

由京城备办佛像供器送达后，康熙四十一年（1702 年）四月，汇宗寺的住持达喇嘛章嘉呼图克图呈称："佛尊、《甘珠尔经》、幡、供奉各项，极为亮丽美观，唯佛殿之隔扇、窗、柱均经油饰，若无遮挡风雨之物，似不能年久，其殿六间，请拨给遮雨之雨搭。"② 康熙帝当即应允，命内务府按需拨给。及至康熙四十三年（1704 年），章嘉呼图克图再次咨文内务府称："本处多伦诺尔庙大殿五间，有隔扇十二个、窗八个、横披五个、帘夹三个；后殿三间，有隔扇四个、窗八个、横披三个、帘夹一个；两侧配殿十二间，有隔扇十六个、窗三十二个、横披十二个、帘夹四个；再有喇嘛住房十一间，有隔扇四个、南北大窗共三十四个、横披十一个、帘夹一个；沙弥等住房三间，有窗二十六个。此等殿座之隔扇、窗、横披、帘夹所糊高丽纸、绫、纱等项，均破损。此外，庙前所立神树，系有绳索，业已糟朽。此均系敕建寺庙，请予重新糊饰更换。"③ 亦应其请，当即备办送往。根据目前查到的档案分析，诸如此类康熙帝关心重视汇宗寺的事例应不在少数。

综上所述，除了证明康熙帝重视汇宗寺的后续维护和条件改善以外，还为我们澄清了两个问题，而且是很有意义的两个问题。首先是命章嘉呼图克图为汇宗寺札萨克达喇嘛管理寺务的时间问题。在以前的研究中，通常认为康熙四十四年（1705 年），清廷册封驻京八大呼图克图之首席活佛章嘉为"灌顶普善广慈大国师"，赐予敕印，第二年清廷又赏 48 两重的金印，掌管喇嘛教事宜，住持多伦诺尔庙。现在依据档案记载可知，至晚在康熙四十一年（1701 年）四月时，章嘉呼图克图已是多伦诺尔庙的札萨克达喇嘛。其次是汇宗寺所藏甘珠尔经问题，根据早年日本人泷川政次郎所写《多伦诺尔庙》等调查资料记载，汇宗寺所藏经文是藏文经中最古老的版本，但其确切印制年代从未有人考证过。此次通过满文档案的记载可知，汇宗寺所藏

---

① 中国第一历史档案馆：《内务府奏销档》120，原件系满文。
② 中国第一历史档案馆：《内务府奏销档》120，原件系满文。
③ 中国第一历史档案馆：《内务府奏销档》24，原件系满文。

甘珠尔经系于康熙四十年（1701 年）历时半年印制而成，且于康熙四十一年初送到汇宗寺。

三、康熙帝敕建汇宗寺的意义及其影响

在声势浩大的多伦会盟之后，康熙帝应允蒙古各部之请，在滦河的发源地修建了汇宗寺，并以五世达赖喇嘛的高徒章嘉呼图克图住持寺务，掌管漠南地区宗教事务，同西藏的达赖喇嘛、班禅额尔德尼、漠北哲布尊丹巴呼图克图共同成为藏传佛教四大领袖。雍正九年（1731 年），雍正帝为庆贺内、外蒙古及西北地区全部归附清朝，强化对蒙古地区的统治，动拨国库银两，在汇宗寺西南敕建一座更为华丽的寺庙，赐额"善因寺"，请章嘉呼图克图一并管理汇宗寺和善因寺两大寺庙。雍正十年（1732 年），哲布尊丹巴呼图克图移居多伦诺尔，使多伦诺尔逐渐发展成为蒙古地区的藏传佛教中心。

康熙帝敕建汇宗寺，在清前期对加强蒙古地区的统治和民族团结，巩固北部边防具有非常重要的意义。要说清廷通过多伦会盟，改革了喀尔喀蒙古的行政管理体制，确立了对蒙古草原的有效统治，而汇宗寺的修建，则使多伦诺尔成为蒙古草原的宗教中心。蒙藏地区一向信奉藏传佛教，利用藏传佛教统治蒙藏民族，是清廷推行的一项传统政策，康熙帝修建汇宗寺的真正目的所在，是要利用藏传佛教统治蒙古地区。康熙帝授予汇宗寺住持章嘉呼图克图很大的权力，统管整个漠南蒙古地区的宗教事务，甚至还要对漠北蒙古地区涉及藏传佛教案件进行判决。康熙帝通过章嘉呼图克图这种特殊的社会地位和政治影响，号令蒙古各部，巩固和加强了对蒙古的统治，汇宗寺的建立，无疑是对多伦会盟成果的一种发展。由于汇宗寺的修建，康熙帝经常驾临多伦诺尔，在到汇宗寺拈香礼佛的同时，召见蒙古王公贵族，赏赐宴赉，既联络了感情，又密切了关系，对清廷加强蒙古地区的统治，起到了其他任何一种手段和形式都无法替代的作用。

康熙帝敕建汇宗寺，不仅对清廷加强蒙古地区的统治和蒙古地区的社会安定起到了重要作用，同时也促进了多伦诺尔地区经济的发展。多伦诺尔地处京师出古北口、张家口通向蒙古地区的交通要道，多伦会盟后，康熙帝应蒙古王公的要求，特地允准北京的八大家商号到多伦诺尔设立商铺，经商贸易，由理藩院发给专用票照，注明商号名称、经营货物品名数量，划定了其

经营活动范围。汇宗寺修建之后，由于多伦诺尔地区人口的增加，生意日渐兴隆，吸引了山西、直隶、山东等地的商人纷至沓来。他们不仅在多伦诺尔开设店铺，还将货物运往其他各地，大大促进了蒙、汉两地的经济发展，加强了民族间的沟通和交流。汇宗寺的修建，也带动了多伦诺尔地区手工业的发展，铜银佛像、金银首饰、法器供品是当地最具特色的手工业品。通过本文叙述，我们已经知道汇宗寺的法器供品最初都是在北京制造，及至后来，北京、直隶等地的工匠开始在多伦诺尔开设手工作坊进行加工和销售；寺院对法器制作工艺的较高要求，促使工匠们不断提高加工技术和制作工艺，生产出很多精品，以至于发展到后来，多伦诺尔以法器制造为重点的手工业生产规模和所生产的工艺品，均可与西藏媲美。由于商人的云集和从事手工业的人数不断增加，多伦诺尔很快就形成市镇。在每年一月和六月的祈愿大法会期间，各地牧民蜂拥而至，拈香拜佛，同时也带来畜产品交换日用生活品，往往使一年中的商业活动达到高潮，以致康熙帝发出"俨然一大都会也"的感慨。

第二节　二世哲布尊丹巴与多伦诺尔善因寺

善因寺，清雍正九年（1731 年）建成，位于内蒙古自治区锡林郭勒盟多伦县城的西北，东与始建于康熙三十年（1691 年）、位于多伦县城北面的汇宗寺相呼应。雍正十年（1732 年），哲布尊丹巴呼图克图移居善因寺，多伦一跃而为整个蒙古地区的宗教中心。

一、雍正帝敕建善因寺

雍正帝敕建善因寺，应当说是康熙帝敕建汇宗寺这一做法的继续。清初，我国北方的蒙古分为三大部，即漠南蒙古、漠北蒙古、漠西蒙古。康熙二十六年（1687 年），漠西厄鲁特蒙古准噶尔部的首领噶尔丹开始进攻漠北蒙古，第二年秋天，又迫使漠北喀尔喀蒙古札萨克图汗、土谢图汗、车臣汗三部数十万人迁入漠南蒙古地区。康熙三十年（1691 年）五月，康熙帝亲率上三旗和古北口绿营官兵溯滦河而上，在闪电河畔的多伦诺尔（蒙古语：意为七个湖泊），召集漠北喀尔喀蒙古贵族及漠南蒙古四十九旗王公，以赐宴的形势举行了会盟。将喀尔喀蒙古编为三十四旗，旗下设参领、佐领，划分为左、中、右三路，建立了与漠南蒙古相同的旗佐制度。通过多伦会盟，清廷不仅加强了对喀尔喀蒙古的管理，孤立了噶尔丹势力，而且巩固了北部边疆。多伦会盟期间，康熙帝答应了蒙古各部贵族"愿建寺以彰盛典"的要求，选择在《汇宗寺碑文》中描绘为"川原平衍，水泉清溢，去天闲刍牧之场甚近，而诸部在瀚海龙堆之东西北者，道里至此亦适相中"的地方，修建了在清代满文档案中称之为多伦诺尔庙，后康熙帝赐名汇宗寺的寺庙。汇宗寺的主体建筑，系康熙帝动拨国库银十万两敕建，在康熙三十年（1691 年）动工。当时所修建筑并无雕梁画栋，油漆彩画，非常质朴。到康熙四十年（1701 年），随着政局的逐步稳定，国力的逐渐强盛，对汇宗寺这一康熙帝"或间岁一巡"之地，在原来的建筑工程基础上，开始进行油饰彩画，同年七月，康熙帝巡幸多伦诺尔，亲往礼佛，事后谕令照畅春园永宁寺所供之例，造办佛像供器一份，及藏文《甘珠尔经》一份，于次年初送往陈设。与此同时，章嘉呼图克图作为多伦诺尔庙的札萨克达喇嘛，住进了多伦诺尔庙，开始了其该庙住持的生涯。

如果说康熙帝敕建汇宗寺缘起于多伦会盟，那么雍正帝敕建善因寺则缘起于对章嘉呼图克图的敬重。章嘉呼图克图是清代内蒙古地区藏传佛教最大的活佛，深受清廷优遇。康熙帝封二世章嘉呼图克图阿旺却丹为"灌顶普善广慈大国师"，赐国师印及敕书，住持多伦诺尔汇宗寺，受权总管内蒙古藏传佛教事务，节制内蒙古等地的呼图克图、呼毕勒罕、诺们罕及寺院住持等，掌管盛京、五台山、多伦诺尔等地印务，以至于有权向皇帝具折奏事，极受清廷信赖和倚重。雍正帝即位，一如既往地对章嘉呼图克图加以扶植，在赐银十万两命于库伦地方为哲布尊丹巴呼图克图修建庙宇的同时，也赐银十万两在多伦诺尔为三世章嘉呼图克图呼毕勒罕敕建庙宇，并赐名善因寺。至于为什么修善因寺作为三世章嘉呼图克图呼毕勒罕的驻锡之所，可从以下两点上分析：其一，雍正帝敕建善因寺时曾讲："多伦诺尔地方，乃喀尔喀归顺时我皇考巡狩于此，众喀尔喀瞻仰朝觐有名之地，爰造寺宇，俾去世之张家胡图克图（引者注：即章嘉呼图克图）居住。"[1] 即前朝皇帝曾经专特

---

[1] 中国第一历史档案馆：《内阁起居注》43—6。

修建寺庙，供二世章嘉呼图克图居住，作为继承者，需要仿效前朝作法；其二，雍正帝在《善因寺碑文》中讲得很清楚，"章嘉胡图克图道行高超，证最上果，博通经品，克臻其奥，有大名于西域，诸部蒙古咸所尊仰。今其后身，秉质灵异，符验显然。且其教法流行，徒众日广。"就是说，二世章嘉呼图克图在世时，通过清廷的极力扶植和个人的努力，已为蒙藏地区民众普遍信服和尊奉。康熙五十三年（1714年），二世章嘉呼图克图圆寂。雍正二年（1724年），"禀性灵异"的三世章嘉呼图克图呼毕勒罕被迎至京城，读书习经。雍正帝认为三世章嘉呼图克图呼毕勒罕需要有一个修行之所，因此如《善因寺碑文》中所讲："特行遣官，发帑金十万两，于汇宗寺之西南里许，复建寺宇，赐额曰'善因'，俾章嘉胡图克图呼毕尔汗主持兹寺，集会喇嘛，讲习经典，广行妙法。"至于修庙并让章嘉呼图克图住持的目的所在，雍正帝在该碑文中讲得也很清楚，"蒙古汗、王、贝勒、贝子、公、台吉等俱同为檀越主人，前身后身，敬信无二，自必率其部众，听从诲导，胥登善域。"即通过"因其教不易其俗，使人易知易从"的方法，达到对蒙藏民族的牢固统治。

雍正帝发帑敕建善因寺事在雍正五年（1727年）十一月十八日，由于雍正帝颁降谕旨之时已是冬天，而多伦诺尔又地处塞北，"冬春天气较寒，夏秋大雨时兴，一岁之中，可以施工之日甚少"，①因此当年是肯定不会动工的。估计其主要土木工程是在雍正六年（1728年）至雍正七年（1729年）间进行，因为根据目前尚能见到的档案资料看，从雍正八年（1730年）开始，内务府营造司由工部领取的物料，均非主体工程所用物料。如内务府奏销档记载，雍正八年（1730年）四月十九日，"营造司具呈，编多伦诺尔地方修建庙宇桅杆所用长十三丈、粗一寸三分棕绳两根，取用秫棕一百零一斤六两四钱"。又雍正八年五月初三日，"营造司具呈，置办多伦诺尔地方所修庙宇内挂欢门、扬幡等物，取用粗六寸杉木一丈七尺七寸，长一丈八尺五寸、粗一尺杉木两根，长一丈五尺三寸、粗四寸杉木一根，长一丈三尺一寸、粗四寸杉槁四根，长六尺七寸、粗二寸五分毛竹两根，长九尺九寸、粗二寸五分毛竹一根，长五尺一寸、粗二寸五分毛竹一根，长八尺九寸、粗二

---

① 中国第一历史档案馆：《军机处录副奏折》2153—18。

寸五分毛竹三根"。① 所涉物品均属陈设装饰类物品，因此可以断定，主要建筑此前业已修竣，而其装修陈设等项工作仍在继续，直至雍正九年（1731 年）哲布尊丹巴呼图克图呼毕勒罕入住善因寺前夕，善因寺总体工程方始告竣。故而通常所称善因寺建于雍正九年（1731 年），是为其建成时间，而并非其始建年代。

善因寺占地面积近 27.5 公顷，坐北朝南，其规制据《口北三厅志》记载："门二里，左右钟鼓楼各一，御书清、汉碑亭各一，正殿二重，前殿为楼，共八十一间，其中柱皆中空以泻水，制作工巧。殿皆复以黄琉璃瓦，周以缭垣，巨丽无比。"如果说这段文字是对善因寺建筑布局的大概描述，那么笔者在中国第一历史档案馆有幸看到了一份清宫舆图房珍藏的善因寺建筑图，该图纸本彩绘，上北下南，横 117 厘米、纵 100 厘米，主要建筑和院落分别贴有黄签，签上标有各个院落和建筑的名称、进深及高度。图中，善因寺的院落错落有致，建筑色彩绚丽，彩画层次分明，是一份十分珍贵的清代寺庙建筑图。根据该图所示，善因寺整个布局为内外两重院落，外院为长方形，十座三间房依次排列；内院为三进院，所有主体建筑以内院为中轴由南而北修建，第一进院，"山门三间，通面阔三丈一尺、进深一丈六尺、柱高一丈二尺；旗杆二根，各高七丈；钟鼓楼二座，各见方一丈八尺，通高二丈五尺；天王殿三间，通面阔三丈一尺、进深二丈、柱高一丈二尺"。第二进院，"六角碑亭二座，各通进深二丈、柱高九尺；经堂一座，四面各显九间，通面阔十丈、进深十丈、通高二丈二尺"，经堂前面"抱厦平台三间，通面阔四丈、进深二丈、柱高一丈三尺；配殿二座，每座三间，通面阔三丈四尺、通进深二丈、柱高一丈三尺；大殿五间，通面阔六丈二尺、通进深三丈六尺、柱高一丈五尺"。第三进院"厢房二座，每座三间，通面阔三丈四尺、进深二丈、柱高一丈一尺五寸；后阁一座，计七间，通面阔八丈五尺、进深二丈五尺、柱高一丈八尺"，后阁前面"平台三间，通面阔三丈七尺、进深一丈二尺、柱高九尺六寸"。寺庙外，山门前面"栅栏，南北六丈、东西十二丈"。东侧小院一处，"收储房三间，面阔一丈一尺、进深一丈六尺，厨茶房各三间，面阔一丈一尺、进深一丈四尺"；南墙东西两侧，"看守房

---

① 中国第一历史档案馆：《内务府奏销档》180，原件系满文。

六间，各面阔九尺，进深一丈"。① 至于墙屋顶，第一、第二进院建筑全部
覆盖黄琉璃瓦，南墙和3米多高的内墙，亦覆盖黄琉璃瓦，其余建筑及外墙
则为灰瓦。

　　至于善因寺建筑图的绘制时间，因图中未标，无法断定其具体年代，但
有两种可能性一是其始建时期，即雍正年间。根据修建清代皇家建筑的通常
做法，在动工前都要派遣熟谙工程之大员勘估工料用银数目并绘制建筑图进
呈，经过皇帝认可方能施工，善因寺作为皇家寺庙，料亦不会例外。二是善
因寺建成八十余年后进行过一次大的维修，嘉庆二十二年（1817年）十二
月二十一日，直隶总督方受畴奏称："汇宗寺建自康熙三十年，善因寺建自
雍正九年，历年久远，且地居塞外，风雨剥蚀，不特地面海墁全行碱坏，即
椽子望板，亦大半糟朽，应将各殿头停一律揭瓦。善因寺大楼金柱塌陷，必
须拆卸修建，琉璃瓦脱釉，亦须抽换整齐，以饰观瞻，而资巩固"。因此将
善因寺殿宇头停分别揭瓦勾抿，海墁城砖改用条砖，油漆彩画过色见新，大
楼金柱四面添用抱柱等工程，除木植由围场取用不计外，估需工料用银
"五万一千七百十二两"，可见此次维修工程规模之大，费用之巨。此次工
程，在"善因寺西首建盖座落五间，又值房六间，垂花门一座，茶房三间，
膳房三间，墙垣甬路等"，估需工料银也在"一万九千七百三十二两"。② 方
受畴对这些估需数目酌加核减后绘图帖说，进呈御览，奉嘉庆帝朱批，"依
议办理，图留览"。从善因寺西首建盖房屋这点分析，现存善因寺建筑图似
非嘉庆年间所绘，因为图中并无在西首建盖的这组建筑，但从军机处抄录保
存的方受畴奏折封面看，写有"图三，未发下"字样，可见当时进呈的有
三幅图，如果可以理解为这三幅图分别是汇宗寺原貌图一幅，善因寺原貌图
一幅，要改建的善因寺图一幅，断定现存这幅图系嘉庆年间所绘亦不为过。
不过，现存这幅善因寺建筑图，无论系雍正年间所绘，还是系嘉庆年间所
绘，对我们了解善因寺历史及当前古建恢复维修，都有极其重要的利用
价值。

---

　　① 中国第一历史档案馆：《内务府舆图》1501。
　　② 中国第一历史档案馆：《军机处录副奏折》2153—18。

二、二世哲布尊丹巴移居善因寺

善因寺本是为三世章嘉呼图克图呼毕勒罕所建，建成不久却令哲布尊丹巴呼图克图呼毕勒罕入住，这其中之原因还得追溯至哲布尊丹巴呼图克图转世系统之确立。雍正元年（1723 年），雍正帝赐喀尔喀蒙古所尊奉的一世哲布尊丹巴金册金印，册封为"启法哲布尊丹巴达喇嘛"。同年，一世哲布尊丹巴在北京黄寺圆寂，雍正帝亲临致祭，派员护送哲布尊丹巴灵柩还库伦。哲布尊丹巴呼图克图转世系统由此确立，以后历世哲布尊丹巴呼图克图均受清廷册封。雍正二年（1724 年），哲布尊丹巴呼图克图呼毕勒罕转世，为喀尔喀土谢图汗敦多卜多尔济之次子，名罗布藏丹彬多蜜。喀尔喀各部王公对认定土谢图汗敦多卜多尔济之子为哲布尊丹巴呼图克图呼毕勒罕持有异议，故派使者赴藏，携回喇嘛吹忠之文，称额驸敦多卜多尔济之子即是，但喀尔喀各部王公仍然不服，因此喀尔喀王丹津多尔济远赴京城请封。雍正帝因此颁降谕旨："理藩院奏请敕封泽卜尊丹巴胡图克图（引者注：即哲布尊丹巴呼图克图）之后身，夫泽卜尊丹巴胡图克图与班禅、达赖喇嘛等之后身，出世甚确，应封于库伦地方，以掌黄教"。"泽卜尊丹巴胡图克图原有宿根，与达赖喇嘛、班禅厄尔得尼（引者注：即班禅额尔德尼）同等之大喇嘛也，故喀尔喀等俱尊奉之。且伊所居库伦地方，弟子甚多，着动用帑银十万两修建大刹，封伊后身住持，于此齐集众喇嘛，亦仿西域讲习经典，广为开导，以阐扬黄教。"[1] 此为清廷正式宣布哲布尊丹巴呼图克图与达赖喇嘛、班禅额尔德尼之地位平等，其用意在于利用哲布尊丹巴呼图克图的影响力，来加强对喀尔喀蒙古的统治。二世哲布尊丹巴呼图克图五岁从东科尔呼图克图处受格宁戒，六岁在库伦坐床。

雍正九年（1731 年）至十二年（1734 年）间，厄鲁特蒙古准噶尔部贵族噶尔丹策零（策妄阿喇布坦之子）进攻喀尔喀。雍正九年（1931 年）遣大策零敦多卜率三万人谋略喀尔喀，被清军击退。雍正十年（1732 年），噶尔丹策零又遣小策零敦多卜率三万人进逼额尔德尼昭，占据杭爱山与清军对抗，又复大败。正是在准噶尔部贵族屡屡发兵进攻喀尔喀，哲布尊丹巴处境

---

[1]　中国第一历史档案馆：《内阁起居注》43—6。

危险的大背景之下，为确保二世哲布尊丹巴呼图克图的安全，始有清廷将其移居漠南蒙古多伦诺尔善因寺之举。雍正九年（1731 年）九月，侍卫巴雅斯胡朗报称敦多卜多尔济闻知准噶尔来侵，即携哲布尊丹巴呼图克图呼毕勒罕避入山中，搭寮而居。雍正帝闻此，认为小小木寮岂能御敌，敦多卜多尔济此举有些愚拙，遂密谕敦多布多尔济，一旦有准噶尔侵扰库伦地方讯息，即将哲布尊丹巴呼图克图呼毕勒罕迁往多伦诺尔。不久又于十月二十七日谕令军机大臣丰盛额等曰："哲布尊丹巴呼图克图呼毕勒罕极为年幼，达锡吹木丕勒托津亦甚年迈，值此准噶尔贼猖獗之际，伊等身居库伦地方，心绪不安，朕甚为伊等轸念。既然库伦地方所建之庙尚未成，而多伦诺尔庙已建成，俟来年青草萌发，将呼毕勒罕本人、达锡吹木丕勒托津缓迁至多伦诺尔庙居住，章嘉呼图克图呼毕勒罕亦送往多伦诺尔居住。甘珠尔巴诺们罕既然住在多伦诺尔，则二呼毕勒罕（引者注：即指章嘉呼图克图和哲布尊丹巴呼图克图的呼毕勒罕）在甘珠尔巴诺们罕处习经亦甚方便，俟军事平定，再将呼毕勒罕迁往库伦地方居住可也"。[①]

此后不久，带兵驻扎察罕廋尔的靖边大将军顺亲王锡保也从俘获的厄鲁特人那里得到消息，说准噶尔意欲掳掠喀尔喀游牧至克鲁伦，然后劫掠二世哲布尊丹巴呼图克图呼毕勒罕，更加验证了迁居的必要性。但雍正帝对此做法，也有顾虑，怕喀尔喀人众不容易理解，因为自从哲布尊丹巴呼图克图呼毕勒罕坐床，喀尔喀人众即行顶礼膜拜，出行入居，必来库伦叩拜，迁往他处，喀尔喀人众一时难以接受。因此，雍正帝谕令和硕亲王丹津多尔济将迁往多伦诺尔之缘由晓谕喀尔喀人众，并安排好库伦的防守事宜，以免引起喀尔喀人惊慌。当丹津多尔济遵旨晓以利害以后，喀尔喀众札萨克欣然接受，并无不悦之色，只是正在二世哲布尊丹巴呼图克图准备迁往多伦诺尔之时，土谢图汗旺扎尔多尔济亡故，所有在库伦的大小喇嘛为之念经超度四十九天，外加当年干旱，青草晚发，因此迟至雍正十年（1732 年）闰五月二十二日，二世哲布尊丹巴呼图克图方在徒众八百余人的扈从和其母垂穆朝的照料下，缓缓南行，开始移往多伦诺尔。

雍正帝对内迁二世哲布尊丹巴呼图克图极为重视，在确定迁移的同时，

---

① 中国第一历史档案馆：《军机处满文录副奏折》1554—1。

就特赐二世哲布尊丹巴呼图克图及达锡吹木丕勒托津银各一万两，用做迁移时置办物件之费用。对于其住处善因寺，愈益加以完善。尚在雍正十年（1732年）闰五月初八日，雍正帝就谕知理藩院："呼图克图、达锡吹木丕勒托津等抵达多伦诺尔之后，将住新修之庙，其住房、铺垫等物，料想尚未备办，故派内务府总管鄂善前往监督装饰呼图克图等所住房屋，凡铺垫、使用器皿等各项物件，均照蒙古礼一一备办。多备往哈达，以备喇嘛等念经之用。呼图克图抵达之日，鄂善须备盛筵，连其沙弥及所属人等一并款待"。①鄂善经向原先监修多伦诺尔庙工之布兰泰之子笔帖式永贵、原修八品工师王至正等打听，得知善因寺房屋均经糊饰，所铺毡席、应挂雨搭帘子、使用碗盘等器皿，均已备齐，唯有呼图克图住房之床榻、顶幔、坐褥、靠背、迎手等物需要添置。因此，将一应备办物件经过咨询章嘉呼图克图身边之札萨克喇嘛席喇布达尔札，拟于"呼图克图住房，按蒙古礼，置办带护栏罗汉床一张、黄缎顶幔一个、黄妆缎靠背、迎手一份，坐褥三件，香炉、铜匙、筷、桌、凳；其住处床一张，褥三条，夹缎帷幔一个。再，杜罝内，现仅备坐褥一件，现增置两件，念经喇嘛等所坐黄布坐褥五十件，现再增置五十件，拟备盛茶铜茶桶四个、大瓷盘二十只。达席吹木丕勒托音亦住此庙，相应将呼图克图住房东北方向所有三间正房砌墙相隔，令其居住。"②除了对二世哲布尊丹巴呼图克图住所添置物品以外，鄂善还筹备二世哲布尊丹巴呼图克图抵达多伦诺尔之日款待之盛筵，拟从京城随带内务府内管领、茶承应掌、承应人、仓人、饼师等人，携带所需面、糖、油、茶、器皿等物前往，但起程前，由于委令鄂善署理兵部侍郎事务，遂改派护军统领八十前往。

　　另外从安全上也采取了一系列措施，雍正十年（1732年）七月十一日，雍正帝谕令大学士鄂尔泰等曰："据闻，多伦诺尔地方蒙民聚集极众，甚至有明为盗贼者。现迁哲布尊丹巴呼图克图呼毕勒罕住多伦诺尔庙，故而叩拜喇嘛之蒙古、商民至此者益众，须应严禁偷盗。多伦诺尔地方，或设理事同知管理，或如何管理之处，著尔等议奏"。③鄂尔泰等奉此谕旨，经过讨论，

---

①　中国第一历史档案馆：《内务府奏销档》180，原件系满文。
②　中国第一历史档案馆：《军机处议复档》779—2，原件系满文。
③　中国第一历史档案馆：《军机处议复档》779—2，原件系满文。

认为"独石口接近多伦诺尔，且已增兵，相应由独石口副将处调派绿营兵四十名、守备或千总一员，拨给一年口粮，在多伦诺尔地方建盖草房，遣往官兵严行查缉盗贼，每年轮换一次。多伦诺尔地方，系镶蓝、正蓝察哈尔旗交界地方，故每旗各派兵十名、章京一员，在多伦诺尔地方查缉盗贼，总管等酌情予以轮班。"又因"多伦诺尔系张家口同知博什所管地方，张家口至多伦诺尔相距五百余里，不便管理，独石口员外郎关宁无所办理事项，且挨近多伦诺尔，相应由关宁兼同知任，不时巡查多伦诺尔地方，严缉盗贼，办理蒙民事务，其缉盗蒙古、绿营兵亦由关宁管带。"① 雍正帝不仅照准鄂尔泰等人所议，同意设立多伦诺尔理事同知，而且还命派侍卫二人，专门负责守卫二世哲布尊丹巴呼图克图的安全。所派侍卫二人，准许每半年轮换一次，尽其守护二世哲布尊丹巴呼图克图职责，直至乾隆二十年（1755 年）清廷平定准噶尔方撤。

经过清廷精心准备和安排，二世哲布尊丹巴呼图克图一行于雍正十年（1732 年）秋入住善因寺，护军统领八十备下丰盛的饼桌、羊肉盛情款待，所派侍卫夏图、叶伯肯也尽其职守看护，善因寺一时香客盈门，热闹非凡。二世哲布尊丹巴呼图克图入住善因寺之后，其徒众由于不适应寺院定居生活，且多伦诺尔地方柴薪难觅，提出要迁往水草丰美之处，因此二世哲布尊丹巴呼图克图在次年春迁至草原，众多朝拜者及商民亦寻踪而至。入冬，二世哲布尊丹巴呼图克图则入住善因寺。乾隆五年（1740 年）春，随着喀尔喀局势的逐步稳定，二世哲布尊丹巴呼图克图致函定边左副将军策棱，要求返回库伦，经策棱转奏，乾隆帝降旨照准，曰："若令呼图克图于本年迁移，俟此文至，呼图克图整备妥当，正赶炎热，相应于来年返青之时，再行迁移。迁移之时，著赏呼图克图银一万两遣往"。是年四月初七日，二世哲布尊丹巴呼图克图之母垂穆朝因染天花亡故，② 二世哲布尊丹巴呼图克图遂带徒众移往克尔莫图。乾隆六年（1741 年）春，二世哲布尊丹巴呼图克图移往喀尔喀地方，为了安全，派喀尔喀兵五百名防守外，以备准噶尔一旦反复，随时将二世哲布尊丹巴呼图克图再次移往多伦诺尔，以收乾隆帝所说

---

① 中国第一历史档案馆：《军机处议复档》779—2，原件系满文。

② 中国第一历史档案馆：《军机处录副奏折》1056—5，原件系满文。

"万无一失"之效。① 乾隆十年（1745 年），乾隆帝巡幸多伦诺尔，二世哲布尊丹巴呼图克图再次前往善因寺，候驾觐见。

三、善因寺的历史地位

雍正帝敕建善因寺，如同康熙帝敕建汇宗寺，在清前期对加强蒙古地区的统治和联络蒙古民众，巩固北部边防具有非常重要的意义。要说清廷通过多伦会盟，改革了喀尔喀蒙古的行政管理体制，确立了对蒙古草原的有效统治，而汇宗寺和善因寺的修建，则使多伦诺尔成为蒙古草原的宗教中心。蒙藏地区一向信奉藏传佛教，利用藏传佛教统治蒙藏民众，是清廷推行的一项传统政策。康熙帝敕建汇宗寺和雍正帝敕建善因寺的真正目的所在，都是要利用藏传佛教统治蒙古地区。清廷通过在蒙古草原修建寺庙，借用章嘉呼图克图和哲布尊丹巴呼图克图特殊的社会地位和政治影响，号令蒙古各部，巩固和加强了对蒙古的统治。如果说汇宗寺的修建，是对多伦会盟成果的一种发展，一种适应政治需要的创新的话，那么雍正帝敕建善因寺，则是对以往政策的一种继承。且在康雍乾盛世贯彻始终，延续至乾隆时期乾隆帝还远赴多伦诺尔，召见章嘉呼图克图和哲布尊丹巴呼图克图，赏赉筵宴，既联络了感情，又密切了关系。可以毫不夸张地讲，耸立塞北的汇宗寺和善因寺，对清廷加强蒙古地区的统治，起到了其他任何一种手段和形式都无法替代的作用。

撇开政治作用不谈，仅仅从善因寺建筑本身考察，起码有四方面可以肯定：一是善因寺作为皇家寺庙，布局规整，其殿宇楼阁、斗檐抱厦，无不融入满、汉、蒙、藏等多民族的建筑艺术风格，是各民族人民智慧的结晶；二是善因寺修建年代虽然晚于汇宗寺 30 余年，其历史不及汇宗寺久远，但二者相比，善因寺的修建和装饰陈设速度远远快于汇宗寺。汇宗寺的修建和装饰陈设前后用了 10 年，而善因寺只用了 4 年，表明其为清朝国力强盛时期的产物；三是善因寺建筑规模大大超过了具有同等政治、宗教、历史地位的汇宗寺，汇宗寺占地面积为 18.4 公顷，而善因寺占地面积为 27.5 公顷，超出汇宗寺占地面积 9.1 公顷，从而成为整个漠北蒙古地区规模最大的皇家寺

---

① 中国第一历史档案馆：《军机处录副奏折》1556—25，原件系满文。

庙；四是善因寺建筑的奢华程度，在蒙古地区也是独一无二，从现存清代善因寺建筑图看，善因寺建筑错落有致，彩绘绚丽夺目，部分墙屋顶覆以黄琉璃瓦，标志其规格之高和曾经的辉煌，而享有同等地位的汇宗寺屋顶所覆仅为蓝琉璃瓦，《口北三厅志》称善因寺建筑"巨丽无比"，实不过分。

雍正帝敕建善因寺，在多伦诺尔地区设立理事同知，完善了当地的行政管理体制，加强了对蒙古地区的统治，促进了蒙古地区的社会安定，而且也促进了多伦诺尔地区的经济发展。多伦诺尔地处京师出古北口、张家口通向蒙古地区的交通要道，汇宗寺和善因寺修建之后，各地蒙古人众纷纷前来拈香拜佛，尤其是二世哲布尊丹巴呼图克图移居善因寺以后，更吸引了喀尔喀蒙古人众前来拜谒。由于多伦诺尔地区人口的增加，形成了巨大的物资需求空间，生意日渐兴隆，吸引了山西、直隶、山东等地的商人纷至沓来。他们不仅在多伦诺尔开设店铺，还将货物运往其他各地，大大促进了蒙汉两地的经济发展，加强了民族间的沟通和交流。汇宗寺和善因寺两大寺庙的修建，也带动了多伦诺尔地区手工业的发展，铜银佛像、金银首饰、法器供品是当地最具特色的手工业品。多伦诺尔寺庙所用法器供品，最初都是在北京制造，及至后来，北京等地的工匠开始在多伦诺尔开设手工作坊进行加工和销售，加之寺院对法器制作工艺的要求较高，促使工匠们不断提高加工技术和制作工艺，生产出很多精品，以至于发展到后来，多伦诺尔以法器制造为重点的手工业生产规模和所生产的工艺品，均可与西藏媲美。

第三节　清代内蒙古寺院经济

16世纪中后期，在土默特部俺答汗为了夺取蒙古正统大汗的地位而提倡的"政教二道"并行的策略下，藏传佛教再度传入蒙古地区。从此，蒙古传统的萨满教逐渐被藏传佛教代替，并在强权政治的压力下，佛教理念更广泛地控制了蒙古族意识形态，蒙古社会上层中出现了特殊的僧侣集团。随着蒙古地区有影响力的大小呼图克图、活佛的不断涌现，寺庙开始成为蒙古各部政治、经济、文化活动中心。到了17世纪中叶，藏传佛教从蒙古右翼三万户势力范围蔓延到蒙古族居住的所有地区，已成为蒙古全民族信奉的宗教，蒙古地区寺院林立，喇嘛成群。尤其是在清朝政府的利用、扶植和鼓励下，蒙古地区的藏传佛教畸形发展到前所未有的规模。经过康熙、雍正、乾隆、嘉庆四朝，蒙古地区大小寺庙多达 1 500 座以上，喇嘛人数近 20 余万。其中，拥有呼图克图或活佛称号的内外蒙古大喇嘛就有 292 人。[①] 各大寺院的喇嘛和沙毕纳尔上千，甚至有的上几万，并拥有广阔的牧场或耕地，寺院所属牲畜更是数不胜数，规模较小的寺庙也有喇嘛二三十人，并有自己的固定资产。这样，寺院经济在蒙古地区社会经济形态中占有举足轻重的地位，大喇嘛及寺院所属沙毕纳尔成为蒙古社会阶层的重要组成部分。

寺院经济作为有清一代藏传佛教在蒙古地区畸形发展的重要表现和蒙古社会经济的重要组成部分，它有自己独特的经济结构、经营方式和收入来源。从其自然经济形态看，它由生产资料（寺院土地、寺院所属牲畜）、劳动者（沙毕纳尔）以及佛事收入（社会各阶层供奉的银钱、财物等）等构成。

一、清代内蒙古寺院土地及其生产经营方式

寺院土地是清代蒙古地区土地所有制形态的重要类型。寺院土地大体分为牧场、耕地和城镇寺院周围的地铺三种。

（一）寺院牧场及其生产经营方式

呼图克图或寺院名下拥有的牧场一般是在寺庙建立初期由当地旗札萨克或官员从所辖游牧区域中划给呼图克图或寺院的。这种土地划归当初，一般由札萨克等官员出面，"出具甘结，照档注册，立明边界，造具详细图说"。[②] 清代内札萨克蒙古西部地区和外札萨克蒙古寺院土地多以牧场为主，并分布于寺院四周或离寺庙较远的游牧区。伊克昭盟各旗旗庙或规模较大的寺院在其四周拥有大片牧场，并称其为"浩日古勒噶扎尔"（寺庙禁地）。而此类禁地均系由各旗札萨克或王公于建庙初期划给寺庙或住持该庙之活佛的。鄂尔多斯七旗的寺庙禁地的大小取决于寺庙规模及其宗教地位。准格尔旗旗庙——准格尔庙禁地长约十里，宽约八里，另有牧场多达 5 万亩。[③] 杭

---

①　蒙古国国立档案馆，7—37—7。
②　妙舟：《蒙藏佛教史》，江苏广陵古籍刻印社 1993 年版，第 143 页。
③　萨·那尔松、特木尔巴特尔：《鄂尔多斯寺院》，内蒙古文化出版社 2000 年版，第 9 页。

锦旗境内的广慧寺作为鄂尔多斯七旗共同供奉的大庙，其周围划分的禁地东至鄂尔吉呼宝拉克二十里，西至伊克额勒孙阿麻二十里，北至察罕额勒孙，南至西拉哈达和硕共六十里。[①] 而鄂尔多斯七旗的多数小庙也在其四周拥有小范围的禁地。如杭锦旗境内的广灵寺禁地四周有五里，静慧寺、慧林寺禁地四周也有五里地。[②] 清代鄂尔多斯七旗位于黄河河套地带，牧场面积不很广阔的条件下，大小寺院各拥有不同范围的禁地，使寺院牧场成为清代伊克昭盟地区土地所有制的重要形式之一。

与伊克昭盟七旗寺院牧场相比，五当召、席力图召牧场地处地旷人稀的乌兰察布草原，其土地面积在清代内札萨克蒙古西部地区寺院牧场中，属地域最广，面积最大。五当召是清代内札萨克蒙古地区有名的学问寺，乾隆十四年（1749 年），驻京八大呼图克图之一额尔德尼默尔根栋阔尔班第达在章嘉呼图克图等人的准许下，开始筹建五当召之后，邻近游牧的乌兰察布盟乌喇特三公旗札萨克王公首先把召附近的乌达河之东、苏勒吉叶河之西、南之衮呼都克、北之巴图来、察罕朝鲁以内的土地划分给五当召。乾隆二十四年（1759 年），茂明安旗札萨克经过理藩院批准，把"本旗游牧地境内的洪果尔敖包至吉兰拖罗海的长 120 多里，旗南部的古尔班哈喇拖罗海至北部的章京阿古拉南北的宽约 40 余里的土地划给五当召"。[③] 嘉庆十四年（1809 年），呼和浩特土默特旗都统衙门把土默特旗与茂明安旗交界的毛敦敖包和洪格尔敖包之间的克里叶河西边至乌兰呼都克东西宽一里多，南北长约十里的土默特旗旗地划给了五当召。[④] 这样，有清一代五当召牧场南自吉丹达巴，北至茂明安旗，西自乌拉特后旗，东至茂明安、乌拉特后旗和土默特旗交界处，牧场面积东西约 75 公里，南北约 40 公里。据《蒙古及蒙古人》记载，位于呼和浩特的席力图召牧场地处大青山以北，"这些土地由克克伊尔根城（武川）向北伸展出去，在南边与此城郊区的耕地毗连；在西边同茂明安旗土地相连；在北边同喀尔喀达尔罕贝勒旗相连；在东边同四子王旗的

---

① 《鄂尔多斯寺院》，内蒙古文化出版社 2000 年版，第 148 页。
② 《鄂尔多斯寺院》，内蒙古文化出版社 2000 年版，第 152—153 页。
③ 《呼和浩特史蒙古文献资料汇编》第 2 辑，内蒙古文化出版社 1988 年版，第 310—312 页。
④ 《呼和浩特史蒙古文献资料汇编》第 2 辑，内蒙古文化出版社 1988 年版，第 22—23 页。

土地相接。"① 多伦诺尔敏珠尔呼图克图游牧地一段"座落察哈尔地方桌楞巴噶布尔噶苏台、德勒苏台等处。……东西二十五里，南北二十里"。②

分布于外札萨克喀尔喀地区的寺院和呼图克图所属牧场更为广阔。土谢图汗部各个旗境内的水草最好的游牧地均为哲布尊丹巴呼图克图的③。哲布尊丹巴呼图克图所属沙毕纳尔主要居住在土谢图汗部、车臣汗部交界的肯特山至阿齐图乌兰的广大地区，而这块游牧区实际上也属于哲布尊丹巴呼图克图本人的。另外，哲布尊丹巴呼图克图又把库布苏库勒湖一带的 27 966 平方公里的牧场占为己有，当地的达尔呼特人随之沦为哲布尊丹巴呼图克图的沙毕纳尔。④ 札萨克图汗部伊拉古克三呼图克图所属牧场地西至扎噶苏台音达巴，西北至纳林达巴和位于乌里雅苏台—精奇里克驿道上的乌布尔乌拉克沁驿站，北至洪都霍勒博诺尔，东至罕达音多罗里吉高地。⑤ 位于喀尔喀北部的哲布尊丹巴呼图克图属庙阿穆尔巴雅斯呼朗图寺（庆宁寺）周围分布的高如噶地（同"浩日古勒噶扎尔"，寺院外部地界），西至呼雅尔查干苏布尔嘎、诺木图河，东至西拉诺海图之根，南至古尔塔拉，北至图克敖包。⑥ 喀尔喀赛音诺颜汗部的额尔德尼班第达呼图克图拥有牧场 4 620 平方公里。⑦ 除了哲布尊丹巴呼图克图为首的宗教领袖人物和规模大的寺院占有无边无际的牧场以外，外札萨克喀尔喀地区各旗境内的大小寺庙均拥有面积不等的牧场，只是由于从事游牧业生产，旗地和庙地尚未有严格的分界。

如同内外蒙古大寺院，清代卫拉特蒙古地区的寺院亦占有广阔的牧场。四世洞科尔呼图克图嘉木央嘉木措于顺治三年（1646 年）来到青海，受到了固始汗的供养。当该呼图克图向固始汗请求赐地时，固始汗便把丹噶尔

---

① ［俄］波兹德涅耶夫：《蒙古及蒙古人》第 2 卷，刘汉明等译，内蒙古人民出版社 1983 年版，第 81 页。

② 妙舟：《蒙藏佛教史》，江苏广陵古籍刻印社 1993 年版，第 143 页。

③ 舍·那楚克多尔济：《喀尔喀历史》，内蒙古教育出版社 1997 年版，第 491 页。

④ 舍·那楚克多尔济：《喀尔喀历史》，内蒙古教育出版社 1997 年版，第 412—413 页。

⑤ ［俄］波兹德涅耶夫：《蒙古及蒙古人》第 1 卷，刘汉明等译，内蒙古人民出版社 1989 年版，第 406 页。

⑥ ［蒙古］米格米尔、元丹苏荣：《阿穆尔巴雅斯呼朗图寺志》，第 11 页。

⑦ ［蒙古］车·那顺巴拉珠尔：《额尔德尼班第达呼图克图之沙毕》，科学院历史研究所学术论文集，乌兰巴托。

（今湟源县）到日月山根的大片土地赐给他，遂修建了洞科寺。① 青海的塔尔寺，清末约有土地 90 400 余亩。② 准噶尔汗国时期，扎雅班第达呼图克图所属伊克库里叶（大库伦）及其五集赛（吉萨）游牧境地尤为广阔，大体分布于自塔尔巴噶台至巴尔喀什湖之间，并内分为夏营地和冬营地。

有清一代，蒙古地区寺院对所属牧场的经营和保护十分严格。五当召栋阔尔呼图克图及管事喇嘛对所属牧场的保护方面制定了专门条例，严禁在牧场境内开垦种地、偷盗、打猎、伐木、开采、外地人户占据或过往差遣使者索取马匹、食物等行为。③ 嘉庆十四年（1809 年），民人王老五在五当召牧场内擅自围墙盖房，被喇嘛们驱逐。④ 同时，每隔几年，五当召管事喇嘛与邻近各旗官员一同，勘察牧场边界，重立敖包。伊克昭盟地区各大寺院对所属禁地也采取了同样的保护措施，严禁在寺属牧场范围内开垦种地、打猎、伐木等行为。这对寺院畜牧业的可持续发展，牧场自然环境的保护起了重要作用。到了清末，随着蒙禁政策的松懈，尤其是实行"移民实边"以后，包括五当召在内的内蒙古西部地区大片寺院牧场开始被放垦，其自然环境受到严重破坏。

（二）寺院耕地及其生产经营方式

清代蒙古寺院土地的第二种就是耕地。有清一代，汉族农民移入较多，开垦较早的呼和浩特地区、内札萨克蒙古东部地区和其他适合农业区的寺院土地多以耕地为主，并零散分布于寺院四周或离寺庙较远地区。当时，寺院耕地称为庙地、香火地或膳召地、养赡地。其形成主要有以下几种途径。一、当地札萨克或官员划给蒙民户口地的同时，也给境内寺庙和喇嘛划出了香火地。这种划分必须经过当地旗札萨克或官员的特许。位于卓索图盟土默特左旗境内的瑞应寺是内札萨克蒙古东部地区享有很高声誉的规模庞大的寺庙，在当地蒙古人心目中被称为"东召"，与"西召"——拉萨相提并论。康熙初年开始兴建瑞应寺以后，土默特左旗札萨克贝勒先后把寺周围和其他

---

① ［日］若松宽：《西宁东科尔呼图克图的事迹》，《东洋史论丛》1980 年 4—7 月号。
② 张羽新：《清政府与喇嘛教》，西藏人民出版社 1988 年版，第 180 页。
③ 《呼和浩特史蒙古文献资料汇编》第 2 辑，内蒙古文化出版社 1988 年版，第 35 页。
④ 《呼和浩特史蒙古文献资料汇编》第 2 辑，内蒙古文化出版社 1988 年版，第 342 页。

邻近村落的约 40 800 亩土地划给该寺住持察罕迪延齐呼图克图。① 据雍正
二年（1724 年）蒙文档案记载，土默特左旗札萨克贝勒确实在康熙年间，
把寺周围和其他邻近村落的大片土地划分给察罕迪延齐呼图克图。由于划给
年限过久，雍正二年，瑞应寺大喇嘛罗布桑诺尔布同该旗协理班达喇什等官
员一起，重新勘察呼图克图所属土地的四周，并作了证明书。② 值得一提的
是，该寺施主供奉的土地还分布于奈曼、巴林、郭尔罗斯、扎赉特、科尔沁
等旗境内。雍正十一年（1733 年），呼和浩特五塔寺住持扬齐尔齐喇嘛请求
赐予香火地时，土默特旗梅林章京把"已迁去的察哈尔人曾居住之塔宾格
尔空闲地划给该喇嘛。"③ 同治十年（1871 年）左右，外札萨克喀尔喀的策
札萨克和乌尔占札萨克分别把旗境内的伊俸河和布尔古勒台河一带的耕地交
与阿穆尔巴雅斯呼朗图寺（庆宁寺）使用，以作为对寺院一项特殊的捐
献。④ 此类土地除当地札萨克或官员主动划给以外，也通过寺院一方请求而
获得。如喀喇沁左旗特古斯阿穆古朗图寺所属图京塔、阿里木台、乌兰布依
努克等处耕地 4 顷 5 亩是通过该旗札萨克公的准许而获得的。⑤ 喀喇沁中旗
札萨克诺颜把境内的 36 顷 63 亩耕地划给了该旗呼都克阿贵庙，并约定承种
者每年秋季须交与寺庙 190 石 8 斗 2 升粮谷。⑥ 这种"差地"归旗札萨克所
有，出租给佃户耕种，所得租税交寺庙作为开销之用。二、寺院上层喇嘛凭
借佛教在所在区域内的权势自私招垦形成的。喀喇沁右旗灵悦寺，拥有这种
土地一百多顷。⑦ 青海的隆务寺将周围山岭草地括为寺产，以做香火之用。
鄂尔多斯地区某些寺庙周围的部分耕地也是这样形成的。三、闲散王公、台
吉和富有的蒙古箭丁出于对佛教的虔诚而捐献的土地。如上述喀喇沁左旗特
古斯阿穆古朗图寺所属耕地的一部分是该旗某些官员和富有之民捐献的。
四、上层没落的台吉、塔布囊和下层民众因贫穷所迫，把户口地典当或卖给

① 陶克通嘎：《瑞应寺》，内蒙古文化出版社 1984 年版，第 217 页。

② 内蒙古档案馆档案科尔沁右翼后旗档案，502—1—1。

③ 《呼和浩特史蒙古文献资料汇编》第 2 辑，内蒙古文化出版社 1988 年版，第 9 页。

④ ［俄］波兹德涅耶夫：《蒙古及蒙古人》第 1 卷，刘汉明等译，内蒙古人民出版社 1989 年版，
第 44 页。

⑤ 内蒙古档案馆喀喇沁左旗札萨克衙门档案，503—2—3079。

⑥ 内蒙古档案馆喀喇沁中旗札萨克衙门档案，504—1—3456。

⑦ 乌云毕力格等：《蒙古民族通史》第 4 卷，内蒙古大学出版社 1993 年版，第 341 页。

寺院。此类土地一般情况下，贫困蒙民通过把户口地一次性卖给寺院吉萨而借到现银，或把户口地租银先典当给寺院而借出高利贷，后因借方在契约中限定的时间内无法还清连本带息，只好把土地折价给寺院而形成的。嘉庆十一年（1806 年），喀喇沁中旗贫困塔布囊齐讷克因生活所迫，以 450 000 文把自己的 3 顷地永久卖给该旗的图门吉日嘎朗图寺。① 道光元年（1821年），呼和浩特崇寿寺沙毕三木丕勒因无花销之银，把自己在斋桑河之地收取的年地租银 2 400 文和城内地租 3 970 文的土地永久卖给该寺活佛仓，而其从活佛仓得到的现金为 23 000 文。② 嘉庆九年（1804 年），土默特旗箭丁噶拉桑把自己在哈占来嘎查所收地租九两银子的土地为抵押，从崇寿寺甘珠尔仓借到高利贷现金 20 000 文。③ 嘉庆二十四年（1819 年）二月，格隆木兰都格鲁布因借了阿拉善和硕特旗广福寺吉萨的五千文钱，无力偿还，遂将自己所有的胡吉尔台之地折价给该吉萨。又如一块未注明名称的地系达尔吉达赖哈代因借了庙上九十五千钱，以地为抵押，后无力赎取，遂于道光十五年（1835 年）闰六月递与庙上，并另补给了十只绵羊。④ 清代内蒙古地区多数寺院均拥有这种耕地，而此类土地一般零散分布，面积大小不一，又因管事喇嘛经营不善，日久天长，这些土地往往被租种的民人侵占。

寺院耕地的生产经营方式是主要通过佃租给民人或旗民耕种而获取地租——银粮。喀喇沁中旗和硕庙（旗庙）系该旗最大的寺庙，据道光十五年（1835 年）统计，该寺六大仓所属土地中，雅尔乃仓拥有永久收取租银地 44 顷 23 亩 1 分 8 厘，限定年限收取租银地 5 顷 36 亩，永久收取租粮地 15 顷 65 亩半，限定年限收取租粮地 15 顷 33 亩，巴噶钟自耕地 10 顷；玛尼仓拥有永久或限定年限收取租银、租粮地共 16 顷 81 亩 7 分 7 厘；丹珠尔仓拥有永久收取租银地 13 顷 57 亩 7 厘；却拉仓占有永久或限定年限收取租银、租粮地共 8 顷 54 亩。⑤ 而承租这些耕地的多数佃户为汉族农民或本旗蒙民。从上述记载看，包括喀喇沁中旗在内的清代内蒙古东部地区寺院耕地

可分为永久收取租银地、限定年限收取租银地、永久收取租粮地、限定年限收取租粮地和寺庙自耕地等五种，收取的地租一般是银钱或粮谷。

寺院喇嘛除了把耕地出租给民人收取地租以外，有时把庙地分给所属沙毕纳尔耕种。外喀尔喀庆宁寺把所属土地出租给汉人以外，又派本寺沙毕纳尔耕种。[①] 上述喀喇沁中旗和硕庙的自耕地就是由该庙沙毕纳尔耕种，非出租土地。瑞应寺所属土地中的 13 800 亩由其沙毕纳尔耕种。呼和浩特五塔寺的大喇嘛等五十余人在塔宾格尔板升嘎查占有耕地，并与当地民人一起耕种。[②] 另外，呼和浩特某些寺庙还以"白分耕地"（糊口地）的名义，把香火地分给沙毕纳尔耕种，并规定"每一石粮中提取三桶交与寺庙"。[③] 需要说明的是，沙毕纳尔可以耕种香火地，但不能擅自出租给民人或卖给他人。清朝末年，随着寺院经济的衰退和佛事收入的枯竭，内蒙古地区的寺院喇嘛们为了维持香火开支，宁愿典当地租或借高利贷，或把庙地卖给他人。

（三）寺院地铺及其经营方式

清代蒙古寺院土地的第三种便是城内分布的寺庙所属地铺（或作地谱、地皮），以租赁为主要经营方式。位于呼和浩特、多伦诺尔、阿拉善和硕特旗定远营、外札萨克蒙古大库伦和内札萨克蒙古锡埒图库伦等城镇的多数寺庙在寺庙周围或城内其他街道占有不同面积的地铺，尤其是当时这些城镇的商贸繁华地段均分布在寺庙附近，因而各寺地铺租金收入相当可观。据嘉庆十四年（1809 年）至十五年（1810 年）呼和浩特席力图召收支账本记载，该召每月从城内永兴穗纸铺、云泰店、天欣川、鞋铺、西库尔台之铁具铺、观阁楼、云华店、义兴店、讷黑之酒铺、福婵号、元富兴、肝铺、广誉店等店铺收取不同数量的租金。[④] 换句话说，这些店铺的地铺属席力图召。内蒙古图书馆馆藏一份地铺契约中记有席力图召东仓在北茶坊天源巷占有一块房院地铺，其占地面积东和西至该召附近，北至永兴店小巷，向南过路至大街。如同席力图召，呼和浩特的大召（无量寺）、崇福寺、崇寿寺、宁祺寺

---

① ［俄］波兹德涅耶夫：《蒙古及蒙古人》第 1 卷，刘汉明等译，内蒙古人民出版社 1989 年版，第 45—46 页。

② 《呼和浩特史蒙古文献资料汇编》第 2 辑，内蒙古人民出版社 1988 年版，第 98 页。

③ 《呼和浩特史蒙古文献资料汇编》第 2 辑，内蒙古人民出版社 1988 年版，第 98 页。

④ 席力图召喇嘛巴扎尔所藏嘉庆十四年至十五年席力图召收支账本。

等在本寺周围和其他邻街地方多处占有地铺。地处于呼和浩特郊外的庆缘寺、法禧寺也在城内拥有地铺，其经营方式仍以出租为主。清代的多伦诺尔是以汇宗寺、善因寺为核心形成的新兴城镇，宗教特色尤为浓厚。汇宗寺、善因寺位于该城中心，其周围大部分地方分属于两座寺庙的地铺。据清朝末年的统计，汇宗寺章嘉仓出租房7处，锡力图仓5处，阿吉雅仓4处，甘珠尔瓦仓5处，默尔根诺门汗仓5处，吉隆仓2处，诺颜却尔吉仓3处，大吉萨仓20处，桑对仓3处。① 阿拉善和硕特旗王府所在地定远营也是以寺庙为核心形成的小型城镇。该旗最大寺院延福寺位于定远营中心，其周围便是市区商业贸易最繁华地带。据同治八年（1869年）九月二十一日延福寺档案显示，回民动乱以前，该寺在定远营占有四处铺面，租金二百千文。② 然而，该庙所藏部分房地产契约显示，其朝克沁吉萨（大吉萨）名下的房屋有9处，共85间，并带马棚、后院、屯厂3处；俊结吉萨名下的房屋有2处，共19间；栋克尔吉萨名下的房屋有5处，共19间，并带后院2块。③ 值得一提的是，以上房屋中不少是买来的。如大吉萨大南街一处三十间房屋，系道光二十一年（1841年）七月，从俞甲木芩母子手中买来，其价八百千钱，外加羊三十只。④

关于城内分布的寺庙所属地铺及其经营方式，光绪十八年（1892年）来到呼和浩特考察的俄罗斯人波兹德涅耶夫对该城寺院地基房院的租赁及地铺钱有详细记载，他说："几乎所有的寺召都在自己的地皮上盖了房子，并用围墙围起来，成为栈房，用来租给当地的商人。在这种情况下，租金当然昂贵，因为它不仅包括地租，而且还包括房租。喇嘛在收租时只用'满钱'，也就是用分量十足的制钱，一文顶一文计算；而不是按呼和浩特现行的钱币来算钱。因为按现行的钱币，文钱只是票面单位，一百文钱有时只顶五十个制钱，有时甚至只顶四十五个制钱。如此算来，在盖有房屋的地方，根据地段的不同，每方丈土地的月租在三百文到二千文之间。空地的地租就

① ［日］莲井一夫等：《多伦喇嘛庙与其生态》，《亚细亚》第1辑，生活社1941年版。
② 阿拉善左旗档案馆，同治八年（1869年）延福寺档案。
③ 《蒙古族社会历史调查》，内蒙古人民出版社1986年版，第179页。
④ 《蒙古族社会历史调查》，内蒙古人民出版社1986年版，第179页。

便宜得多，约为七十五文到五百文，而且租者还有权在他租赁的地皮上随时建造房子。……交租和收租的各一方都必须有两位中人。一年的租期满了之后，喇嘛就提前收下一年的租金，并千方百计地要达到这一目的。当他们看到商人的生意兴隆盖起了又大又漂亮的房子时，那就更是如此，他们甚至会拒绝订立新的租约，要求商人腾出地盘，而且情愿负担拆房子的费用。当然，事情最后总是以每丈土地增加几十文钱而告终，然后大家都相安无事，直到下一次收租为止"。[①]波氏描述的情形反映了回民起义以前呼和浩特商业贸易繁荣时期的寺院地基房院的租赁状况。但是，随着清末呼和浩特地区商业贸易的萧条和喇嘛势力衰落以及寺院经济的窘迫，呼和浩特寺院对所属地基房院的租赁上，失去了原来主动而有利的地位。内蒙古图书馆馆藏另一份地铺契约中写道：

> 立赁到空地基约人张廷选情愿赁到观音寺当家喇嘛来福厮名下祖遗空地基一块，坐落在舍力图召前，坐东向西空地基一块。东至原赁主，西至官街，南至原赁主，北至张仲，四至分明。其于嘉庆二十年（1815年）伊寺内原使过程门白银四百叁拾两、钱叁百陆拾千文。此二宗项仍与伊寺内作为押地项。今同中说合，情愿已赁到名下，永远建盖房屋，由己自更，永远为业。同中言明每年已与伊寺内应出地谱城市钱陆拾吊文整。其×按四标凭折付伊，不许伊长支短探，亦不准伊长迭地谱，又不准伊撵走。嗣后勿论何人拿出片纸单张文书账簿约据及至于程门原过了空地基约据，一并以为故纸不用。日后倘有伊本族蒙民人争夺者，有伊一力承当。此系两处情愿，各无返悔，空口难凭，立情愿赁到空地基约存照证用。宣统元年（1909年）十一月二十七日张廷选情愿立在见人：岳怀、崔玉玺、史卜年、丁大文。[②]

从这份契约显示的内容可以看出，寺院地基房院的租赁期从原来的短期

---

① ［俄］波兹德涅耶夫：《蒙古及蒙古人》第2卷，刘汉明等译，内蒙古人民出版社1983年版，第89—90页。

② 内蒙古图书馆馆藏地铺契约，参见武莫勒：《清末民国呼和浩特市部分召庙房地契约管窥》。

变为长期，租户言明不准增长地铺钱，也不准退租。尤其是租户口气之强硬凌人，反映了当时呼和浩特喇嘛寺院势力的衰落。

二、清代蒙古寺院劳动者——沙毕纳尔的生产生活状况

沙毕纳尔，又称"哈拉沙毕纳尔"，意为黑徒，与寺院僧徒（度牒丁、度牒喇嘛）相对而言的，清代汉籍史料中则称为"庙丁"。《绥远通志稿》载："黄教称僧徒曰喇嘛，谓未出家之俗众曰黑人。而俗众之隶属于召寺服役喇嘛者，则又沦为黑徒焉。盖黄教自明代入蒙古后，各部王公对所崇信之活佛，除施财建寺外，复酌给原田，为香火、养膳之资。分拨民户，以效奔走执役之劳。于是喇嘛等号此产曰膳召地，而号此民曰黑徒。其意以盖喇嘛为活佛之黄衣弟子，俗众为喇嘛之黑衣弟子。……案黄教中黑徒，除对召寺活佛、喇嘛服役外，对其本管盟旗，已无若何义务可言。"① 沙毕纳尔是清代蒙古社会下层阶级中的特殊阶层，系寺院和呼图克图以及喇嘛旗的阿拉巴图（属民）。他们对所在旗札萨克或政府部门不服兵役、不承担世俗劳役，不缴纳实物税，而世代对所属寺庙和呼图克图以及喇嘛旗札萨克负有绝对供养的义务，是寺院经济中的主要生产者和劳动者。康熙三十年（1691 年），清廷第一次解除对外札萨克蒙古一世咱雅班第达罗布桑朴仍来（1641—1716年）和一世额尔德尼班第达呼图克图所属沙毕纳尔的世俗赋役，并决定他们只要对所属呼图克图服役。从此，外札萨克蒙古地区的沙毕纳尔开始对所属呼图克图服法定的封建义务。②

（一）沙毕纳尔的来源和构成

沙毕纳尔主要来源于蒙古王公、台吉、塔布囊等封建主的捐献或卖给，其中也有阿拉巴图阶层为了逃避不堪忍受的世俗兵役、劳役、赋役或因生活贫困所迫而投身寺院。沦为沙毕纳尔者，还有的是各呼图克图从其他地方带来的。清朝初期，随着藏传佛教在蒙古地区进一步传播和普及以及清政府对藏传佛教采取扶植、利用和鼓励下，佛教理念左右了蒙古社会意识形态，笃信藏传佛教成为全民族的精神追求。在这种社会意识形态和政治背景下，筹

---

① 绥远通志馆：《绥远通志稿》卷 77，《宗教》，20 世纪 30 年代稿本。
② ［蒙古］色·普鲁布扎布：《蒙古的黄教简史》，乌兰巴托 1978 年版，第 193 页。

建寺庙，供奉呼图克图、活佛对蒙古王公、台吉、塔布囊等封建主来说，是他们表达自己对佛教的尊崇和朝廷的忠心之名利双全的途径。而划出大片牧场、耕地作为寺院和呼图克图、活佛香火之用，或把自己的阿拉巴图和家奴捐献给寺院和呼图克图、活佛是其最突出的表现。

　　有清一代，蒙古地区大小寺院和呼图克图、活佛均拥有不同数量的沙毕纳尔。据五当召喇嘛人口统计册，嘉庆四年（1799年）该召所属黑徒549人，[①]嘉庆五年（1800年）新增的黑徒为52户，213口。其中，乌拉特后旗籍21户，87口，茂明安旗籍10户，40口，乌拉特前旗籍2户，8口，乌喇特中旗籍4户，16口，准格尔旗籍14户，59口，外喀尔喀莫尔根王旗1户，3口。[②]从五当召管事喇嘛们呈乌兰察布盟盟长喀尔喀札萨克多罗达尔汉贝勒之书看，该召所属黑徒的大多数是邻近乌拉特前、中、后旗和茂明安旗札萨克和诸台吉把各自所属阿拉巴图或家奴（呼博特）捐献给庙上，其中也有的是某些贫穷台吉和平民因灾害而无法度日，经旗札萨克、协理的准许，并订立盖印章的保证书，把所属阿拉巴图和家奴卖给该召。[③]当时订立盖印章的一百多张保证书在黑徒所属旗和五当召各保存一份。至今保存下来的几份保证书内容显示，乾隆年间，乌拉特等旗札萨克和诸台吉把所属部分阿拉巴图和家奴无偿捐献给五当召栋阔尔呼图克图以外，有的黑徒以十五两银，外加一匹马卖给该呼图克图，而有的则以三十只羊，五头牛卖出，甚至一户仅以二十多只羊，四五头牛卖给该呼图克图的亦有之。[④]

　　呼和浩特在清代蒙古地区以寺庙、喇嘛和转世呼图克图众多而著称。清朝初期，因各寺院和呼图克图所属黑徒人口逐年增多，使黑徒阶层成为当地社会阶层中的重要组成部分。据史料记载，康熙四十六年（1707年），因居住于呼和浩特附近的喇嘛所属人口过多事宜，归化城将军费扬古曾上奏给朝廷，试图把他们编为苏木，以便派遣。康熙帝顺从了费扬古的请求，把呼和浩特附近居住的喇嘛所属男丁共三千五百八十余口中，除了年老体弱多病

①　《呼和浩特史蒙古文献资料汇编》第1辑，内蒙古人民出版社1988年版，第225页。
②　《呼和浩特史蒙古文献资料汇编》第3辑，内蒙古人民出版社1988年版，第119页。
③　《呼和浩特史蒙古文献资料汇编》第2辑，内蒙古人民出版社1988年版，第50页。
④　《呼和浩特史蒙古文献资料汇编》第3辑，内蒙古人民出版社1988年版，第67—90页。

者，其余二千五百五十人按土默特制二百丁为单位编一苏木，共编为十三个苏木。① 呼和浩特太平召宝塔碑文中刻的"康熙四十六年（1707 年）将七寺黑人徒弟编为十三个佐领"② 也证明了这一史实。乾隆元年（1736 年），当地衙门又从呼和浩特七大寺院所属黑徒中查出五十三人，并把他们编入苏木，改为俗人。③ 其后，理藩院和当地衙门为了保证地方兵丁来源，曾多次颁布文件，控制黑徒人口的增加，但其效果并未明显。据嘉庆二十四年（1819 年），呼和浩特十三座寺院所属黑徒人口统计，无量寺（大召）25人，延寿寺（席力图召）294 人，其家属 720 人，崇福寺（小召）162 人，庆缘寺 37 人，灵照寺（美岱召）4 人，广化寺 27 人，慈寿寺 3 人，其家属17 人，崇禧寺 26 人，崇寿寺 30 人，尊胜寺 16 人，宏庆寺 14 人，隆寿寺 66人，宁祺寺 5 人。④ 以上共有黑徒 709 人，如果把已记延寿寺和慈寿寺所属黑徒家属加上，当时呼和浩特十三座寺院所属黑徒人口应 1 446 人。遗憾的是，该人口统计册中，尚未统计无量寺等其他寺院和小庙所属黑徒的家属。这样一来，呼和浩特十三座寺院所属黑徒人口应比这更多。因此，俄罗斯人波兹德涅耶夫把呼和浩特地区寺院所属沙毕纳尔仍列为 19 世纪末当地社会四大阶层之一。⑤

从呼和浩特地区寺院黑徒的来源和构成情况分析，他们中的大多数系当地的土默特人，其中也有的则是各呼图克图从外地带过来的。如尊胜寺住持咱雅班第达呼图克图当初从外喀尔喀来到济尔噶朗图山建寺时，带来了自己所属 160 余户沙毕纳尔。⑥ 又如康熙三十年（1691 年），喇嘛那木卡巴拉带所属 50 户沙毕纳尔来到呼和浩特时，理藩院与当地衙门商议，把他们分付给呼和浩特六座寺院。⑦ 据波兹德涅耶夫调查，清末席力图呼图克图所属沙毕纳尔有一千人，属于各个不同的民族。他们大都是土默特人，然而也有一

① 《清圣祖实录》231 卷，康熙四十六年十二月丙申条。

② 郑裕孚：《归绥县志》金石志，1934 年铅印本。

③ 《呼和浩特史蒙古文献资料汇编》第 1 辑，内蒙古人民出版社 1988 年版，第 67 页。

④ 《呼和浩特史蒙古文献资料汇编》第 1 辑，内蒙古人民出版社 1988 年版，第 122—154 页。

⑤ ［俄］波兹德涅耶夫：《蒙古及蒙古人》第 2 卷，刘汉明等译，内蒙古人民出版社 1983 年版，第 81 页。

⑥ 金峰：《呼和浩特召庙》，内蒙古人民出版社 1981 年版，第 219 页。

⑦ 《呼和浩特史蒙古文献资料汇编》第 3 辑，内蒙古文化出版社 1988 年版，第 95 页。

些是蒙古其他部的人，甚至还有唐古特、藏族等其他民族的人。① 席力图呼
图克图所属沙毕纳尔中之所以有唐古特、藏族等其他民族的构成，是因为席
力图呼图克图系统转世于青海的藏族居多，他们修行成才之后，带领所属唐
古特、藏族等民族的沙毕纳尔来到席力图召，而这些沙毕纳尔均居住在大青
山后席力图呼图克图牧场。

　　清代阿拉善和硕特旗寺院和格根、喇嘛坦所属沙毕纳尔的多数则来自外
地的"查嘎沁"（投身者）。据广宗寺格根（这里指的是达格布呼图克图）
所属沙毕纳尔的统计册，道光二十三年（1843 年）有 312 户，咸丰四年
（1854 年）有 339 户，同治六年（1867 年）有 369 户，光绪元年（1875 年）
有 357 户，光绪二十一年（1895 年）有 263 户。② 该格根所属沙毕纳尔人户
不仅众多，增减起伏较大，而且他们的构成十分复杂。光绪二十五年
（1899 年），广宗寺格根所属沙毕纳尔有 321 户，其中原籍为外喀尔喀的 59
户，鄂尔多斯的 48 户，青海藏族的 72 户，其余为锡伯沁、古鲁格沁、准格
尔、察哈尔、蒙古勒木德、巴尔虎、巴图特、乌喇特、杜尔伯特、土默特、
阿巴古特、哲尔木特、辉特等不同蒙古姓氏的零散人户和少数汉族、回族、
满族人户。③ 总之，该旗寺院和格根所属沙毕纳尔中，本旗出身的只占
30%，来自外地的则占 70%。并且，这些沙毕纳尔的民族和部落成分十分
复杂。投身于该旗寺院和格根、喇嘛坦的外地人户首先争得对方的认可，并
通过对方请示旗札萨克王爷，被批准之后，方可被对方收容为沙毕纳尔。

　　据史料记载，清末在多伦诺尔拥有庙仓的诸多呼图克图均拥有不同数量
的沙毕纳尔。清初敏珠尔呼图克图在多伦诺尔有牧丁一百余户。④ 但是，到
了清朝末年，该呼图克图名下的沙毕纳尔减为 42 户，同样在多伦诺尔拥有
庙仓的各呼图克图名下之沙毕纳尔均有所减少，其中，章嘉呼图克图的 83
户 253 口，锡勒图呼图克图的 63 户 201 口，阿嘉呼图克图的 44 户 184 口，
甘珠尔瓦呼图克图的 50 户 193 口，达来堪布的 33 户 116 口，莫尔根诺门汗

　　① ［俄］波兹德涅耶夫：《蒙古及蒙古人》第 2 卷，刘汉明等译，内蒙古人民出版社 1983 年版，
第 81 页。
　　② 《蒙古族社会历史调查》，内蒙古人民出版社 1986 年版，第 126 页。
　　③ 《蒙古族社会历史调查》，内蒙古人民出版社 1986 年版，第 122 页。
　　④ 妙舟：《蒙藏佛教史》，江苏广陵古籍刻印社 1993 年版，第 123 页。

的 58 户 227 口，毕力克图诺门汗的 12 户 35 口，吉隆呼图克图的 5 户 20 口，诺颜朝尔济的 20 户 60 口，阿尔哈活佛的 25 户 65 口。① 从敏珠尔呼图克图所属沙毕纳尔户的锐减情况可以看出，以章嘉呼图克图为首的这些宗教影响很高的各高僧当初拥有的沙毕纳尔户不仅仅是这些。

清代外札萨克喀尔喀地区寺院和呼图克图所属沙毕纳尔尤为众多。康熙四十九年（1710 年），哲布尊丹巴呼图克图拥有沙毕纳尔 3 786 户，17 000 口，② 到乾隆十五年（1750 年）时，其沙毕纳尔增至三万名，嘉庆十五年（1810 年）增为五万，同治元年（1862 年）复增至七万二千名，到清末的宣统三年（1911 年），竟多达十万左右。③ 这些沙毕纳尔的多数是来自喀尔喀王公贵族和佛教上层的捐献，并遍布于喀尔喀四部。乾隆十四年（1749 年）洞阔尔曼珠师利呼图克图一次就献给哲布尊丹巴呼图克图一千多户沙毕纳尔。另外，外喀尔喀扎雅班第达呼图克图拥有沙毕纳尔一千帐，约五千人。④ 呼亨呼图克图有近千户。⑤ 伊拉古克三呼图克图拥有 312 户。⑥ 道光三年（1823 年），札萨克图汗部扎拉坎萨呼图克图已拥有沙毕纳尔 219 户，866 口。⑦ 寺院和呼图克图所属沙毕纳尔的数量不一，这主要是由寺院和呼图克图的宗教声誉或影响，各寺院和呼图克图第一次获得的土地面积和沙毕纳尔的人数等所决定。如 19 世纪末，哲布尊丹巴呼图克图有 2 万户沙毕纳尔时，奥润布格根的沙毕纳尔不到 150 人。赛音诺颜汗部额尔德尼班第达呼图克图有沙毕纳尔 11 295 名时，那仁呼图克图才有 634 名。⑧

犹如内外蒙古地区的寺院和呼图克图，准噶尔汗国后期的卫拉特伊克库

① ［日］莲井一夫等：《多伦喇嘛庙与其生态》，《内陆亚细亚》第 1 辑，生活社 1941 年版。

② ［蒙古］舍·那楚克多尔济：《喀尔喀历史》，内蒙古教育出版社 1997 年版，内蒙古大学出版社 2002 年版，第 412 页。

③ 乌云毕力格、成崇德、张永江：《蒙古民族通史》第 4 卷，第 342 页。

④ ［俄］波兹德涅耶夫：《蒙古及蒙古人》第 1 卷，刘汉明等译，内蒙古人民出版社 1989 年版，第 447 页。

⑤ ［俄］波兹德涅耶夫：《蒙古及蒙古人》第 2 卷，刘汉明等译，内蒙古人民出版社 1989 年版，第 563 页。

⑥ ［俄］波兹德涅耶夫：《蒙古及蒙古人》第 1 卷，刘汉明等译，内蒙古人民出版社 1989 年版，第 407 页。

⑦ 蒙古国国立档案馆，道光三年十月初九日蒙古文档案。

⑧ ［蒙古］色·普鲁布扎布：《蒙古的黄教简史》，乌兰巴托 1978 年版，第 192 页。

里叶（大库伦）及其五集赛（吉萨）拥有众多的沙毕纳尔。其中，阿克把集赛有 4 000 户，赍吗里木、杜尔把、堆素隆、伊克胡拉尔等四个集赛各有1 000 户。① 如按平均每户有 4 口计算，这些沙毕纳尔在当时准噶尔汗国总人口（64 万）中，几乎占 16%。值得一提的是，这些沙毕纳尔中也有布鲁特（吉尔吉斯）等其他民族的人口成分。

（二）沙毕纳尔的赋役

寺院和呼图克图所属沙毕纳尔一般居住在寺院所属牧场或耕地内，从事畜牧业和农业生产。而祖籍在寺院邻近的沙毕纳尔平时则住在各自的苏木老家，从事畜牧业和农业生产的同时，每遇寺院举行大型诵经会期间，他们到各自所属寺院或呼图克图、活佛那里，从事扫院、挑水、烧火、煮食、砍柴、巡逻、备马或伺候呼图克图、活佛上轿等杂务。另外，有的沙毕纳尔平时住在寺庙，从事寺院日常杂务。

沙毕纳尔是寺院经济中的主要生产者和劳动者之一，寺院畜牧业和农业生产收入的很大一部分是通过沙毕纳尔的劳动所获取。据档案记载，哲布尊丹巴呼图克图所属沙毕纳尔中，约 1 000 人有义务放牧呼图克图之苏鲁克。另外，专门从事哲布尊丹巴呼图克图仓及其他所属寺院种地的农民沙毕纳尔约有二个努图克，居住于宝如噶河和宝如诺尔。② 喀尔喀庆宁寺一鄂托克沙毕纳尔专门耕种本寺土地，而他们在土地上的全部收获归寺院一方。清末哲布尊丹巴呼图克图所属沙毕纳尔放牧的大库伦各吉萨名下的牲畜竟达300 000 头。③ 沙毕纳尔向所属寺院或呼图克图、活佛服劳役的同时，缴纳实物、银粮系普遍现象。据档案记载，沙毕纳尔对所属寺院或呼图克图从事劳役的同时，缴纳实物和银粮。乾隆三十七年（1772 年）夏，哲布尊丹巴呼图克图之大库伦从色勒伯移至辉满得勒时，征哲布尊丹巴呼图克图所属沙毕纳尔驼 1 024 峰，牛 1 000 头，一个月有粮之随从人员 973 名。又把库伦从辉满得勒移至色勒伯时，征哲布尊丹巴呼图克图所属沙毕纳尔驼 1 032峰，牛 1 054 头，一个月有粮之木匠 152 名，一个月有粮之铁匠 14 名，用

---

① 《钦定皇舆西域图志》卷首 1。
② 蒙古国国立档案馆，同治八年库伦满洲大臣档案。
③ ［蒙古］舍·那楚克多尔济：《喀尔喀历史》，内蒙古教育出版社 1997 年版，第 493 页。

于相关搬迁活动。①

　　清代内外蒙古地区沙毕纳尔所承受的赋役虽然有所不同，但寺院和呼图克图摊派的赋役大体上由他们承担。沙毕纳尔的赋役，比札萨克旗阿拉巴图所承担的赋役相对轻松，但据档案记载，史实并非如此。随着寺院和呼图克图影响面的扩大，喇嘛人数的不断增多，沙毕纳尔的各种赋役随之越发多起来。这种赋役在清朝相关律例中尚有明确规定，但是与外札萨克喀尔喀地区札萨克旗阿拉巴图所承担的赋役相差无几。据档案记载，乾隆五十年（1785 年），哲布尊丹巴呼图克图按所属沙毕纳尔的每头牛、每匹马征 4 块，每峰驼征 6 块，每只羊征 1 块黄油计算，共征收了沙毕纳尔 8 万斤黄油，7千两银；另外，沙毕纳尔每年还向呼图克图仓和诵经庙会交付 3 万两银子。② 到了 19 世纪末 20 世纪初，这种实物税收额增加到每头牛、每匹马征 8 块，每峰驼征 10 块，每只羊征 2 块黄茶。③ 尤其是这一时期的实物税多以银钱交付，使沙毕纳尔的生活更加艰难。蒙古国历史学家舍·那楚克多尔济把哲布尊丹巴呼图克图所属沙毕纳尔承担的赋役分为供奉茶、黄油、银、祈愿、甘珠尔等五种加以阐述。认为，供奉茶是呼图克图为供佛所需费用征收的赋税，可用砖茶、银钱代替；银是为了呼图克图仓开支所征收的银钱；黄油系香火之用所需赋税；祈愿、甘珠尔系每年诵经法会开支所需赋税。④

　　19 世纪，喀尔喀地区的其他呼图克图和活佛也有从 20 只羊的沙毕纳尔征 1 只，若不够 20 只羊者则征粮食、茶叶或银钱。其中，有 10 只羊，2 头牛的征 5—6 锅粮食、4—5 块砖茶、2—2.5 两银；有 5 只羊、1 头牛者征 3锅粮食、2 块砖茶或 1 两银的例子。⑤ 道光二十八年（1848 年），喀尔喀车臣汗部伊拉古克三呼图克图罗卜桑巴勒丹从所属沙毕纳尔身上征收 360 只羊，厚茶 36 块，包毡 50 张，自己所用米面、水果等用品的费用 430 两银子。⑥ 如同上述情况，额尔德尼班第达呼图克图的沙毕纳尔按其穷富程度，

———————

①　蒙古国国立档案馆，乾隆三十七年至四十二年移至库伦事宜手抄本。

②　蒙古国科学院历史研究所藏手抄本。

③　［蒙古］色·普鲁布扎布：《蒙古的黄教简史》，乌兰巴托 1978 年版，第 196 页。

④　［蒙古］舍·那楚克多尔济：《喀尔喀历史》，内蒙古教育出版社 1997 年版，第 494 页。

⑤　［蒙古］色·普鲁布扎布：《蒙古的黄教简史》，乌兰巴托 1978 年版，第 193—194 页。

⑥　［蒙古］勒·丹都布：《满洲殖民统治蒙古的历史资料》，蒙古国科学院手抄本馆。

每年冬天向呼图克图下属诸大喇嘛缴纳所谓的"冬季食羊"5—50只，甚至有的富户缴纳90只。① 除此之外，该呼图克图所属满巴达场为呼图克图和庙会所需，光绪九年（1883年），从达场管辖的106户沙毕纳尔共征收779只羊，毡子46张，黄茶825块。② 19世纪上半叶，赛音诺颜汗部咱雅班第达呼图克图的沙毕纳尔每年交纳360只羊，1 200斤面，香灯所需黄油360斤，厚茶48块，盐碱9锅，奶牛16头，柴火650车。③ 此类徭役与18世纪蒙古下层阿拉巴图承受的世俗徭役没有什么区别，而这种徭役应为呼图克图和活佛向沙毕纳尔征收的固定赋役。外喀尔喀地区的呼图克图和活佛向沙毕纳尔征收的类此固定赋役中还包括呼图克图和活佛所需饮食、柴火、居住、衣物购买和行政开支以及向他们供奉物品、庙会所需各种用品。清代阿拉善和硕特旗广宗寺格根向其沙毕纳尔摊派定期的"宝敦（大牲畜）阿拉巴"。如光绪二十八年（1902年）正月广宗寺向所属七个阿尔本（什户）的沙毕纳尔摊派每宝敦阿拉巴七两银子。④

值得一提的是，清代内蒙古锡埒图库伦喇嘛旗作为政教合一的特殊旗分，其境内的在册俗人称为"哈力亚图"（属民），分别属于旗、仓和各大寺庙。其实，"哈力亚图"在该旗就是沙毕纳尔。因为，他们不服兵役，札萨克喇嘛也不向他们摊派或登记披甲，征调相关的费用。据前人研究，札萨克喇嘛平时向旗民征收的赋役主要有达尔罕阿勒巴、安吉存阿勒巴、孟根阿勒巴、沙布达干阿勒巴。达尔罕阿勒巴是由富户向札萨克等上层喇嘛缴纳的赋役；安吉存阿勒巴是由凡种地的农户按犁杖数（耕种地亩数）所承担的赋役，一般是每副犁杖每年缴纳银洋8—10元，干草500斤，马料200斤，小米100斤，烧柴200捆；孟根阿勒巴是由非农业户所承担的赋役，以银两为标准征收，每户每年缴纳1—3两不等；沙布达干阿勒巴是由以出卖劳动力为生的贫困户赋役，以铜钱为标准征收，一般每户每年缴纳500钱至3吊不等。⑤

①　［蒙古］色·普鲁布扎布：《蒙古的黄教简史》，乌兰巴托1978年版，第208页。

②　蒙古国国立档案馆，光绪九年从该达场摊派民众的庙会所需固定徭役档册。

③　［蒙古］勒·丹都布：《满洲殖民统治蒙古的历史资料》，蒙古国科学院手抄本馆。

④　《蒙古族社会历史调查》，内蒙古人民出版社1986年版，第130页。

⑤　齐克奇：《锡勒图库伦旗的政教合一制》，《内蒙古喇嘛教纪例》，内蒙古政协1997年版，第395页。

除了承担这些固定赋役之外，沙毕纳尔还承担呼图克图和活佛"转世"所需费用，寺庙的维修，呼图克图、活佛和管事喇嘛来往游历所需随从人员的工钱、饮食、车马运输之费用等临时性摊派。光绪十六年（1890年），为了筹措祝寿额尔德尼班第达呼图克图的诵经会所需费用和该呼图克图过往北京的路费等，向其所属沙毕纳尔征收马75匹，银2 506两；光绪三十一年（1905年）至三十二年（1906年），为该呼图克图过往北京之路费等，仅从所属努毕凌达场（学部）的沙毕纳尔征收4 617两银。① 宣统元年（1909年）为了筹备迎请第六世额尔德尼班第达呼图克图坐床费用，又从沙毕纳尔征敛6 850两银子。② 如同额尔德尼班第达呼图克图，光绪九年（1883年）赛音诺颜汗部的咱雅班第达呼图克图为了进京当值，从汉商店铺里借了两万两白银的高利贷，其年利息为三分三。朝觐返回后，又花一万两银子为自己造了一座宫殿。对此，俄人波兹德涅耶夫说："当今的扎雅格根将近十年来不断的使自己的沙毕纳尔破产，而且据我后来所知，他们已因此而陷入还不清的债务之中"。③ 清代五当召所属沙毕纳尔居住在该召周围的牧场境内，义务放牧各吉萨所属牲畜，档案中又称他们为"看管苏鲁克者"或"保管牲畜者"。这些沙毕纳尔放牧的苏鲁克之自然繁殖归寺院，而他们只能得到奶食和绒毛。另外，该召沙毕纳尔也对所属呼图克图缴纳不定期赋税。有一次，五当召洞科尔呼图克图赴北京时，仓属沙毕纳尔共缴纳68两银。④

（三）沙毕纳尔的管理制度和人身权利

有清一代，蒙古地区藏传佛教寺院和呼图克图对沙毕纳尔的管理十分严格。哲布尊丹巴呼图克图及其所属大库伦为首的外喀尔喀掌印札萨克喇嘛和规模大的寺院如同地方札萨克衙门，设有管理所有土地和沙毕纳尔的专门机构和裁决刑事案件的专门机关，有的甚至设立监狱（如哲布尊丹巴呼图克

① ［蒙古］车·那顺巴拉珠尔：《额尔德尼班第达呼图克图之沙毕》，蒙古国科学院历史研究所学术论文集，乌兰巴托。

② ［蒙古］车·那顺巴拉珠尔：《额尔德尼班第达呼图克图之沙毕》，蒙古国科学院历史研究所学术论文集，乌兰巴托。

③ ［俄］波兹德涅耶夫：《蒙古及蒙古人》第1卷，刘汉明等译，内蒙古人民出版社1989年版，第443页。

④ 《呼和浩特史蒙古文献资料汇编》第4辑，内蒙古文化出版社1988年版，第427页。

图的商卓德巴衙门有沙毕监狱）。而其主要目的在于如何有效地管理和控制自己所属沙毕纳尔。这种"政教合一"的统治制度从清朝初期产生开始，经历了逐步完善的过程。管理哲布尊丹巴呼图克图所属沙毕纳尔的最高行政机关是"额尔德尼商卓德巴衙门"，其余呼图克图、活佛所属沙毕纳尔的最高行政管理机关是"呼图克图印务处"。这些管理机关一般由额尔德尼商卓德巴、商卓德巴、大喇嘛和掌印斋桑（2—4 名）、闲散斋桑等管事喇嘛构成。其中，由哲布尊丹巴呼图克图推荐，清廷批准选派的额尔德尼商卓德巴的权力如同盟长，负责管理大库伦所属 30 个爱马克、10 个扎仓、西库伦、庆宁寺、丹巴达尔扎寺、额尔德尼召及其下属寺院和哲布尊丹巴呼图克图仓的沙毕纳尔以及各种财物，尤其在哲布尊丹巴呼图克图本人尚未住持大库伦或年幼时，他可以全权处理政教事宜。额尔德尼商卓德巴下面还有协理大喇嘛 2 名、主持沙毕纳尔事宜的喇嘛斋桑 16 名、笔帖式 8 名，侍从 20 名和若干名黑徒斋桑。一般商卓德巴的权力或官衔几乎与地方札萨克诺颜一样，而大喇嘛和掌印斋桑可协助商卓德巴，摊派沙毕纳尔的徭役和惩处违规者。值得一提的是，在外喀尔喀地区，不论是"额尔德尼商卓德巴衙门"，或者是掌印呼图克图在处理沙毕纳尔的刑事或民事案件时，主要依据《喀尔喀法典》，而处理地方与沙毕纳尔之间的纠纷时，则依据《理藩院则例》，并同地方官员一起审理。

清代管理沙毕纳尔的寺院基层行政组织称为"鄂托克"、"扎仓"、"集赛"。以哲布尊丹巴为首的外喀尔喀多数呼图克图根据所属沙毕纳尔居住的不同地方分为不同的"鄂托克"予以管理。如哲布尊丹巴呼图克图直辖的沙毕纳尔称为"哲布尊丹巴呼图克图的三个鄂托克"，达尔哈特人为主组成的沙毕纳尔称为"达尔哈特之三个鄂托克"，西库伦所属沙毕纳尔称为"西库伦三个鄂托克"等等。"鄂托克"的行政长官为宰桑，宰桑之协理为西古楞格。而这种行政组织的设置是根据蒙古人过去的传统。"鄂托克"之下设"巴克"，"巴克"下面又设"阿尔本"（什户），以便层层管理。据档案记载，光绪年间，阿拉善和硕特旗广宗寺格根也把所属沙毕纳尔编入七个"阿尔本"，并各派阿尔本达鲁古（什长）管理。[①] 需要说明的是，这里提

① 《蒙古族社会历史调查》，内蒙古人民出版社 1986 年版，第 130 页。

到的什户，并不一定是指具体的数字，而实际上包括20至30户。与"鄂托克"为单位管理沙毕纳尔的寺院行政组织不同的是，外喀尔喀赛音诺颜汗部咱雅班第达呼图克图、额尔德尼班第达呼图克图和堪布诺门汗呼图克图则把所属沙毕纳尔编入寺院学部组织——"扎仓"里，即每个沙毕（黑徒）必须归属于某一个"扎仓"，以便管理。与"鄂托克"和"扎仓"不同的管理沙毕纳尔的寺院行政组织还有"集赛"和"仓"。"集赛"，有值班、值日或轮流服役之义。在卫拉特，"集赛"成为"扎仓"的仓库，它是满足寺院各扎仓一切需求的沙毕纳尔机构。准噶尔汗国的伊克库里叶（大库伦）所属沙毕纳尔被分在五个集赛（吉萨），后又增设4个小"集赛"，并根据各集赛所属沙毕纳尔的多少，由4—1名宰桑管理，① 略如鄂托克之制。卫拉特蒙古特有的这种管理沙毕纳尔的行政组织一直延续到清朝末年。如科布多所属杜尔伯特部达来汗、卓哩克图王以及巴岳特诸旗以"集赛鄂托克"、"集赛之户"之名管理沙毕纳尔。② 而清代内蒙古地区寺院所属沙毕纳尔一般情况下分属寺院各"扎仓"之"仓"，称为"仓属沙毕纳尔"。总之，"鄂托克"、"扎仓"、"集赛"和"仓"管辖之内的沙毕纳尔人户、牲畜、财产多少不一，但各有一、二名宰桑或达鲁嘎（长官）掌管。

　　沙毕纳尔世世代代作为寺院和呼图克图的属民，其人身权利和自由牢牢被控制在寺院和呼图克图手中。对此，《绥远通志稿》中这样提到："至于召寺活佛及执事喇嘛等，待其所辖黑徒，则督责綦严，不稍宽假，偶犯过咎，处治尤酷。如禁锢挞楚，皆寻常惩儆，其罪重者，直可置之死地。盖教徒心目中已视此辈为私有物，故其一切处分，不必商诸教外人，而教外人亦以事不干己，莫肯出而诘其故也。此较前世纪美洲人之役黑奴，虽未必尽同，要亦不堪相远。惟其如此，所以教中一切视为喇嘛所不屑为之贱役，皆令黑徒任之。"③ 据有关沙毕纳尔的法律文献记载，这种情形时而有之。哲布尊丹巴呼图克图之大库伦"额尔德尼商卓德巴衙门"根据该衙门制定的《乌兰哈齐尔图》法规，在审判违犯相关法规的沙毕纳尔时，施行鞋棍抽

① 《钦定皇舆西域图志》卷首1。
② ［蒙古］色·普鲁布扎布：《蒙古的黄教简史》，乌兰巴托1978年版，第213页。
③ 绥远通志馆：《绥远通志稿》卷77，《宗教》，20世纪30年代稿本。

打、皮绳捆绑、胫骨加板、断食绝寝等酷刑。① 清代呼和浩特寺庙蒙古文档案中，有关反映黑徒家庭婚姻、财产继承等方面的记载。同治九年（1870年）"寺庙黑徒之间为了用赘婿而约定之书"提到："大召黑徒噶海齐因无嗣子，把其女麦水嫁与朋苏召黑徒沙津夫，沙津夫自愿当赘婿，其年工钱为三十余千文。约定若沙津夫得子，其长子继噶海齐家产，承担大召徭役，其次子看管沙津夫家园。若生独子，供奉两门佛经，服两寺徭役。此事禀报与朋苏召札萨克喇嘛、大喇嘛、格斯贵等，请准许为盼。"② 同样，在黑徒个人财产的继承方面，若黑徒无嗣子，其财产在所属寺庙管事喇嘛的干预下，一般由该寺另一个黑徒继承。另外，呼和浩特各寺院黑徒若佃买家产，须通过所属寺掌印喇嘛的准许和登记注册。③ 可以看出，沙毕纳尔虽有自己的财产，并有私有权，但其继承或佃买等关键环节均受到寺院和管事喇嘛的干涉。

沙毕纳尔的生活状况如同清代蒙古阿拉巴图阶层，他们拥有土地、牲畜、房产。尤其是沙毕纳尔沦为寺院和呼图克图属民之初，由于不服世俗兵役、劳役，又加上寺院和呼图克图对他们的管理和奴役尚未松散等原因，其生活环境和水平比阿拉巴图阶层更优越一些。所以，寺院在某种程度上成为生活贫困之阿拉巴图阶层的理想的归宿处。随着寺院和呼图克图剥削之加深，这种情况已不复存在，大部分沙毕纳尔的生活水平每况愈下，与阿拉巴图阶层相差无几。但是，沙毕纳尔也是一个不断分化的阶层。如同阿拉巴图阶层中的"额尔和坦"、"达尔和坦"，沙毕纳尔中少数民户成为富裕户，拥有较多的牲畜和财产。如同上述，额尔德尼班第达呼图克图的沙毕纳尔按其穷富程度，每年冬天向呼图克图下属诸大喇嘛缴纳所谓的"冬季食羊"5—50只，甚至有的富户缴纳90只。显而易见，该呼图克图所属沙毕纳尔贫富差别之大。据档案记载，呼和浩特寺庙所属沙毕纳尔中有很多人因生活贫困所迫，宁愿典卖自己的房地产而借高利贷。如"嘉庆二十年（1815年）慈寿寺黑徒罗卜桑、巴勒登父子因生活所需，把自己在小召后街铺上每月收取

① 《乌兰哈齐尔图》，第26页。
② 《呼和浩特史蒙古文献资料汇编》第3辑，内蒙古文化出版社1988年版，第135—136页。
③ 《呼和浩特史蒙古文献资料汇编》第2辑，内蒙古文化出版社1988年版，第258页。

租金 460 文为利息抵押，从该寺阿玉什农乃仓管事尼尔巴喇嘛宫楚克素德那木账上借本钱 28 000 文。后因父亲过世，巴勒登请求该寺大喇嘛等，从尼尔巴喇嘛账上又借了 10 000 文。"① 与此相反，呼和浩特席力图召黑徒达希扎木苏被列在《主持每月法会施舍最多之施主名册》里，其布施额本钱 5 000 文。②

总之，清代外札萨克蒙古规模较大的寺院或地位显赫之呼图克图所属沙毕纳尔阶层的生产生活状况大体上与札萨克旗阿拉巴图阶层的状况没有什么差别，而内札萨克蒙古地区的寺院，尤其是小寺院或小活佛所属沙毕纳尔阶层，因寺院或喇嘛对他们的控制和管理较松散，在所有财产以及财产的继承、家庭婚姻、人身自由、缴纳赋税、承担各种徭役等方面与普通的阿拉巴图阶层相比，略微好一些。老家在呼和浩特附近的沙毕纳尔平时都住在苏木家里，只是寺院法会频繁时期到自己所属寺庙，从事扫院、挑水、烧火等杂务。

三、清代蒙古寺院经济收入及其管理模式

清代蒙古寺院经济收入有多种来源，按其性质可分为三大类，一是以寺院所属沙毕纳尔的经济生产收入、寺院财产的增值收入为主的经济收入；二是各级政府拨给寺院、呼图克图及喇嘛上层的经费和清廷给予的俸银、赏赐；三是各种佛事收入。

（一）沙毕纳尔的经济生产收入和寺院财产的增值收入

寺院所属沙毕纳尔的经济生产收入主要包括放牧畜群的自然繁殖和种地而收获的五谷杂食以及参与商业、交通运输等所得的收入。如上所述，沙毕纳尔向寺院和呼图克图缴纳的牲畜、黄油、银钱、粮谷等各种赋税均属于此类收入。嘉庆、道光年间，哲布尊丹巴呼图克图之大库伦各吉萨所属沙毕纳尔为筹措庙会、饮食、供奉之需，每年缴纳 3 万两银子，到了 19 世纪末，此类银子竟达到 5 万两。③ 沙毕纳尔筹措的这笔银子都是变卖牲畜而获得

---

① 《呼和浩特史蒙古文献资料汇编》第 2 辑，内蒙古文化出版社 1988 年版，第 237—238 页。

② 内蒙古图书馆呼和浩特宁祺寺档案，04940。

③ 蒙古国国立档案馆，2—4—36。

的。20 世纪初，大库伦各吉萨所属沙毕纳尔放牧的畜群最多时竟达到 30 万头，而其自然繁殖以及畜产品均系沙毕纳尔的畜牧业生产收入。哲布尊丹巴呼图克图所属庆宁寺派本寺的沙毕纳尔来耕种土地，甚至专门成立了一个鄂托克，他们负担的徭役就是耕种土地。而这些沙毕纳尔在土地上的全部收获都归寺院。① 呼和浩特席力图呼图克图所属一千多名沙毕纳尔世代居住在大青山后属庙西拉木伦召周围的牧场之内，义务放牧呼图克图的畜群，呼图克图本人和席力图召喇嘛所需每年的肉食或香灯所需黄油等均来自这些沙毕纳尔的畜牧业生产收入。居住在呼和浩特附近的各寺院所属沙毕纳尔从事农业耕作，其收获的一石粮食中三桶交给本寺。② 《绥远通志稿》称这些务农之沙毕纳尔为"檀莱沁"，并说："最初大率祇供全寺黄、黑徒众牧畜之用，厥后渐令黑徒中之精农事者，择牧场隙地，种艺五谷，以省僧众入市购粮之烦。"③ 卓索图盟土默特左旗境内的瑞应寺沙毕纳尔每年耕种所获粮食多达1 380 余石。④

有清一代，沙毕纳尔除从事畜牧业、农业外，还参与商业、交通运输。外喀尔喀扎雅班第达呼图克图的部分沙毕纳尔从事运输业，以骆驼将商品从库伦运到乌里雅苏台和恰克图，再由此运货至归化城和张家口。其中有的直接到归化城或张家口装货北运。去时带上自己的产品以便出售或者把汉商在蒙古收购的畜产品运上。⑤ 外喀尔喀呼亨呼图克图的沙毕纳尔则从事盐业运销，获取可观的收入。⑥ 如同上述，光绪后期，阿拉善和硕特旗延福寺沙毕纳尔从察汉布拉克驮盐到塔尔顺、平凉等地，四次驮盐得脚银为 71 两 8 钱6 分。⑦

---

① ［俄］波兹德涅耶夫：《蒙古及蒙古人》第 1 卷，刘汉明等译，内蒙古人民出版社 1989 年版，第 45 页。

② 《呼和浩特史蒙古文献资料汇编》第 2 辑，第 98 页。

③ 绥远通志馆：《绥远通志稿》卷 77，《宗教》，20 世纪 30 年代稿本。

④ 陶克通嘎等：《瑞应寺》，内蒙古文化出版社 1984 年版，第 217 页。

⑤ ［俄］波兹德涅耶夫：《蒙古及蒙古人》第 1 卷，刘汉明等译，内蒙古人民出版社 1989 年版，第 447 页。

⑥ ［俄］波兹德涅耶夫：《蒙古及蒙古人》第 1 卷，刘汉明等译，内蒙古人民出版社 1989 年版，第 563 页。

⑦ 《蒙古族社会历史调查》，内蒙古人民出版社 1986 年版，第 180 页。

寺院财产的增值收入是清代蒙古寺院各种收入中比重最大的一项，也是寺院经济发展的基础。寺院财产的增值收入一般包括牲畜的自然繁殖和利用牲畜从事运输业、盐运业等副业赚取的收入、出租土地或房地产收取的钱粮和地租、庙仓储蓄银钱的高利贷盘剥或投入商业所带来的经济效益等。寺院牲畜的自然繁殖收入一般通过放苏鲁克获取。其中，沙毕纳尔放牧的畜群自然繁殖及其附带的畜产品全部归寺院以外，寺院或管事喇嘛把社会各阶层从远方供奉的牲畜以放苏鲁克的方式委托给当地的阿拉巴图牧户，收取其自然繁殖收入或提取的其他实物。据档案记载，乾隆二十九年（1764年），哲布尊丹巴呼图克图所属沙毕纳尔放牧的畜群中，有马 102 013 匹，驼 11 117 峰，牛 203 201 头，羊 117 535 只。其中还不包括呼图克图私有牲畜。一百年后的同治三年（1864年）有马 134 137 匹，驼 1 991 峰，牛 198 141 头，羊 555 972 只。① 道光二十二年（1842年），大库伦所属达什却木不勒扎仓从 62 户沙毕纳尔放牧的 6 456 只羊上提取 385 步毡子。② 五当召玛尼吉萨所属牲畜的一部分放牧于乌拉特中旗、达尔汉贝勒旗和茂明安旗境内。如道光九年（1829年）的一份档案显示，玛尼吉萨管事尼尔巴喇嘛从委托茂明安旗诸牧户（阿拉巴图）放牧的大小 154 只羊、20 头牛上收取 25 只羊、1 头牛。③ 有关寺院利用牲畜从事运输业、盐运业等副业赚取增值收入，以上已谈及，这里不必赘述。

通过出租土地或房地产所收取的钱粮和地租是寺院财产增值收入的重要来源。据道光十五年（1835年）账本统计，喀喇沁中旗和硕庙雅尔乃仓所属 90 顷 57 亩土地上每年收取租粮 188 石 2 升半，租银 100 085 694 文；玛尼仓所属 16 顷 81 亩 7 分 7 厘土地上每年收取的租粮为 3 石 4 斗，租银为 224 712 文；丹珠尔仓占有的 13 顷 57 亩 7 厘土地上每年收取的租银为 271 410 文；却拉仓占有的 8 顷 54 亩土地上每年收取的租银为 35 800 文，租粮为 24 石 8 斗半。④ 而在本账本上显示的各种收入中，此类收入占最大

① 蒙古国科学院历史研究所藏手抄本。
② 蒙古国国立档案馆馆藏，道光二十二年达什却木不勒扎仓从苏鲁克征收毡子档册。
③ 《呼和浩特史蒙古文献资料汇编》第 3 辑，内蒙古文化出版社 1988 年版，第 215—216 页。
④ 内蒙古档案馆喀喇沁左旗札萨克衙门档案，504—1—2291。

比重。档案显示，清末该旗境内 103 座寺庙的大多数均有类此数量不等的地租收入。① 卓索图盟土默特左旗境内的瑞应寺所属土地的大部分由沙毕纳尔自己耕种以外，其出租的部分耕地上每年还收取粮食 730 余石。② 嘉庆十五年（1810 年）呼和浩特宁祺寺喇嘛从承租的 82 户民人收取地租 136 201 文。③ 道光十五年至十六年（1835—1836 年）间，呼和浩特宁祺寺的伊克吉萨管事尼尔巴喇嘛那仁太、巴雅尔经手收取的地租分别为 82 432 文和 40 476 文。④ 嘉庆二十五年至咸丰十年（1820—1860 年）间，呼和浩特席力图召从大青山北西拉木伦香火地上获取地租银 898 两。⑤

从遗留的蒙、汉文档案和地方史志资料中可以看出，清代呼和浩特地区各寺院把所属大部分香火地租给民人耕种，而寺院各种经济收入中，地租收入相当可观。如同卓索图盟喀喇沁、土默特和呼和浩特地区寺院，19 世纪中叶以前的阿拉善和硕特旗延福寺各吉萨从所属 17 小块土地上每年征收地租 4500 文。⑥ 到了 20 世纪中叶，这种地租仍为该旗各寺院的主要经济收入之一。

寺院房地产一般分布在城镇之内，其收入可分为地铺租金和房屋租金。据嘉庆十四年（1809 年）至十五年（1810 年）呼和浩特席力图召收支账本记载，该寺从市内 18 处店铺收取租金 616 410 文。⑦ 大召前广场属清代归化城商贸最繁华的集市，乾隆四十二年（1777 年）腊月，大召格斯贵诺尔布斯棱以修复寺庙为由，从召前摊子上征收 7 000 文。⑧ 如上所述，道光十五年至十六年（1835—1836 年）间，呼和浩特的宁祺寺伊克吉萨管事尼尔巴喇嘛那仁太、巴雅尔经手收取的店铺、房屋租金分别为 76 127 文和 74 150 文。对于呼和浩特寺院房地产收入，俄人波兹德涅耶夫这样写道："……根据地段的不同，每方丈土地的月租在三百文到二千文之间。空地的地租就便

---

① 内蒙古档案馆喀喇沁左旗札萨克衙门档案，504—1—1380。

② 《瑞应寺》，内蒙古文化出版社 1984 年版，第 217 页。

③ 内蒙古图书馆呼和浩特宁祺寺档案，04933。

④ 内蒙古图书馆呼和浩特宁祺寺档案，04939。

⑤ 《巴彦塔拉盟史料集成——土默特特别旗之部》第一辑，1942 年，鸣字 170 号。

⑥ 阿拉善左旗档案馆藏，同治八年延福寺档案。

⑦ 席力图召喇嘛巴扎尔所藏嘉庆十四年至十五年席力图召收支账本。

⑧ 《呼和浩特史蒙古文文献资料汇编》第 4 辑，内蒙古文化出版社 1988 年版，第 355 页。

宜得多，约为七十五文到五百文，……这样各个召可以得到的租金有三千五百两到一万或一万五千两。"① 清朝末年，这种收入虽然远不如过去那样丰厚，但一直到解放以前，房地产收入仍然属于呼和浩特各召赖以生存的重要的经济支柱。如同呼和浩特寺院，多伦诺尔的汇宗寺、善因寺在城内占有为数较多的房地产，寺院管事喇嘛把城内房屋、地铺或分布于城郊的土地租给汉族商人和市民，而其收取的租金在两寺各种经济收入中占三分之一之多。② 坐落在阿拉善和硕特旗王府所在地定远营的广宗寺、延福寺也拥有相当可观的房地产收入。据档案记载，一直到清朝末年，广宗寺格根仓土地和房屋租金多达 4 500 两 515 500 钱。③

值得一提的是，延福寺房地产虽不如广宗寺，但其煤窑收入是该寺重要的经济来源之一。清道光、同治年间，该寺伊克吉萨所属炭井有四处。同治七年（1868 年），伊克吉萨把沙塔尔干板炭山租与袁姓，租期三年，年租为40 000 钱，并附加干板炭 2 500 斤。④ 类此土地的增值收入在五当召经济收入中亦有之。据档案记载，道光元年（1821 年），该召把所属木呼台之陶器土租与德盛制瓦厂，其每年租金为 10 万铜钱。⑤

（二）高利贷收入和商业贸易收入

庙仓利用银库里的现银、现钱向社会放高利贷所获取的利息可谓是寺院经济收入中又一大宗财产增值收入。有清一代，寺院和呼图克图、活佛作为蒙古民族向往的理想净地和精神之托，蒙古社会各阶层对藏传佛教的崇拜比藏族有过之无不及。这样，社会各种财富源源不断地流入寺院和呼图克图、活佛手中，使庙仓成为无形的银库或票号，而呼图克图、活佛成为比蒙古王公贵族还富有的特殊的剥削阶层。据至今遗留的清代蒙古文档案记载，利用庙仓银库里的现银、现钱向社会发放高利贷活动对内外蒙古寺院来说已是普遍现象，这与西藏地区寺院的发放高利贷现象如出一辙。清代发放高利贷活动的蒙古地区寺

① ［俄］波兹德涅耶夫：《蒙古及蒙古人》第 2 卷，刘汉明等译，内蒙古人民出版社 1983 年版，第 90 页。
② ［日］莲井一夫等：《多伦喇嘛庙与其生态》，《内陆亚细亚》第 1 辑，生活社 1941 年版。
③ 《蒙古族社会历史调查》，内蒙古人民出版社 1986 年版，第 174 页。
④ 《蒙古族社会历史调查》，内蒙古人民出版社 1986 年版，第 180 页。
⑤ 五当召所藏档案。

院更多地集中在商贸繁荣的各个城镇，其中，呼和浩特各大寺院和哲布尊丹巴呼图克图所属大库伦是内外蒙古寺院发放高利贷活动的典型。

有清一代，呼和浩特地处内地与外札萨克蒙古，内地与西北边陲之间的交通要道，战略地位十分显著。自1575年土默特部俺答汗建成呼和浩特（归化城）以来，该城逐渐成为蒙古右翼三万户政治、经济和宗教文化中心，尤其是一度成为藏传佛教再度传入整个蒙古地区的根据地。16世纪末至17世纪中叶，随着呼和浩特地区有名望的呼图克图、活佛的不断涌现，经过清朝康熙、雍正、乾隆年间的进一步发展，该地区"七大召、八小召、七十二个绵绵召"的局面最终形成，喇嘛及其所属黑徒人数达到空前规模，呼和浩特也从此便成为名副其实的"召城"。宗教地位的不断上升和商业贸易的高速繁荣，使呼和浩特"七大召、八小召"更加富有，庙仓财富滚滚而来，并一度控制了该地区经济、文化的发展趋势。忒莫勒先生根据内蒙古图书馆馆藏清代蒙古文档案，就呼和浩特宁祺寺各仓用现金从事高利贷活动进行了初次研究，并把相关档案内容列表如下：

	借债人名	身份	居住地	借债额	利息（年）数额	偿还方式	利率	债主	时间
04944	达希	披甲	洛样策仍的苏木	5 000文	1 800文	以收自旺盛永柜铺的租金支抵	36%	庙仓	嘉庆六年十二月二十日
04947	纳第	喇嘛	章京达兰太的苏木	6 000文	2 000文	以收自一丈湾马姓民人的地铺钱支抵	33.3%	沙毕格隆赛音齐衮	嘉庆十年十一月九日
04945	衮扎布、蒙克扎布	村长	章京嘎勒丹苏木阿喇克绰忒村	5 000文	1 700文	以收自苏家庄子傅老四顾老五的本村共有地地租支抵	35.2%	庙仓	嘉庆十四年四月二十二日

（续表）

	借债人名	身份	居住地	借债额	利息（年）数额	偿还方式	利率	债主	时间
04949	嘎桑木克勒塔楚	喇嘛帖笔式	什拉门更村	13 000文	3 240文	以收自公主府韩姓满人的地租支抵	24.9%	农乃会（经手人格布贵赛音齐衮）	嘉庆十四年十一月十三日
04942	旺楚克	本温德嘛寺扎喇嘛		5 500文	1 500文	以收自苏家庄子民人胡财旺、袁天福的地租支抵	27.3%	祈愿会	嘉庆二十四年四月十五日
04946	吉雅图	副佐领		107 000文	10 800文	以民人李万义所交太管巷路南房院地铺钱支抵	10.1%	庙仓	道光六年四月二十三日
04948	玛巴拉尼达	披甲	章京诺尔布扎木素苏木厂克村	1 800文	570文	以收自厂克村云成虎的地租支抵	31.7%	长明灯会	道光十三年十一月九日

　　忒莫勒先生根据以上档案指出："显然，该寺庙仓、农乃会、祈愿会、长明灯会等都在放高利贷，利息最高达36%，最低亦10.1%。嘉庆年间的利息较高，平均为31.34%，道光年间的利息有所降低，平均为21.3%。佛门净土，竟如此贪婪刻峻，令人惊讶。寺庙大获其利，自不待言。盘剥如此刻薄，有些借债人还本无望，用以支付利息的地租或地铺钱便永远归寺庙收取。也就是说，其土地所有权实际上已沦入寺庙之手。例如，04946号道光六年（1826年）的典约末附记有：'道光二十五年（1845年）正月初九，副佐领、领催吉雅图本人用钱1 000文。咸丰三年（1853年）正月十九日副佐领、领催吉雅图之妻、子桑结密都布二人续用钱2 000文。'时逾20余年，不仅原借本钱未能偿还，又续借了3 000文，显见力不从心，清偿无望了。此外，借债人尽为蒙古人，既有僧侣，又有官民；而且无一例外，尽以

所收地租或地铺钱抵偿利息。可见，土默特官民的户口地已普遍由汉族移民租占。"①

如同宁祺寺，呼和浩特其他寺庙发放高利贷的现象也很普遍。金峰教授整理出版的《呼和浩特市蒙古文献资料汇编》第二辑中保存了崇寿寺、慈寿寺等寺庙庙仓发放高利贷的近200多份契约书，其年限自乾隆二十七年（1762年）至光绪十三年（1887年）。档案中显示的债主一般是庙仓，但也有的是大喇嘛私人发放。借债人尽为土默特旗蒙古人，其中，既有僧侣（包括黑徒），又有官民。他们用以支付利息的抵押物均为地租或地铺钱。乾隆四十一年（1776年）的一份契约书中写道："立约人栋罗布垂木丕勒苏木之披甲噶拉桑因家庭所需，从崇寿寺孟克吉巴（吉萨）借用了8 000文，用以支付其利息，以收自什拉门更路东一块28亩地的年地租3两银支抵。若还清借债8 000文，可取回地租，若不还，孟克吉巴一直占有地租。因空口难凭，立约。乾隆四十一年（1776年）春中月十一日。地主：噶拉桑，在见人：色棱、丹巴日勒苏木的垂扎布。"② 这是一份比较典型的庙仓发放高利贷的模式。档案中还记载了崇寿寺其他庙仓，如拉桑吉巴、伊克（大）吉巴、甘珠尔吉巴、孟克马尼吉巴、活佛喇嘛仓、拉克都玛吉巴、乌日图仓、雅满塔喀王仓等向土默特官民、黑徒或僧侣发放高利贷的史实。其中，借债年限有五年、八年、三十年不等。一般情况下，借债数额较大的年限较长，抵押的地租收入稳定而面额可观。但有的借债人因力不从心，清偿无望，竟把自己家园大门折价给庙仓。③ 这些契约中反映的利率基本上与宁祺寺发放的高利贷利率相同，值得一提的是，有的借债人，不仅原借本钱未能偿还，又从庙仓续借本钱，在清偿无望的情况下，只好把自己的户口地永久抵押给庙仓，从此彻底失去土地的所有权。④ 但也有的借债人过了30年后连本带息还清，从此收回地租的亦有之。可以看出，庙仓发放高利贷活动在当时社会上比较规范，借贷模式基本相同。

---

① 忒莫勒：《清代呼和浩特宁祺寺部分蒙文档案管窥》，《内蒙古师范大学学报》，1997年第3期。
② 《呼和浩特史蒙古文献资料汇编》第2辑，内蒙古文化出版社1988年版，第174页。
③ 《呼和浩特史蒙古文献资料汇编》第2辑，内蒙古文化出版社1988年版，第269页。
④ 《呼和浩特史蒙古文献资料汇编》第2辑，内蒙古文化出版社1988年版，第266页。

据喀喇沁三旗札萨克衙门蒙古文档案记载，清代该三旗部分大寺庙各仓以施主捐献的本钱向社会发放高利贷成为寺院增加经济收入的重要途径。嘉庆十年（1805 年）春初月至十九年（1814 年）春初月之间，喀喇沁中旗和硕庙（旗庙）雅尔乃、却拉、玛尼、甘珠尔、大仓等五仓共接收札萨克、官员、僧侣等僧俗施主以"永久仓"名义捐献的现银 15 两 2 钱 9 分 4 厘，现钱 9 009 900 文。① 而嘉庆二十二年（1817 年）三月初一至道光元年（1821 年）五月初一之间，该庙雅尔乃仓于 1817 年新发放的高利贷本钱为 21 两 1 分 3 厘，收取 2 分利的利息银为 4 两 5 钱 2 厘，另发放的高利贷本钱为 214 256 文，收取 2 分利的利息为 42 850 文；嘉庆二十三年（1818 年）雅尔乃仓新发放的高利贷本钱为 296 050 文，收取 2 分利的利息为 59 210 文，新发放的高利贷本钱为 25 两 2 钱 1 分 5 厘，收取 2 分利的利息银为 5 两 4 分 3 厘，其中，本钱和利息相加的 30 两 2 钱 5 分 8 厘上真正收取的有：支抵本钱银 1 两 2 钱 9 分 9 厘的现钱 2 208 文，支抵本钱 7 两 9 钱 8 厘的 2 头猪，支抵本钱 21 两 5 分 1 厘 4 斛的限年自种地 1 顷、租佃地 5 顷、限年种地 6 顷 75 亩。② 很显然，该旗旗庙各仓发放的高利贷利率为 20%，用以支付利息的抵押物为各类土地或地租，高利贷本钱为现银或现钱。档案显示，同一时期的喀喇沁左旗特古斯阿穆古朗图寺和普佑寺亦通过发放高利贷而增加经济收入。如嘉庆二十五年（1820 年），特古斯阿穆古朗图寺发放的高利贷现银多达 814 两。③ 乾隆五十六年（1791 年）至嘉庆三年（1798 年）之间，普佑寺秋季收取的地租和俸银本钱利息共 555 500 文。④

蒙古各阶层向寺院仓、吉萨布施的各种钱财中，旨在增加庙仓收入的有一个施作"本钱"的专款，这种款项系施主向寺院捐献的专门为发放高利贷的本钱，寺院各仓、吉萨管事喇嘛把这笔本钱只用在从事高利贷活动。至今保存的有关清代呼和浩特寺院和喀喇沁三旗寺庙收支账本档案中类此布施本钱数量还相当可观。上引喀喇沁中旗札萨克、官员、僧侣等僧俗施主以

① 内蒙古档案馆喀喇沁中旗札萨克衙门档案，504—1—954。
② 内蒙古档案馆喀喇沁中旗札萨克衙门档案，504—1—1123。
③ 内蒙古档案馆喀喇沁中旗札萨克衙门档案，503—2—3079。
④ 内蒙古档案馆喀喇沁中旗札萨克衙门档案，503—2—2047。

"永久仓"名义捐献的现银、现钱就是社会各阶层向该旗和硕庙各仓布施的本钱。可以看出，寺院向社会发放高利贷已是被社会各阶层公认的名正言顺的活动，庙仓也就成为当时蒙古社会中形成的无形银行，从事以发放高利贷为主的金融流通活动。

清代喀喇沁中旗和硕庙德木齐、尼尔巴等管事喇嘛们从乌兰哈达、八沟、塔子沟、北京等地贩卖日常用品，增加庙仓经济收入。如道光八年（1828年），该寺德木齐喇嘛散丕勒经手的购买物品的本钱为12 099文，其贩卖的盈利为14 390文。① 类此通过商业的收入，阿拉善和硕特旗广宗寺诺颜拉布楞吉萨在同治九年（1870年）至十年之间的做买卖净收利润为22 284两，130 100千文。② 可见，喇嘛们从事的商业贸易收入在寺院各种经济收入中占有一定比例。

（三）各级政府拨给的经费、俸银和赏赐

有清一代，清廷为了控制喇嘛势力的过度扩大，首先确定了内外蒙古各敕建寺庙的喇嘛定额，造册后送理藩院，册内者可以享受俸银。按清朝规定，札萨克达喇嘛每日给银一钱五分一厘八丝一忽、米二升五合；副札萨克达喇嘛每日给银一钱五分一厘一毫八丝一忽、米二升五合；札萨克喇嘛、达喇嘛、副达喇嘛每日给银一钱四分四毫八忽、米二升五合；苏拉喇嘛每日给银六分六厘六毫六丝六忽六微六钱六沙六尘、米二升五合；德木齐每日给银六分六厘六丝六忽六微六纤六沙六尘、米二升五合。另外，这些喇嘛上层还得到不同数量的黑豆、草料，其限额之内的随从格隆、班第也可享有不同数量的钱粮。③ 但事实上这些俸银、钱粮非国库直拨，而是一般通过各级政府列入当地财政预算实施。所以，这种待遇可以视为政府拨给寺院的经费。

据俄人波兹德涅耶夫考察，土默特固山衙门宗教方面的开支中，对土默特当地寺庙是毫不关心的，它只关心那些敕建寺庙。呼和浩特大召（无量寺）、巴噶召（小召）、席力图召（延寿寺）、朋苏克召（崇寿寺）、额莫气召（隆寿寺）、拉布济召（宏庆寺）和和硕乃召（宁祺寺）的喇嘛均按定

① 内蒙古档案馆喀喇沁中旗札萨克衙门档案，504—2—1288。
② 《蒙古族社会历史调查》，内蒙古人民出版社1986年版，第171页。
③ 《钦定理藩院则例》卷60，《喇嘛事例五》。

员领取给养。此外，仁佑寺、慈寿寺、崇禧寺、广化寺也都由土默特旗支给俸银经费。其中，乾隆二十年（1755 年）七月，规定发给仁佑寺的经费有以下几项：甲、购买香烛及祭祀用的食品、水果一项，每年白银四十七两。乙、发给大喇嘛一名每日膳费十两。丙、发给大喇嘛六名班第每人每月膳费五钱。丁、发给参加呼拉尔的二十名喇嘛三百两白银，按每人每月一两计。戊）每年发给二十七名喇嘛口粮七十九库里大米，遇有闰年全寺经费另拨白银二十五两，大米六库里。① 这一经费款项与《理藩院则例》所载"每年果必托里布拉克地方之仁佑寺，支香灯献银不得过五十两。该寺大喇嘛，每月给盘费银二两，徒众六名，每月各给盘费银五钱，念经喇嘛二十名，每月各给盘费银一两，均由记档项下支领"② 基本相同。如同仁佑寺，宁祺寺作为土默特二旗供奉的旗庙，二旗下属六十个苏木每年向该寺缴纳"苏木银"四两白银，共计 240 两。③ 另外，档案中显示的土默特旗支给寺庙的经费还有"山银"。如乾隆四十一年（1776 年），土默特旗向大召藏康庙献银十二两，向召献银 24 两，并且此类山银经费很早以前就有定额缴纳的惯例。④嘉庆六年（1801 年），宁祺寺所收各种收入中也有名为"山银"的收入银 8 两 7 钱，折钱 8 178 文。⑤ 可以看出，清初呼和浩特敕建的"七大召八小召"几乎都曾领有不同数量的俸银。19 世纪末，波兹德涅耶夫从一些喇嘛打听到的"中国政府承认的那些大召能得到政府按员额发给的固定生活费"和"一些喇嘛则肯定地说，朝廷现在赋予寺召以呼和浩特土地的所有权，并允许把这些土地出租给市民，以此来代替以前拨给寺庙的生活费"⑥ 也从侧面印证了这一史实。

　　清代喀喇沁中旗旗庙——法轮寺是该旗境内敕建的最大寺庙。据该旗札萨克衙门蒙古文档案记载，嘉庆年间，法轮寺每年举行丹珠尔经会时，旗札

　　① ［俄］波兹德涅耶夫：《蒙古及蒙古人》第 2 卷，刘汉明等译，内蒙古人民出版社 1983 年版，第 70、169 页。

　　② 《钦定理藩院则例》卷 12，《征赋》。

　　③ 内蒙古图书馆呼和浩特宁祺寺蒙古文档案，04933。

　　④ 《呼和浩特史蒙古文献资料汇编》第 4 辑，内蒙古文化出版社 1988 年版，第 386 页。

　　⑤ 内蒙古图书馆呼和浩特宁祺寺蒙古文档案，04933。

　　⑥ ［俄］波兹德涅耶夫：《蒙古及蒙古人》第 2 卷，刘汉明等译，内蒙古人民出版社 1983 年版，第 89 页。

萨克每年向所辖之 51 个苏木（佐领）摊派每苏木 5 000 文。① 喀喇沁左旗旗庙——普佑寺也是该旗境内敕建的最大寺庙。据该旗札萨克衙门蒙古文档案，乾隆五十八年（1793 年），普佑寺举行法会时，从该旗 53 个苏木摊派每苏木 15 000 文。② 喀喇沁右旗境内的多数寺庙及其喇嘛每年从旗仓（粮库）领取 10—100 石不等固定的粮食，有的寺庙管事喇嘛个人也得到不同数额的粮谷，而这些粮谷主要用于各寺喇嘛们的膳食。③ 盛京户部等衙门每年拨发给席勒图库伦喇嘛旗俸禄银为八百两，米一千斛。④ 需要说明的是，起初年俸银为 1 000 两，后减为 800 两。而此一千斛米是由包括土默特左旗在内的"喀喇沁四旗"供给的。⑤

喀喇沁三旗札萨克衙门蒙古文档案中多处记有送往席勒图库伦的粮谷折银数可以印证这种惯例。另外，盛京户部等衙门每年又给席勒图库伦大喇嘛粳米一石、面一石、雉百、鱼百、梨千枚、杜梨八斗、葡萄八斗、蜂蜜一瓶、盐二箩。⑥ 克什克腾旗所属五座寺院均由旗衙门规定员额，供给喇嘛俸禄。⑦ 在内蒙古南部热河地区，以溥仁寺最为典型。康熙年间，该寺额定喇嘛为 100 名。每名喇嘛年俸 50 两银子。乾隆时额定喇嘛减为 40 名，年俸减为 24 两。⑧

蒙旗阿拉巴图、哈木济拉嘎在札萨克王公的逼迫下，向寺院提供定期或不定期庙会所需膳食、柴火等各种费用和建造、维修寺塔以及请佛、佛经等所需费用也是属于政府拨给寺院经费的另一种表现。乾隆五十一年（1786 年），车臣汗部达赖王旗为皇帝赐给的《甘珠尔经》建造一座殿时，所需费用均由旗民承担。⑨ 嘉庆九年（1804 年），土谢图汗部额尔德尼公旗为本旗

① 内蒙古档案馆喀喇沁左旗札萨克衙门档案，504—1—1380。
② 内蒙古档案馆喀喇沁中旗札萨克衙门档案，503—2—1673。
③ 内蒙古档案馆喀喇沁左旗札萨克衙门档案，505—1—111。
④ 内蒙古档案馆喀喇沁左旗札萨克衙门档案，504—7—3867。
⑤ 《吉祥佛陀教法源流之传记》（蒙文），库伦旗人民委员会办公室油印本，1960 年版。
⑥ 《大清会典事例》卷 521，《礼部》。
⑦ ［俄］波兹德涅耶夫：《蒙古及蒙古人》第 2 卷，刘汉明等译，内蒙古人民出版社 1983 年版，第 415 页。
⑧ ［俄］波兹德涅耶夫：《蒙古及蒙古人》第 2 卷，刘汉明等译，内蒙古人民出版社 1983 年版，第 263 页。
⑨ ［蒙古］色·普鲁布扎布：《蒙古的黄教简史》，第 219 页。

庙会和大库伦祈愿等四次法会所需，向旗民征收 31 斗黄米、3 065 块砖茶、3 809 斤肉、250 公斤牛奶、四头牛。① 这种例子在清代内外蒙古各旗普遍存在，至于这种赋役的多少程度，由各旗传统或规定以及王公贵族的信奉程度或喇嘛数量等因素所决定的。

北京雍和宫和多伦诺尔汇宗寺、善因寺的多数喇嘛来自内外蒙古各个札萨克旗。早在康熙三十年（1691 年），清朝规定，内外蒙古各个札萨克旗和总管旗均须派一名喇嘛常住多伦诺尔寺庙。从各旗召来的喇嘛将近有 180 名，后又每旗增加到两名。所派喇嘛的经费和其他生活费用均由各旗负担，至于钱粮数额，由各旗根据本旗经济状况自定。外喀尔喀四部每年支付派往北京和多伦诺尔的喇嘛钱粮 18 000— 20 000 两银子。其中，仅嘉庆二年（1797 年），土谢图汗部、札萨克图汗部、赛音诺颜汗部支付的 204 名喇嘛一年所需钱粮为 9 444 两银子，三年所需衣物费 5 282 两。② 据俄人波兹德涅耶夫调查，清末俸银最高的是三音诺颜部的一个旗，年俸为 62 两银子。南部各旗年俸为 60 两，太仆寺旗 56 两，最少的如喀喇沁的一旗只有五万文（合银 34—38 两）。属于寺院所有的僧舍也由各旗出资修建。外蒙古各旗向多伦诺尔喇嘛提供的经费每年多达一万两以上。另外，各旗每隔三年须为多伦诺尔的喇嘛添置僧衣要花费近四千两。另一项费用各旗每隔十年要为喇嘛修建住房和院墙，这项开支至少也要六千到一万两银子。③ 可见，清代内外蒙古各旗拨发的该项经费总数额巨大，对各旗财政带来了常年的负担。《理藩院则例》规定，归化城土默特驻扎多伦诺尔之喇嘛四名，每年给盘费 192 两。④ 每人平均为 48 两。据至今保留的蒙古文档案记载，乾隆元年（1736 年）以前，归化城土默特派往多伦诺尔善因寺喇嘛之钱粮是从土默特各苏木征收。乾隆元年，经理藩院批准，此类钱粮改由土默特旗记档项下支领。而同年派遣之一名喇嘛的年俸银为 48 两。⑤ 直到道光三十一年（1851 年），

---

① ［蒙古］色·普鲁布扎布：《蒙古的黄教简史》，第 220 页。

② ［蒙古］车·那顺巴拉珠尔：《外蒙古对满清的赋役》，第 27 页。

③ ［俄］波兹德涅耶夫：《蒙古及蒙古人》第 2 卷，刘汉明等译，内蒙古人民出版社 1983 年版，第 353—354 页。

④ 《钦定理藩院则例》卷 12，《征赋》。

⑤ 《呼和浩特史蒙古文献资料汇编》第 1 辑，内蒙古文化出版社 1988 年版，第 64—65 页。

归化城土默特派往多伦诺尔善因寺的 4 名喇嘛年俸银仍为 48 两。① 如同归化城土默特旗，乾隆年间，喀喇沁右旗派住多伦诺尔善因寺的 2 名喇嘛之年俸银为 112 两，平均为 56 两。② 另外，该旗还常年派 20 名喇嘛到热河布达拉寺（崇善寺）学佛经，旗仓专门拨给他们 20 顷土地之外，每年拨发 15 石粮食。③

蒙古地区寺院和喇嘛得到各级政府拨发的数量不等的固定经费、俸银和粮谷以外，一些影响较高的呼图克图、活佛还从清廷得到赏赐。有清一代，凡能够进京朝觐的喇嘛均可得数量不同的赏赐。④ 早在入关前，皇太极曾赏赐达赖和班禅的使者伊拉古克三以及同去拉萨的察罕喇嘛"白银各一千两，玻璃等器具甚多，绸缎等物甚丰"。⑤ 乾隆三年（1738 年），清高宗赐进京的哲布尊丹巴二世黑貂皮 60 张，绢 9 匹，龙样织锦一匹。后又赐给各种物品，多种果品，"其中，黄色围帐 73 丈，房屋 25 间，……另有大量米面、果品、蔬菜、盐等物"。⑥ 乾隆五年（1740 年），哲布尊丹巴呼图克图返回库伦时，乾隆一次赏赐银万两。⑦

（四）佛事收入

自藏传佛教成为蒙古民族信奉的宗教以来，几乎以整个民族的财力来供奉寺院和呼图克图、活佛，其供奉数额之大，足以令人惊讶。所以，清代蒙古寺院各种收入中，数量最庞大的属蒙古各阶层的供奉。这种供奉在性质上非经济生产收入，而是属于佛事收入。总体上看，蒙古各阶层的供奉包括银钱、牲畜、土地以及供役使的沙毕纳尔。

清中叶以前，尤其是寺院经济体系尚未形成之前，蒙古地区的寺院基本依靠信徒施舍而维持。其中，名望高的呼图克图、活佛得到的供奉也就越多。咱雅班第达呼图克图是藏传佛教传入卫拉特蒙古和外喀尔喀蒙古地区的

---

① 《呼和浩特史蒙古文献资料汇编》第 4 辑，内蒙古文化出版社 1988 年版，第 16 页。
② 内蒙古档案馆喀喇沁右旗札萨克衙门档案，505—1—59。
③ 内蒙古档案馆喀喇沁左旗札萨克衙门档案，505—1—111。
④ 乌云毕力格、成崇德、张永江：《蒙古民族通史》第 4 卷，内蒙古大学出版社 2002 年版，第 346 页。
⑤ 贡楚克群丕勒：《汉蒙藏史略》，青海人民出版社 1988 年版，第 59 页。
⑥ 《哲布尊丹巴传》，《清代蒙古高僧传辑》，全国图书馆文献缩微复制中心，第 238 页。
⑦ 《钦定理藩院则例》，《敕封喇嘛》。

奠基人之一，也是卫拉特、外喀尔喀各部共同拥戴的喇嘛。顺治四年（1647 年），和硕特部达尔汉额尔德尼浑台吉向咱雅班第达呼图克图捐献6 000 只羊；顺治六年（1649 年），喀尔喀车臣汗向该呼图克图捐献价值10 000 匹马的财物；顺治九年（1652 年），车臣汗又捐献 20 000 头牲畜、50 名班第；顺治十三年（1656 年），卫拉特宰汉岱青捐 3 000 匹骟马；顺治十四年（1657 年），杜尔伯特部捐 1 000 匹马。① 如此巨额捐献使咱雅班第达呼图克图的佛仓很快富裕起来，其中仅白银达 110 000 两。② 内齐托音呼图克图是藏传佛教传入内蒙古东部地区的奠基者，也是科尔沁等部王公贵族共同供奉的喇嘛。康熙三十三年（1694 年）前后，内齐托音二世回到科尔沁巴颜和硕寺，举行大型祈愿法会。届时蒙古王公纷纷前来奉献财物，其中土谢图亲王沙津 2 000 两白银，贝勒阿必达 1 000 两银子及各种宝玩、衣物；阿尔山王 1 000 两银子；博迪达台吉之母献一个价值 1 500 两银子的银曼荼罗、27 个元宝、一个金曼荼罗、价值 1 000 两银子的马鞍以及价值 500 两银的貂皮大衣；斡齐尔台吉夫人、儿子毕力衮达来捐价值 50 两银的银曼荼罗、300 两重大银碗及其他衣物；达尔汉亲王、公主布施大量金银器物及 2 000 两白银；郭尔罗斯部台吉乌尔图那苏图捐 300 两白银。总计此次出行内齐托音二世获供奉银 50 000 两，获马、驼、牛 3 000 余头，获曼荼罗、哈达、黄金、珍珠、东珠、珊瑚等珍宝、绸缎、貂皮、上等衣物以及金银器物等不计其数。③ 五当召是驻京八大呼图克图之一额尔德尼默尔根栋阔尔班第达呼图克图所建的清代内蒙古西部地区著名的学问寺，乾隆十八年（1753 年）起伊克昭盟准格尔旗札萨克多罗贝子那木济勒多尔济每年向该召八个吉萨捐膳食银 150 两，一次性捐献羊 4 000 只、大畜 400 头。④ 咸丰十年（1860 年）至同治四年（1865 年），施主向阿拉善和硕特旗广宗寺玛尼吉萨捐献的铜钱总计为 227 350 千文，朝尔吉却尔丹一次性捐 128 000 千文铜钱，两种捐献在该吉萨各种收入中属数额最多。另外，该吉萨又获得了数

---

① 《咱雅班第达传》，内蒙古人民出版社 1990 年版。
② 《咱雅班第达传》，内蒙古人民出版社 1990 年版。
③ 《内齐托音二世传》，《清代蒙古高僧传译辑》，第 185 页。
④ 《呼和浩特史蒙古文献资料汇编》第 6 辑，内蒙古文化出版社 1988 年版，第 359 页。

目可观的施主所献五畜多头，其中变卖收入有 145 500 千文铜钱；同治九年（1870 年）至十年施主捐给该寺诺颜拉卜楞吉萨的白银总计为 42 585 两，铜钱为 383 900 千文。① 清末哲布尊丹巴呼图克图的沙毕纳尔每年向该呼图克图捐献的丹书克（呈献供奉）之物价值多达 10 000 — 12 000 两白银，喀尔喀四部王公贵族供养则值 50 000—60 000 两银子。另外，哲布尊丹巴呼图克图举行礼拜仪式时，参拜者须先向呼图克图财库缴纳 50 两银子。这样，"百姓在参拜时所献的供奉以及主要是在节庆期间赠送给呼图克图的礼品大概就是维持呼图克图的宫殿及呼图克图本人生活的基本财源。"②

寺院举行的各种法会期间施主们所献的银钱是寺院佛事收入的重要来源之一。寺院举行的每年四季大小法会上蒙古社会各阶层均带来不同数量的银钱，布施寺院或喇嘛，并通过烧香拜佛，保佑人畜平安。而这种庙会布施收入在寺院各种收入中占很大比例。据至今保存的呼和浩特宁祺寺一份题为《主持每月法会施舍最多之施主名册》之档案，呼和浩特各寺庙喇嘛上层和土默特旗大小官员每月向该寺祈愿等法会布施本钱 5 000—500 文，共计 181450 文，8.5 两银子。③ 嘉庆十四年（1809 年）至十五年（1810 年）呼和浩特席力图召祈愿会、甘珠尔经会等各种法会上收到的布施总计为 17 250 文。④ 如同上引，同治九年（1870 年）至十年（1871 年）阿拉善和硕特旗广宗寺诺颜拉卜楞吉萨各种法会收入为 352 950 千文。清代喀喇沁中旗和硕庙每年举行大型甘珠尔经会两次。据嘉庆十年（1805 年）至十九年（1814 年）该寺收支账本，两次甘珠尔经会获得的布施收入分别为嘉庆十年（1805 年）1 028 442 文；十一年（1806 年）1 050 926 文；十二年（1807 年）1 016 150 文；十三年（1808 年）1 023 990 文；十四年（1809 年）1 177 472 文；十五年（1810 年）1 160 218 文；十六年（1811 年）1 264 856 文；十七年（1812 年）1 389 736 文；十八年（1813 年）

---

① 《蒙古族社会历史调查》，内蒙古人民出版社 1986 年版，第 170—171 页。

② ［俄］波兹德涅耶夫：《蒙古及蒙古人》第 1 卷，刘汉明等译，内蒙古人民出版社 1989 年版，第 611—613 页。

③ 内蒙古图书馆呼和浩特宁祺寺蒙古文档案，04940。

④ 席力图召喇嘛巴扎尔所藏嘉庆十四年至十五年席力图召收支账本。

1 546 222 文。① 在没有呼图克图、活佛住持的蒙古地区规模较小的寺院来说，法会期间施主们所献的银钱可以说是最大一宗佛事收入。

寺院向社会化缘也是寺院增加佛事收入的重要渠道。如阿拉善和硕特旗广宗寺格根仓三年期间的化缘总收入为 5 858.572 两银子，钱 1 047.930 千文。② 呼和浩特大召之朝尔济喇嘛一次从察哈尔八旗化缘获得的银 12 000多两。③ 化缘收入同样来源于社会各阶层的捐献，只不过这种收入是通过喇嘛们到牧区挨家挨户收集而来罢了。

（五）寺院各种收支的管理模式

仓、吉萨是清代蒙古寺院各种收入和开支的管理机构。这里提到的"仓"是指保存寺庙金银财宝的仓库。"吉萨"（又译"集赛"）意为"轮流值班"，它是管理寺院各扎仓所属沙毕纳尔的管理机构，又是承担寺院各扎仓（学部）所属喇嘛一切经济生活需求的机构，即寺院各学部的仓库所在地，在这种意义上其功能与庙仓完全相同。只是清代卫拉特和外喀尔喀地区寺院仍袭用"吉萨"这一原有的名称，而内蒙古地区寺院则把"仓"和"吉萨"名称通用，甚至呼和浩特地区寺庙把"仓吉巴（吉萨的讹译）"连在一起称呼。可以说，仓、吉萨是管理寺院沙毕纳尔、财产和收支的管理机构。

有清一代，蒙古地区各寺院根据其规模的大小、学部的分布以及每年举行的法会设若干个仓、吉萨。卫拉特扎雅班第达伊克库里叶（大库伦）初设阿克巴（咒）、赉吗里木（次弟）、杜尔巴（律）、堆素隆（闻思洲）、伊克呼拉尔（大众）等五集赛，后又增设温都逊、善坡领、桑堆和品陈等四集赛，管理各集赛的沙毕纳尔和财产。一般情况下，有常住呼图克图、活佛的喇嘛僧徒众多，五学部（院）齐全，举行大型法会次数较多的大寺庙所设仓、吉萨较多，而规模较小的寺庙所设的固定仓、吉萨不超过一二个。五当召作为内蒙古西部地区有名的学问寺，先后增设格根仓、伊克（大）吉萨、洞阔尔吉萨、农乃吉萨、拉玛里木吉萨、却拉吉萨、阿辉吉萨、苏布尔

① 内蒙古档案馆喀喇沁中旗札萨克衙门档案，504—1—957。

② 《蒙古族社会历史调查》，内蒙古人民出版社1986年版，第174页。

③ 《呼和浩特史蒙古文献资料汇编》第4辑，内蒙古文化出版社1988年版，第384页。

干（塔）吉萨、蒙克玛尼吉萨、泡克吉萨等十个仓、吉萨。① 其中，格根仓系管理该寺住持额尔德尼默尔根洞阔尔班第达呼图克图个人财物的仓库，并内分内、外两仓；伊克吉萨又称"朝克沁吉萨"（举行寺庙大型法会的最大殿叫"朝克沁"），系寺院各仓、吉萨中拥有财富最多的大仓，并在一定程度上兼管寺院其他仓、吉萨；拉玛里木吉萨、却拉吉萨、洞阔尔吉萨等是根据五当召扎仓（学部）所设；农乃吉萨、蒙克玛尼吉萨系该寺每年举行的农乃、玛尼法会所需增设的吉萨；苏布尔干吉萨是专门为供奉历代额尔德尼默尔根洞阔尔班第达呼图克图灵塔而设置的仓库；泡克吉萨又称"份子仓"，是专门管理喇嘛钱粮的后勤服务机构。贝子庙作为内蒙古西部地区又一个有名的学问寺，下设伊克吉萨、却拉吉萨、卓得巴吉萨、满巴吉萨、洞阔尔吉萨、甘珠尔吉萨。② 这些吉萨是根据贝子庙五大扎仓（学部）所设。清代喀喇沁中旗和硕庙作为该旗最大的寺庙，设有雅尔乃、却拉、玛尼、甘珠尔、庙仓等管理学部或法会收支的五大仓。③ 阿拉善和硕特旗广宗寺是该旗最大的寺庙，其下设仓吉萨有朝克沁吉萨、格根仓、黄楼寺、格斯贵抗（僧官府）、诺颜拉布楞、雅尔乃、泡克等。其中，朝克沁吉萨兼管雅尔乃和泡克吉萨。④

据至今保存的清代蒙古文档案，呼和浩特地区寺庙均有管理法会收支的"会"，它有自己的银库，在这一点其功能与仓、吉萨相同。如呼和浩特慈寿寺下设有达喇额克会、农乃会，席力图召下设有祈愿会、乌塔齐会、玉木会、珠拉会。⑤ 但是，这些法会规模较小，其财产和收支无法与大的仓、吉萨相媲美。

有清一代，蒙古地区寺院仓、吉萨分别拥有自己的沙毕纳尔和财产，收支单独核算。据至今保存的清代蒙古文档案，寺院仓、吉萨每年均有详细记载全年收入和开支的流水账本，并且类此账本在至今保留的清代蒙古寺院档案中占有很大比例。清代呼和浩特、多伦诺尔、喀喇沁三旗、阿拉善和硕特

① 胡日查：《五当召经济研究》，《内蒙古师范大学学报》（蒙文版），1998 年第 3 期。
② ［日］长尾雅人：《蒙古学问寺》，（日本）全国书房 1947 年版，第 105—107 页。
③ 内蒙古档案馆喀喇沁左旗札萨克衙门档案，504—1—594。
④ 《蒙古族社会历史调查》，内蒙古人民出版社 1986 年版，第 168—169 页。
⑤ 胡日查：《清代呼和浩特寺庙仓吉萨及其管理》，《内蒙古师范大学学报》，1995 年第 4 期。

旗寺院土地和牲畜分别归属各个仓、吉萨，土地的所有权及其出租，现银、现钱的库存及其发放高利贷，法会期间的布施收入及其开支，各扎仓（学部）所属喇嘛钱粮及其发放等均由仓、吉萨管事尼尔巴在大德木齐、大喇嘛的监督下行施。

仓、吉萨的管事喇嘛一般是尚卓德巴、德木齐、尼尔巴或多尼尔。其中，有住持呼图克图、活佛的寺庙设有尚卓德巴一职，专门管理呼图克图、活佛个人所属内外仓的财产和收支。大德木齐喇嘛兼管仓、吉萨之管事喇嘛——尼尔巴。在呼和浩特，昂穆布喇嘛是管理全寺财产出纳之执事，执行事务受命于大德木齐，相当于会计员。而尼尔巴喇嘛是昂穆布的副手，专门负责催租、募缘、表发经钱、斋忏以及采购饮食粮米、添置法物、整理用具等。凡规模较大，财产雄厚的大寺庙一般设尼尔巴二、三缺，小寺庙则设一缺。① 为了杜绝管事尼尔巴喇嘛的舞弊行为，每月月底（大月三十、小月二十九）在全寺范围内公开各尼尔巴喇嘛的账本。② 各寺札萨克喇嘛和大喇嘛又把这些账本上交给呼和浩特喇嘛印务处，并通过七大寺格斯贵翔实核查各账本收支详情后，每年元月大会上缴给掌印札萨克大喇嘛。③ 档案中把这种仓、吉萨账本核查称为"档案聚会"，而此次聚会上呼和浩特掌印札萨克大喇嘛、各寺札萨克喇嘛、大喇嘛和地方官员均来参加，一并解决寺院与世俗阶层之间的其他民事纠纷。④ 管事尼尔巴若有作弊或违纪行为，经掌印札萨克大喇嘛的同意，对其进行惩罚。

如同呼和浩特寺院，清代喀喇沁三旗寺院仓、吉萨账本核查也十分严格。喀喇沁中旗和硕庙五大仓均有详细记载每年收支的流水账本。⑤ 其中，记有各仓占有的土地面积和已收地租收入或未收地租；各种法会的布施收入及其开支；发放高利贷所收本钱或利息以及未收的本钱和利息等。而从账本的前后内容可以看出，管理仓、吉萨的尼尔巴账本均通过该寺管事大喇嘛和旗札萨克衙门官员的共同审核，并最后标明参加审核的管事喇嘛和官员的

---

① 绥远通志馆：《绥远通志稿》卷77，《宗教》，20世纪30年代稿本。
② 《呼和浩特文史资料》第2辑，第394页。
③ 《呼和浩特史蒙古文文献资料汇编》第4辑，内蒙古文化出版社1988年版，第357页。
④ 席力图召喇嘛巴扎尔所藏嘉庆十四年至十五年席力图召收支账本。
⑤ 内蒙古档案馆喀喇沁中旗札萨克衙门档案，504—1—1380。

姓名。

四、晚清以来寺院经济的衰退

道、咸以降，蒙古地区藏传佛教寺院经济从康熙、雍正、乾隆、嘉庆年间的畸形发展逐渐走向萧条、衰退的下坡路。这一现象的发生有其诸多外在原因和内在弊端。清朝对蒙古宗教政策的改变、蒙古社会经济的萧条与广大蒙民的贫困化、寺院和呼图克图、活佛的巨大开支与上层喇嘛的腐败等可谓清代蒙古寺院经济衰退的主要原因所在。

（一）清朝对蒙古宗教政策的改变

清朝对蒙古宗教政策的改变主要体现在从原来的利用、扶持和鼓励逐渐转变为后来的抑制大活佛系统，限制寺院规模，规定喇嘛额缺，严格控制寺院和呼图克图、活佛所属沙毕纳尔人数以及地方政府对寺院和喇嘛的经济上的扶持力度之下降等方面。而这些政策和现象的出现，或多或少地影响了寺院经济的进一步发展。

早在雍正年间，清政府对蒙古地区寺庙的规模作了规定："嗣后定例，寺庙之房不得过二百间，喇嘛多者三百人，少者十数人，仍每年稽查二次，令首领喇嘛出具甘结存档。"① 通过颁发度牒和札付来限制喇嘛人数是清廷加强对蒙古地区寺院和喇嘛的一项具体措施。在清代，度牒是喇嘛的出家身份证明，札付是喇嘛低级管理职务委任书。颁发度牒和札付的主要目的在于对喇嘛"稽查约束"，是针对防止喇嘛势力在蒙古地区的进一步蔓延和蒙古僧俗势力的相互勾结所采取的管理措施。《咸丰七年颁发之喇嘛度牒》载："理藩院为发给度牒事。查定例：除领有札付、度牒，册籍有名之喇嘛外，遇有游食无籍之喇嘛，立即驱逐，违者照例办理。又，凡台吉愿当喇嘛，照例报院请领度牒者，准其充当；如有未领度牒者、私自出家者，将失察之盟长罚俸三个月，札萨克罚俸一年，协理台吉罚二九牲畜，其未领度牒之喇嘛，勒令还俗，等语。所有京城内外及蒙古地方各寺庙喇嘛，自得木齐以下及呼图克图、诺们汗等徒众并台吉当喇嘛者，均应一体请领度牒执照，以凭考查。如有故违不领者，定行照例办理。至凡领有度牒者，具系本院册档有

---

① 《清世宗实录》卷20，雍正二年五月戊辰条。

名之人，务当遵守清规，不准滋生事端。今将请领度牒之喇嘛、旗分、籍贯、年岁、职任及居住寺庙，填写于后。"① 康熙年间始，蒙古地区的较大寺院均有了规定的喇嘛度牒额缺。据喀喇沁右旗札萨克衙门蒙古文档案，康熙十六年（1677 年），颁发给该旗的喇嘛度牒为 30 份，札付 1 份；康熙六十年（1721 年），理藩院又颁发给每旗 10 份；雍正十二年（1734 年）颁发给该旗的喇嘛度牒为 100 份。② 到了乾隆十三年（1748 年），颁发给该旗的喇嘛度牒总计 140 份，札付 1 份仍未增减。同样，乌兰察布盟喀尔喀右翼旗永庆寺 30 份喇嘛度牒数自咸丰六年（1856 年）至光绪八年（1882 年）尚未变化。③ 清廷以度牒制度严格控制喇嘛人数，不准寺院容留无籍喇嘛，"违者，照私将家奴充当班第例办理"④ 等措施有效地限制了喇嘛阶层的进一步膨胀。

清政府不仅采取了控制寺院规模，限制喇嘛额缺等措施，而且对寺院和呼图克图、活佛所属沙毕纳尔人数的增长进行了严格的控制。如康熙四十六年（1707 年），清朝把呼和浩特附近居住的喇嘛所属男丁共 3 580 余口中，除了年老体弱多病者，其余 2 550 人按土默特制二百丁为单位编一苏木，共编为十三个苏木。嘉庆年间，理藩院和绥远城将军衙门为了保证地方兵丁来源，曾多次颁布文件，严禁呼和浩特席力图呼图克图沙毕纳尔所居西拉木伦地方容留逃犯或贫困旗民为黑徒，以防黑徒人口的增加。⑤ 寺院和呼图克图、活佛所属沙毕纳尔人数被政府所控制，在很大程度上限制了清代蒙古寺院经济形态中的特殊的生产劳动力——沙毕纳尔阶层的进一步膨胀，从而使寺院失去了更多的农牧业生产收入。

另外，在控制寺院经济方面，清政府针对清前期青海等地寺院和喇嘛一度操纵当地与内地之间的贸易情形，在青海设立如同内地府县一样的行政机构，并将当地居民的赋税，"具交地方官管理，每年量各庙用度给发，再加

① 张羽新：《清政府与喇嘛教》，西藏人民出版社 1988 年版，第 507—508 页。
② 内蒙古档案馆喀喇沁右旗札萨克衙门档案，505—1—12。
③ 内蒙古档案馆喀喇沁右旗札萨克衙门档案，527—43—4、11、14、23、24。
④ 《钦定理藩院则例》，《喇嘛则例》。
⑤ 《呼和浩特史蒙古文献资料汇编》第 3 辑，内蒙古文化出版社 1988 年版，第 446 页。

给喇嘛衣服银两"，① 有目的限制了该地区寺院经济的进一步发展。

晚清以来，清政府国力衰微，尤其是蒙古地方政府财政危机尤为突出的情况下，各级政府对寺院和喇嘛的经济支持力度明显下降。有清一代，蒙古各札萨克衙门等地方政府一直担负着寺院和喇嘛的一部分宗教开支和俸银、钱粮。但自晚清以来随着蒙旗阿拉巴图阶级生活水平的不断恶化，旗财政来源枯竭，无法支付原定额内的寺院和喇嘛相关经费开支。呼和浩特的宁祺寺系土默特旗旗庙，清朝前期该旗 60 个苏木（佐领）额定每年各给该寺银 4 两，总计应缴纳 240 两。但从嘉庆六年（1801 年）的收支账本看，提到的仅一个苏木缴纳 4 两，其余 19 个苏木最多缴纳 3 200 文，最少缴纳 800 文。其中，多数苏木尚欠嘉庆三年至五年（1798—1800 年）之间的每年额定的 4 两银，甚至有的苏木从未缴纳过此种银子。② 以 1 两银合钱 1 000 文计，嘉庆六年（1801 年）该寺苏木银所收约仅 17 900 文，占应收总额 80 两的 22.4%。可见，宁祺寺此项收入拖欠严重，颇有名无实之虞。而寺院这种经费的拖欠与当时蒙民经济生活拮据有直接的关系。如同宁祺寺，晚清以来地方政府无法支付呼和浩特多数寺庙的额缺喇嘛俸银、钱粮。对此，19 世纪末来到呼和浩特的俄人波兹德涅耶夫这样谈道："一些喇嘛则肯定地说，朝廷现在赋予召庙以呼和浩特土地的所有权，并允许把这些土地出租给市民，以此来代替以前拨给寺召的生活费。"③

各级政府对寺院和喇嘛的经费支持力度明显下降的还有一个表现是各旗派往多伦诺尔汇宗寺、善因寺常住 2 名喇嘛的钱粮等生活补助。据俄人波兹德涅耶夫调查，清末多伦诺尔汇宗寺、善因寺常住 2 名喇嘛的俸银最高的是三音诺颜部的一个旗，年俸为 62 两银子。南部各旗年俸为 60 两，太仆寺旗 56 两，最少的如喀喇沁的一旗只有 5 万文（合银 34—38 两）。④ 这与清初相比少了许多。正如日本人泷川正次郎所说："直到清朝末期，抛弃了祖宗以

---

① 《清世宗实录》卷 20，雍正二年五月戊辰条。

② 内蒙古图书馆呼和浩特宁祺寺蒙古文档案，0493。

③ ［俄］波兹德涅耶夫：《蒙古及蒙古人》第 2 卷，刘汉明等译，内蒙古人民出版社 1983 年版，第 89 页。

④ ［俄］波兹德涅耶夫：《蒙古及蒙古人》第 2 卷，刘汉明等译，内蒙古人民出版社 1983 年版，第 353—354 页。

来的亲蒙政策的关系，光绪年间，对喇嘛的保护也变得淡薄，对喇嘛僧的待遇明显减少了。我想从亲蒙政策的策源地多伦喇嘛庙可以看到清末显著的衰落。"①

（二）蒙古社会经济的萧条与广大蒙民的贫困化

晚清以来，随着清朝统治者实行的"蒙禁"政策的改变，尤其是随着中国社会的半殖民地半封建化的加深，蒙古地区的社会经济也发生了重大变化。

首先，"蒙禁"政策的松动和改变，使大量内地汉族农民像洪水般地涌入内札萨克蒙古六盟和归化城土默特以及八旗察哈尔地区。从此，蒙古地区安稳的社会政治、经济秩序被打乱，广大蒙民赖以生存的牧场和户口地被大量开垦，土地问题已经成为内蒙古地区社会问题的焦点。自清乾隆年间开始，随着汉族农民居住的农村为中心建立的府、厅、州、县的不断设立，蒙旗原有的土地和牧场面积日益缩小。蒙旗蒙民在汉族农民居住的农村包围下，被迫放弃单一的游牧业生产，进而从事农业或半农半牧。尤其是不善于耕作的很多蒙民长期以来以租佃的方式把自己赖以生存的户口地出租给汉人耕种，以收其地租来维持生活。而伴随着年限的过旧，租金的赖账或一再拖欠，土地租佃契约合同的流失，或者因生活所迫欠债等原因，广大蒙民不断失去维持生活的最基本保障——户口地的所有权而流离失所，甚至背井离乡，跨旗迁徙。清末新政伊始，清政府便废除对蒙封禁，开始实行更大规模放垦蒙旗土地的政策。这一政策的实施进一步加深了蒙古社会经济的萧条和蒙民的贫困化，蒙旗财政面临前所未有的困境。而蒙旗王公贵族为了维持自己的特权和奢侈生活，进一步加大对广大蒙民的剥削的同时，通过放垦或出卖旗地来收取地租，或从商铺借赁高利贷，加重蒙旗财政负担。在蒙古上层王公贵族腐败严重，蒙民经济生活极度贫穷的社会环境下，寺院虽然仍为全社会向往的理想境界，但他们对寺院和呼图克图、活佛的供奉远不如清前期，那种几乎社会所有的财富向寺院和呼图克图、活佛滚滚而来的情景在蒙古地区已经不复存在了。

另外，清末受汉族农耕文化影响较大的内蒙古地区广大蒙民对藏传佛教

---

① ［日］泷川正次郎：《多伦诺尔的喇嘛庙》，《满铁调查月报》1937 年 5 月。

的虔诚程度比过去明显暗淡起来。如呼和浩特的大召寺过去是当地蒙民非常崇敬的，"而近年来，这座召可以说是日趋破落。召里的喇嘛说，这是由于当地的土默特人受汉人的影响，完全忘记了圣庙，对宗教越来越不虔诚了。"①

清末大规模放垦蒙旗土地时，内蒙古地区寺院土地和牧场也未能摆脱被开垦的命运。五当召和席力图召喇嘛曾极力反对放垦，但最后总是把地租的一部分分给寺院，以资香火之用而告终。这样一来，寺院实际上失去了所属土地和牧场的所有权。地处大青山以北西拉木伦河一带的寺院牧场的大部分是土默特旗划分给席力图召等呼和浩特各寺院的香火地。自清朝嘉庆年间以来，山西等内地移民涌入该地区，越界偷垦寺院所属牧场日益严重。清政府和绥远城将军在喇嘛们的一再请求下，曾多次下令禁止开垦，但随着时间的推移，移民人口越来越多，席力图召等寺院所属牧场的偷垦面积不断扩大。寺院和喇嘛一方在万般无奈之下，与地方政府沟通，允许民人佃租寺院土地。自嘉庆末年允许民人耕种至道光二十九年（1849 年）时，山后民人耕种寺院土地 550 顷 29 亩 8 分，次年激增到 1 709 顷 41 亩 2 分。其中，寺院在额内征收的地租为 5 312 两 8 钱 2 厘 4 毫 5 丝。② 寺院和喇嘛一方虽然得到征收地租的权力，但由于他们在征收地租方面未能采取切实可行的方法，或在土地经营管理方面的疏忽和松散，民人总是以各种借口拖欠地租。据当时蒙古文档案记载，自嘉庆二十五年（1820 年）至咸丰十年（1860 年）期间，民人拖欠寺院的新旧地租总计达 15 455 两 2 钱 6 分 1 厘，③ 严重影响了席力图召等呼和浩特各寺院的经济收入。

其次，旅蒙商等带来的国内外商品经济对蒙古地区的渗透和激烈冲击，使蒙古传统的畜牧业经济遭到严重破坏。尤其是随着商业贸易和货币交换关系的发展，蒙古地区出现了商业高利贷和金融高利贷的恶性扩张。内地旅蒙商和外国经济势力，为了更大限度地榨取财富，经常用赊

---

① ［俄］波兹德涅耶夫：《蒙古及蒙古人》第 2 卷，刘汉明等译，内蒙古人民出版社 1983 年版，第 73 页。

② 张曾：《归绥识略》卷 19，光绪年间刻本。

③ 《巴彦塔拉盟史料集成——土默特特别旗之部》第 1 辑，1942 年，伏字第 50 号。

销的方式发放商业高利贷。王公贵族们都喜好不需即时付给货币或实物就能满足挥霍需要的赊购方式。而陷于贫困的牧民，为了维持生活也经常被迫上这样的圈套。为了偿付急剧累积的高额债款，蒙古社会的牲畜和畜产品更多地向市场出卖，而产量却每况愈下，就更得赊购和借贷。例如，仅大盛魁一家，每年从外札萨克喀尔喀蒙古征收的抵付债款利息的牲畜，就达几十万只羊及几万匹马。所以，19世纪中叶以后的蒙古地区，尤其是畜牧业经济为主的地区，社会生产已呈现着萎缩状态。以畜牧业生产为主要经营方式的内蒙古西部和外札萨克喀尔喀蒙古地区的寺院经济也遭受这种冲击，庙仓所属牲畜日益减少，广大牧民供奉寺院的牲畜头数也远不如清前期了。

（三）寺院和呼图克图、活佛的巨大开支与上层喇嘛的腐败

清代蒙古寺院和呼图克图、活佛通过以上各种途径敛聚了大量财富，成为蒙古社会最富裕的阶层。但是，寺院和呼图克图、活佛的日常所需以及其进行的宗教活动、政治活动所需开支之大亦令人吃惊。从清代内蒙古地区较大寺院的收支账本记载不难看出，其每年各种收入的总额与各种开支的总计差额并不明显。据喀喇沁左旗普佑寺收支账本，嘉庆二年（1797年）春季庙仓征收的地租、俸银本钱利息、供奉银和包括前年剩余的52 515千文，共计494 415千文；秋季庙仓征收的地租和俸银本钱利息共计555 500千文。其中，用在当年庙会、一切零散开支、寺院维修、寺院菜农的劳务费、庙会上发放的赏赐、得木齐赴敖汉旗所需费用等开支共计1 034 000千文，庙仓里剩余的仅仅是15 015千文。① 如同喀喇沁左旗普佑寺、阿拉善和硕特旗广宗寺所属玛尼吉萨各种开支相当大。咸丰十年（1860年）三月九日至同治四年（1865年）三月初，广宗寺玛尼吉萨总计收入为2 152.425千文，其开支总数列表如下：②

---

① 内蒙古档案馆喀喇沁左旗札萨克衙门档案，503—2—2047。
② 《蒙古族社会历史调查》，内蒙古人民出版社1986年版，第170页。

	项　目	金额（单位：千文）
开支	1. 日常供佛费用	38.262
	2. 280天法会煮茶做饼用柴、面、灯油等	69.252
	3. 献诺颜、格根、喇嘛坦及全旗念经等	42.544
	4. 修理驼架给"苏鲁克沁"养牧费用及调查"苏鲁克"费等	49.793
	5. 给施主献礼，化缘人路费，化缘人工资等	120.425
	6. 给格根、喇嘛坦献茶，供"松迪"们喝茶	7.300
	7. "孟和玛尼""栋丹"等用	5.550
	8. 买4头牛	19.000
	9. 还农乃吉萨旧账	45.764
	总计开支	397.890

然而，同治九年（1870 年）九月初一至同治十年（1871 年）十二月三十日，广宗寺诺颜拉卜楞吉萨各种收入总计银 13 803.1453 两，铜钱 9 576.037 文；各种开支 17 068.470 两银子，铜钱 11 699.548 文。另外，该吉萨外借银 3 921.1722 两，铜钱 1 018.441 文（从中去除外欠者银 633.077 两）；库存者铜钱 55 667 文；尚亏银 3 765.3265 两，铜钱 2 123.511 文。① 可见，诺颜拉卜楞吉萨各种开支不仅比同一时期该吉萨各种收入还多，而且由于历年累积外借银的增多，使寺院库存的现银、现钱枯竭。

据呼和浩特寺庙蒙古文档案，嘉庆二十四年（1819 年），呼和浩特无量寺、延寿寺、崇福寺、崇寿寺、宏庆寺、尊胜寺、隆寿寺、广化寺、庆缘寺、慈寿寺、崇禧寺、灵照寺、宁祺寺、广福寺等寺院向钦差大臣赠送礼品各支 392 文；向札萨克达喇嘛赠献饮食各支 1 307 文；纪念清世宗逝世日召集一天法会最多支 2 250 文，最少支 452 文；为进献丹书克向北京运送银两最多支 6 850 文，最少支 1 370 文；为纪念清仁宗六十寿辰召集三天法会最多支 3 850 文，最少支 790 文。以上四项开支共计 121 063 文。② 同年，上述呼和浩特各寺为了西送噶拉丹锡勒图呼图克图的舍利，各支付 3 107 文，共计 43 500 文。③

呼图克图、活佛相关的宗教活动、政治活动所需经费也是寺院各种开支

---

① 《蒙古族社会历史调查》，内蒙古人民出版社 1986 年版，第 171—172 页。
② 《呼和浩特史蒙古文献资料汇编》第 4 辑，内蒙古人民出版社 1988 年版，第 413—418 页。
③ 《呼和浩特史蒙古文献资料汇编》第 4 辑，内蒙古人民出版社 1988 年版，第 421 页。

中的巨大一笔。康熙三十四年（1695年），内齐托音二世受康熙委派出使西藏一次支用白银即达 33 000 两。其中，此次向西藏各寺的施舍和供品"共用黄金三百余两，白银三万余两，绸缎近千匹，哈达、彩绸一万条"。① 道光十六年（1836年），五当召为了栋阔尔呼图克图圆寂而做善事，运送西藏达赖喇嘛、班禅额尔德尼为首的高僧及那里的各大寺院献银 2 757 两。同治十三年（1874年），外喀尔喀四部及沙毕纳尔等为恭迎哲布尊丹巴呼图克图之呼毕勒罕安置禅榻，除以前为恭呈丹书克已征收白银五千两外，尚需再出二千五百两。②

如此巨大的宗教活动开支使寺院经济难以承受的同时，上层管事喇嘛的贪污和腐败进一步加快了寺院经济的衰退。据俄国人阿·马·波兹德涅耶夫的调查，19世纪末的呼和浩特寺院破落不堪，他在同喇嘛坦率的交谈中了解到，"现在寺召的金库根本就看不到这些钱。整个道光间和咸丰初年，在呼和浩特喇嘛的生活中是最荒唐的年代了。格根、呼毕勒罕、召庙的掌权者和高级僧侣们为了能够晋位升职，每年都往北京跑，在那里用巨款购买礼物，以使自己的宝座增加一块奥勒博克。他们在家里吃喝玩乐，根本不顾寺召的管理。在这种情况下，寺召的收入当然很快就被挥霍一空，为了填补这笔款项，他们不得不借债，用以后的收入做抵。咸丰十年（1860年），发生的东干人的暴动，结束了呼和浩特喇嘛生活中的这一黄金时代。到同治九年（1870年），山西的生活及各方面都开始繁荣起来时，破产的汉人首先就要求归还旧债。这样一来，各寺庙的全部租金收入就都转到汉人银号业主的手中去了。"③ 上引为进献丹书克向北京运送银两就是此类开支。

寺院管事喇嘛贪污或舞弊庙仓资产的现象也很普遍。据蒙古文档案记载，呼和浩特大召之管事诸尼尔巴喇嘛在几个月之内竟贪污了庙仓本钱几十万文。④ 在喀喇沁地区的寺庙账本中，支出不明而流失的庙仓银钱到处可

① 《内齐托音二世传》，载《清代蒙古高僧传译辑》，第187—190页。

② ［俄］波兹德涅耶夫：《蒙古及蒙古人》第1卷，刘汉明等译，内蒙古人民出版社1983年版，第595页。

③ ［俄］波兹德涅耶夫：《蒙古及蒙古人》第2卷，刘汉明等译，内蒙古人民出版社1983年版，第90—91页。

④ 《呼和浩特史蒙古文献资料汇编》第4辑，内蒙古文化出版社1988年版，第389页。

见。据当时记账本的喇嘛口供，庙会期间收到的钱粮银或代替的地租银由师傅喇嘛自主使用，在记其具体数字时，师傅喇嘛若同意记入账本，记账喇嘛才能如实的记录。然而，记账喇嘛从来不知道师傅喇嘛如何使用情况，使得师傅喇嘛舞弊庙仓资产有机可趁。① 到牧区化缘获得的收入更为管事喇嘛的舞弊行为提供了诸多方便。如管事喇嘛们可以写花账，换牲畜（以小换大，以弱换壮，以牡换牝），虚报开支（如骑自己牲畜，报称租赁的牲畜）等等。这样谎报下来，化缘获得收入的三分之二落入私人囊中，而交给寺院的不过三分之一。② 可以看出，上层管事喇嘛的贪污和腐败是清中叶以后蒙古地区寺院经济衰退的重要原因之一。

第四节　清代内蒙古的清真寺

清真寺亦称礼拜寺，阿拉伯语为"麦斯孜呆"（通译作"麦斯吉德"，元代作"密昔吉"），意为"拜主的地方"。清真寺不仅是穆斯林进行宗教活动，完成宗教功修的主要场所，同时也是穆斯林接受伊斯兰知识教育，包括伊斯兰常识启蒙、教法、教律的普及，开展培养海立凡（哈里发、满拉）的经堂教育，及进行社会交往的活动中心。"哪里有穆斯林聚居的地方，哪里就有清真寺，有《古兰经》，有伊斯兰文化。"③

一、呼和浩特地区的清真寺

（一）呼和浩特清真大寺

该寺位于呼和浩特旧城（归化城）北门外，通道南街南口路东。始建于清康熙三十二年（1693年），④ 至今已有三百多年的历史。

该寺初建时寺院简陋，据传仅有土房数间，加之当时的封建统治者不准

---

① 内蒙古档案馆喀喇沁右旗札萨克衙门档案，503—2—2047。
② 《蒙古族社会历史调查》，内蒙古人民出版社1986年版，第177页。
③ 彭树智：《阿拉伯国家简史》，福建人民出版社1991年版，第156页。
④ 呼和浩特清真大寺建寺年代取"康熙三十二年"说，为《呼和浩特史料》第一集金启孮的文章《呼和浩特召庙、清真寺历史概况》中的观点。同时，经过我们对呼和浩特回族历史沿革的深入分析和文物碑记的考证，认为呼和浩特清真大寺建于清康熙三十二年是确凿无疑的。

回族人在城内居住，于是，选择旧城北门外作为聚族定居建寺的处所。到雍正元年（1723 年）重修。① 乾隆五十四年（1789 年），进行了一次大规模的扩建。② 扩建的资金主要由经商致富的康、马、陈三户回民捐献，并从人力上给予全力支持。其余回族众户也纷纷出散乜帖（捐资）。经此次扩建后，该寺始具规模。

清真大寺扩建后，为纪念康、马、陈三户回回在扩建大寺中作出的特殊贡献，议定此后每年斋月（"莱麦丹"月）开经时（诵读《古兰经》），增念三匣经以为求祈纪念。同治八年（1869 年），重修南北讲堂（阿訇为海力凡讲授经典的地方）；光绪十八年（1892 年），建造山门；光绪二十二年（1896 年），由乡老康正明、康正兴邀同土默特左翼末代都统丹津的后人，共同将"丹府宅院东边地基情愿施舍与清真寺建照壁"；民国十二年（1923 年）至十四年（1925 年），呼和浩特的回族又捐资重修清真大寺，"大殿起高五尺，加大七间，南北讲堂展后一丈七尺，起高三尺，寺院展大数丈。一切设施木石、雕琢、丹青彩绘，备极灿烂，洋洋乎洵九边之大观"。此次重修，有通道南街一位杨姓回族寡妇，将大寺后面自己的房屋捐赠大寺。为表示对杨寡妇的纪念，每年斋月开经时又增念一匣经，为其祈祷纪念。到1939 年，在寺院东南角新建一座高约 36 米的望月楼。至此，整个呼和浩特清真大寺浑然一体，蔚为塞外伊斯兰教建筑之一大景观。

清真大寺为一中国传统殿堂式建筑群，总占地面积约 4 000 平方米。整个建筑群错落有致，布局合理。大寺正门上方悬挂一块光绪十六年（1890 年）所制的"清真大寺"楷书横匾，匾旁两侧楷书"国泰"、"民安"四个大字。寺门前原有丈余高的影壁，新中国成立后拆除。进入正门面对礼拜大殿的后壁上，中上方镌刻着"认主独一"四个大字，稍下自右至左分别镌刻着"见性"、"正心"、"诚意"、"修身"、"明心"十个楷字，均为曾任绥

---

① ［日］岩村忍：《中国回教社会的构造》一书载呼和浩特清真大寺建于雍正元年。金启孮和刘映元二先生都认为"雍正年间加以重修"。我们同意这一观点。

② 《绥远通志稿》载呼和浩特清真大寺建寺时间为"乾隆五十四年"。概取自于清真大寺所藏《重修清真大寺碑记》所说。此说系呼市回回人中误传的时间。金启孮先生在《呼和浩特召庙、清真寺历史概况》一文中指出："《清真寺南北讲堂碑记》作'自大清定鼎以来，建立多年'，显系较乾隆时更早。"因此，应以"乾隆五十四年"为清真大寺大规模扩建的时间。

远都统陇右河州（临夏）回民马福祥的手笔。正门两侧各有旁门可通入寺内。清真大寺南侧有碑亭一座，亭内存碑七通。较重要的碑刻有《康熙圣谕碑》、《清重刻洪武御制回辉教百字碑》和《重修绥远清真大寺碑》等。

该寺礼拜大殿共 25 间，飞檐拱脊，雕饰彩绘，为水磨青砖中式建筑。殿顶五塔，意寓伊斯兰教信仰的"五大天命"，即"念、礼、斋、课、朝"。这五项内容既是每位穆斯林的功修，又是伊斯兰教法定的宗教义务，被视为体现虔诚信仰的基石。殿内规模宏伟，由 16 根硕壮立柱支撑着整个殿宇穹庐，厅柱为红褐色桐漆彩绘，柱上分别雕刻有精细的《古兰经》经文，刀工考究，金字斑斓。大殿穹顶藻饰绮丽、花团锦簇，墙壁洁白无瑕，纤尘不染，上书硕大的伊斯兰经文"都阿宜"。

伊斯兰教严禁偶像崇拜，清真寺不雕绘人物、飞禽、走兽形象。大殿门楣、窗口、飞檐等都饰以花卉镂空雕，有较高的艺术性和观赏价值。

礼拜大殿前为庭院，南北两面是讲堂、卧室，为阿訇讲经，教授海力凡及阿訇、海力凡夜寝的地方。与礼拜大殿相对有一过厅，宽敞明亮，过厅内壁上绘有麦加"克尔白"天方图。过厅是供谨守拜功的穆斯林小憩的地方。

从过厅北头通道可进入里院。里院正面为沐浴室，迎面是东厢房。在里院东南角耸立着望月楼。望月楼建于 1939 年，是一座砖木结构六棱四层塔楼，净高 36 米，是新中国成立前呼和浩特市内的最高建筑。望月楼拔地而起，秀出云表，顶部燕雀飞旋，呢喃啁啾，在闹市中，平添几分幽邃风韵。望月楼内设旋梯 78 级，可拾阶至顶。第二层由悬臂梁挑出走廊，环以栏杆。楼上有六角尖亭，亭顶饰一弯新月。楼身中部用阿汉两种文字镌刻着"望月楼"三个大字。"望月"俗呼作"瞭月儿"，就是每当伊斯兰教历 9 月（莱麦丹月）要"把斋"一个月（又称"封斋"，白昼戒饮戒食），称为"斋月"。遵从教法，见月封斋，见月开斋。所以每当莱麦丹月月首和斋戒满一月的次月月首，都要年高德劭者登楼瞭月儿，登高可极目，以去遮蔽。同时，望月楼又可用作"穆安津"（唤礼员）在每日五番拜前登高念"邦克"（邦克为波斯语，意为"召唤"），召唤人们前来礼拜。

自从呼和浩特回族择居旧城北门外并兴建了清真大寺后，经过几代人的艰苦创业，惨淡经营，开始形成了人口繁盛，百业兴旺的局面。他们以伊斯兰教义为社会生活的行为规范，不争权势，顺应天时，精于理财，占足地利，敦睦各族，善取人和，聚族而居，遂呈旺势。因此，引起封建统治者的恐慌和刻忌，唯恐呼和浩特回族发展壮大，危及其封建统治。于是，大约于嘉庆以后，封建统治者听信堪舆方士的胡言，为扼制回族兴旺之势，在旧城北门城隍阁雕塑供奉了"九猪菩萨"，荒诞无稽地认为，猪既为回民禁忌之物，供奉九猪，首皆向北，取镇北之势；又取"九"为易卦中的阳极之数，合之于猪，即可制回，由此暴露了封建统治者的卑污用心和愚昧至极。尽管清代呼和浩特地区的封建统治者采取如此恶毒卑劣的民族歧视统治政策，施以诬蔑、攻击和压迫，但是，呼和浩特的回族穆斯林本着"一心向主天地宽，遵行正道自安然"的信念和态度，泰然处之，不为所动。维护了自己的信仰和民族的利益，加强了与各族劳动人民的团结，促进了本地区的社会安定和经济繁荣。这不能不说是呼和浩特地区回族穆斯林为本地区作出的重大贡献。北门城隍阁供奉的"九猪菩萨"这一大民族主义残暴统治和封建迷信的产物，直到中华人民共和国成立后才彻底拆除。现在的呼和浩特清真大寺为市级文物保护单位，并作为内蒙古地区最大的伊斯兰教活动中心而对外开放。

对于呼和浩特清真大寺建寺的确切年代，由于故老相传和碑碣文籍记载不同，目前有三种说法，分别为"康熙三十二年（1693 年）"说，"雍正元年（1723 年）"说和"乾隆五十四年（1789 年）"说。其中，以"康熙说"和"乾隆说"争议较大。二说前后相差一个世纪。

"雍正元年说"见日人岩村忍氏所著的《中国回教社会的构造（结构）》一书。但在同书的前后页中又有"道光三年（1823 年）"一说。这一前后矛盾的情况是岩村忍氏在行文中将清真大寺与清真东大寺两寺的年代给混淆了。因为在该书中，"清真东大寺"的兴建年代也为"道光三年"，而清真东寺原隶属于清真大寺管辖，只是到光绪二十年（1894 年）扩修后，才与清真大寺分坊另立。（其实清真东大寺建于道光三年的说法也是错误的，应为嘉庆年间。此说见《绥远通志稿》。）

清真大寺建于"雍正元年"一说也完全来于呼和浩特回族乡老的口碑传说，可能是清真大寺一次较大规模修缮的时间。"乾隆五十四年说"则源于《重修绥远清真大寺碑记》，该碑撰文渤石于民国十四年（1925 年），撰写者为当时任归绥县知事的宣化籍回民冯延铸。因此，到20世纪30年代初编纂《绥远通志稿》时，清真大寺的建寺年代便取此说。经多方考证，可以认为，呼和浩特清真大寺建寺年代应以"康熙三十二年说"为准，这是因为：

1. "哪里有穆斯林聚居的地方，哪里就有清真寺"。对于穆斯林来说，清真寺犹如人生与布帛菽粟一样，是须臾不可离开的。除非他们被彻底汉化。就一般穆斯林而言，都是"扎希赖"（教义的无知者，文盲），特别是如居住于类似中国这样的"达鲁哈拉比"（非穆斯林国家）中的穆斯林，身处"卡非尔"（异教徒）的汪洋大海之中，深受汉风俗和汉文化的浸染，加之终日为生计奔波操劳，如要获得伊斯兰教知识，履行穆斯林的职责和义务，处理日常生活中经常发生的婚丧嫁娶等事宜，就必须要建立清真寺，聘请有"尔林"（知识）的阿訇来传授伊斯兰知识，贯彻伊斯兰教律，主持日常乃玛孜（拜功）功课和处理穆斯林婚丧嫁娶等宗教事务。因此，只要有穆斯林，哪怕人数再少，也要竭尽全力、想方设法兴建"者麻尔提"（集体礼拜和议事的地方）。不能设想，早在康熙三十二年（1693年），已有数百回族人（见《呼和浩特地区的回族》一章）的呼和浩特，中间经过雍正年间有陕西长安、大荔等地拜、刘、马等姓回民迁入呼和浩特；马莲滩也有了回族人开的"丁茶馆"；又经历了乾隆时期出现的呼和浩特地区历史上第一次回族人大迁入的高潮，呼和浩特的回族一直没有兴建清真寺，直到经过一百年后，到乾隆末期才开始建寺。这对于稍具常识的穆斯林来说，简直是不可思议的事情。

2. 通过追溯呼和浩特地区回族的历史源流得知，早在明朝末年、清朝初年，呼和浩特即有回族人生存活动。因为，呼和浩特市内最早的回民坟地（现通道街南口路西祥麟商厦大楼处）是明朝天启、崇祯年间辟建的，已有400多年的历史。而明末清初进入呼和浩特地区的回民，主要是明亡以后，驻守九边的麻家军。他们或解甲为民，或弃戎从商，逐渐在呼和浩特定居下来。所以，呼和浩特清真大寺建于康熙三十二年（1693年）之说，也只是很保守的说法。实际建寺时间应该比康熙三十二年还早。更何况，有回民定居大大晚于呼和浩特的托克托县于嘉庆初年建寺，察素齐于乾隆后期建寺，而毗邻的萨拉齐有史籍明确记载，清真寺"建立于乾隆四十七年二月。"但据萨县一些回族老人说，这块石碑是扩建清真寺时所立，不是建寺年代的。① 托克托、察素齐、萨拉齐三地都是在乾隆年间才开始有回族人定居的，且到乾隆末年，嘉庆初年先后都兴建了清真寺，而早在明末清初即有回民定居的呼和浩特绝不可能在一个多世纪中没有清真寺，又晚于萨拉齐七年才建寺。

3. 从下面一些珍贵的历史资料中，更确凿地证明，呼和浩特清真大寺的建寺时间，"显系较乾隆更早"。②

乾隆四十六年（1781 年）三月，由于清政府在处理甘肃河州等地新、老教之争中，蓄意挑拨离间，制造矛盾，支持一派，压制一派，无中生有，恶意中伤，因而爆发了声势浩大的苏四十三领导的回民起义。七月，起义失败，苏四十三等人壮烈牺牲。其间，反动、残暴的清朝统治者因此而惶恐不安，如坐针毡。各地政府官员以查"回匪"、"番回"为名，肆意捏造罪名，拘捕、搜查无辜回民，一时间殃及桂、鄂、晋、陕、甘、青数省。据乾隆四十六年（1781 年）六月山西巡抚雅德上呈乾隆皇帝的奏折称：

……凡有回民形迹可疑之事，据实具报，不许稍有隐讳。据灵石县徐希高禀称："五月三十日于县属水头盘获西来回民马中吉（杰）、马文广二人，并于行李内搜出书信一包，内刘名（鸣）清等书三件，马焉书一件"。讯据马中吉（杰）等供称："系陕西长安县回民，有马焉之子马照普久出不归。近问在归化城教习回经，因本处村众俱请马照普回籍教习幼回，令马中吉（杰）带信去。"……臣飞饬马中吉（杰）等提解来省，并密札归绥道，令全不动色，查唤马照普到案，一面访查在化城有无新教惑众情事。去后，据该道忠泰禀复："查得马照普系本年二月内始来化城教习幼回，并无新教煽惑情事，并将所教回经四本连人解送省来。……缘马中吉（杰）系马照普表弟，均籍隶西安。马中吉（杰）之胞兄马中俊向在化城开设马店。马照普父母早故，并无兄弟，自幼出门，于乾隆二十七年赴京城礼拜寺学习经典。三十年间，马焉赴京城生理，欲将马照普过继为子。……四十三年仍至京城，遇有在化城

①　《包头回族史料》，载马俊英：《包头回族源流》。
②　《呼和浩特史料》第 1 集，金启孮：《呼和浩特召庙、清真寺历史概况》，第 269 页。

生理之孙继成言及彼处需人教经，马照普于本年二月前赴化城教习幼回。五月间，有西安八马家村闻知马照普通晓回经，意欲公请教习幼回。适值马中吉（杰）向化城寻伊兄取银养家，刘名（鸣）清等闻知，商同马焉各写书信托令带往，于五月二十一日自西安起程。马中吉（杰）行至华岳地方，遇见马广文亦往化城探兄，彼此认识，做伴同行，于三十日至灵石县水头镇，经该县盘获，搜出书信，供称前情不移。"

　　据马中吉（杰）供："〇〇是陕西长安县回民，……哥子马中俊，在归化城开马店。〇〇的父亲教〇〇到归化城寻哥子取几两银子家中度用。有表伯马焉的儿子马照普是〇〇表兄，出外多年，现在化城教幼回的经。……"据马照普供："〇〇是西安府咸宁县回民，……现年二月里，因归化城清真寺教习幼回的经，〇〇就带了大儿子马全珍在归化城清真寺住下，至余眷属遗在山东。……教的是老教中的经，并无设立邪教惑众的事。"①

　　以上引文，除了可以证明苏四十三领导的回民起义爆发后，清朝封建统治者对各地回民严加防范、查核，扰害特甚外，亦知当时有陕西等地回民多在呼和浩特经商谋生，且当时呼和浩特的回族均系"老教"（格底目）。在这里特别重要的是，在乾隆四十六年（1781年），呼和浩特（归化城）早已有了清真寺。此处虽未指明这座清真寺是何寺，但可以毫无疑义地说，这座清真寺就是呼和浩特清真大寺。因为，当时清真东寺尚未建立，清真西寺虽然建立于乾隆年间（具体年代不详），但因西寺建于札答海河西岸的后沙滩，其时刚刚有回族人定居，又偏处于旧城西郊，即便建寺，规模亦小，尚不具备请阿訇开学教经的条件。因而，此文中所讲的清真寺只能是呼和浩特清真大寺。而这时清真寺也较"乾隆五十四年"说早了八年时间。我们再以清真大寺所藏《南北讲堂碑记》所载"知大清定鼎以来，建寺多年"等语做佐证，更足以证明呼和浩特清真大寺建于康熙年间是确凿无疑的。这是一条最有力的证据。

---

　　① 刘智：《天方至圣实录》附录2，中国伊斯兰教协会1984年版，第400—402页。

4. 关于呼和浩特清真大寺建于康熙三十二年（1693 年）这一说法，最直接的根据是该寺存有《康熙圣谕碑》（以下简称《康熙碑》）和《洪武皇帝御制回辉教百字碑》（以下简称《百字碑》）。二碑所署时间均为"康熙三十三年"，因此有"康熙三十二年建寺，三十三年立碑"之说。[①]

如何认识两碑的作用和价值，对于确定呼和浩特清真大寺建寺的年代，有重大意义。

首先，无论是《康熙碑》，还是《百字碑》，何以均署以康熙三十三年（1694 年）这一时间，而不署以明清两朝其他任何一个时间，这绝不是二碑所署时间的偶然巧合，更不是随心所欲的杜撰，而是有力地说明，在康熙三十三年前后的时间里，在呼和浩特地区的回族和伊斯兰教发展史上，曾发生过重大的事件。这就是我们在前面得出的结论：在乾隆三十二年（1767 年），呼和浩特因张家口地区及其他地区回族人的迁入，人口大增。为适应这一新形势，呼和浩特的回族兴建（抑或是在原来简陋的清真寺的基础上，较大规模地扩建）了清真大寺。清真大寺竣工后，为弘扬伊斯兰教门，恪守清真正道，遂镌刻了《康熙碑》和《百字碑》以记其盛，以为尊荣。

在这里，我们需要具体分析一下两碑产生的历史背景。

关于《康熙碑》的产生，是否是康熙帝专门为兴建呼和浩特清真大寺所降的敕谕，目前尚难以确定。但这无关紧要。因为，即便不是康熙帝专门为该寺所颁降的敕谕，亦如同《百字碑》一样，是当时康熙帝为国内某地某清真寺，或有关回民事务而下的晓谕。当呼和浩特清真大寺建成后，出于我们前面分析的那种思想认识，遂产生了《康熙碑》。同时，也不能排除这样的可能，即自康熙二十九年（1690 年）至三十五年（1696 年），清廷前后用六七年的时间来征服新疆厄鲁特蒙古噶尔丹，并于康熙三十二年在呼和浩特大量驻兵。清廷与噶尔丹于康熙二十九年（1690 年）爆发战争，经乌兰布通之战后，噶尔丹大败。后于康熙三十二年（1693 年），噶尔丹曾鼓动内地

---

① 金启孮先生在《呼和浩特召庙、清真寺历史概况》中的《各召庙、清真寺历史年表》1693 年（康熙三十二年）条下载："十月，清廷将张家口、呼和浩特两地回民集中呼和浩特，清真大寺当创建于此时。"1694 年（康熙三十三年）条下载："回民重刻《洪武皇帝御制回辉教百字》于碑（碑现存清真大寺）。"见《呼和浩特史料》第 1 集，第 260 页。

回民配合反清，诱以尊名重利，内地回民未为所动，遂有清廷欲将张家口和归化城（今呼和浩特）二地回民集中遣反之举。其间，为了安抚呼和浩特不愿西返的回民，也为了不使"中国回子"助噶尔丹叛乱，于是"通晓各省，如官民因小不忿，借端虚报回教谋返（反）者，职司官先斩后奏"，同时告诫"天下回民恪守清真，不可违命。"借此，便产生了《康熙碑》。[①]

（二）八拜清真寺

该寺位于呼和浩特市南郊八拜村西北的"回子营"。约建于清乾隆二十六年（1761 年）后，为赴京护送香妃的香妃族人及平定南疆大小和卓叛乱有功的回军留居此地所建。其规模已不可考，后因八拜"回子营"的回民于乾隆五十七年（1792 年），先后迁入呼和浩特城内而弃置，渐毁废。

（三）呼和浩特清真西寺

该寺位于札达海河西岸的旧民政厅巷（现呼和浩特市一中后街）路北周家巷。约建于清乾隆中期，是呼和浩特历史上兴建较早的清真寺之一。初有土房 3 间。同治年间，建起礼拜殿 2 间，讲堂 1 间，沐浴室 2 间。光绪三十二年（1906 年），买得汉民李万青旧房 6 间，翻修做礼拜大殿。在白贵庚阿訇任教长时，购置董姓院子一处；在马成阿訇任教长时又购置乔姓院子一处、靳姓院子半处，此三处院子为清真西寺扩大的基础。到中华人民共和国成立时，清真西寺占地面积 2 亩 5 分。1952 年，新建砖木结构大殿 15 间，讲堂 3 间。

（四）善岱清真寺

该寺位于土默特左旗善岱镇内，约建于清乾隆中期，为当时从河北等地经商而来的白、薛、金等姓回民所建。其规模已不可考。在该寺西北方向有"一马之地"的"回子坟"。后因乾隆二十五年（1760 年）汰裁善岱协理通判厅建制后，商业贸易逐渐萧条，加之民族纠纷等原因，居住在善岱的回民于乾隆末年，嘉庆初年先后分别迁往察素齐、萨拉齐和包头等地。该寺约于光绪年间彻底废弃。

（五）察素齐清真寺

该寺建于土默特左旗察素齐东部全胜路南口东侧。初建于清乾隆末年，

---

① 呼和浩特清真大寺藏：《康熙圣谕碑》。

为察素齐回民购买汉人拆迁关帝庙后的地皮所建。初期仅有土房 2 间，一间做礼拜朝房，一间做沐浴室，并在清真寺的东南方向购置了最初的回民坟地。之后，清真寺虽有修缮，但规模有限。道光年间，在清真寺北面一公里处，又购置了第二处回民坟地 38 亩（现土左旗第二中学校址）。到光绪初年始有土木结构的礼拜大殿。随着察素齐回族人口的不断增加，逐步形成了以清真寺为中心的回族聚居区。清宣统元年（1909 年），由在任教长王世恩阿訇（人称"二王阿訇"）倡导主持，新建砖木结构大殿 5 间。王世恩阿訇率先出散"乜帖"（"乜帖"为阿拉伯语，原意为"举意"、"打算"。"过乜帖"分为"平安乜帖"，祈求真主给一家人健康、平安；更多的是为亡故的父母过"周年"忌日，"铭记"生日的求祈乜帖，祈求真主恕饶亡故父母的罪愆）。同时众乡老分赴呼和浩特、包头、萨拉齐、托克托、隆盛庄等地回民中募捐。礼拜大殿竣工后，尚欠工料费白银 100 两，由四位执事乡老骆成、白有福、马有福、吴凤麟分担。

（六）呼和浩特清真东寺

该寺位于呼和浩特旧城新民街东寺巷。初建于清嘉庆年间（1796—1820年），为一清真小学堂，俗称"东学"，隶属于清真大寺管辖。同治年间，因迫于清政府镇压西北回民起义，而逃亡到呼和浩特东北大青山中的苏勒图村借以存身的陈宏恩阿訇和众陕甘宁回民兴建了苏勒图村清真寺。后战乱止息，苏勒图村的回民先后迁入呼和浩特市内。约于光绪二十年（1894 年）左右，陈宏恩阿訇经与呼和浩特清真大寺乡老商定，拆除苏勒图村清真寺以扩建清真东寺。当时，曾雇用二百多辆牛车运送苏勒图清真寺拆下的砖瓦木料。在该寺重建过程中，位于呼和浩特北郊的公主府（康熙的六女儿和硕恪靖公主的府第）派人到清真东寺干涉，声称东寺礼拜大殿的屋脊高过了公主府的台阶，不得施工。迫于封建王朝的淫威，清真东寺的乡老只好将大殿梁柱锯短，屋架放低，方得重新施工。清真东寺扩建后，即与清真大寺分坊另立。

该寺原占地面积 10 余亩，建有礼拜大殿 15 间，南北讲堂 6 间，沐浴室 10 间，并建有山门照壁（新中国成立后拆除）。

（七）托克托县清真寺（旧城寺）

该寺位于托克托县城关镇旧区和平大街礼拜寺巷东梁畔。初建于清嘉庆初年，由河口镇金五阿訇主持修建。全寺占地面积约 2 亩，建有礼拜大殿 6 间，另有东房为讲堂，北房为沐浴室。礼拜大殿于"文革"中拆毁。

（八）呼和浩特清真北寺

该寺原址位于呼和浩特清真大寺北、通道街学道巷。现址在通道街中段路西、呼和浩特回民中学校北。

清真北寺前身为一清真小学堂，俗称"北学"，约建于清咸丰年间，隶属于清真大寺管辖。初有正房 3 间，两间为礼拜朝房，一间为阿訇卧室。有南房 3 间为沐浴室。民国十年（1921 年），由西北各地来绥新教伊赫瓦尼派回民李凤藻、苏金坡等，联合呼和浩特当地新教回民马文仕、白峻（松峰）、康兴义、库成、扈化成、麻子权等共同发起，在通道街十间房（现通道南街加油站处）购买"王家菜园"12 亩重建北寺。建寺费用全由新教回民捐资，并赴集宁、丰镇、大同、太原、包头、宁夏、甘肃等地募捐。前后历时三年半，建成礼拜大殿 15 间，沐浴室 5 间，讲堂及阿訇卧室 5 间。另建阿文小学教室 5 间。后在王继先阿訇任内购得该寺西北处旧房数间改建女寺。女寺亦建有礼拜大殿、沐浴室及讲堂各 3 间，总占地面积 20 亩。

清真北寺建成后，命名为"甘绥清真礼拜堂"。因其地处清真大寺之北，故俗称"北寺"。又因该寺自新建后，一直为呼和浩特地区"伊赫瓦尼"（新教）派穆斯林活动的中心，因而，北寺就成为"新教"的代名词。1937 年，白寿彝先生在《绥宁行纪》中记载北寺说："寺大门上为'邦克'楼（唤礼楼），做圆顶形，甚为高耸。寺内房屋及设备，仅较大寺为次。"[1]北寺的建筑为"阿拉伯式风格，庄严肃穆，其大殿门前顶墙正中央，是马文仕亲手书写的汉字楷体'甘绥清真礼拜堂'，七个大字苍劲有力，引人注目。"[2]

（九）土默特左旗毕克齐清真寺

该寺最早兴建于清道光、咸丰年间，原址在毕克齐西门西阁里。后因发生回汉民族矛盾，该地回民于同治年间被迫全部迁走，清真寺被当地汉族改作财神庙。民国初年始有回族在该地流动经商。直到民国二十八年（1939

---

① 白寿彝：《白寿彝民族宗教论集》，北京师范大学出版社 1992 年版，第 508 页。

② 代林：《回族文化名人马文仕先生传略》，《回族研究》1993 年第 4 期。

年），落籍毕克齐的回民集资购买马王庙街凶宅一处改作清真寺，占地面积约0.3亩。院内有正房3间，作礼拜朝房兼阿訇卧室，有南房2间做沐浴室。

清真寺重建后，由于当地居住回回仅10余家，难以赡养阿訇，直到1948年始聘请教长。在此前，凡"开斋节"、"宰牲节"，均到察素齐清真寺参加"会礼"。

（十）呼和浩特清真南寺

该寺位于呼和浩特旧城西门外、札达海河东岸。俗称"南学"，又称"傅家寺"。始建于清同治年间，寺址在山东来绥回民傅家南院内。当时仅有土木结构的西房3间。光绪二十五年（1899年），由傅宏昌、杨发勇、梁善魁、杨喜等人倡议，在傅家北院（即傅宏昌院）动工新建南寺。建寺所需材料均由傅家供给，工费从各地穆斯林中募捐。南寺兴建过程中恰逢大旱，工程被迫停止。到光绪二十七年（1901年），方得继续施工，建起砖木结构大殿7间，讲堂2间，沐浴室2.5间。

（十一）呼和浩特清真东北寺

该寺位于呼和浩特清真大寺东北，前新城道内路西。初建于清光绪十七年（1891年）。一说建于光绪十四年（1888年），为隶属于清真大寺的清真小学堂。民国二十九年（1940年），始建讲堂5间，沐浴室5间，东厢房5间。后于民国三十二年（1943年），建礼拜大殿15间。该寺占地面积约6亩。

（十二）呼和浩特新城清真寺

该寺位于呼和浩特新城西落凤街。初建于光绪十年（1884年），系由河北逃荒来绥定居于新城的刘、马、张等回民所建。当时，刘小三乡老捐赠清真寺土地7亩，以仅有的两间土房做礼拜朝房。到光绪二十六年（1900年），由刘万恩、马琳诸乡老发起，新购置土地1亩多，建礼拜大殿6间，沐浴室3间，阿訇住房及其他用房5间。到民国初年，马福祥任绥远都统时，清真寺组织一坊穆民将刘小三乡老捐赠的七亩地中的水塘填平，改造做菜园，以作为培养海立凡的赡养之资。

二、包头地区的清真寺

（一）包头清真大寺

该寺位于包头市东河区清真寺巷内。初建于清乾隆八年（1743年），由来包经商的河北沧州王姓回民和山东武定（今山东惠民县）白姓回民首倡兴建。建有土木结构的礼拜大殿 5 间，沐浴室 3 间，阿訇卧室 2 间。随着包头城市商业经济迅速发展，人口急遽增加。清嘉庆十四年（1809 年），包头改村为镇，始设治。由于来包经商的回族人口不断增加，原有清真寺已远远不能满足在包落籍定居回族人的需要，遂于清道光十三年（1833 年），由沧州来包回民王修之孙王大兴和山东武定来包回民白三木之孙白可德共同倡导主持，对原寺进行扩建。扩建后的包头清真大寺建有砖木结构的礼拜大殿 18 间，其中大殿 15 间，卷棚 3 间，沐浴室 15 间。[①]经此次扩建，包头清真大寺"建起中国宫殿式的礼拜大殿、两卷穿顶沐浴室及山门。"清政府曾御封该寺为上品级清真寺，并在山门前配有"上马石"，1997 年拆除。

包头清真大寺规模宏大，布局合理，工艺精湛，装饰精致宏丽。寺门门首洁白瓷砖上镶嵌着"清真大寺"四个行楷铜字。入寺，但见绿树婆娑，红花呈艳，中国古典传统式的男礼拜大殿和现代化的女礼拜大殿，毗邻相望，相映成趣。来到男礼拜大殿前，在大殿门额两侧悬挂有署名王大兴、白可德于清道光年间扩建清真寺时以志纪念的"静一"、"古秋"两块横匾。大殿出檐下，可见到落款为民国二年（1913 年）"八月八日谷旦"、由时任"阿尔泰护军使陆军中将甘肃昭武巡防两军军统宁夏总兵"马福祥手书的"显扬正教"的匾额（原件）。大殿为"勾连搭"结构，整个大殿平面呈长方形。大殿顶部 3 个坡顶平楼，连为一体。用以支撑大殿的是 20 根硕壮顶柱，柱身均漆为朱红色，不禁使人赞叹古人建筑构思之奇妙。大殿内，阿拉伯文书法装饰琳琅满目，均为《古兰经》名言"都阿宜"。殿顶悬挂有阿文书写的牌匾："服从真主"、"服从圣人"、"服从长官"。大殿窑殿南北墙上挂有条屏式的八块赞圣词，为民国二十四年（1935 年），山西大同马恩阿訇用阿拉伯文书写的。大殿内除丰富精美的阿文"都阿宜"外，还有 4 对宫

---

①　关于道光年间包头清真大寺的扩建规模，本文取马永真、代林：《内蒙古清真寺》中的说法。另由包头市民族事务委员会、政协东河区文史资料委员会所编《包头宗教史料》中的刘国祥、马文义、刘晓峰论文：《伊斯兰教在包头》中记载："扩建后的清真寺规模较大，有礼拜大殿 33 间，沐浴室 20 间，阿訇房 10 间，乡老房 10 间，经堂用房数十间，成为内蒙古地区规模最大、历史最久、阿訇人数最多的清真寺之一。"笔者在撰文过程中，恐其有误，又未能亲睹现在的包头清真大寺，故未取其说。

灯，均为清道光年间制品，上面绘有美艳的花草图案。另还挂有"内蒙古联合自治政府赠"的 24 盏玻璃彩灯，图案为彩绘的小桥、流水、人家。大殿门口悬挂的两盏宫灯则为清代乾隆年间的制品。

（二）土默特右旗萨拉齐清真寺

该寺初建于清乾隆十二年（1747 年），是由最早从河北、山西、陕西等地来萨拉齐经商的二十多户回民集资兴建的，寺址在南营子。寺内有礼拜殿 3 间，沐浴室 1 间，阿訇住房 1 间。

到乾隆四十六年（1781 年），来萨经商定居定的回族人口大增。其中大部分是从现土左旗所辖的善岱镇迁移过去的，约有 100 多户，400 多口人。于是，全体回民以"永远为业"租得蒙古人伍同素地基一块，于次年乾隆四十七年（1782 年），再次集资，在原址上扩建清真寺。

这次清真寺扩建总面积约 1 300 平方米。计有礼拜大殿 19 间，起脊挂瓦；正中两扇大门，南、北两侧各有耳房，旁开小门；沐浴室 4 间，讲堂 2 间，南房 2 间及 5 檩 4 椽的大门一座。整个寺院建筑为中国古典传统式风格。

萨拉齐清真寺经这次扩建后，经过一个半世纪的风风雨雨，直到民国二十五年（1936 年），才进行了第二次翻修。这次翻修由马文乡老主持，改原来的沐浴室为二层砖木结构建筑，并从天津专门购置了铸铁窗户和铁爬梯。并新建阿訇住房 3 间。

到民国三十六年（1947 年），礼拜大殿南耳房突然倒塌。于是，在众乡老的主持下，聘请毕业于北洋工程学院土木工程系的包头回民吴佑龙先生为工程师，重新翻修礼拜大殿。经吴佑龙先生精心考虑，并与有建筑经验的耆老们协商，大胆采用了在大殿每根立柱下面安放磨盘、碌碡各一个，抬高大殿的基础，以解决由于地下水位高，大殿潮湿，盐碱化严重，易于腐蚀的问题，同时也大大提高了大殿内的采光度。新翻修的礼拜大殿竣工后，新增了一米高的月台，正中为半圆拱形大门，门顶中央 3 米高的凸形幅框内，大书"清真礼拜堂" 5 个大字，两旁均书有《古兰经》著名章节的"都阿宜"经文，字迹工整有力，系出自萨拉齐本坊阿訇杨景春之手。

（三）包头南海子清真寺

清道光十年（1830 年），黄河泛滥，托克托县河口镇码头被淹，黄河水运的西路船筏改在南海子一带停泊。于是，南海子成为黄河航线东部较大的口岸。同治十三年（1874 年），因黄河改道，原设在土默特旗的毛岱官渡移至包头南海子。从此南海子成为包头官渡。

南海子位于包头城南黄河北岸，距包头约 15 华里。清朝乾、嘉以后，我国西北甘、宁、青、新各省区盛产的皮毛、药材、盐、碱、白麻及粮食等货物，均经此转运到内地及天津口岸，年卸货量约五千万斤。而内地生产的货物商品，如布匹、杂货、砖茶、煤油、粗细陶瓷，则经南海子运销西北各省。于是，南海子成为绥西重要的商品转运站，是黄河下游当时唯一的水旱码头。其间，在众多客商和船工中，有不少是来自甘、宁、青诸省的回族人。他们在南海子码头搞船运，开货栈，办清真饭馆，清真旅店等，遂在南海子落籍为民。

同治年间，西北回民大起义受清政府残酷镇压，陕、甘、宁、青地区的回民为了生存，背井离乡，四处逃难，沿黄河而下，来到包头及南海子人数不少。据故老相传，较早定居在南海子的回民有宁夏平罗县渠阁（口）堡人马老九、丁六六、马三三、海满等；保静县（永宁县）人马什义、马全、杨三等 20 多户。后又有绥远城回民马有才到南海子开店设摊，专营清真食品小吃。到光绪二年（1876 年），由马老九、海满倡议，置地盖寺，得到全体回民住户的拥护以及过往回族客商、船工的支持赞助，很快建起砖木结构礼拜大殿 5 间，沐浴室 2 间，阿訇住房 3 间。第二年又建起院墙和清真寺大门。南海子清真寺占地一亩半，每日参加礼拜者有三、四十人，从根本上解决了南海子回民住户和过往客商过宗教生活、履行宗教义务的困难。

抗日战争爆发后，南海子航运日益萧条。包头航运先后迁往王大汗、大树弯、昭君坟等地，回民住户先后迁入包头市内居住。到 1939 年，经大家商议，南海子清真寺正式封闭，于 1950 年拆除，拆除下的砖瓦木料石条全部支援了官井梁清真寺。

（四）包头瓦窑沟清真寺

该寺位于包头市东河区瓦窑沟，又称包头北寺、小寺。是继包头清真大寺、土右旗萨拉齐清真寺之后，在包头地区建立较早的清真寺。

包头瓦窑沟清真寺始建于清光绪末年。当时居住于复兴裕巷、东营盘梁、瓦窑沟、真武庙梁、丁家巷、大仙庙梁、富圣明巷一带的回族人越来越多，形成新的回族聚居区。由于这一带距离清真大寺较远，日常沐浴礼拜、屠宰牲畜、"过乜帖"等都不方便，因此，由在群众中素有威望、家底也厚实的人家，如陈挠、马有福、丁福、杨立堂、杨满仓、王宽等人发起，先建起沐浴室一座，取名西水堂，并打井一眼，以解决日常人们的沐浴问题。不久，又买下汉族牛二地皮一块，盖起长胡同形礼拜大殿4间。到民国七年（1918年），上述诸位老人又从河路上买下大批椽檩、石头，并与回民邢发议定，拆除了旧房，背靠邢家东房盖起大殿5间。后邢发乡老捐出礼拜大殿北面空地一块，新盖了南北耳房2间，正房5间。在沐浴室旁又建起东西厢房各3间，形成一个比较完整的小寺院。

瓦窑沟清真寺建成后，隶属于包头清真大寺管辖，除日常功修在寺内进行外，开斋节、宰牲节及圣纪节，都到清真大寺参加。①

三、乌兰察布地区的清真寺

（一）丰镇城关清真寺

该寺初建于清乾隆年间，寺址位于城关回民聚居的西巨墙路一小院内。内有正房7间，西房3间，东房5间，南房3间，均为土木结构。正房中的2间半约40平方米的大厅作礼拜朝房，其余房屋为阿訇住房、沐浴室和库房。从乾隆末年到清王朝灭亡的100多年中，丰镇清真寺经过三次扩建和修缮，但规模有限，民国初年，该寺被人占用，城关镇全体回民集资在西阁购置土地20亩，新建礼拜寺一座，计有礼拜大殿3间，阿訇住房2间，沐浴室3间，库房4间。

（二）隆盛庄清真寺

该寺位于丰镇隆盛庄小北街清真寺巷。初建于清乾隆十六年（1751年），有礼拜大殿3间，沐浴室2间，阿訇住房2间，其他房屋4间。随着隆盛庄回族人口的不断增加，遂于道光十一年（1831年），由全体回民捐资，扩建成礼拜大殿13间，沐浴室、讲堂、阿訇、海立凡住房及库房一应齐备，形成里外三进院落，大门、二门、照壁、院墙和南北配房齐全的中国

---

① 马永真、代林：《内蒙古清真寺》，内蒙古人民出版社2003年版。

古典式建筑群。到民国十五年（1926 年），又扩建大殿 5 间，抱厦 5 间，并用青砖围墙，墙顶建有堞墩，犹如城堡。大殿前建有抱厦，猫头滴水，飞头出檐，雕花镂空，气势宏大。殿内木板铺地，上盖地毯、毛毡或兽皮。大殿门窗皆饰以花卉，系用铁条编织而成，做工精细，华丽无比。全寺各类建筑错落有致，浑然一体，雕梁画栋，精巧玲珑，古色古香，典雅幽邃，睹之赏心悦目，叹为观止。

（三）其他村镇的清真寺

在清代，乌兰察布地区有许多农村散居着农耕的回民。在这些聚族而居的村落中都建有清真寺。这些散居的回民都是同治年间西北回民大起义时，受清军残酷镇压，挈妇携子，化装成汉人，手拿烟袋逃亡到乌兰察布地区的。这些由西北地区逃亡来的回民均被隆盛庄的回民陈广魁秘密收容，分别被安置在察右前旗的十六苏木（礼拜寺村）、来家地、七苏木，察右中旗的大马圈圐，兴和的二十号地和永太梁五号，并建造了形制统一的清真寺。这些清真寺一直留存到现在。

四、赤峰地区的清真寺

（一）赤峰清真北寺

该寺位于赤峰红山区黄金地段步行街路西。据《赤峰市志》载，该寺始建于清乾隆四年（1739 年），由时任乡老的张悦主持，向蒙古王公挂地 7 亩。那时在赤峰定居的回族人数尚少，只有四五十户，所以新建的清真寺仅有礼拜朝房 3 间，沐浴室 1 间，阿訇住房 1 间。此寺是赤峰清真北寺的前身。乾隆十二年（1747 年），已于雍正十三年（1735 年）自山东、河北等地迁到赤峰定居的"占山户"张、马、白等 10 户回民之一，曾在沈阳开办过"德胜镖局"的马汾，深感回回人户增加，原来的清真寺已不敷使用，便率先发起重建清真寺。马汾出资买下地基一块，建寺资金不足部分，由一位阿訇和几位乡老到各地写"乜帖"。马汾还亲自赴沈阳请来曾建筑沈阳清真南寺的工匠设计施工，故赤峰清真北寺与沈阳清真南寺建筑风格相同。赤峰清真北寺建成后，一坊回民为感念马汾家族对扩建清真北寺所作的贡献，众议决定历届清真北寺的伊玛目（教长）都由马家的念经人连任。

赤峰清真北寺是典型的中国宫殿式建筑。整个寺院布局合理，古朴典雅，凝重肃穆。特别是清真寺正门两侧的饰窗设计及屋顶无挑檐或挑檐很短的建筑特色，体现了赤峰地区的特点。

（二）赤峰清真南寺

赤峰清真南寺初建于清乾隆六年（1741 年），[①] 为山东济南府压虎寨回族武将张兴隆所建。张兴隆经乾隆皇帝恩准，举家迁居松山（今赤峰市西南），并赐"一马之地"（跑马占地）。于是，就地伐木采石，建起清真南寺。礼拜大殿结构为"外热内生"（即俗称"里软外硬"，外面青砖包皮，里面为土坯），殿前出厦。北面盖起连脊瓦房 13 间。其中阿訇房 3 间，沐浴室 10 间。南面则建有讲堂、停尸房。东向建有清真寺大门，左右两侧旁开小门，平时出进走小门，每逢重大节日则开大门。大门两侧建有三尺高石槽加防水闸板。寺院南面是数十亩园田，种植佳禾鲜蔬，以供清真寺膳食。新建的大殿地面上铺着北京打磨场王回回加工的红条毡 100 条；沐浴室用的是从北京西四牌楼订做的紫铜汤瓶、吊罐 50 套。嘉庆八年（1803 年），赤峰清真南寺扩建，并从此由张家家寺转为一坊穆斯林共有的清真寺。

五、哲里木盟地区的清真寺

（一）通辽库伦清真寺

库伦清真寺建于清道光年间（1821—1850 年），是由从河北、山东、辽宁等地迁居到该地的回民集资兴建的。该寺位于库伦旗库伦镇南街清真胡同内。据《哲里木盟志》记载，该寺始建时仅有土房 3 间。到民国初年，随着库伦回族人口的不断增加，在回族乡老杨七爷等人的主持下，依照沈阳新立屯清真寺的形制，改建清真寺。建寺的工料费除到沈阳等地写"乜帖"（募捐）外，库伦镇"春发玉"、"广太永"、"正发永"、"德发永"、"广盛

---

① 关于赤峰清真南寺的建寺年代有两说，一说为《赤峰市志》所载的清嘉庆六年（1801 年），为张姓回民划拨菜园地 5 亩兴建。一说见张琳《赤峰清真南大寺史话》的说法，建于清乾隆六年（1741 年），为祖籍山东济南府回族武将张兴隆举族迁居赤峰所建。作者系张家后裔，虽为故老口碑相传，但恐非随意杜撰。况《赤峰市志》记述，到乾隆末年，赤峰有回民人口近两千，聚族而居，就近建寺是完全可信的。嘉庆六年说（应为八年）应为张家世代掌管的清真南寺（实为张家家寺）交出由一坊阿訇、乡老掌管的时间。故书文取乾隆六年（1741 年）建寺说。

永"五大回民商号资助了大量钱财。经过这次较大规模的改建，库伦清真寺有了很大的改观。改建后的库伦清真寺坐西朝东，建有礼拜大殿、讲经堂、沐浴室、寺门等，设施齐备，占地700平方米。

（二）通辽科尔沁区清真寺

通辽市有回族人定居，始于清道光年间。大约在咸、同年间建起简陋的清真寺。到清朝末年，通辽市内有回族百余户，600多口人。于是，公众推举赵子元为清真寺教长，在刘敬久、马连生、石蕴章、王焕章等乡老的操持帮助下，集资翻建通辽清真寺。在该寺翻修过程中，曾得到通辽道尹马龙潭（汉族）的鼎力相助，慷慨资助了清真寺兴建大殿和讲经堂的全部建筑材料，并拨给回民坟地两处。新建的清真寺竣工后，马龙潭道尹为通辽清真寺书写了"亘古清真"的横匾，至今仍悬挂在礼拜大殿门额上。

第五节 清真寺经堂教育及其组织管理形式

一、经堂教育

内蒙古地区的清真寺，同全国各地的清真寺一样，不仅是穆斯林履行宗教功课，举行节日庆贺的场所，同时还担负着招收、培养海立凡（哈里发），造就伊斯兰教宗教人才以及对全体回族青少年进行伊斯兰启蒙教育的任务。在清代，内蒙古地区的清真寺，特别是呼和浩特、包头两地的清真寺中的伊斯兰教育，其教学方式一直沿用着自明朝中后期逐步形成的伊斯兰教经堂教育的传统方法。

伊斯兰教经堂教育，最初是由明朝中叶陕西咸阳渭城人、伊斯兰教著名学者、教育家胡登洲大阿訇创立的。他朝觐归来后，深感"经文匮乏，学人寥落，既传译之不明，复阐扬之无日"，于是，立志办学，形成经堂教育中的陕西学派。其后，有数传弟子常仙学（名志美）承传宏扬，渐成规制，形成一套中国式的伊斯兰经学教育体制。常志美开学教经在山东济南清真东大寺，因其广学博取，有别于胡登洲的学风，遂成经堂教育中的"山东学派"。呼和浩特地区的清真寺所聘阿訇，以冀、鲁两地居多，故在经堂教育上亦多遵行常志美创立的规制；包头地区及绥西各地清真寺所聘阿訇，多为陕、甘、宁省的阿訇，故在经堂教育中多遵行胡登洲的规制。

经堂教育在学制上分作小学、中学、大学三个阶段。一般把在清真大学学习伊斯兰经典的学生称作"海立凡"（又译写作"哈里发"，阿拉伯语，意为"继承者"、"代理者"）。海立凡毕业，须履行"穿衣"、"挂幛"仪式，随即可受聘为阿訇。

开学阿訇（即教授海立凡的阿訇）一般由正位伊玛目（教长）来担任，负责教授清真大学的课程。清真小学和中学的课程由其他阿訇，包括已经在清真大学毕业，但尚未受聘出任阿訇的大海立凡担任。凡教学的阿訇，在讲授伊斯兰经典时，都使用一种近似文白相杂的汉语，其中大量夹用阿拉伯语和波斯语词汇，而汉语也多用固定式语词，称之为"经堂语"。清真大学、中学、小学的课程，一般都有专门内容，但无时间限制要求，以学完、学会课程内容为准，没有十分严格的标准。

（一）清真小学

学生从学习阿拉伯字母开始，到编完 28 个字母，可以拼读阿拉伯语为止。同时，接受伊斯兰知识启蒙，理解、背诵"清真言"、"作证词"（忏悔词），了解掌握"六大信仰"、"伊玛尼"的根本、真主的位份等基础知识；诵读汉语编成的伊斯兰常识口诀。如汉语"教门原根八件"口诀："第一，认主（安拉）独一；第二，知主（安拉）公道；第三，（知谁）为圣（穆罕穆德）；第四，（知谁）为伊玛目（哈乃菲）；第五，命人行好；第六，止人干歹；第七，远（避）奸（邪）；第八，敬（重）贤（良）。"

（二）清真中学

学生学习伊斯兰教的普通知识。学习内容有：《伊玛尼》（认主学）、《亥提》、《乜帖》、《凯夫》、《尔木代》等。清真中学也进行成人的业余教育。学习内容为：背诵阿拉伯语的大净（吾斯里）、小净（阿卜代斯）、乃玛孜（拜功，包括：举意、立定、鞠躬、叩头、中坐、末坐）、斋戒等各项"都阿宜"、"讨白"（忏悔词）及"法蒂哈"（《古兰经》首章）及"琐勒"（《古兰经》有关重要章节）等内容。

（三）清真大学

学生学习伊斯兰教的基本经典直至最高经典——《古兰经》。其中，所学经典又有阿拉伯文和波斯文之分。

清真大学所学伊斯兰教经典主要有 13 种。按照学习顺序为：

（1）《连五本》：阿拉伯语基础语法第一册；

（2）《遭吾》：阿拉伯语基础语法第二册；

（3）《满俩》：阿拉伯语基础语法第三册；

（4）《拜牙尼》：又称《拜俩埃》，阿拉伯语修辞学；

（5）《凯俩目》：又称《尔嘎依呆》，阿拉伯语的伊斯兰哲学；

（6）《伟嘎耶》：汉译《卫道真境》，阿拉伯语的伊斯兰法学；

（7）《海哇依米那哈只》：波斯语基础语法；

（8）《胡托埃卜》：阿拉伯语《圣训》，波斯语批注；

（9）《古利斯塔尼》：汉译《真境花园》，波斯语的伊斯兰道学；

（10）《艾勒拜欧乃》：汉译《四十段圣训》，正文为阿拉伯语，批注为波斯语；

（11）《米勒耍呆》：汉译《归真要道》，波斯语的伊斯兰道学；

（12）《赖玛尔台》：波斯语的伊斯兰哲学；

（13）《古兰经》：亦作《古拉尼》，又称《天经》，阿拉伯语的伊斯兰最高经典。

入清真大学学习的海立凡要学完规定的课程，少则需要 15 年，一般需要 20 年。因此，真正能够学完 13 种经典的海立凡为数不多。但这并不影响已经学习了其中主要经典的海立凡毕业"穿衣"。有些经典可以在毕业后履行教职中继续学习研究。包括其他一些伊斯兰经典，如《侯塞尼》、《嘎锥》、《穆噶玛台》、《伊哈亚尤尔鲁门底尼》等。

对海立凡所学的 13 种伊斯兰经典，要求会念、会讲。有的则要求全篇背诵，能够深刻、准确地理解各部经典的内涵，并结合实际情况，能够分析、推理、判断和应用。海立凡毕业是一件十分荣耀的事情。海立凡所在清真寺的坊上要为其"穿衣"、"挂幛"，其他坊的清真寺和海立凡原籍坊的清真寺及其亲属要来人受贺庆祝。此后，即可受聘到外坊清真寺出任阿訇。

各坊清真寺招收海立凡人数不等，一般视清真寺的大小、伊玛目（教长）"尔林"（知识）的深浅及一坊穆斯林经济能力而定。大坊清真寺招收一二十人，小坊清真寺招收三五人，没有定数。也有这种情况，凡新应聘的伊玛目，在其赴某坊清真寺上任时，都可将原教授的海立凡带来继续学习。

也有的海立凡因种种原因未能卒业，终身不得"穿衣"，仅取得一个"海立凡出身"的资格，只要日常遵行较好，也可在一坊清真寺充任"散班阿訇"（即不是清真寺聘任的正式阿訇），料理一定的宗教事务。

呼和浩特清真大寺和包头清真大寺，自清乾嘉以来到民国年间，招收的海立凡最多。二寺毕业"穿衣"的海立凡，也多在当地各清真寺任阿訇，其中也不乏佼佼者。如呼和浩特清真大寺毕业的白贵庚阿訇、王祯阿訇、韩义阿訇、尹正阿訇、马成阿訇、刘永宽阿訇、海潮宽阿訇、王茂盛阿訇、刘月起阿訇、扈瑞阿訇、费二阿訇、马世恒阿訇、景德禄阿訇、刘德孚阿訇、刘永孝阿訇、景庆云阿訇、邢永连阿訇、刘常林阿訇、张长命阿訇、白福阿訇等数十位。包头清真大寺毕业的刘金发阿訇、海明阿訇等。

自清以降至民国，内蒙古地区各地的穆斯林大多经济窘迫，生计艰难，经、汉学文化水平越来越低。因此，能够供养子女上学读书或供养当海立凡的家庭极少，仅在子女未成年时，送在本坊清真寺学几季阿文而已。

二、清真寺的组织形式

内蒙古地区各地的清真寺，在组织上均实行教坊制。即以围绕某清真寺聚居，并在该寺履行宗教功课，完成宗教义务，日常生活均与该寺发生联系的穆斯林组成一坊，俗称"坊上"，亦称"寺坊"、"坊"。每坊穆斯林户数多少不等，统称"告目"。清真寺的管理机构，一般在大小"尔代节"，即开斋节和宰牲节会礼前后，由一坊穆斯林民主协商推举出管理本坊清真寺一切事务的乡老（有的地方称"社头"、"学董"）。乡老人数视本坊大小而定，大坊十多人，小坊三、五人。各清真寺乡老不是宗教职业者，而是由本坊素孚众望，具有较强的组织管理和处理事务的能力，又热心宗教事务，勤于完成宗教功课，并能秉公办事的虔诚的穆斯林人士担任。每届乡老任期三年，到期另行改选。乡老的主要职责为：管理寺内的财产及经费开支，聘请阿訇，修缮清真寺，筹办各重大节日活动，接洽社会宗教事务，筹集本坊清真寺修缮经费，协助教长（正位阿訇）督促本坊"告目"的宗教生活和管理本寺的经堂教育。

内蒙古地区的清真寺，特别是如呼和浩特清真大寺、包头清真大寺、集宁丰镇隆盛庄清真寺、赤峰清真北寺和清真南寺，自清代建寺以来，在宗教职业人员的安排上，同全国各地清真寺一样，通行"三掌教制"，即伊玛目、海推布和穆安津，通称掌教、宣教和赞教，合称"三掌教"。"伊玛目"，阿拉伯语，意为"首领"、"表率"，为一坊清真寺内品位最高的宗教职业者，负责领拜、教授海立凡、讲解伊斯兰教经文和教律。"海推布"，阿拉伯语，意为"宣教者"，在聚礼和会礼中负责诵念"呼图白"（演讲），有时也为海立凡讲经，俗称"二阿訇"。"穆安津"，阿拉伯语，意为"唤礼员"，负责按时召唤众穆斯林作礼拜。较大的清真寺除"三掌教"外，有的还设有"穆夫提"，即伊斯兰教法说明官，负责出"哈尔昆"，办理穆斯林的婚丧嫁娶事宜。没有"穆夫提"的清真寺，有关事宜则由伊玛目或海推布兼办。另外，一般的清真寺都要安排一位或数位宰牲阿訇，俗称"下刀阿訇"或"带刀阿訇"，专门负责宰牲。"下刀阿訇"的数量以坊的大小、从事屠宰业回民的人数多少而定。同时，每座清真寺内都要安排一位"寺师傅"，负责沐浴室的烧水、清洁卫生工作及整个寺内的后勤、保卫工作等。以上各专职宗教职业人员，一般统称阿訇（波斯语，意为教师），以示尊敬。

"三掌教"制在呼和浩特市内清真寺中，自清朝中叶至民国初年，基本为世袭制。如呼和浩特清真大寺的穆夫提，一直由呼和浩特籍的刘姓阿訇承袭；清真东寺的海推布一职，则由苏勒图清真寺并入东寺的陈宏恩阿訇的后人承袭。从清朝中叶至民国初年的二百多年中，呼和浩特市内的清真东寺、西寺、南寺、北寺等，都先后为清真大寺统辖。而包头市内的瓦窑沟清真寺、官井梁清真寺等亦归包头清真大寺管辖。这些大寺和小寺的相互隶属关系存在了好长一段时间。在小寺初建时，均须征得大寺执坊乡老的同意；待寺建成后，各寺的阿訇均须由大寺指派；各小寺本坊的穆斯林每日五番"乃玛孜"（拜功）可在本寺完成，而逢主麻日（每周星期五）的聚礼和开斋节、宰牲节的两大会礼，则必须到小寺所属的大寺完成。而各小坊穆斯林的婚丧嫁娶事宜，也必须由清真大寺的"穆夫提"办理，特别是如有人"无常"（死亡），发送亡人非请清真大寺的穆夫提"赞者那则"（阿拉伯语，意为殡礼）不可，否则不能葬入公共墓地。各小寺分坊另立，也必须经大寺坊上的同意，才可另立门户。以呼和浩特清真东寺和包头瓦窑沟清真寺为例：

清朝末年，呼和浩特清真东寺重建后（与苏勒图清真寺合并），首先单独设坊，一切宗教事务均在本坊清真寺进行。民国肇始，其他各寺的聚礼、会礼也开始独立举行，但婚丧嫁娶事务仍由清真大寺穆夫提主办。直到抗日战争后期，因发生清真大寺"格底目"（老教）与清真北寺"伊赫瓦尼"（新教）新老教派关于亡人"赞者那则"的分歧，才最后导致其他各寺有关婚丧嫁娶事务均单独办理。

包头瓦窑沟清真寺始建于清光绪末年，是由于居住在北梁头复兴玉巷、东营盘梁、瓦窑沟、真武庙梁、丁家巷、大仙庙梁、富圣明巷一带的回民越来越多，到清真大寺做五番"乃玛孜"（礼拜）很不方便。特别是上了年纪的老年人，翻沟越梁，爬高下低，路途较远，每逢"天气"，道路阻隔，晨礼和宵礼更加不便。于是，先打井一眼，解决沐浴问题，取名西水堂，后建礼拜殿，直到民国年间，才具有清真寺的规模，人们呼作"小寺"，隶属于包头清真大寺管辖。当时瓦窑沟清真寺一坊的"告目"多次提出分坊另立，均因大寺阻挠，未能如愿。因此还在当地回民中留下一段顺口溜："十家乡老八家退，留下陶三、赵子贵，寺门紧关住，钥匙交给贾窝利"。直到中华人民共和国成立后，瓦窑沟清真寺和包头清真大寺才分坊另立。

伊玛目一职最初也是世袭制。到清朝宣统年间，呼和浩特清真大寺从"老刘二爷"起，开始从外地聘请，由此打破了伊玛目世袭的封建性制度。到民国十二年（1923年），呼和浩特清真大寺"三掌教"制被彻底取消。

呼和浩特地区大多数清真寺所聘请的阿訇，多为河北、山东籍，尤以沧州地区为最，俗称"东路阿訇"。包头地区及其西部之巴彦淖尔、乌海、阿拉善地区所聘请的阿訇，多为陕、甘、宁籍，尤以甘肃平凉地区为最，俗称"西路阿訇"。这是因为呼和浩特及其以东地区的回民多来自河北、山东、河南诸省及京津地区；包头及以西地区的回民则多为陕、甘、宁籍或与陕、甘、宁诸省商贸交往联系密切的其他地区的回民。东路回民或西路回民，非亲即故，邻里故乡，多有了解，故所聘之前后届阿訇，非同门弟子，亦多师友之谊。

各坊清真寺所聘请的阿訇，也不完全限定于上述数额，以坊的大小、一坊"告目"的多少，经济基础而定。如呼和浩特清真大寺，最多时所聘阿訇有十多位。清朝末年，较大的清真寺如遇教长（伊玛目）空位时，亦设代理教长。每位教长聘期三年，届时期满，值开斋节或宰牲节会礼后，教长或副教长依例"烘学"（辞学）。如该坊清真寺众乡老恳请挽留，教长或副教长亦有留意，可续聘留任。否则，可转聘他寺。一般情况如坊上将另聘教长，教长亦欲卸任，教长与乡老间提前"通气"，坊上也为教长去任联系去处，教长亦可另谋新坊，待会礼下拜后，教长"烘学"，新坊上的乡老前来聘请，辞学欢送教长仪式与新坊清真寺聘请教长仪式一并举行，一送一请，递相交接，皆大欢喜。对一些没有被其他坊上清真寺所聘请的阿訇，可做"散班阿訇"，遇有穆斯林"过乜帖"，念白拉台，即"忏悔"乜帖，或红、白事宴也有请"散班阿訇"的。从事宰牲的"下刀阿訇"，也必须是海立凡出身，且谨守斋、拜功，无违教规行为，并为一坊穆斯林所认可。但一般不领拜（充当伊玛目的角色）。小坊清真寺，因穆斯林人数少，难以同时赡养几位阿訇，故无海推布、穆夫提、穆安津职责之分，仅聘请一位阿訇，尊称伊玛目，兼行海推布、穆夫提之职，而穆安津之职则多由海立凡或谨守拜功的乡老代之。宰牲一职则多由"寺师傅"或伊玛目代行。有的小坊清真寺因回民人数太少，无力聘请阿訇，平日寺内无阿訇，仅每年"白拉台"月份，斋月或有婚丧嫁娶时，临时从最近的大坊清真寺聘请一位阿訇来料理宗教功课。

各坊清真寺的一切费用，均由本坊"告目"负担。如小坊人户太少，也可得到大坊的经济资助。一般每户以月计算向寺内缴纳定数的费用钱，称之为"月儿钱"。"月儿钱"数额以当时的物价水平和"告目"的经济收入决定。"月儿钱"主要用以支付阿訇的生活费、沐浴室烧水的燃料费、零星修缮费及什物购置费。如遇清真寺搞大型扩建、新建，所需费用较大，则由乡老另向一坊"告目"写"乜帖"（募捐），也由阿訇与乡老外出到邻近地区的坊上写"乜帖"。本坊"告目"出散"乜帖"都是"随心举意"，没有定数，视自己的经济能力及慷慨程度自愿"出散"。乡老则将本坊和其他地区募捐来的"乜帖"张榜公布；有的大坊甚至泐石刻碑，以为纪念。

各坊清真寺的收入，还有部分是穆斯林在重大节日按照教法出散的，如开斋节和宰牲节出散的"费特勒"乜帖，"圣纪节"的随心乜帖。有一些是本坊清真寺的房地产租赁费和土地租赁费等，以此来弥补"月儿钱"的不足。

第六节 清代绥远地区的基督教传播及相关问题

基督教在绥远地区的传布有相当长的历史，但从效果来看主要是在清代，尤其是清朝后期。进行基督教传播及相关问题的探讨，对我们进一步了解绥远地区的社会、特别是基层社会是大有裨益的。

一、基督教在绥远地区的传播

基督教在塞外的传播可以远溯到唐代，元代统治者的支持也使得基督教在蒙古地区产生过重要影响。而元朝的覆亡和明王朝的禁教政策使基督教的传播失去了依托，清王朝以藏传佛教柔训蒙古，塞外遂成为藏传佛教的天下，加之由乾隆到嘉庆的"百年禁教"，内蒙古地区的基督教几乎绝迹。道光二十六年（1846 年），清廷谕令"弛禁"以后，始又有基督教的大规模活动。

（一）天主教在内蒙古地区的传播及其影响

西方基督教，最早是在元代传入蒙古地区的。当时称之为也里可温教，有不少蒙古上层贵族信奉。但到明代，由于蒙古人普遍信仰藏传佛教，基督教基本绝迹。明末清初，天主教传入中国沿海地区以后，逐渐向内地和边远地区发展。康熙三十九年（1700 年）前后，在察哈尔南部西湾子村（位于今河北省崇礼县）的张姓家族中，有人开始信奉天主教即罗马公教（Catholic）。第一个入教者叫张根宗。"他进教后，曾劝化了同乡人等进教"，随之，入教者不断增多，大约在雍正四年（1726 年）前后，西湾子村建立了第一座小教堂。乾隆年间，曾建立四个小教堂。于是好些口里的教友也迁居到这里，"他们的目的，一方面为来求农业（耕）生活，一方面为逃脱官方仇教查禁。"到嘉庆十年（1805 年），"因本村教友众多，不能容纳，将旧房拆毁"，"盖新房五间"。至道光十五年，又"重建大堂、房屋十间"。还将村后山坡上的四十亩地，充做村中教民的公共墓地。至嘉庆五年（1800 年）时，天主教传入西湾子地方已有一百年的历史，"系有北京耶稣会底司铎来给他们（教徒）送弥撒行圣事，或是西湾子教友们往北京去领圣事"。[①] 由此可见，西湾子

---

① 隆德礼：《西湾圣教源流》，1939 年北京西什库遣使会印字馆排印本，第 12 页。

地方已成为天主教会的重要据点，为以后天主教向塞外传播创下根基。

天主教的传播

在清晚期，随着西方教会势力进入中国内地，天主教由西湾子向内蒙古东西部地区传播开来，经历了以下几个发展阶段：

（1）早期阶段（1830—1840年）。道光十年（1830年），由于"京中禁教尤严，教士无匿迹地，赴蒙古西湾子居住，教友们随往者殊多，于是教行日广，信友日繁。"[1] 此间，原住在北京北堂的华籍司铎薛玛豆"偕同李修士及北堂修道院的八位修道生一起来到西湾子"。[2] 不久，薛司铎便成为西湾子教堂的第一任本堂神父，并且在这里创建了内蒙古地区第一座修道院。1835年以后，法国遣使会（Congregation of the Mission，C. M.）的传教士们陆续来到西湾子，专门从事蒙古地区的传教活动。1838年罗马教廷将满洲、辽东、蒙古三个地方合为一个新教区，指派巴黎外方传教会接管该教区。1840年，在四川传教的方主教（Mgr verroles）前来担任这一新教区的代牧。此后，这个教会又归遣使会管理。是年年底，罗马教廷将内蒙古划为单独教区，拣派孟振生（Joseph-Martial Mouly）为代牧。[3] 西湾子堂就成了蒙古教区的总堂。从此，西方传教士便以西湾子总堂作为根据地，向内蒙古中、东部地区进行传教活动。但是，这时外国教会的传教活动仍属非法，因此传教士的活动范围基本限于蒙汉交界处的偏僻山区地，全区教徒总数也只有3 000余人。[4]

（2）发展时期（1860—1900年）。第一次鸦片战争后，清政府在全国逐渐松弛了禁教政策；第二次鸦片战争后，英、法等西方列强通过《天津条约》和《北京条约》取得了在中国内地"自由传教"和在各省"租买田，建造自便"的各种特权。从此，天主教在内蒙古地区的活动也成为"合法"，便公开发展起来。同治三年（1864年），罗马教廷正式指定中国长城以北蒙古地区为比利时、荷兰两国的"圣母圣心会"（亦称司各特传教会，

---

① 李林：《拳祸记》下编，上海土山湾印书馆1923年版，第274页。

② 《西湾圣教源流》，1939年北京西什库遣使会印字馆排印本，第17页。

③ 《西湾圣教源流》，1939年北京西什库遣使会印字馆排印本，第37—39页。

④ 王守礼：《边疆公教社会事业》，付明渊译，上智编译馆1950年版，第4页。

Missionaries of Scheut）传教区，以接替法国遣使会在内蒙古传教。同治四年（1865 年）十二月，圣母圣心会会祖南怀义（Verbist Theophile ）率领韩默理（Hamer Ferdinand）等传教士来到西湾子，正式接管了教务。从此以后，一直到 1949 年，内蒙古地区的天主教教务便由圣母圣心会管理。

圣母圣心会接管内蒙古教务以后，起初主要是劝导蒙古人信奉天主教，试图将"福音"传播给这些世代生活于草原上的游牧人。但是，由于蒙古人普遍信奉藏传佛教，所以改信天主教者寥寥无几。16 世纪传入蒙古地区的黄教，经过几百年的发展，不仅成为蒙古社会各阶层所广泛接受的宗教信仰，而且演化成深深根植于蒙古游牧社会各个角落的一种文化形态。在清代，所谓蒙古文化，无不蕴涵着强烈的藏传佛教色彩，说到蒙古知识阶层，实际上多数是诵经礼佛的喇嘛而已。所以黄教成了阻挡天主教在蒙古人中传播的坚固壁垒。另外，天主教的许多教规，如教徒需定期到教堂做礼拜，以及它的很多近代化的传播方式，很难适应于分散居住、逐水草而迁移的蒙古人的生活方式。同治十三年（1874 年），几名传教士在蒙古向导的指引下，来到伊克昭盟地区进行传教活动。可是经过整整 20 年的传教，仅发展"蒙古教徒十余家"[1]，传教士们最终不得不将传教的目标转向进入蒙地的汉族移民。

19 世纪后半期正是内地破产农民大量涌入内蒙古时期。传教士们利用蒙古地区地价低廉、土地所有权不分明的特点，从蒙旗大量租、买土地，然后转租给急于得到土地的内地汉族移民，以此吸引他们入教。这种传教方法收到显著的效果。天主教很快在众多的汉族移民当中广泛传播开来，教堂、教民数量日趋增多。光绪九年（1883 年），罗马教廷将蒙古教区正式划分为东蒙古、中蒙古和西南蒙古三个独立教区。这时教民总数已增长到 14 000人。[2] 这些教民基本都是汉族移民，蒙古人入教者极少。光绪十九年（1893年），在内蒙古中西部地区进行过考察的俄国旅行家波兹德涅耶夫在他的日记中写道："在南壕堑（今河北尚义县）及其附近已有近三千名教友，在西湾子村则有一千七百多名。这些教徒全是当地汉族居民；蒙古人中传教士们

---

① 丁治国：《伊南边区调查报告》，南京中国第二历史档案馆，141—854。
② 王守礼：《边疆公教社会事业》，付明渊译，上智编译馆 1950 年版，第 4 页。

却连一个教徒也没有吸收到。他们自己也承认，他们在蒙古人中根本就不传教，因为要想和佛教及喇嘛教竞争几乎是不可能的"。① 常非神父所著《天主教绥远教区传教简史》也说道：教士"来内蒙传教，初以蒙民之归化为目标，故四处奔走之传教士必择居民最多之处，然事非预料，而绥远传教区，奉教者率为汉人，乃蒙民奉教者，百无一二。"② 由于汉族移民大量入教，至19世纪末，天主教已成为内蒙古地区信徒最多、势力最大的洋教。

（3）进一步扩张时期（1900—1911年）。天主教的迅速发展，给内蒙古地区带来了许多新的东西，同时也给社会造成了不利的影响，甚至危害。尤其是由于教会占有地的不断扩大，教会与蒙旗之间，教民与蒙民之间，教民与非教汉民之间产生了错综复杂的矛盾和冲突。因此，在光绪二十六年（1900年），义和团运动期间，内蒙古地区爆发了规模空前的反洋教事件。当时，在内蒙古东西部各地的反洋教事件中，有十余名外国传教士和数千名教民被杀死，大部分教堂被焚烧、捣毁。教会势力遭到沉重打击。但是，义和团运动失败和清政府同列强签订《辛丑条约》后，所有发生教案的蒙旗和厅县均被勒索巨额赔款。仅内蒙古西部的乌兰察布、伊克昭二盟各旗及口外七厅被勒索的赔款就达150万两之多。当时多数蒙旗因无现银交付赔款，只能以大片土地和草场偿付。其中伊克昭盟达拉特一旗就"交出乌兰卜尔地亩一段计一千四百顷连房院抵银十四万零二百两，又交大淖尔地亩一段七十六顷抵银七千六百两"。③ 这就为教会势力的迅速恢复和进一步扩张创造了有利的条件。在义和团运动后的十余年中，教堂、教民数量急剧增长。以光绪三十一年（1905年）为例，东蒙古"全境教友九千余人，新守教者二千五百人，住堂十三……西教士二十七，华教士八"；中蒙古"全境教友一万八千四百九十三人，新受规者四千七百八十四人，公堂二十八，小堂六十八。……西教士二十九，华教士十四"；西南蒙古"境中教友五千六百八十人，新守规者三千二百余，住堂九，公堂二十一。西教士二十七，华教士

① ［俄］波兹德涅耶夫：《蒙古及蒙古人》第2卷，刘汉明等译，内蒙古人民出版社1983年版，第191页。

② 常非：《天主教绥远教区传教简史》，内蒙古图书馆藏手抄本，第4页。

③ 贻谷：《绥远奏议》，内蒙古大学图书馆藏手抄本。

一。"① 这时，上述三个教区新老教徒总人数已超过 40 000 人。教会势力已由内蒙古南部边缘地带进一步向蒙旗腹地扩张。至此，东至赤峰一带，西至阿拉善旗和伊克昭盟各旗，北至武川厅、四子王旗等，在广大农区和半农半牧区，出现了"教堂林立"、"教友日增"的局面。以内蒙古西部而言，已形成以鄂托克旗城川教堂、阿拉善旗三盛公教堂、萨拉齐厅（今土默特右旗）二十四顷地教堂为中心的天主教三大教民区。在教民区内，传教士们不仅从事传教活动，还"负起了维持当地治安的责任，除重大案件报告蒙王判处外，其他的事情或纠纷统统由地方教士调解"。② 可见，传教士在地方上已经有了相当的影响力了，这就为其进一步扩张势力开拓了道路。

天主教的社会事业

经过了近半个世纪的发展，到 20 世纪初，天主教已为内蒙古地区教徒众多、势力最为雄厚的教派。因此，天主教在内蒙古近代历史上产生的影响必然也是重大而复杂的。以往的研究基本上集中于揭露和批判它的侵略性质。利用教会势力进行侵略、渗透是西方列强的侵华手段之一，这是历史事实，对此进行研究、揭露和批判，是无可厚非的。但是，我们不能把外国传教士及其所属教会组织的所有活动都断定为侵略行为。现在看来，西方传教士的在华活动对促进中国社会发展，尤其对于中西科技文化交流所起的积极作用是不容忽视的。因此，正确认识西方传教士在内蒙古地区的社会活动，并对此进行客观的探讨和评价是很有必要的。

由于史料所限，下面仅就在内地汉族农民向蒙地移民过程中天主教会所起的作用，以及教民村、教会学校的建立和发展情况做些粗略的叙述。

（1）天主教会与移民垦殖

19 世纪下半期的内蒙古虽说已是农牧交错，蒙、汉杂居，然尚属地广人稀，仍是内地贫苦农民前来谋生的理想之处。因此，晋、陕、鲁、直等华北各省农民"走西口"、"闯关东"，赴蒙地者络绎不绝。但是，自清初以来汉族农民"私自"进入蒙地为清朝法令所禁止。清朝《大清会典事例》、《理藩院则例》明确规定："口内居住旗、民人等，不准出边在蒙古地方开

---

① 李林：《拳祸记》下编，上海土山湾印书 1923 年版，第 275、295、318 页。

② 王守礼：《边疆公教社会事业》，付明渊译，上智编译馆 1950 年版，第 19 页。

垦地亩，违者照私开牧场例治罪。""凡王、贝勒、贝子、公、协理台吉塔不囊、台吉塔不囊、官员、平人，如将封禁牧场私令民人垦种者，照私募开垦地亩例，仍分别曾否得受押荒银钱，各加一等治罪。"① 当时进入蒙地的内地农民，多属于"违禁私入"，因而他们的处境仍很不安定，如不能被蒙旗接纳，有可能被驱逐回原籍。即使他们能够找到一块落脚的地方，也由于缺乏必要的资金、生产工具等，在短时间内很难顺利地从事生产。要想过上安定的生活，移民们仍须渡过一段艰难困苦的路程。

在塞外传教的过程中，洋教士们渐渐地认识到在其种种"善举"中，最能吸引汉族农民的莫过于土地。于是洋教士们便依照"国际条约"所赋予的特权②，以低廉的价格从蒙旗租赁、购买土地，然后转租给入教的汉人教民。

对于教会在口外购置、占有蒙古牧地一事，清廷早有察觉，亦曾试图阻止教会方面租种、购买蒙地。同治十年十月十九日（1871 年 12 月），总理衙门针对在口外察哈尔地方发生民教争地一案指出："该处游牧地亩，向禁开垦，教士亦不得与地方人民勾通希图私置"③。当时察哈尔都统额勒和布也提出："缘蒙古地面幅员辽阔，查察难周，向来例禁开垦，尚有私放越种等情，倘一弛开垦之禁，纵严密防闲，恐不免百弊丛生，且口外教堂颇多，入教之民亦多，该夷人谋得草地之心亦甚切。……今欲杜绝外人及教民窥伺，莫若将已垦之田照例升科，未垦之地既行封禁，仍严饬旗民各官认真稽查，庶教民无可借口，无从觊觎矣。"④ 晋抚直督也赞成额勒和布的提议。于是总理衙门密令晋直两省照此办理。但是，由于法国公使的干预和教士"依约"抗争，终未能限制住教堂和教民在口外购置蒙地。光绪二十一年（1895 年）以后，清廷允许了口外地区的天主教会自由购置土地房产。⑤ 这

---

① 《大清会典事例》卷 979，《理藩院·耕牧》；《理藩院则例》卷 10，《地亩》。

② 第二次鸦片战争后，英、法等西方列强通过《天津条约》和《北京条约》取得了在中国内地"自由传教"和在各省"租买田地，建造自便"的特权。从此，天主教在内蒙古地区的活动也成为"合法"，便公开发展起来。

③ 台湾"中央"研究院近代史研究所：《教务教案档》第 3 辑第 1 册，第 441 页。

④ 台湾"中央"研究院近代史研究所：《教务教案档》第 3 辑第 1 册，第 456 页。

⑤ 王卫东、郭红：《移民、土地与绥远地区天主教的传播》，《上海大学学报》2005 年第 3 期。

样，凡外国教会便不受清朝封禁蒙古牧地令的约束。这就使得大片蒙旗土地以低廉的价格为教会所占有，进而为汉族移民所租种。"教民凡种教堂方面之包租地者，其领地手续一般相同，即先请各该堂司铎允准后，再向各该堂会长领取耕地，通常各该堂会长等对于教民之个性及其家庭状况、经济情形、生活能力等均有一番考察，故能按实际情况，酌拨耕地，藉以安定其生活。"① 其结果造成这样一种事实，即汉族农民只要加入教会，不但可以得到一份土地，而且能够获得在蒙地长期居住的"合法"身份。极端贫困的农民还可以向教会借用生产所必需的物资，如耕牛、农具、子种等。外国教会的这种特殊"待遇"自然引起农民的兴致，使其趋之若鹜。农民承种教会拨给的土地，其收获一般是"二成或三成"与教堂分成。如果"承种一般地主的熟地，佃户要交纳六成收获"，此外还要承担"田赋及各色各样的开支"。相比之下，入教会显然很划算。② 久而久之，加入外国教会便成为内地汉族农民移居蒙地的一种十分便利的途径。移居蒙地并在经济上得到一定的扶持，是内地农民入教的最主要目的。"是以农民之感戴益深，而皈依奉公教者日众"。③ 这是近代以来，外国教会势力在塞外得到迅猛发展的根本原因之一。

自19世纪60年代以后，以入教的方式移居内蒙古地区的内地农民不断增多，在长城以北的蒙古高原农牧交接带出现了一种新的景象，即星罗棋布的教民村。在内蒙古地区最早出现的教民村首推察哈尔的西湾子村，其次有赤峰的松树嘴子、绥远的二十四顷地、宁夏（教区）的三盛公等等。这些村庄后来都发展成为地方重镇。后来，随着教会势力的不断北移，在纯牧区也出现了许多教民村。例如，察哈尔左翼的黑土洼一带（现属河北省沽源县）便是传教士们在牧区移民垦殖的典型例子。原来黑土洼还是蒙古人的牧场，后来才有教民前去开垦。光绪十八年（1892年）开始传教士们来到这里并组织农民迁移，遂有了平定堡村。当时由西湾子、五号等地迁来不少教民。后来在这里又出现了千金村（1904年）、高山庄（1908年）等教民

① 一寰：《绥宁边区教堂问题》，《边疆通讯》1943年。
② 王守礼：《边疆公教社会事业》，付明渊译，上智编译馆1950年版，第15—16页。
③ 常非：《天主教绥远教区传教简史》，内蒙古图书馆藏手抄本，第5页。

村。在几十年中，总共有六百余户内地农民前来定居，从事农耕，使数百顷草场变成了农田。①

传教士们还通过兴修水利，吸引农民前来耕种蒙地。内蒙古西部的河套地区宜于发展灌溉农业，清初即有汉人从事零星的农事。清中叶以后，已有不少内地农民来到这里，利用黄河水系，开田种地，形成相当规模。清末"庚子赔款"后，教会从蒙旗获得大量的赔教地，于是河套地区的教民人数急剧增加。正如顾颉刚所说："庚子赔款，拨给河套罗马教会者，大部分用作挖渠经费，因此水利大兴，荒原开垦，教堂因而林立。"几十年内教堂所挖成干渠，计有黄特劳河、准格尔渠、沈家河、渡口渠、三盛公渠等。由于水道畅通、水量充足，每年有数十万顷荒地增开，于是关内的移民成群结队而来。几十年后，除三盛公外，总计在河套出现了十六个大村庄，居民人数达十万有余，其中信奉天主教者约占一半。②

19世纪70年代至20世纪初之三十余年中，由教会设立的较大村庄及其居民人数（抗战时期的统计数字）情况如下表：③

村　名	设立年代	居　民
大营子（热河）	1908	3 000
山湾子（热河）	1898	1 000
七号（察哈尔称）	1910	1 800
南壕堑（察哈尔）	1870	4 000
玫瑰营（集宁）	1895	3 000
美林图（集宁）	1912	1 200
巴拉盖（绥远）	1893	2 500
小淖（绥远）	1888	3 200
陕坝（河套）	1907	20 000
蛮会（河套）	1905	8 000
白泥井（陕北，原为鄂托克旗牧地）	1902	4 000

---

① 王守礼：《边疆公教社会事业》，付明渊译，上智编译馆1950年版，第28—29页。
② 王守礼：《边疆公教社会事业》，付明渊译，上智编译馆1950年版，第21页。
③ 王守礼：《边疆公教社会事业》，付明渊译，上智编译馆1950年版，第29—30页。

（续表）

村　名	设立年代	居　民
堆子梁（陕北，原为鄂托克旗牧地）	1902	2 500
城川（鄂托克旗）	1874	1 200

　　上述情况说明，天主教的传入，对内地汉族农民移居蒙地创造了一定的便利条件。同时，贫苦农民涌入蒙地也为天主教的迅速发展提供了有利的机会。在偏僻的蒙古地区，西方天主教势力在近一个世纪之内，特别是在 20世纪前半叶，能有如此快速的发展，是与移民潮有密切的关系。实际上，天主教在内蒙古地区的传播，是与中国内地移民相伴而来的，二者之间有着密切的相辅相成的关系。而维系教会与移民之间关系的纽带是广阔的蒙旗土地。蒙古地区特殊的制度，丰富的土地资源，加之外国教会势力的参与，使涌向蒙地的移民潮以更加迅猛的速度向前推进，加快了蒙古地区社会面貌的嬗变。

　　（2）教会学校的建立和发展

　　天主教在内蒙古一贯采用的主要传教方法是以土地吸引农民入教。但是随着教会势力的扩张和塞外城镇教民的增多，传士们将注意力转向了教育、医疗事业以及其他各项慈善事业的创办，以求新的发展途径。天主教传入内蒙古时，"塞外里没有一所公立学校，只是偶然有些地方有几家富户合资设立一间私塾，请一位老先生课读他们的子弟。"[1] 由于设立正式学校的条件尚不成熟，传教士先倡办要理学校（短期书房），不收学费，贫富都可上，没有课本，使用教会的要理课本，作为读书识字的入门。除了修身的要理教育外，也会教授四书、笔算、珠算以及地理历史等。光绪六年（1880 年），三盛公教会设立男童学校，除读经言外，还念三字经、千字文、明贤集、四书五经等。[2]

　　光绪九年（1883 年），罗马教廷将蒙古教区划分为三个教区后，天主教

---

　　①　王守礼：《边疆公教社会事业》，付明渊译，上智编译馆 1950 年版，第 96 页。
　　②　段德荣：《建国前河套地区天主教事略》，《文史资料选集》第 20 辑，中国文史出版社 2002 年版，第 153 页。

进入了一个新的发展阶段，其教育事业也随之发展起来。教士们开始在每个教区创办公学校，以便使男女学生住校就读，并致力于培养师资力量。首先在东蒙古教区的松树嘴子（朝阳）和毛山东（赤峰）各建立一所男公学，又在松树嘴子和马架子（围场）设女子公学各一所。以后各地都相继设立了公学和要理学校。在科目方面，完全遵照当时部定课程，汉文是主要科目。此外有数理化、史地等等，当然也有修身教育的课程。

王守礼所著《边疆公教社会事业》一书中对 19 世纪末至 20 世纪 30 年代的塞外各教区教会学校数额作了比较系统的统计。[①] 这些统计数字尽管与其他史料所载数字有一些出入，然仍具有重要的参考价值，故转载于此。

光绪十四年（1888 年）教会学校概况表

区别	公学校				要理学校				孤儿院
	男校	男生	女校	女生	男校	男生	女校	女生	
东蒙古教区	2	80	2	48	12	120	4	70	355
中蒙古教区					22	300	13	195	923
西南蒙古教区					12	204	6	95	151
总计	2	80	2	48	46	624	23	360	1 429

光绪三十二年（1906 年）教会学校概况表

区别	公学校				要理学校				孤儿院
	男校	男生	女校	女生	男校	男生	女校	女生	
东蒙古教区	2	79	1	39	30	837	36	815	345
中蒙古教区	2	80	1	34	60	1 000	40	800	665
西南蒙古教区	3	77			35	1 088	38	1 200	834
总计	7	236	2	73	125	2 925	114	2 815	1 844

当时的公学中，察哈尔南部南壕堑公学颇负盛名。这所公学成立于光绪二十四年（1898 年），到光绪三十一年（1905 年）时，已成为当地最新式

[①]　王守礼：《边疆公教社会事业》，付明渊译，上智编译馆 1950 年版，第 98—99 页。

的标准学校。课程方面，除修身教育外，有汉文、数理化、史地等。该校曾有三个学生被派往比利时国，进入大学专科学习，其中有两位获得医学博士学位，一位曾任北平中央医院主任，另一位则在辅仁大学工作。[①]

天主教向内蒙古地区传播西方的宗教信仰的同时也传播了近代西方科学文化知识。部分传教士对于向西方世界介绍蒙古民族的语言、文化和历史方面也起到了相当重要的作用。比如，像田清波等传教士对蒙古历史文化的研究，不仅使得他们本人成为国际著名的蒙古学家，而且在客观上对东西方文化交流也作出了贡献。

天主教与近代蒙旗的土地问题

（1）1900 年以前天主教会在鄂尔多斯地区占有土地的概况

第一次鸦片战争后，清政府在全国逐渐松弛了禁教政策。第二次鸦片战争后，英、法等西方列强通过《天津条约》和《北京条约》取得了在中国内地"自由传教"和在各省"租买田地，建造自便"的特权。从此，天主教在内蒙古地区的活动也成为"合法"，便公开发展起来。同治十三年（1874 年）春，西湾子天主教堂的比利时传教士德玉明等前往伊克昭盟，在鄂托克旗南部城川（蒙古名 Bor Balgas）一带招收到数家蒙古教徒，并在城川"建立雏形之教堂一座"。这是天主教传入鄂尔多斯地区的开端。传教士初到鄂尔多斯，主要"以蒙民归奉圣教为目的"。[②] 但是，由于蒙古人普遍笃信藏传佛教（亦称"喇嘛教"），因此转入天主教者为数寥寥，直到光绪二十年（1894 年）时，城川才有"蒙人教徒十余家"。[③]

传教士们不得已将目光转向进入蒙地的汉人，力图在人数不断增多的塞外汉人移民当中传播"福音"。[④] 在向汉人传教过程中，洋教士们渐渐地认识到在其种种"善举"中，最能吸引汉族农民的莫过于土地。于是洋教士

---

① 王守礼：《边疆公教社会事业》，付明渊译，上智编译馆1950年版，第100页。
② 常非：《天主教绥远教区传教简史》，内蒙古图书馆藏手抄本。
③ 丁治国：《伊南边区调查报告》，南京中国第二历史档案馆，141—854。
④ 《绥远教区葛崇德主教向罗马传信部作五年传教事务报告》，第1页。《闵玉清传》也记载洋教士"来到三道河（蒙古人称沙金道亥，位于阿拉善旗和杭锦旗交界处），原来打算是为给蒙古人传教，但以后因事情的变迁，改变了方向，转向汉人了"。转引自戴学稷：《西方殖民者在河套鄂尔多斯等地的罪恶活动》，《历史研究》1964年第5、6期。

们便利用教会的特权和蒙古人土地权利意识淡薄的特点，以低廉的价格从蒙旗租赁、购买土地，然后转租给入教的汉人教民。内地移民一旦入教会并租种教堂占有的土地，就会受到教会的扶持和保护。所以入教便成为内地贫苦农民移居蒙地并得到一块耕地的一种捷径。这就是在 19 世纪末以来塞外教民人数与日俱增的重要原因之一。

对于教会在口外购置、占有蒙古牧地一事，清廷早有察觉，亦曾试图阻止教会方面租种、购买蒙地。同治十年八月（1871 年 9 月），总理衙门致函山西巡抚何璟文指出："外国传教士自定约后，虽弛传教旧禁，只应安分传教，民人更不得干犯禁令，所有久荒封禁地亩，何得觊觎开垦，希图攘利，致启事端。况此等地亩有关游牧，向有厉禁，不但外国教士无从与闻，中国教民不准私垦，即凡军民人等均不得丝毫违反，侵占尺寸。"[1] 不久，总理衙门又针对在口外察哈尔地方发生民教争地一案指出："该处游牧地亩，向禁开垦，教士亦不得与地方人民勾通希图私置"[2]。当时参与处理民教争讼的察哈尔都统额勒和布提出："口外教堂颇多，入教之民亦伙，该夷人谋得草地之心亦甚切。……今欲杜绝外人及教民窥伺，莫若将已垦之田照例升科，未垦之地既行封禁，仍严饬旗民各官认真稽查，庶教民无可藉口，无从觊觎矣。"[3] 晋抚直督亦赞同额勒和布之意见。随之，总理衙门密令晋直两省转饬各地方官，不准商民人等将口外地亩私相卖给外国教堂。1872 年西湾子教堂传教士拟在归化城购地建堂，即遭到归化城同知的反对和阻止。法国驻华公使致总理衙门的照会称："（教士）曾亲赴该同知衙门欲晤谈，所买地段比照和约所定章程均无不合，不意该同知匿不见面，……任性自专，不准容留洋人在归化城内建堂及另造房屋并禁止该处居民不许与习教人贸易。"当时归化城土默特蒙古及各寺庙喇嘛徒众等亦向归化城副都统呈称：驻扎边外之土默特蒙古全赖皇上恩赐之户口地亩，急公当差、养赡身家，"乾隆八年经前任都统奏明，将户口地亩作为蒙古永业，不准内地民人私相置买侵占，渐致蒙古失业等因，奏奉谕旨允准定例通行遵照在案。……况内

---

① 台湾"中央"研究院近代史研究所：《教务教案档》第 3 辑第 1 册，第 422 页。
② 台湾"中央"研究院近代史研究所：《教务教案档》第 3 辑第 1 册，第 441 页。
③ 台湾"中央"研究院近代史研究所：《教务教案档》第 3 辑第 1 册，第 456 页。

外蒙古庶众素尊佛教，不悉改业，与外国教道从来相左，语言习俗亦不相同，较之内地府县情形迥别。……兹于本年六月间有外国洋人来此置买地基，意欲倡设教堂通商传教，阖境蒙民人等一闻此信，人心动摇，均各疑虑张皇。"归化城副都统将此转呈绥远城将军，并请求转咨总理衙门"查照前情，谅饬该国毋庸在归化城设立教堂，以期两无窒碍。"①

但是，由于教士"依约"抗争和法国驻华公使的积极干预，终未能限制住洋教堂在口外购地建堂，扩展势力。光绪二十一年（1895 年）四月，法国公使致总理衙门照会，要求废除内地人民卖地给教堂时先报地方官"请示准办"的相关规定。随之，总理衙门咨行各将军、督抚等"转饬地方官一体照办，毋庸固执先报明地方官之说，致滋争论，是为至要。"② 山西巡抚奉旨转告各地方周知，"至是教民时出重价购地，官厅不再过问"。这样，凡外国教会购置蒙地皆不受清朝封禁蒙古牧地令的约束。

在鄂尔多斯地区，到 19 世纪末时，除城川之外，在鄂托克旗的小桥畔、堆子梁，准格尔旗的城奎海子，达拉特旗的小淖尔等地，相继出现了洋教堂。例如，光绪二十年（1894 年）时，小淖教民达 500 人，程奎海子也有教民 113 人。③ 教会"每立一新堂口，都是先置买土地"，为了吸引农民入教，传教士们往往宣称"凡是信奉天主教者均能种堂地，住堂房，向教堂借吃口粮"。④

对教会从蒙旗租、买的土地并让教民承种，蒙旗和地方官府（沿边各厅县）基本上是听之任之。所以，教会所占有的土地日渐扩大，洋教堂逐渐成为鄂尔多斯地区新兴的强有力的土地占有者。

据前人研究、统计，截止到光绪二十六年（1900 年），义和团运动爆发前的大约 25 年时间里，仅河套一个地区，洋教堂先后向阿拉善旗、达拉特旗和杭锦旗等蒙旗和汉族地商，成批地租、买土地十六七起之多，所占有的土地面积达四五百顷以上，"而每顷的实际面积大约等于三顷"，这也就是

---

① 台湾"中央"研究院近代史研究所：《教务教案档》第 3 辑第 1 册，第 463 页。
② 王铁崖：《中外旧约章汇编》第 1 册，三联书店 1957 年版，第 612—613 页。
③ 王学明：《天主教在内蒙古地区传教简史》，《内蒙古文史资料》第 22 辑，第 133—186 页。
④ 《巴盟教区历史沿革》，转引自戴学稷：《西方殖民者在河套鄂尔多斯等地的罪恶活动》，《历史研究》1964 年第 5、6 期。

说，当时河套一带的洋教堂就占有二千顷左右的土地。[①] 这个数字或许不是很准确，但也说明了教会是通过不断占有土地的方式发展起来的趋势。教会占有蒙旗土地，主要有租赁、购买和借故强占等方式：

租赁蒙地

传教士来到蒙地，起初一般情况是向蒙旗先租得一小块土地，建堂传教，以为立足之基。光绪元年（1875 年），几位传教士来到鄂托克旗，并获准住于该旗南部城川平原上。鄂托克旗也允准愿作基督徒的蒙古人耕种博罗·托罗盖土地。但是，因为博罗·托罗盖地方是由鄂托克旗已经出让给乌审旗经营的地方，所以乌审旗提出每年向鄂托克旗蒙古教徒征收地租。这样，就引起了乌审旗与城川教会之间的矛盾。到了光绪六年（1880 年），乌审旗干脆禁止蒙古教徒再种博罗·托罗盖地。后来，在教会的强力干预下，乌审旗才不再向博罗·托罗盖教民征租了。光绪八年（1882 年）起，教会为了使用城川的土地每年向鄂托克旗王爷交一匹马，为使用察罕·哈图古与察罕·喇嘛因·苏木因·哈图古的土地再交一匹两岁马驹。[②] 很显然，教会向鄂托克旗缴纳的只是一种象征性的地租，但它在与乌审旗争夺城川地的过程中赢得胜利，最终得到了城川地的使用权。这就为后来城川教会成为伊克昭盟南部天主教中心奠定了基础。

光绪十三年（1887 年），达拉特旗台吉、管旗章京布仁特古斯将小淖的一块地租给天主教堂耕种。[③]

准格尔旗在黄河北岸有"将军窑子、三盛元、泉子、兴义炉四处洋堂地三百余顷"，这些地的出租年代和具体情况不详。但从后来准格尔旗呈报垦务局放垦的情况看，显然是早先租给了教会或教民。[④]

教会租赁蒙地，分短租和永租。短租地，期限一到蒙旗即可收回另佃，永租则不得随意收回。但短租与永租的界限往往不很清楚，也有短租变成永

---

① 《巴盟教区历史沿革》，转引自戴学稷：《西方殖民者在河套鄂尔多斯等地的罪恶活动》，《历史研究》1964 年第 5、6 期。

② 约瑟夫·潘·赫肯：《蒙古两旗的争端与天主教传教士所起的作用》，米济生译，载《内蒙古近代史译丛》第 3 辑，内蒙古大学出版社 1992 年版，第 1—23 页。

③ 内蒙古档案馆准格尔旗札萨克衙门档案，卷 82，第 243 页。

④ 内蒙古自治区档案馆编：《清末内蒙古垦务档案汇编》，内蒙古人民出版社 1999 年版，第 524页。

租的情况。例如，在蛮会（今属杭锦后旗）一带"每年只按所有土地的1%缴纳地租，当时叫作'水草钱'或'印花钱'。"① 这些租地的所有权仍属蒙旗。不过，有时短租和永租的界限并不分明，有些地当初议定的是短租，但由于教民每年承种，最后变成了永租。"普通租种蒙人的土地，一次言明，每年应缴租银若干，或米粮多寡，每年纳租，因此实际上等于永远承租了。"②

购买蒙地

在伊克昭盟各旗札萨克衙门档案中从未发现蒙旗札萨克将土地卖给教堂的记载，因为蒙旗进行土地买卖是朝令所禁止的。但是，个别蒙古人与教堂私下进行土地交易的情况是有的。光绪二十三年（1897年）十二月，乌审旗喇嘛鹏苏克道尔吉、台吉达木林色旦等，以500两银子的价格，将河南小石砭儿的房产和土地卖给了城川教堂。③ 这是不多见到的教堂直接与蒙古人作地产交易的一个例子。

王守礼《边疆公教社会事业》一书列举了教堂购买蒙地的一些实例。其中提到的在鄂尔多斯地区购置土地的情况是：光绪十四年（1888年）在达拉特旗小淖购买土地360顷；光绪十六年（1890年）在三边小桥畔购买蒙地50顷；光绪二十一年（1895年）在三边大羊湾购买蒙地100顷。④ 这里只是说地是购买的，而没有说明是蒙旗直接卖给教堂的还是汉人佃户或地商转卖给教堂的。

关于教堂与汉人佃户私下交易蒙地的记载在各个时期的中外史料中是比较多见的。这或许说明，在光绪二十六年（1900年）以前的鄂尔多斯地区洋教堂大多是通过第三方即汉人佃户获得蒙旗土地的。

达拉特旗所属黄河北岸地，土地肥沃，利于灌溉，历来为地商、户总所争租争占。传教士们来到鄂尔多斯后也积极致力于向北部的黄河沿岸地带扩

---

① 《巴盟教区历史沿革》，转引自戴学稷：《西方殖民者在鄂尔多斯等地的罪恶活动》，《历史研究》1964年第5、6期。

② 王守礼：《边疆公教社会事业》，付明渊译，上智编译馆1950年版，第19页。

③ 内蒙古档案馆准格尔旗札萨克衙门档案，卷80，第234—236页；另见杨海英编：《国外刊行的鄂尔多斯蒙古族文史资料》，内蒙古人民出版社2001年版，第1、2页。

④ 王守礼：《边疆公教社会事业》，付明渊译，上智编译馆1950年版，第14—16页。

展势力。著名的二十四顷地教堂所占有的土地原本是达拉特旗黄河以北的牧地，即同治二年（1863 年），黄河改道南移后清廷分给达拉特旗的四成地。后来，民人高九威由达拉特旗永租河滩地二十四顷。光绪十六年（1890年），一个叫做陆殿英（中国人）的司铎奉西湾子教堂主教巴耆贤之命，由准格尔旗携款北上来到黄河北岸，从高九威手中买得实地百余顷，而二十四顷地之名仍存不废。① 二十四顷地教堂便由此发端，不断向达拉特旗河北地带拓展势力。

光绪二十一年十二月十八日（1895 年 2 月 1 日），达拉特旗致函绥远城将军称："自光绪××年（光绪十年左右），忽有一名不知姓名的神父来旗内，以一百八十两银购买土地（似指小淖地），并建一座小房子，种地居住。（光绪）十四年，袁（音）神父前来居住，并以 240 两银购买民人荆文宁（音）的房产、地亩，随后建立了大堂（教堂）。十六年，又有文（音）神父前来居住。现在仍有董、袁、明（音）三个神父居住。……洋神父来我旗居住以来，从未向我札萨克衙门和官员打过招呼，现将所见所闻禀报呈上。"② 由此可见，天主教经过十余年的发展在鄂尔多斯地区立足以后，已不再顾及蒙旗愿否，直接与汉人佃户进行土地交易了。

强占土地

光绪十年（1884 年）左右，二十四顷地教堂派教民耕种达拉特旗小淖地。光绪九年（1883 年），租种达拉特旗小淖地的民人张汝（音）因急需用款，以所种地亩做抵从天主教堂借了 500 两银子。到光绪十六年（1890年），张汝所欠教堂款，连本带息已达 1 000 余两。此间，他还因犯案被萨拉齐衙门关押。遂教堂强行占据其租地并派教民耕种。③

光绪二十四年（1898 年），民妇王周四（音）因与教堂有冤仇，以 100 两银子雇用一名姓范（音）的狂暴汉人闯入（小桥畔）教堂实施报复，打坏了三座圣像和其他许多物品。事后传教士闵玉清声称教堂所受损失达 80 万两银

---

① 常非：《天主教绥远教区传教简史》，第 31 页；另见薄艳华：《韩默理与二十四顷地教堂》，《内蒙古师范大学学报》2002 年第 2 期。

② 内蒙古档案馆准格尔旗札萨克衙门档案，卷 77。

③ 内蒙古档案馆准格尔旗札萨克衙门档案，卷 71。

子。这个民妇本来不是鄂托克旗所管辖的人，但传教士闵玉清却借口案发地方属于鄂托克旗，要求鄂托克旗札萨克负责审理此案并赔偿教堂的损失。当时鄂托克旗札萨克贝勒拉西扎木斯拒绝受理，他认为，教会向鄂托克旗的索赔毫无道理，教会应该去找管该民妇的县衙门论理。① 当时，闵玉清向鄂托克旗札萨克拉西扎木斯进行恫吓说："如果不把案件赶快处理，就要亲身到北京向法国使馆和（清朝）外交部申诉，自己再不负责。"经过这样威胁，鄂托克旗札萨克屈服了，"最后处理是中国官吏严加惩办破坏圣像的罪犯，关于赔偿问题，是由鄂托克蒙古王爷赔偿教友一大块土地，作为了结。"②

　　教会通过租、卖不断占有蒙地，引起了蒙旗与教会的矛盾。到清后期，蒙旗的私租私垦，虽成为司空见惯，但无论何人公开出卖土地都是法令所不允许的。所以，教会租赁、购置蒙地，不仅引起蒙旗王公札萨克的忧虑而且遭到牧民群众的普遍反对。

　　达拉特旗得知张汝擅自向教堂抵押土地的事后，派官员进行调查并阻止教民垦种小淖地。达拉特旗还向绥远城将军和萨拉齐厅同知致函提出：眼下我等蒙古人尚不至于将土地卖给洋人，故请将军等尽快审理此案，以免封禁牧场被开垦。③

　　乌审旗喇嘛鹏苏克道尔吉、台吉达木林色旦等卖房产给城川教会的事，在乌审旗曾引起轩然大波，两百余名蒙人持械闯入城川教堂殴打教士，几致酿成血案。后来，由于伊克昭盟盟长、延榆绥道吏等出面干预，才避免了冲突的升级，并使双方达成了协议。光绪二十四年十月二十二日（1898 年 12 月 5 日），乌审旗与城川教会订立协议规定：（1）今后蒙旗要依照法律（指遵守清朝政府与列强签订的条约——引者）保护教堂；（2）蒙古人犯事后，若入教逃匿，由蒙官前去索回，教会不得袒护；（3）如有蒙人情愿入教者，蒙旗不得阻拦；（4）蒙古人买卖土地，为朝令所禁止，嗣后教会欲购置（蒙古人）房产，须先禀报蒙官商定。④ 由此可见，蒙旗在保证教堂"合

---

① 内蒙古档案馆准格尔旗札萨克衙门档案，卷80。
② 彭嵩寿：《闵玉清传》（第3章），内蒙古图书馆藏手抄本，第103页。
③ 内蒙古档案馆准格尔旗札萨克衙门档案，卷71。
④ 内蒙古档案馆准格尔旗札萨克衙门档案，卷80。

法"利益的同时，也试图防止教会损害蒙旗权益，并根据清朝的封禁牧地令，阻止教会随意购置蒙地。

蒙古人一旦入教，往往不受蒙旗约束，甚至不向王爷和旗里尽属民的义务。这是蒙旗所决不愿意看到的。义和团运动期间，伊克昭盟各旗乘乱将城川的蒙古教徒都赶回了各自旗内。后来，由于传教士的一再交涉，各旗才将蒙古教徒放回去。① 光绪二十七年（1901 年），各方在宁条梁商议乌审旗赔教款时，商定先由陕西省方面负责从库款中拨出 28 000 两银，将小石砭儿地赎回，然后由乌审旗将其境内一碱湖出让给陕西省以抵偿赎金。② 这样，乌审旗终于将喇嘛鹏苏克道尔吉等擅自卖给教堂的土地要回来了。这说明，蒙旗宁愿让汉人租用土地而不愿将土地卖给洋教堂。

（2）清末蒙旗教案与赔教地的割让

天主教在塞外的传播，给内蒙古地区注入新宗教信仰和一些西方先进的东西的同时，也给当地社会造成了许多新的矛盾。主要是由于教会占有地的不断扩大，教会与蒙旗之间，教民与蒙民之间，教民与非教汉民之间形成了错综复杂的矛盾和冲突。因此，在光绪二十六年（1900 年），义和团运动期间，内蒙古地区爆发了规模空前的反洋教运动。当时，在内蒙古东西部各地的反洋教事件中，有十余名外国传教士和数千名教民被杀死，大部分教堂被捣毁。当时在伊克昭盟境内，就有若干传教士和数百名教民被杀死。

《辛丑条约》签订后，在清朝政府的积极配合下，教会向蒙旗索取巨额赔款。伊克昭盟各旗中，达拉特旗赔款 370 000 两，准格尔旗 27 000 两，鄂托克旗 84 000 两，乌审旗 45 500（后因宁条梁教案加赔 5 000 两），札萨克旗 14 000 两。③ 上述各旗，除了缴现银和以牲畜作抵外，剩余部分概以土地为抵押。

达拉特旗以河套乌兰卜尔地（亦称黄土拉亥渠地）2 095 顷（除去沙碱之地，可耕地 1 400 顷），连同房院抵银 140 200 两；后又交大淖尔地 76

---

① 伊克昭盟（现鄂尔多斯市）档案馆杭锦旗札萨克衙门档案（2），卷 1011，第 494 页。

② 杨海英编：《国外刊行的鄂尔多斯蒙古族文史资料》，内蒙古人民出版社 2001 年版，第 15 页。

③ 贻谷：《绥远奏议》，内蒙古大学图书馆藏手抄本；朱金甫等：《清末教案》第 3 册，中华书局 1998 年版，第 105—115 页。

顷，抵银 7 700 两。绥远城将军信恪由晋省借银 26 500 余两，达旗自筹现银 5 000 两，共抵赔款 179 000 余两银子。下欠 190 000 两银，达旗实在无力在限期内凑齐，该旗札萨克贝子不得已想只交萨拉齐以南濒临黄河的一段地（即四成地），以抵欠款。但教会愿意得现银不愿收土地，双方僵持不下。这时，来绥远督办蒙旗垦务的垦务大臣贻谷出面调解，他与西路垦务公司商量后决定，先由达拉特旗追加地亩给教会，再由垦务局出现银赎回放垦。于是达拉特旗交出了四成地，又补交了河套长胜渠一带土地（亦称四成补地）。两处共得净地 2 645 顷 22 亩，共计抵银 17 万两，全由西路垦务公司向教会交付现银。所剩余 20 000 两赔教欠款，仍由绥远城将军代筹付清。① 这样，拖延数年的达拉特旗赔教一案终告完结，垦务大臣贻谷也以此为契机敲开了放垦蒙地的大门。

鄂托克旗以城川、小桥畔一带十一处，② "东西狭长约八十里，南北宽约二十里"，据估计约以 2 600 顷土地抵赔款。③ 乌审旗付现银 5 000 两，出让碱湖一处（察干淖尔碱湖）抵赔款，后陕西巡抚出银 45 000 两，将碱湖赎回归陕。④ 札萨克旗也因无力筹措现银，以土地抵款。准格尔旗只交黄河以南翟林窑子等六村 300 顷地抵赔款，但教会拒绝收地而要求得到现银。后来，垦务局代准格尔旗还清了赔款，但垦务局以翟林窑子、噶布尔河头等六村地不足 300 顷为由，迫使准噶尔旗将其南部的黑界地交给垦务局放垦。⑤

赔教地，不同于地商包租的地亩，也不同于一般地户的永租地，是完全卖出的土地，所有权归教堂。光绪三十年四月十六日（1904 年 5 月 30 日），达拉特旗与天主教堂订立的一份卖地合同中规定：

（1）达拉特旗无力筹偿现银，共同面订将本旗大淖德和泉净地 76 顷做

---

① 宝玉：《赔教地始末》，载于内蒙古自治区档案馆编：《内蒙古垦务研究》，内蒙古人民出版社 1990 年版。

② 光绪二十七年（1901 年）7 月 19 日，鄂托克旗把图古黑·托古里木一直到该旗东界即直到阿玛萨里因·苏伯连同包括察罕·堆子界标在内的土地卖与教会。两年以后，光绪二十九年（1903 年）4 月 2 日，这一旗把城川一直到与乌审旗有共同疆界的平原出让给城川天主教会。见约瑟夫·藩·赫肯：《蒙古两旗的争端与天主教传教士所起的作用》。

③ 戴学稷：《西方殖民者在河套鄂尔多斯等地的罪恶活动》，《历史研究》1964 年第 5、6 期。

④ 朱金甫等：《清末教案》第 3 册，中华书局 1998 年版，第 244—246 页。

⑤ 内蒙古档案馆准格尔旗札萨克衙门档案，卷 85、87。

抵，每亩作银 1 两，共抵偿银 7 600 两，归教堂永远耕种，无有租项，两出甘愿，永无更端。

（2）从前大淖德和泉地段内如蒙、汉人等租地垦地，一切约据作为废纸，均无所用。

（3）达旗阁境蒙古官民人等，永远不向天主堂追索租项，有公据作证。

（4）经此次公同议定合同，达拉特旗委员画押，该旗贝子盖印，天主堂教士、绥远城将军、商办委员均画押，以为信守。[①]

巨额赔款和大片土地的占有，为教会势力迅猛发展提供了雄厚的物质基础。与此同时，清政府推行蒙垦并没收河套地商的租地、渠地之后，[②] 原先在蒙汉土地交易中发挥主角作用的地商势力受到了极大的压制，这又为教会势力的进一步发展提供了有利的时机。于是各教堂广招教民、增设教堂，加紧扩展势力。到光绪三十一年（1905 年），包括伊克昭盟各旗在内的西南蒙古教区已扩展到大小教堂 30 座，教徒近万人。[③]《调查河套报告书》认为，后套西部地区割与教堂的赔教地两千顷，但实际落入教会的土地达 10 000 多顷。传教士又"逐渐伸张私向蒙人租种延至黄河西岸阿拉善地三圣公一带，于是黄杨木头以西南北二百余里，东西百余里之间皆入洋人之势力范围"。[④]

除了极少数蒙古教徒，口外教民绝大部分是汉族移民，所以教会所占有的土地，必然为汉族教民所承种。教会得到达旗黄土拉亥渠地后，"又出资在马厂地、高二圪旦以上，另挖新口，将黄河引入旧黄土拉亥河内，并将该河从新修洗，以资浇灌满会（即蛮会）及陕坝附近地亩。以故附近地亩皆可开辟耕种，而晋陕两省人民因种该教会地亩不出费用，亦先后前来，村庄林立。"[⑤] 垦务大臣贻谷曾深有感触地说过："不入教不足以得地，一入教并

---

①　《清末内蒙古垦务档案汇编》，内蒙古人民出版社 1999 年版，第 955 页。

②　贻谷：《蒙垦续供》称：王同春所报地 15000 项曰永租地。王同春之子王喆所著《王同春先生轶记》一文则称，派垦务局强迫其将土地、渠道交给国家。王同春被迫交出水地 8000 余顷，熟地 27000 余顷，大渠 5 道，支渠 270 道，房舍 18 所。见顾颉刚：《介绍三篇关于王同春的文字》，《禹贡》半月刊第 4 卷第 7 期，1935 年 12 月。

③　李枚：《拳祸记》下册，上海土山湾印书馆 1923 年版，第 318 页。

④　潘复：《调查河套报告书》，北京京华印书局 1923 年印行，第 174 页。

⑤　王喆：《后套渠道之开浚沿革》，《禹贡》（1936 年）第 7 卷第 8、9 合期。

可以制人，至受制于人而入教保其身价者，更不知凡几矣。就现在论，教已多于庚子之前，再十数年势必无人不教，无地不教。"所以他指出："惟有将各该旗地，除分别划留牧地，详定里数若干外，尽数及早开放，俾领户不由地商之手，均可赴官局报垦，交纳押荒，便行指拨，庶蒙地不尽化为教产。"① 教会从蒙旗购置的土地虽称教产，但实际耕种土地并受益的还是众多的汉族教民，因此可以说，教会实际上扮演了蒙汉之间的土地"中介人"的角色。

还有一部分土地是清政府推行放垦蒙地后，由垦务公司出钱从教会赎回后又令汉族农民缴价承领的。这些土地在所有权关系上直接转变为汉族农民的"恒产"，凡缴纳押荒银（即地价）承领土地的民户，垦务局都发给由户部颁发的土地执照"俾得永为己产"，以保证其合法所有权。② 汉族地户取得土地所有权，就意味着管理汉民的口外地方官厅辖境的拓展和所征田赋的增多。垦务大臣贻谷向清廷汇报达拉特旗赔教案的办理情况时说："公司出款十四万金，赎回赔教地二千余顷，隶入版图（意即"割于蒙而复归于晋"——贻谷原话），为晋疆辟地百余里，为每岁增赋数千金。"③ 这段话的意思是，垦务公司已出资将达拉特旗抵押给教会的两千顷土地（即四成地一段和四成补地）赎回。此地现已归领户所属之晋省萨拉齐厅，故所征田赋已归该厅征收。由此可见，庚子事变后的短短几年内，在清政府的强力干预和教会的大肆索赔下，大量的蒙旗土地和牧地，以一种非常特殊的途径转移到了塞外诸厅县和汉族移民的手中。

总之，在清末几十年内，天主教会在鄂尔多斯地区传教过程中，通过各种方式大量占有土地，广招教徒，不断发展壮大，最终变成了在鄂尔多斯、河套地区势力强大的地主。天主教在鄂尔多斯地区的迅猛发展，对于大片蒙旗牧地通过教会之手，最终转变为汉族移民承种或实际占有的耕地发挥了至关重要的作用。

（二）新教的传播

新教是基督教的重要分支，其在近代的绥远地区也有所传播，但无论规

---

① 贻谷：《垦务奏议》，《光绪二十九年十一月六日附片》。
② 《清末内蒙古垦务档案汇编》，内蒙古人民出版社 1999 年版，第 407 页。
③ 《中国近代农业史资料》，三联书店 1957 年版，第 837—838 页。

模还是影响都远逊于天主教。新教力图打破与封建社会相适应的教阶制，各教派之间互不统属，其传教重点在于城镇。在绥远地区传教的新教教士有英国人、瑞典人和美国人。

光绪十三年（1887 年），英国教士华国祥在归绥水渠巷商家永宁号院内，"租房立会，榜曰耶稣教堂"，这是绥远地区所建立的第一个新教教堂。光绪十八年（1892 年），瑞典人鄂礼顺率领由六十余教士组成的"大美宣道会"来绥接办教务，逐步使耶稣教堂推及绥远四境各厅、镇。在庚子年反洋教运动之前，包头、沙尔沁、萨拉齐、察素齐、毕克齐、托克托、和林格尔、宁远、丰镇、可镇、保尔和少以及归化城之东顺城街、小西街、圪料街、外罗城等处都依次创立起了分堂。光绪二十六年（1900 年）后，"归化各地耶稣教务，统改隶瑞典国协同会管理，而大美宣道会之名，遂于此终止云。"① 之后在绥远地区的传布实际上由两个团体掌握，一为瑞典国内地协会（Swedish Inland Allincemission），一为美国协同会（American Allincemission）。

新教与天主教相比，其礼仪简洁，宗旨革新，更具有积极进取的资本主义精神，其传教士一般具有较高的科学文化素养，与天主教教士相比，其思想也更为开通。因为新教传教的重点在城镇，在绥远地区除五原的扒子补隆等少数教堂外，一般教堂并非专以土地吸纳教民，新教的传教方式与天主教有诸多不同之处，且更加灵活多样。

其一，注重拉拢知识阶层。英国教士在归绥建堂后于每周日宣道一次，但效果不佳，于是改用"征文之法"，即由教会出题，出银悬赏文人作文。大美宣道会组织教士"在街头巷口散发华文劝世文及赠送福音书……"，②考虑到绥远地区较落后的教育状况，这些宣传品的对象显然是受过教育的知识阶层，其目的在于"罗致我国知识分子，更藉此以广号召耳。"③

其二，注重以西方近代科技为媒介发展教务。绥远地区的新教教会，几

---

① 绥远通志馆：《绥远通志稿》卷 58，《宗教·耶稣教》，20 世纪 30 年代稿本。

② 《归绥市基督教之史略》，呼和浩特市人民委员会宗教事务处档案，转引自戴学稷：《"光绪二十六年正，绥远到处起神兵"——洋教士的罪恶和义和团的反帝运动》，《内蒙古大学学报》1959 年第 1 期。

③ 绥远通志馆：《绥远通志稿》卷 58，《宗教·耶稣教》，20 世纪 30 年代稿本。

乎每一个教堂都设有医院或诊所，如归绥市之耶稣教堂在创办之初便"于东顺街三星成巷内赁屋设医院一所，民间观望已久，疑忌稍释，渐有前往就医者，于是耶稣教之名，亦因以渐著……"，医学在与异质文化相接时，具有极强的穿透力，传教士正是利用这一点，希图通过"治病"以达到"收心"的目的；凉城县的耶稣教堂"设立药房，除以西法诊疗外，并为民众戒烟……除用各种新法传教施医外，兼办铅字印书局，承印各式书籍文件，藉利宣传"；① 萨拉齐的耶稣教堂附设有工厂，"有技师教技术，男学徒织布带、毛巾等物品，女学徒织地毯、花边并刺绣。"②

其三，放松教义的限制，迎合中国人的文化习惯。英国教士华国祥在归绥传教时，"以幻灯影片放映于财神庙东楼上，夜间开演，不收票费，候群众既集，辄乘时宣传耶稣教义，劝人信奉……"。③ 财神是国人敬拜的偶像之一，而不崇拜偶像则是基督教的戒条，之所以采用这种形式无非由于财神庙是当地人聚会、娱乐的公共场所，聚集有广大的受众。扒子补隆教堂所设的小学校，除教授学生基督教教义之外，还学习《三字经》、《百家姓》、《千字文》等中国传统启蒙读物。④ 萨拉齐的鄂牧师，"非特语言、衣冠纯效华风，甚至西人所最耻之清制发辫，亦坦然蓄之……"。⑤

二、教民皈依原因分析

"皈依"是指人们进入某种新的宗教信仰状态的转折过程，入教动机分析的价值在于它能够比较集中而典型的反映教徒的特定的民族文化心态。张鸣、许蕾在《拳民与教民》中将教民入教的动机划分为家庭（家族）影响型、世俗功利型、政治需求型等诸多类型。⑥ 根据史料对绥远地区民众皈依基督教的原因做如下分析：

其一，世俗功利型。绥远的农民大多来自山西、陕西等中原地区，初至

---

① 绥远通志馆：《绥远通志稿》卷58，《宗教·耶稣教》，20世纪30年代稿本。
② 曹毅之：《内蒙古西部地区基督教之沿革》，《内蒙古文史资料》第23辑，第206页。
③ 绥远通志馆：《绥远通志稿》卷58，《宗教·耶稣教》，20世纪30年代稿本。
④ 董玉奇：《安北基督教会史略》，《巴彦淖尔文史资料》第6辑，第252页。
⑤ 绥远通志馆：《绥远通志稿》卷58，《宗教·耶稣教》，20世纪30年代稿本。
⑥ 张鸣、许蕾：《拳民与教民——世纪之交的民众心态解读》，九州图书出版社1998年版。

荒凉的塞外，衣食无着，更谈不上掌握基本的生产资料和工具，地权又集中于蒙旗、地商、教会之手，所以入教而领得一份耕地成为移民谋生的一个简单的选择。传教士固然以教义宣化教民，同时他们也深知"传教的对象是人，人不能吃空气生活"，① 所以"要很好的传教，就要打闹土地"，② 而凡是教堂的佃户都必须奉教，这种以土地吸纳教民的模式收到了极大的成效。传统中国人的性格是看重实际，教会一方面感到"彼辈不甚热心（奉教），却甚好财"，③ 另一方面又为"用一百个法郎就能收买一个中国人的灵魂"④ 而兴奋不已，是以往往投其所好。后套扒子补隆的耶稣教堂"礼拜日聚会讲道时，蒙古人前来听道，教会预备饭食招待，并送给每一个人现洋一元，以广招徕。"⑤ 教会这种以实利促进传教的现象是很多的，所以，绥远有一首民谣流传道："为什么信教？为了铜钱两吊；为什么念经？为了小米三升。"⑥ 有的地方甚至直称基督教为"糜子教"，教会也将这些为谋生而入教的教民称为"糜子教友"（The Rice Christians）。

绥远境内虽有黄河穿过，但大部分属于干旱、半干旱地区，一旦天雨不调，则有酿成灾荒之虞，衣食无着的灾民是教会的重要传教对象。正所谓"水旱频仍，农村破产，于是一经各地司铎以堂产诱人入教，则民之归之，犹水之就下，沛然不可遏止矣。"⑦ 近代绥远几乎每一次较大的灾荒都导致大量的灾民投入教堂。

光绪初年的"丁戊奇荒"中，天主教士陆殿英接办而驾马梁的传教工作，"适值奇旱，陆公大施赈济，每人所得，几足一年之食，是以向化之汉人，较前更为拥挤"；光绪二十五年（1899年），绥远萨拉齐一带"霜落过早，田禾为之尽毁，加以一九零零年春，地气干燥，无法耕种，故一八九九

---

①　王守礼：《边疆公教社会事业》，付明渊译，上智编译馆1950年版，第59页。

②　彭嵩寿：《闵玉清传》，内蒙古图书馆抄本，第105页。

③　常非：《天主教绥远教区传教简史》，内蒙古图书馆藏手抄本，第24页。

④　穆清海（L. Morel）语，转引自戴学稷：《西方殖民者在河套鄂尔多斯等地的罪恶活动》，《内蒙古近代史论丛》第1辑，内蒙古人民出版社1983年版，第71页。

⑤　曹毅之：《内蒙古西部地区基督教之沿革》，《内蒙古文史资料》第23辑，第210页。

⑥　《绥蒙土地问题研究提纲》，第23页，转引自戴学稷：《西方殖民者在河套鄂尔多斯等地的罪恶活动》，《内蒙古近代史论丛》第1辑，内蒙古人民出版社1983年版，第71页。

⑦　绥远通志馆：《绥远通志稿》卷58，《宗教·天主教》，20世纪30年代稿本。

年之冬，一九零零年之春，趋来求赈，而愿记名奉教者，屈指难数……此适为二十四顷地一带传教速率最高之一年"；后山合窑一带宣统二年（1910年）荒歉，"德明善司铎大施赈济，感化奉教者有二百四十余人"。① 内蒙古西部曾流传着这样一段描述农民向教堂乞地的民谣："天主圣母玛利亚，热身子跪在冷地下，神父！哪里拨地呀？"② 这种夸张和带有讽刺性质的描述实际上恰恰反映了农民入教时真实的心理过程。教会对于灾民入教以求赈济的动机并非不知，曾有一个教徒这样回答："神父你看，你也懂得，如果我还有些口粮的话，我决不来奉教"。③ 教会接纳这些灾民，从宗教意义上是为了"增加自己心灵上的孩子，和他们打成一片，以自己的品格打动他们的心……"，从现实意义上，则是借机壮大教会的势力。所以说灾荒对难民来说意味着饥馑、痛苦和不幸，而对于千方百计拉拢教徒的教会来说则未必然。如宣统二年（1910年）的大旱之年，有教会人士记载道："正值天年歉收，造成大事开教之动机……（二十四顷地教堂）在任三窑子附近各村……大事宣教，教务因之猛进，是冬共有领洗入教者三百余人，打破前此后此所有之记录"，④ 字里行间流露出来的是收获信徒后的成就感和振奋的情绪。

另一部分投靠教堂的难民为"痴呆残废之成年人，或无依无靠之老人……所收容之老媪，以及残废者，率为被遗弃而无人供养者，而老叟则多染有鸦片嗜好，而卖妻鬻子破产之流，此辈之多，可达收容者之百分之八十以上。"1936年，绥远教区各堂口"共收有男女老人及残废者，约一百三十余人"，分别在迭力素、二十四顷地、小巴拉盖设有安老院四处。⑤

其二，政治需求型。近代以来，随着清王朝的衰落和西方列强的入侵、不平等条约的缔结，中央权力控制体系趋于不断松动的状态，具体到绥远地区，则非但官厅和盟旗构筑的二元统治结构处于清王朝专制体制的边缘位

---

① 常非：《天主教绥远教区传教简史》，内蒙古图书馆藏手抄本，第43、46—47、81页。

② 彭嵩寿：《闵玉清传》，内蒙古图书馆藏手抄本，第247页。

③ ［俄］波兹德涅耶夫：《蒙古及蒙古人》第2卷，刘汉明等译，内蒙古人民出版社1983年版，第192页。

④ 常非：《天主教绥远教区传教简史》，内蒙古图书馆藏手抄本，第96—97、114页。

⑤ 常非：《天主教绥远教区传教简史》，内蒙古图书馆藏手抄本，第13—14页。

置，且各种地方性的社会组织又非常不健全，为教会势力的渗入制造了空间。教会以条约为护符积极扩张、逐渐坐大以后，在某些地方形成了地方性权威，神父或牧师成为当地的实际统治者，甚至达到了与官方分庭抗礼的地步。是以有人图谋依靠教会达成自己的政治保护及其他需求，教会则愿意提供这种保护，以吸纳教民或牟取其他利益。

19 世纪至 20 世纪初，是内地破产农民大量涌入绥远的时期，但由于清王朝的民族隔离政策，在清末官方放垦以前，进入蒙地的汉人实际上处于非法的状态。《理藩院则例》明确规定："口内居住旗民人等，不准出边在蒙古地方开垦地亩，违者照私开牧场例治罪"，又规定："凡王、贝勒、贝子、公、协理台吉塔布囊、台吉塔布囊、官员、平人，如将封禁牧场私令民人垦种者，照私募开垦地亩例，仍分别曾否得受押荒银钱，各加一等治罪。"① 因此这些"非法"移民处境并不安定，时刻面临着受到驱逐的危险，而投入教会不但能够分得一块土地，还能够改变这种处境，为自己的身份安全找到坚强的依托。

基督教教士在近代中国取得了相当的政治特权，在传教进程中又将这种特权延伸到中国教民身上。一些在传统社会中因各种原因而需要庇护的民众为此皈依了基督教。清末李林《拳祸记》载官地营子村有赵某因拒缴戏捐，导致"邻里共愤，起与为难"，后"幸教士护之，始得免祸"，遂全家受洗入教。② 在其皈依过程中，天主教会可以"抗捐"的特权无疑发挥了重要作用，使赵某一举扭转了不利局面。又如乌审旗台吉当木令才当，为人懦弱，他族垂涎其祖传土地，"乌审盟长又任意偏袒，当木令才当心怀怨望，遂投入天主教……"。③ 可以看出台吉之所以入教，乃由于在地方上唯有教会方可与"任意偏袒"的盟长在政治上相抗衡。有些身背巨债而无力偿还者，因怕吃官司而投靠教会寻求庇护。萨拉齐缸房营子名张殿蛟者，有子不肖，嗜赌博，荡家产，张遂向众申明"嗣后其子之赌债，盖不能承认，一面愿

---

① 《钦定理藩院则例》卷10，《地亩》。
② 李林：《增补拳祸记》，上海土山湾印书馆，宣统元年（1909 年），第307 页。
③ 《陕西巡抚升允奏报筹办小石砭蒙洋争地情形折》，《清末教案》（三），中华书局1998 年版，第521 页。

奉天主教……"；又有双泡子村村民王大成，避债潜居于程奎海子（教民村），"与教友往还，而听道奉教……"。① 在这两例中，教徒借助教会的特权保护摆脱了麻烦。

其三，家庭（家族）影响型。家庭是传统社会中最基本的单位，以家庭为单位结合而成的家族一向是传统中国重要的社会组织形式，绥远虽为移民社会，少世家大族，但迁来的汉人仍然注重血缘关系，保持了聚族而居的习惯。如有教徒太原人韩某，咸丰年间来归绥经商，成家后定居城北三合村，"旋又有其同族之韩姓教友数家，亦由太原搬来，置地立业，而居于是。"② 由于家族制度的稳定性和严格的家长制度，家长一旦入教，往往会出现举家或举族入教的现象。

前述《拳祸记》所载官地营子村赵家，因抗戏捐激起公愤，得教会庇护后，"全家三十余口，习道受洗，遵循教例"；土默特地方有一妇女教徒，"于未进教时，性因执久不肯进教，其弟数一劝，遂亦奉教"；③ 据档案，丰镇沙钞儿村有教民"南老二、南世金、南世亮、南世祥、南世发等"，④ 这显然是一个典型的基督家庭。教会也意识到家庭影响的重要性，甚至以婚配作为手段促进教义的传播。光绪二十六年（1900 年）夏，二十四顷地遣送女婴（这里指教会婴儿院收养的已到婚配年龄的女孩）四十余名，"往三道河子择配出聘，此亦谋新奉教者之家庭公教化之良方也。"⑤ 至于居于教民村的教徒，其子女出生以后自然而然会领洗入教。

其四，心理需求型。宗教是一种以对自然、超人间的力量或神灵之信仰与崇拜为核心的社会意识。作为一种讲求"爱"的宗教，基督教慈祥的圣母、超性的圣神、极乐的天堂在苦难的社会中尤其显得温暖，获取心理安慰也是许多教徒入教的动机之一。

相对形成于国外的基督崇拜，传统中国人对于宗教的态度并不虔诚，但

---

① 常非：《天主教绥远教区传教简史》，内蒙古图书馆藏手抄本，第 89、113 页。

② 常非：《天主教绥远教区传教简史》，内蒙古图书馆藏手抄本，第 117 页。

③ 李林：《增补拳祸记》，上海土山湾印书馆，宣统元年（1909 年），第 305 页。

④ 《步军统领衙门为山西丰镇厅民蒋协众京控教民恃教害众事咨外务部文》，《清末教案》（三），中华书局 1998 年版，第 388 页。

⑤ 常非：《天主教绥远教区传教简史》，内蒙古图书馆藏手抄本，第 47 页。

在日常生活中保留了大量原始初民巫术的遗风，注重世俗功利的"求索型"信仰使乡土社会百姓普遍参与一些形成风俗的准宗教生活，如拜佛、求子、乞雨、祭祀等。张鸣、许蕾在其著作《拳民与教民》中指出，传统的信仰之中，佛教的轮回转世，道教及其他神话传说中关于天堂、地狱的描写，形成了中国式的"彼岸说"。近代社会的动荡则给人们造成了世道莫测的焦虑感，而基督教描绘的"天堂"作为信徒的终极目标使得因果报应、生死轮回的循环不复存在，在一定程度上解决了每一个人都要面临的生死哲学的考问，促成了一些人由传统信仰向基督信仰的移情。①

《拳祸记》所载土默特地方有教徒名柴崇堂者，未入教时"多年欲知身后事，遍访僧人，惑终不解，偶遇天主教司事，与之谈，辄觉恍然，遂入教"，这是一例典型的宗教"移情"。又有教徒名乔印斗者，"初为密教首"，入教后又劝化原教门中 300 人入教。教徒名薛天厚者"向吃菩萨斋甚诚"，②后入天主教。并不是说这些人入教丝毫没有其他意图，但他们本就有的对于生命的思索和对于彼岸的需求无疑是重要的因素。三边一带曾有一个长工为教士闵玉清拉了十几年骆驼而不入教，后来在西营子（南壕堑）看见了一个"西洋式的山沟"，以为从人间进入了天堂，回来后便受洗进教。③ 光绪二十六年（1900 年），反洋教运动中，小淖尔村有教民白保并未逃走，而是确信"为天主教致命，系百年不遇之良缘，当妥备灵魂，以得致命之荣。"土默特有一陈姓教徒在被执后，面对拳民的刀枪，鼓励他的侄子说："儿不怕，片刻即可升天，享福无穷矣"，又说："受一日之苦，享无穷之福，大幸事也。"④ 在高于生存本能而低于逻辑运筹的信仰状态下，乡民对于天堂的追求，与对"福"的认知交织在一起，从苦难的生活和迷茫焦虑中得到了"拯救"。⑤

---

① 张鸣、许蕾：《拳民与教民——世纪之交的民众心态解读》，九州图书出版社 1998 年版，第 194 页。

② 李杕：《增补拳祸记》，上海土山湾印书馆，宣统元年（1909 年），第 306—307 页。

③ 刘映元：《天主教在河套地区》，《史料忆述》第 1 辑，内蒙古自治区文史研究馆 1968 年版，第 43—44 页。

④ 李杕：《增补拳祸记》，上海土山湾印书馆，宣统元年（1909 年），第 329、306 页。

⑤ 这些记述都来源于教会的记载。我们不排除教会人士对某些事例的夸大，但同时也不能否认一些人是从信仰的角度出发皈依基督教的。

三、基督教传播与近代绥远社会的冲突与分化

在 1840 年列强入侵之前，传播于中国的基督教是依附于中央政权而存在的。近代以来，基督教以炮舰为后盾，以条约为护符积极扩展势力，力图全方位支配中国社会。基督教会本身是一种严格的规范组织，西方式价值观的内化使其实现了对血缘和地缘关系的超越，是以它既要管理宗教事务，又要广泛干预世俗生活。在近代以来的基督教传播过程中，绥远地方乡村社会发生了引人注目的冲突与分化。

（一）实际利益的冲突

教会大规模地租借、购买和强占土地是从光绪二十一年（1895 年），中法签订《柏尔德密协定》开始的，这一协定实际上是对 1860 年《中法条约》中法方私加条款的确认。"是年（光绪二十一年），山西抚藩两部准兵部火票递到总理各国事务衙门咨略谓，嗣后法国传教士如入内地置田地房屋，契内写明立契卖产人姓名，卖为本处天主堂公产字样，不必专列传教士及奉教人之名，亦毋庸固执先报明地方官之说，致滋争论，转饬一体照办。复经晋抚刊发布告张贴，俾众周知，至是教民时出重价购地，官厅不再过问，侵略已开其端，民教相仇渐甚，各属田房纠葛时起，讼狱繁兴……"。①

土地是绥远地区天主教的生存之基，是以教会为获取土地往往不择手段，从而为自己赢得了"地主堂"和"地耙子"的口碑。光绪十八年（1892 年）绥远大旱，集宁黄羊滩教堂乘机出资购地，"每亩仅用钱七钱，然视常值已超出一倍，人民于灾歉之余，不计是非，惟贪善价，遂纷纷然群起售地，未浃旬教士已购地二十五顷之多"；② 光绪元年（1875 年），教士德明玉在三道河租得蒙地三十多亩，只付五块砖茶、五石糜子为租金。③ 传统游牧社会对于土地的四至并无严格的界限，教会往往借此敲诈蒙旗。如鄂托克旗王爷曾向西南蒙古教区主教闵玉清借银三千两，以巴印图亥东西宽三

---

① 绥远通志馆：《绥远通志稿》卷 60，《教案》，20 世纪 30 年代稿本。
② 绥远通志馆：《绥远通志稿》卷 58，《宗教·天主教》，20 世纪 30 年代稿本。
③ 戴学稷：《西方殖民者在河套鄂尔多斯等地的罪恶活动》，《内蒙古近代史论丛》第 1 辑，内蒙古人民出版社 1983 年版，第 68 页。

十里、五十里不等，南北长四十里的一段草地作为抵押，后因到期不能偿还，这块土地遂为教堂吞没。① 可以说，教会租买土地的方式具有十足的欺骗性。

和其他殖民地半殖民地国家一样，"传教士刚来我们的国家时，他们有圣经，我们有土地，现在，我们有圣经，他们有土地。"② 西南蒙古城川一带草场被教会开垦后，失去牧地而不愿入教的牧民"被迫迁往城川以西以北的布拉格、召皇和更远的阿尔巴斯等草场"。③ 这实际上已经为庚子年三边地区猛烈的反洋教运动埋下了仇恨的种子。二十四顷地教案即因土地争端引出九人的命案，导致官方与民间力量联合起来对教堂的集体报复。庚子年中外议和后，教会在绥远地区获得了巨额的"赔教地"，在实际测量划分过程中，教会又往往恃强多划多占，如后套地区割与教会赔教地 2 000 顷，但实际落入教会的土地达 10 000 多顷，④ 远远超过议定的原数。托克托厅"阖境良民，稍有饭吃者，几无一村一家不被教民讹诈殆遍，积怨甚深，祸机已伏……"，⑤ 归化城、托克托厅更是因此酿成命案。教民对普通教外人的敲诈使民教矛盾进一步激化，致使绥远地区反教流言四起，教民群体复又人心惶惶。

（二）基督教与绥远地方社会规范控制体系的冲突

社会学理论认为，冲突指的是个人与个人或群体与群体之间为了某种利益、目标等而相互斗争、压制、破坏以至消灭对方的方式与过程。⑥ 近代以来，随着基督教的传播，围绕其教义、仪规及宗教活动，组织成了一个包括教士和教民在内的新的群体。教民群体与传统的乡土社会逐渐分化，这种分化既然要试图超越地缘和血缘社会，就不可能绝缘于世俗生活的传统，与传

① 彭嵩寿：《闵玉清传》，内蒙古图书馆藏手抄本，第 237—243 页。
② 吴耀宗：《美帝国主义传教事业的"新策略"》，《人民日报》1962 年 2 月 2 日。另据 1937 年绥远省的统计，教会在内蒙古西部地区占有农田 500 万亩，转引自严中平：《中国近代经济史统计资料选辑》，科学出版社 1955 年版，第 267 页。
③ 陈育宁：《近代鄂尔多斯地区各族人民反对外国教会侵略的斗争》，《内蒙古社会科学》1982 年第 4 期。
④ 潘复：《调查河套报告书》，北京京华印书局 1923 年版，第 174 页。
⑤ 《清末教案》（三），中华书局 1998 年版，第 517 页。
⑥ 李芹：《社会学概论》，山东大学出版社 1999 年版，第 134 页。

统的社会规范发生了广泛的冲突。传统的社会规范控制体系主要包括三个方面：儒家伦理道德；佛、道宗教与民间信仰；传统的风俗习惯。① 基督教在绥远地区传播过程中与传统的规范控制体系发生了广泛的冲突。

以纲常名教为核心的儒学伦理道德是传统中国社会规范的灵魂，因为适应宗法制度的需要而为统治者提倡，为国人接受认可，甚至被神化为儒教，孔子被尊为圣人而进入庙堂，儒家学说广泛涉入家族、教育、选官、律法、习俗等范畴，成为维护社会秩序和调节社会关系的基本规范。归绥县建有文庙三处，"八月二十七日孔子诞日斋戒，不理刑名，禁止屠宰……演述孔子言行事迹以志景仰……"。② 绥远地区虽地偏塞外，又蒙汉杂处，在文化上也处于边缘位置，但儒家文化在汉族社会中仍处于主导地位。

和全国其他地方一样，异质文化竞争的法则使基督教传入绥远后向孔子的权威发起了挑战。光绪年间来归绥传教的耶稣教教士华国祥，以"征文法"罗致知识分子入教，"按期由教堂发出时务论题，任能文者，各就所见而畅言之，一若并时书院之课生、童生然，故凡应征而考列最举等，即可得奖银五十两，其余以次递减，均有酬赠……"，③ 教士的用心当然不是资助教育，而是借以罗致传统知识分子——儒生，从而扩大其影响，达到以耶稣取代孔子的目的。然而此法并未取得明显的效果，可见读书人对"异端"的自觉抵制。教士们亦深知儒家文化在汉人社会中根深蒂固，便采取了一系列调和措施，诸如穿着代表儒士风度的长袍马褂；教会学校所采用的教材中，《要理问答》等简明教义与中国传统的蒙学读物《百家姓》、《三字经》并行不悖。但这并不能弥补中、西文化传统上的鸿沟，基督教的"爱"基于爱神，儒家的"仁"更注重生命本体；基督教讲"原罪"，儒家讲"性善"；基督教追求"灵魂拯救"，儒家追求"天人合一"。入教士人不参加文庙祭祀，这在时人心中就是"傲视先圣"，所以知识分子入教者很少。

更为现实的是，基督教的某些观念以及教徒的行为与儒学倡导的伦理道

① 王守恩：《19 世纪后期山西农村社会的分化与整合》，载王先明、郭卫民：《乡村社会文化与权力结构的变迁》，人民出版社 2002 年版。

② 郑裕孚：《归绥县志》，《学校志》，1934 年铅印本。

③ 绥远通志馆：《绥远通志稿》卷58，《宗教·耶稣教》，20 世纪 30 年代稿本。

德颇多扞格。中国传统伦理讲求敬天法祖，敬宗收族，男女有别，长幼有序，在此种教化所建立的封建秩序下，国是家的扩大，忠是孝的延伸。基督教却反对祖宗崇拜，宣扬上帝面前人人平等，并男女混合进行礼拜等宗教活动。基督教这些"有悖人伦"的观念因为裹上了世俗利益的蜜糖具有一定的吸引力，但其在传播过程中终不免受到传统道德的克制、缓冲和过滤。萨拉齐何家库仑村村民闫杰、刘义二人在教堂记名奉教后，招致村人"极端讪笑"；即使是在一些基督教气氛浓郁的教民村，亦有"囿于民风，村中之妻女，多不学习教理"① 的状况；庚子"教难"中被贩往宁夏后被寻回的教中贞女，"尚有不愿回去（教堂）者"，"中途服毒，毙于堂外"，② 其名节观念与宗教情感的冲突爆发于一体的结果是：她们以一种"了断"的方式放弃了"升入天堂"的机会。

中国传统信仰的主体是社会权力控制系统倡导和认可的佛教、道教及其他民众信仰。佛道两教和儒学经过长期的冲突和融合，相互渗透吸收，逐渐形成了以儒学为轴心的合流。③ 与佛、道、儒所构建的"大传统"相对应，在民间更为活跃的是"小传统"，即多神信仰，这个体系包括天帝崇拜、祖先崇拜、圣贤崇拜及其他数不胜数的杂神。这种世俗化的大众信仰在伦理观念的阐发上与佛、道、儒的伦理精神基本一致，并且更加广泛地涉入民间生活，融教化、交流、娱乐于一体，对于维护传统社会的结构具有不可替代的作用。

由于历史传统的影响和清王朝的支持，藏传佛教在蒙古族民众中颇为盛行，"内蒙古地区的寺庙有 1 300 余座，喇嘛人数占内蒙古男子人数的40%以上。"④ 喇嘛教基本成为蒙古族全民信仰的宗教，几乎涵盖了蒙古社会政治、经济、文化生活的各个方面。传教士初来蒙古时，以蒙古人为传教对象，企图征服喇嘛教，不独诱导喇嘛入教，还遣派两名教士"由热河出发，用蒙民教友沙当金巴作向导，经归化城、萨拉齐南行，直奔拉萨，二位司铎

① 常非：《天主教绥远教区传教简史》，内蒙古图书馆藏手抄本，第99、70 页。
② 绥远通志馆：《绥远通志稿》卷60，《教案》，20 世纪30 年代稿本。
③ 王守恩：《19 世纪后期山西农村社会的分化整合》，载王先明、郭卫民主编：《乡村社会文化与权力结构的变迁》，人民出版社2002 年版，第81 页。
④ 孛尔只斤·吉尔格勒：《游牧文明史论》，内蒙古人民出版社2001 年版，第176 页。

之计划，乃在努力劝化佛教中心人物，皈依圣教，以求蒙民望风景从之奇效。"① 但这些努力几乎是徒劳，因为"要想和喇嘛教竞争，几乎是不可能的，蒙古人的宗教感情在佛教仪式中已得到了充分的满足，基督教在这方面已根本无法再向他们灌输一点什么新的或更多的东西了。至于说到基督教的教义，为了说明基督教的道德学说比佛陀的德行更为高超，就必须对这一学说作极为详尽的讲解，如果只是泛泛地解说，蒙古人就会觉得这两种学说都完全一样。"②

近代以来基督教在蒙古人中的传播只有城川和扒子补隆两处稍有成效，还是因为教会掌控土地并取得了王公们的支持，在其他地区则收效甚微。教会以十字架鼓励喇嘛们离经叛道，喇嘛教也曾以佛陀压制"异教"。庚子年反洋教运动中，阿拉善的蒙旗官员安九将教士们遣走以后，便"故意叫喇嘛到堂内唱经念佛"，③ 并将教会方殿宇赁屋，"或毁或焚，或改为佛庙"。④ 这种报复具有浓郁的宗教对抗的意味，可谓以彼之道还施彼身。

在汉族社区，与正统宗教相比，民间信仰在日常生活中扮演着更为重要的角色。近代绥远地区的民众信仰内容与山西等内地基本一致，民众信仰的特点是多塑像立庙，顶礼膜拜。如归绥县立有关帝庙、三贤庙、文昌庙、吕祖庙、东岳庙、城隍庙、龙王庙、三官庙、十王庙、财神庙、格根汗庙、玉皇阁、费公祠等，其中关帝庙有六处。⑤ 民众信仰的对象包罗万象，涵盖了自然神、社会神、人鬼神等不同层次，反映了民众的自然崇拜、行业崇拜，求财求福的心态，对忠义人格的推崇，由于融会了儒、释、道的多重教义，被概念化地称为"大教"。⑥ 这种复杂的信仰以求索型的功利主义为心理基础，是人际关系中的经验——"兼爱"，向神学世界的扩大和延伸。对处于统治地位的官方来说，民众信仰则是现实社会中的等级仪式在信仰中的重构，所以极为注重其教化功能和稳定社会关系的作用，如归绥关帝庙"春

---

① 常非：《天主教绥远教区传教简史》，内蒙古图书馆藏手抄本，第22页。
② ［俄］波兹德涅耶夫：《蒙古及蒙古人》第2卷，刘汉明等译，内蒙古人民出版社1983年版，第191页。
③ 彭嵩寿：《闵玉清传》，内蒙古图书馆藏手抄本，第182页。
④ 李杕：《增补拳祸记》，上海土山湾印书馆，宣统元年（1909年），第324页。
⑤ 郑裕孚：《归绥县志》，《神教志》，1934年铅印本。
⑥ 丁君陶：《今日的绥远》，上海三联书店1937年版，第63页。

秋二戊由都统致祭"，① 参加民众信仰活动甚至成为了地方官的公务。

村社之庙是社区集体的象征，逢庙神诞辰、重大节日及春祈秋报、禳灾庆丰，都要举行祭神仪式，并献演乐舞百戏，此即迎神赛会。"赛"在归绥地区是十分普遍的，如在咸丰年间城内即有如"二月初一二三日青龙社在财神庙，初七八九日大南街太平社在火神庙……又清明节有平安社在城隍庙，二三月间有陕西社在小东街关帝庙"。即以归化一城而言，"岁三百六旬，赛社之期十逾七八，此外四乡各厅尚难数指……"。② 这种普化信仰活动与制度化的宗教不同，演戏酬神往往使地方民众进入集体的狂欢状态。

反对偶像崇拜是基督教"十诫"之一，原本隶属乡村社会的民众一旦在教义的宣化下皈依天主，必然要在仪式上出离民众信仰：不崇拜偶像、不参加赛社、不负担赛社活动的捐款，即"不随社"，从而引发村社中的不和谐音。教徒"不随社"，这于乡土社会有多重意义。

其一，在世俗经验的层面上，社戏是既娱神又有自娱性质的一种大众娱乐活动。庚子年反洋教运动后，新任山西巡抚岑春煊在一篇照会各国公使的外务部咨文中阐述说："至乡社春秋报赛演戏，例所不禁，该教民各守教规，向无出演戏钱之理。其间亦有狡黠之徒，吝于出钱，勇于观剧，以至平民指摘，积怨愈深……夫演戏固因酬神，然亦人生悦目悦耳之具，究与敬神跪拜非可同论。"③ 20 世纪 30 年代对绥远 9 县 128 个乡镇的一份调查资料显示，几乎每乡每年都有唱戏酬神之举，一般春季为平安戏，在奶奶庙、关帝庙或龙王庙举行，秋季称"谢莪戏"，在龙王庙举行，有的每年要唱三四台戏。唱戏外，对于"龙王"还有"领牲"之举：各乡于每年春夏之季，集资买供品（一般是羊）祭献龙王祈雨，多者 4—5 次，少亦 1—2 次。唱戏酬神与"领牲"二者合计花费是相当大的，粗略估计一年即达 15 540 元。④ 不出戏钱而"勇于观剧"显然有违乡村集体的公平原则。皈依洋教的乡民，

---

① 郑裕孚：《归绥县志》，《神教志》，1934 年铅印本。

② 张曾：《古丰识略》卷 21，《赛社》，抄本。

③ 《山西巡抚岑春煊为请将教案善后章程第十一条内容照知各使事咨外务部文》，《清末教案》（三），中华书局 1998 年版，第 229 页。

④ 牛敬忠：《民国初年绥远地区汉族民俗概览》，《内蒙古大学学报》1996 年第 6 期，其中数字系作者据《绥远省各县乡村调查纪实》有关资料统计得出。

毕竟生长于中国传统文化环境之中，其审美趣味不可能绝对西方化或基督教化，报赛演戏显然比教堂中的赞美诗更有吸引力。

其二，在社会组织的层面上，迎神赛会是地区性的广泛的社会动员。在这一过程中，处于领导地位的地方绅士、名流要通过号召和组织确立或验证自己的权威，村社成员要通过捐款和直接参与来寻找或增强彼此之间的认同感。迎神赛会是村落社区自主整合的过程，甚至还有社区竞争的性质。教徒的"出离"行为则破坏了社区的团结，而教会却将基督教与民众信仰同视为制度化的宗教，"每因教友以教律不出迎神赛会拨款，亦如教外人不纳天主教堂建筑瞻礼费用，而无知愚民藉此与公教为难……"。① 社区的团结被破坏的后果是容易使出离村社的"异端"们成为集体仇视的对象。

其三，在超验的层面上，迎神赛会是一种人与神互相交流的过程。基督教崇敬的上帝是全知全能的至高神，而在传统的民间信仰中，神鬼都不是完美无缺的，人与神之间是可以交流的，神是可以被收买的。以祭品和献戏收买神灵，让他们获得物质上的享受和精神上的愉悦，可以换得神灵对人间的庇佑。教民无所贡献却惠其恩泽，显然有违公平。即使从相反的角度考虑，在普通民众看来，教徒的冷漠态度和"佛前不烧香，坟前不化纸"的行为随时会惹怒众神，而神对人的惩罚也具有普遍意义（如自然神），从而引发一种不祥的想象。

民俗作为世代相习的传承性事象，是民族文化的内核之一。传统的风俗习惯是儒家伦理道德和宗教信仰的模式化和活化，并在内容上作了相应的补充，对维系村社共同体的凝聚起着恒久的规范控制的作用。

基督教教条对教徒的生活模式有明确的规定，从洗礼、坚振到婚配、终傅等"七件圣事"贯穿于基督徒的一生，其中的某些仪规与中国传统风俗是背道而驰的，祈祷对祭祖、天足对缠足、终傅弥撒对亡灵超度，如此不一而足。教会婴孩院所收养的婴孩长成后要由教会主持婚配，其在绥远地区的出嫁程序为：男方必须是教民或入教以教民身份向教会提出申请；神父安排其与待聘女孩见面，一般是一男两女或三女见面，以提高相亲的成功率；双方同意后由男方提出结婚日期，神父在教堂宣布二人姓名及婚期，堂中教徒

---

① 常非：《天主教绥远教区传教简史》，内蒙古图书馆藏手抄本，第30页。

可以提出意见，结婚时要做"婚配弥撒"，由神父询问男女双方的意愿，彼此同意后婚礼开始。[①] 这一系列的婚礼程序在教外人看来简直是不可理喻的：相亲时一男三女见面是伤风败俗；"乡里婚俗中，最重要的仪式是祭告天地、祖先及向父母叩头，这个仪式郑重地标志着由一对夫妇联结成的纬线，从此附着于父系家族中经线的某一交叉点上，成为祖先谱系网络中一个固定的结"，[②] 婚礼时不拜天地、父母而由神父主婚，这是不孝；教会还常常举行集体婚礼，光绪二十六年（1900年），二十四顷地教堂甚至一次遣送长成的女婴四十余名，往三道河子择配出聘，这在时人看来无异于荒谬怪诞之举。

教徒在受洗后还领有西方式的"圣名"，如"比约"、"多玛斯"、"路济亚"、"德肋撒"等。后坝有孟万桢一家三口皆为教徒，按洗名称呼则为"孟安德肋"、"王玛大肋纳"（妻）、"孟奥斯定"（子），[③] 这与绥远地区长辈为晚辈命名的习惯是公然背离的。

（三）基督教对绥远社会权力控制体系的冲击

传统的权力控制体系，在绥远地区包含以下几个层次：一、蒙旗衙门和汉治官厅分别以属地和属人原则行使权力，但随着经济、人口的发展，官厅权力逐渐扩大，蒙旗衙门的权力则逐渐萎缩；二、官方认可的乡村基层中的村社、家族组织。"村皆有社社皆有庙，以乡约、社长主之"，[④] 村社有村约社规，家族有族规家法，乡曲间排难解纷一般优先由社首、族长出面处理。在特殊的时代环境下，在中国的基督教会本身作为一种规范化的组织，又获得了超宗教的政治力量，对传统的社会权力控制体系及其基层环节构成了广泛的冲击，我们可以从以下几方面来看这一问题：

其一，基督教区域性权威的树立。权威是指权力在社区内的合法性。教会在其建立的宗教社区中处于绝对的核心地位，不但领导着教民的宗教生活，还控制着农业社会的核心资源——土地，"所谓教堂与司铎云者，无异

---

① 田兆丰、石如美：《二十三号天主教堂婴孩院》，《兴和县文史资料》第2辑，第102页。

② 程歗：《晚清乡土意识》，中国人民大学出版社1990年版，第32页。

③ 李杕：《增补拳祸记》，上海土山湾印书馆，宣统元年（1909年），第310页。

④ 山西省史志研究院：《山西通志》第46卷，中华书局1997年版，第574页。

于封建社会之大地主，而所谓教民者，不过一群极驯服之农奴耳。"① 通过
"拣选堪种的土地、组织农村、确保地方的治安"等有效手段，教士在教民
村树立了无上的权威，"教士不独是教会的首长，并且是地方上的指导者，
组织社会及公益事业的领袖。"②

　　教会史料所描述的西南蒙古教区主教闵玉清"善于言令勤于宣道……
每日晚饭后，必手扶杖藜，步行各附近村庄……与教友宣讲道理，其于路途
中与人相遇，必先开口问讯，互通姓名，攀谈不已……无论教内外人民，莫
不认识闵主教而钦敬之至。"③ 其所描述的主教形象与传统乡村中的乡绅何
其相似。托克托县什拉乌素壕教会组织修建了一道水坝，名"济众坝"。
"济众"二字，正是该地教区方主教的大号。④ 显然，以主教命名的意义绝
不仅仅在于"纪念"，更是以符号的形式引导教民的意识，强化教会的权
威。再看萨拉齐的小淖尔村一带，"教堂实有极大之势力，学校由其开设，
治安由其维持，邮政由其举办，甚至区、乡长须教堂之指挥，教民皆须服从
教堂之驱遣。自有新式武器，自成特殊区域，县旗政府殆无能过问者……教
堂既握有土地之权，而又以教堂为之团集，学校为之训练，一般居民化于无
形……朝夕感动，于是知有教堂，而不知有民族国家，知有罗马教堂，而不
知有中央政府，至于县区更不必论也。"⑤

　　教会的权威稳固而霸道，以至庚子年反洋教运动后，由官厅发给教民的
救济食粮，要经过司铎之手散放，⑥ 说明在这一特殊时期，官方也迫于无奈
而承认了教会"组织社区"的权力。

　　其二，基督教与蒙旗、官厅相抗衡。基督教在绥远地区的扩张，不但使
教会在宗教社区内享有绝对权威，而且还在一定程度上突破了教民村的限
制，与蒙旗、官厅相抗衡。

　　教会中的教士就是教民社区的长官，这一点在教会方行使治外法权过程

① 绥远通志馆：《绥远通志稿》卷58，《宗教·天主教》，20世纪30年代稿本。
② 王守礼：《边疆公教社会事业》，上智编译馆1950年版，第10、36页。
③ 常非：《天主教绥远教区传教简史》，内蒙古图书馆藏手抄本，第92页。
④ 王守礼：《边疆公教社会事业》，上智编译馆1950年版，第73页。
⑤ 《伊克昭盟左翼三旗调查报告书》第5章，蒙藏委员会调查室，1941年版。
⑥ 常非：《天主教绥远教区传教简史》，内蒙古图书馆藏手抄本，第61页。

中最易理解。三盛公一带，"当时并没有地方官，于是传教士又负起了维持当地治安的责任，除了重大案件报告蒙王判处外，其他的事情或纠纷就统统由地方教士调解。"[①] 1918 年，两个来自河北的佣工为谋财而劈死了丁银匠，三盛公本堂神甫、比利时人贝清明派人将二人抓捕后，"不审不问，将二人绑起赴黄河岸边枪毙。"[②] 又有二十四顷地某教徒因盗马而被主教陶德模下令活埋……。[③] 凡此种种，不一而足。在教民看来，案犯经由主教处置是理所当然的事，教会权威随教义一起在教民群体中实现了内化。

对于愿意投靠教会的人或者教民，教会方则会加以保护。"凡各地劫财、抗税及身犯命案之凶犯，一经收入教徒，遂能逍遥法外，官厅不得干预过问。"[④] 如前述二十四顷地教徒杀人后，"潜匿教堂无法缉捕，托厅通判李恕祥准晋抚咨由总理衙门转饬交付凶犯，而教堂延抗如故，既又详请绥远将军永德饬派旗练各军，前往缉拿，各逃犯负隅顽抗，鸣枪拒捕……"。[⑤] 可见地方官厅已经尝试了各种手段，但在教会面前均不奏效，事态已经到了非使用暴力不能解决的地步。在清末放垦过程中，乌兰卜尔的天主教民倚仗教会势力，拒不服从，[⑥] 使放垦令的执行遭受很大阻力。

基督教会对于传统权力控制体系的冲击，最为极端的表现为以其宗教版图概念抵制绥远行政力量的伸张。向罗马教皇负责的天主教会不可能遵循"蒙汉分治"的原则，是以将绥远各厅及蒙旗笼统地划入"中蒙古"或"西南蒙古"教区。民国以后新划的"集宁教区"，其总堂却不在集宁，而在丰镇；1922 年，原中蒙古教区改称"察哈尔代牧区"，实际上其相当一部分区域属于绥远特别行政区；同在 1922 年，西南蒙古教区西部划为"宁夏教区"，实际上这部分区域仍属绥远。

这一矛盾在庚子赔款的谈判中尤其明显。先是，山西省与法国公使议定

---

① 王守礼：《边疆公教社会事业》，上智编译馆 1950 年版，第 19 页。
② 徐交其：《三盛公天主教堂贝、邸二神甫草菅人命的两件事》，《磴口文史资料》第 2 辑，第 65 页。
③ 杜瑞：《发生在廿四顷地教堂的几件事》，《土默特右旗文史资料》第 1 辑，第 95 页。
④ 韩振中：《近代包头天主教》，《包头史料荟要》第 4 辑，第 124 页。
⑤ 绥远通志馆：《绥远通志稿》卷 60，《教案》，20 世纪 30 年代稿本。
⑥ ［日］前岛重男：《基督教在内蒙古——以厚和为中心的概况》，《内蒙古近代史译丛》第 2 辑，内蒙古人民出版社 1988 年版，第 221 页。

全省赔款白银 250 万两，其中分给口外七厅 20 万两，后法方忽然反悔，再开谈判。晋抚岑春煊在奏折中分析了对方反悔的原因："口外广漠无垠，晋、蒙境易于牵混"，实际上，绥远厅、旗教案早已分开办理——官厅教案由晋省负责，蒙旗教案由察哈尔都统、绥远城将军派员与各主教协商，而各主教"浑言中西蒙古，不辨孰为蒙疆、孰为晋境，既已厚索于蒙，复欲取偿于晋，胡含笼统，冀餍贪心……"。① 后七厅赔款议定为 65 万两。在赔款谈判的这个波折中，教会的"贪心"是一览无余的，而另一引人注目的动向是教会一方对"教区版图"的强调，并竭力使这一概念介入双方的交涉，进而介入地方政府的行政范畴。

其三，教堂武装与教会仲裁。教堂武装在近代绥远地区极为普遍，"在边疆教堂地带，总计有 236 个有围堡的农村。"所谓"有围堡的农村"，一般都具有一定规模的自卫武装体系。这种自卫体系包含三个层次：一为围堡；一为枪炮；一为民团。

围堡一般由教堂出资，组织教民修筑而成。如三边地区的小桥畔教堂围堡，初筑于光绪二十一年（1895 年），在庚子年教堂与义和团的对峙中起到了关键作用，1917 年重修后更加完善，"土堡作方形，每边长一百二十丈，高一丈五，底宽一丈二，四边还筑了十六个炮台，墙上有雉堞垛口"。按照教会史料的说法，教堂的武器有三个来源：一为猎枪，"按照西洋教士的护照，是准予携带猎枪的"；一为自买，"也有在适当的机会，由外面购买，经官方登记准用的"；一为借得，"有时军政界的官员，为了顾全地方的治安，也会借给他们枪支"。② 鄂尔多斯南部的城川教堂，计有揭盖毛瑟、双筒洋枪和六响洋炮等好几种枪支；堆子梁教堂"单是九响毛瑟枪就有一百多支"。③ 民团由教士挑选教民组成，如红格尔图，"有自卫团丁二三十名"。④ 地方安定的时候，由教士保管武器，"若有匪警传来，教士立即将枪

---

① 《岑春煊奏请暂留道员沈敦和商办教案事宜折》，《清末教案》（三），中华书局 1998 年版，第 361 页。

② 王守礼：《边疆公教社会事业》，上智编译馆 1950 年版，第 42—45 页。

③ 戴学稷：《西方殖民者在河套鄂尔多斯等地的罪恶活动》，《内蒙古近代史论丛》第 1 辑，内蒙古人民出版社 1983 年版，第 77—78 页。

④ 绥远通志馆：《绥远通志稿》卷 58，《宗教·天主教》，20 世纪 30 年代稿本。

械取出，分配可靠而善于运用的村民们，并迅速指定个人应守的岗位，负责巡逻……"。① 在当时的社会条件下，由围堡、枪炮、民团这三个层次构建起来的教堂防御体系应该是十分严密的。

教会武装的出现，一方面是教士、教民作为异质群体，对"教外人"心存忌惮而寻求自我保护的结果。另一方面，这也与时代环境密切相关。近代绥远社会极不安定，19世纪70年代以来不断的回民暴动使鄂尔多斯西南一带屡遭战争蹂躏，庚子年的反洋教运动波及几乎整个绥远地区，民国初年以后，又匪害横行，大小军阀相争，兵灾泛滥，在无法应付难局的情况下，中央权力被迫向地方让渡成为近代权力结构变化、发展的趋势，著名的湘、淮军即因此而生。团练本是国家官僚机构的外围部分，团练的组建是授予名流领导人（绅士）名誉官阶，与乡里制度相联系的军事化过程。而在绥远，由于本就远离国家权力的中心，蒙汉分治又分散了地方的凝聚力，社会组织也不完善，故在本土权力承担者缺位的情况下，教会成为教民社区组织团练、拒兵拒匪的不二首领。

武装势力加政治特权，使得教会的控制区域与其他地方的租界相似。兴和城内本无教堂，但土匪的滋扰迫使县城居民将天主教堂"请"进来，"以备乱时之托庇"。后何全孝匪众占据县城，"县长因力薄，乃率保卫团及职员绅民等避入教堂，匪众久攻不下，卒为堂内团丁与临县援兵协力击溃之。"② 更具讽刺意味的是，固阳县首任县长王运舟下车伊始，即栖身于教堂之中，并依靠教会保护而免遭哥老会的牵制。③ 与地方政府的羸弱相比，教会的强势是不言而喻的，而且教会的权力结构非常稳定，在动荡的时局中表现出一贯的持续性。因此除了经营庄园、控制武装据点，在某些特殊情况下，教会还成为公认的社会权威，在地方势力的矛盾冲突中担当起调停者的角色。

教会的调停角色在清末革命军攻陷萨拉齐时最为显眼。武昌起义以后，阎锡山率军进入绥远，在攻打萨拉齐时，"双方交战数日，最后清军不支，

---

①　王守礼：《边疆公教社会事业》，上智编译馆1950年版，第43页。

②　绥远通志馆：《绥远通志稿》卷58，《宗教·天主教》，20世纪30年代稿本。

③　常非：《天主教绥远教区传教简史》，内蒙古图书馆藏手抄本，第84页。

城内混乱，遂由教堂牧师鄂北格高举红十字旗出城讲和。经过双方协商，讲好条件：清军必须开城投降，但革命军对县官不加杀害。开城前县官携带家属十余人避入教堂，革命军完全占领县城，双方所有伤兵都移入教堂由医疗室医生给以治疗……"。① 上述教会行为在全国的辛亥革命浪潮中可能显得无足轻重，但是在清末的萨拉齐县，教会就是除了革命军和旧政权外最具实力的"第三方"，理所当然具有为双方承认的话语权，于是在这个转折性时刻，教会的牧师高举着红十字旗走入了绥远地方权力更迭的历史之中。

四、社会系统之整合

民国时期的学者林竞，经过对绥远西部社会的考察，将教会攫取的权力归结为四个方面：沿途所有之膏腴土地，尽由彼从蒙人手中以贱价租来，而以重价转租于教徒，教外之人，不得染指，此乃土地权之丧失，一也。彼既拥有广大土地，收获丰富，沿途粮价，无形中遂由彼操纵，此乃经济权之丧失，二也。教徒与非教徒纠葛，均由彼处理无论矣，即非教徒彼此间发生冲突，彼亦往往任意干涉，滥施刑罚，地方官不知过问，且亦不敢过问，此乃司法权之丧失，三也。沿途蒙、汉人民子弟，我不能教，彼亦代我教之，发聋启聩，戒除恶习（如放足戒烟之类）功固已多，然自受神道麻醉之后，知有宗教，不知有国，知有神父牧师，不知有长官国法，如此之民，有不如无，此乃教育权之丧失，四也。凡行西北者，莫不知河套一带，有秘密之王国，具有无上之权威，夫沿海租界，其势凶而害显，去之尚易，此则毒入骨髓，治之诚难。② 正如林竞的分析，基督教的传播以及教会组织的发展对绥远社会的冲击是全方位的，由此引发的社会失范、对立、冲突、分化从 19 世纪后半叶开始蔓延，至 19 世纪末 20 世纪初呈愈演愈烈之势。光绪二十八年（1902 年），绥远将军信恪在一份奏折中将绥远复杂的社会状况描述为"蒙、汉、教三族杂处"，③ 已经把教民群体和蒙、汉民族相提并论，其重视

---

① 曹毅之：《内蒙古西部地区基督教之沿革》，《内蒙古文史资料》第 23 辑，第 207 页。
② 林竞：《西北丛编》，神州国光社 1930 年版，第 62 页。
③ 《绥远将军信恪奏报预筹全蒙教务善后事宜各情折》，《清末教案》（三），中华书局 1998 年版，第 365 页。

程度可见一斑。实际上，绥远各社会系统针对基督教这一"异端"的整合行为就一直没有停止过，伴随其传播的全过程。

社会整合是指社会的不同要素，部分组合成一个协调统一的社会整体的过程。具体到本文所要讨论的问题，则是指本土社会的一方对基督教及其组织所采取的策略和行为。在绥远的近代化过程中，基督教会所倡导的原则和举办的事业有与社会发展相适应的一面，并且，教会人士为了减少传教阻碍，其本身也在语言、服饰、发饰、习俗上做了一些适应性的努力。但同时，这一切都是近代以来条约体系的产物，是政治强权的结果，其终极目标并不在于现代化改造，而是在于创建一个有益于西方社会支配非西方社会的中心——边陲依赖格局和资本主义世界体系。面对这种不利局面，本土传统社会虽然长期处于下风，但并不是完全被动的接纳，而是有一个针对外来文化和宗教势力的反向改造的过程，我们把这一过程称为社会整合。

在近代的绥远社会，根据主体的不同，对于基督教的整合可以分为官方整合、民间整合、官方与民间力量的联合整合。

（一）官方整合

官方整合即以国家及绥远地方权力控制机构为主体在政治层面实施的整合，在绥远地区表现为以下几个方面。

其一，保教条约在地方执行中的缩水。在咸丰十年（1860 年）至光绪二十一年（1895 年），尽管传教士进入内地已经合法化，但是清廷对于涉及传教人员的定居、租地、建堂等事宜仍然坚持严格的审查登记制度，即双方交易须经过地方官的许可并备案。同治元年（1862 年），法国遣使会之樊司铎率同传教先生"行至归化城，乃被道台察知，将樊司铎等一行六人，拘获监禁"。① 其实此时，中法《北京条约》早已签订，其中规定"任各处军民人等传习天主教、会合讲道、建堂礼拜，且将滥行查拿者，予以应得处分"。② 但是同时，清政府仍然要求地方上采取严密监视的态度，以求"阳为抚循，阴为化导"，从而达到"不禁之禁"③ 的效果。在教会方看来，就

① 常非：《天主教绥远教区传教简史》，内蒙古图书馆藏手抄本，第 25 页。
② 王铁崖：《中外旧约章汇编》第 1 册，三联书店 1957 年版，第 147 页。
③ 宝鋆：《筹办夷务始末》卷 50，文海出版社 1971 年版，第 35 页。

是国家命令与地方行政的不一致，"朝廷保教安民之谕令，虽彰彰昭帖，然地方官害教虐民之事件，层层叠出。"①

清政府为了避免引起国际纠纷，刻意将基督教事务管理地方化，"传教各案，牵涉民众，即系地方官分内应办之事"，② 给地方官处理此类事务留下了一定的空间。在当时的政治环境下，"教会"或者"教民"概念频繁进入行政范畴决非什么"政绩"，而"教案"一旦超出本地上升到各国公使与总理衙门交涉的程度，则更是"有损官誉"。所以地方官在处理民教纠纷中往往采取息事宁人的态度。出于对地方政府"不秉公"的忌惮之心，传教士们常常要注意自己的身份安全。同治十二年（1873 年），蒙古教区主教巴齐贤在从西湾子出发巡行西部教务之前，顾忌绥远城将军"素与天主教感情不洽"，特请法国领事馆向清政府领了护照，方启程西行③。

其二，设法阻止传教人员定居、租地、建立教堂。地方上为了维持秩序、杜绝教案，最有效的手段莫过于驱逐传教人员、排拒其组织活动。咸、同年间，绥远城内天主教徒聚众祈祷"被人误会，致启风波，众教友匿名潜没，而彼雏形之小圣堂被毁，地址入官"。同治十二年（1873 年），蒙古教区主教巴齐贤筹划在土默川开展教务，即在归化城以 1 080 两白银价买店院一处。但是，绥远城将军并不认可这桩交易，并为拔掉教士的据点而采取了强硬措施：一方面拒绝接收教会缴纳的房地契税；另一方面将原房产主弟兄四人尽行拘获，迫令其退还房钱，抽回地契。教会方由主教出面交涉，绥远城将军未予理睬，卖产之兄弟四人，"一死于狱，一乘隙潜逃，其他二人数月后始具保释放"。④ 绥远城将军对这项民、教房产交易的严厉处理彰显了其排拒西教的决心。

光绪二十六年（1900 年），反洋教运动后，教会在绥远地区获得了大量的"赔教地"，教民倚仗教会的势力肆意敲诈。在"理赔"的过程中，绥远地方政府并非毫无原则的屈就。分属于绥远东部丰镇、宁远两厅的可可乌苏

---

① 常非：《天主教绥远教区传教简史》，内蒙古图书馆藏手抄本，第 26 页。
② 宝鋆：《筹办夷务始末》卷 71，文海出版社 1971 年版，第 30 页。
③ 常非：《天主教绥远教区传教简史》，内蒙古图书馆藏手抄本，第 31 页。
④ 常非：《天主教绥远教区传教简史》，内蒙古图书馆藏手抄本，第 121 页。

和香火地——南大海连界地在光绪初年即已办垦，至庚子年前后早已聚落成村，教民出于报复将两地指为无主，要求抵赔。对于此案的处理，晋抚岑春煊认为"若遂将成熟之地拨给教堂，不特该地民人钱地两空，控诉不休，且恐争执寻仇，酿成巨案……总之，蒙地拨给教堂断非善策，当此查仪方始，尤宜详勘荒熟之界，妥筹防制之方，否则偶失持平，或令蒙古受亏，或致民人失业，皆足酿无穷之患。该教士只知拨地以息教案，而不知拨地转易出教案，此必须审慎办理者也。"① 后此案被咨呈外务部，确立了"拨地赔款一事，必须无主荒废之地，方可拨给"的原则。

其三，压制教会权威。教会凭借超宗教的政治权力，在民教纠纷中往往能够迫使官方作出有利于教民一方的处理结果。同时，这种压力也迫使官方加入到权力控制的竞争之中，在这一"竞争"层面上，官方并不是一味地"袒教抑民"，而是力求控制教民行止，压制教会权威。

庚子年后，山西巡抚岑春煊在《拟订山西教案善后章程》中提出改进教民登记制度的建议："教堂修复后……重新查造教堂教民名册……如查造之后，该教民等或因事出教，或迁徙，又或有平民入教，不免时有增减，应由教士随时函告地方官，一面填注册内，一面申报更正。仍每届一季重造一次，以备查考而便保护。"提出禁止教堂干预民教诉讼的建议："此后口外遇有民教地案，止准教民具呈，教堂不必干预，庶可以杜无穷之患，收相安之效。"提出禁止教堂包庇犯罪教民的建议："如有教民犯罪，经官拘拿者，教士不必过问，如该教民向教堂隐匿，即由堂中查出送官……"，"平民如有讼案未结，暂缓准其入教"。② 岑的这些建议并非一纸虚文，其中强调的抑制教会的主旨在庚子后一系列的教案处理过程中都有所体现。归化城东乡大北号村教民籍生子等八人击毙民人周三三、陈二小一案，托克托厅教民陈长寿殴死民人刘天义一案，官方均突破教会的羁绊积极追查，力求做到持平办理。

---

① 《山西巡抚岑春煊为察哈尔抵赔教堂土地并抄送此案文牍事咨呈外务部文》，《清末教案》（三），中华书局 1998 年版，第 356—358 页。

② 《山西巡抚岑春煊为请将教案善后章程第十一条内容照知各使事咨外务部文》，《清末教案》（三），中华书局 1998 年版，第 229—234 页。

　　蒙汉分治，一方面分散了地方权力，不利于绥远地方政权与教会的竞争；另一方面，从教会角度来看，他们有时也会因而陷入"对话"上的困境。光绪二十五年（1899 年），一个疯子闯入三边地区的小桥畔教堂，打坏了祭台和圣像，主教闵玉清分别向官厅和蒙旗控告，但两方均拒绝受理，因为那个疯子是汉人，而小桥畔在蒙旗地界。①

　　教会通过经营土地奠定了基础，举办育婴院、安老院、施医散药、修桥、造林等社会事业则是其扩大影响、树立社会权威的有效手段。绥远地方政府对教会这些行为并非无动于衷，而是在必要时予以限制。三边一带小桥畔地方，曾有一个寡妇据有一座小桥，以收取过桥费为生。小桥畔教堂组织教民在附近修了一座新桥，并申明"过桥旅客不收费"，断了寡妇的财路，结果引起纠纷。最后官方判定禁用教会建起的新桥，仍用寡妇的桥，但要加宽桥道，且不收费。② 路、桥作为地方上重要的公共资源，除了承载交通以外，在民间还具有特殊的象征性意义，因而受到了教会和官方的重视。借整修一座小桥之机，官方以行政手段"及时"遏制了教会权威在本社区内的生长，并借此强化了自身的权威。

　　（二）民间整合

　　绥远民间社会针对基督教的整合行为，一则以实际利益上的矛盾为基础，一则以民间对教会形象的陌生和厌恶为前提。

　　萨拉齐的大夫营子、缸房营子两个教民村的田地"非经河水灌溉，不能承种"，教堂计划修渠引水，而渠道要经过邻村的土地，结果被邻村拒绝；③ 光绪二十年（1894 年），丰镇厅教民倚仗教会强占集宁七苏木滩牧地并辟田耕种，牧民放火烧掉了田里的禾苗；④ 耶稣教士进入绥远时被民众称为"洋鬼子"，并受到"土熏"的待遇；⑤ 鄂尔多斯的蒙古人曾拒绝为传教

---

　　① 彭嵩寿：《闵玉清传》，内蒙古图书馆抄本，第 100—101 页。

　　② 彭嵩寿：《闵玉清传》，内蒙古图书馆抄本，第 50 页。

　　③ 常非：《天主教绥远教区传教简史》，内蒙古图书馆藏手抄本，第 91 页。

　　④ 戴学稷：《光绪二十六年（1900 年）内蒙古西部地区蒙汉各族人民的反帝斗争——义和团在口外七厅和伊盟等地的发展》，《内蒙古近代史论丛》第 2 辑，内蒙古人民出版社 1983 年版，第 57 页。

　　⑤ 《归绥市基督教之史略》，呼和浩特市人民委员会宗教事务处档案，转引自戴学稷：《光绪二十六年正，绥远到处起神兵——洋教士的罪恶和义和团的反帝运动》，《内蒙古大学学报》1959 年第 1 期。

士提供饭食，依据洋人"奇异"的面貌特征将其称为"哈拉特勒牙马"，即"山羊胡子"，并以拔掉教士的胡须作为报复手段。①

以上所说的都是乡村社会因教会的刺激而作出的有目标的回应，这些整合行为具有简单、分散、直接的特点，更多地反映了民众对基督教的憎恶和排斥，在教会的强势面前，其效果并不明显。值得注意的是地商王同春控制的后套中、东部和他建立的水利组织，以其独具地方特点的社会组织形式有力地抗拒了教会势力的扩张和渗透，从而在客观上起到了一种整合的作用。

黄河水利是后套农业生产中极为重要的资源，向有"人随地走，地随水走"之说。王同春即以其懂水性、识水脉、工于河渠而起家。从光绪八年（1882年）到光绪三十三年（1907年），王同春独立组织挖成了义和、沙河、丰济、刚济四条黄河灌渠，1918年，又挖通新灶火渠，这样，在后套十大干渠中，王厥有其半。在其开渠垦地的全盛时期"自南河沿岸以达北河，南北四百余里，东西六七百里，凡凿干渠四道，宽深皆与大河相等，支渠旁达无数。晋、秦、燕、豫贫民争走之，日操畚锸者常数万人，岁获粮谷至巨万，馈运口内不可胜计。茫茫荒野，至是乃村落云屯，富庶过于壮县。同春指挥其间，俨然一建国主也。"② 王同春为管理这一地区，设置了许多"公中"和"牛犋"作为基本的社会组织机构，"公中"和"牛犋"中设有掌柜和管账先生。此外，为了维护地方秩序，王还建立了私人武装。"公中"为管理渠道的组织，"牛犋"为小村庄。以公中统辖牛犋，实际上是以河套水利为核心，构建了一个不同于以往的，强固而严密的农业社区，王同春是这个社区的不二主人。

天主教"对于西部之临河，则不惜扩大其宣传，而对中、东两部之五原、安北，则均寂焉无闻"，究其原因，"盖皆清末时五原豪民王同春一人深闭固拒之力也"。王同春对基督教持深闭固拒的态度，乃是出于保护境内之资源考虑。所谓"资源"，其含义有二：一为土地，教会以土地为生存发

---

① 陈育宁：《近代鄂尔多斯地区各族人民反对外国教会侵略的斗争》，《内蒙古社会科学》1982年第4期。

② 张相文：《王同春小传》，《内蒙古文史资料》第36辑，第89页。

展的基础，而水利和土地正是王称雄后套的资本；二为劳动力，即从内地迁来的大量农业移民，移民一旦成为教民，必然会脱离原来的社会组织，这显然不是王所要看到的。经王同春的排拒，基督教"经四五十年之努力，亦仅能于近西之临河发展，而于五原东部则卒无可托足云"①。

王同春牢牢控制着后套的中、东部，成为名副其实的"后套王"，又以精通水利而受人崇敬，在其死后甚至被神化。河套民众以为他生前治水有功，死后成了河神，掌管河水的涨落，因此每遇河渠水落、田禾干旱或者河水暴涨、决口成灾时，就到祠堂给王祭奠，白天许牲摆供，晚间到河渠放河灯，以祈福禳灾。1941 年，河套地区大旱，临河县民众在马道桥搭起彩台，供奉王同春的神牌，唱戏祈雨。② 在后套地区以水利为中心组织起的农业社会中，任何一种宗教的空洞说教都显得软弱无力。从某种意义上来说，这一社区的组织者王同春和他开挖的渠道就是当地的"宗教"。

（三）官方与民间力量的联合整合

光绪二十六年（1900 年），义和团运动的烈火燃烧到塞外，绥远各地爆发了大规模的反洋教运动，使基督教势力遭到沉重的打击。这一次反洋教运动是官方力量与民间力量联合对基督教的一次极端的整合行为。从参加的主体来看，其组成是十分复杂的，其中既有官兵（包括旗兵、蒙兵），又有加入到各种反洋教组织中的汉民和蒙民。

光绪二十六年五月末六月初，义和团由山西传到绥远。现存文献中有确切记载的首事者为一往来于托克托、河间的骡脚夫科巨子，在托克托城隍庙习拳授徒，③ 而后又传入归化城等地，遂成不可遏止之势。当时清政府已对外宣战，对于边疆地区加强了防范。五月份，朝廷在一份谕令中针对"中外开衅，蒙古各盟迫近俄疆，情形吃紧"的状况，要求各盟王公"赶紧简练队伍，筹办边防，毋稍迟缓"。④ 六月初，针对晋抚毓贤所奏萨拉齐教民行凶杀人、教民"盘踞山洞，意图不轨"，朝廷谕令"禀尊迭次谕旨，严饬

① 绥远通志馆：《绥远通志稿》卷 58，《宗教·天主教》，20 世纪 30 年代稿本。
② 苏希贤、武英士：《王同春》，《巴彦淖尔文史资料》第 5 辑，第 82 页。
③ 《绥远通志稿》卷 60，《教案》，20 世纪 30 年代稿本。
④ 邢亦尘：《清季蒙古实录》下辑，内蒙古社会科学院蒙古史研究所 1981 年版，第 319 页。

各州县，恳切劝导，务令民教相安，各教民勾结麇集，胆敢抗拒官兵，即毓贤、李廷箫督率将士，相机剿捕，毋任蔓延为患。"① 其时正处于中外交战的非常时期，在神经紧张的朝廷看来，教民早已被洋教士同化，他们集聚在一起随时都有可能酿成暴乱，所以要严加防范。剿捕令为官兵攻击教堂提供了许可，也使义和团的攻击行为失去了限制。

庚子年四月间，二十四顷地教徒石险生等因争地杀死高占年等九命，后潜匿教堂，绥远城将军永德饬派旗、练各军前往缉拿，但由于教堂之顽抗，双方只是处于相持阶段，"迨六月间，拳民突起，协助官兵攻入教堂"。② 可以看出，义和团在这次进攻中扮演了重要角色。此外，义和团还与官兵一起对宁远香火地、归化铁圪旦沟、乌尔图沟、三边小桥畔等地教堂发动了攻击。其中，在攻打铁圪旦沟、乌尔图沟的战斗中，使用劈山炮、抬枪等杀伤力较大武器的官兵是"剿捕"的主力，其中包括绥远城驻防旗兵和四子王旗的蒙兵。而在对香火地教堂的进攻中，义和团成为主力，参加者达到1 000 余人，与拳民一起进攻的官兵为骑兵 100，步兵 50。当地富户张万钟在拳民与官兵的联合中起到了关键作用。拳民在进攻之前就聚集在张家，《拳祸记》载有一个说法是"张召匪至，想灭教之后可以占教堂屋产"。③ 初次进攻失利后，张便呈控于官，请营兵来剿，遭拒绝后"一再逼官"，终促成官方发兵。在官兵与义和团一起向教堂进发前，拳民还杀掉了一个乞丐，罪名是在教堂指使下向井中投毒，以惩罚手段制造出紧张、恐怖的气氛，借此强化反教阵营的团结。

义和团为了壮大声势，在"杀洋灭教"的旗号下竭力争取官方的认可，甚至"露刃胁官至坛跪拜"，意在从仪式上进而从行为上将自身与官厅结成反教的一体。不支持义和团的托克托厅通判李恕更被团民"执行通衢烈日之中，胁以白刃"。④ 七月二十七日，香火地教堂司铎何济世、公沟堰教堂

① 《着山西巡抚毓贤等遵旨严饬州县恳切劝令民教相安并剿办抗官教民事上谕》，《清末教案》（二），中华书局 1998 年版，第 909 页。
② 绥远通志馆：《绥远通志稿》卷 60，《教案》，20 世纪 30 年代稿本。
③ 李杕：《增补拳祸记》，上海土山湾印书馆，宣统元年（1909 年），第 298 页。
④ 绥远通志馆：《绥远通志稿》卷 60，《教案》，20 世纪 30 年代稿本。

司铎马赖德应归绥道台郑文钦之召赴归化城，在衙署中突然遭到拳民袭击而毙命。① 无论这一事件与郑文钦是否有直接关系，但作为道台的他肯定是有责任的。实际上，除了归绥道郑文钦，绥远地区的主要官员绥远城将军永德、归化城副都统奎成都对义和团采取利用和支持的态度。

在鄂尔多斯与陕西相接的三边一带，反教势力对小桥畔教堂展开了围攻。参与围攻的人群构成非常复杂，先是七月十五日，由"青山道人"组织的义和团200人攻教堂围堡未克，两天后，鄂托克、乌审二旗的蒙古骑兵700余人开到并加入了围攻，此外还有由蒙民结成的两个"独贵龙"组织约200人也参与进来。② 对小桥畔的围攻持续了五十多天，这是一次广泛的社会动员，发动了当地几乎所有可以发动的反教力量，呈现出一幅社会各个群体——官与民、汉与蒙联合起来铲除异端的图景。

光绪二十六年（1900年），绥远地区的反洋教运动给教会势力以空前的打击，新任归绥道台恩铭在奏折中提到："去岁（庚子年）拳祸莫甚于山西，而山西拳祸尤烈于口外；天主耶稣两教，堂毁至四十余所，洋教士男女大小戕至二十余人，教民毙至三千余口"。③ 这种极端的整合行为的确使部分教民在残酷的现实面前背离了基督教，如托克托厅教民"现在（1902年）多有家内供神及上庙献戏者"，然而更多的教民选择了报复。他们向教外人讹诈钱财作为"赔罚"，致使"抢案命案层见迭出，（教民）抢毕杀讫即归教堂，无从缉获。"④ 通过中外议和，绥远地区的教会获得了大量的"赔教地"，从"教难"中迅速恢复并扩展了势力，教民与教外民众之间的裂痕并没有弥合，而是进一步加深了。从这一层意义上来说，反洋教运动对绥远社会的整合是失败的。

---

① 李杕：《增补拳祸记》，上海土山湾印书馆，宣统元年（1909年），第301页。

② 陈育宁：《近代鄂尔多斯地区各族人民反对外国教会侵略的斗争》，《内蒙古社会科学》1982年第4期。

③ 台湾"中央"研究院近代史研究所：《教务教案档》第7辑，1981年版，第453页。

④ 《护理山西巡抚赵尔巽为托克托厅教案及录呈交城等处教案清摺事咨呈外务部文》，《清末教案》（三），中华书局1998年版，第517页。

第 十 九 章

清代内蒙古的教育

第一节　官学（书院、学堂、庙学）

一、官学

16 世纪 20 年代，阿拉坦（明译"俺答"）汗率土默特部驻牧呼和浩特地区。明隆庆五年（1571 年），俺答与明朝达成议和后，数万名汉族农民、手工业者和回族商人从山西、河北、宁夏、陕西等地闯关，到此谋生，出现了"开云内、丰州地万顷，连村数百"的局面，使土默川由游牧经济快速进入半农半牧经济社会。俺答偃武修文、崇尚藏传佛教的政策，促进了经济的发展和文化的繁荣，并在土默川建造了归化城（今呼和浩特市玉泉区），为教育的发展奠定了基础。

清代地方官学　清统一内蒙古地区后，在归化城设都统，辖土默特左右二旗。乾隆四年（1739 年），驻守将军、佐领、协领及五千户八旗将士的绥远城（在今呼和浩特新城区）建成。内蒙古地区先后出现了专门培养八旗满洲、蒙古子弟和汉民的官办学校。

土默特官学　土默特部首领、归化城副都统丹津与兵部尚书通智等联名奏请清廷将别人捐赠他建祠堂（生祠）的款改建文庙。设立满洲教习，恭礼至圣先师，教授蒙旗子弟。雍正三年（1725 年），清廷"洞鉴其诚，照所请准行。"于归化城（今呼和浩特市玉泉区）南门外建立文庙。文庙计有正殿 3 间（现为呼和浩特土默特学校校史展览室），后殿 3 间，东西庑各 3 间，及其他附属建筑共 20 余间，是漠南蒙古地方最早出现的文庙。土默特官学位于文庙的西偏院，正房 3 间为讲堂，东西房各 3 间是学生居室，再西为箭亭，是习武场所。建学初，兵部尚书通智奏定：学生由六十佐领下拨送英俊孩童 2 名，共 120 名；教习 4 人，由本旗佐领以下官员中选任。学习内容为蒙古文字与《清文鉴》、《三合切音》等课程。学生学习成绩优异者赏给九品顶戴，并酌量于本旗章京笔帖式中选取用。教习每月俸银 1 200 文，学生每月津贴 480 文，都由土默特库银发给。光绪十二年（1886 年），土默特官学更名为"启运书院"。

绥远城官学　清廷在筑造绥远城时就考虑了学校的设置。《敕建绥远城碑》中明确记载："绥远城于乾隆己未年之夏六月工竣，并建有官学八。"但由于这 8 所官学史载不清，基本情况无从可知。乾隆八年（1743 年），绥远翻译官学始创，经将军补熙奏准，八旗左右两翼各设官学 1 所。于土默特二旗内，选蒙古教习 2 人，每学选兵丁 10 人，令其教读。三年后，奏准于绥远城内，照蒙古学之例，设立满汉翻译官学。乾隆五十年（1785 年），绥远城有"八旗满洲、蒙古原设官学五所"。将军衙署内设立满洲官学 5 所，用房 15 间。其中，正黄、正红旗子弟入校学；镶白、正蓝旗子弟入庠学；镶蓝、镶红旗子弟入序学；两翼蒙童入塾学。每学，二旗官学学生共 40 名，每学各配备国书（满文）、汉文教习各一人，学生 200 人。并规定：各旗佐领下，挑选闲散 15—20 岁能习清汉书者，各 10 名，按旗入学。是年，将军积福奏准：裁汰原设五学，设立满汉翻译学 1 所。学习课程有清书、汉书、骑射 3 种，尤重视骑射，修业年限为 10 年（如 10 年后仍未中试即被除名）。

归化城厅学　康熙朝后，清廷放松了内地汉民进入草原的限制，乾隆朝后，加快了草场放垦的速度。大量汉民从山西、陕西涌入内蒙古中西部地区。为了治理众多的汉民，雍正元年（1723 年）开始，在归化城土默特地区先后设置归化城厅、和林格尔厅、托克托厅、清水河厅、萨拉齐厅。清廷规定，这些厅内汉民要参加科举考试，必须回原籍报名。由于离乡背井已百余年，祖籍地早已无籍可查，即便查到，当地人怕影响自己考生的前程，也不愿接受。这严重影响了口外诸厅的学子参加科考的积极性。光绪十年（1884 年），山西巡抚张之洞奏请口外七厅（包括大同府的丰镇厅和溯平府的宁远厅）设厅学。十一年，礼部议准始设归化厅学，兼管萨拉齐、丰镇、宁远、托克托、和林格尔、清水河六厅，并置总教谕（正八品）一员。试文武生童人数各至 20 名以上，取进 1 名。每厅取进文武生，至多各不得过 2 名。如人数不敷取进，即分别停考缺额。其廪增生名数，应试取进人数较多，再行议设。光绪二十三年（1897 年），又奉准部议，分作东、西两学。归、萨、托、和、清五厅（后增设武川、五原、东胜三厅）并为一学，称西学。丰、宁二厅（后增设陶林厅、兴和厅）并为一学，称东学。每学仍按 20 名取进 1 名。至多每学文生各不得过 7 名，武生各不得过 4 名，每学添设廪生各 2 名。廪生 5 年每学 1 贡，新补廪生食饩 10 年后方准出贡。

归化城厅学设置后，绥远城旗籍（满族）学生由山西学政考取，改为就近应试，附归化厅学，与汉籍学生一体考试。旗籍考生 5—6 名中取进 1 名，不限名额。土默特籍（蒙古族）学生光绪三十一年（1905 年）开始与汉籍学生一体与试，名额单设（2 名），从 5—6 名考生中取进 1 名，最多取进 2 名。

归化城厅学自光绪十三年（1887 年）首次开考，每 3 年举行一次考试。至光绪三十一年（1905 年）岁科考场停止，共举行 7 次考试，取文生 172 人，武生 37 人。宣统元年（1909 年）最后拔贡试场后，七厅儒学开始被裁，标志着各厅结束旧学制，开始新学制。

呼伦贝尔官学　光绪八年（1882 年），呼伦贝尔副都统公署始建文庙，附设校舍 2 所，设学官 1 人，由副都统就无品级笔帖式拣用，以 3 年为任期。教学内容分识字、习字、练弓箭三课。

二、书院

书院设置　书院是准备参加科举考试的场所，招收的生员多为童生，准备参加县试、府试，而考取秀才。已入学的生员（秀才）为了应乡试考取举人，也定期进书院听讲，送文章与诗词请山长或主讲批阅。清朝以来，内蒙古地区设立的书院主要有以下几处。

赤峰书院　乾隆四十三年（1778 年），乌兰哈达厅改为赤峰县，同年在赤峰街文庙处建立赤峰书院。书院修葺于嘉庆十九年（1814 年），竣工于道光元年（1821 年），是赤峰地区唯一的书院。书院设山长 1 人，主持讲学；

首士 1 人，管理生员生活事务；学长 1 人（从生员中选），办理有关学习事宜。学院按月发给生员"膏火"（伙食补助）1—3 两。书院经费来源于县衙和学田收入。光绪二十九年（1903 年），赤峰书院改为赤峰高等小学堂。

长白书院 同治十二年（1873 年）由绥远城定安将军督劝八旗官兵捐建长白书院于绥远城内东街。主要培养八旗子弟，规定蒙汉人等愿应学者均准考入。书院教授四书五经，无学制规定，每月"官课"（大考）两次，"堂课"（小考）两次，教学甚为严格。光绪五年（1879 年）更名为启秀书院。

启秀书院 光绪五年（1879 年），绥远城将军瑞联复饬归绥道阿克达春集商捐银 4 000 两，充备公费，更长白书院为启秀书院。其院制与古丰书院略同。光绪三十年（1904 年）改名为绥远中学堂。

兴化书院 光绪十年（1884 年）由当时的多伦县知县和少数举人及留日回国的学生在厅城（当时称兴化）创建，隶属于多伦诺尔厅。同年修建孔庙。书院后期以培养师资为主，招收熟读四书五经有一定文化程度的人，学习后分配到各学堂任教。光绪三十三年（1907 年），书院改为高等小学堂。

古丰书院 在归化城太平召东南，光绪十一年（1885 年）由归绥道安祥创设。常年经费系借押荒生息银两动用。延请院长（山长）经课士子，每月集当地廪、增、附生及文童，课文 4 次。住院童生额 20 名。自光绪二十七年（1891 年）秋，改定月考课程，废止八股文、试帖诗。

启运书院 光绪十二年（1886 年），由土默特官学更名。共设 2 个班，学生 60 名。教习及学生各给膳费，按月同土默特旗旗库请领。学生成绩较优者，则挑选其优，拔入兵户两司署当差。

教学内容与方法 招收满、蒙籍学生书院的课程专重满、蒙文及习射。其所定课程，除满蒙文籍外，《圣谕广训》亦为必修之科。程度较高者，则授以汉、满、蒙三合四书文等。清末，汉籍学习受到重视。汉籍学生的书院所肄之业为"四书"、"五经"、八股文、五言八韵诗等。道光年间，书院课业变为以经史为主。学习方法为：于《十三经注疏》及《史记》、《汉书》、《后汉书》、《文选》、《杜诗》、《朱子大全》中任选一书研习，或评校，或著述。光绪年间，又研习经、史、文、算等业。

三、学堂

光绪二十七年（1901 年），清政府下令全国所有书院改为学堂，设在省城的改为大学堂，设在各府、厅及直隶州的改为中学堂，设在州县的改为小学堂，并要求多设蒙养学堂。光绪二十九年（1903 年），归绥地区的书院先后改为学堂。光绪三十一年（1905 年），清廷"立停科举，以广学校"的谕旨发布后，内蒙古各地开始兴办学堂。清末的学堂，有官学堂、私学堂和教会办的洋学堂等。次年，清廷要求学堂设置近代各学科课程，确定修业年限，采用近代学校的教学形式及授课方法。尽管清廷于光绪二十九年（1903 年）已颁布《奏定学堂章程》及"学务纲要"，对修业年限、课程设置，都有明确规定，但因算学、外国语、格致、博物等近代科学的教师一时难以延聘，教科书也很缺乏，各学堂未能照章执行。绝大多数学堂的管理体制与教学内容与书院无异，原书院山长即为学堂堂长，课程仍以读经讲经为主，修业年限及寒暑假期均未有规定。

至宣统三年（1911 年），归化、绥远城区共有中小学堂 9 所，其中中学堂 2 所、高等小学堂 3 所、初等小学堂 2 所、满蒙学堂 1 所、回部学堂 1 所。当时主要学堂有：

归绥中学堂　光绪二十九年（1903 年）九月，归绥道台朴寿在古丰书院原址上改建。初建时，只有学生 30 名。光绪三十二年（1906 年）四月，胡孚宸任归绥道台后，自兼学堂督办，筹集巨款，扩充校舍，学生达百余名（分甲、乙两班，各 50 名），规定学制为 5 年，设修身、文学、经学、历史、地理、算学、博物、理化、日文、日语、英文、图画、乐歌、体操课，每学年分为两个学期，每学期 20 周，每周 36 节课，每节课为 45 分钟。学校建立规章制度 196 条，聘请两湖及江浙一带曾在国外留学的人讲授数理化及外语等课程。归化厅籍学生每月得津贴白银 3 两，外厅籍学生得银 2.5 两，客籍学生不给。

归绥师范学堂　光绪三十二年（1906 年），在归绥学堂的前院增设师范简易科 1 班，学生 40 名。除中学所设修身、文学、经学、历史、地理、算学、博物、理化、图画、乐歌、体操等课外，增设心理学、教育学、教授法、管理学课，取消日文、英文课。学生获得津贴标准与中学生相同。

归绥高等小学堂 光绪三十三年（1907 年），在师范学堂后院附设高等小学堂，招生 40 名。开设修身、文学、经学、历史、地理、算学、博物、物理、化学、音乐、体操等课。学校免费提供午餐。

绥回部学堂 宣统二年（1910 年）回族绅商集资，于东顺城街建立回部学堂，专收回族子弟入学。民国元年（1912 年）改为归绥回部小学。

绥远城中学堂 光绪二十九年（1903 年），"绥远城将军贻谷到任后，对于城内学务，颇多设置，以谋旗学之光"，次年秋，在启秀书院旧址，设立绥远中学堂。学堂分满文、蒙文、汉文、外文 4 科。后又设高等小学堂一所，次年又增设初等小学堂 1 所。光绪三十二年（1906 年），满文、蒙文两科合并于"满蒙学堂"；汉文、外文两科，经过考试，选取优秀学生 40 名组成中学堂甲班，学生发给津贴。按《奏定学堂章程》，光绪三十二年（1906 年），实行新学制，设经学、国文（满文）、算学、英文、格致、图画、修身、科学、博物、历史、地舆、体操，并兼习蒙文。学校定有条规 14 则。修业年限和寒暑假均未作规定。原书院山长改称学堂堂长。常年经费白银 3 600 两。民国元年（1912 年），归绥中学堂与绥远城中学堂裁并为归绥中学（今呼和浩特市第一中学）。

绥远城高等小学堂 成立于光绪三十二年（1906 年），不单独设学校，而是附设于绥远中学堂之内。该校学生共 1 个班 50 人，第一学年第一学期课程：经学、国文、算学、格致、图画、历史、修身、地舆、体操、科学。教习由中学堂人员兼办，不另支薪银，只添有书手 3 人，夫役 4 人。

绥远城初等小学堂 在蒙养学堂的基础上，于光绪三十三年（1907 年）改建而成，学生共 40 人，成绩优异之前 10 名，每月给津贴银 1 两 5 钱。学制为 3 年，期满合格者，升入高等小学堂。课程：修身、读经讲经、中国文字、算术、历史、地理、格致、体操，教习 3 名、司事 3 名、夫役 5 名、厨夫 2 名。教习薪银 30 两至 14 两不等。该校有严格的规条制度，其中考试章程 7 则，斋舍规条 7 则，讲堂规条 12 则，体操规条 3 则，礼仪规条 6 则，放假规条 6 则，赏罚规条 10 则。该校常年经费为 1 320 两银。

绥远城左、右翼五路蒙养学堂 在五所蒙小学堂的基础上于光绪三十三年（1907 年）改建而成。左翼五路蒙养学堂承办人是哈布尔札布，额尔德蒙额。学校有东北路高等蒙养学堂，学生 18 名；东北路次等蒙养学堂，学

生 20 名；中路高等蒙养学堂，学生 20 名；东南路次等蒙养学堂，学生 20
名；东南路高等蒙养学堂，学生 16 名；半日学堂，学生 60 名。教习 5 人，
司事 2 人。教习薪银 10 两至 6 两不等。右翼五路蒙养学堂承办人不详。学
校有西北路高等蒙养学堂，学生 12 人；西北路次等蒙养学堂，学生 18 人；
中路次等蒙养学堂，学生 18 人；西南路次等蒙养学堂，学生 18 人；西南路
高等蒙养学堂，学生 12 人；半日学堂，学生 60 人。教习 5 人，司事 2 人，
夫役 6 人。教习薪银 10 两至 6 两不等。两翼 12 所分校课程相同，共 5 门：
经学、修身、历史、地舆、算学。常年经费共 2 400 两银。

绥远城满蒙学堂　亦称清文学堂，光绪三十二年（1906 年），由绥远城
将军贻谷奏准，独立成校，是一所满蒙文专修馆，分四斋。第一斋学满文，
学生 37 名；第二、第三、第四斋，学生均 36 名。课程有 3 门：四书、满
文、蒙文。普译哈希尔扎布兰为主讲人。教习 8 人、司事 2 人、夫役 4 人。
教习薪银 4 两至 3 两不等。月经费 37 两 5 钱。辛亥革命后停办。

绥远武备学堂　光绪二十七年（1901 年），绥远将军信恪建绥远武备学
堂。初建时堂址在孔庙院东面。形成一地两校的局面。将军贻谷到任后，迁
其校址于今东街小学处。多为旗人，又称满学，也叫新城文庙，编置 1 个
班，学生 60 名。文化课学国文、英文、历史、地理、算学、格致、图画；
军事课学德、日两国的军事课程和训练规程。除开设正式课外，还练爬墙、
上房、滚、爬、单扛等，还开展跳高、跳远、赛跑、拔绳、各项球类等课余
游戏活动。该校教习 5 人，帮教习 2 人，学长 2 人，提调 1 人，司事 4 人，
稽查 6 人，书手 1 人，乐兵 3 人，差役 9 人。教习月薪银 20 两至 10 两不等。
年经费白银 5 053 两。光绪三十二年（1906 年），更名为陆军小学堂。

土默特小学堂　在旧城（今呼和浩特市玉泉区）。光绪三十年（1904
年）设。监督 1 名，学生 40 名，每名月给津贴银 1 两 2 钱。学科如制，汉
文教习 1 员，满蒙 1 员，司事 1 员，常年经费银 900 两。

土默特蒙养学堂　在旧城（今呼和浩特市玉泉区），光绪三十一年
（1905 年）设，学生 50 名，经费由都统筹拨。光绪三十二年（1906 年），
将军贻谷复奏准，以蒙旗欧脱地，并达旗四成等地之收入，作为公费。

萨拉齐厅小学堂　蒙小两等合设学堂　在萨拉齐（今包头市土右旗所
在地）城内东街，光绪二十九年（1903 年），同知清治呈准建设，将育才书

院发商生息之本制钱 6 000 串及生息完全提做此校常年经费。由同知兼任学堂监督，并聘地方士绅赵振九、王玉如二人为副办，秉承监督办理学堂一切事务。学生区为蒙学（即初级小学）、小学（即高级小学）两级，教授经学、文学、数学、历史、地理、格致、体操各科。光绪三十年（1904 年），同知余宝滋莅位，呈准征收绒毛、渡口、船筏等捐以增经费，添收学生，于是校务逐渐扩充。据《归绥道志》载，该厅四大镇并十镇各设立小学堂 1 所，每所学员 40 名。

托克托厅学堂 托克托厅于光绪二十九年（1903 年），创设 6 所启蒙学堂，托城内 3 座，河口镇 3 所。光绪三十年（1904 年），奉归绥道学务局批准，改为官立两等小学堂 1 座，初等小学堂 5 座。每座学额 31 人。两等小学堂每年修费钱为 96 千文，初等小学堂每年修费为 48 千文。由托克托厅筹备，按月致送。两等小学堂教习为老秀才私塾先生郜荣。

清水河厅学堂 初等小学堂 2 所，学生各 20 名。

陶林厅学堂 蒙养小学堂 1 所，学生 20 名。

宁远厅学堂 设有高等小学堂 1 所，初等小学堂 5 所。

兴和厅学堂 设有高等小学堂 1 所，初等小学堂 10 所，学生 200 名。

丰镇厅学堂 设有高等小学堂 1 所，城乡蒙养学堂 1 所。

五原厅学堂 初等小学堂 1 所，学生 45 名；半日学堂 3 所，学生 8 名。

和林格尔厅学堂 设蒙养学堂及四乡蒙培养学堂共 6 所，学生 60 余名。

以上均为《归绥道志》光绪三十三年（1907 年）所统计。

多伦诺尔小学堂 光绪十年（1884 年），始有兴化书院之设，是为该厅教育机关之创始，隶属于多伦诺尔厅。内有教授 1 人，以讲授经书为主，并于是年建修孔庙，以崇祀典。至光绪末年，改书院为高等小学堂。宣统二年（1910 年）二月，添设女子高等小学堂。

赤峰县城两等小学堂 清光绪二十九年（1903 年），成立高等小学堂一处。经地方绅耆筹捐，作为该校基金。三十二年（1906 年），设劝学所专员，提太原社、尧都社、祭神演剧存款，为劝学所及通俗讲演所开办经费。就屠宰、油粮、车驮、奢侈品、铺各捐，在本城设立初等小学堂 2 处，而四乡要区亦各设初等小学堂 1 处，共 8 处。

敖汉旗贝子府小学堂 宣统二年（1910 年），在贝子府建立初等小学堂。是敖汉旗建立学堂之始。

麦林希伯汉学堂 光绪三十一年（1905年），在科尔沁左翼后旗境内马家屯设官立蒙汉小学堂一处——麦林希伯汉学。该学堂是博王府官员金扎哈其（又名富乐温）奉阿穆尔灵圭之命，在秦梅林旧宅建立的。学堂建起之际，委任乌力吉敖其尔为学监掌管学堂。除学监外，配有4名教书先生。学堂内置讲学5间，寝室10间，教员职员室6间，其他用房9间。所费用银828两，皆由阿穆尔灵圭捐纳，学堂实行供给制，学生的衣、食、住乃至笔墨纸张均由校方供给。学部发给学堂章程，并审定各种教科书。该校学制为5年，课程设置有：修身、国语、算术、体操、音乐、地理、历史、自然。学生1个班，30余人，除少数汉族外，大多属蒙古族贵族子弟。均由王府从所辖8个努图克点名指派，一些贵族子弟不愿入堂读书，出钱雇人顶替，使学堂学生中有了布衣子弟。这所学堂先后招生4期，有3期毕业，约120人，第四期读到4年，学堂便告散。

科尔沁左翼三旗蒙汉小学堂 "光绪三十一年（1905年），奉旨谕令蒙族兴学由"，于是，光绪三十二年（1906年），在昌图府城外四里处先忠亲王祠建立了公立蒙古小学堂，即：科尔沁左翼三旗蒙汉小学堂。学堂的教育宗旨是：忠君、尊孔、尚公、尚武、尚实。学堂房舍有31间，另有体操场一处。办学经费银2 257两，其中由先忠亲王助银833两，旗众捐银729两，学生自备膳费银695两。学堂由学部奏定章程并审定各种教科书。学制为5年，所设课程有修身、历史、地理、算术、读经习字和体操。招收学生50人，分甲、乙两班。光绪三十四年（1908年），学堂改由教育公所主办。当时，蒙汉族学生均有就学者。

经棚回民小学堂 光绪三十年（1904年），经棚街回民开明人士哈兆霖创办回民小学堂1所，为本旗教育由塾教转为学堂的先声。校址设在清真寺内，招收学生20人。

乌丹初等小学堂 光绪三十三年（1907年），经赤峰县批准，在乌丹始建公立初等小学堂。这是乌丹地区有史以来的第一所公立学堂。此前，本地仅有4处私塾。

喀喇沁旗"三正"学堂 光绪二十八年（1902年），喀喇沁左旗札萨克郡王贡桑诺尔布创办养正学堂，招收旗民青少年入学，一切免费。共招学生 50 名，多系王公贵族子弟。课程以蒙文、汉文为主、兼学书法。后，贡王为学堂题楹联"崇武尚文无非赖尔多士，正风易俗是所望于群公"，遂改校名为崇正学堂。光绪二十九年（1903 年）夏，喀喇沁右旗王府建立守正武学堂（军事学堂），日本陆军大尉伊藤柳太郎、中尉吉原四郎为军事教官。学生在官员子弟和王府卫队中选拔，共 30 名。12 月 28 日，在喀喇沁右旗王府燕贻堂创办的毓正女学堂正式开学。学生有贡王胞妹、王府使女与邻近村屯的官员女儿等 24 名。编为两班，讲授蒙、汉、日三种语文。

第二节　私学（私塾、义塾）

同内地一样，自秦汉至清末，私学一直是内蒙古地区主要办学形式。由于内蒙古地区仍以游牧经济为主，加之清朝初期对内蒙古地区实行封禁政策，汉民难以进入蒙地定居。清廷对蒙古民众实行愚民政策，大量蒙古青少年进入寺庙当喇嘛。因此，该地区私塾罕见。康熙朝以后，逐步开禁，随着放垦面积加大，速度加快，进入内蒙古地区务农的汉民由春来冬返的"雁行人"，纷纷在此定居。经过一二百年的繁衍，汉民人口剧增。雍正朝后，先后在内蒙古乌兰察布、伊克昭归化城土默特左右二旗、察哈尔右翼旗等地设置了专门负责处理汉民事务的理事通判厅，俗称口外七厅（后增加到十二厅）。乾隆时期，由于继续推行康熙、雍正时期的农业政策，减免农业赋税，大量开垦荒地，下令凡属荒地："悉归夷民所有"，"永远为业"。"庚子赔款"，进一步加剧了对牧场的开垦。有些地区（如土默川平原、后套地区），农业经济开始取代牧业经济，占主导地位。儒学随着农业经济的发展而兴起，各地的私塾也明显增加。绥远地区甚至出现了"私塾林立"的局面。

一、私塾种类

内蒙古地区的私塾形式多样，按主办者分类，有家塾（亦称专馆、家学）、村塾（亦称散馆）、东馆（塾馆）和义塾（义学）；按教学内容分类，有蒙学馆和经馆；按教学时间分类，有长学和冬学；按教学用语分类，有汉文私塾、蒙汉兼学和蒙文私塾。

　　家塾（专馆）　　清廷规定，世爵子弟至 10 岁以上，均送官学深造。入官学前均在家塾学习。康熙元年（1662 年），清唐古特南喀尔喀王府（在今通辽市库伦旗境内）一世巴勒布冰图台吉封爵后，即开始设立王府家塾。这些是迄今查到的有关内蒙古王公贵族家塾教育的最早记载。满、蒙古王公贵族的家庭历代皆设有家塾，聘请有学识者对其后代进行满文、蒙古文、汉文（解除汉禁后）教习，并学习骑射兵法等。科尔沁左翼后旗郡王府第十一代王爷僧格林沁，曾在昌图府文昌宫蒙古私塾馆读书两年。

　　一些汉族富户对子女教育很重视，纷纷在家延师设馆。如赤峰市敖汉旗金厂沟梁下长皋（今查干高勒）富户张家延师设立专馆，教授子女，其后人张履谦于光绪二十九年（1903 年）考中进士。

　　东馆（塾馆）　　由家境比较好的塾师自己设馆招收学生，收取束脩。较有名气、历史较长的是由赤峰敖汉旗四家子牛夕河北屯白庆帮创办于咸丰元年（1851 年）的白家专馆，百余年间白氏先后有 12 人充当塾师，授徒 800 余人。前清举人傅瑞麟道光十二年（1832 年）举家由山海关迁到库伦旗，开塾办学五十余载，每年招生 10—20 人，以爱国、正直、学识渊博深受学生敬重。光绪二十一年（1895 年），300 余名学生披麻戴孝为其送葬。

　　义学（义塾）　　由官员、乡绅捐资或由地方集资兴办的免费学塾，称为义学，具有"公益"和"慈善"事业性质。内蒙古地区义学的兴办晚于私塾，常因经费不继，时断时续。内蒙古地区比较有影响的义塾主要有：

　　古丰义塾　　位于归绥道署西北隅，创始无考。嘉庆八年（1803 年）重建，延两师授课，脩脯月银各 10 两；生徒 30 人，茶水月银 3 两；考课奖赏每季银 8—9 两。归绥道德纶定为：每岁由归化厅捐银 50 两，绥、和、萨、清、托五厅各捐银 30 两，归、萨两巡检各捐银 10 两，不敷者由道自助。光绪十一年（1885 年），义学地址改建文庙，仍附义学于偏院，复添东、西、南、北四义学，建筑费外余银，凡 1.4 万两，发商生息，为各义学及牛痘局、育婴堂、济生店经费。同年，道宪阿倡集官商银 21 087 万两，就城内杨家巷旧义学一所，添买隙地，改修文庙：大成殿 3 楹，东西庑各 3 楹；戟门 1 座；外院东西厢房各 3 间，为乡贤名宦祠虚位；大门 3 间；西小院一，有北房 3 间，仍留义学在内。嗣后又添设 4 所：东在吕祖庙，西在龙王庙，南在观音庙，北在本城内。除用费外，存银 1.4 万两，发商，按月一分生息，岁入息银，分作各义学及牛痘局、育婴堂、济生店等项经费。

清水河厅义学 同治七年（1868 年），通判塔思哈首先倡捐，在关帝庙外院东侧已荒废的旧义旧址，改建北窑房 4 间，未及葳事，调署萨厅。复经署通判恩堃捐廉以助经费，延师开学，以成其事。经理生员朱辙等立碑志之。义学以先年原置马厂康盛庄签子地的全部地租作为办学经费。

丰镇厅义学 在南街，古地名衙门口，设自雍正年间，一直由官府捐资。乾隆七年（1742 年），通判顾世恒以龙王庙迤东官地 68 亩，城南 30 亩，河东 30 亩，东河畔 15 亩，共地 143 亩，拨入义学厅管师岁收租息，以资办学。

四个义学 同治八年（1869 年），包头开始修建城垣，4 年后建成。凡各地出产的皮张绒毛，牲畜、粮食、药材以及土特矿产等物资，内地的烟、酒、茶、布、糖等生活物资，都在包头成交、集散。包头遂成为西北地区的商业重镇，商务交易频繁，内地商人纷纷来包头设店经商。这些商人的子弟及从事手工业的工人子弟，亟须有一定的文化知识，遂由工商业组织"公行"，创办起 4 所义学，供工商业子弟入学。义学创建时间，一说约在道光十九年（1839 年），一说是道光二十九年（1849 年）。这 4 个义学，都设在当时公行所在地马号院内及其附近，由公行负责领导，不设学董。每校设一教师，教师年冬回家，义学放假，好的教师次年继续约请，不好的年终辞退，次年开学另行约请教师，4 个义学共有学生百余人。

另外，由喀喇沁左旗札萨克贡桑诺尔布创办养正学堂、守正学堂、毓正学堂，由札萨克亲王阿穆尔灵圭捐纳的科尔沁左翼后旗蒙汉小学堂麦林希伯汉学都具有义塾性质。

二、教学与管理

教学内容

（1）蒙学馆。以识字为主，教材主要有《三字经》、《百家姓》、《千字文》，此外，还有《弟子规》、《名贤集》以及《庄农杂字》等启蒙读物。

（2）经馆。在识字的基础上进一步深造，教材为"四书"，然后诵读

"五经"。最后阶段由塾师开讲，开讲两年或 3 年后，学生开始写文章。一般定为一句一篇。塾师对学生的作文全部面批，批改后誊清，再送塾师圈点。学生每天练习书法。书法的程序是仿影、空影、临摹、最后专习小楷，兼习大楷。

教学方法　私塾没有固定学制。学生年龄大小不一，学习年限也各异，采取单人教学法，依据学生年龄、天资的差异安排不同的教学进度。塾师授课的方式是点、读、背、讲、写。每天每个学生逐一到先生面前，请先生用红笔点书教读，先生根据学生年龄、接受能力、成绩的差异，确定读书、写字、背诵的多少。塾师教学的信条是"学以畏而成"，多以戒尺来管束学生。

第三节　教会学校

鸦片战争后，西方教会势力逐步在内蒙古地区扩张，各地区教堂林立。光绪九年（1883 年）经罗马教廷批准，将蒙古划分为东蒙古、中蒙古、西南蒙三个教区，派三主教分理教务。绥远地区教务分属于中蒙古、西南蒙古教区。赤峰地区教务属东蒙古教区。被法国遣使会、圣方济会、比利时圣母圣心会、英国和瑞典耶稣教会派遣到内蒙古地区的传教士将兴办教会学校作为传教布道的重要手段和阵地。教会学校不断增加。教会办学形式多样，有以招收教徒子女为主的全日制学校，也有以教徒（成年人）为对象，在农闲季节以补习班形式办学的；还有以教友为对象的男学和女学。女学多以修女住宅或婴孩院为基地，修女除照看婴孩外，还兼任女教友的文化教师。学校的规模不等，教学及管理亦各异。

一、学堂、学校的设置

光绪十四年（1888 年），传教士在地广人稀的地区先办短期书房，亦称要理学校。绥远地区已有男校 34 处、女校 19 处，学生共 794 名；而至光绪三十二年（1906 年），要理学校发展到 173 处，学生 4 088 名，其中女校 78 处，学生 2 000 名。要理学校教学"用教会要理课本，作为读书识字的入门"（相当于蒙学）。

　　20 世纪初，中国科举制的废除为西式学校的发展创造了社会条件。教会学校在内蒙古地区的发展也进入新的阶段，其重要标志之一就是公学校（相当于中学）的创建与发展。光绪三十三年（1907 年），绥远境内的中蒙古、西南蒙古两地牧区，新增公学校 5 处，学生 157 名，其中女校 1 处，学生 34 名。这一时期，公学的设立，主要本着为造就师资以及培养未来做教士的人才。绥远地区最早的公学校是由要理学校升格或合并而成的，大多数中学都是在高等小学的基础上渐渐增加班次而成的。萨拉齐厅小巴拉盖公学院就是如此演化而来的。光绪九年（1883 年），二十四顷地和小巴拉盖建教堂时，已创办学校 1 处，称天主教学堂。后来学校发展，设中学部，并于光绪三十年（1904 年）将学校改为公学院，教学分为男校部和女校部。嗣后，男校部成为"培英学校"，女校部亦为"启秀女中"。同时，各公学校竞相引进体现近代社会特征的西方教育的内容、方法和手段等，使之成为展示西方教育的窗口。

　　内蒙古地区的教会学校主要集中在西部的包头（土默特右旗二十四顷地）、河套（临河、磴口）地区和东部的赤峰（赤峰县、敖汉旗）地区。规模较大、办学时间较长的学校主要有：

　　三盛公小学　光绪六年（1880 年），今巴彦淖尔市地区建立了天主教三盛公小学，分设男、女校，建校初期有学生 30 余人。学制 6 年，男学生毕业后，一部分升入小修道院继续学习，一部分回家务农。女校学生毕业后，如自愿守贞节者即由教会保送至小修道院。学校行政由教堂神甫掌握，办学经费由教会支付。

　　三盛公公学院　光绪三十一年（1905 年），三盛公小修道院东迁，其原址扩建为三盛公公学院，招收河套地区各教堂小学四年级以上学生。陕北三边、银川、下营子一带的学生也来此求学，学制为 3 年，学生约 70 人。学生毕业后，如自愿报名修道，经教会批准，保送二十四顷地小修道院学习，其他未能进入小修道院者，则由教会择优聘用为各堂的小学教员。

　　明德小学　光绪六年（1880 年），土默特右旗二十四顷地办起具有教会性质的明德小学。光绪三十一年（1905 年），小巴拉盖村的天主教堂也办起了一座学堂，称天主教学堂。主要招收教徒子女，教师由教主、神甫担任。

　　天兴泉小学　光绪十二年（1886 年）建立。初期与南粮台小学情况相同，1926 年磴口建县后称为天兴泉初级小学，4 个班，复式教学，有教员 1 人，学生 40 多人。

东堂小学　光绪十三年（1887 年）建立，时设 1 个班，学生 20 人，教员杜锦堂，后发展为全日制初级小学，四年级毕业后，入渡口堂高级小学。

渡口堂初级小学　光绪三十年（1904 年），渡口堂小学建立，分男、女两校，初期属于成人夜校，设备极其简陋，土房土炕，因为新教徒和望教者而设，故既学教会要理，也学《三字经》、《百家姓》。

补隆淖尔小学　光绪三十一年（1905 年）建立，分男、女两校。校长由本堂神甫兼任，男校教员 2 人，女校由修女兼任教师。

伊克昭盟地区学校　光绪十六年（1890 年），有两名比利时籍的天主教徒进入今天的鄂尔多斯市达拉特旗境内传教，并在小淖村筹建教堂，同时开办教会学校（人称"堂学"）。19 世纪末，有 3 名比利时籍天主教徒在准格尔旗境内开设教堂两处，开始传教，发展教徒，而且逐渐波及鄂托克旗。到 1936 年，今鄂尔多斯市境内有高级小学 2 所（达拉特旗小淖、鄂托克旗城川各一所）。此后，准格尔旗将军窑子、程奎海子、二十四顷地，达拉特旗新民堡等地，相继建立教堂，并随之吸收教堂附近的村民和教徒子女，办起了教会学校。

博爱小学　同治十三年（1874 年），外国传教士德玉明开始涉足阿拉善定远营。1925 年，瑞典传教士溥博爱在定远营创办了传播基督教的"福音堂"，并在福音堂内开设了定远营最早的教会学校（俗称"洋学堂"）——"博爱小学"，招收贫民和教徒子弟 30 多人。课本、文具均由学校无偿供给，免收学费，许多贫民争先恐后送子弟上教会学校，这引起封建王公极大恐慌。阿拉善旗官方以侵害阿拉善主权为由，强令停学，迫使溥博爱离开定远营。

东山英华初级小学校　早在鸦片战争之前，天主教外国神甫就到赤峰县东山（今马架子）常驻传教。光绪二十六年（1900 年）建成马架子天主教堂，遂于每年冬季组织教友参加经书学房（当时是季节性的），以学习《圣经》为主，识字为辅。人称"圣经学堂"。由神甫任教，不收学费。

此外，分布于各旗县的小学尚有：

喀喇沁中旗那拉不流（今二龙镇）天主教堂于光绪二十九年（1903

年）建男、女小学各 1 所。

第二种类型是以教徒（成年人）为对象，在农闲季节以补习班形式办学的。以学《圣经》为主，识字为辅。

光绪三年（1877 年），喀喇沁中旗（今宁城县）在那拉不流（今二龙镇）建天主教堂，教堂设育婴院和男、女小学各 1 所。

第三种类型是以教友为对象的男学和女学。

天主教正式教堂多设有男、女两部。女学多以贞女住宅或婴孩院为基地，贞女除照看婴孩外，还兼任女教友的问答教师或文化教师。

二、耶稣教会学校

光绪三年（1877 年），敖汉旗贝子府耶稣教堂建立，开设课程有《百家姓》、《三字经》、《千字文》和《四书》、《圣经》以及书法课。

此外，阿荣旗有天主教堂附设小学校 3 所，其中女子小学 1 所；共有学生 65 名，其中女生 20 名，有教师 3 名。

三、教学

教学内容　辛亥革命前，授课内容主要是神学知识，有《圣经》、《天主经》、《圣母经》、《圣号经》、《感谢经》、《信经》、《悔罪经》、《求恩经》和《基督教诗歌》。除神学知识外，另有一部分历史和医学知识，兼学《三字经》、《百家姓》、《千字文》等。

学校纪律极严。有明确的作息时间，由教师监督执行。学生必须遵守修会式的生活组织纪律，稍有违拗，便施以打罚。

教会学校的办学目的主要有两种：第一种是把儿童引到基督教福音势力范围下，使他们时时受其熏染；第二种是等到他们自己已坚信了宗教，就给他们一种预备，使他们能把福音再传给别人。因此，所有基督教学校教学的内容都要表现或传播基督教徒的人生观。学习《圣经》是必修课。

管理　各级各类教会学校的设立，必须经本教区主教堂的批准。办学经费由天主教堂承担，一般免收学生学费和食宿费。教师多聘请当地或外地的知识分子，教学管理和教学方式仿照西方。较正规的学校主要招收教徒子女，并保送他们认定的"品学兼优的学生"（必须是天主教忠实信徒）去国外深造。学生过的是类似修士的生活。早5点起床后，先进教室念早课经，望弥撒（宣讲基督教义），念谢圣体经，然后到自习室自习。8点上课。早、午、晚三餐要念饮前、饭后经。逢"主日"（星期日）和占礼日，要举行早"弥撒"、过午的"拜苦路"（纪念耶稣受难的全过程；也是祈祷的一种形式）和晚饭前的"圣体降福"。

第四节　清代绥远城的旗人教育

一、旗人的科举考试

所谓旗人教育，是指清朝专为八旗满洲、八旗蒙古、八旗汉军旗人受教育而特设的各类学校的总称，亦称旗学。从时间上讲，一为走科举之路的旧式学校；一为清末以来的新式学堂。绥远城八旗满洲等驻防旗人也随着这一历史轨迹，走过了这一历史路程。

清代的科举制度，上承明制，有国学与地方学之别。在京师的学校称国学或国子监，俗称太学；在地方则称府、州、县学及书院。八旗子弟入科举，始于顺治八年（1651年）。旗人与民人如步仕途，均需走科举考试之路，但旗人有专门的学校及学额，入选较民人为易。在京城礼部属下的国子监有专门为旗人开设的八旗官学与算学两学。在国家教育系统之外，有宗人府掌教宗室子弟的左、右翼宗学和掌教觉罗子弟的八旗觉罗学；有隶内务府的咸安宫官学、景山官学（内有回回生额）及掌教八旗蒙古官学生授以蒙古语文的蒙古官学；有隶理藩院掌教八旗子弟授以唐古特文字的唐古特学；有隶八旗都统掌世职学生的左、右翼世职官学和掌教汉军子弟授以满文的汉军清文义学；有隶内阁及理藩院掌教官学生授以俄罗斯文字的俄罗斯馆；有隶内务府掌教内务府幼童授以回回文字、缅甸文字的回缅学①。在八旗驻防各地，如盛京、吉林、墨尔根、呼兰、伯都纳、绥远城、热河、宁夏、庄浪、凉州、宁远城、惠远城、西安、成都、太原、青州、京口、江宁、荆州、杭州、广州等地均设有旗学。在以农业为本，社会生产尚不发达的封建

---

① （光绪）《钦定大清会典事例》卷15，《内阁》。

社会，读书、应试、入仕是士子们千百年来的唯一本业，即所谓"科举为利禄之途"，"得之则荣，失之则辱"①。由于旗人有专学专额，有科举入仕这一杠杆动力，这就为他们全面步入清代的政治生活提供了可能性与基础。入试者随着童试、乡试、会试、殿试的不同考试，踏着童生、生员（秀才）、举人、贡士、进士之阶而步入仕途。

清制，不论旗人和民人，凡未进学而当在应考生员之试者，不论老幼皆称童生。童生试是童生为取得生员资格的入学考试，亦为科举制中的最初级考试。童试三年两考，中式者称生员。旗人有专门学额，但满、蒙、汉军内有不同比例。除京师有始于顺治八年（1651年）的八旗童试外，驻防八旗童试在嘉庆四年（1799年）之前，驻防旗人子弟需去京城应试；之后改为在驻防各地举行。但满蒙旗人须编旗字号，汉军旗人编合字号与当地汉童生一体应试。取中生员资格者，各地约十余名以下不等。考试科目为四书文、经艺、孝经、小学、策论、诗赋及《圣谕广训》②。另有驻防翻译童试。道光二十年（1840年）前须赴京师应试，后改为在驻防地应试。每地额录5人，但考童逾110人增额1人，逾130人增2人，逾150人增3人。考试科目为满文、蒙文、汉文。中者称翻译生员。此外还有专为培养选拔武官的武童试。凡应试人员，不分长幼，均称武童生，中式者为武生员。康熙二十六年（1687年），准汉军旗人应试童试；雍正元年（1723年）准满洲旗人应试，十二年（1734年）停试，但汉军仍可应试；嘉庆十八年（1813年）又准满洲、蒙古八旗应试，约为5人取1。驻防武童试初须赴京城应天府应试，后改在驻防地应试。考试科目为马箭、步箭、刀石及《武经》。

乡试是每三年一次在各省省城举行的考试。正科考试一般逢子、卯、午、酉年八月举行，如遇国家吉庆大典，则增开恩科。凡具备生员资格者，均可应试，中式者称举人。旗人乡试始于顺治八年（1651年），十四年（1657年）停试，康熙八年（1669年）复行。满、蒙旗人为一榜，汉军与汉人同榜，各有名额。除京城的八旗乡试外，驻防八旗乡试，在嘉庆二十一年（1816年）之前，驻防生员须赴京城应试，其后准予在驻防地编旗字号

---

① （光绪）《戊戌变法档案史料》，中华书局1958年版，第215页。
② （光绪）《大清会典事例》卷388，《礼部》。

或合字号随当地汉族人一并应试。并规定 10 人取 1 的比例，但大省不逾 3
人，中省不逾 2 人。道光二十四年（1844 年）停止驻防八旗文试，只许应
翻译乡试。咸丰十一年（1861 年）又恢复驻防文试。考试内容为四书文、
五经文、五言六韵诗、五言八韵诗、策问、经、史、孝经等。满洲、蒙古旗
人须试满、蒙文一场，而汉军旗人须应试汉文三场。中式各有额数。① 驻防
翻译乡试在道光二十三年（1843 年）前须赴京城应试，其后始准翻译生员
在所在驻防地应试，额定为 18 取 1 但每省（地）不逾 3 人，中式者称翻译
举人。考试科目为满、蒙、汉文。武乡试始于康熙二十六年（1687 年）的
汉军应试，雍正元年（1723 年）准八旗满洲应试，雍正十二年（1733 年）
停试，但汉军仍可考试；嘉庆十八年（1813 年）准满、蒙八旗及驻防旗人
应试。② 各驻防八旗武生员于所在驻防地应试，10 人中 1 人，但额定每地武
举人至多 2 到 3 人。考试科目有内外场之分，汉军马箭、步箭弓刀、石为外
场，满蒙旗人以骑射、步射、硬弓为外场，均以考《武经》为内场。

　　会试是指三年一次会集各省举人在京城举行的考试。会试正科一般逢
辰、戌、丑、未年，即于乡试的次年三月在礼部举行。若遇乡试有恩科，则
亦于次年另行会试恩科。取中者称贡士。旗人应会试始于顺治九年（1652
年）。满、蒙旗人须试满文、蒙文一场，汉军试汉文三场。揭晓时，满蒙旗
人为一榜，汉军旗人附汉榜。顺治十四年（1657 年）旗人停会试，康熙九
年（1670 年）又令复行。驻防旗人中式之举人参加会试，在嘉庆二十一年
（1816 年），清廷始准驻防旗人于驻防所在地应乡试，其中举者赴京城与京
旗举人一体应试。唯试卷弥封处用驻防戳记，另定中额，发榜时并注明驻防
字样。考试科目多为四书文、五言八韵诗，时文、经、策等。翻译会试始于
乾隆四年（1739 年）。驻防翻译会试的应试，在道光二十三年（1843 年）
始准驻防旗人于驻防各地应翻译乡试后，考中翻译举人及文举人者须赴京城
与京旗举人一体应翻译会试。唯试卷弥封处用驻防戳记，发榜时并注明驻防
字样。中额数不定，大约为 5 人中取 1 人。中式者称翻译贡士，亦称进士，
但不与于殿试。考试科目为满文、蒙文、汉文等。武会试亦有正科与恩科之

---

① （光绪）《钦定大清会典事例》卷 348，《礼部》。
② （光绪）《钦定大清会典事例》卷 348，《礼部》。

分，中式者称武贡士。康熙二十七年（1688 年）汉军旗人始于应试，雍正二年（1724 年）满洲旗人始于应试，蒙古旗人始于嘉庆二十年（1815 年）。考试亦分内、外文武科目考场，略同乡试，但难度颇大，录取额视应考人数多寡，由清帝临时决定。

殿试亦称廷试，即清帝于殿廷上亲自对会试录取之贡士的考试，以表示皇帝亲握科举之意图，为科举制之最高阶段。中式者称进士，赐甲第。旗人应殿试始于顺治九年（1652 年），满、蒙旗人归满榜，兼试满文、蒙文，汉军旗人归汉榜；顺治十四年（1657 年）停试，康熙九年（1670 年）复行，满、汉一体试汉文，同榜揭晓。殿试中式无定额，由清帝临时钦定。约 36 取 1。武殿试是指清帝对武贡士亲策于廷，中者称武进士。汉军应武殿试始于康熙二十七年（1688 年），满洲旗人始于雍正二年（1724 年），蒙古旗人始于嘉庆二十年（1815 年）。中额无定数，视应试人数多寡由清帝钦定。

二、绥远城旗人的旧式教育

绥远城建成于乾隆四年（1739 年），驻防八旗兵从是年起，几经调遣，终为八旗满洲及八旗蒙古之驻防格局。最盛时，驻防八旗甲兵达 3 900 人。这就形成了以满洲旗人为主体的绥远驻防满城。

绥远城的官学校始建于乾隆四年（1739 年），即在筑城布局时就考虑了学校的设置。对此通智《敕建绥远城碑》中有明确记载：绥远城于"乾隆己未年之夏六月工竣"，并建有"官学八"。乾隆初年这 8 所官学史载不清，但数量有变动。

乾隆八年（1743 年），绥远城翻译官学始创，经将军补熙奏准，八旗左右两翼各设官学一所。《清高宗实录》卷 200 记载："绥远城建威将军补熙等奏：绥远城请照归化城之例，两翼设立官学，于土默特二旗内，选蒙古教习二人，每学选兵丁子弟十人，令其教读。教习每月给银一两五钱，学生每日给大钱十文。"设立蒙古翻译官学的目的是为了解决往来公文亟须的满蒙翻译人才问题。时过三年，据《清高宗实录》卷 267 记载，补熙根据满汉翻译人才欠缺的实际，又上奏云："臣现将绥远城八旗兵丁内，考试满汉翻译，就中拣阅，只有三卷粗通，此皆由未谙汉文之故。臣前奏请城内设立蒙古学将近三年，俱各发愤勤学，甚属有益。请于绥远城内，照蒙古学之例，设立满汉翻译官学，令其教习。"礼部接奏本后，经乾隆皇帝批准，议复曰："应如将军等所请，于绥远营八旗左右两翼各设教习一员教导。"为往来公文之需的满汉翻译人才也随之将予解决。

在乾隆五十年（1785年）前，绥远城"八旗满洲、蒙古，原设官学五所"，课程主要是满、蒙、汉文及骑射武功。乾隆五十年（1785年），绥远城将军积福奏准："裁汰原设五学外，设立满汉翻译学一所。将军衙门十五间空闲房内，设立满洲官学五所。曰：兴、校、庠、序、塾。"其中"镶黄、正白二旗一所，曰：兴学；正黄、正红二旗一所，曰：校学；镶白、正蓝二旗一所，曰：庠学；镶红、镶蓝二旗一所，曰：序学；两翼蒙古一所，曰：塾学"。"每学，二旗官学生共四十名"，每学教习（教师）两名，学生共200人。并严格规定："各旗佐领下，挑选闲散幼丁，年十五以上，二十岁以下，能习清（满）汉书者，各十名，按旗入学"。①

绥远城将军对以上六学的教习选拔十分严格，史载：满汉翻译学"翻译教习，由部请题本城将军、归化城副都统，率同本城协领、佐领、防御、骁骑校、笔帖式等官，监场考取二员入学。三年期满，如果行走勤慎，教导有成，该将军等出具'教导有方'考语，保题以骁骑校用"。兴、校、庠、序、塾"五学教习，每学二名，由八旗领催、前锋、马甲内挑取"。②

时值"乾隆盛世"，学银得以保证，这六所官学，每年一所共用银43两8钱2分，其中冬春每季用银13两5钱，夏秋每季用银8两4钱1分。

绥远城科举中式额在乾隆朝尚不清楚，但在"嘉庆四年，礼部准议，于考试五六名内，取进一名"。③

清末，驻防旗人考课多随所在地应试，绥远城旗人文试初随右卫驻防旗人附山西朔平府考试，并有专额。光绪九年（1883年），山西巡抚为绥远城旗人考课方便而特奏："绥远城驻防旧有学额，向随右卫考试，今归化厅既已设学，自应改归归化厅，一切章程及取进学额仍照旧例。"光绪十年（1884年）山西署巡抚又奏："……绥远驻防，向随右卫考试，今归化既有

---

① 《绥远城驻防志》卷4，佟静仁校注，内蒙古大学出版社1991年版。
② 《绥远城驻防志》卷4，佟静仁校注，内蒙古大学出版社1991年版。
③ 高赓恩：《绥远志》卷6，光绪三十四年（1908）刻本。

专学，自应即予改归。"在地方官吏的要求下，光绪十一年（1885 年），礼部议准："查绥远城驻防，向随右卫附朔平府棚考试，今归化等厅文童既准就近应试，所有绥远驻防文童，亦应如该署抚等所奏，改归归化厅考试，一切考试章程及取进学额，仍照旧例办理。"①

绥远城的翻译考课则不随地方，由将军等亲抓应试。史载："绥远城驻防翻译童生，由将军、副都统考试，均无定额，……三年两考，岁试于八月内考试，将取进试卷送部，科试于乡试前一年预期考试，如岁试恭遇恩科，亦于乡试前一年预期举行。均限定乡试年三月内，将取进试卷全行送部，照京旗办理。录科及童试均由该将军、副都统、城守尉等造办。令该士子前期十日投卷，亲身书写卷面，填明年岁及满洲、蒙古、汉军佐领，并注明应满洲翻译试字样，钤用印信关防。由将军、副都统先考骑射，合式者方准与考。驻防翻译童生，满洲、蒙古进额，均各五六名取进一名，至多不过五名。应试人数如在一百一十名以上，酌加进额一名，一百三十名以上，酌加进额二名，一百五十名以上，酌加进额三名；毋论人数增多，总不得过八名。"②

绥远城除有官帑资助下的官学外，还有地方个人捐资开办的学院及义学。学院、义学在清代十分兴盛，其原因是由于"国学与府、县之学多近于科举，不足以餍学者之望，师弟子不能自己讲学，故必于学校之外辟一种讲学机关"。③ 绥远城的书院首推"长白书院"。该校于同治十一年（1872 年）由将军定安"督劝八旗官兵捐建"，定名长白书院，校址位于"新城东南隅"。学院经费来源以建校"余款五千两发商生息，作为经费"；光绪三年（1877 年）"将军瑞联复饬归绥道阿克达春，集商捐银四千两，充备公费"，并于是年更改校名为"启秀书院"。对学院的管理，将军准"由八旗官员内选派协领等经理其事"，并"延请山长（校长）按月扃试。"课程多为经史、时务、论义、条对等，但兼习满、蒙文。学生多为满族人，但"蒙汉人等愿应课者，均准入考"。④ 光绪三十年（1904 年），将军贻谷兴办

---

①　高赓恩：《绥远志》卷 6，光绪三十四年（1908）刻本。
②　高赓恩：《绥远志》卷 6，光绪三十四年（1908）刻本。
③　盛朗西：《中国书院制度》，中华书局 1984 年版，第 75 页。
④　郑裕孚：《归绥县志》，《学校》，1934 年铅印本。

新学，启秀书院遂被改建成新式学堂——绥远城中学堂。

在清代的科举制度下，绥远城满洲八旗等驻防旗人除童试外，共考取进士1人，举人23人，武举人64人。进士：光绪朝的承先（满洲旗人）。举人：道光朝的塔清阿、尚阿泰、忠善、庆祥；同治朝的恒喜、承先；光绪朝的景秀、合色贲，尼克贲、文绪、全山，景廉、孟克图、音德纳、玛麟、穆腾武、英顺、文衡、锡麟、锡麟阿、瑞廉、通泰、倭什本。其中满洲旗人16人，蒙古旗人7人。武举人：嘉庆朝的色郎阿、斐仁、同伦岱、泰敏、素鲁克、哈禄堪；道光朝的怀塔、富成、爱星阿、苏哷春、泰布、德通、赛尚阿、玉升、花沙图、苏哷坤、特克什纳、萨凌阿、定碌、达杭阿、赛凌阿、额哷春、全禄、乌什哈、纳玛山、图们泰、齐春、佛德、博勒忠武、萨拉山、增林、魁连、巴图尔山、音登额、庆祥、格瑲额；咸丰朝的召群、达仁、逊彰阿、倭什浑、硕罕、多仁布、景春、春林、合色本、吉胜保、吉勒罕布；同治朝的札拉芬、布音图、怀塔，怀塔哈、巴图隆阿；光绪朝的荣春、布音达什、荣连、三音口、文升、文布、春凌、恩特贺、乌尔图那逊、布林、成凯、荣志。其中满洲旗人58人，蒙古旗人6人。[1] 纵观绥远城科举中式者，进士只1人；文举人从道光元年（1821年）至光绪二十九年（1903年）废科举止，共83年，只中23人，年均仅0.28人；武举人从嘉庆十八年（1813年）至光绪二十七年（1901年）废止，共88年，中64人，年均0.72人。所以绥远城文举低于全国驻防旗学水平，如湖北荆州满蒙驻防旗人共中进士11人，文武举人达291人；[2] 绥远城武举较文举为优，基本同于全国驻防各地平均水平。由此可见，绥远城满族重武轻文风气之一斑。

三、绥远城旗人的新式教育

清朝末年，由于欧风东渐，近代新思潮的荡涤，清政府决定"废科举、兴学堂"，学习西学，兴办新式教育，对旗学亦如此。光绪二十八年（1902年）正月十二日，清帝下旨："将宗室、觉罗、八旗等官学，改设小学堂、

①　高赓恩：《绥远志》卷6，光绪三十四年（1908年）刻本。
②　《荆州驻防八旗志》卷7。

中学堂，均归入大学堂办理，……各省驻防官学、书院，一律改为小学堂。"鉴于科举制阻碍新学，光绪二十九年（1903年）清帝又谕令：著自丙午年（1906年）始，"所有乡、会试一律停止，各省岁、科考试，亦即停止。"① 于是为旗人教育特设的旗学，终于纳入了新教育体系。

光绪二十九年（1903年）十月，身为"钦命督办蒙旗垦务大臣理藩院尚书衔绥远城将军"的贻谷，坐镇绥远城。他"到任后，对于城内学务，颇多设置，以谋旗学之振兴"，并立即着手创办了三种新式学堂。贻谷首先将启秀书院"立行停止，改建中学堂。另挑八旗聪颖子弟入堂，按照学堂章程，分班教肄，兼习清（满）、蒙、洋文"。又设"蒙养学堂，挑选学生，授以清、汉各文，并习练体操，以备升入中学堂之选"。同时另设"蒙小学堂五所，择八旗幼丁肄业"。贻谷认为蒙养学堂和蒙小学堂的"学生未能骤语科学，然亦于诵经、体操外，其渐通粗浅算法、地理等学，以植初基"。这种"惟注重汉文，以培其本，渐及科学，以引其机，数载于兹，稍立基础，乃为进步之图"的初期办学方针，非常适合于当时旗人的实况。两校的经费，主要"筹自各旗佐"。以上三种学堂，当时共有学生500余人。课程则由于"学生程度尚浅，且未奉定新章"，教习只能因地制宜，适度而教。两年后，贻谷认为办学初见成效："各学中不乏敏悟可造之材，其所习洋文、分数，较优于清、蒙文"；并形成"人近知问学，习争附入"之风气，一改过去部分旗人"驻防尚武，何必读书"② 之旧观念。贻谷在办学取得初效后，为满足旗人入学的需要，竭尽全力，于光绪三十三年（1907年）完成了对绥远城学校最后的增建及调整，共在绥远城设有6所新式中、初等及军事学堂。

绥远城中学堂 该校于光绪二十九年（1903年）十月，在启秀书院基础上改建而成。校监督：陈光远。学生一个班共40人，学生发给津贴，其中领班8人，月津贴银5钱，余为4钱。课程在第二学年第四学期是：经学、国文、算学、英文、格致、图画、历史、修身、地舆、体操、科学、博物。学校定有条规14则。全校共有教习8人，设教务提调、监学、庶务提

---

① 《清德宗实录》卷548，光绪三十一年八月甲辰条。
② 绥远通志馆：《绥远通志稿》卷51，《学校志·省学》，20世纪30年代稿本。

调各1人，另有书手4人，夫役10人，厨夫1人。教习年薪银40两至14两不等，有俸禄者津贴20两至1两不等。校常年经费银达3 600两①。经费主要来源，一是"从前（启秀）书院经费，亦归为中学堂需用"；二是"八旗官兵认领绥远牧厂地，共三百四十余顷，俟招佃得租，作为津贴中学堂公费"。②

绥远城高等小学堂 该校成立于光绪三十二年（1906年）六月，不单独设学校，而是附设于中学堂之内。贻谷于光绪三十二年（1906年）十一月专上一奏章，陈述了建立该校的艰辛："绥远中学堂及初等小学堂，均经奏明设立，惟尚阙高等小学堂，无承上启下之阶，失教育递升之序。奴才于本年三月间陈学务情形，业经声明，待财力扩充，始行筹设此项学校。诚恐点金乏术，高等无成立之时，待米为炊，八旗有失学之虑。奴才筹为再四，拟将高等小学堂附设中学堂之内，籍资搏节。此项学生，即由初等学堂选其合格者升入，学生不难选，所难在多设一学，即须多用人员，多筹经费耳。兹幸中学堂承办教习各员，知奴才急于兴学，艰于筹款，皆愿尽义务担任兼办，屡请速成。如此则不必添设员司，而学校可增，学费可省。业于六月间饬令开学，一切名目课程，悉照奏定新章办理。"③ 该校学生共一个班50人。第一学年第一学期课程：经学、国文、算学、格致、图画、历史、修身、地舆、体操、科学。教习由中学堂人员兼办，不另支薪银，只添有书手3人，夫役4人。④

绥远城初等小学堂 该校是在蒙养学堂的基础上于光绪三十三年（1907年）改建而成。是年，贻谷"将原设之蒙养学堂改为初等小学堂，以符名实。科学教习，本应多聘，只以筹款有限，暂选通达汉文亦知新学者，任副教员之职。名目课程，均照奏定新章办理。"⑤ 该校校长：乔桐荫，庶务员：奢浑、钟祥。学生共40人，成绩优异之前10名，每月给津贴银1两5钱。学制为三年，期满合格者升入高等小学堂。课程：修身、读经讲经、

---

① 高赓恩：《绥远旗志》卷6，光绪三十四年（1908年）刻本。
② 绥远通志馆：《绥远通志稿》卷51，《学校志·省学》，20世纪30年代稿本。
③ 绥远通志馆：《绥远通志稿》卷51，《学校志·省学》，20世纪30年代稿本。
④ 高赓恩：《绥远旗志》卷6，光绪三十四年（1908年）刻本。
⑤ 绥远通志馆：《绥远通志稿》卷51，《学校志·省学》，20世纪30年代稿本。

中国文字、算术、历史、地理、格致、体操。教习有3名，司事3名，夫役5名，厨夫2名。教习年薪银30两至14两不等。该校有严格的规章制度，其中有考试章程7条，斋舍规条7则，讲堂规条12则，体操规条3则，礼仪规条6则，放假规条6则，赏罚规条10则。该校常年经费为1 320两银。

绥远城左、右翼五路蒙养学堂 该校是在五所蒙小学堂的基础上于光绪三十三年（1907年）改建而成。贻谷对该校的组建专有奏章："兹由旧设之蒙小学堂五所，设法推广，分为东西南北中五路蒙学，每路设两学堂，共成十所，传集幼童，悉使入学。复于左右两翼分设半日学堂，专收寒酸子弟，既不使旷时失学，仍不误作苦营生。"① 左翼五路蒙养学堂承办人是哈布尔札布、额尔德蒙额。学校有东北路高等蒙养学堂，学生18名；东北路次等蒙养学堂；学生20名；中路高等蒙养学堂，学生20名；东南路次等蒙养学堂，学生20名；东南路高等蒙养学堂，学生16名；半日学堂，学生60名。教习共5人，司事2人，教习薪银10两至6两不等。右翼五路蒙养学堂承办人不详。学校有西北路高等蒙养学堂，学生12人；西北路次等蒙养学堂，学生18人；中路次等蒙养学堂，学生18人；西南路次等蒙养学堂，学生18人；西南路高等蒙养学堂，学生12人；半日学堂，学生60人。教习共5人，司事2人，夫役6人。教习薪银10两至6两不等。两翼12所蒙养学校课程相同，共五门：经学、修身、历史、地舆、算学。常年经费共2 400两银。②

绥远城满蒙学堂 满蒙学院亦称清文学堂，满、蒙文初为绥远城中学堂的两科，光绪三十二年（1906年）经贻谷奏准，独立成校。贻谷在奏章中云："……又清、蒙两科，前已附入中学堂，俾学生兼习。嗣因中学堂改照奏定章程，科学更订，界限宜清。又奉部咨，注重国语，于是另设清文学堂，蒙文附之。国语为创垂成宪，习焉不讲，既羞于数典，更窘于办公。另立一科，俾业精于专，速成犹易。其蒙文之设，则因绥远统辖乌伊两盟，日与蒙接；现在报垦愈广，交涉愈多，翻译需才，亟应预为造就；藩服亦朝廷

---

① 绥远通志馆：《绥远通志稿》卷51，《学校志·省学》，20世纪30年代稿本。
② 高赓恩：《绥远旗志》卷6，光绪三十四年（1908年）刻本。

赤子，并令来学，冀可开通蒙智，藉以联络蒙情。"① 该校承办人：普样、哈布尔扎布、吉兰。学校共分四斋（班），一斋学生37人，二、三、四斋学生均36人。课程有三门：四书、满文、蒙文。教习8人，司事2人，夫役4人。教习月薪银4两至3两不等。全校每月经费银37两5钱。

绥远城陆军学堂　清末，清廷鉴于八旗与绿营兵制的颓败，为抵御外侮及绥靖全国，在各地积极兴练新军。光绪二十七年（1901年），绥远城将军信恪"创设武备学堂于（启秀）书院内，而书院仍照例举行月课"，从而形成了一地两校的局面。贻谷到任后，迁其校址。他在光绪三十年（1904年）九月奏称："惟该书院规模较小，不敷武备学堂之用，奴才现将空闲旗署一所，改作武备学堂。"② 并将新迁址的武备学堂更名为陆军学堂。该校监督陈光远。学生为一个班60人，均为身强力壮、粗通文化的旗人子弟。学校定有规章条例20则。第一学年第一学期的课程：修身、国文、英文、历史、地理、算学、格致、图画、训诫、操练、兵学。教习共5人，帮教习2人，学长2人，提调1人，司事4人，稽查6人，书手1人，乐兵3人，差役9人，教习年薪银20两至10两不等。该校全年经费银达5 053两。

清末绥远地区在兴办新学过程中，贻谷扮演了重要角色。贻谷，字蔼人，乌雅氏，满洲镶黄旗人。目前史学界对其"督办蒙旗垦务"问题上颇有争议，以致全盘予以否定。对贻谷应历史地、实事求是地、一分为二地加以评价，如在兴办新学等问题上则应予充分地肯定。史书记载：贻谷对教习、学生要求颇严，并经常"躬亲督责，课绩极严，颇著成效"；他还"不时到堂，传集该教习、学生等，考其学业，与之讲解问难，加以督勉。"贻谷除勤于督教外，并有捐资办学之举："惟学堂愈加扩充，经费愈形支绌。即以中学堂论，常年得款不敷，几至中辍，奴才将应得公费，悉数捐入，勉持至今。"当时绥远地区财政异常困难，"绥远则旗库既艰窘异常，晋库亦无可挹注"，而"办一学堂，多则十余万，少亦数万金"，故贻谷想方设法四处筹措，但难度颇大，致使他近乎绝望地喊出："夫兴学莫难于筹款，而在绥远尤难乎其难。"但他临难而上，对学款问题决心"惟勉力支持，设法

---

① 绥远通志馆：《绥远通志稿》卷51，《学校志·省学》，20世纪30年代稿本。
② 绥远通志馆：《绥远通志稿》卷51，《学校志·省学》，20世纪30年代稿本。

筹措，无论如何难办，必不使八旗失学。"① 贻谷在任 5 年，政绩斐然。据史书记载：贻谷"以时创设陆军，置枪炮器械，筑营垒，兴警察，立武备陆军学校及中小蒙学校数十所，创工艺局，妇女工厂。资送绥远学生出洋，或就北洋学堂肄业。建设兴和、陶林、武川、五原、东胜五厅。练巡防马步十营。修缮绥远城垣，浚城外沟渠。建筑蒙地村屯，植树造林，劝课园圃果实蔬菜，暇辄就田间耕夫妇数问疾苦，或策单骑驰营垒，召士卒申儆之，教之以习勤崇俭，戒嗜好，勤勤如训子弟，不率者乃罚遣之。"史书又载：贻谷为"妥筹旗丁生计，于牧厂未放之地，尽数八旗认领。套渠地沃，为绥远认领一千二百顷，以旗丁五千一百余名计之，似敷分布。"②

宣统三年（1911 年），辛亥革命爆发，清王朝被革命的洪流所淹没。绥远城旗学的命运据记载："于民国元年（1912 年），新城绥远中学堂裁并于旧城归绥中学校；其他各学，经辛亥革命停办。元年，绥远厅与归化厅并为一县，其小学亦由县另行设置。"③ 自此，生存了 173 年的绥远城旗学完成了它的历史使命，旗人的教育开始进入到一个新的历史阶段。

---

① 绥远通志馆：《绥远通志稿》卷 51，《学校志·省学》，20 世纪 30 年代稿本。
② 《清史稿》卷 453。
③ 绥远通志馆：《绥远通志稿》卷 51，《学校志·省学》，20 世纪 30 年代稿本。

第 二 十 章

清代内蒙古民族及其文化

第一节　清代内蒙古的满族及其风俗文化

一、八旗汉军与右卫八旗蒙古兵之联合驻防

雍正晚年，清朝与漠西准噶尔部的战争几经较量双方均已无力再战，只得议和，偃旗息鼓、撤军回寨，一时出现了和平局面。雍正十三年（1735年）十二月，清廷决定在归化城（今呼市旧城）旁建一新城——绥远城，以安排从漠北撤回的军士。对此《清高宗实录》卷9有详细记载："总理事务王大臣奏言：大兵既撤，若喀尔喀蒙古等必需内兵防护，请酌留东三省兵五千名，驻扎鄂尔昆。现今鄂尔昆贮米甚多，可支五千人数年之食，其察罕瘦尔所贮粮三万余石，亦应运赴鄂尔昆。又归化城，路当通衢，地广土肥，驻兵可保护札萨克蒙古等，调用亦便。请于右卫兵四千内，酌拨三千，并军营所撤家选兵①二千，热河鸟枪兵一千，并令携家驻归化城。若喀尔喀等自能防守，鄂尔昆不必留驻内兵，则归化城请再酌增兵四千为一万人，令其留

---

① 家选兵，清代满洲等旗人之家仆（多为汉人）因跟主人出征而获兵籍者的称谓。此前家仆因其身份低下，无独立户籍，只能依附于主人户下，故亦称"户下"或"家下"人。但如因军功等原因，可偿还主人身价后，从主人户下分离出来另立户档，名曰"开户"或"另户"，但多入汉军旗籍并被另记档案。

戍。设将军一员总理，副都统二员协理。所留右卫兵一千名，以副都统一员领之，仍隶归化城将军管辖。并请特命大臣一人驰往，会右卫将军岱琳卜、归化城都统丹津、根敦、尚书通智等，相视形势。其戍兵如何分驻，及筑城垦田以足兵食等事，详悉确议具奏。……从之。"也就是说，清廷准备裁右卫将军，并在归化城旁建一新城，新设将军一人统辖兵丁。

当筑城屯兵之举正处于筹划之时，官居"稽查归化城军需工料掌印给事中"的永泰为长远计，于乾隆元年（1736 年）四月上奏道："归化旧城，修整完固，于城东门外，紧接旧城，筑一新城；新旧两城，搭盖营房，连为犄角，声势相援，便于呼应。右卫驻防兵丁，不宜迁移，镇守仍照旧制，庶于地方有益。归化城一带地亩，不便改为民种升科。"乾隆帝认为永泰言之有理，遂改初衷，于是下令："筑城开垦事件，交通智总管办理，俟城工告竣之时，先派家选兵二千名，热河兵一千名前往驻防。其家选兵照八旗另记档案人例，[①] 另记档案，将来补授骁骑校等微职，不可用至大员。右卫兵丁，暂行停止迁移，仍著在本处驻防。归化城周围田地，悉行开垦，俟积谷充裕之时，于京城八旗闲散满洲内，将情愿者，挑派三千名，以为新城驻防兵丁，其钱粮家口米石及拴养马匹，俱著照热河兵、家选兵例。"[②] 这样先前调迁右卫旗兵的动议改由日后京师满洲兵驻防绥远城，而热河兵及家选兵 3 000 人依议未变。

乾隆元年（1736 年）七月，清廷将在漠北军营已征战五六年的京城满洲家选兵 2 000 人，因作战军功均提高身份，由以前的八旗家仆分立另户，"归入旗分"，成为有一定待遇的汉军旗人。十二月，乾隆谕令加速修建绥远城，并告知筑城官员：驻防兵丁"于明春即当遣往"。[③]

乾隆二年（1737 年）三月，清廷又决定在绥远城停增新设将军，只需将右卫将军迁此即可，同时暂停派遣京师旗兵。史书云："总理事务王大臣

① 另记档案，即清代旗籍中的开户人。原属满洲等旗人之家仆，后因军功等原因而为另户。雍正时下令清查八旗另户源流，把另户中的开户人清理出来，以与满洲正身另户相区别。对这些从另户中清理出来的开户人则另记档案，故有此称。他们被限制使用，虽还享有旗人之特权，但不得与宗室联姻，致仕则限制范围，旗下妇女"概不准援例请赏"（《户部则例》卷1）。今"打入另册"一词即源于此。

② 《清高宗实录》卷16，乾隆元年四月甲戌条。

③ 《清高宗实录》卷32，乾隆元年十二月庚午条。

议奏：归化城盖造新城，去右卫仅二百里，毋庸添设将军，请将右卫将军移驻新城，止添副都统二员，其右卫之副都统二员，仍留原处，亦归并将军管辖。所有家选兵二千名，热河兵一千名，著该处照原议办理，俟房屋工竣日，先往驻扎。其管兵官员，应令将军王常等，会同八旗大臣，拣选京城应升官员，请旨补放。至京城应派官兵三千名，遵旨暂停，俟归化城附近地亩开垦足数，呈报到日再议。从之。"[1]

在乾隆二年（1737 年）六月之前，绥远城营房已完工，按既定方针，从漠北而来的已成另户汉军的原 2 000 家选兵及热河汉军 1 000 人率先进驻绥远城。《清高宗实录》对这 3 000 旗兵的驻防具体时间无记载，但在六月丁卯条上云："总理事务王大臣等奏：热河地方，甚为紧要，所居满洲兵现有八百名，其从前一千操演兵（即鸟枪兵）已遣往归化城驻扎……"。[2] 这说明 3 000 旗兵当在乾隆二年（1737 年）六月前的春季驻防无疑，也正符合乾隆帝"明春即当遣往"的谕令。

乾隆二年（1737 年）八月，从右卫将军任上调迁而来的绥远城建威将军王昌，根据驻防伊始，需立即筹办增添兵丁，选派官佐，制定仪卫，奏定钱粮等事宜，上奏了九条急需之应议事件。《清高宗实录》云：

> 又议复归化城将军王昌奏，新驻兵丁，应议事件：原附右卫蒙古裁汰余兵五百名，请编为五个佐领，移驻新城，仍照原议支给官弁俸饷。新城驻扎兵丁，须得熟谙之员经理，请将右卫官员，酌量送部引见调补。新城将军以下，笔帖式以上，应得米石马匹，照右卫例支给。新城应设铁匠箭匠，照右卫例挑取，给予银粮。将军仪卫，照提督例；副都统仪卫，照总兵例，由巡抚处领取；执事人应得银两，照右卫例，在同知库内支取。新城应用旗纛，照例由部领取。兵丁马匹，除现有分给外，尚有不敷，由札萨克办给。每佐领设领催四名，每名给钱粮三两。请设左右两司，给与关防，协御给与图记，均应如所请办理。惟称将右卫随印前锋，随往新城，伊等转有迁徙之劳，应令于新驻兵内挑取，添

---

① 《清高宗实录》卷39，乾隆二年三月丙戌条。

② 因此时新城城工未完成，城未赐名，故归化城亦为新城之代名词。此处根据前后文即可认定。

给钱粮一两。其原存右卫者，酌量挑取，随副都统驻扎，其余陆续裁减。又军器一项，自应豫为制办，请每兵四名，给账房一架，器械计人分给，共给鸟枪六百杆，选择兵丁，令其练习。火药等项由部支领。又本练兵等事，应用炮药，由地方官领取。

乾隆认为王昌筹划合理，挥笔批示："从之"。① 自此在原 3 000 汉军旗兵的基础上，又从右卫蒙古八旗中调来五个佐领的 500 旗兵，绥远城共有旗兵 3 500 人，但佐领以上大员，大多从京旗及右卫满洲八旗内调补。需要指出：《绥远旗志》承袭了《山西通志》、《大清会典》、《清朝文献通考》之记载："乾隆二年，设绥远城驻防将军一人……满洲、蒙古、汉军兵三千九百名，拨出征效力之在京八旗开户兵二千四百名，热河驻防汉军兵一千名，右卫驻防内议裁未尽之蒙古兵五百名，以充其额"。遍检《清高宗实录》二年及三年之条目，根本无"开户兵二千四百名"之记载，更无荣祥老先生"满、蒙、汉籍兵士总数为七千八百名"之数目。② 这条史料不仅与《清高宗实录》载"家选兵二千名"数量上不同，而且将后升格为汉军旗人的原"在京八旗开户兵"称之谓正身旗人"满洲兵"。二点之误，故该史料似不可靠。在史书记载不一之时，我们应去伪存真，当以较权威的《清高宗实录》记载为准。

乾隆三年（1738 年）四月，将军王昌对热河汉军中的 960 名旗兵重新配置了鸟枪。故在《清高宗实录》卷 66 有记载："添设绥远城鸟枪兵九百六十名，从建威将军王常请也。"

乾隆五年（1740 年）二月，将军王昌因病离任回京，由京师正蓝旗满洲都统伊勒慎调任绥远城建威将军。八月，清廷意将以前议定的调京师满洲兵驻防绥远城的计划予以实施，不料伊勒慎根据京师旗兵之战斗力，敢于犯上直谏："绥远城将军伯伊勒慎奏，前奉旨派京师满兵一千六百名，移居绥远城。伊等俱系平日好酒，骑射平常之人，若至此处，生计必至艰难。况此间现有之家选兵丁，原系京城官兵户下人，良莠本自不齐，如再添此等不肖

---

① 《清高宗实录》卷 48，乾隆二年八月丙寅条。
② 荣祥：《土默特沿革》，第 133 页。

之徒，愈难约束。况准噶尔虽属归化，而夷性不可深信，万一蠢动，此项兵丁，徒縻钱粮，未能得力，应请停止。"清廷议政处认为他言之有理，建议乾隆帝"应如所请"。乾隆帝权衡利弊，最后决定："此事依议"。① 绥远城继续由汉军八旗 3 000 人及蒙古八旗 500 人联合驻防。

乾隆六年（1741 年）三月，新任将军补熙看到绥远城兵多官少，不敷统率，应从右卫移驻少许下级官佐，故奏准"将右卫正红、镶白、镶红、正蓝、镶蓝五满洲旗分内，每旗拨佐领、防御、骁骑校各一"，共计 15 名下级官佐移驻绥远城。②

二、八旗汉军出旗与满蒙八旗兵之联合驻防

从清军入关到乾隆初年的近百年时间，汉军旗人与满蒙旗人一样，享受着清廷给予的种种特殊待遇，其地位高于一般民人。由于八旗人口此时已增加了十数倍，而佐领数只增加了一倍左右，这使相对固定的食饷份额显得日益紧缺。由于甲少丁多，许多满洲旗丁无额可补，沦为闲散，只好靠清廷救济生活。解决八旗生计问题已成为清廷的头等大事。乾隆帝为了满洲正身旗人的长远利益，决定以八旗汉军为牺牲，来缓和八旗生计问题。于是清廷强令部分汉军出旗，大批汉军或散为民人，或转入绿营，空出之兵额，均为满洲旗丁补占。可见解决八旗生计的实质，就是用损害汉军利益的办法来解决满洲旗人的生计问题。

乾隆十二年（1747 年），已是汉军旗人的原京师家选兵 2 000 人（乾隆六年扩兵至 2 400 人）在绥远城遭到裁汰。他们并未出旗为民，而是编入了绿营。《大清会典》与《清朝通考》、《绥远旗志》及《绥远城驻防志》基本有以下雷同记载："乾隆十二年，以绥远城驻防八旗开户家丁二千四百名改拨直隶、山西二省，充补绿旗营兵。并裁自右卫移扎之领催二十名，匠役十名。由京师选派八旗满洲兵一千二百名；并由本驻防余丁内拣选五百名，作为兵丁，今原存兵一千五百名，为三千二百名。"③《清高宗实录》对此次

①　《清高宗实录》卷 114，乾隆五年四月辛巳条；卷 116，乾隆五年五月己酉条。
②　《清高宗实录》卷 138，乾隆六年三月丁亥条。
③　（光绪）《大清会典事例》卷 1128，《八旗都统》。

裁汰汉军无正面记录，但在善后安排上有一珍贵史料：

> 兵部等部议复，直隶总督那苏图、署山西巡抚宗室德沛复奏：绥远城家选兵丁，分派直晋两省顶补绿旗兵缺，并骁骑校改补绿营千总各事宜。——家选兵现有一千九百名，应分别马、步、守，按照两省兵额匀派。直隶应补马兵四十二名、步兵八百十五名、守兵五十五名。山西应补马兵二十六名、步兵九百十九名、守兵四十三名。每遇各标营出有十缺，以七缺补家选，以三缺补绿旗，应如所请。——骁骑校三十三员，亦应按照两省额设千总匀派。直隶酌派二十二员，山西十一员；遇有缺出，与该省人员间补。亦应如所请办理。至俸满保送之处，仍令该管大臣豫行奏明。——兵丁挈眷前往两省补缺，应日给口粮，并酌赏车辆及搬移之费。查驻防兵丁起程，例准给与车辆口粮。今绥远城派往兵丁，应令每名给车一辆，无车之处，照雇车之例核给；至所需口粮，大口日给银五分，小口四分。其搬移盘费，如补山西省至大同镇者，每名赏银五两，至太原镇并直隶省者，每名十两。——家选兵丁，应以补缺之地入籍，与民一例编审。并各给营房二间，如向无营房，或该处不敷拨给，令地方官就近建造。亦应如所请。从之。①

以上可知，原 2 400 名家选兵除部分官兵外，其余 1 900 人全部出旗入绿营。酝酿已久的京旗满洲兵 1 200 人，大规模地首次进驻绥远城。这时的绥远城共有旗兵 3 200 人，均为额兵（领催、前锋、马甲），即由京旗满洲兵 1 200 人与原驻防汉蒙旗兵 2 000 人组成。满蒙汉八旗兵之联合驻防局面首次出现。

乾隆二十五年（1760 年）三月，绥远城将军恒禄为减轻钱粮之压力，经奏准额兵减少到 2 400 名。史书记载："绥远城驻防额兵三千二百名内，有年幼残疾者四百名，应改为养育兵；逾岁者四百名，改为步兵，于城内进班巡哨。即以二千四百名作为定额。查设城安兵之初，参驻家选兵粮饷照右卫酌减，前锋、领催月支三两，马甲二两，俱给五分口粮。今家选兵尽归绿

---

① 《清高宗实录》卷297，乾隆十二年八月丁丑条。

旗，所遗缺系由京师满营遣往，而原有之兵均系另户，防守其差操巡守与右卫无异。应请将步兵、养育兵粮饷酌减，每月各给饷银一两五钱，步兵给四分口粮，养育兵给三分口粮，俱照部定粮价折给。其额兵二千四百名，应照右卫例，各添饷银一两，前锋、领催月给四两，马甲三两，仍给五分口粮。至步兵、养育兵红白恩赏银，亦应减于马甲，照匠役例赏给……均应如所请。从之。"①《清朝通考》亦云："二十五年，改绥远城驻防兵额内，设步军四百名，养育兵四百名，实存领催、前锋、骁骑（马甲）二千四百名。"据此可知，无论内部如何变化，驻防旗兵 3 200 名的总数未变。

乾隆二十九年（1764 年），随着西北战事的平息，绥远城已不再是军事要地，无需再设重兵驻防。驻守绥远城近 30 年的热河汉军此时虽然兵数已翻一番多，成为驻防主力，但也只能步京师满洲家选兵之后尘了。清廷谕令其全部出旗入绿营。《清朝通考》卷 184 与《大清会典》、《绥远旗志》、《绥远城驻防志》有基本相同的记录："[乾隆]二十九年，裁绥远城驻防汉军协领、佐领、防御、骁骑校各员，及汉军二千一百十七名，悉令出旗，分拨直隶、山西二省，改补绿旗营。"《清高宗实录》卷 729 在乾隆三十年（1765 年）二月有一追记条目："……现在绥远城出旗汉军、改补绿营官员俱已起程，其汉军兵二千一百十七名，陆续调补绿营。"至此绥远城由满蒙汉三军联合驻防变为满蒙旗兵联合驻防，额兵只剩 1 300 余名。

乾隆三十年（1765 年）五月，绥远城将军蕴著又觉满蒙旗兵兵力太少，不敷应用，奏请增兵为 2 000 人。奏折云："绥远城官五十四员，兵一千三百余名。右卫官四十八员，兵一千五百余名。二处官兵多寡不同，请量其敷用均齐。将绥远城满洲作为佐领十六，蒙古作为佐领四，共二十佐领……又绥远城、右卫二处，每兵百名作为一佐领，每佐领下除匠役二名外，领催、前锋、马甲共七十五，养育兵、步甲共二十五。绥远城应兵额二千，现一千三百。不敷满兵七百，于由京派来驻防兵内补；不敷蒙古兵一百，于右卫蒙古余额兵内补。"乾隆帝批示："从之"②。至此可知：乾隆十二年（1747 年）来的京师满洲兵已由初时的 1 200 人剩为 900 余人，此时需自行在余丁

---

① 《清高宗实录》卷 608，乾隆二十五年三月庚戌条。
② 《清高宗实录》卷 736，乾隆三十年五月丁亥条。

内补700人，以编为16个佐领；而乾隆二年由右卫移驻来的蒙古旗兵500人剩为300人，需再从右卫蒙古余丁内调补100人，才可编为四个佐领。满蒙旗兵的大量减员，当于西北战事清军的巨大牺牲有关。需要指出：从是年起直至清末，绥远城满洲16佐领，蒙古4佐领，共20个佐领的数目始终未变。

乾隆三十三年（1768年），清廷又决定在绥远城增设兵额。《清朝通考》云："增马步兵七百名"。而《绥远城驻防志》记载较详："将右卫兵丁内，移驻绥远城马甲五百名，步甲一百五十，养育兵五十名，添入八旗满洲、蒙古各佐领下当差。合本城兵二千名，现在实存兵二千七百名。内：领催、前锋、马兵二千名，步兵四百名、养育兵三百名。"这2 700名旗兵中，甲兵为2 000人，但多数为京师满洲旗人所有，今绥远城满族语言多操京腔，盖源于此。从右卫而来的700满蒙旗兵，满洲旗人当为绝大多数。遍检典籍，右卫满洲兵大规模地驻防绥远城，终清一代只此一次。需要说明：从1768年起，绥远城旗兵日后再无相互调防之举，只有随着人口的滋生，旗兵总数亦增添而已。

绥远城八旗驻防源流较为繁杂，现汇总如下。

1. 乾隆二年（1737年）春，由京师满洲八旗户下人家选兵演变而成的汉军2 000人，热河汉军鸟枪兵1 000人首批驻防绥远城；八月，右卫蒙古八旗500人也随后迁驻。

2. 乾隆六年（1741年）三月，右卫满洲下五旗各拨一员佐领、防御、骁骑校下级经制官佐迁驻绥远城，共15人。

3. 乾隆十二年（1747年），由家选兵组成的八旗汉军1 900人全部出旗入直隶、山西绿营；代之而来的京旗满洲兵1 200人进驻绥远城。

4. 乾隆二十九年（1764年），已发展到2 117名的热河汉军兵丁全部出旗改为直隶、山西之绿营兵。

5. 乾隆三十年（1765年），绥远城定兵额2 000人，不敷数为800余名。700人从乾隆十二年（1747年）而来的京旗满洲余丁内补，100人从右卫蒙古八旗内调驻。

6. 乾隆三十三年（1768年），从右卫调满蒙八旗兵700人进驻绥远城。

至此可知：汉军及右卫蒙古旗兵首批驻防绥远城，京旗满洲兵次之，右卫满蒙旗兵再次之。从兵数上讲，汉军旗人共迁来 3 000 人，但日后全部出旗；京师共迁来满洲兵 1 200 人；右卫前后共迁来满蒙旗兵 1 315 人。这就是清代绥远城驻防八旗的基本源流。

三、清代绥远城的满族人口

乾隆元年（1736 年）底，清廷在归化城（今呼和浩特旧城）东北五里，动工兴建一所新城——绥远城。建绥远驻防城的目的，一是为安排从喀尔喀蒙古撤回对准噶尔战争的将士；二是将其作为日后清军进击蒙古准噶尔部的前沿阵地；三是监控邻近的蒙古诸盟旗。从漠北撤回的京旗满洲家选兵 2 000 人，这时被提高身份，"归入旗分"，成为汉军旗人；从热河而来的八旗汉军 1 000 人；从山西右卫而来的八旗蒙古 500 人，三股旗兵共 3 500 人，于乾隆二年（1737 年）春夏携带家眷进驻绥远城。按一家五口之计算法，时有八旗人口约 17 500 人。

乾隆六年（1741 年），因战争形势之需要，绥远城又在由京旗满洲家选兵而变为八旗汉军的 2 000 名旗兵内，扩兵 400 人。时绥远城共有汉蒙八旗将士 3 900 人，故全城总人口约为 19 500 人。①

乾隆初年，由于旗人人口的巨增，解决八旗生计的问题已成为清廷的头等大事。为了满洲旗人的切身利益，清廷决定强令部分汉军旗人携眷出旗为民，或转入绿营为兵。乾隆十二年（1747 年），由京旗满洲家选兵而变为八旗汉军的 2 400 名将士在绥远城首遭裁汰，被编入直隶、山西省之绿营。② 在八旗汉军出旗的同时，绥远城驻防"由京师选派八旗满洲兵一千二百名，并由本驻防余丁内拣选五百名作为兵丁，今原存兵一千五百名，共为三千二百名，"驻防于绥远城。③ 按一家五口计算，时有旗人人口 16 000 余人。绥远城满、蒙、汉八旗兵之联合驻防局面首次出现。

乾隆二十九年（1764 年），随着西北战事的平息，绥远城已不再是军事重镇，无需再设重兵驻防。驻守绥远城近 30 年的热河汉军兵数此时已翻一

---

① （光绪）《大清会典事例》卷 1128，《八旗都统》。
② 《清高宗实录》卷 280。
③ （光绪）《大清会典事例》卷 1128，《八旗都统》。

番，成为绥远城驻防之主力，但也只能步京旗满洲家选兵之后尘了。清廷谕令其全部出旗，于是有 2 117 名八旗汉军将士携眷出旗入直隶、山西两省绿营。① 至此绥远城只剩八旗兵 1 300 余名，满族总人口随之下降为 6 500 余人。

乾隆三十年（1765 年），绥远城将军蕴著认为绥远城 1 300 名旗兵人少势薄，不敷应用，经奏准扩兵为 2 000 人。同时定佐领数为 20 佐，每佐领兵 100 名。20 佐领中，满洲佐领数为 16 个，蒙古佐领数为 4 个，随之成为绥远城旗佐之定制，有清一代从未改变。时八旗兵因有 2 000 名，故绥远城满族人口有 10 000 余人。

乾隆三十二年（1767 年），清廷又决定在绥远城增设兵额，将 2 000 旗兵增至 2 700 旗兵。驻防山西右卫之满洲、蒙古八旗兵 700 人携眷随令迁驻绥远城。时驻防旗兵为 2 700 人，满族人口又增至 13 500 余人。②

乾隆三十三年（1768 年）之后的近 100 年间，由于国事安定，绥远城驻防将士数目一直变化不大，满族人口也有所增长，稳中有升。道光二十年（1840 年）之后，随着西方列强侵华而带来的一系列对外战争，以及太平天国革命、捻军起义、西北回族起义等战事，绥远城八旗将士南征北战，东拼西杀，付出了一定代价。据《绥远城驻防志》与《绥远志》记载：光绪末年，绥远城驻防将士有 3 300 人，每佐领兵额为 165 人；全城男妇子女共为 11 727 人，其中男 4 361 人，妇 3 615 人，子 1 596 人，女 2 155 人。③ 这是史书关于清代绥远城满族人口最具体的数字记载。

纵观绥远城满族人口之发展变动过程，似可总结出以下几个特点：

1. 满族自乾隆初年驻防以来，作为一个统治民族，发展较为平稳，人口数量有时随着八旗兵数的多寡而有所波动，但绥远城满族人口一直保持在万余人左右。

2. 绥远城满族人口全为八旗兵丁及家眷，他们以兵饷为食，绝不以其他行业为生。民国肇兴，此状况才开始改变。

---

① 《清朝文献通考》卷 184，《兵》6。
② 《绥远城驻防志》卷 25，佟靖仁校注，内蒙古大学出版社 1991 年版。
③ 高赓恩：《绥远旗志》卷 5（下），光绪三十四年（1908 年）刻本。

3. 满族因为长期受清廷"旗民不通婚"政策的限制，满族与当地汉族不相通婚，而多是在内部或与蒙古族通婚。进入民国后，满汉族之间才互通婚姻。

四、满族的风俗文化

（一）满族之葬俗

清代满族的葬俗，早期多行火葬，乾隆以后由于受汉俗影响多改行土葬。清初满族贵族的葬式沿袭了先人的火葬习俗，即行尸体焚化后将骨灰装棺或罐埋之的二次葬法，如清朝开国皇帝努尔哈赤、皇太极、顺治帝死后，均行火葬。史书云："火化，国制也，无尊贱皆然。平时所服御悉从……满洲臣民不改其制。"① 又载：满洲"丧必火葬，生前玩好，美珠重锦，焚于灵右，不惜也。"② 顺治帝也明谕："其愿从旧制焚化者，听之。"③ 顺治九年（1652 年），顺治帝为杜绝旗人因停灵过久，造成靡费太大的恶习，亲自颁定八旗丧制："……和硕亲王薨，停丧于家，俟造坟完方出殡，期年而化。多罗郡王、多罗贝勒，停丧五月出殡，七月而化。固山贝子以下，公以上停丧三月出殡，五月而化。其应会丧官员，必俟验后，方许回家。出殡、上坟、会集，俱照定例。官民定丧一月出殡，三月而化，不许逾定期。如在定期内，出殡焚化者听，上坟亦听其自便。"顺治帝不但钦定了出殡焚化的时间，还对所需殉、祭品作了限定："凡官民故，焚随身衣及随葬衣，共五袭，棺罩听其自便。异姓公以下，至有顶带官父母妻及未分家子故，用鞍马一匹，其金银锭、纸钱、祭馔、羊，各照其父、子、夫品级用。百日、期年及常祭，止许用金银锭一千、纸钱一千、祭馔三桌、羊一双。"④

清初满族平民之火葬仪俗虽亦受钦定停丧之制影响，但期限大多为短。如黑龙江地区满族，"死则以敝船为椁，三日而火。章京则以红缎旌之，拨什库则以红布，再下则红纸，故俗贱红而贵白，以为红为送终具也。"⑤ 宁

---

① 《永宪录》卷 2（上），中华书局 1959 年版。
② 《北游录》，中华书局 1981 年版，第 357 页。
③ 《清世祖实录》卷 38，顺治五年四月辛未条。
④ 《清世祖实录》卷 68，顺治九年九月辛巳条。
⑤ 《绝域纪略》，载《黑龙江述略》，黑龙江人民出版社 1985 年版。

古塔满族人死则"七七内必殡，火化而葬。棺盖尖而无底，内垫麻骨芦柴之类，仍用被褥，以便下火。"① 满族平民也行先焚后埋的二次葬。《黑龙江外记》卷6对此有清楚记载："人死焚尸而瘗，曰熟葬。熟葬之法，舁棺至郊野，置柴火，请师举火，火炽尸起，梃而仆之，须臾肉尽，骨仅存，然后拾贮所谓净匣中而瘗之土。"清初满族之所以实行火葬，除承袭了辽金女真人的风俗外，还与其四处征战的八旗军旅生活分不开。在迁徙奔波的客观环境下，旗兵只能实行火葬。如乾隆帝曰："本朝肇迹关东，以师兵为营卫，迁徙无常。遇父母之丧，弃之不忍，携之不能，故用火化，以便随身捧持，聊以遂其不忍相离之愿。非得已也。"② 客观的生活环境与民族的延续效应是清初满洲人实行火葬的根本原因。

清初满族葬俗中的人殉恶习仍旧存在，但已呈强弩之末。如崇德四年（1639年）贝勒岳托病逝于军中，葬时以其妻殉之；崇德八年（1643年）皇太极病逝安葬时，有侍卫安达礼、敦达礼为之赴殉；顺治五年（1648年）肃亲王豪格幽死，以庶妃三人殉之；顺治六年（1649年）德豫亲王多铎死，葬时以二妃殉之；顺治七年（1650年）摄政王多尔衮葬时，以侍女吴尔库尼殉之；顺治十八年（1661年）顺治帝去世，有庶妃和侍卫殉之。不但满族贵族有人殉之俗，就是一般的八旗官兵亦如此。据成书于康熙元年（1662年）的《绝域纪略》记载：黑龙江满族"男子死则必有一妾殉，当殉者即于生前定之，不容辞，不容僭也；当殉不哭，艳妆而坐于炕上，主妇率其下拜而享之，及时以弓弦扣环而殒，尚不肯殉，则群起而扼之死矣。"随着满族的迅速封建化，这一恶习日益遭到各族官员尤其是汉官的强烈反对。史书云："八旗旧俗，多以仆妾殉葬。朱御史晋裴始建议禁止。得旨允行。"③ 康熙十二年（1673年），康熙帝谕令禁止八旗各级官佐以妾仆殉葬，这一恶俗才在中国历史舞台上根绝；只是在满族焚烧纸札奴仆的葬礼中，还可依稀看到这一恶习的遗影。

满族入关后，由于受强大的汉族传统文化的影响，满族社会的封建化过

---

① 《宁古塔纪略》，载《龙江三纪》，黑龙江人民出版社1985年版。
② 《清高宗实录》卷5，雍正十三年十月乙酉条。
③ 《池北偶谈》卷1，中华书局1982年版。

程发展极快。汉文化的波涛无情地冲击满族固有的一切文化，其中丧葬习俗也不例外。火葬与汉族儒家观念相悖，儒家认为火葬乃死后之戮，是十分残忍与大逆不道之事，"惨虐之极，无复人道"，而死者最理想的归宿就是九泉黄土。在儒家文化的长期熏陶下，加之清朝战事基本平息，四海平定，各地一些满族贵族从康熙朝开始就实行了土葬，至雍正十三年（1735 年）十月在乾隆皇帝的谕令下，满族完成了葬俗从火葬到土葬的转变。此时在乾隆帝眼中，丧葬不只是单纯安葬死者，它直接影响到社会的伦理规范乃至政治秩序。他的谕旨云："下旗民丧葬禁令。谕曰：古今葬者，厚衣之以薪，葬于中野。后世圣人，易之以棺椁，所以通变宜民，而达其仁孝之心也……自定鼎以来，八旗各有宁居，祖宗墟墓，悉隶乡土，丧葬可依古以尽礼。而流俗不察，或仍用火化，此狃于沿习之旧，而不思当年所以不得已而出此之故也。朕思人子事亲，送死最为大事，岂可不因时定制，而痛自猛省乎！嗣后除远乡贫人，不能扶枢回里，不得已携骨归葬者，姑听不禁外，其余一概不许火化，倘有犯者，按律治罪。族长及佐领等，隐匿不报，一并处分。"①

满族葬俗虽然由火葬转为土葬，但在这巨大的变革中，满族是将固有之旧俗与汉族丧葬礼俗糅合于一体，形成了一套新的繁杂的葬礼。例如，在停尸、丹旐、旗材、祭奠、送三、出殡、丧服、墓祭等方面都保留着自己的一些特点而与汉俗所不同。

1. 停尸：满人死后即置西屋灵床上，必头西脚东置放，这是由于满族以西为上的习俗所致。此与汉族停尸正堂、头南脚北所不同。满族亡者寿衣多为五件并内衣为白色，这是由于满族崇尚白色。

2. 丹旐：丹旐即引魂幡。满族习俗，贵白贱红，以红为送终之色，故长幡用红色。史载："八旗有丧之家，于门外建设丹旐，长及寻丈。贵者用织金朱锦为之，下者亦用朱缯、朱帛为之，饰以纁锦。男丧设于左，女丧设于右。"②《大赉县志》亦云："惟满蒙俗于院内立竿，揭幡悬挂，每日必三临其幡而叩奠之。"而汉族的引魂幡为白纸或白布所制。所以满族此俗与汉族贵红贱白的习俗不同。

---

① 《清高宗实录》卷5，雍正十三年十月乙酉条。
② 《听雨丛谈》卷11，中华书局1959 年版。

3. 旗材：满族所用棺材称"旗材"。《龙城旧闻》记载："棺式，满洲上锐下宽，内容高大，类帐室……外绘彩色，内糊纸、布，中支木板，下垫黄土。"《宁安县志》则云：满族"其棺本较汉族用者高出半倍，俗曰达子棺。"可见旗材与汉材的不同。汉族棺材多为平顶并体小。

4. 祭奠：此是请亡者之灵享用祭品的仪式。满人十分重视祭奠，他们认为亡灵较之活着的人更有可能给家族带来生活的富裕，所以祭奠间接的深远而内隐的目的是为了提高自身的以饮食为核心的生活水准，故其规模较汉族豪华与奢侈。满族的祭桌和祭品摆放与汉族不同。满族的祭桌由三张长方形桌子层叠组成，供品分置祭桌之两旁而中空，最上层摆放干果、祭花若干，下二层放置饽饽若干，祭桌中间放置香炉、熟猪肉等若干。而汉族祭桌为一张，祭品多平摆铺放而不置猪肉。

5. 送三：此是亡者逝后第三天为其焚烧纸钱和纸札的仪式，俗称"送褡裢"。史载："人死三日，既薄暮，其子以纸囊盛纸负入土地祠，即神前曳囊三匝，觉重，曰亡者收去，出而焚之，谓之送褡裢。"[①] 满族除焚纸钱、马车、抬轿、房屋和器皿等纸札外，还烧鹰、狗、骆驼、马等动物纸札。此为满族特有之习俗，是其先世早年渔猎生活的遗风。而汉族纸札与满族不同，绝不焚烧动物形纸札，因其为农业民族所致。此外，在焚祭时，满人面北，汉人面南，各因其祖先发源地不同所致。

6. 丧服：从清代中后期始，满汉丧服有所区别。据《奉天通志》云：辽宁满族有丧之家，"男女皆以白布袍带为丧服，带端垂于胸前，葬后始按男左女右挽于腰间，不复前垂矣。头服，男戴白毡帽，女戴白包头。男女履皆青布。不用白……然在三年内，男不衣红，女不簪花。此满俗丧礼旧制也。"史书又载："国制，八旗服丧只摘冠缨，白衣白带。凡制汉人身盖大袖衣、束麻缨、戴白垂纤者严禁。一旦除服后，戴青蓝白缨。出殡演戏排绥扎等事皆不许。"[②] 而《奉天通志》对辽宁汉俗的记载是："亲属男散发，女去饰，以粗白布为衣，名曰孝衫。叠白布为帽，男称孝帽，女称包头。以麻为经，束于腰，端垂身后，父母俱死者双重。鞋也为白色。"满汉丧服之

---

① 《黑龙江外记》卷6，黑龙江人民出版社1984年版。
② 《永宪录》卷2，中华书局1959年版，第117页。

别一目了然。也有另外，内蒙古绥远城满族中右卫旗人后裔者家遇丧事，孝鞋皆蒙白布，这当为昔日沾染山西汉俗所致。

7. 出殡：清初，满族丧家选吉日出殡，须柩从窗出。活人走门，亡者走窗，生死有别。满族实行土葬后，因受汉俗影响，出殡时多从门出，但起灵柩时需将窗户全部打开，此满族棺从窗出旧俗之遗痕。汉族则否。

8. 墓祭：满族清明节上坟有插佛朵之俗。佛朵亦称佛陀，俗称"求福柳枝"，它是以柳枝上贴彩色纸条或布条而制成，墓祭时将其插于墓顶。史载："满洲清明墓祭，新坟插佛朵，旧坟插柳枝，皆示人有后意。佛朵之式，粘五色纸条如幡，汉名佛花，都下亦同。"① 满族插佛朵之俗，似与其先人图腾崇拜及尚柳生殖崇拜有关，应视为原始信仰之遗存。汉族则不插佛朵，只在墓顶上压纸以祭。

9. 百日剃头：满族凡遇丧事，必须候到一百日满方可剃发，这是服丧的表示之一。据《宁古塔纪略》云：满族"父母之丧，只一年而除，以不剃头为重。"清史专家郑天挺认为："剃头是满俗，居丧不剃头应该也是满俗。"② 而汉族无百日内不剃头之俗。

10. 百日服丧：满族家有丧事后，亲人需立即将孝衣穿上，俗为"成服"。成服需日夜穿于身，百日内不许除服。《奉天通志》云：满族丧家"百日以内起居不释衣。既至百日，则备香楮、祭品，合家或邀至亲同至坟前敬奠，遂释孝服。俗称脱孝……唯丧服遗制终与汉异耳。"俟百日后，孝子方可释衣起居。

第二节　清代绥远城八旗蒙古

一、八旗蒙古的建立

清军入关，势如破竹，考其原因，八旗兵制则为清朝得以统一中国，建业近三百年的最得力之工具。清廷在全国各军政要地和交通枢纽广布八旗驻

---

① 《黑龙江外记》卷6，黑龙江人民出版社1984年版。
② 郑天挺：《探微集》，中华书局1980年版，第74页。

防点，其中绥远城八旗驻防是北方长城沿线驻防链条中最为重要的一环。绥远城八旗兵，乾隆中期以后，多由满洲和蒙古八旗驻防。可以说，八旗蒙古兵是绥远驻防城的重要组成部分，在呼和浩特民族关系史上极具特色。

康熙初、中期，清军对卫拉特蒙古展开军事进击。为控制西北地区及内外蒙古诸部，康熙三十二年（1693 年），清廷派八旗蒙古官兵 3 065 人在山西省右卫城（今右玉县老城）开始驻防。翌年，又从京师派满蒙汉八旗护军 2 299 人，领催、马甲 2 064 人，铁匠 112 人，以将军一员统之，于此驻防。其中，八旗蒙古除从京师而来之外，还有部分是由漠南蒙古"四十九旗之贫乏蒙古，有令沿边居住者，俱察出遣至右卫，归属蒙古佐领下作为甲士"的诸部丁口。① 日后绥远城八旗蒙古正是从右卫八旗蒙古中调迁而来。

二、八旗蒙古驻防伊始

雍正十三年（1735 年），为进一步控制漠南蒙古诸部及安排从漠北归来的八旗将士，清廷决定在归化城（今呼和浩特市旧城）旁新建一驻防城——绥远城。乾隆元年（1736 年）十月，在清廷的谕令下，绥远城开始破土动工兴建营房；翌年二三月，城工全面展开；六月，大批营房首先建成。按清廷的既定方针，从漠北而来的京师满洲家选兵 2 000 人及热河汉军 1 000 人率先进驻绥远城。

乾隆二年（1737 年）八月，从右卫调迁而来的绥远城将军王昌，根据驻防伊始需增添兵丁和官佐等事宜，上奏曰："新驻兵丁，应议事件：原附右卫蒙古裁汰余兵五百名，请编为五个佐领，移驻新城，仍照原议支给官弁俸饷。新城驻扎兵丁，须得熟谙之员经理，请将右卫官员，酌量送部引见调补。"② 据此可知，从右卫来绥远城的八旗蒙古 500 人，原为清廷准备裁汰出旗之甲兵，所幸绥远城新筑需要兵士，故得以从右卫城调迁而来驻防。至此，绥远城共有蒙汉旗兵 3 500 人，佐领以上八旗人员，则大多从京旗及右卫满蒙八旗内调补。

---

① 《清圣祖实录》卷186，康熙三十六年十月乙丑条。
② 《清高宗实录》卷48，乾隆二年八月丙寅条。

三、旗兵的出旗与调迁

乾隆初年，由于八旗人口的剧增，满洲旗人的食饷份额日益紧缺，致使许多满洲旗丁无兵额可补，并沦为闲散，只好靠清廷救济生活。为解决八旗满洲的生计问题，清廷决定以八旗汉军和开户旗兵为牺牲，强令他们出旗为民或为绿营兵，以所遗兵额为满洲旗丁专用。

乾隆六年（1741 年），绥远城的京师满洲家选兵在其旗丁内扩兵 400人，以应付军事需要。乾隆十二年（1747 年），这批满洲家选兵 2 400 人在绥远城遭到裁汰，全部出旗编入山西、直隶省绿营。在家选兵出旗的同时，由京师而来的八旗满洲兵 1 200 人大规模地首次进驻绥远城。此时，绥远城的驻防局面为："由京师选派八旗满洲兵一千二百名，并由本驻防余丁内拣选五百名作为兵丁，今原存兵一千五百名，共三千二百名。"① 至此，满、蒙、汉八旗兵之联合驻防的格局首次出现在绥远城。

乾隆二十九年（1764 年），随着西北战事的平息，清廷认为绥远城无需重兵驻防，还应裁员。驻守绥远城近 30 年的热河汉军兵数此时已翻一番，成为驻防之主力，但也只能步京师满洲家选兵之后尘了。清廷谕令其全部出旗入绿营。史载："二十九年，裁绥远城驻防汉军协领、佐领、骁骑校各员及汉军二千一百十七名，悉令出旗，分拨直隶、山西两省，改补绿旗营。"② 从此，绥远城如同长江沿岸的荆州、江宁（南京市）城一样，成为一所只有满蒙八旗兵联合驻防的兵营。

乾隆三十三年（1768 年），清廷又决定在绥远城增设兵额，从 2 000 人增至 2 700 人。史载："将右卫兵丁内，移驻绥远城马甲五百名，步甲一百五十名，养育兵五十名，添入八旗满洲、蒙古各佐领当差。内：领催、前锋、马兵二千名，步兵四百名，养育兵三百名。"③ 这次从右卫驻防城调迁而来的 700 名满蒙旗兵中，蒙古旗兵具体数字史无记载，估计约占其 1/5，这是从右卫蒙古旗兵中第三批调驻绥远城。从是年起，绥远城满蒙旗兵再无

① （光绪）《大清会典事例》卷 1128，《八旗都统》。
② 《清朝文献通考》卷 184，《兵》。
③ 《绥远城驻防志》卷 2，佟靖仁校注，内蒙古大学出版社 1991 年版。

批量的相互调迁之举。

四、官制与旗分

乾隆二年（1737 年），蒙古旗兵驻防绥远城初始，设有蒙古协领 2 员，辖以 500 旗兵；乾隆十二年（1747 年），遵旨裁汰 1 员。乾隆三十年（1765 年），又复设蒙古协领为 2 员。乾隆三十五年（1770 年），遵旨又裁汰蒙古协领 1 员；额设 1 员蒙古协领之定制终清末变。清末蒙古协领是哈布尔扎布，他是绥远城将军的五大办事官佐之一，具体分管印房事务。

乾隆二年（1737 年），绥远城初设蒙古佐领 8 员；乾隆十二年（1747 年），奉旨裁汰 4 员；至此形成蒙古 4 佐领之定制。清末蒙古 4 佐领是文瑞、景秀、观瑞、额尔德蒙额。

乾隆二年（1737 年），初设蒙古防御 8 员；乾隆十二年（1747 年），奉旨裁汰 4 员；额设 4 员亦为终清之定制。清末蒙古 4 防御是德克精额、书勋、柏寿、英山。

乾隆二年（1737 年），绥远城初设蒙古骁骑校 8 员；乾隆十二年（1747 年），奉旨裁汰 4 员；额设 4 员亦为终清之定制。清末蒙古 4 骁骑校是吉瑞、文兴、奎庆、奎连。[①]

八旗蒙古在绥远城设有左右两翼，由蒙古协领统辖。每翼有两佐领，一佐领又为一旗分。左翼为蒙古镶黄旗和蒙古镶白旗，右翼为蒙古正黄旗和蒙古镶红旗。

五、八旗蒙古人口

乾隆二年（1737 年），绥远城八旗蒙古兵为 500 人，按平均一家有五口之计算法，时八旗蒙古总人口约为 2 500 人。乾隆二十年（1755 年）左右，由于西北战事的惨烈，八旗蒙古兵降为 300 人，时总人口约为 1 500 余人。乾隆三十年（1765 年），清廷额定八旗蒙古为 4 佐领，每佐领 100 人，故八旗蒙古总人口又复升为 2 000 人。乾隆三十三年（1768 年），清廷又决定在绥远城额兵 2 000 人基础上，从右卫城增调来满蒙旗兵共 700 人，以其 1/5

---

① 高赓恩：《绥远旗志》卷 4，光绪三十四年（1908 年）刻本。

计，约有蒙古旗兵 140 人；时绥远城约有八旗蒙古兵 540 人，总人口约为
2 700 人。

乾隆中期以后，由于国事安定，全国人口剧增，绥远城旗民人口也稳中
有升。1840 年后，由于清朝内外战事接连不断，绥远城满蒙旗兵东拼西杀，
付出了血的代价。据《绥远旗志》云：光绪末年，全城有满、蒙将士 3 300
人，每佐领为 165 人。全城男妇子女共为 11 727 人。时八旗蒙古 4 佐领共
有旗兵 660 人，以此时的户均人口 3.55 人计，总人口约为 2 340 人。总之，
无论绥远城八旗满洲还是八旗蒙古，旗人的人口增长率远低于全国平均增长
水平，150 年间人口增加不大。

六、八旗蒙古官兵俸饷

清朝以武功定天下，故规定驻防旗人不许从事当兵以外的一切劳动，
"当兵食粮"就成为八旗官兵养家度日的唯一出路。一般来讲，清代钱贵物
贱，一人披甲为伍，足以维持一家五口之全年费用，并有相当之生活水准。

绥远城驻防旗人的俸饷，包括银、米两项，每人依等级与兵种的不同有
多寡之别，而绝无满洲兵和蒙古兵之分，因二者在权利与义务上是平等的。
据《绥远旗志》记载，以光绪末年统计：绥远城将军每年共领取俸禄、养
廉、折色等项银共 2 037.66 两，[①] 粟米 57 石。蒙古协领一年共领取俸禄、
折色等项银 416.38 两，粟米 42 石。蒙古佐领一年共领取俸禄、折色等项银
298.14 两，粟米 27 石。蒙古防御一年共领取俸禄、折色等项银 205.5725
两，粟米 18 石。蒙古骁骑校一年共领取俸禄、折色等项银 163.5 两，粟米
15 石。蒙古笔帖式一年共领取俸禄、折色等项银 124.614 两，粟米 15 石。
蒙古领催与蒙古前锋一样，每年共领取钱粮、折色等项银 92.415 两，粟米
15 石。蒙古马甲一年共领取钱粮、折色银 80.415 两，粟米 15 石。蒙古步甲
一年共领取钱粮、折色等项银 21.15 两，粟米 12 石。蒙古养育兵每年共领
取饷银 18 两，无粟米。

为激励八旗官兵斗志和免除其后顾之忧，清廷规定八旗官兵去世后，其
遗孀也有俸禄或饷银。佐领、防御、骁骑校等官佐孀妇，每年可领取丈夫生

---

① 以银折为粮款由官兵自行采买的叫"折色"。

前的半俸，依次分别为 52.5、40、30 两；领催、前锋、马甲、步甲的孀妇，每年可领取丈夫生前的半饷，分别为 24、24、18、9 两。对无人照管的老妇和孤儿，每人每年食赡银 12 两，并随月支领。

此外，为减少八旗官兵各户因婚娶、丧葬等事项给家庭生活带来的压力，清廷规定另给红白事赏银。协领、佐领、防御、骁骑校、笔帖式、前锋、领催、马甲、步甲、养育兵各户遇红事，依次为 40、30、25、20、10、6、6、6、3、3 两，遇白事则为 40、30、25、20、10、8、8、8、6、6 两不等。[1]

七、旗兵的分布与居住

绥远城基本呈正方形，城周长 1 960 丈，城墙高 2.95 丈，每边中点设一城门。城中心点为钟鼓楼及将军衙署。以此为中心，向四方设有东南西北 4 条大街，并将城区一分为四。全城街道呈棋盘状，有主要街道 28 条和小巷 26 条。

绥远城八旗驻防仿京师驻防之分布，是按其阴阳五行来安排的；这既决定了旗人在城中的位置，也划定了八旗旗分的布局。正黄旗和镶黄旗住在城北，北方代表水；正白旗和镶白旗住在城东边，东方代表木；正红旗与镶红旗住在城西边，西方代表金；正蓝旗和镶蓝旗住在南边，南方代表火。黄色代表土，土能挡水；白色代表金，金能降木；红色代表火，火能克金；蓝色代表水，水能灭火。这种布局，一伸一抑，一张一合，足可以平衡和克服各自带来的负面作用。清廷以此希望八旗内部减少摩擦，消除矛盾，抑制产生内乱的因素。

绥远城八旗蒙古的 4 个佐领根据布局规则，并未在城中聚居，他们被严格地按照各自的旗分，与同一旗分的八旗满洲人混居于一起。如图所示：

绥远城八旗蒙古与八旗满洲兵的居室相同。在城内每两条东西向的小巷间，有兵房两排，前排院门向南，后排院门向北。每排宅院相连。甲兵宅院占地均为 0.33 亩，住房为两间。居室位于院北端并为砖瓦房，房顶呈马鞍状。宅院内有东厢房或西厢房不等。居室山墙侧为箭道，通往房后之厕所。

---

① 《绥远城驻防志》卷3，佟靖仁校注，内蒙古大学出版社1991年版。

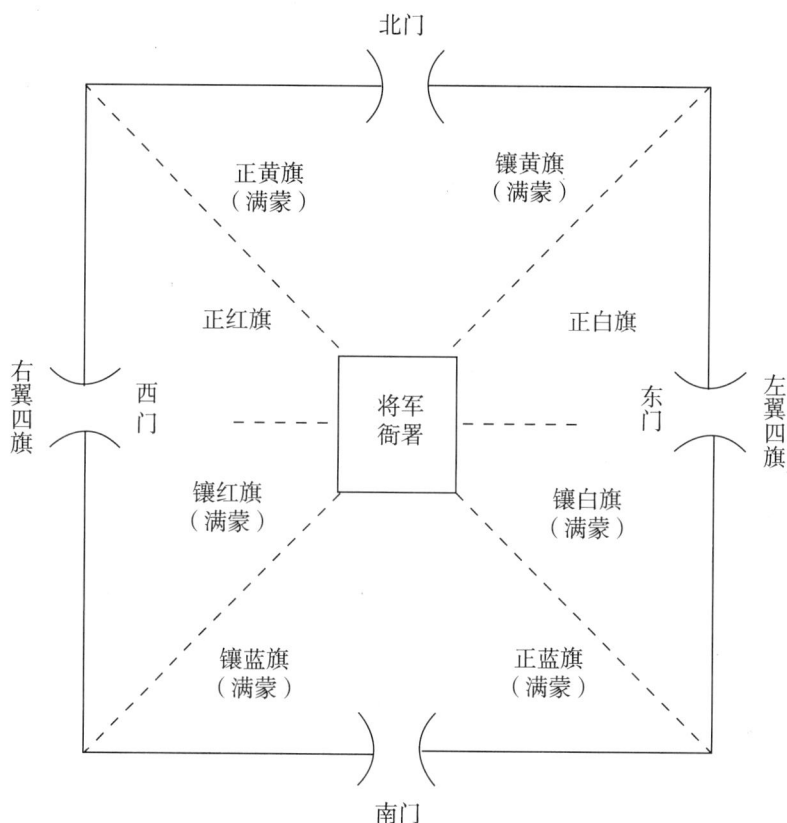

```
                              北门
                          ╯    ╰
        正黄旗              镶黄旗
        （满蒙）           （满蒙）


     正红旗                      正白旗

                    ┌────────┐
  右翼          西门  │  将军  │ 东门           左翼
  四旗              │  衙署  │               四旗
                    └────────┘

        镶红旗                      镶白旗
        （满蒙）                    （满蒙）


        镶蓝旗              正蓝旗
        （满蒙）           （满蒙）
                          ╮    ╭
                              南门
```

居室的外屋稍大，里屋较小；里屋大多为倒炕（南炕），也有因人多而置北炕者。宅院空地广植花草果木，入夏满目荫绿，香飘四溢，蜂飞蝶舞，宛如花园。

八、蒙古旗人的姓与名

满族在形成父系血缘的历史过程中，出现了"哈拉"与"穆昆"。哈拉是一个大的血亲集团，为姓或氏。穆昆是包括在哈拉中的若干个较小的血缘团体，为族。满族风俗，姓氏与族多被合称，如爱新觉罗、叶赫纳喇等。觉罗为姓氏，爱新则为穆昆（族）；纳喇为姓氏，叶赫为穆昆（族）。

清代满族人只呼名而不称姓。这是由于某个哈拉在编入某旗和某牛录组织后，人们就世代不离该牛录，大家自然没有称姓之必要，呼名即可。清代不知满族这一姓氏命名习俗的人常常将其名字的第一个字当成他的姓。例如，祖孙四代人，祖父名崇礼，人称崇大人；父名恩佐，人称恩大人；子名扎拉丰阿，人称扎大人；孙名胡图灵额，人称胡大人。这样人们误以为这一家四代人分别姓崇、恩、扎、胡，似乎一辈一姓，因而说满族人没有姓。其实满族人均有姓氏，只是在称呼中不用罢了。例如，《皇朝通志·氏族略》中就记载有满族姓氏 679 个。满族人起名，在清初、中期多取自满语；清末则多用吉祥和长寿等汉语字眼。

清代的每个八旗蒙古人也均有姓氏。由于他们深受满族文化的影响，其命名习俗也同满族人一样，只是呼名而不称姓。蒙古旗人在清初、中期，多用满语和蒙古语呼名；清末则多用汉语和满语呼名，同时也有用蒙古语和藏语呼名者。

绥远城八旗蒙古人同满洲旗人一样，均呼名而不称姓。清末由于满蒙旗人深受汉文化的影响，他们取名多用平安长久、福禄喜寿、金玉富贵等寓意吉祥的字眼。这充分反映了满、蒙、汉各族人民在长期的共同生活和交往中，思想与文化上的相互交融。

翻开《绥远旗志》人名录，可清楚地看到：清末蒙古旗人起名多半是汉语。如称：庆祥、通泰、文瑞、英山、春林、荣禄、柏寿、景秀、全山、英顺、斐仁、召群、荣昌、德善。也有许多蒙古旗人还按旧俗，仍取满语名，如称：塔清阿、尼克贲、合色贲、达杭阿、倭里克。还有部分蒙古旗人坚持用本民族语言来起名，如称：三音口、乌尔图那、吉尔噶春、布可、额尔德蒙额。只有个别人用藏语起名，如称：哈布尔扎布。以上可知，清末蒙古旗人多用汉语起名，其次用满语起名，再次用蒙古语起名，只有个别人用藏语起名。

民国年间，在汉文化的强烈影响和当时的政治压力下，绥远城八旗蒙古人和八旗满洲人一样，多改用汉姓和汉名。他们的命名习俗虽已改变，但都坚持自己的"旗人"身份不变。

九、八旗蒙古的教育

绥远城的旗人教育始于乾隆四年（1739 年），时有"官学八"，具体情况不详。乾隆八年（1743 年），清廷在绥远城左右翼各设满蒙翻译官学一所，时有学生 20 人，大部分为八旗蒙古子弟；其办学目的是为了解决往来公文亟须的满蒙翻译人才。乾隆十一年，鉴于绥远城旗人汉语水平普遍较差的实际，又设立了满汉翻译官学一所，以解决日益需要的满汉翻译人才，时学生也多为八旗蒙古子弟。

乾隆五十年（1785 年），清廷裁汰绥远城原有"八旗满洲、蒙古原设官学五所，设立满汉翻译学一所。将军衙门十五间空闲房内，设立满洲官学五所，曰：兴、校、庠、序、塾。镶黄正白二旗一所，曰：兴学；正黄正红二旗一所，曰：校学；镶白正蓝二旗一所，曰：庠学；镶红镶蓝二旗一所，曰：序学；两翼蒙古一所，曰：塾学。"并规定每校只许招收闲散幼丁，年龄在 15 至 20 岁之间，每学的两旗官学生数为 40 人。至此，八旗蒙古子弟有了自己的专门学校。

对教师的任用，有严格的要求。史载："满汉翻译教习，由部请题本城将军、归化城副都统，率同本城协领、佐领、防御、骁骑校、笔帖式等官，监场考取二员入学。三年期满，如果行走勤快，教导有成，该将军等出具'教导有方'考语，保题以骁骑校用。五学教习，每学二名，由八旗领催、前锋、马甲中挑取。"①

绥远城除官学外，还有个人或集体捐资开办的义学。义学首推"长白书院"。该校于同治十一年（1872 年），由定安将军督劝八旗官兵捐建。此外，定安将军又为八旗子弟立义塾 20 余所，并亲自"严定课程"。光绪三年（1877 年），长白书院更名为"启秀书院"，学生均是满蒙旗人子弟；课程为经史、时务、论义、条对等，并兼习满蒙语文。光绪三十年（1904年），贻谷将军兴办新学，启秀书院遂改建为"绥远城中学堂"，学生仍多为满蒙子弟。

在清代科举制度下，绥远城满蒙旗人除童试中取生员外，共考取进士 1人，文举人 23 人，武举人 64 人；其中八旗蒙古考取文举人 7 人，武举人 6人。由此可见八旗蒙古人重文轻武风气之一斑。

清末，清廷决定"废科举、兴学堂"，创办新式教育。光绪三十三年（1907 年），贻谷将军在绥远城创设了六所新式中、初等及军事学堂，即绥远城中学堂、绥远城高等小学堂、绥远城初等小学堂、绥远城左右翼五路蒙

---

① 《绥远城驻防志》卷 4，佟靖仁校注，内蒙古大学出版社 1991 年版。

养学堂、绥远城满蒙学堂、绥远城陆军学堂。八旗蒙古子弟根据个人情况基本均可在任何一所学堂上学，但普遍喜好上具有民族特色的"满蒙学堂"。该校共分四斋（班），一斋学生 37 人，二、三、四斋学生均为 36 人；课程有三门：四书、满洲文、蒙古文。①

辛亥革命后，绥远城上述学堂均停止办学或合并。至此，生存了 173 年的绥远城旗学堂结束了它的使命，满蒙旗人教育又开始了一个新的历程。

十、八旗蒙古特有之风俗

自一部分蒙古人编入八旗军制后，由于满族较高的社会政治地位及人口众多，故从清初到中期，总的趋势是旗内蒙古旗人和汉军旗人的迅速满化；清朝中后期，则是旗人的日趋汉化。八旗蒙古因与满族经过近 300 年的同居共处，互为婚姻，相互吸收，故无论是生活方式，还是服饰语言和风俗习惯等方面，二者之间的区别日益缩小，一致性日趋增多，最后则几尽相同。

绥远城八旗蒙古与八旗满洲相比较，就风俗而言，局部上还可找到一些区别，主要表现在双方过年祭祖方式上的不同。据文献记载：八旗蒙古"其祀祖先，则供雕刻铜像或木偶，每年以腊月二十三日为祭期。荐羊用整牲，其宰法用手掏羊心。供品以黄米为面，用乳油、白糖调熟之，谓之黄米拉拉。以油脂抹神像口边，脂积愈多，以为祖宗享食者多，将赐福焉。祭毕，将整羊置大釜中煮之，亲友襄理者奏刀割食，其有馂余则埋之。每祭必延喇嘛诵经，以祈福焉。"②

满、蒙旗人就祭祖而言有以下几点不同：1. 满族年末祭祖，时间为大年三十，而蒙古旗人则是腊月二十三日。2. 满族所祭为祖宗匣，内藏先人画像，而蒙古旗人则祭金属或木雕制成的先人偶像。3. 满族祭祖时所用的祭物主要是猪，而蒙古旗人则是羊。4. 满族祭祖时供以核桃酥、芙蓉糕、苹果和素脂檀香等，蒙古旗人则供黄米拉拉。5. 蒙古旗人对当时食不尽的荐牲挖坑埋之，而满洲旗人则切碎置索伦杆锡斗中，以食鸦鹊。6. 满洲旗人祭祖时请萨满跳神，而蒙古旗人则请喇嘛念经。以上几点说明，八旗蒙古

① 高赓恩：《绥远志》卷 6，光绪三十四年（1908 年）刻本。
② 绥远通志馆：《绥远通志稿》卷 75，20 世纪 30 年代稿本。

人虽与满洲旗人共同生活了近300年，但在过年祭祖时，还是有所区别，还保存有一些异化了的古老风俗。

十一、八旗蒙古的最终去向

八旗蒙古和汉军都编在八旗制度之下，与八旗满洲基本享有同等的社会地位，自然都可以自称或被称为"旗人"。他们自幼生长在这个民族共同体中，无论取名、语言、感情、心理素质及风俗习惯等方面，基本都趋于一致，他们应该有一个共同的族名——旗族。故清代有所谓"不分满蒙汉，只论在何旗"这一说法。

宣统三年（1911年），辛亥革命爆发，清朝被革命的洪流荡涤，旗人随之从统治民族沦落到社会地位的最底层，维系满、蒙、汉旗人的八旗制度也随之瓦解。北洋政府和国民政府对旗人极为仇视，不断掀起排满风潮，各地旗人被迫隐名埋姓，亡命出走。绥远城由于地处塞外和其他种种因素而得以侥幸未毁，并在民国初年成立有旗务处（后改旗民生计处），以解决旗民的生活善后问题。不久随着旗饷的停发和旗人生计无门，加之政治地位的低下及经济生活的贫困，许多满洲旗人面对现实，只好数典忘祖，冒充汉人。据史料统计：清末绥远城有旗人近12 000人，民国初年下降为8 000人，1932年又降为4 690人，1949年则只剩近2 000人，旗人几尽灭绝。旗人除饥寒交困死亡和飘泊异乡外，大量减少的一个最主要原因，就是大批满洲旗人冒称汉姓，改为汉族，企图以此摆脱政治歧视和被压迫的地位。

绥远城八旗蒙古人由于禀性倔强，民国年间大多仍以旗人自居，冒称汉姓和冒充汉人者极少，故和满人一样，备受统治阶级的欺凌与压迫，人口也随之锐减大半。

1949年10月，随着新中国的诞生，绥远城满、蒙旗人才翻身得解放，喜获新生。1954年，随着中国共产党的民族政策深入人心，绥远城残留的近200户八旗蒙古后裔向内蒙古自治区人民政府申请，要求恢复蒙古族族别。人民政府以历史为依据，根据他们的意愿，批准其恢复为蒙古族。至此，绥远城八旗蒙古人经过千转万绕，历时320年，终于认祖归宗，回归到蒙古民族的怀抱。

第三节 清代内蒙古地区的回族及其风俗文化

一、源流及其沿革

清代，是内蒙古地区回族发展的重要时期。这无论从人口数量的增加，地区分布的广泛，清真寺兴建的数量和规模，商业经济的繁荣，文化教育程度的提高，较之以前，都有了长足的进步。

有关史料记载表明，元、明以来，呼和浩特地区即有回族人活动驻足，生息繁衍。元代阿拉伯人后裔，著名回族政治家赛曲赤·赡思丁，曾任"丰、净、云内三州都达鲁花赤"。[①]《马可·波罗游记》中记到，当时的天德城有许多回教徒和阿儿浑人。[②] 呼和浩特郊区发现的元代《甸城山谷道路碑记》中所载的承务同知哈剌不花，德宁、天山分司宣慰司马马，正奉宣慰同知撒德弥实，都是回族人。特别需要提到的是在明代，北元政权存在前后，曾经在漠南地区号令天下，一时称雄的瓦剌部与达延汗统一漠南蒙古的右翼三万户之一的永谢布，都是两个完全伊斯兰化的蒙古部落。[③] 可以说，他们是呼和浩特地区回族的最早先民。

回族在中国这块土地上形成较晚，大约始于元明时期。其民族成分及来源也较复杂，既有唐、宋以来经海路来中国经商贸易而留居的大食人、波斯人，也有因战争征伐留居中国的中亚各部族、邦国信仰伊斯兰教的军士。其后更多的是信仰伊斯兰教的回族人通过姻亲、收养后嗣而吸纳了其他的民族成分。还有蒙古族因皈依伊斯兰教而融合进回族中的；也有信仰伊斯兰教的维吾尔族迁入内地中原而融入回族中的。总之，伊斯兰教是回族在中国这块土地上形成的最重要的纽带。"回回"一词从其最初原始意义来讲，就是伊

---

① 《呼和浩特回族史》第 1 章，内蒙古人民出版社 1994 年版。

② 《马可·波罗游记》。阿儿浑是中亚地区一个早已皈依了伊斯兰教的部族，后随西征的蒙古军进入中国，一部在天德城驻防。马可·波罗不知实情，将他们误认为天德的土著人，"也是佛教徒，这是回教徒和当地土人的混血儿。"

③ 白贞：《明代内蒙古中西部地区回族源流考论——兼论瓦剌部，永谢布的民族成分及宗教信仰》。载《回族学年会论文集》，2002 年版。

斯兰教徒（穆斯林）的同义语、代名词，以致在后来的社会生活中，不论是何地，也不问是哪个民族的人，只要是穆斯林，概以"回回"相称；进而在有关资料中，将内地居住的回族称为"汉回"（熟回），新疆居住的维吾尔族称为"缠回"（生回）。或前面冠以族名，诸如撒拉回回，东乡回回、蒙古回回、藏回、彝回等。

清朝初年，呼和浩特地区已有少量回回人定居。到目前为止，虽未见到明确的史料记载，但从呼和浩特回族耆老的口碑传说和历史遗存中可得到证明，呼和浩特市内最早的回民坟地（现祥麟商厦大楼处）是明朝天启、崇祯年间兴建的，至今已有400多年的历史。

明朝灭亡以后，九边的驻军先后都投降了清王朝，被编为"八旗"之外的"绿营"军。在当时绿营兵中，仍有许多原在宣（宣化）、大（大同）、山西（太原）三镇当兵为将的回族。随着清王朝统一中国，战事减少，社会安定，参军从戎的回族人也逐渐解甲为民。如山西右卫（右玉）的回族人麻家，卸军务农；大同镇的回族人费家，也弃戎从商；而太原镇下马街的回族"田提督家"，则成为有清一代晋绥地区的门阀世家。上述地方的回族人，自顺治年间开始，逐渐流入呼和浩特落籍。到康熙初年，呼和浩特的农业生产和商业贸易更趋繁荣，恢复了自元明以来塞外交通枢纽和商品集散地的地位。大约在这一时期，一部分回族人作为"外番贸易者"来到呼和浩特落籍定居，并从回族人履行宗教生活的需要出发，辟建了较为简易的清真寺。

康熙年间，占据天山北路的厄鲁特蒙古准噶尔部噶尔丹的势力逐渐强盛，先后征服了吐鲁番、哈密和天山南路的叶尔羌、喀什噶尔等回回人（主要是维吾尔族穆斯林）聚居的城镇。康熙十六年（1677年），噶尔丹攻灭西套鄂齐尔图汗以后，势力直达河套以西。当时青海的宁多巴、碾伯、化隆等地，都是回族人聚居的城镇，并多以经商为业。于是自新疆，经河西走廊、河套平原到呼和浩特、张家口一线的商路和贸易，基本上掌握在回族商人手中。其时，清政府规定以呼和浩特和张家口两城为厄鲁特蒙古与中原的贸易地点。于是，不仅噶尔丹控制下的新疆地区的回回人来上述两地贸易，就是沿途陕、甘、宁、青等地回民也纷纷前来从事贸易，并在两城"留寓"居住。康熙二十九年（1690年），清王朝与厄噶尔丹的战争爆发，经乌兰布通之战（今内蒙古克什克腾旗南境），噶尔丹大败，西逸科布多，一面收集残部，休整补充，企图东山再起。同时鼓动旅居内地的回回各族人配合反清。据《朔漠方略》载，噶尔丹汗又"潜通中国回子从中助彼，计得中国后，立回子为中国主，彼则取赋税"。清政府对此甚感不安。于是，将张家口、归化城（呼和浩特）两地回回集中于呼和浩特，以便"遣送回乡"。当时呼和浩特共有回民300余人，他们声言"居此年久，又无粮骑，断不去也"，最后只有200人离去。同时，清廷又把张家口不愿还乡的回民40余人迁来呼和浩特。这样，呼和浩特有回族170多人安居下来。① 需要指出的是，噶尔丹动员参加反清的"回子"，实际上包括所有信仰伊斯兰教的各族人民，不仅是新疆地区的"回疆"各部。由此来看，当时呼和浩特的回族（各族穆斯林）绝非仅170人，恐怕较此为多。

清王朝为了进一步做好再次西征噶尔丹的军事部署和辎重准备，于康熙三十二年（1693年），归化城增戍兵，以费扬古为安北将军住焉。② 为战争的需要，回族商贩，清军"绿营"中的回族官兵也同时集中在呼和浩特旧城周围。清王朝为了麻痹土默特蒙古的反清意识，安抚北疆地区的少数民族，一方面大力提倡喇嘛教，专门拨款新建或修缮召庙；另一方面则允许聚居于呼和浩特的回族和"绿营"回族官兵在旧城北门外兴建清真寺（即今呼和浩特清真大寺前身），并于次年康熙三十三年（1694年），勒石立碑。

康熙三十五年（1696年），清廷征讨噶尔丹的"昭莫多战役"后，噶尔丹彻底失败。时有古北口总兵回族将领马进良"扈从康熙亲征"，在征战中多著奇迹。③ 大约由此原因，清王朝对于"不愿还乡"的回族落籍呼和浩特一事也就听之任之，未加干涉，同时也就有了康熙帝御撰的《康熙圣谕碑》敕文，立碑时间为"康熙三十三年六月"。这是呼和浩特旧城北门外通道街及其周围形成回族聚居点的肇始。

康熙三十六年（1697年），清军平定噶尔丹凯旋，呼和浩特的各族商民

---

① 金启孮：《呼和浩特召庙、清真寺历史概述》，载中国蒙古史学会《1981年学会论文选集》，内蒙古人民出版社1986年，第273页。

② 《清史稿》卷281，《列传·费扬古》。

③ 白寿彝：《回族人物志（清代）》卷38，《马进良》。

在扎达海河上筑起"庆凯桥"以示欢迎。此后,晋绥交界的商埠从"西口"(杀虎口)迁到了呼和浩特,从而使呼和浩特的商业贸易更加繁荣兴盛起来。由于康熙朝中期以后边关无战事,大同及左(云)右(玉)两卫以及呼和浩特城内当兵吃粮的回回兵士多转业为小商贩和小手工业者。特别是大同以西边镇的回民,多数来呼和浩特做买卖并定居。大约在这一时期,大同回族费家迁居呼和浩特。相传,因当时镇守归化城(呼和浩特)的安北将军费扬古的"费"与回族费家的姓氏为同一个字,当地民众也不辨回满的民族区别,误以为费家与费扬古将军为一家,以致后来"牛桥"(即庆凯桥)市场开辟,"跑桥"的回汉牙纪都推举费家和官府来往交涉,并给了费家一个世袭"桥牙子"的位置,费家也由此发迹。

另据故老相传,在康熙三十六年(1697年),康熙皇帝玄烨第六女和硕恪清公主下嫁喀尔喀蒙古郡王敦多布多尔济时,先由北京至清水河,后由清水河来呼和浩特,随从中有部分回族人亦来到呼和浩特定居。

康熙朝后期,呼和浩特已形成较大的牲畜交易市场:庆凯桥东侧为牛市场,所以其后将庆凯桥称做"牛桥"。自此后,在内蒙古西部地区的牲畜交易市场都统称"桥",从事牲畜交易的牙纪(捐客)称做"桥牙子"。旧城北门外(现呼和浩特通道街南口)西北角为羊市场。因其当时作为一片乱石高地,俗称"羊岗子"。旧城内西街(俗称大西街)为骆驼交易市场,俗称驼桥街。以上三处牲畜交易市场除"驼桥"在旧城里,"牛桥"和"羊桥"都在回民聚居区的清真大寺附近。因而,呼和浩特的牙纪行和牛羊屠宰业从一开始就是回族人创办和主要从事的行业。由于最初在呼和浩特落籍的回族人大多来自山西大同和右卫(玉),故在呼和浩特回族的语言中,至今仍较浓重地受着大同语音和大同方言的影响。

到康熙末年、雍正初年,在呼和浩特旧城东门外俗称马莲滩的地方又形成了一个新的回民聚居区。这一聚居区相传是一位姓丁的回民在东门外的南顺城街南端开设"丁茶馆"后逐步形成的。由于呼和浩特旧城十分狭小,城周仅二里,一条街贯穿南北,只有南北二门,到康熙西征噶尔丹时才倡修东西城门和四门瓮城。城内北街路西原为顺义王府,后为土默特末任都统丹津的府第;街东为土默特十二参领办公的衙署议事厅。蒙古土默特部投降清王朝后,废除王号,分土默特为左右两翼,丹府前靠西为右翼都统府,十二参领议事厅前靠东为左翼都统府，除此之外，再无多大面积来容纳更多的居民住户。而当时，城北扎达海河东岸为牲畜皮毛市场，离城稍近处已为先来的回族人和少量汉人占据；城南主要是蒙古族的喇嘛召庙和汉人的商业生活区；城西为自北而南的扎达海河，无从扩展；惟有东门外是一片荒凉的马莲滩地。因而，到康熙后期来呼和浩特经商谋生的回族人遂选择马莲滩为新的聚居点，而后形成了今天的新民街。

马莲滩这一新的回民聚居点，距归化城北门外的清真大寺仅数百米。定居在马莲滩的回回要完成一天的宗教功课可去清真大寺，婚丧嫁娶及其他世俗事务也在清真大寺办理。这一情形一直延续了六七十年，直到嘉庆年间才始建清真东寺。与此同时，在旧城内西北角的九龙湾一带也有了从西安、山东等地来的姓马、姓陈和稍后迁来的姓傅等回民定居，这里便逐渐形成了又一个回民聚居点。因九龙湾距北门外的清真大寺也仅数百米，因而这一带的回民也为清真大寺一坊的教民，每日的宗教功课及日常世俗事务均在清真大寺完成，直到同治年间，始由傅姓回回初建"傅家寺"，光绪年间扩建成今天的清真南寺。

雍正年间，呼和浩特作为中国北方地区重要的牲畜皮毛集散地有了进一步的发展。这一时期有"陕西省长安、大荔等处回民，因贩羊、马，有几户迁来本市（呼和浩特）落户，如拜、刘、马三姓"。① 陕西省为当时全国回族集中居住的省份。可想而知，雍正年间来呼和浩特经商落籍的回回恐非上述三户。1960 年，在呼和浩特回民老坟地（即通道街南口西侧祥麟商厦处）挖出墓碑一块，立碑时间为雍正十二年（1734 年），亡人系陕西人。1982 年 10 月，从黑土洼回民坟地发现两块墓碑，分别为乾隆六年（1741 年）五月、八月立碑，亡人均是陕西人。毫无疑问，这些亡人都是康熙、雍正年间自陕西各地迁来的回族人。

乾隆年间是呼和浩特地区的回族人大批迁入定居的高潮时期。这一时期的呼和浩特进一步呈现出"小部梨园同上国（京城），千家闹市入丰年"② 的繁荣景象。早在康熙三十四年（1695 年），清廷即在"归化城添设粮

---

① 荣祥：《呼和浩特市沿革纪要·历代各民族的迁徙居住概况》，回民部分。
② 《历代塞外诗选》，所载王循诗：《归化城》。

（庄）十三处"① 作为"新设御屯"，以解决西征噶尔丹的军需粮秣。到雍正元年（1723 年），由于自康熙以来山西雁北、晋北地区大批汉人工匠、农民、商人、灾民纷纷出口外流入呼和浩特地区谋生，人户大增，清政府遂在归化城（呼和浩特）设置了抚民理事同知衙门（二府衙门），用来专门管理除蒙古族以外的其他各民族事务。到乾隆年间，呼和浩特作为中国北方地区的通都大邑和军事重镇，越来越显示出它的重要性。清政府又于乾隆二年（1737 年），在呼和浩特旧城东北五里处新建了一处城垣，赐名绥远城，俗称新城。绥远新城于乾隆四年（1739 年）竣工后，② 清廷遂将原驻防于山西右卫的满洲八旗官兵移驻于此，并在绥远城设置了拥有统辖八旗驻防官兵，管理内蒙古西部各旗蒙古王公民众，兼有调遣宣（化）大（同）二镇总兵，节制沿边道厅，指挥山西巡抚及三关提督的极大权力的一品大员绥远城将军。从此，呼和浩特（绥远、归化二城）更是人口倍增，笙歌遍地，店铺林立，百业兴旺，非一般边疆城邑可比。由于人口的增加，促进了农业、手工业和商业的繁荣和发展。首先，清政府为解决绥远城驻军的粮食给养问题，乾隆二年（1737 年），在呼和浩特平原（前套平原）大量放垦，先后有"大粮官地"、"小粮地（代买米地）"、"六成地"等，名目繁多，总数达三万余顷，并明令允许山西口里的民人前来耕种定居。于是在土默川平原形成了前所未有的星罗棋布的村落。其次，为了便于管理，清政府遍置道厅衙署，先后于乾隆元年（1736 年），增设绥远同知厅暨和林格尔、托克托、清水河三协理通判厅（准县级）；又于乾隆四年（1739 年），增设萨拉齐、善岱二协理通判厅；乾隆六年（1741 年）增设归绥道，乾隆十一年（1746 年）加兵备衔。到乾隆二十五年（1760 年），上述各厅除裁汰善岱协理厅并入萨拉齐厅外，其余各厅升为理事厅。自此，在呼和浩特及毗邻地区的行政建制也完全建立完善起来。在这样一种大背景、大环境下，善于经商涉远、不畏劳苦的回族人，为寻找新的经济源泉，或为其他社会原因驱使，以更多的数量来到呼和浩特地区落籍定居。

---

① 《大清会典事例》，转引自《土默特文史资料》第 5 集，第 1196 页。

② 关于绥远城建城时间，一说始于清雍正十三年（1735 年），完工于乾隆二年（1737 年）或乾隆四年（1739 年）。本文所采用的建成时间为始建于乾隆二年，竣工于乾隆四年。

　　这一时期，迁入呼和浩特地区的回族人大致来于两个方面：一是乾隆二十五年（1760年），清政府在平息新疆天山南路伊斯兰教白山宗（白帽回）大、小和加（卓）叛乱后，助清平叛有功的香妃家族奉旨赐居京都，并选香妃入宫；或说香妃原为和卓妃子，被俘后奉旨入京。不管是哪一种说法，下面的事实基本是一致的，即当护送香妃入京的数百回兵和香妃族人在返回途中路经呼和浩特城南的八拜村时，见该地水草丰美，土地肥沃，不愿再受千里跋涉之苦，于是，奏闻乾隆皇帝，请求留住呼和浩特。乾隆闻奏后，决定赐给他们"一马之地"为"户口地"，安居于八拜村，并修建了清真寺。后于乾隆五十四年（1789年），这部分维吾尔回族又迁入呼和浩特旧城各处散居，融入当地回族中。至今，呼和浩特回族中仍有香妃一族后裔马姓。

　　乾隆二十五年（1760年），清政府将大同、太原两镇的"绿营兵"分拨到归化城、和林格尔、丰镇三厅驻防，分别称做"归化营"、"靖远营"和"丰川营"。"归化营"设立在归化城（即呼和浩特旧城）偏东北的前后新城道，和归化城副都统衙门用来检阅土默特蒙古常备军的"小校场"中间，俗称"营坊道"。这部分绿营兵中有不少回族官兵。加之，自晋、冀、陕等地来呼回族人口的大量增加，于是在营坊道逐渐形成了另一个回民聚居点。

　　自绥远新城于乾隆四年（1739年）建成后，在新城内也开始有了回族人居住并从事商业活动，直接服务于新城驻防的八旗官兵和将军衙署。随着新城回族人口的增加，官府在绥远城南门口内路西城墙下，专门辟了一条"羊圈巷"，供回族居住和宰杀牛羊。有的回族也在后来发展起来的新城西街"马桥"从事牲畜交易牙纪。新城至今还有一条"苏虎街"，相传就是由于回族苏老虎在这里居住多年而得名。于是，绥远新城也慢慢形成了现在的以新城清真寺为中心，周围居住着众多回族的又一个回族聚居点。到乾隆年间，呼和浩特定居的回族"大分散、小集中"，分片居住的格局基本形成。旧城一带的回族定居点呈一环带状：即从旧城北门外的通道街南端及清真大寺为起点，包括周围的"牛桥"（庆凯桥）南北两向、十间房、义和巷、宽巷子、水渠巷、礼拜寺巷，东至前、后新城道，营坊道，向南折过回民麻家菜园，经马莲滩，东顺城街，西行入旧城里九龙湾、东河沿，过扎达海河，入县府街、周家巷、呼一中后街，北折后沙滩、北沙梁、新华街、回民果园等。这一回族聚居棋盘式的向心格局，经过二百余年的发展，成为今天呼和浩特回民区的基本范围。

乾隆时期，呼和浩特的回族有部分开始发家。大同费家从牙纪行"跑桥"致富，在"牛桥"两侧先后开设了"永德店"、"玉成魁"、"玉成祥"和"广顺和"皮毛牲畜店。康熙年间在杀虎口沿边以贩马致富的西安回族，这时也涌向呼和浩特往北京贩卖"京羊"。当时，从外蒙古贩运回呼和浩特的草地羊每年达数十万只，多数运往京、津地区销售，以致形成了由呼和浩特经张家口到北京的"京羊路"。口碑传说，每年"京羊路"上的羊群沿途糟蹋庄稼十分严重，以致诉讼不绝。归化城回族刘二少向官府出大钱买到了"文书"（许可证），使沿途农民不再阻拦。再如，山西太原城下马街"田提督家"，在清代成为呼和浩特回族中的门阀，在乾隆年间曾独家在归化城大南街开设有名的绸缎庄"聚生泰"，直到民国年间，经久未衰。后来，"大盛魁"的绸缎庄"天顺泰"亦被该号接收。

乾隆末年至嘉庆初年，呼和浩特回族人的商业范围也有所扩大，除了继续从事传统的牲畜贩运、屠宰肉食、牙纪、饮食、皮毛诸行业外，开始有人从事驼运、房地产经营及粮食加工等行业。同时，一些回族的商业经营与官府仕宦发生了密切的联系。如前面所述的新城回族从事屠宰业主要用于供应新城驻防的八旗官兵；西安回族刘、拜两家的商业买卖，则主要与公主府发生关系，成为公主府最大的"相与"，每年买卖数额都十分可观。

自康熙西征噶尔丹之后，中国内地通往新疆、外蒙古以及俄罗斯的驿道交通大开，形成了从张家口到新疆阿尔泰山的东西驿道和从杀虎口经呼和浩特到外蒙古的科布多、乌里雅苏台与从内地经张家口、呼和浩特直达外蒙古的库伦（乌兰巴托），北入俄境的恰克图的两条南北驿道。到乾隆中期，随着呼和浩特商业的巨大繁荣和随军商业"营铺"的发展，上述驿道逐步成为以呼和浩特为起点的"营路"和大西路。即"前营路"：呼和浩特至外蒙古的乌里雅苏台（前营）；"后营路"：呼和浩特至外蒙古的科布多（后营）；"大西路"：呼和浩特至新疆古城子（奇台县，亦称西营）；"库伦路"：呼和浩特至外蒙古的库伦（乌兰巴托）。以上各条"营路"，就是闻名中外的"丝茶驼路"。这几条驼路发展到后来，进一步向西、向北延伸，成为连接中亚、西伯利亚以及俄国中心腹地的交通、商业大动脉。如"大西路"从古城子向西到乌鲁木齐（红庙子）、伊犁，西北到塔尔巴哈台，分别进入俄国，并远达莫斯科。"库伦路"从乌兰巴托北至苏赫巴托，入俄国境内的恰克图，然后沿贝加尔湖，深入俄国西伯利亚腹地。活动在这几条驼路上的旅蒙商队最初是以康熙年间由山西汉人经营的"大盛魁"、"元盛德"、"天义德"三大号最为著名。但在三大号庞大的驼运商队中，则有许多回族驼户或驼工。他们的足迹踏遍上述地区，为"营路"的开通和经济、文化的交流作出了不可泯灭的贡献。其间，力量较小的回族驼户则在川前山后从事土特产品买卖贸易的短途运输。这些最初从事驼运的回族为后来呼和浩特回族驼运商队的大发展奠定了基础。

乾隆年间，托克托厅（以下简称托厅）和土默特左旗（以下简称土左旗）也开始有回族定居。托厅历史悠久，战国时赵国即建云中郡，历来为塞外重镇。在清代，自康熙年间至民国初年，一直为内蒙古西部地区重要的水旱码头，交通便利，物资繁富，商业发达，商贾云集，为蒙盐（吉兰泰盐）和甘草的主要集散地。托厅于乾隆元年（1736 年）与和林格尔、清水河同置为协理通判厅。乾隆二十五年（1760 年）升理事厅，民国元年（1912 年）改县。乾隆初年，有河北沧州孟村回族金家、河北正定府高头镇白家（现属无极县），山东济南府回族马家先后来托厅定居。孟村金家因经商而来，曾在河口镇禹王庙附近开设"河路店"，留寓前来经商的过往商客。后开设"复祥号"杂货铺经营杂货。稍后，原籍宗族慕名而来，纷纷在河口镇落籍定居，各立字号，有"复兴裕"、"复盛成"、"复兴旺"等。于是，金家遂成为托厅河口镇的回族大户。正定府高头镇的白家从事牲畜贩运来托县落籍，而济南马家则因逃荒流落托厅。随着托厅旧城和河口镇回族人数的不断增加，于乾隆中后期在托厅旧城北街二道巷半梁兴建了清真寺，在梁头开辟了托厅回族老坟地。

土左旗在唐代以前为云中郡辖地，金、元时期属云内州柔服县，明、清时为蒙古土默特部腹地。旗府所在地的察素齐镇于乾隆初年始有汉人定居，逐渐形成村落，属土默特右翼旗所辖，直到民国十七年（1928 年）始建镇，隶归绥县辖。土左旗境内的善岱镇曾于乾隆四年（1739 年）置协理通判厅，为全旗当时重要的商业集镇和漕运码头。到乾隆二十五年（1760 年）撤厅，辖地并入萨拉齐厅。乾隆初年，有河北正定府高头镇白家（与托县高头白家同宗)、京郊薛家营的薛家、北京牛街回族金家等,先后来善岱落籍,主要从事牲畜贩卖、屠宰和饮食行业。乾隆二十五年(1760年)善岱裁厅后,旗境内政治、经济中心西移,流动人口锐减,加之回汉民族矛盾尖锐,部分回民迁往萨拉齐和包头(东河区)等地,部分回族迁往位于呼包之间日益发展的察素齐。善岱镇有回族居住前后历时近百年,大约到同治、光绪年间才最后迁完。居住在善岱的回族曾在乾隆年间建有清真寺,并有"马跑一段"的坟地。察素齐有回族定居始于乾隆中期,最初为善岱镇迁来的白家、薛家、金家和马家。白家主要从事贩马,每年秋高马肥之际即向河北等地长途贩运;薛家主要从事牙纪和小商。约乾隆后期,察素齐回族购买了汉人拆迁了关帝庙的地皮兴建了简陋的清真寺,从而逐步形成了以清真寺为中心的察素齐回民聚居区,并在聚居区的东南方向购置了回族坟地(老坟地)。

乾隆以后,经嘉庆、道光、咸丰、同治、光绪、宣统六帝,到宣统三年(1911年)辛亥革命,前后历时一百余年(1796—1911年),正是清王朝由鼎盛走向衰落,内忧外患交加迭起,中国历史上存在了两千余年的封建社会逐渐解体,中国的社会性质由闭关自守、自给自足的封建社会向半封建、半殖民地社会转变的大动荡时期。地处边陲塞外的呼和浩特地区在历史发展的过程中,虽然没有中国内地那种因社会性质剧变而产生的阵痛,但无论是政治上、经济上,还是社会生活的其他方面,无一不受整个国家形势的制约和影响。其间发生的鸦片战争、太平天国起义、捻军起义、马化龙回族起义、戊戌变法和义和团运动等,都涉及呼和浩特地区。而就呼和浩特地区的回族来说,则逐步形成了以下几个特点:

首先,这一时期是呼和浩特地区回族民族统一、巩固和发展的时期。历康、雍、乾三朝,当时由四面八方迁入呼和浩特地区的回族,由他们最初各自带着不同地区回族人原有的心理、语言、礼仪和地域生活方式,聚居在呼和浩特地区这块新的土地上,经过百余年的重新整合,相互影响,相互通婚和交往,形成了呼和浩特回族特有的心理(地区观念)、语言(呼市回族方言)、礼仪(地区的社会交往和丧葬、嫁娶礼仪)和生活方式,结成呼和浩特地区回族民族这一稳定的共同体以及他们在特定地域和社会环境中形成的特点:一方面既有受伊斯兰教规定的全国范围内回族人所具有的共性,以及对来自不同地区回族人土著文化的综合吸收;另一方面又表现出不同于其他回族聚居省区的地区特点。这一地区特点在很大程度上反映出呼和浩特回族人对伊斯兰思想的虔诚归向和对伊斯兰教义的弘扬。同时，这一时期也是呼和浩特地区各回族聚居点（区）以清真寺为中心开始形成封建性的"教坊制"和伊玛目、海推卜、穆安津（亦说"三掌教"无"穆安津"而有"穆夫提"）"三掌教制"的时期。

其次，这一时期呼和浩特地区的回族人，其社会经济生活形成了鲜明的民族特点和地区特点，经营行业范围进一步扩大。民族特点主要表现为，由于受伊斯兰教规定而形成的生活风俗习惯，并由此决定的传统生产方式和经营方式得到发扬和光大。诸如牲畜贩卖和牙纪行、牛羊皮毛收购和销售，牛羊养殖和屠宰，饮食业包括清真饭馆、清真干货、糕点、烧卖、酱牛肉、切糕、元宵、茶汤、粽子、大碗酪及清真糖坊等。上述行业和产品，有些在当地为回族独占鳌头。地区特点则主要表现为呼和浩特地区回族驼运业的形成和发展以及"丝茶驼路"的进一步开拓。行业范围的扩大则表现为房地产经营的发展，回族通事行的形成。而聚居于村镇的回族则形成亦农亦商的生产经营格局。

第三，这一时期呼和浩特地区回族中出现了明显的两极分化和贫富悬殊现象。富者，家资累万，财力雄厚，成为当地各民族中的豪富；贫者，或受佣于人，或提篮小卖，聊以为生，抑或沦为行乞者。同时，在不同的聚居点（区）逐步形成各自的生产、生活方式。如当地回族俗谚所说：通道街桥上桥下（牙纪、牲畜贩卖），新城道能挤能下（牛奶业和养殖业），马莲滩能宰能杀（屠宰肉食业），营坊道成串成连（驼运业），后沙滩手背朝下（要"乜帖"即行乞）。

第四，这一时期是内地各省回族继续迁入呼和浩特的高潮期。特别是由于同治年间马化龙领导的西北回民大起义和清王朝对回民起义的残酷镇压，陕甘宁地区的回族大批逃亡呼和浩特地区。同时，由于回族驼运业的发展，呼和浩特回族驼队成为"丝茶驼路"的主要经营开发者，并有呼和浩特的回族开始在外省区（主要是新疆地区）定居。

乾隆以后，呼和浩特的边境商业贸易和城市手工业更趋繁荣。兴起于康熙年间的"旅蒙商"发展到了顶峰。先前由山西来绥汉人经营的驼运三大号"大盛魁"、"天义德"、"元盛德"进一步发展，资本积累达数千万两白银。而自养十多峰或数十峰骆驼组成"房子"的"单帮"更是不可胜数。其中，以回族经营者居多。因此，乾隆以后，是回族驼运业蓬勃兴起和形成的时期。

清政府为加强对边疆各民族的统治，早在乾隆四十二年（1777年）即规定，凡是进入蒙古、新疆各地的经商贸易者，必须由归化城副都统衙门发给照票，并注明货主姓名、货物名称、数量、经销起点、时间期限等，方准贸易。嘉庆五年（1800年），由署定边左副将军齐登扎布具文奏称说："归化城商民于山后札萨克旗下拥集过甚，稽查纷繁，且恐滋生事端，嗣后请发给照票方准贸易"。[①] 此后即改由清廷理藩院咨行绥远城将军颁发"院照"。尽管如此，呼和浩特地区的商业贸易规模还是越来越大。俄国人波兹德涅耶夫在《蒙古及蒙古人》中指出："归化城商人用输出的商品从蒙古换回的首先是骆驼、马、牛和羊。这些牲畜在呼和浩特卖出……马匹被运往长城以南，直到上海和广东。牛的数量不大，几乎全部供呼和浩特本地需要。在来自蒙古的牲畜中占大多数的羊则供北京、河南、山西及其他各地需要……这些地方在呼和浩特设有专门的代办处，它（他）们受委托代办收购羊，并把它们运送到指定的地点。这些办事处在归化城叫做'贩子'，其中最富有的是北京的贩子。他们的商号是夏盛和、夏和义、天和德及三和成。单是这几家商号从归化城赶走的羊就不下五十万只。除了赶往内地的牲畜外，归化城本身每年购买和消费的羊不下二十万只，牛近四万头。"[②] 波兹德涅耶夫接着记述到："从呼和浩特所消费的牛羊身上剥下的皮几乎不往外运，而是就地在城北和城西的皮革厂加工。据说，这种大小作坊共约三十五家"。[③] 我们在这里大段摘引波兹德涅耶夫的记述，旨在说明当时呼和浩特边境贸易的繁盛。而在这繁盛的塞外和内地的贸易中，呼和浩特的回族占有重要的地位。其中如为内地省区专设收购羊的办事处充当"贩子"，运送"京羊"，贩运马匹，收购加工皮毛等，回族人都充当着主要角色。这一时期，为适应

---

①　张曾：《古丰识略》卷20，抄本。

②　［俄］波兹德涅耶夫：《蒙古及蒙古人》第2卷，刘汉明等译，内蒙古人民出版社1983年，第98—99页。

③　（俄）波兹德涅耶夫：《蒙古及蒙古人》第2卷，刘汉明等译，内蒙古人民出版社1983年，第98—99页。

牲畜交易而兴起的牙纪行也进一步发达完善起来。乾隆后期"马禁"开放以后，旧城也有了"马桥"。到了嘉庆以后，新、旧两城牛羊马桥交易场上，回汉两族各有"十大股"牙纪，包揽大宗牲畜交易。在牛桥、驼桥和羊桥上进行零星交易的小牙纪亦不受限制。当时牙纪总人数不下五六百人。每天从早晨到中午，从北门外的羊岗子（羊桥）、牛桥（庆凯桥）、太平桥到旧城南门里的大召头，以及城里的小东街、大西街各处的烧卖馆和饸饹馆，坐满了提马鞭"跑桥"的牙纪捐客。在皮毛收购上，回族人在掌握质量标准上独占鳌头，逐渐成为其他民族无法取代的专门职业。回族皮贩子充当皮毛出售者和皮毛客商、皮毛店的中间人，成交后从双方各抽取百分之二的佣金。最早从大同来呼和浩特的费家，乾嘉以后从河南孟县来呼的白家，从河北沧州来呼的曹家，先后均以此逐步致富。

这一时期，回族经营房地产成为呼和浩特回族经济中的重要行业。乾隆时从西安来呼的刘二少以贩运"京羊"致富。嘉庆以后，其子刘明经和另一户回族杨家开始做地皮生意。他们先后把旧城（归化城）北门外东西两条顺城街，以及牛桥河岸以东土默特旗参领伊精阿（俗呼伊嘎勒达）宅邸以北的大部分地皮全部买了下来。刘明经不仅在旧城北门外购得大量房产地皮，还在旧城里驼桥街土默特都统衙门以西买进了不少房产。后来，刘家和杨家因地皮房产分股打了多年官司。这一事件，《绥远通志稿·官产卷》作了如下记述："清嘉庆间，有陕西长安回民刘明经者，以贩羊常往来京绥间，遂占籍归绥。嗣与杨姓涉讼，久未得直，至嘉庆十年以理伸结案。明经感于国政清明，公理昭彰，乃将其历年在归化城北常平仓与牛桥以及外罗城路东等一带地段置到之房地，计房三百七十二间，空地基十六块，悉数报效国家，蒙恩赏给翎顶，优予褒奖，时人荣之"。这是呼和浩特地区历史上见于文字记载的第一桩回族内部的涉讼案。结案后，刘明经一次捐公房屋372间，空地基16块，可见其所经营的房地产业规模之大。同时，杨家则把围绕清真大寺的地皮出散给了清真寺。从此，清真大寺正式朝西开了正门，并在对面建造了一座"照壁"，形成了以后的礼拜寺巷。

这一时期先后迁入呼和浩特的回族述其显著者计有：嘉庆年间自河北沧州入京，后迁呼开办起"三合义"清真肉铺的尹家（尹德宝）；自河南孟县桑坡集因涉讼避难举家迁居新城道，后成为养牛大户的白家（白明）；自河北逃荒来绥，在南顺城街开起清真糖坊的刘家（俗呼"刘糖坊"刘永祥）；道光、咸丰年间自河北沧州迁绥，在旧城里大十字街创办闻名绥远地区的"万胜永"清真酱牛肉铺的刘家（刘万禄）；自河北沧州逃荒来呼，先营小商、牙纪、牲畜贩运，后于光绪年间经营驼运业，立号"德厚堂"，至民国前期成为呼和浩特回族首富的曹家（曹俊、曹彦）。另有马玉望一族，祖籍南京人氏，明初保燕王朱棣，身任武职，自南京迁北京，后由北京再迁山西右玉（卫），同回族麻家（明宣大总兵麻贵后人）、费家、甄家部分族人又迁和林格尔，最后再迁呼和浩特定居。还有河北定县王家，来呼后择居扎达海河西岸清真西寺的周家巷。有王俊一族，原籍亦系南京水西门人氏，后屡迁山西右玉，咸同年间迁居呼和浩特。这一时期迁居呼和浩特的回族后来成为显富的还有白维礼一族。

白维礼，字义斋（1850—1912 年），原籍河南孟县桑坡集，先世约于乾嘉时迁山西大同，后于同治初年自大同迁居呼和浩特，于光绪末年创办"中和店"，从事牲畜贩运生意，家资渐富，到其子白峻（字松峰）时，于民国年间创办闻名绥远的清真饭庄南、北"古丰轩"，并积极兴办回族教育事业，成为当时呼和浩特回族中的名人。

乾隆以后迁入呼和浩特地区的回族，一部分分别落籍托克托厅和土左旗的察素齐镇。迁居托厅的吴家，先祖吴居州，原籍河北沧州孟村人氏，先世曾在清军中任武职。嘉庆初，因不堪忍受清政府的民族歧视和迫害，愤杀政府官员，举家外逃，因与乾隆时来托厅河口镇经商定居的金家为表亲，遂投亲占籍托厅。居州的长子吴莲世居托厅，次子吴秀再迁察素齐，三子吴仁则迁居包头落籍，此后三支均成为当地回族中的显户。吴家为武术世家，豪俊辈出，特别是居州五世孙吴桐，武艺超群，吴氏太极八卦拳法炉火纯青，曾于 1928 年赴南京参加全国第一届武术比赛（打擂），一举夺魁，名震全国。另有天津静海县马家，以精湛的回族干货手艺落脚托县。后人曾于民国初年在托厅衙门巷口开设"益和公"杂货店，生意兴隆，信誉极好。又有张家一支，原籍山西右卫（玉），因逃荒年迁居托厅，以小商为生，后人于民国年间开办了"万金元"、"万胜元"杂货店，遂致发家。另有北京马甸回族马七生，幼年随母行乞来托，七生后为人佣工，娶一山西逃荒女子为妻，以致子孙繁衍，人丁极旺，成为托厅回族中的马姓大户。

　　迁入土左旗察素齐镇的回族，这一时期除了前面提到的吴秀一支外，有嘉庆元年（1796 年）自宁夏固原以驼运为业的杨家（二世杨天奎）；有自河北保定经商落籍察素齐镇的马家（马德俊）；有自新疆乌鲁木齐（红庙子）南关而来为人佣工入赘回民梁家落籍察素齐镇的骆家；有自河北保定府唐县随母逃荒的白有福一支。白有福幼年遭难，成年后先以务农为生，兼营运输业贩卖无烟煤到归化城。到其子白俊时，家道渐富，于是广置土地数百亩，并有大车十余辆，继续营运，先后开设"蔚隆泉"、"福顺全"六陈行和杂货铺，曾自行印刷"帖子钱"（汇兑票据）流通于市，成为民国年间察素齐回族中的首富。①

　　这一时期应重点记述一下同治年间迁入呼和浩特地区的回族情况。

　　同治年间（1862—1874 年），因受陕甘宁地区白彦虎、马化龙回民大起义的影响，上述地区的回族为避清政府的残酷镇压，大批逃亡流入呼和浩特地区。如杨龙一族，原籍陕西长安县仁和七号桥人氏，于同治年"左宗棠屠回"时逃来呼和浩特，后在十间房（即今通道街）定居。另有通道街马家（后嗣马文仕），原籍陕西大荔县，同治年间回民大起义失败后，被清政府强行迁往甘肃化平（今宁夏泾源），后移居呼和浩特落籍。又有陕西回族哈、安、丁、张十几家，"是拿着烟袋、假充汉人跑到归化城的。"甘肃的回民也因不敢在故乡居留，也有不少"逃到归绥。"继陕甘宁回民大起义之后，新疆南北两路维吾尔族人民亦聚众反清，其间也有新疆居住的回族迁入呼和浩特的。如吐鲁番回族驼户马八汉的先祖，因有交通工具，举家远途绕道迁居呼和浩特。最为典型的是在同治到光绪初年，大约有数十户自陕甘宁地区逃来的回族，聚居于呼和浩特东北大青山内的苏勒图村，兴建了清真寺并购置了坟地。到光绪二十年（1894 年），西北各地回民大起义已被清政府彻底镇压，"查逆"风声渐松，居于苏勒图村的回族陆续迁入呼和浩特，同时将清真寺拆除，砖瓦木石运往呼和浩特，扩修了清真东寺。土左旗察素齐镇也有同治年间自宁夏吴忠堡牛家房子逃来的回族牛家一族。但可以肯定，上述时期内自陕甘宁各地迁入呼和浩特地区的回族，绝不止前面述及的几姓几户。光绪初年呼和浩特回族人户大增，陕甘宁地区回族的迁入是主要

---

　　①　刘映元：《呼和浩特市回族来源与回民形成初探》，《呼和浩特回民区文史资料》第 1 集。

原因。

同治年间，聚居在扎达海河东岸，归化城厅衙门（俗称二府衙门）路南的回民博家在自家里院开设了"清真南学"。到光绪年间，拉骆驼的回族人户不少迁居于"西河沿"一带，回族孙家也住到附近的官店巷子，于是到光绪二十五年（1899 年），在"清真南学"的基础上，扩建成清真南寺。

西北回民大起义期间，既有大量回族难民逃入呼和浩特地区落籍，也有马化龙领导的回民义军少量人员散落在呼和浩特地区。马化龙于同治二年（1863 年）秋，领导吴忠、金积堡一带回民起义。起义后，"为了进攻北京，派其十六王率领军队，由宁夏取道伊克昭盟，打算渡过黄河先占领归化、绥远两城"。义军占领准格尔旗南部后，"在河曲十里长滩一带扎下营寨，打算东渡黄河。河东一带（指托克托厅——引者）的回民纷起响应，用扫帚蘸着硫磺烧了托克托城的南关。归化、绥远两城更是一夕数警，陷于一片慌乱之中"。[①] 这一史实在《清史稿·穆宗本纪》中有明确记载：同治七年夏四月辛丑"宁条梁回扰鄂尔多斯游牧，贝子札那格尔济击退之。"闰四月，"乙丑，回匪踞乌审旗，分扰准格尔旗，逼托克托城。"[②] 马化龙的回民义军最终未能从伊克昭盟准格尔旗境渡过黄河，其原因倒不是黄河东岸清军防守严密，而是中了清廷的疑兵之计。"同治六年（应为"七年"——引者），马化龙部队逼近黄河西岸，是日各商号闻警，于晚间各派一人，手持红灯沿堤巡逻，休息时将灯挂在树上，马部见灯光树影，疑有重兵守御，未敢过河。"[③] 但回民义军却从另一条路线进入呼和浩特平原西部地区。仍在《清史稿》同治七年条下载：十二月丙午，"回匪犯包头，蒙军失利。"既然回民义军进入包头地区，且蒙军失利，说明当时曾发生过激烈的战斗。这一情形，从波兹德涅耶夫的《蒙古及蒙古人》一书中得到一些印证："向我讲述大青山掌故的人当中，有不少都是归化城的老住户。不过，需要说明的是，他们似乎更加津津乐道，而且讲得有声有色的是最近一次东干人的暴动。他们讲述了成群结伙的蒙古暴动者是怎样聚居在这些山沟里的；他们在缠头将

① 钟正文：《血雨腥风的年代》，载《内蒙古文史资料》第 28 集。

② 《清史稿》卷 22，《穆宗本纪》。

③ 张睿：《古镇河口》，载《内蒙古文史资料》第 33 辑。

军和博罗库助的领导下打得是怎样勇猛；缠头将军又是怎样被擒，并在归化城被处死的。"① 这段引文，至少可以说明以下事实：回民义军进入了呼包之间的大青山，并有"蒙古暴动者"和义军协同作战，最后为清军所败。"缠头将军"是回民义军阿訇将领被俘就义于归化城。博罗库助则为"蒙古暴动者"的领导人。而义军与清军作战的主要战场，大约就是土左旗境内大青山中，至今人们仍呼之为"马化龙坝"的这一山地。这一山地位于土左旗境西北大山中，万家沟和"一前晌"沟之间，故址分别称之为"小火烧"、"大火烧"、"抛（读'炮'音）马坡"、"马化龙坝"。这一地区，山峰陡峻，地势险要，易守难攻。马化龙的回民义军曾进入呼和浩特地区，至今在土默川回族群众中流传着这样一个口碑故事：土左旗境内的毕克齐镇是清朝中后期土默川平原上较大的商业集镇。这里土地肥沃，水利丰沛，物产富饶，商业发达。大约在道光、咸丰年间开始有回族定居，并在镇西的西阁里修建了清真寺。后因汉族地主的欺侮，回族难以存身，于是在一夜中将李姓地主全家杀死，举族外逃，清真寺被当地汉族改建为财神庙。故毕克齐的财神庙不是正殿，而是西殿，这就是以清真寺的礼拜大殿改建所致。此后，毕克齐的村民严拒回族人入村经商。这一情形一直持续到民国以后的 20 年代。据说在同治三年（1864 年），马化龙的回民义军经土默川东进，至张家口为清军所阻，回军时进驻呼和浩特清真大寺，有人将毕克齐汉民所为告知义军首领。于是，义军声言西返时要"兵洗毕克齐"，并要呼和浩特的回族带路。后当地回族乡老感到事关重大，带路时绕毕克齐而去，免去了一场兄弟民族相残的大祸。② 这一口碑资料虽不见于正史所载，但时间、地点及历史遗迹凿凿，可与史载相印证。自同治七年以后，马化龙的义军仍在绥西一带活动。据易孔昭等撰写的《平定关陇纪略》所载，同治七年以后，"官军先后抵秦州、河狄，回逆已无大股出窜，惟董志塬（甘肃庆阳小镇——引者）余孽窜至宁夏一带，宁夏之回导之北窜，河东七旗蹂躏已遍，遂由鄂尔多斯七旗窜至乌拉特三旗，扰及蹬口，渐到阿拉善本旗……"。一直到同

---

① ［俄］波兹德涅耶夫：《蒙古及蒙古人》第 2 卷，刘汉明等译，内蒙古人民出版社 1983 年版，第 142 页。

② 白贞：《察素齐回回耆老杨生茂先生调访录》，1981 年。

治十年（1871年），还有零星回民义军在乌拉特中旗境内活动。

通过我们上面援引的各方面的资料，说明同治年间马化龙领导的回民起义军所活动的范围已达到呼和浩特地区，不仅影响深广，而且有为数众多的西北地区的回族逃亡流入呼和浩特。

在马化龙领导宁夏回民大起义期间，回民义军从呼和浩特曾获得大批物资给养。"同治七年冬，'董志塬巢内粮食将绝，马化龙于二月初旬，用骆驼一千五百只，驼运粮食接济。'而且'各逆回洋枪、洋药、战马，屡据擒贼供称均由马化龙自归化城一带贩来'"。① 马化龙"还善于经商积累财富，伙友们往来包头、归化（今呼和浩特）以及北京、天津等地，交结回民中的洋商。"② 呼和浩特地区的回族尚未发现有直接参加马化龙回民义军的活动，但在物资和道义上给予大力的支持和帮助。

西北回民大起义失败后，由清政府收抚或视为"回逆"的义军子遗也有部分遣发到呼和浩特地区。"在清时，马化龙被清镇压后，回部上级官员大部分降清留用，部下每士卒发银五十两迁往包头、归化城以至隆盛庄。"③ 所以说，在清朝的同治、光绪年间，是整个清代继乾隆以来回族迁入呼和浩特地区的第二个高峰期。到清朝末年，呼和浩特地区大约有回族三四千人。波兹德涅耶夫《蒙古及蒙古人》中记述了新城的回族。他写到：新城八旗兵住在破烂的小房子中，"在这些小破房子之中有十来家小铺子和三家专供外来官吏住宿的客店，几乎全是中国的回民开设的。这些回民都自称为'回回'，认为自己不是汉族人……据传说，这些回族早在唐朝时期就已来到现在居住的各个地方，他们总是到大同府去研究伊斯兰教，并在那里学习阿拉伯语，但究竟精通到了何种程度，我未能得知。"④ 这是我们见到的有关清代呼和浩特回族社会生活的最直接的记录。说明当时新城的部分回族以经营杂货"小铺子"和"客店"为生。而开店留客似乎是清朝末年呼和浩特地区回族人的重要职业之一。以土左旗察素齐为例，在光绪年间，按当时

---

① 张承志：《心灵史》，《牺牲之美·董志塬》，第172页。

② 马寿千：《清朝同治年间的宁夏回民起义》，载《清代中国伊斯兰教论集》，第109页。

③ 梁继祖：《隆盛庄盛衰史》，载《内蒙古文史资料》第33辑。

④ 〔俄〕波兹德涅耶夫：《蒙古及蒙古人》第2卷，刘汉明等译，内蒙古人民出版社1983年版，第141页。

回族的姓氏划分，不足二十户，但竟有三分之一的人户以开店为生。

这一时期，呼和浩特地区的回族主体以前资本主义的商业经济为基础。但这种经济带有极大的自发性和封建性，盈利仅足以维持日常生活，基础脆弱。商品交换在很大程度上一直处于以物易物的阶段，故远不足以形成雄厚的商业资本，在市场中进行角逐。而散居在村镇的回族则开始形成封建的农业经济，农闲时以小商为经济补充。在乾隆年间，最初迁居于城郊八拜村回族营的回族因享有户口地而有从事农业生产和畜牧业的。[1] 到乾隆后期至嘉庆、道光年间，这部分回族迁入呼和浩特城中居住后，逐步丧失了土地，从此完全割断了与农业经济的联系。而最初定居于托县、土左旗境内的回族，因其本身所处环境和条件的影响，或其迁居前在原籍即曾从事农业生产，因而在迁入托克托厅、土左旗后，从一开始就数量不等地购置土地，或自身、或佣工从事农业生产。这样就形成了居住于村镇的回族亦农亦商的经济格局。如托克托厅河口镇的金家、城关的吴家、马家、张家等，土左旗察素齐的薛家，高头白家、唐县白家、吴家等，都有数量不等的土地。特别是唐县白家，一世白有福从同治、光绪年间开始即以农为业，以农致富，光绪末年有地一顷余，入民国已有土地五、六顷；薛家也有土地二、三顷，且都是当地上等的膏腴之地。可见，农业经济在村镇回族经济生活中占有十分重要的地位。

呼和浩特地区的"通事行"（即对蒙古贸易中的翻译行业）大约滥觞于明末清初，形成于康、雍、乾三朝。在当时"通事行"中即有少数大同和右玉卫的回族。到道、咸、同、光年间，随着边境贸易的发展，"通事行"业务也大大兴盛起来。这时，有不少回族人从事对蒙古贸易的"通事"（翻译），并成为呼和浩特回族人的另一种社会职业。

清朝末年，由于呼和浩特地区回族驼运业的发展，原来通往蒙古、新疆的"营路"和"大西路"上，回族驼队数量大大增加。特别是到光绪年间，西北回民大起义被清政府彻底镇压后，自康、雍朝时期开通的"丝茶驼路"在时通时阻之后，又逐渐恢复了塞外与西北、外蒙古贸易交通大动脉的作用。于是，呼和浩特的回族在驼运贸易中纷纷涌向新疆地区，并在那里开始

---

[1] 白贞：《土默特回回户口地浅证》，载《内蒙古社会科学》1985年第2期。

定居。呼和浩特的回族在新疆地区定居，除了商业贸易的需要之外，有一个重要的原因，就是新疆地区众多的少数民族信仰伊斯兰教，有着共同的生活习惯和宗教感情，彼此可以加强联系和相互理解。现在我们从有关资料上看到，定居在新疆的呼和浩特回族还参加了当地各族人民群众的反清斗争。"据光绪二十五年七月七日甘肃、新疆巡抚饶应祺具奏称：'吴勒者子自谓得妥德磷真传，到处以邪说惑众，于清真寺外改设教堂为道堂，各立一稿哇里（卧里）主之，数乡老辅之。初亦不过教经，后乃谋为不轨。绥来回民马三即马玉獐（獐系污辱之字）……吴勒者子惑以邪术，谓其有二十年清真王分，只候天主口号，到时有天兵天将相助。据马三供，听信吴勒者子邪教，充当绥来稿哇里，同谋造反，教令制备白巾白衣，上书回经，并各给护身符一张，谓可分枪炮，刀火不能伤身。"① 从这则资料中，我们除了看到清朝封建统治者对不甘被统治、奴役的反清各族人民极尽诬蔑污辱之能事外，也可从中了解到当时在新疆的"绥来回族"数量亦不在少数。因为马三是"充当绥来稿哇里"，是呼和浩特地区定居新疆回族的代表，而且有一定的"尔林"（知识），深孚众望，否则是不可能被公推为"稿哇里"的。

二、清代回族的商业

清代，是内蒙古地区回族商业经济发展、定型的时期。清王朝统治时期，清政府所需的军马也主要依靠内、外蒙供给。于是，长途贩卖牲畜成为有清以来回族人最早从事的商业经营活动。康、雍、乾三朝，大批经河北、山东、河南的回族人不惜跋涉数千里，来到呼和浩特和包头地区落籍，主要是从事牲畜贩卖。而在牲畜贩运中，最初是长途贩运马匹，以后兼有牛、羊、驼等牲畜。每当秋高马肥的季节，数以万计的马匹被运往关内，回族人从中获得丰厚的利润。如康熙三十四年（1695年），清廷令归化城（今呼和浩特旧城）购马两千匹；雍正十一年（1733年），清廷又令于内、外蒙古购军马十万匹。乾隆朝以后，清廷及关内诸省区对牛、马、羊、驼的需求量更大，乃至"京羊路"开通，每年运往京津地区的羊不下五十万只。马、牛、驼亦达数万头、匹。直到嘉、道、咸、同、光绪年间仍是如此，以致俄国人

---

① 转引自李光华：《清政府对伊斯兰教（回教）的政策》，载《清代中国伊斯兰教论集》。

波兹德涅耶夫在《蒙古及蒙古人》中颇有感慨地写道："归化城商人用输出的商品从蒙古换回的首先是骆驼、马、牛和羊。这些牲畜都在呼和浩特卖出……马匹被运往长城以南，直到上海和广东。"又记到："……几家商号从归化城赶走的羊就不下五十万头（只）……归化城本身每年购买和消费的羊不下二十万只，牛近四万头。"正因为如此巨大的牲畜需求量，呼和浩特及其后来发展起来的包头，成为清代内蒙古地区最大的牲畜交易市场。

牲畜贩卖业带动了其他行业的产生、发展和繁荣。诸如养殖业、皮毛业、饮食业、屠宰业、通事行，特别是牙纪行，更是牲畜贩卖业经营活动中不可或缺的交易中介，是牲畜交易的重要环节。因为，牲畜交易需要一批有专门商品知识（精熟商品牲畜的年龄、体重、好坏及有无疾病，预后发展如何等）、了解市场行情、善于撮合斡旋的人才，这就是牙纪。因此，牙纪行就是为适应牲畜交易应运而生的行业。有清一代，回族人在这一行业中从一开始就充当着重要角色，甚至在一段时间内曾独占鳌头，占有不可取代的地位。

下面就包头地区的回族牙纪行作一记述，从中可了解清代内蒙古地区回族在牙纪行中的基本情况。

（一）包头牲畜交易市场的形成

包头在形成水旱码头之前，是一处水草丰茂、牛羊遍野的美丽草原。每年秋季，自达尔罕、茂明安、乌拉特三公旗一带经包头运往内地的牛、马、羊、驼数以万计。蒙古族牧民牧养的牲畜除去自身役使消费外，大量的是要自己长途跋涉，赶运到内地换取生产、生活必需品。到清朝初年，始由旅蒙商代行其事，担负着沟通塞外和中原商品贸易桥梁的责任。

牙纪是牲畜交易的中间人。但与经营牲畜的商人各成门户，关系密切，互不隶属，仅是拿取佣金的中间说合人。清初，包头即出现了牲畜交易桥。到乾隆三十八年（1773年），正式形成牲畜交易市场，俗称"桥"。跑桥的牙纪被称做"桥牙子"。由于回族生活习惯等原因，从业范围尤其狭窄。牙纪业仅凭"一条鞭子两条腿，外加一张会说的嘴"，无需多少资本。因此，提鞭子跑桥当牙纪，就成了回族人谋生的重要途径。

包头牲畜交易桥形成后，山东、山西、河北、河南等地来包的商客，每逢月之初二、十六，即带着"茶、布、水烟、糖"一类生活用品，集市包头，以物易物，交换蒙古牧民的"牛、马、骆驼、羊"等牲畜。开始时牲畜市场并不固定，彼此也陌生，年复一年，大家都熟悉了，上次交易拖欠的手续可于下次补办。到乾隆年间，包头人口越来越多，牲畜交易市场也逐渐扩大，每月两次的集市已不能满足需要，于是，固定的牲畜交易市场应运而生，以物易物的牲畜交易转变为钱物交易。与此同时，各行各业也蓬勃发展起来。雍正、乾隆年间，包头的商号也渐次出现，除固定的牲畜交易桥外，兼营牲畜业的商号先后有公义店、广恒西、义同厚、天德源、大顺恒等。上述各商号进行牲畜交易的是另一种方式，常常派人深入草地以物易物交换牲畜，集中包头、归绥（呼和浩特）两地，少量就地销售，大批转销内地。

（二）牙纪的出现和分类

牙纪在成为一种职业之前，仅为双方搭桥牵线是帮忙性的义务工作。买主和卖主委托当地人或亲友作为中人进行牲畜买卖。事成之后，双方各备一份礼物以示酬谢。若卖主的牲畜一时不能出手，还得暂时代为饲养。天长日久，就出现了专门从事此项职业的牲畜店和牙纪（捐客）。

牙纪和牲畜店都有自己的老主顾，他们为买卖双方办事，均以信誉为重，于是彼此成为信得过的"相与"。牙纪既是买卖双方的中人，也是双方的保人。买方如果没有现金，牙纪中间"做保"，说定"镖期"或"骡期"（镖期和骡期是指买主偿付牲畜价款的期限时间），到时还款，分文不欠。

牙纪作为一种职业，要有较高的专业知识。首先要有识别牲畜的能力，牲畜的产地及该产地牲畜的优缺点（俗称"哪一路货色"），毛色、口齿（年龄）、长相；适用于耕作、挽用、乘骑，还是食用；食用牲畜出肉量和肥瘦成色等等。此外，还要掌握行规行话。

充当牙纪的人多数是父传子、子传孙的世袭职业。回族牙纪家庭的孩子，从小就跟着长辈跑桥做生意，一边充当助手，一边熟悉门头脚道。年纪稍大，有了经验即可独立从业。

牙纪的分类，是按照经营牲畜的不同而划分的。如经营牛的叫"牛牙子"，经营马的叫"马牙子"，经营驼的叫"驼牙子"。还有一种人兼做贩子和牙子。贩子是牙子中较富裕者。他们的经营方式是：买下瘦的喂肥再卖，买下病的医好再卖，买下急用钱的卖给急需牲畜的，整群买下的零星卖出，旺季便宜时买下的淡季价高时卖出等等。这样就可以牟取较多的利润。一般牙纪则只能做买卖双方的中间人，挣取佣金。即便这类牙纪也要稍有财力，遇买主钱款不够，还要略微支垫，或向卖主做保，等来年偿付欠款。因此，牙纪必须以信义为重，说一不二，"跌倒不翻身"，取得买卖双方的信任，各做一路"相与"主顾。这类牙纪人数最多。如韩七专做高台梁、佘太的买卖；白利、白文弟兄专做固阳、银号的买卖；马在青专做石拐沟的买卖；白润专做顺德府（今河北邢台市）的买卖等。他们各有"相与"，互不侵犯，各守行规。一些没有财力支垫的牙纪因无固定"相与"，常常是几个人合伙做些零散户的买卖，信誉自然差些。还有一种被称做"七大垃杂八大赖"的牙纪，人数很少，专做军人或无保生意。他们天不怕地不怕，信誉观念很差，一般人望而却步。虽然他们所介绍的生意比其他人便宜，但也只有极少数胆大者敢去登门拜访，请为中人。

（三）交易行中的行规和行话

常言道"臭行有臭理"，牲畜行业也不例外。虽说没有文字性的东西，但执行起来还相当认真和严格，毫不含糊。如有违犯行规者，则群起而攻之，甚至加以处罚。如各自的"相与"，只要本人申明找某人做中，别的牙子就不能生拉硬拽。牲畜上市，谁先还价，在同一价格的情况下，须让首先还价的买。几家贩子共同相下的牲畜，买价也相同，要通过摇"色子"（骰子）决定，谁的点数大谁买。内行之间的买卖全凭眼力，好坏贵贱，毛病缺点，一旦成交，都不能反悔，这叫做"赌精不赌赖，千百两银子一句话，跌倒不翻身"。卖给外行的牲畜，是瘸是瞎当面看，水草保三天。还有卖牛不卖缰等等。几个牙子做成一桩买卖，其中要有一个负责人，行话叫"拿盘的"，他得佣金的半数，其他人共分一半（叫"开利"）。如果发现偷盗来的"二路货"，店家、贩子、牙子，谁经手，谁负责到底，就是吃官司赔款也不能含糊。遇有拐骗者，经手的牙纪要如数付款，不能耍赖。以上种种行规，牙纪如做不到，以后就无人再和他往来，他也就无法以牙纪为业，只能别求他途，而且声誉不名。这些都是不成文的老规矩。

行话是买卖交易时的专用语，内行叫"调言子"话，外行叫"黑骨语"。一是为了避免不必要的干扰，使买卖顺利成交；二是为瞒哄外行，达到取利的目的。行话有多种多样，现列举几种如下：

各种不同牲畜的专用语：

牛（叉子）

羊（绵绵）

马（飞尔）

骡子（圈娃子）

毛驴（尔直更、依不利思）

骆驼（高篓子、铁面）

各种数字的专用语：

一点、二欸、三品、四协、五拐、六挠、七侯、八乔、九弯、十海、半曼。

另一种叫法是：

一流、二门子（或"二合页"）、三曹、四吸链、五阿力格、六美力更、七好日子、八阿铲、九点盖、十大流。

上述数字专用语可由一类百、千、万。如"拐伯"即伍百，"品万"即三万，"拐曼"即五十五、五百五、五千五等。亦可将"半"说成拐，如"侯拐"即七十五、七百五等。

买卖中的专用语：

"买下"叫"粘（zhan）下"，"不买"叫"念粘"。"卖"叫"沙旦尔"或叫"挑"、"挑豁"，"不卖"叫"不挑"。"说话"叫"湍"，"不说话"叫"念湍"。"佣金"叫"海天叶儿"，"钱"叫"呆烂"。"上税"叫"上花儿"。"瘸拐牲畜"叫"倒黑冷"，"瞎牲畜"叫"锁黑儿"，"不肯吃草"叫"念揽扎"等。

姓氏专用语：

"张姓"叫"扯家"，"王姓"叫"虎头儿家"，"白姓"叫"片家"，"马姓"叫"飞儿家"，"刘姓"叫"水水家"等。

（四）牙纪的专业技能及其抽取佣金的方法

识别牲畜，是牙纪的基本功。呼和浩特和包头等地的回族牙纪，代代相传，形成一套简明易记的行业熟语。如："先买一张皮，后看四只蹄，槽口摸一把，再揣膀头齐不齐。""春买骨头秋买膘。""眼笨买个口嫩"。"儿（马）前骡（马）后"。"眼小没力，嘴细不吃"。"长牛短马拖脊驴"。"红黑枣骝为上色，青白兔黑是下色，泉眼花色有讲究，腿细蹄大快如飞。"

"粗腿四条压油墩，宽膛挺胸力气大，后档狭窄肯跌跤。""耕牛最好踏齐步，肥牛腰粗穿套裤，肉牛全凭三要部。戗风（前膀）摸手（后坎窝）一把底（公牛蛋泡），乳牛（母牛）改成揣稍尾（揣尾根部）。大小尺寸全衡量，脊背上下推几推，分量大小差无几。""骡马驴看渠（指牙口。九扫中渠十扫边），骆驼牛扫牙尖（七齐八豁），牛的下牙提几个（提俩，九岁；提四，十一岁）"。

除此之外，技高的牙纪，还需掌握装饰打扮牲畜和为牲畜治病的特技。如光绪年马贩子王威，对"走马"的修蹄和钉掌有专长。他们对剪鬃整尾各有自己的绝技。故外行人常说："牲口一到桥牙子手里就变样了。"这些都是家传，对外人是保密的。

牙纪介绍买卖的方法，有如下几种：

1. 介绍牲畜贩子手上的牲畜。

客人找到牙纪，提出购买某种牲畜。牙纪根据自己掌握的信息，介绍给贩子，随后搭手问价（袖筒中用手指议价）。经过反复讨价还价，在差距不大时，牙纪从中裁定，然后作出为客人负责的样子，重新审视牲畜，以使对方满意。其佣金在上手时就向贩子提出，贩子同意牙纪所要的数额，始打帮说合，成交后从付款中扣除。个别也有"切盘"的，即事先说好给贩子的价格，末了多出的部分归牙纪。

2. 将"客人"的牲畜介绍给牲畜贩子。

牙纪上手的牲畜，先设法介绍给贩子。因为佣金痛快。如暂时找不到急需的买主，同样是向"客人"先提出佣金数额，然后再打帮说合。如果当天办不成，可推至次日，称为"许给"。个别也有"切盘"的。

3. 牙子相互间的买卖。

两个牙子分别拥有买主和卖主，这种情况购销双方很难直接对面，全由两个牙子传话瞒哄。牙子的佣金多为"伙吃"。也有事前商定好的互不干预的两头取利的"双切盘"。

牙子无论哪种情况介绍买卖，都通过袖筒里捏手指的方法进行，绝不通过口语谈判价格。因此，人们谑称"牙子的袖子特别长"。

贩子出佣金总要见"客人"，面对面讲清价格，称做"亮盘"，以免吃了两头取佣金的"双折饸饹"。

牙子的交易手段是见风使舵，灵活多变。常用的可归纳为 10 种：

1. 拉人栽脏。又称"拉黑牛"。遇到一方心存疑虑，拖延再三，久不上手，就拉个假买主或假卖主，以假当真，给以好处，从中做戏，引诱彼方上钩，促成买卖成交。

2. 红白脸戏。如有一方拿不定主意，就请一位"常客"配合演出红白脸戏，"一个拉弓，一个射箭"，以期促成生意，从中牟利。

3. 偷梁换柱。价格僵持不下时，找一头外形皮毛颜色相似的牲畜冒充顶替，再用红白脸戏配合，以达到成交的目的。

4. 两头蒙骗。对买方尽讲优点，对卖方尽讲缺点，使双方不能见面，成交后从中取利。

5. 合伙压价。成群的牲畜，几个兼做牙纪的贩子都想买，又怕卖主不松价，则由一人出面讨价还价，其他人帮腔作势，尽量压低价格，以达成众贩子都有利可图的交易。

6. 假买真抬。贩子出售的牲畜，买主给不上价，于是，其他牙子装成买主哄抬价格，一旦价格抬高，哄得买主成交，众牙子从中取利。

7. 担价拖延。卖方怕吃亏不松价，牙子兼贩子给个价码后嘱他人不得问价，一拖再拖，待卖方松口时成交。

8. 挑明价格。买卖双方为价格争执不下，各持己见，互不相让，牙子故意挑明价格，以促成交易。

9. 显示优点。将走马、走骡、走驴打扮一番，骑来骑去有意夸示，引人注目，以此招徕买主。

10. 东买西卖。这是一种短途贩运。哪里便宜到哪买，哪里价高到哪卖。

（五）牙纪们的交易活动

牙纪又称"跑桥的"，从中亦知其每日的辛苦。每日辰时，牙纪们就各自到自己的生意范围内寻找业务：走串车马店、粮店、牲畜店及大户人家。如遇羊群时，就把屠户或羊贩子领到羊群下处（羊群一般不上桥），"估皮论肉按分数合价"，打帮成交。如遇到其他牲畜，则鼓动货主拉至桥上。巳、午两个时辰，是桥上最活跃的时间。人、畜量达到高峰，牙子们的活动也最繁忙、最紧张。摇唇鼓舌，讨价还价，施展手段，斡旋撮合。一个个舌干唇燥，声音嘶哑，面红耳赤，腿脚酸麻。直到午时已尽，未时将发才收市散桥。届申时，休息了一个时辰的牙纪们又去"川行店"北口小桥做些零星生意，大部分牙纪则各处奔走办理取款、付款，要笼头缰绳等事宜。兼贩子的牙纪还要给牲畜修整打扮，或至近郊割草放牧，忙碌终日。

牙纪在牲畜交易桥上，必须具备七种功夫，即站、走、说、探、听、访、看。站，眼观六路，坐着做不成生意；走，东走西串如老鹰觅食；说，一句话可成交，一句话可败事；探，善于揣摩，试探买卖双方的心理；俗话说："跑桥三年会相面。"听，听双方的闲话即可知其所好；访，明察暗访买卖客商，以了解其底细；看，看火候，见机行事。

人们称跑桥的牙子是"转向的脑袋玲珑心，化学的脑筋报孝腿"。可见牙纪之辛苦，非常人能比。

（六）牲畜的来源与销售

包头牲畜交易桥上的牲畜，主要产于内蒙古草原，多来自达尔罕、茂明安、乌拉特三公旗、阿拉善旗、额济纳旗、伊克昭盟（河西）和后山固阳等地。驼、马、羊为多数，牛、驴次之。清朝末年到民国初年，牲畜交易最为兴旺，年平均成交数约 10 万头（只），高峰时日成交数多达 2 000 多头（只）。以民国元年（1912 年）至民国十二年（1923 年）留存的统计资料看，每年平均输入的牲畜流量为：驼 4 000 峰，马 4 000 匹，绵羊 5 万只，山羊 3 万只，牛 1 500 头，驴 2 000 头。一年销售这么多的牲畜，当地仅占其中一小部分，大部分转销于外地客人。这些客人多数来自晋、冀、鲁、豫。他们每年都在七月以后来包，以购买骡、马、驴为主。张家口、归化城及西路客人以买骆驼为主。京、津地区的客人以买肉牛和羊为主。有清一代，上述地区客商所买下的牲畜都走旱路雇人赶运。

（七）交易桥的旺季和淡季

牲畜行的季节性很强，受着四季气候的制约和影响。牙纪们从实践中总结出一套谚语："城隍头出府，牙子才出土；城隍二出府，牙子赛猛虎；城隍三出府，牙子缩了手。"城隍头出府是清明节，二出府是阴历七月十五，三出府是十月初一。所以常说"不怕一二三，就怕四五六"。把四、五、六三个月形容成晒眠期，这就是淡季。在淡季，大部分牙纪的生活没了着落，或找点临时营生打闹点小钱聊以维持生活，或因平时赚钱不多，又无积蓄，干体力活身体不行，只好靠借贷、典当维持生活。到了秋季，牲畜膘满肉肥，精强力壮，外地客人陆续来包，交易量激增，牙纪收入也随之增加，于是再去还债赎当。因此，时人把牙纪统称做"穷牙子"。到了旺季，交易桥上热闹非常，牲畜不但增多，而且毛色鲜艳；各路客商云集桥上，南腔北调，摩肩接踵，犹如赶庙会一般。就是那些不买不卖的拉杂人等，也要上桥以观风景。更有那些卖小吃的、摆小摊的、卖狗皮膏药的、打把式跑江湖卖艺的，五花八门，应有尽有。上桥的牙纪则"八仙过海，各显神通"，生龙活虎，八方支应，但求能多赚钱养家。时人俗谚云："上桥来的早，半天赛小跑，下桥兜兜饱，手提牛肉往家跑"。桥牙子一年的生活全靠旺季打基础。

（八）牙纪与牲畜店的关系

牲畜店的出现，与旅蒙商分不开。旅蒙商以包头做前站大本营，深入到蒙古草原做生意。他们远行可到达外蒙古的铁丝河、三更达赖、杭爱旗、赛脑营等地。近处可至乌兰察布的达尔罕、茂明安、乌拉特三公旗，西部的阿拉善旗、额济纳旗和河西伊克昭盟等地。旅蒙商的生意按照一年四季畜牧情况而定。冬、春两季将大批货物发运到目的地，先赊销出去，为收购牲畜打下基础。到秋季，天高气爽，牛壮马肥，旅蒙商则派员入草地讨账，将货物折算换下的各类牲畜成群赶回包头，就地放牧，等待上市。这些商号有：兴隆西、同心西、广义祥、大德生、致远昌、成记、恒义德、恒顺公、天顺恒、双顺裕、德永隆、通顺昌、天义昌，以及后起的公义店、明远堂、广恒西、义成店、义同厚、天德源、大顺恒等。他们经营的业务主要有皮毛、百货、牲畜等。每年牲畜成交量达 10 至 12 万头（只）。此外，还有顺德府（今河北邢台市）人包办的力生钰、玉振号、德生祥等兼营皮毛的牲畜店。他们每年在包头出售数百头毛驴。与众不同的是，他们出售牲畜时带鞍鞯；收购皮毛时，能深入到伊克昭盟、陕北和宁夏西部人迹罕至的穷乡僻壤，因此他们在包头人的口碑中以能吃苦闻名。牲畜店派"上街的"（业务员）请上牙纪验着牲畜，通过牲畜在圈圐内跑圈来评判质量，成群出售。"站院的"（接待员）以一手托两家的公证人资格仲裁价格。信誉好的，有账目往来的牙纪和贩子，讲好镖、骡期予以赊购，经过调教、整修等待机会慢慢售出。有资格赊购的牙纪和贩子都有折迭账，没有这种手续的则不能赊账。

每年大年初一，各牲畜店的"上街的"，拿上商号片子（名片），到牙纪和贩子家中拜年送片子。这是一种表示在新的一年继续来往的信息。否则，就等于断绝"相与"关系，不再有往来。牲畜店"上街的"实际总有一二人是牙纪，而且办了牙纪手续，同样承担牙纪的权利和义务。

（九）桥头（社首）的产生及其职责

大约从清王朝中后期开始，包头所有工商业者按行业性质，分别组成自己的行业组织，共有九行十六社。牲畜交易行是其中之一。既然有组织，必须有头领。但牙纪行具体成立于何年已无从考察。

包头的牙纪组织在历史上曾经出现过一分为二，又合二为一的情况。这和其他地区的同行组织稍有不同。时间约在清朝末年。出现这一情况是由特殊的历史原因和特定的社会条件决定的。

所谓"一分为二"，是指包头的牙纪行有两个社团，是全由民族成分划分的。一个叫"保安社"，社内的牙纪全部为汉族；一个叫"清真社"，成员全部由回族牙纪组成。两社各有五位社首，俗称"桥头"。最初的桥头均由民主选举产生。不久又改为由上届桥头提名，再经民主协商确定，确定之后至大行（商会）备案，张榜公布。入选的桥头多为威信较高、人缘较好、有较强办事能力的牙纪担任。一届桥头任期一年，可连选连任。两社桥头共同负责交易市场的事务，应付杂捐杂税，对违反桥规的牙纪作出处理。工作为义务性质。桥头因公下饭馆可予报销。组织内共用一位兼管事物的会计，负责日常工作和账目。桥上财产为两社共有，账目一年公布一次，作为新旧桥头交接的手续。这就是"合二为一"。

多少年来，"保安社"和"清真社"通力合作，共同维护牙纪的利益。两社还根据各自的民族特点，举办一些社会活动。如保安社每年二月初二搭台演戏三天；清真社分别在牛、马、驴、驼桥举行纪念穆罕默德的圣纪。对于违反行规的牙纪，所作出的处理也基本相同。如视情节轻重，处罚桥上拴牲畜石桩 1 至 3 个。虽无明文规定，但均能一视同仁，公平处理。

直到抗战时期，日伪政权曾成立过牙纪公会，会长为丁光祯（回族），副会长岳步青（汉族），但形同虚设，日常工作仍由两社桥头主持，依照传统规矩进行管理。

（十）"镖期"和"骡期"

"过镖"和"过骡子"制度，是一种极严格认真的收、付款项的制度。

商号与商号之间，商号与牙纪、贩子之间，贩子与贩子之间，由于生意往来，彼此有存有欠，需要按照预定日期进行清理，欠者付出，存者收回。这种每月清理债权和债务的日期叫"过骡子"；每季清理债权和债务的日期叫"过镖"。"过骡子"的期限是三天；"过镖"的期限是五天。这种收、付款的时间规定，不是政府行为，而是当地、当时大商号的掌柜们共同议定的。把一年内"过镖"和"过骡子"的具体时间，按阴历计算，于年前一次通知各商号共同执行。一般每年的"镖期"和"骡期"都在农历腊月二十五前后下达。过年后正月过第一个镖，叫做"春镖"，以后有"夏镖"、"秋镖"、"冬镖"，这就是所谓的"四季镖"。阴历的每月二十五前后是"过骡子"时间，叫做"月月长骡"。"过镖"和"过骡子"的具体办法是：分别在期限前三天兑账，到时正式收付。"镖期"后五天，"骡期"后三天，对付不清欠款者要进行"顶印"（硬逼债）。有了"镖期"和"骡期"，市场进行交易就方便多了，因而也就更活跃了。但这一切都操纵在大资本家手中，"硬逼债"造成的悲惨局面也间或有之。

（十一）牲畜交易桥的桥址及设施

清嘉庆十四年（1809年）包头设镇，当时已有了固定的牲畜桥。最早的牲畜桥在牛桥街（今包头三医院门诊部）一带。这里原是五条街道会合的一片开阔地。当年，上桥待售的大批牲畜都集中在这里。桥分为四角，中心为各类摊贩的场地，专为上桥的生意人服务。牛桥占据着场地的西北角，骡桥占据东南角，驼桥占西南角，驴桥占东北角。桥的东首有一小院，供"保安社"和"清真社"及政府收税人员办公，是两社共有的财产。

桥上建有着高低不等的200多条石料拴马桩。桩头上雕有猴、狮之类的动物形象，下有圆孔穿过，以供拴缚牲畜。还有在墙上铁环中扎系的晃绳，用来拴系没有石桩可用的温顺的牲畜。这就是牲畜交易桥上全部的公共设施。

贩子的牲畜一般拴在高坡显眼之处，外地来客的牲畜只能是见缝插针了。下桥之后，两社雇用的壮工负责清扫各畜桥的卫生，并铲高垫低平整场地。

西脑包山脚下空地为羊桥。羊桥无设施，仅一空场地而已，交易也只在早晨一段时间。贩子的羊群，屠户的羊群，成交也好，未成交也好，或部分成交也好，大都要雇佣近郊农民在小场放牧。受雇者多为代代相传信誉较好的贫苦农民。他们早晨将贩子的牛、羊赶到桥上，下桥后再将未售出的牛、羊赶回牧场。屠户的牛、羊则每天按照屠宰数送到屠户家中。

三、回族的风俗习惯

回族以伊斯兰教为共同信仰。因此，伊斯兰教决定了回族的主要风俗习惯的形成，并起着重要的稳固作用。但回族又是在中国这块土地上形成的伊斯兰民族，因而也不可避免地受到汉族思想文化的影响。这样在回族的形成发展中，造就了该民族特有的、不同于其他民族，包括同是信仰伊斯兰教民族的多层面的风俗习惯。

民族的风俗习惯在一定意义上也可称之为生活方式。它包括衣着、服饰、居住、出行、饮食、娱乐、节庆、礼仪、婚姻、丧葬以及生产方式等方面所特有的喜好、风尚、传统和禁忌。

（一）礼仪习俗

回族的礼仪习俗包括人生礼仪和生活礼节两大部分。在人生礼仪中，寄托着善良美好的愿望；在生活礼节中，表现出文明礼貌的美德。

1. 人生礼仪

回族的人生礼仪，一般包括诞生、命名、割礼、夫妻礼仪和六亲礼仪。

回族把孩子的出生视做大礼，保留着许多传统的风俗习惯。称妻子怀孕为"有喜"，怀孕期不送亲、不参加婚礼，不见亡人，不送葬上坟。不允许孕妇随意讥笑别人的孩子，更不能讽刺有生理缺陷的人。产前，孕妇娘家要"催生"，备办新生儿及产妇所需物品，由孕妇母亲亲自送到女儿婆家，以示亲近关怀。孕妇临产时要先洗大净，住进产房叫"占房"。婴儿诞生时，除接生婆及近亲女性外，其他人包括自己的丈夫都不得进产房。婴儿平安降生后，不论男女，一视同仁，严禁弃婴、溺婴。认为生男生女，都是真主的口唤，是"定然"，都有至高的生存权利。如果是生了男孩，则在家族中或在至亲近邻中选择一位俊美、聪明、勇敢、忠厚的少年首先踏进产房；如果生了女孩，则选择一位漂亮、温柔、善良、勤谨的少女进入产房，叫做"踩生"。回族习俗认为，孩子生出后，谁先进入产房，孩子的禀赋就会像谁。祈求真主给新生儿一副美好的容颜，健壮的体魄，超人的智慧，高尚的品德。新生儿开奶，也要请一位贤惠善良的乳母，认为会影响孩子的一生。

回族在婴儿诞生三天内，必须到清真寺请一位阿訇来家给婴儿举行命名礼，称之为"吹经名"。其形式为：由婴儿的父亲抱婴儿站在门槛里，阿訇站在门口或门槛外，先对着婴儿的两耳分别低念"邦克"（唤礼词）和清真言，尔后，是男孩子便在左耳朵里慢慢吹一口气，是女孩则在右耳朵里吹一口气。其含义是，人一出生便让他听到叩拜真主的唤礼声，脑中牢牢记住"伊玛尼"（清真言），听到清真言的伟大声音，到将来临终前，也要在默念清真言中告别尘世，始终保持一位穆斯林的坚定信仰。这一仪式结束后，阿訇便从伊斯兰教众多的圣哲先贤中选一个佳美的名字，赐给婴儿，并告诉婴儿的父亲。然后，用中、阿两种文字写在红纸上，让家中父母妥善保存。

阿訇为新生儿起得"经名"，男孩子有以希伯莱人名命名的，如人祖阿丹（亚当）、大圣人伊卜拉欣（亚伯拉罕）、伊斯玛尔赖（伊斯玛依）、尔撒（耶稣）、努哈尔（挪亚）、达乌德（大卫）、穆萨（摩西）、尤素甫（约瑟）、叶海亚（约翰）等；有以阿拉伯人名命名的，如至圣穆罕默德、艾布拜克尔、欧斯曼、阿里等；此外还有以美好、吉祥、平安命名的，如希俩伦丁（宗教的新月）、努尔迪尼（宗教之光）等。为女孩所起经名，以希伯莱人名命名的，如哈尔娃（夏娃）、麦里叶（玛丽亚）；以阿拉伯人名命名的，如海底彻、阿依舍、法图麦（法蒂玛）、赛里麦等。此外还有以婴儿的生日命名的：出生在斋月，就命名为"莱麦丹"；生于开斋节或古尔邦节的，就命名为"尔代"；生在星期五的，就命名为"主麻"。如此，经名就成了回族小孩的回族名字，并成为回族内部人们日常的称谓，有的人则终生使用回族名，仅在回族名前冠以汉化姓氏，如马尔里、白穆撒（姆莎）、刘尔代等。也有在汉化姓名前加上回族名的，如叶海亚·马启明，穆撒·回永真等。在举行命名礼这天，富有的家庭甚至要宰羊、煎油香，请阿訇开经，并将贵重食品馈赠亲朋好友，以示共贺。

孩子出生后三天至满月内，至亲好友家的女主人都要备办礼品，如红糖、鸡蛋等营养品前来探视产妇，并表示祝贺；到婴儿满月，至亲好友的女主人也前来给小孩过满月。

回族男孩幼年，在 9 至 12 岁期间要施行"割礼"，阿拉伯语为"海特乃"，内蒙古地区称之为"做损乃提"（"损乃提"，又译作"逊乃"，阿拉伯语，圣行之义）。施行割礼是专门由"做损乃提"的阿訇来完成。先用冷水将男小孩的生殖器冷冻麻木，然后促起包皮，用专用刀将龟头上的连筋割断；龟头包皮过长的，还需切割包皮。穆斯林之所以施行割礼，一为沐浴时将生殖器部分彻底洗净，不致藏垢纳污；二为有利于成年婚后不致影响性生活。回族家庭对出幼男童施行割礼非常重视，视做男子成丁的开始，已开始承担起一位穆斯林应担负的宗教功课和责任。所以，凡男童施行割礼这天，要特意穿上新衣，煮鸡蛋，以佳肴待之。富裕的家庭还请阿訇过"尔麦里"（善功行为），近亲好友还要给做割礼的男童出散"甩呆盖"。

回族也十分讲究夫妻礼仪，认为是人伦道德的重要内容，是家庭和美的基础。回族男女婚后组成家庭要相亲相爱，互相尊重。因琐事发生矛盾纠纷，要互谅互让，平心静气，协商解决。反对由"奈伏思"（个人意气）任意胡为，轻则开口骂人，重则动手打人，更反对轻易说离婚二字，如连续说三遍离婚，教法规定即断为男女双方解除婚约，为"塔拉克"（阿拉伯语，亦译作"脱俩"，意为"休妻"）。所以回族不轻易说离婚，更不能轻易离婚，因为真主最不喜欢离婚的男女。同时，《古兰经》教法规定，妻子是丈夫身上的肋骨，应该服从丈夫，尊重丈夫，不能污言秽语詈骂丈夫。办事应征得丈夫的同意。反之，丈夫应关心爱护妻子，不能虐待欺视妻子，即便过夫妻生活，不仅不允许经期发生性行为，纵然例假结束也要待妻子洗毕大净（吾素利）方能同房。同房后夫妇双方都要重新大净，以祈净身净心，祥和安宁。

回族也十分重视六亲礼仪。"六亲"即夫妇双方的父母、兄弟姊妹、姑舅两姨。教法规定，要密切近亲骨肉，善待双方父母。《古兰经》昭示："你们崇拜真主，不要任何物配他，当孝敬父母"。认为，只有取得父母的欢心，才能求得真主的喜悦。因此，孝敬双方父母是第一善行，是主命。故回族家中很少谩侮虐待父母的。同时，要求亲近至亲骨肉，加强交往，多通问讯，密切关系；反对倨傲慢待，嫌贫爱富，吞财霸产，寡信无义。如有施舍出散，首先要资助赒济至亲中的贫穷者。每当节日，特别是两大尔代节会礼结束后，晚辈都要给长辈请安问好，道"色俩目"，俗呼做"拜尔代"，以此表示对长辈的恭敬和关心。

2. 生活礼节

回族亦重视生活礼节。这表现在见面礼、待客礼方面。

回族男女老少，见面致意时，先道"色俩目"（阿拉伯语，意为"和平"、"平安"、"安宁"，为穆斯林相互祝安和问候用词）。《古兰经》多处强调见面礼节的重要性，说"如有祝安于你，你应当比他更好地来回答他。"致祝安词者先道"安色俩目尔来库目"，意为求真主赐你们平安。应者则答道："吾尔来库孟色俩目"，意为求真主也赐你平安。道"色俩目"被认为是穆斯林最崇高、最尊贵的问候，是对别人的尊重、关切和友爱。不管你走到什么地方，遇到什么人种，只要道一声"色俩目"，就会得到亲如兄弟的待遇，得到热情的帮助。

互致"色俩目"一般是晚辈向长辈先致；同辈间年幼者向年长者先致；教民与阿訇间教民向阿訇先致；客人与主人间客人向主人先致；出门在外投宿，投宿者得向留宿者先致；乘骑者对步行者先致；少数人对多数人先致。凡听到对方致"色俩目"，不管谁，都要立即回答致意。但在下列情况下则不道"色俩目"：对方赤身沐浴时；在厕所解手时；身处不洁净之地方时；对方诵读《古兰经》或礼拜时。对方不是穆斯林只握手问好，不道"色俩目"。除了穆斯林双方见面互致"色俩目"外，在特殊重要的场合，双方还要"攥手"。如开斋节、宰牲节会礼后，一方"告目"都要和各位阿訇、海立凡、年长的乡老"攥手"，分别念赞主赞圣词；某家有人去世，接到"报孝"（回族报丧的专用汉语词组）信息后，去丧家做"特尔基"（吊唁）时，与丧家各位男主人要"攥手"念赞主赞圣词；穆斯林之间有了意见、矛盾，经人说和，双方男主人要攥手，念赞主赞圣词，表示双方和好，尽释前嫌。有朋自远方来（穆斯林弟兄），或儿女亲家见面，要攥手，念赞主赞圣词等等。回族男女之间则只道"色俩目"，不攥手。

在交往礼仪上，回族人热情好客，诚实和蔼。家中来客时，男女主人要出门迎接；客人进屋，要急趋前行开门挑帘；进门时，客人在前，主人在后，长辈在前，晚辈在后，依次入室；进屋后让客人坐右上座（回族人以右为上），主人下首相陪，晚辈不得在客人前面随意走动。客人入座后，要立即沏茶倒水，先备干点，然后动炊做饭。待客饭要尽其所有，力求丰盛鲜美，情真意实。就餐时，主人要先让道："请口道"，然后为客人夹菜、递食。待客人已经动口，主人方动筷相陪。动口进餐时，无论主人还是客人，都要先道"台什迷"，感赞真主。在进餐过程中，主人要多次让道："请慢慢口道"。同时，还要留意观察客人的饮食口味，尽量让客人吃好吃饱。无论客人还是主人，凡吃囫囵食物，如饼、焙子、馍馍、油香、馓子，都要掰开吃，不能整咬整啃，否则被视为"迷得深"，不懂"究理"（不知道接人待物的礼貌）。因此，回族家庭从小就接受不吃整食的教育，养成在吃饭时要先道"台什迷"的习惯。给客人倒水夹菜时，要向内拨、倒，忌讳反手向外拨、倒。陪客吃饭时一般男女不同席，男主人陪男客，女主人陪女客，未成年者例外。晚辈不陪客用饭。路上"遗难之人"（遇到困难，急需救助的人）求上门来，也应备饭招待，临别应赠予盘缠。对于上门要"乜帖"（乞讨）的回族人或别族的乞丐，不能蔑视、嫌弃，更不能打骂，不能空手过门，或多或少要施舍一些钱物。

回族人素重团结友爱，和衷共济，有了矛盾仇怨，坚持忍让，"四海之内，回族皆兄弟"，"回族无隔夜之仇"。一般通过有威有德的乡老说合化解，或利用干"尔麦里"（善功）过"乜帖"，或民族重大节日，"攥手"互道"色俩目"，一笑泯恩仇。远亲近邻，多互相关照。有人病危，要前去家中病榻问安，要"口唤"，以了结一番心愿，完成"哈尔该"（责任），并在经济上、物质上给予资助。

回族人还十分注重社会公德，戒赌、戒毒、戒淫、戒盗。在整个清代，凡有上述行为者，阿訇都要亲自上门劝诫。对改恶从善、幡然悔悟者，做"讨白"（忏悔），仍以一坊"告目"待之；对怙恶不悛、坚持不改者，被视做不为人齿的叛教者，即便死后，亦不得埋入正坟，另葬在不得善终之侧坟里。

回族人在历史上以善经商著称。这与伊斯兰教把经商看做是光荣、高尚事业的观念有关。在经营中，回族商人遵从"禁止重利"的教规，讲求商业道德，诚实守信，公平交易。严格按照《古兰经》和《圣训》的教诲办事，如禁止欺哄坑骗，缺斤少两；反对欺行霸市，囤积居奇；戒绝哄抬物价、盘剥重利。上述行为均被视为非法。

（二）服饰习俗

关于回族的服饰习俗，主要是衣服、鞋帽、妆饰等习惯。服饰习俗往往和一个民族的历史及文化发展史密切相关，是民族风情的主要体现。

　　回族的先民，自唐宋陆续来中国定居，不仅带来他们自己的宗教信仰和风俗习惯，也把阿拉伯、波斯风格的服饰带到了中国。但在明代，回族的服饰习俗受到封建统治者的强迫限制，责令"尽行禁革"。即便如此，回族人仍坚持把一些带有典型伊斯兰特色的服饰保留下来，在吸取汉族和其他民族服饰特点的基础上，形成本民族的服饰特色。

　　伊斯兰教在服饰方面也有许多具体规定：禁止男子穿丝织品、佩戴金银首饰；禁止穆斯林妇女穿着单薄、透明的衣服或者穿着仅掩盖身体某几个部分的衣服。特别严禁穿着突出乳房、腰部、臀部等的紧身衣裤，反对性感化；禁止妇女在妆饰上打扮成男子，也禁止男子在妆饰上打扮成女子。严禁文身，限制牙齿美容术、外科美容术，禁止修眉、续发、戴假发等。认为这些行为或有损于健康，或有违于庄重、美好的品行，容易诱发人的欲念。伊斯兰教这些规定，在回族形成发展的过程中，既有继承，又有移易，但其宗旨上，不提倡华丽多彩，反对裸露性感，提倡朴实纯真，讲究整洁干净。

　　回族人喜欢单纯、朴素、自然的颜色，以白、黑、绿三色为主；不喜欢各色混杂花哨的颜色。

　　回族人崇尚白色。一是来源于中世纪阿拉伯人崇尚白色的风俗。穆罕默德曾对教民说："你们穿白色衣服，它是你们最好的衣服"。这种生活习俗逐渐成为民族的审美意识，并由此蕴积为全民族追求洁白无瑕，培铸高尚道德情操的一种感情。另一方面，回族也受到汉民族视白色为纯洁、高尚文化内涵的影响，从而强化了回族崇尚白色的心理。回族把绿色视做神圣的颜色，是生命的象征。因此，回族也崇尚、喜欢绿色。回族人也喜欢穿戴黑色衣帽。黑色象征着持重，给人以高雅、庄重、大方、严整的感觉。在中世纪阿拉伯帝国发展史上，曾先后建立过白衣大食（倭驱王朝），黑衣大食（阿拔斯王朝）、绿衣大食（法蒂玛王朝）。清代新疆地区大、小和卓即有白帽回、黑帽回之分。可见回族对白、黑、绿三色是情有独钟，有着特殊的感情。与其他民族在服饰颜色上喜欢争奇斗艳、五彩缤纷，有着明显的民族差异。

　　回族的服饰根据性别分为男子服饰和女子服饰，而且男女之间区别较大。男子服饰根据年龄又分为幼儿服饰、成年服饰和老年服饰。妇女服饰中则分为未婚少女服饰、已婚中年妇女服饰和老年妇女服饰。同时，还因地区、季节不同，穿着不同的服饰。宗教职业者的服饰也有别于一般"告目"（教民）的服饰。

回族男子喜爱戴白色无沿圆帽，俗称"白帽顶儿"，是回族人（包括其他各族穆斯林）的重要标志。"帽顶儿"不仅有白色的，还有绿色的、黑色的、蓝色的、紫绛色的等。有平顶的、四角形和六瓣形的。较考究的穆斯林，在白帽顶儿上镶有金丝边和精美的几何形花纹图案，或在帽前正中绣有金色或绿色的阿拉伯文"都阿宜"："真主至大"，或绣有"清真言"。"帽顶儿"的质地有布料的、精制薄毡的、呢子的、丝绵的或毛线钩织的。热天以戴薄质地白色的为主，冷天则戴深色厚料的为主。

戴"帽顶儿"最初与伊斯兰教的拜功有关。穆斯林礼拜叩头时，前额和鼻尖必须着地。为了履行宗教功课的方便，就戴上了无沿圆顶帽。回族继承了这一传统，乃至回族男子无论是耄耋老人，还是幼童，都喜欢戴"白帽顶儿"以作为民族的标志。阿訇、海立凡及资深乡老也有戴"太斯塔勒"（波斯语，意即清真寺的教长或阿訇头上缠的布）的。一般用白、淡黄色的毛料或布料缠头。

上年纪的老者，在经济条件允许的情况下，有的穿"麦赛海袜"。"麦赛海"为阿拉伯语，意为"皮袜子"。一般用柔软的牛皮制成，洁净光亮，结实耐用，保暖性好。伊斯兰教规定：穿"麦赛海袜"，可以在洗小净时免去洗脚的程序，仅用湿手在袜子的脚尖至脚后跟抹一下即可，俗称"打抹子"。

黑坎肩是回族男子服饰的一个重要组成部分，一般在对襟中式白布上衣外面，穿一件适体的黑坎肩，黑白对比鲜明，富于民族特色。坎肩质地有多种面料，根据季节分别做成夹的、棉的或皮的。颜色以黑色居多，也有蓝色或灰色的。坎肩制作工艺简单，四大块缭在一起，只在对襟边和口袋沿上用明针脚码边，使各边沿平挺工整、熨帖舒展。坎肩选料讲究，外面呢、缎，内挂紫羊羔皮或其他贵重动物皮，穿在身上既轻便又保暖。

回族男子亦注重面容修饰，男子留须是"逊乃"（圣行），是一种美仪。因此，有的回族男子从二十多岁起就开始留胡须。胡须的式样因人而异，若天生"连鬓胡"，则从两鬓连腮而至颌下，飘飘洒洒，一副美髯；若非此，则到天命之年，留一撮"山羊胡子"。不管哪种胡须款式，回族人留胡须一般上须极短或无髭，不留"八字胡"。

回族妇女一般不外露头发，戴白色撮口帽，或"盖头"，旨在覆盖住耳鬓和颈项，《古兰经》中有关于妇女戴"面纱"的诫文。中国回族妇女戴盖头被看做是坚守"伊玛尼"（信仰）的表现。"盖头"面料多为纱、绸，质地轻软，色泽一般为青、绿、白三色。未婚女子多戴绿色的，已婚的妇女多戴白色的，老年妇女戴黑色的。

回族妇女的传统衣服式样比较单一，一般为大襟衣服，少女或少妇衣服上或嵌线、或镶色、或绲边。有的还在前襟上绣花。衣服的颜色，老年妇女多着黑、蓝、灰诸色；中、青年妇女服饰多鲜亮，但绝不致妖艳。中、老年妇女亦多穿坎肩者。回族妇女不穿短袖衫、短裤或裙子，即上衣袖不过肘，下衣裤不过膝。亦忌赤脚行走。

回族女子从小就扎耳孔，亦称"耳朵眼儿"。有孔即戴耳饰，以为美仪的重要标志。同时亦喜戴戒指、手镯。据说这是一种孝敬老人的象征。戴上它就会警示做媳妇的不能忘记侍奉公婆。

未婚女子在出嫁前要"开脸"。所谓"开脸"是请一位年长妇人以双手绷紧交叉的丝线，绞除脸上的汗毛，谓将出阁为妇，为女子人生一大转折，视为可喜可贺之事。回族少女还喜用凤仙花（俗称"海纳花"）染指甲，此亦为阿拉伯风俗，为中国回族妇女所继承。

（三）饮食习俗

饮食，包括食物与饮料两大部分。回族的饮食习惯，主要受伊斯兰教教法规定的影响，并在民族的形成发展过程中，逐步由宗教戒律转化为民族习俗。

回族认为：若要具有纯洁的心灵和健全的体魄，应对赖以维持生命的饮食予以特别的关注。明末清初著名回族经学家刘智在《天方典礼》一书中，以两卷的篇幅论述了回族饮食的重要性，指出："若夫饮食，乃生人所资以立，自非浑囵而不择焉者"，"饮食，所以养性情也。"反映了饮食在回族生活中的重要地位。

回族在饮食上禁食猪肉、自死的可食动物的肉、非反刍动物的肉及可食动物的血液。戒酒及其他含有酒精的饮料。

《古兰经》中有四处提到猪是"不洁"之物。我国的一些汉文经典中也说道："猪为畜类中最污浊之尤也。况其性惟贪，其气极浊，其心更迷，其食为秽食，且其乐从卑污，锯牙，好攫啮肉，愈壮愈惰。"可见，回族禁猪，主要因其"污浊不洁"。

回族的肉食之源为反刍动物。如牛、羊、骆驼、鹿、狍、獐、黄羊、青羊等。禽类有鸡、鸭、鹅、雁；水生动物有鱼、虾等。凶猛食肉类的动物和非反刍动物皆不食，诸如虎、豹、豺、狼、马、骡、驴、狗、猫、蛇、龟、鳖、鹰、雕、鹞、鸦等。

回族戒酒，亦与伊斯兰教有关。《古兰经》中明令禁酒。中国一些汉文典籍也载有："酒为万恶之源。自古以来，为酒失节伤身，败家亡国者甚多。酒能易人之志，浊人之神；能使智者惑、节者淫、信者迁、驯者暴……"《尚书·酒诰》即是周公姬旦的明令禁酒文诰。伊斯兰教在其发展过程中，深刻认识到酒对人的危害，所以明令禁止。并由此类及，凡含有酒精或易使人麻醉、嗜瘾的物质，皆在禁绝之例，为"哈拉目"（禁止）。

回族在日常饮食习惯上，因地域不同，农作物的产出不同，而因食物结构、烹调方法、饮食习惯亦有所不同。一般来讲，内蒙古地区的回族以面食为主，也食用米类和豆类。

面食以白面为主，兼食莜面、荞面、玉米面等。前套平原（即土默川地区，亦称呼和浩特平原）是杂粮区。因而回族的饮食结构也比较多样。这与当地的汉族及农区的蒙古族没有较大的区别。

以呼和浩特地区的回族为例：一般的回族家庭，早上沏茶（称之为"沏新炉壶儿"），自家腌制的咸菜，就白焙子、素焙子或糖焙子。条件好的还可买糖锅盔或素锅盔、麻叶儿、月饼、提浆饼等。晌午，炒肉酱面、搁锅面、打卤面或馍馍、花卷儿烩菜；或肉溮子调莜面、冷盐汤调莜面。一般的家庭每天吃白面或莜面极少，多是杂面窝窝（杂面是以玉米、豆子、谷子、间有糜、黍混杂加工而成），"两样面"（白面、玉米面混合）馍馍和"二莜面"（莜麦和高粱混合加工而成）。晚上多喝稀粥，拌炒面（"炒面"是用莜麦、豆子、高粱和玉米炒熟加工而成），就"烂腌菜"（"烂腌菜"以圆菜丝、红、黄萝卜丝、杂以芹菜、芥菜丝混合腌制而成）。稀粥的形式亦多，有山药焅葱花稀粥，和子饭（放面条）稀粥，豇、绿豆番瓜或倭瓜稀粥等。

回族家庭吃杂粮，形式多样，与共同居住的其他各族基本相同，但也有其不同处。

白面　除做成面条、面片、拌汤、馍馍、花卷儿、蒸饼、饺子（包括烫面饺子，不用冷水和面，而用开水稍凉和面）、包子（包括油煎包子，不上笼屉蒸，而在铛里用素油慢火煎。水晶包子，用淀粉做皮的包子）、稍卖（亦写作"稍美"、"烧麦"。包括油煎稍卖，制作方法同油煎包子）外，回族家庭喜欢烙"锅扣焙子"（汉族呼做"揎锅子"）。其制作方法是在面中放"底油"、鸡蛋和碱，微火慢炙，烙出的"锅扣焙子"又酥又香，分外可口。还有烙家常饼，滚水稍凉，烫面要软，垫素油或滋油（荤油），多放"薄面"（汉人呼之"面扑"），擀薄，放油锅中，中火烙出，揉打。这样的"烙饼"酥、脆、香、润，是回族饮食中的上乘佳肴。

在白面制作的食品中，回族人煎制的油香和馓子，最具代表性。油香一般不做日常食品食用，逢庆贺开斋节、宰牲节、圣纪节，或婚丧嫁娶过"乜帖"、干"尔麦利"时，才煎油香、馓子。平常想吃白面煎食，则呼做油饼，不称油香，而且形制较油香稍小。油香制作工艺较复杂，要用口松的面粉，开水稍凉启面（发酵）。面启好后，兑匀碱，再用面粉拌成面穗，与底油、香豆粉揉在一起，到最佳状态，下剂再揉，擀成圆形，心稍厚，边稍薄，切刀口，上下两刀，中间三刀，候油锅烧热到一定程度，慢慢放进制作好的油香，小火慢煎，煎到油香表皮微红，起小泡，再翻转过来慢煎，直到整个油香通体红润，松软墩厚，从锅中取出，立在盆中或筛中控油，晾凉。煎油香切忌浮躁火急，皮焦里生。回族人煎油香都要换"现水"，洗大净后才煎油香。

莜面　回族人亦喜食莜面。莜面尤以大青山后的莜面为上乘，俗称"二架子莜面"。莜面制作以开水和好面后，多搓鱼鱼和推窝窝，实在人多、时紧，才压饸饹。有人亦专喜吃饸饹，为其挂盐汤味浓。搓鱼鱼尤以手搓鱼鱼为好，又精又滑，爽口耐嚼。有人亦喜在胳膊上推"刨折折"，又大又厚，挂盐汤多，吃起来"闯口"。回族人调莜面比较讲究，一般冬天多用"羊肉溺子"，夏天多用冷盐汤。"羊肉溺子"选用嫩羊肉，切成肉丁，拌好各类调味，放在小盆内，加少量水，放在火上蒸熟，然后盛到较大的碗内，兑醋，加上淹制的咸菜作为调莜面的佐料。冷盐汤调莜面讲究"耍水盐汤"

（盐汤要多）、时鲜蔬菜诸如油炝豆荚、烧茄子拌蒜泥、黄瓜拌水萝卜丝、炒山药丝，外加油炝葱花儿、油炝辣椒、香菜、韭菜、腌咸菜（芋头）、芥菜丝等，最是可口。回族人多喜在冷盐汤中放干炸卤酱或鸡蛋酱做佐味，以提高调莜面的可口程度。

回族人在食用莜面时，还有其他多种形式：

莜面饺饺：将莜面用开水和好，下剂子，捏成圆钵，再将拌好的素馅包在其中，捏成梭形，蒸熟。可甜吃，亦可蘸盐汤吃。

莜面饨饨：将莜面和好，擀成薄片，放上拌好各种调料的去了淀粉的山药丝，卷成圆筒状，切成块状，蒸熟，蘸盐汤吃。

莜面奎垒：将山药煮熟，剥皮，擦碎，拌上莜面成颗粒状，放在锅中用油、盐、葱炒熟。或将山药切成小块放在锅中煮熟。视锅中水多少，洒上莜面，待莜面熟，拌成颗粒状，放油、盐、葱炒熟。

莜面煮鱼子：将和好的莜面在手掌中搓成梭形状，压扁，俗称"鱼子"，在笼屉中蒸熟，另用油肉和山药条炝锅，亦可少放菜，加水烧开，待山药熟，将已蒸熟的莜面鱼子放入锅内，即可食。亦可将搓好的莜面鱼子不蒸，直接放入已开的汤内煮熟。

莜面拿糕：锅中加水烧开，放少量蒿子。边洒面边用搅面棍子搅拌，待水面稀稠适度，添少量水再煮再搅，水尽为度，蘸冷盐汤或肉汤调食。一般吃莜面拿糕较少，其性憨，多吃荞麦拿糕、二莜面拿糕或玉米面拿糕。

莜面面茶：将适量莜面放入锅内炒熟，锅底放荤油溶化，和面拌匀，放盐加水，待水烧开后，即可食。可与馍馍、蒸饼、米饭共食。亦可在面茶中放黄米（黍子面）糕片，煮软食用，称"面茶煮糕"。

莜面山药鱼子：将山药煮熟，剥皮，擦碎，拌适量莜面，在锅中或盆中反复采揉如面泥，无山药块，下剂，在手中搓成梭状鱼子，蒸熟，用羊肉蘑菇木耳汤调食，味美无比。

米　包括大米（粳米、籼米）、江米（糯米）、小米、黄米（黍子米）、糜米等。

清代，内蒙古地区极少吃到大米，回族家庭教育孩子常说："一个（颗）米（指大米），七个蛆"。意为不得撒掉一粒大米饭，洒掉一粒大米，死后身上起七个蛆，真主要罪刑的，言其珍贵无比。吃一次大米饭一年不遇。

小米，为回族家庭日常主要粮食之一，食用方法有：

小米粥：早晚必食之饭。有山药炝葱花儿稀粥，和子饭（放面条）粥、绿豆粥、豇豆番瓜（南瓜）或倭瓜粥、肉稀粥等。

小米焖饭：又分作纯小米焖饭和山药小米焖饭。吃小米焖饭，有条件的家庭还多有烩菜或炒菜配食；无条件的家庭在焖小米饭时即放入油盐诸调味，焖热即食。

小米稠粥：粥中多放山药，或各种豆类，较小米焖饭为稀，较小米稀粥为稠。

茶汤：多用小米面做原料。亦有用江米面或山药淀粉为原料的。江米面不易得，且价格较贵，山药淀粉性腻且阴，不及小米面易得且大益脾胃之气。将小米淘尽，风干，碾成面极细。放两羹匙小米粉于汤碗中，用刚开的滚水一次性冲熟，撒上白糖，味道清香爽口。清晚期，呼和浩特地区的回族人贫困无着，多以卖"茶汤"为生。卖"茶汤"烧开水用大铜壶，其体硕大无比，下有炉盘、炉膛，上有烟窗，可烧炭，壶体可放水一桶多。冲茶汤时，茶汤师傅右手挽壶把，左手掇汤碗，侧弯身，壶高碗低，一股滚水直冲碗中，不多不少，恰到好处，水毕汤熟，不稠不稀。茶汤师傅冲好茶汤后，左手掇双碗，在空中翻腕来一个360度的大回环，碗不掉，汤不洒，令人叹为观止。

黄米　黍子碾去壳即为黄米，其性黏。内蒙古中西部地区以此为日常主要粮食之一。黄米以包头、伊克昭、巴彦淖尔盟地区为优。黄米多做糕。将黄米淘净去砂，碾成面，拌水成颗粒状，笼上蒸熟，揉在一起，下剂擀片，多包豆馅、肉馅、糖馅，素油中炸脆，俗称"油炸糕"，用以待客。喜庆宴席上亦多用"油炸糕"款待宾客，佐以杂碎、粉汤等。

呼和浩特地区的回族，自清朝后期，多有卖"切糕"者，以为生计。俗语云："回族两把刀，一把宰牛羊，一把卖切糕"。所谓"切糕"者，即将黄米面蒸成素糕后，压扁摊在案上，上敷一层枣泥或豇豆馅泥、再放一层糕，其厚盈尺，上覆双层湿巾，以防干皮。其后，用独轮车推上切糕沿街叫卖，论斤出售，或随买主心意多少均可。但见长刀利刃，刀刀见片，黄灿精软，香气扑鼻。

回族人还有用黄米包粽子以出售者。粽子有黄米的，有江米的，以嫩粽叶包江米，老粽叶包黄米。包上等粽子，工艺也较复杂。先将粽叶和马莲烧水煮透，然后浸在水锅中，锅沿横担柳木板，坐小凳"打粽叶"，视粽叶质量，多则四片，少则三片，每二十张粽皮为一叠，用马莲扎住，剪去尾梢。待所有粽皮打好后，开始包粽子。包粽子无论江米还是黄米都要淘净去沙，浸透控干。包粽子时，先将打好的粽叶从折叠处打三角形，放一小撮米，扔三颗红枣，再放一撮米，切忌米多无有空隙。然后将复叠的粽叶折回，抽马莲用牙咬一端，在三角形上捆一周，再将马莲从三角形底边上绕过拉住腰线，粽子就算包好。粽子全部包好后，码入大锅中，添水慢火煮熟。保证粽子质量的关键，还在使粽子"洼到"，要整整"洼"一夜，到第二天才能出锅。"洼到"的粽子又精又软，粽叶的清香味入到粽里，吃起来清爽利口，别有风味。

黄米还用来做凉糕。将黄米淘净，在锅中急火煮熟，待米破头后，去掉多余的米汤，慢火熬，一边不停地用铲子搅动，以防粥巴粘锅怄糊。待黄米粥成糊状，将粥铲出。有条件在案上铺一层粽叶，无条件在案上抹素油。摊一层黄米粥，铺一层枣泥或果脯、青红丝、玫瑰，上面再搭一层黄米粥，晾凉，凉糕就算做好。比较讲究的家庭也有做"二米"凉糕的，即在黄米粥上搭一层江米（糯米）粥面，味道更好。

家居农村的回族，生活贫困，舍不得扔掉黍糠，将黍子簸干净，连皮碾成糕面吃，俗称"毛糕"或"黍子糕"。

糜米 糜子，亦称穄。亦说即古代的"稷"。糜子去皮即为糜米，是有清一代内蒙古中西部地区各族人民主要的粮食种类之一。

糜米焖饭：将米淘尽去沙，急火煮米，待米破头，去掉多余的米汤，温火焖熟，以烩菜相佐。

糜米山药焖饭：焖米饭的水中放山药块、白菜及油、盐、葱、调味等，待水烧开，将淘净的糜米放入，急火破米，慢火焖熟，不再以其他菜蔬佐餐。做好糜米山药焖饭的关键是掌握水与米的比例要适度。水多则成为稠粥，水少则焖饭发硬，甚则容易巴锅、夹生（半生半熟）。

酸焖饭、酸粥：包头、伊克昭盟、乌兰察布盟等地区，多用糜米发酵吃酸焖饭、酸粥的。做酸焖饭、酸粥先要置浆米罐子，俗称"酸罐子"，放在锅台圈内，以求有较高的恒温，糜米发酵快，一般有二、三天即可食用。酸焖饭、酸粥的做法与糜米焖饭、熬小米粥同。只是酸焖饭撇出的米汤极富营养。每当盛夏起响后，喝一碗又酸又甜的酸饭米汤，既清暑又解渴。

荞面　荞麦多种山地，或土壤较薄的平原上。亦有春旱无墒，入夏得雨，赶种荞麦，因其生长期短，故其质量亦低。俗语云："三十里的莜面，二十里的糕（黄米炸糕），十里的荞面饿断腰。"说明荞面不耐饥。回族人亦喜吃荞面。"素白面，肉荞面"，是说荞面喜荤。荞面多做成面条、圪团儿、饸饹。炒肉酱调荞面，味道极鲜美。亦有炝锅吃"搁锅荞面"的。唯荞面性阴，易犯病，故有病之人多不食。荞麦去皮磨面时残留的"圪糁子"，称做"糁胡子"。把"糁胡子"用水浸泡透，以手反复搓磨，将磨出的淀粉过罗成糊状，加温熬熟，舀在碗中，称"碗坨儿"；摊在案板上或高粱秸秆拍子上，称做"粉皮"；切块、切条，用醋、酱油、炸葱花及时鲜蔬菜作佐料调食，味道极好。荞面做拿糕较之二莜面拿糕、玉米面拿糕、莜面拿糕均为上。

豆面　吃豆面以绿豆豆面为上，豌豆豆面次之。吃豆面一为度荒年，二为调剂饮食吃稀罕。做豆面都需加蒿子或榆皮面，否则其精度不够。即便如此，豆面的豆腥气极浓，吃起来"直僵硬棍"，口感不佳。

在饮食习俗上，回族人善食、善做，多有绝技。以做干货为例，不仅有白焙子，素焙子（咸）、糖焙子、油旋、锅盔、糖干垫儿（貌厚中空）、三角儿、麻花儿、馓子、大头麻叶儿、蜜麻叶儿、炸果子（油条）、月饼、墩子饼，还有上讲究的"细点"，如红、白皮点心、潮糕、绿豆糕、浮云糕、提浆饼、萨其马、长寿糕、江米条、糖枣儿等，不胜枚举。清末到民国年间，归化城（呼和浩特市旧城）清真饭馆南、北"古丰轩"的烧卖（烧麦），堪称一绝。清真肉铺"万盛永"的酱牛肉，名冠绥远。

回族人的菜肴原料有蔬菜、肉、禽、鱼、蛋及调料等。在严格遵守伊斯兰教饮食规定的基础上，博取众长，形成了既有本民族特色，又具有中国传统菜肴注重色、香、味、形的烹饪特点。烹饪方法擅长于扒、烧、爆、炒、炸、烤、涮、炖、煨、焖、烩、熘、蒸、烹、汆等，可用不同的方法分别制成蒸锅菜、熘炒菜、烧烤菜、炖煮菜，以及甜菜、辣菜、汤菜、凉菜等。回族菜肴注重使用香料，所以一般具有醇香味浓，甜咸分明，酥烂香脆，色深油重，肉肥而不腻，瘦而不干，鲜而不膻，嫩而有味的特点。

回族食肉，不仅严格按照伊斯兰教法的规定，必须是反刍动物，而且还要经阿訇"过刀"。在宰牲前，宰牲者必须洗大净和小净。宰牛、羊、驼时，需用绳子捆其两条前腿和一条后腿，头南、尾北、面西的姿势。在下刀时，必须诵真主的尊名，道"太思米"："必思敏俩西、信赖哈尔玛，宁赖哈尔米。阿拉乎艾克拜尔！"意为"凭真主的尊名，安拉至大！"然后割断所宰禽畜的食管、气管和血管，待控净血液，息止心定后，方可剥皮或拔毛收拾。在拾掇宰杀后的禽畜时，禁止用滚水烫皮、烫毛。拾掇鸡、鹅、鸭需煺毛时，也必须先开膛，去掉肠肚五脏，后用滚水煺毛，方可食用。这一宰牲习惯，从古至今一直没有改变。如果不是按照此法屠宰，即便是"可食禽畜"，回族人都不能吃。

回族日常所需的加工过的食品，如醋、酱、酱油、豆腐等，必须首先选择使用本民族生产的，如实在无本民族生产的，而又不可或缺，才可选择使用别的民族生产的，并将其视为"麦克鲁海"（憎恶）。

由于历代封建统治者，特别是清朝封建统治者自乾隆至同光年间，多次对回族反抗斗争的血腥镇压，促使回族形成一种极为敏感的民族自卫心理，尤其是宗教信仰上的反侮仇蔑心理。因而，"护教固族"是回族与生俱来的求生本能。为了抵制汉化，回族不仅在礼仪、语言、服饰上追求民族特色，在饮食习俗上也力求保持民族的纯洁性，以有别于汉族和其他民族。在日常生活中，自清以来，回族人严格遵循随"卡菲尔"（异教徒）的风俗则为"卡菲尔"的圣训，尽量不随汉俗。诸如不随汉族过各种节日：不从大年初一至初五吃五顿饺子，老、小"添仓"不吃莜面，上元、中元、下元节不吃饺子，中秋节不供、吃"月亮爷"，腊月初八不吃粥，腊月二十三不祭灶等等。

回族人在饮食中还恪守一条重要原则，就是食用时不过分和有所节制，即便是再好再可意的饮食，也只吃八分饱，而不过量。因为《古兰经》教导说："你们应当吃，应当喝，但不要过分，真主确是不喜欢过分者的。"

回族人还喜饮茶，把茶作为日常生活中不可或缺的必需品。特别是上年纪的老人，清晨起床洗漱后的第一件事就是沏茶喝。每日三餐饭后都要沏新茶，尤其是吃罢烧麦或肉食之后，更要酽酽沏上一壶茶喝个痛快。家中有客人来，主妇们马上要沏茶，并双手恭敬递上。回族人喜喝茶，对茶具也较讲究，再贫穷的人家，也要备茶盅或小茶碗，一般不用吃饭碗饮茶。较宽裕的人家还置有精美的盖碗茶具。内蒙古地区的回族人夏则多饮茉莉花茶，为其清香爽口，解渴醒脑；冬则多饮红茶，为其暖胃祛寒，四季则多用砖茶，为其化食（肉）消积。

（四）居家、卫生习俗

内蒙古地区的回族，在有清一代，无论先后从哪里迁徙到所定居的地方，都以清真寺为中心，聚寺而居。这同全国各地的回族一样，形成了大分散、小集中的格局。清真寺则成为回族社会生活的政治、经济、文化、教育中心。以呼和浩特为例，明末清初留居呼和浩特的少数回族人，加之康熙年间自张家口强行迁移到呼和浩特的新疆商队40多人，总数约170余人，因清政府不允许回族人在城内居住，于是都卜居在旧城（归化城）北门外，并兴建了清真大寺。由此，旧城北门的现通道南街就成为呼和浩特地区第一个回族聚居点。乾隆年间，又有护送香妃进京的回族200多人，从八拜村回子营迁入呼和浩特。与此同时，在扎达海河西岸和旧城东顺城街马莲滩一带，又分别形成了两个回族聚居点，并建起了清真西寺和清真东寺。包头市内的回族聚居区也是如此。一般均为聚族而居，在村自为村落，在城自为街道。随着回族人户的增加，于是开始兴建清真寺。一旦围绕清真寺聚居的人户越来越多，距寺越来越远，于是，在回族人户较集中的中心，再建一座清真寺，以敷回族人户的需要。

内蒙古地区的回族，在住宅造型、结构及设施诸方面，基本上是"入乡随俗"，与汉族的房屋建筑形制相同，但又少汉族许多忌讳。如建房动土不讲究时辰，不看风水；不讲究门与门相对；进院门不建"照壁"；也没有坤位（即一处院落中的西南角方位）建厕所及造"巽字门"（即一处院落在东南角方位开门）一说；基石上也不镌刻"泰山石敢当"的字样；大门门额上方也不镶嵌诸如"南极辉"、"和为贵"、"忍为高"等祈祥纳福语。有清一代，内蒙古地区的回族民居多为土木结构，"一出水"（一面坡）平房。有俗语所说的"高高儿的，低低儿的，深深儿的，浅浅儿的"之造型。所谓"高高儿的"即地基根脚要高；"低低儿的"是说为了御寒，房屋要低，不宜过高；"深深儿的"是说入间要深；"浅浅儿的"是指"出檐"（房檐）

要浅。这样采光好，屋内亮堂。稍富裕的人家，则多建造"四脚落地"、"穿靴戴帽"的土砖混合结构的平房。"四脚落地"是指五间或七间大正房要垒四根砖柱子，后墙和山墙则为土坯，檩、梁立柱藏在墙体中；"穿靴戴帽"是说在石头明基上，垒五至七层白灰砌缝的"过河砖"，称之为"穿靴"；房子建好后，房顶上要溜通瓦，此谓"戴帽"。有的人家不仅"四脚落地"、"穿靴戴帽"，墙体还做成"里软外硬"。即外墙面用白灰砌缝表一层砖，里面用土坯起墙体，山墙和后墙衔接处用"八垫头"铁揪子拉住，以加强房屋的坚固性。有钱的回族人家，则多建为"两出水"的厅子房，一色青砖起脊，脊上有花栏挡风墙，挑檐插飞，雕花马头，清水磨砖的细缝窗台。厅子房为一堂两屋，东屋为居室，中厅待客，西屋多为礼拜房。中厅正中墙壁上悬挂"克尔白"天房图，两边配阿拉伯文"都阿宜"。中堂下一张八仙桌，两把太师椅。八仙桌上多呈设一架"银盾"或黄杨"木盾"。盾座前是一台宣德香炉或"景泰蓝"珐琅瓷香炉。普通人家多为间半或两间的大屋，六大眼儿玻璃，一通顺山大炕。无论贫富人家，凡四合头小院，多建有东西厢房和南凉房，房门上多张贴"都阿宜"。有条件的家庭多辟有"冲头房"（淋浴室）。

回族民居受伊斯兰教法规定的影响，为避偶像崇拜之嫌，不装饰、雕绘动物形象。如屋顶起脊不镶兽头，窗棂不雕刻禽鱼之类，多为花草图案。房中布置不悬挂人物、动物图像，不张贴人物年画，多为阿拉伯文书法匾额或条幅。如天房克尔白图、尔利宝剑图、努哈方舟图等。

回族人家都有点卫生香的习惯，为净化室内空气，给人一种馥郁馨香、心情舒畅、幽静高雅的感觉。因此，每个回族家庭都备有香炉，或铜或瓷，品位不一。回族家居还多喜欢栽种花草树木，因所居地区温度、物候不同而各有选择。以呼和浩特、包头地区为例，稍大的庭院，多栽葡萄树、海棠树；檐前窗台下，多植玫瑰花。花池内多喜种凤仙花（阿拉伯语称"海纳"）、牵牛花、大红花、步步登高（塔塔菊）、西番莲等。室内多养洋绣球、倒挂金钟、玻璃翠、九月菊等。

回族人特别爱清洁、讲卫生。这不仅与回族按照《古兰经》的规定：每日礼五番乃玛孜（五番拜功），必须净身沐浴有关，而且在生活实践中真正体会、认识到讲卫生对人身健康大有益处有关。《古兰经》训示，当你们起身去礼拜的时候，你们当洗脸和手。洗至于两肘，当摩头，当洗脚，洗至两踝。如果你们是不洁的，你们当洗周身（《古兰经》第七四章第四节）。回族人讲究身上要经常带有新鲜（现）的"吾素里"（大净）。认为新鲜的"吾素里"是回族人防身的盔甲。所以，即便没有坏掉大净（坏掉大净指女子经期、产后，男子遗精，男女交合），也要每周五（主麻聚礼日）洗一个新鲜的大净，俗称"换水"或"冲头"。至于洗小净（波斯语称"阿卜代斯"）则每日五番拜功前，只要有下列情况之一则必须洗小净：大小便、出恭、身体任何一处伤口出血、呕吐等。因此，回族男女只要严格遵守教规，履行拜功（俗称"守时候儿"），每日不仅要持有大净，而且须洗小净四至五次（晡礼与昏礼之间，或昏礼与宵礼之间，时间较短，只要没坏小净，可免洗），故有"水回子"的说法。

回族人沐浴，分为"大净"和"小净"。小净为"沐"，大净为"浴"。

小净　回族穆斯林称"阿卜代斯"（波斯语）。小净一般是在大净随身的前提下进行的。完成小净有以下几道程序：

——先洗两手至腕部各三遍，俗呼"三把手"，这是为了把手上的污垢，包括指甲缝中的污垢都冲洗尽。

——"净下"，即洗两便：肛门和生殖器。净下时要蹲成南北方向，忌东西方向。用右手执汤瓶（回族穆斯林专门用于盥洗的用具。形似喝水茶壶，多为铜制，有盖，不洁之物不易进入），左手洗之。从前至后，洗净为止。净下之后，再洗"三把手"，并冲洗干净。

——漱口。用左手拿汤瓶倒水，右手掬水入口，仰面灌喉之后吐出，反复三次，达到口腔内清洁。

——呛鼻。左手拿汤瓶倒水，右手掬水吸入鼻腔再擤出，连续三次，以擤净鼻中存物为宜。

——洗脸。上自前额发际处，下至颔下，两边至双耳，从上至下，连续洗三遍。

——倒腕。先右手执汤瓶，左手掬水洗右臂至肘上，连洗三次；然后换左手执汤瓶倒水，右手掬水洗左臂，连洗三次。

——抹头、抹耳、抹颈。俗称"缠麦斯塔尔"。左手执汤瓶倒水，右手掬水后给左手倒一部分，然后两手从前额发际抹到脑后，随将两手掌从头两旁抹至前额，回手将两手大拇指抵耳背，两手食指入耳内掏抹，最后用两手背从后颈项分别抹下。

——洗脚。先洗右脚，后洗左脚。洗右脚时，右手执汤瓶倒水，左手搓脚，从小趾开始依次洗至拇趾，特别要洗尽趾缝中的污垢，然后洗遍全足，至踝骨上，洗左脚则要从拇趾开始，洗至小趾，再洗遍全足，至踝骨上。

——冲手。双脚洗毕，最后再洗"三把手"，并用水冲净，口含右手食指滴下的水点儿。

大净　回族穆斯林称"务苏里"（阿拉伯语）。洗大净的条件是用清洁的水（可食用的水）洗浴周身。

洗大净的程序是：先洗小净，仅留下洗脚，然后大净开始。先洗"三把手"，漱口、呛鼻，接着用"吊罐"的水自上而下，自右而左，依次洗毕。洗浴大净将身体分为三段，脐以上为一段：洗头、脸、耳、颈项，接着洗右肩右臂，左肩左臂，前胸后背。脐以下至膝盖以上为一段：依次洗小腹、左、右臀部，二便处，右大腿，左大腿。膝盖以下为一段：先洗右小腿，再洗左小腿，先右脚，后左脚。以此顺序三遍，大净即为结束，用专用毛巾擦全身。

大净须个人在淋浴室内单独完成。进浴室时也必须身着内衣，"羞体"（特别是腹下至膝盖上的身体部分）不得在他人面前裸露。

回族人洗大、小净必须按序进行，这就是从上至小，从右到左，从前到后，不能乱序，以免遗漏身体的某一处。按照伊斯兰教沐浴规定，周身有一毛孔处没洗到，"务苏里"（大净）不成。同时要求，洗小净要用汤瓶灌水而不用其他盆具；洗大净要用吊罐盛水而不能用池盆浑水，就是为避免用水不洁。沐浴时，要求沐浴者潜心在意，不得说话，不得分心，以免沐浴未按程序完成。同时要沐浴者悉心参悟，完成一次从肉体到心灵的净化：洗手时，要想到戒赌、戒盗、戒取不义之财，而要靠自己的双手勤劳养家；洗脸时要想到脸面声誉，戒绝干一切有损自己形象和荣誉的事；漱口时要想到不应口出污语秽言，胡言乱语，任何时候不得信口雌黄，造谣中伤，阳奉阴违，而要说真话，说公道话，说有益于公众的话；抹头时要想到任何时候都要保持人格和尊严，要保持冷静的头脑，要有自知之明，待人接物、处世交往，要不卑不亢，有节有度；抹耳时要想到不偏听偏信，不听肮脏的话，谄

媚的话、中伤的话、造谣的话和阴谋的话，而要听善言懿语、有益于身心和
公共大众的话；洗脚时要想到，任何时候都不能走歪门邪道，不能去肮脏不
洁的地方，要走正道，做光明磊落的事，干有益于社会、有益于人类的事
业。总之，洗大净的时候，不单纯为了净身、更为了净心，要想到付诸实
践，做一个表里如一、干干净净、正正派派的人。

回族人爱清洁，讲卫生还始终遵循"洁净为相宜，污浊受禁止"的原
则。每天早晨起床，必须先洗"隔夜手"方可动用餐饮炊具。衣服穿着也
要求干净整洁。回族人多喜欢穿戴白色衣帽，就为其洁净无染，需勤洗勤
换。即使贫穷人家，破旧衣服，也要保持干净整洁。回族人居家也讲究卫
生，经常保持室内的整洁和有条不紊，任何时候都要做到窗明几净，空气清
新。餐饮茶具从不马虎敷衍，都要清洗得一干二净，纤尘不染。回族人重视
个人卫生的习惯，更是稍无懈怠。不仅饭前、便后洗手，同时还注意勤剪
手、足指（趾）甲，勤剃头，勤打"毛孔"，因此，不许留长指甲和蓄长
发，就是为了不致藏污纳垢。这一良好的卫生习惯伴随着每个回族人的
一生。

（五）婚姻习俗

回族的婚姻习俗既源于伊斯兰教的婚姻制度，又在不违背这一大原则的
前提下杂有中国传统婚俗的特点，留有中国汉文化影响的痕迹。

伊斯兰教是"两世"宗教，既讲"出世"，也讲"入世"，要求每位穆
斯林力求在人生道路上取得"两世"（即"今世"，现实世界；"后世"，天
国世界）吉庆。《古兰经》规定，成人男女，必须完成婚姻嫁娶，禁止终身
不嫁不娶的独身主义。主张凡是有结婚能力的穆斯林都要结婚。并规定，因
生理需要结婚是"瓦者卜"（当然）；为繁衍子孙结婚是"损乃提"（圣
行）。这是伊斯兰教对人性和人生价值的尊重和肯定。因此，子女到了当婚
年龄，做父母的都为此殚精竭虑，认为"哈儿该"（职责、任务）没有完
成，只有儿娶女嫁，才算卸了担子，完成了任务。

回族的婚姻以男女双方都是穆斯林为首要条件，对教外婚姻一般是禁止
的。有清一代回族男子多有娶改宗伊斯兰教的别族女子为妻的。回族女子如
无威逼、胁迫、身陷困境，概无嫁与他族男子为妻的。

回族的婚姻不主张以门第和贫富为条件，而注重男女双方的品格与才

貌。并禁止"问八字，争聘财，讲奁资"① 等各种不符合教规和烦琐的婚礼仪式。男子的聘礼应以经济状况量力而行。认为这是男方应履行的义务，而不是婚姻的必须条件。

回族主张婚姻自主，尤其是女子，有选择自己丈夫的权利。并要求做父母的要尊重儿女的自择权。提亲时须男女双方都在场，两相情愿，其婚姻方为有效。若一方不愿意，即便该方父母同意，也不能成为有效婚姻，反对任何形式的强迫、买卖婚姻。伊斯兰教主张男女双方在爱情中互相依恋和体贴。因此，回族男女的婚姻是建立在相互爱慕、相互愉悦的感情之上的，是以爱情作为婚姻的基础的。

回族主张办婚事节俭，反对铺张浪费。

有清一代，回族家庭多为一夫一妻制，虽豪富之家有娶两个以上妻子的，但为数极少。即便娶两个以上妻子，也"没有妻妾之分和大小之别"，要求多妻（最多可娶四位妻子）的男子必须公平地对待每位妻子，不能厚此薄彼，"凡衣食寒暖、粗细、浓淡、厚薄，必公同一例。"② 否则，不能娶多妻。

《古兰经》规定了对近亲、姻亲婚姻的限制，包括血统近亲不能结婚；乳母近亲（乳父母及其直系尊亲属、直系卑亲属和乳兄弟姐妹）不能结婚；姻亲不能结婚。还从婚姻道德方面限制有夫之妇不能结婚；一方行为淫荡者不能结婚。

回族对生男生女并不追求，认为都是"真主"的安排，非人力所能改变的。反对歧视、虐待女孩。

回族还重视婚姻道德，提倡寡欲，反对纵欲。严禁发生不正当的两性关系，认为那是最不道德、最卑污的行为。

回族反对随意离婚。有清一代，回族家庭几无离婚者。同时也不主张寡妇守寡，允许寡妇自由改嫁。

结婚礼仪是人生礼仪中的一项大礼，因而特别受到回族家庭的高度重视。但较少繁文缛节，也比较自由。《绥远归绥县志》载："回俗须媒妁三

---

① 刘智：《天方典礼》卷19。
② 刘智：《天方典礼》卷10。

人，掌教一人，方能议婚。男女主婚人如同意，握手为信，不立婚约，不亲迎，无鼓乐。新妇下轿，由其兄弟抱入洞房，不见亲友，等阿訇来为之诵经赞圣。及夕，新郎询问新妇以八句原根，能答，始行成礼。"是为呼和浩特地区回族婚礼的大概。

回族男女双方同意，父母同意，有公证人和媒人证明，即为合法。

呼和浩特地区回族成婚，大致有如下程序：

——择偶。回族中有俗谚云："一家女儿百家求"。回族家有女儿长到十六、七岁时，就会有热心的亲朋好友上门提亲。男女双方择偶，不看属相，不论八字，单重人品、根底和家教。不大计较门当户对，彩礼多寡。男子择偶重相貌、贤惠、明理；女子择偶重精明、干练、才气。

——提亲。男女双方了解基本情况后，认为合适，男方即请可"一手把两家"的亲朋好友充当"古瓦希"（阿拉伯语，意为成全好事的人。此处指充当媒人）前去女方家中正式提亲。一般回族老人都愿充当媒人，认为成全一门亲事，可得到建一座礼拜寺的"回赐"（真主的赏赐），一生中说成七门亲事，"无常"（死后）后能进天堂。故男女老者都乐于充当"古瓦希"，并任劳任怨，负责到底。

——相亲。经媒人多方说合，相互情况基本了解后，媒人和男方及主婚人（如男方的舅舅或其他德高望重的长辈）携带"随礼"（简单礼品）到女方家中相亲。在相亲过程中，不仅让女方父母相女婿，而且要有意安排一个"偶然"机会，让男女双方见面。在这种情势下，姑娘的表情和态度，往往成为决定这门亲事的关键。如果女方态度冷淡，不应允，也不强求；如姑娘有意，小伙可心，双方家长也认为合适，即相约订婚日期。

——订婚。回族人特称"攥手"或"盖盖儿"。选择良辰吉日（多在"主麻日"礼拜五）举行订婚仪式。届时，媒人（古瓦希）与男方主婚人（多为男方的父辈）及女婿，着人将双方早已议定的聘礼（回族聘礼无现金，多为新娘佩戴的首饰、四季衣物、鞋袜等）和"彩塔"（一般为大馍馍、肉、面、茶叶、糖果等）一并送往女方家中，并与女方的父辈"攥手"，互道"色俩目"，赞主赞圣。女方家中则以茶点招待。至此，订婚仪式即告结束。此后，男女双方即可相互往来走动。

——下茶。这是正式择订婚聘日期的仪式。下茶仪式一般在迎娶新娘的前一个月进行，以便双方有充分的时间进行婚礼准备。首先，男方请媒人到女方家"道话"，以择定迎娶新娘的日期。下茶这天，男方请媒人将"喜荷饼""碰门羊"（白绵羯羊，送一对或一只，羊背上要涂上红色）和"彩塔"（月饼、提浆饼、大喜馍馍等），扎上彩带，放在托盘或抬盒中（形似塔，故称"彩塔"）一并送到女方家中。同时请两位阿訇：一位"海推布"，一位"穆夫提"，一同到女方家中祝贺。女方家则以茶点热情招待，并赏给送聘礼人（多为男方家至亲的幼童和少年）以喜钱。待二位阿訇念毕赞词后，女方家要给阿訇出散"海提叶"（喜钱），并赠送点心。下茶后的第二天，男家和女家即按照结婚日期分别邀请亲朋好友届时参加，并开始置办举行婚礼所需要的一切。女方下请柬时，还要根据亲朋关系的远近，将接收下男方"彩塔"的喜馍馍分别送给每家四至六个，以示共喜。凡接到男家邀请的宾客，都要"搭礼"（馈赠现金），表示祝贺；接到女家请柬的亲朋，则要为新娘送礼物添嫁妆，如衣物或日用品等，有的也送礼钱。

——催妆。一般在结婚典礼前一天进行，催请女家送嫁妆。其含义有二：一是男家告之女家，结婚准备工作已全部就绪；二是询问女方家中接待娶亲客人有无困难。催妆这天，时当上午，女方家中要把陪送的箱柜、桌椅、日用陈设及衣物等，全部陈列出来，供贺喜的亲朋观看，俗称"看嫁妆"。其意义既为显示陪嫁物之丰，更为展露新娘的才华和技艺。因为嫁妆里的衣物，好多是新娘亲手裁剪、缝纫、刺绣的。这正是一次表现新娘多才多艺、心灵手巧的绝好机会。女方家不仅给女儿陪送衣物、家具，还包括有炊具、被褥、铺柜、梳妆盒、沐浴用的汤瓶等。看完嫁妆，时近中午，媒人即带领男方家的少年男女来女方家搬嫁妆，女家要热情接待，按人赏给喜钱。

——婚礼。催妆的第二天，正式举行结婚典礼。回族人称婚礼为"写'依扎卜'"（"依扎卜"，阿拉伯语，意为"应允"）或称"写'尼卡哈尔'"（"尼卡哈尔"，阿拉伯语，意为"证婚"），俗称"写女客"。回族人结婚，不看"黄道吉日"，通常都选"主麻"（星期五）聚礼日举办。娶亲前一天，娶、聘双方都要过"乜帖"，请阿訇诵读《古兰经》，赞主赞圣，纪念过世的亡人，并为家人求祈平安，为新人祝福。娶亲当日上午，新郎要换新鲜"务苏里"（大净），理发、修整；新娘也要洗大净，称"离娘水"，并请老年近亲妇人为其"开脸"（即用双手绷紧交叉的丝线，绞除脸上的汗毛），然后妆饰、换装，吃"翻身饼"。时过巳时，媒人从新郎家起身，带两乘花轿，并跟一位新郎的晚辈少年，称为"押轿的"，一同去新娘家娶亲。回族结婚是"等亲"，新郎不能亲自到女方家中迎娶，只能在家坐等。同时，不动鼓乐，不鸣鞭炮，不贴喜联、喜字。娶亲到新娘家后，女家要以茶点热情款待。新娘上轿要由亲姑舅表弟抱上轿，称为"抱轿的"。新娘上轿坐稳，媒人前面开道，将新娘娶回家中。

到男家后，"抱轿的"抱下新娘，由新郎的两位嫂嫂搀扶进入新房。新娘入新房后，"抱轿的"作为新郎的表内弟还要给新郎的乌纱上插金花，新郎要给插金花喜钱。娶亲结束，新郎家要立即派人到新娘家恭请"新亲"，即新娘的父、兄、伯、叔、舅、姑夫、姨夫、姐夫等男性至亲来家中参加婚礼"写'伊扎卜'"，并请二至四位阿訇做证婚人。在清代，呼和浩特市内办理婚丧嫁娶事宜，必须请清真大寺的"穆夫提"（伊斯兰教法说明官）。"新亲"将到时，新郎家的父母及男女长辈都要街门外列队迎接，互道"色俩目"问好。新娘的父亲或新亲中的一位长辈则要向新郎家的亲友分别作称谓介绍。

"新亲"进屋后，要由主持婚礼的"代东"按辈分排座次：主席上，担任证婚人的各位阿訇居正位，新娘的血亲长辈列坐两旁；其他新亲席上也按辈分排座。待新亲座次排定后，新郎家在阿訇席和其他新亲席上分别放几盘核桃、红枣、花生、糖果之类。一切就绪，媒人即引见新郎。新郎入室，首先向阿訇和各位"新亲"道"色俩目"，然后坐在阿訇及新亲面前。也有新郎、新娘同时入席的。阿訇首先要让新郎、新娘背诵"清真言"和"作证词"，赞主赞圣。接着诵读《古兰经》的有关章节，并用汉语进行解释，大意为：结婚是从幼年迈入成人的阶段，是夫妇做人的开始。夫妇二人要相亲相爱，白头偕老。要严守教律，端庄品行，孝敬父母，友爱弟兄，勤俭持家，好学上进。其后，阿訇诵读"祝贺词"。其间，新娘的父亲要向新郎说道："达阿丹"（波斯语，意为"我把女儿许配予你为妻"），新郎接着回道："改必勤图"（阿拉伯语，意为"我高兴地接受了"）。与此同时，阿訇和新亲将席上的核桃、红枣、花生、糖果纷纷抛向新郎身上，再次向他表示祝贺，也暗寓"早生贵子"之意。此称之为"撒喜"。阿訇的证婚词诵毕，当场和新郎说定，在入洞房时，必须向新娘交还"卡拜银子"（新娘的贞节费）××数。至此，证婚仪式结束。

之后，新郎家开宴招待阿訇和新亲。在就餐过程中，新郎的父母及其主要男女长辈分别向新亲席"道费心"，表示谢意，并用专门的筷子为新亲夹菜倒茶，敬让"口道好"（吃好）。上菜三道后，厨师和帮厨，俗称"大、二厨房"及茶炉工，俗称"茶汤壶"，要亲自端菜、倒茶给新亲"道喜"。新娘的父亲则将早已用红纸包好的喜钱分送犒赏，表示感谢。宴席罢，新郎家的众亲友兴高采烈地欢送新亲。新娘的父亲则特请一位阿訇到新房（洞房）念"喜邦克"，男女双方亲友则去看喜房并做"都阿宜"，以祈求真主慈悯新婚夫妇平安和睦、诸事遂心。

送走新亲后，新郎家即开始款待前来贺喜的亲朋，大摆宴席。而新娘家则早在"写'依扎卜'"的新亲走后，即开始待人。在男婚女嫁的日子里，回族家也兴"三天没大小"，不仅平辈中嬉戏耍笑，就是长辈中间也要取闹耍笑。特别是做公婆的，多被妯娌、小舅子和亲密朋友在脸上抹上油蘸锅底黑，洗都难以洗净。入夜，新郎的平辈，兄弟姊妹、朋友也要闹洞房，内容多为说"令子"，荤素都有。亦有猜谜语，荤打素破；也有说绕口令，故意刁难新娘。回族亦有听房之俗，多为姐夫充当之，以窥新婚夫妇是否和美惬意。

——回门。新婚的第二天回门。拂晓，新郎、新娘要早早起床。新郎的嫂子或妹子已烧好开水，并将"汤瓶"放在门口，新人们沐浴后，吃过早饭，婆婆领上新媳妇"认大小"（认婆家近亲长辈，俗称"认大小"，为日后便于交往称呼）。认长辈时，新媳妇要长声高叫一声，长辈则响亮答应一声，并把早已准备好的礼物或钱赠给新媳妇。"认大小"结束，新郎带上早已备好的点心等礼品，陪新娘去娘家"回门"。

新媳妇回门，多要笑新女婿。耍笑新女婿者多为大兄嫂、内弟（小舅子），或脱鞋，用糖果或钱赎取；或饺子馅内放调料、咸盐，多为恶作剧，看新女婿的笑话。回门吃罢午饭，岳父要赠给姑爷礼物，多为考究的鞋帽或衣物，并给亲家带回点心。

——会亲。新郎、新娘婚后一月中，娶、聘两家的近亲女性长辈和嫂子，已出嫁的姊妹都要相互宴请，名曰"会亲"。为相互认识，便于来往，俗语说"好行事"。新郎家的近亲还要挨家宴请新娘、新郎,为尽礼仪,加强联系。

新娘婚后,回族也有住七、住八、住对月的习俗(即结婚七、八天和一月时回娘家住三天),为的是新娘一旦受孕,有利于胎儿孕育成长。

(六)丧葬习俗

回族的丧葬习俗,也决定于伊斯兰教教法规定,是回族民俗中最重要的组成部分。在回族中,人"无常"(死亡)后,是否按照伊斯兰教法的规定"发送"(埋葬)亡人,是判断是否是回族的重要标志。

回族丧葬习俗的特点:

第一,实行土葬,禁忌火葬。回族实行土葬,源于伊斯兰教关于安拉造化人祖阿丹(亚当),是由土上造化的。所以,人死后仍应归于土中。回族完全承传了"入土为安"的这种丧葬方式。回族认为,"土这种物质,具有溶化污垢的功能。人的生命一结束,躯体将逐渐腐坏,尸体的气味随风散发,体温归于水,体内的液体和骨肉归于土。尸体内流出的污浊液体,即时被土吸收,尸体的腐臭味才散发出来,也就随之消除。土,确是洁净舒适的地方。"[1] 因此,回族实行土葬不用棺材,直接由土壤腐化吸收。回族禁忌火葬,是由于回族按照《古兰经》的训示,认为火刑是安拉使用的,只有安拉掌握这个权力,人是不能使用的。而且,火刑是"古那海"(罪恶)深重的人死后,在"朵只海"(火狱)应受的刑罚,所以回族不施行火葬。

第二,主张速葬,反对缓葬。回族丧葬,坚守"三日必葬"的传统。一般都是早亡午埋,晚故晨葬,越快越好。如有特殊情况:等待亲人或其他善后事宜,可延长一二日,但不得超过三天。回族人外出或在旅途中亡故,也要就近速葬,不要求非把亡人运回家乡安葬。

第三,提倡薄葬,反对厚殓。回族的丧葬受伊斯兰教"葬必从俭"的影响,在丧事上主张从俭节约,反对铺张浪费。不论贫富、贵贱、男女、大小,都用同样的白棉布"可凡"(阿拉伯语,意即丧衣)裹尸,统用清真寺专制的同一个"塔布提"(阿拉伯语,意为"盛亡人的担架或木匣子"。俗称"买帖(死人)匣子")抬送,埋在同一块墓地,占用一样大小的地方,

---

① 纳文波译:《天方典礼译注》,第552页。

按亡故时间顺序埋葬。不设灵堂、灵位，不设供品，不送赙仪、挽帐，不送花圈、挽联，不动鼓乐响器，不烧纸，不撒冥钱，不悬"殃状"，不放物品陪葬，不用"引魂招幡"，夫妇亡故不搞合葬等等。

回族亦忌说"死"，一般用汉语专用词"无常"，寓"人生有定，世事无常"之意。对宗教职业者和上层人士的去世，多用"归真"，意为"归回到真主那里"。在日常口语中，多说"口唤了"，意即真主下了"无常"的命令，"口唤"到了。

回族人称死人为"买帖"（阿拉伯语，意即亡故的人。亦译作"埋体"）。汉语专用词为"亡人"；把埋葬亡人称为"发送"。

回族人对死亡看得较轻，认为这是人生的必然结果。迟早都要死，一切听真主的安排，听主的"口唤"。因此，稍微上了点年纪的人很早就准备后事。这所谓的"后事"就是买三丈六尺"可凡布"。一旦"无常"，以免措手不及。

回族男女老者大病或病危，也尽早通知在外的儿女或远方的近亲，以便见"活面"，要"口唤"和听遗嘱。"口唤"为经堂语，意为"应允"。在不同的语言环境有着不同的含义。如"听主的口唤"意为"听主的命令"。"向父母要口唤"是儿女希求得的父母的同意或谅解。当人病危时，不仅儿女、近亲要"口唤"，就是邻里乡亲，朋友弟兄不管是否有过节、有矛盾，甚至有仇怨，都要主动到病人家中向病人道"色俩目"，要"口唤"，希求得到病危之人的谅解和包涵。如病危之人有遗嘱，近亲中的年长和有威望者予以认真笔录，如财产的继承、债权债务的交割，丧事的办理，都要遵行遗嘱，不能辜负亡人的重托。当病人沉疴难起，继生无望时，必须提前为其沐浴净身，并剪掉手、足指（趾）甲，打尽毛孔（即剃去腋毛、阴毛）。男子还要剃光头发。如镶有金牙、假牙，亦应一并去掉。回族忌讳家人"无常"在外边，所以重病在外，一定要在咽气前尽量接回家中。病人病情较危，要请阿訇为病人做"讨白"（阿拉伯语，意为忏悔），求祈真主饶恕和赦免病人一生的罪过。亲属在陪侍病人时，要轻声诵读"清真言"，并提示病人默诵"清真言"，时时记想主，把心思专注于主道上，不要牵挂世事。病人临终，要求屋内人肃静，禁止在病室中大步行走，大声说话，更不能嬉笑吵闹和乱哭乱叫。除亲生骨肉和守候在病人身旁的阿訇或"师娘"（女阿訇）

外，其他人均不宜入室。特别要注意"男子之室，妇人不入；妇人之室，男子不入。"① 当病人奄奄一息时，应使其正寝仰卧，头北足南，面朝西。人未断气，亲属不得放声哀哭。

回族的丧葬习俗大致如下：

——停尸。病人停止呼吸后，在身边守候的阿訇（师娘）或至亲骨肉，要给亡人闭其眼，合其口，顺其手足，改脸向西。"买帖"（亡人）所穿的衣物，要尽快由同性亲友帮衬悉数脱去，只覆盖一条洁净的白布单。人"无常"后，不能停在睡觉的炕（床）上，要速派人到清真寺搬"水溜子"（即浴床。专用于停放和洗浴亡人的木板床），将亡人停放在通风凉爽的堂屋地上。停尸必须使亡人头北脚南仰卧，面稍向西。同时要点香，以避浊气。

——报孝。人"无常"后，要尽快派人分头通知所有的亲戚朋友，邻里乡亲。较小的坊或回族人聚居较少的村镇，则告知全体回族人家。报孝时，由亡人的一位近亲年长者，带领孝子（一般为长子或长孙）将亡人"无常"的时间及"发送"的时间告知亲友。凡接到报孝消息的男亲友都要带"务苏里"（大净）前去丧家做"塔尔吉"（阿拉伯语，意为"吊唁"）。做"塔尔吉"的男亲友来到丧家时，丧家的男性近亲都列队站在院内，吊唁者要先向丧家主人道"色俩目"，然后攥手，口念赞主赞圣词，接着进停尸屋，面向西为亡人做"都阿宜"，替亡人向真主求饶，并向丧家表示慰问。做"塔尔吉"时，丧家要送给吊唁者一顶白布做就的四角或六角的圆顶孝帽，吊唁者戴孝帽即可离去。女性亲友去吊唁称"吊孝"，无攥手等仪式，丧家女性近亲负责接待，送给"吊唁"者每人一块白纱巾罩头。属于亡人至亲或关系极好的女性亲友，在吊孝时多有放声哭诉亡人的，以为悼念。此亦为受汉俗的影响所致。

——打坟。内蒙古西部地区将挖坟称之为"打坟"。一般坟地内早备有"坟坑儿"，多为看坟人在平常无事的情况下挖好的。特别是春秋两季，是挖"坟坑儿"最好的季节。天气不冷不热，又天高少雨，提前挖下"坟坑儿"几十个，以备急用。谁家"无常"下人，来坟地看一下，主要看"拉

① 刘智：《天方典礼》卷20。

哈儿"（放"买帖"的旁窑）大小、高低，土脉怎么样。如果自家亡人身高体胖，"拉哈儿"较小，则需派人立即修整，其标准是找一位与亡人高低胖瘦差不多的自家子弟，钻到"拉哈儿"里试一下：睡下试其南北长短和宽窄，长跪试其高低。一般要求宁宽勿窄，宁松勿紧。按照伊斯兰教义的说法，亡人放进坟坑，用土坯封住"拉哈儿"门子，阿訇一开经，真主就要派遣天仙来"打算"（"审问"之意）亡人，亡人要直跪听候天仙的"打算"。因此，儿女们一定要把"拉哈儿"挖得松松宽宽，也算尽儿女们的最后一片孝心。但居住于村镇的回族人口较少，一般不备有现成的"坟坑儿"，人"无常"了才去打坟。这种情况下，人一旦"无常"，丧家一边派人报孝，一边找人打坟。去打坟的多是自家子弟。也有亲朋好友接到报孝后，去丧家做完"塔尔吉"，立即带上工具到坟地去帮助打坟。由于回族人是一坊或数坊人户共用一块坟地，所以，无论男女老幼，谁先"无常"了，谁就埋在前面，坟堆一个挨着一个，东西一排埋满了，再从前面开始新的一排。去打坟选好位置，立即动土挖坑。回族的"坟坑儿"分作"明坑儿"和"暗坑儿"两部分。"明坑儿"是直坑，南北长约八尺，东西宽约四尺，深度约七尺。一般视亡人大小，体大"明坑儿"、"暗坑儿"都大，反之则稍小，以下"买帖"（亡人）时，"明坑儿"能站下一人，往"暗坑儿"送"买帖"，"暗坑儿"（拉哈儿）能藏住一人能接"买帖"为标准。"明坑儿"挖好后，在底部西侧偏下开"暗坑儿"的"拉哈儿"门。"拉哈儿"门子为拱形，不宜过大，以能送进亡人即可。掏"拉哈儿"开门后，分别向上下"吃土"（挖土），下部要低于"明坑儿"底部约七、八寸，上部顶端为穹窿形，为受力好，不致塌方。"打坟"进度快慢，完全取决于人手的多少和土壤的质地。如纯系土壤则快，如遇沉积沙石，土亦坚硬则慢，一般需要多半天甚至一天的时间。

——料理。坟坑儿打好后，准备"发送"亡人。"发送"亡人前，先要料理亡人。料理亡人俗称"洗买帖"，即给亡人沐浴净身。清真寺内备有专用的大水壶。丧家离清真寺近的，都从寺内担水。担水时，途中要有人替换，但水壶不得落地。料理亡人要按性别请男女阿訇，如无或阿訇不便，则请"守时候"（每日坚守拜功）、懂"究理"（懂得料理亡人的程序），会念（念料理亡人的经文）的中老年人三位来进行。（也有请男女"海立凡"来料理的）一位"拿重"者，要戴上专用的手套，双手轻轻为亡人沐浴；一位为"灌水"者，专门负责往汤瓶中舀水；一位为"淋水"者，专门负责往亡人身上淋水。专用手套备两副，一副用做洗上身，一副用做洗下身。洗亡人时，汤瓶不许落地。给亡人沐浴时，和活人洗大净的程序一样，唯有漱口、呛鼻两项，以棉花蘸水擦洗代之。洗毕，用干净浴巾或棉花擦净，并用香料涂抹前额、两手、两膝盖和两足等部分。料理亡人时，除了料理的三人外，其他人一律不得入内。从料理亡人开始，专请一位"伊玛目"阿訇在料理亡人的屋外开经念"塔哈"，亡人的骨肉近亲在院内跪地默祷，为亡人求祈。亡人沐浴毕，即为亡人穿"可凡"。亡人的"可凡"用三丈六尺纯白棉布裁制。男"买帖"的三件：一件叫"皮拉汗"（波斯语，意为"坎肩"），是覆盖前身的；一件是小卧单，垫在身下相当于褥子；一件是大卧单，是在外面包裹整个"买帖"的。女"买帖"的"可凡"还要增加用做盖头和胸罩（也称"缠腰"）的两块白布。另外，男性亡人还要做一顶白布帽戴在头上；女性亡人则要做一双白布袜穿在足上。亡人"可凡"穿好，再将腰部、头、足，分别用白布带子扎紧。在给亡人穿"可凡"时，要在"可凡"上撒一些麝香、冰片、樟脑、红花等芳香防腐剂。

亡人料理好，允许亡人的父母、儿女、兄弟、姐妹等骨肉至亲与亡人见最后一面，但不许夫妇关系者看望诀别。

"买帖"料理后，用抬亡人的"匣儿"盛放，由近亲抬往清真寺。

——殡礼。回族称作赞"者那则"，是回族丧葬中最重要的一部分，一般都在清真寺内礼拜大殿前举行，仪式庄严隆重。赞"者那则"一般都放在"晌礼"（偏什尼）结束后，由掌教阿訇带领众阿訇、海立凡和作完礼拜的众乡老在大殿前，面向西排班列队举行殡礼。殡礼的主持人也可按照亡人生前的遗言确定。亡人头北脚南放在举行殡礼的众人前面。主持殡礼的阿訇靠近"买帖"站立，众人跟随阿訇抬手举意，表明举意的目的是为这位亡人作礼拜，求祈真主赐福于亡人，恕其罪过。赞"者那则"的礼拜与其他拜功不同，不鞠躬、不叩头、不跪坐，陆续高念赞主词"阿拉乎艾克拜勒"（真主至大）四遍，接着由主持阿訇默诵经文，第一次赞主词后念《古兰经》首章《法蒂哈》，第二次赞主词后默诵"赞圣词"，第三次赞主词后默诵"祈祷词"，第四次赞主词后分别转脸向右侧与左侧念"祝福词"。至此，殡礼即结束。"者那则"仪式结束后，接着要举行"传经"仪式，阿拉伯语称之"转费达"，即参加殡礼的全体围成一个大圆圈，由亡人的长子或长孙，还有其他至亲的长男，分别双手端盘，盘中放《古兰经》，由一位阿訇念求祈词，每人接经一次，凭着《古兰经》向真主求祈饶恕亡人的罪过。"传经"仪式结束后，立即将亡人抬往坟地安葬。抬送亡人去往坟地的过程中，众人可轮流替换，但不许将"买帖"匣子放在地上休息。

回族妇女不参加殡礼仪式，但可带"务苏里"（大净）旁观。回族中有人"无常"，不论远近亲疏，但得知消息者，都要主动前往清真寺参加送葬，并从财、物等方面给予资助。回族人还将抬送"买帖"看做是一件义不容辞的责任，真主有极大的"回赐"，因此纷纷抢着抬送。同时，通过"发送"亡人，参悟自己，检点、反省自己的行为。

——埋葬。亡人抬到坟地时，阿訇即开始诵读《古兰经》，"发送"亡人的亲友都跪在四周。亡人的近亲将亡人从"买帖匣子"中轻轻地抬出，先脚后头，慢慢送下"明坑儿"内，"明坑儿"内站有一人，为亡人的近亲或儿子，轻轻接住亡人，慢慢送入"拉哈儿"内，"拉哈儿"内有下葬阿訇接住亡人，轻轻放在地上，然后将亡人的头、脚和腰带解掉，再为亡人将脸转向西方，称之为"改脸"。上述程序结束，在"拉哈尔"内撒些冰片、樟脑、红花等防腐香料后，即用土坯将"拉哈尔"门子封住，称"查拉哈尔"。然后填土掩埋，踏实堆高呈长形马脊状，并留以标记。在埋葬亡人的整个过程中，众位阿訇轮流接诵《古兰经》，众人跪听，不得大声说话。最后，诵经毕，全体做"都阿宜"，丧家给阿訇、海立凡出散"乜帖"，给幼儿散"摔吊盖"，葬礼即告结束。

——祭悼。亡人"发送"的当天晚上，丧家请阿訇在家中念晚经，连续念七天。如丧家系"格底目"老教回族，还要请阿訇给亡人过"三日"、"五日"、"七日"、"十二日"、"月斋"、"四十日"和"百日"。其中以"七日"、"月斋"、"四十日"、"百日"为重，要大过。届时不仅请全体"底亲"、近邻，还要请坚守拜功的老者做"都阿宜"。回族认为，四十人以上的大型"乜帖"，其中必有一人在真主的尊前是"受喜的"（即得到真主的喜欢），"乜帖"能得到真主的"承领"（被真主接受），"回赐"亦大。因此，较重要的日子，"乜帖"要过得大些，希冀、求祈真主饶恕亡人。如果丧家是"伊赫瓦尼"新教回族，则在亡人下葬的近日（多选在星期五的"主麻"日，即聚礼日）给亡人过"乜帖"。无论老教（格底目）还是新教（伊赫瓦尼），亡人去世一周年时都要过一个大型的"乜帖"。之后，每逢开斋节、宰牲节或亡人的周年（逝世日）、铭记（诞辰日），都要请阿訇"游坟"、过"乜帖"，以寄托哀思，求祈真主饶恕亡人，引领活人。

回族对不恪守教规或非正常死亡的男女，如吸食大烟、酗酒、赌徒、或自杀、他杀的，一律不得埋入公共正墓，而是埋在另一块坟地内。按回族的本来丧俗，老人无常后不戴孝，后来由于受汉族的影响也开始戴孝。子孙全身穿孝，孝衫、孝裤、孝帽和孝腰带，直系侄男外女，则给孝帽、孝裤和孝腰带。再远则只给孝帽和孝腰带。但回族戴孝时间较短，多则七天，少则三天，也无嫡孙挂红十字，外孙佩蓝十字之分别。

回族禁止对亡人嚎啕大哭，认为那是对"归真"的违抗。因为"死生有命"，一切皆是"前定"，是真主的"口唤"，所以要节哀顺变。实在不胜自悲，也只许呜咽啜泣，而且只能在太阳出山后和日落前才许可。在给亡人"料理"、赞"者那则"、亡人下葬和阿訇诵经时，均应肃静，严禁出声悲哭。回族也严忌对亡人行鞠躬礼，忌"买帖"露天停放，忌非穆斯林和未带"务苏里"（大净）的闲杂回民睹视"买帖"。

（七）节庆习俗

内蒙古地区的回族，同全国各地的回族一样，主要有三大传统节日，即"开斋节"、"宰牲节"和"圣纪节"。这些节日和纪念日，都是以伊斯兰教历（希吉拉历）计算的。

伊斯兰教历有太阴年和太阳年两种。中国的回族计算宗教节日多用太阴历，即全年 12 个月，单月为 30 天，双月为 29 天，平年 354 天，闰年 355 天，30 年中有 1 个闰年，不置闰月，与公历每年约差 10 天，3 年约少 1 个月，公历过去 32 年，等于伊斯兰历过去 33 年。故在日常生活中计算时间时，每 3 年提前 1 个月，即为伊斯兰历所要计算的月份。如斋月在公历 10 月份，连续三年斋月在 10 月份，到第四年的斋月则前移到公历的 9 月份，以此类推。

回族人过节不过年，这是千百年来形成的一个民族习惯，经久而未更易。伊斯兰教把公元 622 年 7 月 16 日穆罕默德由麦加迁往麦地那这一历史性事件称为"希吉拉"（意为"迁徙"），定该年为伊斯兰教历元年，7月16日为岁首元旦。由于回族有不过年的习惯，所以对伊斯兰教的新年——元旦节多不在意。即使中国全民性的传统节日春节，回族一般也不过。清朝时虽然在中国这块土地上形成的回族，诸多方面受汉文化、汉俗的影响，如逢年过节也清理卫生、改善伙食、穿新衣服等，但从心理上是排斥的，也不贴对联、不放鞭炮、不垒"旺火"、不给"压岁钱"、不磕头拜年等等。至于端午节、中秋节、清明节、中元节（农历七月十五）、灶王节（农历腊月二十三）等节，更是不予参加。

1. 开斋节

开斋节，是阿拉伯语"尔德·菲土尔"的意译。内蒙古地区的回族称开斋节为"大尔代节"。按照伊斯兰教规定，每年伊斯兰教历（希吉拉历）9月为斋月（即莱麦丹月）。在这个月中，成年的男女穆斯林必须斋戒，俗称"封斋"、"把斋"。时间是"莱麦丹月"月首以见到新月为准，当夜起斋，到下月的月首见到新月为止，次日即为开斋节。如果因有天气，阴翳遮蔽，则按上月大、小进时间推算，大进足三十天初一或初二起斋，小进最迟初三起斋，次月如未见到新月，只要斋戒足30天，次日即可开斋。在斋月期间，封斋者在日出前（东方未见鱼肚白）直至日落地平线下（西方未有红气，夜幕即将降临）的一天内，禁绝一切饮食和房事。同时，斋月中也禁止说伤害别人的话，干损害别人的事，要尽己所能，多给贫穷遗难人、鳏寡孤独者施舍，出散"乜帖"。斋戒的目的首先通过饥饿、干渴，锻炼人的坚强意志，培养吃苦耐劳的精神，陶冶廉洁自律的操守；其次，通过斋戒，斋戒者有了饱尝饥饿干渴的切身体会，由此推己及人，养成宽厚仁慈、互助互爱的品行。

开斋节是回族最盛大的节日，是全民族的节日。每逢开斋节，无论城市农村，贫富贵贱；无论大人小孩，男女老少，都要凌晨即起，洒扫庭除，身着盛装，重新沐浴，内外整洁，焕然一新，到处洋溢节日的气氛。十二岁以上的男子都赶往清真寺参加会礼；妇人、女子则在家中准备最丰盛、最鲜美的开斋午餐。

在清真寺里，参加会礼的男子以户为单位，给清真寺坊上交还"尔德·菲土尔"钱（每人约合一升小麦的价格），并给贫苦人出散"乜帖"

（施舍）。

会礼前，掌教阿訇（伊玛目）要给参加会礼的一坊"告目"讲"瓦尔兹"（阿拉伯语，意为"劝诫"）。之后，会礼开始，先跟伊玛目礼两拜"尔德·菲土尔"的乃玛孜，接着个人礼四拜"瓦者卜"（阿拉伯语，亦译作"瓦吉布"，原意为"职责"，引申为"当然"、"应该"）的乃玛孜。会礼毕，做"都阿宜"（"都阿"，阿拉伯语，意为"祈祷"），会礼者全体向"伊玛目"阿訇道"色俩目"，并互致。然后，跟各位阿訇、海立凡及年长的乡老"攥手"，诵赞主赞圣词。接着，大家纷纷向坟地走去，为先逝的众亡人，为自己去世的先人和至亲"游坟"，请阿訇诵读《古兰经》的有关章节，向真主求祈，饶恕死者的"古纳海"（"罪过"），早得"脱离"，为生者求祈平安和吉庆。

这一天，晚辈要挨家挨户向长辈"拜尔代"，道"色俩目"；邻里间也互致问候，并送上油香、馓子，俗称"打份子"。收到"份子"的人家也要把自家的油香、馓子送去，称做"回份儿"。"打份子"也有给别的民族的，以示关系亲密友好。

由于开斋节和宰牲节十分重大，即便旅行在外，也力求赶回来或赶到一定地点，找到清真寺参加会礼，故有"千里地头赶尔代"的说法。如果父母亲健在，即便儿女们长大成人，分门另住，也要在大、小尔代节一齐回到父母身边团聚，也是一次难得的合家团圆。

2. 宰牲节

宰牲节，是阿拉伯语"尔德·古尔邦"或"尔德·阿祖哈"的意译，义为"牺牲"或"献身"，故又称"忠孝节"。内蒙古地区称之为"小尔代节"。时间在伊斯兰教历每年的 12 月 10 日（即开斋节后 70 天）。相传，先知伊卜拉欣（亚伯拉罕）老年无子，便祈求安拉赐给他个儿子，后来果然生得一子，取名伊斯玛仪。但在一天夜里，他又梦见安拉命他把儿子宰掉献祭，以试其信仰是否虔诚。当伊卜拉欣遵命执行时，安拉派天使哲布勒伊来送来一只黑头羝羊代替伊斯玛仪作为献祭。从那以后，在阿拉伯民族中形成了每年宰牲献祭的风俗。《古兰经》中记述了这一历史事件。于是，信仰伊斯兰教的各族穆斯林承传了这一风俗，成为同开斋节一样的一个盛大的宗教节日。

"古尔邦节"的活动完全同于开斋节。唯一不同于开斋节的是，每个回族家庭的每位成员，根据自己的经济情况要在一生中"举意"宰牲一次。未成年的或无经济能力的，则由其父母亲出资完成，什么时候有条件，什么时候完成。多宰牲不限。故当会礼下拜，给亡人游完坟，已举意的、有条件的家庭，纷纷请阿訇到家中宰牲，俗称"做古勒巴"（"古勒巴"即"古尔邦"的口语化）。教法规定，有条件宰牲者，一人一只羊，或是七人宰一头牛或一只骆驼。经济条件差的，也可宰一只鸡、鸭或鹅代替。所"宰牲"之物，都要挑选健壮的和形体美观的，不允许宰不满两岁的羊羔和不满三岁的牛犊，也不允许以肢体残缺的牲畜充代。所宰牲的肉，要按三份比例，分别作自食、馈赠亲友和施舍贫穷。宰牲物的血液、粪便以及食后的骨头等残余物都要深埋。

3. 圣纪节

圣纪，亦作"圣忌"。圣纪节是回族穆斯林纪念伊斯兰教传播人穆罕默德的盛大节日。每年在伊斯兰教历的 3 月 12 日举行。相传穆罕默德诞生于伊斯兰教历纪元前 51 年（公元 570 年）的 3 月 12 日，逝世于伊斯兰教历 11 年（公元 632 年）的 3 月 12 日，生殁皆在伊斯兰教的同一日，故圣诞和圣忌合称为"圣纪节"。圣纪节一般都在清真寺举行。圣纪节的内容为：男女回族穆斯林沐浴净身后，在清真寺内由阿訇诵读《古兰经》；吟诵《奥拉德》、《卯路德》、《穆合麦斯》等赞圣经文和诗词；进行演说，讲述先知的生平业绩和懿行，学习先知的崇高品质和美德。回族人在这一年一度的圣纪纪念典礼中，通过阿訇的讲"卧尔兹"，使人们加深对穆圣的认识，特别是他反对人们把他"神化"，坚持"我只是一个同你们一样的凡人"的立场，用自己的伟大实践来反对个人崇拜的精神，催人泪下，感人至深。

圣纪节这天，各方清真寺都要宰牛、宰羊、煎油香，并邀请邻近地区坊上的阿訇、乡老前来参加。圣纪节的特点是众人赞圣、众人出散"乜帖"，众人一起进餐。回族男女把这天的劳动视做善功，故大家做事情争先恐后，不分男女老幼，不论贫富贵贱，能出多大的力，则出多大的力，从无推诿，从无怨言。

回族除了上述三大传统节日外，还有法图麦节。法图麦节亦写作"法蒂玛"节，又称"女圣纪"，是为纪念穆罕默德的女儿、阿里的夫人法图麦太太而举行的纪念活动，时在伊斯兰教历每年的 9 月 14 日。"女圣纪节"的举办多是回族妇女参加。形式和内容与"圣纪节"相同。"登霄节"，在每年伊斯兰教历的 7 月 17 日。为纪念至圣穆罕默德在 52 岁时，于夜晚由天使哲布勒依来陪同，乘天马由麦加到耶路撒冷，又从耶路撒冷"登霄"，遨游七重天，见过古代先知和天园、火狱等，黎明时重返麦加城而举行的纪念活动。届时由阿訇在清真寺诵读《古兰经》，夜晚举行礼拜，祈祷以为纪念。

"阿术拉节"，本为什叶派宗教节日，在每年伊斯兰教历的元月 10 日即阿术拉日举行，为纪念阿里与法图麦所生之子侯赛因为倭马亚王朝所杀。中国的回族穆斯林过阿术拉节，又称"米拉尔"日子，为纪念努哈儿（挪亚）圣人为拯救人类之饥，吃杂豆粥。届时，回族家庭用黄米、小米、大米、江米、绿豆、豇豆、莲豆、黄豆等熬粥，以示纪念。

（八）语言习俗

回族学习汉语言文化，有着悠久的历史传统，早在唐宋时期，回族的先民从一进入中华大地起，就孜孜以求地学习汉文化及其典籍。穆圣教导说："知识虽远在中国，亦当求之"。又说："学者的墨水，胜似烈士的鲜血"。因此，回族对汉语言文化不抱排斥、敌视的态度，而是虚心学习，广泛借鉴，力求能够用精当的汉语及文字来阐述伊斯兰哲学、宗教原理和伦理道德。但回族又存在着极深重的戒备心理，特别是当遭到历代封建统治者的残酷镇压、欺侮和蔑视的社会环境下，"护教固族"的心理尤为强烈，这样就产生了自清以来一直流传的"回回争教不争国"的俗谚。只要能够生存，只要不诬蔑、侮辱自己信仰的宗教及由宗教形成的民族习惯，无论多大的灾难和困苦，回族都能以最大的耐力加以忍受；反之，不惜用牺牲生命来维护他。有鉴于此，回族一方面积极、努力地学习汉语，另一方面又力求在特定的语言环境中，在专用词和词组的使用中有别于汉语的一般语法规律、语法特点，处处显示出本民族的特色。同时，回族在使用汉语的过程中还顽强地保留着许多自己祖先遗留下来的语言成分，如阿拉伯语、波斯语的语汇。回族在使用汉语作为自己的民族语言同时，也利用汉语构造一些独特的新词，或采用逆序的使用方法，或赋予词义以新义，或对其本意加以引申和扩大，以求同中有异。

同时，由于回族处在大分散的状态下，在语言使用上往往带出明显的地方色彩。以呼和浩特地区的回族语言为例，呼和浩特市内的回族语言很容易与汉族区别开来。同样，在回族内部，市内的回族语言与土左旗、托县的回族语言也存在着明显的区别。至于语汇方面，民族间的差异则更大。

在回族的日常用语中，用于宗教的语汇较多，其他方面次之。

常用的阿拉伯语语汇：

伊玛尼（信仰）

安　拉（真主）

伊玛目（本意"首领"，此指领拜阿訇，清真寺教长）

哈　吉（亦作"哈只"，意为"朝觐者"。伊斯兰对到过麦加天房朝觐的穆斯林的一种荣誉称号）

海立凡（一译作"哈里发"，原意为"继承者"、"代理人"。中国伊斯兰对读清真大学的学员称"海立凡"）

穆　民（原意为"信仰者"，一作"莫米"，穆斯林的专称）

卡菲尔（原意为"掩盖"、"抹杀"。指抹杀安拉的恩惠，对真主忘恩负义。后成为穆斯林对非伊斯兰教徒的通称，即"异教徒"）

耶梯目（孤儿）

尔　林（知识，有知识的人称"尔林"）

呼图白（一译作"虎托布"，原意为"演讲"。指清真寺教长或阿訇在聚礼和会礼时对教徒讲道的讲词，称为念"呼图白"）

尔麦里（一作"尔埋里"，原意为"行为"，伊斯兰教指各种宗教功修和善行）

瓦尔兹（原意为"劝诫"。伊斯兰教指礼拜前教长或阿訇向教徒宣讲教义）

都阿宜（一作"都阿"或"堵哇"，意为"祈祷"）

讨　白（意为"忏悔"）

顿　亚（亦作"董约"，意为"现世"）

阿里赖提（即"后世"）

冒　提（意为"死亡"）

白　俩（意为"灾难"）

买　帖（一作"埋体"，意为"亡人"、"尸体"）

鲁　哈（一作"裸哈尔"，指"灵魂"）

伊不利斯（一作"易卜劣斯"，原意为"坏人"，指"恶魔"）

筛　托（一作"撒旦"，意为"魔鬼"）

买克鲁海（一作"麦刻鲁海"，意为"受谴责的"、"可憎的"）

尔怎布（意为"罪恶"）

库夫尔（意为"隐蔽真理"，后指违背宗教信仰的行为。中国的回族专指迷信行为）

哈拉木（一作"哈尔拉目"，意为"禁忌"、"受禁止的"）

哈俩里（一作"哈尔俩里"，意为"合法的"，"可行的"）

母纳非格（口语直呼"母纳非"，意为"伪信者、伪善者"。中国穆斯林指口是心非，挑拨离间者）

白赫赖（意为"吝啬"、"小气"）

哈尔瓦尼（意为"忌妒"）

锁得该（意为"施济贫困"）

乜　帖（音译为"尼叶"，意为"决心"、"举意"、"心愿"。伊斯兰教指教徒在举行礼拜、宰牲、施舍、朝觐、封斋等仪式前，从心里或口头上表达的意愿。中国的穆斯林专指因各种原因决意施舍或捐赠财物，称做"纳乜帖"、"出散乜帖"）

赛瓦布（意为"赏赐"、"感谢"）

哈尔该（意为"责任"、"义务"、"权利"）

乌斯里（口语称"吾素利"，意为大净）

尼卡罕（一译作"尼康"、"尼卡哈尔"，意为"结合"，伊斯兰教指采用宗教仪式举办的婚礼）

白勒凯梯（意为"吉祥"）

瑞孜给（意为"福气"、"好处"）

奈复斯（意为"私欲"、"脾气"、"越轨行为"）

赛拜布（意为"因由"、"条件"、"作用"）

利兹给（意为"利益"、"生计"）

古尔邦（一作"古勒巴"，意为"宰牲"）

尼尔麦梯（意为"食物"、"可食用的"）

阿斯玛尼（意为"天空"）

台斯比哈（意为"念珠"）

者那则（意为"殡礼"，伊斯兰教指穆斯林的安葬仪式）

依扎布（意为"确定"。穆斯林结婚时请阿訇念经，称为念"依扎布"；写结婚证书，称为写"依扎布"）

费他耶（意为"赎金"。穆斯林举行葬礼后，丧主拿出钱财作为死者生前"罪过"的赎金。其中一部分作为教长或阿訇念经的酬劳）

海提耶（一译作"亥贴"，俗称"海天耶尔"，意为"赠品"、"报酬"。指教徒给教长或阿訇念经后的酬劳金）

色俩目（一译作"色兰"、"撒拉姆"，原意为"和平"、"平安"、"安宁"。穆斯林相互祝安和问候用词，礼拜结束时也向左右道此词）

阿　敏（一译作"阿迷乃"，源自希伯莱文，意为真诚。穆斯林凡诵毕《古兰经》首章后，均应诵此词。意为："主阿，你答允我们的祈求吧！"）

常用的波斯语语汇：

乃玛孜（意为"礼拜"）

罗　斋（意为"斋戒"）

朵斯梯（意为"朋友"）

睹失蛮（意为"敌人"）

乃随布（意为"福气"）

朵子海（意为"火狱"）

别玛尔（意为"疾病"）

数　迷（意为"倒霉"、"晦气"）

吾巴里（意为"可怜"）

阿卜代斯（亦作"阿布德斯"，意为"小净"）

邦布达（意为"晨礼"）

撒什尼（意为"晌礼"）

底盖尔（意为"晡礼"）

沙　目（意为"昏礼"）

虎伏坦（意为"宵礼"）

都闪白（星期一）

鲜闪白（星期二）

彻哈勒闪白（星期三）

盘支闪白（星期四）

阿底那（星期五）

闪　白（星期六）

叶克闪白（星期日）

以上这些阿拉伯、波斯语汇，已成为回族人有清以来最常用的基本语汇，一直流传至今。虽在东、西部地区受方言语音的影响，读音上稍有差异，但基本是相同的。

在内蒙古中西部地区的回族语言中，还有一些所谓的"调言子"话，类似江湖中的"黑话"。其实，它是对各种语汇的兼收并蓄。一些则是从阿拉伯语或波斯语汇中转化来的。如："木巴喀尔"是阿拉伯语"木巴哩克"的近似音，常用于喜事的祝颂语，意谓"幸福"、"吉庆"。"揽扎"，在回族日常口语中指"吃"，实际为阿拉伯语"赖栽"一词的谐音，意谓"美味"，用以形容美味的食品。"呆烂"在回族日常口语中指"钱"，它是阿拉伯语"底勒海木"的谐音，其义为阿拉伯语古币名，译作"迪尔汗"。"补扎"在回族日常口语中指"打"，是波斯语"补在得"的近似音，其本义亦为"打"。"素来梯"是阿拉伯语的译音，其义为"肖像"、"图画"。在回族日常口语中引申为人的"形象"，多用于贬义。

还有一些具有特殊含义的词汇，既不是阿拉伯语、波斯语，也不是从其他兄弟民族语言中吸收、借用的词语，而是回族先贤们在创办发展伊斯兰经堂教育中逐步形成的一些有着专指和特定意义的固定词。这些词一般都可"望文生义"，广泛用于回族的日常生活之中，且使用频率极高。这些特殊词汇已经逐步发展成为回族的常用语。如：

先知（穆罕默德）

至圣（穆罕默德）

天仙（天使）

定然（注定、前定）

圣行（穆罕默德的言行）

举意（立意、打算）

舍散（施舍）

出散（施舍）

回赐（回赏、赐福）

口唤（同意，允许；也用于死亡）

无常、归真（逝世）

拨派（安排）

交还（完成）

显迹（迹象、征兆）

打算（清算、追究）

参悟（认识、领悟）

托靠（依仗、仰赖）

承领（准许、承认）

得济（得到好处）

搭救（拯救；纪念亡人）

襄助（专用于安拉的默助）

慈悯（安拉的仁慈、怜悯）

恩典（只用于安拉的恩惠）

知感（对安拉知恩感激）

感赞（专用于感激、赞颂安拉）

看守（"看"读平声。多指品德修养、遵经办事；亦指安拉的佑护）

使得（合理合法）

使不得（不可以，不应该）

有水（有大净）

没水（没有大净）

口道（吃）

乡老（回族成人间的相互尊称，亦专指清真寺一坊的主持者。）

在回族的日常用语中，有一个较为特殊的现象，就是较多地逆序使用汉语词。这一现象从一开始大约产生于伊斯兰经堂教育中，有明显地抵制汉化的逆反心理。但词义基本不发生变化。如：

辩论——论辩

擦抹——抹擦

学习——习学

道路——路道

竞争——争竞

饶恕——恕饶

祈求——求祈

感知——知感

在内蒙古中西部地区的回族中，还吸收、改造、借用了不少蒙古族和满族的一些语汇，丰富了自己的语言。这些语词在汉族口语中也使用。

吸收的蒙古语词语，如：

"忽拉"（蒙语本义为收拾、收拢，引申为"乱写乱画"）

"抹脱"（蒙语本义为脱落，回族口语中亦指"脱落"，或指干事情出格、没有办成）

"叨拉"（蒙语本义为发音、出声、歌唱，语义转移为"闲谈"、"说话"）

"杠"（蒙语本义为跑，口语中仍为"跑"、"奔走"、"逃跑"）

"圪团儿"（蒙语本意为佝偻、驼背，引申为"弯腰蜷腿"侧身睡卧）

吸收的满族词语。如：

"糊糊"（满语原指酒糟，后来泛指"闯祸"。口语中说："这下可拉下糊糊了"）

"钵洞"（满语原指大石头，后来指地面上的大深坑。口语中说："没看清跌进钵洞里头了"）

"黑死烂干"（满语原指衣裳褴褛。在口语中指破旧不干净的东西）

"红麻肉棍"（满语原指赤身露体，口语中语义相同）

"稀莫哈儿"（满语原指女喇嘛，后在口语中衍化成指代一切稀奇古怪、莫名其妙的东西）

"下三烂"（满语读作"哈儿烂"，口语中指不顾人格地乞求别人，或干见不得人的丑事）

"圪蹙"（满语原指刻薄，后来在口语中泛指吝啬。俗谓悭吝的有钱人为"圪蹙老财"）

"愣呆儿计"（满语原指愚笨，精神紊乱。在口语中指弱智或头脑不清楚的人）

"玛乌子"（满语原指萨满教跳神时头戴的面具。口语中衍化为吓人的鬼怪）

"窝囊圪叽"（满语原指小物件，口语中指没出息，干不成事的人）

"圪混"（满语原指明亮清楚，口语中演化为办事不认真，得过且过）

"日哄"（满语中原指俗不可耐的人，口语中演化为"哄骗"）

"赫拉"（满语中原指莠苗，口语中演化为专指变味）

内蒙古中西部地区回族日常口语中的"吊言子话"，如：

"溜"（一）

"欻"（二）

"品"（三）

"瞎"（四）

"拐"（五）

"挠"（六）

"侯"（七）

"乔"（八）

"弯"（九）

"海"（十）

"尔扎"（好）

"揽扎"（吃）

"补扎"（打）

"扯奢"（走、跑）

"买渣子"（计谋、圈套）

"戈什子"（肉）

"扑尘子"（面）

"漫水子"（油）

"上衫子"（男人）

"下衫子"（女人）

"鬼"（毛驴）

　　"铁面"（骆驼）

　　"黑楞子"、"铁秃子"、"铁钵尔"（猪）

　　"腿子家"（汉民）

　　"扯儿家"（蒙民）

　　"麻燕子"（回民）

　　"呆烂"（钱）

　　"花儿"（票据）

　　"呆把子"（小孩）

　　"湍"（说）

　　"精儿鬼"（不好，不能交往。专指人。）

　　"吃耐"（厉害）

　　内蒙古中西部地区的回族，通用以北方话为基础的汉语方言。从语言方面来说，属于北方方言四大次方言之一的西北方言。但在回族人的日常用语中，与其他兄弟民族的口语语音有明显的差异，以致凡熟悉回族的人乍一听就知道他是回族。这种语音上的差异主要表现为语音轻而平，舌尖音较多，一些书面语用于口语，显得别有韵味。一些字的读音，明显地是由普通话发展来的。

　　另外，在称谓上，回族与汉族也有明显差别，如回族人叫"裤子"，汉族则把"裤"字儿化韵，叫做"裤儿"；回族人叫"鞋"，读音与普通话同。在人伦关系称谓上，回族人称爷爷叫"巴巴"；汉族称曾祖父为"老爷爷"，回族人称"老太爷"；汉族称伯父为"大爷"，回族称"大伯"，汉族称叔叔为"伯伯"，回族则称作"×大、×大"。汉族称伯母为"大娘"，回族称"大大""大妈"；汉族称叔母为"婶婶"，回回称"×妈、×妈"；汉族称舅外公和舅外祖父为"老舅舅"，回回人则称"舅巴巴"、"舅姥爷"等等。

　　最后记述一下，在内蒙古中西部地区回族人日常口语中，有许多同汉族一样，共同具有的方言特点，即许多词汇带有析音词，并保留了一大批自元明以来就在口语中流传的词汇。如：

　　　仰尘（顶棚）

　　　营生（为求生而从事的各种社会劳动）

着落（收拾、整理）

克两（欠疚）

拾掇（收拾、修理）

安顿（嘱咐）

央济（赔礼、劝导）

果哄（同"央济"）

抹捞（摩娑，贬义词指拿别人的东西。）

祈能（灵巧、古怪）

客细（夸奖词）

袭人（美丽、漂亮）

此外，还有一些"缀头"、"缀尾"词，又称"前缀"和"后缀"。如：

"圪"字头词：

圪疤（伤疤或皱起）

圪堆（土堆）

圪搅（搅）

圪朽（朽）

圪蹩（蹩）

圪抽（不痛快）

圪溜（弯曲）

圪蛋（疤、圆形物体）

圪纠（蹲）

圪瘾（恶心）

圪洞（洞）

圪沉（沉稳）

"日"字头词：

日灵（机灵）

日能（能）

日哄（哄）

日显（自我炫耀、表露）

日脏（脏）

日精（聪明、奸猾）

"卜"字头词：

卜拉（拨动）

卜滥（绊）

卜塄（土埂或肌肉隆起条状）

卜浪（棒）

卜挤（挤）

卜辗（大片的样子）

卜溜（赤体、一串）

卜坑（坑）

卜洞（洞）

"忽"字头词：

忽悠（摆动）

忽摇（摇晃）

忽搅（搅拌、胡搅）

忽闪（闪烁）

忽碌（不清醒）

忽促（指慢火煮饭）

忽芯（摇动）

忽抽（不情愿，不痛快）

"缀尾"词（后缀词）亦多，而且所缀之尾多重叠，且儿化。如：

白生生（白）

蓝茵茵（蓝）

黑定定（黑）

水灵灵（极鲜嫩）

碎粉粉（碎）

红腾腾（红）

齐整整（齐）

麻阴阴（多指天气阴暗）

口语中的叠音词，还有如下几种形式：

　　"ABAB"式的：

　　　拍打拍打（拍）

　　　洗涮洗涮（洗）

　　　划拉划拉（搅动）

　　　挑挲挑挲（挑拣）

　　　挪动挪动（挪）

　　　凉哨凉哨（乘凉）

　　　走窜走窜（走动）

　　　忽搅忽搅（搅动）

　　　拉拽拉拽（拉拽）

　　"AABB式"的：

　　　挤挤擦擦（拥挤）

　　　红红火火（热闹）

　　　齐齐楚楚（齐整）

　　　结结巴巴（口吃）

　　　叨叨拉拉（交谈）

　　　明明白白（明白）

　　　咿咿呀呀（怪声怪气说话）

　　　邋邋遢遢（邋遢）

　　"AA+儿+的"式的：

　　　轻轻儿的（轻）

　　　慢慢儿的（慢）

　　　香香儿的（很香）

　　　明明儿的（确实，很明）

　　　尖尖儿的（尖）

　　　花花儿的（很花哨）

　　　硬硬儿的（很硬）

　　　美美儿的（很美，很舒服）

　　　辣辣儿的（很辣）

　　　净净儿的（很净）

齐齐儿的（很齐）

在回族的日常用语中，有些双音节词是回族专用的，是从"经堂语"中发展、演变来的。虽然汉语中有这一词汇，但和回族使用时的意义完全不同。如：

"攥手"（指回族男子在特定场合下见面时，举手紧握，口诵赞主赞圣词。）

"后世"（回族人指人死后，灵魂所在的世界。）

"吊罐"（沐浴时专用的盛水器皿。）

"了理"（一作"料理"，回族专指为亡人洗浴、穿尸衣。）

"口道"（指吃饭）

在回族常用语中，最能体现回族特点的，是语法结构上的一种特殊现象，即常常是谓语（主动词）是汉语词，而宾语则是阿拉伯语或波斯语词汇。如：

接"都阿宜"

写"伊扎布"

做"讨白"

站"者那则"

讲"瓦尔兹"

散"乜帖"

干"尔麦里"

洗"阿不代斯"

讨"口唤"

缠"台斯塔尔"

忍住"奈夫斯"

这些谓语为汉语宾语为阿拉伯语或波斯语的专用词组，已经成为一种固定语汇，经常用于回族的日常生活中，并经久不变。

回回人在族内的书信往还中，开始互致问候时，总要直接使用阿拉伯语道"色俩目"，一作"色兰"，意为"求祈真主赐福于你（们）"；在信尾亦多祈福词："托靠真主，愿真主护佑、慈悯我们!"等。

第四节　巴尔虎与呼伦贝尔

一、巴尔虎早期的历史踪迹

巴尔虎是蒙古族中历史最为悠久的一支，早在蒙古统一之前"巴尔虎"一词就已屡见经传了。巴尔虎的古称"拔野古"，最早见于著名的突厥阙特勤碑上。《隋书》称之为"拔野固"。《新唐书》和《旧唐书》等称之为"拔野古"、"拔也古"等。《元史》称之为"八儿浑"、《蒙古秘史》称之为"八儿忽"、《史集》等称之为"巴儿古惕"。明代的各种史料称之为"把儿护"、"巴尔古"、"巴儿勿"、"巴尔户"、"巴尔郭"及"把儿勿、八儿谷……八耳谷"等。① 清代的各种史料，开始称之为"巴尔虎"，并相沿至今。

"巴尔虎"作为一个著名的部族名和地名，历史上曾泛指两个地区：一是指贝加尔湖以东的"巴儿古真河"一带；二是指大兴安岭以西的呼伦贝尔地区，现在则主要指巴尔虎三旗（新巴尔虎左旗、新巴尔虎右旗和陈巴尔虎旗）。

巴尔虎在清初的各种汉文史料中，亦曾被称为"巴儿呼"、"巴尔忽"等。自雍正十二年（1734 年）成立"新巴尔虎八旗"以来，"巴尔虎"一词才作为一个规范性的固定称呼延续下来。

（一）巴尔虎的得名及含义

关于巴尔虎名称的由来，主要有以下两种说法：一是以居地得名说。此说主要来源于《多桑蒙古史》和《史集》，认为巴尔虎得名于贝加尔湖附近的巴儿忽真脱古木地区。《多桑蒙古史》在谈到忽里、忽阿剌失、不里牙惕三部时称："上三部因居薛灵哥河外，皆名巴儿忽惕，其地因名巴儿忽真隘。"② 拉施特的《史集》亦称："他们被称为巴儿忽惕，是由于他们的营

---

① 〔日〕内田吟风等：《北方民族史与蒙古史译文集》，云南人民出版社 2003 年版，第 389 页。
② 冯承钧译：《多桑蒙古史》上册第 1 卷，附录 2，上海书店出版社 2001 年版，第 161 页。

地和住所位于薛灵哥彼岸，在住有蒙古人并被称巴儿忽真——脱窟木地区的
极边。"①《元史》称"脱古木"也作"脱古门"，蒙古语意为窄。所以，巴
儿忽真脱古木在有些史籍上也作巴儿忽真隘。由此看来，巴儿忽真隘地区系
因有巴尔忽真水而得地名，而古巴尔虎人则因其活动于巴儿忽真隘地区，所
以才被称为巴尔虎。

二是以人名得名说。巴尔虎人自己的史学家和史学爱好者认为"巴尔
虎"一词，系得名于巴尔虎的先人巴尔虎代巴特尔。巴特尔是古代蒙古社
会的一种尊称，因此巴尔虎代巴特尔也可简称巴尔虎代。所有的巴尔虎人都
毫不例外地认为：他们源于他们的共同的祖先——巴尔虎代。巴尔虎代的后
人以他为自豪并逐渐将人名演变为全部族的名称。在此之后，才有"巴尔
忽真水"、"巴儿忽真隘"等地名的形成。他们认为："巴尔虎布里亚特的真
正来源是以我们的祖先巴尔虎代巴特尔之名命名的后代子孙，其后才有了在
历史上记载的巴尔虎。由于巴尔虎的祖先发祥于贝加尔湖，从而将他们生存
的地方称为巴儿忽真脱古木和巴儿忽真河，而绝不是因为他们居住在巴儿忽
真隘或巴儿忽真河而称之为巴尔虎的。"②

综上所述，巴尔虎系得名于人名，再由人名演变为氏族名，然后再由族
名名山、名河。贝加尔湖一带的巴尔古真河等得名是如此，呼伦贝尔又称
"巴尔虎"也是如此。这也符合我国北方少数民族，素有以"大人健者名字
为姓"③之习俗。因此，巴尔虎得名于巴尔虎人的祖先巴尔虎代巴特尔，这
种说法是比较可信的。

巴尔虎之称最早见于著名的突厥阙特勤碑上。阙特勤碑是公元732年，
突厥苾伽可汗为纪念其弟阙特勤的功勋而建立的。在阙特勤碑上，"拔野
古"一词曾出现过数次。如南面第4行"我曾征战到铁门（关）；左面（北
面）我曾征战到拔野古地方。"④这是距今1270年前，"巴尔虎"之名第一
次出现在墓碑这个实物上。

在中外各种史籍中，对"巴儿忽真脱古木"的记述较多。"脱古木"其

---

① ［波斯］拉施特：《史集》，余大钧等译，第1卷第1分册，商务印书馆1983年版，第198页。
② 吉·宝音德力格尔：《可爱的陈巴尔虎》（蒙古文），内蒙古文化出版社1999年版，第22页。
③ 段连勤：《丁零、高车与铁勒》，上海人民出版社1988年版，第139页。
④ 范文澜：《中国通史简编》（修订本）第3编第2册，人民出版社1996年版，第493—494页。

实是一个重要的历史坐标，在"脱古木"之前冠以"巴尔忽真"，这其中也隐含有重要的历史信息。各类史书中指的"巴儿忽真脱古木"或"巴儿忽真隘"，不可能真正落实到某一个具体的隘口上，而应该是指一个比较宽阔的区域。具体地讲，"巴尔忽真脱古木"地区，应是指巴尔忽真河注入贝加尔湖的下游河谷冲积平原。这里林木茂盛，可猎可牧，是一个非常适宜人类生存的好地方。因此，可以将"脱古木"一词，理解为像"土默川"或"三江平原"那样的一个地理概念。

"巴儿忽真脱古木"为"居住在富有的江边平川的人们"之意。将"巴儿忽真脱古木"中的"巴儿忽真"和"脱古木"分开来看，则可以认为"巴儿忽真"是一个男人的名字。这个叫巴儿忽真的男人，就是巴尔虎人传说中的男始祖巴尔虎代巴特尔。在他之后，巴儿忽真的子孙们以他的名字命名部落名，因而才有巴儿忽这个部落名称，而不是标志巴儿忽真出身于巴儿忽部落。

巴儿忽真脱古木地区——"富有的江边平川"，或者说"脱古木"即"平川"，不仅仅是一个地理概念，更重要的它是一个值得注意的历史坐标，其中隐含有重要的历史信息。"平川"是和"山上"、"密林"等相对而言的，不同的生活环境反映着各自不同的经济生活。巴儿忽真脱古木——"富有的江边平川"，在古时也是一个十分有名和令人神往的地方，它的富庶早就引起了世人的关注。在《新唐书》中就对其有过详尽的描述："拔野古一曰拔野固，或为拔曳固，浸散碛北，地千里，直仆骨东，邻于靺鞨。帐户六万，兵万人。地有荐草、产良马、精铁。有川曰康干河，断松投之，三年辄化为石，色苍致，然节理犹在，世谓康干石者。俗嗜猎射，少耕种，乘木逐鹿于冰上。风俗大抵铁勒，言语少异。"①

《新唐书》、《旧唐书》等对"拔野古"的富有情况，如"嗜猎射，少耕种，"以及"产良马、精铁"等记载，绝不会是偶然的。生活在"富有的江边平川的人们"或者简称"江边的人"，这其中的含义暗示了巴尔虎的先人已不完全依靠狩猎和捕鱼来维持生活，这已与纯"林木中的百姓"有了较大区别。可能在那时古巴尔虎人中已有了原始畜牧业的萌芽，而这也正是

① 《新唐书》卷217，《回鹘》。

其"富有"的标志之一，因为一个狩猎人是不可能真正过上衣食无忧的生活而成为一个富人的。

巴尔虎名称中的"虎"字，由各种史籍记载的"古"、"骨"、"固"、"忽"、"呼"等交替使用，一直延续到雍正十二年（1734 年）组建"新巴尔虎八旗"时才将"虎"字固定下来，使之成为一个规范性的称呼。有很多人望文生义，以为"巴尔虎"与什么"老虎"有关。其实则不然，将"巴尔虎"名称中的"虎"字固定下来，主要含有名借虎威之意，以此暗示巴尔虎人是一个非常骁勇善战和勤劳勇敢的群体。

（二）巴尔虎代巴特尔与天鹅始祖母

每个民族都有关于自己祖先和民族形成的神话传说，巴尔虎人也不例外。值得庆幸的是，在巴尔虎这个久经沧桑、一度以口头方式传承生存经验的部族中，在至关重要的关于民族起源与生成的问题上，还不存在群体性的记忆断裂与缺失。

巴尔虎人是巴尔虎代巴特尔与天鹅变成的妻子的后代，这个优美的神话传说，一直保留在巴尔虎人和他们的近亲布里亚特人的记忆中，并世代相传。从这个传说中反映出来的巴尔虎人只知道其男祖先的名字，而不知道其女祖先的名字来看，可以认定巴尔虎人记忆中最早的始祖产生于父系时代。这个优美的天鹅处女型的故事，无疑是带有鲜明图腾色彩的，它还告诉我们另一个重要的信息，那就是白天鹅是巴尔虎人的保护神和始祖母。

在巴尔虎人和布里亚特人写的关于自己民族形成的传说中，均有此类的记载。由于这个传说的缘故，巴尔虎人和布里亚特人过去有见天鹅从蒙古包顶飞过就向它泼洒鲜奶的习惯，时至今日也从来没有一个巴尔虎人伤害过野外的天鹅。古代巴尔虎和布里亚特萨满跳神时的唱词中，也有"天鹅的后代，白桦树拴马杆的人"[1] 这句话，看来都和这个神话有关。与此类似的一句话是布里亚特萨满在举行宗教仪式时，开始便要吟唱"天鹅祖先，桦树神杆"的颂词。[2]

---

① 宝敦古德·阿毕德：《布里亚特蒙古简史》（蒙古文），内蒙古文化出版社 1983 年版，第 3—4 页。

② 孟慧英：《尘封的偶像——萨满教观念研究》，北京出版社 2000 年版，第 247 页。

巴尔虎代巴特尔和天鹅变成的少女成婚的传说，其实反映了远古时期人们实行族外婚以及抢亲的遗俗。在巴尔虎代巴特尔之前，巴尔虎的民间传说还有高山变大海——即关于史前洪水的记忆。传说现在的贝加尔湖过去是终年烈焰升腾、浓烟滚滚的火山，因而人们称这里的火山为"白嘎嘎拉"（白音古嘎拉——意为长生不灭的火）。后来有一天，这些火山在大地震的爆炸中塌陷下去，地面随之涌出了一望无边的大水，大水形成了一望无边的海一样的湖。所以，人们根据此地原名，将该湖命名为白音嘎拉——贝加尔湖。贝加尔湖是巴尔虎人的摇篮。巴尔虎人是在贝加尔湖畔度过了它的童年期，贝加尔湖因此也就成了巴尔虎人世代难忘的故乡。巴尔虎人自从贝加尔湖畔起源后，始终是愿意环湖而居的，就像孩子不愿离开母亲一样。从贝加尔湖到呼伦湖，又从呼伦湖到青海湖，再从青海湖重归呼伦湖畔，这些大湖无疑也成了巴尔虎人崇拜的对象。

在远古时期的古巴尔虎人心中，贝加尔湖是可以孕育万物的圣湖。巴尔虎为什么会将天鹅认定为自己的始祖母，这与古巴尔虎人生活的环境有密切的关系。贝加尔湖及周围地区向来是鸟类生育的乐园，是百鸟的故乡。正因为如此，"霍里·巴尔虎等布里亚特部族的传说中，天鹅化作女子与青年婚配生子繁衍成为后来的部族，从而天鹅被认定是这些部族的始祖母。"[1] "从地理条件来看，贝加尔湖一带有山有水，很适于各种鸟类栖居繁殖，天鹅又特别繁多，因此湖岸山崖留下了丰富的天鹅岩画。"[2] 因此，每当春季白天鹅北归凌空翱翔时，巴尔虎人和布里亚特人便要以洁白的鲜奶祭洒，表示祝福。如萨满的一首《迎接春水鸟仓》这样吟唱："天鹅飞来，冰雪消融，花骝马生驹，迎接福禄来，呼瑞！呼瑞!"《招鸟祭词》道："百鸟飞来的时候，冰雪融化的时候，黄牝生驹的时候，举行盛大的招鸟仪式。呼瑞！呼瑞!"巴尔虎人将天鹅认定为始祖母，也是有很深的文化背景。古巴尔虎人认为鸟类本身就是天地之间信息的传递者，天神派鸟类来人间是合情合理的事情。

通过对"巴尔虎代巴特尔与天鹅"这个传说的分析，可以认定巴尔虎

---

① 孟慧英：《尘封的偶像——萨满教观念研究》，北京出版社 2000 年版，第 248 页。
② 荣苏赫等：《蒙古族文学史》（一），辽宁民族出版社 1994 年版，第 34 页。

代巴特尔这个传说中的人物产生的年代更为久远。这个传说也印证了巴尔虎代巴特尔与巴尔虎部落的形成，有直接的继承关系，因而将巴尔虎代巴特尔认定为巴尔虎的祖先是比较可信的。虽然从"巴尔虎代巴特尔与天鹅"的传说中，还可以上推到由"天鹅"变成的始祖母的母系氏族社会，但因其没有留下姓名，故将巴尔虎最早的历史定位于4 000年前的父系氏族社会是比较有说服力的。

（三）隋唐时期的巴尔虎

根据文献记载和考古出土材料验证，漠北草原上的主要土著民族，在商周时是鬼方，在汉魏时是丁零，在十六国北朝时是高车，在隋唐时是铁勒。据考证：鬼方、丁零、高车、铁勒，均是同一民族在不同历史时期的不同称谓。自从公元前3世纪起，拔野古等15个部落参加了一个被称为丁零的部落联合体（比部落联盟更低的一种联合），活动在北海（贝加尔湖）以南，独洛河（土剌河）以北后，在丁零、高车、铁勒等民族中始终能见到古巴尔虎人的影子。

古巴尔虎人自形成部落以来，就世代生活在贝加尔湖沿岸。据范文澜著《中国通史简编》称："早在公元前三世纪时，北海（贝加尔湖）以南，独洛河（土剌河）以北一带地方，有称为丁灵（丁零、丁令）的一个部落联合体（比部落联盟更低级的一种联合）。丁灵俗多乘高轮车，北魏时也称高车部。高车部有狄历、敕勒、铁勒等名称，与丁灵都是同一名称的音译。参加这个联合体的部落有袁纥、薛延陀、契苾、都播、骨利干、多览葛、仆固、拔野古、同罗、浑、思结、斛薛、奚结、阿跌、白霫凡十五部。"[①] 这是目前所能见到的现代史籍中，关于拔野古（即今之巴尔虎）最早的记载。从公元前3世纪算起，巴尔虎人有文字可查的历史至今已有2 300年了。

在古巴尔虎人的故乡贝加尔湖以及水草丰美的呼伦贝尔草原，自从有文字记载以来，这里就是许多游牧民族生息繁衍、倏来忽往的地方。匈奴、柔然、突厥、铁勒、回纥等族，他们都曾以这块地方为舞台，进行过长时期的历史性活动，创造了灿烂的草原文明。古巴尔虎人作为原蒙古人的一支，始终以原住居民的身份生活在贝加尔湖一带和呼伦贝尔地区，他们也始终处在

---

① 范文澜：《中国通史简编》（修订本）第3编第2册，人民出版社1965年版，第493—494页。

异族的统治之下。但在漫长的历史时期，其间有无数次国家的兴亡、民族的消失，巴尔虎人失散了再聚集在一起，高举"巴尔虎"这面旗帜，一直走到蒙古族的大统一，这一点也是中外历史上少见和难得的。

隋唐时期，在汉文史籍中才第一次出现"拔野古"这个名词。《隋书·铁勒传》称："独洛河北有仆骨、同罗、韦纥、拔野古、覆罗，并号俟斤，蒙阵、吐如纥、斯结、浑、斛薛等诸姓，胜兵可二万。"《旧唐书·铁勒传》称："铁勒……自武德初，有薛延陀、契苾、回纥、都播、骨利干、多览葛、仆骨、拔野古、同罗、浑部、思结、斛薛、奚结、阿跌、白霫等，散在碛北。"碛北即漠北。唐初的15部铁勒，除骨仆、同罗、回纥、拔野古、浑、斛薛等分布在独洛河以北外，其余诸部的分布不详。据史书记载，回纥部的大足羊，骨利干、拔野古部的马，在漠北都很驰名。①

《通典·拔野古》载：拔野古"以耕种射猎为业"，《新唐书·回鹘传》载：拔野古"嗜射猎，少耕种"，似乎也经营少量的农业。《新唐书·回鹘传》载：拔野古部"产精铁"。大约这时古巴尔虎人已掌握了制铁术，并在生活中广泛地使用了各种铁器。《唐会要·北突厥》、《新唐书·回鹘传》、《突厥传》等，均记载有公元贞观三年（629年），九姓铁勒中的拔野古、仆骨、同罗等部酋帅"并来朝"之事，这也是历史上第一次有文字记载的，拔野古部与中原王朝发生直接关系，此事至今已有1 370多年了。

薛延陀汗国对铁勒各部的统治，实行的是一种"分地"制度。关于拔野古部的分地，《隋书·铁勒传》将其列于独洛河北。《唐会要》（卷72）《诸蕃马印》云："杖（拔）曳固马与骨利干马相类，种多黑点骢，如豹文。"其居地在独洛河北，靠近骨利干的地方。骨利干居今贝加尔湖附近，拔野古的牧地应在今贝加尔湖以南某地。但《通典·拔野古》云："拔野古者，亦铁勒之别部，在仆骨东境。"《新唐书·回鹘传》云："漫散碛北，地千里，直仆东，邻于靺鞨。"其地大约在今新巴尔虎右旗的克鲁伦河及贝尔湖一带。

拔野古部的军队在薛延陀军队中也占有重要地位。薛延陀的军队有"胜兵二十万"，是由薛延陀本部军及分属他的铁勒其他部落军队共同组成

---

① 段连勤：《丁零、高车与铁勒》，上海人民出版社1988年版，第336页。

的，实际上是铁勒诸部的联军。据唐代典籍称：拔野古"胜兵万余"（《通典·拔野古》），《新唐书·回鹘传》作"兵万人"。由此记载可知，拔野古部的军队人员数当时已占薛延陀军队人员数的二十分之一，是支撑薛延陀汗国的一支重要力量。

（四）贝尔湖畔的幽陵都督府

贞观二十年（646年），薛延陀汗国瓦解，"散处北漠"的铁勒诸部纷纷要求"内属"。[1] 同年八月，铁勒中的回纥、拔野古、同罗、仆骨、多览葛、思结、阿跌、跌结、浑、斛薛等20部酋长所遣使人亦至洛阳，他们向唐太宗纳贡奏称："延陀可汗不事大国，暴虐无道，不能与奴为主人，自死败，部落鸟散，不知所亡。奴等各有分地，不能逐延陀去。归命天子，愿赐哀怜，乞置汉官司，养育奴等。"（《唐会要·铁勒》）"乞置汉官司"即要求唐朝在漠北铁勒诸部像对中原那样，在他们的驻牧地设置机构，委派官员，以便更好地接受朝廷的管辖和治理。九月，唐太宗至灵州，铁勒各部俟斤、颉利发等首领数千人朝见，再次提出设治的要求。[2] 当时拔野古酋长大俟斤利发屈利失随铁勒诸部一起"皆至唐都朝贡"。唐太宗亲自宴请诸部酋长于芳兰殿，并让他们尽情领略汉地高度发展的物质文明。次年（647年）正月初九，铁勒诸部酋长入宫朝见，唐太宗遂以诏令形式宣布在漠北铁勒居地设置元都督府和七州，府置都督、州置刺史，"并各以其酋帅为都督、刺史"（《唐会要·安北都护府》）。

据唐代有关史料记载：在这次设置的大都督府中，置拔野古部为"幽陵都督府"，以拔野古部酋长大俟斤利发屈利失为右武卫大将军、幽陵都督府都督。其地为薛延陀汗国时拔野古部居地，即今呼伦贝尔境内贝尔湖和克鲁伦河中下游地区。

拔野古等部内属后，"仍保持其原有的部落制，有讨捕即有军事行动时，则按唐制组成战斗队伍。"[3] "拔野古部、同罗部、结骨部先后内属进居唐北疆内朔方地区……即朔方大总管朔方节度使所管辖之武装部队，成为大

---

① 《破契苾幸灵记》，见《唐大诏令集》卷79。

② 《中国北方民族关系史》，中国社会科学出版社1978年版，第178页。

③ 王永兴：《唐代前期军事史略论稿》，昆仑出版社2003年版，第160、148页。

唐帝国的武装力量。"

在后突厥汗国时期（682—745 年），漠北铁勒大部分又重新沦为突厥奴隶主的统治之下。后来，随着突厥汗国国内阶级矛盾和民族矛盾的激化，终于又爆发了铁勒人民大规模反抗突厥汗国统治的斗争。据《突厥文阙特勤碑》记载，首先起来反抗突厥汗国统治的是铁勒诸部中的拔野古部人民。公元 707 年前后，拔野古部在酋长胡禄俟斤领导下起义，后被默啜率突厥军击败，拔野古人民死伤甚多，"大俟斤仅同少数人逃走"。① 起义被镇压下去了。

开元三年（715 年），漠北铁勒诸部乘突厥在征讨葛逻禄的战争中遭到严重挫折之机，发动了反抗后突厥汗国的叛逃和起义斗争。拔野古部颉质略率众起义，亦遭到突厥军镇压，"颉质略族被灭"（颉质略所率拔野古起义部众被灭，非整个拔野古部被灭）。② 开元四年（716 年），后突厥默啜可汗又"往征乌护"（《突厥文毗伽可汗碑》右面第 31—32 行）。此乌护指在713—715 年未及参加起义，及由于某种原因未能迁唐境的回纥、同罗、白霫、拔野古、仆骨等五部部众。《通典·突厥传》说："（开元）四年，默啜又北讨伐拔曳固（即拔野古），战于独洛河，拔曳固大败。默啜负胜轻归，而不设备，遇拔曳固进率颉质略于柳林中，突出击默啜，斩之，便于入蕃使郝灵令传默啜首至京师。"联系碑文所载，默啜是在征伐拔野古的归途中，这个残暴的突厥可汗终于被奋起反抗的拔野古人民所杀死。

隋炀帝大业元年（605 年），由于"西突厥处罗可汗在大量搜刮了他们的财物后，把各部酋长数百人一起坑杀，回纥遂与仆骨、同罗、拔野古等部结成部落联盟，共同反抗突厥。"③ 回纥汗国时期，铁勒、"九姓铁勒"及其略称"九姓"，几乎都从史籍中消失了，代之而为人们所常见的是"九姓回纥"。关于"九姓回纥"，《唐会要·回纥》载曰："其九姓，一曰回纥、二曰仆骨、三曰浑、四曰拔曳固、五曰同罗、六曰思结、七曰契苾，以上七姓部，自国初以来，著在史传，八曰阿布思，九曰骨岩屋骨恐，此二姓天宝后

---

① 耿世民：《突厥文碑铭译文》，见林干：《突厥史》，内蒙古人民出版社 1988 年版，第 261 页。
② 段连勤：《丁零、高车与铁勒》，上海人民出版社 1988 年版，第 512 页。
③ 刘泽华：《中国古代史》（上），人民出版社 1979 年版，第 721 页。

始与七姓齐列。"

开成五年（840 年），回纥政权被黠戛斯攻破，诸部逃散。从此回纥退出了漠北历史舞台。显然，在这段时间内，亦有部分古巴尔虎人融入回纥之中。因此，有人称："回纥兴起，拔野固又从属于回纥，成为回纥外九姓部落之一，此后逐渐融合于回鹘。"① 其实，拔野古人与回纥并非同源。有些共同体的称谓，是随着政治风云的变幻而一改再改的。因此，《蒙古民族通史》称："拔也古是铁勒的一支，回鹘汗国时代，以'回鹘'标榜，系回鹘外九部之一，族称改换，部称依旧。回鹘汗国瓦解，又恢复'铁勒'之称，常异写成'敌烈'。后来，其主要部分通过不同途径加入蒙古共同体，族称、部称索性都改了。铁勒·拔也古——回鹘·拔也古——'敌烈'（即铁勒之异译）——蒙古。拔也古部的称谓，紧紧跟着政治风云的变幻而变化。"②

据有关专家考证："由仆骨位置可推导出，拔野古确实紧邻室韦。由此可知，该部系在呼伦湖西，克鲁伦河中下游。其后，拔野古是回纥外九部之一。回纥汗国溃散，部分拔野古人仍留在原地。从地望而知，两《唐书》中的拔野古地区，基本上是《辽史》中的敌烈部地区。"③ 古巴尔虎人（即拔野古），在铁勒及回纥时期的社会生活及经济状态，各类史书上都很少有记述。估计在这一时期，已有大量的古巴尔虎人，在"敌烈"的旗号下，已完成蒙古化和游牧化的进程，成为真正的草原牧人。因为，从当时他们活动的具体区域，即呼伦湖周围及克鲁伦中下游的自然环境来看，这里是典型的草原地带，大量的古巴尔虎人生活在这里，他们无疑是经营畜牧业的。

（五）巴尔虎在蒙古统一前后

辽金时期的原蒙古人包括扎剌亦儿人、塔塔儿人、篾儿乞人、八儿忽人、外剌人，但当时称为蒙古的只有尼鲁温蒙古和迭列列斤蒙古。④ 在合木

---

① 刘维新：《新疆民族辞典》，新疆人民出版社 1995 年版，第 73 页。
② 孟广耀：《蒙古民族通史》第 1 卷，内蒙古大学出版社 2002 年版，第 21 页。
③ 孟广耀：《乌古敌烈部变迁考》，见《蒙古史研究论文集》，中国科学出版社 1984 年版，第 94—95 页。
④ 亦邻真：《中国北方民族与蒙古族族源》，见《蒙古史论文选集》第 1 辑，呼和浩特市蒙古语文历史学会编印 1983 年版，第 34 页。

黑蒙古之外，还有许多原蒙古人。蒙古史学家亦邻真称："外剌人、八儿忽人是原蒙古人中靠西北的部分。"[1] 9 至 12 世纪，居住在蒙古高原和贝加尔湖地区的原蒙古人经历了深浅不同的突厥化过程。巴尔虎人自《隋书》记载其活动以来，长期受突厥、薛延陀、回纥、黠戛斯等突厥语族的影响，并曾作为丁零、高车、铁勒部落中的一部分，与其他原蒙古人相比其突厥化程度是较深的。巴尔虎人在蒙古部兴起之前，受到较深的突厥化影响，并有可能通晓突厥语，但这并不能改变古巴尔虎人作为原蒙古人的一支的重要地位。

世代生活在贝加尔湖畔的巴尔虎人，历史上曾几次走出过贝加尔湖畔的林间草地，来到过水草丰美的呼伦贝尔草原及更远的唐境。早在蒙古部兴起之前，这两个相距不算太远的部落就曾有过长期交往的历史。成书于 13 世纪的《蒙古秘史》，留下了珍贵的成吉思汗世家的历史，其中有两位成吉思汗的先人与巴尔虎人有着极深的渊源关系。

阿阑豁阿是成吉思汗的 11 世祖母，其母是巴尔虎人。阿阑豁阿为了使 5 个儿子团结在一起，曾有一个著名的"五箭训子"的典故。海都是成吉思汗的 6 世祖，海都的祖父是土敦篾年。土敦篾年的妻子名叫莫孥伦（《蒙古秘史》称"那莫伦"），她的第 7 子纳真，当时被巴尔虎召为女婿，生活在巴尔虎人当中。当莫孥伦一家遭到毁灭性的打击，7 个儿子只剩下生活在巴尔虎人中的纳真之后，纳真率领巴剌忽一带的百姓，拥立海都为首领。海都率军进攻扎剌亦儿部，扎剌亦儿人战败"臣属之"，被迫充当了海都的部落奴隶。在这历史的转折时期，巴尔虎人的女婿纳真及拥戴海都的巴尔虎人无疑是海都的救星。

从阿阑豁阿和海都这两个例子中，我们可以得知在蒙古部兴起之前，巴尔虎人曾与蒙古部有着较为密切的姻亲关系。另外值得一提的还有：成吉思汗的祖父把儿坛把阿秃儿的长妻也是巴尔忽惕部人。巴尔忽惕部与乞颜部"互相嫁娶姑娘。"[2] 从阿阑豁阿的出身及海都的经历来看，其实在所谓正宗

① 亦邻真：《成吉思汗与蒙古民族共同体的形成》，见《蒙古史论文选集》第 1 辑，呼和浩特市蒙古语文历史学会编印 1983 年版，第 41 页。

② ［波斯］拉施特：《史集》第 1 卷第 1 分册，余大钧等译，商务印书馆 1986 年版，第 200 页。

的蒙古人——即孛儿只斤氏中，早就融入了部分巴尔虎人的血统。所有的这些，也为蒙古部兴起后，形成统一的蒙古民族共同体奠定了基础。

成吉思汗统一蒙古各部，为蒙古民族共同体的形成奠定了基础。成吉思汗在建国前的连年征战中，已通过部落战争先后征服了"毡帐里的百姓"，即草原游牧民。但草原北部森林地带的狩猎部落还没有降服，这对于新建的蒙古汗国仍然是一个潜在的威胁和不安定因素。因此，成吉思汗于兔儿年（1207 年），派长子拙赤去征"林木中百姓"和"受斡亦剌惕，不里牙惕，巴尔浑，兀儿速惕……等部之降"①。居住在那里的斡亦剌、不里牙惕、巴尔忽惕、秃马惕等部也先后归附了蒙古。据有关史学家考证："八儿忽诸部主要包括八儿忽、火里、不剌合臣（捕貂鼠人）、客列木臣（捕青鼠人）、森林兀良合等。"② 蒙古军没有经过激烈的战斗，就相继招降了今西伯利亚地区的"林木中百姓"，主要是由于当时的整个形势对蒙古有利。"林木中百姓"的最终归附，使蒙古的统一得到了巩固和发展。

成吉思汗曾说："出生在巴儿忽真——脱古木、斡难、怯绿连河的男孩，每一个都很勇敢，未经教导就懂道理，很聪明。那里出生的每一个女孩未经装饰、梳理就很美丽，面色泛红，而且无比灵巧、伶俐、品德好。"③这句话既含有一定的民族偏见，也含有发自内心的民族自豪感和成吉思汗对"巴儿忽真——脱古木"地区的高度重视。事实上，这三块区域正是蒙古人的摇篮和"兴龙故地"。如果说生活在草原上的尼伦蒙古和迭勒勤蒙古是原蒙古人的两个源头的话，应将生活在"巴儿忽真脱古木"地带的巴尔虎等"林木中的百姓"，视为原蒙古人的第三源。

很多史学家在记述 12 世纪的蒙古社会时，都会很自然地提到"毡帐中百姓"和"林木中百姓"。"毡帐中百姓"一般是指在草原上经营畜牧业的人们，"林木中百姓"则是指在森林地带从事狩猎和渔捞的部落。据《蒙古秘史》的记载，属于"林木中百姓"的有：斡亦剌惕、不里牙惕、巴尔浑（巴尔古惕）、兀儿速惕、合卜合纳思、康合思、秃马惕、豁里秃马惕等。

① 道润梯步：《新译简注〈蒙古秘史〉》，内蒙古人民出版社 1978 年版，第 221、269 页。
② 叶新民、薄音湖、宝日吉根：《简明古代蒙古史》，内蒙古大学出版社 1990 年版，第 13 页。
③ 〔波斯〕拉施特：《史集》第 1 卷第 2 分册，余大钧等译，商务印书馆 1983 年版，第 360 页。

其实，"毡帐中百姓"和"林木中百姓"也并不是两个毫无关联的集团。将众多的部落，严格地按上述情况分类通常也是很困难的。如有的部落正处于狩猎向畜牧的过渡阶段，有的部落则时而从事畜牧业，又时而从事狩猎业。

历史上，巴尔虎人曾几次走出过贝加尔湖沿岸的山林地带，进入过水草丰美的呼伦贝尔草原。一个人口较为众多的部落，在茫茫无际的大草原上，如果不占有一定数量的牲畜，仅仅靠狩猎是难以维系其生存和发展的。显然在这时候，巴尔虎人已经开始了半狩猎半畜牧的生活。为何到蒙古各部统一时他们仍和"林木中百姓"生活在一起，主要的原因是他们畜牧业的发展水平较低，巴尔虎的牧人同时又是猎人和渔夫。这样看来，不但"毡帐中百姓"和"林木中百姓"从经济生活上不好断然分开，就"林木中百姓"自身来讲，也远远不是专指狩猎人和打渔人。斡亦剌惕、巴尔浑（巴尔古惕）和豁里秃马惕的社会经济水平较高，他们应属于"森林"部落的第二支。① 古巴尔虎人历史上曾几次走进草原，在草原上无疑是经营畜牧业。他们又几次退回到贝加尔湖沿岸山林地带从事半狩猎半游牧的活动，其经济生活和社会组织水平，无疑要比"林木中百姓"中的纯渔猎部落要高一些。因此，随着时间的推移，"林木中百姓"对于巴尔虎人来说，仅仅是一种约定俗成的说法，其地理意义要明显高于经济方面的意义。

到元朝时，大部分巴尔虎人仍居住在贝加尔湖地区，那时该地区归岭北行省管辖。岭北行省的辖境"北至北海（今西伯利亚北部之地），凡附属元朝的各森林部落均归其统辖；东北则包括贝加尔湖周围的豁里秃麻惕、不里牙惕、巴尔忽诸部以及石勒喀河至额尔古纳河一带。"②

（六）北元至清初的巴尔虎

北元是蒙古史上大分裂、大动荡，民族矛盾、阶级矛盾空前激化的重要时期。值得一提的是：在东、西蒙古两大集团内均有巴尔虎人。在各封建主内部相互混战和实施封建割据的局面下，巴尔虎人面临着蒙古各部统一（即被编入千户）以来的第二次大离散的考验。在蒙古历史上，由于封建世

---

① ［俄］T. 鲁缅采夫：《十二—十七世纪蒙古文化史的几个问题》，见内蒙古社会科学院情报研究所编：《蒙古学——资料与情报》，1985 年第 2 期，第 21 页。

② 《蒙古族通史》上卷，民族出版社 2001 年版，第 196 页。

袭关系的中断，导致某一部的领属关系的变迁，是屡见不鲜的事。北元前期，巴尔虎的牧地也极不稳定。巴尔虎除在传统牧地贝加尔湖至呼伦贝尔一带游牧外，有时还随从属的封建领主参与更远的大游牧。如明初从呼伦贝尔至呼和浩特一带往返游牧，以及从内蒙古至青海一带往返游牧。明代前期的百年间，牧地的不稳定是影响蒙古草原畜牧业发展的一个重要原因。战乱时期，蒙古各部主要是依靠政治和军事实力维系牧场的相对稳定，但无休止地杀戮长达百年，使包括巴尔虎在内的广大牧民受尽苦难。直到达延汗分封诸子，进行大规模的权力分配后，牧地才大体稳定下来。阿勒坦汗等进入青海时，还将右翼的一些部落（包括巴尔虎）连同牲畜带到那里放牧，开发新的牧场。

达延汗统一东蒙古之后，将各部分为左右两翼，共 6 万户，分封诸子占据。左翼为察哈尔、兀良罕和喀尔喀万户，右翼为土默特、鄂尔多斯和永谢布万户。亦不剌兄弟领有的永谢布部包括阿速特、哈剌慎、舍奴郎、孛来、当剌儿罕、失保慎、巴尔虎、荒花旦、奴母嗔和塔不乃麻等十个鄂托克。[①]据有关史料证明，巴尔虎人当时主要从属于永谢布万户及土默特万户。永谢布，又称"应绍卜"、"永邵卜"、"雍谢布"等，是明代新出现的蒙古部落名。"应绍卜的部众成分比较复杂。""可以看出属众来自东、西不同方面，说明该部在发展过程中不断吸收了新成分。"[②] 万历五年（1577 年），阿拉坦汗和钟金夫人率领蒙古右翼三万户（鄂尔多斯万户、永谢布万户、土默特万户）各封建主和部众数万人，又一次前往青海。在这些大封建主中，有当时从属于永谢布万户的巴尔虎彻辰岱青等。阿拉坦汗等右翼封建主此次青海之行的主要目的，是和西藏活佛索南嘉措会谈。永谢布万户的巴尔虎台吉和土默特万户的丙兔台吉，被留下来率领各自的部众共同驻牧青海。

万历十八年（1590 年），驻牧青海的巴尔虎部的瓦剌他卜能，因为进入南山向番族征敛赋税，曾和明朝军队发生冲突。瓦剌他卜能杀死西宁守将李魁。万历三十八年（1610 年），火落赤同永谢布的巴尔虎部封建主又占据了青海一带广阔的草原，部众曾发展到数万人之多。由于明廷允许蒙古各部经

①　敖登：《蒙古史文集》，内蒙古教育出版社 1992 年版，第 111 页。
②　乌兰：《〈蒙古源流〉研究》，辽宁民族出版社 2001 年版，第 315 页。

明境往来青海，在万历年间蒙古各部以迎佛、送佛、朝拜等形式往来青海的络绎不绝。万历五年（1577 年），阿拉坦与锁南嘉措在仰华寺①会面，据说参加法会者有 10 万人。阿拉坦汗于万历八年（1580 年）初返回土默特，曾留一部人留驻青海，以守护寺庙、送往迎来，并控制在历次西征中征服的番部，向他们征收赋税，摊派劳役。当时明人称长期驻牧青海的蒙古人为"海房"，而称往来朝佛者为"流房"。驻牧青海的巴尔虎人，即包括在"海房"之内。

据有关专家考证：当时"流房"虽多却来去无常，而"海房"人数则不多，主要有俺答子丙兔一部、多罗土蛮的火落赤（达延汗第四子阿尔斯博罗特之曾孙）为首的一部和永邵卜一部。贾敬毅先生依据《陕西四镇图说》的记载，认为永邵卜在青海分为上、下两部，上部为恩克跌儿歹成台吉部落，下部为其弟也辛跌儿台吉之巴尔户（巴尔郭岱青）部落。② 巴尔户、把尔户、巴尔郭等，即今之巴尔虎。据岷峨山人所著《译语》称："把儿户，房中呼为黑达子。"《万历武功录·俺答传（上）》有迤北满会黑达子之语。满会系把儿户部封建主。③ 多罗土蛮的火落赤和永邵卜的大成台吉、巴尔户台吉都是万历年间随俺答汗来青海后留居青海的，比丙兔稍晚。据道润梯步先生称："俺答迎佛建寺于青海、赐名仰华，留永邵卜别部，把尔户及丙兔、火落赤守之，俱牧海上，把尔户即此巴尔郭。"④ 把尔户是永邵卜系统的部落，是万历年间随俺答汗"迎佛"时进入青海的。俺答汗东返后把尔户酋长统领部落，主守寺刹，成为环湖地区最强大的部落，"负海称雄"。⑤

万历十六年（1588 年），永邵卜把尔户部首领瓦剌他卜能率 4 000 余骑到西宁南山地区"抢番掠汉"，并击杀明副总兵李魁等官军 100 多人。事发后，明朝下令革除把尔户部"互市"。这件事实际上也揭开了万历年间海部与明军大规模冲突的序幕。把尔户部因明朝禁止互市，又依仗其人多势众，

① 仰华寺即察卜齐雅勒庙，明神宗赐名仰华寺，在青海省共和县。
② 达力扎布：《明代漠南蒙古历史研究》，内蒙古文化出版社 1998 年版，第 70 页。
③ 敖登：《蒙古史文集》55，内蒙古教育出版社 1992 年版，第 55 页。
④ 道润梯步校译：《新译校注〈蒙古源流〉》，内蒙古人民出版社 1980 年版，第 378 页。
⑤ 崔永红、张得祖、杜常顺：《青海通史》，青海人民出版社 1999 年版，第 279 页。

屡屡犯塞。万历二十三年（1595 年）九月，把尔户部以"借市"为由进犯西宁卫，结果在南川遭汉藏军民伏击，双方激战三日，把尔户部阵亡 700 余人，创伤很大，被迫退走。此战是明军对海部首次大胜利，时人誉之为"西陲战功第一"。南川遭创，把尔户部并不甘心，便于当年 10 月纠集火落赤、真相等部落 15 000 余骑"空穴以出"，以报南川"丧师"之仇。明军又在藏族各部协助下，在西宁西川大、小康缠沟与海部激战两天，歼其 800 余骑。两川之战，"负海称雄"的把尔户部元气大伤，多罗土蛮部逐渐成为海部的核心。据《明神宗实录》记载，万历三十八年（1610 年）火落赤与永邵卜巴尔乎台吉等仍驻牧青海，① 并从明朝得到市赏。贾敬毅先生则具体指出："下永邵卜巴尔古台吉在海西揣旦住牧，离边约行半月路程。"② 巴尔虎人随右翼蒙古迁居青海，在青海草原活跃了几十年，直接参与了当时发生的一些重大事件。值得一提的重大事件有：他们的活动沟通了蒙古与西藏中断 200 余年的直接关系，他们目睹了西藏喇嘛教如潮水一般从这里涌入蒙古地区。

最后，在各种势力的交叉影响下，右翼蒙古的势力迅速衰落，巴尔虎人在青海的活动也似乎销声匿迹了。关于他们的流向，除少数一部分融入留在青海的蒙古人中外，大部分成为漠北喀尔喀及漠西卫拉特人的属部。少数返回漠南内蒙古的，大多数融入察哈尔蒙古族中。

至明天启年间，喀尔喀蒙古一部出现于甘肃、青海一带。据蒙藏文史籍记载，林丹汗兼并漠南诸部时有大量蒙古人逃到漠北，喀尔喀封建主为争夺逃民发生内讧，绰克台吉在内讧中被驱逐出来，率部移牧海西。③《青海通史》记载绰克台吉于崇祯五年（1632 年）来到青海，征服了土默特部。直到此时，巴尔虎等"海虏"与喀尔喀之间似尚未发生冲突。但是，此时察哈尔已征服右翼三部移牧于明宣大边外，"海虏"的处境岌岌可危。崇祯四年（1631 年），爱新国发动征讨察哈尔之役，林丹汗率部西渡黄河入套，一

---

①　《明神宗实录》，万历二十四年二月癸丑条。

②　贾敬毅：《〈陕西四镇图说〉所记之甘青蒙古部落》，见达力扎布著：《明代漠南蒙古历史研究》，内蒙古文化出版社 1998 年版，第 73 页。

③　五世达赖喇嘛：《西藏王臣记》，民族出版社 1983 年版，第 177 页。

部分则到了明甘、凉边外。永邵卜部四位台吉在察哈尔的压迫下率部西避，由青海海西逃到达木地方（即今藏北当雄一带）。正是在这种情况下，原来投依"海虏"，居明甘肃边外的绰克台吉，乘势进入青海，吞并了"海虏"残部，据有其地。

崇祯七年（1634年），林丹汗在率部迁往青海的途中病死。崇祯八年（1635年），绰克台吉派其子阿尔斯兰带兵万人来到达木，收服了逃至那里的永邵卜四部，威逼卫藏地区。崇祯九年（1636年），固始汗发兵来到青海北部，第二年发起进攻，一举消灭了绰克台吉所部，结束了这一地的混乱状态，并在第二年徙部众于青海。① 从此之后，开始了和硕特蒙古统治青海的时期。"在统治方式上，固始汗本人坐镇西藏，在西藏建立地方政权。他的十个儿子除个别人外，都率部驻牧青海，作为以他为领袖的和硕特部的根据地。对康区，他将康区的赋税收入用来供给他在青海的部众。"②

巴尔虎等从万历年间驻牧青海，到崇祯七年（1634年）喀尔喀绰克台吉收服永邵卜四部，其间经历了二三十年的时间。最后，"他们在西海的活动直到明末被喀尔喀绰克台吉所部兼并才结束。"③ 从此之后，巴尔虎进入分属喀尔喀及卫拉特阶段。崇祯十三年（1640年）8月喀尔喀与卫拉特的贵族们举行了盛大的会盟，并制定了著名的《蒙古—卫拉特法典》，其中规定："从1717年至1727年期间，在蒙古人那里的巴儿忽惕人、巴噶图人和辉特人应当留在蒙古，而在卫拉特那边的则留在卫拉特。同绰克图台吉一起去卫拉特地方的人，也应留在那里。"④ 在清军追击腾机思，战胜喀尔喀联军时，喀尔喀的联军中就有巴尔虎人。据中国第一历史档案馆藏蒙古文顺治二年档（蒙文第3号）记载："次日，正当清点所获时，喀尔喀硕垒汗之子四个儿子本霸巴图鲁台吉、巴吧台吉汤兀忒台吉、诺尔布台吉为首，率其所属阿巴哈纳尔、巴尔虎、哈达斤、乌梁汉等部二十万兵到达。我军列阵迎

---

① 陈庆英等译：《五世达赖喇嘛与蒙古关系资料——〈五世达赖喇嘛自传〉选译》，载《西北民族研究》1992年第1期，第95—96页。
② 王辅仁、陈庆英：《蒙藏民族关系史略》，中国社会科学出版社1985年版，第130页。
③ 达力扎布：《明代漠南蒙古历史研究》，内蒙古文化出版社1997年版，第52页。
④ 乌云毕力格、成崇德、张永江：《蒙古民族通史》第4卷，内蒙古大学出版社2002年版，第59页。

战，击败之，追杀二十多里，斩杀甚众，获驼二百一十二只，马七百匹。"①

从北元至清初，在这段漫长的时期内，巴尔虎几经周折，除分属各部的融入蒙古族其他部落的之外，巴尔虎的主体成为喀尔喀的属部。这时，巴尔虎又被称为"喀尔喀巴尔虎"，主要含有"巴尔虎从属于喀尔喀"和"巴尔虎居住在喀尔喀"这么两层意思。

关于巴尔虎人最早迁来喀尔喀的具体时间，《钦定外藩蒙古回部王公表传》卷58载："康熙三十四年，额克阿海子锡喇布以罕笃诱奇所属瑚尔拉特等众诉于朝。遣官往鞫，罕笃诡称，车臣汗硕垒尝以瑚尔拉特人畀其祖噶尔马，哲卜尊丹巴呼克图犹识之。"这里所说的"瑚尔拉特"，即巴尔虎的"呼尔拉特氏"。喀尔喀车臣汗硕垒自顺治十二年（1655年）通贡于爱新国，顺治十二年（1655年）卒。这说明巴尔虎呼尔拉特氏等归该部是在顺治十二年（1655年）以前，这与沙俄侵占贝加尔及同喀尔喀蒙古在该地展开争夺的时间大体接近。关于巴尔虎人的主体进入喀尔喀的路线，现在看来应该主要有两条：一是由青海一带进入喀尔喀，二是由贝加尔湖一带逐渐进入喀尔喀。这两大部分巴尔虎人，由分隔两地到重新在喀尔喀聚集在一起，其间大约也有几十年的时间。

二、巴尔虎流入东北及编入八旗

巴尔虎随喀尔喀蒙古南下内蒙古等地后，一部分巴尔虎人没有随喀尔喀原封建领主返回漠北，而被清廷编入八旗。这是巴尔虎与八旗制度发生关系的开始。关于巴尔虎人编入满洲八旗的时间，有的专家认为是在康熙三十一年（1692年）以后的事情。② 但在《八旗通志》记载凤凰城官职时，有"巴尔虎佐领一员，康熙三十年设"③ 的记载。又据《墨尔根志》记载："康熙二十七年设索伦十员，达呼尔五员，巴尔虎四员。"④ 由此可见，早在

---

① 齐木德道尔吉：《腾机思事件》，载宝音德力格尔主编：《明清档案与蒙古史研究》，内蒙古人民出版社2002年版，第139页。

② 瀛云萍：《八旗源流》，大连出版社1991年版，第151页。

③ 《八旗通志》卷35，《职官志》，第635页。

④ 《墨尔根志》卷15，《职官志》，见柳成栋整理：《黑龙江孤本方志四种》，黑龙江人民出版社1989年版，第375页。

康熙二十七年（1688年），就有巴尔虎人被编入满洲八旗了。4年后，即康熙三十一年（1692年），巴尔虎编入八旗的人数已相当可观了，并以分散编佐的形式驻防于各地。康熙二十七年（1688年），正是噶尔丹大举进犯喀尔喀蒙古的时候。关于喀尔喀蒙古因噶尔丹之乱内迁内蒙古等地的时间，史籍上均有明确记载。如《圣武记》记载："二十七年，噶尔丹大举入其庭，再战再北，三部落数十万众瓦解，先后东奔。"① 显然，巴尔虎人在随喀尔喀封建领主一起内迁后，当年便有一部分人脱离喀尔喀封建领主的控制而加入满洲八旗了。

在各地驻防之巴尔虎都有自己的衙署和居住地，习俗和语言也稍异于索伦和其他蒙古族，很容易被看成是分立于八旗之外的一旗或二旗，所以盛京下属县志有"九旗"驻防之记载。② 康熙年间，巴尔虎归附清朝后，其间也曾有过多次反复。如据《八旗通志》记载："三十八年四月初三日，随都统吴达禅、护军统领车克楚，往收巴尔虎。是年闰七月，复同都统吴达禅、满丕分派巴尔虎旗分佐领。九月三十日，巴尔虎佐领额克图，率合佐领下人，将副使阿必达、骁骑校班迪及牧马人共11人杀死；又将御马群800余匹，牧马人私马400余匹，驼30余匹，驱之而逃。"③ 清廷对这次巴尔虎的反叛，采取了极为严厉的剿杀政策。《八旗通志》称："巴尔虎额克图等，负皇上之恩，杀察哈尔官兵，偷盗御马而逃。若至汝等地方，不拘那一旗，即执而斩之。""于巴尔虎未到之先，各处整兵预备。巴尔虎至其地，次日众札萨克兵至围绕，执为首者斩之。"最后，这部分反叛的巴尔虎人，在清兵的合围下被消灭了。

（一）巴尔虎旗族碑

"巴尔虎旗"在康熙年间俗称"第九旗"，属于满洲八旗，但单有佐领。在巴尔虎旗人居住的"满营"或由巴尔虎旗人驻防的地方，通常留下了"巴尔虎门"、"巴尔虎胡同"或"巴尔虎营子"等地名。清代吉林乌拉城东门称巴尔虎门，当与巴尔虎兵驻防有关。

---

① 魏源：《圣武记》卷3，《国朝绥服蒙古记二》，中华书局1984年版，第103页。
② 王革生：《清代奉天的"九旗"》，《社会科学辑刊》1983年第4期。
③ 鄂尔泰等：《八旗通志》第8册，东北师范大学出版社1985年版，第5362页。

在大连市金州区七顶山满族乡老虎山村，有一座刻有"旗族"称呼的碑文。碑主人是姓满的一位满族人，其祖先是巴尔虎蒙古加入"八旗满洲"的旗人，后来成为满族。碑文中记述了其先人"籍列旗族，受职行伍"的过程。巴尔虎"旗族"碑碑文如下："尝闻太上立德，其次立功。皆欲勒诸金石，以期永垂不朽也。昔我祖由燕京之赴金邑也，同胞兄扶老母远旧地、历山河、籍列旗族，受职行伍。蒙恩天息，耕田教子，背井离乡，荒烟满目，此皆我祖之辛苦备尝者也。于是我祖卜居老虎山，伯祖奉老母卜居东房，身先择吉地于台子山阴，又择佳城子南山之阳，安居乐业以终天年。于是乃安是土，乃宴新居。幸得子孙绳绳百世荣昌，瓜瓞绵绵千载吉祥。谨修墓以慰泉壤，幽冥虽隔，情理何殊，我祖有灵，尚其来飨。择字二十以备后辈名次选用。谨加二十字升列如左：廷玉连治永、德明继世荣、运兴增鸿业、文士复元成。金州七顶满族乡老虎山村满家墓碑（民国十二年立）。"①

据考证，加入满洲八旗的巴尔虎旗人的后代大都融合到满族中了。对此，瀛云萍在《八旗源流》一书中说："就以大连地区的二十多万'满族'来谈，其中汉军旗人、蒙八旗人、巴尔虎人、随旗人（包括母系是旗人、旗人的农奴、世仆、佃户等之裔）等人口之和，占满族人口的半数以上。"②据考证，在辽宁等地巴尔虎旗人的后裔，有寇、白、石、东、满、康、赫、韩、敖、吴、马、何等姓，均早已起用汉族简姓，并改报满族。

（二）辽宁的巴尔虎旗人

康熙二十七年（1688年），喀尔喀土谢图汗部、车臣汗部先后被噶尔丹击溃后，巴尔虎牧地亦遭战乱之侵扰。据有关史料记载，噶尔丹当时曾派人到巴尔虎部诱降。巴尔虎部首领明知力不能敌，又耻于降服，乃杀噶尔丹之使，随车臣汗部南下归清，暂牧于张家口外③，旋又徙于科尔沁牧地。康熙二十九年（1690年）八月，清军在乌兰布通击败了噶尔丹。在这几年间，巴尔虎人流离失所，饱尝了背井离乡和战乱之苦。康熙三十一年（1692年）经议政王大臣议奏："巴尔虎人生计艰难，请移往盛京等处披甲吃粮，以期

①　瀛云萍：《八旗源流》，大连出版社1991年版，第104页。
②　瀛云萍：《八旗源流》，大连出版社1991年版，第105—106页。
③　《凤城县志》卷9，《人物志氏族》。

有益。"当时移驻巴尔虎人 5 000 余口，共有壮丁 1 273 名，其中可堪披甲者 1 000 名，每百人编 1 佐领，每佐领甲兵 50 名，余为附丁。先令其在牛庄、辽阳等处游牧。嗣经拨驻开原、熊岳、复州、金州、岫岩、凤凰城等 7 处各 1 佐领，盛京 3 佐领，共 10 佐领。"各酌给房屋地亩，以资养赡。"①

巴尔虎人于康熙三十一年（1692 年）编入八旗满洲后，拨到今大连地区的有三佐领，分驻于复州、金州、岫岩三城。拨来岫岩的巴尔虎一佐领，属正黄旗满洲旗分。唯巴尔虎人怕被满洲人轻视，经清廷批准，独立巴尔虎旗衙门。因满洲原有八旗，所以称巴尔虎为第九旗（仍是正黄旗满洲）。② 巴尔虎旗有四品佐领 1 员、六品骁骑校 1 员、催领 6 名管理，有马甲 50 名。在岫岩的巴尔虎人有两支分驻于庄河县吴炉乡的巴尔虎营子和太平岭满族乡的土城子等地。这部分巴尔虎人的后裔，以寇性为最多，现大多自报满族。现主要分布于庄河县的高岭满族乡的来宝沟、曲木房、老蚕场；太平岭满族乡的土城子；吴炉乡的巴尔虎营子；塔岭满族乡东瓜川；大营乡的四家子等地。

在大连地区发现的巴尔虎赫氏碑和《巴尔虎本源考》（手抄本），为我们提供了一些珍贵的参考资料。据陈巴尔虎人吉·宝音德力格尔解释：赫氏为今巴尔虎"胡日拉德"姓氏。③ 其碑文如下："巴尔虎系驻防，原籍卡勒卡（今喀尔喀蒙古）四部落七旗。男妇共五千余口，壮丁一千二百七十三名，移奉天辽阳以西，……由奉天将军奉请，领其披甲，于康熙三十一年九月二十三日奉圣旨，依议著塔旺扎布袭为二等佐领，额尔得尼代青、卡勒唐袭佐领，钦此。着百丁为一佐领，每佐领领催、兵五十五名，余下作为附丁，归上三旗兼管。由此选其堪挑佐领者拟以陪奉请引见，编为十佐领，拨往复州、熊岳、辽阳、开原、岫岩、凤凰城、金州各一佐领，奉天三佐领。"④

---

① 《盛京通志》卷 3。牛庄即为今辽宁省海城县牛庄，辽阳为辽宁省辽阳市老城、开原为今辽宁省开原县老城镇、熊岳为今辽宁省盖县熊岳城、复州为今辽宁省复县复州城、岫岩为今辽宁省岫岩县、凤凰城为今辽宁省凤城县、盛京为清留都，即今辽宁省沈阳市。参见《〈中国历史地图集〉释文汇编东北卷》，中央民族学院出版社 1988 年版，第 292～294 页。

② 瀛云萍：《八旗源流》，大连出版社 1991 年版，第 119 页。

③ 吉·宝音德力格尔主编：《可爱的陈巴尔虎》（蒙文），内蒙古文化出版社 1999 年版，第 28 页。胡日拉德，又译"呼尔拉特"，为巴尔虎著名姓氏之一。

④ 瀛云萍：《八旗源流》，大连出版社 1991 年版，第 121、206 页。

观此碑文，所记与《盛京通志》卷3所记略同。碑文中提到的 3 个人名，也均见诸《巴尔虎本源考》。《巴尔虎本源考》中有："洪阔尔代青之子塔旺扎布、婿居媳妇乌里巴、额尔得尼代青附控，原来卡勒卡巴尔虎等，均系管辖之人，祈将我们编为佐领"等语和"达赍寨桑之妻附控，祈将我世使七十名丁出佐领贡给主子，如是著我幼子卡勒唐袭替佐领"等语。由此知塔旺扎布为洪阔尔代青之子，卡勒唐为达赍寨桑之子。从以上记载中，我们也可以知道当初巴尔虎人是志愿入旗的。

洪阔尔代青即《清圣祖实录》中的"洪俄尔岱青"，《亲征平方朔漠方略》中作"洪俄尔戴青"，系车臣汗硕垒之孙。达赍寨桑即"达赍宰桑"，属洪俄尔岱青部下。洪俄尔岱青是在车臣汗等部被噶尔丹击溃之后，较早南下归附清廷的外蒙王公之一。康熙二十七年（1688 年），"噶尔丹诱执洪俄尔岱青属达赍宰桑，授之檄，令其诱其主。洪俄尔岱青弗从，遣使乞内附。会上幸塞外，驻跸红川。洪俄尔岱青率众来归。"[1] 因洪俄尔岱青之母在雅克萨战役中曾以牛马军粮资助清军，洪俄尔岱青归附又在诸部之先，故康熙帝对之慰勉有加。"二十八年，授札萨克，谕辑所溃者。二十八以巴尔呼人肆劫，命尚书阿喇尼往辑，擒其首，询知洪俄尔岱青及达赍宰桑为噶尔丹所掠，不获归，洪俄尔岱青兄子罕笃代领其众。"[2] 由此可知二人被掠后，妻子和儿子难以约束部众，属下溃散，巴尔虎人乘机肆劫，后被阿喇尼制服。据《风城县志》和风城县巴尔虎人《敖奇勒氏家谱》记载：这部分巴尔虎人当时被安置于张家口外、科尔沁牧地，属后来拨往盛京各地的巴尔虎人的一部分。

拨来盛京地区的巴尔虎人均隶于上三旗满洲旗分（即镶黄、正黄、正白旗），但各城巴尔虎人均单设旗衙门，俗称"第九旗"。盛京三佐领巴尔虎人归蒙古协领管辖。其余各城均隶属各副都统、城守尉等管辖。盛京地区的巴尔虎人均信佛教（即喇嘛教），应属新巴尔虎人。

（三）吉林的巴尔虎旗人

驻防吉林的巴尔虎旗人，主要驻防在吉林乌拉，亦称船厂。吉林乌拉，

---

① 《蒙古游牧记》卷9。
② 《钦定外藩蒙古回部王公表传》卷58。

即今吉林省吉林市。康熙三十一年（1692 年），吉林乌拉驻防设喀尔喀巴尔虎兵 400 名，编为 8 佐领。佐领当中有佐管佐领 2 员，设蒙古协领 1 员以辖之。至雍正四年（1726 年），裁巴尔虎佐领、骁骑校各 1 员、兵 55 名，还有 7 佐领。由此得知：驻防吉林乌拉的巴尔虎兵编制与盛京相同，他们的编旗时间也应是相同的。

清代吉林乌拉城东门又称巴尔虎门，其名称的由来与当年巴尔虎兵在此驻防有关。关于这部分巴尔虎人的来历，萨英额在《吉林外记》（卷 3 年）中记载："巴尔虎、台吉阿玉喜之属下之人。《阿玉喜家谱》内初编佐领，以阿玉喜之侄绰斯克为巴尔虎世袭佐领。"据考证，阿玉喜又作阿玉什，《清圣祖实录》卷155 作阿玉玺，系土谢图汗部台吉，后有功于清室，被清廷封为辅国公。由此看来，驻防吉林的巴尔虎旗人原为土谢图汗部所属。

（四）黑龙江的巴尔虎旗人

清初，在黑龙江的巴尔虎旗人，主要驻防在齐齐哈尔、墨尔根、呼兰、布特哈等地。① 据《黑龙江志稿》记载："康熙三十年，命选索伦、达呼尔人民披甲，驻防齐齐哈尔，遣满洲兵二百人教练之。"随后又记载："故黑龙江将军所属八旗兵、满洲汉军之外，有索伦、达呼尔兵、俄伦春兵、毕喇尔兵，皆土著之户，而附以自蒙古迁往之巴尔呼兵、鄂勒特兵，是为黑龙江八部落之。"② 由此可知，黑龙江地区设立巴尔虎佐领的时间，略晚于盛京和吉林。《盛京通志》（卷 52）载："齐齐哈尔驻防，康熙三十三年（1694年）增设巴尔虎佐领四员。"关于这 4 佐巴尔虎人的来历，《清圣祖实录》卷164 中记载到："康熙三十三年八月甲辰，理藩院题喀尔喀台吉恭额萨木频等进献巴尔虎二百四十余丁，应编为四佐领，从之。"从时间和数量上看，齐齐哈尔的 4 佐领巴尔虎，应即为上述喀尔喀蒙古台吉等进献的巴尔虎余丁。

---

① 布特哈，系满语"打牲"之意。清时对居今嫩江流域及大小兴安岭一带的索伦、达斡尔、鄂伦春等渔猎部落的总称，又称"打牲部落"。康熙年间（1662—1722 年），设布特哈总管衙门于嫩江两岸宜卧奇。初设索伦、达斡尔总管二员，俗称打牲头目。光绪二十年(1894 年) 裁并三总管，将衙署移至嫩江东岸博尔多（今黑龙江讷河县）。光绪三十二年（1906 年）裁副都统，以嫩江为界分东、西路布特哈，分驻于博尔多和宜卧奇，各设总管，分编八旗。布特哈后来成为内蒙古自治区境内的一个旗名。

② 《黑龙江志稿》卷30。

这部分被编入八旗的巴尔虎人原属蒙古哪位王公？《蒙古游牧记》卷9记载：车臣汗乌默客三从叔父额尔克台吉车布登，康熙二十七年率部归清，三十三年卒，其子旺扎勒袭爵。"时所属巴尔呼人散居兴安岭后霍功乌勒浑，纠众肆劫。母博第苏克遗台吉往缉之，不克，其以闻。命黑龙江将军就近招抚之。巴尔虎凡数种，有称齐巴齐鲁特者其塔布囊等避噶尔丹，携六百户奔附札萨克阿里雅所，而留五百户于呼伦贝尔之乌棱地，无所依，谕旺扎勒白其母收入。"当时，旺扎勒属下的巴尔虎人溃散，清廷命外蒙王公协助追缉，台吉恭额萨木频等向理藩院所献240余丁，应是旺扎勒属下的巴尔虎逃众。

在《黑龙江志稿》中有关于齐齐哈尔驻防的记载："康熙三十三年增设巴尔虎佐领、骁骑校各四人。……四十五年，调墨尔根城巴尔虎兵二百四十名移扎齐齐哈尔"。[1] 该书中还有关于墨尔根城驻防沿革的记载："康熙四十年增设协领三人，巴尔虎兵二百四十名。四十五年，移去巴尔虎兵二百四十名驻齐齐哈尔。"康熙三十二年和康熙四十五年调动的这部分巴尔虎240人，即应属原在齐齐哈尔所设的4佐领巴尔虎人。关于这一点，《墨尔根志》卷十五中也有记载："于康熙四十五年移往齐齐哈尔，裁去巴尔虎四员（佐领）。"[2] 显然，这4佐领成建制的巴尔虎从墨尔根又返回了齐齐哈尔。据《黑龙江志略》记载："巴尔虎，一作巴尔呼，归自蒙古有新旧之别。在齐齐哈尔者，旧巴尔虎也；在呼伦贝尔，新旧巴尔虎相间，而新者盛也。"[3] 这说明旺扎勒属下的巴尔虎人，即驻扎在齐齐哈尔、墨尔根等地的巴尔虎人，当系陈巴尔虎人。

居呼兰的巴尔虎人，显然也是巴尔虎旗人的后裔。据《呼兰府志》关于乾隆四十五年（1780年）的民族人口统计，巴尔虎有男22人、女18人。另据宣统元年（1909年），呼兰府统计的巴尔虎人有9人、男女口共56人。又据《黑龙江志略》记载，据宣统元年（1909年）调查，散处黑龙江各地

---

① 《黑龙江志稿》卷26。

② 《墨尔根志》卷15，《职官志》，见柳成栋整理：《清代黑龙江孤本方志四种》，黑龙江人民出版社1989年版，第374页。

③ 张国淦：《黑龙江志略》，见《清代黑龙江孤本方志四种》，黑龙江人民出版社1989年版，第374页。

的巴尔虎人数如下：龙江府 237 人、呼兰府 80 人、绥化府 4 610 人、海伦府 152 人、呼伦厅 17 702 人，合计 22 781 人。① 居黑龙江的巴尔虎人（呼伦贝尔除外），到清末时大多数已开始务农。这部分巴尔虎人因受其他民族的影响，同辽宁等地的巴尔虎人一样，已逐渐开始汉化，一部分还融合到满族等兄弟民族之中。

（五）其他地区的巴尔虎旗人

由于噶尔丹之乱等原因，巴尔虎人从喀尔喀南迁内蒙古后，一直处于颠沛流离、频繁迁徙和人口失散的状况之中。除一部分随喀尔喀原封建领主重返漠北外，留下来的大多数巴尔虎人是在志愿入旗后，被分散编佐驻防各地的。被编入八旗的巴尔虎人除主要驻防东北之外，在其他地区的巴尔虎人则分别编入察哈尔八旗、京师八旗等。

康熙年间平定噶尔丹之乱后，清廷不断将来降的喀尔喀人、巴尔虎人、准噶尔人编入了八旗察哈尔。雍正四年（1726 年），一个从俄罗斯逃回来的蒙古人，向蒙古郡王丹津多尔济报告说：他听俄国人在交谈中谈到"欲索取托伦诺雅特、八旗察哈尔所属之巴尔虎等。"②《清世宗实录》记载：雍正十年六月，军机大臣奏称"今察哈尔巴尔虎孪生蒙古壮丁一千四、五百，弓箭可观，人丁健壮，连各处觅食人丁，共二千有余。请将此人丁编设十九佐领，合之旧有八十一佐领，共成一百。……从之。"③ 毫无疑问，察哈尔八旗中的巴尔虎人是康熙年间迁来的。

《八旗通志》记载了镶白旗蒙古都统察哈尔参领所属的佐领，其中"口外游牧地方察哈尔第三佐领，原系康熙三十八年将巴尔虎等蒙古与察哈尔蒙古人丁共编为一佐领。"④ 据有关史料记载：察哈尔正黄旗的第 12 苏木，在 1946—1947 年间有 108 户、400 多名巴尔虎人；正黄旗的第 13 苏木，有 80 多户巴尔虎人；镶黄旗的第 11 苏木，则是由纯巴尔虎人组成的。

据《察哈尔蒙古族史话》一书记载："镶黄旗的七、十两个苏木是巴尔

① 张国淦：《黑龙江志略》，见《清代黑龙江孤本方志四种》，黑龙江人民出版社 1989 年版，第 161 页。

② 《清代中俄关系档案史选编》第 1 编下册，第 449 页。

③ 《清世宗实录》卷 120，雍正十年六月癸刻条。

④ 鄂尔泰：《八旗通志》卷 12，东北师范大学出版社 1985 年版，第 126 页。

虎苏木，镶红旗的二、十苏木是巴尔虎苏木，正蓝旗的七、八苏木，正白旗的十二、十三苏木，镶黄旗的十六、十七苏木是巴尔虎人。"① 居于京师的巴尔虎旗人，《清世宗实录》中也有记载，雍正十年（1732年）正月："谕大学士等，穆垒驻兵一事，最关重要。……前京师派往之骁勇兵一百名、巴尔虎兵一百名、额驸阿保属下兵丁五百名，俱着派去。"② 据此可知，当时京师八旗中亦有巴尔虎旗人。在《八旗通志》中，有康熙三十八年（1699年）"将巴尔虎等蒙古合察哈尔蒙古人丁，共编为一佐领"③ 的记载。一佐领按150丁计算，如察哈尔、巴尔虎人各占一半，应有75丁。按1丁乘以9人的方法计算，当时巴尔虎应有675人。至1946年时，察哈尔正黄旗12苏木，有400多巴尔虎人；正黄旗13苏木，有80多户巴尔虎人；镶黄旗11苏木，则由纯巴尔虎人组成。④ 以上巴尔虎人大约在1 000人左右。

在今赤峰市的巴林右旗、翁牛特旗等地也有巴尔虎人分布。关于这部分巴尔虎人是怎样成为当地居民并归属当地官员管辖，还有一个"夺印归属"的传说：巴尔虎王由于巴林人设计夺走了印章，这样巴尔虎8个苏木的巴尔虎人便成了巴林王的旗民。后来，人们将巴林宝日乌苏发生抢印事件的地方称为"塔马嘎因芒哈"，意为"印章沙丘"，用来纪念这一事件。⑤

巴尔虎在噶尔丹之乱和随喀尔喀封建领主南下内蒙古期间，人口流失现象严重。除被编入满洲八旗外，还有不少人脱离原喀尔喀封建领主的控制，被居住在内蒙古的其他蒙古部落收容。在噶尔丹之乱平息，大部分巴尔虎人随喀尔喀封建领主返回漠北时，这部分巴尔虎仍滞留在内蒙古，后来都融合到蒙古族其他部落中。当时，清政府为了稳定各地的社会秩序，制定了"失散人口编入别旗不准归族"的政策。从法律地位上强调承认现实，维护现状，对分散的巴尔虎人想回归故里的做法按"逃人罪"处置，造成了部分巴尔虎人散失各地的状况。

---

① 乌兰察布盟政协文史资料工作委员会、锡林郭勒盟政协文史资料工作委员会编：《察哈尔蒙古族史话》，内蒙古丰镇印刷厂1989年7月版，第19页。
② 《清世宗实录》卷114，雍正十年正月丙戌条。
③ 鄂尔泰等修：《八旗通志》卷12，东北师范大学出版社1985年版，第126页。
④ 吉·宝音德力格尔：《可爱的陈巴尔虎》（蒙文），内蒙古文化出版社1999年版，第24页。
⑤ 吉·宝音德力格尔：《可爱的陈巴尔虎》（蒙文），内蒙古文化出版社1997年版，第25—28页。

三、巴尔虎迁入呼伦贝尔始末

呼伦贝尔是蒙古人的摇篮。在呼伦贝尔这个广阔的历史大舞台上，有很多北方民族都扮演过重要的角色，如匈奴、突厥、鲜卑、铁勒、回纥、蒙古等等。自古以来，呼伦贝尔就曾是巴尔虎的传统牧地。自从雍正十年至雍正十二年（1732—1734 年），巴尔虎人大规模迁入呼伦贝尔后，巴尔虎便与呼伦贝尔结下了不解之缘。

鉴于巴尔虎与呼伦贝尔之间密不可分的渊源关系，人们很自然地将巴尔虎与呼伦贝尔之间画一等号，形成了"巴尔虎就是呼伦贝尔，呼伦贝尔就是巴尔虎"这样一种相互替代关系。因为新、陈两部分巴尔虎蒙古人占当时呼伦贝尔五翼十七旗总人口的一多半，故呼伦贝尔草原游牧的民族被统称为"巴尔虎蒙古"，同时包括了在该地驻牧的额鲁特、索伦、达斡尔等族，亦可见当时巴尔虎蒙古对当时边防的重要性。因此，人们根据过去贝加尔湖一带又称"巴尔虎"和如今巴尔虎已成为呼伦贝尔的主要居民的事实，用"巴尔虎"一词来称呼大兴安岭以西的呼伦贝尔地区，便是很自然的事情了。

雍正十年（1732 年）和雍正十二年（1734 年），巴尔虎人分两次大规模地迁入呼伦贝尔后，形成了巴尔虎的主体在呼伦贝尔的历史。后来，人们将先来的那部分巴尔虎人，即从布特哈地区移来的巴尔虎人称为"陈巴尔虎"；将后来的那部分巴尔虎人，即从喀尔喀地区移来的巴尔虎人称为"新巴尔虎"。从此，人们根据过去贝加尔湖东北部一带又称为"巴尔虎"，以及巴尔虎已成为呼伦贝尔主要居民的事实，便用"巴尔虎"一词来称呼大兴安岭以西的呼伦贝尔地区了。巴尔虎定居呼伦贝尔的历史，在巴尔虎的发展史上具有划时代的重要意义。巴尔虎定居呼伦贝尔后，才彻底地结束了长期颠沛流离、居无常处的生活，以呼伦贝尔新主人的身份开始了崭新的生活。

虽然，从巴尔虎的发展史上来看，从贝加尔湖到呼伦贝尔之间，一直是巴尔虎人的传统牧地。但在漫长的历史进程中，千百年来巴尔虎人都是来来往往，仿佛是呼伦贝尔草原上的一个匆匆过客。当巴尔虎在呼伦贝尔驻足再也不愿迁往其他地方时，巴尔虎人才从内心深处感到呼伦贝尔确实是一块不该离去的宝地。

（一）"索伦八旗"中的陈巴尔虎

索伦八旗系"索伦左右两翼八旗"的简称，亦称"呼伦贝尔八旗"。索伦八旗的驻防地，大约与今鄂温克族自治旗和陈巴尔虎旗现辖区相同。"索伦左右两翼八旗"指左翼镶黄、正白、镶白、正蓝四旗及右翼正黄、正红、镶红、镶蓝四旗。陈巴尔虎人当时主要编入镶白旗2个苏木和正蓝旗3个苏木，到1919年时单独建立陈巴尔虎旗。

编入"索伦八旗"的陈巴尔虎人，原居住在布特哈地区。过去有很多人一听"布特哈"这几个字，便以为是居住在过去的布特哈旗（今扎兰屯市）。其实陈巴尔虎人当时居住的地方应以嫩江边上的齐齐哈尔为中心，布特哈旗（今扎兰屯市）一带系他们的巡防地。

雍正十年（1732年），陈巴尔虎人被编入"索伦八旗"，并同鄂温克族、达斡尔族等一起进驻呼伦贝尔。因为当时呼伦贝尔一带的中俄边境处于有边无守的状况，组建"索伦八旗"首要的任务就是加强中俄边境呼伦贝尔段的防务。因此，可以将陈巴尔虎人视为呼伦贝尔的第一批戍边人。

在清代，随着中俄两国《尼布楚条约》、《布连斯奇条约》、《阿巴哈依图界约》和《恰克图界约》的签订，本来属于内陆地区的呼伦贝尔一下子便与俄罗斯隔额尔古纳河为界，成为祖国北部边疆的前沿地区。17世纪初，清政府在统一东北的过程中，将原居住在贝加尔湖以东直至呼伦贝尔的蒙古诸部南下迁入内地后，辽阔的呼伦贝尔草原上曾一度无人畜活动。关于原先居住在呼伦贝尔的蒙古各部为何内迁，《呼伦贝尔盟志》记载为："1630年和1633年，居住在呼伦贝尔地区的阿噜科尔沁和乌拉特、四子、茂明安部先后归服后金。1635年前后，按照后金政权的指令，生活在岭西的乌拉特、四子、茂明安三部陆续向西南迁移至乌兰察布草原，阿噜科尔沁部迁往今赤峰市。"[①] 现在看来，这显然是清朝政府当年的一个重大失策。当年沙俄越过乌拉尔山，沿贝加尔湖向南逼近时，清政府不应将原驻牧在这一地区的蒙古诸部内迁，使呼伦贝尔成为"无人区"，人为地造成北部边防的空虚。这个决策上的重大失误，显然也造成了极为严重的历史后果。关于这一点，鄂

---

① 程道宏、徐占江：《呼伦贝尔盟志》第1卷（上），内蒙古文化出版社1999年版，第25页。

温克族学者乌云达赉在《使中国人难咽的两颗历史苦果》中写到："我们要问：是什么样的历史苦果？是谁种下的？阿巴海从 1630 年到 1633 年的四年内，他把在贝加尔湖与呼伦贝尔之间地区游牧的阿禄蒙古诸部，如阿噜科尔沁部、孙杜棱部、翁牛特部、茂明安部、乌拉特部，相继强制迁入内地，使这个人口比较稠密、经济相当繁荣的地区变成了人烟稀少、满目荒凉的地方。所以，这个地区的各族各部，从 1654 年沙俄别什科夫入侵到 1689 年签订中俄《尼布楚条约》止的 35 年内，对于屡以小股哥萨克入侵的行动，失去了有效抵抗能力。如果阿禄蒙古诸部没有内迁，那么，石勒喀河依然是中国游牧民的牧场，依然是中国渔猎民的猎场、渔场、驯鹿养牧场；那么，1689 年中俄《尼布楚条约》所规定的中俄边界线肯定不会划在额尔古纳河和格尔毕奇河上。"①

　　针对呼伦贝尔一带中俄边境线上"有边无防"的实际情况，清政府于雍正五年（1727 年），在额尔古纳河南岸我方边界上设卡伦（边防哨所）12 处。这 12 处卡伦是珠尔特依、西巴日布拉格、巴音珠日和、敖育勒格奇、巴雅斯胡郎图温都尔、巴特尔胡硕、呼和道布、额尔敦陶鲁盖、孟和西里、阿巴该图、苏克特依、察干敖拉。"以上十二卡，每三个各派官一员，兵三十名，轮流更换，坐守巡查。"② 同时建立了"定期巡边"制度，以补卡伦驻防点少线长的不足。随着卡伦的建立和巡边制度的实行，清政府最后确定了"驻兵永戍"政策。雍正九年（1731 年），卓尔海升任黑龙江将军后，便把注意力转向了呼伦贝尔这一边防要地。首先他派达巴哈、博尔本察等人前往呼伦贝尔巡察边务，他们回来后报告说："海拉尔河由东北流来汇于呼伦湖，扎拉木台河由南流入海拉尔河。扎拉木台河与海拉尔河汇合之处，土地肥沃，可耕地建城，水草丰美，山林茂密，鱼兽丰富。北方与俄境额尔古纳河相近，西南与喀尔喀蒙古毗邻。"③

　　根据达巴哈、博尔本察二人的报告，黑龙江将军卓尔海于雍正十年

　　① 乌云达赉：《鄂温克族的起源》，内蒙古大学出版社 1998 年版，第 138 页。
　　② 《黑龙江通省舆图总册》，见柳成栋整理：《清代黑龙江孤本方志四种》，黑龙江人民出版社 1989 年版，第 86—87 页。
　　③ 徐占江：《清代各族人民开发保卫呼伦贝尔见证》，见《呼伦贝尔报》1983 年 4 月 13 日。

（1732年）四月十六日启奏，清政府军机各大臣磋商后，于五月十五日予以批复。据《清实录》记载："呼伦贝尔附近济拉嘛泰河口处（即今扎罗木德），地方辽阔，水草甚佳，树木茂盛，可以种地筑城。请拣索伦、打虎儿、巴尔虎、鄂伦春之兵三千名，迁往其地。将伊等编为八旗。左翼，自修城处至俄罗斯交界处游牧；右翼，在喀尔喀河游牧。共编五十佐领，各添佐领一员，骁骑校一员。每旗各添副总管一员，并铸给总管关防，设笔帖式（相当于今天的秘书）二员。请将达巴哈管理左翼；博尔本察管理右翼。凡驻防官兵等，各给马匹牛羊，以立产业。官员，每年给予半俸；兵丁，每月给银一两。其军器旗帜等项，由兵部制造赏给。再，济拉嘛泰河口，至齐齐哈尔，共六百八十里，请设卡伦（台站）十处，护送往来行人。"①

为了组建驻防呼伦贝尔的"索伦八旗"的兵丁，卓尔海等前往布特哈地区，挑选索伦壮丁1 636名、达斡尔壮丁730名、巴尔虎壮丁275名、鄂伦春壮丁350名，还有连同该丁家属不能分离而未经测丁的男子及闲散老弱共796名，迁往呼伦贝尔。雍正十年（1732年）春末夏初，达巴哈、博尔本察二人奉命带领以上3 796人，告别了亲人，驱赶着牲畜，翻山越岭，来到了呼伦贝尔草原。因此，20世纪初编写的《呼伦贝尔志略》称卓尔海为"经营呼伦贝尔之第一人。"② 此后，巴尔虎与索伦、达斡尔等兄弟民族一起，开始用自己勤劳的双手开创着开发呼伦贝尔的大业，也承担起保卫祖国北部边疆的历史重任。

索伦八旗及其后的新巴尔虎八旗的组建形式及驻防地，均是按满洲八旗制的有关规定组织实施的。据《八旗通志》载："八旗分为两翼：左翼则镶黄、正白、镶白、正蓝也；右翼则正黄、正红、镶红、镶蓝也。其次序皆自北而南，向离出治。两黄旗位正北，取土胜水。两白旗位正东，取金胜木。两红旗位正西，取火胜金。两蓝旗位正南，取水胜火。"③ 自清定都北京之后，各地八旗均是按此方位要求驻防。《黑龙江外记》记载齐齐哈尔、黑龙江和墨尔根三城时亦称："三城中八旗，皆按法勒哈稽查。法勒哈，国语地

---

① 《清世宗实录》卷129，雍正十年四月戊申条。

② 程廷恒、张家璠：《呼伦贝尔志略》，上海太平洋印刷公司1923年版，第218页。

③ 鄂尔泰等：《八旗通志》卷2，《旗分志二》，东北师范大学出版社1985年版，第17页。

面也。两黄旗北，两白旗东，两红旗西，两蓝旗南，制如京师，取五行相克意。"①

索伦八旗在呼伦贝尔草原上，以呼伦城（海拉尔）为中心，按旗色在不同的方位驻牧。索伦镶黄、正白两个旗，西从伊敏河东至扎顿河，北从海拉尔河至锡尼河游牧。索伦镶白、正蓝两个旗，东从库都尔河至西锡林布尔都池，南从辉河北至固尔比泉水官卡游牧。索伦正黄、正红两个旗，东从伊敏河西至辉河，南从哈拉图山至正北锡伯山游牧。索伦镶红、镶蓝两个旗，南从伊敏河发源地起至正北哈拉图山，再从伊敏河西至辉河游牧。

陈巴尔虎人被编入索伦八旗后，主要驻牧在镶白旗和正蓝旗境内。"1919 年（民国八年），呼伦贝尔副都统公署令各旗陈巴尔虎自立一翼两旗。在副都统的直接指令下，管理自己的旗署建设。"② 从此，陈巴尔虎从"索伦"这个泛称中脱颖而出，正式将"陈巴尔虎"做旗名。1919 年，经当时的呼伦贝尔副都统衙门批准，陈巴尔虎脱离索伦左翼，按照八旗旧制单设"一翼两旗"，两旗称"陈巴尔虎镶白旗"和"陈巴尔虎正蓝旗"，下辖 12 个佐。1919 年是陈巴尔虎人历史发展的关键一年，根据档案材料记载，可以将这一年视为陈巴尔虎单独建旗之始，但还不等于成立了"陈巴尔虎旗"。其实，当时仍在沿袭八旗旧制，成立的是"陈巴尔虎镶白旗"和"陈巴尔虎正蓝旗"。

（二）"新巴尔虎八旗"与新巴尔虎

巴尔虎人迁来呼伦贝尔的起因，是和雍正年间喀尔喀车臣汗各旗属下的巴尔虎人的叛逃事件有关。雍正八年（1730 年），额尔克台吉车布登兄弟、阿南达之孙延楚布多尔济和车臣汗乌默客再从兄弟沙克杜尔旗下的巴尔虎人联合逃往俄境，被遣返后，再次叛逃。③ 居住在喀尔喀的巴尔虎人因与喀尔喀统治者不和，于雍正九年（1731 年）偷渡国境进入俄罗斯界内。这部分巴尔虎人后来又被俄罗斯遣送回来，其首领黑力太等被清朝处死，余众仍在

---

① 西清：《黑龙江外记》，黑龙江人民出版社 1984 年版，第 215 页。

② 呼伦贝尔盟档案馆编：《呼伦贝尔盟档案馆指南》48—1—4145，呼伦贝尔盟档案馆 1990 年 1 月铅印，第 54 页。

③ 中国第一历史档案馆编：《清代中俄关系档案史料选编》第 1 辑下册，中华书局 1981 年，第 565 页。

喀尔喀界内居住。雍正十年（1732 年），清军击准噶尔部于额尔德尼召，车臣汗部骚动，又发生了多起叛逃事件。沙克杜尔札布之子根木丕勒属下蒙古、巴尔虎人叛逃入俄境，该旗只剩兵丁 30 余名。为此，清廷理藩院驻蒙官员照会俄方，要求按《尼布楚条约》有关规定将逃人遣返。《尼布楚条约》规定："两国订立本和约之前逃往中国之俄罗斯人及逃往俄罗斯之中国人，双方不再互相索还。订约之后，所有两国越境者，应立即送还两国边界长官，不得收留。"① 同时派尚书查克丹率兵追缉。车臣汗硕垒曾孙成衮札布旗下"巴尔虎人八佐领叛窜俄罗斯，成衮札布率兵随尚书查克丹追擒之，无脱者。"② 雍正十一年（1733 年），阿南达曾孙旺舒克达尔札"以同族札萨克台吉沙克都尔札布属图济格等煽动齐布齐格特人③遁俄罗斯，命随尚书查克丹兵缉之，无脱者。"④

众所周知，从康熙二十八年（1689 年）巴尔虎随喀尔喀南迁内蒙古，其间除有一部分巴尔虎人被编入满洲八旗、察哈尔八旗外，大部分又随喀尔喀封建领主返回漠北。在内外蒙流离失所的这几年间，他们不但部众散失，而且大部分失去了生存的依托——畜群。因此，才不断发生巴尔虎部众在内外蒙交界处抢劫的事件。巴尔虎重返漠北后，他们自身的处境并没有得到根本好转，于是才采取了集体逃亡等办法。

雍正十一年（1733 年），从属于喀尔喀车臣汗部贝子杨其布道尔吉旗下的巴尔虎，在巴尔虎管理章京车楞和都古尔带领下，前往额尔德尼召军营服役。行前，杨其布道尔吉不但不接见这部分巴尔虎人并对他们加以辱骂，引起巴尔虎部众的极大愤恨。巴尔虎人到达额尔德尼召军营后，在车楞和都古尔的带动下，以巴尔虎各姓氏的名义一起向清廷请求加入清八旗，获得批准。"由于当时中央对喀尔喀的控制尚很薄弱，喀尔喀知道巴尔虎要移走后，曾设法阻挠不让巴尔虎移走。据一些新巴尔虎老人传说，当年巴尔虎们为了顺利到达呼伦贝尔牧地，在布仁汗山阳坡，召开了绝密会议（议定暗

---

① ［俄］E. B. 冈索维奇：《阿穆尔边区史》，商务印书馆 1978 年版，第 117 页。
② 《钦定外藩蒙古回部王公表传》卷 59。
③ 齐布齐格特人，即巴尔虎人。齐布齐格特，又称奇布钦等，新、陈巴尔虎人中均有此姓。
④ 祁韵士：《皇朝藩部要略》卷 5，光绪十年（1884 年）刻本。

号让巴尔虎部众封好叫驼嘴，烤好叫犬屁），然后商定好日期，一夜之间，沿克鲁伦河悄悄地出了喀尔喀境。"①

雍正十二年（1734 年）七月，共有 2 984 名巴尔虎兵丁及家属迁往呼伦贝尔。按索伦兵制，将其中的 2 400 人编为两翼八旗。左翼四旗（镶黄、正白、镶白、正蓝）驻牧于哈拉哈河、乌尔逊河、呼伦湖东岸及海拉尔河下游两岸；右翼四旗（正黄、正红、镶红、镶蓝）驻牧于贝尔湖北岸、乌尔逊河和呼伦湖西岸及克鲁伦河下游两岸。

同年九月十一日，管理喀尔喀车臣汗部的大臣扎格丹上奏折谓："请为新迁来呼伦贝尔之巴尔虎部众委以职官，按索伦兵制教习骑射战阵之技，分编旗佐，亦按索伦官兵之例等给旗帜并弓、箭、马刀等军械。待有重要官职之缺，由统辖呼伦贝尔兵马之大臣上奏请旨后委任。现从新巴尔虎可充披甲之 2 984 名丁员中选用 2 400 人为披甲，余者可照料家庭并放养牲畜。2 400 名披甲分为 40 佐，按索伦兵制，每佐设领催 6 员，披甲 54 员。每旗设 5 佐，左、右两翼各设总管 1 员，旗设副总管 1 员，并指定佐领、骁骑校以上职官之人选，均进京引见后委任外，亦按索伦之例，给职官发半俸，领催每月发饷银 2 两，披甲每人每月发饷银 1 两。此新巴尔虎官兵依索伦之例分派驻守卡伦等差役。"② 雍正帝御批为"照办。"当时任命都古尔、查干、西日布为镶黄旗章京，达利、巴特玛为正白旗章京，车楞、双呼为镶红旗章京，乌古日莫勒、楚勒特木为镶蓝旗章京。同时任命都古尔为左翼总管，车楞为右翼总管。③ 这左右两翼八旗所属的巴尔虎，后来演变为今新巴尔虎左、右两旗的新巴尔虎蒙古人。将这两翼八旗的巴尔虎人，称为"新巴尔虎"，主要是含新来和新编入旗之意。另外，在这部分从车臣汗部移来的巴尔虎之前冠以"新"字，主要是为了与呼伦贝尔原有的巴尔虎，即 1732 年从布特哈移来的陈巴尔虎相区别。从此以后，在呼伦贝尔始有"新巴尔虎"与"陈巴尔虎"之称。

---

① 常海：《"新巴尔虎"小释》，《内蒙古社会科学》1983 年第 4 期，第 119 页。

② 呼伦贝尔副都统衙门：《呼伦贝尔副都统衙门册报志稿》，边长顺、徐占江译，呼伦贝尔盟历史研究会 1986 年 1 月铅印，第 71 页。

③ 苏勇：《呼伦贝尔盟民族志》，内蒙古人民出版社 1997 年版，第 34 页。

（三）呼伦贝尔八旗的旗制

呼伦贝尔的"索伦八旗"及"新巴尔虎八旗"，属于哪种旗制？大多数人认为它不同于盟旗制度下的旗，是总管旗，但又与八旗制度下的旗有区别。"新巴尔虎八旗"是按索伦兵制建立起来的，在分旗编佐时，均亦按索伦官兵之例发给旗帜并弓、箭、马刀等军械。官兵俸禄亦按索伦之例，给职官发半俸、领催每月发饷银 2 两、披甲每人每月发饷银 1 两。官兵的主要任务也是按索伦之例，分派驻守卡伦并承担有关差役。在《黑龙江志稿》中，亦认为"索伦八旗"与"新巴尔虎八旗"实行的是同一种兵制。《黑龙江志稿》称："雍正十二年，呼伦贝尔新移索伦兵丁每一佐领设领催六名，披甲五十四名。十二年，新巴尔虎驻防呼伦贝尔，亦照此编制。"[1] 认为巴尔虎不属于八旗兵的依据，主要来自魏源的《圣武记》。魏源称："唯东三省及新疆驻防，则于满洲、蒙古八旗外，又别出索伦兵、锡伯兵、达瑚尔兵、巴尔虎兵、察哈尔兵、额鲁特兵，皆打牲游牧部落之臣服较后者，故别编佐领，不列入八旗焉。"[2] 我们知道，"旗兵之制，根于佐领，"[3] 这些"别编佐领、不列入八旗"的"巴尔虎兵"，显然是被排在"八旗"这样的正规部队之外了。

被编入"索伦八旗"和"新巴尔虎八旗"的巴尔虎人，虽然不属于正规的"八旗"序列，但在名称上能冠以"八旗"字样，这终究比其他人显得更能靠近"八旗"。因此，史禄国称："除满洲人外，一些汉人、蒙古人（巴尔虎人）、森林地区的通古斯人（鄂温克人）、索伦人以及黑龙江和蒙古呼伦贝尔的达斡尔人也被纳入了满族的军事组织。被纳入这种独特组织的就成了'固山'（gusan，旗）'纳勒玛'（niyalma，人），——旗人；而其他汉人则被称为'依乐根'（irgen），意为卑贱，平庸的人。"[4]《清代八旗驻防研究》一书则将"巴尔虎八旗"，看做是戍卫北疆的准军事部队。[5]"他们

---

① 《黑龙江志稿》，卷26。
② 魏源：《圣武记》（下），中华书局 1984 年版，第469 页。
③ 《黑龙江志稿》，卷26。
④ ［俄］史禄国：《满族的社会组织——满族氏族组织研究》，商务印书馆 1997 年版，第22—23页。
⑤ 定宜庄：《清代八旗驻防研究》，辽宁民族出版社 2003 年版，第83、201 页。

与'正规'八旗官兵的区别，就在于食半俸半饷而不完全靠朝廷豢养为生。"

"索伦八旗"或"新巴尔虎八旗"均不属盟旗制度下的旗，也没有"札萨克、台吉或塔布囊"等称号，应属"非自治部落"。事实上，"索伦八旗"和"新巴尔虎八旗"皆归清廷直属的呼伦贝尔副都统衙门直接管理，并归黑龙江将军节制。按今天通俗的话来讲，当时的呼伦贝尔与今天的计划单列市有些相似，属于享受副省级待遇。引人注目的是巴尔虎部众食半俸半饷，显然又不是普通的牧民。

那么，究竟应该将呼伦贝尔的巴尔虎人归入哪一类为好，归根到底还是应归入旗籍。对这一点，《黑龙江志略》的表述比较准确。《黑龙江志略》称："黑龙江省种族之别有五，曰旗籍、曰军籍、曰民籍、曰蒙籍、曰回籍。最初驻防各城者，均属旗籍。其营、屯、站则编入军籍，新辟各处居民概列民籍。至依克明安旗及扎赉特、杜尔伯特、后郭尔罗斯三旗则纯系蒙旗。"①《黑龙江志稿》亦称："再查本省旗户，向分满洲、蒙古、汉军、索伦、达斡尔、巴尔虎并布特哈打牲人等各项名称，统称旗丁。"

编入"索伦八旗"的陈巴尔虎和编入"新巴尔虎八旗"的新巴尔虎，均是按清廷的统一调遣驻防呼伦贝尔的，这一点与盟旗制度下的旗有着本质上的区别。如果需要将"索伦八旗"或"新巴尔虎八旗"的旗制定性，将其归属为一种准军事组织较为合适。对此，《呼伦贝尔盟志》称："清朝的旗兵，史称驻防，即平时务农游牧行猎，战时或境内外调遣时，披甲入伍出征，是属兵备性质的地方武装。"②

清朝统治者可能没有料到，在呼伦贝尔实行的这种准军事组织的旗制，却有着较强的生命力。《黑龙江志稿》称："清旗官制度，自改行省后尽废，惟呼伦贝尔旗制尚存。"③"查呼伦在未改行省以前，与齐齐哈尔等城各设副都统一，为八旗驻防之地。该旗种族非纯系蒙古，各由他族迁徙而来，计分

---

① 张国淦：《黑龙江志略》，见《清代黑龙江孤本方志四种》，黑龙江人民出版社 1989 年版，第 159 页。

② 程道宏、徐占江：《呼伦贝尔盟志》（上），内蒙古文化出版社 1999 年版，第 657 页。

③ 《黑龙江志稿》。

五大部落：曰索伦、曰达斡尔、曰鄂伦春、曰新陈巴尔虎、曰额鲁特。各以总管领之，官制纯系满洲旗制，如副都统、副管、佐领名称是也；与蒙古之称汗、王公、贝勒、贝子及札萨克、台吉等制度迥然不同。"

巴尔虎人中原没有王公贵族，只有少数的世袭佐领，享有封建特权。这一点与内外蒙的其他蒙古族部落均有所不同。蒙古封建主归顺清朝后，清统治者按照他们忠顺的程度、贡献的大小、部内的地位及影响，分别授予他们亲王（或汗）、郡王、贝勒、贝子、镇国公、辅国公等不同爵位。对贡献和影响甚小的蒙古贵族，也顾其传统，授以一、二、三、四等台吉的世爵；对土默特左旗、喀喇沁三旗贵族授塔布囊，同于台吉。[①] 获得世爵的蒙古封建王公贵族，在政治上和经济上享有各种特权和优厚待遇。据《呼伦贝尔副都统册报志稿》记载："新巴尔虎镶黄旗第一、二、三佐有新巴尔虎世袭佐领三员之额。新巴尔虎镶白旗第一佐有新巴尔虎世袭佐领一员之额。新巴尔虎正白旗第一、二佐有新巴尔虎世袭佐领二员之额。新巴尔虎正蓝旗第一、二佐有新巴尔虎世袭佐领二员之额。新巴尔虎正黄旗第一、二佐有新巴尔虎世袭佐领二员之额。新巴尔虎正红旗第一、二佐有新巴尔虎世袭佐领二员之额。新巴尔虎镶红旗第一、二佐有新巴尔虎世袭佐领二员之额。新巴尔虎镶蓝旗第一、二佐有新巴尔虎世袭佐领二员之额。"[②] 以上巴尔虎世袭佐领及其后代，在有清一代，成为巴尔虎草原上的一个特殊阶层。

（四）巴尔虎离开喀尔喀

历史上，巴尔虎人曾在今俄罗斯及蒙古国境内居住过相当长的一段时间。至今，在俄罗斯及蒙古国境内仍生活有部分巴尔虎人。巴尔虎在中、俄、蒙古三国均有分布，成为蒙古族中一个名副其实的跨界部族。

康熙二十七年（1688年），在噶尔丹击溃外蒙古各部时，就有部分巴尔虎人被迫流亡俄境。《尼布楚条约》签订后，居住在外蒙古的巴尔虎人曾多次越过新划定的中俄边境，想逃往他们的故土。当时俄方虽然根据条约中双方不准容留对方逃人的规定，将其中的多数予以遣返，但有时也寻找各种借

---

① 《蒙古族通史》中卷，民族出版社2001年版，第359页。

② 呼伦贝尔副都统衙门：《呼伦贝尔副都统衙门册报志稿》，边长顺、徐占江译，呼伦贝尔盟历史研究会编印1986年版，第72—73页。

口对少数逃往俄境的人予以庇护。如康熙三十四年（1695 年），旺扎勒属下鄂勒巴图尔宰桑所率的一佐领巴尔虎人，因避噶尔丹而流入俄境，后来又陆续收留到俄境省亲的巴尔虎人共 40 多名。清廷虽多次与俄方交涉，俄方仍不予理会。① 康熙六十年（1721 年）八月，外蒙古车臣汗部辅国公格勒克巴木丕尔旗下塔布囊班丹等率巴尔虎人 761 人叛逃俄罗斯，清廷理藩院多次向俄方催索。俄方以已入档册为借口，只将其中 26 人送回，其余的均留居俄罗斯。流入俄罗斯境内的巴尔虎人，后来都融合入俄罗斯境内的布里亚特人中。② 巴尔虎与喀尔喀不但山水相连（今新巴尔虎左、右两旗与蒙古之国间有 675.82 公里的边境线）③，而且历史上两部往来较多。居东北的巴尔虎人的后裔和居呼伦贝尔的新、陈巴尔虎人，在康熙和雍正年间，均作为喀尔喀封建主的属部，在喀尔喀驻牧过一段时间，后来是因种种原因离开喀尔喀而分别迁往现驻地的。巴尔虎在喀尔喀期间，曾被称为"喀尔喀巴尔虎"。④

据有关史料记载：清初巴尔虎人不是作为一个完整的部落统属于喀尔喀，而是分属于喀尔喀各部，其中大多数隶属车臣汗部，少数隶属土谢图汗部。这种局面的出现，是与沙俄入侵后贝加尔及在这一地区与外蒙势力的争夺直接有关。17 世纪 40 年代末，沙俄开始涉足后贝加尔。顺治五年（1648年），沙俄在巴尔古津河口建立了侵略据点。此后建立了尼布楚、色楞格等几个据点，对当地布里亚特人和巴尔虎人进行残酷的镇压，强迫他们臣服于沙皇，缴纳赋税。当时，由于各部落间的重新分化组合，布里亚特形成了较大的部落，其中也包括了巴尔虎部，俄国人把他们统称为"布里亚特人"。布里亚特人和巴尔虎人为了反抗沙俄的统治，他们不断地举行武装起义和集体逃亡，使"那些土地很快地变成了无人区"。⑤ 顺治十五年（1658 年）布

①《清代中俄关系档案史料选编》第 1 编上册，第 303 页。

② 瀛云萍：《八旗源流》，大连出版社 1991 年版，第 214 页。

③ 程道宏等：《呼伦贝尔盟志》（上），内蒙古文化出版社 1999 年版，第 33 页。

④ 宝音德力根：《"喀尔喀巴尔虎"的起源》，宝音德力根：《明清档案与蒙古史研究》（蒙古文），内蒙古人民出版社 2002 年版，第 38 页。

⑤《布里亚特蒙古史选译》，《蒙古史研究参考资料》第 10 辑，内蒙古大学蒙古史研究室编印 1978 年版，第 1—68 页。

里亚特人举行大起义，他们"带着财产，赶着牲畜，逃亡到喀尔喀人那边去了"。① 显然，由于沙俄的入侵，贝加尔湖沿岸的布里亚特等游牧民被迫移牧到了喀尔喀地区。这样喀尔喀蒙古便处在了抗俄的最前线。康熙二十五年（1686年），由喀尔喀部土谢图汗之弟西第什哩（巴图尔）率领的一支4 000人的军队，也加入贝加尔湖地区布里亚特蒙古族人民反抗沙俄的斗争行列，使沙俄在这一地区也处于被动的局面。正当喀尔喀蒙古的抗俄斗争进入关键时期，噶尔丹利用喀尔喀蒙古内部的矛盾，于康熙二十七年（1688年）突然抄袭了喀尔喀蒙古。张穆的《蒙古游牧记》记载："噶尔丹向距和卜多地方，于本年二月间挚家游牧至八月内，至克鲁伦湖源处屯聚，随授阿喇卜滩台吉丹济喇丹津俄木布等，兵三千，渡克鲁伦河，掠喀尔喀纳木扎尔陀音及巴尔虎。"② 噶尔丹叛乱的结果，不但击溃了喀尔喀蒙古的抗俄力量，使巴尔虎不得不随喀尔喀蒙古南下内蒙古，而且造成了清政府北部边防的危机。

据巴尔虎蒙古史学家敖日格所著《巴尔虎史》记载：当俄国与清王朝之间发生战争时，布里亚特人召开了氏族头人紧急会议，讨论了如何应付今后时局的问题。会上众人意见不一，其中一部分人主张南下归附清朝；另一部分人要回到他们的故乡——贝加尔湖地区，同至今仍留在那里生活的布里亚特骨肉们会合；还有一部分则要投奔统治他们直到近代的蒙古人那里去。以上三种意见相持不下，时局又很紧迫，必须尽快作出决断。于是商定各奔前程：谁愿意投奔哪里就投奔哪里，以后看形势的发展再采取相应的对策。因此，一部分人南下，到了清朝境内的西吉嘎尔（今齐齐哈尔）附近；第二部分人迁往俄国管辖下的故土——锡林格河以北、尼布楚河、巴尔虎金及贝加尔湖附近的胡里图草原与浩里草原等地区，加入俄籍，变成俄国臣民；第三部分人迁往喀尔喀蒙古，成为喀尔喀的达赖贝子占齐布道尔吉旗内的属民。

在这个外患内乱大动荡的年代里，巴尔虎人先是离开了世代生息的贝加

---

① 《布里亚特蒙古史选译》，《蒙古史研究参考资料》第10辑，内蒙古大学蒙古研究室编印1978年版，第1—68页。

② 张穆：《蒙古游牧记》卷9，同治年间祁氏刻本。

尔湖沿岸，大部分成为喀尔喀蒙古的属民。后来，在喀尔喀蒙古举部南迁内蒙古的动荡时期，一部分巴尔虎与原喀尔喀封建领主脱离隶属关系，被编入满洲八旗，直接臣属清廷。其后，随着战乱的平息，大部分巴尔虎人又随原封建领主返回喀尔喀。雍正十二年（1734 年）又大规模地离开喀尔喀，被清廷编入"新巴尔虎八旗"并驻防于呼伦贝尔。

离开了喀尔喀向何处去，这是当时摆在巴尔虎人面前的一个难题。当时内蒙古秩序已趋稳定，各盟旗间牧民尚不许跨旗游牧，更不许收容逃亡者，因此内蒙古没有他们的立足之地。无奈之下，这时他们当中的一部分人才跨界逃向了现在属于俄罗斯的故土。

关于巴尔虎人在喀尔喀时逃亡俄罗斯一事，布里亚特人宝敦古德·阿毕德在《布里亚特蒙古简史》中也有记载："1727 年沙皇俄国同清政府缔结《布连斯奇条约》后，在蒙古人的土地上划分了两国国界，从而使同甘共苦、情同手足的巴尔虎、布里亚特人民分割在国界两边，咫尺天涯，不得相见。为了兄弟骨肉重新团圆，曾发生过跨越新设国界事件，违反了两国国境管理法，从而发生了巴尔虎的给勒代（即黑力太）章京被处以死刑的悲惨历史，至今在巴尔虎、布里亚特人中记忆犹新。民间也曾编写民歌来歌唱，纪念过这一事件。"对巴尔虎欲逃离喀尔喀的举动，当时喀尔喀统治者采取了严厉的控制手段。在《清朝藩部要略稿本》中记载："车臣汗部辅国公格克巴木丕尔，以所属巴尔虎人由塔尔巴哈台遁俄罗斯，驰击之，赐双眼孔雀翎，寻助军需，得记录。"[1] 跨界逃亡是要承担风险的，有时还要付出生命的代价。从巴尔虎不断逃亡俄罗斯，到后来巴尔虎采取集体志愿入旗的形式来摆脱喀尔喀的控制这两件事情来看，当时巴尔虎与喀尔喀的关系是比较紧张的。巴尔虎急于摆脱寄人篱下的地位，喀尔喀又不愿意放弃对巴尔虎的控制，这种积怨还直接影响到以后两部边界纠纷的妥善处理。

据燕京、清华、北大 1950 年暑期内蒙古工作调查团编《内蒙古呼纳盟民族调查报告》载："相传新巴尔虎……因不堪当地统治者的压迫，就跑到呼伦贝尔地方来。在逃来之前，据说曾秘密派人来这一带探查，发现了 5 个财地，那就是：达来诺尔（呼伦湖）的鱼、巴颜诺尔的盐、兴安岭的森林、

---

① 包文汉整理：《清朝藩部要略稿本》，黑龙江教育出版社 1997 年版，第 78 页。

吉拉林的金矿、札赉诺尔的煤矿。发现了就报告了清政府，得到了清朝的嘉奖，才允许他们迁到这里来。来的时候，人数很少，但大部都有些资产，带来不少牲畜。因为是偷偷地逃来，所以不敢坐马车只用骆驼背着一些衣物。又怕小孩在路上哭喊，也藏在骆驼背上的木箱子里，这样才没有被统治者发现而得以平安的逃来。"① 从以上记载中我们可以这样认为：巴尔虎是因不堪喀尔喀统治者的压迫，才想逃离喀尔喀的；他们迁来呼伦贝尔的原因绝不是因为发现了"5 个财地"，才允许他们迁到这里来的，主要原因是他们急欲摆脱喀尔喀封建领主的控制，因而才志愿入旗的。

对当年离开喀尔喀时的情景，在流传至今的一首巴尔虎民歌《吉仁口》中，曾有生动的描述："吉仁口迁徙，奔向可爱的故乡；对别人暗中串通的话语，不必放在心上。从吉仁口迁徙，朝向生身的故乡；对暗地里蛊惑的话语，不必记在心上。装载辎重的迁徙，奔向阿尔山、依玛格特；往车队后面望去，忍不住热泪滚落。搬迁的车辆，朝向努呼图、屯都尔；往车队后面望去，收不住滚落的热泪。"② 从这首巴尔虎民歌反映出来的情景看，巴尔虎人当年在离开居住多年的喀尔喀境内时，其心态是极其复杂的，因此才"忍不住热泪滚滚"。除了贝加尔湖以外，呼伦贝尔才是巴尔虎人"生身的故土。"因此他们才义无反顾地开始"装载辎重的迁徙"，目的是"奔向可爱的故乡。"

（五）巴尔虎与喀尔喀边界纠纷

巴尔虎由喀尔喀迁来呼伦贝尔并被编入"新巴尔虎八旗"，以及沿呼伦贝尔与喀尔喀交界处驻防后，巴尔虎人的身份和地位也随之发生了重大变化。因为这时巴尔虎与喀尔喀之间已经没有过去那样的从属关系了，两者的地位是平等的，均对上向清廷负责。自此之后，原呼伦贝尔与喀尔喀的边界，变成了巴尔虎与喀尔喀的边界。

正因为巴尔虎在喀尔喀期间，与喀尔喀封建领主之间的关系不融洽，才

---

① 燕京、清华、北大 1950 年暑期内蒙古工作调查团：《内蒙古呼纳盟民族调查报告》，内蒙古人民出版社 1997 年版，第 21—22 页。呼纳盟为呼伦贝尔纳文慕仁盟的简称，辖地基本与今呼伦贝尔市相同。

② 呼伦贝尔盟文化局、呼伦贝尔盟文联：《呼伦贝尔民歌》，内蒙古人民出版社 1984 年版，第 4 页。

导致了巴尔虎逃离喀尔喀。巴尔虎从喀尔喀移来呼伦贝尔后，巴尔虎与喀尔喀变成了互不统属的两个区域。巴尔虎驻守的呼伦贝尔与喀尔喀山水相连，有着漫长的边境线，在近200年间边界纠纷始终没有得到很好的解决。关于巴尔虎与喀尔喀在边界问题上的纠纷，光绪二十三年（1897年）由呼伦贝尔副都统衙门的蒙古笔帖式按清政府的规定，用满文编写上报给黑龙江将军衙门，再由他们转报给清政府的《呼伦贝尔副都统衙门册报志稿》中的《测绘喀尔喀巴尔虎边界有关事宜》一文，对此事有比较详细的记述。其实，在此之前，清廷就注意到了巴尔虎与喀尔喀的边界纠纷问题，不过多年都没有加以解决。如咸丰八年（1858年）正月二十八日，谕军机大臣等："景淳奉查办喀尔喀界址，详陈勘断情形，并请回避履勘一折。喀尔喀王旗界，与巴尔虎壤地相接，前因查办各员有改图诸弊，致喀尔喀众心不服争控。本年春间，经景淳亲往履勘，因胡拉特山现有喀尔喀王祖茔，拟请将山之西南介在疑似之封堆裁撤，另于山之东北改设胡拉特卡伦一处。据奏与巴尔虎地界并无亏损，业经各具甘结可永息争端为要。所有会勘之处，着景淳毋庸回避，即照前此勘断情形，先行令同奕山商办。俟明春德勒克多尔济派员到后令同定议。该将军等惟当秉公勘断，以杜争端。将此各谕令知之。"①同治四年（1865年）十一月三日，谕军机大臣等："阿勒楚喀副都统德英，本日已有旨令其署理吉林将军，迅赴新任。皂保俟德英抵任后，即行交卸，仍遵前旨，驰赴喀尔喀巴尔虎，办理争界事宜。惟瞬届严冬，如该处大雪封山，不能前往复查，即着先行回京。将此谕令知之。"

　　从咸丰八年（1858年）到同治四年（1865年）的七年中，虽然在大臣们的奏文中多次提到要解决喀尔喀与巴尔虎之间的边界纠纷，但因奏折中提到的种种原因，关于这段持续已久的边界纠纷，清廷最后也没有拿出一个权威性的说法。苏那木策林在《苏都护呼伦贝尔调查八旗风俗各事务咨部报告书》中亦称："贝尔泡入喀尔喀河产诸鱼，河南北为喀尔喀界，咸丰年间本处蒙古与喀尔喀河产争界址历经钦差勘判。迄未拟结所有两造交界，迄今

---

① 邢亦尘：《清季蒙古实录》下辑，内蒙古社会科学院蒙古史研究所编印1981年版，第3页。

仍属含混。"① 对哈拉哈庙的归属问题等引起的边界纠纷，如此一拖几十年，谁也断不了也不敢断这个官司。巴尔虎与喀尔喀之间的边界纠纷，也为日后爆发震惊中外的"诺门罕战争"埋下了伏笔。

四、巴尔虎人口及游牧经济

（一）巴尔虎人口数量

巴尔虎在历史上究竟有多少人口，由于没有准确的统计资料可查，一直是一个很难说清的问题。很多蒙古史学家在谈到古代巴尔虎人时，大多说巴尔虎是一个历史悠久的蒙古部落，它还有许多旁系。但很少有人谈到巴尔虎在不同历史时期的人口数，对这方面的问题普遍关注得不够。对于巴尔虎人这样一个由游猎经济转向游牧经济的部落来讲，人口的增长，其实也就是从游猎业转向半游猎业、半畜牧业，以至最后全部转向畜牧业的过程。因为，一个拥有众多人口的部落，在草原上是不能完全靠狩猎获取食物来谋生的。

唐代《通典·拔野古》称：拔野古"胜兵万余"；《新唐书·回鹘传》称："拔野古一曰拔野固，或为拔曳固，漫散碛北，地千里，直仆骨东，邻于靺鞨。帐户六万，兵万人。"② 这是史籍上第一次关于巴尔虎人口的记载，按草原居民 10 人出一丁计算，当时的巴尔虎人口应有 10 万人左右。明代岷峨山人在所撰《译语》中称："巴儿户，虏中呼为黑达子，好战斗，兵至数万，以镔铁为刀。"③ 如仍按上述方法推算，巴尔虎人口在明代最少也有十几万人。

新出版的《蒙古民族通史》一书以 1206 年前后的时间为准，曾对蒙古族的几个主要组成部分进行过数量分析："八剌忽诸部人口，该部落生活在贝加尔湖东西的大森林里，是'林木中百姓'的主要部分，基本上在汗国建立后加入蒙古共同体。这里的人口难以计算。不过，总不会少于一万户，

---

① 苏那木策林：《苏都护呼伦贝尔调查八旗风俗各事务咨部报告书》，呼伦贝尔盟历史研究会编印 1986 年版，第 10 页。

② 《新唐书》卷 217 下。

③ 岷峨山人：《译语》，《内蒙古史志资料选编》第 3 辑，内蒙古地方志编纂委员会总编室编印 1985 年版，第 97 页。

五万人。即使有误差，也不会太大。"①

巴尔虎在清代究竟有多少人口，到目前为止还没有准确的统计资料可查。巴尔虎被编入八旗后才有了一些关于巴尔虎兵丁数的零星记载，其人口数亦只能靠估计来推算。关于旗人的人口统计方法，史学界现大多采用伊亚铁夫的推算公式。伊亚铁夫是从事人口调查的一位俄罗斯官员，此人在《满洲帝国统计记》中曾运用自己的推算方式研究过满洲的人口。他的公式是八旗总人口为八旗壮丁数乘以9，此即为八旗人口的总和。②

满洲八旗创始初期，每一牛录（佐）编入300壮丁。康熙年间对每牛录的编制有新的规定，每佐的壮丁由原300人减到150人。巴尔虎人加入满洲八旗的时间，均是康熙三十年左右的事，因此统计巴尔虎的八旗人口应以每佐150人计算。巴尔虎加入满洲八旗的时间，与东北通古斯诸民族大致相同。因此，也可以参照伊亚铁夫的推算方法来研究清代巴尔虎的人口情况。据有关史料记载和考证：驻防吉林的巴尔虎兵丁为8佐，驻防辽宁的巴尔虎兵丁为10佐，再加上驻京师八旗、察哈尔八旗及黑龙江齐齐哈尔、墨尔根等地的巴尔虎兵丁，当时在内蒙古及东北各地的巴尔虎总人口（不包括在外蒙古的），应在15 000人左右。

巴尔虎在定居呼伦贝尔之前，一直处于颠沛流离和分散各地的状况，其人口损失情况是很严重的。在辽宁等地的巴尔虎人加入满洲八旗后，因长期与满族人相处在一起，到清末民初时均以旗人相称。经过200多年的融合，巴尔虎人的后裔现多数成为满族大家庭的一员。

雍正十年（1732年），陈巴尔虎被编入索伦八旗，计有兵丁275人，同来的796名家眷中有多少巴尔虎人没有明确记载。按伊亚铁夫的人口推算方式，即"八旗总人口为八旗丁数乘以9"的方式计算，陈巴尔虎总人口应为2 475人。雍正十二年（1734年），新巴尔虎兵丁2 984人移入呼伦贝尔，从中选出2 400人组成40佐。但2 984人全系15岁以上男丁，其家眷或户数有多少，亦无明确记载。如仍按伊亚铁夫的人口推算方式计算，将2 400乘以9新巴尔虎总人口应为12 600人。将这两部分巴尔虎兵丁及随行人口

---

① 《蒙古民族通史》第1卷，内蒙古大学出版社2002年版，第159页。
② 郑东日：《东方通古斯诸民族起源及社会状况》，延边大学出版社1991年版，第3页。

加起来，在呼伦贝尔的巴尔虎人应在 1.5 万左右。从此，人们根据巴尔虎的人口已占呼伦贝尔人口的大多数，以及巴尔虎的主体在呼伦贝尔等实际情况，便很自然地将呼伦贝尔地区又称为"巴尔虎"了。

巴尔虎定居呼伦贝尔后结束了颠沛流离的生活，但由于承担役差、出家当喇嘛，以及后来的性病流行、人口出生率低等诸多因素影响，巴尔虎的人口增长一直是较为缓慢的。同治三年（1864 年）成书的《黑龙江通省舆图总册》，对当年陈巴尔虎和新巴尔虎各旗的户数亦有明确的记载："旧巴尔虎镶白、正蓝二旗人等，南自辉河起，北至固尔毕舍利卡伦止，285 里许；东自库勒都尔河起，西至西林布尔都泡止 400 里许，其间游牧。二旗共计830 户。新巴尔虎左翼镶黄、正白二旗人等，南自喀勒喀搭界之西林胡克卡伦起，北至呼伦泡止，325 里许；东自公诺尔泡起，西至鄂尔顺河止，165里许，其间游牧。此二旗共计 564 户。新巴尔虎镶白旗人等，南自公诺尔泡起，北至布木巴诺卡伦止，210 里许；东自那干台松树林起，西自呼伦泡起，110 里许，其间游牧。此一旗共计 240 户。新巴尔虎正蓝旗人等，南自乌雨勒和奇河起，北至公诺尔泡止，305 里许；东自辉河起，西至喀勒喀搭界之诺们罕布尔都卡伦止，250 里许，其间游牧。此一旗共计 402 户。新巴尔虎右翼正黄、正红二旗人等，南自都兰喀喇山起，北至喀勒喀搭界之西喇产山卡伦止，260 里许；东自鄂尔顺河起，西至希巴尔图泉止，260 里许，其间游牧。此二旗共计 501 户。新巴尔虎镶红、镶蓝二旗人等，南自贝尔湖、布隆德尔苏卡伦起，北至克鲁伦河止，250 里许；东自鄂尔顺河起，西至霍尔剀图山卡伦止，320 里许，其间游牧。此二旗共计 518 户。"① 根据以上记载得知：旧巴尔虎镶白、正蓝二旗（今陈巴尔虎旗）有 830 户；新巴尔虎左翼四旗（今新巴尔虎左旗）有 1 206 户；新巴尔虎右翼四旗（今新巴尔虎右旗）有 1 019 户。以上巴尔虎 10 旗总户数为 3 055 户，占当时呼伦贝尔 17 旗总户数 4 486 户的 68.1%。

按《呼伦贝尔盟志》中采用的推算方法"以 1922 年户均 7.48 人计

---

① 《黑龙江通省舆图总册》（黑龙江将军衙门抄本），柳成栋整理：《清代黑龙江孤本方志四种》，黑龙江人民出版社 1989 年版，第 83—84 页。

算"①，陈巴尔虎应有 6 208 人，新巴尔虎应有 16 643 人，总计为 22 851 人。

光绪二十三年（1897 年）由呼伦贝尔副都统衙门按清政府规定的统一体例编写的《呼伦贝尔副都统衙门册报志稿》，对巴尔虎的人口也有详尽的记载。《志稿》称："陈巴尔虎有男 2 163 人、女 2 315 人。新巴尔虎八旗官兵现有 2 024 户，有男 4 653 人、女 7 044 人。"② 计有陈巴尔虎 4 478 人、新巴尔虎 11 701 人，共有巴尔虎人 16 179 人。

光绪三十一年（1905 年）之后，张国淦编写的《黑龙江志略》，对巴尔虎的人口情况也有记载。他将宣统元年（1909 年）调查黑龙江全境的巴尔虎人数记述如下：龙江府 237 人、呼兰府 80 人、绥化府 4 610 人、海伦府 152 人、呼伦厅 17 702 人，总计 22 781 人。③ 由此可见，宣统元年（1909 年）呼伦贝尔境内的巴尔虎人应为 17 702 人。

（二）巴尔虎牲畜头数

当年古巴尔虎人从贝加尔湖沿岸的山林地带逐渐向草原地带推进时，当时的草原已非原始处女阶段。因为在古巴尔虎人之前，草原上就已经生活着许多经营畜牧业的民族。巴尔虎人经营畜牧业的积极性是与其牧业技术日益提高，养畜方法日趋合理和游牧方式不断改进分不开的。巴尔虎人经营畜牧业，最早是从饲养马匹开始的。因为不管是从事狩猎，还是经营畜牧业，都是离不开乘马的。因此，早在唐代时，"回纥部的大足羊，骨利干、拔野古部的马，在漠北都很驰名。"④ 由于马匹具有重要的军事价值和商业价值，所以备受草原上牧人的重视。其后，巴尔虎人学会了养羊，羊肉和羊毛制品（毡子、毡垫、毡袜等）成为其衣食的重要来源之一。再其后，巴尔虎人又有了牛和骆驼。这样，巴尔虎人才完全具备了蒙古人所说的"五畜"，即马、牛、羊、山羊和骆驼。巴尔虎人自从开始经营畜牧业以来，便和草原及畜牧业结下了不解之缘。虽然巴尔虎人历史上曾几次从贝加尔湖沿岸走进草

① 苏勇：《呼伦贝尔盟民族志》，内蒙古人民出版社 1997 年版，第 39 页。
② 呼伦贝尔副都统衙门：《呼伦伦尔副都统衙门册报志稿》，呼伦贝尔盟历史研究会 1986 年 1 月铅印，第 27 页。
③ 柳成栋整理：《清代黑龙江孤本方志四种》，黑龙江人民出版社 1989 年版，第 161 页。
④ 段连勤：《丁零、高车与铁勒》，上海人民出版社 1988 年版，第 336 页。

原，又几次退回到贝加尔湖沿岸过着半游猎半游牧的生活，但最终还是全部选择了在草原上经营畜牧业。因此，有人将雍正十年（1732年）巴尔虎人定居呼伦贝尔看做是全体巴尔虎人彻底地告别了半游猎半游牧生活并开始完全经营畜牧业的一个标志。①

雍正十年（1732年），陈巴尔虎随索伦（今鄂温克族）、达斡尔族等移居呼伦贝尔时，当时清廷按官位等级拨给了一批牲畜，其中有马15 494匹、牛9 494头、羊93 540只。当时呼伦贝尔草原曾一度无人畜活动，他们带来的"十多万头牲畜"，奠定了呼伦贝尔草原畜牧业的发展基础。

光绪三十二年（1906年），呼伦贝尔副都统衙门调查了呼伦贝尔境内的牲畜头数，共有大小牲畜头数1 764 477头（只），其中马170 172匹、牛124 418头、骆驼9 011峰、绵羊1 407 586只、山羊53 290只。其中，今新巴尔虎左、右两旗牲畜头数分别为805 308头（只）和514 371头（只）。其中，新巴尔虎左翼"以上大小马65 079匹、大小牛共53 887头、大小骆驼3 062峰、大小羊602 288只、大小山羊共2 092只。"

过去"天灾人祸"对畜牧业影响极大，有时这方面的损失也是不可避免的。如《苏都护呼伦贝尔调查八旗风俗各事务咨部报告书》称："庚子之变丧失牲畜不下数十万。"② 历史上，每当巴尔虎遭受特大白灾草场满足不了需要时，曾有过借牧喀尔喀第二年春季返回的事例。据光绪三十三年（1907年）形成的《苏都护呼伦贝尔调查八旗风俗各事务咨部报告书》称："每当隆冬大雪，野无遗草，则随时咨行喀尔喀越界游牧，春融返回，历办有案。"③

五、巴尔虎社会与风俗

（一）巴尔虎人的衣食住行

过去，在巴尔虎草原上除了寺庙外再无别的永久性建筑，这种情形一直

---

① 崔贵文：《呼伦贝尔畜牧业》，内蒙古文化出版社1992年版，第9页。
② 《苏都护呼伦贝尔调查八旗风俗各事务咨部报告书》，呼伦贝尔盟历史研究会编印1986年版，第7页。
③ 《苏都护呼伦贝尔调查八旗风俗各事务咨部报告书》，呼伦贝尔盟历史研究会编印1986年版，第7页。

延续到光绪二十九年（1903 年）东清铁路通车前后才有所改观。光绪七年（1881 年），黑龙江将军定安等奏："呼伦贝尔兵丁应建营房，该处向系打牲游牧之处，惯于露居野外，现以房价改置毛毡蒙古包，以便居住。"[①] 光绪二十三年（1897 年）编写的《呼伦贝尔副都统衙门册报志稿》也称："此城原未筑城墙，只有衙门办公房屋一处"及"八旗官兵自来以游牧为生，无固定居处。"[②]

在远古时期，巴尔虎人在贝加尔湖沿岸过着游猎生活，那时他们住的是用桦树皮和兽皮搭成的窝棚，有点类似于今天鄂伦春人住的"撮罗子"。随着半游猎半游牧生活的开始，才逐渐住进蒙古包中并一直延续到现在。蒙古包千百年来能在蒙古草原上经久不衰，始终受到草原各族人民的喜爱，是它便于游牧生活的先进性所决定的。巴尔虎人在蒙古包里是不设床的，大都是席地而卧。

据考证：早在蒙古各部统一之前，巴尔虎人就掌握了勒勒车的制造技术，从这一点上说他们还真不愧为"高车"的后代。到元代时，巴尔虎人的制车技术已趋成熟。他们对照和利用古代的制车方法和知识，为了使勒勒车坚固和安全，使用坚固的桦木做轮轴，而这种桦木无论是在贝加尔湖沿岸，或者是在呼伦贝尔的浅山区几乎遍地都是。为了减少轮轴与车轮的摩擦力，增进其转动时的滑力，工匠们用铁铸的毂圈镶在车轴两端。"从蒙古高原考古发掘出来的许多蒙元时期的巨形毂圈来看，证明了铁毂是当时制毡车所用的必需品。"[③] 至今，这种铁制毂圈在巴尔虎三旗仍有出土和发现。[④]

（二）巴尔虎印记

巴尔虎人自古以来就拥有自己的印记。过去印记主要有两方面的作用：

① 邢亦尘：《清季蒙古实录》下辑，内蒙古社会科学院蒙古史研究所（内部发行）1981 年版，第 129 页。

② 呼伦贝尔副都统衙门：《呼伦贝尔副都统衙门册报志稿》，边长顺、徐占江译，呼伦贝尔盟历史研究会铅印 1986 年版，第 10 页。

③ 《蒙古族通史》上卷，民族出版社 2001 年版，第 383 页。

④ 彭苏格旺吉乐：《新巴尔虎左旗文史资料》（蒙古文）第 2 期，封面二，内蒙古文化出版社 1997 年版。

一为部落姓氏标志；二为部落牲畜标志。将牲畜用印记加以区分，是草原上游牧民族的通用做法。巴尔虎牧民每户都备有畜群专用铁印，蒙古语叫"塔木嘎"。所有成年牲畜身上都要烙有牧户铁印的图案。铁印呈圆形的较多，也有方形的，直径约3—5厘米，铁印有1米长的铁把。按照习惯的要求每家牧户使用的铁印图案都要有自己的特点，还必须属于游牧社会公认的图案，要有专用名称和吉祥意义，如太阳、月亮、云彩、山川、河流、雄鹰、鱼儿、弓箭、套马杆……等等。牧户使用某一图案可以有自己固定的变化，如月牙图案就可以分为满月、肋骨形月牙、钝形月牙、云中月牙、云上或云下月牙、朝上或朝下月牙、朝左或朝右月牙等等。

　　游牧社会经济习惯法规定：所有家畜的成年畜身上必须有成年畜的标志——耳记或印记，无标志的就是野畜；无论是有意还是无意，如果把其他牧户的牲畜收入自家畜群的行列，一旦发现一律按偷盗论处。从巴尔虎印记的式样来看，其类型是多种多样的，也反映出多元文化对巴尔虎人的影响。如有用阿拉伯数字做印记的；有用藏文、满文、蒙文字母做印记的；还有根据牧人的具体要求来打印不同的印记的。随着时间的推移及民族的分化，有些图腾印记也演变为原生型、次生型、再生型图腾印记标志。这三类印记虽然产生的时间不同，但在巴尔虎人印记中同时存在，说明这种由来已久的印记文化也是逐步积累的。后一种类型是在前一种类型的基础上产生，但前一种类型并不因此而消失，而是继续得以保存。

　　（三）巴尔虎服饰

　　巴尔虎服饰，是巴尔虎人在长期的生产和生活实践中逐渐发展和完善起来的。独具特色的巴尔虎服饰，也比较集中地反映着巴尔虎人的思想感情、风俗习惯和审美观念。巴尔虎人在蒙古各部统一之前，与"林木中百姓"生活在一起，过着原始的渔猎生活。那时他们食兽肉、穿兽皮，衣着大概与呼伦贝尔境内过去靠狩猎为生的鄂伦春、鄂温克人没有太大的区别。蒙古各部统一和巴尔虎人逐渐经营畜牧业后，他们的服饰也发生了明显的变化，都穿着"右衽"的交领式长袍，其式样就是我们今天经常见到的成吉思汗画像的那个式样。

　　巴尔虎人自清代定居呼伦贝尔以后，巴尔虎服饰在款式风格、服饰种类等方面已基本定型。据清《理藩院则例》称："蒙古衣帽均有定制，不准异服以杜诡谲。"① 这时蒙古族的襟袍和长短坎肩已取代了蒙古汗国和元明时期的交领式长袍和半袖长袍，富有地区特色的长袍、长短坎肩和帽靴越来越丰富起来了。不过巴尔虎服饰在冠饰、马褂、答忽、套裤、翘尖靴子等方面，依然保留着以前的款式风格。巴尔虎人的服饰，包括新巴尔虎和陈巴尔虎服饰。这两个巴尔虎的服饰既有共同之处，也有各自的特点。

巴尔虎人的服饰从整个款式风格上看，较多保留着古代蒙古民族服饰的服饰特点和部落服饰的传统风格。巴尔虎人无论男女均穿宽下摆的长袍，男子靠下腰系腰带，以向上提袍为美；妇女则以靠上腰系腰带，使袍子上部贴身为美；陈巴尔虎人穿开衩长袍，新巴尔虎人则穿无开衩长袍。

巴尔虎少女梳后垂式独辫封发，腰系紧身腰带。早先巴尔虎少女有梳数条辫子的习俗，这是古代蒙古人的少女发型。过去，新巴尔虎的少女在结婚时，都要戴头饰"哈夫给克"。"哈夫给克"为一种银冠形状，呈扇形，共有两扇戴在头上，有如屏风一般挡在面上。"哈夫给克"甚重，约有三四斤，而本族人引以为美。此冠戴在头部，故有一部分露在冠前，因此一定要把这部分头发剃去才显隆重。此为婚后新巴尔虎妇女最明显之特征。陈巴尔虎旗的少女出嫁时，把独辫分成左右两个辫子，用发套装饰后，戴貂皮圆顶帽即可。因此，巴尔虎民歌中这样唱道："红脸丰满的妹妹，戴上帽子就成了别家的人。"②

（四）甘珠尔集会

在呼伦贝尔最具盛名的喇嘛寺庙——甘珠尔庙旁，历史上曾出现过远近闻名的甘珠尔集会，又称甘珠尔集市。甘珠尔庙建成的时间，以乾隆四十六年至四十九年（1781—1784年）索克钦主庙等建筑物建起为标志。甘珠尔庙建成后，并没有马上形成规模盛大的甘珠尔庙集市。最初只有海拉尔等地的少数汉族商人来甘珠尔庙，与参加甘珠尔庙法会的蒙古族牧民进行一种极为原始的交易——以物易物。甘珠尔庙会均在每年的农历8月初召开。甘珠尔庙会极其隆重，每到庙会召开时，巴尔虎地区各小庙赴会的喇嘛僧众便可

① 《钦定理藩院则例》，杨选第、金峰校注，内蒙古文化出版社1998年版，第100页。
② 呼伦贝尔盟文化局、呼伦贝尔盟文联：《呼伦贝尔民歌》，内蒙古人民出版社1984年版，第84页。

达 1 000 多人。后来又有一些多伦诺尔、张家口等地的旅蒙商，秋凉时聚集在甘珠尔庙附近，销售其在草地流动售货剩余的货物，然后共同经贝尔湖，取道喀尔喀，各归原地。

关于甘珠尔集市的形成时间，有以下几种说法：一是《甘珠尔庙外记》认为："在大庙创建后的第一次庙会，约在乾隆五十年（1785 年），住在海拉尔的汉族商人以在原籍赶庙会的经验参加庙会。他们同喇嘛僧及蒙古族伙伴一起拜佛，同时进行原始的商业活动——物物交换，这被认为是甘珠尔集市的开端。"① 二是《呼伦贝尔盟志》认为："起初，海拉尔、张家口、多伦诺尔的旅蒙商人，夏季以流动行商的方式到呼伦贝尔地区巴尔虎草原，聚集在甘珠尔庙附近做买卖。后来，集市规模越来越大，于 1787 年成立著名的巴尔虎甘珠尔庙集会（即那达慕大会）。"② 三是《呼伦湖志》认为："甘珠尔庙建成后的二三十年间，随着宗教活动的频繁兴盛，各地旅蒙商和俄国商人的纷至沓来，手工业工匠的聚集谋生，遂形成了享名呼伦贝尔的甘珠尔庙集市，亦称'寿宁寺市场'或'甘珠尔庙会定期市'。"③ 关于甘珠尔集市召开的次数，《内蒙古呼纳盟民族调查报告》一书则称："这是草地上游牧民族一年一度的大庙会。1950 年的庙会已是第 165 次了。"④ 甘珠尔庙集市是因有定期举行的甘珠尔庙法会，才得以形成了蒙、汉等族定期互市的"市场"。在地广人稀、交通不便、牧民居无常处的巴尔虎草原上，甘珠尔庙集市的兴起，为买卖双方提供了一个便利而安全的交易场所，因而逐渐形成了定期的甘珠尔庙集市。牧民们来到甘珠尔庙，既参加了宗教活动，又通过买卖备足了一年所需的生活用品，达到了一举两得的目的，这正是甘珠尔庙集市与庙会密不可分的关键所在。反过来，规模盛大的甘珠尔集市又扩大了甘珠尔庙的声誉。

甘珠尔庙集市形成后不仅成为巴尔虎地区的一大物资集散地，而且其影响早已超出了巴尔虎地区。据宋小濂《呼伦贝尔寿宁市场记》记载：每逢

① 李萍、李文秀：《甘珠尔庙外记》，内蒙古文化出版社 1998 年版，第 111 页。

② 程道宏、徐占江：《呼伦贝尔盟志》中册，内蒙古文化出版社 1999 年版，第 1314 页。

③ 常海：《甘珠尔集市》，徐占江：《呼伦湖志》，内蒙古文化出版社 1989 年版，第 643 页。

④ 燕京、清华、北大 1950 年暑期内蒙古调查团：《内蒙古呼纳盟民族调查报告》，内蒙古人民出版社 1997 年版，第 80 页。

开市之期，"人则索伦、额鲁特、布特哈、新旧巴尔虎各旗、喀尔喀蒙古各部；内地而燕、晋；外而俄罗斯，各商以万计。畜则驼、马、牛、羊，以数十万计。货则金玉锦绣，布帛菽粟、轮舆鞍辔，凡蒙旗日用器物之属无费备。毡店环绕，烟火上腾，周数十里，支帐于野，连车为营，偕妇人以共处者，弥望皆是。蒙言汉语，驼啸牛鸣、车驰马走声，彻日夜不绝于者。"① 关于甘珠尔庙集市的盛况，老人们有这样一句话："在甘珠尔庙集市上，除了狗的偶蹄和绿色的羊羔以外，无所不有。"众多的旅蒙商们用"烟酒茶布糖"，换走了"牛马骆驼羊"，获利甚巨，成交额有"盆金斗银"之说。

甘珠尔庙集市最早进行的是一种以物易物的原始交易，后来全用白银做交易，零星物品则以哈达、整块或半块砖茶进行交换，又后来才使用货币。甘珠尔庙集市的鼎盛时期，是在清光绪初年。在漫长的时期里，甘珠尔庙集市对巴尔虎地区的社会、政治、文化和贸易的交流，都起过重要的作用。

六、巴尔虎文化教育及宗教信仰

（一）巴尔虎文化

巴尔虎人从遥远的贝加尔湖畔起源，到后来定居呼伦贝尔，其间经历了一个相当漫长的时期。在这段时期内，巴尔虎人经历了由狩猎到半狩猎半游牧，再从半狩猎半游牧到游牧的演变过程。长期从事游牧经济的巴尔虎人，在大草原的怀抱中劳动生息和繁衍发展，逐渐形成了像草原一样宽广豁达的胸襟，像骏马一样刚毅剽悍的性格。巴尔虎文化具有悠久的历史和优良的传统，从它古老的民间歌谣、祝词、赞词、神话、传说、英雄史诗及音乐、舞蹈、美术、曲艺、杂耍、游艺等文艺形式来看，所反映和表现的内容，都和巴尔虎人所从事的游牧经济以及和巴尔虎人居住的茫茫草原有着天然的联系。

巴尔虎人定居呼伦贝尔后，始有一些用满、蒙文记录下来的文史著作流传下来。古柏礼和额尔钦巴图是这方面的主要代表。古柏礼从小聪明好学，及20岁时，已蒙、满、藏、汉文兼通。流传至今的《诸蒙古始祖记》一书，约30万字，收入了古柏礼的14篇文章和搜集整理的5篇文章。

---

① 程廷恒、张家璠：《呼伦贝尔志略》，内蒙古文化出版社2003年版，第201页。

　　巴尔虎的神话传说、故事、颂词、祝词等也很丰富。如《舌战陶王》的故事，说的是巴尔虎人赞颂都嘎尔将军的故事：大意是都嘎尔快到10岁的时候，有一天同几个伙伴在大道上堆土玩建房的游戏。这时，过来一队车马，小伙伴都吓跑了，唯有都嘎尔拦路站着。轿车中的官员问："你小孩为何拦挡去路？"都嘎尔回答道："我在守我的城！"官员哈哈大笑说："你不走，我的车马破城而过。"都嘎尔说："是城让路，还是车马绕城而过呢？""少废话，不想被撞的话，快让开。"都嘎尔说："这城不是一般的城，是北京城，城内有皇宫，谁敢轧过去，就剖他的腹。"官员说："你这么小，我却像骆驼，看你怎么剖我的腹？"都嘎尔又说："牛犊可长成犍牛，驼羔可长成公驼，我也能很快长成大汉。"这个官员原来是喀尔喀车臣汗郡王陶特胡图日，都嘎尔就是后来镇守乌里雅苏台的将军。这类故事还有古柏礼总管的《明断盗牛冤案》等。①

　　巴尔虎人在长期的游牧生活中，创造出了极富草原特色的巴尔虎牧歌。巴尔虎牧歌，过去又称巴尔虎长调民歌（即蒙古语"乌日图道"或"奥尔图音道"，俗称长调），是蒙古族牧歌中独具魅力的一朵奇葩。巴尔虎牧歌的主要特征是节奏自由、旋律悠长、词短意深、便于传唱。巴尔虎人喜爱巴尔虎牧歌，他们不但在喜庆节日里唱、朋友聚会时唱，就是骑着骏马驰骋在原野上也唱。巴尔虎牧歌的曲调无论是高亢嘹亮，还是低吟回荡，都表现出了巴尔虎人宽广的胸怀、热情奔放的性格和草原无垠的气势。

　　巴尔虎牧歌应产生在由狩猎向畜牧的过渡时期。在蒙古人创建蒙古文字之前，巴尔虎人也同样只有语言而无文字。由于没有文字载体，我们今天无法查到古代的巴尔虎牧歌。当年，古巴尔虎人曾作为铁勒的一部，在敕勒川一带驻牧过。因此，也可以将著名的《敕勒歌》看做是最早的巴尔虎牧歌。根据民间传唱的巴尔虎牧歌的内容来看，巴尔虎牧歌在清初已经定型，并流传至今。

　　（二）巴尔虎史诗

　　巴尔虎史诗是蒙古族英雄史诗中的重要组成部分。巴尔虎史诗是一个泛称，属于巴尔虎体系的史诗，除巴尔虎外，还有察哈尔、阿巴嘎、鄂尔多斯

---

① 苏勇：《呼伦贝尔盟民族志》，内蒙古人民出版社1997年版，第62—64页。

和乌喇特的史诗。巴尔虎英雄史诗不是在呼伦贝尔或黑龙江下游产生的，而是早在贝加尔湖一带就产生了。现存的巴尔虎史诗与喀尔喀史诗有一些共性，这些史诗的共性可能形成于巴尔虎人居住在车臣汗部领地时期。

从巴尔虎史诗反映的社会形态和艺术形式的特点来看，它是产生繁荣在原始社会末期，其共同主题是描述"英雄时代"的英雄主角，如莫日根、巴特尔、汗王或王子等，通过艰苦卓绝的战斗降服蟒古思的过程。蒙古族英雄史诗，民间俗称"镇压蟒古思的故事"或"降魔传"，是由"朝尔奇"（以马头琴伴奏的艺人）或民间说唱家代代相传的古老说唱艺术。流传在巴尔虎地区的英雄史诗富有神奇瑰丽的浪漫主义幻想，粗犷豪迈的艺术风格，散发着浓郁的草原生活气息。巴尔虎史诗的语言凝练、雄浑壮丽、刚健清新。巴尔虎史诗中采用了大量的比喻、夸张、反复、拟人等艺术手法，使这种源于民族童年期的艺术成果，永远显示着它不朽的迷人魅力。

巴尔虎史诗真实而生动地反映了原始人类的渔猎畜牧生活、激烈频繁的部落战争以及他们要求征服自然和社会邪恶势力的美好理想和斗争信念。像《阿拉坦嘎鲁》这类民族童年期的英雄史诗，以巨大的艺术概括力反映了整整一个历史时代，具有鲜明的民族风格。这类史诗的主题是崇尚勇敢和力量，善长大刀阔斧式地塑造英雄人物和渲染紧张的战斗场面。史诗的基调粗犷豪迈，读之令人振奋。蒙古族各部的史诗中有许多人物、情节和地名等均相近，这绝不是偶然的，从中也反映出彼此之间的密切联系。据有关专家统计：目前所采用的巴尔虎史诗包括个别察哈尔、阿巴嘎、乌兰察布的史诗及少数喀尔喀异文共 13 部史诗的 45 种异文，其中有迎敌作战式、失而复得式和婚事式等单篇型史诗 31 种，婚事加征战型以及两次征战型史诗 14 种。①

巴尔虎史诗在很大程度上保留着原始蒙古英雄史诗的基本特征。与卫拉特、布里亚特史诗相比较，巴尔虎史诗的变化可能很少，它更接近于原始史诗。巴尔虎史诗反映了氏族社会的族外婚现象和氏族部落之间的征战。其情节简单，没有多少曲折的发展过程。结构严密，其篇幅也不太长，一般情况下不超过两千行诗左右。人物不多，主人公往往是单枪匹马出场，或者只有一个勇士和一两个亲兄弟。其敌人也常常是一个由传奇色彩的多头蟒古思

---

① 仁钦道尔吉：《蒙古英雄史诗源流》序，内蒙古大学出版社 2001 年版。

（恶魔）。不出现许多兵卒和大型战场，主要描写的是个人与个人之间的搏斗或家庭与家庭之间的斗争，其形式以诗为主，有的地方以散文连接。上述特征说明巴尔虎史诗在很大程度上保留了史诗的原始形态。它们在氏族社会里已经产生并粗具规模，在其后的各个社会发展阶段中当然有所发展变化，但没有受到重大冲击，尚未出现根本性变化。巴尔虎地区没有职业艺人，演唱史诗的都是普通牧民，他们从来没有得到过专门的训练。像民间故事讲述者一样，他们是全凭自己的记忆演唱从别人那里拿来的史诗。他们的演唱不用马头琴、四胡和陶布舒尔琴伴奏，但许多人演唱史诗都有一定的曲调，不像讲民间故事那样从头到尾讲述下去。演唱者的主要目的是复述古老的史诗给乡亲们听，而不是企图把古老史诗同自己时代的社会生活结合起来，因此在巴尔虎英雄史诗的流传中没有出现过重大的变化。

（三）巴尔虎教育

巴尔虎人始于氏族社会末期的家庭教育，主要是通过父母对子女和通过长辈对晚辈口耳相传的形式来完成的。教育内容可谓包罗万象，日月星辰、天文地理、山水草木、飞禽走兽、人间万物无一不是教育的内容。在蒙古文字产生之前，巴尔虎人从最初开始咿呀学语，到后来认识到大自然和人类社会内部结构，即懂得家族亲属关系、伦理道德、生活方式、生产经验、信仰习俗、婚丧礼仪等诸多知识，都是从家族内部获得的。巴尔虎人的家庭教育对于成长着的后代，对于身体和智力健全的人来讲，几乎是全范围的，从内容、时间、地点、方式上，没有明确规定哪些东西是应该先学的和应该后学的，它往往与畜牧业生产和游牧生活的每一个过程及环节紧紧地联系在一起。长辈的言论和行动对晚辈的影响是潜移默化的，长久耳濡目染的结果使晚辈渐渐学会待人处事和做人的准则。家庭教育的效果如何直接影响到后代的健康成长，虽然这是一种封闭式的原始教育形式，但它却贯穿于巴尔虎社会发展的整个过程。

随着家庭教育的发展，巴尔虎地区还出现了家塾。家庭教育主要是以"家长教子"的方式进行的，而家塾则是以"拜师学习"的方式，请教师到自家来或学童到教师家去学习。这是对原有的家庭教育模式的突破，开创了学习专门文化知识的新途径。"家长教子"与"拜师学习"两者是互为补充，各具优势和各有侧重的。古柏礼所著《诸蒙古始祖记》（蒙文）记载：

道光十一年（1831 年），其父道尔吉扎布（佐领）望子成材，为 7 岁的古柏礼请格日尼巴先生来自家教授满文和蒙文；17 岁时请来在当地被尊为"佛爷喇嘛"的吉布曾官布教授藏文；20 岁（1850 年）时又请一位由山西来的李唐先生来自家教授汉文汉语。古柏礼掌握了满蒙汉藏四种文字，成长为呼伦贝尔草原上凤毛麟角的文人，他在仕途上从苏木佐领一直晋升到新巴尔虎左翼总管之职。

据苏日嘎拉图编著《呼伦贝尔民族教育史略》记载：在新巴尔虎地区，除曾有聘请先生来自家对学童进行教学的"家塾"形式之外，还有让学童到先生家吃住，先生在自家进行教学的"塾师"形式。此类学童叫"格润沙比"（塾师学童）。据史料记载：新巴尔虎右翼正红旗第二佐（今阿敦楚鲁苏木）的依达木，于道光二十五年（1845 年）喜得一子，家里的爱称叫"古勒格"，伶俐的孩子随着年龄的增长，表现出好学多问。他父亲看在眼里，决定把他培养成为知书达理的人。由于家庭经济状况属于中等，就在当地请一位先生并将古勒格送到先生家去拜师，让孩子吃住在先生家，并帮助做一些家务，成为"格润沙比"，利用空余时间向先生学习蒙文和满文。古勒格十几岁以后跟随一名叫刘贵生的行商学习汉文，两年后找一名喇嘛师傅学习藏文，继之又找一名叫依万诺夫的商人学习过俄文。古勒格掌握蒙、满、汉、藏、俄五种文字以后，曾获"哈朋"的荣誉官衔（骁骑校），从此人们称他为"古勒格哈朋"。其实他的官名叫瓦其尔巴图，他留下不少著述，是当地少有的文人。巴尔虎地区虽然迟迟没有出现学校，但文化教育并未中断，通过"家塾"和"塾师"的形式寂然无声地进行着，从而保证了极少数上层人士和富牧仍然具有一定的文化水平，使民族文化得以继承和流传下来。

喇嘛教大规模传入巴尔虎地区之后，随着大量的青少年走进寺庙，使寺庙教育获得了畸形发展。寺庙教育的内容以藏传佛教的经典教义为主，分别学习显宗和密宗课程。教学方法比较简单，对初学者采取死记硬背的方法，由上级喇嘛督导。其实，在巴尔虎地区未建寺庙之前，这种以学习藏传佛教的经典教义为主的教育就已经存在了。这种情况在当年整个内蒙古极为普遍，所以有人说："宗教即教育，寺庙即学校，佛经即教材。"[1] 巴尔虎地区

---

[1] 德勒格：《内蒙古喇嘛教史》，内蒙古人民出版社 1998 年版，第 526 页。

的寺庙教育是移植过来的，也是在当时特殊的历史条件下产生的特殊形式的教育。以各种大小寺庙为中心的寺庙教育，在长达两个世纪的时间里，它不仅占据绝对的统治地位，也度过了它发展史上的鼎盛时期。在巴尔虎草原上出现世俗的学校以前，藏传佛教的寺庙教育在这里成为除家庭教育之外独一无二的教育形式。寺庙教育的主要弊端是与现实生活完全脱节，人们下大气力学到的藏文，离开寺庙后在社会上毫无用处。

巴尔虎人接触学校教育，始于清代。在盛京、吉林、黑龙江等地被编入满洲八旗的巴尔虎旗人，最先接触到了学校教育。据《达古尔蒙古嫩流志》记载："康熙三十年，将军萨布素于墨尔根、齐齐哈尔创设义学，教育旗人官吏子弟，课程分文武两科，授以圣谕广训及大清律四书五经等。武科则为骑射。于是达古尔蒙古及索伦、瓜尔佳、锡伯等族，同受满文教育。迄至光绪末年，施行新政，创设学堂。因达古尔蒙古子弟语言与瓜尔佳、锡伯、索伦等满洲语不同，故将齐齐哈尔义学改为满蒙文学堂，凡索伦、瓜尔佳、达古尔、巴尔虎等族之子弟，均由本旗佐领命令强制入学。"① 在《清实录》中记载有咸丰十年（1860年）六月："礼部奏巴尔虎旗人请援例准考一折。盛京驻防巴尔虎蒙古旗人，既准其考试武童，捐纳职衔，所有文童翻译均着准其一体考试。"② 通过这项记载可以得知：当时已有一定数量的巴尔虎旗人接受了双语教育，因此才有要参与科举考试的需求。巴尔虎人尽管在清代开始接触到学校教育，但还是没有在学校里获得学习自己民族语言文字的权利。

巴尔虎人学习汉语，大致是始于清末民初。《黑龙江志略》称："其索伦、达斡尔、鄂伦春、巴尔虎各种，向例只用满文，不用蒙文，且不识汉文，今日之势已趋重汉文，能通习满、蒙文字者，盖亦寥寥不多觏也。"③ 在巴尔虎人中，陈巴尔虎人因居住地距海拉尔较近及主要居住在滨洲铁路沿线，其汉语程度普遍高于新巴尔虎人。对此，《黑龙江志稿》称："俗不敬

① 内蒙古自治区社会科学院民族研究室、内蒙古自治区民族问题五种丛书编委会复印：《达古尔蒙古嫩流志》，1980年版，第54页。
② 邢亦尘：《清季蒙古实录》上辑，内蒙古社会科学院蒙古史研究所编印1981年版，第509页。
③ 张国淦：《黑龙江志略》，柳成栋整理：《清代黑龙江孤本方志四种》，黑龙江人民出版社1989年版，第169页。

喇嘛，子弟多在呼伦城习汉文者，此为陈巴尔虎。"①巴尔虎定居呼伦贝尔后，使用的官方文字一直是满文。现存的《呼伦贝尔副都统档案全宗》记载的是呼伦贝尔副都统衙门在政治、经济、军事、文化、教育等方面形成的档案材料。这个专题档案共 6 285 卷，用满、蒙、汉三种文字形成，其中绝大部分为满文。②在此之前形成的档案资料，则全部为满文。

光绪八年（1882 年）三月十一日，呼伦贝尔岭西地区的第一所官办学校——海拉尔满汉文官学堂建成。据《呼伦贝尔副都统衙门册报志稿》记载："满汉文官学堂于光绪八年（1882 年）奏请准允而后建。首任教官系自全省各城中满汉文兼通之人员中选出，试以教导八旗之子弟。待本地之文风勃兴之后，将此教官送还原地，从本地笔帖式选教官以继任之。并视其三年中教导学生的情况，对教学有成绩者上报吏部，再由吏部提出意见报兵部，由兵部目测登记造册，代行领催、骁骑校之职三年，满期后正式任命为骁骑校官职。"③当时按呼伦贝尔副都统衙门的统一要求，有巴尔虎人分布的新巴尔虎左右两翼八旗和索伦左右两翼八旗，均按"诸佐领下，每岁各送学童一名"的要求，选派学童入学。如以每旗三佐计算，新巴尔虎应有 24 人、陈巴尔虎应有 5—6 人，总计约应有 30 人左右参加了满汉文官学的学习。满汉文官学的功课主要有认字、写字、弓箭三科。识字、写字均是以学习满文为主，汉字次之。当年，满文是呼伦贝尔地区官方通用的文字，而满文对蒙古人来讲也是陌生的文字，所以必须从头学习。从"首任教官系自全省各城中满汉文兼通之人员中选出"这段记载看，也可以看出当时呼伦贝尔地区教育人才短缺的情况。

光绪三十一年（1905 年），苏那穆策麟（齐齐哈尔巴尔虎，姓齐普努特氏）任呼伦贝尔副都统。当时呼伦贝尔刚刚经历俄乱不久（即白鼠年之乱），地方百业凋敝。他赴任后，采取了一系列重要措施，提倡学务、重建衙署、恢复边境卡伦，创办了呼伦贝尔满蒙文官学。当时，满蒙文官学的校址在海拉尔城南门外。《呼伦贝尔民族教育史略》称："此为呼伦贝尔城第

---

① 《黑龙江志稿》卷 11。

② 呼伦贝尔盟档案馆：《呼伦贝尔盟档案馆指南》，1990 年版，第 44 页。

③ 呼伦贝尔副都统衙门：《呼伦贝尔副都统衙门册报志稿》，边长顺、徐占江译，呼伦贝尔历史研究会铅印 1986 年版，第 23 页。

一所近代的蒙文官学（今呼伦小学前身）。"① 宣统三年（1911 年），当时隶属索伦八旗的陈巴尔虎人，在其驻牧地海拉尔河北一棵松的地方，建立了"河北小学"。这所小学有 3 名教员，开设满文、蒙文、珠算、射箭等课程。② 据《呼伦贝尔盟志》称："宣统三年，先后创办公办和民办小学，在呼盟历史上著名的'蒙文官学'、'石屋子学校'、'河北小学'等亦建于这一时期。这些学校已具有新式学校的性质。"③

（四）巴尔虎与藏传佛教

巴尔虎人是何时开始接触藏传佛教并信奉藏传佛教的，史籍上无确切记载。众所周知，蒙古人自元朝接触藏传佛教后，第二次接触藏传佛教是在明朝的阿拉坦汗时期。阿拉坦汗当年在青海与藏传佛教上层人士举行政治谈判时，巴尔虎人作为属部曾参与了迎佛和进驻青海的活动，这也可以算是巴尔虎人信奉藏传佛教的最早记录。

明万历六年（1578 年），俺答与锁南嘉措在青海察卜齐雅勒庙举行政治谈判。④ 谈判结果，双方结成政治联盟。从此，蒙古封建主同格鲁派⑤结下300 多年的不解之缘。在俺答与西藏格鲁派上层人物达赖喇嘛结成政治联盟，并准许蒙古各部信奉藏传佛教时，巴尔虎的头面人物"巴尔忽岱青"曾亲自参与了这一活动。据《蒙古源流》载："使者甫至，即与三万户共议，建寺庙于青海之察卜齐雅勒地方，岁次丁丑，以右翼三部往迎，至察齐雅勒地方，首次之通者，以永谢布之巴尔忽岱青、鄂尔多斯之哈丹巴图尔、土默特之玛哈沁师为首之八百人众迎逆，多献珍宝、财帛、驼马之属而谒焉。"⑥ 在迎接达赖的 800 多人中，以巴尔虎人居多。因此，可以将这部分巴尔虎人视为最早信奉藏传佛教的蒙古人。

关于巴尔虎人参与的这次历史性会见的经过，在《安多政教史》中也有一段记载："土虎年（1578 年）达赖喇嘛到达时，在阿里克地方的第一批

---

① 苏日嘎拉图：《呼伦贝尔民族教育史略》，民族出版社 2001 年版，第 27 页。
② 王召国：《陈巴尔虎旗志》，内蒙古文化出版社 1998 年版，第 616 页。
③ 程道宏、徐占江：《呼伦贝尔盟志》（下），内蒙古文化出版社 1999 年版，第 1970 页。
④ 察卜齐雅勒庙即仰华寺，后被明军焚毁。其地在青海湖南今恰不恰地方。
⑤ 又称黄教，15 世纪初由宗喀巴在噶当派教义基础上对西藏佛教进行整顿改革后创立起来的教派。又因宗喀巴创建甘丹寺，一般人俗称"格鲁"，所以称其为格鲁派。
⑥ 道润梯步译校：《新译校注〈蒙古源流〉》，内蒙古人民出版社 1980 年版，第 376 页。

欢迎者有永谢布部的巴尔孤台吉、卡坦巴尔、土默特部的玛森拔希等为首的八百骑。"①"关于俺答汗所派出的第一批迎请使者，蒙、藏文史书的记载基本一致。《三世达赖传》记为永谢布的巴尔忽岱青台吉、哈丹巴图尔、土默特的玛哈沁巴克什所率领的八百多人。"②敖登在《蒙古史文集》中也谈到："阿拉坦汗把土默特万户多罗土蛮部的火落赤台吉和永谢布万户巴尔虎部的一位台吉留在青海，镇守仰华寺。从此，藏传佛教的格鲁派的教义开始在蒙古右翼地区广泛传播。"③由此可见，当年巴尔虎人在驻牧青海期间，不但产生了第一批信奉藏传佛教的信徒，同时还担负着保护寺庙重地的任务。因此，《青海通史》记载有："把尔户是永邵卜系统的部落，是万历五年随俺答汗'迎佛'时进入青海的。俺答东返后把尔户酋长'统领部落，主守寺刹'。"④

巴尔虎人随喀尔喀封建领主南下内蒙古时，还没有关于巴尔虎藏传佛的记载。不过这不能说明巴尔虎还没有接触到藏传佛教，而只能说明这一阶段正是巴尔虎由信仰萨满教到信仰藏传佛教的过渡初期。在这个过渡初期，也肯定有反复，巴尔虎人到后来分成新、陈巴尔虎人，其中一点就是以信不信藏传佛教为区别的。也就是在这段时间内，返回漠北的巴尔虎人重新回到藏传佛教的氛围中，较彻底地与萨满教告别，同喀尔喀人一样变成全民信教的部落。而编入满洲八旗的巴尔虎人，由于和信仰萨满教的满洲人、锡伯人、达斡尔人、鄂温克人等共同生活在一起，最终没有皈依藏传佛教。编入索伦八旗的陈巴尔虎人，直到19世纪末才皈依藏传佛教，是蒙古族各部落中信仰藏传佛教最晚的一个部落。

在新巴尔虎迁来呼伦贝尔之前，呼伦贝尔还不存在藏传佛教和喇嘛。光绪四年（1878年），"达喜达日扎楞"庙在今陈巴尔虎旗境内建成，这标志着藏传佛教在陈巴尔虎人中进入早期发展阶段。据《陈巴尔虎旗志》记载："早期喇嘛有道宝（活佛）、丹巴仁钦、楚力图木等。1912年，陈旗喇嘛有

---

① 智贡巴·贡去乎丹巴绕布杰：《安多政教史》，甘肃人民出版社1982年版，第28—29页；又载王辅仁、陈庆英：《蒙藏民族关系史略》，中国社会科学出版社1985年版，第92页。

② 乌兰：《〈蒙古源流〉研究》，辽宁民族出版社2000年版，第425页。

③ 敖登：《蒙古史文集》，内蒙古教育出版社1992年版，第153页。

④ 崔永红、张得祖、杜常顺：《青海通史》，青海人民出版社1999年版，第279页。

154 人，其中绝大部分是从科尔沁、喀拉沁、察哈尔、青海、西藏、外蒙等地来的。那时，陈旗人口少、兵役重，本地喇嘛很少。东北沦陷时期，外地喇嘛相继回去，留下为数不多的喇嘛，其中陈旗当地喇嘛有宝迪雅、玛格斯尔、巴拉达、伊喜丹参等。到 20 世纪 50 年代初，喇嘛们停止了宗教活动，留下的喇嘛也娶妻还俗了。"① 从以上记载中我们可以看出，藏传佛教在陈巴尔虎人中始终没有得到迅速传播，其例证之一就是陈巴尔虎人中当喇嘛的人数较少。藏传佛教与萨满教之争，在陈巴尔虎人中没有得到较为圆满的结果，这也成为全内蒙古地区，甚至也可以说是整个蒙古人居住的地方唯一的一个例外。

（五）巴尔虎喇嘛和寺庙

巴尔虎喇嘛主要集中在新巴尔虎左、右两旗。新巴尔虎人在雍正十二年（1734 年）迁来呼伦贝尔之前，即已完成全民信教的过程。"当时同行的有 157 名喇嘛。各旗开始建庙，成为呼伦贝尔藏传佛教最盛行的地方。"② 当时迁来呼伦贝尔的新巴尔虎部众共 2 984 人，喇嘛占巴尔虎总人数的 19%。乾隆三十六年（1771 年）清廷批准建造甘珠尔庙之前，新巴尔虎的喇嘛人数已由最初的 157 名，发展到 400 多名。

巴尔虎迁来呼伦贝尔的初期，喇嘛人数不多，没有固定的寺庙，佛事活动也难以集中进行，一般情况下由年龄大的喇嘛管理蒙古包小庙的具体事务。按照清朝定制，甘珠尔庙锡勒图喇嘛由呼伦贝尔副都统批准认可，方能到位；达喇嘛由新巴尔虎两翼总管批准任用；翁斯得、德木其、格斯贵喇嘛，由锡勒图推荐，地方行政官员批准。当时清政府还规定了喇嘛的具体人数：如两翼各设锡勒图 1 人，两翼 2 人；设达喇嘛 4 人，两翼各 2 人；其下有翁斯得、德木其、格斯贵喇嘛各 8 人，两翼各 4 人。

寺庙在相当长的一段时间内，曾是巴尔虎草原上的主要建筑。自巴尔虎移居呼伦贝尔以来，除当时的副都统衙门所在地海拉尔有少量建筑物外，在今巴尔虎三旗境内基本上没有砖木结构的建筑物。在巴尔虎草原上还未建寺庙之前，不论是信教的牧民还是喇嘛，几乎都住在游牧的蒙古包里。随着佛

① 王召国：《陈巴尔虎旗志》，内蒙古文化出版社 1998 年版，第 133 页。
② 苏勇：《呼伦贝尔盟民族志》，内蒙古人民出版社 1997 年版，第 109 页。

事活动的增多，有些蒙古包成为喇嘛从事佛事活动的专用蒙古包，这些蒙古包也可以说就是草原上寺庙的前身。据《甘珠尔庙外记》记载："喇嘛们还都经常到甘吉尔花的小庙中集会做佛事，在蒙古包小庙中诵经、祈祷、做饭，终年不息。所以蒙古包小庙中供奉的很多佛像的面部被熏黑，甘珠尔庙未毁之前，庙里遗存较早的若干佛像的脸上，仍可以看到烟熏的痕迹。"①在这种情况下，当时新巴尔虎左右两翼总管策楞登仁、都嘎尔两人，以本部有400多名喇嘛居无定所，佛事也难以集中举办为由，与呼伦贝尔副都统衔总管萨垒共同上报清廷，呈请建一所永久性庙宇。乾隆皇帝下了"准予"的批文，赐庙号"寿宁寺"，还亲笔御撰匾额"寿宁寺"。

寿宁寺建成后，因为庙中珍藏《甘珠尔经》之早、之多，故从建庙时起就俗称甘珠尔庙。久而久之便约定俗成，连清朝理藩院甚至皇上也把寿宁寺称做甘珠尔庙了。巴尔虎三旗的喇嘛寺庙主要分为以下四类：一是清朝皇帝赐名的寺庙。这类寺庙以甘珠尔庙为代表。甘珠尔庙原名寿宁寺，位于新巴尔虎左旗阿木古郎宝力格苏木，是呼伦贝尔地区建筑年代最早、规模最大、地位最高，在内蒙古也颇有名气的寺庙。此庙经清廷批准，于乾隆四十六年（1781年）动工兴建，至四十九年（1784年）完成主庙和其他主要附属建筑物。二是各旗建有旗庙。今新巴尔虎左旗境内有：正白旗庙，俗称铜钵庙，建于乾隆四十七年（1782年）；镶黄旗庙，俗称那木古尔庙，建于嘉庆十一年（1806年）；镶白旗庙，始建于乾隆五十七年（1792年）；正蓝旗庙，又称乌布日布拉格庙，建于嘉庆八年（1803年）。今新巴尔虎右旗境内有：正黄旗庙，俗称西庙，建于咸丰二年（1852年），是一座规模较大的藏式庙宇；正红旗庙，位于阿敦础鲁苏木，又称阿敦础鲁庙；镶红旗庙，建于嘉庆二十年（1815年），坐落于杭乌拉苏木所在地西，俗称查干诺尔庙；今陈巴尔虎旗境内有：达西达日扎楞庙，位于巴彦库仁镇中心，俗称"呼和多博寺"，又称"巴彦库仁庙"，建于光绪四年（1878年）；另外还建有胡硕庙，建于乾隆十五年（1750年）。三是各佐建有佐庙。佐庙主要建在新巴尔虎左、右两旗，几乎每旗下属三佐都建有佐庙。如正白旗第一佐庙，建于同治元年（1862年）；正黄旗第一佐庙，俗称东庙，藏名曰"图布旦达日

---

① 李萍、李文秀：《甘珠尔庙外记》，内蒙古文化出版社1998年版，第1—2页。

楼",咸丰二年(1852年)建。第四是个人私庙和家族庙。咸丰十一年(1861年),新巴尔虎左翼镶黄旗第二佐魁策里格建氏族庙,后迁至他处;宣统元年(1909年),新巴尔虎左翼正白旗第二佐的罗敦于哈达图建庙;嘎拉朱德、哈格楚德、哈日嘎那三个氏族亦建有本氏族庙,年代不详。[①]

巴尔虎寺庙在建筑式样上可分为四种,即藏式、汉式、汉藏结合式和蒙古式。由于旗有旗庙,佐有佐庙,使喇嘛寺庙几乎遍布巴尔虎草原。藏传佛教的传入,在巴尔虎人当中引起一种具有强烈震撼力的文化变迁,并引起了多方面的连锁反应。由于巴尔虎寺庙的建立,形成了巴尔虎草原上的第一批定居点。从草原上建有寺庙以来,寺庙不仅成为巴尔虎部众宗教信仰的中心,而且变成了经济、文化、医病的中心。寺庙在呼伦贝尔地区,没有变成政治中心,这也是与藏传佛教在西藏有所不同的地方之一。

1. 巴尔虎与萨满教

蒙古族的原始信仰是萨满教,蒙古语称之为"博"或"孛额"。萨满教原是氏族社会的一种原始宗教,属多神教,相信万物有灵和灵魂不灭。巴尔虎萨满的服饰、法器的名称和式样与科尔沁地区有所不同,具有浓厚的地区和部落特点。主要由麦呼兹(又叫拜呼查,是带双叉角的铁制神帽)、敖日贵(由犴皮和各色绸布制成,并有穗带的法衣)、阿巴嘎拉岱(青铜制的假面具)、铜镜(钉在法衣胸部的一面铜镜和左右襟各四面小镜)、贺赤(带9个铜环的单面神鼓)、帖布日(又叫陶格秀日,系有穗带的弯形小鼓槌)、豪日毕(上部雕有马头,中间挂有小铜铃,类似拐杖的两条法器)等组成。

巴尔虎萨满穿的是一种短衫式萨满服。萨满服上的五彩布条,代表了蛇神崇拜。萨满帽的造型为鹿角式,反映了巴尔虎人狩猎时代的鹿图腾崇拜意识。巴尔虎萨满举行仪式时有一套沿袭已久的历史定制,是比较规范的,绝非外人凭空想象的乱跳一气而已。萨满跳神仪式分请神、入神、送神三部分,他们装出被动物的灵魂附体的样子,跳出鹰、熊、虎和公山羊等多种不同的动物动作。同时,萨满还要运用气功和熟练的舞蹈动作来配合法术,这样才能演出令人惊奇炫目的节目来。

巴尔虎萨满供奉的主要神灵叫"翁古",在内蒙古西部也叫"翁衮",

---

① 苏勇:《呼伦贝尔盟民族志》,内蒙古人民出版社1997年版,第119页。

即具有保佑职能的精灵的意思。按照巴尔虎萨满的历史定轨，萨满死后其灵魂变成精灵，既成为本地区的守护神，同时还成为活着的接班萨满的翁古（守护神），在梦幻中继续指导其行动。萨满死后他的灵魂继续留驻本氏族中使之连续出现的现象，称之为"传统的博"。其中有一代接一代成为萨满和隔一代出一次萨满的两种现象。除此之外，有些萨满的精灵既不在本族的后代人身上留驻，也不在外甥辈中留驻，而是附到相中的与自己没有任何亲属关系的人身上，促其成为萨满的称之为"相中的博"。据说陈巴尔虎的萨满以前都是"传统的博"，到后来也出现了一些"相中的博"。①

据《呼伦贝尔盟民族志》记载："呼伦贝尔地区的陈巴尔虎部落仍以萨满教为主，称男萨满为'孛额'，女萨满为'奥德根'。萨满兼幻人、解梦人、卜人、星者、医师于一身，在社会生活中起着重要作用。萨满的主要职责是为人治病，跳神驱鬼，因此人在重病时，都要请萨满跳神。萨满在举行宗教活动和娱乐节日时，身穿缀着铜镜的法衣，戴上铜面具，手拿着神鼓。每次法会，群众都要献牛、羊以及砖茶、奶油、哈达等，之后这些东西归萨满。直到20世纪40年代，陈旗境内巴尔虎人有萨满八十余人。此外，还有自己的图腾（认为与本氏族有血缘关系的某种动物或自然物），对'图腾'很崇拜。"② 与陈巴尔虎人相比，新巴尔虎人对"孛额"的信仰已很淡薄，过去只是在一些人家中存有用毡子缝制的口袋，内有代表图腾的形象物。每逢庆丰收时把留下的羊耳尖收到袋内，以示敬重。

2. 萨满与喇嘛之争

由于萨满教（又称黑教）在陈巴尔虎人中具有牢固的社会基础和超常的顽固性，在封建统治阶级的限制和藏传佛教（又称黄教）的压制下，不但没有屈服和被消灭，反而与黄教进行顽强的斗争，并坚持到20世纪中叶。据传说黄教与黑教为压倒与根除对方，将最后的决战地点选择在陈巴尔虎地区进行了。③ 说的是在清乾隆年间，由朝廷秘密派来的一个名字叫达木丁·

---

① 赖金才：《简述巴尔虎萨满教》，林占德：《呼伦贝尔考古》，香港天马图书有限公司2001年版，第115页。
② 苏勇：《呼伦贝尔盟民族志》，内蒙古人民出版社1997年版，第109页。
③ 赖金才：《简述巴尔虎萨满教》，林占德：《呼伦贝尔考古》，香港天马图书有限公司2001年版，第109页。

毕喜日勒图的大喇嘛，决定在陈巴尔虎的北部希拉乌苏地方，召集众多的喇嘛和萨满斗法，并计划乘机将萨满们一齐烧死。由于萨满们预作法术，同时"蒙克腾格里"（长生天）也暗中保佑，等到约定的那天忽然狂风大作飞沙走石，暴风雪铺天盖地而来，使喇嘛们企图将萨满们集中起来烧死的计划没有得逞。这虽然是一个民间传说，但也从一个侧面反映了陈巴尔虎人对萨满教仍保留着深厚的感情，说明了在陈巴尔虎人的潜意识中仍不希望萨满教消失。

有关蒙古萨满及巴尔虎萨满与喇嘛斗法的传说，一方面真实地反映了萨满对喇嘛的不满情绪；另一方面，也无情地反映了萨满们在自己衰落消失命运前的悲哀心理。面对这种现象，有人指出："萨满巫师和佛教喇嘛之间的冲突和斗争，实际上体现着两种文化之间的冲突和斗争，斗争的核心问题就是母体文化对外来文化的积极抵抗。萨满文化代表母体文化，而佛教代表着外来文化。任何民族的文化都有一定的自己功能，从人类历史发展来看，毫不依恋自己母体文化的民族是不存在的。"[1] 陈巴尔虎人成为整个蒙古族中信奉萨满教时间最长的族群，从这一点上来讲，陈巴尔虎人还是对自己的母体文化眷恋过深所致。

（六）巴尔虎敖包

在巴尔虎人信奉藏传佛教之前，祭敖包都是由萨满主持的。巴尔虎草原上的敖包大多为石头垒起的，在上面用柳条围起，形式大体一样，区别主要是数目有所不同。有的只有单独1个敖包，有的是敖包群；有的敖包群是7个敖包并列，中间大的为主体，两旁各陪衬3个小的；也有的是1个大敖包居中，东、南、西、北各陪衬3个小敖包，成为13个敖包群。在举行敖包祭典时，在敖包上要插满新采的柳条树枝，并要挂上五颜六色的布条、绸布或纸旗，在敖包与敖包之间用绳子悬挂很多五色纸或绸布旗。

据《呼伦贝尔志略》载："蒙古人将自然山水星宿皆奉为神，而崇祀鄂博（俗曰敖包），亦为例祭之重典。考鄂博之设，原为区划界线之标识。本境旗属致祭，含有崇祀山川之意义，有各旗独祀者，有全旗共祀者。各旗鄂博，岁于五月或七月，由各旗致祀；合祀鄂博，在海拉尔河北山上，每三年

---

①　色音：《东北亚的萨满教》，中国科学出版社1998年版，第159页。

举行大祭（即为挑缺年期）一次，以五月为祭期，全旗大小官员咸集，延喇嘛诵经，以昭郑重。鄂博形圆而顶尖，高丈余，上插柳条及书经文之白布幡。首由喇嘛诵经，鼓钹竞作，绕鄂博三周，且绕且高，官民随之。三周既毕，各持香火，西南行百余步，至柴望地点，绕行三回如前，举火燔柴，以香火投之而返。次由副都统率属向鄂博行跪拜礼，喇嘛排立案侧，诵吹如前，众官依次席地坐，以器贮肉与饭，双手举器，绕过额者数次，而后啖之，一若敬受神俊者然。"① 祭敖包时，喇嘛击鼓念经，参加祭祀的人围绕敖包，从左向右转三圈，求神降福。巴尔虎人祭敖包时，一般分酒祭、血祭和火祭三种形式。巴尔虎地区比较著名的敖包，都是官祭敖包。"海拉尔河北山之上"的敖包，距海拉尔正北十余里，称安本敖包，又称图博乌力吉图敖包，曾是呼伦贝尔最著名的官祭敖包之一。

新巴尔虎与陈巴尔虎祭敖包的禁忌有所不同。新巴尔虎禁止妇女靠近敖包，陈巴尔虎则是有的敖包妇女可以去祭祀，如前面提到的图博乌力吉敖包等。呼伦贝尔全境最著名的敖包——宝格德乌拉（圣山）为例，每年都要公祭两次。一次为新巴尔虎右旗独祭，另一次为新巴尔虎左、右两旗合祭。无论是独祭或合祭，方圆几百里的人，届时都赶来参加祭祀。这种民间的、自发的、约定俗成的祭祀活动，规模宏大，有几万人云集在圣山脚下，除祭祀外，还要举办摔跤、赛马、射箭等竞技活动。宝格德乌拉敖包祭山时男子可以直达山顶，而妇女则只能在山底绕敖包走三圈。在山底绕三圈，估计要有十几公里的路，但多少年来没有一个妇女敢登上山顶，这恐怕也是怕激怒敖包神遭到不必要的报应。由祭敖包的男女有别，联想到祭敖包的起源，这种不成文的规定可能源于父系社会的初创时期。

巴尔虎草原各种各样的敖包极多，以新巴尔虎右旗为例就可以举出很多。据《新巴尔虎右旗蒙古族卷》一书介绍："据了解，新巴尔虎右旗各苏木均有敖包，经常祭祀的有 18 座。"② 又据《新巴尔虎左旗志》介绍："新

---

① 程廷恒、张家璠：《呼伦贝尔志略》，内蒙古文化出版社 2003 年版，第 213 页。

② 郝时远、张世和、色音、李茜：《新巴尔虎右旗蒙古族卷》，民族出版社 1997 年版，第 169—170 页。

左旗境内有大小不同的 60 多个敖包。"① 除了官祭敖包外，在巴尔虎草原上的敖包大多是各姓氏祭祀的敖包。雍正十年（1732 年）和十二年（1734 年）陈巴尔虎人和新巴尔虎人分别移入呼伦贝尔并被编旗入佐后，其驻牧地大致也进入一个相对稳定期。在一般的情况下，巴尔虎人都是同一姓氏的人形成一个小游牧集团，因而同一姓氏的人便在自己的游牧地选择敖包和新建敖包加以祭祀。过去祭祀氏族敖包时，都有"氏族仓"。"氏族仓是氏族庙、敖包的供给处，以一个氏族庙或敖包为基础，包括 5—10 个巴嘎（嘎查），这些巴嘎都是同姓。仓的财产收入，是几个巴嘎的老百姓自愿献纳的。"② 陈巴尔虎人很久以前就有祭祀姓氏（哈拉）敖包的习俗。他们在祭祀姓氏敖包时，在一个姓氏里还分为姓氏兄弟、祭敖包的兄弟和叔伯兄弟三个方面。陈巴尔虎"祭姓氏敖包的日期，一般均选择在走夏营地的后期，其范围比祭大敖包小，程序也较为简单。"③ 具体地讲陈巴尔虎人现有 18 个姓氏，内部又分为 34 个分支，各姓氏及各分支分别祭祀 39 个姓氏敖包。从陈巴尔虎的 18 个姓氏（内部又分为 34 个分支）及各分支分别祭 39 个姓氏敖包这种现象分析，陈巴尔虎的 18 个姓氏，极有可能以后会分化为 39 个姓氏。因为祭敖包时对各姓氏及各分支的区别是比较严格的，即各祭各的敖包，外姓或外支是不能参加的。这种姓氏分化的过程明显因为定居呼伦贝尔后再没有大的离散而显得很是缓慢。在新巴尔虎左、右两旗的官祭敖包中，原两翼八旗属下苏木敖包占多数。这里所祭的苏木敖包，其实也是一定范围内的官祭敖包。

敖包这种建筑形式和人们围在敖包旁祭祀敖包的现象，早在佛教传入之前就普遍存在了。佛教传入巴尔虎地区后，为了排挤萨满教，争夺对巴尔虎大众的控制，不得不将佛教与萨满教信仰糅合在一起。因此，"祭敖包时，改由喇嘛念经，不再用巫师跳神了。在祭火时，喇嘛僧们也利用萨满教优美

---

① 吴玉霞、彭立军：《新巴尔虎左旗志》，内蒙古文化出版社 2002 年版，第 83 页。

② 宝力根扎布：《推行"三不两利"政策，实现人畜两旺的大好局面》，载呼盟党委史料征集、革命史编审办公室编：《呼伦贝尔史料》第 2 辑，1984 年。

③ 宝音吉日嘎拉：《陈巴尔虎的敖包祭祀》，薛双喜：《莫尔格勒河往事》（蒙古文），内蒙古文化出版社 2003 年版，第 196 页。

的诗篇，加以改编。"① 除"血祭"与佛教义水火不容之外，其余巴尔虎人对敖包的信仰都原样沿袭下来，不过都掺进了佛教的因素。

第五节 清代达斡尔族及其文化

达斡尔族是我国北方少数民族。据目前学术界的研究，许多学者认为达斡尔族是古代契丹人的后裔。"达斡尔"是达斡尔族的自称，据学者们的研究，认为"达斡尔"来源于契丹人"大贺"氏之名，也有的学者认为"达斡尔"是"居住故地的人"的意思。在明末清初的史料上达斡尔族开始有了较多记载，由于音写的不同，达斡尔族曾被写为"达湖里"、"打虎力"、"达呼里"、"达古尔"、"达乌里"、"打虎儿"等。

一、爱新国政权对索伦部的征服

明代永乐初年，在黑龙江流域设立了脱木河卫、额勒格河卫、阿尔拉山卫、卜鲁木丹河卫等行政机构。由此，达斡尔族地区受到明朝的管辖。17世纪中叶，达斡尔族居住在黑龙江以北的地区，从事狩猎业、牧业、农业，过着定居的生活。与达斡尔族相邻而居的还有从事狩猎业、牧业的鄂温克族、从事狩猎业的鄂伦春族。这些民族居住的地域大致西至贝加尔湖，东到精奇里江，南至黑龙江两岸，北到外兴安岭的广大地区。满族人把这里的达斡尔、鄂温克、鄂伦春族统称为"索伦部"。天命元年（1616年），努尔哈赤统一女真各部，建立爱新国政权。崇德元年（1636年），皇太极即皇位后改国号为大清。爱新国及清统治者的势力达到黑龙江中游地区。为了巩固后方，扩充势力，获得新的人力和更多的财物，采取了征服当地居住民的行动。从努尔哈赤到皇太极，先后四次征索伦部。据《清太祖实录》记载，天命元年（1616年）八月，努尔哈赤命其大将扈尔汉和安费扬古率兵两千，征黑龙江中游两岸的萨哈连部。渡过黑龙江后，"遂取萨哈连部内十一寨。"索伦人为了寻求安定的生活，头人们开始向爱新国政权敬献礼物。如，天聪元年（1627年），"萨哈尔察部落六十人来朝，贡貂狐狸猞皮。"皇太极在

---

① 赵云田：《清代蒙古政教制度》，中华书局1989年版，第20页。

崇祯八年（1635年）、崇德四年（1639年）、崇德八年（1643年）三次发动了征服索伦部的战争。崇德四年（1639年）十一月，"遣索海、萨木什喀等征索伦部"。在清朝统治者大举进攻面前，索伦部人民不堪忍受，开展了反抗爱新国、清政权的反掠夺、保家乡的斗争。在索伦部首领博穆博果尔等的率领下，达斡尔、鄂温克等族人民在铎陈、阿撒津、雅克萨、多金、乌库尔、挂喇尔等城寨、村落都展开了英勇顽强抵抗清军的斗争。博穆博果尔最多时率领数千人同清军交战。铎陈、阿撒津、雅克萨、多金四座木城中的百姓坚决不降。当萨木什喀调集主力围攻雅克萨城时，守城百姓打退清军多次进攻。清军改用火攻城，雅克萨木城失陷，守城首领噶凌阿等二百余人被俘，百余人阵亡。萨木什喀又进攻达尔布尼、阿恰勒都瑚、伯库都、汉必尔岱聚集七屯之众守卫的乌库尔城。在一天进攻不下的情况下，又以火攻攻克。在铎陈城，清军围攻终日未克。次日，索伦部首领博穆博果尔率6 000人前来交战，救出被俘部众200余人。接着他又指挥在铎陈和阿撒津二城的部众截击清军，予以重创。清军攻克铎陈城后，又进攻挂喇尔屯，守屯者200余人阵亡，130余人被俘，170人突围。面对武装精良的强大清军，为了避免更大牺牲，博穆博果尔率众向山区转移。① 崇德五年（1640年）七月，清朝再次派席特库、济席哈等率大军征索伦部。于当年十二月，清军擒住博穆博果尔，并有900余部众同时被俘。索伦部人民抗征服、反掠夺、保家乡的正义斗争由于弱不敌强，以失败告终，索伦部达斡尔等族人民的村落遭到破坏，人员大量伤亡，正常的生产生活不能为继，人口和牲畜、狩猎业产品受到掠夺，遭受了严重的灾难。"通过三征索伦部，共掠夺了18 170人口，各种贵重皮毛10 200张，皮裘48领，牛马4 147头匹。"② 清统治者将掠夺来的人分配作为出征将士的家奴，或流放待征为军役。在反掠夺保家乡的抗清斗争中，达斡尔、鄂温克等民族与清军展开了英勇斗争，也使清朝军队伤亡惨重，来征的清朝官员多人受到了朝廷的惩处。

清朝完成征服索伦部以后，为了缓和同达斡尔、鄂温克等族人民的紧张关系，稳定在黑龙江流域的统治地位，一方面安抚人心，册封依附的头目为

---

① 孟志东：《达斡尔族简史》，内蒙古人民出版社1986年版，第32页。
② 孟志东：《达斡尔族简史》，内蒙古人民出版社1986年版，第34页。

牛录章京（即佐领），管理部落。另一方面派兵将留守达斡尔族地方。

二、抗击沙俄侵略者的斗争

从16世纪下半叶，沙皇俄国开始越过乌拉尔山向东扩张。17世纪中叶，当沙俄侵略者侵入黑龙江流域时，达斡尔族人民不屈服于沙俄侵略者强行勒索和抢夺财物，拿起狩猎用的弓箭、长矛进行反抗，进行了长期的英勇斗争。

在17世纪中叶，刚刚经受清军征服索伦部战乱之苦的达斡尔族，又投入了抗击沙俄侵略者的斗争。沙俄侵略者对富饶的达斡尔族地区，垂涎欲滴，扩张野心不断膨胀。崇德八年（1643年），波雅尔科夫率领"探险队"从雅库茨克出发，侵入精奇里江流域达斡尔族的村落。他们扣押达斡尔族头人为人质，强行勒索和抢夺财物。在多西和科尔帕首领的村屯，达斡尔族民众拿起弓箭、长矛从村里冲出，打响了黑龙江流域各民族反抗沙俄侵略的第一仗。在这场战斗中，达斡尔人英勇战斗，使侵略者10人受伤被俘，多人受伤，使波雅尔科夫无法在达斡尔族地区立足，不得不退到乌穆列堪河，最后于顺治三年（1646年）回到雅库茨克。

顺治七年（1650年），另一个沙俄侵略者哈巴罗夫率"远征队"来到达斡尔族地区。这时，侵略者的野蛮行径已广为传闻，达斡尔人纷纷采取转移人畜粮物、修筑坚固城堡和聚众抗敌的对策。当哈巴罗夫所率侵略者进攻希尔吉涅伊首领城堡时，达斡尔族民众奋起反抗，打退了11次进攻。侵略者又去进攻雅克萨城时，被首领阿尔巴西率众击退，打死4人。顺治八年（1651年）六月，当哈巴罗夫侵略军来到贵古达尔城时，城堡已由几个达斡尔部落重新建筑，城堡上设有塔楼，外有两道深壕沟，内有藏身地道，还有可骑马出入的地道，十分坚固。达斡尔族部众聚集在这里，准备联合抗敌。当哈巴罗夫厚颜无耻地要求贵古达尔投降，向沙皇纳贡时，贵古达尔义正词严地说："我们向中国皇帝顺治汗纳贡，你们来要什么实物税呢？等我们把自己的最后一个孩子扔掉以后，再给你们纳税吧！"表现了同侵略者血战到底的气概。侵略者用火炮、火枪进攻，达斡尔人从城上以弓箭还击，射出的箭布满了城外的田野，"像长满了庄稼一般"。经过一昼夜的激战，侵略者用火炮轰开城墙，达斡尔民众手持长矛与侵略者展开白刃战，打死4名、打伤45名侵略者。最后，贵古达尔城失陷，661名参加战斗的达斡尔人壮烈牺牲。当年8月，哈巴罗夫在达斡尔族部落首领班布拉伊城扑空后，突然袭击了托尔加等部落联合修筑的城堡。托尔加和图隆恰两位部落首领，为了全部落的平安，甘愿当了人质。哈巴罗夫释放被劫持的所有族众时，托尔加意味深长地割下发辫交给妻子。此后，部落人全部悄然撤走。哈巴罗夫想把该城作为殖民统治前哨的美梦破灭了。他气急败坏，对托尔加严酷拷打。托尔加说："我们既然已落到你们手里，为了自己的土地，我们宁愿自己死去。这总比我们的人全都死了强。"当侵略者烧毁城堡后，托尔加宁死不屈，自刎身亡。[①] 正是由于达斡尔族人民的顽强抗击，使得沙俄侵略者无法在黑龙江流域得以安身，他们企图臣服"新土地"的妄想不能实现。

顺治九年（1652年），清朝政府在黑龙江下游的乌扎拉村对沙俄侵略者开战，500名达斡尔人参加了战斗。正当战斗在中国方面占优势的时候，由于指挥失误而战败。尽管如此，这场战斗给侵略者以沉重打击，打死俄军10名，打伤78名，哈巴罗夫也被打伤。[②] 乌扎拉村之战，揭开了中国军民联合抗俄的序幕。此后，达斡尔族人民参加了清朝军队反对沙俄侵略者的库玛尔河口、松花江口、古法坛村、雅克萨城等多次战役。在收复雅克萨城的战争中和中俄尼布楚谈判的交涉中，都有达斡尔族民众和官员参加，孟额德、倍勒尔等达斡尔族官兵，在中俄外交交涉、侦察敌情、供应军需方面，发挥了重要作用。康熙二十八年（1689年）十二月，在清朝大军和达斡尔等各族人民的共同抗击下，沙俄的侵略扩张计划破产，双方签订了《中俄尼布楚议界条约》。在这半个世纪的抗俄斗争中，达斡尔族人民用鲜血和生命捍卫了祖国北疆的山水和家园，谱写了举世闻名的爱国主义篇章。

三、南迁到嫩江流域

达斡尔族南迁到嫩江流域是从个别归服清朝的首领及其家族开始的。在崇德年间（1636—1643年），达斡尔族敖拉哈拉的呼力尔肯被封为三等男爵

---

① ［苏］谢·弗·纠赫鲁中：《哥萨克在黑龙江上》，商务印书馆1975年版。
② ［苏］谢·弗·纠赫鲁中：《哥萨克在黑龙江上》，商务印书馆1975年版。

后，率领所属族丁迁到嫩江中游，建立了多金等村落。顺治六年（1649年），额驸巴尔达齐及其家族迁居北京，后来巴尔达齐在北京病故。达斡尔族南迁的另一个原因是响应清朝政府断绝沙俄侵略者粮源的决策，寻求安宁的居住生活。在17世纪中叶以后，达斡尔族陆续从黑龙江北岸迁徙到大兴安岭东麓嫩江流域，各哈拉（父系氏族）和莫昆（氏族分支）沿嫩江、诺敏河、讷莫尔河等流域相邻建立村屯，形成了达斡尔族在布特哈地区和齐齐哈尔地区的聚居地域。

清朝在征服索伦部的时候就开始在达斡尔族中建立八旗制度，将俘获的人口和归服内迁的达斡尔人编入牛录（佐）。在达斡尔族南迁后，为了加强对达斡尔族和鄂温克族的统治，在布特哈地区按照区域分布情况，将达斡尔族分编为都博浅、莫日登、讷莫尔3个扎兰（清朝八旗军事单位，连或队之意），将鄂温克族分编为5个阿巴（猎区）。在此基础上，于雍正九年（1731年）组建了布特哈八旗。布特哈八旗下设92佐，其中达斡尔族39佐，鄂温克族47佐，鄂伦春族6佐。① 布特哈八旗总管衙门设于宜卧齐屯（即今莫力达瓦达斡尔族自治旗尼尔基镇北的宜卧齐村）。光绪二十年（1894年），布特哈总管衙门升为副都统衙门，驻博尔多站（今讷河）。光绪三十二年（1906年）裁撤副都统衙门，以嫩江为界分东、西布特哈八旗，东布特哈八旗总管衙门驻博尔多站，西布特哈八旗总管衙门驻宜卧齐屯。齐齐哈尔地区的达斡尔族也以12个佐编入齐齐哈尔八旗。由布特哈、齐齐哈尔地区被清朝政府征派到瑷珲、墨尔根（今嫩江）、呼兰、呼伦贝尔驻防的达斡尔族也被编入当地八旗。乾隆四十一年（1776年），清朝政府派布特哈地区的达斡尔、鄂温克两族官兵各500人及家眷驻防新疆伊犁。这部分达斡尔族被编入索伦营右翼四旗，成为西北边疆的守卫者，后来又迁居塔城地区。

四、履行八旗义务

在清朝，达斡尔族八旗官兵承担了应征参战、巡逻北部边境、驻守卡伦（哨所）三项军事任务。

---

① 孟志东：《达斡尔族简史》，内蒙古人民出版社1986年版，第48页。

达斡尔族八旗官兵以骁勇善战著称，从康熙年间开始，多次受清朝政府征派参战。据《黑龙江述略》记载，"黑龙江省本以武功立名，开国而还，忠义林立，至咸丰、同治年间，出征内省者四十四次。"此后，还有多次应征参战。达斡尔族官兵先后应征参战几十次，参战者数万人次，他们的足迹遍布了祖国的大江南北。除了反抗沙俄侵略的战役外，还参加了收复和平定台湾的战役；第一、二次鸦片战争中守卫江、浙等海防地区的战役；光绪二十年（1894年）的中日甲午战争；光绪二十六年（1900年）的抗击八国联军的战役，为维护祖国统一、保卫祖国领土作出了贡献。期间，也被征调参加了镇压太平天国和捻军的战争。达斡尔族年满十五岁，身高五尺的男子，便被注册为八旗壮丁，有服兵役等义务。战争把许多达斡尔青壮年男子征为兵丁，甚至一家兄弟二人必有一人出征，频繁的战争，给达斡尔族造成了严重灾难。出征兵丁阵亡增多，人口锐减，生产荒废，家乡的经济发展及生活难以正常进行。在达斡尔人的许多家谱中，都能看到一些人的名下注有"阵亡"、"无嗣"的字。乾隆三十四年（1769年），被调出征南方的1 700名达斡尔、鄂温克官兵生还家乡者只有300余人。战争也给一些达斡尔人升官晋级铺出道路。达斡尔人中出现了几十名将军、都统、副都统、大臣，驻守各军事要地。

《中俄尼布楚议界条约》签订以后，为了加强北部边防，清朝政府在边境内侧设置卡伦（即哨所），由邻近的八旗派出官兵轮换驻守。据《清史稿》载，在呼伦贝尔"自雍正五年与俄勘界，设察汗敖拉、苏克特依等卡伦十有二，名外卡伦。十一年，复于外卡伦以内设库里多尔特勒、墨勒津等卡伦十有五，与各外卡伦相距一二百里不等，名曰内卡伦。"[①] 每个卡伦都要驻官1名，兵9名或10名。在建筑的卡房中驻守，一个月轮换一次，或三个月轮换一次。呼伦贝尔、布特哈、齐齐哈尔等地八旗的达斡尔族兵官都要轮换驻守卡伦。

自达斡尔、鄂温克等族迁居嫩江流域以后，黑龙江北部广大地区很少有人居住。为确保这些地区的安全，清政府规定定期巡逻黑龙江北部国境线的制度，在北部边境上还设立固定的敖包作为巡逻的目标，由八旗官兵每年或

---

① 《清史稿》卷50，《地理》。

每三年巡察一次，以详知边境安全情况。巡逻者要从总管和副都统衙门领取木牌，到达指定的巡逻敖包后，把木牌挂在敖包处，取回前次出巡者所挂的木牌，回来交到当地衙门。当时，仅布特哈八旗承担驻守的卡伦就有 21 所。每一位将军在新到任之时，都要亲自前往巡察。此外每年五六月时，由将军派各八旗协领以下官员一名，各领兵 80 人，分别巡察边境。巡边所察情况，要上报将军和理藩院。咸丰元年（1851 年），呼伦贝尔八旗达斡尔族佐领敖拉·昌兴率巡逻队伍，由海拉尔出发，巡察了额尔古纳河、格尔必齐河一带的边境和精奇里江上游、乌第河地区，创作了著名的《巡察额尔古纳河、格尔必齐河》爱国主义诗篇。

　　清朝政府规定，布特哈地区男丁"身足五尺者，岁纳貂皮一张"。①达斡尔等民族贡貂皮始于雍正年间，止于光绪二十年（1894 年）。达斡尔族为此远涉高山捕貂，付出了艰苦的劳动。在齐齐哈尔每年一次的"楚勒罕"集会上贡貂皮时，又受到贪官污吏的勒索剥削。他们采取压等级多收，把达到标准的貂皮划为等外然后低价收购的办法，盘剥猎人，从中牟利。乾隆六十年（1795 年），布特哈八旗副总管奇三和佐领蒙库霍图林嘎到承德，拦御驾向乾隆皇帝告发了黑龙江将军和齐齐哈尔副都统等人的贪污勒索罪行，使他们受到了惩处。②

五、达斡尔族的传统社会组织

　　达斡尔族的传统社会组织是指以血缘、地缘关系建立起来的社会组织。据《达斡尔族社会历史调查》，③达斡尔族曾有"毕日吉"等的社会组织称谓。比如，在鄂嫩哈拉的家谱上称"鄂嫩哈拉·都博浅毕尔吉·阿那哈浅爱满"，其他哈拉也有称"都博浅毕尔吉·满那莫昆·郭博勒哈拉"、"敖拉哈拉·多金莫昆·乌力斯毕尔吉"等。有的学者认为"毕尔吉"大致是地域性质的社会组织。目前还难以说清楚它们的具体状况，而且它们对达斡尔族的社会生活影响很小。自清代以来，对达斡尔族社会生活影响很大的社会

---

①　西清：《黑龙江外记》卷 5，黑龙江人民出版社 1984 年版。
②　孟志东：《达斡尔族简史》，内蒙古人民出版社 1986 年版，第 86—88 页。
③　珠荣嘎、满都尔图：《达斡尔族社会历史调查》，内蒙古人民出版社 1985 年版。

组织是"哈拉"、"莫昆"和村落。

1. "哈拉"及其制度和职能

"哈拉"是达斡尔语对于父系氏族的称谓，指同一男性祖先的后代组成的血缘共同体。达斡尔族的"哈拉"有敖拉、鄂嫩、莫日登、郭博勒、金克日、德都勒、苏都热、索都日、吴然、沃热、乌力斯、讷迪、阿尔丹、胡日拉斯、鄂尔特、卜克图、何音、毕力扬、陶木、鄂斯尔、达斡尔等20多个哈拉。据《黑水先民传》记载，"托尔托保，墨尔根达虎里，以族为氏，隶镶黄旗。"说明当时还有"达斡尔"哈拉人。而到20世纪，已经没有这个"哈拉"。

达斡尔人的哈拉形成于17世纪中叶以前，居住在黑龙江以北流域时期。达斡尔族各哈拉的名称，大多得自于祖先原居地区的江河、山川、村城的名字。如，"金克日"哈拉原居住在黑龙江北岸支流精奇里江下游，得名于精奇里江；"郭博勒"哈拉原居精奇里江下游左岸支流布丹河畔的郭博勒阿彦；"莫日登"哈拉原居住黑龙江北岸的奥列思莫日登城西北一带；"德都勒"哈拉原居精奇里江下游支流布丹河东南的德都勒和葛尔德兹屯等地。"苏都尔"哈拉原居黑龙江北岸牛满河上游支流苏图尔河流域；"沃热"哈拉原居黑龙江北岸支流沃热迪河流域。在民国时期，取哈拉名称词的第一个音或取其义，达斡尔族的哈拉的名称被简化为单字的敖、鄂、孟、郭、金、德、苏、索、吴、沃、讷、安、胡、康、何、卜、杨、陶、乔、单、王、张、纪、山、宁、李、赵、陈、刘、梁、白、徐、田等成为汉语意义的姓。每个哈拉的各莫昆、村屯相邻而居，形成较为聚居的区域。各哈拉之间也相距不远。17世纪中叶达斡尔族陆续南迁到嫩江流域，仍然保持了哈拉内各莫昆、村落聚居的分布状况。

哈拉的基本制度和职能是：

（1）实行哈拉外婚制。认为同一哈拉的人们是同一父系祖先的后代，有着血缘关系，因此不能通婚。同一哈拉的人们即使居住很远，也是不能通婚的。在历史上，这一制度得到传统习惯法的严格维护，违反者受到舆论谴责和不准其后代记入家谱。这也是传统氏族制度得以形成和具有生命力的基本条件。

（2）缮修哈拉家谱。现存的达斡尔族家谱是以明末清初的人物为始祖编修的。过去的家谱用满文编写，每隔 30 年左右续修一次家谱。届时，哈拉中有名望的长者相聚确定召开家谱会的日期、程序和各种事宜。然后通知各莫昆、村屯，在召开家谱会的时候带着新续修的莫昆家谱来参加家谱会。召开家谱会要杀牛或猪，供奉祖先，众人给记有祖先名字的家谱磕头，然后才能打开家谱。由哈拉中的学者贤达执笔编修家谱，把各莫昆、村屯从上一次开家谱会以后新增的男性子孙续写入家谱。家谱会结束时，众人设酒宴，事后要到祖墓祭祖。

（3）举行各莫昆联合狩猎活动。各莫昆、村屯要派猎手，由哈拉确定的"阿围达"（围猎头领）统一指挥，到野兽出没的山里，猎手们分别从不同方向围追野兽，逐渐向一个山头包围，最后猎杀。猎物归大家共享。这一习俗是氏族传统共同生产形式的保留。

（4）举行哈拉射箭比赛。在选定射箭比赛日期以后，由各莫昆选出射箭能手参赛。比赛双方参赛人数相等，以中靶多者为胜。这是达斡尔人培养优秀猎人和参战勇士的重要形式。

（5）处理哈拉内部重大事情。遇有一个莫昆难以处理的问题时，由各莫昆长老开会商议处理。对于哈拉中仗势欺人、无恶不作者，各莫昆首领和长老会议有权把他处死。

（6）祭奠已故长者。在哈拉中辈分大高寿的人去世时，各莫昆要备酒、肉、点心，派人吊唁，参加丧葬仪式。

2. "莫昆"的制度和职能

"莫昆"是从哈拉中分化出来的血缘关系比哈拉更近的血缘共同体，即氏族分支。达斡尔族以莫昆为单位建立一个或几个村落居住，它的内部联系及凝聚力比哈拉更强。

莫昆及其制度和职能是：

（1）严格禁止莫昆内部婚姻。莫昆内部的父系血缘关系比哈拉更为亲近，禁止内部通婚就更加严格。对于违反者要召开莫昆会议，给予体罚和谴责，并不将违反者的儿子记入家谱，不承认其婚姻。

（2）管理莫昆公共自然资源。莫昆具有所辖的地域，莫昆有权管理辖区的柳条通、牧场、草场、山林、渔场等公共财产。对于柳条通要规定分段采割、育成，规定割柳条的日期和每户采割的数量。对于山林也要有计划地采伐、育成。如有违反者，罚其杀猪给众人吃。如有外村人到莫昆所辖的渔场捕鱼，莫昆要出面收取渔场份子。在历史上，达斡尔族村落对所辖地域内的山丁子、稠李子、榛子等规定采集的日期，不等成熟不准采集。这些制度有助于保护生态和自然资源的合理、永续利用。

（3）设立莫昆墓地。在莫昆墓地以辈分和血缘的远近安葬已故者。

（4）共同祭祀。莫昆有共同的"霍卓日·巴日肯"，即祖先神，并有以祖先神为其神灵的莫昆雅得根，达斡尔语也称"霍卓日·雅得根"。莫昆雅得根的领神仪式和重大宗教活动，莫昆族众参加，给予协助，承担费用。莫昆雅得根也有义务为族众祭神、祈求病人痊愈和莫昆人旺年丰。对于莫昆共同祭祀的敖包，莫昆组织宰畜祭祀，祈求风调雨顺，牲畜兴旺，粮食丰收，举行赛马、摔跤等体育活动，费用由各户分摊。在天旱时，妇女们也要到河边杀鸡祭祀，并相互泼水。

（5）保护莫昆成员的利益。在莫昆成员与外人发生利益纠纷时，出资出力保护莫昆成员利益。莫昆内的鳏寡孤独和贫困者，要由近亲抚养，没有近亲的，莫昆众人尽帮助的义务。

（6）批准接纳养子。对于接纳本哈拉、莫昆内子弟为养子的，没有什么说道。对于接纳其他哈拉、莫昆子弟为养子的，由莫昆会议决定，改养子的原哈拉，把养子名字填入家谱。

（7）干预女子继承本家财产。按传统习惯法，家庭财产由男子继承。家里没有儿子继承的，由侄子继承。没有近亲侄子的，才由女儿继承。在有继承人的情况下，女儿如要继承，莫昆人要出面干预。

（8）缮修莫昆家谱。

（9）参加莫昆内的婚丧活动。莫昆内有姑娘出嫁，要请莫昆长者吃"察恩特"礼。莫昆众人参加娶媳妇的婚宴。

3. 在达斡尔族传统社会组织中，除了哈拉、莫昆以外，还有"莫音"的说法。"莫音"的意思是部分，是在莫昆之内由更为亲近的父系血缘关系的人们组成的。有的莫昆分出 2 个莫音，有的分出 4 个、5 个莫音。比如，鄂嫩哈拉的开阔莫昆在清代分为南、北两个莫音，两个莫音有各自的祖神和"霍卓日·雅得根"，共祭祀一个敖包，在丧事时相互来往。敖拉哈拉登特科莫昆分为奈曼浅、多罗浅、都西根浅和都尔卫格尔浅四个莫音。莫日登哈拉阿尔哈浅莫昆分为 5 个莫音，到 20 世纪 50 年代已经分出有 5 代人。[①]

4. 村落

达斡尔人经常提到的社会组织是"艾勒"，即村落。达斡尔人也经常会说自己是什么哈拉、什么艾勒的。这里的艾勒一般描述的是达斡尔人从黑龙江以北迁至嫩江流域之初建立的村落。艾勒（村落）是哈拉、莫昆具体的居住地，是其载体所在。比如，鄂嫩哈拉在嫩江流域原建的村落有开阔、博库如浅、霍日里、伊斯尔、博斯呼浅、都尔本浅、开阔浅、提古拉、达克浅等；敖拉哈拉的村落有伊斯坎、多金、哈列尔图、拉力浅、果尼、奎力浅、多格浅、库热浅、登特科、阿音浅、都西更等村落；郭博勒哈拉有满果尔津、满那、莫热、斡多胡台、塔文浅、那音、哈里、孔国、满乃博尔克、霍洛尔丹、博尔克、乌尔西格等村落。艾勒（村落）往往具有家族的性质，即村落中的居民由哈拉、莫昆中的某一家族组成的。但从近代以来，达斡尔族的村落已经不再是由单一哈拉、莫昆人们组成，而是随着人员流动的增加，许多村落已经由不同的哈拉、莫昆的人们组成，有些村落还有其他民族的成员。村落执行上级下派的行政事务，更具有行政机构的特征，村落中有"嘎辛达"（村长）负责处理村里的日常事务。

六、达斡尔族的经济

达斡尔族居住的地域有山林、草原、河流和平原，达斡尔族充分利用依山傍水的自然条件，不仅从事农业和牧业，也从事狩猎业、渔业、采集业、手工业，而且从事以交换为目的的放排业、大轱辘车制造业和运输业，具有综合利用自然资源，各业相互促进，适于对外交换的农牧为主的多种经营的经济结构。这是达斡尔族经济的很大特点。

狩猎业是达斡尔族的古老产业。很早以前，狩猎业在解决衣食来源和对外交换中，有着重要作用。在清朝，还要捕貂完成进贡义务。到解放前夕，达斡尔族狩猎业已处于衰落阶段，在偏远山区有 10% 左右的人家以狩猎业为主，[②] 而在多数达斡尔族地区已很少有人从事狩猎业。狩猎对象主要有狍

---

① 珠荣嘎、满都尔图：《达斡尔族社会历史调查》，内蒙古人民出版社 1985 年版，第 214 页。
② 珠荣嘎、满都尔图：《达斡尔族社会历史调查》，内蒙古人民出版社 1985 年版，第 70 页。

子、野猪、鹿、狍、灰鼠、熊、飞禽等。在狩猎时，各季节有不同的狩猎对象。狩猎的方法，比较古老的有用弓箭射、扎枪刺、设陷阱、下套子、下夹子、设地箭和鹰猎等。从 19 世纪以后，开始使用火枪狩猎。远猎则组成"阿那格"（小组）合伙前往，近处则一两人相约而行，并有集体围猎的狩猎方式。达斡尔族历史上曾有集体围猎，由同一"哈拉"的几个"莫昆"的猎手们联合出猎，分头骑马持弓从几面把一块山林中的野兽围住，然后缩小包围圈，最后射杀野兽。猎物由参加的人们平均分配。在近代多是组成"阿那格"（狩猎小组）到深山狩猎。"阿那格"实行集体生产，平均分配。

在狩猎业生产中，达斡尔人早就掌握了各种野生动物的习性、行踪和生活规律，熟悉山林自然，这是从事狩猎业生产的基本条件。他们采用蹲碱泡子伏击鹿，用狍哨引诱狍子，避开野兽的警觉向它接近等狩猎方式，都具有一定的科学道理。在对不同季节狍皮的皮质、绒毛了解的基础上，分不同季节猎取制作不同狍皮服装的狍皮。为了猎取到较大的熊胆，在猎熊时采用先用木棍惹洞中的熊生气，使其胆膨胀，然后再猎杀的办法。

达斡尔族历来傍江河而居，有渔业传统。渔业是达斡尔族传统多种经营经济结构中的重要组成部分。在达斡尔族居住地的黑龙江、嫩江、诺敏河、甘河、讷谟尔河、伊敏河等江河中，盛产几十种鱼，有鲤鱼、哲罗鱼、细鳞鱼、草根鱼、狗鱼、鲫鱼、鲇鱼、鳇鱼等。达斡尔人熟悉这些鱼的习性、生活规律，对于这些鱼有特别详细的称谓，不但每一种鱼，而且不同大小的同一种鱼，都有不同的称谓。反映了达斡尔族具有悠久而发达的渔业历史。达斡尔族在夏季和冬季均有渔业活动，根据不同的水域和鱼的不同习性，有多种多样的捕鱼方法。

在 17 世纪以前，达斡尔族居住黑龙江以北地区时，就已经从事牧业生产。南迁嫩江流域以后，仍然保持了从事牧业的传统。牛、马是达斡尔人从事农业、狩猎业、运输业等役用的生产资料，同时也饲养猪、羊、家禽以提供肉食、奶食。役畜的多少制约着狩猎、运输、农业等生产的发展程度。达斡尔人重视饲养牲畜，把牲畜多少作为富裕程度的标志。居住牧区的达斡尔人，牧业是主业。在新中国成立前的西屯，牲畜较多的户有一百多头牛，一般户有五六十头牛，牲畜少的户有七八头牛。在南屯，牲畜较多的户有七八十头牲畜，一般户有二三十头牲畜。① 达斡尔族牧业是定居放牧。在夏秋之际，为了防止牲畜吃庄稼，达斡尔人实行远牧近耕，并以村屯为单位，选一二个马倌统一把全村各家牲畜集合成群，赶往草场放牧，夜晚归圈。达斡尔人在入伏时用长把钐刀打草，储备牲畜过冬饲草。一头牛一冬要吃五六车草，牲畜多的人家打几百车草，在收割庄稼后把草运回，垛在专门的草圈里。冬季里除了把牲畜放在村附近吃草和庄稼秸秆和饲料外，主要喂草。

达斡尔族是在我国最北方从事农业的民族，有着很久远的农业历史。早在 17 世纪中叶，达斡尔族居住黑龙江中上游以北地区时，就已经形成了一定规模的农业，迁居黑龙江以南嫩江流域以后，农业取得了更大的发展。农业生产提供了基本的生活来源，达斡尔族除在大田耕种粮食以外，还在园田种植蔬菜、烟叶、麻。

达斡尔族很早就顺江河放排运输原木，以解决房屋建筑等所用木料。清代，在兴建墨尔根、齐齐哈尔城时，达斡尔人都曾放排供应木料。此后，达斡尔人放排把木料运到这些城镇出售。据《黑龙江外记》记载："齐齐哈尔用木，皆楚勒罕时，买之布特哈人，其木由嫩江运下，积城西北。"达斡尔人放排，如果在早春出发，一年争取放两次排，如果春耕后出发，当年只能放一次排。出发时，放排人由几个、十来个人组成"阿那格"（生产小组），由具有放排经验、熟悉水路的长者为"口业"（领头人）。他们乘坐马拉大轱辘车，带上粮食，逆江河到上游林区。到采伐木料的地方后，主要选伐能做柱、梁、檩、柁和椽子的松木等。用马拉大轱辘车把木头运到江河岸边。以十几根、几十根分别串成一个木排。待雨季江河水涨后放排。放排是非常艰苦、繁重、冒险的劳动，达斡尔人练就了高超的穿过激流险滩的放排本领。在 20 世纪前 50 年中，沿嫩江和诺敏河居住的达斡尔人的放排业，已成为重要产业，在一些村屯约有三分之一户的劳力参加放排生产。

大轱辘车是达斡尔族的传统交通工具，由于它适于山区草原上使用，具有轻便、耐用的特点，也受蒙古族、汉族农牧民的欢迎。历史上制造大轱辘车出售和交换成为一项重要的产业。农历三月时，达斡尔人组成 6 至 8 人的"阿那格"（生产小组），由有生产经验的人担任"塔坦达"（组长），套上

---

① 珠荣嘎、满都尔图：《达斡尔族社会历史调查》，内蒙古人民出版社 1985 年版，第 170 页。

马车到山里制造大轱辘车。车辋和车毂是大轱辘车的关键部件，要用耐磨韧性强的黑桦木制作。制作车辋时，选伐长约 3 米、直径 10 厘米的黑桦木杆，每次十几根装入顺山坡挖的窑里，盖上石板，从下面点火烘。待木杆被烘得柔韧有弹性时取出。在弯车辋时，把木杆的一头放入地上固定着的木桩的叉口中，用力拉另一头使之弯成半圆形，再用柳条系住两头，晾干定形。选直径 40 厘米、长 50 厘米的黑桦木制作车毂，在中间钻轴眼后烘干。待半个月车辋、车毂晾干后，在上面凿 20 个安装辐条的眼。其他车辕、轴、辐条、车台、车厢等按尺寸用阴干的黑桦木制作。各部件备齐后经组装，大轱辘车就制成了。一般一个"阿纳格"中每人都要制作可装十几辆车的部件。制作的大轱辘车卖到呼伦贝尔草原新巴尔虎左旗的甘珠尔庙会上或卖给布特哈地区附近的汉族农民。

达斡尔族很早就同其他民族有着商业交往。达斡尔族在黑龙江北岸居住时期，与周围其他民族的商业贸易大多是物与物的交换。一些鄂温克族每年秋天都要带着马匹，乘木筏顺石勒喀河而下，到黑龙江流域达斡尔族地区用貂皮等猎产品交换粮食、盐等，在初冬时从陆地返回他们住的地方。[①] 达斡尔族也用粮食交换其他民族的牲畜等。

当时，内地的满、汉族商人也经常到黑龙江流域与达斡尔族等当地民族"进行着兴旺的以物易物的贸易。这里有从中国输入的丝绸、棉布和其他货物"。[②] 达斡尔族使用的银器、铁制用具、玉石、颜料、酒类等，也是用貂皮等猎产品在这里进行交换而来的。居住在黑龙江、外贝加尔地区和鄂霍次克的埃文基人，同达斡尔族农牧民和满洲人，"用毛皮、兽皮、肉、鹿茸、鲟鱼软骨换取面粉、烧酒、布匹、器皿、饰物。"[③] 玛涅格尔人还向达斡尔人购买盐、黍米、面粉、黑豆、辣椒等。在这期间，达斡尔族也出现了商人，他们定期或不定期运来货物，同当地其他民族进行交换。所谓定期，就是在清朝官员征税之际，商业集市也同时开市，达斡尔族商人便赶着满载货物的车辆，和满洲官员同时前来。他们运来内地的"布匹、盐、茶叶、米

①　［英］拉文斯坦：《俄国人在黑龙江》，商务印书馆 1974 年版，第 10、14 页。
②　［英］拉文斯坦：《俄国人在黑龙江》，商务印书馆 1974 年版，第 10、14 页。
③　《民族译文集》第 1 辑，吉林省社会科学院苏联研究室，1983 年版。

黍、烟叶、酒、铅砂、火药，用这些货物向玛涅格尔人交换毛皮，以及交换他们用鹿皮、狍子皮缝制成的各种衣物、冬天穿的靴子、手套等等。"① 这种交换要在征税结束之后进行。在众多的交换产品当中，松鼠皮起到了衡量不同商品价值尺度的作用。

达斡尔族迁居到嫩江流域后，同鄂温克、鄂伦春、满、蒙、汉等民族的联系更加密切，互相之间的商业贸易也得到了发展。达斡尔族商业贸易的发展，主要体现在以下几个方面。

第一，在达斡尔族居住地区附近形成了一定规模的商业市场，为达斡尔族的商业贸易创造了条件。其中最兴盛、持续时间长的商贸市场是齐齐哈尔城的"楚勒罕"集会。齐齐哈尔城是康熙三十年（1691 年）开始修建的，到了雍正年间开办楚勒罕集会。"楚勒罕"是具有征贡、阅兵和民间交易等内容的集会。据载，"每岁五月，布特哈官兵悉来齐齐哈尔纳貂皮，互市，号楚勒罕，译言盟会也。初在城西北四十里因沁屯，本名克伊勒屯。乾隆六十年，以事改城中，而其部人卓帐城北，故俗有北关集之称。"② 在楚勒罕集会上，达斡尔等民族向清朝廷进贡貂皮等，同各地商人进行物资交换。楚勒罕集会给达斡尔族带来物资交流的机会，他们纷纷赶着大轱辘车来购买、换取一年生活的各类用品。较早并较多到这里经商的是山西商人，由于长期的商业贸易，"晋商与蒙古、索伦、达斡尔交易，皆通其语，对答如流。"楚勒罕集会还有来自河南、盛京和江南等地的商人。他们带来了绸缎、杂货、棉花、布匹、盐碱、茶、酒、火镰、陶瓷器等出售、交换。达斡尔族百姓要等到贡貂后领取俸饷，或用其他毛皮产品购换货物。有的则用牲畜、桦皮制品、烟叶等换取商人们的货物。达斡尔人还从嫩江上放排运木材到齐齐哈尔城出售，购买各种物品。光绪二十一年（1895 年）后，楚勒罕集会取消，但齐齐哈尔仍然是当地最大的商业贸易中心，仍然是达斡尔人进行商品交换的集市。达斡尔族运去鱼、柳条、烟叶、猎产品等到城里出售。

新巴尔虎草原的甘珠尔庙会，也是商业贸易集市。达斡尔族把制作的大轱辘车，运到甘珠尔庙会上，换取蒙古族牧民的马匹。为了赶甘珠尔庙会，

---

① ［俄］P. 马克：《黑龙江旅行记》，商务印书馆 1977 年版，第 118 页。

② 西清：《黑龙江外记》，黑龙江人民出版社 1984 年版，第 52、60 页。

达斡尔人组成 6 到 8 人的"阿那格"（野外生产小组）到阿伦河和格尼河流域，取当地的黑桦，弯制车辆，制作大轱辘车。7 月中旬，他们每人赶上三四辆车，从布特哈地区出发，风餐露宿，翻山涉水，日夜兼程，用半个月的时间赶到甘珠尔庙。据说，达斡尔族查阳村和绰尔哈勒村托白音的车制作的质量好，蒙古族牧民见面就打听他们制作的车。交换时，头一年最后一天的交换比价，便是下一年头一天的交换比价。一般情况下，两辆到四辆车换一匹好马。行情随车马质量和供求数量变化。达斡尔人运去的大轱辘车都能成交，也有少数人用大轱辘车换取羊皮、牛和猎枪。达斡尔人也带去烟叶、稷子米、燕麦炒面，在庙会集市上出售。达斡尔族有的村屯二十几户人家就出 3 个"阿那格"制车赶赴甘珠尔庙会做交易。把交换来的马匹再在布特哈地区出售，有的人家就因此而成为富户。居住在海拉尔地区的达斡尔族也做大轱辘车到甘珠尔庙会上交换出售。达斡尔人每个"阿那格"运去一百来辆大轱辘车，每年都有二三十个"阿那格"赴甘珠尔庙会，运去的大轱辘车，多达两千多辆。这种商业贸易持续到新中国成立后。据史料记载，甘珠尔庙会木制品市场面积很大，"勒勒车及车用品零件、蒙古包用品及其他硬木木料，均是索伦蒙古人、达斡尔蒙古人制造运来的，从而市场出现蒙古人与蒙古人之间的交易。""1937 年，集市上蒙古商人卖出木制车轮最多，资料记载卖出 1 200 多个，7 000 多元。"①

达斡尔族聚居的尼尔基村，在 20 世纪初，已有汉族商铺三家，经营布、油、盐和杂货，收购达斡尔族生产的燕麦运销齐齐哈尔。这三家商铺不能满足达斡尔人商品交换的需要。所以每年夏季，由齐齐哈尔开来商船，在沿嫩江的达斡尔族村屯停留出售商品，收购燕麦等土特产品。② 到了 30 年代，尼尔基已有各类商铺 20 多个，从业人员 130 来人，③ 初步成为达斡尔族聚居区的商业贸易集镇。

此外，海拉尔、扎兰屯、讷河等地也都是达斡尔族聚居区附近的商业贸易中心。这些商业贸易中心的出现，给达斡尔族与其他民族提供了商业交往

① 李萍、李文秀：《甘珠尔庙外记》，内蒙古文化出版社 1998 年版，第 142 页。
② 珠荣嘎、满都尔图：《达斡尔族社会历史调查》，内蒙古人民出版社 1985 年版，第 69 页。
③ 莫力达瓦旗政府：《莫力达瓦旗情》，呼伦贝尔盟历史研究会 1985 年版。

的稳定场所。商业交往的日益频繁，为达斡尔族的牲畜、粮食、猎产品、烟叶等成为商品创造了条件，出售产品有了一定保证，并方便了购买棉布、盐油、生产工具、生活用具。

第二，在达斡尔族的各业生产中，形成了一定规模的专业性商品生产，拓宽和加深了达斡尔族与其他民族的商业贸易交往。随着商业贸易的发展，达斡尔族经济中比较适应地呈现出商品生产的产业，像大轱辘车制造业、放排业、烧炭业等。大轱辘车是达斡尔族很早以前就使用的交通工具。由于它特别适于山区草地上运输，达斡尔人不但自己制用，而且专为出售而大量生产。达斡尔族除了把大轱辘车运到甘珠尔庙会上交换以外，还在布特哈地区和齐齐哈尔地区附近换取汉族农民的粮食等。放排业是达斡尔族独具特色的产业。达斡尔人放排运木料建房，已有几百年的历史。1688 年兴建墨尔根（今嫩江）城时，达斡尔人被征放排运输木材，所以嫩江城在达斡尔人中也有"毛得阔通"（木城）之称。以后，兴建齐齐哈尔等城时，也是由达斡尔族把木材顺流运送到这些地方出售。20 世纪初，铺设中东铁路需要大量枕木，在诺敏河沿岸的一些村屯有三分之一的达斡尔人参加放排生产。① 20 年代到 40 年代，由于嫩江沿岸城镇木炭畅销，出现了达斡尔族烧炭业的兴盛时期，也有一定数量的达斡尔人从事木炭运销业。此外，达斡尔人种植的烟叶、皮革制品、鱼类、猎产品，也都出现了一定的专业商品生产。

第三，达斡尔族商人的出现，加强了商业贸易。布特哈总管衙门建立后，清朝政府利用达斡尔族官吏同鄂伦春族猎民结为"谙达"（意为朋友），征收贡赋。据载，当时鄂伦春族分为毕喇尔、库玛尔、多普库尔河、阿哩河和托河五路，"各有各路接济米粮之索伦、达斡尔谙达"。② 达斡尔族谙达每年 2 月定期在指定地点给鄂伦春族猎民驮去粮食、子弹、棉布、盐、烟酒等生产生活用品，收取鄂伦春族猎民缴纳的贡皮，以及交换猎产品、皮毛制品等。再把通过交换来的猎产品运到汉族地区转售。达斡尔族谙达同鄂伦春族猎民的关系比较稳定，较为互相信任，起到了商品交换的中介人的作用。除此以外，也出现了其他经营粮食、排木的达斡尔族商人。

---

① 珠荣嘎、满都尔图：《达斡尔族社会历史调查》，内蒙古人民出版社 1985 年版，第 65 页。
② 中国第一历史档案馆：《清代黑龙江历史档案选编》，黑龙江人民出版社 1986 年版。

第六节　清代鄂伦春族及其文化

一、族名、族源及民族形成

（一）族名

"鄂伦春"（Oronchon）是今天对鄂伦春族的固定称呼。在爱新国天聪元年（1627年）之后的奏折、文献中开始有记载，写为"俄尔吞"、"俄乐春"、"俄伦春"以及"毕拉尔"、"玛涅格尔"等，不似元朝所称"林木中百姓"那样笼统。《清太祖满洲实录》崇德五年（1640年）三月庚辰条中有这样的记载："索伦兵来战，恐伤我兵，遂还……索伦、俄尔吞、奇勒里……来袭正蓝旗后队。"[1] 又《清圣祖实录》康熙二十四年（1685年）六月癸卯条中记录有"谕大学士勒得洪、学士麻尔图、图纳，鄂罗斯入我边塞，扰害鄂伦春、索伦、赫哲、飞牙喀等处人民。"[2]《圣武述略二》中记载："今黑龙江将军所属八旗兵，满洲汉军之外，有索伦兵、达虎儿兵、俄伦春兵、毕喇尔兵。皆土著之户。"[3]

在清代文献中，关于鄂伦春族的记载还出现"毕喇尔"、"玛涅尔"[4]等，这是鄂伦春族的两个"千"，相当于"氏族"。现在，逊克县和呼玛县的鄂伦春人仍自称"毕喇尔人"，如果遇到其他地方的鄂伦春人，会问"西毕喇尔波耶"，意为"你是鄂伦春人吗"。同时，"黑龙江人，不问部族概称索伦。而黑龙江人俱不疑，亦雅喜以索伦自号。说者谓，索伦骁勇闻天下，

---

① 内蒙古少数民族社会历史调查组、中国科学院内蒙古分院历史研究所编：《达斡尔、鄂温克、鄂伦春、赫哲史料摘抄》，内蒙古人民出版社1962年版，第49、89页。

② 内蒙古少数民族社会历史调查组、中国科学院内蒙古分院历史研究所编：《达斡尔、鄂温克、鄂伦春、赫哲史料摘抄》，内蒙古人民出版社1962年版，第9、21、105页。

③ 内蒙古少数民族社会历史调查组、中国科学院内蒙古分院历史研究所编：《达斡尔、鄂温克、鄂伦春、赫哲史料摘抄》，内蒙古人民出版社1962年版，第49、89页。

④ 内蒙古少数民族社会历史调查组、中国科学院内蒙古分院历史研究所编：《达斡尔、鄂温克、鄂伦春、赫哲史料摘抄》，内蒙古人民出版社1962年版，第9、21、105页。

故借其名以自壮。"①

"鄂伦春"是自称，一为"山岭上的人"之意。"鄂伦"是"山岭"、"山顶"，"春"是方位词，意为"……地方的人"。在鄂伦春语的发音中，"鄂伦"也有"驯鹿"的意思，"春"是专有名词词缀，表达人物所司之业。因此"鄂伦春"的另一个解释是"使鹿人"之意。

鄂伦春族的氏族（姓氏）有玛哈依尔，后分出莫拉呼日；玛拉依尔，后分出吴恰尔康；葛瓦依尔，后分出古拉依尔和魏拉依尔；杜宁肯；柯尔特依尔，后分出阿其格查依尔；白依尔等十几个。

（二）族源

学术界关于鄂伦春族族源有四种说法。

一说鄂伦春族的先民为丁零。② 鄂伦春族即唐时的鞠部，鞠部的祖先很可能是黑龙江上游以北、贝加尔湖以东地区的丁零人。

一说鄂伦春族的先民最早应是肃慎。③ 不同的朝代延续为挹娄、勿吉、靺鞨、女真等。统一在金政权而被管辖的女真人，并没有全部加入满族共同体。满族主要是由建州女真、海西女真和早期被兼并后迁居浑河流域一带的野人女真组成。这部分野人女真被编入旗籍，设佐领，称"佛满洲"和"伊彻满洲"（"佛"，满语，"旧"的意思，"伊彻"，满语，"新"的意思），他们是满族的主要组成部分。而另一些散处边远地区未被编入旗籍，只向清朝纳贡的野人女真部落，后来成为今天的鄂伦春、鄂温克等族。

一说鄂伦春族的先民属于东胡系的室韦。④

首先，不少学者一致认为，鄂伦春语属于满—通古斯语族的语言，在我国古代族群中，肃慎系及其以后的挹娄、勿吉、靺鞨、女真等是一脉相承下来的，他们都源于通古斯语族的各族群，这早已有定论。然而还有不少学者

① 内蒙古少数民族社会历史调查组、中国科学院内蒙古分院历史研究所编：《达斡尔、鄂温克、鄂伦春、赫哲史料摘抄》，内蒙古人民出版社 1962 年版，第 9、21、105 页。

② 徐殿玖：《鄂伦春族族源初探》，《学术交流》1989 年第 2 期。

③ 《满族简史》编写组编：《满族简史》，中华书局 1979 年版，第 2 页；杨保隆：《肃慎挹娄合考》，中国社会科学出版社 1989 年版，第 285—286 页。

④ 参见冯君实：《鄂伦春族探源》，《吉林师大学报》1978 年第 2 期；于志耿：《黑龙江古代民族史纲》，黑龙江文物出版社 1982 年版；《鄂伦春族简史》，民族出版社 2008 年版；赵复兴：《鄂伦春族游猎文化》，内蒙古人民出版社 1991 年版。

却认为，鄂伦春族和鄂温克族源于室韦，而室韦的语言属于蒙古语族，不是通古斯语族。他们的根据是《魏书·室韦传》："室韦语与库莫奚、契丹、豆莫娄同"。但在我国的古文献中，对室韦语言还有另外的记载。如在《唐会要》中称：室韦"语言与靺鞨相通"。在《新唐书·室韦传》上说："其语言，靺鞨也。"在《通典》中也有类似的记载。我们根据这些记载，进行具体分析，应当承认，室韦是包括不同语族群体的一种泛称。它的组成既有蒙兀室韦的蒙古语族的部族，也有北部室韦属于通古斯语族的部族。不能绝对肯定室韦只属于蒙古语族或绝对肯定只有通古斯语族。当时的情况是中原地区的统治者和史官对边疆各族不是很了解，对当时的民族只能作大体的划分。由于此种原因，史学界和人类学界多年多方面考证，基本认定室韦确实包括了通古斯语族的族群。

其次，从鄂伦春族历史上活动区域而言，是在贝加尔湖以东，黑龙江以北地区。黑龙江上游，西汉时为鲜卑地，下游自先秦即为肃慎地。南北朝时，上游为室韦诸部，下游为黑水部。据谭其骧主编的《中国历史地图》"释文汇编东北卷"考证，室韦部的北室韦，在今嫩江上游地区至俄罗斯境内结雅河下游流域，钵室韦在俄罗斯境内札格达山附近，深末怛室韦在俄罗斯境内结雅河支流谢列姆扎河流域，大室韦在今额尔古纳河口以东，外兴安岭以南、黑龙江以北地区。这些地区正是元、明、清时鄂伦春族活动的区域。"室韦"是蒙古语"森林、树丛"的意思。这说明室韦与"森林"有关，当属于森林民族。因此元时称其为"林木中百姓"，清初称其为"树中人"。"钵室韦"的"钵"是"外"的意思。"外室韦"，这应当是指外兴安岭一带的人。另一地理记载中，鄂伦春族的活动地域与古代"拔野古"有关，此地是今贝加尔湖东北岸的"巴尔古津"地区，也属于外兴安岭范围，清朝史料记载的鄂伦春族，其时正是活动在外兴安岭地区的森林民族。

第三，从经济类型和物质文化看，鄂伦春族同室韦有很多相似之处。如从事渔猎经济，"以射猎为务，食肉衣皮，凿冰没水中网取鱼鳖。"[1] 鄂伦春族直到20世纪90年代都是以此为生的。最早，他们曾经住在苔原森林中饲养驯鹿，唐朝《通典·鞠国》中就有记载："鞠国在拔野古东北五百里……

---

① 《北史·室韦传》。

有树无草，但有地苔。无羊马，家畜鹿如中国牛马"。他们称驯鹿为"鄂伦"，"鄂伦春"是"使用驯鹿的人"，在史籍和鄂伦春人民间的记忆中，鄂伦春人直到17世纪中叶迁到黑龙江南岸前都在使用驯鹿。在其物质生活中的两个特点，也同北部室韦族相一致。在《北史·室韦传》等文献中记载"桦皮盖屋"、"骑木而行"。鄂伦春族直到1958年以前仍在使用的是用十几根松树杆当支架，用桦树皮覆盖的住屋"斜仁柱"和滑雪板"亭纳"。

从上述三方面看，鄂伦春族应源于室韦族北室韦的一部分和钵室韦、深末怛室韦和大室韦。

鄂伦春族的族源与鲜卑的关系最为密切。[①] 之所以认为鄂伦春族与古代鲜卑有渊源关系，主要是今天的鄂伦春人有着许多与鲜卑人相同的习俗。如《文献通考》中记载的"婿随妻至家，无尊卑……为妻家仆役一二年间，妻家乃更厚遗送女"。鄂伦春族在"乌力楞"时期，如果没有儿子的话，女婿通常在岳父母的"乌力楞"生活几年，以此报答他们对妻子的养育之恩和对娶走人家女儿的补偿。"敬鬼神，祠天地，日月星辰，山川及先大人有健名者"，"随痛病处以刀决脉出血及祝天地山川之神，无针药"，鄂伦春人信仰的萨满教的核心要旨就是"万物有灵"论。那么，鄂伦春人的葬俗与文中记载的"俗贵兵死，有哭故之哀，至葬则歌舞相送……取死者所乘马、衣物，皆烧而送之"。通常庶人死了"死不墓……载尸入山中置于树巅，子孙死父母日夕哭，父母死则否，亦无丧期"，[②] 非常相似。鲜卑人在"嘎仙洞时期"是以狩猎为生，被称为鲜卑石室的嘎仙洞中出土有石镞、骨镞等狩猎工具，还有大量的狍、犴（驼鹿）、马鹿、野猪等野生动物骨骼，却没有马、牛、羊等家畜骨骼。这时的鲜卑人如《文献通考》所记载的"聚木为屋"，就是前面也提到的"斜仁柱"式的住所和鄂伦春人一直使用的滑雪板"亭纳"。1 000多年前，北魏太武帝拓跋焘遣使到嘎仙洞祭祖时，由于壑深林密，只有驯鹿（史书记载为瑞兽）开道才得以进入兴安岭腹地的嘎仙洞。

鄂伦春族一直以来游猎的地域发生着有声有色的历史事件，鲜卑人曾经

---

① 白兰：《鄂伦春族文化研究》，内蒙古教育出版社2007年版，第363页。

② 《新唐书·列传》。

在兴安岭使鹿狩猎，[1]并纵马呼伦贝尔森林和草原之间，2 000多年前逐鹿中原，促成了第一次震动中国历史的民族融合和民族文化的碰撞。再后来，蒙古大军崛起于兴安岭北部的额尔古纳河畔，铁马金戈纵横欧亚，使世界的文明进程得到改变。他们何以能够走出森林，是由于使鹿和使马的发展，尤其马镫（史学界一说马镫是鲜卑人的发明，也有说是匈奴人的创造）的使用，这些历史上的族群必将走向森林之外的天地。鄂伦春族没有和祖先一道走上历史舞台，是家园需要守卫，还是在此后的时代，莽莽林海阻隔了鄂伦春人的脚步，富饶的物产留住了他们改变生活的冲动，都可以成为当时的解释。最后的历史结果是外面世界轰轰烈烈的改朝换代，游牧、农耕、工业各行其能，并行、交叉、更替，而鄂伦春人文化的时空仍然停留在鲜为人知的时空里。那么，我们只能认为：从来没有达到万人人口的狩猎采集民，千百年间游猎于广袤的兴安岭深山密林里生生不息的生命力，沿着数百条河流逐水草而居的特立独行的生活方式，证明只有这里才能产生这样的民族特质和文化特征。

二、清朝时期的鄂伦春族及其语言

（一）清朝时期的鄂伦春族

兴起于明末的爱新国政权，在天聪九年到崇德元年（1635—1636年）间，从明廷手中接管了除辽西数城以外的广大东北地区。努尔哈赤把居住在黑龙江中、上游两岸及精奇里江流域和外兴安岭一带的索伦、达斡尔和鄂伦春等族收编为索伦部，编为八牛录。康熙二十二年（1683年）部分鄂伦春部落被清朝编入八旗。当时，"曰俄伦春，亦索伦，达呼尔类也，黑龙江以北，精奇里江源以南，皆其射猎之地，其众夹精奇里江以居。"[2]

自崇德八年（1643年）以后，沙俄不断派遣哥萨克武装入侵黑龙江流域，使当地各族居民不得安宁。清朝政府为了保卫这一地区，保护百姓生命和财产的安全，不断派官军北上，围剿和驱逐入侵者。部分鄂伦春人被朝廷编入八旗，参加清朝的征战。与此同时，自顺治十年（1653年）开始，清

---

① 米文平：《鲜卑石室的发现与初步研究》，《考古》1981年第2期。
② 内蒙古少数民族社会历史调查组、中国科学院内蒙古分院历史研究所编：《达斡尔、鄂温克、鄂伦春、赫哲史料摘抄》，内蒙古人民出版社1962年版，第73页。

政府将受入侵者扰害的石勒喀河和黑龙江中游北岸的索伦、达呼尔和鄂伦春等族居民逐渐迁移到大、小兴安岭和嫩江之滨。

为了加强对黑龙江地区的防务，清朝政府于康熙二十二年（1683年），设置黑龙江将军，以宁古塔副都统萨布素为将军，率吉林、宁古塔官兵驻防，划宁古塔将军所属西北地区归黑龙江将军统辖，并"移吉林、宁古塔满洲汉军披甲家口，永作驻防，置火器营。而索伦、达斡尔等众，亦酌量令其披甲，并迁满洲二百人教训。自是呼伦贝尔、布特哈、呼兰、兴安、通肯等城，以次额设，定为经制之兵，号八部落，亦号八围"。① 其中有鄂伦春和毕拉尔两部落，隶属于布特哈总管衙门。布特哈总管衙门对鄂伦春族的统治办法是："其隶布特哈八旗为官兵者，谓之摩凌阿（骑马）俄伦春，其散处山野仅以纳貂为役者，谓之雅发罕（步行）俄伦春。雅发罕俄伦春，有布特哈官五员分治，三岁一易，号曰谙达。谙达岁以征貂至其境，其人先期毕来，奉命维谨，过此则深居，不可纵迹矣。"② 摩凌阿鄂伦春直接受布特哈总管衙门管辖，而雅发罕鄂伦春，因未被编入具体的行政组织，只是要求其每年向清廷贡纳貂皮。分管他们的是五名布特哈总管衙门的谙达。谙达每年征收貂皮才到鄂伦春族地区，鄂伦春人也只有此时才集中起来缴纳貂皮，过后就又分散到广阔的森林中去了。这一时期布特哈总管衙门对鄂伦春族的统治很是松散的。

鄂伦春人虽然迁往黑龙江南岸大、小兴安岭，还留恋着结雅河沿岸这个传统猎场，如果这里出现战争间隙，他们又回来游猎。因此，当时的鄂伦春人还是在黑龙江两岸活动。文献记载："土著鄂伦春部落，分摩凌阿、雅发罕两种，其雅发罕在黑龙江以南，精奇里江以北射猎打牲。"③ 直到咸丰八年（1858年）不平等的《瑷珲条约》签订后，我国黑龙江以北的大片土地

---

① 内蒙古少数民族社会历史调查组、中国科学院内蒙古分院历史研究所编：《达斡尔、鄂温克、鄂伦春、赫哲史料摘抄》，内蒙古人民出版社1962年版，内蒙古人民出版社1962年版，第114、152—157页。

② 内蒙古少数民族社会历史调查组、中国科学院内蒙古分院历史研究所编：《达斡尔、鄂温克、鄂伦春、赫哲史料摘抄》，内蒙古人民出版社1962年版，第114、152—157页。

③ 内蒙古少数民族社会历史调查组、中国科学院内蒙古分院历史研究所编：《达斡尔、鄂温克、鄂伦春、赫哲史料摘抄》，内蒙古人民出版社1962年版，第114、152—157页。

落入沙俄手中，鄂伦春人再去传统猎场狩猎则受到阻碍。于是在"同治十年（1871 年）将军特普钦奏请，于内兴安岭内外划分五路，以备调用，库玛尔河流域为库玛尔路，设佐领三；阿力河流域为阿力路、多布库尔河流域为多布库尔路，两路人稀事简，合设佐领一；托河流域为托河路，设佐领一；毕拉尔河流域为毕拉尔路，设佐领二。前四路属西布特哈，后一路属东布特哈"。① 此为五路之始。

编入路、佐以后，每个成年男人都要承担服兵役和纳貂的义务。每年每个士兵不但要交貂皮一张，而且还要集中起来进行训练。"所捕貂皮，辄为谙达诸人，以微物易去，肆意欺凌，不啻奴畜"。② 当时任库玛尔路骁骑校的鄂伦春人烈钦泰，因鄂伦春人"受制益苦，浸成寇仇之势"，挺身而出，联合各路鄂伦春人要求黑龙江将军文绪奏请撤销布特哈总管衙门，建立兴安城总管衙门专管鄂伦春人。于是，文绪于光绪八年（1882 年）奏请，在五月的上谕中说："据称鄂伦春族牲丁，向归谙达管束，受制甚苦，该人众精壮可用。该署将军等拟请撤去布特哈管辖，另为部落，设官添兵，编旗分管，俾安生业，并收劲旅，所筹甚是"。③ 得到批复后，于光绪十年（1884 年），"勘定岭右喀勒塔尔奇站（即四站）迤东十八里之太平湾（五路适中之地）为兴安城址，是冬，各衙署成，遂迁居焉。"兴安城设副都统衔总管 1 人，副总管 10 人，其中满族副总管 2 人，鄂伦春副总管 8 人。光绪十九年（1893 年）将军依克唐阿，以"建城专治，事无实效"而奏裁了兴安城。兴安城存在十几年，撤销后，"改设协领四员，分城经理"。

其后对鄂伦春人路佐的管理体制为：在库玛尔路设镶黄、正白、镶白、正蓝 4 旗 8 佐，添设协领一员；毕拉尔路设正黄、正红 2 旗 4 佐，添设协领 1 员，归瑷珲副都统管辖。阿里、多布库尔两路设镶红 1 旗 2 佐，添设协领 1 员，归墨尔根副都统管辖。托河路设镶蓝 1 旗 2 佐，添设协领 1 员，归呼伦贝尔副都统管辖。光绪三十二年（1906 年），巡抚程德全为加强鄂伦春族

---

① 内蒙古少数民族社会历史调查组、中国科学院内蒙古分院历史研究所编：《达斡尔、鄂温克、鄂伦春、赫哲史料摘抄》，内蒙古人民出版社 1962 年版，第 114、152—157 页。

② 内蒙古少数民族社会历史调查组、中国科学院内蒙古分院历史研究所编：《达斡尔、鄂温克、鄂伦春、赫哲史料摘抄》，内蒙古人民出版社 1962 年版，第 114、152—157 页。

③ 《清德宗实录》卷146，光绪八年五月辛卯条。

工作，奏设各路协领衙门。库玛尔路协领衙门设在霍尔泌地方，该路设协领1员、佐领8员、骁骑校8员、笔帖式1员、领催32名、披甲468名。毕拉尔路协领衙门设在逊河和沾河汇流的上游地方，该路设协领1员、佐领4员、骁骑校4员、笔帖式1员、领催16名、披甲234名。阿里多布库尔路未设协领衙门，该路设协领1员、佐领2员、骁骑校2员、笔帖式1员、领催8名、披甲117名。托河路协领衙门设在扎敦毕喇雅克台东，西北流60里，左纳一水，即其居址，该路设协领1员、佐领2员、骁骑校2员、笔帖式1员、领催8名、披甲181名。

鄂伦春族地区4路8旗16佐的建制，一直延续到清末。

关于鄂伦春族的历史人口，尚无精确记载。清朝文献记载，光绪年间从鄂伦春族中征兵1 000人，可以推测当时鄂伦春人口应该超过9 000人。光绪二十二年（1896年）的记载说"鄂伦春牲丁每年应交貂皮一千张。"[①] 关于清朝时期旗人人口的统计方法，史学界大多采用俄罗斯学者伊亚铁夫的推算方式，即：八旗人口为八旗兵丁乘以9。另据1915—1917年俄国著名的通古斯学家史禄国的调查材料：兴安岭一带950人，墨尔根地方430人，毕拉尔路899人，库玛尔路1 832人，共计4 111人。[②]

（二）鄂伦春语言[③]

鄂伦春族有独立语言，属阿尔泰语系满—通古斯语族北通古斯语支。我国的满—通古斯语族语言，除鄂伦春语外，还有鄂温克语、赫哲语、锡伯语、满语。历史上女真族使用过的女真语也属于这个语族。

鄂伦春语和同语族语言有共同的起源，但是在发展的过程中又形成了自己的特点。如单元音丰富，分长短；复元音很少。辅音系统结构简明。辅音之间有大量的同化现象，其中逆同化的现象最丰富。元音和谐比较清晰。表示词汇意义和语法意义的附加成分种类纷繁。静词格的形式多，有人称领属

① 内蒙古少数民族社会历史调查组、中国科学院内蒙古分院历史研究所编：《达斡尔、鄂温克、鄂伦春、赫哲史料摘抄》，内蒙古人民出版社1962年版，第668页。

② ［俄］史禄国：《北方通古斯社会组织》，吴有刚、赵复兴、孟克译，内蒙古人民出版社1984年版，第174—181页。

③ 此节据胡增益：《鄂伦春语简志》，民族出版社1986年版，第1—2页；《鄂伦春语》，《中国大百科全书·民族卷》，中国大百科全书出版社1986年版，第108—109页。

和反身领属范畴。动词有人称。对动作的时间概念、动作的类型和情态表达得细腻。被动态和使动态的附加成分在语音形式上可以区分。在词汇中反映狩猎生产和独特生活方式的词丰富多彩。

语音：单元音在元音体系里占优势，在固有词里不出现复元音。元音分长短。有元音和谐现象。元音分为阴性元音和阳性元音。同类元音按照一定的规则在词里保持和谐。除了性属和谐以外，还有唇状和谐。辅音。辅音系统比较简单，有19个。辅音在词里出现的情况有以下一些特点：一是不同于满—通古斯语族中的某些语言，可以出现在词首。如ηa：la"手"，鄂温克语为：na：la，满语为gala。二是f和x作为一个独立的音位只出现在汉语借词里。p在早期汉语借词里，相当于现代汉语的f，如pu"伏（天）"。三是不仅状词，其他词的末尾也能出现比较多的辅音，如a：wun"帽子"，ulo：hi"假"。四是语音结合时，发生较多的同化现象。

语法：（1）表示不同语法意义的附加成分按照一定的次序加在词干后，构成词的各种语法形式。（2）名词格的数目较多，宾格和方位格各有两个，区别动词涉及的对象是否确定。（3）动词有态、体、时间、式、人称等范畴。和某些满—通古斯语语言不同，动词的使动态和被动态附加成分有各自的语音形式。（4）在句子结构里，结构成分之间往往出现互应关系的语法形式，如主语和由动词充当的谓语，在人称和数上有互应关系。领属结构的两项之间在人称和数上也有互应关系。（5）复句不大使用连词，主句和从句大都是靠位置（从句在前，主句在后）、语调和从句谓语的附加成分来连接。这些附加成分包括加在形动形式动词后的格附加成分和加在副动形式动词后的副动附加成分。

词汇：（1）反映本身生活方式特点的词比较丰富。（2）利用语音交替构成在意义上和词形上对偶的词较多。（3）词的构成方法，主要是派生法，在动词词根后加附加成分可以构成名词；其次是合成法。

鄂伦春语内部比较一致，无方言差别。没有本民族的文字，曾经有人学习和使用过满文，现在通用汉文。

三、宗教信仰——萨满教

鄂伦春族信仰萨满教，并完整地保留到20世纪60年代。萨满教以"万物有灵"为信仰核心，以自然崇拜、图腾崇拜和祖先崇拜为主要内容，认为，整个世界充满着神灵和鬼魂。

（一）自然崇拜

鄂伦春人对打雷、闪电现象十分恐惧，有着许多传说。说打雷打闪是"恩都如"发怒的结果，如果打雷打闪厉害就急忙磕头祷告，祈求"恩都如"息怒。还认为打雷、打闪是雷公雷母在惩恶除害，雷公拿着凿子和锤子，雷母拿着一面铜镜，当雷母用铜镜照射到恶魔时，雷公就用锤子敲打凿子，将恶魔击死。铜镜照射发出的光就是闪电，锤子敲打凿子的声音就是打雷。因而对恶人往往用遭雷闪电击死来诅咒。当有人受到冤屈为了澄清事实时，也用遭雷劈死来起誓。

火在人们的生活中是不可缺少的，鄂伦春人对火既亲近又很崇敬。火神，鄂伦春语叫"托奥博如坎"或叫"古龙它"。农历除夕晚上每户都要点上一堆篝火，并供上酒肉，初一早晨还要对灶火磕头祈求保佑。晚辈们前来拜年时，首先要给火神磕头，然后再给长辈们磕头拜年。平时吃饭时老人们都要首先向火里投点食物（最好是肥一点儿的肉，认为火神喜欢吃油大点儿的食物）或撒几滴酒，表示供奉。禁止往火里泼水，或用刀子、木棍在火堆里乱捅，也不准往火堆里吐痰，怕触怒了火神，不再给人以温暖。当猛烈的野火扑来时，人们往往要跪地向大火磕头，以求火神免灾。在鄂伦春人的描述中，火神是一位白发老婆婆，性情有点怪。

"白那查"是鄂伦春猎人最崇拜的神，即"山神"。他们认为山里所有的飞禽走兽都是由"白那查"掌控，所有的猎物也都是"白那查"赐予人们的。因此对"白那查"的供奉也极为虔诚。每当猎人"昂格玛"之前，都要向"白那查"供祭磕头，在山上狩猎期间，每逢饮酒吃饭，也都要先用手指蘸酒向上弹三下，或将酒碗高举过头顶绕几圈，口中念念有词，祷告"白那查"多赏猎物等，然后才能饮酒吃饭。若路遇高山深洞或怪石奇树时，便认为是"白那查"住的地方，经过此地都要下马磕头，并不敢大声喧哗或胡言乱语，以防惊扰惹怒"白那查"。鄂伦春人供祭"白那查"一般都到野外，找一棵粗大的松树（松树是首选，其他树也可以），在高出地面1米左右处，用刀斧砍出一个人的面形（有人在上面用木炭描出眼、鼻、唇），那便是"白那查"，然后在其前面摆酒敬烟，下跪磕头。以后凡从这棵树旁经过者都要下马敬烟磕头。传说中"白那查"是胡须飘飘的老爷爷。

风神，鄂伦春语叫"库列贴"，据说这种神的头发向上直立又直又硬，不向任何一方倾斜。用"须罗"草来做风神偶像。将一把草，一头扎紧一头散开，形如扫帚。做好后插在"斜仁柱"附近。

草神"楚卡博如坎"，是鄂伦春人有了马匹后比较重视的神。每一年都是以万物复苏开始的，花草树木的萌芽给人们带来了清新的心情，感恩和新鲜感使人们无比崇敬这样的神灵。

（二）祖先崇拜

由于鄂伦春人的敬老习惯以及人死后灵魂永存的观念，使祖先崇拜显得很郑重。鄂伦春语称祖先神为"阿娇儒布如坎"，"阿娇儒"是根子的意思。起初，人们把母亲家族的祖先叫"阿娇儒"，就是现在仍把姥姥叫做"阿娇儒贴贴"，每家每户都供奉"阿娇儒博如坎"。神像通常是用松木刻制成的偶像，或在一块黄布上绘制的一个半身人像，装在神龛内，由老人精心保管，搬迁时老人也随身携带。过去在每三年召开的"莫昆"（氏族）会议（也有一说是三年一次的春祭仪式）上，要首先祭祀"阿娇儒博如坎"，并请萨满跳神。对这种仪式鄂伦春语叫"乌门那特恩"或"奥米纳仁"，在氏族"莫昆达"的亲自主持下进行。每个氏族成员都要带来许多酒、肉等祭品，摆放在祭坛上，然后焚香磕头。仪式要进行少则三或五天，多则十几天。

（三）图腾崇拜

在长期的狩猎生活中，鄂伦春人经常与各种野生动物打交道，由于生产工具落后，猎取某些凶猛的野兽很难而又非常危险，所以对熊、虎、狼等猛兽也就逐渐萌生了一种敬畏心理。通过对各种动物的长期观察，发现某些动物的外貌及动作与人相近。比如熊，不仅能用前掌拿食物送入口中，而且还能直立行走。这使鄂伦春人认为熊与自己似乎有着一种血缘关系。于是成为他们的崇拜对象。不能直呼其名"牛牛伙"，而称公熊为"雅亚"（祖父）、"阿玛哈"（舅舅、伯父）或"额替堪"（老爷子），称母熊为"太恼"（祖母）或"额聂赫"（伯母）。猎熊不能说"打"而要说"猎"，打死了熊，也不能说"死了"，而要说"阿恩恰"，意思是睡着了。很早以前，鄂伦春人不准猎熊的，因为熊和人有血缘关系。传说从前有一位右手戴着红手镯的中年妇女到深山密林里去采野菜野果，回家时因天黑而迷失方向，便一个人生活在山里。过了许多年，她丈夫来这里打猎，看到一只正在吃都柿的熊。就把熊射死了。当猎人抽刀剥皮时，在其右前肢发现了一只红手镯，仔细一看正是他妻子的，才知道熊是他妻子变的，从此就不准再猎杀熊了。随着生产工具的进步，人们的观念也在变化，禁止猎熊的习惯也逐渐被废除。但是对熊仍然怀着一种恐惧心理，猎到熊之后还要举行一系列仪式，将熊头割下来后要用草包裹起来安放在搭好的木架上，用风葬的方式安葬熊。猎人要跪下磕头，说"不是我们有意打你的，而是误杀了你，请你原谅，不要降祸于我们。"把熊肉驮回来后，集合全"乌力楞"的人把熊肉做成"阿苏木"共同享用。吃时长者带着大家说"不是鄂伦春人吃你的肉，是乌鸦在吃"，并且发出"卡、卡"的乌鸦般的叫声。吃剩的熊骨不能随意扔掉，全部收集起来，举行送葬仪式，还要装哭。有的甚至还把熊骨送到猎获处，与熊头一起风葬。现在猎人猎到熊后虽不再举行上述这些复杂的仪式，但仍要把熊头割下来放在猎获处。葬熊仪式叫"古落衣仁"。

鄂伦春语称虎为"塔斯喀"，但都不直呼其名，而称为"乌塔气博日坎"或长尾巴等。"乌塔气"是"太爷"的意思，"博日坎"是神的意思。对狼也不直呼其名"古斯克"或"鬼依克"，而叫"嗡"或大嘴巴。这说明鄂伦春族曾把虎、狼也当做类似图腾而崇拜过。打熊、虎和狼的专用名称是"旷迭仁"，"往洞里丢进去"的意思。

（四）精灵崇拜

鄂伦春人的精灵很多，最有名的是"莽盖"，也有人叫"犸猊"。这是一个长着9个脑袋的恶魔，吓唬人还吃人，动物也都怕它。但是它怕狗，勇敢的猎人往往在猎狗的帮助下才能够战胜"莽盖"。关于猎人与"莽盖"战斗的故事很多，晚上老人讲时，孩子们又害怕又想听。其他精灵有鬼、怪、幽灵等，这些精灵一会儿好一会儿坏，只要孩子不听话，精灵就会变成坏的出来了。因此，就有了许多避邪物。

（五）神偶和神像

神偶是萨满教的重要部分。有木制的、画在纸或布上的、绣在布上或皮子上和用草扎或用草挽起来的五种神偶。

木制神是用松木雕刻或刻在松树上，刻在杨树、白桦树上的神不多见。

鄂伦春人认为神喜欢住在松树上。木刻的神多为祖先神。

托河路鄂伦春人把用木头刻成的神偶叫"毛毛铁"。

在布上和纸上的神像通常用烧过的木棒画，也有用彩色笔画的。神被画得栩栩如生。画像神多为野外的神，是古老的神灵。纸张和布、彩色笔是通过交换获得。

用草编扎成的神，一是与孩子灵魂有关，人们在孩子生病时用草扎的神招魂。二是猎人出猎时突然心有不祥之感，就立即下马把野草挽一个结，挽好的结很像一个头，用此表示神像向它祈祷。

鄂伦春人还对自然物直接膜拜。

神偶和神像平时都装在用桦皮做成的神盒里，挂在"玛路"位的上方，供奉时才拿出来。家里有人得病要上供祈求神灵保佑早日康复；猎人远出打猎要上供祈求神灵多赏猎物。供品多为天鹅、狍子、鹿、野猪等。不准用带爪的野兽做供品，认为用这样的野兽祭神，神灵会生气，不仅不会恩赐，出猎后还可能被这种野兽抓伤。给神像上供时，要到野外把神像挂好，将祭品煮熟后摆放在神像前，再供上酒和烟，然后参加上供的人都跪下磕头，由长者祈祷，讲清这次上供的目的，祈求神灵多多保佑。祭品不再带回家，人们磕完头之后坐上一圈边吃祭品，边说些吉利的话，直到吃完为止。上供是男人们的事情，除了老年妇女和女童之外，成年女性不准参加。

将祭品的血抹在偶像的嘴上是比较常用的方法，也是重要的祭祀方法。

（六）萨满教

鄂伦春人认为，萨满能够沟通人与神灵的交流。

（1）萨满。"萨满"在鄂伦春语中意为"知道了"、"明白了"，可谓"萨满"者是鄂伦春人的智者。分"莫昆萨满"和"德勒库萨满"。一个氏族只有一个莫昆萨满，他是"恩都利萨满"（万能萨满），神通广大，既能治病，又能驱赶鬼魂。而德勒库萨满，一个氏族可以有几个，他的法术不如莫昆萨满。产生新萨满时，会有些征兆，通常认为：初生婴儿胎胞衣不破，用刀划开取出的胎儿，长大后会成为萨满；还有患重病久治不愈和突然患疯癫病，请萨满跳神后痊愈，那他（她）一定要当萨满，否则神灵要怪罪，也会惩罚。

萨满是以跳神的方式传递神灵的旨意。跳神是在三种情况下进行：1.

给人治病。届时萨满穿神衣、戴神帽、持神鼓，盘腿坐在"斜仁柱"内西北角的"塔辽然"地方，病人坐在相对的东南位置。萨满请神前，双眼半闭片刻，开始击鼓，然后起身边击鼓，边跳跃，边吟唱，音调极其深沉。萨满唱一句，"扎列"（二神）及观看的人就跟着附和出尾音。鼓声渐紧，萨满周身打颤，这是神灵附体的表现。这时附体的神灵借萨满之口，问有什么事请它来。"扎列"和病人亲属代病人答：某人有病，惊动神灵。然后萨满再跳，萨满说到某位神，病人如果不由自主地颤抖起来，则认为是此神在作祟病人，于是要给这位神上供或许愿。2. 教新萨满。夏季是在"斜仁柱"外宽敞的地方，冬季是在"斜仁柱"内进行。学跳神的仪式要进行三天。第一天是在夜间进行。老萨满穿神衣、持神鼓，在前边跳；新萨满在后边学跳。当萨满把各位神灵请下来后，新萨满要把禽兽的心血斟在酒盅里敬神，由老萨满代神喝下。然后新萨满边跳边叙述萨满的历史，老年人认为说得很对，证明神灵已在新萨满身上附体。第二天是在傍晚进行，还是把各位神灵请来，新萨满向其敬酒，老萨满代饮，并继续学跳神。第三天是在白天进行。老萨满在跳神中要把各位神灵送走。此后在1至2年内再举行一两次学跳神仪式，老萨满教新萨满的任务就完成了。3. 举行祭神仪式。每隔1—2年，在农历5月举行，鄂伦春语叫"奥米纳仁"，意为"喝"，鄂伦春人认为敬供神灵最好的供品是动物的血，所以把最隆重、仪式最繁复、跳神时间最长的祭祀命名为"奥米纳仁"。届时所有的萨满都集中到之前商议好的地方，通常选择离几个"乌力楞"都不远，流域有河又靠近林子的平地。祭祀开始这天，萨满把带来的神偶挂在树上，氏族成员把带来的供物（衣物和野兽肉等）摆在神偶面前。前来参加祭神仪式的人们，围坐在场地四周。萨满穿好神衣，手持神鼓，边跳边唱。老萨满领头，众萨满跟随，新萨满模仿中还会用心领悟。

每个萨满在跳神中都使出了最大的本领，这也是比试法术的时机。哪个萨满跳的花样多，请的神灵也多，他就会被人们崇拜，将来患病时，祭祀时就有很多人愿意请他。

萨满跳神到高潮时，人们会陷入深深的祈祷之中，默默的祈求神灵保佑全家平安、马畜兴旺、狩猎丰收。

举行了2至3天，甚至更长时间的"奥米纳仁"结束，人们把供奉的牺牲煮上，大家共食。在"奥米纳仁"期间还进行歌舞等娱乐活动，这也是人们几年一次的聚会。

（2）萨满服。萨满服的制作过程很复杂，有人说最后的成品必须要经过9个女人之手才可以。

神帽"布播嘿"，是由铁片为骨架，有两只3杈或6杈的铁鹿角"依克"，可以挂铃铛和彩布条。"依克"随着萨满品级的增长而增加。"夸昂特"即铃铛。一组由6个以上组成，挂缀在帽沿等部位。"托哈特"小镜子，有的用亮铁片代替，缀在帽沿正中。传说过去萨满神帽上没有"托哈特"，结果萨满被鬼打败了，安上"托哈特"后萨满就神通广大了。"伦都哈"即穗子，由五颜六色的彩布缝缀在神帽的边沿处。"初烈特"即遮眼，是以串珠或黑丝绶，缝在帽子前脸下沿上，用以遮挡眼睛。平日神帽放在专用的桦皮帽盒里。

神衣"萨满西黑"，要鹿皮、狍皮制成。是一件无领对襟长袍，有许多附件。平时神衣放在"玛路"上保管，他人不得随意触碰，更不能踩踏。

"比突各"即对襟坎肩。"家哈屯"是披肩。"米勒雾"是肩上的小铁钩，用来挂布条（伦都哈），另有"伦都哈"缝在神衣腰间，或直接用剪子把皮子剪成条缝上。"克路踏即领花，是装饰物。"乌色"即袖子，马蹄形，一条袖子被三道绣有花纹的黑布条横着分开，分为肩、肘、腕三部分。"恩克"是项链，是萨满请神、跳神必备的法器，用玛瑙、玉石或骨质制成。"龙抓"是缝制在神衣两侧的一种装饰物，形似龙爪，用彩色线绣制而成。"穆都如"是用彩线绣制的龙，缝制在神衣两侧。"七尔达"即用小铁片制成的方形小锹柄，缝缀在神衣两侧的"穆都如"下面，象征武器。"塔卡"由红、黄、蓝、绿等彩色布块组成，缝缀在神衣两侧。"恩聂吞"是方块形小布兜，神衣前片左右各缝8块。"夸昂特"即铜铃，缝缀在每块"恩聂吞"下沿。"屋克吞"即铜镜，神衣前片的左右共6个，当萨满请神起舞时，铜铃铜镜相互撞击叮当作响。"布基兰"是用小铁片制成的小喇叭状物，位置在神衣的前片两侧和前片铜镜两边的中间处，是招神求神的法器。"尼如特"是缝在神衣后背上的大布块，中心绣着大图案并四周绣许多小花做陪衬。在"尼如特"的下端，一般缝有几个"布基兰"来装饰。"音古兰"即飘带，9个长的9个短的，均绣有狗、马等动物的图案和美丽的花纹。"音古兰"缝缀在"尼如特"的下沿。"得古刻"通常是被治好病的人给萨满系的，以示酬谢。"阿卡吞"也叫"托日"，神衣后边的大铜锣镜，形似大锣。其下面围有3个小铜镜，据说"阿卡吞"（托日）是萨满的护身法宝，也叫护身镜。

神鼓，鄂伦春语叫"温吐文"。是椭圆形或圆形扁平单面鼓，直径约50公分，用公狍皮或鹿皮制成。做神鼓用的皮子需先泡在水盆中，泡到皮子毛自然脱离为止。神鼓的框架用落叶松制成。是山中采来很直且没有疤节的松木，用刀斧砍削成板条，然后揻成圆形框架，衔接处用哲罗鱼皮熬成的胶固定好，再缠上绳子。在阴凉处晾干后再包好皮，形成鼓面。鼓的背面有4根狍皮条拴在鼓框上，然后用4—5公分的铜圈或铁圈把4根皮条连接起来作抓手。在鼓框边缘挂以小铃或铁环，敲鼓时与鼓声形成共振音响。神鼓是萨满最重要的器物，如果萨满没有神鼓便不称其为萨满。

神杖，"挡士"为四楞棒，长约50公分，每面宽约2公分，在棒的外面用狍腿皮包上，杖与神鼓配套，主要用来敲打神鼓。

神鞋的鞋底是狍皮，鞋面用布做，绣有花纹图案。神鞋平时不能穿，只有跳神时才可以穿。

萨满的神衣、神鞋多由妇女缝制，神鼓、神杖、神帽则由男人制作。

萨满死后，要将法具传给氏族内新产生的萨满使用。由于这些法具的保管非常精心，所以一般都能用上几十年。

（3）祭礼和仪式。萨满的祭礼和仪式已经消失，但是，作为一种文化现象似乎向我们传递某种古老的文化信息。

祭礼主要有春祭、秋祭、河祭等。

春祭：往昔每当兴安岭脱下冬装，冰雪融化，天鹅、大雁和野鸭飞来的时节，鄂伦春人都要举行隆重的春祭。春祭叫"奥米纳仁"或"乌门那特恩"，一方面请萨满跳神保佑，另一方面度过了漫长的冬季生活，大家聚在一起迎接新一年的开始。萨满的继承或收徒弟的仪式也有春祭期间进行的。萨满继承仪式是在老萨满的带领下，新萨满跟着学跳，模仿老萨满直到领会为止，一般3年后才能独立跳神看病。继承或接收徒弟的仪式相当隆重庄严，除所有族人参加之外，还要让其他氏族的人参加。老萨满请大家帮助支持新萨满。

秋祭。秋祭程序与春祭大致相同，人们以喜悦的心情带着犴、狍子、野猪肉等祭品欢聚一堂，载歌载舞。目的也是祈求神灵庇佑族人避祸求福。

河祭。一般是在百年不遇的特大洪水来临或洪水泛滥时进行，祈求河神不要给人类带来灾难。

（七）宗教信仰的其他内容

（1）除了萨满，还有"巴克其"、"屋托钦"和"察尔巴来钦"，他们有不同的分工。

"巴克其"类似萨满，可以替人治病。产生"巴克其"的原因与萨满相似。一个"莫昆"只有一个"巴克其"，但他没有法衣和法具，给人看病时，坐在"斜仁柱"内的"玛路"席上，待神附体后，精神恍惚，边摇头，边高唱祷词。向神祷告时，也要给神上些供品。"巴克其"没有萨满威信高，人们患小病才请他。

"屋托钦"的产生是他得过天花或麻疹，痊愈后专给人治天花和麻疹。其治法是向"额古都娘娘"或"尼其昆娘娘"祷告。

"察尔巴来钦"是专门主持祭神仪式的人。"察尔巴来钦"不一定每个"莫昆"都有，没有的"莫昆"可到别的"穆昆"去请。当"察尔巴来钦"的条件是，年高德劭，能说会道的男女老人。

（2）占卜，鄂伦春语叫"昂嘎坦"，预测凶吉祸福。占卜方法有三种：

第一，骨卜。用火灼狍子的"哈拉巴"（肩胛骨），看骨上的裂纹来测凶吉。如家人外出，久久未归，卜问外出者何时归来。如骨上裂纹短，预示快回来了；裂纹长，认为马上回不来；裂纹中夹有横纹，预兆途中发生了事故。

第二，树枝卜。先选一"人"字形木杈，在其上绑一横木，变成"大"字形。再用柳条编一圆片绑在"大"字头上，这样就成一人形。然后把小孩衣服穿在木架上，看上去似大头娃娃，因为它的头像编的笊篱，故称其为笊篱姑姑，因而这一卜法也称笊篱卜。占卜时，由两人做动作。每人手里拿一个笊篱姑姑，如果是为孩子患病问卜，口里就叨念着有关的神，求其保佑早日痊愈。两人手里拿的笊篱姑姑前后走动。如果病能很快痊愈，笊篱姑姑的身体就向前伏；否则就向后仰。这是妇女给孩子问卜的方法。

第三，枪卜。如在出猎途中患病，请不到萨满，就把枪筒前端绑一把斧子，置于枕头上，卜者探问病人触犯了哪位神灵，逐个念着众神的名字。问一位神，试举一次枪，问不对，枪重得抬不起来；问对了，枪就会轻易地举起来。然后向这位神叩拜祈求，希望所患疾病早日痊愈。

占卜者多为老年人。

（3）招魂。鄂伦春语称"波别咧"，是针对孩子受惊吓而采取的一种治疗方法。儿童轻度惊吓，只口头"叨咕"几声即可。而对重度惊吓者，要请年纪较大的妇女来招魂。要准备一条红布，系上铃铛，或用小孩的衣服、帽子，一边在孩子眼前摇来摇去，一边哼唱"波别咧"歌。"波别咧"的曲调温柔动听，歌词即时发挥。唱时歌声由小变大，由悲伤到兴奋。

为了防止孩子再受惊吓，大人们用桦树皮缝成"咔它"，把红布条与小铃铛装在"咔它"里，缝在孩子衣服后背。当孩子跑起时，铃铛就会发出"叮铃、叮铃"的响声，一直伴随着孩子长大一些。

17世纪以后，鄂伦春族同其他民族的接触增多，宗教信仰也随着社会的变化而发生了一些变化。首先，供奉的神灵数量大为增加，木刻的神偶、画在狍皮或纸上的神像多达几十种。汉族地区的娘娘神和狐仙神也被引进来。其次，还引进了保护财产的"吉亚其"（财神）；鄂伦春猎人后来也经常到城市里去进行交换，怕冲犯"库吞博如坎"（城市神），每家又都供奉了城市神。自从清廷将鄂伦春人编入路、佐以后，有些人给清廷当差，他们怕冲犯"衙门博如坎"（衙门神），有在外当差的人家也把这位神请去供上。随着社会发展，根据社会的需要，供奉的神灵也在不断增加。

萨满教是鄂伦春族文化的重要组成部分，与鄂伦春人的社会生活紧密地联系在一起。萨满在生活中是很有地位的，他的知识、生活技能都高于一般人。因此，萨满作为替广大氏族成员消灾祛病的解救者和熟悉本民族社会历史的智者，受到人们的崇拜。

四、兽皮文化和桦皮文化

千百年来，鄂伦春人在生活中主要使用兽皮和桦树皮，可以说把兽皮和桦树皮上的创造发挥到了极致，这种文化形式与北半球其他族群的文化有着相近的特征。

（一）兽皮文化

制作皮制品通常用狍皮、犴皮和鹿皮，有皮袍"苏恩"和"古拉米"，皮裤"额日克义"，套裤"阿拉木苏"和皮靴"奇哈密和温塔"、"奥罗奇"。皮靴是用狍腿皮、犴腿皮做靴靿，野猪的脖子皮做靴底。还有狍皮袜子"多布吞"和狍皮、犴皮、鹿皮手套"阔呼落和沙拉巴黑"。帽子有"灭日塔"，是用狍头皮做的，把犄角也带着，也用猞猁皮、狐狸皮、水獭皮做帽子"阿温"，春秋的帽子是用布和猞猁皮相拼做的"阿温"。狍皮被子"乌尔达"，用狍腿皮、犴腿皮和熊皮褥子"瑟布土温"。用犴皮、鹿皮做的各种口袋"猛格日"和"普同"，用野猪皮毛朝外做的皮包和狍腿皮、犴腿皮毛朝外做的皮包"卡皮参"，也用獾子皮做皮包"卡皮参"，用狍腿皮做的烟荷包"卡布他日嘎"，用整张鹿皮做的门帘"乌日克"，用30至40张狍皮做的"斜仁柱"覆盖物——皮围子"额尔敦"。缝制皮制品要用狍筋线，有时皮子都磨破了，狍筋线缝的地方还没有开线，非常结实。

鄂伦春人还掌握了皮张染色技术，用动物内脏和植物混合制成的染色剂，涂染在皮张上，不掉色也不褪色。

鄂伦春人把兽皮熟好后，用"沈克热"草熏皮子，防止虫子蛀咬皮袍、皮裤等皮制品。

（二）桦皮文化

桦皮制品主要有桦皮桶"空给"、水桶"木灵克依"、桦皮盒"奥沙"、桦皮碗"阿参"、桦皮盆"阿罕"，还有桦皮篓"空该依"、桦皮箱"玛踏"。放置神像和神偶的专用箱也叫"玛塔"。夏、秋季覆盖"斜仁柱"的"铁克沙"，是把桦树皮蒸煮后加强了韧性，然后拼缝而成的。还有桦皮船，工序是先把大块桦树皮扒下，平压成半干状态，然后把桦树皮错开拼接，衔接处用樟松薄片压住，再用樟松木钉固定，最后用松树胶粘合。桦皮船为宽1.5米，长5米左右，两头呈尖形的船，独木桨，可载150公斤。

在兽皮制品和桦皮制品上均装饰有几何纹、云卷纹、花蔓纹、水波纹和自创的花纹。方法上有绣、补绣等，桦皮制品上的纹饰也同样。

在桦皮制品上利用植物色素制成的颜料染色，绚丽的色彩与大自然相得益彰。《龙沙纪略》中这样记载："鄂伦春地宜桦，冠履器具庐帐舟渡，皆以桦皮为之"。①

（三）其他制品

（1）摇篮，鄂伦春语称"额莫刻"，用两块樟松或稠李子薄板撅成 U 形，然后把两块板联成一体，使其形成两头约 25 度角，身为长方形的摇篮。上身部分叫"消力泥尼"，是头部腰部的地方，下身部分叫"阿嘎沙尼"，是婴儿下身、臀部和腿的空间。摇篮的这种造型可使婴儿自然躺卧。鄂伦春人特别注重摇篮的装饰，在头部两侧，分别挂两个木刻的小动物偶像，挂小鸟是为婴儿不闹耳底子；挂小老鼠能使婴儿头脑发达。还挂上已晒干的狐狸鼻子以求吉祥，再挂上少许用狍趾骨等制成的小饰物"库皮兰"。背后横挂一串用哲罗鱼脊椎骨串起来的饰物，孩子啼哭时摇动摇篮，各种饰物互相撞击发出悦耳的声音，孩子停止哭闹很快入睡。用固定在摇篮绑的皮绳系住包裹好了的孩子，不致使孩子掉下来。摇篮的两头拴一根较宽的皮带，用以吊挂或背负。骑马搬迁时，母亲将摇篮背在身后或挎在胸前，很方便。平时则把摇篮挂在"斜仁柱"里。《龙沙纪略》说"鄂伦春妇女皆勇决，善射。客至，腰数矢上马，获雉兔，作炙以饷，载儿于筐，布裂，悬项上。射则转筐于背，施迴便捷，儿亦不惊。"②

（2）编织品。编织品有用马鬃和马尾，狍毛、鹿毛等纺成线，编织而成的马鞍垫、马肚带、笼头，还有毛褥子等，把几色毛线巧妙地编织在一起，并缝合，结实又漂亮。

五、饮食和住屋

（一）饮食

鄂伦春人常吃狍子肉、鹿肉、狍肉、野猪肉、熊肉、兔子肉、灰鼠子肉等。其中以狍子肉、狍肉为最多，一年四季都能吃到。

吃法有"乌罗仁"即手扒肉，"达格仁"，即烧肉，"席拉仁"就是

---

① 内蒙古少数民族社会历史调查组、中国科学院内蒙古分院历史研究所编：《达斡尔、鄂温克、鄂伦春、赫哲史料摘抄》，内蒙古人民出版社 1961 年版，第 99、98 页。

② 内蒙古少数民族社会历史调查组、中国科学院内蒙古分院历史研究所编：《达斡尔、鄂温克、鄂伦春、赫哲史料摘抄》，内蒙古人民出版社 1961 年版，第 99、98 页。

烤肉。

肉干叫"乌力格特"或"古呼热"和"乌尔嘎哈"。"乌尔嘎哈"是生肉干，是鄂伦春人待客的上等食品。肉干晒好后，或切成小块或成条存放，可以储存半年。

熬汤，鄂伦春语称"西乐"。做法是把肉切成小块或连肉带骨一起煮，或把大块骨头砸成小块，用类似手扒肉的煮法，放进老山芹、柳蒿芽炖煮。这种汤特别开胃，是鄂伦春人非常爱吃的一种食物。

灌血肠、血清，鄂伦春语称"沙阿舍"或"布油色"。

鄂伦春人喜欢生吃刚刚猎获的狍子的肾，不用任何蘸料；在切好的生肝中放入山葱末和盐，味道极好。煮狍头是待客的佳肴。还有吃狍鼻子，将狍鼻子割下来不能洗，直接在炭火中烤其毛皮，然后用猎刀把焦皮和毛刮掉用水洗净，放进吊锅不加佐料温火清水煮2至4个小时后捞出，蘸盐水吃。狍鼻子是待客的上等食物，也曾是向清廷纳贡的物品。吃骨髓油，鄂伦春语称"乌满提仁"。狍子的前腿骨髓一般要生吃，清爽可口，老人们愿意这样吃。吃狍和鹿的骨髓时，先把腿骨肉剔干净，煮熟或烤熟后砸开，是大人、孩子最爱吃的佳品。

"阿苏木"主要是熊肉的吃法。把熊肉煮熟切成小丁，拌上山葱和野韭菜花，全"乌力楞"的人热热闹闹地一起吃，这是鄂伦春人仪式化的吃法。

鄂伦春人经常食用飞禽肉和鱼，主要是炖汤喝，不放任何调料，鲜美无比。

鄂伦春人至今仍有吃野菜的习惯，并用来待客。有老山芹（坑古勒）、柳蒿芽（昆毕）。这是最受鄂伦春人喜爱的野菜，除和骨头肉或鱼一起炖成汤外，还用来做饺子馅。野菜除随采随吃外，大部分晒干储备。其他有野山葱、黄花菜、蕨菜、抱耳朵菜和鸭嘴菜等。

秋季野果很多。有都柿（吉依格特）、山丁子（莫力格特）、稠李子（英格额特）、山葡萄、高丽果（野草莓）等。

粮食是交换的结果。

面食有面片，鄂伦春语称"挪达替"或"果鲁布达"和油面片"图呼列"。烧饼，鄂伦春语称"卡拉斯"或"布勒麻尔"或"卡拉气哈"。油饼叫"考斯麻尔"。把薄饼放入吊锅内，用狍油或野猪油、熊油烙成焦黄的油饼。油茶面，鄂伦春语称"阿热"或"古尔古麻"，吃时用开水冲泡，再和些狍油和糖。饺子，鄂伦春语称"谢努乌文"，意为"像耳朵一样"。最好吃的饺子馅是狍子肉和野韭菜和成的。由于不方便做，吃饺子比较少。但年节时一定要吃。

米食有"老考贴"，即鄂伦春人黏饭，把小米或稷子米、黄米焖好后，加入切碎的肉和野猪油，再拌上盐和佐料，趁热吃。婚礼上新郎新娘必须吃"老考贴"，以示百年好合，永不分离。粥，鄂伦春语称"苏木孙"，有肉粥和百合粥等。

饮料有"苏乌瑟"，是发芽后的杨树汁和桦树汁，略甜，透明呈乳白色。6月后树汁的分泌就少了，人们开始食用桦树浆"帝依克瑟"，它的味道清香甘甜。人们在春夏之季要采刺玫果（野玫瑰）花晒干，然后泡水喝，喝起来气味芬芳，提神健脑。人们也泡黄芪喝。

酒有两种。一种是用马奶酿造的。将马奶和小米放在一起发酵几天，然后在锅里煮，锅上放一圆桶，顶部放一盆冷水，蒸煮需用一两个小时，桶边有一小孔便于蒸汽流出，蒸汽冷却后便成马奶酒。另外一种是鄂伦春人发现吃多了都柿会有迷迷糊糊的状态，很兴奋。于是就开始储存和发酵都柿。

鄂伦春人有吸烟的习惯。烟叶是与满、汉、达斡尔等民族交换来的。老头喜欢用烟斗，老年妇女一般用细杆长烟袋。女性的烟荷包比较讲究，画面绣有精美的图案，男人的烟荷包稍大些。除装有烟叶、烟纸和烟斗外，还装有火柴或火镰。

（二）住

鄂伦春人的住屋为"斜仁柱"。"斜仁"鄂伦春语意为木杆，"柱"是屋子。"斜仁柱"即木杆屋子之意。"斜仁柱"一般建在背风、朝阳、有水、干柴多和打猎方便的地方，其骨架是30根左右的5至6米长的木杆搭制成圆锥形木屋框架，覆之以狍皮、桦树皮。"斜仁柱"顶端留有空隙，一可通风、二可采光；门一般留在南侧或东南侧，挂上狍皮或蒿子秆及柳条编织成的门帘。搬迁时，"斜仁柱"架子就留在原地不要了，只把覆盖物驮走。覆盖物有多种。其一，"塔路"是从桦树上剥下来未加工的桦皮，像瓦一样，一块压一块地覆盖。其二，"额勒敦"（狍皮围子），是用狍皮制作的，制作成一米宽的长条，大的需要狍皮25张，小的需10张。一个"斜仁柱"需要两大一小狍皮。其三，"铁克沙"，用蒸煮过的薄桦皮制作，一块长 3 米左右，一个"斜仁柱"需要 4—5 块。其四，芦苇帘。将芦苇去掉叶子，用马尾穿起来。一块长 3 米左右，一个"斜仁柱"需要 4—5 块。其五，布制的覆盖物。这是近代布匹传入鄂伦春族地区后才开始制作的，白布镶黑边，一块长约 5 米，一个"斜仁柱"需要 3—4 块。这五种覆盖物，有的单独使用，有的交叉使用。冬季，有的全部用"额勒敦"覆盖；也有的下半截用"额勒敦"覆盖，上半截用芦苇帘覆盖。春夏季，有的全部用桦树皮或"铁克沙"覆盖；也有的上半截用芦苇帘覆盖，下半截用"铁克沙"覆盖。有了布围子以后，一般是上半截用芦苇帘或"铁克沙"，下半截用布围子覆盖。

此外，在个别鄂伦春族地区还有"莫纳"，是冬季住的房子。把 1.5 丈长的圆木劈成两半，搭成圆锥形骨架，上面覆盖蒿草，然后培上土，比较保暖；"乌顿柱"是土窑子，挖成长方形的坑，上面盖圆木和蒿草，培土踩实，内有大炕或冷铺；"林盘"是夏季住的房屋，形状与草房相同，四周用圆木做墙，房顶用桦树皮遮盖；"库米"也是夏季住房，用柳条搭成半圆形架，上面覆盖桦树皮，还有些定居务农的人家已居住汉族式的土房。

产妇生产时另外搭盖"恩莫那仁柱哈罕"。

"奥伦"是高脚仓库，一般搭建在林间，也许离"乌力楞"有段距离。通常猎人打猎途中没有了食物，可以到陌生的"奥伦"里拿，之后可以还也可以不还。鄂伦春人说"谁也不能背着家走"。鄂伦春族在定居前所盖的仓房为高脚式的，称为"奥伦"。在深山中选择四棵对角长方形位置的树木，在高出地面 3 米左右处砍去树头，每棵树桩头上留有树杈，将两根直树干顺长搭在树杈上，然后将较细的椽子一根挨一根地搭在上面，用藤条或柳条加以固定，"奥伦"的底座就搭成了。底座四周用桦树或柳树的细干拱成半圆形，每隔 1 尺左右插一根，再将一些细树干捆在拱形架上。篷架搭好后，将若干块桦皮覆盖在篷架上，再用藤或柳条加以固定。篷的一头堵死，一头做门，仓房就搭成了。用一根较粗的树干，每隔一定的距离砍一凹格，做为上下仓房的梯子。"奥伦"是固定建筑，也是巢居的遗存。早期人们居住在其中，近代变成仓房，放些不经常用的衣着、工具、肉干、粮食等。无人看管，用东西时去取。

别的"乌力楞"的人未猎取到野兽，可到此取粮食或肉干充饥，事后还上就可以了。

七、社会组织"乌力楞"和狩猎生活的法则

亘古以来，鄂伦春族以狩猎、采集和捕鱼为生。社会组织的基本形式以"乌力楞"为结构，以政治经济学的理论评价，"乌力楞"处于"共同劳动，平均分配"的原始公社时期。直到 20 世纪 50 年代，鄂伦春族仍然处于这个发展阶段，"乌力楞"式的生活模式与狩猎文化是森林文明的重要特征。

（一）"乌力楞"和习惯法

狩猎时期的鄂伦春人，在数十条河流域组成数十个"乌力楞"游猎，根据季节和猎物的习性，一年要搬迁 5—6 次。平时猎人早起一个人去打猎，叫"波余仁"，打到的猎物顺手分给各户，叫"乌恰腾"；按季节打要储存的肉干、皮张时，就集体出猎，叫"昂嘎玛仁"，打到的猎物在"昂嘎"里平均分配，叫"乌恰仁"。如果"乌力楞"内由于是寡妇或年幼、病痛等原因，没有参加"昂嘎玛仁"的，猎人们回来后，每人要给这些家庭分点肉和皮张。《黑龙江外记》中有这样的记载："俄伦春，俗重鲜食，射生为业，然得一兽，即还家，使妇取之，不贪多。"[①] 狩猎时代的鄂伦春人"敬老"习惯特别突出，要听从大家选出来的首领"莫昆达"的生产指挥，萨满得到大家的尊敬。有着必须严格遵循的习惯法，如尊敬老人，帮助弱小和寡鳏孤独，要敬畏万物，要特别敬畏火和水等。不得杀伤哺乳期的母兽，不得把一群野兽全部打死等。不可以在背后讲别人的坏话，不可以随便嘲笑他人，不可以侮辱人等。

"乌力楞"由 4—5 户有父系直系血缘关系的家庭组成，为父系氏族组织形式。在"乌力楞"内部共同打猎，猎物平均分配。甚至各家庭的最重要财产马匹都是共有的。"乌力楞"的最高首长是德高望重的、有威望的人，也可能就是家长，鄂伦春语称"莫昆达"。"莫昆达"必须具有仁爱、公平的品行，而且应该是好猎手，有丰富的狩猎经验和处事果断的能力。

"乌力楞"使鄂伦春人的一生都融化在群体之中。人们共同劳动，平均

---

① 内蒙古少数民族社会历史调查组、中国科学院内蒙古分院历史研究所编：《达斡尔、鄂温克、鄂伦春、赫哲史料摘抄》，内蒙古人民出版社 1961 年版，第 72 页。

分配，其社会尚未出现分工，内部没有交换关系。交换是鄂伦春社会与外界唯一的联系方式。在鄂伦春族传统社会，人们不会有现代社会常见的那种被社会抛弃和被家庭疏远的痛苦，孤寡老人和孤儿得到家人般的全社会关爱。在鄂伦春人的心中，白发和经验就是智慧，对于老人非常敬爱。鄂伦春人不善于夸耀，但也决不掩饰获胜时的骄傲，最被鄂伦春人看不起的品行是畏惧与逃避，他们厌恶没有责任感和义务感的人。

（二）交易

（1）"谙达"制度。先是清朝朝廷派来的官方"谙达"，他最初以官员的身份来到鄂伦春地区收缴猎民纳贡的貂皮，并代表朝廷发放赐物。后来山林里的鄂伦春猎人非常需要自己不能生产的物品，如盐、茶、火柴、酒、子弹等，就有了"谙达"和猎民的交易。官方"谙达"制度取消后，出现了民间"谙达"，民间"谙达"一直到1950年还在鄂伦春人游猎的地区活动，许多人和鄂伦春人成为了朋友。

（2）"楚勒罕"交易。黑龙江将军为征收布特哈打牲各部的貂皮，嘉庆以后到咸丰年间，每年五月在卜奎（今齐齐哈尔）一带有定期互市，叫"楚勒罕"，凡值此时"商贾辐辏，皮货山积，牛马蔽野"。① 市场周围盖满了"斜仁柱"。到"楚勒罕"交易的鄂伦春猎人来自毕拉尔路、多布库尔路、阿里路和托河路。

"楚勒罕"交易时，先由黑龙江将军或他的派员挑选纳贡貂皮，如果将军亲临，则要搭一个棚，将军、副都统坐在正座，协领、布特哈总管坐东西席。"中陈貂皮，详视而去取之"。② 入选的貂皮按等编号，由打牲部总管、副总管内委派一员带每佐兵丁1名，进京缴纳。然后猎人可以自行交换所需物品。他们用皮子、特别是细毛皮张，比如清朝官员选剩的貂皮，还有猞猁皮、水獭皮、灰鼠皮等换回自己需要的小米、面粉、食盐、烟叶、火柴、白酒等，他们还换回非常需要的子弹，甚至火枪。

---

① 内蒙古少数民族社会历史调查组、中国科学院内蒙古分院历史研究所编：《达斡尔、鄂温克、鄂伦春、赫哲史料摘抄》，内蒙古人民出版社1961年版，第84—85、38页。

② 内蒙古少数民族社会历史调查组、中国科学院内蒙古分院历史研究所编：《达斡尔、鄂温克、鄂伦春、赫哲史料摘抄》，内蒙古人民出版社1961年版，第84—85、38页。

关于鄂伦春人的财产，有这样的记载："鄂伦春其人系游牧之旗，专以捕食兽肉为生，散册深谷永无定居，一枪一马是财产。"①

"谙达"交易和"楚勒罕"在客观上均促进了鄂伦春族与外界在经济、文化方面的交流。

八、鄂伦春族与清朝的关系

概括鄂伦春族在清代的活动脉络，主要是被沙俄侵扰、为清廷征战、驻防和纳贡，以及朝廷的赏赐。

《清圣祖实录》载："康熙二十二年癸亥，九月丁丑，上谕理藩院尚书阿穆瑚瑯曰……鄂罗斯国罗刹等，无端犯我索伦边疆，扰害虞人，肆行抢掠。……又诱索伦、打虎儿、俄伦春之打貂人额提儿克等二十人入室，尽行焚死。"② 康熙二十三年（1684 年）四月二十五日记载："镇守黑龙江等处地方将军萨布素、副都统温岱、雅齐纳等咨行户部侍郎，给杀死罗刹之俄罗春人等赏赐羊羔皮里蟒缎领缎袍二十五件、狐裘三件、大缎二十八件、毛青布二百八十匹、衬袜熟牛皮靴二十五双、狐皮帽二十五顶。"③ 又载："康熙二十九年庚午，冬十月壬戌，归顺奇勒尔、飞牙喀、库耶、鄂伦春四处头目进贡，赏赉如例。"康熙四十四年（1705 年）六月六日记载："俄伦春、毕喇尔旧有男丁六百五十名，其中开除死亡男丁二十一名，因年老残病而比丁时开除男丁十九名外，旧有男丁六百一十名，新添男丁一百三十八名。"④ 其后是详细的伤病和死亡的男丁名字。在此需要说明的是，"开除"在清代的意思是由于在战场上因伤病和死亡而不能在旗兵之列，与我们现代的"开除"原因有些不同。

雍正三年（1725 年）七月十六日记载："俄伦春、毕喇尔……现有男丁

---

① 内蒙古少数民族社会历史调查组、中国科学院内蒙古分院历史研究所编：《达斡尔、鄂温克、鄂伦春、赫哲史料摘抄》，内蒙古人民出版社 1961 年版，第 217 页。

② 中国第一历史档案馆、鄂伦春民族研究会编：《清代鄂伦春族满汉文档案汇编》，民族出版社 2001 年版，第 599、527、551 页。

③ 中国第一历史档案馆、鄂伦春民族研究会编：《清代鄂伦春族满汉文档案汇编》，民族出版社 2001 年版，第 599、527、551 页。

④ 中国第一历史档案馆、鄂伦春民族研究会编：《清代鄂伦春族满汉文档案汇编》，民族出版社 2001 年版，第 640—643 页。

六百八十名，选取给价进贡貂皮六百八十张。"《清德宗实录》记载："光绪二十二年（1896 年）丙申，五月癸亥，恩泽、增祺奏，鄂伦春牲丁每年应交貂皮一千张。"①

乾隆年间关于鄂伦春族兵丁出征的记载很多。"鄂伦春人善于徒步，技艺数倍于索伦……乃为有益于剿匪起见，兹挑选奇勒恩、雅发罕、墨凌阿鄂伦春人……三百兵丁。"② 乾隆三十四（1769 年）年九月二十四日记载："本年三月，出征云南之三百鄂伦春兵抵达京城前，珠尔默勒图等五人中途出痘亡故。"③ 这种阵亡、病故的情况在当时非常多，"军前阵亡、病故一百三十七名雅发罕鄂伦春丁之妻孥，俱在兴安岭外，分散前往狩猎。"④

清代繁多的奏折、实录中，这样的记载很丰富，有些非常详细。从中我们可以确认鄂伦春族当时的大致情况。

鄂伦春族在清朝以"鄂伦春"之名，正式载入史籍。也就是说，较多较细地了解鄂伦春族历史是从清朝开始的。在清代，鄂伦春人维护保卫祖国的北部边疆，为祖国的统一作出了贡献。

第七节　清代鄂温克族

一、入清经过

"鄂温克"这一自称的含意，有两种说法：其一，鄂温克人对西伯利亚一带的大山林，其中包括外兴安岭、勒拿河、阿玛扎尔河等地区的大山林，都叫"俄哥登（大山林）"，而在这些大山林中住的人们都自称"鄂温克"，意为"住在大山林中的人们"；另外一种说法是："住在山南坡的人们"。两

① 中国第一历史档案馆、鄂伦春民族研究会编：《清代鄂伦春族满汉文档案汇编》，民族出版社 2001 年版，第 640—643 页。

② 中国第一历史档案馆、鄂伦春民族研究会编：《清代鄂伦春族满汉文档案汇编》，民族出版社 2001 年版，第 640—643 页。

③ 中国第一历史档案馆、鄂伦春民族研究会编：《清代鄂伦春族满汉文档案汇编》，民族出版社 2001 年版，第 640—643 页。

④ 中国第一历史档案馆、鄂伦春民族研究会编：《清代鄂伦春族满汉文档案汇编》，民族出版社 2001 年版，第 640—643 页。

种解释，都说鄂温克人居住在山林中。它说明鄂温克人自古以来是一个居住在大山林中的狩猎人群。只是由于历史的发展，相当多的人已走出森林，来到草原。①

据研究，鄂温克人的族源，与古代的室韦有关。明代史籍中称鄂温克诸部为北山（指外兴安岭）"乘鹿出入"的人。② 明末清初，居住在贝加尔湖西北、黑龙江上中游的鄂温克族共分三支：一支是居住在贝加尔湖西，北勒拿河支流威吕河和维提姆河的使鹿鄂温克人，共有十二个大氏族，他们被称为使鹿的"喀木尼堪"或"索伦别部"，酋长是叶雷、舍尔特库等；另一支是贝加尔湖以东赤塔河、石勒克河一带使马鄂温克部。被称为"纳米雅儿"部落或叫"那妹他"。共有十五个氏族，其中一个氏族酋长叫根特木耳；第三支，也是最主要的一支，即"索伦部"本部，即由石勒克河至精奇里江一带及外兴安岭南的鄂温克人，酋长叫博穆博果尔。上述三支鄂温克人，文献中多称为"索伦部"或"索伦别部"。

他们都过着大氏族的生活，冬季在森林中以弓箭、地箭、绳套猎取野兽，穿兽皮，食兽肉，用驯鹿或马当运输工具，夏天在河边捕鱼。所不同的是赤塔河一带的鄂温克人受蒙古族的影响，开始从事部分牧业兼行狩猎。精奇里江一带的鄂温克人受达斡尔人的影响，除狩猎捕鱼外，还兼营少量牛马畜牧业。后一支鄂温克人数最多，有几个大氏族，如杜拉尔、敖拉、墨尔迪勒、布喇穆、涂克冬、纳哈他等，并且沿黑龙江中游北岸，与达斡尔各部杂居，建立了不少木城和村屯。木城有雅克萨城、阿萨津城、铎陈城、乌库尔城、多金城、乌鲁穆丹城；村庄有海伦屯、杜喇尔屯等。木城和村落周围环以壕沟和土墙，也用木栅栏围起来。有些城还设有塔楼和城门。各村屯之间有着密切联系，统一构成索伦部。每个村屯都以氏族为单位，有自己的酋长。最大的酋长是鄂温克族的博穆博果尔，他住在精奇里江与黑龙江汇合处附近的乌鲁穆丹城（"乌鲁穆丹"是鄂温克语，河的尽头之意）。他一次可以调动五六千人的武装队伍，是索伦部中势力较雄厚的一个大酋长。③ 他的

① 《鄂温克族简史》，内蒙古人民出版社1983年版，第4页。
② 乌力吉图：《鄂温克族族源略议》，《内蒙古社会科学》1985年第4期。
③ 何秋涛：《朔方备乘》，《索伦内属述略》，光绪七年（1881年）刊本。

部落成为外兴安岭以南各部落的中心。他们很早就与女真人和汉族有了经济文化上的交往。每年都有内地商人带着丝织品及铁制生产工具，去与鄂温克人交易，鄂温克人以皮毛换取布匹、绸缎、铁器等物品。因此汉族和满族的物质文化早已输入到他们中间，一部分人开始建造了定居的房屋，以纸糊窗，并改穿女真人的服饰。

女真人崛起于东北之初，便逐渐统一了贝加尔湖以东和黑龙江上、中游的蒙古和鄂温克等族。清朝对于贝加尔湖地区的鄂温克使鹿部叫"喀木尼堪"，即索伦别部。所谓"喀木尼堪"是布利亚特蒙古人对使鹿鄂温克人的称呼，而他们自称"鄂温克"。"喀木尼堪"的意思是内部非常团结的人们。女真人对鄂温克使鹿部的征服行动，早在明末就已开始。崇德元年（1636年）五月，阿赖达尔汗追击尼布楚地区茂明安部的逃人，直达勒拿河中游温多河流域（维提姆河）。如《清实录》所载"阿赖达尔汗追击茂明安部下逃人，至使鹿部喀木尼堪地方，获男子十八人，妇女十一口来献。"① 同年7月6日"赐阿赖达尔汗收服喀木尼汉地方叶雷及其从役十七人，衣服、帽靴、撒袋等物有差。"② 使鹿部头人叶雷、舍尔特库、巴古奈、土古索等人世居勒拿河支流温多河，这里是使鹿部的北境。第二年六月"往追喀木尼堪部落逃人……至温多地方，谕令归降，不从，……获家口八十七人"。③由于清朝军队对于勒拿河中游地区的征服，从而使这一地区使鹿部陆续归服。各使鹿部头人便不断向清廷纳贡貂皮，以表臣服于清朝。如崇德七年（1642年）三月，使鹿部头人墨腾格等三人向清朝纳贡貂皮，清廷宴请并赐给他们鞍马、撒袋、衣、帽、缎布等物。顺治三年（1646年）六月使鹿部头人喇巴奇等来清廷贡貂，赏赍如例。顺治六年（1649年）十月，使鹿部又来清廷贡貂。如"赏使鹿部落峨罗克屯，贡使尼雅喇乌尔等袍、帽、朝服、缎布等物有差。"④ 以后至康熙初年，使鹿部首领多人不断向清朝进贡貂皮等物产，得到过清廷的赏赍。

---

①　《清太宗实录》卷29，崇德元年五月乙巳条。

②　《清太宗实录》卷29，崇德元年六月丁丑条。

③　《清太宗实录》卷36，崇德二年六月辛丑条。

④　《清世祖实录》卷46，顺治六年十月己丑条。

当时，索伦鄂温克部落以博穆博果尔为首形成了一个大的部落联盟。清代文献记载着精奇里江和牛满江地区河中盛产鱼类，其中大者一二丈许，鄂温克人等即捕此大鱼进贡。山中有虎、貂、猞猁、野猪、鹿、麋鹿等，"以打牲射猎为本，无庐舍、游牧止养马，无它牲畜。"① 这里所指的"养马"居民，即是索伦鄂温克部落。这时黑龙江两岸，也曾有许多村屯，四周种着谷子、大麦、燕麦、荞麦和各种蔬菜，每屯有石磨，还有贮藏谷物和面粉的仓库，曾兴起室韦、雅克萨等集市，鄂温克等族用猎物向内地商人换取米、酒、盐、布匹、铁器等。

崇德二年（1637 年）六月，索伦部鄂温克族最大酋长博穆博果尔率八人入贡，清太宗赐宴，并赐丝缎、银两、衣服、鞍马等物。② 崇德三年（1638 年）十月，博穆博果尔又向清廷缴纳貂皮、猞猁皮等贡品，皇太极赏给他许多丝织品、绸缎、银两、衣服等物。皇太极并于十一月和十二月先后两次遣官迎于演武场，入城赐宴。但皇太极非常清楚博穆博果尔在索伦部所属广大地区的影响之大，恐怕其势力日益强盛，对于巩固黑龙江的统治不利。博穆博果尔是鄂温克大部落的头领，他的声望在鄂温克和达斡尔族中流传至今。民间传说中，博穆博果尔和巴尔达齐因争美女事引起不和，从此巴尔达齐终生与博穆博果尔敌对。清朝统治者利用他们之间的矛盾，进行分化、挑拨，便在索伦部内支持达斡尔部落首领巴尔达齐，以平衡当地力量。这使博穆博果尔十分不满。崇德三年（1638 年）他率部开始与清敌对起来。

皇太极为了加强东北边疆管辖，统一贝加尔湖以东，黑龙江中、上游地区，建立巩固的统治，崇德四五年（1639—1640 年）平定了博穆博果尔的敌对行动，最后统一了以鄂温克为主体的，包括达斡尔、鄂伦春人在内的索伦部广大地区。

这一战役是在黑龙江中游及其以西 1 300 里内进行的。当时属于博穆博果尔统治的城有：雅克萨城、铎陈城、阿萨津城、多金城、乌鲁苏城（按即乌鲁穆丹城，博穆博果尔即住此城，城周 130 步）。清军的首领是索海和萨穆什喀，从呼玛河口分兵进击，除达斡尔巴尔达齐所属七个村外，其他对

---

① 何秋涛：《朔方备乘》卷 44，光绪七年（1881 年）刊本。
② 《清太宗实录》卷 36，崇德二年六月壬寅条。

清军进行武装反抗。雅克萨、铎陈、阿萨津、多金四木城的鄂温克、达斡尔人与清军战斗较激烈。如史载："……闻各路报，博穆博果尔索伦之兵来战，……兵共六千来袭。"[1] 鄂温克军队在博穆博果尔率领下，把先攻破三个村子的清军两个佐领，三十七名留守的兵全部杀死，并获得了清军正蓝旗辎重，杀甲士 22 人，士卒 24 人，另外还有 46 人被杀，并将清军俘获的 220 人救出逃往山林中。但由于清军的战略战术高于鄂温克军队，"索海率兵设伏……生擒四百人，既败博穆博果尔后，随攻取其营"，"共获男子三千一百五十四人，妇女二千七百一十三口，幼小一千八十九口，共六千九百五十六名；马四百二十四，牛七百，又先后获貂、猞猁、狐、青鼠、水獭等皮共五千四百有奇"。[2] 博穆博果尔率领溃兵到贝加尔湖东赤塔河地区。在民间传说中，他领导鄂温克人反抗外敌，在黑龙江岸一个"龙特鲁哈它"山上设有一尊大炮，后来他领导一部分人过江，把一部分鄂温克人留下，所以鄂温克人投降了罕王（满族皇帝）。也有的说，派了两个代表：一个叫"阿西金"，一个叫"好头林卡"，两人去盛京与满族皇帝讲和，罕王请了鄂温克人。崇德五年（1640 年）清军先至甘地抓获了博穆博果尔的弟弟及家属等174 人，又过了 14 天，到达赤塔地区抓获博穆博果尔及家属男女 956 口，马牛 844 匹。[3] 最后解决了黑龙江一带的统一问题。满族统治者统一鄂温克族使用的武力较大，战争很激烈，也很残酷，对于拒而不降的部落甚至使用了残杀手段。

清朝统一索伦部各地区，任命各氏族酋长等为佐领，并且在黑龙江北索伦部村屯"兵将留守"。当地鄂温克头人向清朝不断纳贡，这证明在明末清初，黑龙江北索伦部的广大地区，是在清廷有效管辖之下。

二、政治制度

崇德五年（1640 年）平定博穆博果尔领导的反抗活动后，清政府按"索伦牛录"的形式对其部民重新编组，任命"能约束众人，堪为首领者"

---

① 《清太宗实录》卷 51，崇德五年三月己丑条。
② 《清太宗实录》卷 51，崇德五年三月己丑条。
③ 《清太宗实录》卷 53，崇德五年十二月庚申条。

为牛录章京（佐领）。这一时期对索伦部众的编旗设佐主要分为三种不同的情况：①

1. 对于来降之索伦部众，任其"择便安居"，编为"索伦牛录"。如《清太宗实录》崇德五年（1640年）五月戊戌条记载："萨穆什喀、索海往征索伦部落时，未降者三百三十七户，共男子四百八十一人。后闻其来降，上命理藩院参政尼堪，及每旗护军参领各一员，率每牛录护军各一人，携蟒缎、素缎、绫布，往迎之。谕曰：'尔等可令索伦来归之众，同我国外藩蒙古郭尔罗斯部落，于吴马库尔、格伦额勒苏、昂阿插喀地方，驻扎耕种，任其择便安居。其中有能约束众人，堪为首领者，即授为牛录章京，分编牛录。尔等将携去缎布，以次给赏之。'于是尼堪等，各遵谕给赏，分编为八牛录，乃还。"② 这是清代文献中见到的时间较早的对八旗索伦编设牛录的记载，此次共编设了八个牛录。从"同我国外藩蒙古郭尔罗斯部落，于吴马库尔、格伦额勒苏、昂阿插喀地方，驻扎耕种，任其择便安居"的记载来看，他们已南迁内徙到嫩江中下游地区，同科尔沁蒙古与郭尔罗斯、杜尔伯特等部杂居生活在一起。

2. 对于主动前来归附的索伦首领，授予牛录章京，并遣归故里，其部众亦按"索伦牛录"形式编设牛录组织。平定博穆博果尔领导的反抗活动后，索伦部众相继来归。崇德六年（1641年），"索伦部落一千四百七十一人来降"，清政府"以都勒古尔、达大密、绰库尼、阿济布为牛录章京，管理索伦部落新降人户。"③ 并且又"赐索伦部落牛录章京都勒古尔、达大密、阿济布、讷努克、窦特、布克塔、充内堪代、俄尔噶齐、吴叶、勒木白德、乌阳阿、章库、车格德、拜察库、挠库、讷墨库等，蟒缎朝衣、玲珑褆带、鞍马、缎布、撒袋、弓矢等物有差，设宴于驿馆，遣还。"④ 这是对索伦部落首领主动率众前来归附的奖励，并授予其牛录章京管理索伦来降部众，以承认其继续统治部族的权力。由授予索伦牛录章京的人数可知，对此次来归的索伦部众共编设了16个牛录。

---

① 麻秀荣、那晓波：《清初八旗索伦编旗设佐考述》，《中国边疆史地研究》2007年第4期。
② 《清太宗实录》卷51，崇德五年五月戊戌条。
③ 《清太宗实录》卷55，崇德六年五月己丑条；崇德六年六月辛亥条。
④ 《清太宗实录》卷56，崇德六年六月甲寅条。

3. 对于在战争中俘获的索伦部众，则采取另外一种形式编设牛录，即携至辽东，均隶八旗，编入满洲牛录。例如，崇德五年（1640 年）征服索伦部落博穆博果尔后，清廷于七月癸未"以索海、萨穆什喀，所获新满洲壮丁两千七百九人，妇女幼小两千九百六十四口，共五千六百七十三人，均隶八旗，编为牛录。"① 十一月壬辰，又对其"复令较射，分别等第，一等者视甲喇章京，二等者视牛录章京，三等者视半个牛录章京，各照等第，赐朝服、袍褂等物。"② 由此可见，掳掠人口、令其披甲入旗也是征服索伦部的一个重要原因。

天聪八年（1634 年）十二月，皇太极派兵"往征黑龙江地方"，他指示统兵将领霸奇兰、萨穆什喀："俘获之人，须用善言抚慰，饮食甘苦，一体共之，则人无疑畏，归附必众。且此地人民，语音与我国同，携之而来，皆可以为我用。攻略时，宜语之曰：'尔之先世，本皆我一国之人，载籍甚明，尔等向未之知，是以甘于自外。我皇上久欲遣人，详为开示，特时有未暇耳。今日之来，盖为尔等计也。'如此谕之，彼有不翻然来归者乎！"③ 由此可见，清太宗把与满族有着相似语言文化、社会组织、经济生活的黑龙江流域各族视做同类，欲以满洲牛录形式，将"俘获之人"编成牛录、纳入八旗组织，以维护清王朝的统治。

清政府对索伦部众进行重新编组之时，其所编设的索伦牛录并无披甲名总额，却有按户纳貂之义务，并且"择便安居"，维持旧有生计。无论从结构还是职能来看，索伦牛录均异于八旗满洲牛录，而近乎清朝在东北边疆其他地方所建立起来的噶栅组织。因此，应将索伦牛录的编设视做清政府在黑龙江中上游地区推行编户政策的一种努力。到崇德七年（1642 年），索伦牛录已由崇德五年（1640 年）初编之时的 8 个迅速增加到 30 个以上。④ 当然，这些索伦牛录还仅限于博穆博果尔辖地之属民，尚有相当部分的索伦部众因未能得到清朝倚信而未编设牛录，比如精奇里江的额驸巴尔达齐所部仍以贡

---

① 《清太宗实录》卷 52，崇德五年七月癸未条。
② 《清太宗实录》卷 53，崇德五年十一月壬辰条。
③ 《清太宗实录》卷 21，天聪八年十二月壬辰条。
④ 《清太宗实录》卷 59，崇德七年三月癸巳条；卷 61，崇德七年六月壬戌条。

貂为限，直至南迁之后才被编设牛录。索伦牛录的编设，对巩固清朝对东北边疆各族的统治，并为顺治初年开始的徙民编旗创造了有利条件。

顺治元年（1644 年），清朝迁都北京，入主中原，约有百万之众的八旗官兵及其随丁、家眷倾落南迁入关。与此同时，沙俄向东扩张领土，闯入黑龙江流域。于是，造成了严重的东北边疆危机。然而，此时的清朝于中原内地尚立足未稳，正在忙于统一全国的战争，故难以用兵东北边疆，更无力将有限的兵力抽调北上，而索伦等黑龙江流域各族边民，又慑于沙俄侵扰而不安其居。严重的边疆危机形势，迫使清政府以"徙民编旗"作为一种基本的御边政策，组织、动员居住在黑龙江以北地区的索伦、达斡尔等族内迁，以断绝沙俄侵略者的粮食供应来源。

顺治、康熙年间，索伦、达斡尔等族陆续内迁嫩江流域地区。内徙南迁后，达斡尔人主要分布在嫩江及其支流讷莫尔河、诺敏河中下游地区，索伦人主要分布于济沁河、阿荣河、革尼河和诺敏河中上游地区。他们仍以血缘和地缘关系分散居住，主要从事渔猎、游牧、农耕等经济活动。如康熙四年（1665 年）七月，"那恩地方二十九索伦佐领温察太、木朱虎等，入贡貂皮，给赏缎布等物有差。"① "那恩"即满语"嫩江"之意，所谓"那恩地方 29 索伦佐领"，就是说这 29 个索伦佐领已经内迁到嫩江流域地区。与此同时，清政府对他们继续编设佐领，并在佐领（牛录）的基础上，编为"布特哈打牲部落"，隶理藩院管辖，康熙二十三年（1684 年）改隶新设的黑龙江将军。

这一时期，清朝一方面继续将内徙南迁、未编佐领的索伦、达斡尔等族人口编为牛录。例如，顺治六年（1649 年）五月"以巴尔达齐自井奇里乌喇率兄弟来归，授为三等阿思哈尼哈番，其同来萨哈连、钟嫩、额讷布，俱为三等阿达哈尼哈番，图占、席岱、堪褚堪、查里穆，俱为拜他喇布勒哈番。"② 巴尔达齐所部主要居住在精奇里江下游，缘其周围，还散布着魏拉基尔、乌那基尔、巴亚基尔、萨玛基尔、毕拉尔、杜拉尔、纳哈塔等游牧索

---

① 《清太宗实录》卷16，康熙四年七月己酉条。
② 《清世祖实录》卷44，顺治六年五月乙亥条。

伦和鄂伦春"养鹿人",他们中的相当部分也随之一同内徙南迁、编为佐领。① 康熙六年(1667年),索伦首领敖洛克腾率部内迁,其所部 2 134 名索伦壮丁,按氏族为单位编设 29 个佐领,并任命各氏族之族长为牛录章京。② 同年六月,理藩院题,查达虎儿有一千一百余口,未编佐领。应照例酌量编为十一佐领,设头目管辖。从之。其后,又对图勒图、阿布纳、索嫩、扎木根、额和内、勒木白德、马鲁凯、德里布、喇巴奇、乌鲁库依、古德赫、特卜赫、图克奇胡尔等内迁索伦部众陆续编设佐领。

另一方面,随着牛录的增多和管理上的需要,清政府则按照民族分布情况,对内迁的索伦人、达斡尔人设立三个"扎兰"和五个"阿巴"进行管理。索伦人根据其围猎区域而编设五个阿巴,在诺敏河一带设阿尔拉阿巴,在阿荣河、格尼河一带设涂克敦阿巴,在雅鲁河及音河一带设雅鲁阿巴,在济沁河一带设济沁阿巴,在绰尔河一带设托信阿巴;而达斡尔人则编为三个扎兰,在讷莫尔河一带设讷莫尔扎兰,在嫩江中游北部设都伯沁扎兰,在讷莫尔河与嫩江汇合处的嫩江中游南部一带设莫尔丁扎兰,居住在这一带的索伦人也分归三个扎兰管辖。③ 编设"扎兰"和"阿巴",都是在原来设立的佐之基础上,合数个佐而编为一个扎兰或者一个阿巴,因此它们是介于佐与旗之间的社会组织形式。④ 康熙八年(1669年),清朝在三个扎兰和五个阿巴之上设立索伦总管。康熙二十三年(1684年),增设一名达呼尔总管。康熙三十年(1691年),又增设一名满洲总管,并正式归属黑龙江将军管辖。⑤ 雍正五年(1727年)十月,"添设索伦、打虎儿八参领下,满洲副总管四员,索伦、打虎儿副总管四员。"⑥

雍正十年(1732年),清政府在布特哈打牲部落三个扎兰和五个阿巴的基础上,将索伦人、达斡尔人等打牲壮丁 6 661 名"按八旗旗色"编成 108 个佐领,正式组建了布特哈八旗。事实上,早在雍正八年(1730年),黑龙

---

① 《满族的社会与生活》,北京图书馆出版社 1998 年版,第 234 页。
② 《有关达呼尔鄂伦春与索伦族的历史资料》第 2 辑,第 49 页。
③ 王咏曦:《清代布特哈的扎兰与阿巴》,《黑龙江民族丛刊》1990 年第 2 期。
④ 苏钦:《关于清代布特哈八旗的几个问题》,《黑龙江民族丛刊》2005 年第 2 期。
⑤ 《钦定大清会典事例》卷 740,《理藩院·设官·黑龙江打牲处官制》。
⑥ 《清世宗实录》卷 63,雍正五年十月丁未条。

江将军卓尔海即已奏请在索伦五围、达斡尔三甲喇基础上分旗色进行管理："兹索伦、达斡尔官员均照八旗官员军政考核，且出征之布特哈索伦、达斡尔等又蒙圣上施以鸿恩，俱如旗人一体办理。……索伦五围、达斡尔三甲喇若分旗色，不但各围差遣皆有旗色，查管有凭，且合规制。"① 由此可见，无论是布特哈打牲部落的官员还是出征的披甲兵丁都是按照八旗进行管理和考核。这是编设布特哈八旗的基础。其具体编设的情况，清代满文档案记载如下：

> 达斡尔乌纳迈佐领、巢达勒图佐领及霍托克部，从巢达勒图佐领分出之代管佐领、跨勒乌勒佐领、纳苏勒图佐领、翁嘉佐领、衮台佐领、塔部西乃佐领、哈弥图尔佐领、喀图理佐领、鄂伦春喀雅楚佐领、吉丹佐领，此十三佐领下八百八十名丁为镶黄旗，由满洲副总管岳乃、达斡尔副总管霍托克管理。

> 达斡尔托洛克萨佐领、从托洛克萨佐领分出之代官佐领、毕西热勒图佐领、达勒达尔噶佐领、塔西丹佐领、塔奇苏佐领、伊勒纳图佐领、诺莫代佐领、吉勒本佐领、乌勒申佐领、奇希纳佐领、从奇希纳佐领分出之代管佐领，连同索伦西喇禅佐领及暂行并入之毕喇尔穆禄苏当阿部、扎尔山佐领丁，此十四佐领下九百三十九名丁为正黄旗，由满洲副总管阿纳布、达斡尔副总管萨奇乌勒管理。

> 达斡尔图松阿佐领、德勒格尔佐领、韬乃佐领、从韬乃佐领分出之代管佐领、达拉乌勒佐领、色尔吞佐领、毕勒图佐领、乌瓦尔塔佐领、昂嘉图佐领、精阿尔典佐领、察库赖佐领、科尔科乌勒佐领、从科尔科乌勒佐领分出之代管佐领、斋拉图佐领、克西克图佐领，此十五佐领下一千名丁为正白旗，由满洲副总管成额、达斡尔副总管巴里孟库管理。

> 索伦毕理浑佐领、阿木巴佐领、珠热克侬佐领、乌里勒图佐领、高哈岱佐领、从高哈岱佐领分出之代管佐领、特叶勒图佐领、赖塞佐领、从赖塞佐领分出之代管佐领、德尔精额佐领、鄂伦春桑古勒图佐领、占济散佐领、沙津佐领、波第佐领、果万察佐领，此十五佐领下八百八十

① 中国第一历史档案馆：《清代鄂伦春族满汉文档案汇编》，民族出版社 2001 年版，第 610 页。

四名丁为正红旗，由满洲副总管哈球、索伦副总管纳尔山管理。

索伦额舍图佐领、达尔巴噶尔佐领、从达尔巴噶尔佐领分出之代管佐领、如德勒佐领、乌尔巴勒岱佐领、巴齐乃佐领、礼部起了图佐领、鄂伦春绷库塔佐领、孟讷佐领、托西勒图佐领、巴喇佐领，此十五佐领下八百八十三名丁为镶白旗，由满洲副总管萨散台、索伦副总管尼勒楚岱管理。

索伦济兰佐领、不库德佐领、巴坤岱佐领、斋撒了图佐领、巴喀佐领、苏木纳勒图佐领、尼尔格达佐领、都瓦玛察佐领、特东额佐领、鄂伦春讷棱车佐领、乌尔庆佐领、阿尔纳佐领丁七十二名、罗尔布噶尔佐领、珠鲁克图佐领、本德佐领，此十五佐领下一千零二十八名丁为镶红旗，由满洲副总管永福、索伦副总管开萨勒图管理。

索伦绰尔普提佐领丁六十名、从绰尔普提佐领分出之代管佐领、布托佐领、额尔斌察佐领、达布特乃佐领、从达布特乃佐领分出之代管佐领、绰洛佐领、克齐科佐领、鄂尔衮察佐领、鄂绰尔佐领、班齐佐领、尼布齐喀佐领、莽喀尔佐领、鄂伦春科尔伯勒图佐领、多新齐尔佐领，此十五佐领下一千零五名丁为正蓝旗，由满洲副总管岱通、委副总管阿尔毕察管理。

巴尔虎济都佐领、莫托玛勒佐领、珠瓦齐佐领、额尔德尼佐领、开色佐领、克尔萨喀勒哲尔勒佐领、喀勒洛图佐领、特楞古特玛尔达喀佐领、科岳诺佐领，塔奋佐领，满达喇佐领丁十二名，拟具奏新编总管（以下原档残缺）。[1]

在编设布特哈八旗过程中，黑龙江将军卓尔海则将达斡尔 39 佐领归为镶黄、正黄、正白三旗，索伦 47 佐领及鄂伦春 9 佐领归为镶黄、正黄、正白、镶白、正红、镶红、正蓝、镶蓝八旗，巴尔虎 5 佐领和特楞古特、克尔萨喀勒、塔奋乌梁海等 8 佐领归为镶蓝旗。其中，达斡尔人聚居的杜博浅扎兰编为镶黄旗、莫日登扎兰编为正黄旗、讷莫尔扎兰编为正白旗，人聚居的阿尔拉阿巴编为正红旗、涂克敦阿巴编为镶白旗、雅鲁阿巴编为镶红旗、济

---

[1] 中国第一历史档案馆、鄂伦春民族研究会：《清代鄂伦春族满汉文档案汇编》，第 610—612 页。

沁阿巴编为正蓝旗、托信阿巴编为镶蓝旗。其次，基于上述同一原则，布特哈八旗的各个旗佐自然也不可能整齐划一其建制，因此依然"照旧例，每旗设 4 佐领以至 11 佐领，每佐领编壮丁五十余名以至八十名不等。"①

平定三藩叛乱后，为了抗击沙皇俄国的侵略，康熙二十二年（1683年），清廷设立镇守黑龙江等处将军，专辖黑龙江地方，任命宁古塔副都统萨布素为首任黑龙江将军，先后设立黑龙江城、墨尔根、齐齐哈尔、呼伦贝尔等城驻防八旗，以加强东北北部边疆的边防军政建设。与此同时，自康熙二十三年（1684 年）迄三十一年（1692 年）间，曾陆续抽调一部分"布特哈打牲部落"壮丁，编设了 39 个八旗索伦佐领和达斡尔佐领，共设额兵2340 名。② 这部分佐领属于驻防八旗序列，分驻黑龙江城、墨尔根、齐齐哈尔诸城。《龙沙纪略》记载："卜魁（即齐齐哈尔——引者注），兵二千有四十，满洲、汉军暨索伦、达呼里、巴尔虎充之。艾浑（即瑷珲——引者注），兵一千二百，无巴尔虎，余同。墨尔根，兵九百，皆索伦、达呼里。"③ 并派八旗满洲、汉军官兵与之共同驻防。

根据满文档案的记载，康熙二十三年（1684 年），设置黑龙江城副都统、建立驻防八旗之时，索伦、达斡尔等族又以佐领为单位编入黑龙江城八旗驻防各旗，在其所辖 23 个佐领中，索伦编为 1 个佐领、达斡尔编为 7 个佐领。④ 墨尔根驻防八旗设立初期，在所辖 33 个佐领之中，索伦编为 10 个佐领，达斡尔编为 5 个佐领，汉军编为 2 个佐领，其余 16 个佐领皆为满洲佐领。康熙三十八年（1699 年）黑龙江将军移镇齐齐哈尔后，墨尔根驻防八旗设有 17 个佐领，其中索伦仍为 10 个佐领、达斡尔仍为 5 个佐领。

康熙三十年（1691 年），清政府又将齐齐哈尔城附近居住之布特哈索伦、达斡尔官兵及其家眷调进该城驻防。满文档案记载，"查得移驻齐齐哈尔地方之索伦、达斡尔兵一千名，编为十六牛录，补放佐领、骁骑校等员，并使副都统衔玛布岱、索伦达斡尔总管喀特呼、佐领库尔德、防御顾勒海等管束教

---

① 中国第一历史档案馆：《满文月折档》，雍正十年闰五月二十七日召尔亥奏。
② 《盛京通志》卷 19。
③ 方式济：《龙沙纪略》，《经制》。
④ 中国第一历史档案馆：《锡伯族档案史料》上册，辽宁民族出版社 1989 年版，第 64 页。

练"。① 在齐齐哈尔驻防八旗所辖 40 佐领之中，索伦、达斡尔共编设 16 个佐领。与此同时，清政府还曾努力寻找新的兵源。康熙三十一年（1692 年），用银赎出科尔沁蒙古王公所属的万余名达斡尔、索伦、锡伯、卦尔察壮丁，编为 80 个八旗驻防佐领，分别驻防齐齐哈尔、伯都讷、吉林乌拉等城。②

此外，为了加强和充实东北边防，在布特哈八旗编设的同时，又从布特哈抽调索伦、达斡尔官兵及其家眷驻防呼伦贝尔、博尔德（今黑龙江省讷河市）等地。"查前因军务，调拨东三省兵，额缺俱已挑补，由打牲处索伦、达斡尔内，挑一千名添驻博尔德，挑三千名添驻呼伦贝尔。"③ 呼伦贝尔八旗编设之时，"拣选索伦、打虎儿、巴尔虎、鄂伦春之兵三千名，迁移其地，将伊等编为八旗　共编为五十佐领。"④ 其中，索伦兵 1 636 名被编为 24 个佐领。而博尔德之地，"挑选一千名，令往齐齐哈尔城北本尔得地方居住，编为八旗。"⑤ 至此，八旗索伦编旗设佐活动基本结束，如果从崇德五年（1640 年）编设索伦牛录算起，前后大约持续了近百年时间。

乾隆二十八年（1763 年），伊犁惠远城建成后，清朝就根据防务情况，从东北、内蒙古地区抽调满、锡伯、索伦、达呼尔、蒙古等官兵携眷到伊犁戍边。索伦等分两批迁到新疆，共计一千兵丁及其家属。伊犁将军将他们安置在伊犁河北霍尔果斯以西以东地区耕牧，组成索伦营。伊犁索伦营分左右两翼，和锡伯营、厄鲁特营、察哈尔营通称"伊犁四营"或"外八旗"，以别于满洲内八旗。

综上所述，清政府对八旗索伦大规模的编旗设佐、实行八旗制度，不仅对清朝巩固和稳定东北边疆、防范沙俄侵略有着现实意义，而且对清代历史发展也产生了较为深远的影响。

三、贡貂制度

自崇德年间，鄂温克各部落便以氏族为单位编成佐，任命了佐领管理鄂

① 中国第一历史档案馆：《锡伯族档案史料》上册，辽宁民族出版社 1989 年版，第 54 页。
② 中国第一历史档案馆：《锡伯族档案史料》上册，辽宁民族出版社 1989 年版，第 54 页。
③ 《清高宗实录》卷 177，乾隆七年十月甲辰条。
④ 《清世宗实录》卷 117，雍正十年四月甲戌申条。
⑤ 《清世宗实录》卷 117，雍正十年十二月乙丑条。

温克族，按时向盛京纳贡，统属于乌喇（吉林）章京，不设兵额。当时每个男丁要以向满族统治者献一张貂皮为公差。①

黑龙江流域森林盛产的貂皮是中国封建皇帝最喜爱的东西。黑龙江流域的各族自肃慎以来就是以其当地特产的珍贵貂皮献给封建主或和他们进行交易。清朝皇帝也因袭这种习惯，对所属黑龙江地区的鄂温克族首先规定贡貂制度，身满五尺之壮丁，每人每年贡纳一张貂皮，甚至出征死者的孀妇、孤子亦不得幸免。贡者如不能缴纳，则其所管辖的官吏，也要受罚。② "布特哈，无问官兵散户，身足五尺者，岁纳貂皮一张，定制也。"凡十五岁以上的男子都称"哈嘎"（壮丁），到十八岁就是"乌格辛"（披甲）。每个旗经常保持四十个"披甲"，他们每年十月，由牛录的骁骑校（哈朋）率领一个领催（宝西呼）及许多优秀的射箭能手去打貂，一去三个月。每年要进贡四十张貂皮、四十对野鸡，两个大公野猪。除此之外，每三年由佐领率领优秀的猎手还要给黑龙江将军打一次围，猎得的东西全部交给将军。③ 这样，鄂温克族大部分青壮年男子都陷入频繁的劳役之中。

由于猎获貂鼠不易，再加数量越来越少，因而不得不到远地甚至几千里的外兴安岭去寻找。自从迁来嫩江各支流后，因牲畜遭到瘟疫，没有马不能去远处打猎，生活贫困，生产力衰退。一般出远猎打貂，由两三人合伙用一匹马，把行粮驮在马上，徒步跋涉数千里远，越过兴安岭。当时捕貂的方法是："捕貂以犬，非犬则不得貂"，"犬前驱停嗅深草间即貂穴，伏伺擒之，或惊窜树末，则人皆息，以待其下。犬惜其毛不伤以齿，貂亦不复戕动，纳于囊"。每次都需三四个月才能回家。如遇雪，每人可猎得几张貂皮，否则连一张也得不到。有时马匹疲乏或者瘦死，打不着貂鼠就在当地买回上缴，甚至有人交不上而给别人当雇工。他们颠沛流离，陷入十分贫困痛苦之中。④

康熙二十四年（1685 年）六月，鄂温克族总管惠吉扎木苏等给理藩院

① 《关于布特哈索伦达斡尔鄂伦春等族源流考》，《历史资料》第 2 辑，第 22 页。
② 《关于布特哈索伦达斡尔鄂伦春等族源流考》，《历史资料》第 2 辑，第 26、27 页。
③ 内蒙古少数民族社会历史调查组：《鄂温克族调查材料之一》，1960 年版。
④ 《关于布特哈索伦达斡尔鄂伦春等族源流考》，《历史资料》第 2 辑，第 28 页。

的奏折中申诉，鄂温克等族三十八佐所管壮丁334人，因贫困没有牲畜，实在不能远猎缴纳貂皮。康熙皇帝命理藩院调查审议该总管的申诉，免除布特哈贫苦壮丁贡貂，但当年十月，理藩院把鄂温克族总管等申报之事批驳退回，认为他们为免除334名壮丁的贡貂的奏报是"不相宜的"。[①]

清朝对鄂温克族纳贡的貂皮也规定有数量和等级，达不到数量和质量的，就免去赏赐。并且撤销官职。如康熙二十七年（1688年）把送缴貂皮等级次的总管马布弟、协理卧博图、佐领六人、骁骑校六人、七品笔帖式等的赏赐取消，并且撤销了他们的官职。后来康熙帝命宽恕马布弟留职，"其他按议惩处"。[②] 不仅如此，出征在疆场的士兵，仍然在原家乡负担贡貂名额，由佐内均摊缴纳。甚至已阵亡的士兵，贡貂名额仍必须缴纳。

鄂温克族猎人除给皇帝进贡貂皮外，每年还得给将军负担差役。史载："打牲地方殷实人等，现在将军副都统衙门，陆续挑选一百四十名作为随甲，为数太多，今酌定将军留二十名，副都统留十名，每年遇有行围及会盟之处，令其当差，余具驳回本旗当差。""伊等……每年行围阅兵之际，听候差遣，遂假借虚名，令伊等交纳貂皮，成此恶习，所有此项跟随之人等均应裁汰！"可见清廷地方官强加在打牲鄂温克人身上的徭役何等之重，连乾隆皇帝也认为太过分了。

布特哈鄂温克猎人一方面给清朝贡貂，同时，清朝按等第赏银，并且从乾隆二十五年（1760年）之后，都发给半份俸禄。[③] 这是因为乾隆二十年（1755年）之后，出征新疆的鄂温克士兵一部分陆续撤回。撤回后，为了照顾他们，仍支给他们半份钱粮。乾隆二十五年（1760年）四月载："……旧有军营撤回之索伦……兵计二千三百九十五名，给半分俸禄，在打牲处捕貂，此项出自思赏……查此项游牧撤回之索伦兵……亦系军营出力，请准前例，再挑二千名，专充捕貂，亦支给半分钱粮，以昭恩赏。"[④] 从此，布特哈兵丁猎手才有半俸，而满洲兵则是全俸。

---

① 《关于布特哈索伦达斡尔鄂伦春等族源流考》，《历史资料》第2辑，第27、28页。

② 《关于布特哈索伦达斡尔鄂伦春等族源流考》，《历史资料》第2辑，第24页。

③ 西清：《黑龙江外记》，黑龙江人民出版社1984年版。

④ 《清高宗实录》卷160，乾隆二十五年四月丙子条。

清廷把大量的捕貂和征兵加在猎民头上，使他们的劳动大部分以贡貂和兵役的形式被清统治者所占有。史载："初时捕貂最广，壮丁奉调出征，伤亡多矣。自中俄分江以后，布特哈不准兼辖，贡貂之役剧以为苦……生计萧条，不待问矣。"① 即使猎获几张貂皮，出售时亦受各种剥削和压迫，所以纳贡一事不但惨苦奴役鄂温克人，同时使他们成为被欺诈的对象。② 从而鄂温克猎民也采取怠工，苟且充数来反抗和应付纳貂制。有时因貂皮质量不好而有些官员也受到惩罚，或要停发鄂温克士兵的半饷。乾隆三十年（1765年）又提出鄂温克人等进贡的貂皮不及等第，又要停赏。

四、布特哈八旗的巡逻边防、守卫卡伦

八旗组织既是军事组织，又是行政组织，旗下分若干佐（牛录），每个佐就是一个氏族（哈拉）或家族（莫昆）组成的。佐领和骁骑校平时是氏族的官吏，监督鄂温克人履行清统治者的命令；战时率领士兵上战场打仗或进行查边巡逻。

布特哈的鄂温克官兵，担负着巡逻边境和驻守国境线卡伦的任务。为了保卫国家领土主权不受侵犯，清政府沿国境线内侧军事要地，都建立了一系列卡伦（哨所），派驻鄂温克官兵，加强警戒。黑龙江中游设立的卡伦有：呼玛尔卡伦，乌鲁苏木丹卡伦，黑河口卡伦，牛满河北丛山中的检貂卡伦，伊玛河口卡伦，精奇里卡伦以及图勒库卡伦等，都有鄂温克士兵驻守。

除设固定卡伦外，还建立了严密的巡边制度，每年六月都要由齐齐哈尔、墨尔根和瑷珲三城各派包括鄂温克士兵在内的巡边部队。由一名协领统率官兵巡察额尔古纳河与格尔必齐河一段边界。对外兴安岭极边地，据《清实录》记载，由布特哈总管"每年派章京、骁骑校兵丁六月由水路与捕貂人同至托克、英肯两河口及鄂勒希、西里木第两河口遍查，汇报总管，转报将军。三年派副总管、佐领、骁骑校于解冰后由水路至河源兴堪山巡查一次，回时呈报。其黑龙江官兵每年巡查格尔必齐河口照此，三年亦去河源兴

---

① 徐宗良：《黑龙江述略》卷4，台湾影印《中国方志丛书》本。
② 《关于布特哈索伦达斡尔鄂伦春等族源流考》，《历史资料》第2辑，第27、28页。

堪山巡查一次。"①

雍正年间，为了巩固北方的边防，在齐齐哈尔至海拉尔之间，以及雅克萨至墨尔根，齐齐哈尔之间，设立了驿站，都有鄂温克士兵参加这项工作，使边疆和京师，保持着密切的联系。从雅克萨至京师五千余里，通常驿道"五旬可达，如有军情，只需十二天即可抵京师。"

清朝为把鄂温克官兵培养成为亲信部队，采取了以下几项措施：

1. 清廷为了更好地利用鄂温克族人民，培养满族化的鄂温克军队，康熙三十四年（1695 年），黑龙江将军萨布素，于墨尔根分别在鄂温克和达斡尔人中各设一个学校，设立助教官，选鄂温克等族每佐领下一儿童，学习满文书艺，这成为鄂温克族文化教育的开始，② 这样使鄂温克人在学习满语满文方面更进了一步。

2. 规定鄂温克族佐领以上的官员，都必须进京觐见到皇帝，皇帝每年都抽出一定时间接见鄂温克军官，例如乾隆二十九年（1764 年）三月的记载中就有："定黑龙江佐领等官进京引见例，闻索伦……等遇有引见，即遣来京"。但规定一条，"未经出痘者，不必令其来京，如必应引见之佐领等官，遣往木兰围场引见。"即安排在清帝木兰围场打猎时，接见鄂温克佐领。

3. 清朝皇帝从乾隆时期开始，每年打猎时，都要选鄂温克人的优秀猎手来热河陪同乾隆帝围猎。如史载：乾隆十四年（1749 年）三月："现由索伦内，拣选记名之二十九人，仍回原籍，命该将军于朕今岁进哨行围时，令伊等与三十名墨尔根同往。"③

后来由于陪同随围的猎手过多，便决定减半，较好的就留京。例如布特哈的鄂温克猎手伦布春，"生有胆力，善拉强弓大箭"，有一次他去木兰围场，在乾隆车驾前，发箭射死一虎，乾隆十分高兴，取视其矢，叹曰"吕布善射，未必能尔"，于是提拔他为齐齐哈尔副都统。④ 这种随皇帝围猎的制度直到嘉庆年间还在盛行。嘉庆二十四年（1819 年）下令："前岁朕因每

---

① 《清高宗实录》卷743，乾隆三十年八月癸亥条。
② 何秋涛：《朔方备乘》卷26，光绪七年（1881 年）刊本。
③ 《清高宗实录》卷337，乾隆十四年三月丁卯条。
④ 魏毓兰：《龙城旧闻》卷2。

年黑龙江派善猎三十名前来随围，路途遥远，未免劳费，曾经降旨减一半……只令十五名随围"。①

鄂温克猎手除随围之外，地方的将军和副都统等每年都要向皇帝献方物：六月进白面，七月进鹰鹞，十月进鱼雉等野味，曰进鲜。十一月进年贡，也是鱼、雉、野猪类，同月进海东青，十二月进春鱼，其中只有鹰鹞进到木兰围场，其余全都送至京师。

乾隆八十大寿时，将军、副都统进贡物有：鹤、鹿、马、犴达罕、驯鹿、貂鼠、灰鼠。由于献贡的动物都必须是活的，因此在路途上还要一面小心饲养，一面前行。嘉庆十四年（1809 年），遇到皇上五十寿，也与以往的贡制一样。除活动物外，还要有貂皮、灰鼠皮、猞猁皮、元狐皮等。②

五、在各地征战

康熙二十七年（1688 年）的喀尔喀和卫拉特准噶尔部的冲突，随着喀尔喀投奔清朝，转变成清朝和准噶尔的战争。从此，直至 18 世纪 50 年代末清军占领天山北部，康雍乾三朝不断用兵于准噶尔，清和准噶尔的战争状态一直持续着。

雍正十年（1732 年），额尔德尼召之役，清军大败准噶尔军，鄂温克部队也和喀尔喀蒙古部队参战。"办理军机大臣等议覆，额驸策凌奏言此次征剿准噶尔之索伦兵丁，业经加恩赏赍。所有奋勇效力之营总、章京等，并请另行奖赏，以示鼓励。应如所请。将索伦营总班图、巴里孟古海萨尔图，俱授副都统职衔。仍会同布尔沙，管辖索伦兵丁。营总那斯太等，佐领克什克图、章京布赖等，赏给孔雀翎。领催达鲁叉等，赏给蓝翎。从之。"③ 可见，在此之前鄂温克部队已被调到准噶尔、喀尔喀的边界上进行守防任务。次年，"又谕，据大学士鄂尔泰等奏请，将驻扎呼伦贝尔地方索伦，巴尔虎兵三千名内调拨二千名前往察罕叟尔军营。其军营现在所有残疾兵丁，应行减退等语。着照鄂尔泰等所请，于呼伦贝尔兵内挑选二千名，着黑龙江将军卓

---

① 《清仁宗实录》卷337，嘉庆二十四年五月己卯条。

② 西清：《黑龙江外记》卷358，黑龙江人民出版社1984年版。

③ 《清世宗实录》卷126，雍正十年十二月己巳条。

尔海带领前往军营。"① 鄂温克军队在清准战争中扮演着重要的角色。

乾隆十九年（1754 年），清朝利用阿睦尔撒纳和达瓦齐争夺准噶尔汗位的机会，进击准噶尔部。当年二月，乾隆命班第与永常各率满洲、鄂温克部队二万五千，分北、西两路直捣准部中心地带伊犁。在此进军中，北路有鄂温克和巴尔虎兵八千人；西路有鄂温克、巴尔虎兵三千人。

乾隆二十一年（1756 年）至二十三年（1758 年），在清与准噶尔的战斗中，鄂温克兵丁骁勇善战发挥了较大的作用，"至进兵时，索伦兵最为得力……"。乾隆皇帝说："将索伦兵一千拨给前敌将军雅尔哈善，"但"朕虑此数尚不敷用，谕将一切差遣回程索伦兵，留鲁克察克。若得六七百名，已足敷用。"同年八月，又调鄂温克军队二千人去新疆，"军威甚壮"。鄂温克的几个著名的将领，鄂博是以总管衔率兵从征伊犁，后来立功升为墨尔根都统；总管萨垒率兵从征伊犁回后，乾隆二十五年（1760 年）授呼伦贝尔统领。② 莽喀察出征准噶尔时，只是一名马甲，屡建功勋，先授蓝翎侍卫。在乾隆二十三年（1758 年）因功升为三等侍卫，第二年追霍集占至霍斯库鲁克时，莽喀察奋勇当先，再升头等侍卫，赐丹巴巴图鲁勇号。乾隆二十五年（1760 年）被调到清宫乾清门行走，乾隆三十三年（1768 年）又升为御前侍卫。③

乾隆年间，清朝两次大规模用兵于四川大小金川土司，其中鄂温克兵也发挥了重要作用。乾隆十一年（1746 年），清朝先派云贵的军队前去平息，但屡遭失败。乾隆皇帝派张广泗为四川总督，并令大学士纳亲前往督师，攻数月之久，损兵折将。乾隆帝杀了张广泗，将纳亲赐死，再派大学士傅恒为经略。此时，乾隆想到鄂温克劲旅，"谕军机大臣等，黑龙江副都统黑雅图奏称，打牲索伦等处兵丁，人甚壮健，枪箭敏捷，惯走山林，颇耐劳苦。"④ 又指出："盛京之兵亦不如索伦、达呼尔。其盛京兵一千名来京之处着即停止。但令哲库诺一人来京应补盛京兵数。着即行文黑龙江将军傅森，将游牧索伦内之阿尔拉阿巴、图克敦阿巴、雅拉阿巴、济亲阿巴、托新阿巴、呼伦

---

① 《清世宗实录》卷 130，雍正十一年四月丙子条。

② 《黑龙江志稿》卷 52。

③ 魏毓兰：《龙城旧闻》卷 2。

④ 《清高宗实录》卷 328，乾隆十三年十一月甲子条。

贝尔地方之索伦并达呼尔内之善于步履、汉仗可观、年力精壮者，挑选一千名，余丁内如有汉仗好者，一并挑选，派贤能协领一员，照料办理即令来京。务于十二月二十前必到。其所带随从之人，若有情愿各带子弟者，照原议之数，准其带往。到京之后，即交与哲库诺带往金川。"① 鄂温克兵到后不久，奋勇征战，战局发生了有利的变化，四川土司莎罗奔等接受条件向清朝投降。

至乾隆三十年代，大小金川两土司联合发动第二次叛乱，此次战争又持续了十年之久。乾隆三十七年（1772 年），清廷派阿桂前往，清兵大败。由于第一次平金川之役，鄂温克部队作战得力，乾隆三十八年（1773 年）又派鄂温克部队 3 000 人进入大小金川地区，后来又增派鄂温克兵 1 000 人。乾隆三十九年（1774 年），攻打罗博瓦山。战役中鄂温克将领海兰察立下了战功，战后受封为一等超勇侯，赏戴双眼花翎。乾隆帝亲至良乡城南行郊劳礼，赏赐御用鞍马、缎、银等。又绘像紫光阁，列前 50 功臣中。《御制赞》云："射巴雅尔，超授侍卫。荐至都统，参画军机。坚碉险寨，无不克登。勇而有谋，封侯实应。"乾隆四十三年（1778 年）授领侍卫内大臣。乾隆四十五年（1780 年），补公中佐领。

乾隆五十六年（1791 年），廓尔喀（位于今尼泊尔）入侵西藏，清廷派福康安率八旗兵及蒙、藏、鄂温克兵万余入藏，在达赖喇嘛和僧俗民众的大力配合下，击退廓尔喀军。当时，乾隆帝"又谕，现派海兰察，带领巴图鲁侍卫章京一百员，副都统乌什哈达、岱森保带领索伦、达呼尔兵一千名，前往西藏。由直隶、河南、陕、甘前赴青海一路行走。经军机大臣酌拟日期，分拨起数，陆续起程前往。所有经过各省、沿途需用车辆、马匹、廪给等事，自应专员经理，无稍贻误。"② 他们是由西宁一线前赴西藏，一路冰雪较大，由于鄂温克士兵生长在东北寒地，素耐寒冷，拨开积雪在冰雪中行军。清廷沿途在青海等地，为 1 000 名鄂温克士兵准备了 3 000 匹好马，并命沿途各省"该索伦兵丁等，冲寒就道，亦当加以体恤，于该兵丁等过

---

① 《清高宗实录》卷 327，乾隆十三年十月壬寅条。
② 《清高宗实录》卷 1390，乾隆五十六年十一月丁丑条。

境时，所有饮饭汤水等项，俱应妥为预备，给猪羊肉汤饭，使得饱暖前行。"① 乾隆帝对鄂温克士兵多次赏银。乾隆五十七年（1792 年），"又谕，此次派出索伦、达呼尔兵丁，前赴卫藏，进剿廓尔喀，所有带兵官员及兵丁等，业经加恩分别赏赉。但该兵丁等，冲寒远涉，均堪轸念，着勒保于该官兵行抵西宁时，加恩每兵每名，各赏给银二两，以资用度。"② 乾隆一再手谕给清军主将福康安，一定要等鄂温克劲旅全数到达西藏再发动向廓尔喀进攻。鄂温克部队到擦木地，廓尔喀人抵死拒守。鄂温克将领海兰察奋勉出力，乾隆嘉赏海兰察玉扳指一个、大荷包一对、小荷包二个，并发奶饼一匣，以示鼓励。此次战争至乾隆五十七年（1792 年）五月，就把廓尔喀军队全部逐出国境。廓尔喀王认罪乞和，并立誓以后永远不侵犯边境。③

　　嘉庆二十五年（1820 年），在新疆南疆地区发生张格尔叛乱。至道光六年（1826 年），张格尔攻占了喀什噶尔、英吉沙尔、叶尔羌、和田四城，驻喀什噶尔的清朝参赞大臣被迫自杀，守军 300 余名被俘。为此清廷调集包括鄂温克兵在内的吉林、黑龙江等五省兵力，派大学士长龄率调遣的鄂温克兵丁及满、汉军往援。据史载，清廷以为："近因逆裔张格尔在喀什噶尔滋事，业经调取吉林、黑龙江兵三千，前往征剿。此项劲旅到日，逆回自可剿灭。"④ 此次鄂温克兵也受命出发远征到新疆。《清实录》载："又谕，前令富俊等挑备吉林、黑龙江精兵，并挑派谙练带兵官员，候旨调遣，再令起程。本日据杨遇春奏，吉林索伦兵丁，最为骁勇，请酌马队二千名，派大臣带往协剿。所见与朕意相同，着该将军等遵照前旨，即各挑精兵一千名，各酌派副都统一员，并酌派得力带兵官员，迅速带领各官兵，骑本处马匹，分起前进。该将军等即饬知带兵之副都统等，行抵哈密一带。"⑤ 在战斗中，鄂温克部队追击张格尔手下苏兰奇，生擒 100 余名，余众 200 余窜出境外，由色普征额带领鄂温克部队等进山追剿。在清军的重重追击下，张格尔无处藏身，逃往喀尔盖山，为清军俘获，同年五月解送京师处死。鄂温克驻伊犁

① 《清高宗实录》卷 1392，乾隆五十六年十二月壬子条。
② 《清高宗实录》卷 1395，乾隆五十七年正月辛卯条。
③ 魏源：《圣武记》卷 5，《乾隆征廓尔喀》，中华书局 1984 年版。
④ 《清宣宗实录》卷 103，道光六年八月丁卯条。
⑤ 《清宣宗实录》卷 101，道光六年七月辛丑条。

副总管达哈逊巴图鲁哈丹保，在平定张格尔战中立下功劳，清廷把这位英雄的像绘于紫光阁。平定张格尔后，清廷将新疆的伊犁和喀什噶尔两城驻防任务交给鄂温克300名军队，同时鄂温克军队100名调往喀什噶尔。①

总之，清代包括鄂温克在内的索伦部在从康熙二十年代起"各处有事，征调频仍……前后共计六七十次，转战几达二十二省。"② 但长年的征战也给鄂温克人带来人口锐减的后果，史载"详查被调官兵，大都效命疆场，其获庆生还者十不得一。"③

六、经济生活

布特哈打牲鄂温克人以打猎为主，弓箭既是他们的生产工具又是他们的武器。"挽弓皆逾十石，尝自缚于树，射熊虎洞，身曳之而归。尤善蹑踪，人马有亡失者，踪之即得。"可见使用弓箭和追踪的本领是很高明的。鄂温克人的弓箭，箭身是黑桦木做的，箭头是铁的。箭术著称于世。清朝时，每年的四月间，在黑龙江将军衙门举行射箭比赛，有不少人因箭术好而被封为官。

打猎方式是由酋长率领全部落的人，围住一座大山，慢慢把围山的圈子缩小，最后野兽都集中在一个地方，人们用弓箭射死野兽。

另外布特哈地区鄂温克人还用"奥克"即麻绳套子围猎。围猎的规模是一个或几个村子联合起来共同进行。一般在春季二、三、四月，秋季七、八、九月进行。每个村子建立许多小组"塔坦"（也有火堆之意），它是以在一堆火吃一锅饭为原则，每堆火选出年岁较大的人当"火长"，即"塔坦达"。各个火堆联合选举总的围猎首领，叫"阿围达"，即主持围猎的人。他一定要有围猎经验，下套子技术好，知道哪个山有野兽。一般一次需10天至15天，妇女也参加赶车、做饭等工作。

"阿围达"指挥，在山沟交叉的地方按顺序下套。一般围猎的人分成三

---

① 吕光天：《清代鄂温克族在维护祖国统一和守卫边疆上的历史作用》，《学习与探索》1984年第3期。

② 《黑龙江志稿》卷30。

③ 《黑龙江志稿》卷30。

部分人：一部分是马队，从河边向山沟一带围，一部分包括老头、妇女在山上一边敲盆呐喊，吓唬野兽。把围圈缩小，另一部分是阿围达等潜伏在套子的附近。有时一次跑来二三十只狍子，套子效果好，狍子一过就套住脖子。套住后用弓箭或刀子杀死它，把套子再下好。这是一场纪律严格的活动，谁犯错误，"阿围达"有打十条子的权力，佐领犯错，照样挨打。

围猎后，由"阿围达"主持对猎物的分配。如四堆火，每堆火多少人就拿多少份，平均每人一份，佐领也只能拿一份。但"阿围达"在后期多得一份，这是从大家份中抽出的，因"阿围达"为人们下套子辛苦。围猎回到村子，对没有参加围猎和无劳动力之家，都给一些肉和皮子，实行扶养老人和没有劳动力的人，鄂温克语叫"尼玛达楞"。[1]

后来，由于生产力的发展，鄂温克猎手们开始用火枪打猎，乾隆皇帝闻知十分不满。如乾隆十五年（1750年）十日载：鄂温克等"从前围猎并不用鸟枪，今闻伊等不以弓箭为事，惟图利便，多习鸟枪，夫围猎用弓箭乃从前旧规，理宜勤习。"况鄂温克等"皆猎兽之人，自应精于弓箭，故向来于精锐兵丁内，尤移手快，伊等如但求易于得兽，久则弓箭旧业必致废弛。将此寄知将军，令其严行传谕鄂温克等"，"此后行围务循旧规，用弓箭猎兽，将现有鸟枪每枪给银一两，概行收回，收回后严禁偷买、自造，查出即行治罪。"并且以"善马步射者可被恩升侍卫等官"做诱饵。

嫩江各支流鱼产资源十分丰富，捕鱼生产也是鄂温克人的一项重要生产活动。鱼的种类虽多，但主要以哲罗、细鳞两种鱼为主。大者四五十斤重，供生活食用。捕鱼方法，有叉、钓等多种。每到秋季，由男人集体进行。夜间一人拿火把，引鱼前来，二、三人手拿鱼叉跟在后面叉鱼。冬天河水结冰，亦可将冰凿开洞口，以火光引鱼来，一夜可叉几十斤鱼。夏季，妇女集体捕鱼亦很普遍，所捕之鱼进行平均分配。

畜牧业在布特哈鄂温克人的经济中仅次于狩猎业。牲畜主要有马和牛，既是生产资料（猎马），又是生活资料（奶牛），但数量较少。当时每个村子最多有几十头牛、几十匹马。每逢四月初至七月底，家中的老人或妇女带着"萨喜格柱"（帐幕），到水草好，地势高，碱草多，凉快，蚊蠓少的地

---

① 内蒙古少数民族社会历史调查组：《鄂温克族调查材料之一》，1960年版，第41、42、119页。

方去过夏营放牧生括。用柳树盖一些简单的牛犊和乳牛圈，夜间圈起，白天放出去。马是打猎和长途旅行时骑乘工具，牛有用来套大轮车的犍牛，有挤奶或拉车的乳牛两种。牛群多时，可制许多乳制品：奶皮子（依鲁图拉）、黄油（西阿连）、酸奶（萨嘎）、奶酒（萨力阿勒克）。雍正十年（1732年）从布特哈打牲部调1600多名鄂温克士兵去呼伦贝尔戍守边疆，能就地发展牧业生产，并非偶然。这是因布特哈打牲部早已有粗具规模的畜牧业所致。正如文献所载："布特哈居就水草，转徙不时，故以穹庐为室"，"冬用毡毳，夏用桦皮及苇"。鄂温克语叫"萨喜格柱"（撮罗子），屋顶有一圆圈木（直径二尺五寸），有许多穿眼，以三根柱子插入眼中，夏天用白桦皮或苇围盖，是专为放牧时用的帐幕。

清中叶以后，布特哈打牲鄂温克人农业也得到发展，从讷河、诺敏河流域到格尼、阿伦河等地都有了农业生产。其农作物有稷子、燕麦、荞麦、糜子、玉米、谷子、大麻和黄烟等。

鄂温克人以肉类，乳和乳制品、稷子、燕麦、荞麦为主食。也采集野菜、野果为补充食物，采榛子是补充狩猎不足的一项重要生产。从阴历七月到八月十五日，每年每户都可采五六百斤。一般集体进行，但以各家为单位，新榛树连续三年结榛子，采过一二年后，烧掉旧树，再长新树。早期主要是供自己食用。吃法是把榛子放在热炕上，然后打开食其仁或将仁捣碎，当喝奶茶时，放进茶中同喝。

鄂温克人"以狍头为帽，双耳挺然，披狍服，黄毳蒙茸。"[1]"每以狍皮置为囊，野外露宿全身入内，不畏风雪。"[2] 他们物质生活十分简陋，但却反映了他们狩猎生活的特点。自清代中叶以后，衣着有所变化，妇女开始穿布衣和坤式八旗坎肩。衣服多仿满洲样式，宽袖、有镶边，胸前配戴丝绸烟口袋，男子服装也开始用布或绒镶上宽边（约二寸）。身前佩戴有钱搭子，两侧带刀子和火石袋。老年人穿八旗式坎肩。但仍多以穿狍皮为主，有"啥拉米"，皮袄、皮裤、套裤等。

他们使用的器皿，由于"地产桦，其皮坚可制器具，小舟及庐帐皆桦

---

① 西清：《黑龙江外记》，黑龙江人民出版社1984年版。
② 《黑龙江志稿》卷16。

皮为之"。老妪用麻绳缝制桦皮篓，又用缠弓，为车篷，"做圆筒，用以担水或盛酪浆米面之用。"① 共有十几种器皿，美观、实用。器皿上的彩色、花纹，风格淳朴，具有鲜明的民族特色。桦皮帽子可避雨遮阳。炕席、房盖、脸盆、摇篮、饭碗、桶、箱子、烟盒、狍哨、鱼篮子、桦皮船等都是适应游动生活的桦皮用具。

布特哈鄂温克人的交通工具，基本上有四种：（一）马是猎人到近处打猎的重要工具。（二）大轮车一般可载 1 200 斤，日行 60 多里，打猎以及物资运输，多靠此车，史书称之为"勒勒车"。"轮不甚圆，辕不甚直，轴毂均以木为之，亦能载重至远，泥草之中亦可通过，因其质轻故耳"。（三）以桦树皮做渡船，轻而快速。（四）使用滑雪板为狩猎工具。如史书所说，"值雪深数尺，以木板长五尺贴缚两足，手持长竿如泊舟之状，滑雪前进，则板乘雪力，瞬息可出十余里，运转自如，虽飞鸟有所不及也。"② 说明滑雪板作为交通工具起着重要作用。

自从清朝把鄂温克族编入八旗后，鄂温克族的壮丁应征入伍，受训的地点就是卜魁（齐齐哈尔），鄂温克人的氏族贵族佐领经常来往于布特哈和卜魁之间。他们是最初与外面发生经济联系的桥梁。卜魁是布特哈地区鄂温克人最早的一个市场。清朝在建卜魁城时，由京师找来了几家山西商人在卜魁设商号，如福盛公、裕盛公、金银堂、北恒利、西恒利等。不仅如此，这些山西汉族商人在瑷珲、讷河、海拉尔、布西等屯镇都设有分号。店员都学会了鄂温克等族的语言，每年鄂温克人都要到这些店铺交易一二次。而且每个地区的鄂温克人都有固定的交易商号。例如阿伦河和格尼河的鄂温克人主顾铺子是金银堂；雅鲁河鄂温克人的主顾铺子是西恒利和北恒利。鄂温克人去卜魁多住西站，吃喝由自己带去原料，店里给加工，收费用。店铺对鄂温克人招待十分热情，给老人装烟倒茶，小孩去了给糖果，把买的东西数量一说，铺里按单子就给包好下账，等到二、八月，鄂温克人发俸禄时，商铺派人到各旗所在地，由俸禄中扣取所欠的债。

那时，鄂温克人经常在卜魁出卖的东西有马匹，最好的值 11 至 12 两银

① 《黑龙江志稿》卷6。
② 《黑龙江志稿》卷6。

子，好犍牛 8 至 9 两银子，好乳牛 5 两银子，好水獭皮可换 6 两银子，次的卖 4 两。土特产榛子、木耳也在市场出售。鄂温克人买回的生活用品有食盐、豆油、布匹、瓦盆、铁锅、菜刀、白面、挂面。生产工具有锯子、铲子、斧子、马镫、镰刀等。那时，卜魁较大的商号都发行纸票子，是在一纸条上用草书写着金额，盖上铺印，这类票只能在本铺买货物。

雍正十年（1732 年）雅鲁河一带迁至呼伦贝尔草原的鄂温克人开始从事牧业。海拉尔建城后，他们的主要交易对象是海拉尔的几家汉商店铺，主要是大利号和福生利两家。大利号全面掌握牧区鄂温克族的户数和人口，谁家有老人，谁家后来分成了几户，各家的俸禄收入及牲畜情况，都了如指掌。同时把自己的店员派到牧场去进行轮训，使他们学会鄂温克话，懂得鄂温克族的礼节和风俗习惯，穿鄂温克服装，以便接触鄂温克人。鄂温克人到商铺不论有钱与否，都能取货，在赊销过程中，究竟欠下多少，牧民一概不知，通常对待持有异意的牧民回答是"货价变动，账面亦随之变动"，因此，有人想还清商号的赊欠、断绝与商号的来往，但商号决不允许，说"结账等于决裂"，所以总是留下账尾，以便继续交易，诚实的鄂温克人也就继续交易下去。

鄂温克牧民家里老人去世，大利号得到消息后，带上金银铂纸赶到，根据鄂温克人的礼节为死者吊祭，表示友好和亲近。鄂温克人去海拉尔，住在店铺吃、喝，途中也允许在商铺分店住宿。纯朴的牧民便认为这是好"安达"朋友，而商人却暗中把这种费用加倍记在账上。大利号的商品完全是针对鄂温克人的各种需要而准备的。如为结婚而去买货的人，便根据鄂温克人的婚礼习俗，可能需要什么都给包装好，数量一般无大出入。当每年八旗发俸禄时，便将钱扣下。或每年五月以后，牧草繁茂，牲畜最肥的时候，商人就来到鄂温克草原要账。牧民以牛、羊抵债。商人赶着收账的牲畜，放进自己设立的牧场。海拉尔成了鄂温克等族牧民与汉族交易的主要市场。他们从市场上以牲畜和畜产品换回粮食、布匹、茶、酒、糖、烟等生活资料，以及斧、刀、锯、鞍、车轮等铁质工具等。

先进生产工具的输入，给牧区鄂温克族的生产带来了新的内容。如拉脚、制车、买卖木材、打羊草等，一时颇为发达，甚至成为一部分人的主要生活来源。特别是，由于牧业饲草的储备，棚圈的改进，技术的进步以及牲畜销路的扩大等，使畜牧业得到了发展。生产力的发展及畜产品、农产品商品化扩大的结果，促使贵族封建主更加压榨剥削劳动人民，导致鄂温克社会阶级分化日趋剧烈，贫富悬殊愈来愈大，大牲畜和土地集中于少数贵族封建主手中，广大鄂温克人民日益贫困。

海拉尔是清朝防俄实边所设的据点之一。海拉尔的粮食和一切商品都要由齐齐哈尔运去，需很多车辆，故阿伦、草尼地区的鄂温克人从事运输拉脚的很多。由卜魁向海拉尔运粮食和商品布匹、米面，再由海拉尔向卜魁运皮张、羊毛来回一辆大车，可得4两8钱银子。那时一家出五六辆车拉脚，往返一次可挣20多两银子。

清代，由齐齐哈尔到海拉尔设有十八个驿马站，驿站的负责人多由鄂温克人担任。18个驿站的地点如下：齐齐哈尔、齐家店、前甘井、甘南、陶海哥门（哥门译为站）、萨当哥门、阿扬哥门、绍拉哥门、巴林哥门、伊兰敖宝、博克图、伊热得、乌努尔、哈文侵、海义、特莫呼住、海拉尔。

海拉尔建城以后，鄂温克人开始每年八月二日至十二日赶甘珠尔庙会市集。这里市场以蒙古人最多。其他有达斡尔、汉商等近千人。市场占的地盘近里方。鄂温克人运往市场的主要是大轮车、车材以及套马杆子，炒米、黄烟、桦树皮制品、炒面等。以一斗炒米加上一朵黄烟，可换得蒙古人的三岁小骒马（值四五两银子）。六台大轮车及少量黄烟可换四匹马和几张羊皮。30副车辕，可换一匹骒马和30只羊。大桦皮桶一个换1只羊，数个小桶换1只绵羊。

七、清末鄂伦春人的社会结构

根据调查和文献记载，清末鄂温克人共分为十四个大部落。他们大多数居住在河流的两岸，因此取河名为名字。例如住在雅鲁河的鄂温克人叫做"雅鲁千"，意即住在雅鲁河的人。除此之外，阿伦河、格尼河、诺敏河、莫合尔图、特尼河、莫尔格河、贝尔茨河、金河等流域都有鄂温克人的部落。

索伦鄂温克的十三个部落：（1）阿伦部落，即阿伦河流域的鄂温克人，共有三个"哈拉"。（2）"根千"，即居住在草尼河的鄂温克人，有三个大氏族。（3）"音千"，共有九个氏族。（4）"讷莫尔千"，有三个氏族。（5）

"拉哈千"，共有七个嘎布卡。（6）"莫合尔图千"，只有涂克冬一个氏族。（7）"特尼千"，有两个氏族。（8）"诺敏千"，分四个大氏族。（9）"伊敏千"，只有蒙古达陶等氏族。（10）"加拉姆台千"。（11）济沁千。（12）雅鲁千。（13）辉千，这是鄂温克人中最大的部落，是由雅鲁河迁往呼伦贝尔地区的。有四个大氏族。

每个部落都由两个以上的"哈拉"式"奥毛克"氏族所组成。索伦鄂温克人有三个比较大的氏族，即杜拉尔、涂克冬、那哈他。额尔古纳河的鄂温克人有四个大氏族。

"哈拉"是满洲语，意即"姓氏"，一个"哈拉"的人，就是一个祖先的后代、同一氏族的人。氏族的名字都含有一定意思，如"杜拉尔"是"在河旁住的人"之意，"涂克冬"是"在秃山底下住的人"之意，"那哈他"有"在山南坡住的人"之意。

每一"哈拉"下又分若干"毛哄"（大家族）。祖先如果是四个儿子，就分为四个"毛哄"，"毛哄"是从"哈拉"分出来的。

陈巴尔虎旗的莫尔格河鄂温克人，共有十五个氏族。额尔古纳河的鄂温克人原是一个大部落，包括布利托天、卡尔他昆、索罗共、给力克四个大氏族。

每个部落和氏族都有酋长，都是由部落和氏族成员共同选举出来的。氏族长有权召集各家族公社在指定地点开会，家族内发生纠纷，由氏族长把纠纷双方找在一起，问清原委，判断是非。氏族长基本由各家族公社头人轮流担任，但年限没规定，办事不公正，可以罢免。乾隆二十六年（1761年）额尔古纳河鄂温克部落的总酋长死后，分为三个部落：漠河的鄂温克人叫"阿穆尔千"，在贝尔茨河的叫"贝斯特拉千"，第三个叫"古纳千"。

鄂温克人的每个氏族除有自己氏族的名号外，还有氏族的图腾，氏族的祖先神"舍卧刻"或"敖教勒"。各氏族间实行氏族外婚制，氏族内部严格禁婚。每个氏族的祖先神也不同。例如巴亚基鲁氏族的祖先神，是用落叶松木制的，一寸长的人脸，用狍皮包着，胡须用熊毛制成。再如"西拉那妹他"氏族的祖先神是大小20个人像，右边有两个用落叶松制的人脸，把它用狍头皮包起来，再剪开盖住头的部分。其次是18个小人，横排着，上边九个是用薄铁片制成的，下边的九个是用黄铜片制成的，把这些人缝在蓝色的布上。除了祖先神之外，还有氏族的图腾，每个人都知道自己氏族的图腾是什么。如莫尔格河的鄂温克人把图腾叫"嘎勒布勒"，即"根骨"之意。又如那乌那基尔氏族的图腾是一种灰颜色的、脖长身细叫"奥腾"的鸟；西拉那妹他氏族的图腾是鹰；乌巴亚基鲁氏族的图腾是天鹅；本氏族的人都尊敬它，不打、不恫吓，绝不可杀害，其他氏族杀害自己的图腾动物也表示不满。每个氏族都有氏族长和宗教巫师——萨满。

索伦鄂温克人的哈拉下的大家族组织——"毛哄"，是有着重要作用的血缘组织。每个"毛哄"都有自己的族长"毛哄达"和萨满巫师。同一"毛哄"的人都住在相邻的牧场或同一个村子里。

父权制"毛哄"家族公社，虽然以一夫一妻制的小家庭为财产占有单位，但它仍然起着一定的经济作用。它一方面是建立在公社共同占有土地、森林、猎场、牧场以及河流的公有制基础上；另一方面同时又是个体家庭占有牲畜和奴隶。"毛哄"家族公社的主要特点是公社生活和以私有财产为基础的家庭奴隶同时并存。

"毛哄"是同一父系祖先的子孙，从一个氏族中分化出来的十代以内的人们所构成的家族集团。一般多则十一二户，少则七八户居住在一个村落里。在许多方面"毛哄"是统一的社会经济整体。

（一）从经济上看，"毛哄"是鄂温克人进行集体狩猎生产的单位。一个或几个"毛哄"的人联合起来进行围猎活动。他们用弓箭、绳套为工具，骑马围猎。围猎的规模多则上百人，少则几十人，围猎分成许多小组，而各行猎组联合起来要选举一总的围猎首领"阿围达"，有组织地共同进行围猎，猎物实行平均分配制度，鄂温克语叫"尼玛达龙"。

同时，在畜牧业和农业的经营上也以原始互助关系为基础。依据"毛哄"的血缘关系，各小家庭联合起来共同耕种小块土地，收获物由"毛哄"各户平均分配。牲畜的放牧也是合群在一起，共同过夏营地放牧生活。

"毛哄"内除在生产上保持互相支援之外，近族之间也有代偿债务和抚养孤儿、老人的义务。

（二）从社会职能看，"毛哄"是一个完整的自治体，它还有着共同遵守的社会规范。同一"毛哄"或同一氏族的各"毛哄"之间，实行着严格的族外婚制度，同一"哈拉"或"毛哄"的人绝对禁止通婚。每个"毛哄"都有自己的"毛哄达"（族长）和"嘎申达"（村长）各一人，管理和领导"毛哄"事务。被选举为"毛哄达"的条件是，一般年龄在40岁以上，聪明能干的人，都可以当选为"毛哄达"。选举"毛哄达"，是在氏族所举行的"敖包会"上进行。"毛哄达"是维持习惯法的支柱，清朝发给每一族长一条黄带子。"毛哄"最高权力机构则由各户老年人组成的"毛哄达西楞"，即"毛哄会议"掌握，解决内部的重大问题。

在牧区，"毛哄"要在敖包会上开会，由老年人轮流主持。会议的开支与其他公共费用，由大家共同负担，牧民每户出一只羊，富户可多三四只羊。在敖包会上除研究解决族内事务外，还要举行赛马、摔跤等娱乐活动。会场上搭起几个帐篷，由老年人坐在其中。赛马、摔跤的奖品和其他费用都从各户所献羊中解决。由大家推举一人放牧"毛哄"公共事务费用的羊群，鄂温克语把它叫做"扎斯"。放牧者的报酬，从羊群中开支。每年敖包会上，他要向大家报告羊群的管理情况。

一般被开除"毛哄"的人，可以申请参加其他"毛哄"。如"毛哄"内有杀人者，有两种处理：严重者，"毛哄"的人举行会议，把凶手在河边处死；如果是误杀，则由"毛哄"决定，由犯罪人用两头好牛作为命价，由死者家庭享有。"毛哄"内男人死后，如无儿子，其财产由"毛哄"内的近亲继承。同一"毛哄"内有纠纷，绝对不外传，因为"头破破在帽子里"，"腿断断在裤子里"，都是族内问题。每个"毛哄"都必须有自己世代相传的萨满巫师，管理"毛哄"的宗教活动。老萨满死后，产生新的萨满。每逢年、节，特别是四月初三，是全"毛哄"举行盛大集会的日子，鄂温克语叫"奥米那楞"，萨满用皮绳将全"毛哄"的人围住，检查"毛哄"人口增减，并为全族祝福。每个"毛哄"都有自己的墓地。

清代，鄂温克人的每个氏族，都有清朝所封世袭章京（世袭佐领），一世袭章京的子孙及亲兄弟、过继的儿子都有权继承章京的世职。阿伦河地方发现两个世袭章京的家谱，一个是杜拉尔氏族的；另一个是涂克冬氏族的。杜拉尔世袭章京从第一代到最后一代共十三代，涂克冬世袭章京共十二代。

过去布特哈打牲部镶白旗只有五个世袭佐领，其余都是非世袭的章京。世袭佐领和一般佐领以及世袭三代的"云骑尉"（图西勒哈朋）和骁骑校（哈朋），在鄂温克人的氏族中都有特权，是财产较多的贵族。

世袭佐领被叫做"铁帽子"，是皇帝封的，想摘世袭佐领的帽子是不可能的。如一般佐领犯了严重错误，群众提出控告时可以罢免或给以处分，但世袭佐领无论怎样，都不能取消其官职和世袭权。佐领的命令任何人不得违抗，他有守官印的"歪楞（秘书）"，并有 4 个随从，轮流给他使用。佐领有个一米多长、二寸厚的大板子，有权处罚管辖内的氏族成员，说打就打。

这些氏族贵族，在婚姻和丧葬上与氏族一般成员都不相同。凡是贵族家的姑娘不嫁给一般的人，一定要嫁给其他氏族的佐领或骁骑校的儿子，或在职的佐领及骁骑校。贵族的儿子也不娶平民的姑娘，一定要娶贵族的女儿。贵族的丧葬也与一般人不同，凡是管内的氏族成员都得参加。特别是"铁帽子"佐领死，在院内用红布围起，摆一些金、银器，把功劳状排表在红布上，以示光荣。鄂温克人的氏族贵族都是为清朝立过功的人。清统治者有意识地在鄂温克族中间，豢养一批氏族上层，把鄂温克族原有的氏族组织加以军事化，并按每人对清朝的功绩和效忠程度授给"副都统"、"总管"、"副总管"、"佐领"、"骁骑校"等大小官职，给他们以高官厚禄以及各种封建特权，使他们成为清朝统治鄂温克人民的有力助手。清统治者通过他们的统治，一方面缓和了鄂温克人民的反抗，另一方面，使鄂温克军队在巩固清朝的统治中发挥了重要作用。

清初，鄂温克族社会发展正处于父系氏族社会末期向阶级社会过渡的状态。清朝的统治，通过八旗制，在政治、经济方面的影响，使鄂温克族的氏族制度加速解体，氏族贵族日益掌握了较多的社会财富，社会上贫富分化日益尖锐。氏族贵族依仗政治与经济优势，对人民进行各种封建剥削，虽然各种剥削常常是在宗法关系的掩盖下进行的。清统治者强加在鄂温克社会上的封建制度作为上层建筑，无疑对它的封建经济基础的形成和巩固起了重要作用，而鄂温克社会发展的本身给这种制度的深刻影响造成了可能。这样，清统治者把鄂温克族编入八旗后，使鄂温克社会加速向封建社会转化，进入宗法封建社会。

清代，鄂温克族编入八旗的男人在未成年时叫"西阿登"，到 18 岁后叫"哈嘎"，这时已经具备候补"披甲"的资格，再升一步就是"乌格亲"（披甲）了，享受半份俸禄。当时一个旗固定有 40 个"乌格亲"名额，"乌格亲"是由 18 岁至 50 岁的男人担任。例如在阿伦和革尼河流域的鄂温克人共有七个牛录。牛录是建立在鄂温克原有的氏族组织上。这七个牛录共有28个领催，每个牛录有两个大领催、两个小领催、14个"歪楞"（每牛录2个）、7个骁骑校、7个"章京（佐领）"，再加上参军的人多，13—15岁的人都可补得"披甲"的资格。但奴隶、孤儿、残废的人不能当披甲。

男人一定经过当"乌格亲"披甲之后才能参军或升官。当了披甲，每年可得24两银子，每年的二月和八月发，直到50岁为止。大领催是28两，小领催是24两，骁骑校每年36两，云骑尉每年38两。云骑尉是在战争中立过大功的荣誉官职，云骑尉只能世袭三代。佐领有病，由他代理佐领。佐领死后新佐领未接任前，由他代理一个月。边卡哨所一般由云骑尉带领各旗派出的"莫音"民兵把守边防。另外有一种"监生"叫"加西木西哈朋"，这是参军立过小功的人，比一般"哈朋"小一点，每年得24两银子。当然最大的是章京，每年得50两银子。

清末，文布奇村领取俸禄的情况：杜忠寿家有10口人。有两个"乌格亲"（披甲）共48两银子；另有一人为"云骑尉"（图西勒哈朋），每年收入38两银子，全家共收入86两。爱新道尔吉家共7口人，一个章京（佐领）每年收入50两；有一大领催收入28两，每年共收入78两。涂树德的爷爷家，哥儿俩，两户8口人，有一个云骑尉，每年收入38两银子。涂铁钢家三口人没有俸禄，他本人是秘书（歪楞），文布奇村是阿伦河流域清代鄂温克人较典型的村子。

清代，汉人不断从关内向东北移民，朝廷怕八旗人没有土地，便下令到18岁以上的"乌格亲"，每人给一方荒地（约45垧），章京90垧，哈朋60垧，领催60垧，秘书30垧。由布西派官员在原布特哈打牲部内给勘丈、划定地块，发执照，但土地多半都是生荒，开垦得很少。[①]

除上述家族公社的形式和内容外，在"毛哄"公社的基础上已产生了作为家庭内使用的奴隶，形成了家长奴隶制形态。鄂温克人把奴隶叫包勒，形成了"若干自由人和非自由人在家长的父权之下组成家族"。家族公社的主要特点，一是家族长的权威，二是把非自由人包括在家族公社之内。他们使用奴隶的来源，主要是参加战争时俘虏的小孩，如文献载"布特哈家奴，

---

① 内蒙古少数民族社会历史调查组：《鄂温克族调查材料之一》，1960年版，第10—13页。

其先系八旗官兵从征在外，带归子弟，蓄之为奴，历年既久，视为习惯。"①
清统治者根据鄂温克社会存在蓄奴的事实，也将许多免死的罪犯给鄂温克人
当奴隶。如史载"所谓黑龙江新披甲也，凡盗窃者免死多给为奴"，又有
"发往黑龙江为奴人犯，给该处兵丁为奴"，"应遣人犯择其情节——仍发黑
龙江，其家属愿随听之为奴"。在《清实录》中有不下几十处记载此事。可
见使用犯人为奴隶也是重要来源之一。另一个来源，便是鄂温克人的氏族买
进的奴隶，一个身强力壮的奴隶值一匹马或一个银元宝。

布特哈打牲部鄂温克人的奴隶数目，根据记载"仅在布特哈东路就有
四百七十六户奴隶，男女大小一千三百二十三名。西路的数目也不相上
下"。② 清统治者把鄂温克族编入八旗后，一方面把鄂温克人原有氏族改变
成为军事组织，即佐；另外豢养了一批氏族上层贵族，如总管、副总管、佐
领、骁骑校等。清统治者给了这些氏族上层以高官厚禄和各种特权，因而对
于氏族领袖贵族化起了相当大的作用。他们利用权势，有了公社的牲畜和土
地，因此，这些人，首先有了吸收一个或几个奴隶到家内的可能，并且已具
备运用这些劳动力的资料——牲畜和土地。

布特哈打牲部鄂温克人的家长奴隶制发展到清末光绪年间便成为它瓦解
的转折点。一方面奴隶的反抗斗争十分激烈；另一方面，清末新政时期，布
特哈打牲八旗的鄂温克社会也受到深刻的影响。清统治者曾先后颁发命令，
废除了布特哈地区的蓄奴制。这正如文献所载"布特哈家奴……署将军程
德任内授照光绪九年成案，前后饬放东路官兵家奴四百七十六户，男女大小
一千三百二十三名，发给执照济于齐民。仍每照收钱二串，为纸板之费，以
其盈余百余串资之学堂。改设行省后，世昌以值此预备立宪之时，蓄奴之制
既乖，国家子惠之意，复来列邦指责之讥，东路既有成案在前，西路亦应援
照办理。爰于光绪三十三年秋，疏请尽行释放，奉旨允行。至此，东、西布
特哈奴禁悉行革除。"③ 这一记载说明，布特哈打牲鄂温克人的家长奴隶制，
完全是在清末立宪运动的直接影响下，将奴隶释放，从而使清代一度在布特

---

① 《黑龙江志稿》卷26。
② 《黑龙江志稿》卷26。
③ 徐世昌：《东三省政略》卷8，宣统元年（1909年）排印本。

哈打牲鄂温克社会中存在的家长奴隶制最后瓦解。

八、文化习俗

鄂温克民族讲究礼节，有着本民族的礼仪和节日。

鄂温克民族长幼之间，恪守着严格的礼节，老年人普遍受到社会尊重，每当年轻人见到长辈的时候，总要施礼问安和敬烟等，如果是骑在马上还要下马问安。本民族中最通行的礼节是屈膝、侧身、拱手作揖。屋内（或蒙古包内）的座位、床铺，也都有长幼之分。

鄂温克族很好客，他们总是热情而诚恳地招待客人。他们认为客人来了是家里的喜事。在牧区对客人敬奶茶是最通行、最平常的礼节。额尔古纳左旗的鄂温克人，习惯上以鹿或麋鹿的胸口肉、脊骨肉、肥肠以及驯鹿奶等肉食招待客人。

鄂温克民族的节日很多，主要有敖包会、春节和"米阔勒"节。敖包会是鄂温克民族的盛大节日。在祭敖包时，要宰杀牛羊等作为祭品，目的是祈求风调雨顺四季平安的好年成。在敖包会上都要举行赛马、摔跤等娱乐活动。

春节，它包括腊月三十、正月初一至初三等数日。在这些日子里，男女老少都停止生产活动，尽情玩乐。除夕晚上，老人们要祝福下一代，像自己一样健康、长寿。大年初一，家与家、屯与屯之间，要互相拜年，而且举行盛大的歌舞、拔河等娱乐活动，直到深夜为止。

"米阔勒"节，是陈巴尔虎旗鄂温克人的盛大的丰收节日。这一天普遍举行给马烙印、剪鬃、去势、除坏牙、剪耳记号等生产活动，各屯之间互相访问和祝贺丰收，晚间还要举行盛大宴会。

此外，有些地区还有腊月二十三、正月十五、二月二、五月初五、清明、中秋等节日。在这些节日中，除了汉族和其他民族的影响，也又一次表明了鄂温克民族与周围民族，特别是与汉族在文化方面的关系。

鄂温克民族的婚姻主要是一夫一妻制，婚姻形态保留了氏族社会的若干残余——"氏族外婚制"与"姑舅表婚"。婚姻的缔结只能在氏族之间进行，同一氏族之内严禁通婚。以查巴奇的鄂温克人为例，那里有"杜拉尔"、"涂克冬"、"那哈他"三个大姓，各姓之间互相通婚，而每个姓内部传统上禁止结婚。其他地区也是如此。此外，鄂温克人也和外民族通婚。尤其与蒙古、鄂伦春、达斡尔等族通婚较多。鄂温克族与达斡尔族相互通婚的历史较长，也很普遍，有人是世代通婚，被称为"亲属民族"。居住在陈巴尔虎旗的少部分鄂温克人保留着"逃婚"的习俗。实际上这种逃婚制是一种特殊形式的"自由婚"。因为"逃婚"事实上是在女方同意下，男女双方约好后共同进行，只是事后再由媒人说合，正式举行婚礼罢了。

在清代，鄂温克族大部分人信仰萨满。由于生产力的低下，使他们在自然界中处于软弱无力的地位，经常因自然灾害而忍饥挨饿，并且不能解释自然界中所发生的一切现象。因而产生出万物有灵的观念。某些鄂温克人的宗教观念中，还保留有图腾崇拜的残余。如莫尔格河一带的鄂温克人中，当媒人求婚时，萨满都要问："是什么氏族？是什么嘎勒布勒（是根子、图腾的意思）？"他们的图腾一般以鸟类为最多，也有以兽类或者山城为图腾。每个氏族对自己的"嘎勒布勒"非常尊敬，绝对禁止杀害或损坏。

在额尔古纳旗的鄂温克人中，对于熊的凶猛有恐惧心理，因而在他们的意识中，对熊可能带有若干图腾崇拜的因素。他们猎到熊以后，将熊骨熊头等进行风葬，并且禁食熊身上的某些部分。

在鄂温克人生活中，处处都流露出对自然的崇拜，特别由于火曾在他们的生产、生活中具有重要意义，对火的崇拜也特别普遍。

鄂温克人多神的信仰，最集中的体现在萨满身上。额尔古纳旗鄂温克人的萨满不仅是氏族的巫师，而且在社会上有很高的威望，头人（酋长）一般都由萨满来担任，一切鬼、神、吉、凶和疾病的来源都由萨满解释。但没有职业萨满，跳神赶鬼也没有什么报酬，在已进入封建社会的萨满，虽然没有特殊的社会地位，但有时利用一部分人对他的信仰，掠取很多的财物。

此外，鄂温克人由于受周围民族的影响，也接受了外来的宗教。如牧区的鄂温克人同时也信仰藏传佛教，而居住在陈巴尔虎旗与额尔古纳旗的部分鄂温克人则受到了东正教的影响。

第四编

人　　物

博穆博果尔

　　博穆博果尔，生卒年不详，其部落居住于黑龙江上游乌苏里河湾，即乌鲁苏穆丹，是17世纪初三支鄂温克人中人数最多，也是最重要的一支。博穆博果尔是分布于黑龙江中、上游和外兴安岭以南地区的"索伦部"的首领。博穆博果尔重视发展部落经济，促进与周边民族的交往，从而使自己的部落走向了兴盛。女真人兴起后，博穆博果尔起初曾归降爱新国，但不久后却与之决裂。因此，清廷不得不派兵三次进剿，在博穆博果尔的带领下，鄂温克人进行了顽强的抵抗，清军直至崇德八年（1643年）方才艰难地将其征服。博穆博果尔可以说是鄂温克族历史上杰出的部落领袖。

（苏勇　撰稿）

扎木苏

　　扎木苏，生卒年不详，布特哈打牲部鄂温克人，是该部早期的首领。17世纪中叶由于沙俄的入侵，布特哈打牲部在清朝的扶植下进入大兴安岭、嫩江各支流居住。曾进京受封。他带领布特哈打牲部民众从事生产，并与邻近的达斡尔和鄂伦春人友好相处，为东北地区的稳定和发展作出了重要贡献。

（苏勇　撰稿）

乌木布尔代

　　乌木布尔代，生卒年不详。清代索伦部副都统。他是清军抗俄雅克萨之战中的战斗英雄。康熙二十五年（1686年），在第一次雅克萨之战中失败的沙俄军队乘虚重占了雅克萨，并作好了长期坚守的准备。第二次雅克萨之战爆发，率先获悉的乌木布尔代第一时间赶到，并与俄军交战，且机智勇敢，击毙斩杀俄军多人，他是鄂温克历史上抗击外族侵略的英雄。

（苏勇 撰稿）

喀土瑚

喀土瑚，生卒年不详，布特哈打牲部鄂温克人。康熙三十二年（1693年）出任黑龙江副都统。曾随康熙皇帝出征噶尔丹。17世纪后半叶，蒙古准噶尔部噶尔丹的势力逐渐强盛，欲与清朝分庭抗礼。清廷由于深知鄂温克人的能骑善射，因此特意从东北抽调索伦、达斡尔、满洲兵勇组成一支精锐部队，担当先锋，接受康熙皇帝的亲自检阅后奔赴沙场，而且在战役中奋勇杀敌、屡建奇功。

（苏勇 撰稿）

赛音察克

赛音察克，生卒年不详，布特哈打牲部鄂温克副总管。是一位关心牧民疾苦的清廉官员。由于清朝抽取高额的税赋和繁重的徭役，使鄂温克人民不聊生，赛音察克曾多次上书清廷减轻徭赋，但未果。在康熙五十七年（1718年），赛音察克觐见康熙皇帝之际大胆上陈鄂温克部民的艰辛，请求免除徭役和减少赋税。从而使鄂温克人的负担减轻了很多，其社会经济也有了很大的发展。

（苏勇 撰稿）

候尔台

候尔台，生卒年不详，布特哈总管事务和关防代理协领。雍正八年（1730年），黑龙江将军准备从布特哈等地选调精兵进驻呼伦贝尔驻防，候尔台协助清廷抽调兵勇，并将其编制八旗，并于雍正九年（1731年）实行了这项制度。

（苏勇 撰稿）

博尔本察

博尔本察，敖拉哈拉，鄂温克人，生卒年不详。博尔本察于清康熙年间从军，编入布特哈八旗正蓝旗（即由济沁阿巴编成）。雍正九年（1731年）任管理索伦兵丁侍卫。

雍正十年（1732年），根据黑龙江将军卓尔海的奏请，经雍正皇帝批准，博尔本察与达巴罕（一说蒙古族，在索伦部官兵未来之前，曾到呼伦贝尔勘察，其后裔今在陈巴尔虎旗）为总管，率索伦部3 000兵丁和携带11万余头（只）牲畜，由布特哈地区迁驻呼伦贝尔地区，并按满洲八旗制编为呼伦贝尔八旗（亦称索伦八旗）。博尔本察管理右翼四旗，又称索伦右翼总管，在喀尔喀河两岸游牧；达巴罕管理左翼四旗，又称索伦左翼总管，自修城处至俄国界游牧。清廷令二人"共同协商办事"；"总管关防，著博尔本察掌管"，并令博尔本察、达巴罕"教练兵丁骑射等战阵各技"。

雍正十年（1732年）十二月，由于"博尔本察、达巴罕并不和衷办事"，雍正皇帝命"护军统领博第前往"统领。次年四月，奉清廷之命，博尔本察随黑龙江将军卓尔海带领2 000名呼伦贝尔八旗兵丁赴喀尔喀境内的察罕叟尔军营，所余1 000名兵丁由博第、达巴罕统领，并"照管伊等游牧、妻子、产业等事宜"。

乾隆初年，博尔本察升为正黄旗都统。乾隆二十一年（1756年）十一月，受朝廷之命，博尔本察带领索伦部士兵前往巴里坤（今新疆维吾尔自治区巴里坤哈萨克自治县）驻守，并加恩授予内大臣。同年十二月，博尔本察再次受命带兵赴乌里雅苏台（今蒙古国境内），参加平定准噶尔部的军事行动。后赴京任内大臣。博尔本察后以卓越的战功图像紫光阁，在前五十名功臣中列第二十位。乾隆皇帝题词赞扬他："矍铄请行，索伦巨擘。挽五石弓，尚能杀贼。如鸷之击，不留飞鸟。马援来归，殊恩荣老。"将他比做汉朝伏波将军马援式的人物。

（苏勇　撰稿）

海兰察

海兰察（？—1793年），生于呼伦贝尔索伦左翼占其布佐的一个普通兵丁家中，地处今滨洲铁路顺河车站北、海拉尔河北的小山脚下，当时称霍勒特浩小村。

清乾隆二十年（1755年），海兰察以库特勒（意牵马手）应征入索伦部。乾隆二十二年（1757年）七月，海兰察射伤并生擒准噶尔辉特部头领巴雅尔，立下头功，乾隆皇帝赐其"额尔克巴图鲁"称号。乾隆二十三年（1758年）八月，随乾隆皇帝赴木兰围猎，射杀两只虎，解皇帝险境，而后连连提拔到头等侍卫，并给予骑都尉兼云骑尉世职，图像紫光阁。

乾隆三十二年（1767年），由于"缅匪越境骚扰边境"，海兰察以副都统衔率索伦骑兵出师虎距关（今云南陇川县西边界外），击退缅甸入侵之敌。第二年，又从万仞关（今云南省盈江县西北猛弄山上）出兵，击败敌兵，以"奋勇杀贼"授镶黄旗蒙古副都统。反击缅甸侵略战事胜利后，清廷转授海兰察镶白旗蒙古副都统，留任云南边防军中。

乾隆三十七年（1772年），小金川土司僧格桑拒命，清廷命海兰察率部自云南赴四川，参加由清军定边将军温福统率的征服小金川战事。同年七月，以"败贼策卜彤，进攻路顶宗，毁碉卡三百余"受到清廷嘉奖，擢升为正红旗蒙古都统。十二月，僧格桑败走大金川，小金川平定，海兰察率部进讨大金川，奉命参赞温福军事。

乾隆三十八年（1773年），清军在征剿大金川的战事中受挫，温福阵亡。清廷命阿桂为定西将军，丰绅额、明亮为副将，分路进军。海兰察带领8 000人，连续攻克大金川多处碉卡和山寨，并于乾隆三十九年（1774年）正月出奇兵"大败敌于罗博瓦山"。清廷以罗博瓦山大捷升海兰察为内大臣，改赐"绰尔和罗科巴图鲁"（杰出的英雄），并授予参赞大臣、御前侍卫行走。乾隆四十年（1775年）正月，海兰察率军自康萨尔进剿，连续攻克大金川多处据点，迫使大金川头目诺木索率大小头目2 000余人投降。至此，历时几年的征服大小金川战事结束。

乾隆四十一年（1776年），海兰察率部胜利归来，乾隆皇帝赐御用鞍、辔、马各一，爵一等超勇侯。同时，再次图像紫光阁，列前 50 功臣第八位，不久又授予领侍卫内大臣。

乾隆四十六年（1781 年），甘肃新旧教派回族相互仇杀，清廷命阿桂与海兰察率军前往平息，海兰察"以功最，授其长子安禄三等侍卫"。

乾隆四十九年（1784 年），甘肃新教再次起事，清廷仍以阿桂为将军，福康安、海兰察、伍岱并列参赞大臣前往。海兰察在破石峰堡战斗中生擒义军首领有功，清廷提升海兰察子安禄为二等侍卫，并授予海兰察骑都尉世职，由安禄承袭。

乾隆五十二年（1787 年），清廷命福康安为将军，海兰察为参赞大臣出征台湾。同年败义军于大里栈，次年正月俘义军首领林爽文。清廷嘉奖海兰察"身先士卒，勇略过人"，晋二等超勇公，赐红宝石顶，四团龙补褂，又因擒林爽文，乾隆皇帝赐紫缰、金黄瓣、珊瑚朝珠，第三次图像紫光阁，位次第五。

乾隆五十六年（1791 年），廓尔喀（今尼泊尔境内）人在英国殖民势力的支持下，勾结西藏大封建主势力，武装侵略后藏。同年，乾隆皇帝授福康安为将军，海兰察、奎林为参赞大臣，率军征讨廓尔喀。次年，廓尔喀降。因征廓尔喀有功，晋升海兰察为一等超勇公，第四次图像紫光阁，位次第六。

在归途中，海兰察拜见达赖喇嘛，接受达赖所赐衣杖。嘉庆七年（1802 年），在今鄂温克旗巴彦托海建广慧寺，祭祀达赖所赐衣杖。

《黑龙江志稿》称海兰察"性强直，而语言蕴藉多风致。其予兵事，盖不学而能，枕弓卧地，知敌强弱；验马矢，知敌远近。每临敌，敝衣布帽，绕贼阵后，察其瑕可乘，则纵兵或以数十骑闯入贼阵，左右射之，使乱而后整队攻之"。

乾隆五十八年（1793 年）二月，清乾隆帝又谕："向来武臣，无乘轿之例，海兰察在军前效力多年，腿有宿疾，著格外施恩，赏令乘轿。"三月，海兰察由藏回京数月后在家病故，乾隆皇帝打破病故不入昭宗祠之例，"念伊军营效力多年，身曾受伤，加恩著入祀昭宗祠，以示朕轸恤军营效力大臣之意"。五月，赐海兰察"武壮"谥号。

（苏勇　撰稿）

穆图善

穆图善（？—1886年），字春言，黑龙江齐齐哈尔镶黄旗鄂温克人。咸丰三年（1853年）为骁骑校，随僧格林沁在京城驻防。咸丰中，从征直隶、山东、山西、河南、安徽，赐号"西林巴图鲁"。同治元年（1862年），先从多隆阿军入陕征回，后代署钦差大臣，与太平军、捻军、回民军交战于陕西、湖北、甘肃、宁夏、青海，兼施招抚。历任西安右翼副都统，荆州、宁夏将军，署陕甘总督。同治七年（1868年）罢官。光绪中再起，署正白旗汉军都统，捕治吉林"马贼"。中法战争时，任福州将军，参左宗棠军事，击败法军于长门。光绪十一年（1885年），再充钦差大臣，会办东三省练兵事务。由于操劳过度，次年病逝。

（苏勇　撰稿）

贵　福

贵福（1873—1938年），出生于呼伦贝尔索伦左翼镶黄旗鄂温克普通牧民家庭。他自幼聪明过人，曾任呼伦贝尔副都统衙门笔帖式。光绪二十七年（1901年），清朝办学风气传至呼伦贝尔，当地开明人士出资创办了一所学校，贵福讲授满语课程，后经他提议增加了汉语课程。后来他创造了鄂温克文，并用此文字创作过许多诗歌，但未能流传下来。1938年病逝于家中。

（苏勇　撰稿）

朱尔锵格

朱尔锵格，鄂伦春人，世居精奇里江，康熙二十二年（1683年），俄人掠其牧，朱尔锵格拘之，杀五人获其鸟枪驰报。

（苏勇　撰稿）

巴西萨

巴西萨，索伦布拉穆氏，隶正红旗，世袭三等轻车都尉，乾隆三十八年（1773年），以佐领从征金川。

（苏勇 撰稿）

阿穆勒塔

阿穆勒塔，摩凌阿鄂伦春人，从征台湾、廓尔喀皆有功，赐珍物予世职，官至总管，加副都统衔。

（苏勇 撰稿）

塔勒玛善

塔勒玛善，由拜唐阿累遣副都统，雍正九年（1731年），击噶尔丹策零统归化城兵千人驻北路，授北路参赞大臣，寻以年老回京，任军统领，乾隆二十五年（1760年）卒。

（苏勇 撰稿）

由 屯

由屯（？—1766年），达斡尔族，生于清雍正年间，布特哈正黄旗宜卧奇屯人，力大过人，善用强弓大箭，常射鹿，穿其胸，箭钉大树上，鹿挣逃而箭牢牢不动。乾隆初年任佐领。乾隆十年（1745年）随皇上在木兰围猎，于圣驾车前一箭射死猛虎，乾隆叹曰："箭与锸耳，吕布善射，未必能尔。"

乾隆二十年（1755年），从征新疆准噶尔部阿睦尔撒纳军。乾隆二十二年（1757年）秋七月，擒叛将尼玛（原清内大臣）于哈什河阿尔察图山口，次年三月擒鄂哲特（原清散秩大臣）于特克斯河（在今伊犁河南），大获全胜。后又参加平定大、小和卓的战斗。由屯从将军兆惠征讨霍集占于库车，后清兵败于叶尔羌，在叶城东被敌围困 4 个月，当时清军仅 2 000 余人，赖由屯、温布死战得以坚持到援兵抵达，内外夹攻，大败敌军，遂收复天山以南四城，回疆平定。由屯因战功卓著，赏"克特尔克巴图鲁"勇号，擢一等轻车都尉兼云骑尉世职，图像紫光阁，列 50 功臣之 37 位。御制赞曰："本射生手，狼不暇走。以杀之杀贼，如囊取物。奇功屡建，亦因阅历。在职崇阶，酬其劳勋。"由屯后历任齐齐哈尔副都统、正白旗蒙古副都统。

乾隆二十九年（1764 年）转任呼伦贝尔左翼总管（副都统衔）。转任之际，乾隆皇帝特传谕旨："昨将由屯以副都统职衔调补呼伦贝尔总管。呼伦贝尔地方毗连俄罗斯，甚有关系。必得汉仗好、谙悉事务之人，方于地方有益，因瑚尔起不及由屯，始将伊调补，并非因由屯不胜副都统之任调补总管也。况齐齐哈尔副都统不过随将军办事；呼伦贝尔总管，一切事务俱系一人来办，较副都统更为紧要。著传谕由屯，加意奋勉。俄罗斯现在安静，若伊等有越境滋事等情，由屯认真办理，毋事姑息。"

乾隆三十一年（1766 年）七月由屯病故，乾隆皇帝下谕："由屯前在军前，甚属奋勉，兹已溘逝，深堪悯恻，故加恩赏银二百两。"

（苏勇　撰稿）

奇　三

奇三，生卒年不详，达斡尔族，郭博勒哈拉。布特哈倭郁台屯（今黑龙江省讷河市龙河镇勇胜村龙东屯）人。清乾隆末年任布特哈总管衙门副总管。

乾隆五十九年（1794 年）五月，黑龙江将军、副都统及其衙门官员在齐齐哈尔"楚勒罕"集会上收缴布特哈牲丁所纳"贡貂"时，采取压等、强购等办法，勒索貂皮，并殴打贡貂牲丁，引起布特哈民众义愤。副总管奇三与佐领孟库图林嘎（布特哈空果尔金屯人）开列将军、副都统等凭借权势欺压牲丁、勒索貂皮、贪赃枉法等八条罪状，写好奏折，经总管舍尔图同意，于乾隆六十年（1795 年）越级私潜热河围场。临行之前，孟库图林嘎跪于孀居的老母亲前，诉说此行吉凶未卜，不能服侍老母，请母亲保重身体。其母洒泪说，你为救族众赴汤火，即使死亦不辱父名，我有何恨！儿要放心前去。奇三亦与兄弟、妻儿洒泪而别。

八月，奇三与孟库图林嘎在乾隆自避暑山庄起驾路经处拦驾递状。乾隆派兵部大臣福绥等前往黑龙江调查审理。经查，所告大部属实。十月，乾隆作出裁决：前任将军都尔嘉、明亮革职，将军舒亮降薪留职，齐齐哈尔副都统安庆监禁，协领那音太论绞，协领叔通嘎革职、鞭80、枷2个月。奇三等因冲闯皇帝仪仗、越级上告等罪，总管舍尔图革职，流放新疆伊犁；奇三、孟库图林嘎革职，发配新疆伊犁充苦役。奇三后在发配期间死于木尔色大岭。同年十一月，清廷下令对布特哈地方管理等事宜进行重大改革。

奇三不畏权势，冒死为民请命，深为各族群众所敬仰，被誉为"达斡尔人之巨擘"。

（苏勇　撰稿）

色尔衮

色尔衮（？—1833年），达斡尔族，莫日登哈拉，布特哈正黄旗大莫丁屯人（今莫力达瓦达斡尔族自治旗博荣乡大莫丁村），世袭佐领。清乾隆末年随猎木兰围场，因校射优秀赏花翎。乾隆五十六年（1791年），从征廓尔喀，收复济咙，以战功赏"强谦巴图鲁"勇号。嘉庆二年（1797年），从征陕西、四川、湖北，镇压白莲教起义，以军功擢总管加副都统衔。嘉庆九年（1804年），再以在楚、陕地立军功授阿勒楚喀副都统。嘉庆十一年（1806年），任伊犁领队大臣，后调镶蓝旗蒙古副都统。嘉庆十五年（1810年）改任伯都讷副都统，寻调阿勒楚喀副都统。嘉庆十八年（1813年）从征河南、山东，以战功加都统衔，予云骑尉世职。嘉庆二十四年（1819年）调黑龙江副都统，后以都统衔任呼伦贝尔办事大臣。

道光七年（1827年），以年老上书朝廷，要求回家乡休养，清廷批准了他的请求，并给予全俸。道光十三年（1833年）病逝，谥号"勇壮"，赐"建威将军"，今在其家乡大莫丁村有其墓碑。

（苏勇　撰稿）

恒　龄

恒龄（1822—1865 年），达斡尔族，郭布勒哈拉，索伦左翼镶黄旗（今鄂温克旗巴彦托海镇）人。

道光二十五年（1845 年）十二月，23 岁的恒龄被任命为骁骑校。咸丰八年（1858 年）十月被任命为佐领。次年，以佐领身份跟随提督傅振邦参加围剿捻军。由于在夏邑、李家洼作战勇敢，恒龄被称为勇常将军，提升为协领。以后，恒龄跟随僧格林沁围剿捻军，被委任为营总。由于他带领的骑兵部队骁健勇猛，作战勇敢，成为僧格林沁骑兵中的一支劲旅。咸丰十一年（1861 年），在东昌、青州、沂州的几次围剿战中，恒龄军功卓越，由僧格林沁保奏朝廷，授"达春巴图鲁"称号，并赐黄马褂。同治元年（1862年），恒龄在围剿捻军中，同陈国瑞率部围歼 5 000 余人而晋副都统。同治二年（1863 年），恒龄再以防堵捻军有功擢署直隶提督。他转战湘、滇、鲁、鄂、豫、皖各省，亲临战场 70 余次，以机智勇猛、能攻善战和善于出奇制胜而深得清廷赏识。同治三年（1864 年），恒龄率兵到河南、湖北围剿捻军各部，以战功由镶黄旗汉军副都统补为正黄旗护军统领。

同治四年（1865 年）正月，恒龄率部在山东鲁山作战，中捻军埋伏。在突围中受伤，死于阵前。恒龄死后，其生平战功宣付史馆，在原籍入昭宗祠。同时，按照都统成例，赏给恤金，加恩袭骑都尉、云骑尉各一，世代承袭。

（苏勇　撰稿）

索布多尔扎布

索布多尔扎布（？—1882 年），达斡尔族，莫尔登哈拉，西布特哈正黄旗大莫丁屯人（今莫力达瓦达斡尔族自治旗博荣乡大莫丁村），为呼伦贝尔办事大臣、建威将军色尔衮之孙。

咸丰三年（1853 年）从征，参加镇压太平军的战斗。咸丰十年（1860年），率黑龙江骑兵千余入戍山海关，以防英法联军，后赴热河护驾。咸丰十一年（1861年），因失察俄人越境刈草而革职，以骁骑校职留京补新军，后迁三等侍卫。同治二年（1863年），在镇压太平军的荸城战斗中勇夺大炮数尊，斩太平军统制陆聿新，以功擢正蓝旗汉军副都统，赐紫禁城骑马。同治七年（1868年），参加镇压捻军战斗。同治十三年（1874年），皇帝亲阅马射演习时因中的多而赏黄马褂，后擢呼伦贝尔副都统衔总管。光绪八年（1882年）卒，朝廷赐治丧银500两。其子希隆阿历任御前侍卫、镶白旗满洲副都统、正红旗汉军副都统。

（苏勇 撰稿）

敖拉·昌兴

敖拉·昌兴（1809—1885年），又名阿拉布登，字芝田，达斡尔族，敖拉哈拉，生于嘉庆十四年（1809年），索伦左翼正白旗登特科屯（今内蒙古鄂温克旗巴彦托海镇）人。他精通满、蒙、汉、藏等多种文字，浏览过包括《三国演义》、《红楼梦》等在内的诸多汉文经典文学作品，是清末呼伦贝尔地区和达斡尔族的著名文人。

敖拉·昌兴的先祖范察布，系雍正十年（1732年）奉朝廷之命，由西布特哈地区登特科屯（今属莫旗境内）随索伦部迁居呼伦贝尔。3年期满，因职务关系（笔帖式）未能返回故里，遂将家属迁居此处，不久升任索伦左翼镶白旗第一佐佐领。因此范察布也成为海拉尔地区达斡尔族敖拉哈拉的祖先。敖拉·昌兴系其第四代孙，自幼聪明伶俐，才智过人。15岁时，父亲升任佐领（章京），随父赴京城叩拜皇帝。一路上，敖拉·昌兴将经过的村屯、城镇、山河、田野描绘出简略的地图，将所见到的人物、名胜、古迹用散文诗的形式记述下来，这就是他的处女作《京路记》，由此开阔了他的视野，增长了社会知识。

道光十二年（1832年），敖拉·昌兴同笔帖式依灵阿二人一道被乡亲们推举为嘎辛达，并执笔撰写了《壬辰年间乡村长老共议村事纪要》。他们担任嘎辛达后，恪守长老们的决议，整顿村屯秩序，公平合理地解决了村屯内的一些纠纷。

同治年间，敖拉·昌兴任索伦左翼镶黄旗第一佐佐领。他授意其弟松恒在每年春夏秋季节，腾出自家门房办私塾，召集郭、敖两姓达斡尔族子弟20多人，教授汉、满两种文字。这也是海拉尔一带较早的私塾。

敖拉·昌兴还关注牧民的身心健康。在当时缺医少药的情况下，同喇嘛医探查索岳尔济山，在哈拉哈河南岸的山坡下发现32个泉眼。他们一眼一眼地品尝，浸手试探水温。回到海拉尔后，敖拉·昌兴向呼伦贝尔副都统衙门详尽呈报并建议开发哈伦阿尔善，得到副都统的批准。衙门拨给专款，并委派敖拉·昌兴于第二年召集有关人员前往阿尔善，在每个大小不同的泉眼上修造木池，又在每个泉眼上用蒙、汉、满文注明泉名和效能。以后，由于年久失修，敖拉·昌兴又于咸丰三年（1853年）建议重修阿尔善。在管辖阿尔善的新左旗官佐和喇嘛、富牧的支持下，筹集巨额捐款和牲畜，并从西藏请来活佛和藏医以及各地有名的喇嘛，再次探查哈伦阿尔善，重新鉴别每个泉眼的成分、作用和效能。经过努力，用采掘的石头砌了32个大小石池，每个石池前边都竖立刻有泉名、效能的石标，注有浴治、饮治、点治三种疗法和治疗过程中的注意事项。哈伦阿尔善的探查和重修，对牧区人民的身心健康起到了积极的作用。

自康熙二十八年（1689年）缔结《中俄尼布楚条约》之后，清廷于次年开始实施每年一度的巡察边境制度。咸丰元年（1851年），清廷要求黑龙江将军派得力官员，巡查边境地区，敖拉·昌兴以精明练达而被选中。临行前，他查阅了许多巡边报告和有关资料，以掌握边情。同年5月，敖拉·昌兴告别家人和亲朋，与黑龙江城协领崇安、佐领富明阿率官兵起程开始第162次巡边。一路上，敖拉·昌兴以高度的责任感细心察看边界标志，观察祖国边疆的大好河山，甚至对各地的风土人情也不放过。他将一路上的观察和所见所闻以满文字母拼写的达斡尔语和本民族的民间文学形式"舞春"，即诗的形式记录下来，即今人所见用满文书写的达斡尔语《巡边记》。全诗表现了他对祖国美好山河的讴歌赞颂，表达了敖拉·昌兴热爱祖国北部壮丽多姿山河的深厚思想感情，亦为后人了解清代巡边的情况提供了难得的第一手资料。《巡边记》是他留给后人内容最丰富、篇幅最长的诗作，也是宝贵的文学遗产和精神财富。

晚年，敖拉·昌兴曾向清廷提出过不少合理化建议，但他的建议不但不被采纳，反而遭到一些人的打击，引起他的极大不满。他公开宣扬一些不满情绪，并因此入狱。出狱后，他隐居在海拉尔河畔陈巴尔虎山巴嘎绰格地方的密林中，不问政事，专门写作，赋诗吟歌，著有《田舍记》、《依仁堂记》、《官便漫游记》等诗集，散文有《胡吉尔诺尔敖包记》、《阿尔山碑文集》、《海兰察将军碑文集》等。遗憾的是，庚子年间的战乱焚毁了其大部分作品，今人看到的仅是以上几十篇而已。《黑龙江志稿》称其"用达呼尔俗语编著诗歌，一时人争传诵之"。光绪十一年（1885 年），敖拉·昌兴病故在他的寓所，终年76 岁。

（苏勇　撰稿）

花灵阿

花灵阿，达斡尔族，莫日登哈拉，今内蒙古莫力达瓦达斡尔族自治旗尼尔基屯人。道光年间曾任笔帖式、骁骑校、正黄旗佐领。

花灵阿博学，对达斡尔族、布特哈地区历史有较深研究。道光二十七年（1847 年）写成《达呼尔索伦源流考》一书，书中对达斡尔族的族源、历史变迁、生产、文化、习俗和布特哈地区的建置演变等进行了较深入的探讨，反映了布特哈地区达斡尔族人民艰难的生产、生活情况，是研究布特哈地区早期政治、经济状况的宝贵资料。本书也是莫旗地区最早的一部具有地方志特点的史志著作，也是清代达斡尔人研究本民族历史的第一部著述。

花灵阿是达斡尔族契丹说较早的代表人物和研究本民族历史的创始人，其观点对以后研究达斡尔族的历史影响较大。

（苏勇　撰稿）

业普铿

业普铿，一称业普春，生卒年不详，达斡尔族，德都勒哈拉，东布特哈正白旗德都拉屯（今属莫力达瓦达斡尔族自治旗境内）人。咸丰四年（1854 年）以佐领从军，跟随僧格林沁赴河南防堵和镇压太平军，因军功赏顶戴花翎，荐保协领。后因事被夺去官职。同治六年（1867 年），赴赣榆（现在江苏省）与东捻军作战，以军功恢复原职。

光绪二十年（1894 年），黑龙江将军上奏清廷，将布特哈副都统衔总管改为副都统实职。业普铿即为布特哈首任副都统。

（苏勇 撰稿）

永 德

永德（？—1901 年），达斡尔族郭博勒哈拉人，原籍黑龙江省布特哈拉地区莽乃屯，隶布特哈拉正白旗。永德曾以"勇敢、精明"受到乌里雅苏台将军的重用，光绪六年（1880 年）授察哈尔副都统。光绪十七年（1891 年）任乌里雅苏台定边左副将军。光绪二十年（1894 年）十二月，任绥远城将军。

光绪年间，清朝政府内忧外患，陷入严重的政治、经济危机。永德就任绥远城将军以后，首先是清除境内的匪霸。在得到朝廷的许可后，多次派兵进剿活动于大青山一带的骑匪，对猖獗的土匪起到威慑作用。鉴于沙俄帝国对中国北部边疆的觊觎，永德将军奉朝廷的旨意，加紧训练兵丁，整饬军务。同时派出 6 队骑兵，到北部边界巡查，侦探俄军的动向。他还饬令所辖各厅及各旗官员"严防出探，随时飞报"，做好随时抗击俄军入侵的准备。永德将军的这一举措，得到朝廷的赞许。

光绪二十六年（1900 年），以反对帝国主义侵略为宗旨的义和团运动迅速波及内蒙古西部地区，永德将军对这一运动采取默许、支持的态度。当时，天主教等西方宗教在这一地区发展较为迅速，一些教民仰仗教会势力，巧取豪夺，欺压当地居民。六月，萨拉齐厅所辖的二十四顷地天主教堂的教民石险生、任喜财等人，因土地纠纷杀死属托克托厅麻地壕村高占年等 9 人后藏匿该教堂。而法国传教士韩默理等不仅藏匿凶手，还纠集近千名教民滋事。绥远城将军永德派军会同义和团前去缉拿凶犯，教民武装抢先施放洋炮冲杀。经过双方激战，官兵与义和团烧毁教堂，打死 900 多名武装教民，将传教士韩默理及凶犯就地正法。

六月，英国绘图官周尼斯途经归化城，被归绥道郑文钦杀死，这就是当时影响较大的"周尼斯事件"。

七月，许多教民纠集于属归化城厅的铁圪旦沟和乌尔图沟两处教堂。永德将军怕他们"聚众日久，恐生事变"，派归绥道郑文钦、归化城同知郭之枢等带领驻防旗兵，会同义和团，前往铁圪旦沟和乌尔图沟两处教堂，劝抚教民"散归安业"，但遭到教民的枪炮冲杀。清军与义和团迅速还击，攻陷并烧毁教堂，杀死洋教士。

八国联军侵入北京后，清廷迫于列强的压力，对义和团采取了镇压措施，并向帝国主义妥协投降。八国列强逼迫清政府惩办清除洋教得力的官员。英国政府更是对"周尼斯事件"揪住不放，认为绥远城将军永德是"祸首"，要求对其严惩。清政府据"各国请严惩外省各员清单内称：永德于该处凶惨各事，多系主谋，有天主教士四名，被其兵丁伙同杀害，罪应革职，永远监禁，"于光绪二十七年（1901年）决定"永德先行革职，听候查办"。同年，永德病故。

（苏勇　撰稿）

多隆阿

多隆阿（1818—1864年），字礼堂，巴尔虎呼尔拉特氏，隶齐齐哈尔正白旗，是清代一位著名的蒙古族将领。多隆阿的父亲名叫金格里，任佐领时因从征青海有功，曾被加任副都统衔。

多隆阿自幼就显出一股英毅气，颇有胆略。咸丰三年（1853年）多隆阿已35岁了，他以骁骑校的身份随军出征。起初，他跟随清代最著名的蒙古贵族将领僧格林沁，赴内地镇压太平军，连克连镇、高唐、冯家屯等地，被赏蓝翎，任递补佐领。咸丰五年（1855年），调湖北在江宁将军都兴阿属下任营总。咸丰六年（1856年），在新州的战斗中他率骑兵抢先渡河，经三次冲锋捣毁太平军所筑木城土垒。因其以勇猛称著军中，论功行赏时给他加任副都统衔。攻下汉阳后，又给他补任协领，担任行营翼长。咸丰七年（1857年），陈玉成带领10万多人进攻湖北，多隆阿在前驿列阵等待。陈玉成派精壮士兵埋伏在芦苇丛中，却被多隆阿的骑兵搜索时发现，多隆阿的骑兵斩杀伏兵700多人。在多隆阿亲自率兵攻渡河桥时，数万太平军隔河喊叫。多隆阿说："彼嚣甚，无战心"，大呼过河，率兵杀过河去，捣毁据点24个。在攻黄蜡山时，又捣毁据点48个，被晋升为副都统。咸丰九年

（1859 年），都兴阿因病请假，多隆阿接任统率诸军，带领马步军 5 000 人前去迎太平军。12 月，陈玉成号称率 10 万人，来援太湖太平军，踞守潜山、太湖之太平军也有数万人。咸丰十年（1860 年）正月，太平军援军乘雾移屯，靠近太湖。多隆阿料其将要突围，第二天兵分三路，以骑兵为先导突入太平军阵，并乘势放火焚烧太平军营。当时东南风急，太平军营被烧数百座。当天夜里，迫使踞守太湖的太平军逃走。第二天，盘踞在潜山的太平军也逃走了。清帝闻此大捷，赏多隆阿头品顶戴。后来，多隆阿又率军追击 400 多里，收复了广济、黄梅、薛胥等地。论功行赏时，多隆阿被赏任云骑尉世职，任正红旗蒙古都统，后改任荆州将军。多隆阿在江南多次战胜陈玉成，使多隆阿之名威震江南。同治元年（1862 年）之后，多隆阿奉命督办陕西军务。多隆阿在陕期间，赢得了武关大捷。"多隆阿武关之战，陕人士诧之为奇捷。"多隆阿在陕期间，在与陈玉成的挂车河之战中，多隆阿俘太平军 1 300 人，捣毁太平军垒 140 个，被赏黄马褂。多隆阿因意气高亢、疾恶如仇，曾为同时代的官吏们所猜忌。有一些人乘机制造流言诋毁多隆阿。陕甘总督熙麟曾密奏，诋毁"多隆阿目不识丁，易为群小愚，请朝廷垂意。"同治三年（1864 年），蓝朝柱自四川流窜至陕西，攻陷了周至等地。多隆阿在指挥作战中"躬视城中，中枪伤右目"。朝廷闻其在战斗中受伤，赐给他好药，并诏其子双全赶赴陕西侍候。四月，因伤口破裂，故于周至军中，享年 47 岁。清廷赏治丧银千两，赠太子太保，给一等轻车都尉世职，赐谥号"忠勇"。

多隆阿廉洁奉公不谋私利，还是一个有名的清官。有关史籍记载其临终云："不使家有长物，身有余财。"故陕西很多县为他立碑建祠，表彰他的功绩。

（苏勇 撰稿）

车 楞

车楞，又作车仁、彻嫩、策仁，新巴尔虎人，生卒年不详，曾为新巴尔虎右翼首任总管。巴尔虎部久居喀尔喀，因与喀尔喀统治者不和，曾于清雍正九年（1731 年）发生集体越境逃亡俄国的事件。由于中俄两国已订有国界条约，这部分巴尔虎人被遣送回来后，其首领黑力太被清廷处死，其他人仍在喀尔喀的管理之下。两年以后，从属喀尔喀车臣汗部贝子扬其布道尔吉旗下的巴尔虎人，在章京车楞和都古尔的带领下，前往额尔德尼召军营（今蒙古国境内）服役。行前扬其布道尔吉不但拒不接见车楞和都古尔一行，反而对他们加以辱骂，引起巴尔虎部众的极大愤恨。在到达军营以后，由车楞和都古尔出面，以巴尔虎各姓氏的名义，向清廷提出入籍的要求。出于加强边防和稳定巴尔虎部众的需要，清廷准许其迁入呼伦贝尔境内。雍正十二年（1734 年）七月，车楞和都古尔带领 2 984 名巴尔虎兵丁及家属迁入呼伦贝尔。清廷于同年九月批准管理喀尔喀车臣汗部大臣扎格丹的奏请：按索伦兵制，从 2 984 人中选用 2 400 人为披甲，余者照料家庭和放养牲畜；2 400 名披甲分为左右两翼八旗 40 佐，左翼为镶黄、正白、镶白、正蓝四旗，右翼为正黄、正红、镶蓝、镶红四旗。清廷还同意在左右两翼中各设总管 1 员，每旗设副总管 1 员；每旗设 5 佐，各佐设佐领 1 员、骁骑校 1 员。同时规定，佐领、骁骑校以上职官均须进京引见委任，职官发半俸、披甲月发饷银 1 两。在分旗设佐以后，清廷当时任命车楞为右翼总管，都古尔为左翼总管。车楞作为新巴尔虎右翼首任总管，从雍正十二年至乾隆十八年（1734—1753 年），他无论是在策划带领巴尔虎部众脱离喀尔喀的管辖而迁入呼伦贝尔，还是在迁入呼伦贝尔后带领所属部众驻守卡伦、巡边服役和游牧生活等方面，都充分显示出了极大的智慧和才干，为维护边疆的安宁作出了应有的贡献。

（常海　撰稿）

都嘎尔

都嘎尔（1822—1889 年），在清代的各种史料中又称杜嘎尔，属新巴尔虎哈拉斌氏。生于新巴尔虎左翼正蓝旗（今新巴尔虎左旗乌布尔宝力格苏木）。都嘎尔曾任乌里雅苏台将军 13 年，成为晚清著名的巴尔虎将军。都嘎尔从军的清朝晚期，是一个外患内乱、危机四伏的年代，外强的进逼、边疆的动乱和内地农民的起义等都直接威胁着大清的统治，这时被清王朝倚为干城的蒙古骑兵的表现就格外引人注目。咸丰二年（1852 年），从呼伦贝尔草原走出的都嘎尔参加了黑龙江马队，以领催的身份奉命到内地围剿农民起义，后以军功升为黑龙江骑兵总管，获"莽赉巴图鲁"称号。咸丰七年（1857年），扬州大捷后，都嘎尔升为记名副都统。同治元年（1862年）以后，又以军功获头品顶戴。同治三年（1864年），随清军主帅都兴阿入甘肃进剿回民起义军，在渡过黄河后，以"五战皆捷，收宝丰，解平罗围，进规宁夏"而获清廷赏赐白玉四喜扳指、白玉翎管和马褂绸料，并调任宁夏副都统。宁夏事平后，清廷又因"奉天马贼炽"，调都嘎尔为盛京副都统。同治六年（1867年），又调任察哈尔副都统。同治九年（1870年），由于"贼匪屯踞博克多山、推河口、额尔德尼召一带，欲犯乌里雅苏台（今蒙古国境内）等处，台路梗阻，情形万急。"都嘎尔奉命驰援，在采取一系列军事行动和措施后，使上述地区获得稳定，驿站变为畅通。光绪二年（1876年），清廷调都嘎尔为乌里雅苏台参赞大臣。光绪六年（1880年），迁任为乌里雅苏台将军。为今外蒙古地区最高军事长官。光绪十五年（1889年）都嘎尔于任内病故，终年67岁。都嘎尔一生转战直隶、山东、安徽、湖北、江西、陕西、甘肃、宁夏和喀尔喀等诸地，经历大小战阵215次。都嘎尔病故后，清廷以其"老成持重，带队剿贼，迭奏肤功，在将军任内整饬戒行，尤严纪律"，赏赐治丧银千两，谥号"武靖"，生平战绩宣付史馆，并交由呼伦贝尔城于昭忠祠立位供之；其长子呼伦贝尔副总管乌尔图那顺留京，赏大门行走，任头等侍卫。

都嘎尔从军几十年，不懂汉文，其奏折等均是用满文书写的。墓前有光绪十五年（1889年）立的墓碑，除碑上方刻有"皇恩"二字为汉字外，其余均为满文。碑文汉译如下："奉大清国之命守边左护卫将军都公墓碑文，呜呼！浩渺无际的海洋空气多么新颖，壮丽的河山景色多么宜人。镇南左护卫将军'莽赉巴图鲁'都公，威名远扬，光照大地，永垂青史。将军奉命率领两路铁骑，战杭爱，过淮河、黄河，横扫敌人势如卷席。尤为在华北山、胡吉县危难的时刻，将军只带一千骑兵英勇善战，打败强敌，终于平定叛乱，使之化险为夷。镇压叛军，平定边境，坐镇守边，担任要职，作为大清国屏障有力地维护了皇朝统治。念将军功勋卓著，皇帝下令分外赏赐。将军屡任要职，数建奇功，像秋风扫落叶般消灭敌寇，使四方百姓迎风归顺。从此之后百姓歌颂皇恩，安居乐业，休养生息，边境得到了安宁。将军功成名就不幸逝去后，皇帝念将军昔日所建功勋，下令大加赞扬，拨白银一千两修造坟墓厚葬之。为了宣扬将军所建丰功伟绩，世代相传，服示后人，特将将军平生战绩宣付史馆并格外恩赐予抚恤其后人。"[1]

都嘎尔是自清代以来，出生于呼伦贝尔的巴尔虎人中官职最高者。巴尔虎人以他为骄傲，非常崇敬和怀念都嘎尔将军。在一首名为《都嘎尔》的民歌中这样唱道："乳黄色的骏马，敬给北方的都统；北方都统赐予的，是镶金的宝马。神奇的黄骠马，敬给我们的汗父；汗父赐予的，是凤凰的花翎。娇养的黄骠马，敬给额真阿爸；额真阿爸赐予的，是珍贵的珊瑚顶珠。毛色漂亮的花走马，外邦的强盗没有偷走；生来剽悍的都嘎尔，溃逃的敌人不是他的对手。可爱的花走马，他乡的强盗没劫走；生来强悍的都嘎尔，力大的敌人不是他的对手。"[2] 从同治五年（1866年）都嘎尔由宁夏副都统调任正蓝旗蒙古副都统，再到都嘎尔于乌里雅苏台将军任内病故，其间共25年。据查《清实录》中都嘎尔的奏折、皇帝的谕旨及他人的题本、条陈中提到都嘎尔之处有120多条，数字惊人之多。由此可见，都嘎尔在晚清成为一个人们非常关注的人物，其主要原因是他在维护国家统一，保卫边疆，弹压地方等方面发挥了重要作用。

（常海　撰稿）

常星阿

常星阿（？—1889年），巴尔虎胡佳氏，隶齐齐哈尔镶蓝旗。咸丰三年（1853年），常星阿以披甲的身份随军出征。咸丰六年（1856年），常星阿随多隆阿进军湖北，在新州大破敌阵。特别值得一提的是他在进攻九江枫树坳时，不顾自身负伤奋勇作战，最后捣毁了敌人的据点。在收复太湖和大战挂车河后，他被赏赐花翎任协领，补任呼兰镶蓝旗佐领，在军中充任营总。

---

① 此碑文正本原为满文，2003年4月依据新巴尔虎左旗乌布尔宝力格苏木巴尔虎老人舍旺苏荣提供的满译蒙碑文，由达日玛扎布译成汉文。

② 呼伦贝尔盟文化局、呼伦贝尔盟文联编：《呼伦贝尔民歌》，内蒙古人民出版社1984年版，第163—164页。

咸丰十一年（1861年），常星阿在攻占新安渡之战中，因其功绩最为突出，被赐"莫德勒巴图鲁"称号。在与陈玉成、黄文金安庆之战时，常星阿率军五战五胜，被授任记名副都统。同治元年（1862年）后，在多隆阿督办陕西军务时，捻军进犯陕西，常星阿绕到捻军的背后蓖山，大喊进攻，歼敌上万人。接着又攻破襄河北敌人的据点，被补任正黄旗蒙古副都统。同治二年（1863年），常星阿被调赴陕北羌白镇王阁村时，被加授都统衔。在渡过泾水后，回民起义军背水列阵，常星阿从上游开始破阵，使敌人溃逃并烧毁了他们的据点。在多隆阿去世后，他奉诏归属僧格林沁。在乘胜破黄安料棚后，担任翼长，巴尔虎将领苏伦保、温德勒克西等都是他的属下。广济之战时，常星阿突出重围，被诏夺职、夺勇号。第二年，攻宝丰甘露台时，当总兵郭宝昌、何建鳌构筑阵地未完时，敌人就猛扑上来，常星阿佯退以诱敌，恒龄、苏伦保从两侧进攻敌人，歼敌数千人。同治四年（1865年）正月，与敌相战在宝山，恒龄、苏伦保战死，常星阿率领部众独自完成了战斗任务。在追剿捻军时，尾随数月，往返3 000多里。同年四月，在曹南追逐捻军时，僧格林沁战败身亡，常星阿率队溃败突出重围，他被夺去职衔、勇号。常星阿后来曾效力于西安将军库克吉泰军中，充任陕西行营翼长，左宗棠让他整理西征马队，他因保固河防有功，被恢复了原来的官衔、勇号。收复鄜州后，重新恢复了他的都统衔。同治十一年（1872年），任山海关副都统。光绪二年（1876年），改任正黄旗汉军副都统。光绪九年（1883年），调任宁夏副都统。光绪十四年（1888年），署任宁夏将军。光绪十五年（1889年），病故，清廷赐治丧银千两，按定制进行恤荫。

（常海 撰稿）

温德勒克西

温德勒克西（？—1871年），巴尔虎李佳氏，隶齐齐哈尔镶红旗。咸丰二年（1852年），温德勒克西以披甲身份出征，在直隶、山东、河南等地作战。咸丰六年（1856年），跟随都兴阿进入湖北追击石达开，迫使他从武昌撤走。咸丰七年（1857年），转战于湖北、江西一带，升任花翎协领。咸丰十年（1860年）正月，攻克太湖后，被赐号"绷武巴图鲁"，加授副都统衔。同年十月，在大战挂车河时，他率骑兵自范岗抄敌后阵，官军士气大振，使敌溃逃伤亡不计其数。他因此功，被授任记名副都统。第二年四月，陈玉成率众向多隆阿率领的清军进攻，欲解安庆之围，三战皆败。陈玉成逃入安庆后第6天，又率大军分三路列阵20多里，与清军对峙。当战斗进行到难解难分之时，温德勒克西率骑兵突入敌阵，俘斩2万多人。同年八月，在多隆阿率军进攻庐州时，温德勒克西先行抵达城下，迫使陈玉成弃城逃走。温德勒克西追杀其残部上万人，因此被补授正黄旗汉军副都统。陕西回民起义时，温德勒克西随多隆阿入关。同治二年（1863年），攻下渭北羌白镇王阁村回民义军的据点，被赏任都统衔。多隆阿死后，改属僧格林沁统辖。同治四年（1865年），僧格林沁战死曹南后，温德勒克西曾被夺职留营。曾国藩追剿捻军时，其部骑将李昭庆被围几乎全军覆没。温德勒克西率骑兵奋力拼杀，解除捻军的围困并追杀至赵王城。同治六年（1867年），捻军在峰县山中时，温德勒克西率部从山南包抄过去，使捻军大败，他得以官复原职。后来在与赖文光、于寿光等相战中，进攻至弥河，生擒万余人，被任记名副都统。同治七年（1868年）后，因西北捻军被平，温德勒克西被赏黄马褂，并被授予骑都尉世职。温德勒克西从军17年，从未在家里待过，李鸿章为其上奏准其归家。同治十年（1871年），温德勒克西逝世，被赐谥"威恪"之号。其子乌勒兴，六品荫生，袭世职。

（常海　撰稿）

格通阿

格通阿，呼伦贝尔巴尔虎人。咸丰年间，隶属著名巴尔虎将军多隆阿，转战桐城、太湖之间。咸丰十一年（1861年），陈玉成进攻挂车河。格通阿率领舒亮、巴彦杜楞等埋伏在棋盘岭，等待时机。在战斗中，格通阿率军奋勇作战，突进太平军的堡垒项家河，举火焚之，大败陈玉成并使他逃走。清廷根据格通阿的战功，任其为协领并加副都统衔、授"伊普格图巴图鲁"称号、补任呼伦贝尔镶红旗佐领。因格通阿属于在军中阵上受重伤而死，清廷恤荫骑都尉世职。

（常海　撰稿）

苏伦保

苏伦保（？—1865 年），巴尔虎富察氏，隶齐齐哈尔旗。咸丰初年，以前锋身份从军，隶属巴尔虎名将多隆阿。在破石牌和收湖口、彭泽、太湖后，被清廷赐号"巴噶图尔台巴图鲁"。收桐城后，任记名副都统。同治元年（1862 年）冬，随多隆阿入陕解同州之围时，被补任镶红旗蒙古副都统。同治二年（1863 年）春，进攻羌白镇王阁村时，多隆阿亲自率步兵诱敌，苏伦保率敢死队埋伏在山谷为奇兵，歼敌 2 000 多人。在渡过渭水破三里府苏家沟后，被清廷加授都统衔。在西北形势紧张时，苏伦保带领骑兵，与雷正馆带领的步兵一起，收复长武、乾州各地，扫荡了回民起义军的拜家河、大佛寺等处根据地，解除了灵台县城之围。同治三年（1864 年），多隆阿死后，苏伦保奉诏归属僧格林沁。同治四年（1865 年），在僧格林沁部与捻军作战时，当苏伦保率所部追来后，捻军又以大队人马抄其后路，苏伦保受重伤，与营总常顺一起战死于阵前。苏伦保死后，清廷授予他骑都尉兼一云骑尉世职，谥"刚节"之号。

（常海　撰稿）

沙克都林札布

沙克都林札布（？—1897 年），亦称沙克都林札普，字振亭，黑龙江齐齐哈尔正白旗巴尔虎人，世袭骑都尉兼一云骑尉世职。同治三年（1864 年），沙克都林札布以二等侍卫衔，跟随都兴阿去宁夏平服回民叛乱。都兴阿转任盛京将军后，他又跟随都兴阿去剿灭马贼。因其作战勇敢有功，晋升头等侍卫、任记名副都统，并被赐赏花翎和赐"库楚特依巴图鲁"称号。同治十年（1871 年），新疆回民叛乱，都兴阿举兵西征，沙克都林札布亦随军前往。同治十二年（1873 年）正月，乌鲁木齐都统景廉上奏说："沙克都林札布奋勇沉挚，边塞将材难得，请留古城治军旅。"并得到皇帝的恩准。当时正值哈密被围告急，沙克都林札布同吉尔洪额赶去增援解围。他们长途跋涉 1 300 多里，与回族叛众大战于城下，立解城围，清帝赏其黄马褂加身。光绪二年（1876年），沙克都林札布代吉尔洪额充任吉林、黑龙江马队翼长。在刘锦棠、金顺一起会攻古牧时，沙克都林札布巧布两翼逆击援敌，使敌人受到了重大损失。沙克都林札布率军乘胜沿河而进，拿下了敌人占据的乌垣。沙克都林札布因此被赏头品顶戴，并三代正一品封典。光绪八年（1882年），因中俄西北边疆交涉事务的需要，沙克都林札布充任会办勘界大臣。十月，与俄官一起勘分阿克苏属天山志牌鄂博2处，指山梁为界3处，划定了伊犁南路东北界约。第二年十月，分喀什噶尔属天山志牌鄂博22处，指山梁为界7处，划定了伊犁南路西北界约。自伊犁南通喀什噶尔之路，汉唐以来均取道木素尔岭，蒙古语为冰岭之意。自俄人占据伊犁之后，故道遂废。沙克都林札布既奉勘界之命，凿冰为梯，凌险阻，冒不测，竖路牌和鄂博在冰岭之上，使故道复通，不必再经境外往来。光绪十年（1884年），沙克都林札布移任科布多参赞大臣，以微服私访的形式，劾罢帮办大臣阿兴阿。光绪十八年（1892年），调任吉林副都统。第二年，因热河一带马贼侵扰，吉林将军长顺前往巡边，沙克都林札布镇守吉林，将曾想率众焚陷喀拉沁王府的匪首焦振东擒获。光绪二十二年（1896年）沙克都林札布又调与俄罗斯东海滨省海参崴接壤的珲春任副都统。次年在任内逝世。沙克都林札布著有《伊犁南疆勘界日记》，收录于《新疆通志》。

（常海 撰稿）

古柏礼

古柏礼（1832—1890年），达郎古特氏，新巴尔虎右旗宝格德乌拉苏木（原右翼镶蓝旗第二佐）人。他出生在一个生活优裕的牧民家庭中，幼读私塾，聪明好学。其父道尔吉扎布为右翼镶蓝旗苏木章京（佐领），通晓满、蒙文字。古柏礼受其父亲的影响，16岁时，拜父亲从山西请来的一位名叫李唐的先生为师，学习汉文。由于他自幼天资过人，过目成诵，出口成章，成年时就已精通满、蒙、藏、汉等四种语言文字，写出了不少以天文、地理、医学、文史为内容的作品。《黑龙江志稿》称："古柏礼，呼伦贝尔新巴尔虎总管，精爱文艺，啧啧入口，一时风气，得其提倡，为之不变。"可惜传世的作品不多，保存至今的有：《诸蒙古始祖记》、①《呼伦贝尔三部落起源记》、《呼伦贝尔史料》、《中国历代皇帝年鉴》、《记受派遣赴黑龙江之事》、《巡查哈拉哈河的祭词》、《影壁之语》、《天时、地理、人体气息的关系》、《评三教》、《家教》、《枯水泡之梦》、《巴尔虎史诗》、《故乡的须弥山——宝格德乌拉》等。同治五年（1866 年），古柏礼任苏木章京（佐领）。光绪七年（1881 年）任新巴尔虎左翼总管。光绪十一至十二年（1885—1886 年），奉黑龙江将军衙门的派遣，率 800 余人的巡防马队赴漠河、奇乾河一带巡防。当时，沙俄野蛮掠夺呼伦贝尔漠河、奇乾河金矿，非法越境私自挖金的俄人已达万余人。古柏礼率众长途跋涉，到达漠河后，同俄国使臣就沙俄派人强占金矿等问题进行谈判，同时向金矿派出巡察队，采取武力清查。至年底，将擅自越境挖掘金矿的万余名俄人驱逐出境，并烧毁俄人居住的千余处窝棚，全部收复了金矿。古柏礼还派人到奇乾河，赶走了非法越界采金的数百名俄人，恢复了额尔古纳河一带边境地区的安定。由于他对恢复清朝边境主权的贡献，光绪十四年（1888 年），进京入觐光绪皇帝，被授予都统衔总管职位。两年后因病去世，终年 59 岁。

（常海　撰稿）

苏那穆策麟

苏那穆策麟，又称苏那木策林，字荣轩，齐齐哈尔满洲镶红旗人（《黑水先民传》称其为齐齐哈尔巴尔虎，姓齐普钦努力特氏），生卒年月不详。清同治年间，以荫生成防军台，后被保奏花翎加副都统衔。光绪三十一年（1905 年）时，呼伦贝尔刚刚经历俄乱不久，地方百业凋敝，而尤与俄方交涉更为困难。鉴于呼伦贝尔地当要冲，署黑龙江将军程雪楼以其"长才"上奏清廷任命他为呼伦贝尔副都统。赴任以后，苏那穆策麟采取了一系列重要措施：提倡学务，重建衙署，恢复卡伦，招垦开荒。同时，添设交涉局，兼征收牲畜、皮毛、木植、羊草各税，并禁止俄人越界垦荒、割草。光绪三十二年（1906 年）四、五月间，东清铁路公司以东清铁路交涉总理周冕私

---

① 花赛·都嘎尔扎布等：《诸蒙古始视记》，民族出版社 1989 年版。

自签署的在铁路两侧展地合同为借口，先是在海拉尔一带挖壕 100 余丈，继而在呼伦城北门外自七间房暨铁路北大坝后砖窑一带挖壕 200 余丈，又于街北向西南挖壕，将庙宇、衙署和当时新勘衙署基址及所放街基、拟开商埠地点，还有旗署、卫队房基全部圈占。俄人前后三次恃强展界，均被苏那穆策麟据理力争，毫不退让，使其企图没有得逞。苏那穆策麟还上奏清廷，参革周冕，以防止俄人再行狡辩。此后，苏那穆策麟与俄方代表牙克甫来夫磋商改议，将前挖壕沟一律填平，而对城北庙以北及西面东清铁路已盖房前留出东西街道，南为华商街，北为俄商街。同时分界树标，双方立字签押。由于苏那穆策麟据理力争，中国主权、利权均得以挽回。苏那穆策麟在任期间，"对待呼伦贝尔蒙旗亦推心置腹"，[1] 深得他们的信任和感激。

（常海　撰稿）

费扬古

费扬古（1645—1701 年），满洲正白旗人，为内大臣三等伯鄂硕之子，十四岁袭父爵。在平定吴三桂的过程中，随安亲王岳乐等，转战湖北、江西一带，屡立战功擢升为领侍卫内大臣、列议政大臣。

据史记载，"费扬古性朴直，貌奇伟。待人以和，与士卒同甘苦，好读左氏春秋，尤工诗"。[2] 说明费扬古将军是一个性情朴实，温和而且文武兼备的将军。

康熙二十七年（1688 年），漠西卫拉特蒙古首领噶尔丹，趁漠北喀尔喀蒙古札萨克图汗部与土谢图汗部发生纠纷之机，率兵 3 万，进击喀尔喀三部。喀尔喀三部不敌噶尔丹，退走漠南，请求清廷保护。康熙二十九年（1690 年），噶尔丹尾追喀尔喀蒙古，挥兵南下，直抵距京师七百里的乌兰布通，形势急迫。

康熙二十九年（1690 年），康熙皇帝决定亲征噶尔丹，费扬古随从作战，双方在乌兰布通地区展开激战，此役清军大获全胜，噶尔丹主力损失殆

---

① 程廷恒、张家璠：《呼伦贝尔志略》，1924 年呼伦贝尔督办公署铅印本。

② 金兆丰：《清史大纲》，上海开明书店 1935 年版，第 182 页。

尽。但噶尔丹的锐气并没有消减，还在秣马厉兵准备再战，实现其统一蒙古，称霸北方的目的。而康熙皇帝也想统一北方，平靖西北。

康熙三十二年（1693 年），康熙皇帝命费扬古为抚远大将军，驻守归化城，加强西北兵力，并亲自督战。康熙三十四年（1695 年），噶尔丹率兵越过天山南下哈密，费扬古奉命应敌，噶尔丹望风西走。费扬古率兵回防右卫，因功授右卫将军，同时兼领归化城将军事宜。

康熙三十五年（1696 年），康熙皇帝决定第二次亲征噶尔丹，兵分三路，黑龙江将军萨布素出东路，费扬古将军出西路，康熙御驾中路。费扬古率兵深入，粮草不济，康熙皇帝为此特下谕旨"大将军费扬古所领军士，甚为劳苦，食用必致缺乏，且到日必迟。可遣人往尚书班迪处，取杀虎口、大同等处见存银五千两，遣官送至大将军费扬古军前，酌买皮裘、牛、羊等物，给予从征军士"。当时噶尔丹屯兵克鲁伦河，见到清军后西退，在昭莫多地方与费扬古军遭遇。此时费扬古军的西路军人困马乏，补给不足，但费扬古将军临危不惧，斗志高昂，下令："我西路军深入不毛之地，噶尔丹知我粮尽，所以专门与我作战。"于是采用骄敌示弱的战术，诱敌深入，在近距离炮轰箭射噶尔丹军。噶尔丹军大败，清军大获全胜，斩敌三千多名，俘虏数百人，缴获大批的牛、马、驼、羊以及车帐、军械等，噶尔丹仅率数骑逃跑。

康熙三十五年（1696 年）末，康熙皇帝在鄂尔多斯地方，从军中召见费扬古讯问军情，面授机宜。之后，费扬古因军务紧急，需回军营指挥，康熙皇帝将自身佩带的弓箭等物，赏赐给大将军费扬古，以示敬重关怀。并命令大同、右卫等地的官兵，积极备战，听候大将军费扬古的调遣。而噶尔丹经昭莫多之战，元气再也没有恢复，不久病故。三十六年（1697 年），费扬古因功晋一等公，仍领侍卫内大臣，职抚远大将军事。

费扬古将军自康熙三十二年（1693 年）至三十七年（1698 年）驻防归化城的五年间，还对归化城风纪的整饬，经济文化的发展，亦有一定的建树。

费扬古刚到归化城上任时，便着手整顿城市秩序，打击各类犯罪活动，特别是对当时为霸一方的流氓恶势力给予毁灭性的打击，社会秩序得以稳定。使得归化城商旅云集，成为塞北的重要商业城市。时人为费扬古修建了一座费公祠，以歌颂他对归化城所作的贡献。在祠堂碑记中记述了当时归化城："鸡犬不惊，贸易交错，兵无匮饷之怨，民鲜输挽之苦……商贾骈集，泉货流通，荒莱既垦，……无论官兵军卒咸被仁风而遵纪律焉。"

康熙三十七年（1698年），费扬古奉旨回京。启行前，将军府前人山人海，街巷不通，军民商人扶老携幼前来送行，足见费扬古将军深得民心。至今，呼和浩特地区流传有许多有关费大将军的故事。

康熙四十年（1701年），费扬古从幸索约勒济，中途发病，康熙皇帝特为其驻跸一日，亲临榻前问讯，赐御杖、蟒缎、鞍马、帑银等，并派大臣护送回京。不久病逝，谥"襄壮"。

（于宝东　撰稿）

王　昌

王昌，亦称旺昌、王常，生卒年不详。满洲旗人，曾任参赞大臣。关于王昌将军的生平事迹，史载很少，仅在《清高宗实录》及现存的部分档案资料中，存有几份其在任"驻守绥远城等处建威将军"时的奏折，从中可窥一些其在任上的简历。

乾隆二年（1737年），清廷在归化城东北毗邻的地方动工修建一座新的八旗驻防城（即修建竣工后命名的绥远城），决定在此设驻防将军一名，考虑到当时西北边疆一带的形势，决定只将当时驻守右卫将军迁至此处即可。于是，在当年的三月，右卫建威将军王昌奉旨迁驻建城工地，主要负责工程的监造。关于王昌将军的职责，从土默特档案馆藏的一件乾隆三年（1738年）二月由王昌撰写的咨文中可清晰了解。在文中，王昌自标为"钦差建城、垦田、管理军需事务，调遣大同宣化兵丁兼管右卫兵丁加一级军功记录四次，绥远城建威将军……"。说明王昌此时已是战功卓著且久经沙场的战将，所以朝廷才将建城、垦田、管理军务的重任交他办理。到任不久，王昌将军根据驻防伊始，需立即筹办增添兵丁，选派官佐，制定卫仪，奏定钱粮，配备军械等事宜，上奏九条应议方案，都得到乾隆皇帝的批准。

乾隆三年（1738年），王昌根据本防区的实际需要，请求朝廷增添960名鸟枪兵，得到乾隆皇帝的允准。这样，绥远城的驻防官兵的配备、卫仪制度等，基本固定下来。

乾隆四年（1739 年）六月，新城修建告竣。在此之前，王昌上书给乾隆皇帝，请求给新城定名。于是，乾隆帝给新城赐命为"绥远城"，意即绥靖远方之义。同时，乾隆皇帝还亲笔用满、蒙、汉三种文字，书写绥远城四个城门的名字，用汉白玉雕刻成门额，镶嵌在四个城门的门洞上方。

王昌就任绥远城建威将军期间，还就驻防官兵的训练场地、八旗官兵的坟地、马匹的牧放地以及解决驻防官兵和其家口粮食所需的农田等事宜，通过请示朝廷得到了妥善的安排。

乾隆五年（1740 年），王昌将军因病离任回京。作为绥远城的第一任将军，王昌做了许多开拓性的工作，在其任内确定的诸多绥远城八旗驻防及其相关事宜，许多都成了以后历任绥远城将军的定例，终清一代，变化并不很大。

（于宝东 撰稿）

補 熙

補熙（？—1753 年），满洲镶黄旗人。姓佟佳，一等公鄂伦岱之子。雍正元年（1723 年），補熙由荫生补理藩院员外郎。先后又在兵部、刑部任职。雍正七年（1729 年），授镶白旗汉军副都统。雍正十一年（1733 年），袭祖佟国纲骑都尉世职。

雍正九年（1731 年），署天津总管。他在天津主要业绩有：恢复顺治年间被旗民圈占的通州营校场，杜绝了此前军士操练时侵占农田、毁害庄稼的状况，并使得天津驻防官兵有了固定的军事演练场所；在新修建的天津城四角为驻防兵修建营地和住所。同年，任宣化镇总兵。在此期间，改变以往任何人未经允许随意出入张家口、独石口及洗马林口三口的情况，准许种地农民自由出入。并根据当时逃兵、生息银、兵饷等问题出现的弊端，上疏给朝廷，得到雍正帝的重视并行文加以采取了一系列相应措施。

雍正十二年（1734 年），補熙擢升为江南提督，上任后，对当时水师巡防等诸情况，进行调查，发现很多弊端和漏洞，第二年，向朝廷提出四条改革方案，全被采纳并实施。乾隆元年（1736 年），授漕运总督，就漕运官兵的配置、训练以及漕运沿途管理细节，提出了一整套的改革方案，均得到朝廷的准允，并制为常例。

乾隆五年（1740年）七月，補熙调任绥远城建威将军，便着手开垦蒙地事宜。根据当时绥远城兵多官少的情况，得到朝廷的认可后，从驻防右卫满洲的正红、镶红、镶白、正蓝、镶蓝五旗内各调一名佐领到绥远城，使官兵的比例协调。并在大青山以南增加多处哨所，配置了相应的官兵。乾隆十一年（1746年），奏请朝廷在绥远城开设满汉翻译官学，官学的教师从在京八旗有才学者中选拔。朝廷对此项奏请给予支持。乾隆十四年（1749年），又对右卫驻防满、蒙八旗官多兵少，汉军官少兵多的实际情况，在得到朝廷的支持后，在绥远城、右卫两地间进行了改革调整，加强了驻防力量。

乾隆十四年（1749年），補熙病倒于任上，乾隆帝命太医到绥远城给其治病，同时让他回京调养。乾隆十八年（1753年）病逝。乾隆帝下令给予厚葬，并追谥为"温僖"。

纵观補熙的政治生涯，以乾隆五年（1740年）任绥远城将军为界，可分为前后两个时期。前期基本在从天津到江西一带的内地任职，每到一处，都有创新、改革。为朝廷提出了许多合理的建议，最终都得以实施。后期，成为第三任绥远城将军，在任上共九年，是历任绥远城将军中任期较长的一位。補熙将军对绥远城、右卫两地的驻防八旗官兵作了许多改革，其中一些基本成了定制。同时，在绥远城创办了最早的官学，还对开垦蒙地等事宜做了一些开拓性的工作。由此看出，補熙是一位有见地、有作为的改革家，实干家，是乾隆朝一个较有作为的驻防将军。

（于宝东　撰稿）

舒　明

舒明（？—1762年），蒙古正黄旗人，由二等侍卫擢升为头等侍卫。乾隆九年（1744年）授归化城副都统，第二年，改任右卫副都统，在右卫任职五年。此后，曾任都察院左副都御史，兼正黄旗护军统领。

乾隆二十年（1755年），舒明奉旨到北路军营管理辉特台吉等人的游牧事务，并授予吏部侍郎之职。第二年，舒明侦查到降将纳默库杀死台站的清兵，密谋率领当地的游牧民反叛清廷的消息，急速派人上报朝廷。乾隆皇帝得到消息后，急命参赞大臣阿兰泰领兵镇压，并派人训责参与此事的台吉策凌等人，从内部分化瓦解反叛人员。叛乱很快平息，乾隆皇帝从这一事件中称赞舒明办事认真稳妥，给予嘉奖。但参赞大臣阿兰泰却于事推诿而镇压不力，被革去男爵的爵位。之后舒明在蒙古游牧地奉旨处理了许多大小事情，得到乾隆皇帝的认可。

乾隆二十一年（1756 年），舒明根据朝廷的旨意探知和托等人密谋造反。清廷命令舒明会同亲王成衮扎布等擒拿反叛人员，因功授参赞大臣。之后多次平息漠北地区的叛乱，得到亲王成衮扎布的赞赏，并多次为其请功，乾隆二十二年（1757 年），授舒明理藩院侍郎等职。

乾隆二十五年（1760 年），授舒明归化城都统，暂署绥远城将军印。第二年授予绥远城将军兼署归化城都统。乾隆二十七年（1762 年），死于任上。

舒明是第十任绥远城将军，也是第一个任绥远城将军的蒙古人，在任绥远城将军一职仅两年。舒明将军的主要业绩是在漠北蒙古地方处理地方事务，多次受乾隆皇帝的表彰和认可，是乾隆朝一个较为受朝廷重用的蒙古族将军。

（于宝东 撰稿）

巴 禄

巴禄（？—1770 年），博尔济特氏，蒙古镶黄旗人。父班第，以官学入仕，雍正年间擢内阁大学士，乾隆十三年（1748 年）授内大臣。乾隆二十年（1755 年），出征准噶尔达瓦齐，授兵部尚书、定北将军，由北路出兵，平定叛乱。不久作战身亡，乾隆皇帝追谥一等诚勇公。

巴禄，初授三等侍卫，后擢为头等侍卫。乾隆十九年（1754 年），授察哈尔总管，赴西北军从戎，管理博罗塔拉台站，第二年，因功袭父爵一等诚勇公，授镶红旗蒙古都统。

乾隆二十年（1755 年），会同将军策楞平定伊犁。当年六月，率兵擒获叛军头目阿巴嘎斯、哈丹等，受到乾隆皇帝的赞赏，特下谕旨："巴禄一闻阿巴嘎斯等藏匿地方信息，即能率兵往击，俾无漏网，其数奋勉可嘉，着赏给荷包、鼻烟壶，以示奖励”，并授予参赞大臣。

从乾隆二十年（1755 年）至乾隆二十五年（1760 年）间，转战于新疆各地，参加数十次大小战斗，擒获叛军头目恩克图、昂吉岱、鄂哲特、舍楞等多人。

乾隆二十二年（1757 年），位于新疆天山南路和阗、库车、叶尔羌、喀什一带的回部，在首领大、小和卓的唆使下反清叛乱。清廷命定边将军兆惠率兵进剿，双方对峙于叶尔羌地带，巴禄奉命增援。乾隆二十三年（1758 年），兆惠率兵出击多次，均未取胜，伤亡较重，粮草殆尽，只好筑垒坚守待援。在清军的增援下，乾隆二十四年（1759 年）初，被围困三个月之久的清军得以解围。

乾隆二十四年（1759 年）六月，巴禄率 3 000 官兵策应兆惠军，大败回部叛军。同年十月，彻底平息了大小和卓的叛乱。巴禄立有奇功，叙功授云骑尉世职。二十五年（1760 年），授正蓝旗蒙古都统。

新疆叛乱平息之后，乾隆皇帝极为高兴，对参战将士论功行赏，特地下令在紫光阁绘制此役中战功卓著将士的画像以示奖励，并从有功将士中选出最优秀的 50 名，乾隆帝亲自书文赞颂，并记录在册。50 人中，巴禄的功绩最大，名列第一。

乾隆二十七年（1762 年），巴禄任凉州将军，第二年，驻防凉州。乾隆三十一年（1766 年）巴禄迁正白旗汉军都统。同年年底，授绥远城将军，乾隆三十三年（1768 年）改任察哈尔都统。乾隆三十五年（1770 年）去世。

巴禄为绥远城第十三任将军，也是第二位被授绥远城将军的蒙古人。巴禄的业绩主要在新疆，特别是在平定回部大、小和卓的叛乱中，立下赫赫战功。在任绥远城将军期间的事迹不见记载。

（于宝东　撰稿）

托明阿

托明阿（？—1865 年），鄂栋氏，满洲正红旗人。由侍卫擢升护军参领，因功从山东兖州营游击升至曹州镇总兵、四川提督。道光二十八年

（1848 年），由陕西提督授任绥远城将军；咸丰三年（1853 年），改任江宁将军。后任直隶提督、西安将军等。托明阿最主要的政绩在于"整饬戎政，勤于训练"，特别是在镇压太平天国运动时，驰战于长江南北，胜负参半，有奖有惩。

19 世纪 50 年代初，洪秀全发动了金田农民起义，建国号太平天国。起义队伍迅速扩大，不久席卷长江南北的广大地区，对清朝统治构成了严重威胁。清廷派出了大批军队进行残酷镇压，托明阿就是在此时被清廷派往作战前线的。

咸丰三年（1853 年），洪秀全部下林凤祥率军攻破扬州，挥师北上，兵锋直指北京。清廷急从全国各地调遣有作战经验的官兵赴山东防堵。托明阿受命率部到河南，与义军大战于杞县、陈留、中牟及汜水一线，小有战绩。之后义军围怀庆，托明阿渡河进剿获胜，解怀庆之围。清廷赏赐给托明阿黄马褂，授予"西林巴图鲁"的称号以示褒奖。后来义军进军山西，托明阿协助清军统帅胜保参议军务。由于林凤祥军突破清军的防线进入直隶，清廷惊慌一片，认为托明阿指挥不力，做降五级留任。稍后帮办僧格林沁军务，阻截义军，迫使义军后撤。

当时，清军正与洪秀全领导的太平天国军在长江中下游展开生死拉锯战，清军统帅琦善病死于军中，于是清廷任命托明阿为钦差大臣取代琦善。托明阿被授予江宁将军，指挥清军作战。此时太平军声势正猛，接连占据江宁、镇江、扬州，清军被迫部署为江南江北两大部分。托明阿到任后，改变了琦善防御性的作战方针而改为主动出击，取得了一些成效。

咸丰六年（1856 年），太平军在扬州一带与托明阿军展开激战。太平军采用火攻战术，大败托明阿，清军伤亡惨重，江浦一带失守。清廷撤去托明阿的军权。

咸丰八年（1858 年），清廷授托明阿头等侍卫，率兵驻守天津杨村，抵御英军进入北京。同时授予托明阿直隶提督，后改任西安将军。同治元年（1862 年），因伤病离职。同治四年（1865 年）病故。

托明阿曾任第 57 任绥远城将军，但在绥远城驻防任上的事迹，史载甚少。他的大半生都是在戎马中度过，为维护清朝的统治付出了主要的精力。

（于宝东　撰稿）

德勒克多尔济

德勒克多尔济（？—1868年），喀尔喀土谢图汗部落人，隶八旗蒙古镶黄旗，其八世祖敦多布多尔济即是康熙四女儿恪靖公主的驸马，从此敦多布多尔济家族"世勋列爵"。道光十二年（1832年），德勒克多尔济袭札萨克固山贝子，着在乾清门行走，赏戴双眼花翎。

从道光十一年（1831年）起，德勒克多尔济袭爵入仕，到咸丰十年（1860年）的近三十年的时间内，奉清廷之命在家乡漠北蒙古地区为官办事，从署理二十八处卡伦（哨卡）事务做到补放驻库伦办事大臣，补授本部落副将军等职。

咸丰十年（1860年），德勒克多尔济任归化城副都统，第二年授绥远城将军。同治五年（1866年），奉旨调任乌里雅苏台将军，后因病开缺。同治七年（1868年），署理绥远城将军，同年七月，病逝于任上。

德勒克多尔济在绥远城将军任上的事迹，史无明文记载。在其署理绥远城将军时，正值西捻军席卷西北，陕西全部为义军占领，山西告急，归绥进入紧张状态之际。而归绥地区又是"财赋之区"，在太平天国起义后期，东南诸省经济极度凋敝，由于山西和归绥一带受起义影响较小，其地丁钱粮税赋已成为清政府财政的重要来源之一。同时，归绥由于地理位置的特殊性，成为漠北蒙古及新疆甘肃、青海、宁夏等地清军粮饷军火的转运枢纽。在这种形势下，清廷于同治六年（1867年）急调曾任绥远城将军"于事熟悉"的德勒克多尔济"驰赴山西、绥远城，会同将军裕瑞办理防务"。第二年，绥远城将军裕瑞卒，德勒克多尔济署绥远城将军，代管绥远城军务，致力于归绥地区主要是沿黄河的防务。德勒克多尔济在巡勘河防，悉心调度，保全归绥地区的安宁方面起到一定作用，为清廷平定西捻军后全力进剿回民义军赢得了时机。同治七年（1868年），德勒克多尔济死于任上，同治皇帝御赐神道碑，给予祭葬，并赏赐银两，铭碑记功。

德勒克多尔济为绥远城第63任将军，后一度任署将军，58岁时死于署绥远城将军任上，葬于呼和浩特东郊，谥号为"威勤"。按清制，"威"则猛以刚果，强毅执政；"勤"则能修其官，夙夜匪懈。"威勤"是对其政治生涯的最高评价。

（于宝东 撰稿）

定 安

定安，字静春，姓叶赫那拉，满洲镶蓝旗人，生卒年不详。定安幼时聪颖好学，由文生员因捐输内赏五品顶戴花翎。同治五年（1866年）任密云副都统，成为当时独当一面的四个副都统之一。同治七年（1868年），授绥远城将军。

定安是一位比较开明，具有较高文化素养的将军，其在绥远城将军任上最突出的业绩是兴办学校与疏河植树。

清朝学制，省、府、州、县都设有书院，设有专门的官吏分管教育。同治朝以前，绥远城的驻防八旗只有官学五所，占房十五间，规模很小。另有满汉翻译学校一所。这些不足以使多数八旗子弟入学深造。

同治十一年（1872年），定安将军决定创办一所书院，使更多的八旗子弟能够入学学习。当时，新城南街有一所圣庙，空房很多，定安将军命工匠将空房改建一新，辟为学校，命名为"长白书院"，并亲自书写匾额悬挂于书院大门。

学院创办以后，即由八旗官员内选派协领进行管理。聘请资深的学者出任"山长"（校长），学习的内容分经史、论义、时务、条对等。制定"月考"制度，每月考试四次，分大考和小考。大考由定安将军亲自命题阅卷，小考由山长命题。考试优胜者奖励银两，或当众勉励。

光绪五年（1879年），时任绥远城将军的瑞联将长白书院改名为"启秀书院"，并亲自为学生讲课，指导读书。光绪三十年（1904年），绥远城将军贻谷又将"启秀书院"更名为"绥远中学堂"，后该校合并于"归绥中学堂"（该校于1902年"古丰书院"改名而来）。

长白书院成立至合并于归绥中学堂期间，是当时归绥规模最大，最有名的学校，培养了许多人才，推动了归绥教育事业的发展。

定安将军除建立"长白书院"外，还建八旗义塾等各种学校二十余所，并要求严格制定学规和教授的课程，内容除了文化课之外，还包括"骑射"

等科目，目的是使八旗子弟成为文武兼备的人才。定安将军创建学校，鼓励读书的做法，使得归绥文风大振，士子感戴其功业，特在长白书院的东北角建祠树碑以示纪念。

定安将军在绥远城期间，很注重绥远城环境的整治，特别是在疏浚河道、植树绿化方面下了较大的工夫。经定安将军的努力，共筹集白银八千多两用于清理城周围的沟渠，并在城内外植树 3 700 余株，修建 8 处卡所用来管理河流树木。定安将军为自己这一举措非常自豪，亲自撰写《绥远城浚濠种树记》，请书法家监察御史大夫，提督山西学政江南道龚承钧书写碑文，同知直隶候补知县郑锡祺撰写碑额刻碑，刻碑立于城外。

绥远城自乾隆四年（1739 年）建成之后到定安任绥远城将军的同治七年（1868 年）的近 130 年的时间里，没有维修的记载。而此间，绥远城垣经风吹雨打及山洪的冲刷而多次毁坏。特别是绥远城北门城楼在咸丰三年（1853 年）的烈风中倒塌，也未及时修缮。定安将军到任后，通过捐金等方式筹得"万金"，用来修缮北门，历时一年多告竣。为此，定安将军亲自书写"修建北门城楼记"，请刻匠铭刻于石，立于北门。

另外，定安将军本身就有很高的书法造诣，原在绥远城中心的钟鼓楼上，悬挂有巨匾"帝城云裹"四字，便出自其手。

定安在绥远城 6 年，是第 66 任绥远城将军，为归绥的教育事业以及整治环境等诸方面做了许多有利于当地人民的好事，是一个较有作为的将军。

（于宝东　撰稿）

善　庆

善庆（？ —1888 年），字厚斋，满洲正黄旗人，曾任杭州副都统。同治十三年（1874 年）七月二十五日，由杭州将军改任绥远城将军；光绪二年（1876 年）十月二十七日，改任八旗蒙古镶白旗都统。后任福州将军、汉军正红旗都统、海军衙门帮办大臣。

善庆是以从军打仗因战功逐步从甲兵升迁至独当一面的封疆大吏的。正值太平天国失败而清军全力剿灭捻军之际，跟随清军统帅胜保征战，多次立功擢升至协领，被清廷授予"济特固勒忒仪巴图鲁"的封号。攻克凤阳城之后，擢升为副都统，晋头品服。同治四年（1865 年），任杭州副都统。

同治六年（1867 年），善庆与清将刘铭传进剿东捻军。善庆军在淮县一带与任桂率领的东捻军展开激战，双方伤亡惨重，在刘铭传援军的配合下，善庆大获全胜，因战功被同治皇帝赐予黄马褂。同治七年（1868 年），西捻军在清军的合力围剿下失败，善庆晋二等轻车都尉。

同治十三年（1874 年），善庆从杭州将军改任绥远城将军。后历任福州将军、汉军正红旗都统、海军衙门帮办大臣等职。光绪十四年（1888 年）去世，追谥为"勤敏"。

善庆为第 67 任绥远城将军，其在绥远的事迹不见记载。善庆是一位身经百战的将军，在镇压捻军过程中，为清廷出生入死，立下赫赫战功，多次受到同治皇帝的嘉奖，所以死后被清廷谥为"勤敏"，是对其一生业绩的评价。

（于宝东　撰稿）

贻　谷

贻谷（1852—1926 年），吉林满洲镶黄旗人，乌雅氏，字薄人。光绪元年（1875 年）举人，任职兵部。光绪十六年（1890 年）进士，后累晋至内阁学士兼礼部侍郎衔。光绪二十六年（1900 年），八国联军侵占北京，光绪帝、西太后逃往西安，贻谷以随侍功任兵部左侍郎。

清末推行新政，废除科举，各地开始大规模创办新式学堂，改变了教育事业沉闷、禁锢的局面。正是在这种情况下，贻谷来到绥远地区推行新政。

督办西蒙垦务　光绪二十七年（1901 年）末，清王朝任命贻谷为督办蒙旗垦务大臣，开始逐步在内蒙古地区大规模推行放垦蒙旗土地政策。光绪二十九年（1903 年）八月兼任绥远城将军。

内蒙古西部的放垦蒙地，主要是在清政府专门委任的督办蒙旗垦务大臣主持下统筹进行的。光绪二十八年（1902 年）春贻谷赴任后，在绥远城设立了督办蒙旗垦务总局。后来又陆续分设丰（镇）宁（远）垦务局，负责察哈尔右翼垦务；设张家口垦务总局，负责察哈尔左翼垦务；设西盟垦务总局，主要分管乌兰察布、伊克昭二盟垦务。

贻谷原计划从乌、伊二盟开始放垦，当遭到两盟盟长和各旗札萨克的一致反对后，只好先从察哈尔开始放垦。光绪二十八至三十一年间（1902—1905年），在一些原有旗群、牧厂成批北移后，察哈尔八旗及境内官私牧厂土地，无论旧垦、新放，已基本清理、放垦完毕。其中，右翼四旗放垦约2.5万顷，左翼四旗放垦2万余顷。

为了顺利推行乌、伊两盟垦务，清政府先后授给贻谷理藩院尚书衔和兼任绥远城将军，赋予他直接统辖各盟旗的权力。同时，清政府还一再严饬两盟王公札萨克迅速报垦，并且撤销了带头反对放垦蒙地的杭锦旗札萨克阿尔宾巴雅尔的盟长职务。光绪三十一年间（1905年），贻谷还调兵镇压伊盟各旗的"独贵龙"抗垦斗争，并于次年初捕杀了准格尔旗协理台吉、"独贵龙"抗垦斗争首领丹丕尔。

在清政府的武力高压之下，伊克昭盟各旗从光绪二十九年（1903年）夏开始陆续报垦，杭锦旗报垦4 000余顷，达拉特旗2 600顷，准格尔旗近1 600顷，郡王旗9 600余顷，札萨克旗近2 200顷，鄂托克旗170余顷，乌审旗2 000余顷，王爱召寺院属地1 200余顷。至光绪三十四年（1908年），除了"独贵龙"抗垦斗争最为激烈的乌审旗外，其他各旗报垦地亩已基本丈放完毕。

光绪三十二年（1906年）八月，乌兰察布盟6旗札萨克也开始联名报垦。至光绪三十四年（1908年）四月，四子王旗放垦约3 900顷，达尔罕旗放垦近1 000顷，茂明安旗放垦680余顷，乌拉特三旗共放垦2 260余顷。

此外，贻谷还先后设局放垦了大青山后绥远八旗牧厂地3 700余顷，伊克昭盟和归化城土默特旗境内的驿站用地（杀虎口站地）7 900余顷，并清丈"整理"了归化城土默特旗和和林格尔一带原右卫八旗牧厂的大量已垦熟地。

为了便于推行垦务，贻谷还成立了官商合办的两个垦务公司，即负责承领转放乌、伊两盟部分土地的西路垦务公司和承领转放察哈尔地区部分土地的东路垦务公司。垦务公司打着节约垦务开支、防止地商包揽的旗号，包领转放上述蒙旗土地，以搜刮民财，实际上是由垦务官员控制的大地商。如在察哈尔地区，垦务章程规定押荒银是每亩3钱，经垦务公司转手放给垦户时每亩征收8钱押荒银。

兴教育、办学校　贻谷可以说是绥远地区近代教育的先行者。他的主要职责是放垦，但他在完成主要职责的同时，在绥远地区兴教育、办学校，开绥远地区近代教育风气之先，对内蒙古西部地区的近代教育作出了贡献。他出于维护清王朝统治的目的，兴教育、办学校，但客观上促进了当地文化教育的发展，功不可没。他在任绥远城将军的4年多时间里，在绥远城、归化城兴建多所新式学堂，立武备陆军学校及中小蒙学校数十所，创工艺局、妇女工厂。资送绥远学生出洋，或就北洋学堂肄业。可以说绥远地区近代教育是始于贻谷兴办的这些学堂，为绥远地区培养了一批人才。

初到绥远的一年多时间里，他目睹了绥远地区教育废弛情况，窃查口外学校，近自光绪十三年（1887 年）始建，且仅以一学官统教七厅，其教学概可知矣，而在绥旗更不待问。以此亟须才之地，遇此皆不学之人，数十年来所有一切边备宏观，废弛殆尽。而犹曰驻防尚武，何必读书？以故自是，其愚自安，其陋相沿，再久必致一无识字之人。于是到任伊始，贻谷就将在启秀书院旧址上的绥远武备学堂移到空闲旗署，在书院旧址上建立了绥远中学堂，招收八旗子弟，也兼收乌兰察布、伊克昭两盟蒙旗子弟。光绪三十年（1904 年），又设立左右翼五路满蒙学堂，左翼五路：东北路高等、东北路次等、中路高等、东南路高等、东南路次等，共有学堂 5 所，学额 16 至 21 名。另有半日学堂 1 所，学额 60 名。右翼五路：西北路高等、西北路次等、中路次等、西南路高等、西南路次等，共有学堂 5 所，学额 12 至 18 名，也有半日学堂 1 所。满蒙学堂光绪三十年（1904 年）创办，共分四斋：第一斋学满文，学额 37 名；第二斋、第三斋学蒙文，学额均 36 名；第四斋学汉文，学额 36 名。左右翼各设的一所半日学堂，专收寒苦子弟，基本既不使旷时失学，仍不误作苦营生，开通了下层民众子弟受教育的途径，使更多人有受教育的机会。是年年底，绥远城新式学堂内共有学生 500 余人。贻谷认为：国语为创垂成宪习焉，不讲既羞于数典，更窘于办公，另立一科，俾业精于专，速成犹易。其蒙文之设，则因绥统辖乌伊两盟，日与蒙接。现在报垦愈广，交涉愈多，翻译需才，亟应预为造就。藩服亦朝廷赤子，并令来学，冀可开通蒙智，借以联络蒙情。于是上述 3 所学校都设立满文、蒙文，又由于绥远本风气晚开，八旗子弟又坐食钱粮，习于逸惰，其失学已非一日，若骤语以各科之课，本无此合格之资才。奴才唯注重汉文，以培其本，渐及科学，以引其机，数载于兹，稍立基础，乃为进步之图。同时设立汉文、洋文，挑选八旗聪颖子弟入学，选择教习按照学堂章程分班教学。光绪三十二（1906 年），年实行新学制，开设经学、国文、英文、博物、历史、舆地、体操等科目。不久，将原设蒙养学堂改为初等小学堂，"以副名实"。光绪三十三年（1907 年）六月，因绥远中学堂及初等小学堂均经奏明设立，唯尚缺高等小学堂无承上启下之阶，失教育褫升之序，准备设立高等小学堂。由于经费筹措艰难，查绥远库储匮乏筹款维艰，必待财力扩充始行筹设此项学校，诚恐点金乏术，高等无成立之时，八旗有失学之虑。因此决定在绥远中学堂内附设高等小学堂，由中学堂教习兼任教习，节省人力财力，于六月间饬令开学，"一切名目课程悉照奏定新章程办理"，开设经学、国文、算学、格致、图书、博物、历史、修身、舆地、体操、科学等科目。较系统的自然科学知识及图画、音乐、体育等课程，有利于学生的全面发展和智力开发。高等小学堂的设立使中等教育体系得到完善，形成了基本的中等教育体系。绥远武备学堂是绥远城将军信恪在光绪二十七年（1901 年）创办的，是绥远地区最早创办的新式学堂，原来专收驻防八旗兵轮流入学培训，为期一年。光绪二十九年（1903 年），贻谷就任绥远城将军后，选聘监督、教习、帮教、司事人员，增加选拔八旗子弟身强有才、文化通达的青年 60 名入学，编为两个班，仿日本军事学校的教学方法，讲授军事理论课，学习新式武器使用和新式操练法。学生每月发给军士待遇银 2、3 两。光绪三十二年（1906 年），遵照练兵处奏定章程将武备学堂改为陆军小学堂，在原建堂舍另招新生入学，定额 90 名，分 3 年收足，头班生 30 名。再土默特旗地处边城，政沿蒙俗，人情椎鲁，弦诵寂然，甚至有身为职官而不识字者，于是光绪三十一年（1905 年）贻谷仿照绥远城在归化城设立蒙小学堂一所，因经费不足，先行额设学生 40 名，延致教习分授满、蒙、汉文及浅近教科之学。同时，在归化城设立土默特蒙养学堂，学生 50 名。新式学堂的设立，打破了科举的禁锢，开绥远地区近代教育风气之先，使学生初步接触近代科学文化知识，改变了绥远地区教育废弛、落后的局面。

　　多方筹集经费　贻谷认识到国家要富强必重教育：东西各国，凡儿童以及就学之年无故不入学者，责其长上，所以进化益速，民智国强"。基于此认识，他办学不遗余力，想方设法筹集办学经费，甚至将自己的养廉银也捐做办学公费。他认为：育才以兴学为先，兴学以筹款为亟。因此贻谷感叹：夫兴学莫难于筹款，而在绥远尤难乎其难。他决心：绥远则旗库既艰窘异常，晋库亦无可挹注，空拳赤手，譬如平地楼台，挟奢愿以图成，即有无米为炊之患，若畏难而中止，又有因噎废食之嫌。奴才唯勉力支持，设法筹措，无论如何难办，必不使八旗失学。据估计，合所有学堂统计，至少亦岁需两万金之谱，这是一笔很大的投入。于是贻谷为筹集经费，东挪西凑，费尽心思，使学校不致停办。贻谷几乎每办一学堂就要为经费不足而困扰，为经费十数次上奏朝廷请示筹款办法。他到任伊始就面临经费匮乏的窘境。绥远地处边远，无地丁厘税可收，不但学堂经费奇缺，兵饷也不足。绥远武备学堂预先指定款项为绥远马厂地，因土地贫瘠，无人招领，只好以库存马价银一万余两借垫，开支两年来，早已用尽。而旗帜、号衣、书籍、仪器，一切应需之件尚且未经置备。然已左支右绌，无法腾挪，不独难期经久，即目前敷衍亦有不支。贻谷决定将马厂地由东路垦务公司指留马厂地数百顷，先行交价以济急需。另外督促垦务局员将荒地变通招认，宽之以限期，动之以近利。但使有涓滴之入，归新军学堂接济经费。为保证经费充足，他又将所存煤税银690两、矿利余银1 300余两作为武备学堂经费。并请此后每年征收煤税矿利作为贴补学堂膏火之用。同时，更为雪上加霜的是动用库存马价银不得不徐图归补，绥城瘠苦别无款项可筹。贻谷经过再三考虑与八旗协领等商量拟饬令二十佐领公同领地400余顷，定缴荒价银20两，共银8 000两。分作八年归补马价，其不敷三千余两应俟牧长押荒畅旺，再形以弥补。他将原启秀书院经费发放出去收取利息作为办学经费，又带头认领绥远马厂地，八旗官兵共认领340余顷，拟俟招佃得租，添补学费。又准备在东素海台境内设立官盐号，整饬土盐，厘税归公，当奏明将所收税课银两充做学堂公费"。此外有四子王与察哈尔镶蓝旗因争界报效闲田及收来达拉特河头余地，均尚未经丈放，且此二地输自蒙旗，所得租项，只应归入蒙文学堂，他不能用。光绪三十年（1904年），贻谷将裁减无名之费凑成24 000两发商生息，每年可得息2 880两，用以津贴武备学堂。光绪三十一年（1905年），将此前储库待用的杭锦旗贝子阿尔宾巴雅尔报效绥远学堂经费5 000两，城工经费5 000两，共1万两，添作武备学堂经费，仍照前案发商息。因学堂愈加扩充，经费愈形支绌，即以中学堂论，常年得款不敷，几至中辍，奴才将应得公费悉数捐入，勉持至今。光绪三十三年（1907 年）三月，他将办学及筹款大概情形上奏，将办学艰难和经费不足的情况奏明朝廷，期望得到朝廷支持，但是清政府已焦头烂额无力顾及。在他的影响下，在包头也设有土默特第三初等小学。

归绥道所属各厅几乎都成立了初高等小学堂，仅丰镇 1 厅，就建有高等小学堂 4 所。这些学堂规模不大，作用亦有限。辛亥革命后学堂大都停办，绥远中学堂归入绥远地区中学堂。但毕竟是绥远地区最早的一批新式学堂，推动了绥远地区特别是归绥近代教育举步维艰的步伐，其影响是不可低估的。作为一名封建王朝的封疆大吏，贻谷在完成放垦任务的同时，在经费十分不足的情况下，能够如此重视和发展新式教育，大力兴办新式学堂，诚属不易，难能可贵。

"贻谷弹劾案"　　由于抗垦怒潮的冲击，统治者内部争权夺利，光绪三十四年（1908 年）四月，归化城副都统文哲珲谗奏贻谷：败坏边局、欺蒙巧取，蒙民怨恨，向清廷提出弹劾贻谷。光绪帝朱批：将贻谷及其垦务官员革职拿问，并委派协理大学士尚书鹿传霖等，前往确查其罪。鹿传霖查贻谷办理西蒙垦务，造成"二误四罪；……不顾蕃部边陲大局，只为一己图利起见，专用小人，苛索巧取，以官地垦局，巧立公私名目，辗转渔利，其一误；纵勇滥杀，烧毙台吉丹丕尔一家，五命之多，复罗织成狱，将丹丕尔署诸重辟，尤属残酷，其二误。其四罪是：贻谷一伙侵吞所收地价 200 多万两白银；扣留押荒银，卖官受贿；利用官银，开设铺店；克扣兵饷等。光绪帝朱批：把贻谷……由山西巡抚派员押解来京，交法部审讯，监追治罪"。新任督办蒙旗垦务大臣兼绥远城将军信勤上任后，成立专案调查局，查办贻谷办垦罪行。由于官官相护，宣统二年（1910 年）十月，法部公布贻谷罪案：误杀蒙古台吉大员，应判死罪，以死罪律减一等，发往新疆效力赎罪，其他罪行概未追究。这一事件史称贻谷弹劾案。

"贻谷弹劾案"的发生是以各蒙旗蒙古族牧民为主体，有王公上层和汉族农民参加的大规模抗垦斗争的胜利，也是清朝政府为缓和阶级矛盾，维持其反动统治采取的措施。

（于宝东　撰稿）

章嘉呼图克图

章嘉呼图克图是清代内蒙古地区的藏传佛教领袖，其转世系统的宗教首领地位在内蒙古地区的确立，与清廷的扶植息息相关。

章嘉，又译章加、张家或张佳，系一地名。西藏传说中的章嘉呼图克图祖师为西藏格鲁派创始人宗喀巴弟子转世，至十三世禅克巴朗塞粒"转世于达姆图逊巴卡巴之格尔路扎巴里寺之旁，因以章嘉村名之"。入清以前，章嘉呼图克图共转十三世，而章嘉呼图克图系统的统治地位始于十四世阿噶旺罗布桑却拉丹巴拉森波。故有清一代，把第十四世章嘉呼图克图又称为一世章嘉呼图克图。

一世章嘉呼图克图阿噶旺罗布桑却拉丹巴拉森波 明崇祯十五年（1642年）出生于青海省湟中县达曲格村，同格鲁派祖师宗喀巴同乡，其父名张益华，母名泰母沙。四世班禅罗桑却吉认定为章嘉活佛的灵童，并授予"章嘉呼图克图"封号，在郭隆寺（佑宁寺）坐床。顺治元年（1644年），十四世章嘉呼图克图迎入京师，被清廷封为国师。由五世达赖喇嘛授小戒、大戒。顺治十八年（1661年），"赴藏晋谒第五世达赖喇嘛，尊为师父"。[①] 朝拜各大寺，拜著名大喇嘛为师，继续学习研究经典。21岁，拜五世达赖喇嘛为师，受中戒。23岁，从五世达赖喇嘛受大戒。康熙九年（1670年），29岁，在拉萨举行了一次讲经法会，表现了他渊博的学识和辩知的出众，赢得众人的信服，从而名声大振，成为西藏地区著名的大喇嘛之一。康熙二十二年（1683年），他从西藏返回青海郭隆寺。

康熙二十五年（1686年），由于喀尔喀地区札萨克图汗与土谢图汗的矛盾日渐激化，清政府为安定北疆，派出使节前去调解。同时，因藏传佛教在蒙古地区的影响大，故令五世达赖喇嘛以藏传佛教领袖身份，派代表去协助清朝使臣进行调解。西藏地方政府首领第巴桑杰以五世达赖喇嘛名义派遣甘丹寺锡勒图呼图克图为代表，途经青海，又会同一世章嘉呼图克图，前去喀尔喀进行调解。此次调解使命完成得很顺利，使"两族（部）因之和好如

---

① 妙舟：《蒙藏佛教史》第5篇，广陵书社2008年版。

初"。这正是为章嘉呼图克图在政治上的发展奠定了基础。

康熙二十六年（1687年），章嘉呼图克图随同锡勒图呼图克图应召到京师向康熙皇帝汇报了调解情况，康熙对他们的工作给予了很高的评价，随即赏赐了很多珍品。章嘉呼图克图在京师朝拜各寺庙，举行法会，讲解教法。由于他渊博的佛学知识，轰动了京城，赢得了极高的荣誉，康熙皇帝对他的宗教学识和处事才能颇为欣赏。

康熙二十七年（1688年），章嘉呼图克图返回青海郭隆寺，继续进行宗教活动。由于章嘉呼图克图在西藏得到过宗教方面的学识渊博的声望，又得到五世达赖喇嘛的信赖，继又得到过康熙皇帝的召见和欣赏，因此，他在青海地区的声望日隆，成为远近闻名的大喇嘛。

康熙三十二年（1693年），康熙帝发出谕旨，宣召章嘉呼图克图进京，章嘉奉命到京。被安置在法源寺，任命为管理京城各寺庙的札萨克达喇嘛职务。以后常驻京。

康熙三十六年（1697年），章嘉呼图克图奉康熙之命，赴西藏参加第六世达赖喇嘛的坐床典礼。在赴藏途中路经青海时，召集青海地区额鲁特蒙古王公台吉，通报了清朝政府征服噶尔丹的情况，劝导他们服从清朝政府，及时进京朝觐。当时，这些王公台吉们一致表示服从清朝政府，要按照章嘉呼图克图的嘱咐去做。章嘉呼图克图从西藏回来后，进京向康熙汇报了进藏活动事宜后，便到多伦诺尔主持汇宗寺的建造工程，并到内蒙古各地进行传教活动。康熙四十年（1701年）汇宗寺建成，清朝政府规定，由内外蒙古各旗均派二名喇嘛住该寺。以后康熙下达谕旨，多伦诺尔成立喇嘛印务处，任命章嘉呼图克图为"多伦喇嘛庙总管内蒙古喇嘛事务之札萨克喇嘛"，初步确立了他总管内蒙古宗教的地位。同时规定，每年夏季避暑于多伦诺尔，冬季返京任职。

康熙四十四年（1705年）康熙视察北部边疆地区时，到多伦诺尔视察了各寺庙。当时，内蒙古地区王公集合在多伦诺尔，迎接康熙，并奉献"九九"之礼。康熙极为高兴，认为此举同章嘉呼图克图的活动是分不开的。因此，康熙决定，让章嘉呼图克图久驻多伦诺尔汇宗寺，宣扬佛教，并答应回京之后，给章嘉呼图克图赏赐名号及大国师印信。次年，康熙皇帝正式赐给章嘉以"呼图克图"名号，并册封为"灌顶普善广慈大国师"，发给

18 两 8 钱 8 分金印一颗，赏赐九龙黄褥、貂皮褥等物品。从此他成为清代八大禅师呼图克图的首席，常驻京师和多伦诺尔汇宗寺，总管内蒙古各地藏传佛教，节制内蒙古等地呼图克图、呼毕勒罕、诺门汗及堪布、班第达等大喇嘛，并掌管盛京、五台山、多伦诺尔等地印务。康熙四十九年（1710年），章嘉呼图克图请假回到了故乡青海，在各大寺庙讲经说法。次年，清朝政府在京专给章嘉呼图克图修建一座寺庙，作为他的驻锡之处；第二年寺庙竣工，康熙亲书寺额"嵩祝寺"。

康熙五十二年（1713 年），康熙巡行多伦诺尔时，宣布"黄教之事，由藏东向，均归尔（指章嘉）一人掌管"。① 清代正式册封"大国师"封号的，只有章嘉呼图克图一人。由此可见，清朝政府对章嘉呼图克图的重视程度到了顶点。

康熙五十七年（1718 年），一世章嘉呼图克图圆寂于多伦诺尔。章嘉呼图克图终于成为蒙古地区另一个与哲布尊丹巴活佛相媲美的活佛系统。到了雍、乾时期，哲布尊丹巴活佛系统的地位不断被削弱，而章嘉呼图克图系统的地位则有加强之势。

二世章嘉呼图克图罗赖毕多尔吉 康熙五十六年（1717 年）生于甘肃凉州，父名古如丹僧，母名布吉。经第五世班禅罗桑伊喜选定为第二世章嘉呼图克图灵童，并报请清朝政府核定后，迎请到青海郭隆寺坐床。7 岁时，青海地区发生罗布藏丹津反对清朝的事件，郭隆寺喇嘛也参与事件。清朝派大军进行镇压，将这座寺院焚毁，凡是参加叛乱的喇嘛都被处死。章嘉二世被俘虏，但由于章嘉年幼，又且是名望很高的呼图克图，因此，根据清朝政府意旨，送往京城处置。二世章嘉被押送到京城后，雍正下令二世章嘉享受同前世一样待遇。又把他安排在同四皇子弘历（即后来的乾隆皇帝）一起读书，学习汉、蒙、满三种文字，雍正还经常派人传旨，让他好好学习各种经典，以备将来"弘扬佛法"。由于他努力学习，刻苦钻研，到 18 岁时，精通了汉、蒙、满三种文字，对藏文及佛教经典也有了较深的造诣。

雍正十二年（1734 年），清政府按照惯例，正式册封二世章嘉"灌顶普善广慈大国师"名号，发给印信及封册。同年十一月雍正派遣二世章嘉呼

---

① 妙舟：《蒙藏佛教史》第 5 篇，广陵书社 2008 年版。

图克图，偕同和硕亲王允礼，前往四川泰宁惠远庙，护送七世达赖喇嘛回西藏。二世章嘉偕同和硕亲王允礼到四川泰宁，向七世达赖宣布了雍正的谕旨，并转赠了雍正的珍宝礼品。次年，二世章嘉偕同副都统福寿等人，率护卫官兵，护送七世达赖喇嘛回藏，四月到达拉萨。二世章嘉同七世达赖喇嘛，经常学习研究经典，关系甚密，结下了深厚友谊。他到西藏后，广泛结交西藏各寺庙上层喇嘛，在拉萨各大寺庙讲经说法。由于他的渊博佛学知识和超众的辩论才华，震服了很多高僧，声望大起。据说，他到甘丹寺讲经时，喇嘛们便纷纷把帽子脱下，扔到路上给他铺路，争抢着喝他洗手的水，对他的崇拜到了很高的程度。以后他又到后藏扎什伦布寺，拜见五世班禅额尔德尼。五世班禅给章嘉授了大戒，传习经典。章嘉在后藏时，关于雍正逝世与乾隆继位的消息传到西藏，达赖、班禅组织西藏各大寺庙喇嘛诵经、祈祷。章嘉呼图克图听到消息后，立即离开拉萨，急忙返回了京城。

　　章嘉二世回京后，乾隆皇帝很快召见了他，听取了他进藏完成使命情况的汇报，甚为满意。继而乾隆下旨：任命章嘉二世为管理京城各寺庙的"札萨克达喇嘛"。乾隆八年（1743 年），赏赐金龙黄伞；乾隆十六年（1751 年），赐给"振兴黄教大国师"封号，发给印信和许多珍品；又谕旨"尔可依照前世，主持黄教。"

　　章嘉二世，由于精通满、蒙、汉、藏文，佛教学知识渊博，因此，他的著书也很多，特别是他奉乾隆之命，翻译了很多佛经，著名的大藏经《丹珠尔》，是由他主持译成蒙文的。他为了翻译经典需要，还主持编纂了一部《藏蒙对照辞典》。他还用十余年时间，直接参与和主持翻译了三部满文大藏经。为此，他耗费了晚年的全部精力，为历史文化的宝库，增添了瑰宝。乾隆五十一年（1786 年），章嘉二世圆寂于五台山，享年 70 岁。

　　三世章嘉呼图克图伊希丹必扎拉桑　乾隆五十二年（1787 年）五月十八日生于甘肃江宗之北噶达托布达寺附近的扎拉通地方，父名达扎拉哲巴，母名莎扎达。按有关活佛转世规定，报请清朝政府批准，认定为三世章嘉呼图克图。4 岁受小戒，7 岁受中戒，8 岁奉诏进京，朝拜乾隆皇帝。当时，乾隆正在承德避暑山庄。章嘉呼图克图便经过归化城、察哈尔、多伦诺尔到达承德。乾隆派使臣用黄色轿车迎到行宫接见，按惯例赐赏珍宝、玉珠、佛像等，并表示说：前世圆寂，特别悲伤，"如慈母失之爱子"，现在你已转世，"如失复得"。乾隆很喜欢这个年幼的章嘉，让他在身边待了一年，9 岁时，让他回到原寺学习经典。11 岁时，章嘉得到乾隆逝世的消息后，急速从萨布森寺起程到京吊唁，并朝拜新登极的嘉庆皇帝。在京城待了 3 年。嘉庆三年（1798 年），嘉庆诏谕，让 14 岁的章嘉到西藏学习深造。章嘉到拉萨后，首先谒拜了第八世达赖喇嘛，然后到各大寺庙熬茶拜佛。以后，他在那里拜拉萨几个大寺庙著名大喇嘛为师，学习禅密各种经典。21 岁在拉萨受了大戒后，回北京朝觐。嘉庆赐赏貂皮褥、绿轿、珍珠等。

嘉庆二十四年（1819 年），嘉庆帝任命三世章嘉呼图克图为"管理京师喇嘛班第札萨克达喇嘛"，按前世惯例管理京城、多伦诺尔、五台山地区喇嘛印务处。道光八年（1828 年），赐银制"大国师印"、敕书和金顶绿轿；道光十四年（1834 年），又敕金制"大国师印"及金花；道光二十年（1840 年）赐金顶黄轿。道光二十六年（1846 年），圆寂于青海郭隆寺，终年 59 岁。其舍利供于五台山镇海寺。

四世章嘉呼图克图业喜丹必尼玛 道光二十九年（1849 年），生于第三世章嘉呼图克图出生地，甘肃扎拉通地方，父名通拉波，母名满超。据传，第三世章嘉呼图克图圆寂后的第三年，道光帝问津四世章嘉转世灵童之事，下诏迅速查寻，不得延误。次年十二月十七日，在理藩院主持下，经雍和宫金瓶中抽签，并经道光皇帝批准认定。4 岁受小戒。咸丰八年（1858 年）奉诏入京朝觐。咸丰按惯例赐赏各种珍宝、金碗、黄车等，并勉励他努力学习经典，扶持黄教。次年五月，赴多伦诺尔、驻锡汇宗寺时，内蒙古 49 旗，外蒙古 86 旗的王公、贝勒、贝子、札萨克等各旗头领们，聚集到多伦诺尔，为他举行庆典盛会。咸丰十年（1860 年）正月，赴甘肃高力庙学习。四世章嘉在甘肃得到咸丰逝世的消息后，即于同治元年（1862 年）三月，进京悼念咸丰，朝觐同治皇帝。同年夏季到五台山，又赴多伦诺尔。以后到青海地区，拜师学经。同治五年（1866 年），18 岁时，赴西藏拉萨拜师学习经典。20 岁受大戒，同治八年（1869 年）八月，他 21 岁，离藏回京。次年 4 月，到北京朝觐同治帝，照例受到赏赐，受封为"大国师"，发给金印、封册，并依照前世惯例，管理京城和内蒙古地区佛教事务。同年，同治皇帝诏旨，封四世章嘉的父亲为"公爵"，赐给花翎顶戴。此后，他夏季到五台山、多伦诺尔避暑，冬季回京驻锡嵩祝寺。光绪元年（1875 年）冬天，圆寂于京郊天宁寺，是年26岁。其舍利供于五台山镇海寺。

五世章嘉呼图克图罗布桑丹森扎拉桑　光绪四年（1878年），出生于青海西宁附近的多隆基地方。父名阿朗莎松，母名扎拉孟。光绪八年（1882年）七月十四日，在理藩院的监督下，北京雍和宫抽签选定，报光绪皇帝批准。6岁受小戒，7岁受中戒。光绪十二年（1886年）奉旨进京，朝觐光绪皇帝和慈禧太后，以惯例得到赐赏荣典及珍宝物品。次年到多伦诺尔，又到五台山，按前世惯例诵经拜佛。次年五月，由五台山再到多伦诺尔。七月，举行盛大欢迎庆典集会，外蒙古哲布尊丹巴呼图克图的代表和86旗贵族，内蒙古49旗王公、贝勒、贝子、札萨克和各地寺庙呼图克图、葛根以及各寺庙喇嘛及信教群众，共计3万人参加集会。同年九月七日，圆寂于多伦诺尔善因寺，时年仅10岁。舍利供于五台山镇海寺。

（胡日查　撰稿）

锡埒图·固什·绰尔吉

锡埒图·固什·绰尔吉（1564—1625年），又名锡迪图嘎布楚，在阿勒坦汗皈依藏传佛教格鲁派时期的弘扬佛法的诸大师中锡埒图·固什·绰尔吉的活动，对蒙古人从精神上接受佛教思想具有很大影响，但是人们对他的生平事迹却知之很少，因为文献没有给我们留下他的系统传略。我们对他的了解，只是在蒙古文文献中的零星记载和他所译成蒙古文经典的"译后记"中的相关资料而已。从蒙文献记载来看，他是跟随第三世达赖喇嘛于万历六年（1578年）参加青海湖畔的恰卜恰会谈的主要人物之一，其后他的传教活动，从阿勒坦汗开始，到那木岱彻辰汗略后的年代中，均依稀可见。他是三世达赖喇嘛的高徒，万历六年（1578年）会见阿勒坦汗后，得到阿勒坦汗的敬重，并跟随他前来蒙古地方传教。①

根据《阿勒坦汗传》和喀尔喀（今蒙古国）人撰写而流传很广的《额尔德尼召历史》以及相关档案资料记载，他的活动不仅仅是限于呼和浩特

---

①　乔吉：《锡埒图·固什·绰尔吉生平叙补》，载《蒙古史研究》第1辑，内蒙古人民出版社，第154—156页。

地区，而且也涉及漠北喀尔喀地区。据三世达赖喇嘛的说法，他来到呼和浩特后不久依照达赖喇嘛的旨意于万历十三年（1585 年）曾到过喀尔喀部阿巴岱汗处进行过传教。[①] 万历十六年（1588 年）三世达赖喇嘛圆寂后，临时代替三世达赖喇嘛，坐床主持蒙古地方经教，因此遂有"锡埒图·固什·绰尔吉"之赫赫名号。大概是万历二十八年（1600 年）至万历三十年（1602 年）间，他受那木岱彻辰汗和钟根哈敦的派遣前往西藏进献大量布施，并报告三世达赖喇嘛的化身在蒙古地方转世的消息，赢得西藏高僧们的信赖。四世达赖前往西藏以前，他负责培养，并担任了四世达赖的经师。

在他一生的宗教活动中，除了曾一度主持经教，培养四世达赖而外主要是用蒙文翻译佛教经典，他的译经地点主要在呼和浩特。因此，在蒙古人中他以"呼和浩特的锡埒图·固什·绰尔吉"名号闻名。在译经方面锡埒图·固什·绰尔吉的最卓越的成就是于万历三十年（1602 年）到万历三十五年（1607 年）间，他带领右翼三万户的译师们将《甘珠尔》全部翻译成蒙古文这一事实，但这在 20 世纪 80 年代以前人们几乎不甚知晓。在此前于万历二十年（1592 年）至万历二十八年（1600 年）间他已经翻译了十二卷本《般若波罗蜜多经》。我们根据前人的研究和蒙古文佛教经典相关目录，可以指出他所翻译的蒙古文经典有《般若波罗蜜多十万颂精义》、《般若波罗蜜多一万八千颂》（第三卷）、《般若波罗蜜多一万颂》（第四卷）、《吉祥金刚怖畏雅曼达嘎（威德金刚）生成威德起始道次第》、《大吉祥怖畏起始道次第》、《吉祥智慧本尊六臂法王》、《牧犍连报母恩记》、《正法白莲花大乘经》、《佛说贤愚经》、《如意鬘》、《米拉日巴传道歌广集》、《瑜伽上师米拉日巴及其示涅槃，说一切道之传记》、《圣般若波罗蜜多能断金刚大乘经》、《菩提道次第广论》、《玛尼宝训》、《无垢普成王子传》、《胜乐金刚修持仪轨》、《本义必用经》等等。

锡埒图·固什·绰尔吉的蒙古文译经的"译后记"和有关著作里，详细地介绍了佛教徒必须了解的佛教教义、伦理和佛教历史。他的译经和著述活动，对于以佛教的基本思想观念统治蒙古社会，产生了重要的影响。他的

---

① 内蒙古图书馆、内蒙古社会科学院图书馆馆藏档册：《kökeqota-yin γajar orun-u jaq-a kijaγar ba siregetü gegen-ü tobci namtar》（呼和浩特地域界限及锡埒图活佛传略），写本，1r—1v。

代表作《本义必用经》在蒙古社会中颇有影响，大概也在于此。

值得一提的是，锡埒图·固什·绰尔吉还有个梵文名字，在很多蒙古文著作里有不同写法，其实他的梵文名字的正确写法应是Śriśilasvaraba，意为"妙德穗音"。锡埒图·固什·绰尔吉圆寂于天启五年（1625年）。其转世成为有清一代呼和浩特席力图召席力图呼图克图系统。

（胡日查　撰稿）

席力图呼图克图

席力图呼图克图住持呼和浩特席力图召，系呼和浩特地区最有势力和影响的活佛系统，曾多次担任总管呼和浩特喇嘛班第之喇嘛印务处的掌印札萨克大喇嘛和副大喇嘛，与理藩院和历朝皇帝有着密切的联系。有清一代，该呼图克图系统列入洞礼年班，其转世从起初的师徒继承变为经过理藩院金本巴瓶掣签认定。有清一代，共转十世，其中第二、五、六、七世为蒙古人，其余均为藏族出身。

一世席力图呼图克图锡迪图嘎布楚　本名贡桑札巴，系第三世达赖喇嘛索南嘉措的亲传弟子。

明万历五年（1577年），锡迪图嘎布楚随第三世达赖喇嘛索南嘉措来到青海会见俺答，参与了俺答与索南嘉措在青海察卜察勒庙会见的过程。索南嘉措和俺答很敬重他。

明万历十四年（1586年）锡迪图嘎布楚随索南嘉措来到呼和浩特，又参与了索南嘉措在土默特地区进行宗教活动的全过程，他对藏传佛教在内蒙古的发展起到过重要作用。为此，三世达赖喇嘛授予他"班迪达·固什·巧尔吉"尊号。

万历十六年（1588年），三世达赖喇嘛在内蒙古喀喇沁部圆寂。相传，他在临终前给锡迪图嘎布楚留下遗嘱：让锡迪图嘎布楚坐他在席力图召的法座，安排好舍利之后事，负责从东方寻找他的呼毕勒干（灵童）。

据此遗嘱，锡迪图嘎布楚坐了三世达赖喇嘛在呼和浩特席勒图召的法座，主持宗教仪式。因此，亦称其为"锡勒图·固什·却尔吉"。

三世达赖喇嘛圆寂后，根据其遗嘱，锡迪图嘎布楚积极协同第三世达赖喇嘛的管家班觉嘉措等西藏喇嘛教格鲁派上层人物和土默特贵族们密切合作，认定三世达赖喇嘛的转世灵童，即俺答的孙子、松布尔台吉的儿子云丹嘉措。万历二十年（1592 年），拉萨三大寺派来代表团，在内蒙古查访第三世达赖喇嘛的转世灵童。代表团返藏后，经过认真研究，确认云丹嘉措为三世达赖喇嘛的转世灵童。事后，锡迪图嘎布楚亲自抚育和护持云丹嘉措，给他传授经典，成了第四世达赖喇嘛的启蒙老师，蒙古族群众尊称其为"乌日鲁格"（抚育者）喇嘛。

万历三十年（1602 年），西藏三大寺派正式代表团来内蒙古迎请云丹嘉措到西藏坐床。次年，在藏北热振寺隆重举行第四世达赖喇嘛坐床典礼，后接到哲蚌寺居住学经。锡迪图嘎布楚陪送到西藏，并参加了坐床庆典。次年，锡迪图嘎布楚返回呼和浩特，进行了席勒图召的扩建工程，改建后的席力图召成为具有独特风格的汉藏式寺庙。

锡迪图嘎布楚学识渊博，精通蒙、藏、汉三种文字，他是翻译家、诗人、史学家和佛学家。他在呼和浩特期间，将藏文《尤木经》（《般若经》）译成蒙古文。根据那木岱彻辰汗之命，他主持了蒙译《甘珠尔经》的浩瀚工程。还翻译了《米拉日巴传》、《莫伦木—托音传》等著作。著有《本义必用经》及很多诗词作品。特别是《本义必用经》，是一部重要著作，内容包括四个部分：（1）释迦牟尼的生平，佛教形成的历史，佛教各教派的情况；（2）外部世界，即宇宙的来源及形成，内部世界，即人类社会的来源和形成；（3）印度、西藏、蒙古诸汗源流；（4）佛教教义、教规学说和规范等问题。这部著作，对在蒙古地区传播和发展佛教，起到了重要的宣传作用。锡迪图嘎布楚闻名于蒙藏地区，特别是对内蒙古西部地区佛教格鲁派的传播与发展起了重要作用。锡迪图嘎布楚圆寂于崇祯十一年（1638 年）。

二世席力图呼图克图那旺罗布桑札木苏　出生于青海蒙古和硕特部贵族家庭，达延额尔和之子。顺治元年（1644 年），清世祖顺治皇帝在盛京（沈阳）继位，那旺罗布桑札木苏派使者前往祝贺，受到清廷的重视和嘉许。

顺治九年（1652 年），五世达赖喇嘛罗桑嘉措进京朝觐，途经呼和浩特，驻于大召。五世达赖喇嘛将在北京皇帝所赐的 1 000 匹骏马交给席力图二世，让他换成货宝。顺治十一年（1654 年），经理藩院允许，那旺罗布桑札木苏将其换成货宝亲自送往西藏。返回呼和浩特后，兴建席力图召第一座属庙——巧尔气召（延禧寺）。

三世席力图呼图克图那旺罗布桑丹僧札拉赞　出生于青海阿木多地方的德格隆寺，顺治十六年（1659 年），从青海迎来席力图召坐床。

四世席力图呼图克图那旺罗布桑拉布坦　出生于青海阿木多地方。康熙十三年（1674 年），迎到席力图召坐床。

康熙二十九年（1690 年），席力图呼图克图四世为"祝佑圣主万安"，在呼和浩特西北乌素图河岸兴建一寺，清廷赐名"广寿寺"。康熙三十年（1691 年），到西藏拜师学经。不久，根据康熙帝圣谕，返回呼和浩特。

康熙三十三年（1694 年），准噶尔部噶尔丹汗挥兵东进喀尔喀，呼和浩特地区大震。当时任呼和浩特喇嘛印务处之札萨克达喇嘛内齐托因二世在科尔沁部未回。康熙遂命四世席力图代理掌印札萨克达喇嘛。为了安全起见，发动各召喇嘛和蒙、汉人民，加筑了呼和浩特（旧城）外城。

康熙三十五年（1696 年），完成了扩建修葺席力图召工程，呈请清廷，赐名"延寿寺"并敕给满、蒙、藏、汉四体合璧寺额。康熙皇帝亲征噶尔丹汗，凯旋返归时，途经呼和浩特，四世席力图呼图克图为康熙举行"皇图永固、圣寿无疆"的诵经法会，甚得康熙皇帝嘉许，"予以极大赞赏"，并赐给四世席力图呼图克图以幢幡、念珠、经卷和佛像等物。

康熙四十二年（1703 年），根据清廷之意，以满、蒙、藏、汉四种文字刻石立碑，记述康熙皇帝征讨噶尔丹战争的事迹。是年，呼和浩特小召之内齐托音二世圆寂。席力图呼图克图四世继任呼和浩特札萨克达喇嘛之职，并会同归化城将军费扬古，将各召庙喇嘛和俗徒 2 550 人，按土默特旗的军事组织形式，编为十三佐领，归入旗籍。至此，呼和浩特各召庙的领导权，完全归属于席力图召。同年，为祝佑"圣主永康"，在呼和浩特北山谷，察罕哈达山阳建一佛寺，清廷赐名"永安寺"，俗称"察罕哈达召"。

康熙五十一年（1712 年），四世席力图呼图克图圆寂。

五世席力图呼图克图　乌喇特中旗台吉察罕之子，生于康熙五十二年（1713 年）。雍正五年（1727 年），清廷下旨："察席力图呼图克图甚为聪敏，又系我地方之大喇嘛也。按例，应进藏习经，出达赖、班禅之门。然此时西藏宫中有高深学识者班禅已圆寂，达赖喇嘛年幼，经师尚无。今使席力图呼图克图北来，于京城外，寻找长于经学之喇嘛教习之。"这是因为青海地区发生罗布桑丹津叛乱不久，青海地区不少喇嘛高僧受到影响，故此，取消席力图呼图克图西藏之行。

五世席力图呼图克图从京城学经归来后，在四世呼图克图扩建的基础上，想把席力图召进一步扩建成同青海塔尔寺同等规模的重要的大寺庙。为了这一目标，一方面经常为清帝举行"皇图永固、圣寿无疆"的诵经、祈祷法会，以取得清廷的信任和支持；另一方面，继续扩大宗教影响，在召内开设"喇嘛日木"扎仓（次第学部），督导喇嘛钻研经典。五世席力图精通蒙、藏、汉三种文字，他将汉文《圣勇金刚经》（《佛诵桑岱经》）译成藏文和蒙文。

雍正十年（1732年），清廷与准噶尔部议和。至此，自康熙以来对西部边区用兵一事告一段落。是年十二月，五世席力图呼图克图为雍正皇帝举行盛大庆功法会，深得雍正赞许和恩奖。雍正十二年（1734年），任呼和浩特掌印札萨克达喇嘛。乾隆十五年（1750年）圆寂。

六世席力图呼图克图 乾隆十六年（1751年）出生，系喀尔喀额驸亲王策凌之子。乾隆二十一年（1756年），迎请到席力图召寺坐床。乾隆二十七年（1762年），六世席力图呼图克图进京朝觐乾隆皇帝，受赏赐。乾隆二十九年（1764年），任呼和浩特掌印札萨克达喇嘛。是年，进京向乾隆皇帝请安谢恩。乾隆三十四年（1769年），为"圣主万安"，在大青山北锡拉木伦地方兴建了一寺，清廷赐名"普会寺"，敕给满、蒙、汉、藏四文体合璧寺额。席力图呼图克图六世，于乾隆三十五年（1770年）、三十六年（1771年）、四十三年（1778年），连续三次进京觐见，深受乾隆皇帝恩宠，赐赏貂皮坐褥等。

从席力图呼图克图六世起，席力图召便成为凌驾于大召、小召之上的呼和浩特最大寺庙，香火日盛，处于该召的鼎盛时期。席力图呼图克图六世，于乾隆五十年（1785年）圆寂。

七世席力图呼图克图 乾隆五十年（1785年）出生，系喀尔喀达尔罕贝勒策登那木吉勒旗的台吉吉米彦之子。圆寂于乾隆五十三年（1788年）。

八世席力图呼图克图 乾隆五十三年（1788年）出生，系青海阿姆多地方鲁汤寺属民道尔吉色楞之子。乾隆五十八年（1793年），年仅五岁圆寂。

由于席力图呼图克图七世、八世，都是幼年夭折，未能任掌印札萨克达喇嘛之职，这个职位，由当时席力图召的属庙——绰尔济召葛根接任。又因七世、八世席力图呼图克图早夭不寿，为了保佑，在席力图召东院建立金刚长寿白塔一座，以祈求呼图克图长寿。

九世席力图呼图克图　乾隆五十九年（1794 年）出生，系青海阿木多吹巴宗寺附近的阿里克家族村藏民之子，嘉庆六年（1801 年），理藩院经过金本巴瓶掣签认定。嘉庆九年（1804 年），迎来席力图召坐床，当年冬季进京觐见。嘉庆十四年与二十一年（1809 年、1816 年），赴京城入洞礼年班。嘉庆二十三年（1818 年）冬，九世席力图呼图克图任呼和浩特掌印札萨克达喇嘛。次年进京，向清朝皇帝请安谢恩。其后连续 11 年，每年进京朝觐，受到清廷重视。

九世席力图呼图克图在担任呼和浩特掌印札萨克达喇嘛期间，不承认绰尔齐召的独立地位，不允许绰尔齐召迎请转世葛根，他向清廷提出诉讼，绰尔齐召是席力图召的属庙，居然自立转世制度，造成二召分立，有违教规。绰尔齐召也提出反诉讼，双方各持其见，互不相让，官司一直打了两年。后清政府派来大学士松筠裁决。结果，认定绰尔齐召葛根是席力图召的弟子，两个召的喇嘛，在行政管理和宗教活动方面，完全独立。另外，九世席力图呼图克图任掌印札萨克达喇嘛之后，清政府还规定：札萨克达喇嘛不能直接向清廷呈报事宜，应先呈报绥远城将军，然后转呈理藩院转奏。

咸丰九年（1859 年），九世席力图呼图克图重修席力图召，增高殿基数尺，使大殿更加巍峨富丽。光绪元年（1875 年），九世席力图呼图克图圆寂。

十世席力图呼图克图吉格米德尼玛　出生于青海确斯地方。光绪十年（1884 年），经过金本巴瓶掣签认定。光绪十四年（1888 年）坐床。光绪二十五年（1899 年），进京朝觐，入洞礼年班诵经。1941 年赴西藏习经，是年在西藏圆寂。

（胡日查　撰稿）

内齐托因呼图克图

内齐托因呼图克图住持呼和浩特小召（崇福寺），系当初呼和浩特地区最有势力和影响的呼图克图系统之一，曾三次担任总管呼和浩特喇嘛班第之喇嘛印务处的掌印札萨克大喇嘛和副大喇嘛，与理藩院和历朝皇帝有着密切的联系。有清一代，该呼图克图系列入洞礼年班，其转世从起初的师徒继承变为经过理藩院金瓶掣签认定。内齐托因呼图克图共转八世，转世者均为蒙古人，因该呼图克图原施主为哲里木盟科尔沁蒙古人，其转世者多数出身于科尔沁王公台吉家族。

一世内齐托因阿毕达 万历十五年（1587 年），出生于卫拉特蒙古土尔扈特部阿尤喜汗家族，系阿尤喜汗的叔父莫尔根特木讷之子。幼年性情善良，对人对己，以至属民均一视同仁，对苦难之人善发慈悲，聪明好学。因此，其父亲称他为"内齐托因"。父亲给他娶过妻，生过一子。后他提出出家，父亲不同意，派人监视，他乘机逃跑到西藏扎什伦布寺，拜三世班禅罗桑丹珠为师，接受"格斯勒"戒，起名楚臣藏巴。内齐托因在西藏学习深造，精通佛教教理和经典，取得了很高成就后，三世班禅罗桑丹珠说："你的缘分本在东方，故不得去别处，唯独在东方才能普度众生，修就正果。"[①]此后，内齐托因遵照班禅的旨意，步入东归之途，跋山涉水，历经千辛万苦，行善苦行，"教化了哈尔阿扎然和宝尔阿扎然两地"。继而又禅居"准黑勒"白岩洞，修炼"永恒之道"。以后又抵达喀尔喀的确依让泽桑德几个地方化缘，灌顶诵经，从未接受过尽孝的功礼。万历二十年（1592 年）左右，内齐托因一世身披黄毡，手持摇鼓和法钵，长途奔波，来到土默特的呼和浩特，莅席大召庙会唪诵《牙门德嘎经》（《罗刹天王经》）。坐在一旁的格斯贵喇嘛，指责他诵的经不伦不类，他反诘道："你们哪能知道我唪诵的经文。"[②]便退出庙会，扬长而去。此后，内齐托因一世在大青山一带修行传教，在阿巴嘎哈尔洞修行 12 年，又到黄帽洞（东喇嘛洞）修行坐禅 23 年，苦禅修行约 25 载。

崇祯二年（1629 年），内齐托因带领他的弟子们，奔向东方科尔沁地方

---

① 《内齐托因一世传》，载《呼和浩特史蒙古文献资料汇编》第 6 辑，内蒙古文化出版社 1989 年版，第 106 页。

② 《内齐托因一世传》，载《呼和浩特史蒙古文献资料汇编》第 6 辑，内蒙古文化出版社 1989 年版，第 108 页。

修行传教，大力宣传佛教教义、教规，深得科尔沁部的诺颜、台吉和信徒群众的敬仰。天聪六年（1632年）五月，内齐托因带领他的30余名门徒到盛京（沈阳），觐见清太宗。清太宗对内齐托因的前来觐见特别关注与重视。因为他是内蒙古东西部地区很有影响的大喇嘛，是清朝统治者们需要争取、笼络的重点人物。因此，清太宗破格礼仪优待，"大开皇恩，赏赉御宴"，并说："请你们留下来，作我供养的福田"，内齐托因说："我没有这样的福德，让我回到蒙古地方去。"① 清太宗同意了，"并赏给他们每人一块红布"，准许将科尔沁部10旗，作为内齐托因一世的供养之地。

内齐托因一世，从盛京返回科尔沁草原后，更加大力进行传教，并大力宣传禁止杀生，恭敬"三宝"（佛、法、僧）和佛教义、教规，说服科尔沁部诺颜、台吉等贵族们，驱逐、镇压萨满教。内齐托因一世在科尔沁部诺颜、台吉等贵族们的支持下，对萨满教进行了残酷的镇压。据《内齐托因一世传》记载：在内齐托因的鼓励下，科尔沁部以土谢图汗等诺颜们，通过了提倡、鼓励、奖励该部臣民信仰佛教，禁止该部萨满教的活动，烧毁全部萨满教天神——"翁衮"的法律。根据这一法律，各诺颜们和内齐托因共同派遣地方官吏和喇嘛，到民户中强制收缴"翁衮"，贵族、官吏和平民，一律交出，如果隐瞒或拒不交出者，受到严厉惩处。这些官吏和喇嘛们，将收缴来的"翁衮"都缴到内齐托因的驻锡地，堆积在一起，有一座蒙古包高，然后纵火烧毁。在内齐托因一世的倡导下，科尔沁地区，开始兴建佛教寺庙。内齐托因一世在科尔沁部土谢图王旗（科尔沁右翼中旗）创建巴音和硕庙，作为他的驻锡之庙（内齐托因一世圆寂后，将其舍利安放在此庙）。以后，该庙成为历代内齐托因呼图克图在科尔沁部的驻锡之庙。内齐托因还到过郭尔罗斯、东土默特、蒙古勒津、扎鲁特、巴林、敖汉、翁牛特、阿鲁科尔沁、奈曼等地传教。

内齐托因在科尔沁地区成功地传播了佛教，并产生了巨大的影响，被尊称为"额齐格·博格达"（圣父）喇嘛。与此同时，严厉地镇压了萨满教，摧毁了萨满教的基础，成功地改变了科尔沁等部蒙古人对萨满教的信仰。

---

① 《内齐托因一世传》，载《呼和浩特史蒙古文献资料汇编》第6辑，内蒙古文化出版社1989年版，第137页。

由于内齐托因在科尔沁等部的影响巨大，权势猛涨，受到清朝一些官员和高僧喇嘛的妒忌，因而，引起一场官司。顺治九年（1652 年）十二月，五世达赖喇嘛罗桑嘉措进京觐见顺治皇帝，当时，萨迦诺们汗（即锡勒图库伦喇嘛旗的第三任札萨克达喇嘛——西布扎衮如克），向顺治帝和五世达赖控告内齐托因在科尔沁地区"权势猛涨，有违戒规"的罪状。清廷将此案交给当时全权接待五世达赖事宜的满族亲王——噶巴拉公。而噶巴拉公与萨迦诺们汗一向关系密切，加之又大量受贿，达赖喇嘛的译员格林嘎布吉，蒙语不够精通，翻译有错误，致使内齐托因受到了清廷和达赖喇嘛的责罚，限令他离开科尔沁地方，退居呼和浩特。

内齐托因再次来到呼和浩特，便在当时已经很破旧的小召门前搭毡帐栖身。一次土默特部都统古禄格楚呼尔前来膜拜叙谈时，内齐托因问及小召何人所建，楚呼尔答曰："此寺乃是阿勒坦汗的后裔俄木布洪台吉所建。内齐托因又问，为何不修葺？答曰：修庙容易，只是没有孚众望的喇嘛住此庙。内齐托因曰：一时哪能机遇圣贤，命楚呼尔尽心修葺，将来必有负盛誉的喇嘛来此庙居住。"① 楚呼尔遵命，派拉布杰扎兰章京进行修葺。还将修缮小召后的剩余木料、石块、砖瓦，在呼和浩特又建一寺，如今称之为拉布杰召。

内齐托因在呼和浩特居住的时间不长，受科尔沁部宾图王福晋的邀请，前去医治疾病，遂于顺治十年（1653 年 10 月 15 日），在科尔沁部圆寂，享年 66 岁。

二世内齐托因呼图克图 康熙十年（1671 年）八月初一出生，系茂明安部台吉鄂齐尔之子。二世内齐托因呼图克图的认定，是在康熙十七年（1678 年），小召主持喇嘛派人到巴林、扎鲁特、科尔沁等地会见王公贵族，说明内齐托因的转世事宜，各封建贵族一致赞同，有哲里木、昭乌达二盟所属二十个旗、土默特二旗、乌拉特三旗及明安旗的王公贵族、诺颜共同签名，奏请康熙皇帝："尊师博格达喇嘛转生于明安旗鄂齐尔台吉之子，并认出前世的佛像和弟子，我等准备迎请本寺坐床。"康熙应许，问及是否禀报

---

① 《内齐托因一世传》，载《呼和浩特史蒙古文献资料汇编》第 6 辑，内蒙古文化出版社 1989 年版，第 172 页。

过西藏班禅额尔德尼和达赖喇嘛，回答"有班禅额尔德尼指示方位和父母姓名之诏书"，康熙谕旨："只要你们弟子和施主一经确认无疑，即可迎来原寺坐床。"①

康熙十八年（1679 年）夏，迎请二世内齐托因到呼和浩特小召坐床。坐床典礼上沙毕纳尔和施主们云集在一起，举行了盛大的祈福仪式，"由参加法会的众喇嘛布施'芒餐'，应接不暇，僧俗同庆，大摆三日喜宴。"是年秋，二世内齐托因进京觐见康熙皇帝，同时，又朝见了科尔沁部的孝庄文皇后和孝惠章皇后。从此，二世内齐托因在清廷中的影响和地位日益提高。

康熙二十九年（1690 年），二世内齐托因再次进京觐见康熙皇帝，奏请"喇嘛度牒和新设札萨克喇嘛"之事，遂册封阿木多呼利岑贵为札萨克喇嘛，并赏赐 15 张度牒。次年四月，康熙皇帝为了解决喀尔喀归顺事宜，在多伦诺尔召开了会盟盛会。二世内齐托因同喀尔喀哲布尊丹巴一世和内蒙古49 旗王公诺颜一道参加了盛会，受到很高的礼遇。

是年中秋，康熙帝在宫中召见二世内齐托因，并谕旨："科尔沁十旗属于你的施主，也是朕的舅家，那里有我们满洲国赫哲、锡伯部落，你去把锡伯、赫哲人请来，朕赐其诺颜，把他们招收回来。"② 于是，二世内齐托因遵旨，来到卓哩克图亲王旗巴扎尔处，向科尔沁的全体王公诺颜传达了康熙谕旨，并说明了自己奉旨当使者前来的使命和目的。科尔沁各旗全体王公表示，坚决服从康熙之圣谕，尽力协助完成内齐托因的使命，为托因喇嘛"生而尽力，死而后已。"在科尔沁各旗王公贵族帮助下，征得 1 万多名锡伯等族兵丁后，返回北京向清廷交了差，受到康熙的嘉奖。

康熙三十二年（1693 年），二世内齐托因进京祝贺"万寿节"。康熙命巴图赖禅师给内齐托因指定一个在京住寺。遂赐皇城罗刹天王庙为其住寺，并指派常住一个达喇嘛和 20 名喇嘛，由清廷发钱粮。

康熙三十四年（1695 年）正月，康熙皇帝指派内齐托因为首席使者，

① 《二世内齐托因传》，载《呼和浩特史蒙古文献资料汇编》第 6 辑，内蒙古文化出版社 1989 年版，第 190 页。

② 《二世内齐托因传》，载《呼和浩特史蒙古文献资料汇编》第 6 辑，内蒙古文化出版社 1989 年版，第 200 页。

前往西藏给班禅额尔德尼赐送金册、御书和纪念品，同时探知达赖喇嘛圆寂
的虚实。二世内齐托因在西藏完成了清廷所交付的使命，第二年春季返京，
向康熙如实地汇报了五世达赖已圆寂的消息，深得康熙嘉许。同他一起去的
丹巴莎尔吉·阿其图格隆、巴莎尔喇木扎布等喇嘛同西藏的第巴桑杰串通一
气，隐瞒了五世达赖死去的实情，受到严厉惩罚。

康熙三十四年（1695 年），二世内齐托因在清廷的支持下，对小召进行
了大规模的修葺和扩建，主庙扩建为十二间房的上下二层楼，外壁彩漆精
画，精致美观；主庙南面建起能容 1 000 多喇嘛的双层大殿。大殿院内还建
起释迦牟尼寺、七大善游佛寺、二十一度母寺、三大依佑佛寺。寺庙建成
后，呈报清廷，由清廷赐名为"崇福寺"，敕给满、蒙、汉、藏四体寺额。

康熙三十五年（1696 年）夏，康熙率三路大军亲征准噶尔噶尔丹。中
路军以二世内齐托因为宗教顾问，"身居野战黄城，共同磋商旨意，每日不
离左右，蒙受极大皇恩"。[①] 康熙战胜噶尔丹，凯旋归师，路经呼和浩特，
在小召留住三日，举行了盛大庆功法会。康熙将全副盔甲、战袍、锦靴、弓
箭、腰刀、鞍辔等物赏赐给小召作纪念。此后，每年正月十五日，都要将这
些历史文物陈列展览，供瞻仰、观赏。同年，他又扩建席力图召。康熙四十
二年（1703 年），又以满、蒙、汉、藏四种文字刻成石碑，记述征服噶尔丹
的事迹。

康熙三十八年（1699 年），二世内齐托因任呼和浩特掌印札萨克达喇
嘛。自筹资金 5 000 两修建大召。他同席力图呼图克图和各大召札萨克喇
嘛，共同协商，确定了各大召庙诵经制度，整顿召庙扎仓（学部）的法规，
并在额木齐召设立满巴扎仓（医学部），进行正规学习深造。确定各召庙法
会制度、喇嘛的清规戒律、奖惩制度以及行政管理制度等，使"禅教与政
治之事发扬光大"。康熙四十二年（1703 年）仲冬，年仅 32 岁的二世内齐
托因圆寂。

三世内齐托因呼图克图　系乌拉特中旗台吉古努格之孙，[②] 康熙四十九

　　① 《二世内齐托因传》，载《呼和浩特史蒙古文献资料汇编》第 6 辑，内蒙古文化出版社 1989 年
版，第 213 页。
　　② 《呼和浩特召庙》误写为古努格之子，据梅里更格根：《黄金史》，三世内齐托因应是古努格之孙。

年（1710 年）坐床。①

康熙五十年（1711 年）、康熙五十五年（1716 年）、雍正四年（1726年）曾三次进京参加洞礼经年班，向清帝祝福安康。乾隆初年，任呼和浩特掌印札萨克达喇嘛。

据延寿寺档案记载，乾隆十七年（1752 年）夏，三世内齐托因将呼和浩特掌印札萨克达喇嘛之印章丢失。内齐托因倚仗权势，对被怀疑作案的数人进行刑讯逼供、严刑拷打，大动刑法，制造假供造成冤案。后经理藩院审理，弄清案情始末，对三世内齐托因以丢失官印失职，又刑讯逼供，加害僧人和制造冤假案等罪名，于乾隆十七年（1752 年）十一月，罢免其掌印札萨克达喇嘛职务。② 三世内齐托因丢印失职事件严重影响了其后各代内齐托因呼图克图在呼和浩特地区喇嘛上层中的有利地位，而前二世的宗教地位逐渐被另一个实力派代表席力图呼图克图所代替。

乾隆二十三年（1758 年）春，三世内齐托因去五台山觐见在五台山朝拜的乾隆皇帝。乾隆三十年（1765 年）圆寂。

四世内齐托因呼图克图 系科尔沁右翼前旗札萨克郡王那旺萨布坦次子。乾隆三十七年（1772 年）坐床。乾隆三十八年（1773 年），在察哈尔镶蓝旗境内的台噶湖之西建造一座庙，寺庙建成后，呈报清廷，由清廷赐名为"荟安寺"，并敕给满、蒙、汉三体寺额。乾隆四十八年（1783 年）圆寂。

五世内齐托因呼图克图 出生于科尔沁右翼中旗台吉桑杰扎布之家。乾隆五十五年（1790 年）坐床。嘉庆十六年（1811 年）圆寂。

六世内齐托因呼图克图 出生于乌拉特右旗台吉道尔济之家，于嘉庆二十二年（1819 年）坐床。③ 六次进京入洞礼年班。先后三次入京觐见同治、咸丰皇帝。光绪元年（1875 年）圆寂。

七世内齐托因呼图克图济格米德道德巴那木济勒，系哲里木盟科尔沁右翼后旗三等台吉图布苏日塔拉图之子，法名济格米德道德巴那木济勒。经金

① 金峰整理注释：《呼和浩特召庙》，内蒙古文化出版社 1989 年版，第 128 页。
② 《呼和浩特史蒙古文献资料汇编》第 1 辑，内蒙古文化出版社 1989 年版，第 27—30 页。
③ 《呼和浩特召庙》误写为 1818 坐床。据档案记载，其坐床时间应为 1819 年。

本巴瓶掣签认定坐床。光绪十五年（1889 年）圆寂。①

八世内齐托因呼图克图　光绪十六年（1890 年），出生于科尔沁右翼中旗。光绪二十五年（1899 年），经金瓶掣签认定，坐床于该旗境内的内齐托因驻锡地巴音和硕庙。1940 年圆寂。②

（胡日查　撰稿）

吹斯噶巴迪彦齐呼图克图（博格达察罕喇嘛）

吹斯噶巴迪彦齐呼图克图住持呼和浩特广化寺（西喇嘛洞），系呼和浩特地区最有势力和影响的呼图克图系统之一，曾多次担任总管呼和浩特喇嘛班第之喇嘛印务处的掌印札萨克大喇嘛和副大喇嘛。有清一代，该呼图克图系统列入洞礼年班，其转世从起初的师徒继承变为经过理藩院金瓶掣签认定。吹斯噶巴迪彦齐呼图克图共转八世，除了第三世为西藏人以外，其余转世者均为土默特、乌拉特等部蒙古人。

一世吹斯噶巴迪彦齐呼图克图拉希扎木素。16 世纪末，藏传佛教在呼和浩特土默特地区开始传播的时候，有一个叫拉西扎木素的喇嘛，在大青山一带传法。后在呼和浩特西北山洞（西喇嘛洞），苦行坐禅，在信徒中被誉为"博格达察罕喇嘛"。据三世土观却吉尼玛所著《大德拉西扎木素及诸辈传记》，拉西扎木素出生于土默特王之大臣的家族。③ 拉西扎木素在山洞中坐禅苦行十几年，对藏传佛教在呼和浩特土默特地区的传播起了重要作用。据记载，17 世纪初，当内齐托因来到呼和浩特以北之阿巴噶哈喇山时，曾遇见过察罕喇嘛。由于拉西扎木素苦行坐禅，终身严守禅规戒律，影响很大。其门徒中出现了赫赫有名的四大迪彦齐喇嘛，即道布迪彦齐、察哈尔迪彦齐、察罕迪彦齐、额尔德尼迪彦齐。天聪六年（1627 年）博格达察罕喇嘛圆寂。

（胡日查　撰稿）

---

① 金峰整理注释：《呼和浩特召庙》，内蒙古文化出版社 1989 年版，第 130 页。

② 德勒格：《内蒙古喇嘛教史》，内蒙古人民出版社 1998 年版，第 343 页。

③ ［日］若松宽：《博格达察罕喇嘛及呼和浩特的喇嘛教》，载《清代蒙古的历史与宗教》，黑龙江教育出版社 1994 年版。

额尔德尼迪彦齐呼图克图

额尔德尼迪彦齐呼图克图住持呼和浩特崇禧寺（东喇嘛洞召），系呼和浩特地区较有影响的活佛系统之一。康熙年间，第四世额尔德尼迪彦齐呼图克图在呼和浩特附近兴建了四座寺院，时为呼和浩特大召所属呼必勒罕。有清一代，该呼图克图系统列入洞礼年班，其转世从起初的师徒继承变为经过理藩院金本巴瓶掣签认定。额尔德尼迪彦齐呼图克图共转六世，除了一世为西藏人以外，其余转世者均为邻近乌拉特、茂明安、喀尔喀等部蒙古人。

（胡日查　撰稿）

额尔德尼莫日根洞科尔班第达呼图克图

额尔德尼莫日根洞科尔班第达呼图克图住持广觉寺（五当召），系呼和浩特地区很有影响的活佛系统之一。一世额尔德尼莫日根洞科尔班第达呼图克图罗卜桑扎拉桑出身于喀尔喀部，为甘珠尔瓦诺们汗之徒，乾隆年间兴建广觉寺的同时，曾参加过《丹珠尔》经的蒙古文翻译工作。七世达赖喇嘛赐封他为"洞科尔班第达"。① 有清一代，该呼图克图系统列入洞礼年班，其转世经过理藩院金瓶掣签认定。额尔德尼莫日根洞科尔班第达呼图克图共转六世，其转世者多为邻近土默特、乌拉特、喀尔喀等部蒙古人。

（胡日查　撰稿）

锡勒图库伦札萨克喇嘛旗札萨克大喇嘛

锡勒图库伦札萨克喇嘛旗札萨克大喇嘛为一旗之长，总理全旗政教事务，由清朝任免。雍正七年（1729年），清朝规定："锡勒图库伦掌印札萨克大喇嘛缺出，应将墨尔根绰尔济之孙补放，或于徒众内择其才堪胜任者保送到院

---

① 《呼和浩特史蒙古文文献资料汇编》第6辑，内蒙古文化出版社1989年版，第331页。

补放。"① 此墨尔根绰尔济为该喇嘛旗第二任札萨克大喇嘛。历任札萨克大喇嘛列入清朝制定的藏传佛教上层参加的洞礼年班之列。有清一代，锡勒图库伦札萨克大喇嘛共转 22 代，历任札萨克大喇嘛的多数出身于青海萨木鲁家族。

（胡日查　撰稿）

额尔德尼察罕迪彦齐呼图克图

卓索图盟土默特左旗额尔德尼察罕迪彦齐呼图克图住持土默特左旗境内的最大寺院瑞应寺，系清代内札萨克蒙古东部地区很有影响的活佛系统之一。一世额尔德尼察罕迪彦齐呼图克图桑坦桑布为内齐托因弟子，康熙曾赐号为堪布喇嘛。康熙十五年（1676 年），一世额尔德尼察罕迪彦齐呼图克图偕弟子温布等 30 人赴藏谒见达赖和班禅。翌年，五世达赖喇嘛授予他"额尔德尼察罕迪彦齐呼图克图"称号，并授印信。② 道光三年（1823 年），因四世额尔德尼察罕迪彦齐呼图克图名下徒弟已超过 3 000 人，所属阿拉巴图（黑徒）竟达 800 户，经申请，理藩院赐"土默特札萨克大喇嘛察罕迪彦齐呼图克图之印"。③ 有清一代，该呼图克图系统列入洞礼年班，其转世起初经过达赖、班禅认定，后经过理藩院金瓶掣签认定。额尔德尼察罕迪彦齐呼图克图共转六世，其转世者多为土默特左旗蒙古人。

（胡日查　撰稿）

莫尔根格根罗卜桑丹毕扎拉桑

乌兰察布盟乌拉特前旗莫尔根格根住持该旗旗庙——莫尔根召（崇善寺），系清代内札萨克蒙古西部地区很有影响的活佛系统之一。一世莫尔根迪彦齐为内齐托因徒弟，是蒙古文诵经的奠基人之一。三世莫尔根格根罗卜桑丹毕扎拉桑（1717—1766 年）出生于乌拉特中旗一平民家，5 岁被认定

---

① （光绪）《大清会典事例》卷 984，《理藩院》。

② 《额尔德尼察罕迪彦齐呼图克图传》，载《呼和浩特市蒙古文献资料汇编》第 6 辑，内蒙古文化出版社 1989 年版，第 275—330 页。

③ 陶克通嘎等：《瑞应寺》，内蒙古文化出版社 1984 年版，第 26 页。

为莫尔根召的第三任格根而迎进寺院坐床。他不仅对文学、语言、历史、医学和历算颇有研究，还进一步发展了蒙文诵经制度，对蒙古语言文学的发展起了重要作用。三世莫尔根格根罗卜桑丹毕扎拉桑的文集共有八百余页，内分十三篇。他的文学作品大体有五类，一是训谕诗，二是抒情诗歌，三是宗教诗歌，四是祭诗，五是颂诗。他的训谕诗中《名为风趣诗的金言训谕》、《名为水泉的金言训谕》很有代表性。前者以尖刻的语言告诫人们弃恶从善，后者则以通俗的民间言语表达了深奥的生活哲理。《美丽的杭爱》、《阴山》、《花果山峰》、《半个月亮》等抒情诗歌表达了热爱家乡的山水，歌颂父母养育之恩的意思。莫尔根格根的诗篇直接从民间诗歌中吸收营养，因此很受群众的欣赏，他创作的有些诗文现已成为乌拉特民歌。蒙古语"新诵经法"的彻底完善是在三世莫尔格根罗桑丹毕扎拉桑时期。他翻译、编著大量的经文以及世俗诗词、歌曲之外，还著有《梅日更格根医方》、《阴山药物》等重要历史和医学著作。他还根据蒙古萨满教经文撰写了《伊孙苏力德腾格里音桑》、《圣祖成吉思汗桑》、《百老翁桑》等大量的仪轨文使用于各类佛教仪式中，并根据本寺"查玛"乐舞，于乾隆十五年（1750 年）编写了《钻石鬘》一文，详细阐述了蒙古"查玛"乐舞的表演意义和详细的表演步骤。尤其是他与经师诺们达赖合作，在已有佛教经文的基础上，对照梵文、藏文经典翻译成蒙古文经典，将翻译后的经文统一为具有严格格律的诗歌形式，并重新创作、配置了诵经韵调和模式，使得蒙古语诵经更加符合蒙古语言的特点，与原有的"老诵经法"相比有了明显的改进。"新诵经法"的主要特点在于将佛经译文规范为诗歌形式加以严格的格律化，重新创作编配了诵经韵调，实现了经文与诵经音调的完美结合。这种具有蒙古音韵的格律化佛经诵经方法，既有利于几十个、甚至几百个喇嘛同时诵经的节奏，又便于不识字喇嘛们背诵长达几百几千行的佛经。[1] 总之，蒙古文诵经的格律特点虽然受到印、藏诗歌格律的影响，但由于蒙古语言文字自身的特点以及罗桑丹毕坚赞所创诵经韵调的独创因素，使得传承至今的蒙古语诵经在诸多方面与藏语诵经有很大的区别。这不仅对传承蒙古族传统文化起了重要作用，而且通过蒙古文诵经，佛教的蒙古化更为明显，富有异彩。

---

① 　包·达尔汗：《罗桑丹毕坚赞与蒙古语诵经仪式》，《内蒙古大学学报》2006 年第 5 期。

三世莫尔根格根罗卜桑丹毕扎拉桑撰写的历史著作有三十三章的《黄金史》。该书现有两种手抄本，内容基本一致，只在叙事上有繁简之别。作者写此书的目的，一是为了让蒙古人更多地了解本民族的历史，二是为了歌颂他们家族的远祖成吉思汗胞弟哈撒儿。因此，该书一方面记载了从孛尔帖赤那至达延汗的蒙古"黄金家族"的历史，另一方面大书特书哈撒儿的历史功绩和哈撒儿后裔在蒙古各旗的繁衍。由于该书的世系部分是根据家谱所写，其中的有些部分，尤其是乌拉特贵族的世系十分详细，史料价值极高。如向满都海彻辰提亲的科尔沁部乌纳博罗特王子孙的世系，他书未有记载。另外，作者对蒙古史上的某些重要人物和时间作了一些考证，颇有新意。

有清一代，莫尔根格根活佛系统列入清朝洞礼年班，共转五世，除了一世为西藏人以外，其余系苏尼特、阿巴噶、浩齐特、阿巴哈纳尔部蒙古人。

（胡日查 撰稿）

阿格旺丹达尔

阿格旺丹达尔（1759—1842 年），著名语言学家、佛教哲学家、诗人。乾隆二十四年（1759 年）正月出生于阿拉善和硕特旗巴彦尼如衮巴格伊克辉特氏卫征宰桑伊乃之家，即伊乃次子。7 岁时其父母就将他送进该旗福因寺充当喇嘛，学习佛教经文。自幼聪明好学，深得其经师的关怀，不久就把他送往西藏名刹哲蚌寺系统研习佛教各门学科。经过二十多年的刻苦努力，他学得了渊博的知识，精通蒙古、藏文，尤其擅长佛教哲学，洞悉声明、工巧明、义方明、因明、内明等五明学，曾在拉萨举行的祈愿大法会上与众僧辩经，压倒众多竞争对手，荣获拉然巴学位。返回阿拉善后被旗王旺沁班巴尔封为绰尔济，成为福因寺历史上的第一个拉然巴，也是阿拉善历史上的第一个拉然巴。他积极参与建寺、教徒、著书立说等佛教活动。他为了发扬佛法，经常往来于北京、五台山、塔尔寺、拉布楞寺等佛教圣地，并与当时章嘉、章隆、益西班觉、敏珠尔等呼图克图、活佛发生密切联系。

阿格旺丹达尔一生的全部活动始终未离开过蒙、藏民族之文化事业。他主张以世道治理社会，以人道治理民众，专心研究当时社会的人情世故及民族语言文字。他的著述包括语言、文学、哲学、箴言、评论、翻译和古籍诠释在内的很多作品，无论在内容、风格或手法等诸方面都截然不同于那些庸俗的说教和经义。

阿格旺丹达尔一生中用蒙古、藏文撰写的有关佛教哲学、语言、文学、词典等方面的著作四十余部，并有《全集》。被收入《阿格旺丹达尔拉然巴全集》的只有 36 部。其中，文学著作 13 部，语言著作 9 部，哲学著作 14 部。文学代表作品有《如意宝光》、《佛师诗词》、《人道喜宴》（又译为《俗世喜宴》）等；蒙古、藏语法方面的代表性著作有《详解蒙文文法通讲》和《智者语饰——藏文字词概述》等，这些著作集中体现了他的才华。阿格旺丹达尔又是一位天才的诗人，他与咱雅班第达、益西班觉一并被誉为"卫拉特蒙古三大学者"。其训谕诗中代表之作《人与经的喜宴》在蒙古地区广为流传。

（胡日查　撰稿）

罗卜藏楚勒图木

罗卜藏楚勒图木（1740—1810 年），又名苏玛地沙拉西里巴达喇地，或称察哈尔葛布希，或写察哈尔格西洛桑楚臣。乾隆五年（1740 年）庚申八月初三日出生于察哈尔镶白旗十二苏木平民家庭。7 岁丙午年起跟随叔父学习蒙古语文，进本旗菩提梯布庙当小喇嘛，从柴布呼图克图额尔德尼洛桑普楞列受乌巴什戒，得法名罗卜藏楚勒图木。15 岁甲戌年（1754 年）师从阿齐图诺门汗洛桑丹增受格斯勒戒。16 岁乙亥年（1755 年）从夏令安居章堂师喇嘛洛桑拉西学习蒙译知识。17 岁丙子年（1756 年）到多伦诺尔汇宗寺，在噶勒丹席埒图洛桑丹毕尼玛面前受格隆戒，并师从希日布热津巴喇嘛学习一世章嘉《道次第导引建立录》之蒙译，学习显宗、密宗经典，此时他已精通藏文、蒙古文。23 岁壬午年（1762 年）正月十五日至二月二十五日，在菩提梯布庙附近驻锡近 40 天，为莫日根固什绰尔济阿旺璘真传授菩提道次第和戒律诸经，此乃为他人讲经之始也。同年八月到北京雍和宫参尼特部继续深造，先后师承呼图克图额尔德尼阿旺索德纳木、额尔德尼阿旺巴拉丹、绰尔济陶依日布、阿嘉呼图克图洛桑丹毕坚赞、章嘉国师若毕多吉等，接受了显密宗多种经谕，时间长达七年之久。期间，28 岁丁亥年

（1767 年）为阿嘉格根文集进行刻版，开始着手编辑、誊写。可见，察哈尔葛布希的编辑出版活动此时已开始。29 岁戊子年（1768 年）四月从京城回到家乡察干乌拉庙，开始从事讲经传教、编译佛教经典、著述佛教义理等活动，并且始以"葛布希"著称。30 岁己丑年（1769 年）谢绝了其启蒙地菩提梯布庙大喇嘛请他接班当大喇嘛的请求。35 岁甲午年（1774 年）未接受席埒图活佛欲授予他的名号。47 岁丙午年（1786 年）该旗全体官员商定为授予他掌管全旗各寺庙喇嘛的掌印大喇嘛职衔而正准备具奏，又被他拒绝了。46 岁乙巳年（1785 年）开始筹备和扩建察干乌拉庙，后来从京城请来刻书匠开始刻版。嘉庆十五年（1810 年）二月二十三日在察干乌拉庙圆寂，是年 71 岁。总之，他十几岁起学医，精通蒙医学，并掌握了佛教哲学、历法、诗歌等多方面知识。后来去多伦诺尔精心研究史籍。壮年时在察哈尔、多伦诺尔、京城等地曾学习过佛教经典、蒙藏文翻译等。在镶白旗察干乌拉庙期间，从事写作、翻译和出版工作。当时以自己家乡名和学位名——察哈尔葛布希而被世人所熟悉，并以研究哲学而闻名于世。

罗卜藏楚勒图木毕生从事各种学问的研究，在医学方面重点研究药物，成为一名颇有建树的药物学家，写了《满瑙西吉德》（药鉴学）一书。该书共 4 册，由《宝、土、石药鉴学》、《木、野外药、津液药等三部药的药鉴学》、《草类药的药鉴学》、《盐药、灰药、动物药物的药鉴学》构成，是蒙药学的一套系统专著。书中把 678 种药物的形状作了解释的同时，把它们分为额尔敦药、土药等十类，重点解释药物的形状、生长环境。另外，也简要地介绍了药味、性能、质量、种类等，这些便于广大医生鉴别药物和采集药物。他又著有《巴萨玛的油药制作法》一书。该书整理编入巴萨玛的油药制作法、医治疟疾、种痘方法、鉴别矿泉性质及其疗法、梅毒病、皮肤病法、鼻药配置法等当时蒙医著作中所未有的新内容，并从中药方中采用了金小丸等多种药物，丰富了蒙药方。另外，罗卜藏楚勒图木所著《诊脉概要》，以解释号脉内容为主，同时也解释了针刺内容。

罗卜藏楚勒图木的《全集》以《察哈尔葛布希颂布木》的名称闻名于世。该书共有 10 卷 215 篇文章，在察干乌拉庙陆续木刻出版。现保存于内蒙古自治区图书馆、蒙古国国立图书馆。其主要内容包括诗歌、历法、医学、宗喀巴传、哲学、小说、经书、咒文、阅读本等。

从罗卜藏楚勒图木传中所附全集目录来看，他的诸多著作和藏译蒙作品尚未编入全集之中。如罗卜藏楚勒图木编译的《养生滴注疏——宝饰》。其实，罗卜藏楚勒图木藏文文集有十部，包括史学、文学、医学、天文学和翻译方面的著作。他的《如意宝的箴言》、《酒的弊端》等训谕诗，《白翁颂》等习俗诗，《对阿旺璘真的训谕》等批评僧侣腐败现象的诗篇都很有名。此外，他还写过《宗喀巴传》、《七年轻妇女的故事》、《善语宝藏》、《育民甘露》及编译注释《善语宝藏诠释如意钥》、《育民甘露注解如意宝饰》、《马奶献祭》、《祭火仪轨欢乐之源》等文学作品。他用蒙古文写的《宗喀巴传记易知善乐之源》、《极乐世界庄严说净土功德彰明慧鉴》和翻译作品《章嘉国师若必多吉传》是佛教史学著作，有很高的史料价值。《额尔德尼都西庙蓝册》是罗卜藏楚勒图木用蒙古文撰写的有关佛教寺院历史、僧人戒律法规、寺院日常经济等方面的重要著作。他的传记《简论苏玛地沙拉西里巴达喇圣全集》一书，由朱日玛德丹曾等人由藏文译为蒙古文，在该庙用木刻版出版。该传记现成为研究察哈尔葛布希罗卜藏楚勒图木事迹的重要著作。

可以说，察哈尔葛布希罗卜藏楚勒图木是生活在 18 世纪中叶至 19 世纪初的精通藏、蒙古文的著名文学家、语言学家、翻译家、杰出的藏学家和历史学家，也是创办蒙古文木刻出版业的杰出文化活动家。不仅如此，他还是通晓医学、历法、声明论、工巧明论、宗教哲学等诸多学科的大学者。

（胡日查　撰稿）

囊都布苏隆

囊都布苏隆（？—1844 年），是阿拉善旗四代五世札萨克玛哈巴拉的长子，生于乾隆四十五年（1780 年）以后。道光初年，因父王年迈，开始参与旗政，积极筹措输送军驼，大力支持平定新疆张格尔、安集延、布鲁特叛乱势力，因功晋升贝子衔一等台吉。道光十二年（1832 年），承袭阿拉善旗札萨克和硕亲王，时年已经 50 余岁。道光十六年（1836 年），任御前行走，在御前大臣处入值办事。道光二十四年（1844 年）病故，享年 65 岁左右。

阿拉善旗札萨克亲王在旗内具有至高无上的权力，管理全旗牧地，统领全旗贵族和属民，征收贡赋。巴嘎牧民在指定区域内可以自由占用和利用牧地，无论贵族和牧民都不能将牧地据为私有。大约从嘉庆年间开始札萨克亲王凭借政治权力，封禁部分草地和河流湖泊，供札萨克衙门和亲王使用。囊都布苏隆任札萨克时颁布谕令，先后封禁水草丰美的阿满乌苏等 21 处牧场，供其畜牧。

清代前期，为限制蒙汉人民接近，清政府限制汉人到进蒙旗垦荒耕种。清代中后期，内地汉人领票到蒙地务农者日渐增多。囊都布苏隆时期放松土地封禁政策，暗中鼓励垦荒种地。道光十九年（1839 年）阿旗僧俗贵族雇用汉农开垦黄河沿岸磴口土地，出租土地达 1 190 多顷。

囊都布苏隆时代，伴随王权和统治机构的强化和扩大，鉴于王公贵族奢华生活的需要，赋税和徭役日渐加重。囊都布苏隆执政期间，全旗应缴税额1 400 多个大畜，实际每年征收税银 1.12 万两至 2.04 万两。

（何金山　撰稿）

旺钦巴勒

旺钦巴勒（1795—1847 年），汉名宝荆山，孛儿只斤氏，系内蒙古卓索图盟土默特右旗人，是著名文学家尹湛纳希的父亲。

其父拉哈旺敖尔布系成吉思汗第 26 代后裔，是土默特俺答汗的第 9 代子孙。旺钦巴勒从小习文练武，很快成长为一个颇有学识胆略的文武全才。他以父荫，继承了土默特右旗协理台吉的官位。

旺钦巴勒生活在清朝后期，整个社会趋于腐败没落势头。旺钦巴勒作为土默特右旗的协理台吉，系当时的四品官吏，经常出没于朝廷、官场，既往来于闹市，又常居于乡村，对当时的社会状况了解得比较全面、深刻。他看到了清朝统治阶级的腐败和封建制度没落衰退的趋势。为了维持其自身的贵族地位，他采取了与清廷不同的政策。旺钦巴勒主张对贫民让步，略施恩于民，以安抚民心。在他任职的 20 多年里一直把"清正廉明，秉公办事"的条幅挂在他的书房内，以勉励自己不做坑害民众之事。

旺钦巴勒对朝廷的腐败昏庸，对王公贵族的荒淫无耻深怀不满，尤其是对于清朝政府对蒙古民族推行藏传佛教，使蒙古族多半成为喇嘛深恶痛绝。

他预感到再这样下去，便会毁了清朝盛世，毁了蒙古民族。旺钦巴勒想拯救世界，拯救蒙古民族。他希望成吉思汗那样的"贤明圣主"再现于世，像成吉思汗那样拯救民族于危机之中。所以，旺钦巴勒构思了一部以历史事实为基础的长篇小说《大元盛世青史演义》，意在借助歌颂先祖成吉思汗统一蒙古各部落，建立蒙古帝国的功勋，抒发自己改革清朝腐败封建制度的改良主义主张，同时要把成吉思汗的精神和伟业书写出来，传于后世，光照千秋，以唤起蒙古族的民族热情，使整个民族再次振兴。在这一思想的激励下，旺钦巴勒在辅佐王爷处理政事，带领军队等繁忙的事务之余，利用二十多年的时间搜集和整理资料，为日后尹湛纳希继承他的伟业，继续写作《青史演义》打下了坚实的基础。而且，旺钦巴勒在世时，已经开始撰写并写完了这部文学巨著的前 8 回。

道光二十年（1840 年），鸦片战争爆发以后，旺钦巴勒带领本旗骑兵，为保卫祖国出兵征战。旺钦巴勒受到了朝廷的奖赏。

道光二十七年（1847 年），旺钦巴勒最后一次出征凯旋后，不幸身染疾病，于同年病逝。时年 53 岁。旺钦巴勒在文学著作方面，除了《大元盛世青史演义》的前 8 回之外，还有很多诗词歌赋留传于世。

（何金山　撰稿）

僧格林沁

僧格林沁（1811—1865 年），姓博尔济吉特氏，是成吉思汗二弟哈布图哈撒尔的第 26 代孙，少时因家境贫寒，仅读过两年书。他族叔索特纳木多布斋为科尔沁左翼后旗札萨克多罗郡王，因无继承人，道光五年（1825 年）清帝下旨，命其家族在近支中选嗣子。僧格林沁以其仪表非凡被选立嗣子，承袭科尔沁左翼后旗札萨克多罗郡王爵，成为与道光帝有舅甥关系的皇亲国戚。十四年（1834 年）授御前大臣，补正白旗领侍卫内大臣。之后又先后充正蓝旗满洲都统、镶黄旗领侍卫内大臣、镶黄旗蒙古都统等职。道光皇帝死时，僧格林沁是顾命十大臣之一。僧格林沁任科尔沁左翼后旗札萨克四十余年间，十几年在京供职，十几年驰骋疆场，为朝廷立下赫赫战功，位极显赫，在内外蒙古诸多王公中，其权势可算首屈一指。历经清朝道光、咸丰、同治三朝，深得三朝皇帝的恩宠。

道光二十年（1840 年），英军发起侵华的第一次鸦片战争，并进犯天津。翌年英军进一步扩大战火，进犯东南沿海各口，京畿安全再次受到威胁。十月，僧格林沁奉命依次巡视了大沽、山海关等沿海的防务，并发现了一些问题，如山海关的绿营兵平时只训练打枪，不演习放炮，而且有些炮装的火药分量不足，也不坚实，所以施放时许多打不中靶子，"遂不足以摧坚致远。"① 同时还发现吉林马队的二百多匹马瘦弱得不能使用，以及在严寒的冬季广大将士仍住在单布帐篷之内。根据这些问题，僧格林沁向皇帝一一奏明，提出了解决的具体办法。

道光二十一年（1841 年），僧格林沁出任正黄旗满洲都统，重新审理甘珠尔巴诺门罕私开牧厂的事件，使他在政治上崭露头角。道光三十年十二月（1851 年 1 月），又因镇压密云县穆家峪一带农民起义有功，受到道光皇帝的恩赐。

咸丰三年（1853 年），太平天国农民起义军北伐，拟直捣京师。北伐军一路势如破竹，迅速进抵河南。咸丰帝以"京师根本重地，防范稽察，均关紧要"，② 命他协同左都御史花沙纳等专办京师团防加强防范。八月，北伐军又于临洺关（今河北永年县）歼灭清军万余人，大败钦差大臣讷尔经额，遂乘胜北上，攻占正定，前锋一度逼近保定。清廷惊恐万状，革了讷尔经额的职，命惠亲王绵愉为大将军，僧格林沁为参赞大臣，率兵对北伐军进行堵截。咸丰四年正月（1854 年 2 月），北伐军自静海、独流南撤，僧格林沁奉命追击。两军交战中，北伐军伤亡很大，僧格林沁则因功获"湍多巴图鲁"的称号。二月，北伐军退守阜城。僧格林沁跟踪而至，并在城外开挖长濠，对北伐军进行封锁。由于军需粮食发生困难，北伐军又于四月突围，退至连镇高唐，等待援兵。僧格林沁会同胜保加强对北伐军的堵防。清廷严饬僧格林沁速攻连镇以自赎。然僧格林沁多次用兵，均被击退。于是提出了水攻的主张，请求"挖濠筑堤，以水为兵，设法浸灌"。③ 清廷批准了

---

① 《筹办夷务始末》卷 40。
② 《清史列传》卷 45，《僧格林沁传》。
③ 《清代七百名人传·僧格林沁传》中册，第 980—987 页。

他的计划，于是他率围军加紧施工，竣工后便引运河水淹灌连镇。咸丰五年正月下旬（1855 年 3 月），林凤祥兵败被俘槛送京师。僧格林沁因这次镇压太平军有功，被清廷加封为博多勒噶台（蒙古语：有智慧、有谋略之意）亲王，由此科尔沁左翼后旗被誉称为"博王旗"。

李开芳固守高唐，与胜保对峙。僧格林沁奉命移师高唐，诱骗李开芳率部突围，李开芳军伤亡惨重，退守平县的冯官屯。僧格林沁故技重演，筑围墙挖长濠，引徒骇河水灌村。咸丰五年四月十六日（1855 年 5 月 31 日），李开芳及其部将八人被俘，解送京师。清廷下诏赞赏僧格林沁："督师剿贼，均合机宜，忠勇之诚，深堪嘉尚，前赏给亲王，著加恩世袭罔替。"①五月，僧格林沁班师抵京，咸丰帝在养心殿召见，行抱见礼，并赐宴于勤政殿。

咸丰六年（1856 年），英法联军炮轰广州，挑起二次鸦片战争，僧格林沁留守京师。广州失守后，英法联军为迫使清政府就范又率兵北犯，于咸丰八年（1858 年），闯入白河，大沽失守。清廷大惊，被迫签订屈辱的《天津条约》，"朝廷九卿以下皆画押"，唯忠亲王僧格林沁未允，直到皇帝亲下"九重诏至"，他才不得不答应画押。

同年六月十四日（7 月 24 日），僧格林沁奏请严惩"悾怯无能，贻误事机"的直隶总督谭廷襄。不久他又递"奏为华夷通好贻害无穷事"的折子，指陈《南京条约》、《天津条约》给中国带来的危害，并敢于冒死批评了批准该两个条约的道光帝和咸丰帝的做法，说成"隐忧社稷，贻害子孙"，甚至责问他们"有何面目见先王耶"！同时他还力陈抵抗外来侵略以"大振国威，驱除犬洋"的主张，并表示"愿请以通国之粮，报效皇上"。② 七月，僧格林沁奉命抵津，会同大学士、礼部尚书瑞麟，新任直隶总督庆祺，专办大沽炮台及京东防务。在大沽沿海防务"一切战守机宜，诸形棘手"的情况下，他亲赴海口察阅工程，在资金不足，材料缺乏，气候条件恶劣的条件下，会同瑞麟，用较短的时间，赶修了大沽到双港一带的炮台。同时，"竖

---

① 《清代七百名人传·僧格林沁传》中册，第 980—987 页。
② 胡世芸：《第二次鸦片战争时期的一篇主战奏疏——僧王奏稿》，参见《内蒙古师范大学学报》1985 年第 2 期。

立桩木，安设炮台口，周围坚筑堤墙，沿墙修盖土窖，密布炮门枪眼，堤外开挖壕沟，并置木栅，联成巨筏，以扼海口要隘。又于北岸石头缝地方添设三丈高炮台一座，以为后路策应"。① 此后，他把北塘、芦台、涧河口、蒲河口、秦皇岛、石河口等海防要害之处的工事陆续修葺兴建和竣工。他还针对山海关至山东沿海一带，海岸线长，兵力单薄的状况，奏请清廷调兵遣将，后又抽调察哈尔、黑龙江及内蒙古马队 5 000 增援。并奖励士兵努力操练，他亲自组织大沽一带炮台进行实弹射击，对演习中发现的不合格大炮及时予以撤换以免临战时贻误战机。演习后奏称"炮台演试数次，均属应手有准"。至此僧格林沁已做好了临战前的一切准备事宜。

咸丰九年（1859 年），桂良等与侵略者在上海的谈判毫无进展，英法侵略者蓄意借进京换约之机，挑起更大规模的侵华事端。二月二十七日，僧格林沁在向清廷复奏时建议："倘夷船一二只驶进海口，谨遵训示，由地方官派员迎至拦江沙外，与之理论"，"设三五只以上蜂拥而至，是决裂情形已露，自未便专恃羁縻"。"似宜以拦江沙内鸡心滩为限。……设竟闯进鸡心滩，势不能不慑以兵威，只可鼓舞将士奋力截击，开炮轰打，以伸天讨而扼妖氛"。② 没过几天，咸丰帝便批准了他的合理方案，使他取得了临战指挥的主动权。

咸丰九年五月（1859 年 6 月）中旬，英法舰队侵入大沽口，并不断闯入拦江沙。僧格林沁与新任直隶总督恒福通力合作，进一步加强了防备工作。另一方面他又派员劝告侵略者不可驶入拦江沙，以免误伤，希望他们由北塘登陆至京换约。可是侵略者不仅断然拒绝了他的指令，还无理地指令清军限期拆除大沽一切防务，声称"不惜用武力来打开白河口大门"。五月十四日晚，英法联军开炮挑衅，但守卫清军遵照僧格林沁指示并未还击，表现出最大的克制。次日凌晨，英法战舰在英国舰队司令贺伯的率领下，再一次闯入白河口，并强行拆除海口的防御工事，使战争到了一触即发的地步。僧格林沁一方面让守台将士"隐忍静伺"，另一方面，派员持天津道照会劝告英法走北塘进京换约。然而英法侵略者不仅不接受照会，反而疯狂开炮轰击

---

① 《筹办夷务始末》卷 32。
② 齐思河等：《第二次鸦片战争》第 4 册，上海人民出版社 1974 年版，第 41 页。

岸上的炮台。在守台爱国官兵"郁怒多时，势难禁遏"的情况下，僧格林沁命令"各营大小炮位，环轰叠击"，弹不虚发，打得侵略者不得不竖起白旗以示停战。当天下午，侵略者又侵扰，僧格林沁沉着指挥，奋力杀敌。经一昼夜的激战，击沉敌舰 6 只，击伤 6 只，敌军指挥官贺伯也负重伤，几乎丧命。清朝取得了自第一次鸦片战争以来唯一一次真正的胜利。之后，直隶总督恒福给咸丰帝的奏折中大加赞扬僧格林沁指挥有方。

第二次大沽之战胜利后，清政府仍然执行"阳剿而阴抚"的方针，多次指示僧格林沁、恒福等不要拼死抵抗。僧格林沁则认为办理抚局必须刚柔相济，"若仍一味迁就，益将轻视中国，肆其吓诈，以图各满所欲，此后办理更难为力"。所以他主张"明年之防，尤关重要，必须厚集兵力，方资扼守"，如果胆敢再度侵犯，就"拼死一战，不胜不已"。咸丰十年（1860年）春，英、法再次聚集兵力，大举进犯中国，于六月十五日先后攻占北塘、新河、军粮城、唐儿沽，并水陆夹击大沽炮台。在大势已去，狂澜既倒的情况下，僧格林沁并未魂飞魄散，而是决心死守大沽。他尽其所能组织了有效的抵抗力量，指挥了第三次大沽之战，使敌人每前进一步都付出了巨大的代价。对僧格林沁"拼死一战，不胜不已"的抵抗精神，恒福给咸丰帝的奏折中说："钦差大臣亲王僧格林沁，质性朴诚，忠节自励，二十八、九两日，奴才默察该大臣心意，与大沽炮台共相存没。"咸丰帝察觉后，当天就下谕令，指示僧格林沁不要拼死抵抗，并说"若执意不念大局，只了一身之计，殊属有负朕心"。

在清政府软弱妥协政策面前，侵略者更是肆无忌惮，于七月初五向大沽北岸的石缝炮台发起进攻。蒙古族提督乐善，率军奋力抵抗，与全体将士一起英勇牺牲，北炮台失守。当僧格林沁仍要死守时，恒福不得不拿出廷寄严肃劝阻他"业已违旨，尚一误再误耶"！僧格林沁无奈，下令撤下兵。不久，他被罚拔去三眼花翎，并免去领侍卫内大臣及都统职务。联军的侵略欲望并未得到满足，他们继续北进，进而直逼通州。清廷令僧格林沁等率兵扼守通州八里桥一带。八月初七凌晨，联军分三路来犯，僧格林沁等率领的广大爱国官兵进行了一场"虽败犹荣"的决战，最终惨遭失败。咸丰帝仓皇逃往热河行宫，英法联军入侵北京，僧格林沁因抵抗不力，被削去王爵，仅保留钦差大臣。

咸丰十年（1860年）冬，捻军等反清义军"蜂起"，僧格林沁奉命率军进剿，转战直隶、山东、河南、安徽各省。次年，咸丰死，同治即位，僧格林沁复博多勒噶台亲王爵。至同治二年（1863年）春，在安徽雉河集剿灭捻军首领张洛行，"加恩仍以亲王世袭罔替。"同治三年（1864年）冬，僧格林沁亲督翼长恒龄、成保及副都统常星阿等部进抵湖北枣阳，旋即推进。十二月初七，赖文光等督太平军、捻军败僧军于襄阳，然后挥军北上，进入河南邓州（今邓州市）境。

赖文光、张宗禹等选择邓州西南的唐坡，挖壕筑垒，部署兵力。十二日，僧军分左、中、右三路发动进攻。捻军首先打败清军右路部队，然后从侧后抄袭中、左两路，大败僧军。

其后，捻军经伊阳（今河南汝阳）返回鲁山，僧格林沁又一路追到。捻军诱敌过滍水（今河南的沙河），然后回军猛击，并以马队从后抄袭。僧军大恐，营总富克精阿、精色布库等率部先逃。捻军乘势奋勇杀敌，先后毙翼长恒龄、副都统舒伦保。僧格林沁在总兵陈国瑞援救下，才幸免于死。

僧格林沁经邓州、鲁山两次大败之后，气急败坏，首先将败退的富克精阿、精色布库处决，借以镇慑所部。捻军本来准备西进陕西，由于清军防堵甚严，于是在河南境内与僧军继续周旋。

同治四年（1865年）春，尾随捻军的僧军到达尉氏县城，捻军已南下鄢陵。僧军先头部队3 000人孤军冒进，追至鄢陵县北阎寨坡。捻军探明追兵单薄，便以少数部队诱敌，大队回马力战，将其击溃。其后，捻军由临颍、郾城南下，攻西平，围汝阳，僧格林沁随后亲督马队南下。捻军见僧军追来，便挥军南下，进攻信阳州城南关。待敌军到达信阳时，又举旗北上，经确山、遂平、西平到达郾城，然后攻挟沟，入睢州境，捻军自河南考城进入山东境内。

在两个多月的时间里，僧格林沁尾随捻军之后穷追不舍，从豫西、豫中、豫东、豫南，一直追到山东，行程数千里，所部被拖得精疲力竭，"将士死亡者数百，军中多怨言"。僧格林沁自己也被拖得"寝食俱废，恒解鞍小憩道左，引火酒两巨觥，辄上马逐贼"。[①] 清廷曾告诫他不能一意跟追，

---

① 范文澜：《捻军》第4册，上海人民出版社1961年版，第85页。

但刚愎自用的僧格林沁，一意孤行，仍穷追不舍。

同治四年（1865年）四月，捻军驰抵菏泽西北高楼寨地区，等待僧军。而这时的僧军已被捻军拖得极度疲惫，僧格林沁本人也因几十天不离马鞍，疲劳得连马缰都拿不住，只得用布带拴在肩上驭马。同治四年（1865年）四月二十三日，僧格林沁率军追至高楼寨之南的解元集地区。捻军派出少数部队迎战，诱使僧军向高楼寨地区深入。次日中午，僧军进至高楼寨，埋伏在高楼寨以北村庄、河堰、柳林中的捻军一齐出击。僧格林沁分兵三路：翼长诺林丕勒、副都统托伦布等率左翼马队，总兵陈国瑞、何建鳌各领本部步队为西路；副都统成保、乌尔图那逊等领右翼马队，总兵郭宝昌率本部步队为东路；副都统常星阿、温德勒克西等各领马队为中路。捻军也分三路迎战。西路鏖战二小时左右，捻军稍却。适中路捻军已将常星阿部击溃，便支援西路捻军发起反击，将西路清军歼灭。与此同时，东路捻军也已将清军击溃。在后督队的僧格林沁只得率残部退入高楼寨南面的一个荒圩，捻军乘胜追击，将该圩团团包围，并在圩外挖掘长壕，防止清军突围。当夜三更，僧格林沁率少数随从冒死突围，当逃至菏泽西北7.5公里的吴家店时，被一捻军战士砍死在麦田。这一仗，僧格林沁以下7 000余人被捻军全歼。

僧格林沁的死讯传到京师后，清廷极为震惊，如失柱石，下诏予以嘉奖，其灵柩运至京师时，同治皇帝及西太后亲临祭奠，着其配享太庙，祀昭忠祠，并在其立功各地建专祠，赐谥曰"忠"，绘像紫光阁。

（何金山　撰稿）

哈斯宝

哈斯宝，生卒年不详，清末卓索图盟土默特右旗人，贵族家庭出身。大约生活于19世纪初至中叶。清代后期，蒙汉文学交流在更广阔范围内深入展开，尤其是在内蒙古的东部地区。评论汉文文学作品的蒙古族文学评论家哈斯宝的出现就足以说明这一点。

关于哈斯宝的生平经历人们迄今知之甚略，只是从他的《新译红楼梦》回批里透露出一些信息。哈斯宝，汉译为"玉宝"，从其名中看出他是受《红楼梦》中贾宝玉之名影响而自拟的一个笔名。他又自号为"施乐斋主人"、"耽墨子"。这些笔名显然说明他是汉文化的崇拜者。根据《新译红楼梦》回批记载，哈斯宝曾于清嘉庆二十四年（1819 年）秋到过承德府，他说："己卯年秋，我因事到承德府，一日信步西街，适逢嘉庆圣主六十大庆万寿佳节，地方人小官员为祝圣寿，自街西连绵六、七里，用木竹席布，百般巧做亭台楼阁、鹤兽花枝，涂以北彩，与真的一样……我每到一所厅堂，定要看看对联，遇见一座牌楼，总要欣赏题诗。"另在《新译红楼梦》抄本序言结尾处说："道光二十七年孟秋朔日撰起"，又一抄本记："壬子年七月撰讫，甲寅年五月修改装订。"这样推断，哈斯宝生活年代大致是嘉庆、道光、咸丰时期，他的主要创作在道光年间。

内蒙古卓索图盟的喀喇沁、土默特一带与汉族地区接壤，从事半农半牧生产，在整个蒙古地区中汉文化渗入较深，汉族传统的四书五经及《水浒传》、《三国演义》、《红楼梦》、《今古奇观》等在这里广为流传，受到了蒙古族人民的喜爱。这一地区是蒙汉文学交流的理想之地。哈斯宝生活在这地区，加之他又出身贵族台吉，从小勤学好读，过着"笔墨列案"，临窗赋诗的闲适生活。书香门第的熏陶，使他具有较高的蒙、汉文水平。他对《史记》、《汉书》、《水浒传》、《红楼梦》、《今古奇观》、《格斯尔汗传》等蒙古、汉文典籍都比较熟悉。他还结交了一批文人画客，经常聚集在一起谈古论今，说戏论画。他为了能让更多的蒙古人欣赏阅读汉文典籍，先后翻译了《红楼梦》、《今古奇观》、《七洲书》及八旗蒙古人松筠的《镇抚事宜》等作品。他自称为"施乐斋主人"、"耽墨子"。

道光后期，即 1840 年至 1850 年间，哈斯宝花费了大量的精力，翻译了曹雪芹、高鹗的 120 回本《红楼梦》，并撰写了序言、读法、总录和回批等43 篇评论文章。他还绘制出金陵十二钗的画像，附在他的作品《新译红楼梦》之后。哈斯宝是《红楼梦》评点派的代表人物之一。目前发现的《新译红楼梦》是他唯一的传世之作。书中的 40 篇回批对《红楼梦》的主题思想、人物塑造和艺术表现技巧等都作了评点，鲜明地表达了作者的精辟见解。

他的文学理论思想也主要体现在这些译著里，特别是《新译红楼梦》回批中。

（何金山 撰稿）

古拉兰萨

古拉兰萨（1820—1851 年），卓索图盟土默特右旗人，是著名小说家、诗人尹湛纳希的长兄。

古拉兰萨出生于书香门第，其父协理台吉旺钦巴勒不仅是个爱国将领，而且还是个喜好藏书，致力于历史研究的学者。古拉兰萨出生于这样一个家庭，自然从小就开始博览群书，对蒙汉历史，文学诗歌等均造诣很深。古拉兰萨在他短暂的一生里，创作了九十多首诗歌，又翻译了古典名著《水浒传》的一半，这些都为丰富蒙古族文学宝库作出了不可磨灭的贡献。

古拉兰萨的诗歌充满了爱国主义热情。他坚决支持反抗帝国主义侵略、保卫祖国和平独立的御外战争。其中《祝灭寇班师还》、《忆军营》、《太平颂》、《和平了》等诗篇，就充分反映出诗人与全国各族人民同仇敌忾，共赴国难的英雄气概，以及不畏强权，渴望和平的炽热爱国主义热情，也热情讴歌了蒙古族将士为保卫国家、保卫和平而英勇战斗的壮烈场景。除此之外，诗人还以蒙古上层社会喇嘛和封建王公为主题，作诗揭露了他们的无耻暴行，鞭挞了满清政府的腐朽统治。

古拉兰萨的父亲去世后，他作为长子，于道光二十七年（1847 年）继承了协理台吉的职务。从那时开始，他就政务缠身，再也无暇顾及著述。咸丰元年（1851 年），古拉兰萨病逝。年仅 31 岁。

（何金山　撰稿）

尹湛纳希

尹湛纳希（1837—1892 年），汉名宝衡山，字润亭，卓索图盟土默特右旗人。精通蒙古、汉、满、藏文，是一个多才多艺的蒙古族作家。他不仅是小说家，也是诗人，画家和历史学家。

尹湛纳希出生在一个封建贵族家庭里，父亲旺钦巴勒是一位蒙古族文学家，长兄古拉兰萨是一位蒙古族著名爱国诗人，五哥贡纳楚克也是一位诗人、书法家，六哥高威丹精不但是诗人，还是翻译家。出生于文史之家的尹湛纳希，继承父亲旺钦巴勒未完遗稿，撰写的史论体著作《大元盛世青史演义》，是蒙古古典文学史上空前的长篇历史小说。它特色鲜明，用大笔粗线勾勒了许多战争场面和重大历史事件；本书主人公成吉思汗，除了历史上记载的"深沉有大略、用兵如神"的军事天才外，小说还赋予他"仁德之君"的各种特点。作者虚构了一些情节，将成吉思汗美化、理想化，在他的身上寄托了作者的政治理想，从而使《青史演义》成为一部讴歌民族英雄的史诗。从书中也可看出，它曾受到《三国演义》、《水浒传》等汉族文学作品的影响。

尹湛纳希创作的另一部小说《一层楼》及其续篇《泣红亭》，是蒙古文学史上第一部以爱情婚姻为题材的长篇小说。它是蒙古族文学离开民间传说和对历史故事的依附，以当时社会生活为题材，由个人创作而成的第一部现实主义长篇作品。在这部作品中，作者用精雕细刻的手法，描绘了一系列爱情事件与日常生活，塑造了一些才子佳人式的形象，表现出一种委婉缠绵的艺术风格。

从这部长篇小说中，也可以看出《红楼梦》、《镜花缘》等文学杰作对尹湛纳希创作所起的借鉴作用。在《一层楼》的卷首，就援引《〈红楼梦〉之概略》。它明确指出："此乃《红楼梦》之终始要略，看官有鉴于此，可知《一层楼》之寓意矣。"《一层楼》由于"更攀楼上楼之一层楼，怎脱梦中梦之一场梦"而得名，共写了31回，其布局、情节与叙述都肖似《红楼梦》。尹湛纳希的第四部长篇小说是《红颜泪》。

尹湛纳希还写了不少蒙古化的律诗、绝句和乐府诗，也写过政论性的散文作品。他还善作山水花鸟画，有《雀梅图》流传至今。光绪十八年（1892年）逝世，享年56岁。

（何金山　撰稿）

胡佰力

胡佰力是呼伦贝尔新巴尔虎左旗人，生卒年不详，大约生活在19世纪中叶。

胡佰力是一位精通蒙古文和满文的学者。他用蒙古文记述的有：关于呼伦贝尔地方史，关于巴尔虎的构成与发展以及甘珠尔寺的变迁等材料。光绪四年（1878年），他用满文完成了《蒙古人之源流记》。其中对"勃尔特朝讷"、"铁木真名之来历"及"历史著名区域"等都作了深刻的研究和详尽的记述，给后人研究历史提供了珍贵的史料。

胡佰力除了著述历史外，又擅长写散文及诗歌。他非常热爱家乡。有一篇散文是描写海拉尔城的，文中对该城的来历、独特的风景等描写得感人至深。胡佰力是一位朴素的唯物主义者。在《蒙古人之源流记》的小序结尾处，他以诗歌的形式写到："人物一同，岁月匆匆。古今万事，尽在变更"。胡佰力感叹人生短暂，岁月匆匆，但同时也明白这一切都是自然规律，历史的必然。

（何金山　撰稿）

贺什格巴图

贺什格巴图（1849—1916年），出生于伊克昭盟乌审旗沙尔里克苏木。十几岁开始在村塾学习蒙文，并通过艰苦自学，又通晓了汉文、藏文。

贺什格巴图14岁开始，给乌审旗西协理巴拉珠尔当差，后来当了书吏。30岁开始，他便经常进京押运旗府用款和王公俸禄。50岁升任旗法官。这时候，乌审旗掀起了第二次"独贵龙"运动。贺什格巴图出于同情，写了一首暗助"独贵龙"领导者们的寓意诗，使他们避开了危险。另外，他写了支持"乌审旗独贵龙"和"海溜图寺集会"等组织的诗歌而受到牵连被革职。从那以后，他就回乡给孩子们教书，并以放牧、种菜、行医等为生计，过着自食其力的清苦生活。

贺什格巴图是一位很有天赋的诗人，在他50多年的创作生涯中，写了《蔚蓝色的天空》、《可贵的独贵龙》、《平等》等近百首诗，并且还编写了《洁鉴》、《金鉴》、《亮鉴》等儿童启蒙读物和《珠宝集》等历史著作。他的作品不仅丰富了蒙古族文化宝库，而且对传播历史文化知识，沟通蒙汉文化起了良好的作用。在文化教育方面，以诗歌形式创作的少儿启蒙读物《初学文鉴》，集自然和社会知识于一体，因便于背诵记忆，流传很广，鄂尔多斯地区的村塾都把它当做课本，一直沿用到新中国成立前夕。1916 年，贺什格巴图病逝，享年 67 岁。

（何金山 撰稿）

伊希丹金旺吉拉

伊希丹金旺吉拉（1854—1907 年），生于贵族家庭，察哈尔镶白旗人。7 岁时，伊希丹金旺吉拉被认定为鄂尔多斯郡王旗公尼召五世活佛，并请到寺中学习。

当时伊希丹金旺吉拉刚刚 7 岁，但他聪颖，博学强记，15 岁时就学完了蒙藏必修科目，并开始写诗。同治四年（1865 年）五月，回民暴乱进入黄河河套地区，烧毁了公尼召。伊希丹金旺吉拉无奈回到察哈尔原籍。同治九年（1870 年），伊希丹金旺吉拉又回到郡王旗修缮寺庙，在那儿生活了一个时期。后来到青海，进一步学习研究宗教哲学和医学。

同治十三年（1874 年），伊希丹金旺吉拉回到公尼召并开始周游各地，布教行医，足迹遍及内外蒙古各盟旗。当时蒙古族群众的生活都极端贫困，深受封建官府和宗教喇嘛的双层压迫。伊希丹金旺吉拉非常同情人民的疾苦，他的诗具有谴责黑暗现实的力量。

伊希丹金旺吉拉除了写诗外，还总结自己的行医经验，写出了《珍珠璎珞》、《珊瑚璎珞》、《宝石璎珞》等医疗处方的小册子。他以诗歌形式写就的《奥特奇医疗摘要》，至今为鄂尔多斯人所沿用。

伊希丹金旺吉拉心灵手巧。为了出版各种经卷，他亲自刻版，在公尼召大量印书。并为察哈尔、喀喇沁等地寺庙派来的喇嘛做技术指导。伊希丹金旺吉拉还是绘画、雕刻的好手，他会用金、银、铜等做各种精巧的饰物。伊希丹金旺吉拉于光绪三十三年（1907 年）农历十一月九日病逝，享年 54 岁。

新中国成立后，伊希丹金旺吉拉的诗歌，从国内外搜集到 7 章 108 行手抄本，已由内蒙古人民出版社出版。1979 年伊克昭盟伊金霍洛旗赛音吉尔嘎拉、席拉日代二人搜集到五百首，编成《公尼召活佛伊希丹金旺吉拉诗歌五百首》，并油印出版。策·达木丁苏荣在他的《蒙古文学优秀作品一百篇》里，也选入了伊希丹金旺吉拉的诗《公尼召活佛箴言》，并在说明里写道："伊希丹金旺吉拉除了箴言诗外，还用藏文创作了诗文，这些诗现藏于国家图书馆。尤其是他借鉴贡堂活佛的《木经》、《水经》而创作的《火经》，特别有欣赏价值。"

（何金山　撰稿）

弥勒僧格

弥勒僧格（？—1869年），内蒙古哲里木盟科尔沁右翼中旗人。咸丰十年（1860年），弥勒僧格参加了白凌阿领导的武装起义。弥勒僧格是白凌阿的外甥，他是一个和群众有密切联系，不畏官府强暴的人。所以他很快就成为起义军的主要领导人。同年，起义军在弥勒僧格和白凌阿的率领下，劫持了载着奉天薪俸的13辆车和科尔沁王爷十几辆拉着金银财宝的车。

次年初，弥勒僧格、白凌阿同李凤奎等领导的起义军联合起来，攻占了义州、朝阳之后，又向北进军，攻占了赤峰、敖汉、建昌等地。同治二年（1863年）夏，弥勒僧格等带领起义军二百多人，攻占了榆树台、梨树等城镇，打散了当地地主武装和合拉兴嘎的骑兵。他们在吉林靠山屯一带同清军进行了多次战斗。在一次战斗中，弥勒僧格被清军俘获，但在从吉林押往热河途中，他砸开手铐，神奇地逃离了魔爪。次年夏，由于起义受到了严重挫折，弥勒僧格等转入地下，继续组织蒙、汉群众与清朝黑暗统治进行不屈不挠的斗争。同治五年（1866年）末，弥勒僧格和敖汉旗于凤（任）、超老疙瘩等人秘密取得联系后，沉重地打击了小黑山等地主武装。同年，他们又和敖汉旗金长沟的金矿工人联合起来，一起进行反抗斗争。

同治六年（1867年），弥勒僧格、白凌阿率领起义的蒙、汉群众继续在朝阳、建昌、土默特等地和清军、王公、地主及奸商进行斗争。这时清朝调动大批部队进行镇压，东北地区的农民起义不断地遭到失败，斗争进入了低潮。在这种形势下，弥勒僧格等人为保存实力，制造各种假象迷惑尾追的敌人。自己则秘密在敖汉、朝阳、宾图王旗等地进行起义宣传和组织工作。

同治七年（1868年）初，清朝政府调动了大批骑兵围剿白凌阿、弥勒僧格领导的武装起义军。在吉林省境的一次战斗中，白凌阿不幸被捕牺牲。

但弥勒僧格领导起义军继续进行斗争。此时，清政府向卓索图盟和昭乌达盟（今赤峰市）的盟长下令，要求立即派骑兵追击并活捉弥勒僧格。当时，弥勒僧格率领部队从奉天到达土默特旗，在土默特陶格陶英雄的支持下和尾追的敌人继续周旋，顽强地进行战斗。

同年年末，弥勒僧格离开土默特，到库伦、阿鲁科尔沁等旗继续和追击的清军展开游击战。但是，由于行军路线被清军探知，清军和地主武装联合起来，埋伏在一个叫东荒的地方，弥勒僧格中了埋伏，虽然顽强抵抗，但终因力量悬殊，义军失利，弥勒僧格受伤被俘。

同治八年（1869 年）正月，弥勒僧格伤势加重，在狱中身亡。

（何金山　撰稿）

白凌阿

白凌阿（？—1868 年），系昭乌达盟敖汉贝子旗人，俗称"东荒蒙古人"。早年家贫，"父母俱故，并无兄弟妻子"，曾以"贩马"为生。咸丰九年（1859 年）冬，白凌阿随同王洛七在卓索图盟与奉天交界之九官台门地方，开始聚众进行反清活动。不久，白凌阿赴科尔沁左翼中旗联络弥勒僧格、赵保承（绰号二喇嘛，系蒙古人）、王果良、李凤奎、才（柴）宝善、刘珠等人，先后往来奉天及哲里木盟科尔沁左翼中、后旗等地，号召和发动蒙、汉群众参加反清活动，次年初，白凌阿同王果良截获"奉省饷车十三辆"。同年 11 月，"复在锦州界石山站截获科尔沁王旗饷车十余辆，金条十三块，银宝五个"，① 分济贫民。白凌阿反抗官府和"打富济贫"的活动，引起官方的严密侦视，从此清王朝统治者诬称白凌阿为"积年盗首"。由于清廷"官处缉拿"吃紧，白凌阿便与王洛七进行分股活动。

咸丰十一年（1861 年）初，白凌阿率领二三百名起义军，"进边至义州（今辽宁义县）城北三十余里之高台子地方盘踞"，② 同当地以汉族王达为领导的"聚众抗粮"的队伍联合起义，起义军约 800 余人，连日攻克义州县

---

① 《吉林将军富明阿等折》，同治十年正月二十一日。

② 《盛京将军玉明等折》。

城。盛京（今沈阳）将军玉明令佐领哈尔尚阿带兵70余名，并添派马队140余名，"驰往助剿"。经多次战斗，击伤清军官兵多名。最后起义军自义州城南门突围，王达被捕牺牲。

王达牺牲后，以白凌阿为首的这支起义军，由义州东渡大凌河，于同年12月7日，在"闾阳驿"地方，同清军战斗，打死清军候补千总李遇春等3名，打伤清军兵丁8名。不久，白凌阿又转战新民厅十里铺地方，同清军发生激战，由于清军"列队逆击"，起义军死伤10余名，损失马匹、刀、枪、火药多件。但白凌阿仍以游击战术，率领义军"乘夜出边"，又转战于卓索图盟土默特旗境内。这时，清廷探得白凌阿"在蒙古地方，聚众滋事"后，命热河都统春佑派八沟营参将松年等，带领平泉、建昌、朝阳各营官兵进行镇压，但无济于事。不久，白凌阿又同活动在朝阳一带的李凤奎和才宝善等汉族起义军取得联系，共谋围攻朝阳。

当时，白凌阿的起义活动，声威大震，颇使清廷为之忧患，正如清廷斥责盛京将军玉明所说："盗匪白凌阿等人数无多，玉明等派兵剿办数旬以来，未能蒇事，总由不肯认真办理，殊为可恨。"尽管清朝统治者诬称白凌阿为"盗匪"，或系"积年盗首"，"狡黠异常"，而采取集中兵力"一体实力兜缉"的镇压政策，但白凌阿所领导的起义军，与汉族起义军紧密团结战斗，步步取得胜利。

咸丰十一年二月四日（1861年3月14日），白凌阿率领起义军密切配合李凤奎等发动的朝阳大起义。白凌阿率一路起义军攻克朝阳，"焚烧县署"，"劫放监犯三百余人"，并将理藩司署看押犯二百余人，"劈门放出"。为了"开拓疆土，扩充军实"，立即占据了县城东南凤凰山及大凌河两岸之三座塔税务衙署作为根据地，并于3月26日（农历二月十六日），分军北上，经伯尔克、四家子，进入昭乌达盟境内，迅即攻克赤峰县（今赤峰市区），"劫放狱犯二十余人，并焚毁衙署"，转战敖汉旗、建昌及今辽宁省凌原县境和波罗赤一带后，4月初，复折回凤凰山。在归途中，把建昌都司及清兵数人，押至凤凰山看守。这时，蒙、汉起义军的战斗烈火，业已燃遍了卓索图盟、昭乌达盟和奉天边境。清廷惊惶万状，急忙派遣驻热河、古北口保驾咸丰帝的黑龙江、陕西、吉林、盛京等省的数千名清军官兵，倾巢出动，并将原计划调往僧格林沁、胜保军营镇压太平军和捻军的哲里木盟500

余名官兵及归化城（今呼和浩特旧城）之马队，亦"暂留协剿"，共约5 000多名清军，由热河都统克兴阿率兵督战，开赴朝阳，妄图从东、西两面"合力夹击会剿"。但起义军早已机智地撤离了凤凰山东进，4月9日，起义军同清军大战于水泉，重挫清军。4月中旬，起义军再沿大凌河东进，并在桃花园地方，又与追赶来的盛京官兵激战，义军由于腹背受敌，损失惨重，汉族首领李凤奎被捕就义，刘珠身负重伤牺牲。而白凌阿所领导的一支蒙古族起义军仍然坚持战斗。

进入同治年间，白凌阿率领的起义军仍转战于内蒙古东部，继续同汉族义军并肩战斗。同治元年（1862年）初，白凌阿带领百余名义军转战于哲里木盟科尔沁左翼后旗四家子等处，清军当即迅速"星夜趱程，跟踪追捕"。但白凌阿起义军早已从四家子隐蔽到羊圈子地方，又与清军展开战斗。战后，白凌阿又转移"潜入山林"，他以神出鬼没的游击战术，迷劳清军。这时，清军虽然"复跟踪搜寻，但匪首白凌阿，仍未弋获"。此后，清军便出去晓谕："如有拿获送官者，悬以重赏"。清军为使白凌阿"到处无容身之地，庶可尽绝根诛，一劳永逸"，令蒙古王公"派兵协剿"，"以期尽歼，一律肃清"。但以白凌阿为首的起义军仍在哲里木盟和吉林边界转战活动，坚持抗清斗争。

翌年夏，白凌阿等率义军百余人，先后攻克榆树台、梨树等城镇，打退地主武装团练"五十余社"，"谋杀练勇多名"；并屡败清军，"击伤佐领哈尔尚阿马队多名"。是年秋，白凌阿等为牵制清军大举进攻，又转战吉林靠山屯等地活动，并联合当地汉民焦西平（即焦振东）、徐发等人，转战各地。后从伯都纳（今扶余县）出边，经奈曼、库伦、敖汉等旗，转入卓索图盟土默特旗。是时，蒙古族首领弥勒僧格，前为清军捕获，正"由吉林解往热河，行至大石桥店门"之际，"复乘间逃跑"，亦奔赴土默特旗。由此，白凌阿与弥勒僧格始"结盟抢掠"，"相助为恶"，共同进行抗清斗争，并对地方汉族地主武装势力也进行了打击。

从同治三年（1864年）至同治七年（1868年），在太平天国已经失败的形势下，白凌阿与弥勒僧格仍进行着抗清斗争，主要采取秘密活动形式，组织蒙、汉群众积极开展斗争。如在卓索图盟境内塔子营等地，多次"暗伏火药"，轰伤官兵，"共击练勇多名"。同治五年（1866年）年底，白凌阿、弥勒僧格又秘密联络汉族于凤起和（任）老疙瘩等人，在小黑山等地，联合全厂沟梁地方矿工"意图哨聚"。同治六年（1867年）初，白凌阿、弥勒僧格率领蒙汉群众，先后在朝阳、建昌、土默特旗等处，到处打击清军。其中，在朝阳扎兰营子、清河门，建昌包格图地方，连同铺户、富商，亦予以沉重打击。随后，在形势不利的情况下，白凌阿等在民间散布其已"削发为僧"或言其"远徙关东"等诸传说，借此迷惑及转移清兵"往捕"察访视线。实际上是在蒙、汉人民支持下，白凌阿、弥勒僧格先后在敖汉旗、朝阳和宾图王旗等地同清军"接仗多次"。至同治七年（1868年）年初，由于清廷著调热河驻防骑兵，并转饬卓索图盟、昭乌达盟蒙古骑兵，施加"尾追"，是年十二月二十五日，在弓棚子地方，白凌阿被清军缉获，解吉林审办。最后，白凌阿被以"积年巨盗，劫牢放犯、焚烧衙署和扰害闾阎"等罪名处死，从容就义。

（何金山　撰稿）

王同春

　　王同春（1851—1925年），是直隶顺德府邢台县人，小名进财，出身于一个破落的地主家庭，他的祖父、父亲都务农，还从事过驮运业。王同春幼年时，驮运已停业，家境破落贫困。为生活所迫，才跑来内蒙古后套。他瞎了左眼，有人说是和人斗殴时打瞎的，实际是因出天花瞎的，人都叫他"瞎进财"。王同春之所以来后套，是由于他所说有个本家在后套，但他到了后套，并没有找到，于是便一个人流浪求生。

　　王同春的初期活动　他到后套，首先是给地主张振达当长工，日后有了一些种地经验，加上为人机警，对河套这沃野产生了浓厚的兴趣。又看到当时后套土地大都掌握在蒙古王公手中，于是他决心由蒙旗入手，铺开创业的通路。他先到东公旗王府充当一名种地管事的头儿，他很会巴结王公，一直干了7年。当时正是清朝末叶，标镇姜桂题、将军长庚带队入甘肃、宁夏攻打金积堡，镇压马化龙回民起义以后，回到后套、包头等地。姜桂题、长庚看到后套农垦发展很有前途，便想编遣一部分官兵，在后套从事垦殖，但奏请清廷没获批准，未得实现，但也留下了一些编余人员，其中有医官王某

（回族、系王质武之父）、把总尹某、原驻包头哨官郭有元、牛某寄居后套。其余有师爷张绍棠、鲍某等人留在包头。这些人久居军营，都有一些积蓄，并且带有浓郁的军人习气，形成了一个财势雄厚的派系势力。这时王同春在东公旗已经干了7年，不仅与王公仕官建立了良好的关系，而且也有一定的积累，正想在后套开渠、垦殖创业。因此，便主动与这帮退伍官僚交往，以图得到他们的支持。而这伙军系，也看中了王同春久居后套，人地两熟，有利于他们投身后套开发，也乐意和王同春交往。这时，郭有元已经在后套初步开挖老郭渠，王同春看到老郭渠的渠口位置适宜，且域内土质肥沃、浇水方便、有发展前途，便离开东公旗王府和郭有元合伙开挖老郭渠。在挖渠过程中，郭有元看到王同春精明干练、敢作敢为、吃苦耐劳，且对自己忠心耿耿，便赠给好地20顷。从此，王同春便奠定了创业基础，树立了在后套开渠垦殖的信心。从这时起，历经数十年的经营，先后完成了8道干渠。即永济、丰济、通济、长济、沙河、义和、塔布、刚目等渠。这8道干渠都长约数十里，义和渠是他所掌握的基本渠道，不仅灌溉了五原附近的大片土地，而且流过隆兴长，成为他经营商业的重要航道。

王同春独霸后套的重要手段 王同春经过数十年的开渠垦殖，能够在后套形成独霸的局面，主要采取了以下种种手段：

（一）千方百计占有土地。王同春在后套是通过开渠灌溉，扩大垦殖、创业致富的。在当时蒙旗放垦的土地，大部分已经被汉民购买或租佃耕种，王同春只好利用他在王府当管事头儿的关系，直接向王公官员承包土地。蒙旗未放垦的土地，有牧场地（属于王公养兵）、膳召地（属于各大召庙喇嘛）、户口地（属于王公贵族）。这三种地中，以户口地为最多，活动范围也较大。户口地虽不能放垦和出卖，但王公、喇嘛需要用钱时，可以把边远一些的土地承包给汉人。但要租到这类土地，得靠与王公有很好的关系。王同春出于多年在蒙旗生活，善于投王公所好，经常以烧酒、砖茶、绸缎、米面和古玩、大烟等向王公送礼、放债，所以不仅得到大量承包土地，并且所付的租金也较便宜。

王同春把租得的土地，再转租给农民，从中获利。他租给农民的土地，采取三种方式：一种是包租地。由他指定一块地，向租户包租，由租户每年出一定的租银或租粮（这种包地绝大多数是要钱，开犁前缴租金），至于种与不种和收成好坏，他都不管，但每年必须缴清租金。一种是股子地，他每年把地交给租户种，在青苗出头时，租户必须缴一定的压青款（这款按地好坏、股子大小而定，来年不种，押款退还），并在收成时，要按股分粮，有"三七"、"四六"、"二八"等类租金。一种是半种地，将地租给租户后，不论收成好坏，对半分粮，同时在差徭方面，这三种方式，即"三七股三七害"（指租税摊派）、"二八股二八害"、半种地是各半分担。但实际王同春由于财大气粗，虽明是分担，办差徭的人们，谁也不敢向他摊派，使一些军政人员，路过王的"公中"（王管理种地的柜房称公中），要住夜也都住在花户家。人吃好的，马喂豆料，完全由花户分担。王同春就是这样有进无出，当然也就越来越富。

他包租蒙旗的地，短期包租由 1 年到 10 年，到期需另换契约，或提高包银，而且在换约时，还有送礼等花费。他感到这对他不仅是个麻烦事，而且蒙旗到期提高包银，增大他的开支。尤其怕到期抽地，砸碎了他的聚宝盆，于是他就想出了一个"永租地"的办法。他以金钱、美酒、绸缎、古玩及蒙古族人喜爱的礼品，向那些掌握地权的王公、官员、召庙的喇嘛，送礼讨好，并且还向他们保证永久租佃、决不欠租，并再三说明由他租佃的种种好处，如开渠引水、提高产量等。蒙古人听信了他的话，就把短期包租的契约地，一变而为仅有产权的永租地了。他运用这种手腕，先后永租了乌拉特三公旗、达拉特旗、杭锦旗等五个旗的部分土地。最后，王同春的土地都扩展到东至乌梁素海畔，西至五原西，北至狼山麓，南沿黄河滨，共长约260 余里，宽约 140 余里，方圆数百里。王同春把这些土地都掌握在自己的手里，招徕直隶、山东、河南、山西、陕北各地的农民。他们携家带口，来到后套租地耕种。因此，这里每增加一块租地，就要新添一个"乞旦"或"乞卜"等新村落。这样一来，只是为王同春管土地的"公中"，著名的就有二十来个，如同兴泉、同兴成、同兴公、东牛犋、南牛犋、西牛犋（以上牛犋都在隆兴长周围）。其他如"和硕公中"等还有很多，还不包括忙时增设的"小伙房"。这些"公中"的管事头儿（即他的代理人）都是骏马轻蟒，作威作福，虽不是操生杀大权，也握有极大的权柄。农民们因为怕抽去租地断了生路，因而对他们都不敢稍有触犯。至于王同春当时的权威，就更不屑说了。因此，占有大量土地，可说是王同春能独霸后套的重要手段。

（二）拥有雄厚的资金优势。王同春在掌握了大量土地后，逐渐认识到要巩固发展他在后套的势力，必须拥有雄厚的资金，才能和大量土地的开发利用起相辅相成的促进作用；也才能抵制外来资本势力的入侵，避免动摇他的根基。因此，他把经商、积累大量资金作为他又一个追求的重要目标。他在五原开设了"隆兴长"商号，开始只做些油、酒、炒米加工和贩卖烟、茶、糖、布等日用百货的小买卖。后来王同春的眼光放大了，他认识到经营好商业不仅仅要在雇工、佃户身上打主意，而且要作为进一步猎取蒙旗土地、财物和独霸整个河套经济的武器。因此，他便将各"公中"土地剥削所得的粮食和原料加工的利润都作为商业资本投入。由此，年复一年，隆兴长的买卖逐步发展，不但碾、磨房、油、酒缸房应有尽有，并且大量销售各大城市的日用百货和农牧业生产用品，经营蒙旗出产的牲畜皮毛，甚至还造木船，从宁夏贺兰山运销大批木材（当时后套最缺少）。由包头运销石拐沟木炭厂，供给河套手工业生产之用。王同春通过商业积累了雄厚的资本，排斥了外来资本的输入，独霸了河套市场。特别是他和蒙民打交道，他欺蒙古人憨厚、淳朴，用大斗小称、贱入贵出以及高利贷、写黑账等手段，大发不义之财。有时一个鼻烟壶就换蒙古人5只羊，几尺绸缎就换一匹大马。最恶劣的是用一石炒米就能订下几百只羊的羊毛，如春天借给你一石炒米，把你羊群的羊毛订下，由隆兴长夏天来剪，不得外卖给别人，毛价也由他来定。他在套内实行经济垄断，随意涨落价格，牟取暴利。如粮食刚下来，农民急于换钱，卖粮买日用品，他就压低粮价；春天农民口粮接不上时，他又把粮食抬高出售，如此一进一出，获利数倍。又如农民无钱买他的商品，他允许赊欠，往往一毛钱一包的生烟，秋后却要还一斗粮食。至于白布和砖茶、糖等要粮就更多了。

每年青苗出来后，他还进行所谓"买树梢"，这是一种极为残酷的高利贷剥削。方式有两种：一种是你借他的粮，秋后按加五还粮，即借一斗，还一斗五升。但实际是按当时的粮价借给钱（还要以地里的青苗做抵押，不能向他人外卖）。到秋收时，却又按最低的价，所借的钱，折交粮食。他操有垄断粮食价格的力量。在借钱时，故意将粮价抬高，还钱时，故意将粮价压低，这一高一低，便获利不少。另一种是借他的钱，按地里青苗的出产量，作为贷款多少的标准，如春夏之交，青黄不接，贫苦人民，急于用钱，就到隆兴长去卖青苗，农民把它叫做"买树梢"。通常每亩青苗估计有一石收成，他只出三斗、五斗贷款（这种树梢分夏秋两种，夏是豌豆、胡麻，秋是麻子、高粱，各以时价买进）。贫苦农民，虽明知吃亏很大，但急于用钱，只好忍痛成交。并且农民有时需要货物，他便抬高货价折成贷款，农民明知吃亏，但当时货价都被他垄断，远处无法去买，也只好忍受。由此，一年辛苦的血汗，绝大部分被王同春剥削去了。

此外，他还令各大"公中"囤积货物，买进卖出（主要是青苗粮食）。其中最大的是"同兴东"，地点在乌兰脑包，这个地点是通往甘肃、蒙古等地的转运站。驮队商旅，往来频繁。到此，都要买办草料给养，增添途中用品。后山（指乌拉特中后等旗和喀尔喀）的牧民出卖牲畜、皮毛，购买炒米、油酒，也以此为落脚点，每年买卖成交约计10万余元以上，所以王同春非常重视这里的经营，以后还派他认为最能干的儿子王吉吉去坐镇，因此获利巨大，为其他"公中"所不及。

据当时人们谈："隆兴长在极盛时期是驮马上千，牛上万，绵羊山羊无法计算"。这只是就他所拥有的牲畜而言，至于钱财多少，就更非外人所能揣知了。当时隆兴长名扬遐迩，外面的人不知有五原，只知有隆兴长。由此可以想象这个商号的实力之大了。他有如此大的资本，在后套的地主中如郭敏修、陈四、杨茂林、曹四、史某等，都非王同春的对手。

（三）利用迷信，神话自己。在旧社会，凡到过后套的人，多能听到当地对王同春的种种传说，如有的说："王同春和黄河的河神有交往，河神经常给他托梦所以他能知道水的涨落。"有的说："哪里的渠不上水，请老财主坐上轿车走一趟，水就会上来了。"因此人们叫他"独眼龙王"。实际这都是他在观察水势，开挖渠道中实践经验的积累，并不是他有什么神助。年轻时，他曾沿着黄河遍游山东、直隶、河南、山西，因此他能识别河流水势，如见河水发泡沫、有黑紫上浮、漩涡急，水就要涨；看见河水的涡流旋转比较慢，水就要落。他在挖渠时，还多次聘请过河北大名、顺德的有水利经验的老人来帮助，对他挖渠施工起了很好的作用。如测量渠道地平线的高低，在白天把水斗子10个染成白色，钉在一根一丈长的木杆上，每隔10丈竖立一个，由此用目观察，夜间把水斗换成灯笼瞄测。在开渠口时，他要观察河道弯曲的情况，是顺水还是逆水。如顺水则按人字形，顺着去开；如逆水，则按水流的弓背，顶着去开。此外还有好多技术上的做法，都是那里的工人教给他的。如在他的后一个时期，因为解决河口淤澄，他还邀请了河间府的工头朱庆林来进行指导，并决定让朱帮助他开挖珊瑚河。朱一度因为王待他苛薄，曾和他吵闹过，后经人说合，王把"合硕公中"给了朱工头，才算了事。

王同春掌握了治水经验，有些是他从亲身实践中取得的，其中不少是他总结综合他人的经验而获得的治水成果。他常在为他人修浚渠道时，发现或因渠道口选择失当而淤积，或因宽深失宜，而水流不畅。这时，他不是立即针对其病害进行整治，而是故作姿态，亲临河边，烧香摆供，常以整猪整羊投入河中，然后还口中念念有词，好似求神相助。而后让人按照他指点的办法进行疏浚，果然奏效。人们由是误认为王同春乃神的化身，便把他当做"河神"加以敬奉，这就使他在群众中更加增高威望。

（四）凭借武力，进行扩张自卫。王同春从小好斗争胜，经常和人打架斗殴。他常对别人说："要压倒别人，就得有压倒别人的力量。"因此他赖以在后套发迹又一个重要的手段，就是和闲散的军官、拳手结交，并且歃血为盟，结为死党，他还豢养一批打手。在他占有大量土地财产后，为了要自卫并扩张，他感到有壮大武力的必要。于是他一方面勾结官府，如辛亥革命时，阎锡山逃到包头，王同春便殷勤招待，送阎骏马数十匹，白银 3 000两，并引三子王英拜认阎为义父。在阎返晋举兵时，为阎提供军需粮秣。日后王英曾被阎任命为晋军的师长、司令。此后，王同春还让王英到绥远都统马福祥处认干爹，后当了马的副官，以此壮大自己的声势。另一方面，他暗中把大小土匪头目窝藏在他的"公中"，有些还编入他的民团。名义上是地方的保安团，实际上是他私人的护卫队。亦官亦匪，造成尔后数十年，后套匪患不断。为了保护他的家产，民国元年（1912 年），亲率保安团随同晋军赵守钰部与入侵的外蒙古军作战，大败蒙古军于海流图庙，不仅保卫了后套也保护了他的家产。王同春还接纳绥远著名匪首周鸿宾、卢占魁、康存良、赵有禄、苏雨生等，其中匪首李三河还直接给王当过护兵。有些土匪头目将抢来的金银细软存放在他家中，依靠他的势力转外地出卖，他从中获利。王同春上靠官府，下通土匪，依靠官、匪武装力量，称雄称霸后套。王同春的运粮、运货车、船、驮队，只要插上写有"王同春"字样的旗子，官匪都不来侵扰。

王同春的为人　王同春的为人，当时被颂为仁侠尚义，扶困济贫。他对远道来依附他的人，常帮助其成家立业。他曾输粮万石，救济京、津旱灾中的饥民。在五原南四大股地，还放赈救灾，被人称为"王善人"。这确实是他值得称颂的一面。但是，王同春在敛财掠地时所施展的种种险狠毒辣的手段，却也令人发指。最突出的例子，是光绪末年直鲁豫闹旱灾，饥民万人逃来后套，王同春派人在五原四大股庙，搭盖草席茅棚，用大锅焖捞饭，安顿灾民。接着他向这些灾民说："你们坐着吃，不是个长久办法，如果你们能帮助我挖渠，我可以从此每天给你们吃两顿饭，虽然无工钱可挣，但把渠挖成后，就有大块好地分给你们，帮助你们安家立业。"灾民们为了活命，不得不出力为他挖渠。但在挖渠过程中，因劳动强度过大，饭又吃不好，饥民们颇多怨言，甚至起而反抗。王同春便对反对者偷偷进行惩处。王同春的最大干渠义和渠的竹竿支渠的大部分工程，就是这样完成的。

王同春对直鲁豫来到后套的贫苦人很会施展手腕。当时在后套盛行赌博（多是压宝、玩纸牌、抽大烟、嫖娼），有些人受了害，白白受苦一年，钱都花光，无法回到口内。王同春便借给他们盘缠，资助他们返回家乡。这些人回家后，多称王同春扶危济困，互相传播，因此来年有更多的人相约来套，投奔"同柜"，为王同春劳动卖力，这也是王同春招徕雇工的一种手段。

（郝维民　撰稿）

丕勒杰

丕勒杰，又称巴拉吉尔，出生在清代后期内蒙古伊克昭盟乌审旗贫苦牧民家庭。

19 世纪中叶，伊克昭盟许多王公贵族为得到皇宠而能升官发财，纷纷向清廷进献大量的骆驼、马匹和金银财宝。乌审旗札萨克王巴达尔夫一次就向清廷捐献了价值 2.53 万两银子的马匹、骆驼、粮食及物品。协理巴拉珠尔捐银 7 000 两，王府其他官员捐献的数目也接近了 2 万两。一个小小的旗府，向清政府捐献的银两如此之巨，再加上王公贵族的穷奢极欲的生活，大大加重了牧民的负担，使广大牧民生活日益贫苦。

咸丰八年（1858年），丕勒杰在广大牧民的支持下，成立了反抗封建统治的"独贵龙"组织。队伍很快发展到了几百人。他们向旗札萨克提出了不得再强占土地，滥征捐税，苛派差役，不得再迫使旗民代偿高利贷债务等的要求。在"独贵龙"组织的斗争面前封建主被迫作出了一定让步，答应重新审订课赋限额，不再加重摊派等。

最后，丕勒杰领导的"独贵龙"运动失败了。但是，他所开创的"独贵龙"斗争形式却为蒙古族人民群众的革命斗争播下了种子。从那以后，在内、外蒙辽阔的草原上，便接连不断地掀起了"独贵龙"运动热潮，有力地打击了清王朝及北洋军阀的统治。

（何金山 撰稿）

那木萨来

那木萨来（？—1865年），内蒙古卓索图盟土默特左旗人。咸丰十年（1860年）前后，卓索图盟土默特左旗王公贵族为进一步压榨百姓，不仅大量放垦牧场，买卖旗地，而且还以各种名目征敛苛税，抓丁服役。该旗蒙古族群众因不堪忍受这种奴役和剥削，便推戴那木萨来为首的德高望重者组成"老头会"赴京控告。几年之内，"老头会"呈控三十余案，揭露了封建主的种种罪恶。当连年请愿控告不得结果时，土默特左旗蒙古族群众就在那木萨来的领导下，组成了数千人的武装。他们拿起猎枪、刀矛和官军进行了不屈不挠的武装斗争。

同治元年（1862年）冬，起义群众在那木萨来等人的领导下，大败官军，捕杀了作恶多端的塔布囊阔挪西里。官军气急败坏，便用被俘的"老头会"成员做人质，要挟起义队伍交出那木萨来等人。在这种情况下，起义队伍又一领导人绰金汰为挽救被俘同胞，毅然决定用自己的生命换取被俘同胞的安全。

绰金汰被俘后，清政府又派大批军队进行残酷镇压，起义队伍蒙受了重大损失。在这种极端困难情况下，那木萨来仍然率领起义群众坚持斗争，影响波及了内蒙古整个东部地区。

同治四年（1865 年）二月，那木萨来不幸被俘，英勇牺牲。后人为纪念他的英雄事迹，创作了民歌《那木萨来》，一直传唱到今天。

（何金山　撰稿）

贡桑诺尔布（贡王）

贡桑诺尔布（1872—1931 年），别号乐亭，又号夔盦，是内蒙古卓索图盟喀喇沁右旗札萨克郡王，系成吉思汗勋臣兀良哈者勒篾的后裔。清朝初年，其先祖苏布迪率领兀良哈部众投靠爱新国，被赐号"都固楞"，管辖喀喇沁故土。康熙三年（1664 年），赐封苏布迪孙班达尔沙世袭罔替札萨克郡王。数传至满珠巴咱尔，以军功加封亲王品级，贡桑诺尔布（以下简称"贡王"）是满珠巴咱尔之四代孙，亲王旺都特那穆济勒之长子。

他自幼好学，天资聪敏，性格稳重。其父旺都特那穆济勒聘请山东省名儒丁锦堂，教他攻读四书五经、百家训及各种史籍。数年之内，他学完了恩师所授各种课程，诗词歌赋无不精通，特别是擅长书画。其父还为他聘请了喀喇沁中旗精通蒙古文和满文的伊成贤先生，使他的蒙古文和满文也有了很高的造诣。其父又怕他养成文弱之风，从内地聘请军事教官马雪樵传授赛马、骑射、拳脚等军事技能。因此，贡王年不满 20，就已经练就了一身文武技能，聪明过人、文武双全。16 岁时与清朝肃亲王的三女善坤成婚，婚后有二子，长子名笃多博，次子笃多吉。

光绪二十四年（1898 年）四月，贡王的父亲病逝，翌年春贡王进京，正式继承喀喇沁亲王的爵位，时年 27 岁。回旗后，在旗里推行新政，几次上奏变革维新的奏折，进行了多方面的维新变法活动。他所推行的维新变法措施，给闭塞的盟旗带来了生机和活力，促进了本旗政治、经济、文化的发展，一定程度上改善了旗民的生活。特别是在旗里创办的近代化的新式学校，培养了一大批蒙古族文人、专业技术和军事等方面的人才，对振兴蒙古民族，发展民族文化起到了积极作用。

革除弊政，实施新政　喀喇沁右旗王府驻牧于锡伯河之滨，即史籍所载辽代阴凉川锡伯格庄之地。南北夹山，一带清川，森林茂密，百鸟齐聚。贡王之祖父色伯格道尔吉曾根据地势风景，在王府以北山阴平原，修建了一座梨园，建有楼阁、戏台、舞馆、池沼等数十处。选拔旗下聪明俊秀之青年男女，演习各种戏曲歌舞，以备王爷娱乐之用。贡王承袭札萨克王位之后，革除弊政首先就是着手革除这一恶习，停止歌舞娱乐，将梨园子弟和后宫20岁以上的婢女遣送回家，交还她们的父母使她们得到自由。

其次，是削弱封建等级制。贡王针对"蒙古各旗因为仍然存在着上等人和下等人的腐败等级制度，所以就变得愈发软弱无能"的现实问题，提出了"原来都是一个始祖的子孙，区别为诺颜、奴隶，这是不合情理的。现今世界，是以知识能力为贵，而不以门阀出身为贵"的新观点、新思想，把社会同等的人分为诺颜和奴隶看做是"不合情理的"，开始否定了传统意义上的"门阀出身"的封建等级观念，主张"以知识能力为贵"的现今世界的潮流思想。在此思想指导下，他采取了取消封建等级制，实现全民平等具体革新措施。"把本旗所有伯牙楚德、和布德、札尔沁等人，都一律改编为苏木阿拉特，把他们亦都登记在红档册上。有能力的人也要和苏木阿拉特一样，提拔使用。今后对他们的子女永远解除其充当奴婢的身份。本旗管旗章京及副管旗章京以下内外大小官员，因公晋谒本王时，可各称其官职，无官职的阿拉特，可称其本名。无论何人再不得向本王自称为'包勒'（奴隶）"。① 在革除封建习俗的基础上，取消了奴隶佣人每人每天两杓小米饭的限制，更重要的是减免了民众负担的无休止的差徭制，而改变为定额制。

贡王对于革除旧制度方面，也不遗余力，例如改跪拜礼为鞠躬礼；极力提倡新式结婚，在其学生举行婚礼时，一定在红纸上亲笔写"文明结婚"四个字并派人送去，表示庆贺。他还特别反对婚丧中的繁文缛节和铺张浪费。同时，针对"许多人把子弟送进寺庙当喇嘛"，生产人口日渐减少，赋税日益过重的严重问题，规定"今后有两三子者，不允许再送去当喇嘛"，严格限制蒙民子弟当喇嘛。这样，长期在封建统治束缚下喘息呻吟的旗民，似乎得到了一次长呼吸，旗民对这一位新王爷开始有了较好的印象。

再次，实施了行政、财政管理方面的一些新政。贡王发现地方行政官员的墨守成规和贪污腐化问题之后，专门成立了研究地方行政和"参佐制度"的政治小组，定名为"崇政学社"。该社开会时，贡王有时也亲自参加，很

---

① 吴恩和、邢复礼：《喀喇沁亲王贡桑诺尔布》，《内蒙古文史资料》第1辑。

坦率地提出个人的见解。他非常憎恨地方上的参佐人员（参领和佐领）的墨守成规和贪污腐化。于是，他在崇正学堂内附设了一所政治训练班，培养从事地方行政的人才，想把老朽昏庸的参领和佐领逐渐地加以淘汰，用新的一代来接替。为了避免守旧分子的猜疑和情绪上的不安，政治训练班在表面上冠以师范班名义。

他还发现财政管理方面的弊端，就在札萨克衙门特设总管财务的度支局，任命诺门乌力吉为该局首任局长。规定所有税收都由度支局登记统一管理，并把丁税改为户税，规定头等户课六贯，二等户课四贯，二等户以下贫困户一律免征。在这种法定税银以外，不得摊派其他任何税款。并规定协力塔布囊以下大小官员，按年照发津贴，官兵按月支给薪饷，因公出差官员按其日期发给膳费，严禁其骚扰民众。度支局负责编造年度预算，量入为出，统一掌握一切开支，年终造报决算，并把决算书张贴在全旗各地，公布在民众面前，使他们有所了解。

贡王所采取的庶政维新的一系列措施继续了两三年之后，由于开支太大，旗内财政收入已难以负担，在既不能开源又不能节流的情况下，他不得已就把几代积存下来的俸银数千两拨给旗库开支，仍不敷支用时，又把几代所藏细软皮衣、珍玩古董、名人书画等运往京城拍卖，但所得无几，尚不敷开支，最后开放了芒吉唐图地方的荒地，招佃蒙汉民众垦种，以其租银弥补了财政收入之不足。

兴学练兵，培养人才　光绪二十六年（1900年），由于义和团运动的失败，贡王听到"帝后蒙尘"，八国联军侵入北京的消息以后，知道清王朝已不足恃，便有了兴学练兵、发愤图强的决心。翌年春，他进京会见北洋大臣直隶总督袁世凯。通过袁的介绍，以优厚的待遇延聘了保定武备学堂毕业的周春芳为军事教官，同车载归后，就在旗内选拔了一部分青年，把原有的王府卫兵及府内的青年差役，一并整编为正式军队，服装整齐、枪械精良，在周教官的新法操练下，取得了显著成绩。后来这支军队在保卫蒙旗治安、剿灭地方土匪中都起了相当大的作用。后来，贡王还组编了警察队，并在王府成立警察所，在旺业甸和公爷府设置分所，设置警官若干名，经常巡逻旗内各要冲，借以维持地方治安。

其次，创办文武学堂，教育旗民子弟。光绪二十八年（1902年），贡王在王府的西院（俗称西衙门）开办崇正学堂，招收旗民的青少年及适龄儿童入学，有宿舍、餐厅，有小型图书馆，设备相当完善，一切都是免费的。对于离家远而不愿住宿的学生，在上学时都用四套马车接送。贡王自任校长，派管旗章京朝鲁（汉名汪良辅）为监督，并聘江南名士陆君略（浙江钱塘人）、钱桐（江苏无锡人）为总教习，长安（汉名邢宜庭）为汉文教官，富斋宝（汉名包景文）为蒙古文教员，并责成陆君略和博彦毕力格（汉名汪国钧）编写汉文四字句蒙旗地理教科书。

贡王在崇正学堂的开学典礼上讲过这样的话："我身为王爵，位极人臣，养尊处优，可以说没有什么不如意的事，可是从来没有像今天这样高兴，因为我亲眼看到我的旗民子弟入了学堂，受到教育，将来每一个人都会承担起恢复成吉思汗伟业的责任。"他又当场挥毫撰写了一副楹联，悬挂在学校正厅的明柱上，文为"崇武尚文，无非赖尔多士；正风移俗，是所望于群公"，内嵌"崇正"二字，颇工整。陆君略、钱桐都交口称赞，认为他既为王爷，又为校长，应该有这样的口气。

光绪二十九年（1903 年）秋，贡王为了培养下级军官，利用他三叔父（俗称宫城三爷）在王府西面大西沟门的旧邸，设立了守正武学堂，选拔本旗官员子弟约 30 人入学。经日本陆军参谋本部福岛中将介绍，延聘日本陆军大尉伊藤柳太郎、陆军少尉吉原次郎为正副教官，又聘请能操日语的浙江钱塘人姚子慎为翻译官。学科用日语操典，操练时也要用日语口令，是完全日本化的一个军事学校。

光绪二十九年（1903 年）三月，经日本驻华公使内田康哉介绍，贡王从天津搭乘日本邮船东渡日本，参观在大阪举行的第五次劝业博览会，考察了日本政治、教育、工业、军备等情况。在访日期间，他会见了东京实践女学校校长下田歌子，引起对女子教育的重视，萌生了建立女子学堂的想法。回国后立即着手创办女子学堂的筹备工作，改修"燕贻堂"为校址，公布劝学令，号召旗内学龄女子报名学习。同年十二月，从上海聘请来日本女教师河原操子，正式创办了"毓正女学堂"。入学新生约 50 人，王府内的侍女居一半多，贡王的妹妹七格格也入校学习。由贡王福晋善坤亲自主持校务，聘巴图敖其尔（汉名伊宪斋）为蒙古、汉文总教习，喀喇沁中旗宁姓女子为蒙古文教员，又由北京聘请徐状元的第八女张夫人（从夫姓）为汉文教员，河原操子讲授日语、算术、手工、音乐、图画、体育等各门课程。

又次，选派学生，培养有用人才。贡王在创办文武学堂，教育旗民子弟的同时，从学生当中选拔最优秀者向国内外派出深造，培养各类有用人才。光绪二十九年（1903 年）秋，贡王通过布里亚特蒙古族高木布耶夫的关系，由崇正学堂选拔成绩优秀的学生德克精额、恩和布林（汉名吴恩和）、特睦格图（汉名汪睿昌）、诺仍丕勒（汉名汪子瑞）等 4 人，送入北京东总布胡同东省铁路俄文学堂，专攻俄文俄语。建立守正武学堂以后，贡王从军队中遴选了乌尔固木吉、铁丹、纳木格其等三名优秀士兵偷偷送到北京东交民巷日本驻屯军的军营里，和日本兵一起学习器械体操和军乐。

光绪三十年（1904 年），选派诺们沛勒、阿拉塔（吴子兴）、那孙乌勒吉、班达木吉（霍岳南）、阿拉金布（郭皋轩）等人到北京贵胄学堂学习；从守正武学堂选派温哲浑（杨鼎臣）、陶克托胡（陶建华）两人入保定军官学堂；从守正武学堂选派双柱（吴尧忱）、巴音宝、六十五、吉里嘎拉等 4 人入北京测绘学堂学习测量。从守正武学堂选派徐文明、白瑞入保定简易师范学堂学习。同年 12 月，派恩和布林、特睦格图、巴达尔胡、太平等 4 人到天津，在北洋实习工厂学习织布、染色、制造肥皂、蜡烛、粉笔以及电镀、照相等技术；同时又从崇正学堂选派于启明、乌勒巴图（杨时芳）、汪长春入上海南洋中学学堂学习；从毓正女学堂选派叶婉贞、吴秀贞入上海务本学堂学习。

光绪三十一年（1905 年）冬，乘日本女教师回国之便，选派毓正女学堂女生何惠珍、于保贞、金淑贞等 3 人，与河原操子同船渡日，入东京实践女学堂肄业；翌年冬，派伊德钦、诺门毕力格（金永昌）、恩和布林、特睦格图、于恒山等 5 人，乘日本邮船赴日本入振武学堂学习军事。这几名留学生由振武学堂毕业之后，本应按部就班地升入陆军士官学校，可由于清政府有蒙古族学习军事的禁令，恐被发觉，因而除于恒山 1 人因故中途辍学外，其他 4 名分别考入东京农科大学、千叶县医科大学、东京慈惠医科大学等学校。

创办报刊、邮政、工厂、商店等实业　光绪三十一年（1905 年）冬，贡王为了启发民智，宣扬新政，曾在崇正学堂内附设一报馆，每隔三天石印一大张，名曰《婴报》。创办该报之后，贡王责成崇正学堂的师生源源投稿，除刊登一些国内外重要新闻外，有科学常识、各盟旗的动态以及针对时局的短评等。由送报员送到人烟稀少的村落，大量散发，不收报费。与此同时，贡王感到旗民中的文盲太多，又开展了相当广泛的旗民识字运动。具体办法是用英文字母创造出一种简易的蒙古文字母和拼音方法，先在军队中试行，逐渐推广到旗民中的男女老少。经过这一识字学习运动，不到数月，成绩斐然，许多人都具备了阅读报纸的能力。此外，贡王还拿出一笔钱来，在北京购买了一批《古今图书集成》、《佩文韵府》等大部头珍贵书籍，在王府的西跨院开辟了一个略具规模的小型图书馆，专供各校师生和旗衙门内的行政人员阅读。

贡王又痛感本旗境内邮电不通，诸多不便，遂派人到离王府 90 华里的围场县接洽，取得县方的同意后，采伐附近山上的一些树木，自围场县的克勒沟到喀喇沁王府，在 90 华里的线路上架设电线杆，使对国内各地的电报畅通，不复使人有边塞荒漠，内外隔绝之叹。他又由旗内选出精壮蒙人三名分为三班，徒步往返于北京与喀喇沁之间，递送邮件，并设邮政代办所及电报收理处等机构，派干员专司其事。自邮电畅通以后，各校师生及旗民中的知识分子，大批订阅北京出版的报章书刊，使当地人民能大量地吸收到外界文化，文风蔚然，盛极一时。

贡王在王府东的坯厂子村（蒙语称平套海）设了一所综合性工厂，内分织布、染色、造绒毡、肥皂、蜡烛、燃料等各部门，聘天津北洋工厂实习回来的学生为技术员，又请 1 名天津工人为织地毯的老师傅，招收了很多蒙古族青年为学徒工。他还向北京的俄国道胜银行借银 3 万两，在王府西八家村（蒙语乃门爱拉）开设了一家百货商店，名为"三义洋行"，委任王府哈莎巴塔尔（汉名金玉斋）、陶克托胡、博彦毕力格为正副经理，并由天津聘来一位高氏商人为助手，除出售综合工厂的一些产品外，还由天津及各地大量批发来蒙汉民所必需的洋杂货。百货杂陈，五光十色，远至百里以外和邻近各县、旗的购物办货的人们，络绎不绝于途，使当时喀喇沁王府有"小北京"之称。这对于丰富当地人民的物质生活起到了积极的作用。他又派人到浙江购买桑苗数万株，经上海海运到天津，由天津装火车运到北京后，载以骡车再运到王府，在福会寺庙前和王府花园内，择地数百亩，广植桑苗，绿树成荫后，喀喇沁王府一带的养蚕之风遂炽。

宣统二年（1910年）十月，贡王参与阿穆尔灵圭发起成立了"蒙古实业公司"，并制定章程，筹集款项，计划修筑铁路等。

奉命晋京供职及其活动　光绪三十二年（1906年），清朝管理理藩部大臣肃亲王善耆，奉旨巡视内蒙古地区，姚锡光、吴禄贞等人随行，委贡王为钦差大臣随员，巡阅卓、昭、哲、锡四盟各蒙旗。

宣统元年（1909年），清政府下令调贡王到北京供职。当时管旗章京阿拉坦瓦齐尔已经病逝，贡王就把旗务委嘱给协理塔布囊锡利沙嘎拉、管旗章京斡格吉棍2人。他奉命进京后，最初派他充任满洲正白旗都统，以后委任咨政院院员，但这些都是闲散职位。他除了和一些清朝的权贵们过从甚密外，还和严复、梁启超、吴昌硕等学者、画家们也有很深厚的交谊。他通过这些人的介绍，结交了一批宦途蹭蹬落拓江湖的江南名士。南方各省掀起革命高潮，朝廷派贡王回旗，令其在卓索图盟、昭乌达盟广泛招募蒙古族青壮年新兵，获得清廷的奖赏。

宣统三年（1911年），外蒙古宣布独立，建立大蒙古国。贡王同宾图王棍楚克苏隆访问俄国驻北京公使馆，试探沙俄政府对华政策，提请援助内蒙古，俄方未予肯定答复。12月3日，以贡王为首的内蒙古东蒙王公向清廷提出六项要求，主旨为：一、东蒙古不受东三省总督和热河都统节制；二、蒙古有训练军队权利；三、收回对蒙古产品收税权；四、收回对汉人管辖权；五、任用蒙古人为理藩部参议大臣；六、要求宪法上的蒙汉平等权利。12月24日包括贡王在内的号称外蒙古86旗，内蒙古49旗代表的旅京蒙古王公，成立"蒙古王公联合会"，支持君主制。翌年1月11日，北京蒙古王公联合会向南京临时政府通电，表示"蒙古实在不愿与君共和"。接着发出声明要革命党人注意蒙古特点。

同年，贡王在赤峰与卓、哲、昭盟王公开会研究形势与对策，后邀请热河所属各旗县代表到喀喇沁王府，召开自治会议，提出"蒙汉民族团结自治"。与会代表三百余人公推贡王为筹办热河自治的领导人，此事被热河都统熊希龄侦知密报给了袁世凯。袁世凯知道以后，就拿出礼贤下士的态度，送来重礼，聘请贡王到北京，任命为蒙藏院（局）总裁，总理蒙藏事务。但这只不过是一个虚衔。贡王不得已每日以书法绘画聊作消遣，不问政务。贡王任蒙藏院总裁前后达16年之久（1912—1928年），在这一漫长的岁月里，贡王知道外蒙古哲布尊丹巴政府与沙俄政府缔约后，致电外蒙古政府，严词斥责其与沙俄缔约，在一次记者招待会上谴责《俄蒙协约》，指出"蒙古王公多数反对俄库条约，其赞成之少数，亦为俄国所迫胁，不得不然耳。总之，俄库条约损失蒙古领土，伤害蒙人自由，皆我人所不能不一德一心，极端以图取消此约也"。表达内蒙古各盟旗反对《俄蒙协约》之呼声。袁世凯死后，数年之间，更换了几名总统，民国国情日益恶化。贡王任总裁期间在北京创办蒙藏学校，曾亲任蒙藏学校校长。1931 年，贡王患脑溢血，死于北京王府，时年 59 岁。

变革维新思想 近代史上的蒙古族封建王公制度是清王朝统治蒙古社会的产物。随着近代蒙古社会的急剧变化，大部分蒙古封建王公平庸昏聩，荒淫暴虐，仍顽固坚持没落的封建统治思想，变本加厉地剥削和压迫蒙古族阿拉特民众，极力维护封建王公统治制度。与此相反，以喀喇沁旗札萨克郡王贡王为代表的蒙古开明王公，在看到蒙古社会制度的陈旧落后、政治软弱腐败后，主张革除一切弊政，实行开明新政的同时，也认识到蒙旗社会经济的严重衰退和蒙古人生活的极度贫困。因而上奏变革维新的奏折，其中主要提出因地耕牧以筹生计，筹设公司以兴实业，速修铁路自主经营的积极主张，其基本宗旨就是以兴办实业来振兴蒙旗经济。

（一）因地耕牧，以筹生计的思想。清末蒙古社会经济日渐衰落，民众的经济生活每况愈下，加之"百余年来，垦放渐广，旧俗渐变，于是积习分为两种：一则坚持牧地，恐一开垦必致舍旧图新，诸多不便；一则久经开垦，习为农业，不屑再事畜牧"。[①] 针对这两种不同的思想观念，贡王提出了因地耕牧，以筹生计的思想主张。

1. 以新科技兴办牧政的思想。贡王在其奏议"整顿乌珠穆沁旗牧政片"中开宗明义提出了"蒙古本属游牧之区"。这里除了肯定历史上已经形成的蒙古游牧制度外，还反映出游牧经济最适合于蒙古高寒地区的思想。他以乌珠穆沁旗为例作了阐述："窃查乌珠穆沁旗所产马、牛、驼只，种类极佳，而其地又高寒，难于耕种，兴办牧政最为相宜。"[②] 在他看来根据自然、社

---

① 朱启钤：《东三省蒙务公牍汇编》卷 5，1909 年版。
② 朱启钤：《东三省蒙务公牍汇编》卷 5，1909 年版。

会和气候条件因地制宜，能动地利用自然规律办事是正确的选择。因此，他积极提出奏议，极力主张兴办乌珠穆沁旗的牧政。并且提出有效的整顿办法和实施方案。他指出该旗蒙古人因循守旧、唯恐"舍旧图新"，并予以批评，说："惟其人株守旧习，如有人告以新法能使牛马蕃息强健，不唯不肯学习，并不肯听信。"他认为蒙古族人应该学习"新法"，从而发展自己的游牧经济。为学习贯彻蕃息强健牲畜的"新法"，提出了富有改革思想的新见解——"兴办牧政"。他说："请旨饬下理藩、陆军两部，会同核议，于风气稍开之各蒙旗内选择通晓汉文者若干人，或派令出洋学习，或聘请教习，设立马术、马医各专门学堂，并习畜牧之学，俟成绩可观，然后由各旗立一大公司，专办此事。即以乌珠穆沁做一大牧场，于陆军必有裨益，而蒙民商务生计，亦将因之饶裕矣。"① 由此反映出学习新法来经营游牧业生产，从而提高劳动生产率，获得物质财富，以筹生计的思想主张。

贡王从乌珠穆沁旗宜于兴办牧政到学习和吸收"新法"来经营各蒙旗的牧政，再到创立大公司、大牧场，饶裕蒙民生计的一整套的建议，不仅体现出蒙古高寒地区经营牧业的思想，而且体现着改变传统的经营方式，用"新法"来经营游牧业生产的积极思想。他的这一举措虽然未能取得多少实效，但也反映着用"新法"兴办牧政的积极思想。

2. 择地开垦，以筹生计的思想。随着近代蒙古地区农业生产的不断发展，尤其清朝实行"新政"以后，蒙古地区农业进一步发展，不仅改变了整个蒙古地区的经济结构，而且引起农牧之间的矛盾冲突，造成放垦多收益少和滥垦的严重恶果。针对这些，贡王等蒙古王公提出整顿农耕、择地适度开垦的主张，即"择地开垦，久筹生计"。光绪三十四年（1908 年），贡王在其"敬陈管见八条"中提出"整顿农工商"的建议，意在阻止放垦当中出现的无休止的滥垦现象。他一方面看到"耕地愈辟，牧区愈小，耕牧之利实相抵牾"，另一方面也看到地方官吏"擅专弄权，蒙上蔽下，倒行逆施"，过度放垦，从中渔利的弊端。提出整顿农耕放荒，通过整顿，阻止盲目放垦，主张适宜地区适度择地种田。这是在高寒的蒙古地区最适宜"牧政"的思想指导下，采取的阻止乱放垦，缓和耕牧矛盾的措施，从而进一

---

① 朱启钤：《东三省蒙务公牍汇编》卷 5，1909 年版。

步贯彻适合的地区择地开垦，来增加收入或者用农产品弥补生活必需品的思想。

（二）筹设公司，以兴实业的思想。自从洋务运动开始，中国的沿海地区搞起了近代化的工业企业，可是在蒙古地区几乎看不到任何反响，仍旧持续着长期以来的家庭手工业生产活动。到了清末，主张蒙古地区实行新政的蒙古王公便意识到这一点，并把筹设公司以兴实业作为新政的重要内容提出来，表示要以此振兴蒙旗经济。

1. 创办公司，自辟利源的思想。清末蒙古王公认为：创办近代化的实业公司，来开辟蒙旗丰富的利源，自己开发，自己获利，从而繁荣蒙民的经济生活，达到国富民强的目的。这里不仅体现着抵御殖民掠夺和抵御外货的竞争意识，而且体现以近代化的企业新技术经营蒙旗经济，振兴蒙旗的经济思想。贡王痛切地说："至大宗土产则羊毛、驼毛、皮张，实为上等工料，各洋商以贱价购之，出口制成洋货，又以贵价售之中国，吃亏甚巨。"从而提出自筹资金创办公司的建议，说："拟请饬下农工商部，拣派曾学专门之员数人，前往提倡，规划分置农场、工厂、商局，更由劝业银行借以资本，各责成效，或再仿外洋托辣斯（托拉斯——笔者注）办法，集合巨资，任以专员，立极大织呢制革之厂，内可供本国军队之需，外可杜别国漏卮之患。至于化朴陋而臻富饶，自有不期然而然者。"① 显然，贡王在认识到外国资本主义近代工商企业优势的基础上，提出了创办公司，自辟利源，发展蒙旗经济的思想主张。

2. 创办金融流通事业，繁荣蒙旗市场的思想。贡王说："自来外人攫我利权，每于各省多立银行，发行银圆纸币，商人多领其成本资其周转……于是商家亦仿开纸票，底本少而开票多，及往兑现银，非有心抬高货价用为准抵，即借口道远不用，加之折扣，蒙民受累甚深。银铜圆近虽稍稍行用，尚未遍及。趁此外权未及侵入之时，拟请旨饬下民政部，分设劝业殖民各银行，在各镇适中之地多运银铜圆，并发行纸币。凡交租税等项，概准作实银兑收，严禁私开钱票，必使利权操之自我。不惟蒙民日用得苏，而从事农工

---

① 朱启钤：《东三省蒙务公牍汇编》卷5，1909年版。

商者亦得借用资本，广谋生计矣。"①

贡王在提出创办公司、自辟利源思想的基础上，指出"实业发达，输出之额自能畅旺，交换银货即源源不绝"，并进一步提出富起来的蒙民，可劝令他们把钱款存入公司储蓄，从而获得利息的金融思想。在他看来，蒙旗自辟利源，生产出来各种商品，通过交换获得利润而可成富裕者。可见在贡王的思想意识中已有近代金融意识。

（三）速修铁路，自主经营的思想。贡王在实行新政，振兴蒙旗经济时，把速修铁路一事作为重要的议题提出，意在自主经营，方便交通，畅通经济交往，抵御外侮。贡王在其奏文的"铁路宜速修也"一条中说："各蒙旗交通不便，已属窒阻新机。况俄之西比伯利亚铁路，自西北至东南，包括全蒙。自战事后，日经营东南，俄又改图西北，若不速修铁路，断难抵制"。他把速修铁路当做发展蒙旗经济，抵御日俄经济掠夺的最为可行的措施。他还提出速修铁路的有效办法："奴才亦知筹款不易，然事在急切，必不可因噎废食。……拟请旨饬下度支部，先筹经费若干万，以利害密饬各蒙旗王公札萨克，令其量力集股若干份，再由劝业银行筹备银铜圆纸币若干万，并由邮传部拣员侦察日本修筑京釜等路用费办法，参酌仿照，速从关外铁路分支，由朝阳、赤峰等处经围场直接张家口。一面由张家口分两路北通库伦，由库伦东南过乌珠穆沁等旗，经丹城接赤峰。一面由张家口经西二盟直接新疆，然后再查情形添筑支路。似此脉络贯通，边防自然渐固"。在他看来，修筑铁路之事所以急切，不能耽误，是要"趁此外权未及侵入之时"，从速开发和修筑铁路，自己完全掌握铁路交通权，从而抵制外侮，巩固边防。

同时，贡王又把修筑铁路与开采矿山联系起来，主张充分利用铁路运输的优越条件，服务于矿产开采，自辟利源。他说："如蒙境既筑铁路，虽客货之利聚难充裕，而中有无穷利益则开矿是也。查各蒙旗富于矿产，迄无大力举办之人，惟华洋奸商辗转购卖，就价觅利而已。今宜于考察路线之际，带勘矿苗，勘得佳矿，即可认真开采，以为先导，否则成一段铁路就一段附近开凿矿山，转输既便，路款尤可取资……倘开采得法，日日进款，日日修

① 朱启钤：《东三省蒙务公牍汇编》卷 5，1909 年版。

路为益，岂可胜计。"① 在他看来，矿产开采得法并修筑铁路，可"日日进款，日日修路为益"。即修筑铁路必须与开矿结合起来，二者是互利的。这样不仅自辟利源，而且搞活市场，获得"无穷利益"。这是体现出以近代工业的经营方式，开发利用蒙旗丰富资源，繁荣发展经济的思想。

（何金山 撰稿）

海 山

海山（1857—1917 年），蒙古名松云葛根，内蒙古喀喇沁右旗人，出生于富贵人家。

海山自小受家庭的影响，在其父母和私塾教师的严格教育下，利用 14 年的时间，研习蒙古、满、汉三种语言文字。想通过科举应试达到升官发财的目的。但是清政府有一规定叫："汉人不封王爵，蒙人不试科举"，所以，海山所选择的道路，却遇到了不可跨越的障碍。但是他并没死心，想要娶汉族女子为妻，然后以汉族人的名义报名参加考试。海山对自己的计划认真地付诸实施，和南三十家村的一马姓姑娘结为夫妻。

光绪六年（1880 年），海山在平泉裁事厅供职，不久升任为该厅负责人。光绪十三年（1887 年），海山又升为喀喇沁右旗统领兵丁的梅林章京。然而，海山和当地的豪绅恶霸张三发生了矛盾。张三便找借口诬陷、诽谤海山，并把诉状递到了热河承德府。海山出于无奈，于光绪二十八年（1902年）携家眷躲避到科尔沁右翼中旗，后又迁到哈尔滨，经人引荐，认识了俄国领事谢苗诺夫，并在俄国使馆避难 4 年。在这期间，他已精通俄语。光绪三十三年（1907 年），海山和谢苗诺夫商议后去了外蒙古。

宣统三年（1911 年）十二月，外蒙古哲布尊丹巴宣布外蒙古独立，并登上帝位后，任命海山为公安部大臣，并以访问团成员身份到俄国访问，在莫斯科受到了俄罗斯沙皇的接见。民国元年（1912 年），海山参加了与清朝官兵争夺科布多的战斗。

中华民国成立后，袁世凯出任总统，便派人到库伦，调查海山等人的情

---

① 朱启钤：《东三省蒙务公牍汇编》卷 5，1909 年版。

况。哲布尊丹巴政府知道这件事之后，便逮捕海山，进行查问。但因没有任何证据，3个月之后，只好无罪释放，官复原职。在这种情况下，海山已无法在外蒙古久留。经过袁世凯的同意，于民国四年（1915年）回到北京。

海山在外蒙古期间，就开始编译《蒙汉合璧五方元音》。回到北京后，还抓紧时间继续他的工作。这样终于在民国六年（1917年）春，完成了这部著作的编译工作。同年秋海山在北京逝世，享年60岁。

（何金山　撰稿）

伯彦讷谟祜

伯彦讷谟祜（？—1891年），内蒙古科尔沁左翼后旗人，博尔济吉特氏，僧格林沁之子。

伯彦讷谟祜性格"伉直强毅，有父风，而谦退之"。自小随父在京城读书，受到良好的教育，且聪慧好学，通晓蒙古、汉、满三种文字，并能用一口流利的满语会话，经常谈论国事。10岁开始习武，为其以后的带兵打仗打下了基础。同治帝继位后，对伯彦讷谟祜的才干十分赏识。同治三年（1864年）因父功加封贝勒爵位，同治四年（1865年）四月，其父死于同捻军激战之中，他奉旨承袭了博多勒噶台亲王爵和科尔沁左翼后旗札萨克职位。伯彦讷谟祜在位30余年，位极显赫，在内外蒙古诸多王公中，其权势可算首屈一指。当时内蒙古49旗、外蒙古57旗的王公在承袭爵位或奏请朝廷审批重大旗政时，都要先走伯彦讷谟祜亲王的门路。对这些拜望的人，伯彦讷谟祜总是热心款待。"烹羊煎酪招为宴饮，酒罢，谆谆语，语忠爱，若家人父子焉"。足见其待人之热诚宽厚。北京的博王府极盛时期有"日进斗金"之说，实非妄言。

经常过问旗政，深得黎民的爱戴　伯彦讷谟祜之父僧格林沁任科尔沁左翼后旗札萨克30余年间，十九年在京供职，十几年驰骋疆场，本旗政务基本上是由其子伯彦讷谟祜执掌。伯彦讷谟祜十分关心自己的家乡，不断过问旗政，每两三年回旗一次，滞留一两个月，巡视各地或进行狩猎，借以了解民情。他对旗政建设付出了不少心血和精力。如注重文治，选用人才，逐渐使旗政走上了正轨。他在任期间，科左后旗盗贼绝迹，民生安定，因而深得全旗台壮黎民的爱戴，都说他是很有作为的好王爷。

有这样两件逸事：有一年，伯彦讷谟祜亲王回旗视政期间，曾去有名的猎场草干昭打猎，发现不远处有一间小屋子，便驰马前往。进了屋子，只见一个20多岁的年轻人跪倒在地向他磕头。他看见泥土墙壁上有人用树枝画写的一首汉文七言诗，文笔不错，内含怀才不遇之意。伯王很惊讶，暗暗自语："草干昭这荒草野甸子上，竟会有这样通晓汉文的人！"当即问明年轻人的姓名、籍贯等情况，把他带回王府。原来这个年轻人的名字叫绍睦尔，是本旗下荒蒙古人，父母早亡，家境贫寒。绍睦尔到了王府之后，伯王任命他为札萨克衙门的正笔帖式兼蒙古汉文翻译，两年后又提升为科左后旗驻昌图地局局员（当时局员即是局长），从此步步高升。

还有一年，伯彦讷谟祜亲王回旗视事期间，去自己家庙——广福寺拈香拜佛，看见一个20多岁的年轻喇嘛，仪表堂堂、双目有神、与众不同。亲王问明那年轻喇嘛是四品台吉，念过两年蒙文及年龄和家庭情况。年轻喇嘛口齿伶俐，对答如流。亲王十分看重这个叫乌力吉的年轻喇嘛，当即令他留发还俗，任命他为候补协理参与旗政。于是乌力吉一步登天。3年后，被提升为政务协理，伯王驻京期间，代理王爷掌管旗政。乌力吉对旗政认真负责，恪尽厥职，辅佐亲王及其儿孙治理科左后旗长达四十余年之久，治绩斐然，

身兼各要职，深得朝廷赏识 伯彦讷谟祜亲王位高权大，对清廷忠诚，深得皇帝信任和器重，朝中满汉诸大臣对这位蒙古王爷莫不敬而畏之，当时北京城内称他为"伯半朝"。

同治四年（1865年）七月，伯彦讷谟祜亲王以右翼前锋统领调任为镶蓝旗汉军都统。此时热河、奉天、吉林一带的各族人民因无法忍受清朝的苛捐暴敛和频繁征调马队壮丁入关镇压捻军等农民起义，纷纷揭竿举事，掀起反抗清朝封建统治的斗争。清廷惊恐万状，急忙调兵遣将，镇压反叛。但是各族人民的反抗蜂拥而起，声势浩大，连军机大臣兼总理衙门大臣文祥的神机营调动前往镇压也无济于事。因此，文祥只得奏请清廷派伯彦讷谟祜统领蒙古各旗将士北上会剿，与官兵配合夹击。十一月，伯彦讷谟祜由故乡赶回北京，与在京朝拜的蒙古各旗王公会商，会后便督带各旗蒙古官兵分道出剿，驰援吉林。同治五年（1866年）正月，他率部抵达奉天，亲自查看了

战况，并立即率军由法库门向昌图一带进兵，与博崇武、安定军及黑龙江马队配合作战，从三面会剿，进援吉林，镇压了这一带起义军。之后，他又亲自督兵驰奔八面城，追杀另一支起义军，迫使起义军渡江向西败退。两军又激战于郑家屯一带。结果伯彦讷谟祜军大胜，"沿途追捕，擒斩甚多"。以孙九江等为首的一支起义军仍占据东沙岭，"复经该亲王驰剿，毙匪三百余名，并将贼首赵豁牙等陆续弋获，讯明正法。"至此，相继剿灭了各地起义军。五月，伯彦讷谟祜奉命撤兵。他因军功而受到清廷表扬，称"以少击众，三日内连获大胜，办理甚为得手"①。

同治六年正月（1867年2月），伯彦讷谟祜晋升御前大臣。同年，其父僧格林沁的灵柩回旗安葬，伯彦讷谟祜向清廷奏请赏借四年亲王俸银，翌年闰四月他又任正黄旗领侍卫内大臣。以后的几年中，他得到同治帝的信任和重用，前后兼任后扈大臣、阅兵大臣、正白旗领侍卫内大臣、校阅中式武举马步射技等要职。

同治十三年年底（1875年初），同治皇帝病死，伯彦讷谟祜以御前大臣的身份被两宫太后召见，奉懿旨"恭理丧仪"。命伯彦讷谟祜佩带神机营印钥，与固伦额驸景寿一起管理神机营事务。因神机营权威之重，远胜于其他各营，可知清廷对他的器重。

此后的十几年中，他一直被委以重任，先后管理行营、武备院、圆明园、满洲火器营等事务。无论委以何任，他"均能夙夜宣勤，恪恭罔懈"。在各种大典中，他还多次担任"銮仪卫掌卫事大臣"的要职，负责保卫皇帝及太后的安全。

光绪十七年（1891年）十一月，他突然病故于家乡科尔沁左翼后旗。光绪皇帝得知这一噩耗后，即谕内阁："遽闻溘逝，悼惜殊深。著派盛京礼部侍郎怀塔布前往奠缀，赏给陀罗经被，即交该侍郎赍往，赏银五千两治丧"，并对其为官四十余年作出"忠勤笃实，谨慎老实"的评价，赐谥"慎"。孙子阿穆尔灵圭承袭亲王爵，次子温都苏袭封贝勒，三子博迪苏赏封辅国公。

（何金山　撰稿）

---

① 《清穆宗实录》卷169，同治五年二月戊申条。

棍楚克苏隆（宾图王）

棍楚克苏隆（1887—1914年），是内蒙古哲里木盟科尔沁左翼前旗，即宾图王旗札萨克郡王。身材矮短，粉白圆脸，眉清目秀，性情直爽活泼，通晓蒙古、汉、满三种文字。光绪二十八年（1902年）正月，"命御前行走科尔沁札萨克多罗宾图郡王敏噜普扎布长子、头等台吉棍楚克苏隆，在乾清门行走"。光绪三十年（1904年），父敏噜普扎布卒，袭本旗札萨克宾图郡王（以下简称宾图王）。宾图王任札萨克时期，为本旗人民做过不少好事，肃清了多年的匪患，创办了学校，派学生到内地求学，自己也到北京上学。筹办警察，安定了地方秩序。

旗内组织民团，抵御洋枪队侵扰 光绪三十年（1904年），日俄两国为争夺朝鲜和中国东北势力范围而在中国领土上引发战争。日本特务收买地方上的蒙古、汉土匪编制了蒙古、汉洋枪队。这些洋枪队在东部蒙旗到处扰乱，为所欲为，民不聊生。为了抵御这些洋枪队的侵扰，不畏权势的宾图王组织了民团，亲自带队巡逻防范，不容洋枪队扰乱。

宾图王组织民团缺乏武器，亲赴盛京购买。当他到盛京的那天，适值俄军战败退出，日军进城。宾图王不顾日军阻拦，见盛京将军赵尔巽，并指责他不维护秩序。赵说："这是国家软弱，并非我不管"。宾图王说："当前应让日兵撤走岗哨，停止搜查，并建议邀日本军官赴宴，在宴会上见机交涉"。宴会上，日军将领大山元帅问宾图王："小王爷，日本好还是俄国好"？宾图王说："由我看来，还是俄国好"。另一个日本军官厉声问道："俄国好，怎么败了？"宾图王回答："胜败乃兵家常事，我说俄国好是有根据的。俄国人在我们城里的时候，不干涉我们的事情。并且俄国兵有纪律，不害人。你们来后，赶走了我们的官警岗哨，以搜查为名，到处刁难我们的人民，甚至有不少无辜人民被你们的官兵杀害，阖城居民恐惧至极，闭户不出。望你们马上停止搜查和设立岗哨，这样我们的民心就安定了，商民就可以开市营业。"大山说："好！就这么办。我与贵总督明天即出联名布告。"次日，盛京的街道上果然不见日军岗哨，由中国军警维持地方治安，商民纷纷开门。

光绪三十二年（1906 年）春节，宾图王适值年班，西太后要看一看这位年轻有为的王爷，特别降旨召见。西太后问："蒙古地方的戈壁沙漠，可以种稷子？"宾图王答："沙漠不毛之地，草且不生，何况稷子。"西太后目视左右，左右呼退，宾图王即退。当晚有两个太监来访说："王爷今天在佛爷面前犯错误了，知道吗？"接着又说："佛爷说沙漠之地可以种稷子，按规矩你应该答：喳！而你这种答法是违旨，是大不敬。幸亏佛爷仁慈，原谅你年幼无知。"宾图王只是默然不语。这两个太监走后，宾图王很不愉快，对母舅道尔布克说："理他们作什么！哼！佛爷！佛爷！我看她还厉害不过大山。"

光绪三十三年（1907 年），地方人民倡议给宾图王建生祠，宾图王不许，数请不准。结果在柳条边秀水河边门外，人民竟给他建立了三大石碑，用蒙古、汉文歌颂他的功德。

积极倡议蒙旗起事，主张内蒙古"独立"　宣统二年（1910 年）的冬季，宾图王还在北京贵胄学堂读书。此时宾图王听到一些国内南方省份动荡的消息，于是萌生内外蒙古联合起事，争取"独立"的想法。这一年科左前旗来了一个喇嘛，自称是外蒙古的那拉班禅活佛，说要见宾图王。宾图王由北京毕业回来，即传话这位活佛到王府，建立了亲密关系。

从宾图王崇拜这位活佛以后，前来拜佛者更多了，怀疑者也没有了，纷纷谈论说："活佛说了，宾图王是麻哈嘎拉佛下界，他是真主，他要起兵平定天下。"

宣统三年（1911 年）正月，宾图王携活佛到北京。有人看见这活佛行为可疑，向清政府告密，说宾图王有异志。宾图王怕事情败露，即派心腹包登阿乘京张铁路，将活佛送到张家口外放走。后来据说这位活佛是外蒙古哲布尊丹巴活佛派来，勾结宾图王在内蒙古起事，响应外蒙古"独立"的。宾图王有发动内蒙古"独立"的野心，想利用宗教迷信煽动人心，又进一步到北京想诱惑内蒙古各王公，不料露了马脚，才将这位活佛送走。

辛亥革命爆发时，宾图王仍在北京居住。当时内蒙古许多王公、活佛、呼图克图也在北京居住。宾图王乘此机会，怂恿各王公响应外蒙古哲布尊丹巴活佛。他提议从哲里木盟起事，北联呼伦贝尔、西结西部各盟和外蒙统一起来，建立一个"蒙古独立王国"。这个计划曾得到各王公的赞同。其中最与宾图王密切的是科尔沁左翼后旗的博多勒噶台亲王阿穆尔灵圭和阿尔花公，科尔沁左翼中旗的卓里克图亲王色旺端鲁布、科尔沁右翼前旗的札萨克图郡王乌泰、科尔沁右翼后旗的镇国公拉喜敏珠尔、奈曼旗的郡王苏珠克巴图尔。

辛亥革命在武昌爆发，清廷闻之大震，起用袁世凯赴武汉督师。这时，清廷召见蒙古王公开过一次御前会议，隆裕皇太后临朝，摄政王载沣扶宣统皇帝登位，以庆亲王为首的一些贝勒大臣列朝。隆裕皇太后对蒙古王公降旨说："我朝开国以来，对尔蒙古恩遇深厚，尔等先祖亦皆效忠朝廷，如博多勒噶台亲王僧格林沁，平定洪杨之乱，立了殊功。现在革命闹事，国事危急，望尔等献策效劳，一如僧王"。当时各王公默默无言，都目视宾图王，宾图王即奏曰："现在的形势与过去不同，袁世凯夙有异志，司马昭之心，路人皆知。今已起用袁世凯，大权已归于彼，奴才等虽有效忠之诚，亦实无能为力"。说到这里，隆裕皇太后等皆饮泣流泪，朝会就这样不欢而散。

在革命党人的攻势面前，中国的封建王朝——清王朝垮台了，进而成立了五族共和的中华民国，袁世凯为临时大总统。此时，宾图王即离京回旗，考虑各盟旗起事之事。他深悔带活佛到北京之失误，说："我若携活佛游各盟旗，我的事早已成矣"。再三思考之后，他决定出走。于是带亲随丰升额等六人前往库伦。他先到奈曼王府，想和奈曼王苏珠克巴图尔同往库伦。商议几日之后，决定苏暂不走，由苏派兵10名，送宾图王到锦州东边的一个小站（厉家窝堡）上火车，经沈阳、哈尔滨到满洲里，转西伯利亚铁路经恰克图到库伦。民国元年（1912年），宾图王在库伦上任哲布尊丹巴政权的副总理大臣，给哲布尊丹巴条陈了不少的"治国安邦"之策，都没有见诸实行。因大权都操在当地喇嘛王公之手，看不惯宾图王这样的人，甚至诬宾图王为袁世凯的间谍，遂使宾图王终日抑郁。此时，他特别盼望奈曼王苏珠克巴图尔的到来，而苏始终未去。宾图王常对人说："好友奈曼王竟至如此失信，其他内蒙王公更复何言！"

1915年春季的某日，宾图王赴某大臣的宴会，回寓走到院内，叫一声"丰升额"而倒地。丰闻声赶至，宾图王面色赤红，口吐白沫，已气绝而亡。其灵柩运回原籍入葬，享年28岁。

（何金山　撰稿）

阿穆尔灵圭（阿王）

阿穆尔灵圭（？—1930 年），科尔沁左翼后旗札萨克亲王，伯彦讷谟祜亲王之子那尔苏贝勒长子，光绪十七年（1891 年）袭亲王爵，1930 年病死于北京。

阿穆尔灵圭（以下简称阿王）自幼聪慧，6 岁时承袭了王位，由印务协理乌力吉护理札萨克，署理旗务。因岁数还小在自己的王府内延师读书，先后攻读蒙古、汉文十多年，散文、韵文功底都很深，擅长诗词书法，能写一手漂亮的楷书。阿王成年以后，自己掌管旗政，并奉旨为御前行走，任崇文门监督，受到清廷重用。民国成立后，他历任北京政府国会议员和袁世凯总统府翊卫处，都翊卫使，是民国前期内蒙古王公的主要代表人物之一。

提倡创办“蒙古实业公司”　阿王受近代新思想的影响，感到必须顺应潮流，兴办教育和实业，以振兴蒙旗社会。于是，在他的积极倡导下，宣统元年（1909 年）九月，一批驻京蒙古王公联合起来，在北京创办了“蒙古实业公司”。这个公司的发起人还有外蒙古赛音诺颜部札萨克亲王那彦图、阿拉善旗札萨克亲王塔旺布里甲拉、喀喇沁右旗郡王贡桑诺尔布、奈曼旗札萨克郡王苏珠克巴图尔、土尔扈特郡王帕勒塔、科尔沁左翼后旗辅国公博迪苏等。阿王在清末的蒙古王公中权势、影响均属佼佼者，在清廷统治中枢的地位也十分显赫。还有三名重要的八旗籍蒙古族疆臣，他们是卖力推行清朝对蒙“新政”的东三省总督锡良、库伦办事大臣三多和湖广总督瑞澂。

在创办“蒙古实业公司”之前，阿王等人为创办公司上奏清廷并得到批准，即着手拟订具体经营计划，并将拟订的有关规则呈报了农工商部和邮传部。按照该公司的拟订计划，先筹集资本库平银 100 万两，从兴办蒙古地区的交通运输业入手。其具体设想为：第一步开辟张家口至库伦的汽车运输；待张家口至绥远的铁路修成后，再开辟由邻近归化城的老河口至宁夏的黄河水路航运；交通运输业卓有成效，再图向经营其他行业方面扩展。其筹集和管理资金的方法是将预定的 100 万两分成 1 万股，每股 100 两。其中 2 000 股即 20 万两，由发起人（蒙古王公）分担认购，其余 8 000 股即 80 万两则向全国范围内募集。股金分两期缴纳，每期半年、半额。收纳股金的业务，由清政府管办的大清银行、交通银行以及由民族资本家周廷弼开办的信成银行受理。为了使公司的经营活动不致受各有关部院的牵制，阿王还在公司正式开办之前上奏清廷，"请饬各衙门遇事维持，俾免竭蹶"。

在各项筹备工作就绪后，阿王即将"蒙古实业公司"的正式开办日期呈报清廷，并于宣统二年八月二十八日（1910 年 9 月 27 日）获上谕批准。九月十日（10 月 12 日），该公司在北京正式举行了相当隆重的成立大会。会上首先由主要创办人阿王作了"语极痛切深沉"的演说。他在正式宣布"蒙古实业公司"成立的同时，陈述了创办公司的目的和设想："大致谓本公司之宗旨，重在增殖蒙人生计……故营业之范围，不厌其广。调查之事项，务求其详。"接着，由亲贵大臣载涛代表赞成人发言。盛宣怀也致辞表示祝贺。

公司成立之初，即已由发起人、赞成人认定股金五十余万两，并开始了具体业务活动。首先，它向清政府呈报了开办张库汽车运输的计划，并打算从库伦办事大臣三多处求得资助后就着手试办。然而事隔不久，三多又筹划由他出面开设张库蒙古汽车公司，还提出了先从国外购进四辆汽车分别承担客货运输，以及有关沿途路线、起止站点等很具体的计划。当开辟张库汽车运输之事尚无头绪的时候，实业公司承揽了哲里木盟郭尔罗斯后旗的垦务。郭尔罗斯后旗的札萨克一等台吉布彦楚克，因前世札萨克争讼等事，遗下累累债务无力偿还，便将本旗未开垦地三千余井（方六里为一井）作价银二十多万两，让与"蒙古实业公司"负责招民开垦。由于承包土地垦务关系重大，实业公司还特向有关疆吏呈请批准。为求尽快开始招垦，公司还派出人员进行实地调查，并准备具体议定有关的租税规则。此外，"蒙古实业公司"还筹划经营锡林郭勒盟乌珠穆沁旗的盐务。

当"蒙古实业公司"成立甫经一年，正踌躇满志地以求继续扩展之际，武昌起义的枪声敲响了清王朝的丧钟，整个中国都卷入了激烈的政治漩涡。"蒙古实业公司"所筹办的各项"实业"，也随之陷于停顿。后来，袁世凯政府颁布了《蒙古待遇条例》，"蒙古实业公司"的 7 个发起人也表示"翊赞共和"，欲图恢复实业公司的业务活动。可是，由于地方蒙古王公贪图地价与地方军阀间的土地利益冲突，地方一些蒙古王公虽让公司负责招垦他们的属地，但由于上述种种原因和背景，均中途夭折了。而此时，"蒙古实业公司"的资金也陷于严重的亏空，无法继续维持了。公司成立之初，发起人、赞成人认定的股金五十余万两，除阿王一人的 3 万两外，基本上都没有到位。由于公司所筹办的各项实业均遭破产，无一成效，财政又陷入枯竭，"蒙古实业公司"的股东们终于 1914 年 10 月 19 日召开临时会议，决议宣告公司正式停业。

上奏维新奏折，旗内创办实业　阿王受近代新思潮的影响，感到必须顺应新的潮流，主张变革维新，几次上奏维新奏折，表明了自己维新变革的思想主张。

阿王在京倡议创办"蒙古实业公司"的同时，在自己执政的科尔沁左翼后旗内兴办教育和实业，以振兴旗政。他谕令本旗札萨克衙门创办了一所学校和一处实业公司。

小学校在康平县城西 8 华里马莲屯，正式名称是科尔沁左翼后旗旗立第一小学，因校址在马莲屯，旗里人们管它叫马莲屯学堂。这个学校前后断断续续办了三期，共培养出 300 来名学生，为发展科左后旗文化教育事业打下了初步基础。

股份有限实业公司是在本旗嘎海吐五家子屯附近开办。公司资金的一半由札萨克衙门垫支，一半是由旗内富裕户入股筹集。阿王为了振兴本旗畜牧业，责成专人办这个公司，从国外购入 300 多只美利奴种羊进行羊种改良工作。但因缺乏技术人才，外加总办贪污肥己，管理不善，两三年后种羊死了一半，他振兴本旗畜牧业的计划以失败而告终。

辛亥革命以后在东蒙古的活动　武昌起义后，阿王以"钦命办理各盟蒙旗事宜"衔赴内蒙古东部，筹划征调蒙兵协助镇压反清革命。返回北京后，他与那彦图等蒙古王公通电拥戴袁世凯。清帝退位后，任大总统府都翊卫使，加入拥袁进步党并任名誉理事。为临时参议会议员、第一届国会参议员、宪法起草委员、政治会议议员、安福国会参议员等。1912 年 10 月 18 日，阿王还代表北京政府参加了长春哲盟十旗王公会议。这次会议对配合政府军稳定东蒙大局起到了积极作用。

（何金山　撰稿）

乌 泰

乌泰（1860—1920年），内蒙古哲里木盟科尔沁右翼前旗（俗称札萨克图旗，今属内蒙古兴安盟）札萨克郡王。年轻时当过喇嘛，光绪七年（1881年）还俗袭爵，兼任哲里木盟副盟长。

打官司欠债累累，无奈向俄国借款 他是第11位札萨克多罗札萨克图郡王世袭者，因他在王族中属于疏支，不符合封袭惯例，又当过喇嘛，故把他认定为王位世袭者之后，引起该旗贵族内部的一场纠纷。后来持有反对意见的贵族仍不断提出讼告，为此他打了10年的官司，耗费了大量资财。袭爵后，为了搜刮民财增加王府收入，又私自放垦旗地，引起众台吉的不满。协理台吉朋束克巴勒珠尔等以"敛财虐众，不恤旗艰"为罪名，向盟长和理藩院投诉。光绪二十五年（1899年），被清廷革爵留任，听候查办，次年被撤去副盟长职。义和团反帝运动发展到东北，沙俄以保护东清铁路为口实，派大批侵略军进入东北，一部分骑兵侵入科尔沁右翼前后两旗驻扎。光绪二十七年（1901年），沙俄驻旅顺的南满俄军总司令、关东地区长官阿列克塞耶夫，指派驻齐齐哈尔的外交官巴克达纳夫上校，专办"蒙古各部经营联络事宜"。旋即派武官格罗莫夫进入哲里木盟十旗"游历"，刺探蒙古王公的政治动向。格罗莫夫进入哲里木盟后，首先找到了被解除副盟长职务而一筹莫展的乌泰。乌泰想利用俄国的势力摆脱其丢官欠债的困境，私自带印信前往哈尔滨，以"避难"为由，求见伯力总督哥罗德阔夫。乌泰求见，俄国官员求之不得，"为之备馆舍，具饮食复厚"，派兵护卫，专车接送，"赠快枪十二杆"。乌泰受宠若惊，拿出自己的照片给伯督，请伯督转呈俄皇，并诉称"中国欺压蒙部太苦"，要求"庇护"。哥罗德阔夫当即答应"代奏俄皇设法保护"。

乌泰在十年的缠讼中，来往京师14次，欠债数10万两，王府财政濒临破产。光绪二十八年（1902年）乌泰被缠讼10年的案件虽告结束，但"京债亏累"的情况却无法解决，被清政府召到奉天，催他还债。他向正在奉天的格罗莫夫试探借款问题，格罗莫夫表示愿意帮助解决，光绪三十年（1904年），俄国驻奉天的外交官喀维钦斯克通知乌泰，沙俄政府已经同意向内蒙古王公贷款，但必须以全旗土地、矿产、牲畜做抵押。当年，华俄道胜银行拨现款 20 万卢布贷给乌泰，4 年为限，乌泰以全旗矿产、牲畜抵押。光绪三十二年（1906 年），乌泰因为京债所逼，又向东清铁路公司乞求贷款 9 万卢布，一年为限，以旗界山林为抵押。清政府得到这一消息后，派朱启钤到洮南来调查真相。后来，俄国政府委派东清铁路公司代办达尼尤尔为催索，要求如期偿还，"若不如期偿还，即查封全旗动产及不动产"，"并照会东三省总督查明究办"。乌泰在愧悔之余，遂向朱启钤说明了借款的原委，恳求他设法处理善后，同时提出以本旗开放地的租钱及北山一带的矿产做抵押，向清政府借白银 50 万两的要求。朱启钤洞悉了乌泰由俄国借款的全部始末，并很明显地看到达尼尤尔也有借机寻衅的意图，除电告清政府外，秘密计议由清政府代偿的办法。清廷决定替乌泰代偿俄国的债务，于宣统元年（1909 年）拨交俄国代表俄币 29 万卢布，所谓乌泰的外债事件，至此才告一段落。

乌泰的俄债虽清，京债尚有 10 余万两，另外还有杜尔伯特旗的 2 万余两债务，因为拖欠太久，利息已经超过原本的 36 倍以上。这样乌泰和大清银行缔结了一份借白银 40 万两的合同，为期 10 年，由东三省总督徐世昌、奉天巡抚等担保，并订立了善后章程 15 条，由徐世昌奏明清廷。

发动"独立"运动　沙俄以放贷为纽带，紧紧控制了乌泰。随之沙俄军官、间谍以乌泰王府为据点，频繁地潜入哲里木盟东部各旗，并依靠乌泰"联络诸蒙"，策动民族分裂活动。恰好此时，爆发了辛亥革命，外蒙古宣告"独立"。开始向内蒙古发布"劝降文告"，鼓励内蒙古王公"一体归顺"。乌泰遂于民国元年（1912 年）初，派本旗协理台吉诺庆额、王爷庙锡勒喇嘛布和布彦等为特使，赴外蒙古求见哲布尊丹巴活佛，陈述乌泰要以哲里木盟副盟长名义联合哲里木盟十旗响应外蒙古"独立"，加入"大蒙古国"的愿望，并请求援助枪支弹药。哲布尊丹巴活佛欣然表示：以"兵力武器，尽力援助"，并任命乌泰为"进攻中华民国第一路总司令"。

乌泰派出特使赴外蒙古前后，不但在本旗网罗亲信，招兵买马，而且派心腹到各旗游说，还指使喇嘛天天念经，制造谣言，蛊惑群众。当时，蒙古族群众既不满意封建王公，也不满意北京政府，具有强烈的反抗情绪。民国元年（1912 年）4 月，乌泰派往外蒙古的特使，带着哲布尊丹巴活佛的旨意和外蒙古提供援助的许诺回到本旗。乌泰立即将情报通告哲里木盟各旗，并以"总司令"的名义催促各旗做好反叛准备。计划首先由哲里木盟发动"独立"，带动其他盟旗，而后把全体内蒙古并入所谓"大蒙古国"。7月间，奉天都督赵尔巽侦知乌泰有发动"东蒙古独立"的企图，一面派人前往规劝，并答应减免该旗30万两白银的债务，一面电令洮南知府孙葆晋予以查办。乌泰见事已暴露，则加紧暴动的准备。8月8日，乌泰颁发了征兵布告。16日，行文靖安县勒令中国地方官离境，宣布蒙旗"保固疆域"，"永绝汉官"。18日，又发布了编组叛乱武装的布告，声称："本旗将及20万人，结为一体，毫无退志，共愿趋向库伦"，哲布尊丹巴"皇帝"已"令本亲王为统帅"。20日，乌泰发布所谓"东蒙古独立宣言"，宣言说："我自中国革命、库伦独立以来，严守中立，并未符合活佛，只求能保全领土权利。近察中国的形势，废孔孟之教，主张殖民蒙古。既废孔孟之教，岂独保存佛教？蒙古人以牧业为主，如中国殖民，即夺取蒙古人之业，共和实有害于蒙古。今库伦皇帝派员劝导加盟，并由俄国共给武器弹药。兹宣布独立，与中国永绝，旨在保存蒙古的权利，并无他意。"

乌泰在发布"东蒙古独立宣言"的同一天，便兵分三路，向洮南、开通、突泉等地进攻。乌泰为了使各路军拼命效力，在各路中大都指定喇嘛为正、副指挥。各路军沿途散发"东蒙古独立宣言"。9月上旬，乌泰率军进攻靖安县、洮南城和镇东县。奉天都督赵尔巽紧急调动东北各省军队，分别控制哲里木盟各旗，8月末，郑家屯后路巡防队统领吴俊升，奉命率部平叛。吴部三千余人与乌泰军展开激战。乌泰率兵败逃，吴俊升率兵追击。9月12日，吴俊升部攻占了乌泰的大本营葛根庙。这时，一度攻占镇东县的科尔沁右翼后旗的镇国公拉喜敏珠尔也从镇东败逃到乌泰王府。9月13日，乌泰王府又被吴俊升部占领，乌泰军的主力被粉碎。乌泰只好带残部数十骑及其家眷逃往索伦山，后来在俄国人的协助下，经海拉尔转赴库伦，被外蒙古哲布尊丹巴活佛任命为大蒙古国刑部副大臣。

乌泰返回复职 民国三年（1914年）9月，中、俄、蒙三方在恰克图谈判外蒙古问题，乌泰为库伦集团代表之一。民国四年（1915年）6月，签订中、俄、蒙《恰克图条约》，俄国政府承认外蒙古是中国领土的一部分；中国政府同意外蒙古实行自治；外蒙古取消"独立"，哲布尊丹巴活佛接受民国政府册封。中国政府声明，对主持内外蒙古"独立"及举兵反叛者"赦罪"，不咎既往。在条约达成协议前后，反叛到库伦的一些内蒙古王公，纷纷回归内地和家园。乌泰见大势已去，于8月9日给开通县知事发出信函，表示他要"携带随从人员全眷喇嘛台吉一切人员等，一并迁入回旗"。10月下旬，乌泰派原科左前旗协理台吉彭士阁为代表，到奉天省署面见巡按使谈判回归问题，省署提出七项条件：一、赦免从前各罪；二、开复爵秩赏还各不动产；三、入京觐见后职任问题由总统决定；四、遣散带回之兵丁武装；五、不能与外国人交结；六、政府保护回归者生命财产；七、不得私自处理各自不动产。①乌泰接受了这些条件，奉天、黑龙江两省派出官员到海拉尔迎接，并送去路费和随从人员的安置费。乌泰带领自己的儿子先于10月28日到达北京，向蒙藏院递交了"觐见文"。文中说："前五族共和民国成立之际，本乌泰于书史向少研究，因之犹豫彷徨。本蒙人习惯崇信喇嘛教，是以赴库伦哲布尊丹巴汗处；当以远道而来晋封和硕亲王，每月发给禀饩。彼时虽欲旋回，奈以途中阻隔滞后库伦。谨遵历次命令，由库伦带领眷属及协理官员台吉喇嘛人等回归……今乌泰悔过向化，协理官员、呼图克图、呼毕勒罕喇嘛等倾诚内向"。民国四年（1915年）11月4日，北洋军阀政府"开复哲里木盟郡王乌泰原爵"，指出："哲里木盟科尔沁右翼前旗已革札萨克多罗札萨克图郡王乌泰前因外蒙赞助库伦活佛独立，革去郡王，现已来京投诚，由蒙藏［院］呈请开复原爵，于本日奉令开复。"15日，大总统袁世凯接见乌泰，25日又令其留北京当差，任陆军部顾问职，并赐官邸一所。乌泰家眷于11月中旬到达北京，与其团聚。原来和乌泰一同逃往外蒙古的随从人员由奉天、黑龙江两省护送回旗，葛根活佛也回到了寺庙。

民国九年（1920年）5月，乌泰病故，终年61岁。他的儿子头等台吉巴雅斯固朗向蒙藏院作了报告，蒙藏院派翊卫使前往致祭。财政部拨给"赙银"1 200两，遗骨按乌泰生前愿望葬于五台山。

（何金山　撰稿）

---

① 《乌泰传记》，载《中国蒙古史学会论文选集》，内蒙古人民出版社1980年版。

陶克陶

陶克陶（1863—1922 年），又作陶克陶呼、陶什陶、套克套、陶什托虎、托克托霍等，绰号"天照应"。生于内蒙古郭尔罗斯前旗，出身于一个没落的台吉家庭。

陶克陶生来机智、勇敢，能说一口流利的汉语。平时，闲暇时就领着同龄人骑马狩猎，其枪法、骑术都非常熟练。他的青壮年时代，正值中日战争爆发，义和团运动兴起，全国民族民主主义思潮日趋高涨的时代。因此，他也受这一时代风潮的影响，对清廷的黑暗统治极度不满。陶克陶不惧强暴，爱替穷苦人打抱不平，所以深受父老乡亲的好评和拥护。

光绪二十年（1894 年），中日战争爆发。失败逃散的清兵都成了土匪强盗，在内蒙古东部，尤其在郭前旗一带为非作歹，滥杀无辜百姓。这时，陶克陶召集亲朋好友，组织成三十多人的队伍，用武力把这些清兵赶出了郭前旗。

光绪二十八年（1902 年），放垦蒙地。光绪三十一年（1905 年），郭前旗札萨克王爷齐木德色木不勒把该旗西部肥沃的土地几乎典卖一光，逼得广大农牧民流离失所，无以为生。陶克陶出于义愤，亲自到旗札萨克府请愿讲理，要求停止出卖土地，结果被乱棍撵出衙门。陶克陶气愤至极，说："你们勾结出卖旗地，使人民背井离乡，无以为生，这不是你们的罪行吗？为保护旗地我誓与你们决一雌雄！能胜则万民之福，若败只我一人不幸！"陶克陶决心带领蒙古族群众进行武装斗争。

光绪三十二年（1906 年），陶克陶召集他的 3 个儿子，还有哈达、扎木苏、赛吉拉夫、额尔德尼达费等亲朋好友共 32 人，骑上战马，举起义旗，赶到二龙硕口。当时二龙硕口的垦务局官员在二十多名兵的保护下，正在丈量土地。义军一到，马上摧毁了垦务局，解除了他们的武装。第二天，陶克陶的队伍又赶到毛道土，消灭了在那里测绘地图的 30 名日本特务和 20 来名清军，并缴获了武器和服装等。此后，陶克陶义军又赶到土谢图旗，袭击了垦务局，打死了十多名清军士兵。

不久，陶克陶知道大批清军已向他们扑来。他带领义军迅速向北转移，占领了札萨克图旗的德龙烧锅，在那里准备迎战追击的清兵。洮南、奉天、吉林、齐齐哈尔等地清军步、骑兵几千人包围了德龙烧锅。陶克陶的几十人在这里与数十倍于他的敌人，艰苦激战了6天6夜。第7天晚上，他们在一匹带鞍的马上，拴上了数十串鞭炮，燃放后，放入敌阵，造成了敌军的混乱，陶克陶带领队伍乘机突出了重围。此后陶克陶威名大振，使清军胆寒。

　　光绪三十三年（1907年），起义军转战到了索伦山。秋天，陶克陶等人离开索伦山准备回到家乡探望日夜思念的亲人，当他们来到伊玛图套堡这个地方宿营时，被张作霖的军队包围。陶克陶的部队与张作霖的军队激战了一天，由于寡不敌众，加上地形对义军也十分不利，陶克陶率部又一次强行突围。这次战斗中，陶克陶的三儿子诺特克图不幸战死。

　　同年冬，陶克陶率领义军从土谢图旗入达尔罕旗时，又遭到了醴泉县驻军与张作霖部联合追击。在一个名叫哈达图宝拉格的地方，陶克陶又遭到了敌军的包围。敌军人数众多，武器精良，寒冷的西北风也在狂吼，形势对义军特别不利。在此万分危急的情况下，聪明机智的陶克陶发现了村后有一群骆驼，便率领士兵，拼命地把骆驼赶往敌人阵地。受了枪炮声惊吓的骆驼群吼叫着冲进敌阵，四处狂奔，敌兵纷纷落马。这时起义队伍加足了火力，猛烈扫射。在这次战斗中，80多名清军被打死，其余全部逃散。日后，陶克陶大摆骆驼阵的故事便迅速地传扬开了。

　　同年11月，陶克陶率领起义军在札萨克图旗乌兰少龙地方，与卓索图盟蒙古贞旗的穆荣嘎和苏鲁克旗的白音大赉率领的队伍会合。然后，一同率兵进入索伦山，来到套浩木图这个险峻的地方。但是，他们刚扎完营寨，还没来得及休息，张作霖的500骑兵追到山下，又一场激烈的战斗打响了。经过一天的苦战，陶克陶认为不能硬拼，便进行了突围。傍晚时分，他们到达布塔尔嘎那，稍事休息。等到天黑，陶克陶领兵杀了个回马枪，返回套浩木图，全部消灭了张作霖的骑兵。从此，陶克陶义军威名远扬，清军闻之，无不战栗。

　　次年春，陶克陶等宿营在达尔罕旗巨商德格登家时，遭到了洮南府300多名驻军的包围，双方又一场生死激战。虽然义军打死了40多名官军，但陶克陶也受了伤。

　　春末，陶克陶义军在土谢图旗又遭到5000清兵的追击和包围。陶克陶率兵英勇战斗 2 天 2 夜，第 3 天晚上，趁滂沱大雨进行了突围。义军涉过新开河，来到了达尔罕富商邢记家中。途中结识了察哈尔的巴雅尔等，两支队伍合在一处，加强了力量。陶克陶等在邢记家住了一天，第二天又遭到了东三省驻军及哲里木盟 10 旗蒙古兵共 6 000 余人的包围。经过一天的激战，打死了敌军 600 余人，趁夜晚挖墙逃出重围。从邢记家中撤走之后，陶克陶便向北转移，到达锡林郭勒盟商都山。当他们正在那里休整的时候，又遭到了昭乌达盟 7 个旗蒙古兵的追击。

宣统二年（1910 年）春，陶克陶率领 50 多人的队伍，在清军的围追堵截下，由达尔罕旗出发，到巴林、乌珠穆沁等旗时，又遇到林西县 700 多名官军的截击。最后，在乌旗一座寺庙，打死 200 多名官军后，又继续向北转移，进入喀尔喀蒙古。

陶克陶进入喀尔喀蒙古之后，清廷库伦办事大臣三番五次下令截击陶克陶义军。于是在同年春末，陶克陶的义军与驻喀尔喀清军在车臣汗部桑萨来道尔吉旗展开了一场激战。在这次战斗中陶克陶长子德力格尔也不幸牺牲。

陶克陶义军由于无法在喀尔喀立足，遂于宣统二年（1910 年）夏进入布里亚特蒙古草原。宣统三年（1911 年）年末，陶克陶返回喀尔喀蒙古。民国十一年（1922 年），陶克陶在大库伦病逝，终年 59 岁。

（何金山 撰稿）

阜 海

阜海，又作福海、傅海、富海，表字瑞苓，蒙古名拉希敦都布（拉西端德布），卓索图盟喀喇沁中旗人。生卒年不详。因曾以翻译身份知名，又被称为阜通事、傅通司。其父阜得胜，蒙古名乌讷巴雅尔（乌呢巴雅尔），曾在本旗官居梅楞。

据阜海自述，"其父阜得胜，先由本旗赴俄国，在赤塔城新闻报馆充翻译，遂将阜海送入俄京学堂读书"，并且有阜海的俄语文已达"精熟"程度的说法。据近年有关研究报道，赤塔的《东方边疆生活报》报创办发行于光绪二十一至二十三年（1895—1897 年），报馆人员中有"喀喇沁文人乌尼巴尔"。乌尼巴尔应即乌尼巴雅尔（阜得胜）。为阜海父子赴俄一事"牵线"

的，应是巴德玛耶夫的"公司"；阜海在俄京读书的学堂，就是巴德玛耶夫特为蒙古人、布里亚特人开办的专门学校；他们赴俄的时间，亦当在《东方边疆生活报》创刊的光绪二十一年（1895 年）左右。

俟其父回国，住库伦，阜海亦于光绪二十五年（1899 年）回国，初在乌里雅苏台连顺将军衙门当差。所任之职，当属用其所长的翻译（通事）、文书之类。

充当俄国领事馆翻译　光绪二十六年（1900 年），中国发生了大规模的义和团反帝运动和八国联军侵华战争。沙皇俄国乘机大举入侵东北，武装占领了整个东北的主要城镇和交通要道。

阜海于光绪二十六年（1900 年）腊月省亲至库伦，与驻库俄领事食世马列夫为旧识，适俄伯力总督哥罗德阔夫觅翻译赴东三省，食世马列夫荐以应命。次年正月阜海行至扎兰屯时，被俄国驻卜魁领事索克凝"招"留，即在俄领事馆充当翻译。

后来，阜海曾将乌泰在卜魁、哈尔滨的活动及"一再向伯督求护庇"等事告黑龙江省官员于驷兴。可知乌泰此行阜海应一直以译员在侧随行。阜海还说，他曾规劝乌泰，"王系中国藩属，徒求外人无益也"，并替乌泰拟电致盛京将军增祺请求提供"川资"。

光绪二十九年（1903 年），科右前旗的官放土地，据该旗垦务历史档案，阜得胜已于"去岁冬间"缴纳领荒现银，但迟至该年秋尚未实际丈拨承领，而且出面承领土地的似乎是阜海。

除给予乌泰巨额借款，俄国在东蒙的其他笼络煽动活动也在有计划地加紧进行。光绪二十九年（1903 年）八月以后，俄总督阿列克谢耶夫指令驻卜魁领事巴克大讷夫"转办蒙古各部经营联络事宜"。次年，巴克大讷夫在译员阜海随同下先后赴扎赍特旗、科右前旗，"赠两王金表、俄刀、宁绸、八音盒诸物。"在科右前旗，巴克大讷夫一面将俄廷允许保护之电向乌泰王面告，一面称奉阿总督之命，许由俄国帮助运来 10 万支枪存放在富拉尔基车站"以备发给各盟"。经阜海劝告，为避免清政府疑心，复改为作价发售，并命阜海经办。阜海遂先价领 500 支枪及子弹，以防盗匪为名呈报黑龙江将军达桂，向科右前旗的"哈尔沁人"发售了 400 支。

光绪三十年十月初（1904 年 11 月上旬），巴克大讷夫从卜魁赴哈尔滨途经郭尔罗斯后旗三道岗子时，"遇贼殒命"，随行的阜海幸得生逃。当时日俄战争正在进行，俄方怀疑日谍或亲日的中方谋害，催逼破案，几酿成两国外交大事。由于俄方"最所亲信"的阜海从中辩白，肇事"胡匪"又很快被擒剿，此事方才了结。

阜海曾告之于驷兴，经俄国侵略者和乌泰的种种活动，当时已有扎赉特旗、科右后旗、科右中旗等"各旗王公皆有倾心联俄之意"。阜海还说，1905年6月，俄官会同乌泰所派锡勒喇嘛等人，带着"八旗文书"赴库伦与西藏达赖喇嘛商为联俄之策。这些人于8月间返回后，"言者均有喜色，所商似已就绪"。

但是，巴克大讷夫死前，阜海即因私售俄枪获利而受到俄方的追查，并感到俄人在蒙旗的活动事关重大，"恐滋己累"而"亟欲自脱其身"。巴死后，他就以同新任俄国领事不和为由"坚请辞差"，遂借口请假两个月回家省亲，返居科右前旗。

出任黑龙江省的地方官员 光绪三十一年（1905年），俄国在日俄战争中失败，对中国东北的侵略势头受到顿挫，策动东蒙叛乱的计划也随之中辍。

东蒙的内外形势仍在不断变化。光绪三十一年（1905年），黑龙江当局委派巡防中军统领吉祥前往勘办西布特哈总管辖境绰尔河上游索伦山区放垦事务。同年11月，署黑龙江将军程德全奏准清廷，将索伦山林木"弛禁"；同月吉祥又呈请官办招商成立祥裕木植公司，经营索伦山林木采伐业。期间，任垦务帮办、后来具体负责索伦山放垦"进山勘办"的即是"熟悉情形之阜海"，而祥裕木植公司的"总董"即实际经营者正是阜海的父亲阜得胜。阜得胜能够创办并出任祥裕木植公司"总董"，显然也是由阜海着力促成的。

祥裕木植公司名为官办，但黑龙江省方并未参与经营。在有关地方史志中，它被列为"林商公司"、"林商"。据此可以认为，祥裕木植公司当属蒙古族社会最早的近代私人资本企业，阜得胜亦堪称蒙古近代史上第一代私人资本企业家。

光绪三十二年（1906年）闰四月，署黑龙江将军程德全奏准清廷，"逾格"将阜海"列入巴尔虎旗当差"，即正式成为黑龙江省八旗官员。次年4

月，阜海又由八旗前锋升为骁骑校（正六品八旗武职）。

光绪三十三年（1907 年）三月，程德全奏准清廷，将扎赉特旗"属界所余未放之荒及时展放"，"并应该旗咨请"委派熟悉该处情形之蒙员阜海，前赴该旗会同办理荒务。5 月，黑龙江当局在扎赉特旗设立垦务行局，阜海任帮办；该旗同时设立"蒙局"，阜海兼任会办。7 月初，"蒙局"总办（"总理"）、该旗梅楞哈丰阿因"依附官府夺取蒙民生计"，被"蒙局"帮办、同旗梅楞绰克大赉率众击毙。案发后，阜海等立即呈报黑龙江当局，在省方派兵协助下"解散被惑蒙民"，使"该旗闲荒始得从容议放"。

光绪三十四年（1908 年）三月，黑龙江省在扎赉特旗已丈放的嫩江西岸哈拉火烧地方以裁退兵伍兴办屯垦，阜海又出任屯垦局帮办，并"专办指拨大小界段，分拨蒙民生计地亩"等事。此外，是年年初，阜海还曾在蒙旗搜获东北革命党人散发的"倡乱"告示蒙文译稿，并将其汉译后呈报程德全。同年 5 月，阜海还曾因"捐助学费"受到清廷"奖叙"。

光绪三十二年（1906 年）九月，阜海在圣彼得堡读书时的"旧交"，俄国翻译波罗特曾来到阜海家中，请他出任俄国在哈尔滨创办的蒙文报纸的翻译，被阜海拒绝。

光绪三十三年（1907 年）冬，陶克陶、白音大赉的抗垦队伍在清军的追剿下逃入索伦山。程德全等遂令阜得胜查明情况呈报。另据洮南知府孙葆瑨报告，大约在此前后，在科右前旗七十户一带聚众反垦的牙什曾试图通过阜得胜"思购外洋大炮，勾结俄人"；又称阜得胜此前曾送给牙什等人 3 箱子弹。牙什、白音大赉被清军剿捕身死之后，徐世昌又据张作霖、孙葆瑨的报告，致电黑龙江继任巡抚周树模，要求密查阜得胜为陶克陶联系投俄一事，并嘱"不可被阜海知信"。

大约此后不久，阜得胜即"在江省因事被诛"。阜海也辞去官职，转而至洮儿河上游的哈海河口自办了名为哈海木局的木植公司。

关于阜得胜"被诛"和阜海辞去官职的确切原因，有待进一步的史证。但阜海个人的经历却更加丰富了，又摇身成为近代蒙古史上罕见的私人资本企业家之一。

乌泰"独立"事件中的阜海　辛亥革命爆发以后，清亡民兴，政权交替，中国的边疆地区再次陷入动荡时期。宣统三年（1911 年）12 月，外蒙古在沙皇俄国的鼓动支援下宣布"独立"，并且发文内蒙古各盟旗"号召归附"。民国元年（1912 年），内蒙古又发生了呼伦贝尔"独立"和以乌泰为首的"东蒙古独立"事件。

阜海家居科右前旗，并且在该旗西北境经营木植公司，所以又在乌泰"独立"事件中屡屡显现行迹。

大约民国元年（1912 年）初的旧历腊月，乌泰接到外蒙古发来的要求"归顺"的文告之后，就开始派人联络附近各旗，酝酿起兵响应。阜海于正月初八到王府给乌泰拜年时得知此事，遂于二十三日派人持其名片至靖安县呈报乌泰"潜谋不轨"，数日后即携全家迁居索伦山他的木植公司。同年 3 月，洮南知府致电东三省总督赵尔巽，称据靖安等县报告，科右前旗等蒙旗有谋乱迹象。其信息来源，当包括阜海的密报。

黑龙江省当局于阴历六月中旬，派人赴索伦山哈海木局向阜海了解情况。阜海详述所知"乌泰阴谋"的同时，还具文呈报了黑龙江省军政处长。省军政处长接信后又派人进山函招阜海来省。乌泰闻知此事，曾派人进山查索，使阜海及江省官员"在山潜住十余日"后，才乘隙驰赴齐齐哈尔。

在乌泰等于 8 月 20 日正式宣布"独立"之前，北京政府已下令奉、吉、黑三省出兵"进剿"。吴俊升所率奉军驰抵洮南，接连收复镇东县城（今吉林镇赉县境），攻占葛根庙，攻破乌泰王府。乌泰连夜逃奔索伦山，后经呼伦贝尔逃赴外蒙古。9 月下旬，战事已基本平息。

这期间，刚刚抵达齐齐哈尔的阜海，又被黑龙江都督宋小濂委为"宣抚委员"，要他重赴索伦山等地招抚败溃、逃难的蒙旗兵民。阜海于 9 月 23 日出发，26 日驰抵索伦山，10 月 5 日将招抚情况具文呈报宋小濂，至 10 月 21 日之前已返抵齐齐哈尔。然而，在整个乌泰"独立"事件中，阜海却以乌泰的同谋、"叛乱首要"为罪名被奉省、奉军几次下令通缉，以致奉方一再要求（黑龙）江省扣捕阜海，宋小濂却一再替阜海回护、辩解。

在奉军、奉省一再通缉、施加压力之下，阜海于 1912 年 11 月转而向时任江苏都督的"恩师"程德全求救。程德全遂分别致电大总统袁世凯、致函继任奉天都督张锡銮，为阜海辩"诬"。袁世凯即于是年 11 月 22 日致电张锡銮、宋小濂，在对阜海"量加查看"的同时，"望即酌量录用，许以自新"。

1914年9月，经北京政府全权代表毕桂芳提名，阜海复以随员、"蒙文通译"的身份参加了在恰克图举行的中、俄、蒙三方谈判。另据日本方面的记述，他在截至1915年和1919年开始，还两度出任黑龙江省的蒙旗事务所所长。

（白拉都格其　撰稿）

刚布、桑布

刚布、桑布，系兄弟二人，清末内蒙古哲里木盟科尔沁右翼前旗人。生卒年不详。

光绪二十六年（1900年）秋，由于沙俄侵略军大举入侵，清军纷纷溃败，东北各地处于动乱状态。当时科尔沁各旗人民在王公札萨克的残暴统治和苛政下，已忍无可忍。所以，刚布、桑布等便从清军溃兵手中夺取枪支弹药，以科右前旗南端的图合木为据点，聚集数千群众宣布起义。起义群众抗拒官府、王公的差派，在图合木一带耕地营生，并派兵向科右前旗、科右后旗的王公贵族和地主大户征收粮食和牲畜。对此，哲盟各旗王公极为恐慌。科右前旗札萨克郡王乌泰逃到齐齐哈尔，寻求沙俄的保护。科右后旗札萨克拉什敏珠尔从扎赉特旗借来二百余名武装士兵，用以保护他的王府。还有科右中旗札萨克亲王兼盟长色旺诺尔布桑保征调一千余人，在王府外围挖渠引水，做护城河来防御起义队伍的进攻。

受刚布、桑布领导的图合木起义的影响，光绪二十七年（1901年）三月，科右中旗花连、花里亚苏也领导了大规模起义，最终枪决了作恶多端的札萨克亲王色旺诺尔布桑保。

蒙古族人民敢于起来枪毙王爷，这对封建特权制度是一次沉重的打击，不能不引起蒙古王公的恐慌。他们特别注意图合木起义队伍对自己生存所构成的严重威胁，便集中科右前、后、中三旗和郭尔罗斯前、后两旗的兵力，对起义队伍进行围剿，但均遭到坚决抵抗。乌泰等武力镇压不成，便改变策略，一面与起义军首领商议停战，表示和好；一面暗中调兵遣将。

同年冬，科右前旗札萨克郡王乌泰借来了几十名俄国哥萨克骑兵。结果，刚布、桑布领导的图合木起义在沙俄侵略军和反动王公的镇压下失败了。

图合木起义虽然失败了，但它的影响已经震撼了哲盟甚至是内蒙古的整个东部地区，沉重地打击了封建统治阶级的嚣张气焰。

（何金山　撰稿）

花　连

花连（？—1902年），出生于内蒙古哲里木盟科尔沁右翼中旗，家奴出身，起义前为王府侍从。

科右中旗札萨克王兼盟长色旺诺尔布桑保的性格十分暴虐，日常生活极端奢侈，对待属下极其苛刻残酷，动辄施以酷刑，到致人死命。花连的父亲伍英嘎就是让色旺诺尔布桑保监禁致死的。另外，他还大量买卖旗地，无休止地增加苛捐杂税，大兴土木建造王室，使广大牧民群众简直无法生活下去。所以花连等人决心报杀父之仇，并为人民群众根除封建王公的残暴统治。

光绪二十七年（1901年）农历三月初三，花连、花里亚苏、托克托虎、约木加卜等人终于举起了义旗。起义之前，他们在王府服役的群众当中进行了组织发动工作，并提出"消灭道格沁大王，镇压哲里木盟魔鬼"的口号。起义这一天，他们打开监狱，放出囚犯，又砸开武器库，武装了起义群众。当时，色旺诺尔布桑保征调了大批的劳役围绕王府挖护城河，以防刚布、桑布领导的图合木起义队伍。这些役民看到花连等人举起了义旗，便纷纷来参加他们的队伍。

花连等人起义之后，又和该旗梅楞额尔登奥琪尔取得联系，并向他介绍了起义的经过并求他给予支持，额尔登奥琪尔深明大义，亲自率领部队参加了起义。之后，他们这支起义队伍，抗拒王府的一切命令，没收了王府的牲畜。这样，一些下层的没落台吉也加入起义队伍中，队伍的声势更加壮大起来。与此同时，花连等人又列举了色旺诺尔布桑保的48条罪状，上告到了哲里木盟。等到了三月三日夜里，色旺诺尔布桑保带着四名随从，星夜逃出王府，企图到承德请清军前来镇压。但是，花连、额尔登奥琪尔等连夜分兵追赶，结果在百里之外的一个寺庙里抓到了色旺诺尔布桑保，并开枪将其击毙。当时，为掩人耳目，就把现场伪装成色旺诺尔布桑保上吊自杀。

事后，当大家讨论起义队伍如何走下一步时，出现了意见分歧，有人主张和刚布、桑布的起义队伍联合。但是，花连，花里亚苏兄弟俩却不同意，他们认为杀父之仇已报，应该偃旗息鼓，各自回家。梅楞额尔登奥琪尔领着起义队伍在那鲁哈拉金度过了冬天，后来队伍自行解散。

光绪二十八年（1902 年）春，札萨克图旗乌泰王向清廷上奏了色旺诺尔布桑保被杀一事，要求政府严办起义头领。同年夏，清廷派兵部尚书裕德前往科尔沁右翼中旗追查色旺诺尔布桑保被逼死之事件，结果额尔登奥琪尔被革职，花连、花里亚苏等人均被逮捕，在奉天惨遭杀害。

（何金山　撰稿）

阿木尔吉尔格勒

阿木尔吉尔格勒（1869—1941 年），伊克昭盟乌审旗人。阿木尔吉尔格勒出生 3 个月后，寄养给该旗梅林色冷道尔吉家。由于色冷道尔吉家境富庶，便请了家庭教师，阿木尔吉尔格勒自小受到了良好教育。在老师培养下，他不仅精通了蒙古文，而且对民间文学也有了广泛的了解。他十几岁时，就已经阅读过《蒙古源流》、《故事之海》、《青史演义》以及《三国演义》、《西游记》等著作。

阿木尔吉尔格勒 20 岁开始学医，他一边跟乡村医生出诊，一边又系统学习《四部医典》。因此，他对藏文也有了初步的了解。而且在治疗、诊断、开方等方面都有了长足的发展。尤其在针灸和结合蒙、藏医治疗方法上，更是比别人技高一筹。所以，深受当地群众的欢迎，声望也与日俱增。

阿木尔吉尔格勒除了行医以外，还用蒙古、藏文创作了大量诗篇。如《泡子》、《沙拉召赞》、《常胜三绝》等。到了晚年创作的有：《山坡草》、《美丽的乌审召赞》、《致班禅额尔德尼诗》、《四部医典简介》等等。

1941 年，阿木尔吉尔格勒病故，享年 72 岁。

（何金山　撰稿）

宝勒、朝鲁

宝勒、朝鲁二人均系伊克昭盟鄂托克旗人。其生卒年不详，大约生活于19世纪末20世纪初。

自19世纪70年代开始，西方天主教在内蒙古的非法传教活动越来越猖獗。先后在鄂尔多斯地区，城川、苏泊海子等地建立了多处教堂，强占了大量良田和牧场。他们自置武装，私设公堂，随意抢劫群众牲畜、财产，甚至谋害人命。外国传教士的胡作非为，激起了人民群众的愤怒，便纷纷掀起了反抗斗争。

光绪二十六年（1900年），内地掀起了义和团运动。在义和团运动的影响下，宝勒、朝鲁在鄂托克旗也组织了"独贵龙"，和反动教会展开了旗帜鲜明的斗争。同年7月，宝勒、朝鲁领导的"独贵龙"已经发展到了120人。7月18日他们联合从陕西来的30余名义和团成员，和乌审旗"独贵龙"100多人组织在一起，围攻当时作为教会中心的城川教堂。城川教堂的外国传教士和教徒见势不妙，便逃往别处。宝勒、朝鲁率领起义队伍一直追到小桥畔教堂，并围攻该教堂长达48天之久。

到了8月初，宝勒、朝鲁的队伍和乌审旗白亚赛、乌巴领导的起义队伍汇合在一处，继续围攻小桥畔教堂。但因国内外反动势力相互勾结，共同镇压了围攻小桥畔教堂的各族群众。宝勒、朝鲁领导的反洋教"独贵龙"运动，最终宣告失败。

（何金山 撰稿）

博彦毕勒格图

博彦毕勒格图，生卒年不详，大约生活于19世纪末20世纪初。平民家庭出身，内蒙古卓索图盟喀喇沁旗人。

博彦毕勒格图用毕生的精力研究蒙古民族贫穷落后的原因，寻求民族繁荣发展的道路。博彦毕勒格图利用十多年的时间，于民国初年翻译出版了《辞源》一书。想通过它为蒙古族人提供学习的资料，达到提高整个民族文化素质的目的。他认为蒙古族地区历来只重视牲畜草场，对于文化知识则缺乏学习条件，主观上也不努力，所以科学文化被拒之门外。蒙古族有知识、有文化的人逐渐减少，导致了整个蒙古民族文化素质偏低，经济上贫穷，政治上被人奴役。他在《辞源》一书的序言中说："蒙古族人应发愤图强，来保全自己的民族"。他认为蒙古族强盛的唯一途径就是重视文化知识。所以一定要好好学习其他民族的先进文化知识和科学技术。博彦毕勒格图说："只有读懂了书，明白了事理，才能跟得上现今的世界"。"要为整个蒙古地区创造学习的条件，多出版各种学习的书籍，养成整个民族热爱学习的风尚，只有这样，能人才能辈出，整个民族的兴旺发达才有希望。"

另外，博彦毕勒格图在《辞源》的序言中说他正在准备翻译出版一本《习惯语新义》。但这本小册子没有问世或许失传，至今还是个谜。

（何金山　撰稿）

丹丕勒

丹丕勒（？—1906 年），是内蒙古伊克昭盟准格尔旗人，为该旗协理台吉。光绪三十年（1904 年），绥远城将军贻谷勾结准格尔旗札萨克喇嘛三爷，在该旗大规模进行垦荒。这时该旗协理台吉丹丕勒站在人民群众一边，代表全旗向垦务局提出停止放垦的要求，但遭到拒绝。垦务官员到该旗垦丈时，不顾牧民的反对和阻止，甚至动武砍伤群众，激起牧民的愤怒。同年8月，准格尔旗的朝格都仍等人联合郡王旗的抗垦群众共40余人，各持武器，抗拒垦丈。次年，梦肯吉亚等领导了该旗的另一起抗垦斗争。

次年夏天，准格尔旗的各支抗垦队伍在协理台吉丹丕勒的领导下，会合为全旗性的抗垦武装。丹丕勒、梦肯吉亚率领群众武装分别于同年8月11日和24日攻占了该旗境内的两个垦务局，驱逐了垦务官员，将局中文牍账簿等予以焚毁。同时，丹丕勒还派人联络乌审、达拉特、郡王等旗的蒙汉群众及"独贵龙"组织，并且囤积粮草，制造枪炮，准备发动全盟规模的武装抗垦运动。清政府闻讯，立即革去了丹丕勒的协理台吉职务，并派兵前去镇压。从这年十月起，丹丕勒领导的群众武装在萝卜沟、喇嘛洞、豹子塔等地持着火枪、弓箭等原始、简陋的武器和手持快枪的清军进行了艰苦的战斗，并多次击退了清军的进攻。他们英勇的反抗斗争，也得到了邻旗大众的支援。乌审、郡王、达拉特等旗的群众纷纷起来抗垦，使贻谷放垦活动在伊克昭盟一度被迫停止。

次年2月，即农历大年三十晚上，丹丕勒等人麻痹大意，均去拜年接神，结果大醉而归，放松了戒备，贻谷的军队乘虚而入，丹丕勒等人均做俘虏。丹丕勒被捆送到归化城，进行监禁并施以重刑。但是，这位年近古稀的人民起义领袖始终以不屈不挠的精神和贻谷进行英勇顽强的斗争，最后，丹丕勒及其全家惨遭杀害。

清政府残酷镇压丹丕勒领导的武装抗垦，使广大蒙古族人民的反抗怒火越烧越旺，清朝政府掠夺鄂尔多斯蒙古旗人土地的计划遭到了沉重打击。由于害怕酿成大祸，清政府不得已于光绪三十四年（1908年）以"败坏边局，蒙民怨恨"等罪名将贻谷革职。

（何金山 撰稿）

绰克大赉

绰克大赉，生卒年不详，清末内蒙古哲里木盟扎赉特旗人，贵族家庭出身。

20世纪初，清朝政府为了弥补国库亏空，全面推行放垦蒙地的所谓"新政"，从中坐收渔利。

光绪三十三年（1907年），清政府在黑龙江省和扎赉特旗增设了垦务局，并委派扎赉特旗梅林哈丰阿为该旗垦务局总理，绰克大赉台吉为帮办。绰克大赉和扎赉特旗蒙古族群众一样，反对清政府放垦蒙地的政策。所以他极力劝阻哈丰阿，让他考虑广大牧民的处境。但哈丰阿却置民族的利益和蒙旗群众的命运于不顾，一味地想取得清政府和黑龙江省军方的好感，坚决主张如数开垦扎赉特旗的荒地。

绰克大赉感到无法说服哈丰阿，于是率50多个自然村的民众，举行了反抗垦荒的武装起义。这次起义队伍里，除了广大劳动人民之外，还有很多中下层的贵族台吉，起义队伍很快发展到了400余人。同年8月，绰克大赉率领起义群众捣毁了垦务局，抓住了哈丰阿，进行了枪决。起义群众还打死了地主巨商陈氏，没收了他的财产。

　　绰克大赉的起义队伍由此不断扩大，多次袭击由杜尔伯特和黑龙江省派来的官军，使扎赉特旗的放垦蒙荒处于停顿状态。

（何金山　撰稿）

白音大赉

　　白音大赉（？—1908年），平民出身，清末养息牧官牧厂人。

　　20世纪初，清朝政府为推行"新政"，在蒙古地区掀起了大量垦荒移民，抢占蒙古族土地、草场的风潮。养息牧官牧厂的蒙古族牧民群众无法生活下去。在这种情况下，贫民出身的白音大赉便率众于光绪三十年（1904年）初，举起了保卫自己牧场和土地的义旗。当时正是日俄战争期间，白音大赉率领武装起义的群众，突袭了驻扎在法库门的俄军营地，缴获了大量的武器弹药。这样，白音大赉的起义队伍初步武装起来，而且威名四震，得到了周边蒙旗群众的广泛支持。

　　光绪三十二年（1906年），白音大赉的起义队伍攻破了洮南府和靖安县，打退打散了各地的汉族地主、封建王爷和奸商以及垦务局的官员。起义取得了辉煌的胜利。当时，哲里木盟、昭乌达盟、卓索图盟等地的大部分地区都处在白音大赉起义队伍的威慑下，广大人民群众都尊称白音大赉为"白王"。

　　光绪三十三年（1907年），东三省总督徐世昌，命令清军统领张作霖率领马、步兵10营兵力攻打白音大赉的起义队伍。白音大赉为避免重大伤亡，便带领义军经过哲里木盟郭尔罗斯前旗到达洮南府，并和著名抗垦起义领袖陶克陶会合一处，义军的力量更加壮大起来。由于白音大赉义军纪律严明，从不损害穷苦百姓的利益，所以深受广大人民群众的欢迎和支持。

　　次年初，徐世昌抽调东三省的大批军队围攻白音大赉和陶克陶的起义军。白音大赉边战边退到索伦山一带。同年夏，张作霖又带重兵到索伦山进行搜剿。白音大赉终因寡不敌众，被迫离开索伦山根据地退往巴林二旗。当起义队伍退至锡林郭勒盟西乌珠穆沁旗的边界兴安岭脚下时，又遇上了张作霖的追兵。经一场激战，起义军受挫，白音大赉、陶克陶被打散，陶克陶退往索伦山，白音大赍退到乌兰套山。但是，张作霖还是穷追不舍。由于兵力悬殊，义军惨遭失败。白音大赍受伤被捕，于同年 7 月 10 日伤重身亡。

（何金山 撰稿）

古伯察

古伯察，汉译又作额漥哩斯塔。天主教法国遣使会（又称圣味增爵会）教士。1813 年出生于法国开鲁斯图鲁兹区，毕业于该城小神学院。1836 年在巴黎参加遣使会传教区修会，1839 年 1 月升任神甫。同年 3 月，偕同另两名传教士离开法国北部勒阿佛尔港，乘船前往中国传教，于是年 8 月驶抵澳门。1841 年 2 月，他离开澳门，途经鸦片战争期间的广州，及湖北、北京等地，逾长城，于同年 6 月到达遣使会主持的天主教蒙古教区总堂所在地察哈尔西湾子（今河北崇礼县城）。在这里，他开始使用汉名古伯察，学习掌握了汉语文，结识了先他来此的同教会秦神甫（又作秦噶哗，Joseph Gabet，1808—1853 年），并游历于察哈尔、归化城、热河地区传教。约 1843 年 5 月（耶稣升天节之前不久），移居热河（内蒙古）昭乌达盟翁牛特左旗境内的黑水（地名又作苦柳图，或库里图、苦力吐，后建有教堂，在今赤峰市翁牛特旗境内）、别列沟（地名又作马架子、东山，后建有教堂，在今赤峰松山区大碾子乡东山村）传教点，致力于学习满、蒙古文，并在某寺庙研习藏传佛教。

西方天主教会来到长城口外内蒙古地区，设立蒙古教区，本意是想在蒙古人中传教，使蒙古民族皈依耶稣基督。但由于当时蒙古族人普遍笃信藏传佛教，与天主教义格格不入，使其传教努力鲜有成效。为完成既定任务，秦神甫和古伯察奉蒙古教区主教孟振生（又作孟慕理，Jospn-Martial Mouly，1840—1856 年任蒙古教区主教）派遣，前往以西以北蒙古游牧区传教。

1844 年 8 月，他们装扮成喇嘛僧侣，在仆从信徒、出身甘肃察罕胡尔人（今称土族）的蒙古喇嘛桑达钦巴（又作萨木丹尽巴、沙当金巴，Samded Chimba）伴同下，离开黑水，途经别列沟，进入察哈尔北部游牧区，并到达多伦诺尔。在与多伦诺尔的喇嘛僧侣讨论（争辩）教义各不相让时，他们被告知，只有来自西方（西藏）的喇嘛高僧才能更完整地表达藏传佛教真谛，得到所有蒙古信徒的信任和崇敬。于是古伯察和秦神甫决定前往"西方"追根溯源，劝化喇嘛高僧皈依天主。

1844 年 10 月初，古伯察、秦神甫和桑达钦巴一行离开多伦诺尔，开始了青藏高原之旅。他们横穿察哈尔蒙古各旗、归化城土默特旗，绥远城和归化城，鄂尔多斯沙地，渡黄河进入宁夏、甘肃，抵达西宁塔尔寺。他们在塔尔寺居留 8 个月，专门学习藏语，但仍无法展开传教活动。之后，他们又纵穿青藏高原，于 1846 年 1 月到达拉萨。同年 3 月，他们在拉萨的传教活动被清朝驻藏大臣琦善发现后，因非法传教被驱逐出境，经四川、广东到达澳门。1848 年，古伯察又转赴浙江等地传教，1852 年返回法国。秦神甫于 1849 年离开澳门前往巴西传教。桑达钦巴则返回蒙古教区，居留于察哈尔西营子等地。

1851 年古伯察以法文在巴黎出版了两卷本《鞑靼西藏旅行记》。几年之后，古伯察又出版了记述离开西藏之后经历的《中华帝国——鞑靼西藏旅行记续》和《基督教在中国、鞑靼和西藏》。

《鞑靼西藏旅行记》问世后，半个多世纪里被先后译成英文、德文、荷兰文、西班牙文、意大利文、瑞典文、俄文和日文本。1991 年，中国藏学出版社出版了耿昇汉译本《鞑靼西藏旅行记》。

此书所载史实，19 世纪后期曾被普尔热瓦尔斯基等外国学者及来华探险家质疑。但在中国官修史书《筹办夷务始末》和《清实录》所载琦善等人的奏议中得到证实。随同古伯察前往西藏的桑达钦巴，后来也再次出现于天主教蒙古教区的历史记载中。[①]

（白拉都格其　撰稿）

巴耆贤

巴耆贤（？—1895 年），汉名又作巴齐贤。天主教比利时圣母圣心会教士。1871 年之前来到中国蒙古地区传教。1871 年 5 月被罗马教廷任命为蒙

---

①　王学明：《天主教在内蒙古地区的传教简史》，《内蒙古文史资料》第 22 辑，内蒙古自治区政协编印 1987 年版。

古教区副主教。1872 年，为便于传教，巴耆贤将蒙古教区析为三个传教分区，即东区包括赤峰、热河（今河北承德地区）一带；中区包括教区总堂所在地的西湾子（今河北省崇礼县城），西抵归化城（今呼和浩特），西北含大青山后四子王旗一带；西区为归化城以西，当时尚无天主教徒。

1873 年，为西行传教，巴耆贤通过法国驻天津领事馆从清政府领取特别护照。他先巡视大青山后四子王旗境内的乌塔尔贝（又称铁圪旦沟）、乌尔图沟等传教点（"教友村庄"），然后到归化城，在北郊三合村某教友家中连住数月，在该村修建小教堂一座，并联系购置了归化城北门外宅基地（后来在此地建成较大教堂，至今完好）。

同年，阿拉善旗札萨克亲王贡桑珠尔默特偕伊克昭盟准格尔旗札萨克贝子扎那济尔迪由北京年班朝觐归来，途经察哈尔西营子（今乌兰察布市察右前旗境内）参观新建成的天主教堂，即应允帮助和保护传教士到各该旗传教。1874 年，巴耆贤即委派德玉明司铎（神甫）和费司铎在蒙古教友沙当金巴（又作桑达钦巴，1844 年曾伴同法国传教士古伯察等前往西藏拉萨）的随同下西行传教，在伊克昭盟准格尔旗和乌审旗受到札萨克王爷的友好款待，并在鄂托克旗南部的城川，为蒙古教友修建了小教堂。

1874 年 10 月，巴耆贤升任蒙古教区主教。同年底，他再次委派杨司铎、德玉明司铎等分两路前往准格尔旗和阿拉善旗传教。德玉明在阿拉善旗未能得到支持，但奉巴耆贤批准，在该旗黄河沿岸的三道河（今巴彦淖尔市磴口县三盛公）典租土地一段，招徕汉人垦种入教，建立了传教点，后来成为西南蒙古教区总堂所在地。杨司铎等在准格尔旗、达拉特旗经数年努力劝化蒙古人仍鲜有成效，在汉民中传教则获得成功。至 1880 年，当地传教士经巴耆贤主教批准并拨款，在尔架马梁一带从达拉特旗蒙古人手中购得土地百余顷，建立了二十四顷地教民村——教会庄园（今包头市土默特右旗境内），后来（1900 年）也成为西南蒙古教区总堂所在地。

1876 年，巴耆贤主教再次西行，巡视了归化城、尔架马梁一带直至伊克昭盟南部的城川等地教务，为当时蒙古教区唯一的蒙古教友教堂城川的教徒施行了入教洗礼。1880 年，他还筹划在归化城建立一所教会师范学校。

1883 年，经巴耆贤提出申请、获罗马教廷批准，蒙古教区正式析分为三，即赤峰、热河一带的东蒙古教区，察哈尔地区、西抵归化城的中蒙古教区，归化城以西的西南蒙古教区。巴耆贤继任中蒙古教区主教。1895 年，巴主教病逝于教区总堂西湾子。

（白拉都格其 撰稿）

韩默理

韩默理（Ferdinand Hamer，1840—1900 年），荷兰人，天主教比利时圣母圣心会教士。1865 年，圣母圣心会接管原属法国遣使会的蒙古教区教务，韩默理随同该教会会祖（创始人）南怀仁来到教区总堂西湾子传教。1869 年，教区前任主持者被调回国，韩默理代理主持蒙古教区。

1878 年，他奉派调任天主教甘肃教区主教。1883 年，曾委派教士前往新疆伊犁开辟教务。

1888 年，韩默理再次奉调内蒙古，于 1889 年春接任西南蒙古教区主教，当时教区总堂在阿拉善旗东部的三道河（三盛公，今巴彦淖尔市磴口县境内）。1889 年，他因病回比利时休假。逾年返任，将西南蒙古教区分为三个分区，即三道河子区、宁条梁（伊克昭盟南端，城川之南，今属陕西省靖边县）分区和土默川分区。他在任期间，大力推行购置、典租蒙旗土地，以招徕汉民入教、建立教会庄园的做法，使西南蒙古教区的教务迅速扩大。1893 年，他委托二十四顷地本堂司铎兰广济修建一座宏大的教堂，并于 1900 年春将教区总堂迁至二十四顷地。

1900 年夏，华北各省义和团运动传入内蒙古，韩默理将本教区土默川分区的外国传教士遣往三盛公避难（后与当地传教士一同返本国避难），率领二十四顷地一带教民结成武装躲进教堂驻守，并庇护了与教外蒙古族农民冲突造成命案的教徒石险生（又作石宗、石忠）。是年 8 月，绥远城将军派出的清军，会同当地反教义和团和蒙旗武装攻破二十四顷地教堂。义和团民将韩默理押至托克托厅城，施以刑罚，游街示众，将其烧死后枭首示众。

八国联军攻占北京、义和团运动失败之后，因处死韩默理、焚毁教堂等严重教案，绥远城将军以下，至托克托厅同知等军政官员遭处斩等重罪处罚，二十四顷地所在的伊克昭盟达拉特旗则被处以 37 万银两的巨额赔款。

（白拉都格其 撰稿）

闵玉清

闵玉清（Alphomse Bermyn，？—1915 年），比利时人，天主教圣母圣心会教士。1870 年代即在蒙古教区传教，一直致力于劝化蒙古人皈依。其助理司福音司铎（神甫）曾使用蒙古文翻译天主教教义多种。由于蒙古人笃信藏传佛教，劝其入教鲜有成效，遂根据内蒙古地区特点，协同教区主教确立了"要想很好传教，就要打闹土地"，除此"再无其他较好办法"的传教方针。1883 年蒙古教区析分为三，他成为西南蒙古教区教士。为取得土地，他曾借口杭锦旗官吏的马匹毁坏教会土地的青苗，胁迫杭锦旗将河套地区大片土地租给教堂，并须申明许教会退地，不许蒙古人要地。1893 年，他利用汉族农民间土地纠纷，在萨拉齐厅境内小巴拉盖（今包头东郊东园乡）购得土地百余顷，从外地招徕教民耕种居住，形成教民村。后来此块土地主人提出诉讼否认教会所有权，经闵玉清通过法国驻华公使向清政府施加压力，才使萨拉齐厅同知将土地判归教堂所有。1895 年在伊克昭盟鄂托克旗小桥畔，闵玉清又借口当地一个疯子闯入教堂损坏圣像等物，胁迫该旗出让大片土地作为赔偿。

1890 年之后，西南蒙古教区下分三个分区，即三道河子（三盛公）、宁条梁、土默川，他成为宁条梁分区主持人，期间又升任"省会长"。1900 年夏，义和团反洋教运动传到内蒙古。闵玉清将宁条梁传教分区的外国传教士和许多教民集中到拥有枪械武器和较坚固围墙的小桥畔教堂，抵挡住了蒙汉反洋教武装连续 40 多天的围攻。同年冬，义和团运动失败后，他先去宁夏，后转至萨拉齐厅，调查教案损失，与地方官府交涉教案赔偿事宜。

1901 年，闵玉清接替死于二十四顷地教案的韩默理，继任西南蒙古教区主教。他在大力恢复和扩展传教活动、重振教会势力的同时，主持建立了许多拥有自己的武装和农牧各业，脱离中国军政辖治的教会特殊庄园，同时也建立了一些教会男女小学堂等文化教育事业。他责成重建的二十四顷地教堂，其围墙为周长 6 里，高 4 米，底宽 7 米、顶宽 4 米，南北大门及四角均筑有炮台，形成一座偌大城堡。他经手一次就从北京运回 180 支枪，分发给了二十四顷地、三盛公、小桥畔等教堂。

1914 年他兼驻二十四顷地以北的缸房营子教堂（今属土默特右旗美岱召镇）。1915 年春，在缸房营子死于伤寒症，后葬于二十四顷地村。

（白拉都格其　撰稿）

主要参考文献

1. 《元朝秘史》，四部丛刊三编本。

2. 茅元仪：《武备志》，清道光排印本。

3. 叶向高：《四夷考》，宝颜堂秘笈本。

4. 瞿九思：《万历武功录》，中华书局影印本 1962 年版。

5. 张鼐：《辽夷略》，《玄览堂丛书》影印明刻本。

6. 王鸣鹤：《登坛必究》，解放军出版社影印本 1990 年版。

7. 《明清史料》，台湾"中央"研究院历史语言研究所，1954—1976 年版。

8. 《旧满洲档》，台湾故宫博物院影印本，1979 年版。

9. 《满文老档》，中国第一历史档案馆、中国社会科学院历史研究所译注，中华书局 1990 年版。

10. 台湾故宫博物院编：《宫中档·康熙朝奏折》第 8—9 辑，1969 年版。

11. 《宫中档·光绪朝奏折》，台湾故宫博物院印行 1974 年版。

12. 李保文整理：《17 世纪前半期蒙古文文书档案》，内蒙古少儿出版社 1997 年版。

13. 中国第一历史档案馆等编：《清代西迁新疆察哈尔蒙古满文档案译编》，全国图书馆文献缩微复制中心 1994 年版。

14. 中国第一历史档案馆、鄂伦春民族研究会编：《清代鄂伦春族满汉文档案汇编》，民族出版社 2001 年版。

15．齐木德道尔吉等编：《清内秘书院蒙古文档案汇编》1—7 辑，内蒙古人民出版社 2003、2006 年版。

16．黑龙江省档案馆：《黑龙江通志采辑资料》，1985 年版。

17．内蒙古社会科学院图书馆藏：《奎猛克塔斯哈喇家谱》。

18．内蒙古档案馆藏喀喇沁右旗札萨克衙门蒙古文档案，全宗号 505。

19．中国第一历史档案馆译编：《清初内国史院满文档案译编》（上、中、下），光明日报出版社 1989 年版。

20．《义和团档案史料》（上、下），中华书局 1978 年版。

21．中国第一历史档案馆：《义和团档案史料续编》（上、下），中华书局 1990 年版。

22．中国第一历史档案馆：《清代档案史料丛编》第八、十二辑，中华书局 1984、1987 年版。

23．王铁崖：《中外旧约章汇编》（1—2 册），三联书店 1959 年版。

24．《筹办夷务始末》，中华书局排印本，1979 年版。

25．王彦威：《清季外交史料》（全五册），书目文献出版社影印本，1987 年版。

26．故宫博物院明清档案部：《清代中俄关系档案史料选编》第 3 编，中华书局 1979 年版。

27．中国近代史资料丛刊《第二次鸦片战争》，上海人民出版社 1978 年版。

28．姚贤镐：《中国近代对外贸易史资料》（1—3 册），中华书局 1962 年版。

29．中国第一历史档案馆：《光绪朝朱批奏折》，中华书局 1995 年版。

30．内蒙古自治区档案馆藏准格尔旗札萨克衙门档案。

31．中国第一历史档案馆藏军机处录副奏折。

32．中国第一历史档案馆藏理藩院档案。

33．内蒙古自治区档案馆：《清末内蒙古垦务档案汇编》，内蒙古人民出版社 1999 年版。

34．内蒙古档案馆钦差垦务大臣档案。

35. 内蒙古档案馆藏呼伦贝尔副都统衙门档案，全宗号501。

36. 金峰主编：《呼和浩特史蒙古文献资料汇编》第1—5辑，内蒙古文化出版社1988年版。

37. 《蒙荒案卷》，《长白丛书》第四集，吉林文史出版社1990年版。

38. 林西县志办公室编：《巴林垦务》林西史料之一，1984年版。

39. 呼和浩特市土默特左旗档案馆藏归化城副都统衙门清代财政类满汉文档案。

40. 《明实录》，台湾"中央"研究院史语所影印本，1962年版。

41. 《满洲实录》，辽宁通志馆本，1930年版。

42. 《清太祖武皇帝实录》，台湾故宫博物院影印本，故宫图书季刊，第一卷，第一册。

43. 《清实录》（含《宣统政纪》），中华书局影印本，1986年版。

44. 齐木德道尔吉等编：《清朝太祖太宗世祖朝实录蒙古史史料抄——乾隆本康熙本比较》，内蒙古大学出版社2001年版。

45. 邢亦尘编：《清季蒙古实录》，内蒙古社会科学院蒙古史研究所，1981年版。

46. 《皇清开国方略》，四库全书影印本。

47. 勒德洪：《平定察哈尔方略》，《清代方略丛书》本，国家图书馆出版社2006年版。

48. 《理藩院则例》，乾隆朝内府抄本，《清代理藩院资料辑录·中国边疆史地资料丛刊》。

49. （道光）《钦定理藩院则例》，道光年间刻本，蒙古、汉文本。

50. 《清朝通典》，商务印书馆1935年版。

51. 《清朝文献通考》，浙江古籍出版社2000年版。

52. （光绪）《大清会典》，中华书局影印本。

53. （光绪）《大清会典事例》，中华书局影印本。

54. 《清史稿》，中华书局点校缩印本，1997年版。

55. （嘉庆）《大清一统志》，四部丛刊本。

56. 鄂尔泰等：《八旗通志》，乾隆四年（1739年）刊本。

57. 朱寿朋：《光绪朝东华录》，中华书局排印本，1984年版。

58. 《蒙古回部王公表传》，包文汉等整理，内蒙古大学出版社 1998 年版。

59. 张穆：《蒙古游牧记》，同治祁氏刊本。

60. 俞正燮：《癸巳存稿》，辽宁教育出版社 2003 年版。

61. 祁韵士：《皇朝藩部要略》，浙江书局光绪十年（1884 年）刻本。

62. 刚毅、安颐等修纂：《晋政辑要》，光绪十三年（1887 年）刻本。

63. 朱启钤：《东三省蒙务公牍汇编》，宣统元年（1909 年）排印本。

64. 姚锡光：《筹蒙刍议》，光绪三十四年（1908 年）自刻本。

65. 徐世昌：《东三省政略》，宣统元年（1909 年）排印本。

66. 常非：《天主教绥远教区传教简史》，内蒙古大学图书馆藏转抄本。

67. 贻谷：《绥远奏议》，台湾《近代中国史料丛刊续编》影印本。

68. 贻谷：《蒙垦奏议》，宣传元年（1909 年）排印本。

69. 贻谷：《蒙垦陈诉供状》，清末京华印书局排印本。

70. 《阿勒坦汗传》，珠荣嘎译注，内蒙古人民出版社 1987 年版。

71. 答哩麻固什：《金轮千辐》，乔吉校注，内蒙古人民出版社 1987 年版。

72. 《黄金史纲》，留金锁校注，内蒙古人民出版社 2001 年版。

73. 拉喜朋素克：《水晶珠》，呼和温都尔校注本，内蒙古人民出版社 1985 年版。

74. 汪敬虞：《中国近代工业史资料》第一辑下册，科学出版社 1957 年版。

75. 李文治：《中国近代农业史资料》第一辑，三联书店 1957 年版。

76. 《朔平府志》，雍正十二年（1734 年）抄本。

77. 绥远通志馆修纂：《绥远通志稿》，20 世纪 30 年代稿本。

78. 梁建章等纂：《察哈尔省通志》，台湾影印《中国边疆丛书》本。

79. 王树楠等纂修：《奉天通志》，《东北文史丛书》本。

80. 李鸿章、黄彭年等：《畿辅通志》，河北人民出版社点校本，1982 年版。

81. 王轩等：《山西通志》，中华书局点校本，1990 年版。

82. 李桂林：《吉林通志》，台湾影印《中国边疆丛书》本。

83. 张伯英等纂：《黑龙江志稿》，台湾影印《中国边疆丛书》本。

84. 金志章纂、黄可润补：《口北三厅志》，台湾影印《中国方志丛书》本。

85. 梁国治：《热河志》，台湾影印《中国边疆丛书》本。

86. 哈达清格：《塔子沟纪略》，《辽海丛书》本。

87. 海忠：《承德府志》，清嘉庆年间刻本。

88. 王致云：《神木县志》，台湾成文出版社影印本，1970 年版。

89. 《靖边县志稿》，台湾成文出版社 1970 年版。

90. 张曾：《古丰识略》，抄本。

91. 张曾：《归绥识略》，光绪年间刻本。

92. 高赓恩：《归绥道志》，内蒙古大学图书馆藏传抄本。

93. 刘鸿逵、沈潜修：《归化城厅志》，光绪年间抄本。

94. 郑裕孚：《归绥县志》，1934 年铅印本。

95. 贻谷、高赓恩：《绥远志》，清光绪三十四年（1908 年）刻本。

96. 贻谷、高赓恩：《土默特旗志》，清光绪末年刻本。

97. 文秀、卢梦兰：《新修清水河厅志》，台湾影印《中国方志丛书》本。

98. 韩绍祖、张树培：《萨拉齐县志》，民国年间铅印本。

99. 德溥：《丰镇县志书》，1916 年铅印本。

100. 姚学镜、俞家骥：《五原厅志稿》，江苏广陵古籍刻印社影印本，1982 年版。

101. 《张北县志》，文海出版社 1974 年版。

102. 康清源：《热河经棚县志》，呼和浩特古丰书斋誊印本，1982 年版。

103. 孙廷弼：《赤峰县志略》，1933 年石印本。

104. 苏绍泉编：《林西县志》，内蒙古图书馆手抄本。

105. 程廷恒、张家璠：《呼伦贝尔志略》，民国十三年（1924 年）呼伦贝尔督办公署铅印本。

106. 朱枕新、邹尚友：《呼伦贝尔概要》，民国十九年（1930 年）东北文化社铅印本。

107. 程道元、续文金：《昌图县志》，民国五年（1916 年）铅印本。

108. 周铁铮、沈鸣诗等：《朝阳县志》，民国十九年（1930 年）铅印本。

109. 周宪章、宫葆廉：《凌源县志略》，民国十六年（1927 年）稿本。

110. 王恕等：《彰武县志》，民国二十二年（1933）铅印本。

111. 陈占甲、周渭贤：《镇东县志》，民国十六年（1927 年）铅印本。

112. 郑士纯、朱衣点：《农安县志》，民国十六年（1927 年）铅印本。

113. 孙云章：《怀德县志》，民国十八年（1929 年）铅印本。

114. 洪汝冲：《昌图府志》，宣统二年（1910 年）铅印本。

115. 张遇春等：《阜新县志》，民国二十四年（1935 年）铅印本。

116. 《绥远城驻防志》，佟靖仁校注内蒙古大学出版社 1991 年版。

117. 张鹏一：《河套图志》，在山草堂铅印本，民国六年（1917 年）版。

118. 《呼伦贝尔副都统衙门册报志稿》，边长顺、徐占江译，呼伦贝尔盟历史研究会编印，1986 年版。

119. 《黑龙江通省舆图总册》，载《清代黑龙江孤本方志四种》，黑龙江人民出版社 1989 年版。

120. 钱良择：《出塞纪略》，《小方壶斋舆地丛钞》本。

121. 昭梿：《啸亭杂录》，中华书局 1997 年版。

122. 范昭逵：《从西纪略》，《小方壶斋舆地丛钞》本。

123. 潘复：《调查河套报告书》，北京京华印书局铅印本，1923 年版。

124. 张鹏翮：《奉使俄罗斯日记》，《小方壶斋舆地丛钞》本。

125. 周颂尧：《绥远河套治要》，1924 年排印本。

126. 张鼎彝：《绥乘》，上海泰东图书局铅印本，1921 年版。

127. 绥远省民众教育馆编：《绥远省分县调查概要》，1934 年版。

128. 汪国钧：《蒙古纪闻》，玛希、徐世明校注，赤峰市政协编印，1994 年版。

129. 熊知白：《东北县治纪要》，北平和济印书局，民国二十二年（1933 年）版。

130. 童翼：《热河东部旅行笔记》，民国年间铅印本。

131. 冯诚求：《内蒙古东部调查日记》，民国二年（1913 年）《吉长日报》铅印本。

132. 赵允元：《赤峰州调查记》，《地学杂志》第一年（宣统二年四月）第 4 号。

133. 杨溥编：《察哈尔口北六县调查记》，民国二十二年（1933 年）版，内蒙古图书馆藏手抄本。

134. 《亦邻真蒙古学文集》，内蒙古人民出版社 2001 年版。

135. 孟森：《明清史论著集刊》（上、下），中华书局 1984 年版。

136. 孟森：《明清史讲义》（上、下），中华书局 1981 年版。

137. 边疆政教制度研究会：《清代边政通考》，内蒙古大学图书馆藏。

138. 蔡美彪等：《中国通史》第九册，人民出版社 1986 年版。

139. 余元盦：《内蒙古历史概要》，上海人民出版社 1958 年版。

140. 陶克涛：《内蒙古发展概述》（上），内蒙古人民出版社 1957 年版。

141. 《蒙古族简史》，内蒙古人民出版社 1985 年版。

142. 佟靖仁：《呼和浩特满族简史》，内蒙古大学出版社 1987 年版。

143. 周清澍等：《内蒙古历史地理》，内蒙古大学出版社 1993 年版。

144. 叶新民等：《简明古代蒙古史》，内蒙古大学出版社 1990 年版。

145. 《呼和浩特回族史》编辑委员会：《呼和浩特回族史》，内蒙古人民出版社 1994 年版。

146. 曹永年：《蒙古民族通史》第三卷，内蒙古大学出版社 2002 年版。

147. 乌云毕力格等：《蒙古民族通史》第四卷，内蒙古大学出版社 2002 年版。

148. 白拉都格其等：《蒙古民族通史》第五卷，内蒙古大学出版社 2002 年版。

149. 内蒙古社科院历史所编：《蒙古族通史》（上、中、下），民族出版社 1990 年版。

150. 宝音德力根：《十五世纪前后蒙古政局部落诸问题研究》，内蒙古大学博士学位论文，1997 年。

151. 宝音德力根等编：《明清档案与蒙古史探究》第一、二辑，内蒙古人民出版社 2000、2002 年版。

152. 达力扎布：《明代漠南蒙古历史研究》，内蒙古文化出版社 1998 年版。

153. 达力扎布：《明清蒙古史论稿》，民族出版社 2003 年版。

154. 乌兰：《〈蒙古源流〉研究》，辽宁民族出版社 2000 年版。

155. 乌云毕力格：《喀喇沁万户研究》，内蒙古人民出版社 2005 年版。

156. 张永江：《清代藩部研究——以政治变迁为中心》，黑龙江教育出版社 2001 年版。

157. 刘子扬：《清代地方官制考》，紫禁城出版社 1988 年版。

158. 杜家骥：《清朝满蒙联姻研究》，人民出版社 2003 年版。

159. 哈斯巴根：《18—20 世纪前期鄂尔多斯农牧交错区域研究——以伊克昭盟准格尔旗为中心》，内蒙古大学博士学位论文，2005 年。

160. 宝音朝克图：《清代北部边疆卡伦研究》，中国人民大学博士学位论文，2002 年。

161. 孙文良主编：《清兵入关与中国社会》，辽宁人民出版社 1996 年版。

162. 中国社科院近代史研究所：《沙俄侵华史》第一至四卷，人民出版社 1976、1978、1981、1990 年版。

163. 《沙俄侵略我国蒙古地区简史》，内蒙古人民出版社 1979 年版。

164. 卢明辉主编：《清代北部边疆民族经济发展史》，黑龙江教育出版社 1994 年版。

165. 王钟翰：《清史新考》，辽宁大学出版社 1990 年版。

166. 赵云田：《中国边疆民族管理机构沿革史》，中国社会科学出版社 1993 年版。

167. 王希隆：《中俄关系史略》，甘肃文化出版社 1995 年版。

168. 陈崇祖：《外蒙近世史》，商务印书馆 1922 年版。

169. 李毓澍：《蒙事论丛》，（台湾）永裕印刷厂 1990 年版。

170. 李德滨、石方、高凌：《近代中国移民史要》，哈尔滨出版社 1994 年版。

171. 苏德毕力格：《晚清政府对新疆蒙古和西藏政策研究》，内蒙古人民出版社 2006 年版。

172. 乌云格日勒：《十八至二十世纪初内蒙古城镇研究》，内蒙古人民出版社 2006 年版。

173. 马汝珩、马大正主编：《清代边疆开发研究》，中国社会科学出版社 1990 年版。

174. 马汝珩、马大正主编：《清代的边疆政策》，中国社会科学出版社 1994 年版。

175. 郝维民主编：《内蒙古近代简史》，内蒙古大学出版社 1990 年版。

176. 色音：《蒙古游牧社会的变迁》，内蒙古人民出版社 1998 年版。

177. 金峰等整理：《卫拉特史迹》，内蒙古文化出版社 1992 年版。

178. 王玉海：《发展与变革——清代内蒙古东部由牧向农的转型》，内蒙古大学出版社 2000 年版。

179. 达·古柏礼：《诸蒙古始祖记》，胡·都嘎尔扎布等整理，民族出版社 1989 年版。

180. 《额鲁特部简史》，呼伦贝尔档案馆藏手抄本。

181. 波·少布、何日莫奇：《黑龙江蒙古部落史》，哈尔滨出版社 2001 年版。

182. 色·宝音巴达拉胡：《乌喇特三公旗简史》（蒙古文），乌喇特后旗党史地方志编委会，1987 年版。

183. 《吉祥佛陀教法源流之传记》，库伦旗人民委员会办公室油印本，1960 年版。

184. 陶克通嘎等编：《瑞应寺》，内蒙古文化出版社 1984 年版。

185. 内蒙古自治区编辑组：《达斡尔族社会历史调查》，中国少数民族社会历史调查资料丛刊，内蒙古人民出版社 1985 年版。

186. 王魁喜等：《近代东北史》，黑龙江人民出版社 1984 年版。

187. 《蒙古史研究》第四、七、八辑，内蒙古大学出版社 1993、2003、2005 年版。

188. 盐务署编印：《中国盐政沿革史》，1915 年版。

189. 《内蒙古盐业史》，内蒙古人民出版社 1987 年版。

190. 《山西商人西北贸易盛衰调查记》，《中外经济周刊》第 124 号。

191. 高延青：《呼和浩特经济史》，华夏出版社 1995 年版。

192. 《内蒙古近代史论丛》第 1—3 辑，内蒙古人民出版社 1982、1983、1987 年版。

193. 《内蒙古近代史译丛》第一至三辑，内蒙古人民出版社、内蒙古大学出版社 1986、1988、1991 年版。

194. 《多伦文史资料》第一辑，内蒙古大学出版社 2006 年版。

195. 《蒙古史研究参考资料》第六、七辑，内蒙古大学历史系蒙古史研究室编，1963 年版。

196. 《内蒙古教育史志资料》（全 3 册），内蒙古大学出版社 1995 年版。

197. 《内蒙古辛亥革命史料》，内蒙古人民出版社 1962 年版。

198. 《多伦文史资料》第一辑，内蒙古大学出版社 2006 年版。

199. 《阿拉善盟史志资料选编》第一、二、四辑，阿拉善盟地方志编委会，1986、1988 年版。

200. 《鄂托克旗文史资料》第一辑，鄂托克旗政协。

201. 《鄂尔多斯人民独贵龙运动资料》（油印本），第 11 辑，伊克昭盟档案馆编。

202. 《内蒙古史志资料选编》第一辑，内蒙古地方志编纂委员会编印。

203. 《内蒙古文史资料》，内蒙古人民出版社 1979 年版。

204. 《阿拉善左旗志》，内蒙古教育出版社 2000 年版。

205. 《伊克昭盟志》第三册，现代出版社 1996 年版。

206. 《内蒙古喇嘛教纪例》，内蒙古文史资料第 54 辑，内蒙古自治区政协文史和学习委员会编，1997 年版。

207. 《大黄册》，乌力吉图校注，民族出版社 1983 年版。

208. 魏焕：《皇明九边考》，齐鲁书社 1997 年版。

209. 郑晓：《皇明北虏考》，《丛书集成续编·第 23 册·史部》，上海书店出版社 1994 年版。

210. 雍正皇帝：《大义觉迷录》，北方妇女儿童出版社 2001 年版。

211. 祈韵士：《西陲要略》，《丛书集成初编本》。

212. 李云麟：《西陲事略》，《中国方志丛书》，台湾成文出版社 19608

年版。

213．梁启超：《中国近三百年学术史》，中国华侨出版社 2008 年版。

214．龚自珍：《龚自珍全集》，远流出版公司 1983 年版。

215．方略馆编：《钦定平定回疆剿擒逆裔方略》，北京图书馆出版社 2006 年影印版。

216．魏源：《圣武记》，文海出版社 1967 年版。

217．文庆等编：《筹办夷务始末》，全国图书馆文献缩微中心，2003 年版。

218．李鸿章：《李文忠公全书》，清光绪三十四年（1908 年）刻本。

219．左宗棠：《左文襄公全集》，文海出版社 1979 年版。

220．曾国藩：《曾文正公全集》，吉林人民出版社 1995 年版。

221．张之洞：《张文襄公全集》，中国书店 1990 年版。

222．中国第一历史档案馆：《黑龙江将军衙门档案》。

223．陈祖善：《东蒙古纪程》，1914 年刻本。

224．吉林省档案馆、吉林省少数民族古籍整理办公室编：《吉林旗务》，天津古籍出版社 1990 年版。

225．邓衍林：《中国边疆图籍录》，《近代中国史料丛刊续辑》，第十一辑，105 号。

226．马健石、杨育棠主编：《大清律例通考校注》，中国政法大学出版社 1992 年版。

227．《大清光绪新法令》，商务印书馆宣统二年（1910 年）版。

228．《大清法规大全》，政学社印行，台湾考正出版社 1972 年影印本。

229．顾祖禹：《读史方舆纪要》，贺次君、施和金点校，中华书局 2005 年版。

230．盛朗西：《中国书院制度》，中华书局 1984 年版。

231．《乾隆府厅州县图志》，天津古籍出版社影印本 2007 年版。

232．商务印书馆四库全书工作委员会编：《皇朝通典》，商务印书馆 2005 年版。

233．刘钟萃：《多伦诺尔厅调查记》，民国三年（1914 年）五月《东方杂志》第 10 卷第 11 号。

234. 刘朝铭：《蒙盐纪要》，内蒙古图书馆藏手抄本。

235. 佚名纂：《长春厅志》，清光绪年间修，南京大学藏抄本。

236. 石绍廉：《德惠县乡土志》，1960 年吉林省图书馆油印本，内蒙古图书馆藏复印本。

237. 载龄、惠祥：《户部则例》，同治十二年（1873 年）刻。

238. 钱开震：《奉化县志》，光绪十一年（1885 年）刻本。

239. 包文俊：《梨树县志》，民国二十三年（1934 年）续修铅印本。

240. 佚名：《梨树县乡土志》，民国三年（1914 年）抄本。

241. 喀喇沁旗人民政府：《喀喇沁旗地名志》，喀喇沁旗人民政府 1986 年版。

242. 喀喇沁右旗地政局编：《蒙地概况》，1941 年版。

243. 布仁赛音：《近现代蒙古人农耕村落社会的形成》，风间书房 2003 年版。

244. 罗布桑悫丹：《蒙古风俗鉴》，哈·丹碧扎拉桑批注，内蒙古人民出版社 1981 年版。

245. 闫天灵：《汉族移民与近代内蒙古社会变迁研究》，民族出版社 2001 年版。

246. 冯瑗：《开原图说》，全国图书馆缩微文献复制中心 1992 年版。

247. 胡日查、长命：《科尔沁蒙古史略》，民族出版社 2001 年版。

248. 王士仁：《哲盟实剂》，哲里木盟文化处 1987 年版。

249. 《安广县乡土志》，《中国地方志集成·吉林府县志辑》，凤凰出版社 2006 年版。

250. 巴彦那木尔修，卢伯航纂：《西科后旗志》，1941 年版。

251. 益西巴勒丹：《宝贝念珠》，民族出版社 1989 年版。

252. 刘海源主编：《内蒙古垦务研究》，内蒙古人民出版社 1990 年版

253. 胡焕庸：《中国人口地理》，华东师范大学出版社 1984 年版。

254. 陈玉甲：《绥蒙辑要》，民国二十五年（1936 年）铅印本。

255. 孔祥哲：《蒙旗概观》，天津百城书局石印本，1938 年版。

256. 花楞编：《内蒙古纪要》，民国五年（1916 年）铅印本。

257. 绥远省教育会：《绥远省各县乡村调查纪实》，1936 年版。

258. 张集馨：《道咸宦海见闻录》，中华书局1981年版。

259. 周志平：《基督教传播与近代绥远社会》，内蒙古大学硕士学位论文，2007年。

260. 《近代史所集刊》，台湾"中央"研究院近代史研究所，2000年版。

261. 韩梅圃：《绥远省河套调查记》，绥远省民众教育馆民国二十三年（1934年）铅印本。

262. 魏焕：《巡边总论》，《明经世文编》，稻乡出版社2001年版。

263. 陈庚雅：《西北视察记》，甘肃人民出版社2002年版。

264. 庞善守：《伊克昭盟达拉特旗蒙民的乡村生活》，载《东方杂志》32卷12号。

265. 杭锦旗地方志编纂委员会编：《杭锦旗志》，内蒙古人民出版社1994年版。

266. 《前绥远垦务总局资料——伊克昭盟·准格尔旗》，蒙古联合自治政府地政总署，1940年版。

267. 《伊盟水利水土保持资料汇编》（清代—民国），伊克昭盟档案局藏抄本。

268. 邢野、王新明：《旅蒙商通览》，内蒙古人民出版社2008年版。

269. 王家屏：《复宿山房集》，全国图书馆文献缩微中心1986年版。

270. 张立德等辑：《陕绥划界纪要》，《榆林道尹呈省长文》，1919年版。

271. 孙学雷、刘家平主编：《国家图书馆藏清代孤本外交档案·矿物档》，全国图书馆文献缩微复制中心，2003年版。

272. 徐珂：《清稗类钞》，中华书局1984年版。

273. 《绥远概况》，绥远省政府编印，1933年版。

274. 《黑龙江述略》，成文出版社1969年版。

275. 佚名：《驿站路程》，上海着易堂1897年铅印本。

276. 曹廷杰：《东北边防辑要》，广文书局1968年版。

277. 西清：《黑龙江外记》，商务印书馆1941年版。

278. 《乌里雅苏台志略》，学生书局1967年版。

279. 《盛京通志》，商务印书馆 2005 年版。

280. 温达：《亲征平定朔漠方略》，海南出版社 2000 年版。

281. 乌力吉巴雅尔：《蒙藏关系史大系·宗教卷》，外语教学与研究出版社、西藏人民出版社 2001 年版。

282. 妙舟：《蒙藏佛教史》，江苏广陵古籍刻印社 1993 年版。

283. 萨·那尔松、特木尔巴根：《鄂尔多斯寺庙》，内蒙古文化出版社 2000 年版。

284. 舍·那楚克多尔济：《喀尔喀历史》，内蒙古教育出版社 1997 年版。

285. 米格米尔、元丹苏荣：《阿穆尔巴雅斯呼朗图寺志》，乌兰巴托 1993 年版。

286. 张羽新：《清政府与喇嘛教》，西藏人民出版社 1988 年版。

287. 陶克通嘎等编：《瑞应寺》，内蒙古文化出版社 1984 年版。

288. 《蒙古族社会历史调查》，内蒙古人民出版社 1986 年版。

289. 色·普鲁布扎布：《蒙古的黄教简史》，乌兰巴托 1978 年版。

290. 《呼和浩特召庙》，金峰整理注释，内蒙古人民出版社 1981 年版。

291. 刘统勋：《钦定皇舆西域图志》，兰州古籍书店 1990 年版。

292. 勒·丹都布：《满洲殖民统治蒙古的历史资料》，蒙古国科学院手抄本馆藏。

293. 《吉祥佛陀教法源流之传记》（蒙文），库伦旗人民委员会办公室油印本，1960 年版。

294. 《清代蒙古高僧传辑》，全国图书馆文献缩微复制中心 1991 年版。

295. 隆德礼：《西湾圣教源流》，1939 年北京西什库遣使会印字馆排印。

296. 李杕：《拳祸记》，上海土山湾印书馆 1923 年版。

297. 李杕：《增补拳祸记》，上海土山湾印书馆宣统元年（1909 年）版。

298. 王守礼：《边疆公教社会事业》，傅明渊译，上智编译馆 1950 年版。

299. 丁治国：《伊南边区调查报告》，1944 年 9 月，南京中国第二历史档案馆藏，代号 141 档号 854。

300. 常非：《天主教绥远教区传教简史》，内蒙古图书馆藏抄本。

301.《教务教案档》，台湾"中央"研究院近代史研究所 1980 年版。

302. 张鸣、许蕾：《拳民与教民——世纪之交的民众心态解读》，九州图书出版社 1998 年版。

303. 彭嵩寿：《闵玉清传》，高培贤译，内蒙古民委油印本，内蒙古图书馆藏本。

304. 朱金甫、陈增辉主编：《清末教案》（一——六册），中华书局 1996—2006 年版。

305. 王先明、郭卫民主编：《乡村社会文化与权力结构的变迁》，人民出版社 2002 年版。

306. 丁君陶：《今日的绥远》，上海三联书店 1937 年版。

307. 程歗：《晚清乡土意识》，中国人民大学出版社 1990 年版。

308. 王守礼：《蒙疆公教社会事业》，上智编译馆 1950 年版。

309.《伊盟左翼三旗调查报告书》，蒙藏委员会调查室 1941 年版。

310. 磴口县政协文史资料委员会编：《磴口文史资料》，1990 年版。

311. 包头市地方志史编修办公室编：《包头史料荟要》，内蒙古人民出版社 1984 年版。

312. 土默特右旗政协文史资料委员会编：《土默特右旗文史资料》，1989 年版。

313. 巴彦淖尔盟政协文史资料研究委员会选编：《巴彦淖尔文史资料》，1989 年版。

314. 林竞：《西北丛编》，神州国光社 1930 年版。

315. 宝鋆：《筹办夷务始末》，文海出版社 1971 年版。

316. 杨英杰：《清代满族风俗史》，辽宁人民出版社 1991 年版。

317.《全辽志外志》，《辽海丛书》，辽沈书社 1985 年版。

318.《宁古塔纪略》，《龙江三纪》，黑龙江人民出版社 1985 年版。

319.《池北偶谈》，中华书局 1982 年版。

320.《永宪录》，中华书局 1959 年版。

321.《听雨丛谈》，中华书局 1959 年版。

322. 郑天挺：《探微集》，中华书局 1980 年版。

323. 《多桑蒙古史》，冯承钧译，上海书店出版社 2001 年版。

324. 吉·宝音德力格尔主编：《可爱的陈巴尔虎》，内蒙古文化出版社 1999 年版。

325. 段连勤：《丁零、高车与铁勒》，上海人民出版社 1988 年版。

326. 范文澜：《中国通史简编》（修订本），人民出版社 1965 年版。

327. 王永兴：《唐代前期军事史略论稿》，昆仑出版社 2003 年版。

328. 孟慧英：《萨满教观念研究——尘封的偶像》，北京出版社 2000 年版。

329. 荣苏赫等主编：《蒙古族文学史》，辽宁民族出版社 1994 年版。

330. 中国北方民族关系史编写组：《中国北方民族关系史》，中国社会科学出版社 1978 年版。

331. 宝敦古德·阿毕德：《布里亚特蒙古简史》，内蒙古文化出版社 1983 年版。

332. 林干：《突厥史》，内蒙古人民出版社 1988 年版。

333. 刘维新主编：《新疆民族辞典》，新疆人民出版社 1995 年版。

334. 崔永红、张得祖、杜常顺主编：《青海通史》，青海人民出版社 1999 年版。

335. 五世达赖喇嘛：《西藏王臣记》，民族出版社 1983 年版。

336. 王辅仁、陈庆英编：《蒙藏民族关系史略》，中国社会科学出版社 1985 年版。

337. 瀛云萍：《八旗源流》，大连出版社 1991 年版。

338. 柳成栋整理：《黑龙江孤本方志四种》，黑龙江人民出版社 1989 年版。

339. 苏勇主编：《呼伦贝尔盟民族志》，内蒙古人民出版社 1997 年版。

340. 定宜庄：《清代八旗驻防研究》，辽宁民族出版社 2003 年版。

341. 包文汉整理：《清朝藩部要略稿本》，黑龙江教育出版社 1997 年版。

342. 燕京、清华、北大 1950 年暑期内蒙古工作调查团：《内蒙古呼纳盟民族调查报告》，内蒙古人民出版社 1997 年版。

343．呼伦贝尔盟文化局、呼伦贝尔盟文联编：《呼伦贝尔民歌》，内蒙古人民出版社 1984 年版。

344．苏那木策林：《苏都护呼伦贝尔调查八旗风俗各事务咨部报告书》，呼伦贝尔盟历史研究会编印 1986 年版。

345．郑东日：《东方通古斯诸民族起源及社会状况》，延边大学出版社 1991 年版。

346．呼伦贝尔副都统衙门编：《呼伦贝尔副都统衙门册报志稿》，呼伦贝尔盟历史研究会 1986 年铅印本。

347．崔贵文主编：《呼伦贝尔畜牧业》，内蒙古文化出版社 1992 年版。

348．李萍、李文秀编：《甘珠尔庙外记》，内蒙古文化出版社 1998 年版。

349．徐占江主编：《呼伦湖志》，内蒙古文化出版社 1989 年版。

350．仁钦道尔吉：《蒙古英雄史诗源流》，内蒙古大学出版社 2001 年版。

351．德勒格：《内蒙古喇嘛教史》，内蒙古人民出版社 1998 年版。

352．《达古尔蒙古嫩流志》，内蒙古自治区社会科学院民族研究室、内蒙古自治区民族问题五种丛书编委会复印 1980 年版。

353．郝时远、张世和、色音、李茜：《新巴尔虎右旗蒙古族卷》，民族出版社 1997 年版。

354．吴玉霞、彭立军主编：《新巴尔虎左旗志》，内蒙古文化出版社 2002 年版。

355．赵云田：《清代蒙古政教制度》，中华书局 1989 年版。

356．《达斡尔族简史》，内蒙古人民出版社 1986 年版。

357．珠荣嘎、满都尔图主编：《达斡尔族社会历史调查》，内蒙古人民出版社 1985 年版。

358．《莫力达瓦旗情》，呼伦贝尔盟历史研究会，1985 年版。

359．《清代黑龙江历史档案选编》，黑龙江人民出版社 1986 年版。

360．内蒙古少数民族社会历史调查组、中国科学院内蒙古分院历史研究所编：《达斡尔鄂温克鄂伦春赫哲史料摘抄》，内蒙古人民出版社 1962 年版。

361．《满族简史》，中华书局 1979 年版。

362．白兰：《鄂伦春族文化研究》，内蒙古教育出版社 2007 年版。

363．史禄国：《北方通古斯社会组织》，吴有刚、赵复兴、孟克译，内蒙古人民出版社 1984 年版。

364．胡增益：《鄂伦春语简志》，民族出版社 1986 年版。

365．中国第一历史档案馆、鄂伦春民族研究会编：《清代鄂伦春族满汉文档案汇编》，民族出版社 2001 年版。

366．苏勇：《呼伦贝尔市人物志》，内蒙古文化出版社 2006 年版。

367．《鄂温克族简史》，内蒙古人民出版社 1983 年版。

368．《中国近代爱国者百人传》，黑龙江人民出版社 1985 年版。

369．蔡冠洛编：《清代七百名人传》，中国书店 1984 年版。

370．《中国少数民族历史人物志》，内蒙古人民出版社 1981 年版。

371．内蒙古自治区政协文史资料委员会编：《内蒙古近现代王公录》，《内蒙古文史资料》第三十二辑，1988 年版。

372．内蒙古自治区政协文史资料委员会编：《内蒙古近现代王公录续编》，《内蒙古文史资料》第三十五辑，1989 年版。

373．内蒙古自治区政协文史资料委员会编：《王同春与河套水利》，《内蒙古文史资料》，第三十六辑，1989 年版。

374．《内蒙古辛亥革命史料》，内蒙古人民出版社 1962 年版。

375．李汶忠：《中国蒙古族科学技术史简编》，科学出版社 1990 年版。

376．张瑞萍主编：《近代中国蒙古族人物传》，内蒙古大学出版社 1992 年版。

377．刘文艳、赖炳文：《尹湛纳希传》，辽宁大学出版社 1988 年版。

378．[波斯]拉施特：《史集》第一卷，第一分册、第二分册，余大钧等汉译，商务印书馆 1986 年版。

379．[日]江实编：《蒙古联合自治政府巴彦塔拉盟史料集成·土默特特别旗之部第一辑》，1942 年版。

380．[日]柏原孝久、滨田纯一编：《蒙古地志》，东京富山房大正 8 年（1919 年）版。

381．[日]星武雄：《东蒙游记》，东亚图书株式会社大正 9 年（1920

年）版。

382．［日］剑虹生：《多伦诺尔记》，《东方杂志》第 5 年第 10 期。

383．［日］关东都督府编：《东部蒙古志》，1914 年版。

384．东省铁路经济调查局编：《巴尔虎的经济概观》，1930 年日译本。

385．东省铁路经济调查局编：《呼伦贝尔》，1929 年汉译本。

386．［日］桑原隲藏：《考史游记·东蒙古纪行》，东京弘文堂书房，1942 年版。

387．［日］松本隽：《东蒙古真相》，兵林馆大正 2 年（1913 年）版。

388．［日］田山茂：《清代蒙古社会制度》，潘世宪译，商务印书馆 1987 年版。

389．［日］《锦热蒙地调查报告》，地籍整理局编，1937 年版。

390．［日］山田久太郎编：《满蒙都邑全志》，东京日刊支那事情社大正 15 年（1926 年）版。

391．［日］安斋库治：《清末绥远的开垦》，那木云译，载内蒙古大学《蒙古史研究参考资料》第六、七辑，1963 年版。

392．［日］岛田正郎：《清朝蒙古例研究》，创文社 1982 年版。

393．［日］天海谦三郎：《锦热蒙地开垦资料二则》，满铁调查局，昭和十八年版（1943 年）。

394．［日］及川三男：《热河蒙旗概要》，伪满洲热河省公署民政厅旗务科，1936 年版。

395．［日］町田咲吉：《喀喇沁部农业调查报告》，光绪三十一年（1905 年）版。

396．［日］鸟居君子：《从土俗学角度观看蒙古民族》，东京大镫阁藏版1927 年版。

397．［日］鸟居龙藏：《蒙古旅行》，东京博文馆 1911 年版。

398．［日］《西科后旗扎赉特旗放垦蒙荒调查报告书》，地籍整理局开放蒙地资料第五辑，1940 年版。

399．［日］今堀诚二：《中国封建社会的构造》，汲古书院 1978 年版。

400．［日］田村英男：《蒙古社会构成的基础单位苏木》，《满铁调查月报》22 卷 2 号。

401.［日］安斋库治：《蒙疆土地分割所有制的一种类型》，《满铁调查月报》22 卷 5 号。

402.［日］山田武彦、关谷阳一：《蒙疆农业经济论》，日光书院，昭和十九年（1944 年）版。

403.［日］满铁调查课：《满蒙交界地方经济调查资料》，大连南满铁道株式会社 1915 年版。

404.［日］鸟居龙藏：《满蒙古迹考》，陈念本译，商务印书馆 1933 年版。

405.［日］松本隽：《东蒙风俗谈》，吴钦泰译，商务印书馆 1928 年版。

406.［日］莲井一夫等：《多伦喇嘛庙とその生態》，《内陆アジア》第一辑，昭和十六年（1941 年）版。

407.［日］长尾雅人：《蒙古学问寺》，全国书房刊行 1947 年版。

408.［俄］中东铁路局商业部编：《黑龙江》，汤尔和译，商务印书馆 1939 年版。

409.［俄］符拉基米尔佐夫：《蒙古社会制度史》，刘荣焌译，中国社会科学出版社 1980 年版。

410.［俄］阿·马·波兹德涅耶夫：《蒙古及蒙古人》第一卷、第二卷，刘汉明、张梦玲、卢龙译，内蒙古人民出版社 1989、1983 年版。

411.［俄］杰烈维扬科：《黑龙江沿岸的部落》，吉林文史出版社 1987 年版。

412.［俄］冈索维奇：《阿穆尔边区史》，商务印书馆 1978 年版。

413.［俄］史禄国：《满族的社会组织——满族氏族组织研究》，商务印书馆 1997 年版。

414.［俄］波兹德涅耶夫：《蒙古及蒙古人》，刘汉明译，内蒙古人民出版社 1983 年版。

415.［俄］P. 马克：《黑龙江旅行记》，商务印书馆 1977 年版。

416.［英］拉文斯坦：《俄国人在黑龙江》，商务印书馆 1974 年版。

417.［法］古伯察：《鞑靼西藏旅行记》，耿昇译，中国藏学出版社 1991 年版。